AF512933

McGraw Hill edge™ COURSEWARE

क्या है

McGraw Hill Edge Courseware बहुविध शिक्षण और मूल्यांकन समाधान प्रदान कर पाठकों को समग्र और बदलते परीक्षा रुझानों के अनुकूल परीक्षा तैयारी के लिए विश्वसनीय सामग्री और अभिनव शिक्षण उपलब्ध कराता है। यह कोर्सवेयर परीक्षार्थियों के लिए मैकग्रॉ हिल की विशिष्ट पुस्तकों को अत्याधुनिक डिजिटल संसाधनों और नवीनतम जानकारी के साथ प्रस्तुत करता है। यह परीक्षार्थियों को विषयवस्तु की गहन समझ प्रदान कर अधिगम और स्मरण क्षमता को बढ़ाता है, और उनके प्रदर्शन का मूल्यांकन कर उन्हें सुधार की संभावनाओं के बारे में अवगत कराता है, जिससे अंततः उनका आत्मविश्वास बढ़ता है। यह कोर्सवेयर नवाचार (innovation) के क्षेत्र में अग्रणीय है। यह परीक्षार्थियों को सफलता हेतु मार्गदर्शन प्रदान कर अधिगम विधि में क्रांतिकारी बदलाव लाता है!

McGraw Hill Edge Courseware
के साथ अपनी क्षमता को अनलॉक करें

वैचारिक वीडियो (Conceptual Videos)
अमूर्त विचारों को आकर्षक दृश्यात्मक कहानी में बदलने के लिए

अध्ययन सहायक सामग्री (Study Aids)
दृश्य सारांश, माइंड मैप, फ्लैश कार्ड, इन्फोग्राफिक्स आदि के साथ अधिगम को सरल बनाने के लिए

ज्ञान संवर्धन सामग्री (Knowledge Enrichment Content)
विशेष पठन सामग्री के साथ सफलता के लिए अपना रास्ता तैयार करें

विगत वर्षों के प्रश्न (Previous Years' Questions)
विस्तृत व्याख्याओं के साथ PYQs के व्यापक संग्रह से अभ्यास करने के लिए

मॉक टेस्ट (Mock Tests)
वास्तविक परीक्षा स्थितियों का अनुकरण करने और आत्मविश्वास बढ़ाने के लिए

प्रदर्शन विश्लेषण (Performance Analytics)
डेटा-संचालित अंतर्दृष्टि के साथ परीक्षा की तैयारी को अनुकूलित करने के लिए

लाइव इंटरैक्टिव सत्र (Live Interactive Sessions)
इंटरैक्टिव सत्रों के माध्यम से लेखक से बहुमूल्य जानकारी प्राप्त करने के लिए

ई-बुक एक्सेस (eBook Access)
अध्ययन सामग्री को कभी भी, कहीं भी आसानी से एक्सेस करने के लिए

यूजीसी नेट प्रश्न-पत्र 1 पर कोर्सवेयर के साथ आपको क्या मिलता है?

यूजीसी नेट प्रश्न-पत्र 1, शिक्षण और शोध अभियोग्यता पर पाठ्यक्रम एक संपूर्ण शिक्षण समाधान है जिसे NET, SET, JRF और PhD आवेदकों की जरूरतों को ध्यान में रखकर डिजाइन किया गया है।

- **विगत वर्षों के प्रश्न:** विगत वर्षों के 2014 से 2025 तक के 4000+ प्रश्नों तक पहुँच
- **वैचारिक वीडियो:** अमूर्त अवधारणाओं को आकर्षक दृश्य कथाओं में बदलने के लिए 120+ वैचारिक वीडियो
- **मॉक टेस्ट प्रश्न-पत्र:** वास्तविक परीक्षा स्थितियों का अनुकरण करने और तैयारी का आकलन करने के लिए 50 पूर्ण हल किए गए मॉक टेस्ट पेपर
- **ज्ञान संवर्धन सामग्री:** स्कोरबूस्टर्स तक विशेष पहुँच – उम्मीदवारों को प्रतिस्पर्धात्मक बढ़त देने के लिए मूल्यवर्धित पूरक पठन संसाधन
- **प्लक आउट चार्ट:** प्रत्येक इकाई से मुख्य बिंदुओं को याद करने वाला एक कुशल संशोधन उपकरण
- **नवीनतम UGC NET प्रश्न-पत्र:** विस्तृत स्पष्टीकरण के साथ जनवरी 2025 (सेट 1 और 2) और अगस्त 2024 (सेट 1 और 2) के प्रश्न-पत्र तक पहुँच

स्कैन करें

इस कोर्सवेयर के बारे में सब कुछ जानने के लिए इस QR कोड को स्कैन करें

निवेदन

जालसाज़ी का विरोध करें और सफलता के लिए एक मज़बूत आधार तैयार करें।

पुस्तकें हमारी सबसे अच्छी दोस्त होती हैं, यही वह कहावत है, जिसे सुनकर हम सब बड़े हुए हैं, हालाँकि पायरेसी के चोर लगातार 'हमारे सबसे अच्छे दोस्त' के साथ जालसाज़ी कर रहे हैं। हमारी सभी पुस्तकों और उनसे संबंधित ऑनलाइन पूरक संसाधनों का कॉपीराइट हमारे पास सुरक्षित हैं और हम किसी को भी इन्हें कॉपी करने का कोई अधिकार नहीं देते हैं, पायरेसी पुस्तकों की चोरी करने जैसा है। ज्ञान वास्तविकता से आता है, आइए इस जालसाज़ी को हतोत्साहित करें। इसलिए, हम अपने सभी पाठकों से पायरेटेड पुस्तकों को रोकने और प्रमाणिक पुस्तकों को **चुनने का निवेदन करते हैं।**

पायरेटेड पुस्तकों की पहचान कैसे करें?

1 कवर और स्पाइन

- देखें और महसूस करें (नयी या इस्तेमाल की गयी पुस्तक)
- कवर पर धुँधली तस्वीरें
- सामने चिपकाया गया होलोग्राम
- ख़राब स्पाइन (सिकुड़न) या इसके निचले भाग पर एयर पॉकेट
- अस्पष्ट ISBN/बार कोड
- McGraw Hill Edge के एक्सक्लूसिव कवरेज के लिए मिटा हुआ/ग़ैर-कार्यात्मक यूनिक कूपन कोड

2 टेक्स्ट/प्रिंटिंग/बाइंडिंग

- पृष्ठों की असमान स्याही
- खराब गुणवत्ता या धुँधली तस्वीरें/छवियाँ/चार्ट
- निम्न स्तरीय गुणवत्ता और अपारदर्शिता
- ग़लत सरेखण वाले पृष्ठ
- पृष्ठों का ग़ायब होना
- निम्न स्तरीय जिल्द गुणवत्ता

आप इस वीडियो पर जाकर देख सकते हैं कि पायरेटेड पुस्तक की पहचान कैसे करें।

पायरेसी की पहचान करने के बारे में अधिक जानकारी के लिए, https://www.mheducation.co.in/piracy पर जायें।
पायरेटेड पुस्तक की रिपोर्ट करने के लिए, बैक कवर पर दिये गये व्हाट्सएप कोड पर 'Hi' भेजे या हमें support.india@mheducation.com पर लिखें।
रिपोर्ट की गयी पायरेटेड पुस्तकों की जाँच उनकी चोरी से निपटने के लिए की जाती है।
आइए, पायरेसी के चोरों से लड़ें और असली पुस्तक का इस्तेमाल करने का संकल्प करें!

COURSEWARE ON

एन.टी.ए.
यू.जी.सी. 2025

नेट • सेट • जे.आर.एफ.

अनिवार्य

सामान्य प्रश्न-पत्र I

शिक्षण एवं शोध अभियोग्यता

डॉ. अर्पिता कर्वा
(पीएच.डी, एमए स्वर्ण पदक विजेता)

McGraw Hill Education (India) Private Limited

Published by McGraw Hill Education (India) Private Limited
Registered Office: Anjana Complex No: 5/90 A, Butt Road, St. Thomas Mount, Chennai – 600016

Courseware on UGC NET, SET, JRF Samanya Prashanpatra I

Print Edition:
ISBN (13): 978-93-6444-490-3
ISBN (10): 93-6444-490-6

E-Book Edition:
ISBN (13): 978-93-6444-671-6
ISBN (10): 93-6444-671-2

1 2 3 4 5 6 7 8 9 7101558 29 28 27 26 25

Printed and bound in India.

Typeset at Transcend Content Solution, 163F Jaigirghat Road, Panchanantala, Kolkata – 700 063
and printed at Rajkamal Electric Press, Kundli, Haryana-131 028.

Cover Designer: Neeraj Dayal

Visit us at: www.mheducation.co.in
Write to us at: support.india@mheducation.com
CIN: U80302TN2010PTC111532
Toll Free Number: 1800 103 5875

स्नेहपूर्वक समर्पित इस ब्रह्मांड के सबसे बेहतरीन शिक्षक को,
जो प्रेम और दिव्यता का प्रतीक हैं।

भगवान श्री कृष्ण

आप मेरे विश्वास और शक्ति के शाश्वत स्रोत हैं,
मेरे पथ के मार्गदर्शक और अंतिम गंतव्य हैं,
आपकी दिव्य बुद्धि और असीम कृपा ने हमेशा मेरे मार्ग को रोशन किया है,
और मुझे सर्वश्रेष्ठ बनने के लिए प्रेरित किया है,
मैं यह पुस्तक आपके श्रीचरणों में,
विनम्र भक्ति और असीम कृतज्ञता के साथ अर्पित करती हूँ।

|| कृष्णम् वंदे जगद्गुरुम् ||

लेखिका के बारे में (About the Author)

डॉ. अर्पिता कर्वा एक बेस्टसेलिंग लेखिका और विश्वविद्यालय स्वर्ण पदक विजेता हैं, जिनके पास आठ वर्ष से अधिक का ट्रांसफॉर्मेटिव टीचिंग अनुभव है। वह arpitakarwa.com की दूरदर्शी संस्थापक हैं, जो एक ऑनलाइन कोचिंग प्लेटफॉर्म है, जिसके माध्यम से वह प्रति वर्ष अनगिनत UGC NET उम्मीदवारों को विशेषज्ञ मार्गदर्शन और ऑनलाइन कोर्स के जरिए सशक्त बनाती हैं। भारत के शीर्ष कॉलेजों में अतिथि संकाय सदस्य के रूप में काम करने के बाद, लेखिका ने अंग्रेजी साहित्य में Ph.D. की है। उन्होंने अपने पहले प्रयास में ही UGC NET के लिए अर्हता प्राप्त करके और लगातार तीन बार इसे पास करके अपनी शैक्षणिक क्षमता का प्रदर्शन किया है।

अर्पिता का प्रभाव उनके YouTube चैनल के जरिए दुनिया भर में फैला हुआ है, जो UGC NET के क्षेत्र में भारत के सबसे बड़े चैनलों में से एक है, जिसके 600k से ज्यादा सब्सक्राइबर हैं। उनकी सफलता के सम्मान में, YouTube ने उन्हें 2018 में सिल्वर प्ले बटन से सम्मानित किया।

अर्पिता इस विश्वास से प्रेरित हैं कि नैतिक, विचारशील और न्यायपूर्ण समाज के निर्माण के लिए शिक्षा महत्वपूर्ण है। अपनी वेबसाइट और मोबाइल एप्लिकेशन के माध्यम से, वह दुनिया भर के शिक्षकों, शिक्षार्थियों और पाठकों को सशक्त बनाना चाहती हैं। उनका मिशन प्रतिस्पर्धी परीक्षाओं की जटिलताओं को सरल बनाना और शिक्षा को समझने और प्रदान करने के तरीके को फिर से परिभाषित करना है।

अर्पिता की शैक्षणिक यात्रा

अपने स्कूल के वर्षों के दौरान, अर्पिता ने अकादमिक रूप से उत्कृष्ट प्रदर्शन किया और अपने स्कूल की 'हेड गर्ल' के रूप में नेतृत्व की भूमिकाएँ निभाईं। वह स्कूल के साहित्यिक क्लब की अध्यक्ष थीं और स्कूल पत्रिका की संपादक के रूप में काम करती थीं। टाइम्स ऑफ इंडिया के लिए एक छात्र संपादक के रूप में काम करते हुए उनकी प्रतिभा पत्रकारिता तक भी पहुँची। अर्पिता के असाधारण वक्तृत्व कौशल (oratory skills) ने उन्हें वाद-विवाद प्रतियोगिताओं में कई प्रथम पुरस्कार दिलाए, और उन्हें अपने स्कूल में सर्वश्रेष्ठ वक्ता के रूप में सम्मानित किया गया।

साहित्य के प्रति अपने प्रेम और शिक्षण के प्रति अपने प्यार से प्रेरित होकर, अर्पिता ने अंग्रेजी साहित्य में बीए (ऑनर्स) किया। अपनी स्नातक की पढ़ाई के दौरान, उन्होंने सॉफ्ट स्किल ट्रेनर और करियर कोच के रूप में काम किया, और विभिन्न बहुराष्ट्रीय कंपनियों के साथ कई प्रशिक्षण कार्यक्रमों और कार्यशालाओं को सफलतापूर्वक पूरा किया।

राजस्थान विश्वविद्यालय से अंग्रेजी में एम.ए. के साथ अर्पिता की शैक्षणिक यात्रा जारी रही। अपनी स्नातकोत्तर की पढ़ाई के दौरान, उन्होंने न केवल अपने पहले प्रयास में यूजीसी नेट परीक्षा उत्तीर्ण की, बल्कि स्वर्ण पदक अर्जित करके विश्वविद्यालय में शीर्ष स्थान भी हासिल किया। अपनी स्नातकोत्तर की पढ़ाई के बाद, उन्होंने Ph.D. पूरी की। अंग्रेजी साहित्य में, इस क्षेत्र के प्रति उनकी विशेषज्ञता और समर्पण को और मजबूत किया।

एक शिक्षक के रूप में अर्पिता की यात्रा

2018 में UGC NET अंग्रेजी परीक्षा की तैयारी करते समय, अर्पिता ने गुणवत्तापूर्ण कोचिंग कक्षाओं और ऑनलाइन संसाधनों की कमी देखी। इस अहसास ने उन्हें arpitakarwa.com बनाने के लिए प्रेरित किया, जो UGC NET प्रश्नपत्र 1, UGC NET प्रश्नपत्र 2 (अंग्रेजी साहित्य), TGT, PGT, MA प्रवेश, PhD प्रवेश GATE और अंग्रेजी साहित्य से संबंधित विभिन्न अन्य प्रतियोगी परीक्षाओं के लिए ऑनलाइन पाठ्यक्रम प्रदान करने वाला एक सोच-समझकर बनाया गया ऑनलाइन प्लेटफॉर्म है।

उनके ऑनलाइन पाठ्यक्रमों का एक सिद्ध सफलता रिकॉर्ड है, प्रति वर्ष उनके ऑनलाइन बैच से कई छात्र NET और JRF उत्तीर्ण करते हैं। हर उम्मीदवार के सपने को साकार करने की अर्पिता की प्रतिबद्धता ने अनगिनत टॉपर्स तैयार किए हैं, जिसने arpitakarwa.com को UGC NET कोचिंग में अग्रणी के रूप में स्थापित कर दिया है।

COVID-19 लॉकडाउन के दौरान ई-लर्निंग में बदलाव ने उन्हें नवोन्वेष (innovate) और अनुकूलन (adapt) करने के लिए प्रेरित किया। अधिगम को मजेदार और परिवर्तनकारी बनाने के बारे में उत्साहित, अर्पिता ने 2020 में अपनी वेबसाइट पर यूजीसी नेट प्रश्नपत्र 1 और प्रश्नपत्र 2 (अंग्रेजी साहित्य) के लिए भारत का पहला एनिमेटेड वीडियो कोर्स लॉन्च किया। शेक्सपियर के कालजयी शब्दों, '*O this learning] what a thing it is!*' (यह शिक्षा क्या है, कितनी अद्भुत!) से प्रेरित होकर, वह शैक्षिक परिदृश्य में क्रांति लाना जारी रखती हैं।

शिक्षाविदों से परेः अर्पिता की जुनूनी खोज

अर्पिता एक उत्साही व्लॉगर भी हैं। अंग्रेजी साहित्य को और अधिक प्रासंगिक और रोमांचक बनाने की उनकी इच्छा से प्रेरित होकर, उन्होंने शेक्सपियर के ग्लोब थिएटर और चार्ल्स डिकेंस संग्रहालय जैसी प्रमुख साहित्यिक साइटों पर व्लॉग बनाने के लिए 2023 में पूरे यूरोप की यात्रा की। ये आकर्षक व्लॉग उनके YouTube चैनल पर मुफ्त में उपलब्ध हैं।

छात्रों को उनके सपनों को हासिल करने में मदद करने के लिए आजीवन प्रतिबद्धता के साथ, अर्पिता अपनी वेबसाइट के माध्यम से एक मुफ्त परामर्श सेवा भी चलाती हैं, जो अनगिनत छात्रों को उनके UGC NET की तैयारी में सहायता करती है। वह अपने YouTube चैनल पर वीडियो व्याख्यान और अपनी वेबसाइट पर UGC NET (2004 से 2025 तक) के लिए विगत वर्ष के हल किए गए प्रश्न-पत्र सहित कई मुफ्त संसाधन प्रदान करती हैं।

छात्रों को करियर में सफलता हासिल करने में मदद करने के अलावा, अर्पिता को अपने परिवार के साथ समय बिताना, फिल्में देखना, अपनी पसंदीदा किताबें फिर से पढ़ना, कॉमेडी क्लबों में जोर से हँसना और अपने भविष्य के कुत्तों के लिए नाम सोचना पसंद है! यहाँ उनके बारे में कुछ रोचक तथ्य दिए गए हैं:

- **पसंदीदा पुस्तक:** जेन ऑस्टेन द्वारा प्राइड एंड प्रेजुडिस (*Pride and Prejudice* by Jane Austen)
- **पसंदीदा फिल्म:** डेड पोएट्स सोसाइटी (*Dead Poet's Society*)
- **शौक और रुचियाँ:** पौराणिक कथाएँ, प्राचीन इतिहास और मनोविज्ञान (Mythology, Ancient History and Psychology)

अर्पिता से जुड़ें

Website: www.arpitakarwa.com

YouTube: www.youtube.com/arpitakarwa

Android और IOS ऐप: अर्पिता कर्वा लर्निंग ऐप

LinkedIn: www.linkedin.com/in/arpitakarwa

Instagram: instagram.com/arpitakarwa

Faceboole: facebook.com/arpitakarwa

Email: contact@arpitakarwa.co

लेखक की ओर से प्रोत्साहन का एक व्यक्तिगत नोट

प्रिय पाठक,

मुझे पता है कि UGC NET की तैयारी कितनी चुनौतीपूर्ण हो सकती है-मैं खुद उस रास्ते पर चली हूँ। ऐसे दिन भी थे जब प्रेरणा दूर लगती थी, और यात्रा भारी लगती थी लेकिन उन क्षणों में, मुझे उन शब्दों में ताकत मिली जो मुझे मेरे उद्देश्य की याद दिलाते थे और मुझे आगे बढ़ने में मदद करते थे।

अगर आपको कभी भी अटकाव महसूस होता है या आपको थोड़ी-सी मदद की जरूरत होती है, तो इस पेज पर वापस आएँ। ये मेरे कुछ पसंदीदा उद्धरण हैं जिन्होंने कठिन समय में मुझे ऊपर उठाया। मैं उन्हें आपके साथ साझा कर रहा हूँ, उम्मीद करता हूँ कि वे आपके भीतर भी वही चिंगारी जलाएँगे। चुनौतियों के बावजूद आगे बढ़ते रहो। मुझे तुम पर विश्वास है!

- 'निरंतरता ही वह चीज है जो औसत को उत्कृष्टता में बदल देती है' (टोनी रॉबिंस)
- 'हमें बाकियों से ज्यादा होशियार होने की जरूरत नहीं है। हमें बाकी लोगों से ज्यादा अनुशासित होना होगा।' (वॉरेन बफेट)
- 'अगर यह आपके लिए महत्वपूर्ण है, तो आप कोई रास्ता निकाल लेंगे। अगर नहीं, तो आप कोई बहाना ढूँढ लेंगे' (रयान ब्लेयर)
- 'असफलता बस फिर से शुरू करने का अवसर है, इस बार अधिक बुद्धिमानी से।' (हेनरी फोर्ड)
- 'यह मत चाहो कि यह आसान होता, काश तुम बेहतर होते। कम समस्याओं की कामना मत करो, ज्यादा कौशल की कामना करो। कम चुनौतियों की कामना मत करो; अधिक ज्ञान की कामना करो।' (जिम रोहन)
- 'सफलता कभी गलती न करने में नहीं बल्कि एक ही गलती को दूसरी बार न दोहराने में निहित है' (जॉर्ज बर्नार्ड शॉ)
- 'हारने के डर को जीतने के उत्साह से बड़ा न होने दें' (रॉबर्ट कियोसाकी)
- 'कड़ी मेहनत के बिना सफलता के लिए प्रयास करना वैसा ही है जैसे आपने कहीं और फसल नहीं बोई' (डेविड बेली)
- 'इस दुनिया में दो तरह के लोग हैं, एक जो चीजों को घटित करते हैं और दूसरे जो चीजों को घटित होते देखते हैं। आप कौन हैं?' (लुआट होल्ट्ज)

इन शब्दों को अपने दिल के करीब रखें और आगे बढ़ते रहें। मैं हर कदम पर आपका उत्साहवर्धन कर रही हूँ!

प्यार और प्रोत्साहन के साथ
अर्पिता कर्वा

प्रस्तावना (Preface)

इस पुस्तक का उपयोग करके पहले प्रयास में UGC NET पास कैसे करें?

UGC NET प्रश्न-पत्र 1 की तैयारी करने वाले कई छात्र कड़ी मेहनत करने के बावजूद परीक्षा पास करने में असमर्थ होते हैं। सफलता की कुंजी अध्ययन में बिताए गए घंटों की संख्या में नहीं है, बल्कि उन घंटों का कितना प्रभावी ढंग से उपयोग किया जाता है, इसमें निहित है। यह पुस्तक आपकी ऑल-इन-वन परीक्षा साथी है, जो आपको प्रभावी UGC NET तैयारी के लिए आवश्यक साधन प्रदान करती है।

पुस्तक चार-चरणीय शिक्षण सूत्र प्रस्तुत करती है जो सुनिश्चित करती है कि जब आप UGC NET परीक्षा के लिए बैठते हैं तो आप पूरी तरह से तैयार और आश्वस्त होते हैं।

चार-चरणीय शिक्षण सूत्र:

समझें + याद करें + अभ्यास करें + संशोधित करें

जैसा कि सही कहा गया है, 'विजेता अलग-अलग चीजें नहीं करते हैं, वे चीजों को अलग तरीके से करते हैं।' विजेताओं को उन लोगों से अलग करने वाली चीज जो परीक्षा पास नहीं कर पाते हैं, वह है चार-चरणीय शिक्षण सूत्र का पालन करना। कई छात्र UGC NET परीक्षा में सफल होने में असफल हो जाते हैं क्योंकि वे इन महत्वपूर्ण चरणों में से एक को छोड़ देते हैं।

आइये इन चार चरणों पर गहराई से विचार करें और जानें कि कैसे यह पुस्तक आपको प्रत्येक चरण को प्रभावी ढंग से लागू करने में मदद कर सकती है, जिससे UGC NET प्रश्न-पत्र 1 परीक्षा में आपकी सफलता की संभावना काफी बढ़ जाएगी।

चरण 1: समझ का निर्माण

चार-चरणीय शिक्षण सूत्र में पहला और सबसे महत्वपूर्ण चरण समझ का निर्माण करना है। कई छात्र सीधे चरण 2 (याद करना) पर जाने की गलती करते हैं, लेकिन UGC NET प्रश्न-पत्र 1 की तैयारी के लिए, केवल उन्हें याद करने के बजाय अवधारणाओं को समझने पर ध्यान केंद्रित करना महत्वपूर्ण है। UGCNET परीक्षा में, MCQ अक्सर निकटता से संबंधित होते हैं, और केवल रटने पर निर्भर रहने से विकल्पों के बीच भ्रम हो सकता है। इसलिए, अंतर्निहित अवधारणाओं को समझना आवश्यक है।

आपको बेहतर ढंग से समझने में मदद करने के लिए, इस पुस्तक में तीन प्रमुख विशेषताएं शामिल हैं:

1. **वास्तविक जीवन के उदाहरण:** पुस्तक जटिल विषयों को समझने में आसान बनाने के लिए कई वास्तविक जीवन के उदाहरणों का उपयोग करती है। इसके अतिरिक्त, औपचारिक और शैक्षणिक भाषा का उपयोग करने के बजाय, पुस्तक एक संवादात्मक लहजे को अपनाती है। यह सामग्री को अधिक आकर्षक और समझने में आसान बनाता है।
2. **वीडियो व्याख्यान:** कठिन विषयों को समझने में सहायता के लिए, हमने सभी महत्वपूर्ण विषयों के साथ स्कैन करने योग्य QR कोड शामिल किए हैं। QR कोड को स्कैन करने के बाद, आप एनिमेटेड वीडियो लेक्चर देख सकते हैं जो सबसे महत्वपूर्ण और चुनौतीपूर्ण अवधारणाओं को सरल तरीके से समझाते हैं। यह मल्टीमीडिया दृष्टिकोण सीखने को सुदृढ़ करने और जटिल विचारों को स्पष्ट करने में मदद करता है।
3. **'क्लैरिटी कॉर्नर' बॉक्स:** पुस्तक का प्रत्येक अध्याय 'क्लैरिटी कॉर्नर' नामक विशेष बॉक्स के साथ आता है। ये बॉक्स समान दिखने वाली अवधारणाओं की विस्तृत व्याख्या प्रदान करने के लिए डिजाइन किए गए हैं। इन अवधारणाओं के बीच समानता और अंतर को उजागर करके, ये बॉक्स आपको सामग्री की गहरी समझ और स्पष्टता प्राप्त करने में मदद करते हैं।

(नोट: एक विजुअल गाइड के लिए इस पुस्तक के अंतिम पृष्ठ को देखें जो आपको प्रत्येक अध्याय को पढ़ते समय इन विशेषताओं को आसानी से खोजने में मदद करेगा)

चरण 2: याद करना

केवल अवधारणाओं को समझने से आपको UGC NET परीक्षा में अंक नहीं मिलेंगे। मुख्य तथ्यों, परिभाषाओं और विवरणों को याद रखना महत्वपूर्ण है क्योंकि परीक्षा इसी पर आधारित होती है। इसमें मदद करने के लिए, हम इस पुस्तक का उपयोग सक्रिय रूप से पढ़ने के लिए करने पर जोर देते हैं। केवल पृष्ठों को पलटें नहीं। आराम से पढ़ने या बिस्तर पर पढ़ने से बचें, क्योंकि यह आपको बहुत अधिक आलसी और विचलित कर सकता है। इसके बजाय, एक मेज और कुर्सी पर अध्ययन करें, और महत्वपूर्ण तथ्यों को चिह्नित करने के लिए हाइलाइटर का उपयोग करें। हालाँकि, सावधान रहें कि पूरी पुस्तक को हाइलाइट न करें, केवल मुख्य बिंदुओं को हाइलाइट करें।

इसके अतिरिक्त, हम इस बात पर प्रकाश डालना चाहेंगे कि UGC NET परीक्षा एक MCQ-आधारित (वस्तुनिष्ठ) परीक्षा है, जिसके लिए आपके मास्टर और स्नातक अध्ययन में दिए गए व्यक्तिपरक परीक्षाओं की तुलना में एक अलग तैयारी दृष्टिकोण की आवश्यकता होती है, जिसके लिए आपको विस्तृत उत्तर लिखने की आवश्यकता होती है। इस प्रकार, हम अनुरोध करेंगे कि आप एक तैयारी रणनीति बनाएं जो आपको MCQ हल करने में मदद करे।

तथ्यों और महत्वपूर्ण विवरणों को प्रभावी ढंग से याद रखने में आपकी मदद करने के लिए, इस पुस्तक में तीन प्रमुख विशेषताएं शामिल हैं:

1. **सिनेमाई कनेक्शन:** पुस्तक में, आपको बॉलीवुड फिल्मों और पॉप संस्कृति के संदर्भों वाले बॉक्स मिलेंगे। ये कनेक्शन आपको कठिन विषयों को परिचित फिल्मों से जोड़कर उन्हें जल्दी याद करने में मदद करते हैं।
2. **दृश्य सहायता:** पुस्तक में कई आरेख, आकृतियाँ और चित्र शामिल हैं। ये दृश्य प्रतिनिधित्व पाठ्य व्याख्याओं को पूरक करते हैं, जिससे जटिल विषयों को समझना और तथ्यों को जल्दी याद रखना आसान हो जाता है।
3. **लर्निंग शॉर्टकट:** याद रखने में सहायता के लिए, पुस्तक के प्रत्येक अध्याय में 'लर्निंग शॉर्टकट' शीर्षक वाले बॉक्स के अंतर्गत प्रस्तुत स्मृति सहायक उपकरण या मेमोरी एड्स शामिल हैं। ये शॉर्टकट आपको जरूरी तथ्यों को जल्दी और प्रभावी ढंग से याद करने में सक्षम बनाते हैं, जिससे आपकी समग्र धारणा में सुधार होता है।

(नोट: इस पुस्तक के अंतिम पृष्ठ पर एक विजुअल गाइड देखें जो आपको प्रत्येक अध्याय को पढ़ते समय इन विशेषताओं को आसानी से खोजने में मदद करेगा)

चरण 3: अभ्यास

शिक्षण के सूत्र में तीसरा महत्वपूर्ण चरण अभ्यास है। प्रसिद्ध संस्कृत कहावत, 'करत करत अभ्यास के जड़मति होत सुजान' का अर्थ है 'अभ्यास से सिद्धि मिलती है,' जो इस बात पर जोर देता है कि बार-बार अभ्यास करने से निपुणता प्राप्त होती है।

अभ्यास करने का सबसे अच्छा तरीका विगत वर्ष के प्रश्न-पत्र हल करना और मॉक टेस्ट देना है। ये उपकरण आपको परीक्षा के दिन होने वाली गलतियों को पहचानने में मदद करते हैं। वास्तविक परीक्षा के दौरान गलतियाँ करने की तुलना में मॉक टेस्ट में गलतियाँ करना और उनसे सीखना बेहतर है। इस तरह से अभ्यास करने से आपको मूर्खतापूर्ण गलतियाँ पहचानने और परीक्षा की परिस्थितियों में अपने समय का प्रभावी ढंग से प्रबंधन करने में मदद मिलती है।

जिस तरह प्री-बोर्ड परीक्षाएँ आपको गलतियों से बचने के लिए हाइलाइट करके अंतिम परीक्षाओं के लिए तैयार करती हैं, उसी तरह आपने जो सीखा है उसमें महारत हासिल करने के लिए नियमित अभ्यास आवश्यक है। केवल मॉक टेस्ट न दें; अपनी गलतियों का विश्लेषण करें और उन्हें एक अलग नोटबुक में नोट करें। इस तरह, आप परीक्षा से पहले इन गलतियों की समीक्षा कर सकते हैं और उनसे बच सकते हैं।

अभ्यास में आपकी मदद करने के लिए, इस पुस्तक में तीन प्रमुख विशेषताएँ शामिल हैं:

1. **क्विज स्टेशन:** प्रत्येक अध्याय में अभ्यास प्रश्नों के साथ क्विज स्टेशन शामिल हैं। ये आपको किसी विषय का अध्ययन करने के तुरंत बाद अवधारणाओं की अपनी समझ का परीक्षण करने में मदद करते हैं।
2. **विस्तृत समाधान के साथ विगत वर्ष के प्रश्न-पत्र:** प्रत्येक इकाई के अंत में, आपको 2020 से 2025 तक के विगत वर्ष के प्रश्न-पत्र मिलेंगे। प्रत्येक प्रश्न विस्तृत समाधान और संकेत के साथ आता है, इसलिए यदि आपको कोई उत्तर गलत मिलता है, तो आप यह समझने के लिए स्पष्टीकरण की जाँच कर सकते हैं कि क्यों।
3. **ऑनलाइन मॉक टेस्ट:** पुस्तक में दिए गए प्रश्नों के अलावा, आप पुस्तक के आंतरिक फ्रंट कवर पर दिए गए QR कोड को स्कैन करके मैकग्रॉ हिल एज प्लेटफॉर्म पर 50+ पूर्ण लंबाई वाले मॉक टेस्ट तक पहुँच सकते हैं। ये परीक्षण UGC NET परीक्षा इंटरफेस का अनुकरण करते हैं, जो आपको वास्तविक जीवन की परीक्षा का अनुभव देते हैं और आपको व्यापक रूप से अभ्यास करने और वास्तविक परीक्षा प्रारूप से परिचित होने में मदद करते हैं।

(नोट: एक विजुअल गाइड के लिए इस पुस्तक के अंतिम पृष्ठ को देखें जो आपको प्रत्येक अध्याय को पढ़ते समय इन विशेषताओं को आसानी से खोजने में मदद करेगा)

मॉक टेस्ट देते समय याद रखने योग्य महत्वपूर्ण सुझाव

गलतियों को सीखने के अवसर के रूप में अपनाएँ: हर मॉक टेस्ट को सीखने के साधन के रूप में लें। कम स्कोर से निराश होने के बजाय, सुधार के लिए क्षेत्रों की पहचान करने के लिए उनका उपयोग करें।

यथार्थवादी लक्ष्य निर्धारित करें: निरंतर सुधार के लिए प्राप्त करने योग्य लक्ष्य निर्धारित करना महत्वपूर्ण है। अत्यधिक महत्वाकांक्षी लक्ष्य निर्धारित करने से बचें जो निराशा का कारण बन सकते हैं। इसके बजाय, वृद्धिशील प्रगति का लक्ष्य रखें। उदाहरण के लिए, यदि आप अपने पहले मॉक टेस्ट में 300 में से 80 अंक प्राप्त करते हैं, तो अपने अगले प्रयास में अपने स्कोर को 20 अंक बढ़ाने का लक्ष्य निर्धारित करें। नियमित रूप से इन छोटे लक्ष्यों को प्राप्त करने से समय के साथ महत्वपूर्ण सुधार हो सकता है।

गलतियों की नोटबुक बनाएँ: केवल मॉक टेस्ट देना ही पर्याप्त नहीं है; आपको अपनी गलतियों का अध्ययन करने की आवश्यकता है। प्रश्न-पत्र हल करने के बाद, इसे यूँ ही अलग न रखें। इसके बजाय, अपनी सभी गलतियों को एक अलग नोटबुक में लिख लें, जिसे आप अपनी 'गलतियों की नोटबुक' कह सकते हैं। यह नोट करके कि आपने कहाँ और क्यों गलतियाँ कीं, आप उनसे सीख सकते हैं और अपने प्रदर्शन को बेहतर बना सकते हैं। परीक्षा से पहले इस नोटबुक को दोहराना न भूलें ताकि आप इन गलतियों से अवगत रहें और परीक्षा के दिन उन्हें दोहराने से बचें।

चरण 4: संशोधन

संशोधन आपके अध्ययन दिनचर्या का एक महत्वपूर्ण घटक है, खासकर यूजीसी नेट जैसी परीक्षाओं के लिए। संशोधन के बिना, भले ही आप पूरे पाठ्यक्रम को कवर कर लें, आपको परीक्षा के दिन जानकारी याद करने में कठिनाई हो सकती है। संशोधन आपके आत्मविश्वास को बढ़ाता है और आपको सामग्री को अधिक प्रभावी ढंग से याद रखने में मदद करता है। शायद यही कारण है कि यह कहा जाता है कि 'पुनरावृत्ति सीखने की जननी है।'

प्रभावी ढंग से संशोधन करने में आपकी मदद करने के लिए, इस पुस्तक में तीन प्रमुख विशेषताएं शामिल हैं,

1. **अध्याय हाइलाइट्स अनुभाग:** प्रत्येक अध्याय के अंत में, आपको एक ग्राफिकल माइंड मैप मिलेगा। यह विजुअल टूल अध्याय से सभी महत्वपूर्ण जानकारी को सारांशित करता है, जिससे आपके लिए महत्वपूर्ण विवरणों को जल्दी से याद रखना आसान हो जाता है।
2. **तालिकाएँ और आरेख:** पूरे अध्याय में, आपको जटिल विषयों वाले आरेख, तालिका और माइंड मैप दिखाई देंगे। ये विजुअल एड्स आपको मुख्य बिंदुओं को जल्दी और कुशलता से संशोधित करने और याद रखने में मदद करते हैं।
3. **प्लक आउट चार्ट:** इस पुस्तक के पीछे के आंतरिक कवर में एक शक्तिशाली संशोधन उपकरण है- एक प्लक आउट चार्ट जो सभी 10 इकाइयों से महत्वपूर्ण तथ्यों और डेटा से भरा है। बस इसे बाहर निकालें, इसे अपने कमरे की दीवार पर चिपकाएँ, और इसे अपने रोजमर्रा के संशोधन साथी बनने दें। हर दिन इस चार्ट पर एक त्वरित नजर आपको आसानी से संशोधन करने और महत्वपूर्ण जानकारी को अपनी याददाश्त में ताजा रखने में मदद करेगी!

रिवीजन करते समय याद रखने योग्य महत्वपूर्ण सुझाव

1. **एक विश्वसनीय स्रोत पर ध्यान केंद्रित करें:** UGC NET प्रश्न-पत्र 1 की तैयारी करते समय, WhatsApp और Telegram समूहों पर दोस्तों द्वारा साझा और अनुशंसित कई PDF, पुस्तकों और नोट्स को संदर्भित करने के बजाय एक पुस्तक पर ध्यान केंद्रित करना महत्वपूर्ण है। यह आदत मूल्यवान समय बर्बाद कर सकती है और भ्रम पैदा कर सकती है। इसके बजाय, एक ही विश्वसनीय स्रोत से अध्ययन करने पर ध्यान केंद्रित करें और कई बार रिवीजन करने का लक्ष्य रखें।
2. **समझें कि भूलना सामान्य है:** पहली बार पढ़ने के बाद सब कुछ याद रखने की उम्मीद न करें। यदि आप जानकारी भूल जाते हैं, तो घबराएँ नहीं-यह सीखने की प्रक्रिया का एक सामान्य हिस्सा है। इसके बजाय, इसे अपनी समझ की समीक्षा करने और उसे मजबूत करने के अवसर के रूप में देखें।

   कई छात्र रिवीजन करने से बचते हैं क्योंकि जब वे जानकारी याद नहीं कर पाते हैं तो वे निराश महसूस करते हैं। हमने कई टॉपर्स का साक्षात्कार लिया है, और वे भी मानते हैं कि वे शुरुआत में चीजें भूल जाते हैं। किसी विषय को कई बार रिवीजन करने के बाद ही वे उसे प्रभावी ढंग से याद कर पाते हैं। धैर्य और दृढ़ता बनाए रखें; आपके प्रयास रंग लाएंगे।
3. **प्रभावी ढंग से रिवीजन कैसे करें:** भूलने की अवस्था एक मनोवैज्ञानिक अवधारणा है जो बताती है कि अगर हम नियमित रूप से इसकी समीक्षा नहीं करते हैं तो हम कितनी जल्दी जानकारी भूल जाते हैं। भूलने की अवस्था बताती है कि आपने जो सीखा है उसे अपनी याददाश्त में ताजा रखने के लिए; आपको कम-से-कम तीन बार रिवीजन करना चाहिए। आदर्श रिवीजन रणनीति में शामिल हैं:

- **पहला रिवीजन:** किसी विषय का अध्ययन करने के तुरंत बाद ऐसा करें। इससे आपको याद रखने में मदद मिलती है कि आपने अभी क्या सीखा है।
- **दूसरा रिवीजन:** 24 घंटे के भीतर विषय की फिर से समीक्षा करें। यह आपकी अल्पकालिक स्मृति से जानकारी को आपकी दीर्घकालिक स्मृति में स्थानांतरित करने में मदद करता है।
- **तीसरा रिवीजन:** 30 दिनों के बाद फिर से विषय पर जाएँ। इससे जानकारी ठोस हो जाती है और यह लंबे समय तक ताजा रहती है।

अपने संशोधनों पर नजर रखने के लिए, इस तरह की एक सरल तालिका का उपयोग करें:

विषय/अध्याय	पहला संशोधन दिनांक	दूसरा संशोधन दिनांक	तीसरा संशोधन दिनांक
अध्याय 1	[दिनांक]	[दिनांक]	[दिनांक]
अध्याय 2	[दिनांक]	[दिनांक]	[दिनांक]
अध्याय 3	[दिनांक]	[दिनांक]	[दिनांक]
...	...	...	...
अध्याय 33	[दिनांक]	[दिनांक]	[दिनांक]

इस तालिका का उपयोग कैसे करें:

1. **प्रत्येक विषय/अध्याय की सूची बनाएँ:** उन सभी विषयों या अध्यायों को लिखें जिन्हें आपको संशोधित करने की आवश्यकता है।
2. **तिथियों को ट्रैक करें:** प्रत्येक संशोधन को पूरा करने की तिथियाँ भरें। इससे आपको अपने समीक्षा शेड्यूल को बनाए रखने में मदद मिलती है और यह सुनिश्चित होता है कि आप जो सीखा है उसे भूल नहीं रहे हैं।

आभार (Acknowledgements)

मैं भगवान गणेश, पूज्य विघ्नहर्ता को नमन करते हुए शुरू करती हूँ। उनकी दिव्य कृपा ने इस पुस्तक को पूर्ण करने में मदद की है, जिससे मेरे मार्ग की सभी बाधाएँ दूर हो गई हैं।

मैं ज्ञान की देवी माँ सरस्वती को नमन करती हूँ, जिन्होंने मुझे ज्ञान, प्रेरणा और अपने विचारों को व्यक्त करने के लिए सही शब्दों का आशीर्वाद दिया है, उनकी दिव्य उपस्थिति मेरे लिए मार्गदर्शक रही है, जिसने मेरे मन को रचनात्मकता और स्पष्टता से भर दिया है।

मैं अपने देश, भारत भूमि को नमन करती हूँ, जिस भूमि पर जन्म लेने पर मुझे गर्व है। यह पवित्र मिट्टी मेरे जीवन में अपार प्रेरणा और गौरव का स्रोत रही है।

मेरे पूर्वजों, मार्गदर्शकों, देवदूतों, गुरुओं और आत्मा में अन्य लोगों को जिन्होंने मेरे मार्ग को रोशन किया है, मैं आपकी अटूट बुद्धि और प्रेम के लिए अपनी गहरी कृतज्ञता व्यक्त करती हूँ। आपका अदृश्य हाथ हमेशा मेरा समर्थन और मार्गदर्शन करने के लिए मौजूद रहा है।

मेरे दादा स्वर्गीय राम निवास जी कर्वा को विशेष श्रद्धांजलि, जिनके पुस्तकों के प्रति आजीवन जुनून ने छोटी उम्र से ही मेरे अंदर पढ़ने के प्रति प्रेम जगाया। ज्ञान और सीखने के प्रति उनके प्रेम ने मेरे जीवन और कार्य को गहराई से आकार दिया है। यह पुस्तक उनकी विरासत और उनके द्वारा मुझे दिए गए मूल्यों का प्रमाण है। हालाँकि वे अब मेरे साथ नहीं हैं, लेकिन उनकी आत्मा मेरा मार्गदर्शन करती है और उनकी शिक्षाएँ मेरे दिल में बसी हुई हैं।

इस पुस्तक का निर्माण मेरे साथ खड़े कई लोगों की मदद, प्रेरणा और मार्गदर्शन का परिणाम है। उनके अटूट समर्थन और प्रोत्साहन ने इस काम को जीवन में लाने में महत्वपूर्ण भूमिका निभाई है।

मैं श्री गिरधारीलालजी सारदा, स्वर्गीय श्री रामजी तापड़िया और स्वर्गीय श्री हुलाशजी मोहता, तीन आदरणीय बुजुर्गों का बहुत आभारी हूँ जिनके आशीर्वाद और मार्गदर्शन ने लगातार मेरे मार्ग को रोशन किया है। उनके ज्ञान और मूल्यों ने मेरी यात्रा को गहराई से प्रभावित किया है, मुझे अपने सभी प्रयासों में उत्कृष्टता और अखंडता के लिए प्रयास करने के लिए प्रेरित किया है।

खलील कबरान ने एक बार कहा था, 'माता-पिता धनुष की तरह होते हैं, और बच्चे तीर की तरह। जितना अधिक धनुष को खींचा और खींचा जाता है, तीर उतना ही दूर तक जाता है।' मैं अपने माता-पिता, संदीप आर. कर्वा और अलका कर्वा की बहुत आभारी हूं, जो मेरे लिए वह धनुष रहे हैं, जो प्यार से झुकते हैं और त्याग के साथ आगे बढ़ते हैं, मुझे मेरे सपनों की ओर प्रेरित करते हैं, उनकी बुद्धि ने मेरे मार्ग को रोशन किया है, और उनके बिना शर्त प्यार ने मुझे उड़ने के लिए पंख दिए हैं अपने पिता से, मैंने लेखन की कला सीखी-प्रेरित करने और बदलने के लिए शब्दों की शक्ति। वह अडिग रूप से मेरे साथ खड़े रहे और मैंने शिक्षा-तकनीक की दुनिया में कदम रखा, मुझे अपना रास्ता खुद बनाने के लिए प्रोत्साहित किया। मेरी माँ, अपने असीम आशावाद के साथ, मुझे हर चुनौती में उज्ज्वल पक्ष दिखाती हैं, मेरे मार्गदर्शक प्रकाश के रूप में मेरे साथ खड़ी रहती हैं उनकी सामूहिक बुद्धि और प्रेरणा मेरी पुस्तक लेखन यात्रा में अमूल्य रही है।

मैं अपने छोटे भाई देवयुक्ता कर्वा को उनके प्यार और प्रशंसा के लिए धन्यवाद देती हूं, जो कठिन समय में भी मेरा साथ देते रहे हैं। उनके शानदार विचारों और नए दृष्टिकोणों ने इस यात्रा में गहराई और रचनात्मकता को जोड़ा है, जिससे मुझे सामान्य से परे सोचने के लिए प्रेरित किया है। सीखने के प्रति उनका जुनून वास्तव में मुझे लगातार अपने क्षितिज का विस्तार करने और जिज्ञासा और उत्साह के साथ नई चुनौतियों को अपनाने के लिए प्रेरित करता है।

इस पुस्तक के हिंदी संस्करण को पाठकों तक पहुँचाने में अनिरुद्ध कर का योगदान अतुलनीय है। उन्होंने न केवल मूल भाषा की सूक्ष्मताओं को गहराई से समझा, बल्कि उसका भावनात्मक और वैचारिक सार भी अत्यंत कुशलता से हिंदी में प्रस्तुत किया। अनिरुद्ध कर ने शब्दों की बुनावट में वह संवेदनशीलता और स्पष्टता बनाए रखी, जो पाठक को मूल पाठ का अनुभव कराती है। उनकी मेहनत, धैर्य और भाषा के प्रति समर्पण इस अनुवाद में स्पष्ट झलकते हैं। उन्होंने विषय की गंभीरता को समझते हुए, हर वाक्य में वही आत्मा बनाए रखने का प्रयास किया है जो मूल रचना में निहित है। इस योगदान के लिए हम उनके प्रति हार्दिक आभार प्रकट करते हैं।

पुस्तक की विषयवस्तु की प्रमाणिकता बनाए रखने और अनुवाद को और भी प्रभावशाली बनाने में हमारे सीनियर कंटेंट डेवलपर धर्मेंद्र शर्मा का योगदान अत्यंत महत्वपूर्ण रहा है। उन्होंने प्रत्येक अध्याय की बारीकी से समीक्षा करते हुए यह सुनिश्चित किया कि अनुवाद न केवल भाषाई दृष्टि से सटीक हो, बल्कि विषय की दृष्टि से भी पूर्णतः उपयुक्त और संदर्भानुकूल रहे। उनकी विशेषज्ञता, समर्पण और मार्गदर्शन ने इस प्रक्रिया को अत्यधिक समृद्ध किया। धर्मेंद्र शर्मा ने कठिन शब्दों, तकनीकी अवधारणाओं और सांस्कृतिक सन्दर्भों को हिंदी में सहज और सटीक रूप में प्रस्तुत करने में अनिरुद्ध कर का मार्गदर्शन करते हुए अनुवाद को एक नई ऊँचाई पर पहुँचाया।

मैं मोनिका पवन, मेरी परामर्शदाता और आध्यात्मिक गुरु, उनके प्रेरित समर्थन और मुझे 'आकर्षण के नियम' की दुनिया से परिचित कराने के लिए, इस पुस्तक को लिखते समय चुनौतियों से निपटने में उनकी मार्गदर्शन अमूल्य रहा है, के बारे में सोचे बिना आगे नहीं बढ़ सकता।

मेरी सबसे अच्छी दोस्त, सहकर्मी और विश्वासपात्र राधिका यादव का दिल से शुक्रिया, जिन्होंने हर मुश्किल समय में मेरा साथ दिया। मेरी अनुपस्थिति में arpitakarwa.com की पूरी टीम का आपका कुशल और जिम्मेदार नेतृत्व मुझे इस पुस्तक को लिखने पर ध्यान केंद्रित करने की अनुमति देता है। मैं शानदार विचारों से भरी अनगिनत देर रात की बातचीत और आपके अटूट समर्थन के लिए आभारी हूँ। आपकी दोस्ती और गर्मजोशी मेरे लिए शब्दों से परे है। वहाँ रहने, देखभाल करने और हमेशा मेरा साथ देने के लिए आपका शुक्रिया।

मैं arpitakarwa.com टीम के हर सदस्य का उनके समर्पित योगदान के लिए वास्तव में ऋणी हूँ। इस पुस्तक में शामिल वीडियो व्याख्यानों के शानदार और विस्तृत संपादन के लिए जितेंद्र सिंह का विशेष धन्यवाद, और पुस्तक कवर बनाने और पूरक पठन सामग्री को डिजाइन करने में आपके असाधारण कौशल के लिए अजय सिंह का विशेष धन्यवाद। आपकी रचनात्मकता और विस्तार पर ध्यान ने इस परियोजना में एक सुंदर स्पर्श जोड़ा है। कार्यालय के प्रबंधन में उनके अविश्वसनीय समर्पण और मेरा समर्थन करने के लिए हमेशा तत्पर रहने के लिए मुस्कान शर्मा और अंजलि जैन का विशेष धन्यवाद। मैं निकिता कंवर की बहुत आभारी हूँ, जिन्होंने विगत वर्ष के प्रश्नों को सावधानीपूर्वक व्यवस्थित किया और विगत वर्ष के प्रश्न-पत्र और उनके समाधानों का एक सुव्यवस्थित डेटाबेस बनाए रखने में मेरी मदद की।

मैं मैकग्रॉ हिल की संपादकीय टीम को उनके अटूट समर्थन और मार्गदर्शन के लिए दिल से धन्यवाद देती हूँ, जिसके बिना यह पुस्तक संभव नहीं हो पाती। मैं कृष्ण कुमार वर्मा की बहुत आभारी हूँ, जिनकी मदद, रचनात्मकता और उत्साह ने इस पुस्तक को इसके विचार से लेकर इसके पूरा होने तक निर्देशित किया है। मैं तनवीर अहमद, श्रुति मेहरोत्रा और निखिल वढेरा को इस परियोजना की शुरुआत से ही उनके प्रेरक समर्थन के लिए धन्यवाद देती हूँ। मैं धर्मेंद्र शर्मा को उनकी विशेषज्ञ प्रतिक्रिया और सलाह के लिए भी धन्यवाद देती हूँ, जो इस काम को आकार देने में सहायक रहे हैं।

मैं प्रतीति घोष को शानदार इंटीरियर लेआउट और टाइपसेटिंग के लिए बहुत-बहुत धन्यवाद देती हूँ। मेरी जरूरतों के प्रति आपकी निरंतर प्रतिक्रिया अमूल्य रही है। इस यात्रा को सफल बनाने के लिए आपका धन्यवाद।

कोलाबो कॉर्नर के संस्थापक श्री राहुल शर्मा और सुश्री राजसी शर्मा को मेरा हार्दिक धन्यवाद, यह वह सह-कार्य स्थान है जहाँ मैंने अपने विचार लिखे और इस पुस्तक को जीवंत किया। ध्यान केंद्रित करने और रचना करने के लिए एकदम सही स्थान प्रदान करने के लिए आपका धन्यवाद।

अत्यंत कृतज्ञता के साथ, मैं उन सभी शिक्षकों के योगदान को स्वीकार करता हूँ जिन्होंने मेरी शैक्षिक यात्रा में मेरा मार्गदर्शन किया और मुझे शिक्षण को एक पेशे के रूप में अपनाने के लिए प्रेरित किया। श्री अभिनव धाल्या, श्री विवेक गोयल, सुश्री चयनिका शर्मा, सुश्री रिमिका सिंघवी और सुश्री रंजीत कौर का विशेष आभार, जिन्होंने मुझमें शिक्षण के प्रति प्रेम जगाया। आपके जुनून और प्रोत्साहन ने मेरे जीवन और करियर पर एक अमिट छाप छोड़ी है। मैं अपने दोस्तों और परिवार के सदस्यों को उनके उत्साही समर्थन के लिए धन्यवाद देना चाहूंगी। शीलनिधि गुप्ता, रोहित तोशनीवाल, अनिरुद्ध तपुरिया, वैभव झंवर, विश्वास गर्ग और भावना यादव को उनके निरंतर प्रोत्साहन और मार्गदर्शन के लिए विशेष धन्यवाद।

सभी शानदार फिल्म निर्देशकों और शानदार अभिनेताओं को दिल से धन्यवाद, जिनकी फिल्मों ने न केवल मुझे प्रेरित किया है, बल्कि इस पुस्तक के 'सिनेमैटिक कनेक्शन' खंड में भी जगह पाई है। आपकी आकर्षक कहानी और यादगार प्रदर्शनों ने इस यात्रा के दौरान मेरी रचनात्मकता और प्रेरणा को बढ़ावा दिया है।

मुझे इस यात्रा को आसान बनाने वाले अमूल्य संसाधनों और तकनीक के प्रति अपना आभार व्यक्त करने के लिए एक पल चाहिए। इंटरनेट, व्हाट्सएप, गूगल, माइक्रोसॉफ्ट ऑफिस, मैकबुक, यूट्यूब, एआई और कई अन्य तकनीकी उपकरणों के निर्माताओं को मेरा दिल से धन्यवाद, जिन्होंने सहज संचार और शोध की सुविधा प्रदान की।

मैं अपने जीवन में चुनौतीपूर्ण और कठिन समय के लिए अपना आभार व्यक्त करती हूं। ये क्षण, हालांकि कठिन थे, मेरे सबसे बड़े शिक्षक रहे हैं। उन्होंने मुझे लचीलापन, धैर्य और शक्ति सिखाई है, जिससे मैं आज जिस व्यक्ति के रूप में हूं, उसमें ढल गयी हूं। अमूल्य सबक और मेरी यात्रा को आकार देने के लिए धन्यवाद।

मैं अपने सभी ऑनलाइन कोर्स के छात्रों और अपने YouTube समुदाय के प्रत्येक सदस्य को उनकी बहुमूल्य प्रतिक्रिया और प्रोत्साहन के लिए बहुत आभारी हूं। आपकी सकारात्मक और प्रेमपूर्ण प्रतिक्रियाओं ने मुझे यह पुस्तक लिखने के लिए प्रेरित किया, और इसके निर्माण में आपका सहयोग महत्वपूर्ण रहा है।

प्रिय पाठक, इस पुस्तक को खरीदने और इसे पढ़ने का निर्णय लेने के लिए आपका बहुत-बहुत धन्यवाद। यह पुस्तक UGC NET परीक्षा की तैयारी में आपके मित्र और मार्गदर्शक के रूप में काम करे, जिससे आपको अपनी पूरी क्षमता को उजागर करने और अपने आस-पास के लोगों के जीवन में सार्थक प्रभाव डालने में मदद मिले। मेरे साथ इस यात्रा पर चलने के लिए आपका धन्यवाद।

जब मैं इस आभार को समाप्त कर रही हूँ, तो मुझे एहसास हुआ कि मैं कुछ नामों का उल्लेख करना भूल गया हूँ। मैं उन सभी लोगों के प्रति अपना हार्दिक प्रेम और सम्मान व्यक्त करना चाहता हूँ जिन्होंने इस पुस्तक के निर्माण में प्रत्यक्ष या अप्रत्यक्ष रूप से मेरी मदद की है। मैं आपके समर्थन की बहुत-बहुत सराहना करती हूँ।

अर्पिता कर्वा

यूजीसी नेट परीक्षा के बारे में जो कुछ भी आपको जानना चाहिए (Everything You Need to Know About UGC NET Exam)

NTA UGC NET परीक्षा क्या है?

UGC NET (राष्ट्रीय पात्रता परीक्षा) भारत में आयोजित एक राष्ट्रीय स्तर की परीक्षा है, जिसका उद्देश्य भारतीय विश्वविद्यालयों और कॉलेजों में सहायक प्रोफेसर और जूनियर रिसर्च फेलोशिप (JRF) की भूमिकाओं के लिए उम्मीदवारों की पात्रता निर्धारित करना है।

यह परीक्षा विश्वविद्यालय अनुदान आयोग (UGC) की ओर से राष्ट्रीय परीक्षण एजेंसी (NTA) द्वारा संचालित की जाती है। UGC-NET निम्नलिखित के लिए भारतीय नागरिकों की पात्रता निर्धारित करने के लिए आयोजित की जाती है:

1. **जूनियर रिसर्च फेलोशिप (जेआरएफ):** यह उम्मीदवारों को उनके चुने हुए क्षेत्र में शोध के लिए वित्तीय सहायता प्राप्त करने में सक्षम बनाता है।
2. **सहायक प्रोफेसर के रूप में नियुक्ति:** यह उम्मीदवारों को भारतीय विश्वविद्यालयों और कॉलेजों में शिक्षण पदों के लिए योग्य बनाता है।
3. **पीएचडी कार्यक्रमों में प्रवेश:** यह उम्मीदवारों को भारतीय विश्वविद्यालयों और कॉलेजों में पीएचडी कार्यक्रमों में प्रवेश के लिए योग्य बनाता है।

यूजीसी के नवीनतम नोटिस के अनुसार, योग्य छात्रों को तीन समूहों में से एक में वर्गीकृत किया जाता है। जूनियर रिसर्च फेलोशिप (जेआरएफ) हासिल करने वाले छात्र श्रेणी I में आते हैं। नेट में उच्च अंक प्राप्त करने वाले छात्रों को श्रेणी II में रखा जाता है, जबकि कम अंक वाले छात्र श्रेणी III में आते हैं। पात्रता निर्धारण को दर्शाने वाली एक तालिका यहां दी गई है:

श्रेणी	जेआरएफ के लिए योग्य	सहायक प्रोफेसर के लिए पात्र	पीएचडी प्रवेश	विवरण
श्रेणी-1	हां	हां	हां	जेआरएफ प्रदान करना तथा सहायक प्रोफेसर के रूप में नियुक्ति
श्रेणी-2	नहीं	हां	हां	सहायक प्रोफेसर के रूप में नियुक्ति तथा पीएचडी में प्रवेश
श्रेणी-3	नहीं	नहीं	हां	केवल पीएचडी में प्रवेश

सहायक प्रोफेसरों के लिए वेतनमान: UGC NET के बाद एक आशाजनक करियर

UGC NET परीक्षा पास करने के बाद सबसे ज्यादा फायदेमंद करियर अवसरों में से एक कॉलेज और यूनिवर्सिटी में असिस्टेंट प्रोफेसर बनना है। नीचे दी गई तालिका विभिन्न शैक्षणिक पदों के लिए वेतनमान संरचना पर प्रकाश डालती है, जो इस करियर पथ को अपनाने के वित्तीय लाभों को दर्शाती है।

पदनाम	स्तर	वेतनमान
सहायक प्रोफेसर	10	₹57,700
सहायक प्रोफेसर	11	₹68,900
सहायक प्रोफेसर	12	₹79,800
सहायक प्रोफेसर	13।	₹1,31,400
प्रोफेसर	14	₹1,44,200
वरिष्ठ प्रोफेसर	15	₹1,82,200

बाई ओर दी गई शैक्षणिक वेतनमान तालिका में, 'स्तर' कॉलेजों और विश्वविद्यालयों में संकाय सदस्य की पदानुक्रमिक स्थिति को दर्शाता है। यह स्तर कई कारकों के संयोजन के आधार पर निर्धारित किया जाता है, जिसमें अनुभव के वर्ष, शैक्षणिक योग्यता और प्रकाशित शोध पत्रों की संख्या शामिल है।

जब कोई व्यक्ति UGC NET पास कर लेता है, तो वह सहायक प्रोफेसर (आमतौर पर स्तर 10 से शुरू) के पद के लिए पात्र हो जाता है। लगातार प्रदर्शन, शोध योगदान और अनुभव के साथ, वे उच्च स्तर तक प्रगति कर सकते हैं।

नोट: ऊपर दी गई तालिका में दिए गए मूल वेतन के अलावा, अकादमिक पेशेवर HRA (हाउस रेंट अलाउंस), TA (यात्रा भत्ता), और GP (ग्रेड पे) के हकदार हैं, जो उनके समग्र मुआवजे को बढ़ाते हैं। यह वित्तीय स्थिरता, शिक्षण की प्रतिष्ठा के साथ मिलकर, शिक्षा को एक अत्यधिक आकर्षक कैरियर विकल्प बनाती है।

पीएचडी कार्यक्रमों के लिए नेट अंकों की वैधता और महत्व

1. **जेआरएफ-योग्य उम्मीदवार:** यदि आप जूनियर रिसर्च फेलोशिप (जेआरएफ) के लिए अर्हता प्राप्त करते हैं, तो आप पीएचडी कार्यक्रमों में प्रवेश पा सकते हैं। आपका प्रवेश 2022 में निर्धारित यूजीसी नियमों के अनुसार साक्षात्कार के आधार पर होगा।
2. **पीएचडी प्रवेश (श्रेणी-2 और श्रेणी-3):** यदि आप श्रेणी-2 या श्रेणी-3 के अंतर्गत अर्हता प्राप्त करते हैं, तो पीएचडी प्रवेश के लिए विश्वविद्यालय प्रवेश परीक्षाओं के बजाय आपके यूजीसी नेट परिणामों का उपयोग किया जा सकता है। इसका मतलब है कि आपको अलग-अलग विश्वविद्यालयों द्वारा आयोजित अलग-अलग प्रवेश परीक्षाएँ नहीं देनी होंगी।
3. **पीएचडी प्रवेश के लिए महत्व:** आपका पीएचडी प्रवेश दो चीजों पर आधारित होगा:
   - **नेट अंक:** महत्व का 70%
   - **साक्षात्कार/मौखिक परीक्षा:** महत्व का 30%
4. **पीएचडी के लिए नेट अंकों की वैधता। प्रवेश (श्रेणी-2 और श्रेणी-3):** आपके द्वारा प्राप्त किए गए NET अंक, परिणाम घोषित होने की तिथि से एक वर्ष तक पीएचडी प्रवेश के लिए मान्य होंगे। इससे आपको पीएचडी कार्यक्रमों के लिए आवेदन करने के लिए अपने NET अंकों का उपयोग करने के लिए एक वर्ष का समय मिलता है।
5. **NET परिणाम:** NET परिणाम दो तरीकों से दिखाए जाते हैं: प्रतिशत और आपके द्वारा प्राप्त वास्तविक अंक। इससे विश्वविद्यालयों को अन्य उम्मीदवारों के सापेक्ष आपके प्रदर्शन को समझने में मदद मिलती है।
6. **'केवल पीएचडी प्रवेश' के लिए योग्य उम्मीदवारों की संख्या:** श्केवल पीएचडी प्रवेशश के लिए योग्य उम्मीदवारों की संख्या एक परिणाम समिति द्वारा तय की जाती है। यह समिति निर्धारित करती है कि केवल उनके NET अंकों के आधार पर कितने उम्मीदवारों को प्रवेश दिया जा सकता है।

एनटीए यूजीसी नेट परीक्षा का अवलोकन

विवरण	यूजीसी नेट प्रश्न-पत्र 1	यूजीसी नेट प्रश्न-पत्र 2
परीक्षा तरीका	ऑनलाइन	ऑनलाइन
प्रश्न-पत्र का प्रकार	सभी उम्मीदवारों के लिए समान	विषय-विशिष्ट प्रश्न (85 विषय)
कुल प्रश्न	50	100
कुल अंक	100	200
प्रश्न का प्रकार	बहुविकल्पीय प्रश्न	
अंकन योजना	सही उत्तर के लिए +2	
भाषा	अंग्रेजी और हिंदी	
परीक्षा अवधि	3 घंटे (180 मिनट)	

अंकन योजना

1. **कोई नकारात्मक अंकन नहीं:** गलत उत्तरों के लिए कोई अंक नहीं काटे जाते।
2. **गलत/अस्पष्ट प्रश्न:** यदि कोई प्रश्न गलत या अस्पष्ट माना जाता है और उसके कई सही उत्तर हैं, तो केवल वे ही क्रेडिट प्राप्त करेंगे जिन्होंने प्रश्न का प्रयास किया और सही उत्तरों में से एक का चयन किया।
3. **हटाए गए प्रश्न:** यदि कोई प्रश्न गलत पाया जाता है और परीक्षा से हटा दिया जाता है, तो प्रश्न का प्रयास करने वाले उम्मीदवारों को 2 अंक दिए जाएंगे।

यूजीसी नेट में प्रश्न-पत्र 2 विषय कैसे चुनें?

यूजीसी 85 विषयों और उनके संबंधित कोड की एक व्यापक सूची प्रदान करता है। कुछ लोकप्रिय विषय और उनके कोड नीचे दी गई तालिका में दिए गए हैं:

विषय का नाम	कोड
राजनीति विज्ञान	02
समाजशास्त्र	05
वाणिज्य	08
प्रबंधन	17
अंग्रेजी	30

उम्मीदवारों को अपने स्नातकोत्तर विशेषज्ञता के आधार पर अपने यूजीसी नेट प्रश्न-पत्र 2 विषय का चयन करना चाहिए। उदाहरण के लिए, राजनीति विज्ञान में एम.ए. करने वाले छात्र को अपने प्रश्न-पत्र 2 विषय के रूप में राजनीति विज्ञान चुनना चाहिए। यदि किसी उम्मीदवार की स्नातकोत्तर डिग्री यूजीसी द्वारा सूचीबद्ध नहीं किए गए विषय में है, तो वे उपलब्ध विकल्पों में से निकट से संबंधित विषय चुन सकते हैं।

पात्रता मानदंड

श्रेणी	मास्टर डिग्री में न्यूनतम अंक*
सामान्य/अनारक्षित/सामान्य-ईडब्ल्यूएस उम्मीदवार	55%
गैर-क्रीमी लेयर से संबंधित अन्य पिछड़ा वर्ग (ओबीसी)	50%
अनुसूचित जाति (एससी)	50%
अनुसूचित जनजाति (एसटी)	50%
विकलांग व्यक्ति (पीडब्ल्यूडी)	50%
तीसरे लिंग श्रेणी के उम्मीदवार	50%
पीएचडी डिग्री धारक जिनकी मास्टर स्तर की परीक्षा 19 सितंबर 1991 तक पूरी हो गई हो	50%

नोट: अंतिम वर्ष के छात्र भी इस परीक्षा में शामिल हो सकते हैं

**इसमें कोई अन्य समकक्ष परीक्षा भी शामिल है (बिना पूर्णांक के)*

विशेष डिग्री/प्रमाणपत्र कार्यक्रम के मामले में पात्रता

1. **डिप्लोमा/डिग्री की समतुल्यता:** यदि आपके पास किसी भारतीय या विदेशी विश्वविद्यालय से स्नातकोत्तर डिप्लोमा या प्रमाणपत्र है, तो आपको यह जांचना होगा कि क्या यह किसी मान्यता प्राप्त भारतीय विश्वविद्यालय से मास्टर डिग्री के समतुल्य है। इसके लिए, नई दिल्ली में एसोसिएशन ऑफ इंडियन यूनिवर्सिटीज (AIU) से संपर्क करें। कानून के छात्रों को बार काउंसिल ऑफ इंडिया से जांच करनी चाहिए।
2. **चार वर्षीय स्नातक डिग्री धारकों के लिए पात्रता:** चार वर्षीय (या आठ सेमेस्टर) स्नातक डिग्री वाले उम्मीदवारों को कम से कम 75% अंक या समकक्ष ग्रेड की आवश्यकता होती है। एससी/एसटी/ओबीसी (गैर-क्रीमी लेयर)/दिव्यांग, आर्थिक रूप से कमजोर वर्ग (ईडब्ल्यूएस) और अन्य आरक्षित श्रेणियों के लिए अंकों में 5% की छूट है।
   - **नेट पात्रता:** यदि आप चार वर्षीय स्नातक डिग्री के साथ नेट के लिए अर्हता प्राप्त करते हैं, तो आप जूनियर रिसर्च फेलोशिप (जेआरएफ) और पीएचडी प्रवेश के लिए पात्र हैं, लेकिन सहायक प्रोफेसर के रूप में नियुक्ति के लिए नहीं।
   - **अंतिम वर्ष के छात्र:** चार वर्षीय स्नातक कार्यक्रम के अंतिम वर्ष के छात्र नेट के लिए आवेदन कर सकते हैं। यदि आप अर्हता प्राप्त करते हैं, तो आपको जेआरएफ के लिए दो साल के भीतर और पीएचडी प्रवेश के लिए एक वर्ष के भीतर अपनी डिग्री आवश्यकताओं को पूरा करना होगा, अन्यथा आप अयोग्य हो जाएंगे।
   - **विषय विकल्प:** चार वर्षीय स्नातक डिग्री वाले उम्मीदवार अपने स्नातक अनुशासन की परवाह किए बिना उस विषय के लिए नेट में उपस्थित हो सकते हैं जिसमें वे पीएचडी करना चाहते हैं।

छूट

नेट/सेट/स्लेट विश्वविद्यालयों, कॉलेजों और संस्थानों में सहायक प्रोफेसरों की भर्ती और नियुक्ति के लिए न्यूनतम पात्रता आवश्यकता बनी हुई है। निम्नलिखित उम्मीदवारों को इस परीक्षा में बैठने से छूट दी गई है:

1. जिन उम्मीदवारों ने 1989 से पहले यूजीसी/सीएसआईआर जेआरएफ परीक्षा उत्तीर्ण की है, उन्हें नेट में बैठने से छूट दी गई है।
2. जिन उम्मीदवारों ने 1 जून 2002 से पहले यूजीसी द्वारा सहायक प्रोफेसर के लिए मान्यता प्राप्त राज्य पात्रता परीक्षा (सेट) उत्तीर्ण की है, उन्हें भी नेट में बैठने से छूट दी गई है।

आयु सीमा

1. **सहायक प्रोफेसर और पीएचडी प्रवेश के लिए आयु सीमा:** केवल सहायक प्रोफेसर पदों या पीएचडी प्रवेश के लिए आवेदन करने वाले उम्मीदवारों के लिए कोई आयु सीमा नहीं है।
2. **जूनियर रिसर्च फेलोशिप (जेआरएफ) के लिए आयु सीमा:** जेआरएफ के लिए ऊपरी आयु सीमा परीक्षा आयोजित किए जाने वाले महीने के पहले दिन तक 30 वर्ष है।

जेआरएफ आयु में छूट

विभिन्न श्रेणियों के लिए आयु में छूट का सारांश यहाँ दिया गया है:

श्रेणी	जेआरएफ आयु में छूट
अन्य पिछड़ा वर्ग (ओबीसी) गैर-क्रीमी लेयर	5 वर्ष
अनुसूचित जाति (एससी)	5 वर्ष
अनुसूचित जनजाति (एसटी)	5 वर्ष
विकलांग व्यक्ति (पीडब्ल्यूडी)	5 वर्ष
थर्ड जेंडर श्रेणी उम्मीदवार	5 वर्ष
महिला आवेदक	5 वर्ष
शोध अनुभव वाले उम्मीदवार	शोध की अवधि के आधार पर
एलएलएम डिग्री धारक	3 वर्ष
सशस्त्र बलों में सेवा करने वाले उम्मीदवार	5 वर्ष तक सेवा की अवधि के आधार पर

नोट: उपरोक्त किसी भी श्रेणी के तहत दी गई कुल आयु में छूट पांच वर्ष से अधिक नहीं होगी।

33 दिनों में UGC NET प्रश्न-पत्र 1 पाठ्यक्रम को कवर करने के लिए अध्ययन समय सारिणी (Study Timetable for Covering UGC NET Paper 1 Syllabus in 33 Days)

किसी भी परीक्षा की तैयारी के लिए समय सारिणी (Timetable) बनाना जरूरी है, खास तौर पर UGC NET प्रश्न-पत्र 1 जैसी व्यापक पाठ्यक्रम वाली परीक्षाओं के लिए। एक अच्छी तरह से संरचित समय सारिणी आपको पाठ्यक्रम को पूरा करने के लिए आवश्यक समय और प्रयास को समझने में मदद करती है और यह सुनिश्चित करती है कि आपकी तैयारी व्यवस्थित और गहन है। ऐसा कोई एकल समय सारिणी नहीं हो सकती जो सभी के लिए उपयुक्त हो। अध्ययन समय सारिणी विभिन्न कारकों पर निर्भर करेगी:

1. **तैयारी का वर्तमान स्तर:** आकलन करें कि आप पहले से ही पाठ्यक्रम को कितनी अच्छी तरह जानते हैं। निर्धारित करें कि आप एक शुरुआती हैं या कोई ऐसा व्यक्ति जिसने पहले परीक्षा का प्रयास किया है, आपका पिछला अनुभव उस गति को प्रभावित कर सकता है जिस पर आपको अध्ययन करने की आवश्यकता है।
2. **दैनिक अध्ययन घंटे:** निर्धारित करें कि आप प्रत्येक दिन कितने घंटे वास्तविक रूप से समर्पित कर सकते हैं। अपनी दैनिक प्रतिबद्धताओं पर विचार करें। एक पूर्णकालिक छात्र के पास गृहिणी या कामकाजी पेशेवर की तुलना में अध्ययन करने के लिए अधिक समय हो सकता है। अपने उपलब्ध अध्ययन घंटों को समायोजित करने के लिए अपनी समय सारिणी को समायोजित करें।

उपरोक्त कारकों को ध्यान में रखते हुए, यहाँ आपकी विशिष्ट आवश्यकताओं और परिस्थितियों के अनुरूप एक व्यक्तिगत समय सारिणी तैयार करने की रणनीति दी गई है। प्रत्येक छात्र के पास दो समय सारिणी होनी चाहिए:

1. **पूर्ण पाठ्यक्रम समय सारिणी:** यह समय सारिणी बताती है कि आप पूरे पाठ्यक्रम को कैसे कवर करेंगे, जो आपके अध्ययन लक्ष्यों के लिए एक समग्र योजना प्रदान करता है।
2. **दैनिक समय सारिणी:** एक विशाल पाठ्यक्रम को कवर करने के लिए इसे प्रबंधनीय दैनिक कार्यों में विभाजित करना आवश्यक है। एक दैनिक समय सारिणी आपको प्रत्येक दिन छोटे, प्राप्त करने योग्य लक्ष्यों पर ध्यान केंद्रित करने में मदद करती है, जो धीरे-धीरे आपको पूरे पाठ्यक्रम को पूरा करने की ओर ले जाती है।

अगले भाग में, हम देखेंगे कि दो अध्ययन समय सारिणी कैसे डिजाइन की जाती हैं।

पूर्ण पाठ्यक्रम टाइमटेबल

जब UGC NET प्रश्न-पत्र 1 परीक्षा की तैयारी की बात आती है, तो एक सुव्यवस्थित अध्ययन योजना होने से बहुत फर्क पड़ सकता है। पूरे पाठ्यक्रम के कुशल और प्रभावी कवरेज को सुनिश्चित करने के लिए, आप दो मुख्य तरीकों में से चुन सकते हैं: प्रतिदिन एक अध्याय का अध्ययन करना या इकाई-वार समय सारिणी बनाना। आइए प्रत्येक दृष्टिकोण का विस्तार से पता लगाएं।

प्रतिदिन एक अध्याय का अध्ययन करें: 33 दिन का कार्यक्रम

इस पुस्तक में, UGC NET प्रश्न-पत्र 1 पाठ्यक्रम की 10 इकाइयों को सावधानीपूर्वक 33 अध्यायों में विभाजित किया गया है। यह संरचित दृष्टिकोण आपको प्रतिदिन एक अध्याय पूरा करने पर ध्यान केंद्रित करने की अनुमति देता है, जिससे आप केवल 33 दिनों में संपूर्ण पाठ्यक्रम पूरा कर सकते हैं।

इस दृष्टिकोण के पीछे का कारण छात्रों को एक बड़ी इकाई से अभिभूत होने से रोकना है। पाठ्यक्रम को छोटे, प्रबंधनीय अध्यायों में विभाजित करके, हम आपको सामग्री को धीरे-धीरे और व्यवस्थित रूप से कवर करने में मदद करते हैं, जिससे तनाव कम होता है और अध्ययन प्रक्रिया अधिक प्रबंधनीय बनती है। यह विधि पाठ्यक्रम के माध्यम से एक स्थिर प्रगति सुनिश्चित करती है जबकि आप प्रत्येक अध्याय को पूरा करते समय उपलब्धि की भावना बनाए रखते हैं।

यूनिट-वार समय सारिणी बनाना

एक वैकल्पिक विधि में एक अच्छी तरह से संरचित यूनिट-वार समय सारिणी बनाना शामिल है। यह दृष्टिकोण उन लोगों के लिए फायदेमंद है जो एक संतुलित अध्ययन कार्यक्रम पसंद करते हैं जिसमें चुनौतीपूर्ण और आसान दोनों तरह के विषय शामिल हों। पाठ्यक्रम को प्रभावी ढंग से कवर करने में आपकी मदद करने के लिए यहाँ एक नमूना टाइम-टेबल दिया गया है:

नमूना समय सारिणी

सप्ताह	आसान इकाइयाँ/व्यावहारिक इकाइयाँ	चुनौतीपूर्ण इकाइयाँ
सप्ताह 1	**इकाई 1** (शिक्षण अभियोग्यता)	**इकाई 2** (शोध अभियोग्यता)
सप्ताह 2	**इकाई 5** (गणितीय तर्क और अभियोग्यता)	**इकाई 10** (उच्च शिक्षा प्रणाली)
सप्ताह 3	**इकाई 7** (डेटा व्याख्या)	**इकाई 8** (सूचना और संचार प्रौद्योगिकी)
सप्ताह 4	**इकाई 4** (सम्प्रेषण)	**इकाई 6** (तार्किक तर्क)
सप्ताह 5	**इकाई 3** (बोध)	**इकाई 9** (लोग, विकास और पर्यावरण)

नमूना समय सारिणी का उपयोग कैसे करें

1. **अपने अध्ययन सत्रों को संतुलित करें:** थकान को रोकने और प्रेरणा बनाए रखने के लिए, चुनौतीपूर्ण और आसान इकाइयों के बीच बारी-बारी से काम करें। उदाहरण के लिए, शिक्षण योग्यता (आमतौर पर आसान) जैसी इकाइयों को अनुसंधान योग्यता (अधिक चुनौतीपूर्ण) के साथ जोड़ें। यह विधि आपके अध्ययन सत्रों को संतुलित और कम बोझिल रखने में मदद करती है।
2. **व्यावहारिक भागों के साथ सिद्धांत को संतुलित करें:** आईसीटी, लोग और पर्यावरण, और उच्च शिक्षा जैसी भारी याद रखने वाली इकाइयाँ मानसिक रूप से थका देने वाली हो सकती हैं। अपने मस्तिष्क को आराम देने और अवधारणा को बढ़ाने के लिए डेटा व्याख्या और गणितीय तर्क जैसे व्यावहारिक भागों के साथ इन्हें मिलाएँ। यह रणनीति संज्ञानात्मक भार को प्रबंधित करने और समग्र सीखने की दक्षता में सुधार करने में मदद करती है।
3. **व्यावहारिक भागों पर विशेष जोर:** गणितीय तर्क और डेटा व्याख्या जैसी व्यावहारिक इकाइयों के लिए प्रश्नों का अभ्यास करने के लिए प्रत्येक दिन अतिरिक्त समय आवंटित करें। अभ्यास के लिए 30 मिनट जोड़ने से आपको दक्षता हासिल करने और समस्या-समाधान कौशल में सुधार करने में मदद मिलेगी।

अपनी समय सारिणी को व्यक्तिगत बनाएँ: चूँकि हर छात्र की अपनी अलग ताकत और कमजोरियाँ होती हैं, इसलिए आपको कुछ विषय दूसरों की तुलना में आसान या ज्यादा चुनौतीपूर्ण लग सकते हैं। अपनी विशिष्ट जरूरतों के हिसाब से समय सारिणी बनाने के लिए ऊपर बताए गए सुझावों का इस्तेमाल करें। अलग-अलग यूनिट के साथ अपने आराम के स्तर और अपनी प्रगति के आधार पर नमूना समय सारिणी को समायोजित करें ताकि आपके लिए सबसे अच्छा अध्ययन योजना बनाई जा सके।

दैनिक समय सारिणी

पूरा पाठ्यक्रम समय सारिणी तैयार करने के बाद, दैनिक अध्ययन कार्यक्रम तैयार करना भी उतना ही महत्वपूर्ण है। इससे आपको नियमित रूप से अपने लक्ष्य पूरे करने और पाठ्यक्रम पूरा करने के समग्र लक्ष्य को प्राप्त करने में मदद मिलेगी। UGC NET प्रश्न-पत्र 1 पाठ्यक्रम को लगभग 30 दिनों में पूरा करने के लिए, तैयारी के लिए प्रतिदिन कम से कम 4 घंटे समर्पित करना उचित है। यहाँ आपके दैनिक अध्ययन समय का अनुशंसित विवरण दिया गया है:

यूजीसी नेट प्रश्न-पत्र 1 की तैयारी के लिए दैनिक अध्ययन कार्यक्रम

गतिविधि	अवधि	विवरण
विषयों को पढ़ना और समझना	2 घंटे	पिछले पृष्ठ पर चर्चा की गई 'पूर्ण पाठ्यक्रम' समय सारिणी में नियोजित पुस्तक से विशिष्ट विषयों को पढ़ने के लिए प्रत्येक दिन 2 घंटे समर्पित करें।
मुख्य बिंदुओं को याद करना	1 घंटा	आपने जो पढ़ा है उसे याद करने में 1 घंटा बिताएँ। इससे परीक्षा के दौरान जानकारी को याद रखने और MCQ को हल करने में मदद मिलती है।
मॉक टेस्ट का अभ्यास करना	½ घंटा	मॉक टेस्ट का अभ्यास करने के लिए प्रतिदिन ½ घंटा आवंटित करें। इससे आपको जो सीखा है उसे लागू करने और परीक्षा प्रारूप की आदत डालने में मदद मिलती है।
पिछले दिन की अध्ययन सामग्री को संशोधित करना	½ घंटा	पिछले दिन जो आपने पढ़ा है उसे संशोधित करने के लिए अंतिम घंटे का उपयोग करें, अपने सीखने को मजबूत करें और जानकारी को ताजा रखें।
कुल	**4 घंटे**	

UGC NET के लिए बेहतरीन अध्ययन योजना: विषय-केंद्रित समय सारिणी जो कारगर है!

यदि पारंपरिक समय सारिणी आपके लिए कारगर नहीं रही है, तो यहाँ UGC NET की तैयारी की योजना बनाने का एक वैकल्पिक तरीका बताया गया है। इकाई-वार अध्ययन पर ध्यान केंद्रित करने के बजाय, इस तीन-चरणीय सूत्र का उपयोग करके विषय-वार दृष्टिकोण अपनाएँ।

चरण 1. अपने उपलब्ध दिनों की गणना करें: एक कुशल समय सारिणी की नींव यह समझना है कि परीक्षा से पहले आपके पास कितने दिन हैं। उदाहरण के लिए, यदि आपके पास 100 दिन बचे हैं, तो यह स्पष्टता विषयों को समान रूप से वितरित करने और अंतिम समय में रटने से बचने में मदद करेगी।

चरण 2. पाठ्यक्रम को विषयों में विभाजित करें: पाठ्यक्रम को बड़ी, भारी इकाइयों के रूप में देखने के बजाय, इसे छोटे, विशिष्ट विषयों में विभाजित करें। गिनें कि आपको सभी 10 इकाइयों से कितने विषयों को कवर करने की आवश्यकता है। उदाहरण के लिए, सिर्फ 'शोध योग्यता' के बारे में सोचने के बजाय, 'गुणात्मक शोध', 'नमूनाकरण' और 'परिकल्पना परीक्षण' जैसे स्पष्ट विषयों की सूची बनाएँ। यह पुस्तक भी प्रत्येक इकाई को अलग-अलग विषयों में विभाजित करके उसी दृष्टिकोण का उपयोग करती है। आप आसानी से विषय-सूची (सूचकांक) में सभी विषयों की एक

व्यापक सूची पा सकते हैं, जो दर्शाता है कि आपको प्रत्येक इकाई के अंतर्गत किन सभी विषयों का अध्ययन करने की आवश्यकता है।

चरण 3. अपने दैनिक लक्ष्यों की योजना बनाएँ: यहाँ आपकी दैनिक समय सारिणी काम आती है। चरण 2 से कुल विषय और चरण 1 से बचे दिनों को लें और पता लगाएँ कि आपको प्रत्येक दिन कितने विषयों का अध्ययन करने की आवश्यकता है। उदाहरण के लिए, यदि आपको 100 दिनों में 800 विषय कवर करने हैं, तो आपको प्रतिदिन 8 विषय (800 ÷ 100 = 8) पढ़ने होंगे।

नोट: यदि आप एक कामकाजी पेशेवर हैं या आपकी अन्य प्रतिबद्धताएँ हैं, तो चिंता न करें यदि आप संपूर्ण पाठ्यक्रम कवर नहीं कर पाते हैं। इस पुस्तक के प्रत्येक अध्याय में UGC NET परीक्षा में सबसे अधिक पूछे जाने वाले विषयों को 'परीक्षा आवश्यक' अनुभाग के अंतर्गत हाइलाइट किया गया है। केवल इन महत्वपूर्ण विषयों पर ध्यान दें। केवल आवश्यक विषयों को चुनकर, आप अपना कुल कार्यभार कम कर देंगे, जिससे आपका दैनिक लक्ष्य अधिक प्राप्त करने योग्य हो जाएगा। उदाहरण के लिए, 800 विषयों के बजाय, आपको केवल 300 कवर करने की आवश्यकता हो सकती है, जिससे आपका दैनिक लक्ष्य प्रतिदिन केवल 3 विषयों तक कम हो जाएगा।

टाइमटेबल का पालन करते समय याद रखने योग्य सुझाव

1. **मनोरंजन के लिए समय आवंटित करें:** अपने लिए काम करने वाला टाइम-टेबल बनाना, सही आहार और व्यायाम दिनचर्या चुनने जैसा है। जिस तरह आप ऐसे आहार को नहीं अपना सकते जिसमें आपको पसंद न हो, उसी तरह आप ऐसे टाइम-टेबल का पालन करने के लिए प्रेरित महसूस नहीं करेंगे जिसमें आनंद की कमी हो। इसी तरह, अगर आपको व्यायाम करना मजेदार नहीं लगता है, तो आप इसके लिए प्रेरित महसूस नहीं करेंगे, इसलिए सलाह दी जाती है कि आप अपने पसंदीदा व्यायाम प्रारूप को चुनें, जैसे कि अगर आपको संगीत पसंद है तो जुम्बा या किसी दोस्त के साथ व्यायाम करें।

   इसी तरह, एक ऐसा टाइम-टेबल बनाना जरूरी है जिसमें कम से कम एक घंटे के लिए रोजाना मनोरंजन या 'मी-टाइम' शामिल हो। अपनी पसंदीदा गतिविधियों में शामिल हों, चाहे वह कोई पसंदीदा शो देखना हो, पढ़ना हो या बस आराम करना हो। ऐसी चीजों को शामिल करके जो आपको खुशी और संतुष्टि देती हैं, आप अपने टाइम-टेबल पर टिके रहना आसान पाएंगे और इसे अपनी दिनचर्या का ज्यादा प्रभावी और मजेदार हिस्सा बना पाएंगे।

2. **सरल विषयों से शुरुआत करें:** जब आप UGC NET प्रश्न-पत्र 1 की तैयारी शुरू करें, तो हर दिन सिर्फ 20 मिनट की पढ़ाई से शुरुआत करें और धीरे-धीरे पढ़ाई का समय बढ़ाएँ। पहले दिन 10 घंटे की पढ़ाई करने की उम्मीद न करें। इसके अलावा, सबसे सरल और सबसे दिलचस्प विषयों से शुरुआत करें। यह दृष्टिकोण आपकी प्रेरणा को बढ़ाता है और गति पैदा करता है, जिससे अधिक चुनौतीपूर्ण विषयों पर आगे बढ़ना आसान हो जाता है।

3. **मल्टीटास्किंग से बचें:** जब पढ़ाई का समय हो, तो सिर्फ पढ़ाई पर ध्यान दें। अपने फोन जैसी विचलित करने वाली चीजों को अपनी पहुँच से दूर रखें। एक ही काम पर ध्यान केंद्रित करने पर आपका दिमाग ज्यादा कुशल होता है, इसलिए अपनी उत्पादकता को अधिकतम करने के लिए मल्टीटास्किंग से बचें।

4. **पोमोडोरो तकनीक का उपयोग करें:** प्रभावी अध्ययन के लिए पोमोडोरो तकनीक अपनाएँ। 50 मिनट तक अध्ययन करें, फिर 10 मिनट का ब्रेक लें। वैकल्पिक रूप से, आप 30 मिनट तक अध्ययन कर सकते हैं और 5 मिनट का ब्रेक ले सकते हैं। यह विधि मानसिक थकान को रोकती है और आपके मस्तिष्क को जानकारी को बेहतर तरीके से बनाए रखने में मदद करती है।

5. **बड़े कार्यों को तोड़ें:** किसी बड़े विषय पर काम करते समय, उसे छोटे-छोटे चरणों में तोड़ें, जिनमें से प्रत्येक को पूरा करने में 15 मिनट से कम समय लगे। उदाहरण के लिए, यदि आपको पाँच-पृष्ठ लंबे विषय का अध्ययन करने की आवश्यकता है, तो एक बार में सभी पाँच पृष्ठों को पढ़ने का लक्ष्य न रखें। इसके बजाय, केवल पहला पैराग्राफ पढ़ने और समझने का लक्ष्य निर्धारित करें। इन छोटे-छोटे कार्यों को पूरा करके, आपको उपलब्धि का अहसास होगा जो आपको अगले चरण पर आगे बढ़ने के लिए प्रेरित करेगा।

6. **अपनी जीत का जश्न मनाएँ:** ऐसे दिन होंगे जब आप योजना के अनुसार अध्ययन नहीं कर पाएँगे, और अपने लक्ष्यों को पूरा न कर पाने के लिए खुद की आलोचना करना आसान है। हालांकि, अपनी उपलब्धियों को पहचानना और उनका जश्न मनाना भी उतना ही महत्वपूर्ण है, चाहे वे कितनी भी छोटी क्यों न हों। हर रात, सोने से पहले, उस दिन आपने जो अच्छी चीजें हासिल की हैं, उन्हें लिखने के लिए कुछ समय निकालें और खुद की पीठ थपथपाएँ।

   याद रखें, सारी सीख विश्वास से प्रेरित होती है। जैसा कि हेनरी फोर्ड ने कहा था, चाहे आपको लगे कि आप कर सकते हैं या नहीं, आप सही हैं। अगर आप लगातार खुद की आलोचना इस तरह से करते हैं कि मैं सब कुछ भूल जाता हूँ, मेरी याददाश्त खराब है, या मैं कभी अच्छे अंक नहीं ला पाता, तो आप अपनी क्षमता पर भरोसा खो सकते हैं। इसके बजाय, अपने खुद के सबसे अच्छे दोस्त और चीयरलीडर बनें अपने आत्मविश्वास को बढ़ाने के लिए सकारात्मक आत्म-चर्चा में शामिल हों।

7. **निरंतरता की शक्ति:** महान मुक्केबाज मुहम्मद अली ने एक बार कहा था, 'मुझे प्रशिक्षण के हर मिनट से नफरत थी, लेकिन मैंने कहा, हार मत मानो। अभी कष्ट सहो और बाकी की जिंदगी चैंपियन की तरह जियो।' यह शक्तिशाली उद्धरण एक अनुस्मारक है कि अपने अध्ययन की दिनचर्या पर टिके रहना, भले ही वह कठिन हो, आपको दूसरों से अलग करता है और वास्तविक अंतर बनाता है।

   बिल गेट्स ने भी इस विचार पर जोर देते हुए कहा, "अधिकांश लोग यह अनुमान लगाते हैं कि वे एक दिन में क्या कर सकते हैं और यह कम आंकते हैं कि वे एक साल में क्या कर सकते हैं।" कुंजी एक बार में एक कदम उठाने की है। एक बार में सब कुछ पूरा करने की कोशिश करने के बजाय, छोटी, स्थिर प्रगति करने पर ध्यान केंद्रित करें। इसे ऐसे समझें जैसे कि एक पहाड़ को हिलाने के लिए रोजाना कंकड़ हिलाना।

   खुद को रोजाना अध्ययन के लिए समर्पित करके, भले ही यह सिर्फ एक घंटे के लिए हो, आप लगातार प्रगति करेंगे और आश्चर्यचकित होंगे कि आप कितनी जल्दी पूरा पाठ्यक्रम पूरा कर लेते हैं। एक दिनचर्या बनाने और उस पर टिके रहने पर ध्यान केंद्रित करें। पूर्णता नहीं, निरंतरता ही सफलता का मार्ग है। इसलिए, इस प्रक्रिया को अपनाएं, प्रतिबद्ध रहें और अपनी कड़ी मेहनत का फल देखें।

परीक्षा प्रवृत्ति विश्लेषण और प्रश्न-पत्र हल करने की रणनीति (Exam Trend Analysis and Paper-Solving Strategy)

परीक्षा हॉल में प्रवेश करने से पहले परीक्षा के प्रश्न-पत्र की संरचना और प्रश्नों के वितरण को समझना महत्वपूर्ण है। UGC NET प्रश्न-पत्र 1 एक विशिष्ट पैटर्न का पालन करता है। प्रश्न-पत्र में प्रश्नों को तीन प्रमुख श्रेणियों में विभाजित किया जा सकता है:

प्रश्नों के प्रकार

श्रेणी I: आसान प्रश्न

- **प्रतिशत:** परीक्षा में आपके द्वारा देखे जाने वाले 50% प्रश्न इस श्रेणी में आते हैं
- **विवरण:** ये प्रश्न उन उम्मीदवारों के लिए डिजाइन किए गए हैं जिन्होंने अच्छी तैयारी की है। यदि आपने प्रयास किया है, और पाठ्यक्रम को व्यापक रूप से कवर किया है, तो आपको इन प्रश्नों का उत्तर आत्मविश्वास के साथ देने में सक्षम होना चाहिए।
- **हल करने की रणनीति:** परीक्षा के प्रश्न-पत्र को प्रश्नों के क्रम में हल करने के लिए बाध्य महसूस न करें। इसके बजाय, पहले सभी आसान प्रश्नों के उत्तर देकर शुरू करें। इससे आपको उपलब्धि का अहसास होगा और जब आपको लगेगा कि आपने कई प्रश्नों को सही तरीके से हल किया है, तो आपका आत्मविश्वास बढ़ेगा।

इसके अतिरिक्त, यह ध्यान रखना महत्वपूर्ण है कि जब हम अंत में आसान प्रश्न हल करते हैं, तो हम अक्सर समय के दबाव के कारण गलतियाँ करते हैं। हम प्रश्नों को गलत तरीके से पढ़ सकते हैं या गलत व्याख्या कर सकते हैं या जल्दबाजी में कोई विकल्प चुन सकते हैं। इसलिए, यह सलाह दी जाती है कि जब आपके पास उन्हें ध्यानपूर्वक पढ़ने और उत्तर देने के लिए पर्याप्त समय हो, तो पहले आसान प्रश्नों को हल करें।

श्रेणी II: औसत कठिनाई-स्तर के प्रश्न

- **प्रतिशत:** 30% परीक्षा में आपके द्वारा देखे जाने वाले प्रश्न इस श्रेणी में आते हैं।
- **विवरण:** इन प्रश्नों के लिए अधिक प्रयास और आलोचनात्मक सोच की आवश्यकता होती है। आपको अपने ज्ञान को लागू करने, अवधारणाओं का विश्लेषण करने और कभी-कभी सही उत्तरों तक पहुँचने के लिए शिक्षित अनुमान लगाने की आवश्यकता हो सकती है।
- **हल करने की रणनीति:** इस तरह के विभिन्न प्रश्नों को हल करने के लिए सबसे पहले उन विकल्पों की पहचान करके और उन्हें त्यागकर उन्मूलन के सिद्धांत को लागू करें जिनके बारे में आपको पता है कि वे निश्चित रूप से गलत हैं। यह विधि जटिल प्रश्नों को सरल बनाती है और सही उत्तर चुनने की आपकी संभावनाओं को बेहतर बनाती है।

श्रेणी III: चुनौतीपूर्ण प्रश्न

- **प्रतिशत:** परीक्षा हॉल में आपके द्वारा देखे जाने वाले 20% प्रश्न इस श्रेणी में आते हैं।
- **विवरण:** इन प्रश्नों के लिए अधिक प्रयास और आलोचनात्मक सोच की आवश्यकता होती है। आपको अपने ज्ञान को लागू करने, अवधारणाओं का विश्लेषण करने और कभी-कभी सही उत्तरों तक पहुँचने के लिए शिक्षित अनुमान लगाने की आवश्यकता हो सकती है।
- **हल करने की रणनीति:** यदि आप किसी प्रश्न पर 2 मिनट से अधिक समय तक अटके रहते हैं, तो आगे बढ़ें। कठिन प्रश्नों पर बहुत अधिक समय व्यतीत करने से आप अन्य प्रश्नों के उत्तर देने से बच सकते हैं। चूंकि सभी प्रश्नों के अंक समान होते हैं, इसलिए कुछ कठिन प्रश्नों पर अटकने के बजाय अधिक प्रश्नों को सही ढंग से हल करने को प्राथमिकता दें। याद रखें, तीन आसान प्रश्नों को सही करना एक ही कठिन प्रश्न पर समान समय व्यतीत करने से अधिक फायदेमंद है!

UGC NET कट-ऑफ के बारे में

इस विषय को सरल बनाने वाला वीडियो व्याख्यान देखने के लिए इस QR कोड को स्कैन करें

क्या आप सोच रहे हैं कि UGC NET परीक्षा में सफल होने के लिए न्यूनतम योग्यता अंक क्या हैं? चिंता न करें! यह वीडियो देखें जो निम्नलिखित विषयों को समझाता है:

- **न्यूनतम योग्यता अंक:** UGC NET परीक्षा में उत्तीर्ण होने के लिए आपको जिन बुनियादी मानदंडों को पूरा करना होगा, उन्हें समझें।
- **कट-ऑफ गणना:** NET के साथ-साथ JRF के लिए कट-ऑफ अंक कैसे निर्धारित किए जाते हैं, इसकी विस्तृत प्रक्रिया में गोता लगाएँ।
- **श्रेणी-वार कट-ऑफ:** विभिन्न श्रेणियों (सामान्य, OBC, SC, ST और PwD) के लिए अलग-अलग कट-ऑफ अंकों के बारे में जानें।
- **पिछले वर्षों के रुझान:** यथार्थवादी अपेक्षाएँ निर्धारित करने के लिए पिछले वर्षों के कट-ऑफ अंकों के रुझानों का विश्लेषण करें।
- **कट-ऑफ को पूरा करने के लिए सुझाव:** योग्यता अंक प्राप्त करने में आपकी मदद करने के लिए विशेषज्ञ सलाह और रणनीतियाँ प्राप्त करें।

यूजीसी नेट प्रश्न-पत्र 1 में प्रश्नों के प्रकार

श्रेणी	प्रतिशत	विवरण
श्रेणी I	50%	आसान प्रश्न
श्रेणी II	30%	औसत कठिनाई स्तर के प्रश्न
श्रेणी III	20%	चुनौतीपूर्ण प्रश्न

UGC NET प्रश्न-पत्र हल करने की इष्टतम रणनीति

यह समझना महत्वपूर्ण है कि आपको पूरे प्रश्न पत्र को दिए गए क्रम में हल नहीं करना चाहिए। इसके बजाय, परीक्षा के दौरान समय का प्रभावी प्रबंधन करने के लिए नीचे दिए गए प्रारूप का पालन करें:

कुल समय: 3 घंटे

समय आवंटन	गतिविधि
पहले 1 घंटे में	सभी श्रेणी I प्रश्न हल करें (आसान प्रश्न)
अगले 30 मिनट में	व्यावहारिक प्रश्न हल करें (DI, RC, गणितीय और तार्किक तर्क)
अगले 30 मिनट में	श्रेणी II प्रश्न हल करें (औसत कठिनाई स्तर के प्रश्न)
अगले 30 मिनट में	श्रेणी III प्रश्न हल करें (चुनौतीपूर्ण प्रश्न)
अंतिम 30 मिनट में	संशोधन और समीक्षा करें

यथार्थवादी स्कोर लक्ष्य निर्धारित करना

1. **पूर्ण स्कोर का लक्ष्य न रखें:** UGC NET परीक्षा इस तरह से डिजाइन की गई है कि एक अच्छी तरह से तैयार उम्मीदवार भी सभी प्रश्नों का सही उत्तर नहीं दे सकता है। पूर्ण स्कोर (100 में से 100) का लक्ष्य रखने के बजाय, सामान्य कटऑफ को पूरा करने या उससे अधिक करने पर ध्यान केंद्रित करें, जो आमतौर पर 60% से 70% के बीच होता है। हर प्रश्न को सही करने पर जोर देने के बजाय, कटऑफ से ऊपर स्कोर करने पर ध्यान केंद्रित करें।
2. **शांत रहें:** कभी-कभी चुनौतीपूर्ण प्रश्न (श्रेणी III के रूप में वर्गीकृत) प्रश्न पत्र की शुरुआत में आते हैं जो हतोत्साहित कर सकते हैं और संभावित रूप से घबराहट पैदा कर सकते हैं। कठिन प्रश्नों को शुरू में छोड़कर और आसान और औसत कठिनाई वाले प्रश्नों (श्रेणी I और II) के उत्तर देने पर ध्यान केंद्रित करके केंद्रित और शांत रहें। याद रखें, भले ही आप कुछ चुनौतीपूर्ण प्रश्नों को छोड़ दें, फिर भी आप कटऑफ से अधिक स्कोर प्राप्त कर सकते हैं।

विशेष सुझाव

UGC NET परीक्षा में सफलता के लिए प्रश्न-पत्र 1 को प्राथमिकता दें: कई छात्र प्रश्न-पत्र 1 की तैयारी को अनदेखा कर देते हैं क्योंकि वे प्रश्न-पत्र 2 के व्यापक पाठ्यक्रम पर अधिक ध्यान केंद्रित करते हैं। हालाँकि, कई शीर्ष स्कोरर के साथ हमारे साक्षात्कार एक महत्वपूर्ण अंतर्दृष्टि प्रकट करते हैं: जो लोग अपने पहले प्रयास में UGC NET परीक्षा पास करने में सफल हुए, उन्होंने प्रश्न-पत्र 1 की उपेक्षा नहीं की।

जबकि प्रश्न-पत्र 2 में बहुत अधिक सामग्री शामिल होती है और अक्सर छह महीने से अधिक समर्पित अध्ययन की आवश्यकता होती है, प्रश्न-पत्र 1 में अधिक संक्षिप्त पाठ्यक्रम होता है जिसे केवल 30 से 40 दिनों में पूरी तरह से कवर किया जा सकता है। प्रश्न-पत्र 1 में महारत हासिल करने में समय और प्रयास लगाना महत्वपूर्ण है क्योंकि यह आपको एक महत्वपूर्ण लाभ प्रदान कर सकता है, जो आपके समग्र परीक्षा प्रदर्शन में वास्तविक अंतर ला सकता है। प्रश्न-पत्र 1 को वह ध्यान देकर जो इसके लायक है, आप अपनी समग्र परीक्षा की तैयारी को बढ़ाते हैं और सफलता की संभावनाओं को बेहतर बनाते हैं।

यह पुस्तक चुनौतीपूर्ण प्रश्नों को हल करने में आपकी किस प्रकार सहायता कर सकती है

2020 से 2025 तक UGC NET प्रश्न-पत्र 1 का विश्लेषण करने पर एक महत्वपूर्ण प्रवृत्ति देखने को मिलती है: परीक्षा लगातार कठिन होती जा रही है, जिसमें अक्सर प्रश्न पाठ्यक्रम से परे होते हैं और अधिक गहन विषयों पर चर्चा करते हैं। इसलिए, केवल पाठ्यक्रम पर निर्भर रहना पर्याप्त नहीं हो सकता है। इस पुस्तक का उद्देश्य आपको बेहतर ढंग से तैयार करने के लिए अतिरिक्त विषयों (श्रेणी III प्रश्न) को शामिल करके इस समस्या का समाधान करना है।

जब आप इस पुस्तक के अध्यायों को पढ़ेंगे, तो आपको QR कोड वाले 'स्कोर बूस्टर बॉक्स' मिलेंगे। इन कोड को स्कैन करने पर आपको परीक्षा में आने वाले अतिरिक्त विषयों के साथ विशेष बोनस PDF सामग्री तक पहुँच प्राप्त होगी। पूरी तरह से तैयारी सुनिश्चित करने के लिए, इस चरण-दर-चरण दृष्टिकोण का पालन करें:

1. चरण 1: पुस्तक को ध्यान से पढ़ें।
2. चरण 2: प्रत्येक इकाई के अंत में दिए गए पिछले वर्ष के प्रश्नों (PYQ) का अभ्यास करें।
3. चरण 3: अतिरिक्त विषयों को कवर करने के लिए 'स्कोर बूस्टर बॉक्स' से विशेष PDF की समीक्षा करें।

नोट: हम दृढ़ता से अनुशंसा करते हैं कि आप अतिरिक्त पीडीएफ में जाने से पहले पुस्तक की सामग्री में महारत हासिल करें। पुस्तक में शामिल विषयों को अच्छी तरह से समझने पर ध्यान केंद्रित करें, और यदि आपके पास अतिरिक्त समय है, तो पाठ्यक्रम से परे अतिरिक्त विषयों का पता लगाएं।

परीक्षा देते समय याद रखने योग्य सुझाव
(Tips to Remember While Attempting the Exam)

परीक्षा में सफलता के लिए जरूरी टिप्स

1. **समझें कि चिंता होना सामान्य है:** परीक्षा से पहले चिंता होना पूरी तरह से सामान्य है। आप अकेले नहीं हैं जो इस तरह महसूस करते हैं-देश भर में हर UGC NET उम्मीदवार तनाव की इसी तरह की भावनाओं से जूझ रहा है। माउंटेन ड्यू का विज्ञापन याद करें जिसमें कहा गया है, "डर के आगे जीत है, डर सबको लगता है, गला सबका सूखता है," जिसका मतलब है कि डर हर किसी को होता है, यहाँ तक कि सबसे सफल व्यक्ति भी।

   लेकिन जब परीक्षा के बीच में चिंता होने लगे तो आप क्या करते हैं? यहाँ पर अपना ध्यान फिर से केंद्रित करने और अपने तंत्रिकाओं को शांत करने का त्वरित मंत्र दिया गया है:

   गहरी साँस लेना: अपनी आँखें बंद करें, धीरे-धीरे गहरी साँस लें, इसे कुछ सेकंड के लिए रोककर रखें और धीरे-धीरे साँस छोड़ें। इसे दो-तीन बार दोहराएँ। यह आपकी नसों को शांत करने और आपके दिमाग को साफ करने की एक शक्तिशाली तकनीक है, जो आपके मस्तिष्क को बेहतर ढंग से काम करने के लिए आवश्यक ऑक्सीजन प्रदान करती है।

   हाइड्रेटेड रहें: क्या आप जानते हैं कि हमारे मस्तिष्क को चिंता को कम करने और आराम करने के लिए ऑक्सीजन की आवश्यकता होती है? पानी (H_2O) में ऑक्सीजन के अणु होते हैं, और पानी की चुस्की लेने से इस अत्यंत आवश्यक ऑक्सीजन की तुरंत आपूर्ति हो सकती है। यह आपके शरीर और दिमाग के लिए रिफ्रेश बटन दबाने जैसा है। एक घूंट पीने से न केवल आपको हाइड्रेटेड किया जाता है, बल्कि आपको चिंता से दूर रहने और फिर से ध्यान केंद्रित करने के लिए एक संक्षिप्त मानसिक विराम भी मिलता है।

   सबसे महत्वपूर्ण बात, याद रखें कि एक मुश्किल सवाल पूरी परीक्षा के परिणाम को परिभाषित नहीं करता है। प्रत्येक प्रश्न को नए दृष्टिकोण से देखें।

2. **अगर आप भूल जाते हैं तो घबराएँ नहीं:** परीक्षा के दिन जब आप जो कुछ भी पढ़ते हैं उसे याद नहीं रख पाते हैं तो घबरा जाना आम बात है। यह अनुभव सिर्फ आपके साथ ही नहीं होता है; यहाँ तक कि शीर्ष प्रदर्शन करने वाले भी ऐसी ही चुनौतियों का सामना करते हैं। याद रखें कि मानव मस्तिष्क जो कुछ भी संसाधित करता है उसका केवल एक अंश ही याद रख सकता है। जो आपको याद नहीं है उस पर तनाव लेने के बजाय, जो आपको याद है उस पर ध्यान केंद्रित करें। खुद को याद दिलाएँ कि भूलना सीखने की प्रक्रिया का एक स्वाभाविक हिस्सा है, जो आपकी चिंता को कम करने और आपको शांत रखने में मदद कर सकता है।

3. **परीक्षा के दौरान अपने अंकों की गणना न करें:** परीक्षा के दौरान यह गणना करने से बचें कि आपने कितने प्रश्नों के सही उत्तर दिए हैं। यह आदत आपके आत्मविश्वास को प्रभावित कर सकती है और आपको शेष प्रश्नों पर ध्यान केंद्रित करने से विचलित कर सकती है। इसके बजाय, पिछले प्रश्नों के बारे में चिंता किए बिना अपनी क्षमता के अनुसार प्रत्येक प्रश्न का उत्तर देने पर ध्यान केंद्रित करें।

4. **प्रश्नों को दो बार पढ़ें:** गलतफहमी और गलतियों से बचने के लिए, प्रत्येक प्रश्न को दो बार अवश्य पढ़ें। UGC NET के प्रश्न मुश्किल हो सकते हैं, क्योंकि 'कभी नहीं' या 'हमेशा' जैसे शब्द उनके अर्थ को काफी हद तक बदल देते हैं। उदाहरण के लिए, यदि कोई प्रश्न पूछता है कि निम्नलिखित में से कौन सा गैर-संभाव्यता नमूनाकरण का प्रकार नहीं है और आप 'नहीं' शब्द को अनदेखा कर देते हैं, तो आप गलत विकल्प चुन सकते हैं। ऐसे विवरणों पर ध्यान देने से गलतियों को रोकने में मदद मिलती है।

5. **सभी प्रश्नों के उत्तर दें:** परीक्षा में प्रत्येक प्रश्न का प्रयास करें, भले ही आपको अनुमान लगाना पड़े। कोई नकारात्मक अंकन नहीं होने के कारण, प्रत्येक अनुमान आपके स्कोर को बढ़ा सकता है और आपको कटऑफ को पूरा करने में मदद कर सकता है।

6. **द्विभाषी पढ़ने का उपयोग करें:** यदि आपको किसी प्रश्न की भाषा को समझना चुनौतीपूर्ण लगता है, तो उसे अंग्रेजी और हिंदी दोनों में पढ़ने का प्रयास करें। इससे अर्थ स्पष्ट करने में मदद मिल सकती है और यह सुनिश्चित हो सकता है कि आप प्रश्न को पूरी तरह से समझ गए हैं।

व्यावहारिक प्रश्नों को हल करने के लिए सुझाव

1. **गति से ज्यादा सटीकता को प्राथमिकता दें:** प्रश्नों को जल्दी-जल्दी हल करने से गलतियाँ हो सकती हैं, इसलिए प्रश्नों को हल करते समय गति से ज्यादा सटीकता को प्राथमिकता दें। यह दृष्टिकोण आपको बेहतर परिणाम प्राप्त करने और अनावश्यक त्रुटियों से बचने में मदद करेगा।

2. **मानसिक गणना से बचें:** त्रुटियों को रोकने के लिए, अपने दिमाग में गणना करने से बचें। डेटा व्याख्या या गणितीय तर्क प्रश्नों के लिए, यहाँ तक कि बुनियादी गणनाओं के लिए भी, रफ पेपर का उपयोग करें। यह अभ्यास आपको उन त्रुटियों को पकड़ने में मदद करता है जिन्हें आपके दिमाग में गणना करते समय अनदेखा किया जा सकता है।

परीक्षा के दिन के लिए सुझाव

1. **पौष्टिक नाश्ता करें:** अपने दिन की शुरुआत स्वस्थ्य नाश्ते से करें ताकि आपके मस्तिष्क को आवश्यक ईंधन और ऊर्जा मिल सके।

2. **पर्याप्त नींद लें:** सुनिश्चित करें कि आप परीक्षा से पहले रात को आठ घंटे की अच्छी नींद लें ताकि आपका मस्तिष्क बेहतर तरीके से काम कर सके।

3. **ताजगी देने वाला स्नान करें।** परीक्षा में जाने से पहले स्नान करने से आप तरोताजा महसूस कर सकते हैं, जिससे आप मानसिक रूप से तैयार और केंद्रित महसूस कर सकते हैं।

यूजीसी नेट प्रश्न-पत्र I पाठ्यक्रम

(जैसा कि आधिकारिक यूजीसी नेट वेबसाइट पर प्रकाशित है)

(UGC NET Paper I Syllabus)

(As published on the official UGC NET website)

विश्वविद्यालय अनुदान आयोग

नेट ब्यूरो

पाठ्यक्रम

विषयः शिक्षण एवं शोध अभियोग्यता पर
सामान्य प्रश्न-पत्र कोड संख्याः 00

प्रश्न-पत्र 1

मुख्य उद्देश्य उम्मीदवारों की शिक्षण और अनुसंधान क्षमताओं का आकलन करना है। परीक्षण शिक्षण और अनुसंधान योग्यता का आकलन करने के साथ-साथ उम्मीदवारों से संज्ञानात्मक क्षमताओं का प्रदर्शन करने की अपेक्षा की जाती है, जिसमें समझ, विश्लेषण, मूल्यांकन, तर्कों की संरचना को समझना, निगमनात्मक और आगमनात्मक तर्क शामिल हैं। उम्मीदवारों से उच्च शिक्षा प्रणाली में शिक्षण और सीखने की प्रक्रियाओं के बारे में सामान्य जागरूकता रखने की भी अपेक्षा की जाती है। इसके अलावा, उन्हें लोगों, पर्यावरण, प्राकृतिक संसाधनों और जीवन की गुणवत्ता पर उनके प्रभाव के बीच बातचीत के बारे में पता होना चाहिए।

पाठ्यक्रम का विवरण इस प्रकार है:

इकाई-I शिक्षण अभियोग्यता

- **शिक्षणः** अवधारणा, उद्देश्य, शिक्षण के स्तर (स्मृति, समझ और चिंतन), विशेषताएँ और बुनियादी आवश्यकताएँ।
- **शिक्षार्थी की विशेषताएँ:** किशोर और वयस्क शिक्षार्थियों की विशेषताएँ (शैक्षणिक, सामाजिक, भावनात्मक और संज्ञानात्मक), व्यक्तिगत अंतर।
- **शिक्षण को प्रभावित करने वाले कारकः** शिक्षक, शिक्षार्थी, सहायक सामग्री, शिक्षण सुविधाएँ, सीखने का माहौल और संस्थान।
- **उच्च शिक्षा संस्थानों में शिक्षण के तरीकेः** शिक्षक केंद्रित बनाम शिक्षार्थी केंद्रित तरीके; ऑफ-लाइन बनाम ऑनलाइन तरीके (स्वयं, स्वयंप्रभा, एमओओसी आदि)।
- **शिक्षण सहायता प्रणालीः** पारंपरिक, आधुनिक और आईसीटी आधारित।
- **मूल्यांकन प्रणालीः** मूल्यांकन के तत्व और प्रकार, उच्च शिक्षा में विकल्प आधारित क्रेडिट प्रणाली में मूल्यांकन, कंप्यूटर आधारित परीक्षण, मूल्यांकन प्रणालियों में नवाचार।

इकाई-II शोध अभिवृत्ति

- **अनुसंधानः** अर्थ, प्रकार और विशेषताएँ, अनुसंधान के प्रति प्रत्यक्षवाद और उत्तर-प्रत्यक्षवादी दृष्टिकोण।
- **अनुसंधान के तरीकेः** प्रायोगिक, वर्णनात्मक, ऐतिहासिक, गुणात्मक और मात्रात्मक तरीके।
- अनुसंधान के चरण।
- **थीसिस और लेख लेखनः** संदर्भ देने का प्रारूप और शैलियाँ।
- अनुसंधान में आईसीटी का अनुप्रयोग।
- अनुसंधान नैतिकता।

इकाई-III बोध

- पाठ का एक अंश दिया गया है। प्रश्नों के उत्तर दिए जाने हैं।

इकाई-IV संप्रेषण

- **संप्रेषणः** संप्रेषण का अर्थ, प्रकार और विशेषताएँ।
- **प्रभावी संप्रेषणः** मौखिक और गैर-मौखिक, अंतर-सांस्कृतिक और समूह संप्रेषण, कक्षा संप्रेषण।
- प्रभावी संप्रेषण में बाधाएँ।
- मास-मीडिया और समाज।

इकाई-V गणितीय तर्क और अभियोग्यता

- तर्क के प्रकार।
- संख्या श्रृंखला, अक्षर श्रृंखला, कोड और संबंध।
- गणितीय योग्यता (अंश, समय और दूरी, अनुपात, समानुपात और प्रतिशत, लाभ और हानि, ब्याज और छूट, औसत आदि)।

इकाई-VI तार्किक तर्क

- **तर्कों की संरचना को समझनाः** तर्क के रूप, श्रेणीबद्ध प्रस्तावों की संरचना, मनोदशा और आकृति, औपचारिक और अनौपचारिक भ्रांतियाँ, तर्कों के उपयोग भाषा, शब्दों के अर्थ और संकेत, विरोध का शास्त्रीय वर्ग।
- निगमनात्मक और आगमनात्मक तर्क का मूल्यांकन और अंतर करना।
- सादृश्य।
- **वेन आरेखः** तर्कों की वैधता स्थापित करने के लिए सरल और बहुउपयोगी उपयोग।
- **भारतीय तर्कः** ज्ञान के साधन।

- **प्रमाण:** प्रत्यक्ष (धारणा), अनुमान (अनुमान), उपमान (तुलना), शब्द (मौखिक गवाही), अर्थपत्ती (निहितार्थ) और अनुपलब्धि (गैर-अनुमान)।
- अनुमान (अनुमान), व्याप्ति (अपरिवर्तनीय संबंध), हेत्वभास (अनुमान की भ्रांतियाँ) की संरचना और प्रकार।

इकाई-VII आँकड़ों की व्याख्या

- डेटा के स्रोत, अधिग्रहण और वर्गीकरण।
- मात्रात्मक और गुणात्मक डेटा।
- ग्राफिकल प्रतिनिधित्व (बार-चार्ट, हिस्टोग्राम, पाई-चार्ट, टेबल-चार्ट और लाइन-चार्ट) और डेटा का मानचित्रण।
- डेटा व्याख्या।
- डेटा और शासन।

इकाई-VIII सूचना एवं संचार प्रौद्योगिकी (ICT)

- **आईसीटी:** सामान्य संक्षिप्ताक्षर एवं शब्दावली।
- इंटरनेट, इंट्रानेट, ई-मेल, ऑडियो एवं वीडियो-कॉन्फ्रेंसिंग की मूल बातें।
- उच्च शिक्षा में डिजिटल पहल।
- आईसीटी एवं शासन।

इकाई-IX लोग, विकास और पर्यावरण

- **विकास और पर्यावरण:** सहस्राब्दि विकास और सतत विकास लक्ष्य।
- **मानव और पर्यावरण अंत:क्रिया:** मानवजनित गतिविधियाँ और पर्यावरण पर उनका प्रभाव।
- **पर्यावरण संबंधी मुद्दे:** स्थानीय, क्षेत्रीय और वैश्विक; वायु प्रदूषण, जल प्रदूषण, मृदा प्रदूषण, ध्वनि प्रदूषण, अपशिष्ट (ठोस, तरल, बायोमेडिकल, खतरनाक, इलेक्ट्रॉनिक), जलवायु परिवर्तन और इसके सामाजिक-आर्थिक और राजनीतिक आयाम।
- मानव स्वास्थ्य पर प्रदूषकों का प्रभाव।
- **प्राकृतिक एवं ऊर्जा संसाधन:** सौर, पवन, मृदा, जल, भूतापीय, बायोमास, परमाणु और वन।
- **प्राकृतिक खतरे और आपदाएँ:** शमन रणनीतियाँ।
- पर्यावरण संरक्षण अधिनियम (1986), जलवायु परिवर्तन पर राष्ट्रीय कार्य योजना, अंतर्राष्ट्रीय समझौते/प्रयास - मॉन्ट्रियल प्रोटोकॉल, रियो शिखर सम्मेलन, जैव विविधता पर सम्मेलन, क्योटो प्रोटोकॉल, पेरिस समझौता, अंतर्राष्ट्रीय सौर गठबंधन।

इकाई-X उच्च शिक्षा प्रणाली

- प्राचीन भारत में उच्च शिक्षा और शिक्षा के संस्थान।
- स्वतंत्रता के बाद के भारत में उच्च शिक्षा और अनुसंधान का विकास।
- भारत में प्राच्य, पारंपरिक और गैर-पारंपरिक शिक्षण कार्यक्रम।
- व्यावसायिक, तकनीकी और कौशल आधारित शिक्षा।
- मूल्य शिक्षा और पर्यावरण शिक्षा।
- नीतियाँ, शासन और प्रशासन।

नोट:

(i) प्रत्येक मॉड्यूल से 2 अंकों वाले पाँच प्रश्न निर्धारित किए जाने हैं।

(ii) जब भी दृष्टिबाधित उम्मीदवारों के लिए चित्रमय/चित्रात्मक प्रश्न निर्धारित किए जाते हैं, तो दृष्टिबाधित उम्मीदवारों के लिए समान संख्या में प्रश्न और वेटेज के बाद एक गद्यांश निर्धारित किया जाना चाहिए।

UGC NET पाठ्यक्रम की व्याख्या: इसमें क्या शामिल है और क्या नहीं

आधिकारिक UGC NET पाठ्यक्रम एक व्यापक दिशानिर्देश के रूप में कार्य करता है और इसमें परीक्षा में आने वाले सभी विषय शामिल नहीं होते हैं। जबकि यह 10 इकाइयों के अंतर्गत प्रमुख विषय क्षेत्रों की रूपरेखा प्रस्तुत करता है, वास्तविक प्रश्न अक्सर अतिरिक्त अवधारणाओं और विषयों को कवर करते हैं जिनका पाठ्यक्रम में स्पष्ट रूप से उल्लेख नहीं किया गया है।

इस अंतर को पाटने के लिए, हमने पिछले वर्षों के प्रश्न पत्रों (2014-2025) का व्यापक विश्लेषण किया है। इस विश्लेषण के आधार पर, हमने उन विषयों की एक विस्तृत सूची संकलित की है जो पिछली UGC NET परीक्षाओं में पूछे गए हैं। आपकी सुविधा के लिए, इन विषयों की पूरी सूची अगले पृष्ठ पर 'सामग्री' अनुभाग के अंतर्गत प्रदान की गई है। यह विस्तृत संकलन सुनिश्चित करता है कि आप सभी संभावित प्रश्न क्षेत्रों के लिए अच्छी तरह से तैयार हैं, जिससे आपकी सफलता की संभावना बढ़ जाती है।

विषय सूची (Contents)

#*CC का अर्थ है कॉन्सेप्ट कैप्सूल*

इकाई II: शोध अभिवृत्ति

#CC का अर्थ है कॉन्सेप्ट कैप्सूल

अध्याय 8: अनुसंधान प्रक्रिया के चरण (Steps in Research Process) 128

अध्याय 9: थीसिस लेखन और शोध नैतिकता (Thesis Writing and Research Ethics) 172

#CC का अर्थ है कॉन्सेप्ट कैप्सूल

इकाई III: बोध

अध्याय 10: बोध (Comprehension) 206

इकाई IV: संप्रेषण

अध्याय 11: संप्रेषण का परिचय (Introduction to Communication) 224

अध्याय 12: संप्रेषण की प्रक्रिया और मॉडल (Process and Models of Communication) 237

अध्याय 13: संप्रेषण के प्रकार (Types of Communication) 255

#CC का अर्थ है कॉन्सेप्ट कैप्सूल

अध्याय 14: जनसंचार और समाज (Mass Media and Society) 284

इकाई V: गणितीय तर्क और अभियोग्यता

अध्याय 15: गणितीय तर्क (Mathematical Reasoning) 309

अध्याय 16: गणितीय अभिक्षमता (Mathematical Aptitude) 333

इकाई VI: तार्किक तर्क

अध्याय 17: तार्किक तर्क का परिचय (Introduction to Logical Reasoning) 358

[#]*CC का अर्थ है कॉन्सेप्ट कैप्सूल*

इकाई VII: आँकड़ों की व्याख्या

#CC का अर्थ है कॉन्सेप्ट कैप्सूल

इकाई VIII: सूचना और संचार प्रौद्योगिकी (ICT)

अध्याय 22: आईसीटी का परिचय (Introduction to ICT) 454

अध्याय 23: कंप्यूटर सॉफ्टवेयर और प्रोग्रामिंग के मूल सिद्धांत (Fundamentals of Computer Software and Programming) 481

अध्याय 24: इंटरनेट का विकास और प्रभाव (Evolution and Impact of the Internet) 501

इकाई IX: लोग, विकास और पर्यावरण

अध्याय 25: लोग, विकास और पर्यावरण का परिचय (Introduction to People, Development and Environment) 545

#CC का अर्थ है कॉन्सेप्ट कैप्सूल

अध्याय 26: प्रदूषण (Pollution) 554

अध्याय 27: प्राकृतिक और ऊर्जा संसाधन (Natural and Energy Resources) 600

अध्याय 28: प्राकृतिक संकट तथा आपदाएँ (Natural Hazard and Disasters) 625

#CC का अर्थ है कॉन्सेप्ट कैप्सूल

इकाई X: उच्च शिक्षा प्रणाली

#CC का अर्थ है कॉन्सेप्ट कैप्सूल

*CC का अर्थ है कॉन्सेप्ट कैप्सूल

यूजीसी नेट प्रश्न-पत्र 1: 8 जनवरी 2025 (शिफ्ट 1)

निम्नलिखित प्रश्नों के उत्तर देने के लिए नीचे दी गई तालिका में दिए गए आँकड़ों का अध्ययन करें:

तालिका 1: भारत में खाद्यान्न की अनुमानित घरेलू माँग

	वार्षिक घरेलू मांग (मिलियन मीट्रिक टन)			
कमोडिटी	1990	2000	2010	2020
खाद्यान्न	168.3	208.6	283.5	350.0
दूध	48.8	83.8	146.2	287.5
खाद्य तेल	4.3	6.3	10.1	14.3
सब्जियाँ	56.0	80.0	112.1	170.2
फल	12.5	22.2	43.5	82.1
मांस, मछली और अंडा	3.0	6.2	13.6	28.3
चीनी	9.6	12.8	18.4	23.1

1. निम्नलिखित में से किस वर्ष में फलों: सब्जियों की मांग का अनुपात 1/3 से कम है?

(a) 1990 और 2000 (b) 2000 और 2010
(c) 1990 और 2010 (d) 2000 और 2020

2. निम्नलिखित में से किस वस्तु की मांग में 1990 से 2020 के दशकों में सबसे अधिक वृद्धि देखी गई है?

(a) दूध (b) खाद्यान्न
(c) मांस, मछली और अंडे (d) चीनी

3. निम्नलिखित में से किस वस्तु के जोड़े के लिए वर्ष 2020 में मांग का अनुपात सबसे अधिक है?

(a) खाद्यान्न: दूध
(b) (मांस, मछली और अंडे): चीनी
(c) दूध: सब्जियाँ
(d) (मांस, मछली और अंडे): खाद्य तेल

4. वर्ष 2010 में खाद्यान्न मांग की तुलना में वर्ष 2020 में निम्नलिखित में से किस वस्तु की मांग कम-से-कम दोगुनी हो गई है?

(a) फल (b) दूध
(c) मांस, मछली और अंडे (d) सब्जियाँ

5. 1990 से 2020 तक के दशकों में किस वस्तु की औसत मांग सबसे कम रही है?

(a) चीनी (b) खाद्य तेल
(c) फल (d) मांस, मछली और अंडे

6. बर्लो के एस-एम-सी-आर मॉडल में 'सी' का क्या अर्थ है

(a) चैनल (b) संचारक
(c) संदर्भ (d) सामग्री

7. कक्षा में, शिक्षक को इन पर ध्यान केंद्रित करना चाहिए:

A. एकतरफा संचार
B. अंतर-सांस्कृतिक सद्भाव
C. छात्र प्रतिक्रिया
D. लचीला वातावरण बनाना
E. परामर्श से बचना

नीचे दिए गए विकल्पों में से सही उत्तर चुनें:

(a) केवल A, B, C (b) केवल B, C, D
(c) केवल A, D, E (d) केवल C, D, E

8. सूची-I को सूची-II से सुमेलित करें।

सूची-I (कक्षा संचार उपकरण)	सूची-II (अर्थ)
A. ईमेल	I. प्रतिक्रिया और विभिन्न दृष्टिकोण
B. वीडियो कॉन्फ्रेंसिंग	II. औपचारिक लिखित संचार के लिए उपकरण
C. चर्चा मंच	III. दृश्य प्रस्तुतियाँ
D. प्रोजेक्टर	IV. दूरस्थ शिक्षण

नीचे दिए गए विकल्पों में से सही उत्तर चुनें:

(a) A-II, B-III, C-I, D-IV (b) A-II, B-IV, C-I, D-III
(c) A-I, B-III, C-IV, D-II (d) A-IV, B-II, C-I, D-III

9. जैन ज्ञानमीमांसा के प्रकाश में, मतिज्ञान किस विशेष क्रम में आता है?

A. धाम B. इहा
C. अवग्रह D. अपया

नीचे दिए गए विकल्पों में से सही उत्तर चुनें:

(a) A, D, C, B (b) D, C, B, A
(c) B, D, A, C (d) C, B, D, A

10. निम्नलिखित मुक्त विश्वविद्यालयों का सही कालानुक्रमिक क्रम (प्रारंभिक से नवीनतम तक) पहचानें:

A. कर्नाटक राज्य मुक्त विश्वविद्यालय
B. भोज मुक्त विश्वविद्यालय
C. राजर्षि टंडन मुक्त विश्वविद्यालय
D. नेताजी सुभाष मुक्त विश्वविद्यालय
E. नालंदा मुक्त विश्वविद्यालय

नीचे दिए गए विकल्पों में से सही उत्तर चुनें:

(a) A, C, D, E, B (b) B, D, E, A, C
(c) C, D, B, A, E (d) E, B, A, D, C

11. विद्युत ट्रांसफार्मर में निम्नलिखित में से कौन सा जहरीला रसायन उपयोग किया जाता है?

(a) पेरोक्सी एसिटाइल नाइट्रेट
(b) एट्राजीन
(c) परफ्लुरो ऑक्टेन सल्फोनेट
(d) पॉलीक्लोरीनेटेड बाइफिनाइल

12. किस प्रकार का शोध अतीत के अध्ययन के माध्यम से नए तथ्यों की खोज करता है?

(a) पौराणिक शोध
(b) विषय-वस्तु विश्लेषण
(c) ऐतिहासिक शोध
(d) दार्शनिक शोध

13. शिक्षा मंत्रालय की आईसीटी पहल के तहत निम्नलिखित में से कौन एम्बेडेड सिस्टम पर व्यावहारिक अनुभव प्रदान करता है?

A. शोधगंगा B. FOSSE
C. वर्चुअल लैब D. ई-यंत्र

नीचे दिए गए विकल्पों में से सही उत्तर चुनें:

(a) केवल A और B (b) केवल A और C
(c) केवल B, C और D (d) A, B, C और D

14. निम्नलिखित में से किस विश्वविद्यालय को 1884 में मानद LLD डिग्री प्रदान करने की अनुमति थी?

A. कलकत्ता B. बॉम्बे
C. मद्रास D. इलाहाबाद
E. पंजाब

नीचे दिए गए विकल्पों में से सही उत्तर चुनें:

(a) केवल C, D और E (b) केवल B, C और D
(c) केवल A, B और C (d) केवल A, D और E

15. निम्नलिखित में से कौन सा ऑनलाइन पाठ्यक्रम बनाने और वितरित करने के लिए एक मुफ्त और ओपन सोर्स सॉफ्टवेयर है?

(a) मूडल (b) यूडेमी
(c) कोर्सेरा (d) एडएक्स

16. सूची-I को सूची-II से सुमेलित करें।

सूची-I	सूची-II
A. शिक्षक	I. ज्ञान का स्रोत
B. शिक्षार्थी	II. ज्ञान सृजन में सहायता करना
C. शिक्षण सामग्री	III. ज्ञान सृजन को सुगम बनाना
D. शिक्षण सुविधाएँ	IV. ज्ञान का निर्माता

नीचे दिए गए विकल्पों में से सही उत्तर चुनें:

(a) A-I, B-III, C-II, D-IV (b) A-IV, B-II, C-I, D-III
(c) A-III, B-IV, C-I, D-II (d) A-II, B-IV, C-III, D-I

17. परियोजना पद्धति अपनाते समय, अनुसरण किए जाने वाले चरणों के सही क्रम की पहचान करें:

A. अध्ययन की योजना बनाएं
B. विषय की पहचान करें
C. विश्लेषण करें
D. डेटा एकत्र करें
E. मूल्यांकन करें

नीचे दिए गए विकल्पों में से सही उत्तर चुनें:

(a) A, B, E, D, C (b) D, C, E, B, A
(c) B, A, D, C, E (d) C, B, A, E, D

18. यदि 3 किलो आलू और 4 किलो टमाटर की कीमत 100 रुपये है और 4 किलो आलू और 3 किलो टमाटर की कीमत 110 रुपये है, तो टमाटर की कीमत प्रति किलो रुपये है:

(a) 10 (b) 20
(c) 25 (d) 15

19. दसवीं पंचवर्षीय योजना ने निम्नलिखित के महत्व को मान्यता दी:

(a) जनसंख्या अध्ययन (b) विस्तार शिक्षा
(c) सूचना प्रौद्योगिकी (d) सामाजिक कार्य

20. अनुप्रयोज्यता (अस्तित्वहीनता) के संदर्भ में निम्नलिखित में से कौन सा गलत है?

(a) "जार मौजूद रहेगा" प्रगटभाव को दर्शाता है।
(b) "जार कपड़ा नहीं है" प्रध्वंसभाव को दर्शाता है।
(c) "हवा का कोई रंग नहीं है" आत्मनवभाव को दर्शाता है।
(d) "A, B नहीं है" अन्योन्याभाव को दर्शाता है

21. निम्नलिखित में से कौन सा मैलवेयर है?

A. वायरस B. वर्म्स
C. रैनसमवेयर D. ट्रोजन

नीचे दिए गए विकल्पों में से सही उत्तर चुनें:

(a) केवल A (b) केवल A और D
(c) A, B, C और D (d) केवल B और C

22. अनुदैर्ध्य शोध अध्ययनों के संबंध में निम्नलिखित में से कौन सा गलत है?

A. अध्ययन जनसंख्या का नियमित अंतराल पर कई बार दौरा किया जाता है।
B. एक से अधिक बार जाने की आवश्यकता नहीं है।
C. अंतराल एक सप्ताह जितना छोटा या एक वर्ष से अधिक हो सकता है।
D. अंतराल एक वर्ष से अधिक लंबा होना चाहिए।
E. अंतराल निश्चित नहीं हैं, इसलिए उनकी अवधि अध्ययन से अध्ययन में भिन्न हो सकती है।

नीचे दिए गए विकल्पों में से सही उत्तर चुनें:

(a) केवल A, B, C (b) केवल D और E
(c) केवल B और D (d) केवल B, C, D

23. स्व-विनियमित शिक्षार्थी के पास होगा:

(a) अच्छा तकनीकी ज्ञान और ज्ञान तक पहुँचने के लिए उपकरणों की उपलब्धता
(b) अच्छा ध्यान, स्मृति और प्रतिबिंब
(c) भविष्य के लिए उचित योजनाएँ और उन्हें क्रियान्वित करने का कौशल
(d) स्वयं, विषय, कार्य और सीखने की रणनीतियों के बारे में ज्ञान

24. 'मानस' की अवधारणा के वेदांत के उपचार के प्रकाश में, निम्नलिखित कथनों पर विचार करें:

A. मानस एक स्वतंत्र वास्तविकता है
B. मानस एक मौलिक पदार्थ है
C. मानस एक इंद्रिय नहीं है
D. मानस अदृश्य और अतिसूक्ष्म पदार्थ है
E. मानस अंत:करण का एक कार्य है

नीचे दिए गए विकल्पों में से सही उत्तर चुनें:

(a) केवल A और D (b) C और E केवल
(c) केवल A और B (d) केवल B और D

25. अंत:विषयक अनुसंधान का मुख्य उद्देश्य क्या है?

(a) अनुसंधान डोमेन में विषय के एक क्षेत्र पर जोर कम करना।
(b) अनुसंधान पद्धति में एक नई प्रवृत्ति बनाना।
(c) अनुसंधान के लिए समग्र दृष्टिकोण लाना।
(d) अनुसंधान की समस्या को सरल बनाना।

26. सूची-I को सूची-II से सुमेलित करें।

सूची-I (शोध वाक्यांश/शब्द)	सूची-II (अर्थ)
A. नमूनाकरण फ्रेम	I. इसमें उचित रूप से पहचाने गए जनसंख्या तत्व शामिल हैं जो नमूना तत्व चयन प्रक्रिया के किसी भी चरण में शोधकर्ता के लिए उपलब्ध हैं।
B. नमूना इकाई	II. यह तब होता है जब कोई नमूना जनसंख्या विशेषताओं का उचित रूप से प्रतिनिधित्व नहीं करता है।
C. नमूनाकरण त्रुटि	III. इसमें जनसंख्या के कुछ तत्व शामिल हैं।
D. नमूना	IV. यह नमूने का एकल सदस्य है।

नीचे दिए गए विकल्पों में से सही उत्तर चुनें:

(a) A–I, B–II, C–III, D–IV (b) A–II, B–IV, C–III, D–I
(c) A–II, B–IV, C–I, D–III (d) A–I, B–IV, C–II, D–III

27. निम्नलिखित को उनके संग्रहण स्थान के अनुसार आरोही क्रम में व्यवस्थित करें:

A. पेटाबाइट B. गीगाबाइट
C. टेराबाइट D. किलोबाइट

नीचे दिए गए विकल्पों में से सही उत्तर चुनें:

(a) D, B, C, A (b) C, B, A, D
(c) A, C, B, D (d) A, B, C, D

28. किस समिति ने विश्वविद्यालय और उच्च शिक्षा को राज्य सूची से समवर्ती सूची में स्थानांतरित करने का सुझाव दिया था?

(a) ए.आर. वाडिया समिति
(b) पी.एन. सप्रू समिति
(c) एम. भक्तवत्सलम समिति
(d) डी.एस. कोठारी समिति

29. साहित्य समीक्षा के बारे में निम्नलिखित में से कौन सा कथन गलत है? साहित्य समीक्षा शोध प्रक्रिया का अभिन्न अंग नहीं है।

(a) साहित्य समीक्षा शोध प्रक्रिया का अभिन्न अंग नहीं है।
(b) साहित्य समीक्षा समय लेने वाली और निराशाजनक है लेकिन यह पुरस्कृत भी है।
(c) यह आपको अपने रुचि के क्षेत्र में उपलब्ध ज्ञान से परिचित होने में मदद करता है।
(d) यह अध्ययन के लिए सैद्धांतिक पृष्ठभूमि प्रदान करता है।

30. अंतर्राष्ट्रीय सौर गठबंधन की अवधारणा निम्नलिखित के दौरान बनाई गई थी:

(a) COP 21 (b) COP 22
(c) COP 23 (d) COP 24

31. निम्नलिखित में से मीथेन के प्रमुख स्रोतों की पहचान करें:

A. लैंडफिल B. पर्वतीय नदियाँ
C. आर्द्रभूमि D. धान के खेत

नीचे दिए गए विकल्पों में से सही उत्तर चुनें:

(a) केवल A, B और C (b) केवल B, C और D
(c) केवल A, C और D (d) केवल A, B और D

32. भारत में NICNET कार्यक्रम कब शुरू किया गया था?

(a) 1987 (b) 1980
(c) 1990 (d) 1991

33. निम्नलिखित अक्षरों के अनुक्रम में दसवाँ अक्षर कौन सा है?

B, B, C, D, F, I, N, V

(a) D (b) G
(c) W (d) Z

34. कक्षा में छात्रों की सहभागिता को बढ़ावा देने के लिए निम्नलिखित में से कौन सा सही है?

A. शिक्षक की बढ़ी हुई निगरानी
B. कक्षाओं की अवधि कम करना
C. आगे क्या करना है, इसके लिए निरंतर संकेत
D. स्पष्ट रूप से परिभाषित चरणों वाली गतिविधियाँ

नीचे दिए गए विकल्पों में से सही उत्तर चुनें:

(a) केवल A और B (b) केवल A, C और D
(c) केवल B, C और D (d) केवल C और D

35. पर्यावरण पर SO_2 के प्रमुख प्रतिकूल प्रभावों की पहचान करें:

A. अम्लीय वर्षा
B. ग्लोबल वार्मिंग
C. ओजोन परत का क्षरण
D. श्वसन संबंधी विकारों की घटना

नीचे दिए गए विकल्पों में से सही उत्तर चुनें

(a) केवल A और B (b) केवल B और C
(c) केवल C और D (d) केवल A और D

36. कल्याण और संबद्ध मामलों पर यूजीसी समिति (1965) की अध्यक्षता की गई थी:

(a) सी.डी. देशमुख (b) एन.ए. निकम
(c) टी. सेन (d) डी.सी. पावटे

37. एक व्यक्ति 50% प्रति वर्ष की ब्याज दर पर 1024 रुपये उधार लेता है, लेकिन 2 वर्ष के लिए अर्धवार्षिक रूप से भुगतान करना होता है।

यदि ब्याज चक्रवृद्धि ब्याज था, तो ऋण अवधि के अंत में उसे कितनी राशि चुकानी होगी?

(a) 2048 रुपये (b) 2500 रुपये
(c) 5344 रुपये (d) 5184 रुपये

38. संचार के फैटिक फंक्शन का उपयोग ________ किया जाता है।

A. संचार का चैनल खोलने के लिए
B. संचार के सौंदर्य मूल्य के लिए
C. तथ्यात्मक जानकारी देने के लिए
D. आदेश देने के लिए
E. नमस्ते जैसी बातचीत शुरू करने के लिए

नीचे दिए गए विकल्पों में से सही उत्तर चुनें:

(a) केवल A और E
(b) केवल A, D और E
(c) केवल C, D और E
(d) केवल A और B

39. सूची-I को सूची-II से सुमेलित करें।

सूची - I (परमाणु आपदाएँ)	सूची - II (देश)
A. थ्री माइल आइलैंड	I. यूके
B. चेरनोबिल	II. जापान
C. फुकुशिमा	III. सोवियत संघ
D. विंडस्केल	IV. यूएसए

नीचे दिए गए विकल्पों में से सही उत्तर चुनें:

(a) A-I, B-II, C-III, D-IV
(b) A-II, B-III, C-IV, D-I
(c) A-III, B-IV, C-I, D-II
(d) A-IV, B-III, C-II, D-I

40. प्रभावी समूह संचार के लिए निम्नलिखित में से कौन सा महत्वपूर्ण है?

(a) फीडबैक की अनदेखी करना
(b) त्वरित निर्णय लेना
(c) सख्त पदानुक्रम
(d) समान भागीदारी

41. सामाजिक-मनोवैज्ञानिक बाधा क्या नहीं है?

(a) अनुमान (b) परिवर्तन का प्रतिरोध
(c) समय (d) अमूर्तन

42. मान लीजिए कि एक अंश है जिसका अंश और हर दोनों ही धनात्मक पूर्णांक हैं। यदि अंश में 20% की वृद्धि की जाए और हर में 20% की कमी की जाए तो इसका मान 6/9 हो जाता है, तो अंश क्या है?

(a) 1/9 (b) 2/9
(c) 1/3 (d) 4/9

43. निम्नलिखित अनुक्रम में ग्यारहवाँ पद: $-\frac{3}{2}, \frac{3}{4}, -\frac{3}{8}, \frac{3}{16}, -\frac{3}{32}, \ldots$

(a) $\frac{3}{1024}$ (b) $-\frac{3}{1024}$
(c) $\frac{3}{2048}$ (d) $-\frac{3}{2024}$

44. विरोध के वर्ग में निम्नलिखित कथनों पर विचार करें:

A. यदि 'A' सत्य है; 'E' असत्य है
B. यदि 'E' असत्य है; 'O' अनिर्धारित है
C. यदि 'I' असत्य है; 'A' सत्य है
D. यदि 'O' सत्य है; 'I' सत्य है
E. यदि 'I' सत्य है; 'A' असत्य है

नीचे दिए गए विकल्पों में से सही उत्तर चुनें:

(a) केवल A और B (b) केवल B, और C
(c) केवल C और D (d) केवल D और E

45. "ग्रह एक खगोलीय पिंड है, जो सौर मंडल के भीतर सूर्य के चारों ओर कक्षा में है और इसमें अपने आत्म-गुरुत्वाकर्षण के लिए पर्याप्त द्रव्यमान है ताकि यह कठोर शरीर बलों पर काबू पा सके ताकि यह एक हाइड्रोस्टेटिक संतुलन मान सके"

(a) प्रेरक परिभाषा
(b) निर्धारित परिभाषा
(c) भावनात्मक परिभाषा
(d) सैद्धांतिक परिभाषा

बोध:

गद्यांश को पढ़ें और उसके बाद आने वाले प्रश्न का उत्तर दें:

अक्सर यह तर्क दिया जाता है कि महिलाओं ने अपनी वर्तमान स्थिति को आसान और स्वाभाविक प्रक्रिया से नहीं बल्कि अथक संघर्षों और गहन बलिदानों के माध्यम से प्राप्त किया है। इस यात्रा में पुराने स्थानीय रीति-रिवाजों को महिलाओं के अधिकारों को बनाए रखने और उनकी रक्षा करने वाले कानूनों द्वारा प्रतिस्थापित किया गया है, जिससे उन्हें राजनीतिक, आर्थिक और सामाजिक क्षेत्र में वैश्विक क्षेत्र में उच्च पदों पर चढ़ने में सक्षम बनाया गया है। 18वीं शताब्दी के अंत तक, महिलाओं की स्थिति राजनीतिक विमर्श का केंद्र बिंदु बन गई थी। 19वीं शताब्दी में महिलाओं द्वारा समानता की मांग करने के लिए एक ठोस प्रयास की शुरुआत हुई, जिसकी परिणति 19वीं शताब्दी के अंत तक दुनिया भर के विभिन्न देशों में मताधिकार की प्राप्ति जैसी महत्वपूर्ण जीत के रूप में हुई। बाद के वर्षों में महिलाओं ने और अधिक प्रगति की, क्योंकि महिलाओं ने उत्तरोत्तर अधिक आर्थिक, सामाजिक और राजनीतिक स्थिति हासिल की।

46. मताधिकार की प्राप्ति हुई:

(a) 18वीं शताब्दी की शुरुआत में
(b) 18वीं शताब्दी के अंत में
(c) 19वीं शताब्दी की शुरुआत में
(d) 19वीं शताब्दी के अंत में

47. निम्नलिखित में से कौन सा कथन गलत है?

(a) इन सभी वर्षों में महिला अधिकार आंदोलनों ने लगातार प्रगति देखी है।
(b) महिलाओं ने अपनी सभी स्थिति एक आसान और स्वाभाविक प्रक्रिया के माध्यम से हासिल की।
(c) 18वीं शताब्दी के अंत में महिलाओं की स्थिति केंद्र बिंदु बन गई।
(d) 19वीं शताब्दी में मताधिकार की प्राप्ति एक बड़ी बात थी।

48. गद्यांश की अवधारणा निहित है:

(a) मनोविश्लेषण
(b) नारीवाद
(c) पुरुषत्व अध्ययन
(d) लिंग तटस्थ विचारधाराएँ

49. निम्नलिखित में से कौन सा कथन सही है?

(a) महिलाओं ने 18वीं शताब्दी में अपने सभी अधिकार हासिल किए।
(b) महिलाओं ने अपनी स्थिति हासिल करने के लिए कई बलिदान दिए हैं।
(c) पुरुष और महिला कभी समान नहीं हो सकते।
(d) महिलाओं को राजनीतिक मोर्चे पर और अधिक हासिल करने की आवश्यकता है।

50. महिलाओं को आम तौर पर इनसे वंचित रखा गया है:

(a) अधीनता (b) धन
(c) स्थिति (d) समानता

उत्तरमाला

1. (a)	**2.** (c)	**3.** (d)	**4.** (c)	**5.** (b)	**6.** (a)	**7.** (b)	**8.** (b)	**9.** (d)	**10.** (d)
11. (d)	**12.** (c)	**13.** (d)	**14.** (c)	**15.** (a)	**16.** (c)	**17.** (c)	**18.** (a)	**19.** (c)	**20.** (b)
21. (c)	**22.** (c)	**23.** (d)	**24.** (b)	**25.** (c)	**26.** (d)	**27.** (a)	**28.** (b)	**29.** (a)	**30.** (a)
31. (c)	**32.** (a)	**33.** (a)	**34.** (b)	**35.** (d)	**36.** (c)	**37.** (b)	**38.** (a)	**39.** (d)	**40.** (d)
41. (c)	**42.** (d)	**43.** (d)	**44.** (a)	**45.** (d)	**46.** (d)	**47.** (b)	**48.** (b)	**49.** (b)	**50.** (d)

प्रश्न-पत्र का स्नैपशॉट विश्लेषण: 8 जनवरी 2025 (शिफ्ट 1)

इकाई	नाम	पूछे गए विषय	प्रश्नों की संख्या
1	शिक्षण अभियोग्यता	शिक्षण सॉफ्टवेयर (मूडल), स्व-विनियमित शिक्षार्थी, कक्षा सहभागिता	4
2	शोध अभिवृत्ति	शोध के प्रकार, शोधगंगा, शोध के चरण, अनुदैर्ध्य शोध, अंत:विषयक शोध, नमूनाकरण से संबंधित शब्द, साहित्य समीक्षा	6
3	बोध	महिला अधिकार आंदोलन पर पठन बोध	5
4	संप्रेषण	एसएमसीआर मॉडल कक्षा सम्प्रेषण, सम्प्रेषण का फैटिक फंक्शन, समूह सम्प्रेषण, सम्प्रेषण बाधाएँ	6
5	गणितीय तर्क और अभियोग्यता	लाभ और हानि, अक्षर शृंखला, संख्या शृंखला, चक्रवृद्धि ब्याज, अंश	5
6	तार्किक तर्क	अनुपलब्धि, विरोध का वर्ग, परिभाषा का प्रकार	3
7	आँकड़ों की व्याख्या	सारणीबद्ध डेटा इंटरप्रिटेशन	5
8	सूचना और संचार प्रौद्योगिकी (ICT)	मैलवेयर, मेमोरी और स्टोरेज	2
9	लोग, विकास और पर्यावरण	विद्युत ट्रांसफार्मर में प्रयुक्त प्रदूषक, अंतर्राष्ट्रीय सौर गठबंधन, मीथेन का स्रोत, परमाणु आपदा, SO_2 का प्रभाव	5
10	उच्च शिक्षा प्रणाली	जैन शिक्षा प्रणाली, मुक्त विश्वविद्यालय, डिजिटल पहल (FOSSE, ई-यंत्र, वर्चुअल लैब्स), पंचवर्षीय योजना, वेदांत, स्वतंत्रता पूर्व और स्वतंत्रता पश्चात् आयोग	9
कुल प्रश्न			**50**

कॉलम मिलान प्रश्न - 4

कालानुक्रमिक और अनुक्रम आधारित प्रश्न - 4

विस्तृत समाधान एवं संकेत

किसी कठिन प्रश्न को हल करने में संघर्ष कर रहे हैं या संदेह महसूस कर रहे हैं?

चिंता न करें! ऊपर दिए गए प्रश्नों के विस्तृत समाधान और सहायक संकेत प्राप्त करने के लिए इस QR कोड को स्कैन करें।

क्या आप जानते हैं? इस खंड में दिए गए प्रश्न 8 जनवरी 2025 को आयोजित UGC NET परीक्षा से हैं और अक्सर परीक्षा में दोहराए जाते हैं। उनमें महारत हासिल करने से आपके स्कोर में उल्लेखनीय वृद्धि हो सकती है। इसलिए, उत्तर कुंजी को सिर्फ़ सरसरी तौर पर न पढ़ें - विस्तृत स्पष्टीकरण को देखने के लिये और प्रत्येक प्रश्न की पूरी समझ हासिल करने के लिए इस QR कोड को स्कैन करें।

QR कोड काम नहीं कर रहा है? QR कोड के साथ दिए गए संसाधनों तक पहुँचने के लिए आंतरिक फ्रन्ट कवर पर दिए गए निर्देशों का पालन करें

अधिक अभ्यास करना चाहते हैं? आपको एक व्यापक परीक्षा अनुभव देने के लिए डिजाइन किए गए अनन्य **50+ पूर्ण ऑनलाइन मॉक टेस्ट** तक पहुँचने के लिए इस QR कोड को स्कैन करें। ये मॉक टेस्ट McGraw Hill EDGE प्लेटफॉर्म पर उपलब्ध हैं, जो UGC NET परीक्षा इंटरफेस को सटीक रूप से दोहराता है। इन पूर्ण प्रश्नपत्र के साथ अभ्यास करके, आप वास्तविक परीक्षा प्रारूप से परिचित हो जाएँगे; परीक्षा के दिन अपने आत्मविश्वास और प्रदर्शन में सुधार करेंगे। प्रत्येक मॉक टेस्ट को वास्तविक UGC NET प्रश्नपत्र 1 पैटर्न को दर्शाने के लिए संरचित किया गया है, जिसमें प्रश्न प्रकारों के संतुलित मिश्रण के साथ सभी प्रमुख विषयों को शामिल किया गया है। तो, चूकें नहीं–अभी इस QR कोड को स्कैन करें और इन विशेषज्ञ रूप से तैयार किए गए मॉक टेस्ट के साथ अभ्यास करना शुरू करें!

यूजीसी नेट प्रश्न-पत्र 1: 8 जनवरी 2025 (शिफ्ट 2)

निम्नलिखित तालिका 2018 से 2023 तक के वर्षों के दौरान पांच अलग-अलग कॉलेजों A-E में प्रवेश लेने वाले लड़के और लड़कियों की संख्या दर्शाती है। तालिका में दिए गए आंकड़ों के आधार पर, निम्नलिखित प्रश्नों के उत्तर दीजिए।

कॉलेज में लड़के और लड़कियों की वर्षवार संख्या										
	कॉलेज									
	A		B		C		D		E	
वर्ष	लड़के	लड़कियाँ	लड़के	लड़कियाँ	लड़के	लड़कियाँ	लड़के	लड़कियाँ	लड़के	लड़कियाँ
2018	660	720	1040	620	1100	900	480	280	1300	1320
2019	1320	840	980	440	1380	660	880	460	1100	720
2020	1860	1380	940	840	1160	980	1280	660	540	480
2021	1080	1920	1260	1080	1320	1040	1060	1080	1080	1140
2022	1680	2580	1500	1180	1740	1320	2420	1040	1360	1300
2023	2460	2880	1960	880	2340	840	2440	1880	2160	2540

1. सभी छह वर्षों में कॉलेज A में लड़कियों की औसत संख्या क्या है?

(a) 1520 (b) 1600
(c) 1720 (d) 1200

2. पिछले वर्ष की तुलना में वर्ष 2021 में कॉलेज D में लड़कों की संख्या में अनुमानित प्रतिशत कमी क्या है?

(a) 17% (b) 12%
(c) 9% (d) 23%

3. कॉलेज E में छात्रों की कुल संख्या ठीक वर्षों के लिए 2600 से अधिक है।

(a) एक (b) दो
(c) तीन (d) चार

4. वर्ष 2019 में कॉलेज E में छात्रों की संख्या वर्ष 2022 में कॉलेज B में लड़कियों की संख्या से लगभग _____ % अधिक है।

(a) 46 (b) 58
(c) 52 (d) 54

5. वर्ष 2023 में सभी पाँच कॉलेजों में लड़कों की औसत संख्या क्या है?

(a) 2270 (b) 2272
(c) 1854 (d) 2060

6. सूची-I का सूची-II से सुमेलित करें

सूची-I (संस्थाएँ)	सूची-II (एसोसिएशन)
A. तक्षशिला	I. तांत्रिक बौद्ध धर्म
B. नालंदा	II. ब्राह्मणवादी शिक्षा का केंद्र
C. विक्रमशिला	III. संस्कृत शिक्षा के प्रमुख केंद्र
D. बनारस और नवद्वीप	IV. बौद्ध शिक्षा का केंद्र

नीचे दिए गए विकल्पों में से सही उत्तर चुनें:

(a) A-IV, B-III, C-II, D-I (b) A-I, B-II, C-III, D-IV
(c) A-III, B-I, C-IV, D-II (d) A-II, B-IV, C-I, D-III

7. उत्तर-आधुनिकतावाद प्रतिमान के अंतर्गत निम्नलिखित में से कौन सा गलत है?

(a) यह पाठ्य पुनर्निर्माण के माध्यम से विषय को समझने पर ध्यान केंद्रित करता है
(b) यह सभी भव्य आख्यानों को शोध के आधार के रूप में स्वीकार करता है।
(c) निश्चितता और समाधान के प्रति प्रतिरोध
(d) वास्तविकता की निश्चित धारणाओं की अस्वीकृति

8. एक आदमी और एक लड़के ने 10 दिनों में एक काम पूरा किया और उन्हें 10,000 रुपये का भुगतान किया गया। आदमी लड़के की तुलना में 50% अधिक कुशल था। आदमी और लड़के की दैनिक मजदूरी में क्या अंतर है?

(a) 100 रुपये (b) 500 रुपये
(c) 400 रुपये (d) 100 रुपये

9. ग्राउंडेड-थ्योरी एक शोध रणनीति है जो

A. डेटा से सिद्धांत उत्पन्न नहीं करती है
B. आगमनात्मक दृष्टिकोण अपनाती है
C. सांख्यिकीय प्रक्रियाओं के आधार पर निष्कर्षों तक ले जाती है
D. गैर-सांख्यिकीय नमूनाकरण का उपयोग करती है
E. सामग्री को महत्वहीन मानती है

नीचे दिए गए विकल्पों में से सही उत्तर चुनें:

(a) केवल B और C (b) केवल A और D
(c) केवल D और E (d) केवल C और E

10. प्रोग्रामिंग भाषाओं के संदर्भ में निम्नलिखित में से कौन सा कथन सही है?

A. एल्गोरिदम सीमित चरणों में समस्या हल करता है
B. असेंबली भाषा एक निम्न स्तरीय प्रोग्रामिंग भाषा है
C. मशीन भाषा में लिखा गया कोड अत्यधिक पोर्टेबल होता है
D. एल्गोरिदम प्रोग्रामिंग भाषाओं का उपयोग करके कार्यान्वित किए जाते हैं

नीचे दिए गए विकल्पों में से सही उत्तर चुनें:

(a) केवल A, B और C (b) केवल A, B और D
(c) केवल B, C और D (d) केवल A, C और D

11. निम्नलिखित अक्षर श्रृंखला में अगला पद ज्ञात करें: ALY, CJW, EHU, _____

(a) GFS (b) GES
(c) FDT (d) GJS

12. संक्षिप्त नाम 'VoIP' का पूर्ण रूप क्या है?

(a) वॉयस ओवर इंटरनेट प्रोटोकॉल
(b) वॉयस ओवर इंट्रानेट प्रोटोकॉल
(c) वैक्यूम ओवर इंटरनेट प्रोटोकॉल
(d) वैक्यूम ओवर इंट्रानेट प्रोटोकॉल

13. सूची-I को सूची-II से सुमेलित करें

सूची-I (संस्थाएँ)	सूची-II (एसोसिएशन)
A. बच्चे अपने माता-पिता के समान होते हैं	I. गैल्टन की बायोमेट्री विधि
B. बच्चे अपने माता-पिता से भिन्न होते हैं	II. प्रतिगमन का नियम
C. बच्चे औसत की ओर बढ़ने की बजाय आगे बढ़ते हैं	III. भिन्नता का नियम
D. बच्चों को घटते हुए पदानुक्रमिक क्रम में आनुवंशिकता निधि मिलती है	IV. समानता का नियम

नीचे दिए गए विकल्पों में से सही उत्तर चुनें:

(a) A-I, B-II, C-IV, D-III (b) A-IV, B-III, C-II, D-I
(c) A-IV, B-II, C-I, D-III (d) A-I, B-III, C-IV, D-II

14. निम्नलिखित में से कौन-सी एक ठोस सिद्धांत की विशेषता नहीं है?

(a) एक सिद्धांत को सरल और सटीक शब्दों में कहा जाना चाहिए
(b) एक सिद्धांत को पहले से स्थापित ज्ञान या मान्य सिद्धांतों के अनुरूप नहीं होना चाहिए
(c) इसे अपनी स्वयं की व्याख्या और सत्यापन के लिए साधन प्रदान करना चाहिए
(d) इसे नई खोजों का मार्गदर्शन करना चाहिए और उन क्षेत्रों की पहचान करनी चाहिए जिनमें जांच की आवश्यकता है

15. नैयायिकों के अनुसार, "परार्थनुमान में उपनय" से तात्पर्य है

(a) प्रश्नगत मामले में 'चिह्न' की उपस्थिति का कथन
(b) एक उदाहरण के साथ सार्वभौमिक प्रस्ताव का कथन
(c) सिद्ध किए जाने वाले प्रस्ताव का कथन
(d) कारण का कथन।

16. सूची-I को सूची-II से सुमेलित करें

सूची-I (COP)	सूची-II (स्थान)
A. COP-11	I. कोपेनहेगन
B. COP-13	II. वारसॉ
C. COP-15	III. मॉन्ट्रियल
D. COP-19	IV. बाली

नीचे दिए गए विकल्पों में से सही उत्तर चुनें:

(a) A-IV, B-I, C-III, D-II (b) A-III, B-IV, C-I, D-II
(c) A-II, B-III, C-IV, D-I (d) A-I, B-II, C-III, D-IV

17. भारत में सभी तकनीकी शिक्षा संस्थानों को विनियमित करने वाली यह संस्था है:

(a) NPTEL (b) NCERT
(c) NCTE (d) AICTE

18. पहले चित्र में AEE के आलोक में क्या सही दावा किया जा सकता है?

A. मध्य पद प्रमुख आधार में वितरित है
B. यह अवैध-लघु की भ्रांति करता है
C. यह अवैध-लघु की भ्रांति नहीं करता है
D. मध्य पद लघु आधार में वितरित है
E. निष्कर्ष दोनों में से किसी भी पद को वितरित नहीं करता है

नीचे दिए गए विकल्पों में से सही उत्तर चुनें:

(a) केवल A, C और D (b) केवल C और E
(c) केवल A और D (d) केवल B, C, D और E

19. भाषा के मुख्य घटक कौन से हैं?

A. ध्वनिविज्ञान B. वाक्यविन्यास
C. प्रवचन D. शब्दार्थ
E. व्यावहारिक

नीचे दिए गए विकल्पों में से सही उत्तर चुनें:

(a) केवल A, B, C, D (b) केवल B, C, D, E
(c) केवल A, B, D, E (d) C और E

20. सही कथन चुनें:

A. शिक्षा समवर्ती सूची में है
B. राज्य का राज्यपाल राज्य के सभी केंद्रीय या राज्य विश्वविद्यालयों का कुलाधिपति होता है
C. राष्ट्रपति भारत के प्रत्येक विश्वविद्यालय का कुलाधिपति होता है
D. सभी शैक्षणिक संस्थानों को केंद्र सरकार से वित्तीय आवंटन मिलता है
E. एकत्रित शिक्षा उपकर केंद्र सरकार को जाता है।

नीचे दिए गए विकल्पों में से सही उत्तर चुनें:

(a) केवल A और E (b) केवल B और C
(c) केवल C और D (d) केवल B, C, A और E

21. सूची-I को सूची-II से सुमेलित करें

सूची-I (मीडिया संचार लेखक)	सूची-II (पुस्तकें)
A. स्मार्ट हॉल	I. फ्यूचर शॉक
B. नील पोस्टमैन	II. सांस्कृतिक अध्ययन: मीडिया संस्कृति और समाज में दो प्रतिमान
C. एल्विन टॉफलर	III. पाठ का आनंद
D. रोलांड बार्थेस	IV. टेक्नोपोली: संस्कृति का प्रौद्योगिकी के सामने समर्पण

नीचे दिए गए विकल्पों में से सही उत्तर चुनें:

(a) A-II, B-IV, C-I, D-III
(b) A-IV, B-II, C-I, D-III
(c) A-II, B-I, C-IV, D-III
(d) A-I, B-II, C-III, D-IV

22. वेस्टली और मैकलीन के मॉडल के तत्वों को उचित क्रम में व्यवस्थित करें।

A. प्रतिक्रिया
B. संचारक
C. सूचना का स्रोत
D. श्रोता
E. जनसंचार संगठन (द्वारपाल)

नीचे दिए गए विकल्पों में से सही उत्तर चुनें:

(a) D, B, C, A, E (b) C, D, B, E, A
(c) C, B, E, D, A (d) B, A, C, E, D

23. तृतीयक सीवेज उपचार का उपयोग अपशिष्ट जल से अधिकतर निम्नलिखित यौगिकों को हटाने के लिए किया जाता है

A. नाइट्रोजन यौगिक
B. फॉस्फोरस यौगिक
C. ह्यूमिक पदार्थ
D. कार्बनिक अपशिष्ट

नीचे दिए गए विकल्पों में से सही उत्तर चुनें:

(a) केवल A और D (b) केवल B और C
(c) केवल C और D (d) केवल A और B

24. सूची-I का सूची-II से सुमेलित करें

सूची-I (कंप्यूटर प्रकार)	सूची-II (उदाहरण)
A. सुपर कंप्यूटर	I. IBM S/390
B. मेनफ्रेम कंप्यूटर	II. IBM PC
C. मिनीकंप्यूटर	III. PDP-II
D. माइक्रोकंप्यूटर	IV. CRAY-1

नीचे दिए गए विकल्पों में से सही उत्तर चुनें:

(a) A-IV, B-I, C-III, D-II (b) A-I, B-IV, C-III, D-II
(c) A-III, B-II, C-IV, D-I (d) A-II, B-III, C-IV, D-I

25. दो रेलगाड़ियाँ A और B क्रमशः 45 किमी/घंटा और 36 किमी/घंटा की गति से चलती हैं, क्रमशः 2 मिनट और 3 मिनट में 1.2 किमी लंबे पुल को पार करती हैं।

ट्रेन A और ट्रेन B की लंबाई का अनुपात क्या है?

(a) 1:3 (b) 2:3
(c) 1:2 (d) 2:1

26. अद्वैतवादियों के अनुसार, "यह वह नहीं है" दर्शाता है

(a) प्रगटभाव (b) अत्यन्तभाव
(c) अन्योन्याभाव (d) प्रध्वंसभाव

27. शिक्षण के संबंध में निम्नलिखित में से कौन सा कथन सही है?

A. शिक्षण और अधिगम अभिन्न रूप से संबंधित हैं।
B. शिक्षण और प्रशिक्षण के बीच कोई अंतर नहीं है।
C. सभी अच्छे शिक्षण प्रकृति में औपचारिक होते हैं।
D. शिक्षक एक वरिष्ठ व्यक्ति होता है।
E. शिक्षण एक सामाजिक कार्य है जबकि अधिगम एक व्यक्तिगत कार्य है।

नीचे दिए गए विकल्पों में से सही उत्तर चुनें:

(a) केवल A, B, C और D (b) केवल B, C, D और E
(c) केवल B, C और D (d) केवल A और E

28. सही दावों का पता लगाएं:

A. एक अनुमान को तत्काल कहा जाता है जब निष्कर्ष के लिए एक से अधिक आधारों पर भरोसा किया जाता है
B. दो प्रस्ताव विरोधाभासी हैं, यदि एक दूसरे का खंडन करता है
C. उप-विपरीत, यदि वे दोनों सत्य नहीं हो सकते हैं, हालांकि वे दोनों झूठे हो सकते हैं
D. नकारात्मक प्रस्ताव अपने विधेय पदों को वितरित करते हैं
E. किसी भी श्रेणीबद्ध प्रस्ताव की गुणवत्ता यह निर्धारित करती है कि उसका विषय पद वितरित है या नहीं

नीचे दिए गए विकल्पों में से सही उत्तर चुनें:

(a) केवल A और C (b) केवल B और E
(c) केवल B और D (d) केवल B, C और D

29. 'मैकब्राइड रिपोर्ट' _______ शीर्षक के तहत प्रकाशित हुई थी।

(a) दबी हुई आवाजें, हावी दुनिया।
(b) संयुक्त आवाजें, तीसरी दुनिया।
(c) कई आवाजें, एक दुनिया
(d) अन्य आवाजें, विकासशील दुनिया

30. एक निश्चित कोड में, निम्नलिखित वाक्यों को नीचे उल्लिखित अनुसार कोडित किया गया है:

'Arjun is walking to school' को इस प्रकार कोडित किया गया है 'NA', 'SI', 'AG', 'DR', 'VI'

'Krishna is speaking to Arjun' को इस प्रकार कोडित किया गया है 'KA', 'TK', 'DR', 'SI', 'NA'

'School is within walking distance of Krishna' को इस प्रकार कोडित किया गया है 'VI', 'SI', 'NIH', 'AG', 'LE', 'KA', 'OP'

'walking' के लिए कोड क्या है?

(a) TK (b) VI
(c) AG (d) SI

31. एक्शन रिसर्च के लिए प्रारूप के प्रकाश में, सही क्रम चुनें।

A. व्याख्या
B. परिणाम
C. परिचय, उद्देश्य, कार्यप्रणाली
D. सुझाव
E. हस्तक्षेप और हस्तक्षेप का प्रभाव

नीचे दिए गए विकल्पों में से सही उत्तर चुनें:

(a) C-D-A-E-B (b) C-E-D-B-A
(c) C-B-E-A-D (d) C-A-B-E-D

32. व्यक्ति को आंतरिक प्रेरणा के साथ शिक्षक बनना चाहिए। शिक्षक बनने के लिए आंतरिक प्रेरणा क्या नहीं है?

(a) इससे संतुष्टि मिलती है (b) इसके लिए काम करना
(c) अच्छा वेतन (d) स्वयं का विकास

33. पद _____ द्वारा किया जाता है।

(a) ऑपरेटिंग सिस्टम (b) असेंबलर
(c) BIOS (d) लिंकर

34. वैज्ञानिक जांच की विधि के प्रकाश में, सही क्रम चुनें:

A. परिकल्पना का निर्माण
B. परिणामों की व्याख्या
C. समस्या की पहचान
D. डेटा का संग्रह, संगठन और विश्लेषण
E. परिकल्पना का सत्यापन, अस्वीकृति, संशोधन

नीचे दिए गए विकल्पों में से सही उत्तर चुनें:

(a) A–C–B–E–D (b) B–C–A–D–E
(c) D–A–C–E–B (d) C–A–D–B–E

35. पेरिस समझौते के तहत, इस सदी के अंत तक देश पूर्व-औद्योगिक स्तर से ऊपर वैश्विक तापमान वृद्धि को सीमित करने का प्रयास करेंगे

(a) 1.5° (b) 2.5°
(c) 3.3° (d) 4.4°

36. आनुवंशिक रूप से संशोधित (जीएम) फसलों को उगाने के लिए उपयोग किए जाने वाले भूमि क्षेत्र के आधार पर निम्नलिखित देशों को बढ़ते क्रम में व्यवस्थित करें

A. दक्षिण अफ्रीका
B. अर्जेंटीना
C. चीन
D. ब्राजील
E. कनाडा

नीचे दिए गए विकल्पों में से सही उत्तर चुनें:

(a) A, B, C, D, E (b) C, D, E, B, A
(c) A, C, E, D, B (d) C, A, B, E, D

37. निम्नलिखित को सीखने की प्रगति में व्यवस्थित करें:

A. नई स्थिति में जानकारी का उपयोग करें
B. विचारों या अवधारणाओं की व्याख्या करें
C. संबंध बनाएं
D. तथ्यों और सूचनाओं को याद करें
E. नया काम करें

नीचे दिए गए विकल्पों में से सही उत्तर चुनें:

(a) D–B–A–C–E (b) C–A–B–D–E
(c) E–C–D–B–A (d) D–A–C–B–E

38. उच्च शिक्षा को निम्न नामों से भी जाना जाता है

(a) व्यावसायिक शिक्षा (b) वरिष्ठ माध्यमिक शिक्षा
(c) तृतीयक शिक्षा (d) तकनीकी शिक्षा

39. पाठ योजना के निम्नलिखित घटकों को कालानुक्रमिक रूप से व्यवस्थित करें:

A. सामग्री का चयन करें
B. मूल्यांकन डिजाइन करें
C. सीखने के परिणाम डिजाइन करें
D. नैदानिक विधियों का डिजाइन करें
E. शिक्षण पद्धति का चयन करें

नीचे दिए गए विकल्पों में से सही उत्तर चुनें:

(a) C–A–E–B–D (b) C–A–E–D–B
(c) B–E–A–C–D (d) A–B–E–C–D

40. वर्तमान में ग्रीन हाउस गैसों (GHG) का सबसे बड़ा उत्सर्जक कौन सा देश है?

(a) भारत (b) चीन
(c) रूस (d) यूएसए

41. एक समावेशी कक्षा UDL का पालन करती है। यूडीएल का पूर्ण रूप है

(a) पाठों का एकसमान विकास
(b) सीखने का सार्वभौमिक डिजाइन
(c) व्याख्यानों का अनूठा विकास
(d) सीखने का सार्वभौमिक प्रस्थान

42. 1.0 लाख रुपये की राशि 1 वर्ष के लिए 10% प्रति वर्ष की ब्याज दर पर अर्धवार्षिक रूप से संयोजित होकर निवेश की जाती है। चक्रवृद्धि ब्याज है

(a) 6150 रुपये (b) 10250 रुपये
(c) 10500 रुपये (d) 11000 रुपये

43. निम्नलिखित में से कौन सा 'कौशल' से संबद्ध नहीं हो सकता

(a) अभ्यास (b) सीखना
(c) प्रवीणता (d) अक्षमता

44. ऑपरेटिंग सिस्टम के विकास को कालानुक्रमिक क्रम में व्यवस्थित करें:

A. वास्तविक समय
B. मल्टी प्रोसेसिंग
C. बैच प्रोसेसिंग
D. सिंगल यूजर सिंगल टास्किंग

नीचे दिए गए विकल्पों में से सही उत्तर चुनें:

(a) A, B, D, C (b) C, D, B, A
(c) C, D, A, B (d) A, B, C, D

45. _____ सिद्धांत AT&T दूरसंचार कंपनी के लिए किए गए शोध का परिणाम है, जिसका उद्देश्य यह पता लगाना है कि संचार चैनल के एक छोर पर एक प्रेषक द्वारा उत्पादित सूचना की एक इकाई को दूसरे छोर पर एक रिसीवर द्वारा कैसे ईमानदारी से पुन: प्रस्तुत किया जा सकता है।

(a) क्रिटिकल थ्योरी
(b) शैनन और वीवर थ्योरी
(c) गेर्बनर कल्टीवेशन थ्योरी
(d) वाल्टर लिपमैन थ्योरी

बोध:

नीचे दिए गए गद्यांश को पढ़ें और उसके बाद आने वाले प्रश्नों के उत्तर दें:

न्यू यॉर्क शहर में अल्बर्ट आइंस्टीन कॉलेज ऑफ मेडिसिन की संज्ञानात्मक वैज्ञानिक हेलेना ब्लूमेन कहती हैं कि नृत्य के लिए आवश्यक जटिल मानसिक मल्टीटास्किंग एक ही समय में मस्तिष्क के विभिन्न भागों को सक्रिय करती है, जिससे विभिन्न क्षेत्रों में तंत्रिका कनेक्शन को मजबूती मिल सकती है। मूल रूप से नृत्य करने के लिए सरल दोहराए जाने वाले अभ्यासों की तुलना में अधिक मस्तिष्क शक्ति की आवश्यकता होती है।

जिस किसी ने भी कभी अपने पसंदीदा गाने पर झूमने की अदम्य इच्छा महसूस की है, वह जानता है कि संगीत और हरकतों का संयोजन आपके मूड को बेहतर बना सकता है और तनाव को दूर कर सकता है। लेकिन जब आप सबसे आसान कोरियोग्राफी का भी अनुसरण करने की कोशिश कर रहे होते हैं, तो आपके मस्तिष्क में बहुत कुछ चल रहा होता है।

नृत्य में, हमें पैटर्न सीखना होता है, हमें सममित और विषम रूप से सोचना होता है, हमें अनुक्रमों को याद रखना होता है। इसका प्रभाव नृत्य कक्षा से परे वास्तविक दुनिया तक फैला हुआ है। रसोई में नेविगेट करना या बस स्टॉप तक चलना जैसे कार्य अधिक प्राप्त करने योग्य हो सकते हैं यदि उन्हें कोरियोग्राफी माना जाता है।

46. गद्यांश के अनुसार, नृत्य किसी व्यक्ति की कैसे मदद करता है?
(a) तनाव के स्तर को बढ़ाकर
(b) शारीरिक फिटनेस को कम करके
(c) मूड को बेहतर बनाकर और तनाव के स्तर को कम करके
(d) गणितीय क्षमता में सुधार करके

47. गद्यांश के अनुसार, नृत्य में विकसित कौशल से वास्तविक दुनिया के कौन से कार्य लाभान्वित हो सकते हैं?
(a) संगीत वाद्ययंत्र बजाना
(b) रसोई में नेविगेट करना या बस स्टॉप तक चलना
(c) पहेलियाँ सुलझाना
(d) कार चलाना

48. गद्यांश में किस संज्ञानात्मक वैज्ञानिक का उल्लेख किया गया है?
(a) डेविड लेवेंथल (b) रॉबिचौंड
(c) ओटो वॉन गुएरिके (d) हेलेना ब्लूमेन

49. गद्यांश के अनुसार, नृत्य को संज्ञानात्मक रूप से मांग करने वाला क्या बनाता है?
(a) इसमें पैटर्न और अनुक्रम सीखना शामिल है
(b) इसमें ताकत और धीरज की आवश्यकता नहीं होती है
(c) यह अन्य अभ्यासों की तुलना में अधिक दोहराव वाला है
(d) यह अन्य गतिविधियों की तुलना में शारीरिक रूप से कम मांग वाला है।

50. गद्यांश में नृत्य की मांग के रूप में निम्नलिखित में से किसका उल्लेख नहीं किया गया है?
(a) धार्मिक ज्ञान
(b) संज्ञानात्मक कौशल
(c) स्मृति
(d) जटिल मानसिक मल्टी-टास्किंग

उत्तरमाला

1. (c)	2. (a)	3. (c)	4. (d)	5. (b)	6. (d)	7. (b)	8. (d)	9. (d)	10. (b)
11. (a)	12. (a)	13. (b)	14. (b)	15. (a)	16. (b)	17. (d)	18. (a)	19. (c)	20. (a)
21. (a)	22. (c)	23. (d)	24. (a)	25. (c)	26. (c)	27. (d)	28. (c)	29. (c)	30. (c)
31. (c)	32. (c)	33. (c)	34. (d)	35. (a)	36. (c)	37. (a)	38. (c)	39. (a)	40. (b)
41. (b)	42. (b)	43. (d)	44. (b)	45. (b)	46. (c)	47. (b)	48. (d)	49. (a)	50. (a)

प्रश्न-पत्र का स्नैपशॉट विश्लेषण: 8 जनवरी 2025 (शिफ्ट 2)

इकाई	नाम	पूछे गए विषय	प्रश्नों की संख्या
1	शिक्षण अभियोग्यता	अधिगम की प्रगति, पाठ योजना, UDL	7
2	शोध अभिवृत्ति	उत्तर आधुनिकता प्रतिमान, ग्राउंडेड थ्योरी रिसर्च, ध्वनि सिद्धांत, क्रिया अनुसंधान, अनुसंधान में कदम	5
3	बोध	हेलेना ब्लूमेन पर पठन समझ	5
4	संप्रेषण	भाषा के घटक, मीडिया संचार लेखक, वेस्टली और मैकलीन का मॉडल, शैनन और वीवर सिद्धांत	5
5	गणितीय तर्क और अभियोग्यता	गणितीय तर्क प्रतिशत, अक्षर श्रृंखला, गति दूरी समय, कोडिंग डिकोडिंग, चक्रवृद्धि ब्याज	5
6	तार्किक तर्क	भारतीय तर्क, मनोदशा और आकृति, तत्काल निष्कर्ष निकालने के तरीके	4
7	आँकड़ों की व्याख्या	डेटा व्याख्या पर सारणी	5
8	सूचना और संचार प्रौद्योगिकी (ICT)	प्रोग्रामिंग भाषा, ViOP का पूर्ण रूप, कंप्यूटर की पीढ़ियाँ, POST, ऑपरेटिंग सिस्टम	5
9	लोग, विकास और पर्यावरण	प्रोग्रामिंग भाषा, ViOP का पूर्ण रूप, कंप्यूटर की पीढ़ियाँ, POST, फसलें, ग्रीन हाउस गैसें (GHG)	5
10	उच्च शिक्षा प्रणाली	प्राचीन विश्वविद्यालय, AICTE, शिक्षा से संबंधित संवैधानिक प्रावधान	4
कुल प्रश्न			**50**

कॉलम मिलान प्रश्न - 5

कालानुक्रमिक और अनुक्रम आधारित प्रश्न - 6

विस्तृत समाधान एवं संकेत

किसी कठिन प्रश्न को हल करने में संघर्ष कर रहे हैं या संदेह महसूस कर रहे हैं?

चिंता न करें! ऊपर दिए गए प्रश्नों के विस्तृत समाधान और सहायक संकेत प्राप्त करने के लिए इस QR कोड को स्कैन करें।

क्या आप जानते हैं? इस खंड में दिए गए प्रश्न 8 जनवरी 2025 को आयोजित UGC NET परीक्षा से हैं और अक्सर परीक्षा में दोहराए जाते हैं। उनमें महारत हासिल करने से आपके स्कोर में उल्लेखनीय वृद्धि हो सकती है। इसलिए, उत्तर कुंजी को सिर्फ़ सरसरी तौर पर न पढ़ें - विस्तृत स्पष्टीकरण को देखने के लिये और प्रत्येक प्रश्न की पूरी समझ हासिल करने के लिए इस QR कोड को स्कैन करें।

QR कोड काम नहीं कर रहा है? QR कोड के साथ दिए गए संसाधनों तक पहुँचने के लिए आंतरिक फ्रन्ट कवर पर दिए गए निर्देशों का पालन करें

अधिक अभ्यास करना चाहते हैं? आपको एक व्यापक परीक्षा अनुभव देने के लिए डिजाइन किए गए अनन्य **50+ पूर्ण ऑनलाइन मॉक टेस्ट** तक पहुँचने के लिए इस QR कोड को स्कैन करें। ये मॉक टेस्ट McGraw Hill EDGE प्लेटफॉर्म पर उपलब्ध हैं, जो UGC NET परीक्षा इंटरफेस को सटीक रूप से दोहराता है। इन पूर्ण प्रश्नपत्र के साथ अभ्यास करके, आप वास्तविक परीक्षा प्रारूप से परिचित हो जाएँगे; परीक्षा के दिन अपने आत्मविश्वास और प्रदर्शन में सुधार करेंगे। प्रत्येक मॉक टेस्ट को वास्तविक UGC NET प्रश्नपत्र 1 पैटर्न को दर्शाने के लिए संरचित किया गया है, जिसमें प्रश्न प्रकारों के संतुलित मिश्रण के साथ सभी प्रमुख विषयों को शामिल किया गया है। तो, चूकें नहीं–अभी इस QR कोड को स्कैन करें और इन विशेषज्ञ रूप से तैयार किए गए मॉक टेस्ट के साथ अभ्यास करना शुरू करें!

यूजीसी नेट प्रश्न पत्र 1: 22 अगस्त 2024 (शिफ्ट 1)

निम्न तालिका सत्र 2022-23 के दौरान एक स्कूल में पाँच अलग-अलग खेलों अर्थात् बास्केटबॉल, सॉकर, बैडमिंटन, क्रिकेट और टेनिस में नामांकित छात्रों (लड़कों और लड़कियों) की संख्या और लड़कियों की संख्या का प्रतिशत (%) वितरण दर्शाती है। स्कूल में सभी पाँच खेलों में कुल 6000 छात्र नामांकित हैं, जिसमें लड़कियों की संख्या 3500 है। तालिका में दिए गए डेटा के आधार पर, निम्नलिखित प्रश्नों के उत्तर दें।

एक स्कूल में छात्रों का खेल-वार नामांकन

खेल	प्रतिशत वितरण	
	नामांकित छात्र (6000 में से)	नामांकित लड़कियाँ (3500 में से)
बास्केटबॉल	16%	14%
फुटबॉल	21%	28%
बैडमिंटन	14%	16%
क्रिकेट	29%	20%
टेनिस	20%	22%

1. बास्केटबॉल में नामांकित लड़कों की संख्या कितनी है?
(a) 805 (b) 430
(c) 840 (d) 470

2. फुटबॉल और टेनिस में एक साथ कितने लड़के नामांकित हैं?
(a) 610 (b) 640
(c) 720 (d) 710

3. टेनिस के खेल में नामांकित लड़कियों की संख्या और लड़कों की संख्या के बीच क्या अंतर है?
(a) 340 (b) 370
(c) 390 (d) 320

4. फुटबॉल में नामांकित लड़कों की संख्या सभी पाँच खेलों में नामांकित लड़कों की संख्या का _______ % है।
(a) 10.2 (b) 11.2
(c) 12.2 (d) 13.2

5. क्रिकेट में नामांकित लड़कों की संख्या बैडमिंटन में नामांकित छात्रों की संख्या से लगभग ______% अधिक है।
(a) 21.79
(b) 22.71
(c) 23.81
(d) 25.91

6. क्लाउड कंप्यूटिंग वर्ड प्रोसेसिंग सॉफ्टवेयर का उपयोग करने के क्या लाभ हैं?
A. उपयोगकर्ता को कंप्यूटर पर वर्ड प्रोसेसिंग सॉफ्टवेयर इंस्टॉल नहीं करना पड़ता है।
B. उपयोगकर्ता को हार्ड डिस्क में सॉफ्टवेयर इंस्टॉल करने के लिए स्थान आवंटित नहीं करना पड़ता है।
C. दस्तावेज को सहेजने के लिए संग्रहण स्थान क्लाउड प्रदाता द्वारा प्रदान किया जाता है। उपयोगकर्ता किसी भी कंप्यूटर से दस्तावेज को खोल या संपादित कर सकता है जिसमें इंटरनेट सुविधा हो।
D. यदि उपयोगकर्ता के पास धीमा इंटरनेट कनेक्शन है, तो उसे अपने दस्तावेजों तक पहुँचने या डाउनलोड करने में कोई समस्या नहीं होगी।
(a) केवल A और B (b) केवल A और C
(c) केवल B, C और D (d) केवल A, B और C

7. ChatGPT एक AI chatbot है जिसे OpenAl द्वारा विकसित किया गया है और इसे नवंबर 2022 में लॉन्च किया गया था। ChatGPT का क्या अर्थ है?
(a) Chat जेनरेटिव प्री-ट्रेन्ड ट्रांसमिशन
(b) Chat जनरल प्री-ट्रेन्ड टेक्नोलॉजी
(c) Chat जनरलाइज्ड प्री-ट्रेन्ड तकनीक
(d) Chat जेनरेटिव प्री-ट्रेन्ड ट्रांसफॉर्मर

8. सीखने के संदर्भ में, निम्नलिखित में से कौन आत्म-अवधारणा का प्रतिनिधित्व नहीं करता है?
(a) यह वह है जो एक व्यक्ति दूसरों के बारे में महसूस करता है।
(b) यह वह है जो एक व्यक्ति महसूस करता है कि दूसरे उसके बारे में क्या सोचते/समझते हैं।
(c) यह व्यक्ति की अपनी ताकत के बारे में जागरूकता है।
(d) यह व्यक्ति की अपनी कमजोरियों के बारे में जागरूकता है।

9. 'मैं अपने विद्यार्थियों को कभी नहीं पढ़ाता; मैं केवल ऐसी परिस्थितियाँ प्रदान करने का प्रयास करता हूँ जिसमें वे सीख सकें' यह कथन है:
(a) स्वामी विवेकानंद (b) अल्बर्ट आइंस्टीन
(c) श्री अरबिंदो (d) अरस्तू

10. संचार प्रक्रिया में कौन किसको क्या भेजता है?
A. चैनल संदेश प्रेषक को भेजता है।
B. प्रेषक संदेश प्राप्तकर्ता को भेजता है।
C. प्रेषक फीडबैक प्राप्तकर्ता को भेजता है।
D. प्राप्तकर्ता संदेश प्रेषक को भेजता है।
(a) केवल A (b) केवल B
(c) केवल A और D (d) केवल B और C

11. यदि (L), आधार-M संख्या प्रणाली में एक संख्या L को दर्शाता है, तो आधार-10 संख्या प्रणाली में परिवर्तित होने पर, निम्नलिखित संख्या A-D के सही अवरोही क्रम की पहचान करें।
A. (9C)16 B. (233)8
C. (313)7 D. (10011110)2
(a) C, D, B, A (b) D, C, A,B
(c) B, C, A, D (d) D, C, B, A

12. मुद्रण प्रक्रिया का आविष्कार किसने किया?
(a) जी. मारकोनी
(b) तांग राजवंश
(c) विलियम कैक्सटन
(d) जोहान्स गुटेनबर्ग

13. साहित्यिक चोरी पर यूजीसी विनियम 2018 के अनुसार, पीएचडी कार्यक्रम में एक छात्र का पंजीकरण थीसिस में निम्नलिखित में से किस समानता प्रतिशत के लिए रद्द कर दिया जाएगा?
A. 37% B. 46%
C. 8% D. 62%
E. 78%
(a) A, B, C, D (b) B, C, D, E
(c) C, D, E (d) D, E

14. कॉलम का मिलान करें:

(अंतर्राष्ट्रीय बैठकें)	(मुख्य उद्देश्य)
A. क्योटो प्रोटोकॉल	I. ग्लोबल वार्मिंग
B. मॉन्ट्रियल प्रोटोकॉल	II. जैव विविधता संरक्षण
C. रियो शिखर सम्मेलन	III. ओजोन क्षरण
D. पेरिस समझौता	IV. सौर गठबंधन

(a) A–I B–III C–II D–IV
(b) A–II B–III C–I D–V
(c) A–III B–I C–IV D–II
(d) A–IV B–II C–I D–III

15. 'A' किसी काम को पूरा करने में 'B' से दोगुना समय लेता है और 'C' इसे उसी समय में करता है, जितना समय 'A' और 'B' दोनों मिलकर करते हैं। यदि वे तीनों मिलकर काम करते हैं और काम को 5 दिनों में पूरा करते हैं, तो 'B' द्वारा अकेले काम पूरा करने में लिया गया समय है:

(a) 12 दिन (b) 14 दिन
(c) 15 दिन (d) 18 दिन

16. निम्नलिखित में से कौन इस प्रश्न से संबंधित है कि क्या किसी अवधारणा का माप वास्तव में उस अवधारणा का प्रतिनिधित्व करता है?

(a) आंतरिक वैधता
(b) बाहरी वैधता
(c) निर्माण वैधता
(d) हस्तांतरणीयता

17. निम्नलिखित में से कौन आयुष स्नातक शिक्षा के भाग हैं?

A. सिद्ध B. सोवा – रिग्पा
C. योग-शास्त्र D. होम्योपैथी
E. संजीवनी

(a) केवल A, B और E
(b) केवल B, C और D
(c) केवल A, B और D
(d) केवल A, C और E

18. निम्नलिखित भिन्न को घटते क्रम में व्यवस्थित करें:

A. 12/19 B. 7/12
C. 11/17 D. 17/28

(a) A, B, C, D
(b) C, A, D, B
(c) B, C, D, A
(d) D, A, B, C

19. निम्नलिखित से क्या निष्कर्ष निकाला जा सकता है?
"क्योंकि x = 3 और y = 5, तो x + y = 8"

यह एक है:

(a) उन्मूलन पर आधारित निगमनात्मक तर्क
(b) गणित पर आधारित निगमनात्मक तर्क
(c) प्राधिकरण से आगमनात्मक तर्क
(d) दान के सिद्धांत से आगमनात्मक तर्क

20. निम्नलिखित गैसों को उनकी ग्लोबल वार्मिंग क्षमता (GWD) के आरोही क्रम में व्यवस्थित करें।

A. CO_2 B. CH_4
C. SF_6 D. CFC–11
E. N_2O

(a) A, B, C, E, D
(b) A, B, E, D, C
(c) B, C, A, E, D
(d) A, E, B, D, C

21. अपने भोजन के स्रोत के आधार पर, जीव खाद्य श्रृंखला में एक विशिष्ट स्थान पर कब्जा कर लेते हैं, जिसे निम्न के रूप में जाना जाता है:

(a) ट्रॉफिक स्तर
(b) खड़ी फसल
(c) शीर्ष स्तर का जीव
(d) प्रजाति स्तर

22. किसी एक मामले पर सर्वेक्षण अनुसंधान, इसकी प्रकृति के बारे में महत्वपूर्ण विशेषताओं को प्रकट करने के लिए, निम्नलिखित में से किस शोध डिजाइन से मेल खाता है?

(a) क्रॉस-सेक्शनल
(b) अनुदैर्ध्य
(c) केस स्टडी
(d) तुलनात्मक

23. कॉलम का मिलान करें:

A. प्रभावी मौखिक संचार	I. ज्ञान और कौशल
B. प्रभावी संचार	II. अपर्याप्त ज्ञान
C. प्रभावी गैर-मौखिक संचार	III. प्रभावी बोलना
D. संचार में बाधा	IV. शारीरिक भाषा

(a) A–I, B–II, C–IV, D–III
(b) A–II, B–III, C–I, D–IV
(c) A–II, B–I, C–III, D–IV
(d) A–III, B–I, C–IV, D–II

24. कॉलम का मिलान करें:

A. PRIME	I. 69
B. SIGHT	II. 72
C. QUITE	III. 63
D. RHYME	IV. 61

(a) A–I, B–II, C–III, D–IV
(b) A–II, B–III, C–IV, D–I
(c) A–IV, B–III, C–II, D–I
(d) A–III, B–IV, C–I, D–II

25. निम्नलिखित में से कौन सा निगमनात्मक तर्क का सामान्य पैटर्न नहीं है?

(a) काल्पनिक न्यायवाक्य
(b) श्रेणीबद्ध न्यायवाक्य
(c) परिभाषा से तर्क
(d) भविष्यसूचक तर्क

26. डेटा सेट को उनके भिन्नता गुणांक के बढ़ते क्रम में माध्य (x) और मानक विचलन (σ) के निम्नलिखित युग्मों के साथ व्यवस्थित करें
A. x = 50, σ = 12
B. x = 55, σ = 10
C. x = 60, σ = 14
D. x= 70, σ = 15
(a) A, B, C, D
(b) B, D, C, A
(c) C, D, A, B
(d) D, B, A, C

27. निम्नलिखित में से कौन शिक्षण की विशेषताओं को सही ढंग से दर्शाता है?
A. छात्रों को मार्गदर्शन और प्रशिक्षण प्रदान करना
B. अधिकारियों के बीच बातचीत
C. औपचारिक और अनौपचारिक शिक्षा प्रदान करना
D. छात्रों को प्रभावी तरीके से ज्ञान प्रदान करने की कला
E. कॉर्पोरेट निकायों के लिए नीतियाँ तैयार करना
(a) केवल A और B
(b) केवल A, D और E
(c) केवल A, C और D
(d) केवल C, D और E

28. कॉलम का मिलान करें:

A. नाममात्र	I. दूरी
B. क्रमसूचक	II. वैवाहिक स्थिति
C. अंतराल	III. मूवी रेटिंग
D. अनुपात	IV. अक्षांश डिग्री में स्थानों का स्थान

(a) A–III, B–II, C–I, D–IV
(b) A–II, B–III, C–I, D–IV
(c) A–III, B–IV, C–II, D–I
(d) A–II, B–III, C–IV, D–I

29. कॉलम का मिलान करें:

A. उपनयन	I. व्याप्ति द्वारा योग्य पक्षधर्मति का ज्ञान
B. परिमार्जन	II. गौण पद में मध्यम पद का अपरिवर्तनीय संबंध या संगति
C. व्याप्ति	III. वर्तमान मामले में सार्वभौमिक सहवर्ती का अनुप्रयोग
D. पक्षधर्मति	IV. प्रमुख पद के साथ मध्यम पद का अपरिवर्तनीय संगति

(a) A–II, B–I, C–III, D–IV
(b) A–III, B–II, C–IV, D–I
(c) A–IV, B–III, C–I, D–II
(d) A–III, B–I, C–IV, D–II

30. कॉलम का मिलान करें:

A. चतुर्थांश I	I. ई-ट्यूटोरियल
B. चतुर्थांश II	II. ई-सामग्री
C. चतुर्थांश III	III. वेब संसाधन
D. चतुर्थांश IV	IV. स्व-मूल्यांकन

(a) A–I, B–II, C–III, D–IV
(b) A–I, B–III, C–II, D–IV
(c) A–II, B–IV, C–I, D–III
(d) A–IV, B–I, C–III, D–II

31. "शिक्षा मनुष्य में पहले से ही मौजूद पूर्णता की अभिव्यक्ति है" यह कथन है:
(a) रवींद्रनाथ टैगोर
(b) एम. के. गांधी
(c) श्री अरबिंदो
(d) स्वामी विवेकानंद

32. सतत विकास लक्ष्यों के निम्नलिखित विषयों को बढ़ते क्रम में उनके लक्ष्य संख्या के अनुसार व्यवस्थित करें
A. लैंगिक समानता
B. शून्य भूख
C. शांति और न्याय
D. जलवायु कार्रवाई
E. गुणवत्तापूर्ण शिक्षा
(a) B, E, A, D, C
(b) A, B, D, C, E
(c) C, D, A, E, B
(d) B, A, E, D, C

33. निम्नलिखित मुक्त विश्वविद्यालयों को उनकी स्थापना के वर्ष के अनुसार कालानुक्रमिक क्रम (पुराना - नया) में व्यवस्थित करें:
A. यशवंत राव चव्हाण महाराष्ट्र मुक्त विश्वविद्यालय
B. कर्नाटक राज्य मुक्त विश्वविद्यालय
C. यू.पी. राजर्षि टंडन मुक्त विश्वविद्यालय
D. कोटा मुक्त विश्वविद्यालय
E. मध्य प्रदेश भोज मुक्त विश्वविद्यालय
(a) A, B, C, D, E
(b) D, A, E, B, C
(c) B, C, E, A, D
(d) D, A, B, C, E

34. संचार के निम्नलिखित प्रकारों को उचित क्रम में लिखें:
A. समूह
B. सार्वजनिक
C. जनसंचार
D. अंतरवैयक्तिक
E. पारस्परिक
(a) D, E, A, 1, C
(b) E, D, C, B, A
(c) A, B, C, E, D
(d) B, A, C, D, E

35. देवर्षि नारद को प्रथम संचारक के रूप में जाना जाता है, क्योंकि:
(a) वह हमेशा दूसरों के खिलाफ बोलते हैं।
(b) वह मौके से रिपोर्ट करते हैं, पक्षों के बीच मध्यस्थता करते हैं और समाज की बेहतरी के लिए सोचते हैं।
(c) वह हर समय हर जगह नहीं होते हैं।
(d) वह अपने स्वामी के प्रति वफादार होते हैं।

36. कॉलम का मिलान करें:

A. GIAN	I. शोध ज्ञान को व्यवहार्य प्रौद्योगिकी (उत्पाद और प्रक्रिया) में बदलना
B. IMPREINT-2	II. शिक्षा नीति के तीन प्रमुख सिद्धांतों अर्थात पहुंच, समानता और गुणवत्ता को प्राप्त करना
C. DIGILOCKER	III. अंतरराष्ट्रीय स्तर पर वैज्ञानिकों और उद्यमियों के प्रतिभा पूल का दोहन करना
D. SWAYAM	IV. डिजिटल तरीके से दस्तावेजों और प्रमाणपत्रों को जारी करना और उनका सत्यापन करना

(a) A-III, B-I, C-II, D-IV (b) A-II, B-I, C-IV, D-III
(c) A-I, B-III, C-II, D-IV (d) A-III, B-I, C-IV, D-II

37. कॉलम का मिलान करें:

A. अभिसारी	I. वे ठोस अनुभव और चिंतनशील अवलोकन में सर्वश्रेष्ठ होते हैं। उनकी ताकत उनकी कल्पनाशील क्षमता है। वे लोगों और भावनात्मक तत्वों में रुचि रखते हैं।
B. अपसारी	II. वे अमूर्त संकल्पना और सक्रिय प्रयोग जैसे समस्याओं को हल करने; विचारों के व्यावहारिक अनुप्रयोग में अच्छे हैं।
C. आत्मसात करने वाला	III. वे नए अनुभवों का आनंद लेते हैं और नई परिस्थितियों को अपनाते हैं; और सहज, जोखिम लेने वाले खुले दिमाग वाले होते हैं।
D. समायोजन करने वाला	IV. सैद्धांतिक मॉडल बनाने की क्षमता; ठोस तर्क, प्रेरक तर्क, विश्लेषणात्मक लोगों में कम रुचि रखते हैं।

(a) A-IV, B-III, C-II, D-I
(b) A-III, B-II, C-I, D-IV
(c) A-II, B-I, C-IV, D-III
(d) A-I, B-II, C-III, D-IV

38. भिक्षुणियाँ और भिक्षु ज्ञान की खोज के लिए कहाँ ध्यान करते थे, वाद-विवाद करते थे और विद्वानों से चर्चा करते थे?
(a) मठ (b) बसादी
(c) चर्च (d) घटिका

39. निम्नलिखित में से कौन प्राथमिक वायु प्रदूषक नहीं है?
(a) CO (b) NO
(c) O_3 (d) SO_2

40. कॉलम का मिलान करें:

A. कथन	I. तर्क में एक कथन जिसे आधार द्वारा सिद्ध या समर्थित करने का इरादा है
B. आधार	II. एक वाक्य जिसे सत्य या असत्य के रूप में देखा जा सकता है
C. निष्कर्ष	III. कथनों का समूह जो किसी अन्य कथन को सिद्ध या समर्थन करने का इरादा रखता है
D. तर्क	IV. कारण कि हमें किसी अन्य कथन या निष्कर्ष को क्यों स्वीकार करना चाहिए

(a) A-III, B-I, C-II, D-IV (b) A-II, B-IV, C-I, D-III
(c) A-IV, B-I, C-II, D-III (d) A-II, B-III, C-IV, D-I

41. निम्नलिखित में से क्या निगमनात्मक तर्क के बारे में सही ढंग से दावा किया जा सकता है?
A. यदि आधार सत्य है, तो निष्कर्ष संभवत: सत्य है।
B. यदि आधार सत्य है, तो निष्कर्ष सत्य होना चाहिए।
C. आधार सत्य और निष्कर्ष असत्य होना असंभव है।
D. निष्कर्ष अनिवार्य रूप से आधार से निकलता है।
E. सभी आधार सत्य और निष्कर्ष असत्य होना असंभव है।
(a) A, B, C (a) A, C
(b) B, D, E (c) A, D, E

42. 90 व्यक्ति 27 दिनों में 810 किलोग्राम भोजन खाते हैं। 60 व्यक्ति कितने दिनों में 300 किलोग्राम भोजन खाएंगे?
(a) 12 दिन (b) 13 दिन
(c) 15 दिन (d) 18 दिन

43. 2, 10, 30, 68, 130, ... शृंखला में आने वाली संख्या की पहचान करें।
A. 738 B. 349
C. 520 D. 222
(a) A, B, C (b) B, C, D
(c) A, C, D (d) A, B, D

44. निम्नलिखित में से कौन वैश्विक स्तर की परिघटना है?
A. ओजोन परत का क्षरण B. ग्लोबल वार्मिंग
C. जंगल की आग D. समुद्र के स्तर में वृद्धि
E. वायु प्रदूषण
(a) A, C, D (b) A, B, C, D
(c) B, C, E (d) A, B, D

45. MS-EXCEL वर्कशीट के निम्नलिखित स्नैपशॉट पर विचार करें:

	A	B	C
1	90	70	
2	60	170	
3	50	20	
4	30	110	
5	50	40	
6	130	30	
7			

उपरोक्त वर्कशीट में सूत्र = SUMIF(A1:A6,">100",B1:B6) वाले सेल C1 का मान क्या होगा?
(a) 90 (b) 390
(c) 50 (d) 420

बोध:

उत्तर के लिए गद्यांश पढ़ें।

अलग राज्य बनने के बाद झारखंड लगातार संस्कृति समेत सभी क्षेत्रों में प्रगति कर रहा है। पुरातत्व कार्यशालाओं के आयोजन के माध्यम से राज्य की निर्मित विरासत के बारे में लोगों में जागरूकता पैदा करने के इसके प्रयास विशेष रूप से सहायक रहे हैं। स्थानीय लोगों की कला और शिल्प को बढ़ावा देने के लिए राज्य स्तरीय उत्सवों के आयोजन की पहल भी की गई है। अपनी प्राकृतिक संपदा के कारण यह राज्य देश-विदेश से आने वाले पर्यटकों के लिए पसंदीदा स्थान बन गया है। बाबा बैद्यनाथ मंदिर, सूरज कुंड, मैथन डैम, नूरी मस्जिद जैसी जगहें ऐसी ही कुछ जगहें हैं, जहां बड़ी संख्या में पर्यटक आते हैं। राज्य सरकार आदिवासी चित्रकला और पत्थर पर नक्काशी गतिविधियों के साथ-साथ राज्य के बांस और लकड़ी के शिल्प को समृद्ध करने के लिए विशेष रूप से प्रतिबद्ध है। शिक्षा के क्षेत्र में, रांची, जिसे कभी गुणवत्तापूर्ण शिक्षा का केंद्र माना जाता था, अपनी प्रतिष्ठा फिर से हासिल कर रहा है। खेल के क्षेत्र में भी राज्य ने राष्ट्रीय स्तर पर पहचान बनाई है। यह विशेष रूप से हॉकी, तीरंदाजी और क्रिकेट जैसे खेलों के मामले में राष्ट्रीय और अंतर्राष्ट्रीय दोनों स्तरों पर है।

46. किस शहर को कभी झारखंड में शिक्षा का केंद्र माना जाता था?
(a) देवघर
(b) रांची
(c) जमशेदपुर
(d) कोडरमा

47. निम्नलिखित में से कौन सी गतिविधि संवर्धन के लिए राज्य सरकार की पहल में शामिल नहीं है?
(a) बांस और लकड़ी शिल्प
(b) आदिवासी चित्रकला
(c) पत्थर की नक्काशी
(d) रॉक पेंटिंग

48. खेलों के किस संयोजन में झारखंड ने राष्ट्रीय और अंतर्राष्ट्रीय पहचान हासिल की है?
(a) क्रिकेट, तीरंदाजी और हॉकी
(b) क्रिकेट, तीरंदाजी और निशानेबाज़ी
(c) क्रोकेट, क्रिकेट और तीरंदाजी
(d) क्रिकेट, फुटबॉल और हॉकी

49. झारखंड भारत और विदेश से आने वाले पर्यटकों के लिए पसंदीदा जगह बन गया है, क्योंकि:
(a) पत्थर पर नक्काशी की गतिविधियाँ
(b) खनिज संपदा
(c) प्राकृतिक आकर्षण
(d) केंद्रीय स्थान

50. पुरातत्व कार्यशालाओं के आयोजन से निम्नलिखित के बारे में जागरूकता पैदा करने में मदद मिली है:
(a) कला और शिल्प
(b) निर्मित विरासत
(c) बांस और लकड़ी शिल्प
(d) खेल और क्रीड़ा

उत्तरमाला

1. (d)	**2.** (d)	**3.** (a)	**4.** (b)	**5.** (c)	**6.** (d)	**7.** (d)	**8.** (a)	**9.** (b)	**10.** (b)
11. (b)	**12.** (d)	**13.** (d)	**14.** (a)	**15.** (c)	**16.** (c)	**17.** (c)	**18.** (b)	**19.** (b)	**20.** (b)
21. (a)	**22.** (c)	**23.** (d)	**24.** (c)	**25.** (d)	**26.** (b)	**27.** (c)	**28.** (d)	**29.** (d)	**30.** (a)
31. (d)	**32.** (a)	**33.** (b)	**34.** (a)	**35.** (b)	**36.** (d)	**37.** (c)	**38.** (a)	**39.** (c)	**40.** (b)
41. (c)	**42.** (c)	**43.** (c)	**44.** (d)	**45.** (c)	**46.** (b)	**47.** (d)	**48.** (a)	**49.** (c)	**50.** (b)

प्रश्न-पत्र का स्नैपशॉट विश्लेषण: 22 अगस्त 2024 (शिफ्ट 1)

इकाई	नाम	पूछे गए विषय	प्रश्नों की संख्या
1	शिक्षण अभियोग्यता	स्व-अवधारणा, शिक्षण की विशेषताएँ, स्वयं, शिक्षा पर उद्धरण, शिक्षार्थियों के प्रकार	6
2	शोध अभिवृत्ति	साहित्यिक चोरी के स्तर, वैधता के प्रकार, शोध के प्रकार, मानक विचलन, चरों का मापन (पैमाने)	5
3	बोध	झारखंड पर पठन बोध	5
4	संप्रेषण	सम्प्रेषण की प्रक्रिया, सम्प्रेषण का विकास, मौखिक और गैर-मौखिक सम्प्रेषण, सम्प्रेषण के प्रकार	5
5	गणितीय तर्क और अभियोग्यता	समय और कार्य, अंश, कोडिंग डिकोडिंग, संख्या श्रृंखला	5
6	तार्किक तर्क	तर्क के प्रकार, निगमनात्मक तर्क, अनुमान	5
7	आँकड़ों की व्याख्या	सारणीबद्ध डेटा व्याख्या	5
8	सूचना और संचार प्रौद्योगिकी (ICT)	क्लाउड कंप्यूटिंग, चैटजीपीटी, संख्या प्रणाली, एमएस एक्सेल फॉर्मूला	4
9	लोग, विकास और पर्यावरण	क्योटो प्रोटोकॉल, मॉन्ट्रियल प्रोटोकॉल, रियो शिखर सम्मेलन, पेरिस समझौता, ग्लोबल वार्मिंग क्षमता (जीडब्ल्यूडी), खाद्य श्रृंखला, एसडीजी, वायु प्रदूषक	6
10	उच्च शिक्षा प्रणाली	मुक्त विश्वविद्यालय कालक्रम, डिजिटल पहल (जीआईएएन, इंप्रिंट, डिजिलॉकर), प्राचीन भारतीय शिक्षा	4
कुल प्रश्न			**50**

कॉलम मिलान प्रश्न - 9

कालानुक्रमिक और अनुक्रम आधारित प्रश्न - 6

विस्तृत समाधान एवं संकेत

किसी कठिन प्रश्न को हल करने में संघर्ष कर रहे हैं या संदेह महसूस कर रहे हैं?

चिंता न करें! ऊपर दिए गए प्रश्नों के विस्तृत समाधान और सहायक संकेत प्राप्त करने के लिए इस QR कोड को स्कैन करें।

क्या आप जानते हैं? इस खंड में दिए गए प्रश्न 22 अगस्त 2024 को आयोजित UGC NET परीक्षा से हैं और अक्सर परीक्षा में दोहराए जाते हैं। उनमें महारत हासिल करने से आपके स्कोर में उल्लेखनीय वृद्धि हो सकती है। इसलिए, उत्तर कुंजी को सिर्फ़ सरसरी तौर पर न पढ़ें - विस्तृत स्पष्टीकरण को देखने के लिये और प्रत्येक प्रश्न की पूरी समझ हासिल करने के लिए इस QR कोड को स्कैन करें।

QR कोड काम नहीं कर रहा है? QR कोड के साथ दिए गए संसाधनों तक पहुँचने के लिए आंतरिक फ्रन्ट कवर पर दिए गए निर्देशों का पालन करें

अधिक अभ्यास करना चाहते हैं? आपको एक व्यापक परीक्षा अनुभव देने के लिए डिजाइन किए गए अनन्य **50+ पूर्ण ऑनलाइन मॉक टेस्ट** तक पहुँचने के लिए इस QR कोड को स्कैन करें। ये मॉक टेस्ट McGraw Hill EDGE प्लेटफॉर्म पर उपलब्ध हैं, जो UGC NET परीक्षा इंटरफेस को सटीक रूप से दोहराता है। इन पूर्ण प्रश्नपत्र के साथ अभ्यास करके, आप वास्तविक परीक्षा प्रारूप से परिचित हो जाएँगे; परीक्षा के दिन अपने आत्मविश्वास और प्रदर्शन में सुधार करेंगे। प्रत्येक मॉक टेस्ट को वास्तविक UGC NET प्रश्नपत्र 1 पैटर्न को दर्शाने के लिए संरचित किया गया है, जिसमें प्रश्न प्रकारों के संतुलित मिश्रण के साथ सभी प्रमुख विषयों को शामिल किया गया है। तो, चूकें नहीं—अभी इस QR कोड को स्कैन करें और इन विशेषज्ञ रूप से तैयार किए गए मॉक टेस्ट के साथ अभ्यास करना शुरू करें!

यूजीसी नेट प्रश्न-पत्र 1: 22 अगस्त 2024 (शिफ्ट 2)

निम्नलिखित तालिका में वर्ष 2018-2023 के दौरान पांच रिटेल स्टोर A-E द्वारा अर्जित लाभ (लाखों रुपये में) का विवरण दिया गया है। तालिका में दिए गए आंकड़ों के आधार पर, निम्नलिखित प्रश्नों के उत्तर दीजिए।

स्टोरवार लाभ का विवरण

	वर्ष में अर्जित लाभ (लाख रुपए में)					
स्टोर	2018	2019	2020	2021	2022	2023
A	12	18	24	21	15	30
B	9	15	18	12	21	24
C	27	33	24	21	30	36
D	15	12	18	9	21	9
E	18	21	15	15	12	24

नोट: लाभ = आय - निवेश

1. वर्ष 2019 में, स्टोर C और E में से प्रत्येक द्वारा 20% का लाभ अर्जित करने के लिए, C द्वारा किए गए निवेश का E द्वारा किए गए निवेश से अनुपात क्या है?
(a) 7:11 (b) 1:5
(c) 5:1 (d) 11:7

2. 2020 में स्टोर D की आय क्या होनी चाहिए, ताकि उसका लाभ प्रतिशत 30% हो
(a) 33 लाख रुपये (b) 42 लाख रुपये
(c) 60 लाख रुपये (d) 78 लाख रुपये

3. 2023 में स्टोर A द्वारा अर्जित लाभ 2019 की तुलना में लगभग % अधिक है।
(a) 40 (b) 66.67
(c) 266 (d) 33.33

4. स्टोर C का मालिक 2021 में 9 लाख रुपये का निवेश करता है। स्टोर C की तुलना में दोगुनी आय प्राप्त करने के लिए उसी वर्ष D का निवेश क्या होना चाहिए?
(a) 51 लाख रुपये (b) 6 लाख रुपये
(c) 50000 रुपये (d) 33 लाख रुपये

5. प्रश्न वर्ष {2018 और 2019}, {2018 और 2019}, {2018 और 2022} और {2018 और 2022} की जोड़ी के लिए स्टोर A, B, D और E के लाभ में प्रतिशत परिवर्तन पर विचार करें। उल्लिखित वर्षों की जोड़ी के लिए किस स्टोर के लाभ में अधिकतम प्रतिशत परिवर्तन हुआ है?
(a) A (b) B
(c) D (d) E

6. प्राचीन भारत में, उज्जैन निम्नलिखित के अध्ययन के लिए प्रसिद्ध था:
(a) नृविज्ञान (b) खगोल विज्ञान
(c) पुरातत्व (d) भूविज्ञान

7. निम्नलिखित संस्थानों को उनकी स्थापना के वर्ष के अनुसार व्यवस्थित करें (प्रारंभिक से लेकर सबसे हाल तक)
A. राष्ट्रीय ग्रामीण संस्थान परिषद (NCRI)
B. भारतीय सामाजिक विज्ञान अनुसंधान परिषद (ICSSR)
C. भारतीय उन्नत अध्ययन संस्थान (IIAS)
D. भारतीय ऐतिहासिक अनुसंधान परिषद (ICHR)
E. भारतीय दार्शनिक अनुसंधान परिषद (ICPR)
(a) A, B, C, D, E
(b) C, D, B, E, A
(c) B, E, A, C, D
(d) C, B, D, E, A

8. निम्नलिखित तर्क का अवलोकन करें और सही रूप ज्ञात करें:
"A" में 'X' और 'Y" की विशेषताएँ हैं।
'B' में 'X" और 'Y" की विशेषताएँ हैं।
'A' में 'Z' की विशेषताएँ हैं।
इसलिए B में 'Z' की विशेषताएँ हैं।
(a) सांख्यिकीय तर्क (b) प्राधिकरण से तर्क
(c) गणितीय तर्क (d) सादृश्य से तर्क

9. डेटासेट को उनके भिन्नता गुणांक के बढ़ते क्रम में माध्य (x) और मानक विचलन (σ) के निम्नलिखित युग्मों के साथ व्यवस्थित करें:
A. x - 25, σ = 9 B. x = 40, σ = 12
C. x = 30, σ = 10 D. x = 35, σ = 11
(a) A, B, C, D (b) B, C, D, A
(c) A, C, D, B (d) B, D, C, A

10. एक दुकानदार ने पहले एक वस्तु की कीमत 12% बढ़ा दी और फिर 20% की छूट की घोषणा की। मूल कीमत पर वास्तविक छूट है:
(a) 12.6% (b) 10.4%
(c) 14.2% (d) 12%

11. किसके बिना संचार प्रक्रिया पूरी नहीं हो सकती?
(a) रिसीवर (b) मीडिया
(c) लेखक (d) विशेषज्ञ

12. कम हवा की गति के साथ बादल रहित रात संकेत करती है:
(a) अशांत वातावरण
(b) अस्थिर वातावरण
(c) तटस्थ वातावरण
(d) स्थिर वातावरण

13. गुणात्मक शोध आम तौर पर किससे जुड़ा होता है-
(a) आगमनात्मक दृष्टिकोण (b) निगमनात्मक दृष्टिकोण
(c) प्रत्यक्षवाद (d) वस्तुवाद

14. संस्कृत आयोग (1956-57) के अध्यक्ष थे-
(a) सुकुमार सेन
(b) यू.एन. ढेबर
(c) सुनीति कुमार चटर्जी
(d) वी.टी. कृष्णमाचारी

15. कॉलम का मिलान करें:

A. प्राइम	I. एनपीजीकेसी
B. दृष्टि	II. क्यूजीईएफआर
C. काफी	III. ओएसजीआरसी
D. कविता	IV. पीएफडब्ल्यूकेसी

(a) A-I, B-II, C-III, D-IV
(b) A-II, B-III, C-IV, D-I
(c) A-III, B-IV, C-I, D-II
(d) A-IV, B-I, C-II, D-III

16. कॉलम का मिलान करें:

A. नाममात्र	I. क्रोध का स्तर
B. क्रमिक	II. फसल की उपज
C. अंतराल	III. जंगल का प्रकार
D. अनुपात	IV. फारेनहाइट में तापमान

(a) A–I, B–II, C–IV, D–III
(b) A–I, B–II, C–III, D–IV
(c) A–III, B–I, C–IV, D–II
(d) A–III, B–IV, C–I, D–II

17. न्याय के न्यायवाक्य के प्रकाश में, निम्नलिखित में से कौन-सा सही है?

A. 'साध्य' प्रमुख शब्द है
B. 'लिंग' गौण शब्द है
C. 'हेतु' मध्यम शब्द है
D. 'पक्ष' गौण शब्द है
E. 'अनुमान' अनुमानात्मक ज्ञान है

(a) A, B, C (b) A, C, D, E
(c) B, D (d) B, D, E

18. निम्नलिखित में से संचार की कौन-सी सही परिभाषाएँ हैं?

A. विचार करने, खोजने और बताने की प्रक्रिया।
B. संदेश भेजने, प्राप्त करने और व्याख्या करने की प्रक्रिया।
C. संचार संदेशों के माध्यम से सामाजिक संपर्क है।
D. संदेशों को सोचने, लिखने और चैनलाइज़ करने की प्रक्रिया।

(a) AB (b) AC
(c) BD (d) BC

19. MS-EXCEL में, सेल D9 में एक सूत्र =B$1 + C$3 + 5 जब सेल F12 में कॉपी किया जाएगा तो यह बन जाएगा:

(a) = D1 + E3 = 35
(b) = B$2 + CS$4 + 5
(c) = C$1 + DS$3 + 5
(d) = D$1 + E$3 + 5

20. कॉलम का मिलान करें:

A. प्रमाणीकरण	I. पहचानता है कि कौन सा डिवाइस किसी दिए गए IP पते से जुड़ा है
B. बायोमेट्रिक्स	II. रेटिना स्कैन जैसी मानव की कुछ विशिष्ट विशेषताओं पर निर्भर करता है
C. IP पता	III. सत्यापित करता है कि डेटा एक सुरक्षित और विश्वसनीय स्रोत से आता है और इंटरनेट सुरक्षा को मजबूत करने के लिए एन्क्रिप्शन के साथ काम करता है
D. MAC पता	IV. पहचानता है कि नेटवर्क पर कोई डिवाइस कहाँ स्थित है

(a) A–I, B–II, C–IV, D–III
(b) A–III, B–II, C–IV, D–I
(c) A–II, B–III, C–I, D–IV
(d) A–IV, B–III, C–II, D–I

21. संक्षिप्त नाम SWAYAM का अर्थ है –

(a) स्कोपस वेब ऑफ अटेन्टिव लर्निंग फॉर यूथ एंड एप्ट माइंड्स
(b) सोशल वेब ऑफ एजेंट लर्निंग फॉर यूथ एंड एडल्ट माइंड्स
(c) स्टडी वेब्स ऑफ एक्टिव लर्निंग फॉर यंग एस्पायरिंग माइंड्स
(d) साइंस वेब ऑफ एस्पायरेंट्स एंड यंग एक्टिव माइंड्स

22. NEP-2020 के अनुसार, वयस्क शिक्षा के पाठ्यक्रम ढांचे के अंतर्गत कौन सा/से नहीं आता/आते?

A. महत्वपूर्ण जीवन कौशल B. व्यावसायिक कौशल विकास
C. सतत शिक्षा D. शिक्षा में कला
E. बुनियादी शिक्षा

(a) A (b) B, C
(c) D (d) A, D, E

23. कॉलम का मिलान करें:

A. भूखमरी को समाप्त करना	I. SGD13
B. संधारणीय शहर और समुदाय	II. SDG7
C. किफायती और स्वच्छ ऊर्जा	III. SDG-2
D. जलवायु परिवर्तन	IV. SDG-11

(a) A–III, B–IV, C–II, D–I
(b) A–I, B–II, C–IV, D–III
(c) A–II, B–III, C–I, D–IV
(d) A–IV, B–I, C–II, D–II

24. साहित्यिक चोरी पर यूजीसी विनियम 2018 के अनुसार, एक छात्र को निम्नलिखित में से किस समानता के लिए संशोधित थीसिस प्रस्तुत करनी होगी?

A. 12% B. 27%
C. 46% D. 66%
E. 70%

(a) केवल A, B और C (b) केवल B, C और D
(c) केवल C, D और E (d) केवल A और B

25. कॉलम का मिलान करें:

A. सरल संसाधन	I. ऐसे संसाधन जिन्हें आसानी से खरीदा, मापा या समायोजित नहीं किया जा सकता, जैसे निर्देशात्मक दृष्टिकोण और शिक्षण दर्शन।
B. मिश्रित संसाधन	II. ऐसे संसाधन जिन्हें पहचानना और मापना मुश्किल है और जो अक्सर संबंधों और प्रथाओं, निर्णय लेने, शिक्षक की जवाबदेही आदि के जाल में अंतर्निहित होते हैं।
C. जटिल संसाधन	III. भौतिक वस्तु और जिसे सीधे खरीदा, समायोजित और मापा जा सकता है, जैसे पाठ्यपुस्तकें, ब्लैकबोर्ड और चाक आदि।
D. अमूर्त संसाधन	IV. दो या दो से अधिक संसाधनों का उपयोग जैसे कक्षा, आकार में कमी और प्रौद्योगिकी का उपयोग।

(a) A–I, B–II, C–III, D–IV
(b) A–IV, B–III, C–II, D–I
(c) A–IV, B–III, C–I, D–II
(d) A–III, B–IV, C–II, D–I

26. कॉलम का मिलान करें:

A. स्ट्रॉमैन	I. जब कोई तर्ककर्ता अप्रासंगिक मुद्दा उठाकर अपने दर्शकों को भटकाने की कोशिश करता है और दावा करता है कि मूल मुद्दा सुलझा लिया गया है।
B. रेड हेरिंग	II. जब कोई तर्ककर्ता उसी बात को आधार के रूप में बताता है या मान लेता है जिसे वह निष्कर्ष के रूप में साबित करने की कोशिश कर रहा है।
C. समतुल्यता	III. जब तर्ककर्ता किसी विरोधी के दावे को तोड़-मरोड़ कर पेश करता है ताकि उस पर हमला करना आसान हो जाए।
D. सवाल पूछना	IV. जब एक ही तर्क में एक मुख्य शब्द का इस्तेमाल दो या अधिक अर्थों में किया जाता है।

(a) A-IV, B-I, C-III, D-II (b) A-II, B-III, C-IV, D-I
(c) A-I, B-II, C-IV, D-III (d) A-III, B-I, C-IV, D-II

27. कॉलम का मिलान करें:

A. शिक्षार्थियों का मूल्यांकन करना	I. सीखने में संलग्न होने के लिए बाहरी सिमुलेशन और बातचीत पर निर्भर रहना
B. बहिर्मुखी शिक्षार्थी	II. वे विश्लेषण, आत्म अनुशासन, तर्क के आधार पर निष्पक्ष रूप से चीजों का फैसला करना चुनते हैं, स्पष्ट पाठ्यक्रम और परिणाम पसंद करते हैं
C. अंतर्ज्ञानी	III. आवश्यकता जानने और जल्दी से कार्रवाई करने के लिए चिंतित, अस्पष्टता के प्रति असहिष्णु
D. विचारक	IV. तथ्यों के बीच पैटर्न और संबंधों की तलाश करते हैं, वे संदर्भ से निष्कर्ष, अनुमान इकट्ठा करते हैं

(a) A-II, B-III, C-I, D-IV
(b) A-IV, B-I, C-III, D-II
(c) A-III, B-I, C-IV, D-II
(d) A-I, B-II, C-III, D-IV

28. निम्नलिखित भिन्नों को घटते क्रम में व्यवस्थित करें?
A. 17/21 B. 15/19
C. 13/16 D. 14/17
(a) D, C, B, A (b) A, B, C, D
(c) C, D, B, A (d) D, C, A, B

29. निम्नलिखित भारतीय राज्यों को उनकी जलवायु संवेदनशीलता के अनुसार अवरोही क्रम में व्यवस्थित करें
(सबसे संवेदनशील से कम संवेदनशील तक)
A. उत्तर प्रदेश B. झारखंड
C. महाराष्ट्र D. मणिपुर
E. पंजाब
(a) D, B, C, A, E
(b) C, E, A, D, B
(c) B, A, D, E, C
(d) A, E, B, C, D

30. निम्नलिखित में से किसे आलोचनात्मक और तार्किक सोच की क्षमता के विकास का घटक माना जा सकता है?
A. समस्याओं की पहचान करना
B. समस्याओं का विश्लेषण करना
C. व्यक्तिपरक सत्य स्थापित करना
D. प्रासंगिक तथ्यों और सिद्धांतों का चयन करना
E. अनुमान और निष्कर्ष निकालना
(a) केवल A और C
(b) केवल A, B और C
(c) केवल A, B और D
(d) केवल A, B, D और E

31. 0, 7, 26, 63, 124.... श्रृंखला में आने वाली संख्याओं की पहचान करें।
A. 344 B. 511
C. 215 D. 730
(a) केवल A और B
(b) केवल B और C
(c) केवल C और D
(d) केवल A और D

32. 200 मीटर लंबी एक रेलगाड़ी 20 मीटर/सेकंड की निरंतर गति से यात्रा कर रही है। 1000 मीटर लंबे रेलवे प्लेटफॉर्म को पूरी तरह से पार करने में उसे कितना समय लगेगा?
(a) 1 मिनट (b) 1.5 मिनट
(c) 2 मिनट (d) 2.5 मिनट

33. निम्नलिखित से सही ढंग से क्या अनुमान लगाया जा सकता है? षविज्ञान प्रयोग पर आधारित है, पुरानी हठधर्मिता को चुनौती देने की इच्छा पर, ब्रह्मांड को वैसा ही देखने के लिए खुलेपन पर जैसा वह वास्तव में है। तदनुसार, विज्ञान को कभी-कभी साहस की आवश्यकता होती है, कम से कम पारंपरिक ज्ञान पर सवाल उठाने का साहसा़
A. आधार: विज्ञान को कभी-कभी साहस की आवश्यकता होती है।
B. आधार: विज्ञान प्रयोग पर आधारित है, ब्रह्मांड को वैसा ही देखने की इच्छा के रूप में जैसा वह वास्तव में है।
C. यह केवल एक उदाहरण है।
D. निष्कर्ष: विज्ञान को कभी-कभी साहस की आवश्यकता होती है।
E. निष्कर्ष: विज्ञान प्रयोग पर आधारित है, ब्रह्मांड को वैसा ही देखने की इच्छा पर जैसा वह वास्तव में है।
(a) A, C, D (b) A, D
(c) B, D (d) B, C, E

34. कॉलम का मिलान करें:

A. औपचारिक संचार	I. धार्मिक प्रवचन
B. अनौपचारिक संचार	II. गलती करने के बाद खुद से सवाल करना
C. समूह संचार	III. बैठक में भाग लेना
D. अंतर-व्यक्तिगत संचार	IV. कैंटीन में संरक्षण

(a) A-I, B-II, C-III, D-IV
(b) A-II, B-III, C-I, D-IV
(c) A-III, B-IV, C-I, D-II
(d) A-IV, B-I, C-II, D-II

35. भारत में निम्नलिखित प्राचीन स्थलों में से कौन सा मानव संचार के सबसे पुराने रूपों के लिए जाना जाता है?

(a) धोलावीरा (b) भीमबेटका
(c) रोपड़ (d) सिनौली

36. एक वेबपेज निम्नलिखित जानकारी प्रदर्शित करता है, जिसमें रेखांकित शब्द किसी अन्य वेबपेज का लिंक है। "डिजिटल उपकरणों के लिए, बैंडविड्थ आमतौर पर बिट्स प्रति सेकंड (बीपीएस) में व्यक्त किया जाता है। एनालॉग उपकरणों के लिए, श्बैंडविड्थ हर्ट्ज (Hz) में व्यक्त किया जाता है" डेटा संगठन की किस पद्धति का उपयोग किया जा रहा है?

(a) HTML
(b) हाइपरटेक्स्ट
(c) स्टोरीबोर्ड
(d) डेटा स्कीम

37. यदि (L)M आधार –M संख्या प्रणाली में एक संख्या L का प्रतिनिधित्व करता है, तो निम्नलिखित में से कौन सी समानताएँ सत्य हैं?

A. $(512.125)^{10} = (1000000000.001)^{2}$
B. $(512.125)^{10} = (1000.1)^{8}$
C. $(512.125)^{10} = (200.2)^{16}$
D. $(512.125)^{10} = (2000.02)^{4}$

(a) केवल A और B
(b) केवल A और C
(c) केवल B, C और D
(d) केवल A, B और C

38. निम्नलिखित में से कौन सा प्रासंगिकता का भ्रम नहीं है?

(a) एड होमिनम (व्यक्तिगत हमला)
(b) मकसद पर हमला
(c) टू क्वोक्यू (देखो कौन बात कर रहा है)
(d) झूठे विकल्प

39. स्वदेशी ज्ञान और संसाधन प्रबंधन प्रणाली को सबसे अच्छे रूप में माना जा सकता है-

(a) शमन प्रतिक्रिया
(b) अनुकूलन प्रतिक्रिया
(c) डीकार्बोनाइजेशन प्रतिक्रिया
(d) नैतिक प्रतिक्रिया

40. कंप्यूटर माउस की खोज के बारे में निम्नलिखित चार यादृच्छिक रूप से क्रमित वाक्यों A–D के सही तार्किक अनुक्रम की पहचान करें।

A. हम आज माउस का उपयोग करते हैं क्योंकि यह पॉइंटिंग डिवाइस है जो जॉयस्टिक, ट्रैकबॉल आदि जैसे अन्य की तुलना में उपयोग करने में सबसे आसान है।
B. डग एंजेलबार्ट एक सम्मेलन में ऊब गया था और ऑर्थोगोनल दिशाओं में चलने वाले पहियों के दो सेट का उपयोग करके एक विमान की गति को ट्रैक करने के बारे में सोचना शुरू कर दिया।
C. डग एंजेलबार्ट को ये नोट्स तब याद आए जब वह कंप्यूटर स्क्रीन पर वस्तुओं का चयन करने के लिए एक उपकरण के साथ आने की कोशिश कर रहा था।
D. डग एंजेलबार्ट ने बताया कि उन्होंने माउस का आविष्कार कैसे किया।

(a) D, C, B, A (b) A, B, C, D
(c) B, C, D, A (d) D, B, C, A

41. विभिन्न समय अवधियों से संबंधित दस्तावेजों का गुणात्मक सामग्री विश्लेषण निम्नलिखित में से किस शोध डिजाइन से मेल खाता है?

(a) क्रॉस-सेक्शनल (b) अनुदैर्ध्य
(c) केस स्टडी (d) तुलनात्मक

42. संचार के निम्नलिखित चार चरणों को उचित क्रम में व्यवस्थित करें:

A. ट्रांसमिशन B. एन्कोडिंग
C. प्रेषक D. फीडबैक

(a) C, B, A, D
(b) B, A, C, D
(c) D, C, B, A
(d) A, B, C, D

43. शिक्षण में प्रश्न-उत्तर तकनीक का सही उद्देश्य क्या नहीं माना जा सकता है?

(a) ज्ञान का परीक्षण करना
(b) कठिनाई का पता लगाना
(c) आत्मविश्वास को डराना और बाधित करना
(d) सोच और मौलिकता को बढ़ावा देना

44. निम्नलिखित में से कौन से नवीकरणीय ऊर्जा संसाधन हैं?

A. बायोडीजल
B. परमाणु ऊर्जा
C. सौर ऊर्जा
D. जलविद्युत ऊर्जा
E. पवन ऊर्जा

(a) A, B, C, D (b) B, C, D, E
(c) C, D, E, A (d) E, A, B

45. कॉलम का मिलान करें:

A. ब्लॉग	I. उपयोगकर्ताओं को ब्राउजर का उपयोग करके वेब पेज बनाने और संपादित करने की अनुमति देता है
B. प्रोडकास्ट	II. बुकमार्किंग का एक प्रकार जहां उपयोगकर्ता किसी वेबपेज या फोटो को उसकी सामग्री का वर्णन करने के लिए टेक्स्ट का उपयोग करके "चिह्नित" करता है
C. टैगिंग	III. डिजिटल मीडिया फाइलों की एक श्रृंखला
D. विकी	IV. व्यक्तिगत इंटरनेट पत्रिकाएँ

(a) A-I, B-II, C-III, D-IV
(b) A-III, B-IV, C-II, D-I
(c) A-IV, B-III, C-II, D-I
(d) A-II, B-III, C-IV, D-I

उत्तर के लिए गद्यांश पढ़ें:

पत्थर की नक्काशी गुजरात की दृश्य कला के अन्य प्रभावशाली टुकड़े हैं। राज्य ऐतिहासिक महत्व के कई स्थानों का भंडार भी है, जो दुनिया भर से हजारों लोगों को आकर्षित करते हैं। जूनागढ़ शहर हिंदुओं, जैनियों और मुसलमानों के सुंदर मंदिरों से सुशोभित है। जूनागढ़ की गुफाओं में, एक विशाल शिलाखंड आज भी सम्राट अशोक द्वारा तीसरी शताब्दी ईसा पूर्व में

अंकित चौदह शिला लेखों को संरक्षित करता है। इसके अलावा, यहाँ चित्या हॉल और गुफाओं के नक्काशीदार स्तंभों में रॉक कट वास्तुकला के उत्कृष्ट उदाहरण भी देखे जा सकते हैं। मोढेरा के सूर्य मंदिर में मारू-गुर्जर या चालुक्य शैली की वास्तुकला भी देखी जा सकती है। इसी तरह, गांधीनगर जिले में भारतीय पुरातत्व सर्वेक्षण द्वारा संरक्षित विरासत स्थल अडालज में चालुक्य (सोलंकी) काल से संबंधित वास्तुकला देखी जा सकती है। पत्थर के एक ही खंड से उकेरा गया वृक्ष (जीवन का वृक्ष) शहर राज्य की मूर्तिकला विरासत का एक अद्भुत उदाहरण प्रस्तुत करता है। गुजरात में तांबे का उपयोग ताम्रपाषाण युग के समय से होता आ रहा है। इसके निशान लोथल और धोलावीरा में सिंधु घाटी सभ्यता के खंडहरों में पाए जाते हैं। शिहोर शहर अभी भी अपने कांसा (बेल मेटल) कामों, खासकर विभिन्न आकारों के बर्तनों और घड़ों के साथ धातु शिल्प की उस शानदार परंपरा को जारी रखे हुए है।

46. जूनागढ़ निम्नलिखित में से किस धर्म के संयोजन की खूबसूरत मूर्तियों के लिए जाना जाता है?

(a) हिंदू धर्म, बौद्ध धर्म, ईसाई धर्म
(b) ईसाई धर्म, हिंदू धर्म, जैन धर्म
(c) हिंदू धर्म, बौद्ध धर्म, इस्लाम
(d) इस्लाम, हिंदू धर्म, जैन धर्म

47. गांधीनगर जिले में ASI द्वारा संरक्षित एक विरासत स्थल को इस नाम से जाना जाता है:

(a) अडालज (b) खुम्बोर
(c) धोलावीरा (d) शिहोर

48. निम्नलिखित में से कौन सा स्थान तांबे के निशान या तांबे के कामों से जुड़ा नहीं है?

(a) शिहोर
(b) लोथल
(c) धोलावीरा
(d) मोढेरा

49. मोढेरा के सूर्य मंदिर में वास्तुकला की कौन सी शैली दिखाई देती है?

(a) मारू-गुर्जर
(b) सोलंकी
(c) चोलन
(d) खंबोज

50. जूनागढ़ गुफाओं के अंदर एक शिलाखंड पर अशोक के कितने शिलालेख संरक्षित हैं?

(a) दस (b) बारह
(c) चौदह (d) तेरह

उत्तरमाला

1. (d)	**2.** (d)	**3.** (b)	**4.** (a)	**5.** (b)	**6.** (b)	**7.** (d)	**8.** (d)	**9.** (d)	**10.** (b)
11. (a)	**12.** (d)	**13.** (a)	**14.** (c)	**15.** (a)	**16.** (c)	**17.** (b)	**18.** (d)	**19.** (d)	**20.** (b)
21. (c)	**22.** (c)	**23.** (a)	**24.** (d)	**25.** (d)	**26.** (d)	**27.** (c)	**28.** (d)	**29.** (c)	**30.** (d)
31. (b)	**32.** (a)	**33.** (c)	**34.** (c)	**35.** (b)	**36.** (b)	**37.** (d)	**38.** (d)	**39.** (b)	**40.** (d)
41. (b)	**42.** (a)	**43.** (c)	**44.** (c)	**45.** (c)	**46.** (d)	**47.** (a)	**48.** (d)	**49.** (a)	**50.** (c)

प्रश्न-पत्र का स्नैपशॉट विश्लेषण: 22 अगस्त 2024 (शिफ्ट 2)

इकाई	नाम	पूछे जाने वाले विषय	प्रश्नों की संख्या
1	शिक्षण अभियोग्यता	स्वयं (SWAYAM), साहित्यिक चोरी के स्तर, शिक्षार्थियों के प्रकार, प्रश्न-उत्तर तकनीक	5
2	शोध अभिवृत्ति	गुणात्मक शोध, मानक विचलन, चर (पैमाने) का मापन, गुणात्मक शोध	5
3	बोध	गुजरात पर पठन समझ	5
4	संप्रेषण	सम्प्रेषण की प्रक्रिया, सम्प्रेषण की परिभाषा, सम्प्रेषण के प्रकार	5
5	गणितीय तर्क और अभियोग्यता	छूट, कोडिंग डिकोडिंग, अंश, संख्या शृंखला, गति दूरी समय	5
6	तार्किक तर्क	तर्क के प्रकार, अनुमान, भ्रांतियाँ, आधार और निष्कर्ष	5
7	आँकड़ों की व्याख्या	सारणीबद्ध डेटा व्याख्या	5
8	सूचना और संचार प्रौद्योगिकी (ICT)	शब्द (आईपी पता, मैक पता, बायोमेट्रिक्स, हाइपरटेक्स्ट, एचटीएमएल, ब्लॉग, पॉडकास्ट, टैगिंग, विकी), एमएस-एक्सेल, संख्या प्रणाली, कंप्यूटर माउस	6
9	लोग, विकास और पर्यावरण	एसडीजी, नवीकरणीय ऊर्जा संसाधन	4
10	उच्च शिक्षा प्रणाली	प्राचीन विश्वविद्यालय, नियामक निकाय, एनईपी 2020	5
कुल प्रश्न			**50**

कॉलम मिलान प्रश्न - 9

कालानुक्रमिक और अनुक्रम आधारित प्रश्न - 6

विस्तृत समाधान एवं संकेत

किसी कठिन प्रश्न को हल करने में संघर्ष कर रहे हैं या संदेह महसूस कर रहे हैं?

चिंता न करें! ऊपर दिए गए प्रश्नों के विस्तृत समाधान और सहायक संकेत प्राप्त करने के लिए इस QR कोड को स्कैन करें।

क्या आप जानते हैं? इस खंड में दिए गए प्रश्न 8 जनवरी 2025 को आयोजित UGC NET परीक्षा से हैं और अक्सर परीक्षा में दोहराए जाते हैं। उनमें महारत हासिल करने से आपके स्कोर में उल्लेखनीय वृद्धि हो सकती है। इसलिए, उत्तर कुंजी को सिर्फ़ सरसरी तौर पर न पढ़ें - विस्तृत स्पष्टीकरण को देखने के लिये और प्रत्येक प्रश्न की पूरी समझ हासिल करने के लिए इस QR कोड को स्कैन करें।

QR कोड काम नहीं कर रहा है? QR कोड के साथ दिए गए संसाधनों तक पहुँचने के लिए आंतरिक फ्रन्ट कवर पर दिए गए निर्देशों का पालन करें

अधिक अभ्यास करना चाहते हैं? आपको एक व्यापक परीक्षा अनुभव देने के लिए डिजाइन किए गए अनन्य **50+ पूर्ण ऑनलाइन मॉक टेस्ट** तक पहुँचने के लिए इस QR कोड को स्कैन करें। ये मॉक टेस्ट McGraw Hill EDGE प्लेटफॉर्म पर उपलब्ध हैं, जो UGC NET परीक्षा इंटरफेस को सटीक रूप से दोहराता है। इन पूर्ण प्रश्नपत्र के साथ अभ्यास करके, आप वास्तविक परीक्षा प्रारूप से परिचित हो जाएँगे; परीक्षा के दिन अपने आत्मविश्वास और प्रदर्शन में सुधार करेंगे। प्रत्येक मॉक टेस्ट को वास्तविक UGC NET प्रश्नपत्र 1 पैटर्न को दर्शाने के लिए संरचित किया गया है, जिसमें प्रश्न प्रकारों के संतुलित मिश्रण के साथ सभी प्रमुख विषयों को शामिल किया गया है। तो, चूकें नहीं–अभी इस QR कोड को स्कैन करें और इन विशेषज्ञ रूप से तैयार किए गए मॉक टेस्ट के साथ अभ्यास करना शुरू करें!

1 शिक्षण (Teaching)

इस अध्याय में

परीक्षोपयोगी (Exam Essential): UGC NET परीक्षा में पूछे जाने की अत्यधिक संभावना, #CC का अर्थ है कॉन्सेप्ट कैप्सूल

1.1 शिक्षण की अवधारणा (Concept of Teaching)

शिक्षण और अधिगम हमारे रोजमर्रा के जीवन में गहराई से जुड़ा है। याद है, जब आपकी माँ ने आपको जूते के फीते बाँधना सिखाया था? वह शिक्षण ही तो था! या फिर जब आपके दोस्त ने वीडियो गेम का एक मुश्किल स्तर (Level) पार करने में मदद की? वह भी शिक्षण का ही एक रूप है। सोचिए, जब आप अपने भाई-बहन को साइकिल चलाना सिखाते हैं, या अपने बड़े भाई से कागज का हवाई जहाज बनाना सीखते हैं - ये सब उदाहरण हैं कि कैसे शिक्षण हमारे चारों ओर मौजूद है।

शिक्षण का दायरा केवल कक्षा तक ही सीमित नहीं है। यह हर जगह है। यह हमारे जीवन का अहम हिस्सा है क्योंकि यह हमें आगे बढ़ने और अधिगम में मदद करता है। हम हर दिन एक-दूसरे से ज्ञान प्राप्त करते हैं और उसे साझा करते हैं। चाहे वह घर पर हो, स्कूल में हो या दोस्तों के साथ खेलते समय। अब, जरा औपचारिक दृष्टिकोण से शिक्षण को समझते हैं। सरल शब्दों में, शिक्षण का मतलब है एक शिक्षक द्वारा छात्र को विचार, ज्ञान और निर्देश देना (चित्र 1.1 देखें)। उदाहरण के लिए, जब आपका शिक्षक आपको गणित की कोई समस्या समझाते हैं या सौर मंडल के ग्रहों के बारे में बताते हैं, तो यह शिक्षण है। यह प्रक्रिया एक पुल की तरह काम करती है, जो शिक्षक के ज्ञान को छात्र की जरूरतों से जोड़ती है।

चित्र 1.1 कक्षा में पढ़ाते हुए शिक्षक

कल्पना कीजिए, आप एक अंधेरी गुफा में खड़े हैं। यह गुफा रहस्यमय छायाओं और रहस्यों से भरी हुई है। यह गुफा अधिगम की दुनिया का प्रतीक है, जो ज्ञान से भरी हुई है और जिसे खोजे जाने की प्रतीक्षा है। अब, एक शिक्षक को अपने मार्गदर्शक के रूप में सोचें, जो एक चमकती लालटेन पकड़े हुए है ताकि आपको गुफा से बाहर निकलने में मदद मिल सके। शिक्षक उन बुद्धिमान साथियों की तरह होते हैं जो अपने ज्ञान और अनुभव का प्रकाश देकर आपको इस गुफा के हर मोड़ और रहस्य से परिचित कराते हैं। वे जटिल विचारों को इतनी सरल तरीकों से समझाते

हैं, जैसे कोई मित्र आपको भूलभुलैया से बाहर निकलने का सबसे आसान रास्ता बता रहा हो। लेकिन एक साधारण शिक्षक और एक महान शिक्षक के बीच सबसे बड़ा अंतर क्या है? यह सिर्फ उनके ज्ञान, संवाद कौशल और योग्यता तक सीमित नहीं है। यह है सृजनशीलता - एक ऐसा चौथा तत्व, जो एक साधारण पाठशाला को 'मस्ती की पाठशाला' में बदल सकता है!

शिक्षण की अवधारणा को निम्नलिखित बिंदुओं के माध्यम से बेहतर तरीके से समझ सकते हैं:

1. **उद्देश्यपूर्ण निर्देशन (Purposeful Direction):** शिक्षण का अर्थ केवल जानकारी देना नहीं है, बल्कि यह आपको सही दिशा में मार्गदर्शन करने का एक माध्यम है। उदाहरण के लिए, कल्पना कीजिए कि आपका शिक्षक आपको UGC NET परीक्षा की तैयारी में मदद कर रहे हैं। वह केवल पाठ्यक्रम की जानकारी नहीं देंगे, बल्कि एक सटीक अध्ययन योजना बनाने में आपकी सहायता करेंगे, जिससे आप समय का सही उपयोग कर सकें। वह आपको ध्यान भटकाने वाली चीजों से बचने की सलाह देंगे, मॉक टेस्ट के महत्व को समझाएंगे और नियमित पुनरावृत्ति के लिए प्रेरित करेंगे।
2. **सक्रिय सहभागिता के माध्यम से परिवर्तन (Change through Engagement):** शिक्षण का स्थायी प्रभाव तब आता है जब यह सक्रिय अनुभवों के माध्यम से बदलाव लाता है। उदाहरण के लिए, स्कूल में विज्ञान शिक्षक छात्रों को प्रयोगों और प्रयोगशाला गतिविधियों में शामिल करते हैं ताकि विज्ञान के प्रति रुचि और लगाव उत्पन्न हो।
3. **कुशल अनुप्रयोग (Skilful Application):** शिक्षण एक कला है, जहाँ ज्ञान को रचनात्मक तरीकों से कुशलतापूर्वक उपयोग में लाया जाता है। सोचिए, आप एक साधारण और बोरिंग पाठ्यपुस्तक से ग्रहों के बारे में सीख रहे हैं। लेकिन फिर, आपके शिक्षक आते हैं और इस विषय को एक मजेदार खेल में बदल देते हैं, जहाँ आप अंतरिक्ष यात्री बनकर ग्रहों की यात्रा पर निकलते हैं।
4. **सुनियोजित गतिविधि (Planned Activity):** सफल शिक्षण एक सटीक और ठोस योजना शामिल होती है, जिसमें स्पष्ट उद्देश्य और मापने योग्य प्रगति की दिशा निर्धारित की जाती है। उदाहरण के लिए, यदि शिक्षक रूस क्रांति के बारे में पढ़ा रहे हैं, तो वे पाठ योजना में हिटलर और नाजियों पर वृत्तचित्र (डॉक्युमेंट्री) शामिल कर सकते हैं। यह एक बहुत प्रभावी तरीका है, जिससे छात्रों को इतिहास के एक महत्वपूर्ण पहलू को और अधिक गहराई से समझने का अवसर मिलता है।
5. **संगठित शिक्षा (Organised Education):** शिक्षण का एक अन्य महत्वपूर्ण पहलू है - संगठित होना। जब शिक्षक अपने प्रयासों को अच्छे से व्यवस्थित करते हैं, तो वे छात्रों के लिए अधिगम की प्रक्रिया को और अधिक सुगम और प्रभावी बना सकते हैं।
6. **क्रियाशील प्रभाव (Dynamic Influence):** शिक्षण एक ऐसा प्रभाव डालता है जो अधिगमकर्ता को न केवल ज्ञान हासिल करने, बल्कि अपनी वांछित जीवनशैली अपनाने के लिए प्रेरित करता है। अपनी आँखें बंद करें और अपने स्कूल या कॉलेज के उस प्रिय शिक्षक को याद करें, जिन्होंने आपके जीवन को गहराई से प्रभावित किया।

सिनेमैटिक कनेक्शन

'तारे जमीन पर' (2007) फिल्म में आमिर खान के किरदार को याद करें जिसमें कैसे उन्होंने अपने छात्र ईशान अवस्थी की जिंदगी को पूरी तरह से बदल दिया। आमिर का यह किरदार एक आदर्श शिक्षक का उत्कृष्ट उदाहरण है।

UGC NET पेपर 1 में शिक्षण अभिक्षमता का महत्व (The Significance of Teaching Aptitude in UGC NET Paper 1)

इस विषय पर पूरा एक अध्याय क्यों दिया गया है? शिक्षण अभिक्षमता का अर्थ है 'अधिगम का कौशल'। यह अध्याय इस बात को समझने और मूल्यांकन करने में मदद करता है कि क्या एक व्यक्ति में एक कुशल शिक्षक बनने की आवश्यक योग्यता और क्षमता है। साथ ही, यह अध्याय इस बात पर ध्यान केंद्रित करता है कि वह व्यक्ति शिक्षा को कितनी रोचक और प्रभावी बना सकते हैं। एक अच्छा शिक्षक न केवल विषय समझाने में निपुण होता है, बल्कि ऐसा वातावरण भी तैयार करता है जहां हर छात्र अधिगम के लिए प्रेरित महसूस करे। यह सिर्फ ज्ञानवान होने की बात नहीं है, बल्कि ऐसा शिक्षक बनने की आवश्यकता है जो शिक्षा को सरल, रोचक और सबके लिए सुलभ बना सके।

यह अध्याय आपको एक असाधारण शिक्षक के रूप में ढालने के लिए आपका साथी और मार्गदर्शक है - वह जिसे सभी विद्यार्थी पसंद करते हैं और सराहते हैं!

1.2 शिक्षण की परिभाषाएँ (Definitions of Teaching)

चलिए संक्षेप में जानते हैं कि दुनिया के विभिन्न क्षेत्रों के विद्वानों और विशेषज्ञों ने शिक्षण को कैसे परिभाषित किया। नीचे दिए गए सिद्धांत समय के साथ विकसित हुए हैं, जिन्होंने शिक्षा के प्रति हमारे दृष्टिकोण को आकार देने में महत्वपूर्ण योगदान दिया है।

1. **महात्मा गांधी (Mahatma Gandhi):** कल्पना कीजिए कैसा होता अगर शिक्षा केवल किताबों और परीक्षाओं तक सीमित न होकर दयालु होने और दूसरों की मदद करने पर आधारित होता। यही महात्मा गांधी का आदर्श था। उन्होंने हमें सिखाया कि जब हम अपने मस्तिष्क, हृदय और कर्म को एक साथ जोड़ते हैं, तो हम न केवल बेहतर सीखते हैं, बल्कि बेहतर इंसान भी बनते हैं।
2. **रवींद्रनाथ टैगोर और जीन-जैक्स रूसो (Rabindranath Tagore and Jean-Jacques Rousseau):** क्या आपने कभी धूप वाले दिन में ठंडी हवा का आनंद लिया है या जंगल में पत्तों की सरसराहट सुनी है? टैगोर और रूसो का मानना था कि प्रकृति सबसे महान शिक्षक है। वे मानते थे कि प्रकृति से हम हर दिन कुछ सुंदर और अद्भुत चीजें सीख सकते हैं।
3. **श्री अरविंद (Sri Aurobindo):** श्री अरविंद ने शिक्षा को एक पहेली की तरह देखा, जहाँ प्रत्येक टुकड़ा जीवन के किसी न किसी पहलू को दर्शाता है। जब सभी टुकड़े जुड़ते हैं, तो हम न केवल ज्ञानवान बनते हैं, बल्कि आध्यात्मिक रूप से जागरूक भी होते हैं और इस दुनिया में अपनी भूमिका को गहराई से समझने लगते हैं।

4. **जे. कृष्णमूर्ति और जॉन ड्यूई (J. Krishnamurti and John Dewey):** कभी-कभी अधिगम का सबसे अच्छा तरीका होता है चीजों को स्वयं करके देखना। कृष्णमूर्ति और डड्ढूई का मानना था कि जब हमें व्यावहारिक अनुभव प्राप्त होता है, तो हम पुस्तक पढ़कर सीखने से कहीं अधिक सीखते हैं।
5. **मारिया मोंटेसरी (Maria Montessori):** कल्पना कीजिए एक ऐसी कक्षा, जहाँ आप खुद तय कर सकें कि क्या सीखना है और क्या अन्वेषण करना है। यही मारिया मोंटेसरी का सपना था। वह आत्म-शिक्षा में विश्वास रखती थीं, जहाँ हर व्यक्ति अपनी क्षमताओं को विकसित कर सकता है और स्वतंत्र रूप से अपनी रुचियों का अनुसरण कर सकता है।
6. **अमिडॉन और ह्यूग (Amidon and Hugh):** सीखना एक व्यक्तिगत सफर नहीं है; यह एक सामूहिक प्रयास है। अमिडॉन और ह्यूग ने शिक्षण को एक साझा प्रयास के रूप में देखा, जहाँ हम सभी अपने विचारों और अनुभवों को साझा करके एक-दूसरे से सीखते हैं।
7. **एच. सी. मॉरिसन (H. C. Morrison):** शिक्षण दो लोगों के बीच दोस्ती जैसा एक विशेष संबंध है, जहाँ एक व्यक्ति दूसरे से थोड़ा अधिक जानकार होता है। मॉरिसन का मानना था कि इस घनिष्ठ जुड़ाव के माध्यम से, हम सभी मिलकर बढ़ते हैं, सीखते हैं और अपने आप का एक बेहतर संस्करण बनाते हैं।

1.3 शिक्षा में क्रांति लाने वाले प्रभावशाली शिक्षक (Influential Teachers Who Revolutionised Education)

पूरे इतिहास के दौरान, उल्लेखनीय व्यक्तियों ने हमारे शिक्षण और अधिगम के तरीके में क्रांतिकारी बदलाव किया है, छात्रों के दिमाग को पोषित करने के लिए अभिनव विचार और रूपरेखाएँ पेश की हैं। इन दूरदर्शी लोगों ने न केवल आधुनिक शिक्षा की नींव को आकार दिया है, बल्कि पीढ़ियों को ज्ञान और ज्ञानोदय के लिए प्रयास करने के लिए प्रेरित भी किया है। आइए इनमें से कुछ प्रभावशाली हस्तियों के योगदान पर गौर करें जिन्होंने शिक्षा पर अमिट छाप छोड़ी है:

1. **बेंजामिन ब्लूम (Benjamin Bloom):** ब्लूम ने एक टैक्सोनॉमी (Bloom's Taxonomy) विकसित की, जो शैक्षिक उद्देश्यों को व्यवस्थित और वर्गीकृत करने के लिए एक सुस्पष्ट रूपरेखा प्रदान करती है।
2. **हॉवर्ड गार्डनर (Howard Gardner):** गार्डनर बहु-बुद्धिमत्ता (Multiple Intelligences) के सिद्धांत के लिए प्रसिद्ध हैं। उनके विचार यह समझने में सहायता करते हैं कि मानव क्षमताएँ केवल एक ही आयाम तक सीमित नहीं हैं, बल्कि इनमें विभिन्न प्रकार की विविधताएँ होती हैं।
3. **जीन पियाजे (Jean Piaget):** पियाजे ने संज्ञानात्मक विकास (Cognitive Development) का सिद्धांत प्रस्तुत किया, जिसमें उन्होंने समझाया कि बच्चे अलग-अलग चरणों में कैसे सोचते हैं और अधिगम की प्रक्रिया को अपनाते हैं।
4. **लेव व्यगोत्स्की (Lev Vygotsky):** व्यगोत्स्की सामाजिक विकास के सिद्धांत (Social Development Theory) और निकटतम विकास क्षेत्र (Zone of Proximal Development) की अवधारणा के लिए जाने जाते हैं।
5. **कन्फ्यूशियस (Confucius):** प्राचीन चीनी दार्शनिक कन्फ्यूशियस की शिक्षाओं ने पूर्वी एशियाई समाज में नैतिक मूल्यों और शिक्षा की मजबूत नींव स्थापित की।
6. **फ्रेडरिक फ्रोएबेल (Friedrich Froebel):** फ्रोएबेल को किंडरगार्टन की अवधारणा का प्रवर्तक या जनक माना जाता है।
7. **जॉन अमोस कोमेनियस (John Amos Comenius):** आधुनिक शिक्षा के जनक कहे जाने वाले कोमेनियस ने शैक्षिक सामग्री को सरल, व्यवस्थित और सभी के लिए सुलभ बनाने पर जोर दिया।
8. **ऐनी सुलिवन (Anne Sullivan):** प्रसिद्ध शिक्षिका ऐनी सुलिवन ने हेलेन केलर, एक दृष्टिहीन और श्रवणहीन छात्रा, को सफलतापूर्वक शिक्षित और सशक्त बनाया।
9. **डॉ. सर्वपल्ली राधाकृष्णन (Dr. Sarvepalli Radhakrishnan):** डॉ. सर्वपल्ली राधाकृष्णन एक भारतीय दार्शनिक और राजनेता थे, जिन्होंने भारत के दूसरे राष्ट्रपति के रूप में कार्य किया। उनका मानना था कि शिक्षा न केवल ज्ञान का स्रोत है, बल्कि सामाजिक परिवर्तन और प्रगति का महत्वपूर्ण साधन भी है।
10. **सावित्रीबाई फुले (Savitribai Phule):** सावित्रीबाई फुले ने 19वीं सदी में महिलाओं और वंचित समुदायों के लिए शिक्षा का मार्ग प्रशस्त किया। उन्होंने उन्हें सशक्त बनाने और समाज में समानता स्थापित करने की दिशा में महत्वपूर्ण योगदान दिया।

क्या आप जानते हैं?

1. सावित्रीबाई फुले को भारत की पहली महिला शिक्षका माना जाता है।
2. सावित्रीबाई फुले के शिक्षा और सामाजिक समानता के प्रयासों के कारण उन्हें 'भारतीय नारीवाद की जननी' कहा जाता है।
3. शिक्षा और सामाजिक सुधार में उनके योगदान को सम्मानित करते हुए, 2014 में पुणे विश्वविद्यालय का नाम बदलकर 'सावित्रीबाई फुले पुणे विश्वविद्यालय' रखा गया।

1.4 शिक्षण के उद्देश्य (Objectives of Teaching)

शिक्षण का वास्तविक उद्देश्य क्या है? क्या यह केवल ज्ञान का हस्तांतरण है, या इसमें कुछ और गहरा समाहित है? शिक्षण का उद्देश्य शिक्षार्थियों को सशक्त बनाना है, उन्हें ऐसे संपूर्ण व्यक्तियों के रूप में आकार देना है जो निरंतर बदलती दुनिया में सफल हो सकें। नीचे कुछ प्रमुख उद्देश्यों का उल्लेख किया गया है जिन्हें शिक्षक अपनी मार्गदर्शन के माध्यम से प्राप्त करने का प्रयास करते हैं:

1. शिक्षार्थियों को तेजी से बदलती दुनिया के साथ तालमेल बिठाने में सक्षम बनाना।
2. शिक्षार्थियों को सही दिशा में मार्गदर्शन और उनके व्यक्तित्व को निखारना।

3. अधिगम के प्रत्येक चरण में शिक्षार्थियों को प्रोत्साहन और सहयोग प्रदान करना।
4. शिक्षार्थियों में सकारात्मक मूल्य और आदतें विकसित करना (जैसे अनुशासन, समय की पाबंदी और शिष्टाचार)।
5. कक्षा की गतिविधियों के माध्यम से भाईचारे, समुदाय, नेतृत्व और टीमवर्क की भावना को प्रोत्साहित करना।
6. शिक्षार्थियों को भविष्य में जिम्मेदार और सजग नागरिक बनने के लिए तैयार करना।

एक उदाहरण से शिक्षण के उद्देश्यों को आसानी से समझा जा सकता है। अर्जुन सातवीं कक्षा का एक शरारती छात्र है, जो द्रोण से ट्यूशन ले रहा है। द्रोण उसे तेजी से बदलती दुनिया से निपटने में मदद कर रहे हैं, साथ ही उसे अच्छे नैतिक मूल्यों की शिक्षा देकर एक अच्छा इंसान बना रहे हैं। चाहे अर्जुन कितनी भी बार असफल हो, द्रोण उसका साथ नहीं छोड़ते और सभी चरणों में मदद करते हैं। अपनी ट्यूशन कक्षाओं में, वह अनुशासन और समय की पाबन्दी के बारे में बात करते हैं। अच्छे गुणों की शिक्षा देकर वह अर्जुन और अन्य छात्रों को दुनिया के अच्छे नागरिक बनने में मदद कर रहे हैं। जब वह अर्जुन को कोई अवधारणा सिखाते हैं, तो उसे कक्षा का नेतृत्व करने और अपने साथियों की मदद करने के लिए प्रेरित करते हैं, जिससे उसमें नेतृत्व और भाईचारे की भावना विकसित होती है।

क्विज स्टेशन *विगत UGC NET परीक्षाओं के प्रश्न*

प्र 1. जब छात्रों को कक्षा में कठिनाइयों का सामना करना पड़ता है, तो शिक्षक को यह नहीं करना चाहिए:

(7 जनवरी 2025 – शिफ्ट II)

(a) उन्हें कक्षा में जवाब देने के लिए लगातार अवसर दें
(b) कार्य को कम करें, इसे अधिक सरल किए बिना
(c) भविष्य और विफलता की समस्याओं पर जोर दें
(d) कुछ उपयोगी शिक्षण रणनीतियाँ सिखाएँ

उत्तर 1. (c)

1.5 शिक्षण की प्रकृति और विशेषताएँ (Nature and Characteristics of Teaching)

शिक्षण एक जटिल प्रक्रिया है, और इस प्रश्न का कोई सीधा उत्तर नहीं है कि शिक्षक को कैसे पढ़ाना चाहिए। यह विज्ञान, कला और कौशल का अनोखा मिश्रण है। यह केवल तथ्यों का आदान-प्रदान नहीं है, बल्कि सृजनात्मकता और शैली का भी विषय है। यह एक क्रियाशील, जटिल और नैतिक प्रक्रिया है, जो औपचारिक कक्षाओं के साथ-साथ रोजमर्रा की बातचीत में भी प्रकट होती है। शिक्षण की प्रकृति और विशेषताओं को समझना शिक्षकों, नीति निर्माताओं और शिक्षा से जुड़े हर व्यक्ति के लिए बेहद महत्वपूर्ण है। इससे न केवल शिक्षण की शैलियों में सुधार किया जा सकता है, बल्कि अधिगम को अधिक प्रभावी, संवादात्मक और अर्थपूर्ण अनुभव में बदला जा सकता है। आइए, शिक्षण की विभिन्न विशेषताओं को गहराई से समझें:

1. **शिक्षण कला और विज्ञान का एक मेल है (Teaching is an Art as Well as a Science):** शिक्षण एक तार्किक और योजनाबद्ध प्रक्रिया है, लेकिन इसमें सृजनात्मकता भी शामिल है। शिक्षक ज्ञान प्रदान करने के लिए विभिन्न सृजनात्मक तरीकों का उपयोग करते हैं। इसलिए, हम कह सकते हैं कि शिक्षण एक कला के साथ-साथ एक विज्ञान भी है।
2. **शिक्षण एक नैतिक गतिविधि है (Teaching is a Moral Activity):** शिक्षण का उद्देश्य छात्रों को अच्छे नागरिक बनाना है। शिक्षक नैतिक और सामाजिक मूल्यों को सिखाने का काम करते हैं।
3. **शिक्षण क्रियाशील और जटिल है (Teaching is Dynamic and Complex):** शिक्षक एक साथ कई भूमिकाएँ निभा रहे हैं। वो एक साथ कई काम करते हैं – वे ज्ञान साझा करते हैं, नैतिक मूल्य सिखाते हैं और जीवन के लिए सामान्य मार्गदर्शन प्रदान करते हैं। इसके अलावा, एक शिक्षक को अपनी भूमिका को सही तरीके से निभाने के लिए विभिन्न कौशलों के संयोजन की आवश्यकता होती है। यह इसे एक जटिल और निरंतर चलने वाला कार्य बनाता है।
4. **शिक्षण विविधतापूर्ण है (Teaching is Diverse):** एक कक्षा में अलग-अलग सामर्थ्य वाले छात्र होते हैं। शिक्षक उनकी जरूरतों के अनुसार अलग-अलग पद्धतियाँ और साधन अपनाते हैं।
5. **शिक्षण एक निरंतर प्रक्रिया है (Teaching is Continuous):** शिक्षण एक निरंतर और जीवन भर चलने वाली यात्रा है। शिक्षक नई तकनीकें और पद्धतियाँ सीखते हैं, जिससे वे छात्रों की बदलती जरूरतों को पूरा कर सकें।
6. **शिक्षण औपचारिक या अनौपचारिक हो सकता है (Teaching Can Be Formal or Informal):** शिक्षण विभिन्न तरीकों से होता है। शिक्षण कक्षा में पाठों के रूप में हो सकता है या रोजमर्रा की बातचीत में अनौपचारिक रूप से भी।
7. **शिक्षण संवादात्मक है (Teaching is Interactive):** शिक्षण एक द्विपक्षीय प्रक्रिया है। यह प्रक्रिया तब तक अधूरी रहती है जब तक कि शिक्षार्थी शिक्षक के साथ संवाद न करें। यह परस्पर संवाद अधिगम को अधिक आनंददायक बनाता है और सभी को बेहतर समझने में सहायता करता है।

1.6 महत्वपूर्ण शिक्षण सूत्र (Maxims of Teaching)

शिक्षण-सूत्र (Maxims) संक्षिप्त और सरल कथन होते हैं, जो ज्ञान, सलाह या नैतिक शिक्षा को सरल और यादगार तरीके से व्यक्त करते हैं। उदाहरण के लिए, प्रसिद्ध सूत्रों या कहावतों में शामिल हैं: 'बातों से नहीं, काम से पहचान होती है' और 'किसी पुस्तक को उसके आवरण से मत आंकें'। शिक्षण के भी अपने सूत्र होते हैं, जो सरल और मार्गदर्शक सिद्धांतों के रूप में कार्य करते हैं, और शिक्षकों को कक्षा में प्रभावी बनने में मदद करते हैं।

यह समझना महत्वपूर्ण है कि समय के साथ सलाह बदलती रहती है। उदाहरण के लिए, पहले लोगों को अजनबियों से बात न करने की सलाह दी जाती थी। लेकिन आजकल, जीवन में नए विचारों और अनुभवों को प्राप्त

करने के लिए अजनबियों से बातचीत करने को प्रोत्साहित किया जाता है। इसी तरह, शिक्षण से जुड़े सूत्र भी समय के साथ बदल गए हैं। शिक्षक को पढ़ाते समय निम्नलिखित सूत्रों (बातों) को ध्यान में रखना चाहिए:

1. **सरल से जटिल की ओर (From Simple to Complex):** इस सिद्धांत का अर्थ है कि पहले सरल विषयों को पढ़ाया जाना चाहिए और फिर शिक्षक को जटिल विषयों की ओर बढ़ना चाहिए। उदाहरण के लिए, स्कूल में आपने गणित की शुरुआत बुनियादी अवधारणाओं से की - जैसे जोड़, घटाव, भाग और गुणा। इसके बाद, आपने सरल समीकरण सीखे और फिर आगे की कक्षाओं में बीजगणित और त्रिकोणमिति जैसे उन्नत विषयों का अध्ययन किया।

2. **ज्ञात से अज्ञात की ओर (Known to Unknown):** शिक्षण का यह सिद्धांत सुझाव देता है कि नई जानकारी को प्रस्तुत करते समय उसे छात्रों की पहले से ज्ञात जानकारी से जोड़ना चाहिए। उदाहरण के लिए, जब शिक्षक छोटे बच्चों को फूल बनाना सिखाना चाहते हैं, तो वह उन्हें पहले एक गोला बनाने को कहते हैं। फिर उस गोले के चारों ओर छोटे-छोटे गोले बनाने को कहते हैं। इसके बाद एक सीधी रेखा खींचने को कहते हैं। यहाँ बच्चे केवल उन आकारों का उपयोग करके फूल बना सकते हैं, जिन्हें वे पहले से जानते हैं।

3. **देखे हुए से अनदेखे की ओर (From Seen to Unseen):** यह सिद्धांत सुझाव देता है कि छात्रों को पहले उन चीजों के बारे में सिखाया जाए जो वे आसानी से देख या समझ सकते हैं, और फिर उस ज्ञान का उपयोग करते हुए अतीत और भविष्य का अन्वेषण किया जाए।

   उदाहरण के लिए, एक संचार कक्षा (communications class) में, श्रीमती चटर्जी स्मार्टफोन, ईमेल और वीडियो कॉल जैसे परिचित उपकरणों से शुरू करेंगी, यह बताते हुए कि आज लोग कैसे जुड़ते हैं। फिर, वह पत्र और लैंडलाइन फोन जैसे पुराने संचार माध्यमों की ओर जाएंगी, इनकी तुलना वर्तमान तकनीक से करेंगी। अंत में, वह भविष्य की संभावित तकनीकों जैसे होलोग्राफिक संचार पर चर्चा करेंगी, जिससे छात्र संचार के विकास और संभावित प्रगति को समझ सकें।

4. **मूर्त से अमूर्त की ओर (From Concrete to Abstract):** यह सिद्धांत बताता है कि छात्र अवधारणाओं को बेहतर तरीके से समझते हैं जब वे पहले मूर्त वस्तुओं के साथ बातचीत करते हैं और फिर अमूर्त विचारों की ओर बढ़ते हैं। उदाहरण के लिए, यदि छात्रों को ज्यामिति पढ़ानी हो, तो कोण और आकृतियों जैसे अमूर्त विचारों से शुरुआत करने के बजाय, भौतिक वस्तुओं जैसे बिल्डिंग ब्लॉक्स का उपयोग करके आकृतियाँ बनाना सिखाएँ। जब छात्र इन मूर्त उदाहरणों से परिचित हो जाएँ, तब ज्यामिति के अमूर्त शब्दों और सिद्धांतों को समझाएँ।

5. **विशेष से सामान्य की ओर (From Particular to General):** इस सिद्धांत के अनुसार, छात्र किसी विषय को बेहतर तरीके से समझते हैं जब उन्हें पहले विशेष उदाहरण दिखाए जाते हैं और उसके बाद सामान्य नियम समझाए जाते हैं। उदाहरण के लिए, एक फोटोग्राफर और फोटोग्राफी शिक्षक, समीर जी अपनी कक्षा में सबसे पहले बेहतरीन तस्वीरों के उदाहरण दिखाते हैं और चर्चा करते हैं कि उन तस्वीरों को आकर्षक बनाने वाले कारक क्या हैं। इसके बाद, वह एंगल, कैमरा सेटिंग और फोटोग्राफी के अन्य सिद्धांतों पर विस्तार से समझाते हैं।

6. **समग्र से अंश की ओर (From Whole to Part):** यह सिद्धांत सुझाव देता है कि हम पहले संपूर्ण चित्र को देखते हैं और फिर उसके विवरण पर ध्यान केंद्रित करते हैं। उदाहरण के लिए, जब आपका दोस्त आपके लिए सरप्राइज जन्मदिन पार्टी आयोजित करता है, तो आप पहले पार्टी को समग्र रूप में देखते हैं। इसके बाद आप छोटे-छोटे विवरणों पर ध्यान देते हैं, जैसे कौन-कौन शामिल हुआ, सजावट कैसी थी, खाना और उपहार क्या थे।

   शिक्षण में, मान लीजिए कि इतिहास की शिक्षिका सुश्री उपाध्याय नाजी युग के बारे में पढ़ा रही हैं। वह पहले बड़े परिदृश्य की चर्चा करती हैं - जैसे हिटलर कौन था, द्वितीय विश्व युद्ध क्यों हुआ और उसका क्या प्रभाव पड़ा। इससे छात्रों को समग्र विचार मिलता है। इसके बाद वह और अधिक गहराई में जाती हैं, जैसे होलोकॉस्ट या प्रमुख युद्धों जैसी विशेष घटनाओं के बारे में चर्चा करती हैं।

7. **अनिश्चित से निश्चित की ओर (From Indefinite to Definite):** यह सिद्धांत सुझाव देता है कि शिक्षकों को अस्पष्ट ज्ञान को स्पष्ट करना चाहिए और छात्रों के प्रश्नों का समाधान करना चाहिए। उदाहरण के लिए, गणित में पाठ्यक्रम में कई सूत्र होते हैं। हालांकि, शिक्षक का कर्तव्य है कि वह यह बताए कि कौन से सूत्र परीक्षा के लिए महत्वपूर्ण हैं। साथ ही, शिक्षक को इन महत्वपूर्ण सूत्रों को समझाना चाहिए और छात्रों की किसी भी शंका का समाधान करना चाहिए।

8. **मनोवैज्ञानिक से तार्किक की ओर (From Psychological to Logical):** इस सिद्धांत के अनुसार शिक्षक को शुरुआत में छात्रों की भावनाओं या मनोवैज्ञानिक पहलुओं पर जोर देना चाहिए, और जैसे-जैसे वे प्रगति करें, उन्हें तार्किक सोच की ओर ले जाना चाहिए। उदाहरण के लिए, प्रीस्कूल में शिक्षक भावनाओं और कहानियों का उपयोग करके बुनियादी अवधारणाएँ जैसे साझा करना और सच्चाई सिखाते हैं। जैसे-जैसे छात्र बड़े होते हैं, वे अधिक संरचित तार्किक पाठों की ओर बढ़ते हैं, जैसे चरण-दर-चरण गणित की समस्याओं का समाधान करना।

9. **विश्लेषण से संश्लेषण की ओर (From Analysis to Synthesis):** यह सिद्धांत जटिल कार्यों को छोटे-छोटे भागों में विभाजित कर उन्हें समझने (विश्लेषण) और फिर इन भागों को जोड़कर संपूर्ण चित्र देखने (संश्लेषण) के बारे में बताता है। उदाहरण के लिए, किसी वाद्य यंत्र को बजाना सीखने के दौरान, आप शुरुआत में व्यक्तिगत सुरों, रागों और तकनीकों का विश्लेषण करते हैं। इन तत्वों में महारत हासिल करने के बाद, आप उन्हें जोड़कर एक संपूर्ण और मधुर धुन प्रस्तुत करते हैं।

10. **प्रकृति का अनुसरण करें (Follow Nature):** यह सूत्र बताता है कि शिक्षक को छात्र की व्यक्तिगत क्षमताओं और रुचियों के अनुसार शिक्षा को अनुकूलित करना चाहिए। यदि किसी बच्चे को कला में विशेष रुचि है, तो शिक्षक कक्षा में रचनात्मक गतिविधियाँ शामिल कर सकते हैं, जिससे छात्र प्रभावी रूप से सीख सके।

11. **इंद्रियों का प्रशिक्षण (Training of Senses):** शिक्षक को छात्रों को उनकी सभी इंद्रियों - देखना, सुनना, चखना, सूंघना और स्पर्श करना - का उपयोग करने के लिए प्रेरित करना चाहिए, ताकि वे चीजों को बेहतर समझ सकें। उदाहरण के लिए, जब फलों के बारे में पढ़ाया जा रहा हो, तो छात्रों को उनके रंग देखने दें, उनके नाम सुनाएं, उनके स्वाद का अनुभव कराएं, उनकी सुगंध सूंघने दें और उनकी बनावट को छूने दें। यह कई इंद्रियों को सक्रिय करता है और अधिगम के अनुभव को समृद्ध बनाता है।

12. **आत्म-अध्ययन के लिए प्रोत्साहन (Encouragement to Self-Study):** शिक्षक को छात्रों को स्वअध्ययन के लिए प्रोत्साहित करना चाहिए। इससे छात्र स्वतंत्र रूप से सीखते हुए आत्मविश्वासी और समझदार महसूस करते हैं।

क्विज स्टेशन *विगत UGC NET परीक्षाओं के प्रश्न*

प्र 1. निम्नलिखित में से कौन-सा शिक्षण की विशेषताओंका सही प्रतिनिधित्व करता है?

(A) छात्रों को मार्गदर्शन और प्रशिक्षण प्रदान करना

(B) अधिकारियों के बीच बातचीत

(C) औपचारिक और अनौपचारिक शिक्षा प्रदान करना

(D) छात्रों को प्रभावीतरी केसे ज्ञान प्रदान करने की एक कला

(E) कॉर्पोरेट निकायों के लिए नीतियां तैयार करना

(a) (A) और (B) केवल

(b) (A), (D) और (E) केवल

(c) (A), (C) और (D) केवल

(d) (C), (D) और (E) केवल

उत्तर 1. (c)

1.7 शिक्षण के चरण (Phases of Teaching)

शिक्षण एक गतिशील प्रक्रिया है, जिसे तीन प्रमुख चरणों में विभाजित किया जा सकता है: पूर्व-सक्रिय चरण (Pre-Active Phase), सक्रिय चरण (Interactive Phase) और पश्च-सक्रिय चरण (Post-Active Phase)। प्रत्येक चरण शिक्षण-अधिगम की प्रक्रिया को प्रभावी बनाने में महत्वपूर्ण भूमिका निभाता है।

1. **पूर्व-सक्रिय चरण (Pre-Active Phase):** यह शिक्षण की योजना बनाने का चरण है, जहाँ शिक्षक कक्षा में प्रवेश करने से पहले तैयारी करते हैं। इस चरण में की जाने वाली गतिविधियों में शिक्षण उद्देश्यों का निर्धारण, पाठ योजना बनाना, उपयुक्त शिक्षण सामग्री का चयन और संसाधनों का प्रबंधन शामिल है। इसका उद्देश्य पाठ के लिए एक सुव्यवस्थित और संगठित ढाँचा तैयार करना है।
2. **सक्रिय चरण (Interactive Phase):** यह शिक्षण का वास्तविक चरण है, जहाँ शिक्षक छात्रों के साथ बातचीत करते हैं। इस चरण में शिक्षक पाठ की सामग्री प्रस्तुत करते हैं, चर्चाओं, गतिविधियों और प्रदर्शनों के माध्यम से छात्रों को जोड़ते हैं और तुरंत प्रतिक्रिया प्रदान करते हैं। इसका मुख्य उद्देश्य सक्रिय शिक्षण को प्रोत्साहित करना और छात्रों की रुचि बनाए रखना और उन्हें गहन रूप से अधिगम के लिए प्रेरित करना।
3. **पश्च-सक्रिय चरण (Post-Active Phase):** यह चरण पाठ पढ़ाने के बाद होता है। इसमें शिक्षक मूल्यांकन के माध्यम से छात्रों के प्रदर्शन का आकलन करते हैं, पाठ की प्रभावशीलता की समीक्षा करते हैं और यह विचार करते हैं कि क्या अच्छा रहा और क्या बेहतर किया जा सकता है। इस चरण से प्राप्त प्रतिक्रिया भविष्य के पाठों की योजना बनाने और शिक्षण विधियों को सुधारने में मदद करती है।

★★★ परीक्षोपयोगी

1.8 प्रभावी शिक्षण व्यवहार (Effective Teaching Behaviour)

शिक्षण की प्रक्रिया आपके पसंदीदा नाश्ते बनाने जैसा है। कैसे? चलिए देखते हैं! जैसे भेलपुरी के लिए आपको मुरमुरा, सेव, चटनी और अन्य सामग्री की जरूरत होती है, वैसे ही एक सफल अधिगम का अनुभव बनाने के लिए कई महत्वपूर्ण तत्वों की आवश्यकता होती है। प्रत्येक तत्व अपनी भूमिका निभाता है, और इनके सही संयोजन से एक आनंददायक और सफल शिक्षण अनुभव बनता है।

शिक्षण के प्रभावी व्यवहार को समझना और पहचानना आवश्यक है ताकि हम यह जान सकें कि किस पहलू को ध्यान में रखकर शिक्षण को और बेहतर बनाया जा सकता है। यह एक पहेली को जोड़ने जैसा है, जहाँ हर टुकड़ा सफल शिक्षण की तस्वीर बनाने में महत्वपूर्ण भूमिका निभाता है। जैसे-जैसे हम इस अध्याय में आगे बढ़ेंगे, हम इन कारकों को विस्तार से समझेंगे और शिक्षण व अधिगम की दुनिया के बारे में मूल्यवान जानकारियाँ प्राप्त करेंगे।

1. **निर्देशन को चरणबद्ध रूप से प्रोत्साहित करना (Scaffold Instruction)/सहायता को धीरे-धीरे हटाना (Gradual Support Removal):** स्कैफोल्ड निर्देश का मतलब है कि शिक्षक पहले छात्रों को पर्याप्त मदद देकर शुरुआत करें और जैसे-जैसे छात्र ज़्यादा सक्षम हो जाएँ, यह मदद धीरे-धीरे कम करते जाएँ, ताकि वे स्वतंत्र रूप से सीख सकें।

   उदाहरण के लिए, एक विज्ञान प्रयोगशाला में छात्र प्रयोग करते हुए वैज्ञानिक विधि के बारे में सीखते हैं। शुरुआत में, शिक्षक प्रत्येक चरण में छात्रों का मार्गदर्शन करते हैं, प्रक्रियाओं को समझाते हैं और डेटा रिकॉर्ड करना सिखाते हैं (मजबूत सहारा)। जैसे-जैसे छात्र प्रक्रिया से परिचित होते जाते हैं, शिक्षक धीरे-धीरे अपना मार्गदर्शन कम कर देते हैं, और उन्हें न्यूनतम सहायता के साथ प्रयोग डिजाइन करने के लिए प्रोत्साहित करते हैं (स्वतंत्र प्रयोग)।

सिनेमैटिक कनेक्शन

बॉलीवुड फिल्म *ब्लैक* (2005) में मिशेल मैकनली की कहानी दिखाई गई है, जिसे रानी मुखर्जी ने निभाया है। मिशेल बचपन की एक दर्दनाक घटना के कारण सुन और देख नहीं सकती। अमिताभ बच्चन ने एक असामान्य शिक्षक की भूमिका निभाई है, जो मिशेल को शिक्षित करने की चुनौती स्वीकार करता है।

अमिताभ बच्चन के इस किरदार के माध्यम से फिल्म यह दर्शाती है कि विभिन्न शिक्षण शैलियों को समायोजित करने में नवाचारी शिक्षण विधियों की कितनी महत्वपूर्ण भूमिका होती है, जैसे स्पर्श और सांकेतिक भाषा (Sign Language) का उपयोग। मिशेल की शिक्षा के प्रति उनका समर्पण और प्रतिबद्धता शिक्षकों के लिए एक प्रेरणादायक उदाहरण है। यह फिल्म शिक्षकों को प्रोत्साहित करती है कि वे अपनी कक्षा में असामान्य और प्रभावी दृष्टिकोण अपनाएं। अमिताभ बच्चन का किरदार जिस तरह पूरी निष्ठा दिखाता है और विभिन्न शिक्षण उपकरणों का उपयोग करता है, उसी तरह यह फिल्म प्रभावी शिक्षण व्यवहार पर ध्यान केंद्रित करती है। यह दिखाती है कि ऐसे व्यवहार किस तरह शिक्षण और अधिगम की प्रक्रिया को बेहतर और प्रभावी बना सकते हैं।

उपरोक्त उदाहरण में, शिक्षक निर्देश को चरणबद्ध तरीके से प्रदान करते हैं, जहाँ शुरुआत में पर्याप्त सहायता दी जाती है और जैसे-जैसे छात्र कौशल और आत्मविश्वास प्राप्त करते हैं, उस सहायता को धीरे-धीरे कम किया जाता है। यह प्रक्रिया छात्रों की स्वतंत्र रूप से अधिगम और अपने ज्ञान को प्रभावी ढंग से लागू करने की क्षमता को बढ़ावा देती है।

2. **जाँचना/प्रतिक्रिया देना (Probing/Feedback):** शिक्षा में प्रश्न करने का तात्पर्य उस तकनीक से है जिसमें शिक्षक आगे के प्रश्न पूछते हैं ताकि छात्रों को गहराई से सोचने और उनके उत्तरों को स्पष्ट करने के लिए प्रोत्साहित किया जा सके।

   उदाहरण के लिए, यदि एक शिक्षक किसी छात्र से पूछता है कि उनकी राय में कहानी का कोई पात्र किसी विशेष तरीके से क्यों व्यवहार करता है, और छात्र इसका उत्तर देता है, तो शिक्षक आगे यह सवाल कर सकता है, 'आप ऐसा क्यों सोचते हैं?' या 'क्या आप पाठ से कोई उदाहरण दे सकते हैं?' इस तरह के अतिरिक्त सवाल छात्रों को और अधिक गहराई से सोचने और अपने विचारों को स्पष्ट रूप से व्यक्त करने के लिए प्रेरित करते हैं। यह शिक्षकों को यह समझने में मदद करता है कि छात्र क्या सोच रहे हैं और छात्रों को यह सिखाता है कि वे जो सीख रहे हैं, उसके बारे में गहराई से सोचें।

3. **निर्देशात्मक विविधता (Instructional Variety):** शिक्षकों को विभिन्न शिक्षण विधियों और सामग्रियों का उपयोग करना चाहिए ताकि छात्रों की अधिगम की शैलियों और क्षमताओं को पूरा किया जाए और छात्रों की रुचि बनी रहे।

4. **शिक्षक का कार्य अभिविन्यास (Teacher Task Orientation):** शिक्षकों को शिक्षण समय का पूरा उपयोग करने के लिए कार्यों और गतिविधियों को स्पष्ट और व्यवस्थित रखना चाहिए। इसके लिए पाठ की सही योजना, स्पष्ट लक्ष्य तय करना और कक्षा का समय अच्छे से प्रबंधित करना जरूरी है।

5. **अधिगम की प्रक्रिया में भागीदारी (Engagement in the Learning Process):** शिक्षण तभी सफल होता है जब छात्र उसमें सक्रिय रूप से भाग लें। यह समूह चर्चा, वाद-विवाद, हाथों-हाथ प्रयोगों और मिलकर किए जाने वाले प्रोजेक्ट जैसी गतिविधियों के माध्यम से किया जा सकता है। ऐसे तरीके न सिर्फ गहरी समझ विकसित करते हैं, बल्कि छात्रों की आलोचनात्मक सोच को भी बढ़ावा देते हैं।

6. **छात्र सफलता दर (Student Success Rate):** शिक्षकों को ऐसे तरीके अपनाने चाहिए जो छात्रों की उपलब्धियों को बढ़ाएँ और अधिगम के लक्ष्य आसानी से पूरे हों।

7. **समझ को प्राथमिकता देना (Prioritise Understanding Over Exposure):** शिक्षकों को बहुत सारे विषय सतही तरीके से पढ़ाने की बजाय कुछ महत्वपूर्ण अवधारणाओं को गहराई से समझाने पर जोर देना चाहिए। इससे छात्रों की अधिगम की गुणवत्ता बढ़ती है और वे विषय को बेहतर तरीके से आत्मसात कर पाते हैं।

8. **स्पष्ट, सटीक और बार-बार दोहराया गया शिक्षण (Clear, Explicit and Repetitive Instruction):** शिक्षकों को मुख्य विचारों और उनके उद्देश्यों को स्पष्ट रूप से समझाना चाहिए, ताकि छात्र इसे अपने पिछले ज्ञान से जोड़ सकें। सरल और सुस्पष्ट निर्देश में जटिल जानकारी को प्रबंधनीय भागों में विभाजित करना, चरण-दर-चरण स्पष्टीकरण प्रदान करना और पुनरावृत्ति के माध्यम से प्रमुख अवधारणाओं को सुदृढ़ करना शामिल है।

9. **शिक्षार्थियों के विचारों और योगदानों का उपयोग करना (Making Use of Students' Ideas and Contributions):** शिक्षकों को पाठ में छात्रों की राय और सुझावों को शामिल करना चाहिए, ताकि अधिगम का माहौल ज्यादा रोचक और अर्थपूर्ण बन सके। इससे छात्र खुद को कक्षा का एक अहम हिस्सा महसूस करते हैं।

10. **संरचना (Structuring):** शिक्षकों को पाठ को स्पष्ट रूप से व्यवस्थित करना चाहिए, जिसमें एक स्पष्ट शुरुआत, मध्य और अंत हो, ताकि छात्र सामग्री को आसानी से समझ सकें और अनुसरण कर सकें। सुव्यवस्थित पाठ से अधिगम की प्रक्रिया सहज हो जाती है।

11. **प्रश्न पूछना (Questioning):** सोचने के लिए प्रेरित करने और समझ को परखने के लिए शिक्षकों को विभिन्न प्रकार के प्रश्न पूछने चाहिए। यह छात्रों में जिज्ञासा बढ़ाता है और उन्हें विषय पर अधिक विचार करने के लिए प्रेरित करता है।

12. **शिक्षण के प्रभाव (Teaching Effects):** शिक्षकों को विषय के प्रति उत्साह दिखाना चाहिए और छात्रों के प्रति सहानुभूति रखना चाहिए, ताकि कक्षा में सकारात्मक और प्रेरणादायक माहौल बने। इससे छात्र अधिगम को लेकर और अधिक उत्साहित और प्रेरित रहते हैं।

1.9 आवश्यक शिक्षण दक्षताएँ और कौशल (Essential Teaching Competencies and Skills)

व्यक्तित्व और मनोभाव संबंधित दक्षताएँ (Personality and Attitude Related Competencies)

प्रभावी शिक्षण के लिए शिक्षकों के पास दो प्रकार के कौशल होने चाहिए: मेटाकोर कौशल और पॉलीक्रेस्ट कौशल।

1. **नियंत्रण का केंद्र (Locus of Control):** इसका मतलब है कि शिक्षक किस हद तक मानते हैं कि उनके काम के नतीजे उनके नियंत्रण में हैं। जिन शिक्षकों का आंतरिक नियंत्रण (internal locus of control) मजबूत होता है, वे मानते हैं कि उनकी कोशिशें सीधे उनके विद्यार्थियों की सफलता को प्रभावित करती हैं। वे स्वयं को शिक्षण प्रक्रिया में सक्रिय एजेंट मानते हैं, जो अपनी शिक्षण विधियों, कक्षा प्रबंधन, और छात्रों के साथ संवाद के माध्यम से एक महत्वपूर्ण प्रभाव डालने में सक्षम होते हैं।

2. **आत्म-योग्यता (Self-Efficacy):** आत्म-योग्यता व्यक्ति के अपने कार्यों को प्रभावी ढंग से पूरा करने और इच्छित परिणाम हासिल करने की क्षमता पर विश्वास को दर्शाता है। शिक्षकों के लिए, आत्म-योग्यता का अर्थ है अपने शिक्षण कौशल और कक्षा प्रबंधन पर भरोसा रखना। जिन शिक्षकों की आत्म-योग्यता उच्च होती है, वे मानते हैं कि वे छात्रों को जोड़ने, विषय को सरल और स्पष्ट रूप से समझाने, और अधिगम का एक सकारात्मक माहौल बनाने में सक्षम हैं। यह आत्मविश्वास उन्हें शिक्षण में अधिक उत्साह और प्रभावशीलता के साथ काम करने के लिए प्रेरित करता है। ऐसे शिक्षक नई विधियाँ आजमाने और चुनौतियों का डटकर सामना करने के लिए तैयार रहते हैं।

आवश्यक शिक्षण कौशल (Essential Teaching Skills)

प्रभावी कक्षा संचालन के लिए शिक्षकों के पास कई तरह के कौशल होने चाहिए, जिन्हें मुख्य रूप से मेटाकोर कौशल (Metacore Skills) और पॉलीक्रेस्ट कौशल (Polycrest Skills) में बाँटा जा सकता है।

1. **मेटाकोर कौशल/Metacore Skills (मुख्य कौशल/Core Skills):** ये बुनियादी कौशल हैं जो शिक्षकों को सामान्य शिक्षण कार्यों को प्रभावी ढंग से करने में सक्षम बनाते हैं। इन्हें विभिन्न विषयों और संदर्भों में हस्तांतरित किया जा सकता है, जो प्रभावी शिक्षण पद्धति की रीढ़ बनते हैं। इनमें शामिल हैं:
   - स्पष्ट संचार
   - विविध शिक्षण तकनीकें
   - छात्रों को प्रभावी ढंग से संलग्न करने की क्षमता

   उदाहरण के लिए, एक इतिहास शिक्षक तब मेटाकोर कौशल का उपयोग करता है, जब वह कहानी के जरिए किसी ऐतिहासिक घटना को रोचक बनाता है और छात्रों की रुचि बढ़ाता है।
2. **पॉलीक्रेस्ट कौशल/Polycrest Skills (विशिष्ट कौशल/ Specialised Skills):** ये विशिष्ट कौशल हैं जिनकी शिक्षकों को विशेष विषयों या शिक्षण स्थितियों के लिए आवश्यकता होती है। ये शिक्षकों को कक्षा में अद्वितीय चुनौतियों से निपटने में मदद करते हैं। इन कौशलों में शामिल हैं:
   - **विशिष्ट शिक्षण तकनीकें (Specialised Teaching Techniques):** विशिष्ट शिक्षण तकनीकें ऐसी योग्यताएँ हैं जिनकी मदद से शिक्षक किसी खास वातावरण या विषय में पढ़ाने के लिए तैयार हो सकते हैं। उदाहरण के लिए, एक विज्ञान शिक्षक को प्रयोगशाला में उपकरणों को सुरक्षित रूप से संभालने और पाठ्यक्रम अनुरूप प्रयोग कराने की विशेषज्ञता होनी चाहिए।
   - **विषय पर विशेषज्ञता (Subject-Specific Expertise):** विषय पर विशेषज्ञता शिक्षक को गहराई से जानकारी रखने में मदद करती है, जिससे वह छात्रों को सटीक जानकारी दे सके, प्रश्नों का आत्मविश्वास के साथ उत्तर दे सके और सार्थक चर्चाओं के लिए प्रेरित कर सके।

स्कोर बूस्टर
पूरक पठन अनुशंसा

QR कोड काम नहीं कर रहा है? QR कोड के साथ दिए गए संसाधनों तक पहुँचने के लिए आंतरिक फ्रन्ट कवर पर दिए गए निर्देशों का पालन करें

नीचे आधिकारिक UGC NET पेपर 1 के पाठ्यक्रम (Syllabus) में उल्लिखित विषय दिए गए हैं जो हाल ही में UGC NET परीक्षा में नहीं पूछे गए हैं। यदि आप इन्हें और अधिक जानना चाहते हैं, तो विस्तृत व्याख्याओं के साथ एक **विशेष पीडीएफ** तक पहुंचने के लिए QR कोड को स्कैन करें।

1. शिक्षण की बुनियादी आवश्यकताएँ
2. एक अच्छे शिक्षक की विशेषताएँ
3. प्रभावी कक्षा प्रबंधन के लिए सुझाव
4. अन्य महत्वपूर्ण शिक्षण मॉडल
5. शिक्षण को प्रभावित करने वाले कारक

1.10 शिक्षण विधियाँ (Teaching Modalities)

शिक्षण पद्धतियाँ उन विभिन्न विधियों या तरीकों को संदर्भित करती हैं जिनका उपयोग शिक्षक छात्रों को ज्ञान प्रदान करने के लिए करते हैं। प्रत्येक विधि का उपयोग विभिन्न शिक्षण आवश्यकताओं के अनुरूप किया जाता है और छात्रों को सामग्री को बेहतर ढंग से समझने में मदद करता है। नीचे कुछ सामान्य शिक्षण विधियों के उदाहरण दिए गए हैं:

1. **प्रशिक्षण (Training):** यह किसी काम में माहिर बनने के लिए अभ्यास करने जैसा होता है। प्रशिक्षण आमतौर पर थोड़े समय के लिए और किसी खास उद्देश्य के लिए किया जाता है। जैसे, मान लीजिए आपका चचेरा भाई आपके घर आकर आपके साथ प्ले स्टेशन पर खेलना चाहता है, तो आपको उसे 15 मिनट तक खेलना सिखाना होगा ताकि वह आपके साथ खेल सके। जब कोई नया कर्मचारी किसी कंपनी में काम करने लगता है, तो उसे कंपनी की संस्कृति, नीतियाँ, और काम करने का तरीका समझने के लिए प्रशिक्षित किया जाता है। इसे परिचयात्मक प्रशिक्षण (Induction Training) कहा जाता है।
2. **विकास (Development):** यह अधिगम की एक निरंतर प्रक्रिया है। विकास का मतलब है समय के साथ प्रगति करना और बढ़ना। इसे एक उदाहरण से समझते हैं। जैसे, आर्या ने 2013 में सैमसंग में एक सेल्स इंटर्न के रूप में जॉइन किया। मैनेजमेंट ने उनके जुड़ने पर उन्हें परिचयात्मक प्रशिक्षण (Induction Training) दिया। अगले 10 सालों में, वह नई चीजें सीखती रही और अपने कौशल को बढ़ाती रही। उदाहरण के लिए, वह एक टीम का नेतृत्व करना, अपने दम पर परियोजनाओं को संभालना, और कंपनी के लिए नए ग्राहकों को लाना सीखती है। अंततः, उसे सेल्स डायरेक्टर के पद पर पदोन्नत किया जाता है। यह यात्रा एक इंटर्न से सेल्स डायरेक्टर बनने तक दिखाती है कि विकास कैसे काम करता है।
3. **निर्देशन (Instruction):** निर्देशन तब होते हैं जब एक शिक्षक आपको सुव्यवस्थित और सुनियोजित तरीके से चीजें सिखाता है। उदाहरण के लिए, जब आप एक नया वीडियो गेम खेलना शुरू करते हैं, तो स्क्रीन पर निर्देश दिखाई देते हैं जो आपको खेल के नियमों को समझने में मदद करते हैं। शिक्षा के संदर्भ में, निर्देश देना यह सुनिश्चित करना है कि शिक्षक सोच-समझकर और व्यवस्थित तरीके से छात्रों के साथ महत्वपूर्ण जानकारी साझा करें।
4. **मतांतरण (Indoctrination):** मतांतरण शिक्षण के समान होता है, लेकिन इसमें अधिक प्रेरणा होती है। यह तब होता है जब कोई व्यक्ति आपको कुछ विशेष विचारों में विश्वास करने के लिए प्रेरित करता है, और वे यह सुनिश्चित करते हैं कि आप उन विचारों को गहरे से समझें। शिक्षण ज्ञान साझा करने का तरीका है, लेकिन प्रवर्तन का उद्देश्य आपको विशेष विचारों में दृढ़ विश्वास दिलाना होता है। आप बिना प्रवचन किए सिखा सकते हैं, लेकिन प्रवचन करने से पहले आपको सिखाना जरूरी होता है।

   उदाहरण के लिए, मान लीजिए आपकी एक दोस्त है जो प्रसिद्ध गायक अरिजीत सिंह का बहुत बड़ा प्रशंसक है। वह चाहती है कि आप भी अरिजीत सिंह को उतना ही पसंद करें जितना वह करती है। तो, वह आपको अरिजीत सिंह के बारे में सारी अद्भुत बातें बताने लगती है, आपको उसके गाने सुनवाती है, और उसके कॉन्सर्ट के टिकट भी देती है। यह एक तरह से शिक्षा देने जैसा है - वह सिर्फ टेलर स्विफ्ट के बारे में जानकारी (शिक्षा) साझा नहीं कर रही है, बल्कि वह चाहती है कि आप भी उसे उतना ही प्यार करें जितना वह करती है।

क्विज स्टेशन *विगत UGC NET परीक्षाओं के प्रश्न*

प्र 1. नीचे दो कथन दिए गए हैं: एक को 'तर्क' (Assertion) और दूसरे को 'कारण' (Reason) के रूप में चिह्नित किया गया है।

तर्क (A): 'शिक्षण' (teaching) में शिक्षक और विद्यार्थी के बीच महत्वपूर्ण और सृजनात्मक संवाद होता है, इस कारण यह 'निर्देश' (instruction) और 'प्रशिक्षण' (training) से अलग है।

कारण (R): 'निर्देश' और 'प्रशिक्षण' दोनों ही निचले स्तर के संज्ञानात्मक संवाद (cognitive interchanges) की ओर होते हैं।

उपरोक्त कथनों के आधार पर, नीचे दिए गए विकल्पों में से सही उत्तर चुनिए:

(a) कथन A और कथन R दोनों सत्य हैं।
(b) कथन A और कथन R दोनों असत्य हैं।
(c) कथन A सत्य है लेकिन कथन R असत्य है।
(d) कथन A असत्य है लेकिन कथन R सत्य है।

प्र 2. 'शिक्षण' को 'प्रशिक्षण' या 'निर्देश' से किस प्रकार के अधिगम के परिणामों के आधार पर अलग किया जाना चाहिए?

(a) अनुशासित और पैटर्नयुक्त व्यवहार
(b) आलोचनात्मक और सृजनात्मक सोच
(c) विचारों का गहरा और स्थायी जुड़ाव
(d) त्वरित प्रतिक्रिया

उत्तर 1. (a) 2. (b)

★★★ परीक्षोपयोगी

1.11 शिक्षण के स्तर (Levels of Teaching)

इस विषय को सरल बनाने वाले वीडियो व्याख्यान को देखने के लिए इस QR कोड को स्कैन करें

शिक्षण में कई चरण शामिल होते हैं, जिनसे छात्र नए विचारों और कौशल सीखते हैं। इन चरणों को शिक्षण के स्तर कहा जाता है, जो शिक्षकों को यह समझने में मदद करते हैं कि छात्र विषयवस्तु के साथ कैसे जुड़ते हैं। शिक्षण के स्तर एक ऐसा ढांचा प्रदान करते हैं, जिससे शिक्षक अपने छात्रों की अधिगम की जरूरतों के आधार पर अपने तरीकों को समायोजित कर सकें।

शिक्षण के स्तर (चित्र 1.2) से आशय उन अलग-अलग तरीकों से है, जिनके जरिए छात्र अपनी अधिगम की प्रक्रिया में आगे बढ़ते हैं। इनमें याद रखने पर जोर देना, समझ विकसित करना, आलोचनात्मक सोच को प्रोत्साहित करना और अंत में स्वतंत्र रूप से अधिगम तथा निर्णय लेने की क्षमता को बढ़ावा देना शामिल है। 1976 में मॉरिस एल. बिगी (Morris L. Bigge) ने पहली बार इन स्तरों की चर्चा की, जिनमें स्मरण, समझ और गहन सोच

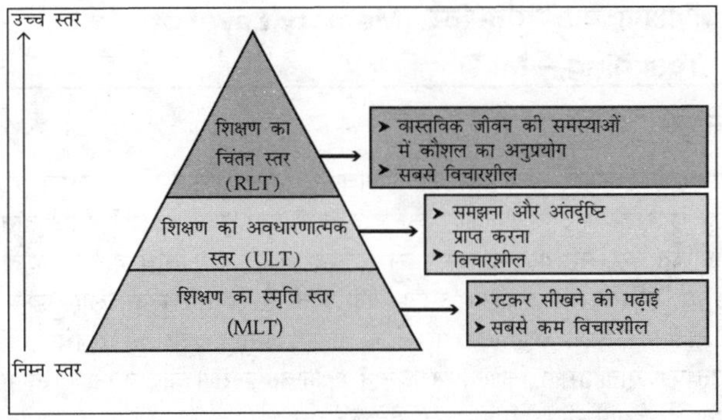

चित्र 1.2 शिक्षण के स्तर

शामिल थे, जिसके बाद 'स्वायत्त विकासात्मक चरण' (Autonomous Developmental Stage) भी जोड़ा गया।

शिक्षण के स्तरों को समझकर शिक्षक ऐसे पाठ तैयार कर सकते हैं जो छात्रों की अधिगम की यात्रा को बेहतर तरीके से मार्गदर्शन प्रदान करें। इन स्तरों को जानने से छात्रों को भी फायदा होता है, क्योंकि इससे वे न केवल बेहतर शिक्षार्थी बनते हैं, बल्कि आगे के जीवन में सफल होने के लिए जरूरी सोच और समझ भी विकसित कर पाते हैं। अब आइए, शिक्षण के चार स्तरों को विस्तार से जानें।

स्वायत्त विकास स्तर (Autonomous Development Level)

प्रस्तावक: मॉरिस एल. बिगी

स्वायत्त विकास स्तर पर सीखना बिल्कुल स्वाभाविक ढंग से होता है, जैसे पौधे बिना किसी को बताए बढ़ते जाते हैं। इस स्तर पर छात्र खुद अपनी सीखने की दिशा तय करते हैं, उन विषयों को तलाशते हैं जो उन्हें दिलचस्प लगते हैं, और नए विचारों पर काम करते हैं। शिक्षक साथ देकर उनका मार्गदर्शन करते हैं, लेकिन उन्हें स्वतंत्र रूप से अधिगम की पूरी छूट देते हैं। उदाहरण के लिए, जब छात्र स्कूल के बाहर बिना किसी निर्देश के अपनी रुचियों या शौकों का अन्वेषण करते हैं, तो वे स्वायत्त विकास स्तर पर काम कर रहे होते हैं।

स्वायत्त विकास स्तर पर, छात्र अपनी शिक्षा में अग्रणी भूमिका निभाते हैं। बिना औपचारिक शिक्षण के, चीजें स्वाभाविक रूप से व्यवस्थित हो जाती हैं, और शिक्षक की भूमिका कम महत्वपूर्ण मानी जाती है। दिशा-निर्देश देने, विचारों को थोपने या नियमों को लागू करने की आवश्यकता बहुत कम होती है।

सिनेमैटिक कनेक्शन

बॉलीवुड फिल्म '*इंग्लिश विंग्लिश*' (2012) में, श्रीदेवी द्वारा निभाई गई शशि का किरदार अपनी शिक्षा की जिम्मेदारी खुद उठाती है। भाषा की चुनौतियों के बावजूद, वह अपने तरीके से एक अंग्रेजी कोर्स में दाखिला लेने का फैसला करती है, पारंपरिक शिक्षा की सीमाओं से आगे बढ़ते हुए। शशि की यह यात्रा स्व-निर्देशित अधिगम (self-directed learning) की ताकत को दर्शाती है।

शिक्षण का स्मृति स्तर (Memory Level of Teaching – MLT)

प्रस्तावकः हेबार्ट

शिक्षण का स्मृति स्तर (MLT) औपचारिक शिक्षा का पहला चरण है, जहाँ छात्र तथ्यों और जानकारी को याद करने पर ध्यान देते हैं। हेबार्ट द्वारा प्रस्तावित इस स्तर में मुख्य रूप से कंठस्थ करने की विधि शामिल होती है, जो अधिगम का प्रारंभिक चरण माना जाता है। उदाहरण के लिए, स्कूल में आपको अंग्रेजी वर्णमाला, गणित के पहाड़े, प्रमुख देशों की राजधानियाँ, महत्वपूर्ण ऐतिहासिक तिथियाँ या विज्ञान में आवर्त सारणी याद करने को कहा जाता है। इसके तीन प्रमुख पहलू होते हैं:

- पाठ्य सामग्री का अधिगम (Learning of Material)
- पाठ्य सामग्री का प्रतिधारण (Retention of Material)
- पाठ्य सामग्री का पुनरुत्पादन (Reproduction of Material)

सिनेमैटिक कनेक्शन

फिल्म '*3 इडियट्स*' (2009) में चतुर रामलिंगम का भाषण रटने (rote learning) का एक उत्कृष्ट उदाहरण था। उसने पूरे भाषण को बिना अर्थ समझे कंठस्थ कर लिया था, जिससे एक मजेदार उलझन पैदा हुई। रैंचो द्वारा भाषण में सिर्फ एक शब्द बदल देने से इसका पूरा अर्थ बदल गया और हास्यपूर्ण स्थिति बन गई।

MLT के उद्देश्य (Objectives of MLT)

लेकिन MLT का उपयोग करके एक शिक्षक क्या हासिल करता है? इसे समझने के लिए, किंडरगार्टन का वह उदाहरण लें, जहाँ बच्चों को वर्णमाला याद कराई जाती है। शिक्षक बच्चों से वर्णमाला को बार-बार दोहराने के लिए कहते हैं, ताकि वे 'अ-आ-इ-ई' गीत को गा सकें। इस प्रक्रिया में ध्यान देने वाली बात यह है कि जिस विषय पर काम किया जा रहा है, यानी हिंदी वर्णमाला, वह आसान और सुव्यवस्थित है, और बच्चों को यह समझने की आवश्यकता नहीं होती कि 'आ' 'अ' के बाद क्यों आता है। इसीलिए हम कह सकते हैं कि MLT में बहुत अधिक सोच-विचार या गहराई की जरूरत नहीं होती।

- MLT का मुख्य उद्देश्य छात्र को तथ्यात्मक ज्ञान प्रदान करना है।
- यह रटने या याद करने पर केंद्रित है।
- इस पद्धति में पढ़ाई की विषय-वस्तु बहुत आसान और सुव्यवस्थित होती है।

MLT के शिक्षण विधियाँ, तकनीकें और मूल्यांकन (Teaching Methods, Techniques and Evaluation of MLT)

MLT रटने या याद करने पर केंद्रित है, इसलिए इस शिक्षण विधि में बार-बार दोहराना और अभ्यास कराना जरूरी होता है। उदाहरण के लिए, अतुल ने भारतीय सांकेतिक भाषा (Indian sign language - ISL) सीखने के लिए एक कोर्स किया है। इसे सीखने का सबसे अच्छा तरीका है संकेतों का अभ्यास करना, ताकि वे स्मृति का हिस्सा बन जाएँ। उनके शिक्षक ऑडियो-विजुअल (दृश्य-श्रव्य) साधनों, चार्ट और चित्रों का उपयोग कर सकते हैं ताकि अतुल को संकेत याद रखने में मदद मिले। यहाँ शिक्षक मुख्य भूमिका निभाता है, जबकि अतुल का काम सिर्फ संकेत याद करना है। अब मान लीजिए अतुल ने ISL कोर्स पूरा कर लिया है और उनके शिक्षक उनका मूल्यांकन करना चाहते हैं। ऐसे में मौखिक या लिखित परीक्षा लेना सबसे अच्छा मूल्यांकन तरीका होगा।

MLT के लिए सुझाव (Suggestions for MLT)

अब हम शिक्षकों के लिए महत्वपूर्ण सुझावों पर चर्चा करेंगे ताकि वे MLT का उपयोग करने के तरीके को बेहतर बना सकें। मान लीजिए आर्यभट्ट जी, जो गणित पढ़ाते हैं, चाहते हैं कि उनके छात्र गणितीय सारणियों को याद करें। उनके लिए कुछ सुझाव निम्नलिखित हैं:

- निर्देशात्मक सामग्री को उद्देश्यपूर्ण और उपयोगी रखें। उदाहरण के लिए, आर्यभट्ट जी यह सुनिश्चित करें कि पहाड़ों को याद करना भविष्य में छात्रों के लिए मददगार साबित होगा।
- सामग्री को व्यवस्थित रखें, ताकि आसान से जटिल की ओर बढ़ा जा सके। उदाहरण के लिए, पहले दो से तेरह तक के पहाड़ों पर ध्यान दें और शुरुआत दो के पहाड़े से करें, फिर तीन, फिर चार, और इसी तरह व्यवस्थित तरीके से आगे बढ़ें।
- पर्याप्त शिक्षण सामग्री का उपयोग करें और उसे व्यवस्थित तरीके से पेश करें। उदाहरण के लिए, पहाड़ों को याद रखने के लिए टिप्स और ट्रिक्स शेयर की जा सकती हैं (जैसे 9 का पहाड़ा याद करने के तरीके)।
- विषय-वस्तु को क्रमबद्ध ढंग से पेश करें। उदाहरण के लिए, आर्यभट्ट जी ब्लैकबोर्ड पर पहाड़े लिख सकते हैं या छात्रों की मदद के लिए किताबों या तख़्तियों का इस्तेमाल कर सकते हैं।
- छात्रों के स्मरण-स्तर में सुधार को मापने के लिए नियमित रूप से मौखिक या लिखित परीक्षा लें, ताकि यह आंका जा सके कि वे किस हद तक सामग्री याद कर पा रहे हैं।

शिक्षण के अवधारणात्मक स्तर को समझना (Understanding Level of Teaching – ULT)

प्रस्तावकः मॉरिसन

अब हम शिक्षण के अवबोध स्तर को समझने (ULT) की बात करते हैं, जो सिर्फ याद करने से आगे बढ़कर ज्ञान को समझने और लागू करने पर ध्यान केंद्रित करता है। समझने का स्तर तब होता है जब आप सिर्फ तथ्यों को नहीं याद करते, बल्कि उनका असल मतलब समझने की कोशिश करते हैं।

कल्पना करें कि आप पौधों के बारे में सीख रहे हैं। याद करने के स्तर पर, आप बस यह याद रख सकते हैं कि पौधों को पानी और सूरज की रोशनी चाहिए। लेकिन समझने के स्तर पर, आप इससे आगे बढ़ेंगे। आप यह जानने की कोशिश करेंगे कि पौधों को ये चीजें क्यों चाहिए, वे सूरज की रोशनी का इस्तेमाल कैसे करते हैं अपने लिए खाना बनाने के लिए, और पानी उन्हें कैसे बढ़ने में मदद करता है। यह सिर्फ तथ्यों को जानने से आगे बढ़कर, चीजों के 'क्यों' और 'कैसे' को समझने की प्रक्रिया है।

ULT विषय पर महारत हासिल करने पर जोर देता है। यह विद्यार्थियों को मानसिक विकास के लिए ज्यादा से ज्यादा मौके प्रदान करता है। इस स्तर पर उच्च स्तर की सोचने की क्षमता की आवश्यकता होती है। इसी कारण से इसे शिक्षण का एक विचारशील स्तर माना जाता है।

ULT के उद्देश्य (Objectives of ULT)

अब हम यह जानेंगे कि शिक्षक ULT का उपयोग करके क्या हासिल कर सकते हैं। ULT के उद्देश्य हैं:

- समझाने, उदाहरण देने, तुलना करने और अन्य सहायक उपायों का उपयोग करके सीखना।
- अधिगम को अधिक प्रभावी और आकर्षक बनाने के लिए सही तरीकों को क्रियान्वित करना।
- व्यापक और अधिक विस्तृत विषय-वस्तु को कवर करना।

ULT के शिक्षण विधियाँ, तकनीकें और मूल्यांकन (Teaching Methods, Techniques and Evaluation of ULT)

मान लीजिए, सुंदरी धवन जी फैशन उद्योग की विशेषज्ञ बनना चाहती हैं। इसी कारण से, उन्होंने एक कोर्स जॉइन किया है। कक्षा में, उन्हें शिक्षकों और उद्योग के नेताओं द्वारा लेक्चर दिए जाते हैं, साथ ही सहपाठियों के साथ चर्चाएँ होती हैं, उद्योग में वर्तमान में जो कुछ हो रहा है उसके उदाहरण दिए जाते हैं, आदि।

संकल्पनाओं को समझाने के लिए, शिक्षक विभिन्न शैक्षिक सहायक उपकरणों का उपयोग कर सकते हैं जैसे कि मॉडल, चार्ट, फ्लैशकार्ड, चित्र और वीडियो। इस उदाहरण में ध्यान दें कि यहाँ शिक्षक और सुंदरी धवन जी दोनों की भूमिकाएँ समान हैं। वास्तव में, छात्र की भूमिका अधिक सक्रिय होती है। अब, अपनी सर्टिफिकेट प्राप्त करने के लिए, सुंदरी धवन जी को एक मूल्यांकन से गुजरना होगा, जो वस्तुनिष्ठ (objective) या निबंधात्मक (essay type) हो सकता है। शिक्षक उनकी व्यावहारिक जानकारी की जांच करने के लिए उन्हें फील्ड ट्रिप पर ले जा सकते हैं या केस स्टडीज हल करने के लिए दे सकते हैं।

ULT के लिए सुझाव (Suggestions for ULT)

अब हम कुछ सुझावों पर नजर डालते हैं जो सुंदरी धवन जी के शिक्षकों को ULT लागू करते समय मदद कर सकते हैं:

- कक्षा को अत्यधिक इंटरएक्टिव होना चाहिए ताकि विद्यार्थी सक्रिय रूप से भाग ले सकें।
- छात्रों को विषय में गहराई से जानने के लिए लगातार प्रेरित करें।
- कक्षा को और अधिक रोचक बनाने के लिए कई शैक्षिक सहायक उपकरणों का उपयोग करें।
- विषय सामग्री को ठीक से व्यवस्थित किया जाना चाहिए ताकि विद्यार्थी अपने मन में एक सुसंगत विचारधारा बना सकें।

सिनेमैटिक कनेक्शन

फिल्म '*ओम शांति ओम*' (2007) पर विचार करें। इसमें ओम (शाहरुख खान), पुनर्जन्म लेकर एक मशहूर अभिनेता बन जाता है। उसे सैंडी (दीपिका पादुकोण) मिलती है, जो शांति प्रिया का पुनर्जन्म है। सैंडी, मुकेश मेहरा (अर्जुन रामपाल) को डराने के लिए शांति प्रिया की नकल करना चाहती है। इसके लिए वह शांति प्रिया के बारे में जानकारी जुटाती है, प्रशिक्षण लेती है और उसके जीवन के विभिन्न पहलुओं को समझने की कोशिश करती है। इस दौरान, ओम की टीम उसे लगातार प्रतिक्रिया देती है, उससे सवाल पूछती है, और उसे शांति प्रिया की तरह दिखने और व्यवहार करने की सलाह देती है।

शिक्षण का चिंतन स्तर (Reflective Level of Teaching – RLT)

प्रस्तावक: हंट

इस विधि में, छात्र अपनी ज्ञान और कौशल का उपयोग वास्तविक जीवन की समस्याओं के समाधान के लिए करते हैं। चलिए, MBA पाठ्यक्रम का एक उदाहरण लेते हैं। इस पाठ्यक्रम को करने वाले छात्रों को लगातार केस स्टडीज, इंटर्नशिप, लाइव प्रोजेक्ट्स आदि से परिचित कराया जाता है, जिनके माध्यम से कॉलेज उनका मूल्यांकन कर सकता है। यह सब इस उद्देश्य से किया जाता है कि उन्हें वास्तविक दुनिया की समस्याओं के लिए तैयार किया जा सके। इससे हमें यह समझने में मदद मिलती है कि शिक्षण का चिंतन स्तर (RLT) सबसे अधिक विचारशील तरीका है क्योंकि इसमें छात्र अपनी कौशल और ज्ञान का उपयोग वास्तविक जीवन की समस्याओं के समाधान में कर रहे होते हैं। आलोचनात्मक सोच, विश्लेषण और ज्ञान का प्रयोग इस स्तर की शिक्षा में मुख्य भूमिका निभाते हैं। इस प्रकार, हम कह सकते हैं कि RLT उच्च स्तरीय संज्ञानात्मक विकास से संबंधित है।

RLT के उद्देश्य (Objectives of RLT)

RLT को शिक्षण का सबसे उन्नत स्तर माना जाता है, क्योंकि यह शिक्षार्थियों को कई तरीकों से लाभ पहुँचाती है। MBA शिक्षा को ध्यान में रखते हुए, इसका मुख्य उद्देश्य हैं-

- छात्रों के मस्तिष्क को समस्या सुलझाने के लिए विकसित करना
- छात्रों को तार्किक और आलोचनात्मक चिंतन कौशल विकसित करने में मदद करना
- छात्रों को स्वतंत्र सोच और निर्णय लेने की क्षमता विकसित करने में मदद करना

शिक्षण विधियाँ, तकनीकें और RLT का मूल्यांकन (Teaching Methods, Techniques and Evaluation of RLT)

RLT में अपनाई जाने वाली शिक्षण विधियाँ छात्र-केंद्रित होती हैं। इन कक्षाओं में सहभागिता पर जोर दिया जाता है, जहाँ छात्रों को सृजनात्मक विचार रखने के लिए प्रेरित किया जाता है। आमतौर पर कक्षा की गतिविधियाँ पहले से तय नहीं होतीं और न ही सुव्यवस्थित होती हैं। इस स्तर पर शिक्षक की भूमिका लोकतांत्रिक होती है, जिसका अर्थ है कि शिक्षक केवल मार्गदर्शक की तरह काम करते हैं और कक्षा उसी दिशा में आगे बढ़ती है जिस पर छात्र सहमत होते हैं।

RLT के लिए सुझाव (Suggestions for RLT)

अब हम RLT का उपयोग करने वाले शिक्षकों के लिए कुछ सुझाव देते हैं, ताकि वे अपने छात्रों के लिए बेहतर मार्गदर्शक बन सकें। हालांकि शिक्षकों की भूमिका लोकतांत्रिक होती है, फिर भी यह सुझाव दिया जाता है कि वे:

- छात्रों को सही मार्गदर्शन और दिशा प्रदान करें
- उचित मूल्यांकन करें
- स्वतंत्र अध्ययन और छात्र-प्रेरित पहलों को प्रोत्साहित करें

क्लैरिटी कॉर्नर

आइए हम MLT, ULT और RLT को एक उदाहरण के माध्यम से समझें। मान लीजिए कि आप शेरों के बारे में सीख रहे हैं।

- **शिक्षण का चिंतन स्तर (MLT):** चिंतन स्तर पर, आपको यह सिखाया जाएगा कि शेर एक बड़ा बिल्ला है जो अफ्रीका में रहता है और बहुत जोर से दहाड़ता है। आप बुनियादी तथ्यों को याद रखेंगे, लेकिन यह शायद पूरी तरह से नहीं समझ पाएंगे कि शेर दहाड़ते क्यों हैं या वे कैसे शिकार करते हैं।
- **शिक्षण का अवधारणात्मक स्तर (ULT):** अवधारणात्मक स्तर पर, आप यह जानने की कोशिश करेंगे कि शेर दहाड़ते क्यों हैं। आपको यह पता चल सकता है कि शेर एक-दूसरे से संवाद करने या अपने क्षेत्र की रक्षा करने के लिए दहाड़ते हैं। आप विभिन्न जानकारी के टुकड़ों को जोड़ने लगेंगे और समझेंगे कि ये एक-दूसरे से कैसे संबंधित हैं।
- **शिक्षण का स्मृति स्तर (RLT):** स्मृति स्तर पर, आप यह सोचना शुरू करेंगे कि मानव क्रियाएँ जानवरों और उनके आवासों को कैसे प्रभावित करती हैं। आप संरक्षण प्रयासों के बारे में सोच सकते हैं या यह सोच सकते हैं कि आप लुप्तप्राय प्रजातियों को बचाने में कैसे मदद कर सकते हैं।

कॉन्सेप्ट कैप्सूल

प्रतिबिंबित शिक्षण (Metacognition - मेटाकॉग्निशन)

(शिक्षण का चिंतन स्तर के मुख्य घटक)

मेटाकॉग्निशन शिक्षण के चिंतनात्मक स्तर का एक महत्वपूर्ण हिस्सा है, जो इस बात पर केंद्रित है कि छात्र अपने अधिगम की प्रक्रियाओं के बारे में कैसे सोचते हैं। इस स्तर पर, शिक्षक छात्रों को यह सोचने के लिए प्रोत्साहित करते हैं कि वे कैसे सीखते हैं, अपनी ताकत और कमजोरियों को समझते हैं, और अपने अधिगम के परिणामों को सुधारने के लिए योजनाएं विकसित करते हैं।

मेटाकॉग्निशन का अर्थ है अपने सोचने की प्रक्रियाओं के प्रति जागरूकता और समझ। इसमें हम यह सोचते हैं कि हम कैसे सीखते हैं, यह जानते हैं कि हमारे लिए कौन सी रणनीतियाँ सबसे प्रभावी हैं, और अपने अधिगम की गतिविधियों की योजना बनाते हैं, उन्हें मॉनीटर करते हैं और उनका मूल्यांकन करते हैं। मेटाकॉग्निशन छात्रों को अधिक प्रभावी तरीके से अधिगम में मदद करता है, क्योंकि यह उन्हें अपने अधिगम की प्रक्रिया पर नियंत्रण प्राप्त करने की क्षमता प्रदान करता है।

मेटाकॉग्निशन की प्रक्रिया (Process of Metacognition)

- **योजना बनाना (Planning):** यह वह समय होता है जब छात्र यह निर्णय लेते हैं कि वे किसी अध्ययन कार्य को कैसे पूरा करेंगे। उदाहरण के लिए, पाठ्य-पुस्तक के एक अध्याय को पढ़ने से पहले, एक शिक्षार्थी पहले उसे संक्षेप में पढ़ने की योजना बना सकता है ताकि उसे एक सामान्य विचार मिल सके एवं वह अपनी सामान्य समझ बना सके।
- **अवलोकन करना (Monitoring):** इसका मतलब है कि छात्र यह ध्यान रखते हैं कि वे कुछ समझने में कितने सफल हैं, जबकि वे सीख रहे होते हैं। उदाहरण के लिए, पढ़ाई करते समय, एक छात्र रुककर खुद से यह सवाल कर सकता है कि क्या उसे सामग्री समझ में आ रही है।
- **मूल्यांकन करना (Evaluating):** कुछ सीखने के बाद, छात्र यह सोचते हैं कि उनकी अध्ययन योजनाएं कितनी प्रभावी रही। उदाहरण के लिए, एक अध्याय पूरा करने के बाद, एक छात्र यह सोच सकता है कि क्या उसने उसे अच्छी तरह समझा और क्या उसकी अध्ययन विधि प्रभावी थी।

उदाहरण: मान लीजिए एक छात्र गणित की परीक्षा की तैयारी कर रहा है। वह मुख्य विचारों की समीक्षा करके शुरुआत कर सकता है, अभ्यास समस्याओं (practice problems) को हल करके अपनी समझ को जांच सकता है, और फिर यह देख सकता है कि कौन सी समस्याएँ कठिन थीं और ऐसा क्यों हुआ कि उसे कुछ प्रश्नों को करने में कठिनाई हुई ।

शिक्षण अभ्यासों (teaching practices) में मेटाकॉग्निशन को समाविष्ट करके, शिक्षक छात्रों को अधिक स्वतंत्र शिक्षार्थी बनने के लिए प्रेरित करते हैं, जो अपनी अध्ययन प्रक्रियाओं की सक्रिय रूप से निगरानी और नियंत्रण कर सकते हैं। यह प्रक्रिया न केवल शैक्षिक उपलब्धियों को बढ़ाता है, बल्कि ऐसे जीवनभर के अध्ययन कौशलों को भी प्रोत्साहित करता है, जो कक्षा के बाहर भी मूल्यवान साबित होते हैं।

क्विज स्टेशन *विगत UGC NET परीक्षाओं के प्रश्न*

प्र 1. प्रतिबिंबात्मक अभ्यास (Reflective practice) का तात्पर्य है किसी के द्वारा उपयोग किया गया:

(a) संज्ञान

(b) मेटाकॉग्निशन

(c) संज्ञान पर मेटाकॉग्निशन

(d) अधिगम का सुदृढ़ीकरण

प्र 2. निम्नलिखित में से कौन से मेटा कॉग्निशन के लाभ हैं? *(7 जनवरी 2025 - शिफ्ट I)*

A. मेटा कोग्निटिव प्रैक्टिस शिक्षार्थियों को अपनी प्रगति की योजना, निगरानी और मूल्यांकन करने में मदद करता है।

B. मेटा कोग्निटिव प्रथाएं संज्ञानात्मक क्षमता के प्रभाव के ऊपर और ऊपर सीखने में एक अनूठायो गदा न देती हैं।

C. मेटा कोग्निटिव प्रथाएं शिक्षार्थियों की शैक्षणिक उपलब्धियों को बेहतर बनाने में मदद करती हैं।

D. मेटा कोग्निटिव कौशल छात्रों को स्थानांतरित करने में मदद करते हैं जो उन्हों ने एक संदर्भ से अगले तक सीखा है।

(a) A और D केवल
(b) B और C केवल
(c) A, B, C, और D
(d) C केवल

प्र 3. सीखने की रणनीतियों और युक्तियों का उपयोग दर्शाता है: *(27 अगस्त 2024 - शिफ्ट 2)*

(a) बौद्धिक विनम्रता
(b) अधिक सीखना
(c) रटना
(d) मेटा संज्ञानात्मक ज्ञान

उत्तर 1. (b) 2. (c) 3. (d)

तालिका 1.1 शिक्षण के स्तरों के बीच अंतर

आधार	स्मृति स्तर	समझ का स्तर	प्रतिबिंबित स्तर
प्रस्तावक	हेबर्ट	मॉरिसन	हंट
विचारशीलता	अंतिम विचारशील	विचारशील	सबसे विचारशील
ध्यान का बिंदु	तथ्यों और जानकारी को रटकर सीखना	समझ और गहरी समझ प्राप्त करने के माध्यम से विषय में महारत हासिल करना	ज्ञान और अनुसंधान कौशल का वास्तविक जीवन की समस्याओं के समाधान में उपयोग
उद्देश्य	ज्ञान और जानकारी को शिक्षार्थी तक पहुँचाना	व्याख्या करके, उदाहरण देकर, वर्गीकृत करके, तुलना करके और निष्कर्ष निकालकर पाठों को समझना	सीखने वाले में आलोचनात्मक, तर्कसंगत और स्वतंत्र सोच का विकास करना
केंद्रीय चरण	शिक्षण विषय-केन्द्रित है	अवधारणाओं की समझ	व्याख्या, और आलोचनात्मक सोच, विश्लेषण तथा ज्ञान का प्रयोग
मनोवैज्ञानिक आधार	पूर्व-संचालनात्मक संज्ञानात्मक विकास का स्तर	उच्च संज्ञानात्मक क्षमताओं का विकास	उच्च क्रम संज्ञानात्मक विकास
शिक्षण विधियाँ	पुनरावृत्ति, दोहराव और अभ्यास	व्याख्यान, चर्चाएँ, आगमनात्मक-निर्वचनात्मक, उदाहरण और व्याख्या	शिक्षार्थी और शिक्षक के बीच की बातचीत
शिक्षण उपकरण	दृश्य, श्रव्य और श्रव्य-दृश्य सहायक मॉडल, चार्ट, नक्शे, चित्र, टीवी, रेडियो आदि।	मॉडल्स, चार्ट्स, फ्लैश कार्ड्स और चित्र	छात्रों को अपने स्वयं के विचार लाने के लिए प्रोत्साहित किया जाता है
मूल्यांकन प्रणाली	मौखिक, लिखित या निबंध प्रकार के मूल्यांकन	निबंध और वस्तुनिष्ठ प्रकार का मूल्यांकन	प्रकरण अध्ययन (case studies), दृष्टिकोण और विश्वासों का मूल्यांकन
शिक्षक की भूमिका	प्रमुख	सुविधादाता	लोकतांत्रिक
प्राथमिक स्थिति	शिक्षक	शिक्षक और शिक्षार्थी दोनों	शिक्षार्थी
सुझाव	उद्देश्य, सीमित सामग्री के साथ सहायक साधन, व्यवस्थित प्रस्तुति, निरंतर मूल्यांकन	कक्षा में प्रभावी बातचीत और वातावरण, संगठित विषय सामग्री और शिक्षण सहायक सामग्री का उपयोग	सही मार्गदर्शन दिया जाना चाहिए और सही मूल्यांकन किया जाना चाहिए।

क्विज स्टेशन *विगत UGC NET परीक्षाओं के प्रश्न*

प्र 1. एक शिक्षक कक्षा में अपने प्रस्तुतियों का समर्थन करने के लिए बहुत सारे सकारात्मक और नकारात्मक उदाहरण देते हैं। यह किस शिक्षण स्तर से संबंधित होगा?

(a) स्वायत्त विकास स्तर
(b) स्मृति स्तर
(c) समझ स्तर
(d) चिंतन स्तर

प्र 2. यहाँ तालिका के रूप में सही मिलान दिया गया है: *[9 जनवरी 2025 - शिफ्ट 2]*

सूची-I (समझ का स्तर)	सूची-II (प्रक्रिया)
A. स्वायत्त आश्रित स्तर	I. सहकर्मी सीखना
B. स्मृति स्तर	II. प्रभाव और भावनाएँ
C. चिंतनशील स्तर	III. तथ्यों और सूचनाओं का स्मरण
D. समझ का स्तर	IV. संबंधों को देखना

नीचे दिए गए विकल्पों में से सही उत्तर का चयन करें।

1. A-I, B-III, C-IV, D-II
2. A-II, B-III, C-I, D-IV
3. A-II, B-III, C-IV, D-I
4. A-IV, B-III, C-II, D-I

प्र 3. निम्नलिखित में से किस स्तर की शिक्षण में संचार प्रक्रिया बहुत उच्च स्तर पर सक्रिय और इंटरैक्टिव होती है?

(a) चिंतन स्तर

(b) समझ स्तर

(c) स्मृति स्तर

(d) स्वायत्त विकास स्तर

प्र 4. शिक्षण में आलोचनात्मक सोच को बढ़ावा देना किस स्तर की मुख्य विशेषता है?

(a) स्मृति स्तर

(b) समझ स्तर

(c) चिंतन स्तर

(d) स्वायत्त विकास स्तर

उत्तर 1. (c) 2. (c) 3. (a) 4. (c)

★★★ परीक्षोपयोगी

1.12 शिक्षण मॉडल (Teaching Models)

शिक्षण मॉडल शिक्षकों के लिए मार्गदर्शिका के समान होते हैं, जो उन्हें विद्यार्थियों को ज्ञान देने की यात्रा में कैसे मार्गदर्शन करना है, यह बताते हैं। ये मॉडल्स एक व्यवस्थित तरीका प्रदान करते हैं, जिसमें यह स्पष्ट किया जाता है कि शिक्षक और विद्यार्थी कैसे आपस में संवाद करेंगे, प्रत्येक का क्या कर्तव्य होगा, और शिक्षण प्रक्रिया कैसे विकसित होगी।

प्रत्येक विद्यार्थी की अपनी विशेष आवश्यकताएँ होती हैं, और इसलिए एक शिक्षक को विद्यार्थियों की जरूरतों के अनुसार विभिन्न शिक्षण मॉडल की आवश्यकता होती है। उदाहरण के लिए, एक किंडरगार्टन शिक्षक द्वारा अपनाई जाने वाली शिक्षण विधियाँ उन विधियों से बिल्कुल अलग होंगी, जो उच्च स्तर की कक्षाओं को पढ़ाने वाले शिक्षक द्वारा अपनाई जाती हैं। यह विषय इसलिए महत्वपूर्ण है क्योंकि यह शिक्षकों को विभिन्न शिक्षण तरीकों के बारे में सिखाता है, जो उनके विद्यार्थियों की आवश्यकताओं के अनुरूप होते हैं।

पेडागॉजि/Pedagogy (शिक्षक-निर्देशित पद्धति/ Teacher Led Approach)

- **प्रस्तावक:** जोहान फ्रेडरिक हर्बर्ट
- **उपयुक्त:** युवा छात्रों के लिए

पेडागॉजि पारंपरिक शिक्षण पद्धति है, जहाँ शिक्षक को ज्ञान का मुख्य स्रोत माना जाता है। यह शब्द ग्रीक शब्दों 'पैड' (paid), जिसका अर्थ है बच्चा, और 'एगोगोस' (agogos), जिसका अर्थ है नेतृत्व करना, से लिया गया है। नाम के अनुसार, पेडागॉजि का मतलब है बच्चे का मार्गदर्शन या नेतृत्व करना। यह मॉडल युवा छात्रों के लिए उपयुक्त है।

उदाहरण के लिए, एक शैक्षिक पद्धति का उदाहरण होगा एक अंग्रेजी शिक्षक का किंडरगार्टन के छात्रों को A B C D सिखाना (चित्र 1.3)। यहां बच्चों के स्तर पर कोई विश्लेषण नहीं हो रहा है। वे केवल A B C D याद कर रहे हैं। यहां शिक्षक की भूमिका अधिक निर्देशात्मक है। शैक्षिक पद्धति में शिक्षक को ज्ञान के प्राथमिक स्रोत के रूप में केंद्रीय स्थान दिया जाता है।

चित्र 1.3 शिक्षण की पेडागॉजि पहलू

एंड्रागॉजि/Andragogy (शिक्षार्थी-निर्देशित पद्धति/ Learner Led Approach)

- **प्रस्तावक:** यूजीन रोसेनस्टॉक-ह्यूसी
- **उपयुक्त:** वयस्क शिक्षार्थी

एंड्रागॉजि का प्रस्ताव यूजीन रोसेनस्टॉक-ह्यूसी द्वारा किया गया और यह वयस्क शिक्षार्थियों के लिए उपयुक्त है। इस दृष्टिकोण में, शिक्षार्थी अपनी अधिगम की यात्रा का नेतृत्व करते हैं। पारंपरिक शिक्षण में शिक्षक मुख्य भूमिका निभाता है, लेकिन एंड्रागॉजि में शिक्षार्थी सवाल पूछते हैं और खुद उत्तर खोजते हैं। शिक्षक एक सहायक की तरह होते हैं, जो अधिगम की इस यात्रा में मार्गदर्शन देते हैं।

यह ठीक वैसा ही है जैसे आप अपने बड़े भाई के साथ साइकिल चलाना सीखते हैं। वह आपका हाथ पकड़े नहीं रहता, बल्कि सुझाव देता है और आपको खुद प्रयास करने देता है। इस तरह आप अभ्यास करते-करते गलतियाँ भी करते हैं और हर बार कुछ नया सीखते हैं। इसमें आप खुद अपनी साइकिल चलाना सीख रहे होते हैं, जबकि आपका भाई किनारे से आपका हौसला बढ़ा रहा होता है।

चित्र 1.4 शिक्षण की पेडागॉजि पहलू

एंड्रागॉजि में, छात्र अधिगम की प्रक्रिया में पूरी तरह शामिल रहते हैं। वे केवल जानकारी नहीं लेते, बल्कि सक्रिय रूप से उसका अर्थ समझने की कोशिश करते हैं। प्रशिक्षक एक मार्गदर्शक के रूप में उनकी मदद करते हैं, छात्रों को स्वतंत्र रूप से अधिगम और नए ज्ञान तक पहुँचने के मौके देते हैं। इससे नए कौशल विकसित करने का रास्ता खुलता है।

सिनेमैटिक कनेक्शन

'*चक दे! इंडिया*' (2007) फिल्म में, शाहरुख खान खिलाड़ियों को व्यक्तिगत और टीम के स्तर पर अपनी ताकत और कमजोरियों को पहचानने के लिए प्रेरित करते हैं। वह सहयोगपूर्ण माहौल बनाते हैं, जहाँ खिलाड़ी एक-दूसरे से सीखते हैं। इस प्रक्रिया में वह एक सुविधा प्रदाता की तरह काम करते हैं, खिलाड़ियों को उनकी क्षमताएँ निखारने के लिए जरूरी मार्गदर्शन, समर्थन और संसाधन उपलब्ध कराते हैं।

ह्युटागॉजि/Heutagogy (स्व-निर्देशित पद्धति/Self-Directed Approach)

- **प्रस्तावक:** स्टीवर्ट हेस और क्रिस केन्योन
- **उपयुक्त:** स्व-प्रेरित/स्व-निर्देशित शिक्षार्थी

ह्युटागॉजि अपने ही अध्ययन यात्रा के मालिक होने जैसा है। यह इस बारे में है कि आप क्या सीखते हैं और उसे कैसे सीखते हैं, इस पर पूरा नियंत्रण रखना। यह शब्द ग्रीक शब्द 'हेयटोस' (heutos) से आया है, जिसका अर्थ है 'स्वयं'। ह्युटागॉजि में, शिक्षार्थी अपनी शिक्षा में एक और अधिक सक्रिय भूमिका निभाते हैं, न केवल अपने अध्ययन की दिशा निर्धारित करते हैं, बल्कि अध्ययन के वातावरण और परिणामों को भी आकार देते हैं। अध्ययन का यह मॉडल आलोचनात्मक सोच, रचनात्मकता और समस्या-समाधान कौशल को बढ़ावा देने पर जोर देता है। यह मॉडल आलोचनात्मक सोच, रचनात्मकता और समस्या-समाधान को बढ़ावा देता है और शिक्षार्थी को असली दुनिया की चुनौतियों के अनुरूप ढलने के लिए तैयार करता है।

इसे एक मास्टर शेफ (Master Chef) के उदाहरण से समझा जा सकता है, जो अपनी पसंदीदा सामग्री चुनता है और तय करता है कि उन्हें कैसे पकाना है। उसी तरह, ह्युटागॉजि में शिक्षार्थी तय करते हैं कि उन्हें क्या सीखना है और इसे कैसे सीखना है, ताकि वे अपने लक्ष्यों तक पहुँच सकें। इसका अर्थ है कि वे अपनी अधिगम की प्रक्रिया को अपनी पसंद और जरूरतों के अनुसार ढाल सकते हैं - उदाहरण के तौर पर, आपकी माँ यूट्यूब देखकर एक पंजाबी व्यंजन बनाना सीख रही हैं (चित्र 1.5)।

चित्र 1.5 शिक्षण की ह्युटागॉजि पहलू

ह्युटागॉजि के बारे में एक महत्वपूर्ण बात है जिसे 'डबल लूप लर्निंग' (Double Loop Learning) कहा जाता है। इसका मतलब केवल नई चीजें सीखना नहीं, बल्कि यह भी सीखना कि आप कैसे सीखते हैं। यह किसी सुपरपावर जैसा है! ह्युटागॉजि में, आप सिर्फ विषयों का अध्ययन नहीं कर रहे होते, बल्कि आप एक बेहतर शिक्षार्थी भी बन रहे होते हैं। यह महत्वपूर्ण है क्योंकि दुनिया हमेशा बदल रही है, और आपको नई चीजें जल्दी से सीखने और खुद को ढालने की क्षमता होनी चाहिए। इसलिए, ह्युटागॉजि सिर्फ तथ्यों को सीखने के बारे में नहीं है; यह एक स्मार्ट शिक्षार्थी बनने के बारे में है, जो किसी भी चुनौती का सामना कर सकता है!

लर्निंग शॉर्टकट्स

क्या आपको याद करने में परेशानी हो रही है कि आपने अभी क्या पढ़ा? घबराइए नहीं! यहां एक सरल तरीका है तीन शिक्षण मॉडलों को याद करने का:

खेलो और मज़े करो!

पेडागॉजि ← → ह्युटागॉजि

↓

एंड्रागॉजि

क्लैरिटी कॉर्नर

अभी भी एंड्रागॉजि और ह्युटागॉजि के बीच उलझन है? आइए इसे एक उदाहरण से समझते हैं। कोडी कपूर, जो आईटी उद्योग में काम करने वाले एक पेशेवर हैं, अपनी क्षमताओं को बढ़ाने के लिए एक नई प्रोग्रामिंग भाषा सीखना चाहते हैं।

- **एंड्रागॉजिकल दृष्टिकोण (Andragogical Approach):** वह नई प्रोग्रामिंग भाषा सीखने के लिए एक ऑनलाइन कोर्स में

नामांकन करते हैं। हालांकि उन्हें कोर्स चुनने और अपने अध्ययन समय को तय करने की आजादी होती है, लेकिन पूरे पाठ्यक्रम और मूल्यांकन की रूपरेखा पहले से ही प्रशिक्षक द्वारा निर्धारित की गई होती है।

- **ह्यूटागॉजिकल दृष्टिकोण (Heutagogical Approach):** पारंपरिक कोर्स में दाखिला लेने के बजाय, वह ऑनलाइन समुदायों से जुड़ते हैं, साथियों के साथ मिलकर काम करते हैं, और अपनी प्रोग्रामिंग क्षमताओं को बेहतर करने के लिए व्यावहारिक प्रोजेक्ट करते हैं। इस दौरान, वह खुद अपनी प्रगति पर नजर रखते हैं और मूल्यांकन भी करते हैं।

क्विज स्टेशन *विगत UGC NET परीक्षाओं के प्रश्न*

प्र. 1. वयस्क शिक्षार्थियों के लिए शिक्षा में भूमिका-अभिनय, सिमुलेशन और आत्म-मूल्यांकन जैसी रणनीतियों का उपयोग किस अध्ययन क्षेत्र में किया जाता है?

(a) पेडागॉजि (b) एंड्रागॉजि
(c) एंथ्रोपोलॉजी (d) साइकोलॉजी

प्र. 2. निम्नलिखित कथनों पर विचार करें

A. यह आत्म-निर्धारित शिक्षा है
B. यह छात्र-केंद्रित शिक्षण रणनीति है
C. यह स्वायत्तता, क्षमता और कौशल विकास पर जोर देती है

इन कथनों के आधार पर बताइए कि कौन-सी शिक्षण रणनीति दर्शाई जा रही है?

(a) पेडागॉजि (b) ह्यूटागॉजि
(c) एंड्रागॉजि (d) टॉटोलॉजी

प्र. 3. स्व-निर्देशित शिक्षा में स्व-निर्देशित छात्रों की निम्नलिखित में से कौन-सी प्रमुख विशेषताएं हैं?

A. उनमें आंतरिक प्रेरणा होती है।
B. उनमें व्यक्तिगत लक्ष्य चुनने की क्षमता होती है।
C. उनमें आत्म-अनुशासन है।
D. उनमें आत्म-मूल्यांकन की क्षमता होती है।
E. उनके पास मेटाकॉग्निटिव कौशल हैं।

(a) AD (b) BE
(c) CDE (d) ABCDE

उत्तर. 1. (b) 2. (b) 3. (d)

अध्याय के मुख्य बिंदु

शिक्षण के स्तर

- स्वायत्त स्तर
- स्मृति स्तर
- समझ स्तर
- प्रतिबिंबित स्तर (मेटाकॉग्निशन शामिल है)

शिक्षण मॉडल

- पेडागॉजि (शिक्षक-निर्देशित पद्धति)
- एंड्रागॉजि (शिक्षार्थी-निर्देशित पद्धति)
- ह्यूटागॉजि (स्व-निर्देशित पद्धति)

कक्षा प्रबंधन के लिए प्रभावी सुझाव (पूरक पीडीएफ में शामिल)

- तत्काल कार्रवाई
- दुर्व्यवहार की स्थिति में शिक्षण बंद करें
- सीटें बदलें
- अनुकूलित करें और संवेदनशील बनें
- कक्षा के बाद परामर्श
- माता-पिता से बात करें
- छात्रों को पाठ्यक्रम योजना के बारे में सूचित करें
- छात्रों के व्यवहार को समझें
- स्पष्ट अपेक्षाएँ निर्धारित करें
- गैर-मौखिक संकेतों का उपयोग करें
- छात्रों की प्रशंसा करें और उन्हें प्रोत्साहित करें
- सकारात्मक संबंध बनाए रखें
- भागीदारी को प्रोत्साहित करें
- संरचित व्याख्यान प्रदान करें
- छात्रों की चिंताओं को संबोधित करें
- अपमान से बचें
- व्यक्तिगत संघर्षों को हल करें
- समय सीमा बताएं
- व्यवहार में अचानक बदलाव को संबोधित करें
- सकारात्मक कक्षा संस्कृति को बढ़ावा दें

शिक्षण की विधियाँ

- प्रशिक्षण
- विकास
- निर्देशन
- प्रवर्तन

प्रभावी शिक्षण व्यवहार

- निर्देशन को चरणबद्ध रूप से प्रोत्साहित करना (सहायता को धीरे-धीरे हटाना)
- प्रश्न करना/प्रतिक्रिया देना
- निर्देशात्मक विविधता
- शिक्षक का कार्य अभिमुखता
- अधिगम की प्रक्रिया में भागीदारी
- छात्र सफलता दर
- समझ को प्राथमिकता देना
- स्पष्ट, सटीक और बार-बार दोहराया गया शिक्षण
- शिक्षार्थीयों के विचारों और योगदानों का उपयोग करना
- संरचना
- प्रश्न पूछना
- शिक्षण के प्रभाव

महत्वपूर्ण शिक्षण सूत्र

- सरल से जटिल की ओर
- ज्ञात से अज्ञात की ओर
- देखे हुए से अनदेखे की ओर
- मूर्त से अमूर्त की ओर
- विशिष्ट से सामान्य की ओर
- सम्पूर्ण से भाग की ओर
- अनिश्चित से निश्चित की ओर
- मनोवैज्ञानिक से तार्किक की ओर
- विश्लेषण से संश्लेषण की ओर
- प्रकृति का अनुसरण करें
- इंद्रियों का प्रशिक्षण
- स्व-अध्ययन के लिए प्रोत्साहन

शिक्षण की प्रकृति और विशेषताएँ

- कला + विज्ञान
- नैतिक गतिविधि
- क्रियाशील + जटिल
- विविध
- निरंतर
- औपचारिक या अनौपचारिक हो सकता है
- संवादात्मक

शिक्षण के चरण

- पूर्व-सक्रिय चरण
- सक्रिय चरण
- पश्च-सक्रिय चरण

अधिगम (Learning)

2

इस अध्याय में

*परीक्षोपयोगी (Exam Essential): UGC NET परीक्षा में पूछे जाने की अत्यधिक संभावना #CC का अर्थ है कॉन्सेप्ट कैप्सूल

2.1 अधिगम की अवधारणा (Concept of Learning)

कल्पना कीजिए कि आपका मस्तिष्क एक रुमाल की तरह है, जो लगातार नई जानकारी और तथ्यों को सोख रहा है! चाहे वह इंस्टाग्राम रील्स और यूट्यूब पॉडकास्ट देखना हो, आपकी माँ को स्वादिष्ट छोले भटूरे तैयार करते हुए देखना हो, या एक नई किताब पढ़ना हो - आपका मन लगातार सीखने की प्रक्रिया में लगा रहता है। वास्तव में, आपका मन शर्लक होम्स की तरह है, जो हर गतिविधि से जानकारी जुटा रहा है, जिससे आप धीरे-धीरे अधिक स्मार्ट बनते जा रहे हैं!

अगर आप चारों ओर देखें, तो पाएंगे कि अधिगम सिर्फ कक्षाओं तक सीमित नहीं है। आपकी माँ आपको जूते के फीते बांधना सिखाती हैं, आपका दोस्त आपको वीडियो गेम का कोई कठिन स्तर (level) जीतने में मदद करता है - सीखने की प्रक्रिया हर जगह होती है (चित्र 2.1)। वास्तव में, अधिगम केवल तथ्यों को याद करने तक सीमित नहीं है, बल्कि यह सोचने, समस्याओं को हल करने और चीजों को बेहतर तरीके से समझने का एक तरीका है।

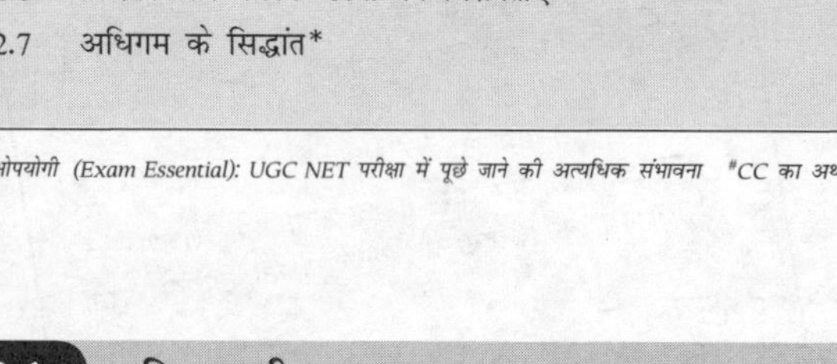

चित्र 2.1 सीखना हर जगह है

2.2 अधिगम की विशेषताएँ (Characteristics of Learning)

इस भाग में, हम अधिगम के विभिन्न पहलुओं का अन्वेषण करेंगे। इन पहलुओं का विश्लेषण करने से, आप यह समझ पाएंगे कि अधिगम व्यक्तिगत और सामूहिक - दोनों स्तरों पर कैसे होता है, और क्यों इसे एक जीवनभर की यात्रा माना जाता है। इसके अतिरिक्त, हम अध्ययन के उन विविध तरीकों पर भी चर्चा करेंगे, जो विभिन्न संदर्भों और परिस्थितियों में इसकी अनुकूलन क्षमता और बहुमुखी संभवनाओं को उजागर करते हैं। आइए, हम अधिगम की विशेषताओं को गहराई से समझते हैं:

1. **अधिगम एकात्मक है (Learning is Unitary):** अधिगम एक सामग्रिक प्रक्रिया है, जो आपके विचारों, भावनाओं, क्रियाओं और यहाँ तक कि आपके आध्यात्मिक पक्ष को भी शामिल करती है। उदाहरण के लिए, जब आप नृत्य सीखते हैं, तो यह केवल नृत्य के कदमों को बौद्धिक रूप से समझने तक सीमित नहीं रहता। आप अपने शरीर को सक्रिय रूप से उन गतिविधियों में लगाते हैं, ओर नृत्य के माध्यम से आप अपनी भावनाओं को व्यक्त करते हैं। यह मन, शरीर और आत्मा का एक सुंदर समन्वय है, जहाँ ये सभी नए कौशल और ज्ञान को अर्जित करने के लिए एक साथ काम करते हैं।
2. **अधिगम नियोजित या अनियोजित हो सकता है (Learning May be Planned or Unplanned):** अधिगम की प्रक्रिया जानबूझकर (नियोजित) या अनजाने में (अनियोजित) हो सकती

है। उदाहरण के लिए, किसी नए कौशल को सीखने के लिए एक कार्यशाला में भाग लेना नियोजित अधिगम का एक उदाहरण है। वहीं, एक दोस्त के साथ अनौपचारिक बातचीत से समझ प्राप्त करना अनियोजित अधिगम का उदाहरण है।

3. **अधिगम सक्रिय और निष्क्रिय दोनों हो सकता है (Learning Can be Active as Well as Passive):** सक्रिय भागीदारी और निष्क्रिय ग्रहणशीलता - अधिगम दोनों रूपों में हो सकता है। सक्रिय अधिगम में चर्चा या प्रायोगिक गतिविधियों में सीधे भाग लेना शामिल होता है, जहाँ व्यक्ति सक्रिय रूप से योगदान करते हैं और जो वे सीख रहे हैं उसे अभ्यास में लाते हैं। सक्रिय अधिगम का एक उदाहरण है - नई भाषा का अभ्यास करने के लिए वार्तालाप में भाग लेना।

   वहीं, निष्क्रिय अधिगम में बिना सीधे भाग लिए या अभ्यास किए, अवलोकन या पढ़ाई के माध्यम से जानकारी को ग्रहण किया जाता है। उदाहरण स्वरूप, डिस्कवरी चैनल पर किसी डॉक्युमेंट्री से तथ्य प्राप्त करना, या ज्ञान प्राप्त करने के लिए एक पाठ्यपुस्तक पढ़ना निष्क्रिय अधिगम के रूप हैं।

4. **अधिगम आत्म-सक्रिय, सृजनात्मक और स्थानांतरण-योग्य होता है (Learning is Self-Active, Creative and Transferable):** आइए इसे अलग-अलग उदाहरणों की सहायता से समझते हैं:
   - **आत्म-सक्रिय (Self-Active):** जब आप साइकिल चलाना सीखते हैं, तो आप सक्रिय रूप से अभ्यास करते हैं और अपने आप पैडल मारते हैं। यह एक ऐसा कार्य है जिसे आप स्वयं करते हैं, न कि केवल वह जिसे आप पढ़ते हैं या दूसरों को करते हुए देखते हैं।
   - **सृजनात्मक (Creative):** कल्पना कीजिए कि आप चित्र बनाना सीख रहे हैं। जब तक कि आप अपनी स्वयं की अभिव्यक्ति का अनूठा तरीका नहीं ढूंढ लेते तब तक आप अलग-अलग रंगों, आकारों और शैलियों को आजमाकर सृजनात्मक कोशिश कर सकते हैं।
   - **स्थानांतरण-योग्य (Transferable):** जूते बांधना सीखना आपको अलग-अलग परिस्थितियों में मदद करता है - चाहे वह स्नीकर्स हों या बूट, आप उसी कौशल का प्रयोग करते हैं। इसी तरह, एक बार जब आप गिनना सीख जाते हैं, तो आप उस कौशल का उपयोग करके खिलौना या सेब जैसी अन्य चीजों की गिनती कर सकते है।

5. **अधिगम व्यक्तिगत या सामूहिक हो सकता है (Learning Can be Individual or Collective):** अधिगम अक्सर व्यक्तिगत होता है, जैसे किताब पढ़ना। लेकिन यह सामूहिक भी हो सकता है, जैसे दोस्तों के साथ खजाने की खोज में भाग लेना - मिलकर सुरागों का पता लगाना।

6. **अधिगम एक प्रक्रिया के साथ-साथ एक परिणाम भी है (Learning is a Process as Well as an Outcome):** अधिगम को एक यात्रा और एक गंतव्य दोनों के रूप में देखा जाता है। इसे एक यात्रा के रूप में देखा जाता है क्योंकि यह एक निरंतर और जीवनभर चलने वाली प्रक्रिया है। उदाहरण के तौर पर, हम पेजर से शुरू हुए और फिर तकनीक के विकास के साथ स्मार्टफोन, कंप्यूटर और लैपटॉप अपनाए। मुख्य बात यह है कि हमें हमेशा नया ज्ञान और कौशल प्राप्त करते रहना चाहिए।

7. **अधिगम वृद्धिशील हो सकता है (Learning May be Incremental):** अधिगम धीरे-धीरे होता है। पहले से जो आप जानते हैं, यह उसमें जोड़ता है। उदाहरण के लिए, अगर आप खाना बनाने की बुनियादी बातें सीखते हैं, तो हर नई रेसिपी जो आप सीखते हैं, वह आपके खाना बनाने के कौशल को बेहतर बनाती है।

8. **सीखने को प्रेरित किया जा सकता है (Learning Can be Triggered):** अनुभव, असफलताएँ और सफलताएँ - सभी अधिगम की प्रक्रिया को प्रेरित करते हैं। आप अपने रास्ते में आने वाली किसी भी चुनौती या अवसर से सीख सकते हैं।

सिनेमैटिक कनेक्शन

बॉलीवुड फिल्म *'डियर जिंदगी'* (2016) में आलिया भट्ट का किरदार (कायरा) एक काउंसलर से बातचीत करके अपनी सीखने की यात्रा के लिये प्रेरित होती है। कठिन भावनाओं और बाधाओं का सामना करते हुए, वह काउंसलिंग सत्रों के दौरान अपने पिछले रिश्तों और आकांक्षाओं पर विचार करती है। यह फिल्म दिखाती है कि कैसे ये कारण (triggers) उसे अपने बारे में अधिक जानने और भावनात्मक रूप से आगे बढ़ने में मदद करते हैं। यह हमें यह समझने में मदद करता है कि अधिगम केवल किताबों तक सीमित नहीं है, बल्कि यह हमारी भावनाओं और स्वयं को समझने का भी एक माध्यम है।

9. **अधिगम के परिणाम लाभकारी हो सकते हैं या नहीं भी हो सकते हैं (Learning Outcomes May or May Not be Desirable):** अधिगम के कुछ परिणाम सकारात्मक और लाभकारी होते हैं, जबकि अन्य लाभकारी नहीं हो होते। उदाहरण के लिए, एक रसायन विज्ञान का छात्र जिसने जटिल रासायनिक प्रतिक्रियाओं में महारत हासिल कर ली है, वह उस ज्ञान का दुरुपयोग करके एक विस्फोटक उपकरण बना सकता है।

10. **अधिगम का हमेशा एक नैतिक आयाम होता है (Learning Always has a Moral Dimension):** अधिगम स्वभाविक रूप से नैतिक आयामों से जुड़ा होता है, जिसमें सही और गलत के बीच अंतर को समझना होता है। उदाहरण के तौर पर, दूसरों के साथ साझा करने की शिक्षा एक सकारात्मक नैतिक पाठ है, जबकि धोखाधड़ी करने की शिक्षा किसी के सीखने के अनुभव में नकारात्मक नैतिक आयाम जोड़ती है।

11. **अधिगम एक जटिल समूह है (Learning is a Complex Whole):** अधिगम एक छात्र के अलग-अलग पहलुओं को प्रभावित करता है, जैसे ज्ञान, कौशल, दृष्टिकोण, मूल्य, और आदतें। वे मिलकर इसे एक जटिल समूह बनाते हैं। हम इसे अगले खंड 'अधिगम के पहलू' में विस्तार से समझेंगे।

क्विज स्टेशन *विगत UGC NET परीक्षाओं के प्रश्न*

प्र 1. सीखने का सबसे उपयुक्त अर्थ है

(a) कौशल का ज्ञान प्राप्त करना
(b) व्यवहार में सुधार करना
(c) व्यक्तिगत समायोजन
(d) ज्ञान का समावेशन

उत्तर 1. (b)

2.3 अधिगम के पहलू (Aspects of Learning)

अधिगम एक ऐसी सामग्रिक प्रक्रिया है जो कई स्तरों पर हमें प्रभावित करती है और हमारे विकास को अलग-अलग तरीकों से आकार देती है। यह सिर्फ जानकारी या ज्ञान प्राप्त करने तक सीमित नहीं है, बल्कि इसमें कौशल, सोचने का तरीका, मूल्य और आदतें भी शामिल होती हैं। ये सब मिलकर हमें एक बेहतर इंसान बनाने में मदद करते हैं।

आइए, उर्दू जैसी नई भाषा सीखने पर विचार करें, ताकि हम समझ सकें कि विभिन्न पहलू कैसे प्रभावित होते हैं:

- **ज्ञान (Knowledge):** उर्दू के शब्द, व्याकरण के नियम और वाक्य बनाने का तरीका सीखना।
- **कौशल (Skills):** सही उच्चारण सीखना और बोलने का अभ्यास करना।
- **विचारधारा (Attitude):** नई चीजें सीखने में आने वाली मुश्किलों का हिम्मत से सामना करना और गलतियाँ करने से डरने के बजाय उन्हें सीखने का हिस्सा मानना।
- **मूल्य (Values):** उर्दू भाषा और उसकी संस्कृति की खूबसूरती को समझना और उसकी कद्र करना।
- **अभ्यास (Habits):** हर दिन थोड़ा-थोड़ा अभ्यास करने की आदत डालना।

अधिगम के तीन मुख्य पहलू या आयाम हैं - ज्ञान, कौशल और विचारधारा (चित्र 2.2)। आइए, इन पर नीचे चर्चा करते हैं:

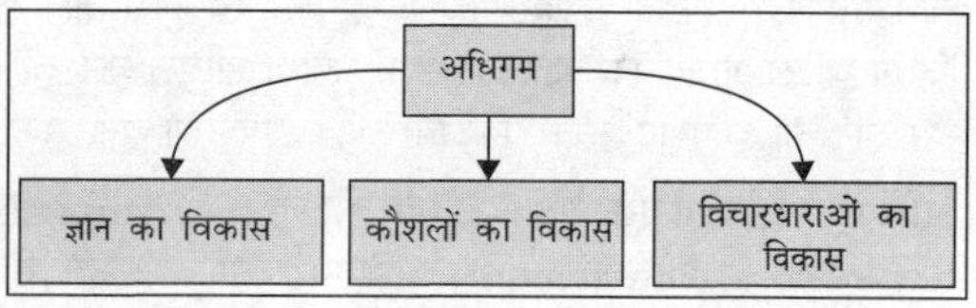

चित्र 2.2

ज्ञान का विकास (Development of Knowledge)

ज्ञान का विकास मुख्य रूप से आलोचनात्मक सोच (critical thinking) पर आधारित है, जो हमें चीजों को गहराई से समझने में मदद करती है। आलोचनात्मक सोच का अर्थ है जानकारी को गहराई से समझना, उसका विश्लेषण करना और उसे विषय के साथ सही ढंग से जोड़ना। इसे एक पहेली सुलझाने जैसा समझ सकते हैं - जब आप एक पहेली का टुकड़ा देखते हैं, तो आप दिमाग में यह सोचना आरंभ करते हैं कि वह सटीक रूप से कहां सम्मिलित होगा। इसी तरह, आलोचनात्मक सोच में जानकारी का विश्लेषण और संयोजन करना होता है। उदाहरण स्वरूप, जब आप एक कहानी पढ़ते हैं और सुरागों के आधार पर अनुमान लगाते हैं कि आगे क्या होगा, तो आप आलोचनात्मक सोच का उपयोग कर रहे हैं। इसलिए, अधिगम सिर्फ तथ्यों को याद करना नहीं है। यह इस बात पर केंद्रित है कि कैसे हर चीज आपस में जुड़ी होती है, जैसे एक जटिल पहेली के सभी टुकड़े आपस में जुड़े होते हैं।

कौशल का विकास (Development of Skills)

कौशल का विकास का अर्थ है किसी काम को अच्छे से सीखना, ताकि आप उसे आसानी से और आत्मविश्वास के साथ कर सकें। आइए इस अवधारणा को कार चलाना सीखने के उदाहरण से समझते हैं:

1. **संज्ञानात्मक चरण (Cognitive Stage):** यह पहला चरण है। शुरुआत में आप सैद्धांतिक बातें समझते हैं, जैसे यातायात के नियम और कार के नियंत्रण (जैसे एक्सेलेरेटर, ब्रेक, क्लच)। इस चरण में आप मूल बातें समझते हैं, जो आगे के अभ्यास के लिए जरूरी हैं।
2. **सहयोगात्मक चरण (Associative Stage):** दूसरा चरण व्यावहारिक अनुभव को शामिल करता है। इस चरण में आप कार चलाने का अभ्यास करते हैं। जैसे स्टीयरिंग संभालना, गियर बदलना और ट्रैफिक में ड्राइव करना। आपने जो सीखा है, इस चरण में आप उसे व्यवहार में लाने की कोशिश करते हैं।
3. **स्वचालनात्मक चरण (Automated Stage):** तीसरे चरण में, गाड़ी चलाना स्वाभाविक बन जाता है - जैसे गियर बदलना लगभग अपने आप हो जाता है। इस चरण में, आप सड़क पर स्वतंत्रता का आनंद आसानी और आत्मविश्वास के साथ लेते हैं, क्योंकि ड्राइविंग कौशल गहरे रूप से रच-बस जाते हैं और यह बिना किसी प्रयास के जाते हैं। उदाहरण के लिए, कल्पना कीजिए कि आप काम से घर जा रहे हैं, जबकि आप मानसिक रूप से रात का खाना बनाने की योजना बना रहे हैं या सप्ताहांत के लिए अपने कार्यक्रम के बारे में सोच रहे हैं। आपकी मांसपेशियों की याददाश्त और स्थापित ड्राइविंग कौशल सक्रिय हो जाते हैं, जिससे आप आसानी से अपने गंतव्य तक पहुंचते हैं, जबकि आपका मन अन्य बातों में व्यस्त होता है।

विचारधारा का विकास (Development of Attitudes)

विचारधारा आपके सोचने का वह तरीका है जो आपके आसपास की घटनाओं पर होने वाली आपकी प्रतिक्रिया को प्रभावित करता है। इसे एक मानसिक फिल्टर की तरह समझ सकते है, जो आपके जीवन की घटनाओं को देखने और उन पर प्रतिक्रिया देने के तरीके को प्रभावित करता है। आपकी विचारधारा यह तय करती है कि आप किसी चीज को उत्साह, उदासीनता या शंका (scepticism) के साथ कैसे अपनाते हैं। विचारधारा तीन आयामों में विभाजित होती है, जिसे एक उदाहरण से सबसे अच्छे तरीके से समझा जा सकता है। आइए, हम सिमरन के अपने बॉयफ्रेंड राज के साथ रिश्ते को समाप्त करने के निर्णय को देखें:

1. **चिंतन या संज्ञानात्मक आयाम (Thinking or Cognitive Dimension):** सिमरन, बहुत सोच-विचार करने के बाद, राज से अलग होने का फैसला करती है। यह आयाम दर्शाता है कि उसने निर्णय लेने के लिए कैसे सोचने की प्रक्रिया का प्रयोग किया।
2. **भावनात्मक या प्रभावात्मक आयाम (Emotional or Affective Dimension):** अलग होने के बाद सिमरन को दुख, राहत और चिंता जैसी मिश्रित भावनाएँ महसूस होती हैं। यह आयाम उसकी विचारधारा के भावनात्मक पहलू को दर्शाता है।
3. **व्यवहारिक आयाम (Behavioural Dimension):** सिमरन, राज से रिश्ते समाप्त कर देती है और अपने आत्म-चिकित्सा (self-healing) और भलाई पर ध्यान केंद्रित करती है। यह चरण उसके विचारधारा के व्यवहारिक हिस्से को दिखाता है।

क्विज स्टेशन *विगत UGC NET परीक्षाओं के प्रश्न*

प्र 1. निम्नलिखित में से किसे 'कौशल' से संबद्ध नहीं किया जा सकता *(9 जनवरी 2025 शिफ्ट 1)*

(a) अभ्यास

(b) सीखना

(c) प्रवीणता

(d) अक्षमता

उत्तर 1. (d)

2.4 छात्रों (अधिगमकर्ताओं) के प्रकार (Types of Learners)

आपने यह महसूस किया होगा कि कक्षा में विभिन्न प्रकार के छात्र होते हैं। कुछ छात्र समूह चर्चा में भाग लेने का आनंद लेते हैं, जबकि अन्य व्यक्तिगत असाइनमेंट को पसंद करते हैं। इसके अतिरिक्त, छात्र विभिन्न तरीकों से एक-दूसरे से अलग हो सकते हैं, जैसे उम्र, संस्कृति, पिछला अनुभव, शारीरिक और मानसिक स्वास्थ्य, भावनाएँ, उद्देश्य और आवश्यकताएँ। प्रभावी शिक्षण को सुगम बनाने के लिए, यह महत्वपूर्ण है कि शिक्षक अपनी कक्षा में मौजूद छात्रों के प्रकार को पहचानें और समझें।

जब अध्ययन उपकरणों का चयन किया जाता है, तो प्रत्येक छात्र की प्राथमिकताओं पर विचार करना आवश्यक होता है। व्यक्ति तब सबसे अच्छा सीखते हैं जब उपकरण उनके पसंदीदा अध्ययन शैली के साथ मेल खाते हैं। उदाहरण स्वरूप, श्रवण-संबंधी छात्रों (Auditory Learners) को ऑडियो पाठों से लाभ होता है, जबकि दृश्य-संबंधी छात्रों (Visual Learners) को लिखित सामग्री अधिक पसंद आ सकती है। इसलिए, छात्रों को सीखने के लिए विभिन्न तरीकों की व्यवस्था करना एक समझदारी भरा कदम है। इस प्रकार, जब पाठ योजना बनाई जाती है, तो यह समझना सबसे महत्वपूर्ण होता है कि प्रत्येक छात्र को सफल होने के लिए क्या चाहिए। आइए अब छात्रों की विभिन्न श्रेणियों पर चर्चा करें।

सिनेमैटिक कनेक्शन

बॉलीवुड फिल्म '*कोई मिल गया*' (2003) में ऋतिक रोशन ने एक ऐसे बच्चे का किरदार (रोहित) निभाया, जिसकी बुद्धिमत्ता उसके सहपाठियों से अलग थी। इस भिन्नता के कारण उसे अकेलापन महसूस हुआ और दूसरों से मेलजोल में दिक्कतें हुईं। यह फिल्म सिखाती है कि यदि शिक्षक इन भिन्नताओं को समझकर बच्चों की मदद करें, तो वे ऐसा माहौल बना सकते हैं जहाँ सभी बच्चे आसानी से सीख सकें और आगे बढ़ सकें।

अधिगम वातावरण प्राथमिकता के आधार पर (Based on Learning Environment Preference)

क्षेत्र स्वतंत्र छात्र (Field Independent Learners): ये छात्र स्वतंत्र रूप से काम करना पसंद करते हैं और उन्हें दूसरों से अधिक सहायता की आवश्यकता नहीं होती। वे विश्लेषणात्मक रूप से सोचने का आनंद लेते हैं, जिसका अर्थ है कि वे समस्याओं को छोटे हिस्सों में विभाजित करके हल करना पसंद करते हैं। वे उन कार्यों में अच्छा प्रदर्शन करते हैं, जहाँ वे अपना काम स्वयं संगठित कर सकते हैं और उस पर ध्यान केंद्रित कर सकते हैं - जैसे लंबे समय तक अकेले पढ़ना और लिखना। ऐसे छात्रों की प्रमुख विशेषताएँ निम्नलिखित हैं:

- दूसरों पर कम निर्भर होते हैं।
- विश्लेषणात्मक सोच को प्राथमिकता देते हैं।
- आत्म-व्यवस्थित और स्वतंत्र रूप से संरचित कार्यों में अच्छा प्रदर्शन करते हैं।
- पढ़ाई और लिखने जैसी गतिविधियों के लिए अकेले उपयुक्त होते हैं।

क्षेत्र-निर्भर छात्र (Field Dependent Learners): ये छात्र दूसरों के साथ संवाद करने में खुश होते हैं और समूहों में सीखने का आनंद लेते हैं। ये पहले समग्र दृष्टिकोण को देखते हैं और फिर विवरणों पर ध्यान केंद्रित करते हैं। इन्हें वे कार्य पसंद आते हैं जिनके निर्देश और उद्देश्य पहले से निर्धारित होते हैं। ये सामूहिक चर्चा, वीडियो या चित्रों जैसी गतिविधियों के माध्यम से अच्छे से सीखते हैं, जो उन्हें विचारों को समझने में मदद करते हैं। ऐसे छात्रों की मुख्य विशेषताएँ निम्नलिखित हैं:

- दूसरों के साथ अच्छे संबंध बनाते हैं।
- मौजूदा संरचनाओं और निर्देशों को प्राथमिकता देते हैं।
- उन्हें बाहरी रूप से परिभाषित लक्ष्यों की आवश्यकता होती है।
- समूह चर्चाओं और ऑडियो-विजुअल उपकरणों से लाभान्वित होते हैं।

अलग-अलग वैचारिक गति पर आधारित (Based on Different Conceptual Tempo)

वैचारिक गति (Conceptual Tempo) से तात्पर्य है कि छात्र प्रश्नों या कार्यों का उत्तर कितनी जल्दी देते हैं और उनके उत्तरों की सटीकता क्या होती है।

तेज वैचारिक गति (Fast Conceptual Tempo)/आकस्मिक शैली (Impulsive Style): तेज वैचारिक गति वाले छात्र जल्दी उत्तर देते हैं, लेकिन वे अधिक गलतियाँ कर सकते हैं क्योंकि वे बिना पूरी तरह विचार किए जवाब देने की प्रवृत्ति रखते हैं। वे सभी विकल्पों पर विचार करने के बजाय तुरंत पहले आए उत्तर को चुन लेते हैं। यह प्रवृत्ति उन्हें कम व्यवस्थित तरीके से डेटा इकट्ठा करने और वैकल्पिक समाधानों पर ध्यान देने के बजाय जल्दी निर्णय लेने की ओर ले जाती है।

धीमी वैचारिक गति (Slow Conceptual Tempo)/विचारशील शैली (Reflective Style): धीमी वैचारिक गति वाले छात्र उत्तर देने में समय लेते हैं। वे पहले जानकारी को ध्यान से देखते हैं और फिर जवाब देते हैं। इस वजह से उनकी गलतियाँ कम होती हैं और उत्तर सटीक होते हैं। विचारशील छात्र किसी समस्या या कार्य को पूरी तरह से समझने को प्राथमिकता देते हैं, ताकि वे सही और सोच-समझकर निर्णय ले सकें।

कक्षा में अधिगम की शैली के आधार पर (Based on Classroom Learning Style)

दृश्य छात्र (Visual Learners): ये छात्र चीजों को देखकर सबसे अच्छे से सीखते हैं। इन्हें विचारों को समझने के लिए चार्ट, आरेख और चित्रों का

उपयोग करना पसंद होता है। इस श्रेणी में कुछ छात्र शब्दों और अक्षरों पर अधिक ध्यान केंद्रित करते हैं (verbalists), जबकि अन्य चित्रों और चित्रों को सीखने में मददगार मानते हैं (imagists)।

श्रव्य छात्र (Auditory Learners): ये छात्र सुनकर सीखते हैं। ये चीजों की ध्वनि पर ध्यान देते हैं, जैसे बोलने का सुर और लय। इन्हें अक्सर चर्चाएं करना और व्याख्याओं को सुनना पसंद आता है। इस श्रेणी में कुछ छात्र श्रवण छात्र होते हैं (जो दूसरों को सुनकर सीखते हैं), जबकि अन्य मौखिक छात्र होते हैं (जो बोलकर और खुद को सुनकर सीखते हैं)।

मोटर छात्र (Motor Learners): ये छात्र शारीरिक गतिविधियों के माध्यम से सीखते हैं। इन्हें अवधारणाओं को समझने के लिए हिलने-डुलने और अपने हाथों का उपयोग करने की आवश्यकता होती है। कुछ छात्र बड़ी गतिविधियों को पसंद करते हैं, जैसे खेल कूद में भाग लेना, जबकि अन्य छोटे गतिविधियों को पसंद करते हैं, जैसे उपकरणों या यंत्रों के साथ काम करना।

फ्लेमिंग का VARK मॉडल ऑफ लर्निंग (Fleming's VARK Model of Learning)

प्रस्तावक: नील फ्लेमिंग

यह मॉडल चार प्रकार के छात्रों की बात करता है:

- **दृश्य छात्र (Visual Learner):** यह छात्र दृश्य उपकरणों जैसे चार्ट, आरेख और लिखित निर्देशों के माध्यम से सबसे अच्छे से सीखते हैं। वे जानकारी को समझने और प्रभावी रूप से याद रखने के लिए देखने पर निर्भर करते हैं।
- **श्रव्य छात्र (Auditory Learner):** यह छात्र सुनकर और श्रवण इनपुट के माध्यम से ज्ञान प्राप्त करते हैं। वे उन वातावरणों में उत्कृष्ट होते हैं जहाँ व्याख्यान और चर्चाएँ प्रमुख होती हैं, और वे स्वर, सुर और लय जैसे तत्वों पर ध्यान केंद्रित करते हैं।
- **पठन/लेखन छात्र (Read/Write Learner):** यह छात्र पठन और लेखन गतिविधियों के माध्यम से सीखने को प्राथमिकता देते हैं। वे पाठ-आधारित उपकरणों जैसे सूचियाँ, नोट्स और निबंध के साथ गहरे से जुड़ते हैं, और पारंपरिक शैक्षिक वातावरण में सफल होते हैं।
- **काइनेस्थेटिक/मोटर छात्र (Kinesthetic/Motor Learner):** यह छात्र शारीरिक गतिविधियों और हाथों से अनुभव करने के माध्यम से सबसे अच्छे से सीखते हैं। उन्हें जानकारी को समझने और याद रखने के लिए शारीरिक क्रियाओं में सक्रिय रूप से भाग लेने की आवश्यकता होती है।

विचार शैलियों के आधार पर (Based on Thinking Styles)

सोचने की हर शैली सीखने और समस्या हल करने का अलग तरीका बताती है। यह तय करता है कि व्यक्ति नई जानकारी को कैसे समझता है और उससे कैसे जुड़ता है।

चिंतनशील विचारक (Reflective Thinkers): विचारशील चिंतक नई जानकारी पर गहरे विचार करने के लिए समय लेते हैं। उदाहरण के लिए, जब वे ऐतिहासिक घटनाओं के बारे में सीखते हैं, तो वे उन्हें अपनी व्यक्तिगत अनुभवों से जोड़ सकते हैं या यह पूछ सकते हैं कि अतीत में कुछ निर्णय क्यों लिए गए थे, ताकि वे संदर्भ को बेहतर तरीके से समझ सकें।

- नई जानकारी पर गहराई से सोचने के लिए समय लेते हैं।
- नई अवधारणाओं को अपने अनुभवों और पिछले ज्ञान से जोड़ते हैं।
- अक्सर 'क्यों' पूछते हैं और अपने विचारों और भावनाओं को जांचते हैं।

सृजनात्मक विचारक (Creative Thinkers) सृजनात्मक सोच वाले छात्र नए विचारों के साथ प्रयोग करना और अलग-अलग संभावनाओं को खोजना पसंद करते हैं। उदाहरण के लिए, यदि एक छात्र नवीकरणीय ऊर्जा (renewable energy) पर काम कर रहा है, तो सृजनात्मक विचारक सौर ऊर्जा से चलने वाले उपकरण बनाने के नए तरीकों को आजमाएगा। वह यह भी सोचेगा कि कुछ सामग्री या तरीके बेहतर क्यों काम करते हैं। ऐसे छात्र नए समाधान खोजने और अनोखे डिजाइन बनाने में आनंद लेते हैं, जिनके बारे में बाकी लोग नहीं सोचते।

- नई जानकारी और विचारों के साथ प्रयोग करना पसंद करते हैं।
- लगातार 'क्यों' पूछते हैं ताकि विभिन्न संभावनाओं का पता लगाया जा सके।
- अनोखे समाधान और शॉर्टकट बनाते हैं, और सामान्य सोच से अलग विचार करते हैं।

व्यावहारिक विचारक (Practical Thinkers): व्यावहारिक सोच वाले छात्र जानकारी को वास्तविक जीवन में प्रयोग करने पर जोर देते हैं। उदाहरण के लिए, नई भाषा सीखते समय, वे व्याकरण के नियमों के बजाय रोजमर्रा की बातचीत में काम आने वाले वाक्यांश सीखना पसंद करते हैं।

- व्यावहारिक और तथ्यात्मक जानकारी पर ध्यान देते हैं।
- कार्यों को पूरा करने के लिए सबसे कुशल और प्रभावी तरीके खोजते हैं।
- नये कौशल को सीधे अपने काम या रुचियों में लागू करना सुनिश्चित करते हैं।

सैद्धांतिक विचारक (Conceptual Thinkers): सैद्धांतिक विचारक जानकारी के पीछे के सिद्धांतों और मूल कारणों को समझने पर जोर देते हैं। उदाहरण के लिए, यदि कोई छात्र इतिहास पढ़ रहा है, तो सैद्धांतिक विचारक ऐतिहासिक घटनाओं के राजनीतिक और आर्थिक कारणों की गहराई से जांच करेंगे। वे यह भी समझने की कोशिश करेंगे कि विचारधाराओं ने घटनाओं को कैसे प्रभावित किया और इनका समाज और संस्कृति पर क्या असर पड़ा।

- नई जानकारी स्वीकार करने से पहले पूरे संदर्भ को समझना पसंद करते हैं।
- चीजें कैसे काम करती हैं, इसके गहरे कारणों में रुचि रखते हैं।
- प्रस्तुत अवधारणाओं के साथ-साथ उनसे संबंधित विचारों को भी समझने का प्रयास करते हैं।

श्रवण कौशलों पर आधारित (Basis on Listening Skills)

सक्रिय श्रवण (Active Listening): सक्रिय श्रवण तब होता है जब कोई व्यक्ति किसी विशेष उद्देश्य को ध्यान में रखते हुए सुनता है। उदाहरण के लिए, एक छात्र एक व्याख्यान के दौरान सक्रिय रूप से सुनता है ताकि वह चर्चा किए जा रहे मुख्य बिंदुओं और प्रमुख अवधारणाओं को समझ सके। वे नोट्स ले सकते हैं, सवाल पूछ सकते हैं और मानसिक रूप से जानकारी का सारांश बना सकते हैं ताकि वे विचार को प्रभावी ढंग से समझ सकें।

सहानुभूतिपूर्ण श्रवण (Empathic Listening): सहानुभूतिपूर्ण श्रवण सिर्फ शब्दों को समझने तक सीमित नहीं है; इसमें वक्ता की भावनाओं से जुड़ना भी शामिल है। उदाहरण के लिए, एक परामर्श सत्र में, छात्र सहानुभूतिपूर्ण श्रवण का अभ्यास करते हैं, जहाँ वे न केवल शब्दों को समझते हैं बल्कि भावनाओं को भी महसूस करते हैं और उनके अनुसार समर्थन या मान्यता देते हैं।

समीक्षात्मक श्रवण (Evaluative Listening)/आलोचनात्मक श्रवण (Critical Listening): समीक्षात्मक श्रवण का अर्थ है प्रस्तुत जानकारी का आलोचनात्मक मूल्यांकन करना। उदाहरण के लिए, एक बहस या प्रस्तुति के दौरान, एक छात्र समीक्षात्मक श्रवण में भाग लेता है। वह प्रस्तुत किए गए तर्कों का विश्लेषण करता है। फिर वह उनकी वैधता का मूल्यांकन करता है। वह तार्किक दोषों की पहचान करता है। वह तथ्यों या दावों का समर्थन करने के लिए उपयोग किए गए साक्ष्य या स्रोतों का मूल्यांकन करता है।

आनंदपूर्ण श्रवण (Appreciative Listening): आनंदपूर्ण श्रवण का अर्थ है किसी चीज को खुशी और संतोष के लिए सुनना। उदाहरण के लिए, एक छात्र संगीत या कविता सुनते समय उसकी भावनाओं, कलात्मकता और सौंदर्य का आनंद लेता है, बजाय इसके कि वह इसे विश्लेषण करने या जानकारी जुटाने के लिए सुने।

स्कोर बूस्टर

पूरक पठन अनुशंसा

QR कोड काम नहीं कर रहा है? QR कोड के साथ दिए गए संसाधनों तक पहुँचने के लिए आंतरिक फ्रन्ट कवर पर दिए गए निर्देशों का पालन करें

नीचे आधिकारिक यूजीसी नेट पेपर 1 पाठ्यक्रम में उल्लिखित विषय दिए गए हैं जो हाल के यूजीसी नेट परीक्षा में नहीं पूछे गए हैं। यदि आप उन्हें अन्वेषण करना चाहते हैं, तो विस्तृत व्याख्याओं के साथ एक **विशेष पीडीएफ** तक पहुंचने के लिए क्यूआर कोड स्कैन करें-

1. शिक्षार्थियों में व्यक्तिगत अंतर
2. एक अच्छे शिक्षार्थी की विशेषताएँ

2.5 अधिगम के विकार (Learning Disorder)

अधिगम के विकार ऐसी चुनौतियाँ हैं जो कुछ लोगों के लिए चीजें सीखना मुश्किल बना देती हैं। आइए इन पर ध्यान दें:

1. **ध्यान-घात/अति-सक्रियता विकार (Attention-Deficit/Hyperactivity Disorder - ADHD):** ADHD का अर्थ है बहुत सारी ऊर्जा होना और उसके कारण शांति से बैठना या लंबे समय तक ध्यान लगाना मुश्किल होना। ADHD वाले छात्र हमेशा इधर-उधर चलते रहते हैं और उन्हें कार्यों पर ध्यान केंद्रित करने में कठिनाई होती है, जैसे कि शिक्षक की बात सुनना या गृहकार्य पूरा करना।

   इस विषय को सरल बनाने वाले वीडियो व्याख्यान को देखने के लिए इस QR कोड को स्कैन करें

2. **डिस्कैल्कुलिया (Dyscalculia):** डिस्कैल्कुलिया संख्याओं को समझने और गणित के समस्याओं को हल करने में मुश्किल पैदा करता है। डिस्कैल्कुलिया वाले लोग बुनियादी गणित समस्याओं में कठिनाई महसूस करते हैं - जैसे पैसे गिनना या समय बताना।
3. **डिस्ग्राफिया (Dysgraphia):** यह लेखन को चुनौतीपूर्ण बना देता है, जिससे हस्तलेखन और लिखित अभिव्यक्ति पर असर पड़ता है। डिस्ग्राफिया वाले व्यक्ति साफ-साफ लिखने में कठिनाई महसूस करते हैं और अक्सर शब्दों को गलत लिखते हैं, भले ही उन्हें सही तरीके से लिखना आता हो।
4. **डिस्लेक्सिया (Dyslexia):** डिस्लेक्सिया वाले लोगों के लिए आसानी से और जल्दी पढ़ना कठिन होता है। इससे अक्षर और शब्द उलझे हुए दिखाई दे सकते हैं, जिससे यह समझना मुश्किल हो जाता है कि लिखा क्या है। फिल्म तारे जमीन पर (2007) में हम इशान अवस्थी नाम के किरदार को डिस्लेक्सिया से जूझते हुए देखते हैं। इशान को अपनी कक्षा के अन्य बच्चों की तरह पढ़ने और लिखने में कठिनाई होती है।

   उदाहरण के लिए, वह अक्सर शब्दों को गलत लिखता है और जो वह पढ़ता है उसे समझने में परेशानी होती है। हालांकि, एक सहायक कला शिक्षक, जिसे आमिर खान ने निभाया है, की मदद से इशान को विशेष ध्यान और मार्गदर्शन मिलने लगता है, जो उसकी सीखने की जरूरतों के अनुसार होता है। सृजनात्मक शिक्षण विधियों के माध्यम से, इशान आत्मविश्वास प्राप्त करता है और डिस्लेक्सिया से जुड़ी चुनौतियों को पार करना सीखता है।
5. **डिस्फेसिया/अफेसिया (Dysphasia/Aphasia):** वाचाघात (Dysphasia/Aphasia) का मतलब भाषा का पूर्ण रूप से खो जाना है। इस विकार से पीड़ित लोगों को बात करते या लिखते समय सही शब्द खोजने में कठिनाई होती है, भले ही उन्हें पता हो कि वे क्या कहना चाहते हैं। यह सम्प्रेषण और भाषा कौशल को प्रभावित करता है। हालाँकि, यह ध्यान देने योग्य है कि डिस्फेसिया और अफेसिया भाषा संबंधी विकार हैं जो किसी व्यक्ति की सम्प्रेषण करने की क्षमता को प्रभावित करते हैं, न कि अधिगम संबंधी विकार। डिस्फेसिया भाषा के आंशिक नुकसान को संदर्भित करता है, और अफेसिया भाषा के पूर्ण नुकसान को संदर्भित करता है। हालाँकि, 'अफेसिया' शब्द का इस्तेमाल अब आमतौर पर दोनों स्थितियों का वर्णन करने के लिए किया जाता है।

2.6 किशोर और वयस्क छात्रों की विशेषताएँ (Characteristics of Adolescent and Adult Learners)

किशोरावस्था और वयस्कता किसी व्यक्ति की सीखने की यात्रा के महत्वपूर्ण चरण हैं, जिनमें हर चरण की अपनी विशेषताएं और चुनौतियाँ होती हैं। किशोरावस्था में व्यक्ति तेज शारीरिक, भावनात्मक और मानसिक बदलावों से गुजरता है, जबकि वयस्क व्यक्ति परिपक्वता और स्वतंत्रता को दर्शाती है। इन चरणों को समझना शिक्षकों, माता-पिता और मार्गदर्शकों के लिए जरूरी है, ताकि वे व्यक्तियों को इन बदलावों के दौरान सही दिशा दिखा सकें।

किशोरावस्था को अक्सर पहचान और स्वतंत्रता की खोज का समय कहा जाता है। यह तीन चरणों में विभाजित होती है - प्रारंभिक, मध्य और देर (उत्तर) किशोरावस्था। इन चरणों में तेज शारीरिक विकास, भावनात्मक उतार-चढ़ाव और बदलते सामाजिक संबंध देखे जाते हैं। किशोर अपनी स्वतंत्रता को स्थापित करने की कोशिश करते हैं और साथ ही सहकर्मियों के साथ संबंध, शैक्षणिक दबाव और नई जिम्मेदारियों को संभालते हैं।

वयस्क छात्र अपने सीखने के प्रयासों में अनुभव और स्पष्ट उद्देश्य की भावना लेकर आते हैं। वे आत्मनिर्भर, व्यावहारिक और लक्ष्य-उन्मुख होते हैं और ऐसी शिक्षा को प्राथमिकता देते हैं जो उनकी व्यक्तिगत और पेशेवर

आकांक्षाओं से मेल खाती हो। उनकी सामाजिक और भावनात्मक परिपक्वता उन्हें संतुलित दृष्टिकोण के साथ सीखने में सक्षम बनाती है, जहाँ वे अपनी जिम्मेदारियों और व्यापक सामाजिक मुद्दों दोनों को ध्यान में रखते हैं।

किशोर और वयस्क छात्रों की अधिगम की आवश्यकताएँ और विशेषताएँ एक-दूसरे से काफी अलग होती हैं। यह अंतर शिक्षकों के शिक्षण और पाठ्यक्रम डिजाइन के तरीके को प्रभावित करता है। तालिका (तालिका 2.1) इन दोनों समूहों के बीच मुख्य अंतर को स्पष्ट करती है। यह उनके अधिगम की शैलियों, प्रेरणा के कारकों, सामाजिक प्रभावों, और उनकी शैक्षिक यात्रा में शिक्षकों की भूमिका के बारे में मूल्यवान ज्ञान प्रदान करती है। वयस्कों की सामाजिक और भावनात्मक परिपक्वता उन्हें सीखने के साथ अधिक प्रभावी ढंग से निपटने में सक्षम बनाती है, जबकि किशोर अपनी उभरती पहचान और स्वायत्तता की खोज की प्रक्रिया में सीखते हैं।

स्कोर बूस्टर

पूरक पठन अनुशंसा

QR कोड काम नहीं कर रहा है? QR कोड के साथ दिए गए संसाधनों तक पहुँचने के लिए आंतरिक फ्रन्ट कवर पर दिए गए निर्देशों का पालन करें

किशोर और वयस्क शिक्षार्थियों की विशेषताओं के बारे में गहन व्याख्या प्रदान करने वाली एक विशेष पीडीएफ को अनलॉक करने के लिए क्यूआर कोड को स्कैन करें। निम्नलिखित प्रमुख विकासात्मक क्षेत्रों के विस्तृत स्पष्टीकरण खोजें:

1. शैक्षणिक विकास
2. सामाजिक विकास
3. भावनात्मक विकास
4. संज्ञानात्मक विकास

तालिका 2.1 किशोर और वयस्क छात्रों के बीच अंतर

आधार	किशोर छात्र	वयस्क छात्र
प्रकार	वे शिक्षक पर निर्भर होते हैं	वे स्व-निर्देशित होते हैं
अनुभव	वे सीमित जीवन अनुभव होते हैं, और पहचान तथा रुचियों की खोज करते हैं	वे संचित जीवन अनुभव नई सीखने की स्थितियों में पहले से जाना हुआ ज्ञान लाते हैं
विकासात्मक चरण	संज्ञानात्मक विकास के दौरान, वे छात्र भावनात्मक बदलावों का अनुभव करते हैं	इनके पास पूर्ण विकसित संज्ञानात्मक क्षमताएँ और अधिक स्थिर भावनाएँ होती हैं
प्रेरणा	साथी, सामाजिक उम्मीदें और बाहरी पुरस्कार इन्हें प्रभावित करते हैं	वे व्यक्तिगत लक्ष्य, करियर में उन्नति और आंतरिक प्रेरणा से प्रेरित होते हैं
शिक्षण शैली	वे अक्सर इंटरएक्टिव और अनुभवात्मक तरीकों, साथ ही सामूहिक गतिविधियों से लाभ लेते हैं	वे विविध पहलूओं को महत्व देते हैं, स्व-निर्देशित शिक्षा और वास्तविक जीवन में उपयोग को बढ़ावा देते हैं
सामाजिक प्रभाव	सहकर्मियों से संवाद और सामाजिक स्वीकृति महत्वपूर्ण प्रभाव डालते हैं	वे अधिक स्वतंत्र होते हैं, सहयोग को महत्व देते हैं और नेटवर्किंग के लिए सहकर्मी से बातचीत करते हैं
जिम्मेदारी	इन्हें सीखने के कामों में अधिक मदद और दिशा की जरूरत हो सकती है	वे स्व-निर्देशित होते हैं, अपनी शिक्षा की जिम्मेदारी लेते हैं और लचीलापन पसंद करते हैं
प्रेरक कारक	इनके लिए मान्यता, ग्रेड और समाज में स्वीकृति महत्वपूर्ण प्रेरणा हैं	व्यक्तिगत और पेशेवर विकास, करियर में उन्नति और आत्म-संतुष्टि होते हैं
प्रशिक्षक की भूमिका	मार्गदर्शन, परामर्श और अच्छे तरीके से सीखने के अनुभवों से लाभ उठा सकते हैं	वे अनुकूलन, सहयोग और अपने अनुभव की स्वीकृति को प्राथमिकता देते हैं
सीखने की गति	विकास के अलग-अलग स्तरों और रुचियों की वजह से गति में भिन्नता होती है	उनकी सीखने की गति अक्सर अधिक सुसंगत और आत्म-नियंत्रित होती है

★★★ परीक्षोपयोगी

2.7 अधिगम के सिद्धांत (Learning Theories)

शिक्षा की दुनिया में, अधिगम के तीन प्रमुख सिद्धांत हैं, जो शिक्षकों को अपने पाठों को बेहतर बनाने में मदद करते हैं। ये सिद्धांत छात्रों को प्रभावी ढंग से सीखने में सहायता करने वाली योजनाओं की तरह काम करते हैं। पहला सिद्धांत ब्लूम का वर्गीकरण (Bloom's Taxonomy) है, दूसरा गैग्ने के नौ स्तरों का अधिगम (Gagne's Nine Levels of Learning) और तीसरा है कोलब का अधिगम चक्र (Kolb's Learning Cycle)। ये सिद्धांत शिक्षकों के लिए मार्गदर्शिका की तरह हैं, जो उन्हें यह दिखाती है कि कैसे सीखने की प्रक्रिया को मजेदार और प्रभावी बनाया जा सकता है। हम जब इन सिद्धांतों को समझते हैं, तो लगता है - '*क्या आइडिया है, सरजी!*' आइए अब इन तीनों सिद्धांतों को विस्तार से समझें।

ब्लूम का वर्गीकरण (Bloom's Taxonomy)

1956 में, डॉ. बेंजामिन ब्लूम और उनकी टीम ने शिक्षण के लिए एक नया दृष्टिकोण विकसित किया, जिसे आज ब्लूम का वर्गीकरण (Bloom's Taxonomy) कहा जाता है। यह सिद्धांत इस पर केंद्रित है कि हम अवधारणाओं, सिद्धांतों और प्रक्रियाओं को कैसे समझते, विश्लेषण करते और मूल्यांकन करते हैं। सरल शब्दों में, यह हमें यह समझने में मदद करता है कि नई चीजें सीखते समय हमारा मस्तिष्क कैसे काम करता है। इसे शिक्षकों के लिए विषयों को रोचक और प्रभावी बनाने का अंतिम चीट कोड माना जा सकता है। ब्लूम ने, अधिगम को तीन क्षेत्रों में बाँटा है:

इस विषय को सरल बनाने वाले वीडियो व्याख्यान को देखने के लिए, इस QR कोड को स्कैन करें

- संज्ञानात्मक क्षेत्र (ज्ञान और समझ पर ध्यान देने पर केंद्रित)
- मनोदैहिक क्षेत्र (कौशल और शारीरिक क्रियाओं पर ध्यान देने पर केंद्रित)
- भावात्मक क्षेत्र (भावनाओं और मूल्यों पर केंद्रित)

संज्ञानात्मक क्षेत्र (Cognitive Domain)

संज्ञानात्मक क्षेत्र सोचने और समझने की प्रक्रिया से जुड़ा है। इसे आपके दिमाग की मांसपेशियों का व्यायाम मानें! इस क्षेत्र में, आप नए तथ्य सीखते हैं, अवधारणाओं को समझते हैं, समस्याओं का समाधान करते हैं, और सीखी हुई चीजों को नई परिस्थितियों में लागू करते हैं। उदाहरण के लिए, जब आप गणित सीखते हैं, तो सबसे पहले जोड़ और घटाव जैसे बुनियादी तथ्यों को याद करते हैं। फिर आप समझते हैं कि इन तथ्यों का उपयोग समस्याओं को हल करने में कैसे करें। इसके बाद, आप डेटा का विश्लेषण कर सकते हैं और रचनात्मक समाधान निकालने के लिए आलोचनात्मक सोच का उपयोग कर सकते हैं। संज्ञानात्मक

क्षेत्र आपको बेहतर विचारक और छात्र बनने में मदद करता है। इसे छह मुख्य घटकों में बांटा गया है। आइए इसे एक सरल उदाहरण से समझें - जैसे स्मार्टफोन कैमरे का उपयोग करके एक शानदार फोटो क्लिक करना।

1. **ज्ञान (Knowledge):** अपने स्मार्टफोन कैमरे की बुनियादी विशेषताओं को पहचानें, जैसे फोकस के लिए टैप करना, जूम के लिए पिंच करना और शटर बटन का स्थान।
2. **समझ (Comprehension):** यह समझें कि ये विशेषताएँ कैसे काम करती हैं - फोकस से स्पष्टता बढ़ती है, जूम से रचना (composition) में मदद मिलती है, और फ्रेमिंग से संतुलन आता है।
3. **प्रयोग (Application):** इन जानकारियों का उपयोग करते हुए अपने स्मार्टफोन कैमरे से एक फोटो क्लिक करें।
4. **विश्लेषण (Analysis):** अपनी फोटो को देखें और इसकी रचना का विश्लेषण करें। सोचें कि फोटो को और बेहतर बनाने के लिए क्या बदलाव किए जा सकते हैं।
5. **संश्लेषण (Synthesis):** उन्नत तकनीकों का उपयोग करें, जैसे मैनुअल सेटिंग्स या अनोखे कोण, ताकि आपकी फोटो में एक नया और सृजनात्मक पहलू जुड़ सके।
6. **मूल्यांकन (Evaluating):** अपनी फोटो का मूल्यांकन करें और यह तय करें कि आपकी फोटोग्राफी कितनी प्रभावी रही। फोटो की स्पष्टता, रचना की गुणवत्ता और उसकी सामग्रिक सुंदरता का आकलन करें।

लर्निंग शॉर्टकट्स

कठिनाई हो रही है? चिंता मत करो! यहाँ एक सरल तरकीब है जिससे आप संज्ञानात्मक क्षेत्र सिद्धांत के घटकों को याद कर सकते हैं -

बच्चे हमेशा सरल घटनाओं का विश्लेषण कर सकते हैं
(**K**ids **C**an **A**lways **A**nalyze **S**imple **E**vents)

ज्ञान, समझ, प्रयोग, विश्लेषण, संश्लेषण, मूल्यांकन

यह डोमेन लॉरिन एंडरसन और डेविड क्रैथवोल (2001) द्वारा संशोधित किया गया था। संशोधित संस्करण में याद रखना (remembering), समझना (understanding), लागू करना (applying), विश्लेषण करना (analysing), मूल्यांकन करना (evaluating) और सृजन करना (creating) शामिल हैं (चित्र 2.3)।

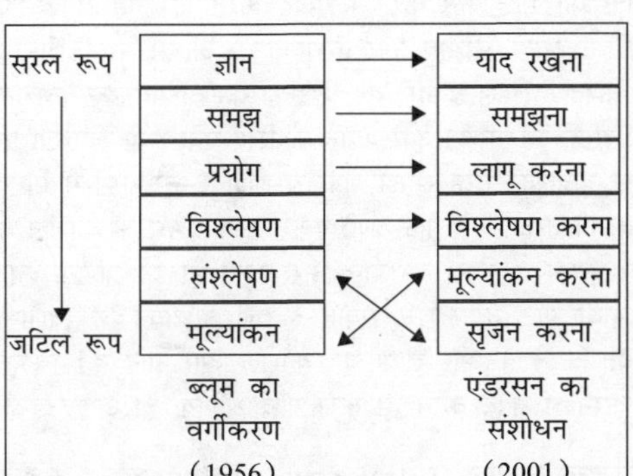

चित्र 2.3 ब्लूम की वर्गीकरण प्रणाली की तुलना - 1956 बनाम 2001

मनोदैहिक क्षेत्र (Psychomotor) - जिसे काइनेस्थेटिक क्षेत्र भी कहा जाता है Domain (also known as Kinaesthetic Domain)

मनोदैहिक क्षेत्र आपके हाथों और शरीर का उपयोग करके चीजें करने के बारे में बताता है। इसमें शारीरिक गतिविधियां, समन्वयन, सटीकता, गति और लचीलापन (flexibility) शामिल हैं। यह क्षेत्र इसलिए महत्वपूर्ण है क्योंकि यह आपको शरीर का बेहतर, कुशल और आत्मविश्वास से भरपूर उपयोग करना सिखाता है। चाहे आप बास्केटबॉल खेल रहे हों, कीबोर्ड पर टाइप कर रहे हों, या मार्शल आर्ट सीख रहे हों - यह डोमेन शारीरिक गतिविधियों में निपुण बनने में मदद करता है। इसमें पांच मुख्य घटक होते हैं, जिन्हें जूते के फीते बांधना सीखने के उदाहरण से समझा जा सकता है।

अनुकरण (Imitation): देखना और कॉपी करना **(Watch and Copy):** पहले, आप किसी को जूतों के फीते बांधते हुए देखते हैं। आप ध्यान देते हैं कि वे लूप कैसे बनाते हैं और फीते को क्रॉस कैसे करते हैं।

संचालन (Manipulation): अब आपकी बारी है। आप खुद से लूप बनाने और फीते को क्रॉस करने की कोशिश करते हैं। आप अलग-अलग तरीकों से प्रयोग करते हैं जब तक कि सही तरीका न मिल जाए।

सटीकता (Precision): जितना अधिक आप अभ्यास करते हैं, उतना ही बेहतर आप बनते हैं। आप सही कसाव का पता लगाते हैं और यह सुनिश्चित करते हैं कि फीते चलते समय ढीले न हों।

अभिव्यक्ति (Articulation): समय के साथ, जूतों के फीते बांधना आपके लिए आसान हो जाता है। यह एक आदत बन जाती है और कम प्रयास में सुरक्षित गाँठ बांध लेते हैं।

स्वाभाविकता (Naturalisation): आखिरकार, जूतों के फीते बांधना स्वाभाविक लगने लगता है। आप इसे अपनी शैली में बिना ज्यादा सोचे-समझे आसानी से कर लेते हैं।

लर्निंग शॉर्टकट्स

पढ़ी हुई चीज को याद करने में कठिनाई हो रही है? चिंता मत करो! यहाँ एक सरल तरकीब है जिससे आप साइकोमोटर डोमेन के घटकों को याद कर सकते हैं-

मैं अपनी पिज्जा और नाचोज
को याद करता हूँ।

अनुकरण, संचालन, सटीकता, स्वाभाविकता, अभिव्यक्ति

प्रभावशाली क्षेत्र (Affective Domain)

प्रभावशाली क्षेत्र हमारी भावनाओं, दृष्टिकोणों और मूल्यों से जुड़ा है। यह हमें यह समझने में मदद करता है कि हम चीजों के बारे में कैसा महसूस करते हैं और ये भावनाएँ हमारे विचारों और कार्यों को कैसे प्रभावित करती हैं। इस क्षेत्र को समझने से हम अपनी भावनाओं को बेहतर तरीके से व्यवस्थित कर

पाते हैं, दूसरों के साथ बेहतर संबंध बना पाते हैं, विभिन्न स्थितियों में सही निर्णय लेने में सक्षम होते हैं।

इसके पाँच घटक होते हैं। इन्हें एक उदाहरण से समझते हैं। कल्पना करें कि एक छात्रा, जान्हवी कक्षा में है। वह कक्षा में न केवल ध्यानपूर्वक सुनती है, बल्कि शिक्षक द्वारा पढ़ाए जा रहे विषयों को समझने और ग्रहण करने की कोशिश भी करती है, जो प्राप्त करने (Receiving) का हिस्सा है। इसके बाद, वह चर्चाओं में सक्रिय रूप से भाग लेकर और सवाल पूछकर अपनी प्रतिक्रिया देने (Responding) की क्षमता का प्रदर्शन करती है। धीरे-धीरे वह इन विषयों के महत्व को पहचानने लगती है और उन्हें अपने जीवन में महत्वपूर्ण मानने लगती है, जो मूल्यांकन (Valuing) को दर्शाता है। वह न केवल स्वयं सीखने तक सीमित रहती है, बल्कि अध्ययन समूहों का आयोजन करके और विचारों की वकालत करके अपने परिवेश को बेहतर बनाने का प्रयास करती है, जिसे संगठन (Organising) कहा जा सकता है। अंततः, जैसे-जैसे वह सीखती और आगे बढ़ती है, वह इन मूल्यों को अपने दैनिक जीवन का अभिन्न हिस्सा बना लेती है और अपने व्यवहार को सकारात्मक रूप से बदलती है, जो चरित्र निर्माण (Characterisation) का संकेत है।

सिनेमैटिक कनेक्शन

आइए बॉलीवुड फिल्म '*मोहब्बतें*' (2000) का उदाहरण लेकर भावनात्मक क्षेत्र के पांच भागों को सरल भाषा में समझें।

- **प्राप्त करना - सुनने की इच्छा (Receiving - Willingness to Listen):** गुरुकुल के छात्र शुरू में अमिताभ बच्चन के सख्त नियमों के बीच रहते हैं। लेकिन शाहरुख खान उन्हें स्वतंत्रता और खुद को व्यक्त करने का महत्व समझाते हैं। धीरे-धीरे, छात्र उनकी बातों को सुनने लगते हैं।
- **प्रतिक्रिया देना - भाग लेने की इच्छा (Responding - Willingness to Participate):** शुरुआत में शांत रहने वाले छात्र, जैसे उदय चोपड़ा और जिमी शेरगिल, शाहरुख खान से प्रेरित होकर अपनी बातें खुलकर कहने लगते हैं।
- **मूल्यांकन - शामिल होने की इच्छा (Valuing - Willingness to be Involved):** शाहरुख खान के विचारों से प्रभावित होकर, छात्र गुरुकुल के सख्त नियमों पर सवाल उठाने लगते हैं। वे अपनी असली पहचान को अपनाने का महत्व समझते हैं।
- **आयोजन - विचार का समर्थन करने की इच्छा (Organising - Willingness to Support the Idea):** शाहरुख खान छात्रों को सिखाते हैं कि समाज के नियमों के बावजूद, अपने दिल की बात सुननी चाहिए। छात्र मिलकर गुरुकुल की पुरानी परंपराओं को चुनौती देते हैं।
- **चरित्र निर्माण - व्यवहार बदलने की इच्छा (Characterisation - Willingness to Change Behaviour):** उदय चोपड़ा और जिमी शेरगिल जैसे छात्र अपनी सोच में बदलाव लाते हैं। वे पुराने नियमों को छोड़कर नए विचार और मूल्यों को अपनाने लगते हैं।

क्विज स्टेशन *विगत UGC NET परीक्षाओं के प्रश्न*

प्र 1. निम्नलिखित में से कौन-सा संज्ञानात्मक क्षमता का उच्चतम स्तर है?

(a) जानना (b) समझना

(c) विश्लेषण करना (d) मूल्यांकन करना

प्र 2. निम्नलिखित उद्देश्य किस क्षेत्र में आता है?

पाठ के अंत में, छात्र को सिर का उपयोग करके फुटबॉल को मारने में सक्षम होना चाहिए।

(a) भावात्मक क्षेत्र (b) संज्ञानात्मक क्षेत्र

(c) मनोदैहिक क्षेत्र (d) दोनों (a) और (c)

प्र 3. निम्नलिखित सूची का मिलान करें। ब्लूम के वर्गीकरण की मुख्य विशेषता है:

Bloom's Classification	Main Characteristic
A. संज्ञानात्मक क्षेत्र	I. तकनीकी कौशल
B. प्रभावशाली क्षेत्र	II. प्रेम, प्रेरणा और दृष्टिकोण
C. मनोदैहिक क्षेत्र	III. एक विशिष्ट विषय का वर्णन करें

कोड:

(a) A-III, B-I, C-II (b) A-I, B-II, C-III

(c) A-III, B-II, C-I (d) A-II, B-III, C-I

उत्तर 1. (d) 2. (c) 3. (c)

गैग्ने और ब्रिग्स का शिक्षण और अधिगम का मॉडल (Gagne and Briggs Learning Models)

गैग्ने और ब्रिग्स का अध्ययन मॉडल यह समझने का एक तरीका है कि लोग कैसे सीखते हैं और कौशल विकसित करते हैं। लोग कैसे सीखते हैं और कौशल विकसित करते हैं - यह समझने के लिए गैग्ने और ब्रिग्स ने एक मॉडल तैयार किया। उन्होंने शिक्षण उद्देश्यों को व्यवस्थित करने के लिए एक प्रणाली बनाई, जो शिक्षकों को अपने पाठों की योजना बनाने और उनकी प्रभावशीलता का मूल्यांकन करने में मदद करती है। यह वर्गीकरण अध्ययन के उद्देश्यों को उनके स्वभाव और विशेषता के आधार पर विभिन्न श्रेणियों में व्यवस्थित करता है। इस प्रकार, यह शिक्षकों को अध्ययन के विभिन्न पहलुओं को बेहतर तरीके से समझने और पढ़ाने के लिए एक स्पष्ट रूपरेखा प्रदान करती है। इसे एक यात्रा की तरह समझें, और ये श्रेणियाँ उस रास्ते में मार्गदर्शन करने वाले संकेत की तरह हैं। प्रत्येक श्रेणी एक अलग प्रकार के कौशल या ज्ञान का प्रतिनिधित्व करती है, जिसे हम प्राप्त कर सकते हैं। इन श्रेणियों को समझकर, शिक्षक प्रभावी पाठ तैयार कर सकते हैं, जो अध्ययन के विभिन्न पहलुओं को संबोधित करते हैं और छात्रों को कौशल और ज्ञान की विस्तृत श्रृंखला विकसित करने में मदद करते हैं। कुल पाँच श्रेणियाँ हैं। आइए इन्हें देखते हैं।

1. **बौद्धिक कौशल (Intellectual Skills):** यह दुनिया को समझने और समस्याओं को हल करने के कौशल हैं। इनमें नए विचार सीखना

और नियमों को समझना शामिल है। ये कौशल आपको रोजमर्रा के कामों और चुनौतियों से निपटने में मदद करते हैं। उदाहरण के लिए, गणित की समस्याओं को हल करना या एक नया गेम खेलना।

2. **संज्ञानात्मक रणनीतियां (Cognitive Strategies):** ये खास तरीके या तरकीबें हैं जो आपको चीजें याद रखने और अपनी सोचने की क्षमता को बेहतर बनाने में मदद करती हैं। उदाहरण के लिए, माइंड मैप बनाना, नोट्स लिखना, या याद रखने के लिए कहानियाँ बनाना। ये आपकी पढ़ाई को ज्यादा प्रभावी बनाते हैं।
3. **मौखिक सूचना (Verbal Information):** मौखिक जानकारी आपके दिमाग में जमा हुआ ज्ञान है - जैसे किसी लाइब्रेरी में किताबें होती हैं। इसमें वे तथ्य, विचार और विवरण होते हैं जो आप याद रखते हैं और जरूरत पड़ने पर उपयोग कर सकते हैं। उदाहरण के लिए, जब आप विज्ञान की कक्षा में सौर मंडल के बारे में पढ़ते हैं, तो आप ग्रहों और सूर्य से उनकी दूरी का क्रम सीखते हैं। यह जानकारी याद करके आप जानते हैं कि बुध सबसे नजदीकी ग्रह है, फिर शुक्र, पृथ्वी, मंगल, बृहस्पति, शनि, यूरेनस और नेपच्यून आते हैं। ग्रहों का यह क्रम और उनके बारे में आपका ज्ञान वही मौखिक सूचना है जिसे आप अपने मस्तिष्क में सुरक्षित रखते हैं।
4. **संचालन तंत्र और शारीरिक क्षमता (Motor Skills):** मोटर कौशल शारीरिक गतिविधियाँ करने और अपने शरीर को विशिष्ट तरीकों से अंदोलित करने से संबंधित होते हैं। मान लीजिए आप अपनी पसंदीदा खेल, जैसे फुटबॉल, खेल रहे हैं। जब आप गेंद को किक मारते हैं, तो यह केवल आपका पैर काम नहीं कर रहा होता, बल्कि मस्तिष्क भी काम करता है। मस्तिष्क पैरों को गतिविधियाँ करने का संकेत भेजता है। नसें आपको संतुलन बनाए रखने में मदद करती हैं। मांसपेशियाँ मेहनत करती हैं। दौड़ना, कूदना या नृत्य करना - इन सब में मस्तिष्क, नसों और मांसपेशियों का तालमेल जरूरी होता है।
5. **मनोदृष्टि (Attitude):** मनोदृष्टि वह एहसास है जो आप अंदर महसूस करते हैं, और यह इस बात को प्रभावित करता है कि आप चीजों पर कैसे प्रतिक्रिया देंगे। जैसे, मान लीजिए आप परीक्षा देने जा रहे हैं। यदि आपकी सोच सकारात्मक है, तो आप आत्मविश्वास महसूस कर सकते हैं और पूरी मेहनत से काम करने के लिए तैयार हो सकते हैं। लेकिन यदि आपकी सोच नकारात्मक है, तो आप चिंतित या तनावग्रस्त महसूस कर सकते हैं, जिससे ध्यान केंद्रित करना कठिन हो सकता है।

लर्निंग शॉर्टकट्स

अभी आपने जो पढ़ा उसे याद करने में कठिनाई हो रही है? चिंता मत करो! शिक्षण और निर्देशात्मक उद्देश्यों की पाँच श्रेणियों को याद रखने के लिए यहाँ एक सरल तरकीब है-

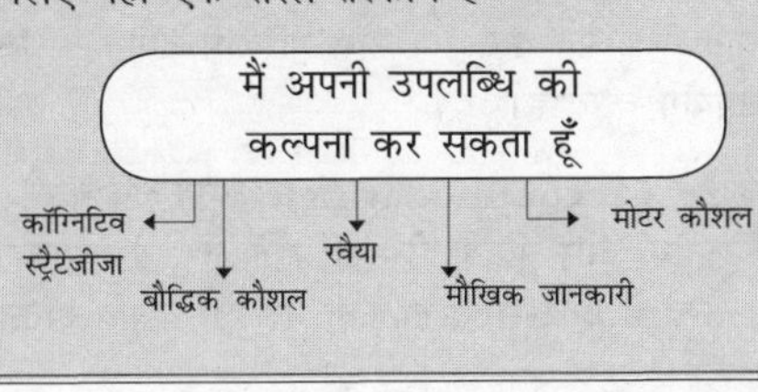

गैग्ने के अधिगम के नौ स्तर (Gagne's Nine Levels of Learning)

गैग्ने के नौ स्तर एक मार्ग-निर्देशक की तरह हैं, जो यह बताते हैं कि कैसे आप किसी चीज को बेहतर तरीके से सीख सकते हैं। इसे एक गाइडबुक की तरह समझें, जो सीखने के लिए जरूरी मानसिक तैयारियों के बारे में बताती है। आइए इन स्तरों को समझें और जानें कि वे अधिगम में कैसे मदद करते हैं।

1. **स्वीकार (Reception):** पहला कदम है शिक्षार्थियों का ध्यान आकर्षित करना। जैसे, एक शिक्षक मजेदार कहानी सुनाकर या दिलचस्प वीडियो दिखाकर पाठ शुरू कर सकते है। इससे सभी का ध्यान पढ़ाई पर लग जाता है।
2. **अपेक्षा (Expectancy):** इसके बाद, छात्रों को यह बताना जरूरी है कि वे क्या सीखेंगे। जैसे, साहित्य की कक्षा में कहा जा सकता है, 'आज हम एक क्लासिक उपन्यास पढ़ेंगे और उसके पात्रों व विषयों को समझेंगे।'
3. **पुनःप्राप्ति (Retrieval):** नई जानकारी को पहले से सीखी हुई बातों से जोड़ना। जैसे, भूगोल कक्षा में नए देश पर चर्चा करते हुए शिक्षार्थियों से पूछें, 'क्या किसी ने इस देश के बारे में सुना है या वहां घूमने गया है?'
4. **चयनात्मक धारणा (Selective Perception):** शिक्षक पढ़ाई को आसान बनाने के लिए अलग-अलग तरीके अपनाते हैं। जैसे, भौतिकी कक्षा में, सरल प्रयोगों या दृश्य उपकरणों के माध्यम से जटिल सिद्धांतों को समझाना, समझ को बढ़ा सकता है।
5. **अर्थपूर्ण एन्कोडिंग (Semantic Encoding):** इस चरण में शिक्षक वास्तविक जीवन के उदाहरण देकर अवधारणाओं को समझाते हैं। जैसे, रसायन विज्ञान की कक्षा में, आवर्त सारणी को टेबल सॉल्ट जैसी रोजमर्रा की चीजों से जोड़ना, ताकि छात्र इसे आसानी से समझ सकें और याद रख सकें।
6. **प्रतिक्रिया देना (Responding):** इस चरण में शिक्षक छात्रों को उनकी समझ दिखाने के लिए प्रेरित करते हैं। जैसे, भाषा कक्षा में छात्रों से बातचीत करवाना या एक अनुच्छेद लिखवाना, ताकि वे सीखी हुई बातों का अच्छी तरह प्रदर्शन कर सकें।
7. **सुदृढीकरण (Reinforcement):** अधिगम में प्रतिक्रिया बहुत जरूरी है। शिक्षक छात्रों को उनके प्रदर्शन पर सकारात्मक और उपयोगी प्रतिक्रिया देते हैं। जैसे, कला कक्षा में किसी पेंटिंग की अच्छी बातों की तारीफ करते हुए सुधार के सुझाव देना, ताकि छात्र अपने कौशल को और बेहतर बना सकें।
8. **प्रदर्शन का आकलन (Accessing Performance):** इस चरण में यह जांचा जाता है कि छात्र ने विषय को कितना अच्छे से सीखा है। जैसे, गणित कक्षा में एक छोटी क्विज लेकर यह सुनिश्चित करना कि छात्र मौलिक अवधारणाओं को समझ चुके हैं, ताकि आगे बढ़ा जा सके।
9. **सामान्यीकरण (Generalisation):** अंत में, छात्रों को यह याद रखने की आवश्यकता है कि उन्होंने क्या सीखा है और उन्हें इसे नई स्थितियों में लागू करने में सक्षम होना चाहिए। आइए एक व्यवसाय अध्ययन (business studies) कक्षा पर विचार करें जहां छात्र विपणन कौशलों के बारे में सीख रहे हैं। छात्र सैमसंग या एप्पल जैसे लोकप्रिय

ब्रांड के लिए एक सफल विज्ञापन अभियान का विश्लेषण कर सकते हैं और इस पर चर्चा कर सकते हैं कि कंपनी ने अपने दर्शकों को कैसे प्रभावी रूप से आपना लक्ष्य (target) बनाया, सोशल मीडिया प्लेटफॉर्म का कैसे उपयोग किया और ब्रांड की एक पहचान बनाई।

अनुभवात्मक अधिगम सिद्धांत (Experiential Learning Theory)

प्रस्तावक: डेविड कोलब

अनुभवात्मक अधिगम सिद्धांत (ELT) यह सुझाव देता है कि व्यक्ति सबसे अच्छा तब सीखते हैं जब वे अध्ययन प्रक्रिया में सक्रिय रूप से शामिल होते हैं, बजाय इसके कि वे जानकारी को निष्क्रिय रूप से प्राप्त करें। इस सिद्धांत के अनुसार, व्यक्ति ज्ञान और कौशल सिर्फ पारंपरिक तरीकों - जैसे पढ़ने या सुनने से ही नहीं, सीधे अनुभवों से सीखते हैं। जैसे स्कूल के विज्ञान प्रयोग होते थे, वही है ELT!

कोलब का अधिगम चक्र (Kolb's Learning Cycle)

कोलब का अधिगम चक्र कदम-दर-कदम मार्गदर्शिका की तरह है, जो यह दिखाता है कि हम नई चीजें कैसे सीखते हैं और समय के साथ उन्हें कैसे बेहतर करते हैं। इसे शैक्षिक सिद्धांतकार डेविड कोलब ने विकसित किया। यह चक्र उन कदमों की एक शृंखला को दर्शाता है, जिनसे व्यक्ति सामान्यत: नई क्षमताओं या अवधारणाओं को सीखते समय गुजरते हैं। कोलब के अनुसार, अधिगम चक्र को चार कदमों में विभाजित किया जा सकता है। इन्हें समझने के लिए हम एक उदाहरण लेते हैं। रवि शास्त्री जी एक कॉलेज में सहायक प्रोफेसर के रूप में एक नई नौकरी शुरू कर रहे हैं।

1. **ठोस अनुभव (Concrete Experience - CE):** रवि शास्त्री जी तब ठोस अनुभव प्राप्त करते हैं जब वे अपने नए काम में नए हालात का सामना करते हैं। जैसे, पहली बार कक्षा में प्रवेश करना, छात्रों से मिलना और व्याख्यान देना। यह उनका प्रत्यक्ष अनुभव है।
2. **विचारात्मक अवलोकन (Reflective Observation - RO):** प्रत्येक व्याख्यान के बाद, वे इस पर विचार करते हैं कि उनकी पढ़ाने की शैली कैसी रही, कौन-सी चीजें अच्छी रहीं और क्या सुधार की जरूरत है। यह विचारात्मक अवलोकन उन्हें अनुभवों से सीखने और बेहतर बनने में मदद करता है।
3. **अमूर्त अवधारणा का निर्माण (Abstract Conceptualisation - AC):** अपने विचार-विमर्श के आधार पर, वे नई शिक्षण विधियां और आइडिया तैयार करते हैं। जैसे, छात्रों की रुचि बनाए रखने के लिए फिल्मों का उपयोग करना या कक्षा में बहस आयोजित करना। यह उनके शिक्षण को अधिक मजेदार और इंटरैक्टिव बनाने में मदद करता है।
4. **सक्रिय प्रयोग (Active Experimentation - AE):** अब, ये नए विचार आजमाने का समय है। वे कक्षा में विषय से जुड़ी फिल्म दिखाते हैं, छात्रों को बहस में भाग लेने के लिए प्रोत्साहित करते हैं और उनकी प्रतिक्रियाओं को देखते हैं। इस सक्रिय प्रयोग से, वे समझते हैं कि कौन-सी विधियां सबसे प्रभावी हैं और तदनुसार अपनी शिक्षण शैली को सुधारते हैं।

यह चक्र चलता रहता है क्योंकि रवि शास्त्री जी हर चरण से सीखते हैं, सोचते हैं और अपने पढ़ाने के तरीकों को बेहतर बनाते हैं। उनका लक्ष्य है अपने छात्रों के लिए पढ़ाई का एक अच्छा और प्रभावी माहौल तैयार करना।

इसे एक और उदाहरण से समझते हैं। सुश्री सुरेली सूरी शास्त्रीय संगीत सीखना चाहती हैं। पहले, वह सरगम सीखती हैं और गाने का अभ्यास करती हैं। यह 'ठोस अनुभव' (Concrete Learning) है। फिर, वह जानती हैं कि उन्होंने कैसा गाया। इसके लिए, वह अपनी रिकॉर्डिंग सुनती हैं या गुरुजी से सलाह लेती हैं। यह 'विचारात्मक अवलोकन' (Reflective Observation) है। जो बातें वह नोट करती हैं, उनसे वह अपने गाने को बेहतर बनाना सीखती हैं। जैसे, अपनी आवाज बदलना, ऊंचे या नीचे सुर आजमाना, या साँस लेने का अभ्यास करना। यह 'अमूर्त अवधारणा का निर्माण' (Abstract Conceptualisation) है। अंत में, वह जो सीखा है, उसे अपने अगले गानों में प्रयोग करती हैं। यह 'सक्रिय प्रयोग' (Active Experimentation) है।

तालिका 2.2 कोलब का अधिगम चक्र

चरण	विवरण
ठोस अनुभव	नई गतिविधि में शामिल होना या नई स्थिति का सामना करना
विचारात्मक अवलोकन	अनुभव और जो सीखा गया उस पर चिंतन करना
अमूर्त अवधारणा का निर्माण	अनुभव के आधार पर विचार और अवधारणाएँ बनाना
सक्रिय प्रयोग	वास्तविक जीवन की स्थितियों में नए विचारों या रणनीतियों को आजमाना

आइए हम अनुभवात्मक अधिगम सिद्धांत से संबंधित कुछ महत्वपूर्ण शब्दों पर नजर डालते हैं:

डेविड कोलब की अधिगम की शैलियाँ, जिन्हें संक्षिप्त नाम DACA (तालिका 2.3) द्वारा दर्शाया गया है, अधिगम के चार अलग-अलग तरीकों को रेखांकित करती हैं, जो इस बात पर आधारित हैं कि व्यक्ति किस तरह से जानकारी को संसाधित करना और उससे बातचीत करना पसंद करते हैं। इन शैलियों का विवरण नीचे दिया गया है:

1. **विभाजन (Diverging):** विभाजन (विचलन) करने वाले शिक्षार्थी रचनात्मक और कल्पनाशील होते हैं, विचारों को उत्पन्न करने और संभावनाओं की खोज करने में माहिर होते हैं। वे स्थितियों को कई दृष्टिकोणों से देखना पसंद करते हैं, अक्सर विचार-मंथन और खुले विचारों वाली सोच पर ध्यान केंद्रित करते हैं।
2. **समायोजन (Assimilating):** समायोजन करने वाले शिक्षार्थी जानकारी का विश्लेषण और संश्लेषण करने पर ध्यान केंद्रित करते हैं। वे डेटा को तार्किक रूप से समझने और व्यवस्थित करने में माहिर होते हैं, अक्सर पारस्परिक बातचीत पर सैद्धांतिक अवधारणाओं और विचारों को प्राथमिकता देते हैं।
3. **एकीकरण (Converging):** अभिसारी शिक्षार्थी व्यावहारिकता और समस्या-समाधान पर जोर देते हैं। वे सिद्धांतों और अवधारणाओं को वास्तविक दुनिया की स्थितियों पर लागू करना पसंद करते हैं, अक्सर समाधान विकसित करने या ठोस परिणाम बनाने के लिए अपने ज्ञान का उपयोग करते हैं।
4. **अनुकूलन (Accommodating):** अनुकूलन करने वाले शिक्षार्थी अनुकूलनीय और क्रिया-उन्मुख होते हैं। वे व्यावहारिक अनुभव पसंद करते हैं और सख्त तार्किक तर्क के बजाय अंतर्ज्ञान पर भरोसा करते हैं।

तालिका 2.3 कोलब के अधिगम चक्र में DACA

	सक्रिय प्रयोग (करना)	विचारात्मक अवलोकन (देखना)
ठोस अनुभव (भावना)	अनुकूलन (AC/AE)	विभाजन (CE/RO)
अमूर्त अवधारणा का निर्माण	एकीकरण (AC/AE)	समायोजन (CE/AE)

FWTD: FWTD का अर्थ है अनुभवात्मक अधिगम की चार मुख्य प्रक्रियाएँ:

1. **महसूस करना (Feeling):** सीखते समय भावनाओं और अनुभवों को महसूस करना।
2. **देखना (Watching):** आस-पास क्या हो रहा है, इसका अवलोकन करना और उस पर ध्यान देना।
3. **सोचना (Thinking):** विचारों और जानकारी को समझने और गहराई से सोचने के लिए दिमाग का इस्तेमाल करना।
4. **करना (Doing):** गतविधियों में शामिल होना और सक्रिय प्रयोग के माध्यम से विचारों को अभ्यास में लाना।

कोलब के मॉडल के लाभ (Benefits of Kolb's Model)

कोलब का अनुभवात्मक अधिगम मॉडल कई लाभ प्रदान करता है:

1. **अधिगम के बेहतर परिणाम (Enhanced Learning Outcomes):** यह मॉडल अधिगम की अलग-अलग शैलियों और प्रक्रियाओं को शामिल करता है, जिससे गहरी समझ और बेहतर ज्ञान प्राप्त होता है।
2. **अनुकूलित शिक्षण (Customised Learning):** यह विभिन्न प्रकार के छात्रों की जरूरतों को पूरा करता है और उन्हें किसी भी स्तर पर शिक्षण प्रक्रिया शुरू करने की आजादी देता है।
3. **आलोचनात्मक सोच को बढ़ावा देना (Promotion of Critical Thinking):** यह छात्रों को सोचने, विश्लेषण करने और अपने ज्ञान को लागू करने के लिए प्रेरित करता है।
4. **अनुकूलनशीलता और नवाचार (Adaptability and Innovation):** यह ऐसा माहौल बनाता है जिसमें छात्र नई परिस्थितियों के अनुसार खुद को ढाल सकते हैं और रचनात्मक तरीके से समस्याओं का समाधान कर सकते हैं।

सिनेमैटिक कनेक्शन

फिल्म '*क्वीन*' (2013) अनुभवात्मक अधिगम का एक बेहतरीन उदाहरण है। इसमें रानी मेहरा (कंगना रनौत) की कहानी है, जिसकी शादी ऐन वक्त पर टूट जाती है। इस झटके से टूटने के बजाय, रानी अकेले ही यूरोप के अपने पूर्व-निर्धारित हनीमून पर जाने का फैसला करती है। यात्रा के दौरान, रानी नए लोगों से मिलती है और अलग-अलग अनुभवों से गुजरती है। ये अनुभव न केवल उसके दृष्टिकोण को चुनौती देते हैं, बल्कि उसे उसके आराम क्षेत्र से बाहर निकलने के लिए प्रेरित करते हैं। यह यात्रा अनुभव से सीखने की ताकत को दर्शाती है। रानी हर चुनौती को स्वीकार करती है और अपने अंदर छुपे आत्मविश्वास और समझ को विकसित करती है। फिल्म के अंत तक, वह पहले से कहीं अधिक मजबूत और आत्मनिर्भर बनकर उभरती है।

संज्ञानात्मक विकास सिद्धांत (Cognitive Development Theory – CDT)

प्रस्तावक: जीन पियाजे

संज्ञानात्मक विकास को समझने से पहले, हमें 'संज्ञान' (cognition) को समझना होगा। संज्ञान हमारे मस्तिष्क की वह क्षमता है, जो जानकारी को ग्रहण करता है, उसे समझता है और स्मृति में संग्रहीत करता है। जब आप नई चीजें सीखते हैं, समस्याओं को हल करते हैं, या अपने पसंदीदा गाने के बोल याद करते हैं, तो यह आपकी अद्‌भुत संज्ञानात्मक क्षमता का ही परिणाम है। यह प्रक्रिया हमारी सोच, अधिगम और याद रखने की शक्ति को दर्शाती है।

अब, संज्ञानात्मक विचारधारा वाले विद्वान मस्तिष्क को एक होशियार लाइब्रेरियन की तरह मानते हैं। जैसे लाइब्रेरियन किताबों को अच्छे से जमा और व्यवस्थित करता है, वैसे ही आपका मस्तिष्क भी जानकारी को संकलित और व्यवस्थित करता है। जब हम ऐसे चिंतन वाले विद्वानों की बात करते हैं, तो हम उस अद्‌भुत तरीके का पता लगा रहे होते हैं - जिसके द्वारा हमारा मस्तिष्क सोचता है, सीखता है और हमारे आसपास की हर चीज को समझता है। इस दृष्टिकोण में, अधिगम अक्सर व्याख्यानों और पाठ्यपुस्तकों को पढ़ने के माध्यम से होती है। इसके अलावा, आंतरिक (internal) और बाहरी (external) दोनों कारक अधिगम को प्रभावित कर सकते हैं।

उदाहरण के लिए मान लेते हैं, सादु शर्मा जी ने अपने सबसे अच्छे दोस्त से लड़ाई की और वह एक व्याख्यान में जाने से पहले बहुत चिड़चिड़े हैं। अब, उनके आंतरिक कारक (internal factor) चिड़चिड़ापन और गुस्सा के कारण, वह व्याख्यान में ध्यान केंद्रित नहीं कर पाएंगे। एक और उदाहरण में, सुश्री रूपा गुप्ता जी एक कक्षा में बैठी हैं जहाँ पंखे काम नहीं कर रहे और बाहर गर्मी और उमस है। अब, बाहरी कारक (external factor) उमस के कारण वह व्याख्यान में ध्यान नहीं लगा पाएंगी।

अधिगम पर इन कारकों का असर कम करने के लिए जीन पियाजे ने सुझाव दिया कि छात्र सवाल पूछें और अपने विचारों पर चर्चा करें। अगर कक्षा में ध्यान नहीं लग रहा है, तो सबसे अच्छा तरीका है कि आप शिक्षक से बात करें और सवाल पूछें। इससे आप कक्षा में सक्रिय रहेंगे। जीन पियाजे का संज्ञानात्मक विकास सिद्धांत बताता है कि बच्चे अपने आसपास की दुनिया के साथ तालमेल बिठाकर सीखते और आगे बढ़ते हैं। उनके सिद्धांत का मुख्य हिस्सा 'स्कीमा' (schema) है, जो सीखने और सोचने का एक तरीका है। आइए इसे सरल भाषा में समझते हैं:

स्कीमा (Schemas): स्कीमा हमारे दिमाग में चीजों को समझने के लिए बने हुए मानसिक बक्से जैसे होते हैं। इनमें हम जानकारी को जमा करते हैं और व्यवस्थित करते हैं। ये हमारे दिमाग में आपस में जुड़े हुए विचारों का एक समूह होता है।

उदाहरण के लिए, सोचिए कि आपके पास रेस्तरां में जाने का एक स्कीमा है। इसका अर्थ है कि आपको पता है, रेस्तरां में क्या होता है। आप पहले मेनू देखते हैं, फिर खाना ऑर्डर करते हैं, खाना खाते हैं और आखिर में बिल चुकाते हैं। जब भी आप किसी रेस्तरां में जाते हैं, तो आप अपने दिमाग में जमा इस क्रम का इस्तेमाल करते हैं और इससे इसे समझने में आसानी होती है।

पियाजे के सिद्धांत में, संज्ञानात्मक विकास के तीन मुख्य चरणों होते है। आइए हम एक बच्चे के उदाहरण से इन तीन चरणों को समझें, जो अभी-अभी जानवरों के बारे में सीखना शुरू किया है:

1. **संकलन (Assimilation):** यह तब होता है जब एक बच्चा नई जानकारी को समझने के लिए पहले से मौजूद स्कीमाओं का उपयोग

करता है। सरल शब्दों में, संकलन तब होता है जब एक बच्चा जो पहले से जानता है, उसी का उपयोग करके कुछ नया समझने की कोशिश करता है। उदाहरण के लिए, यदि एक बच्चा यह जानता है कि घोड़ा कैसा दिखता है और वह पहली बार जेबरा देखता है, तो वह यह सोच सकता है कि जेबरा बस एक अलग रंग का घोड़ा है।

2. **समायोजन (Accommodation):** यह तब होता है जब मौजूदा स्कीमाओं को नई जानकारी के अनुसार समायोजित या बदलने की आवश्यकता होती है, जो मौजूदा श्रेणियों में पूरी तरह फिट नहीं होती। सरल शब्दों में, समायोजन तब होता है जब जो बच्चा पहले से जानता है, वह नई चीज के साथ पूरी तरह से मेल नहीं खाती। उदाहरण के लिए, यदि एक बच्चा यह सीखता है कि जेबरा सिर्फ धारीदार घोड़े नहीं होते, बल्कि उनके अलग-अलग व्यवहार होते हैं और वे अलग-अलग आवासों में रहते हैं, तो वह इस नई जानकारी को अपनाते हुए जेबरा के बारे में अपनी समझ को सुधारता है।
3. **संतुलन (Equilibration):** यह वह तरीका है जिससे बच्चे अपने पहले से जो जानते हैं (संकलन) और नए विचारों को बदलने (समायोजन) के बीच संतुलन बनाते हैं, जब वे नई जानकारी का सामना करते हैं। यह उन्हें बढ़ने और उनके आसपास की दुनिया को बेहतर तरीके से समझने में मदद करता है।

आइए हम इस सिद्धांत का संक्षेप में एक उदाहरण के माध्यम से समझते हैं। उदाहरण के लिए, जब एक बच्चा विभिन्न जानवरों, जैसे कि जेबरा और घोड़े के बारे में सीखता है, तो वह शुरू में सोच सकता है कि वे सभी एक ही तरह के जानवर हैं (संकलन)। लेकिन जैसे-जैसे वह प्रत्येक जानवर की आदतों और उनके वातावरण के बारे में अधिक जानकारी प्राप्त करता है (समायोजन), वह अपनी समझ को इस प्रकार समायोजित करता है कि वह उन्हें अलग-अलग पहचान सके। पियाजे के अनुसार, इन्हीं प्रक्रियाओं के माध्यम से बच्चे सीखते हैं और दुनिया के बारे में अपनी समझ को विकसित करते हैं।

पियाजे के संज्ञानात्मक विकास के चरण (Piaget's Stages of Cognitive Development)

पियाजे के संज्ञानात्मक विकास के सिद्धांत में चार चरणों का उल्लेख किया गया है, जिनसे हमारे मस्तिष्क का विकास और वृद्धि होती है:

1. **संवेदी अवधि (Sensorimotor Period) (0-2 वर्ष):** इस चरण में, बच्चे अपने इंद्रियों का उपयोग करके दुनिया के बारे में सीखते हैं, जैसे खिलौनों को छूना या भोजन का स्वाद लेना। उदाहरण के लिए, जब एक बच्चा रंगीन खिलौना देखता है, तो वह उसकी बनावट को जानने के लिए उसे छू सकता है और उसके द्वारा उत्पन्न होने वाली आवाज सुनने के लिए उसे हिलाता है।
2. **पूर्व-प्रचालन अवधि (Preoperational Period) (2-7 वर्ष):** इस समय के दौरान, बच्चे अपने शब्दों का उपयोग करके अपनी दुनिया के बारे में बात करना शुरू करते हैं और उसे समझने की कोशिश करते हैं। उन्हें काल्पनिक खेल पसंद होते हैं और वे एक लकड़ी की छड़ी को एक तलवार या एक केला को एक टेलीफोन मान सकते हैं। हालांकि, वे यह मानते हैं कि हर कोई उसी तरह सोचता और महसूस करता है जैसे वे सोचते हैं। उदाहरण के लिए, यदि वे ट्रेनों के साथ खेलना पसंद करते हैं, तो वे यह मानते हैं कि हर कोई इसे पसंद करता है, बिना यह समझे कि दूसरों को विभिन्न खिलौने पसंद आ सकते हैं।
3. **प्रचालन अवधि (Concrete Operational Period) (7-11 वर्ष):** बच्चे उन चीजों के बारे में सोचना सीखते हैं, जिन्हें वे देख और छू सकते हैं। उदाहरण के लिए, वे समझते हैं कि अगर आप एक छोटे, चौड़े गिलास का पानी एक लंबे, पतले गिलास में डालें, तो पानी की मात्रा नहीं बदलती। वे यह भी समझते हैं कि अगर आपके पास तीन कुकीज हैं और आप एक खा लें, तो दो बचती हैं।
4. **औपचारिक प्रचालन अवधि (Formal Operational Period) (11 वर्ष और उससे अधिक):** किशोर वे चीजें सोचना शुरू करते हैं जिन्हें वे नहीं देख सकते या छू सकते। वे यह सोच सकते हैं कि मंगल ग्रह पर रहना कैसा होगा या किसी समस्या को हल करने के लिए विभिन्न तरीकों की कल्पना कर सकते हैं। वे न्याय या स्वतंत्रता जैसे अमूर्त विचारों के बारे में भी सोचने लगते हैं, और निर्णय लेने से पहले विभिन्न दृष्टिकोणों पर विचार करते हैं। उदाहरण के लिए, वे यह सोच सकते हैं कि नियम क्यों बनाए जाते हैं और क्या वे सभी के लिए उचित हैं।

CDT से संबंधित मुख्य शब्द (Key Terms Related to CDT)

1. **अहंकेंद्रवाद (Egocentrism):** यह विशेषता संज्ञानात्मक विकास के पूर्व-प्रचालन चरण में सबसे प्रमुख होती है, जो लगभग 2 से 7 वर्ष की आयु के बीच होती है।

   छोटे बच्चे अक्सर दुनिया को केवल अपनी दृष्टि से देखते हैं। उदाहरण के लिए, अगर एक बच्चा एक खिलौने से खेल रहा है और उनका दोस्त भी उस खिलौने से खेलना चाहता है, तो बच्चा यह नहीं समझ पाएगा कि दोस्त क्यों नाराज है जब वह खिलौना साझा करने से मना कर देता है। वह अपने दोस्त के दृष्टिकोण से चीजों को देखना मुश्किल पाते हैं, केवल अपने खुद के खिलौने के साथ खेलने की इच्छा पर ध्यान केंद्रित करते हैं। यह है अहंकेंद्रवाद, और यह संज्ञानात्मक विकास के शुरुआती चरणों में एक सामान्य गुण है।
2. **वस्तु स्थायित्व (Object Permanence):** यह सिद्धांत संवेदी-गति चरण (Sensorimotor Stage) के दौरान विकसित होता है, जो जन्म से लेकर लगभग दो साल की उम्र तक होती है। वस्तु स्थायित्व सामान्यत: 8 से 12 महीने की उम्र के आसपास विकसित होता है।

   यह वह समय होता है जब बच्चा यह सीखता है कि वस्तुएं तब भी मौजूद रहती हैं, जब वे उन्हें नहीं देख पाते। एक बच्चे के साथ छुपन-छुपाई का खेल सोचिए। जब आप छिपते हैं, तो बच्चा सोच सकता है कि आप गायब हो गए हैं। हालांकि, जब वह वस्तु स्थायित्व विकसित (Object Permanence) करता है, तो वह समझता है कि आप अभी भी वहीं हैं, हालांकि वह आपको देख नहीं सकते। यह आमतौर पर शिशु अवस्था में, लगभग 8-12 महीने की उम्र के आसपास होता है।
3. **संरक्षण (Conservation):** संरक्षण की समझ ठोस परिचालन चरण (Concrete Operational Stage) के दौरान विकसित होती है, जो लगभग 7 से 11 वर्ष की आयु के बीच होता है। इस चरण के दौरान, बच्चे यह समझने लगते हैं कि मात्रात्मकता तब भी नहीं बदलती, जब उसकी रूपरेखा बदल जाती है।

   यह समझ है कि वस्तुओं की कुछ गुण, जैसे उनका आयतन, संख्या या द्रव्यमान, उसी तरह बने रहते हैं, भले ही उनका रूप बदल जाए। उदाहरण के लिए, अगर आप पानी को एक छोटे, चौड़े गिलास से एक लंबे, पतले गिलास में डालते हैं, तो एक बच्चा जिसे संरक्षण की समझ नहीं है, वह यह सोच सकता है कि लंबे गिलास में ज्यादा पानी है क्योंकि वह भरा हुआ लगता है। हालांकि, जो बच्चा संरक्षण

की समझ रखता है, वह जानता है कि पानी की मात्रा वही रहती है, चाहे गिलास का आकार कुछ भी हो।

संज्ञानात्मक विकास सिद्धांत में लेव विकोट्स्की का योगदान (Lev Vygotsky's Contribution to CDT)

प्रमुख मनोवैज्ञानिक लेव विकोट्स्की ने संज्ञानात्मक विकास के बारे में हमारी समझ में महत्वपूर्ण योगदान दिया। उनके सिद्धांतों में सामाजिक इंटरएक्शन और सांस्कृतिक संदर्भ की शिक्षा में महत्वपूर्ण भूमिका पर जोर दिया गया है। यहां विकोट्स्की के सिद्धांत से कुछ प्रमुख अवधारणाएँ दी गई हैं:

1. **सामाजिक इंटरएक्शन (Social Interaction):** विकोट्स्की का मानना था कि संज्ञानात्मक विकास के लिए सामाजिक इंटरएक्शन अत्यंत आवश्यक है। बच्चे, अधिक ज्ञान वाले व्यक्तियों, जैसे माता-पिता, शिक्षक और सहपाठियों के साथ इंटरएक्शन के माध्यम से सीखते हैं।
2. **निकटवर्ती विकास क्षेत्र (Zone of Proximal Development - ZPD):** यह अवधारणा उस अंतर को दर्शाती है - जो एक बच्चा अकेले कर सकता है, और जो वह मार्गदर्शन के साथ प्राप्त कर सकता है। ZPD उन कार्यों का प्रतिनिधित्व करता है जिन्हें बच्चा स्वतंत्र रूप से नहीं कर सकता, लेकिन सहायता प्राप्त करने पर वह उन्हें पूरा कर सकता है।
3. **स्कैफोल्डिंग (Scaffolding):** यह अवधारणा बच्चों को नई चीजें सीखने में अस्थायी समर्थन देने और फिर जैसे-जैसे वे अधिक सक्षम होते जाते हैं, इस समर्थन को धीरे-धीरे हटाने की प्रक्रिया को दर्शाती है। उदाहरण के लिए, जब एक बच्चा साइकिल चलाना सीखता है, तो एक माता-पिता पहले साइकिल को स्थिर रखता है, फिर उसे छोड़ देते हैं लेकिन पास में रहते हैं, और अंत में बच्चे को स्वतंत्र रूप से साइकिल चलाने की अनुमति देते हैं - जब वह आत्मविश्वास और कौशल प्राप्त कर लेता है।
4. **जाँचना (Probing):** जाँचने में सवाल पूछने की प्रक्रिया शामिल होती है, जिसका उद्देश्य गहरे सोचने और समझने को प्रेरित करना होता है। उदाहरण के लिए, एक विज्ञान प्रयोग के दौरान, एक वयस्क व्यक्ति बच्चों से यह सवाल पूछ सकते हैं, 'अगर हम बेकिंग सोडा में और सिरका डालें तो क्या होगा?' यह सवाल बच्चे को भविष्यवाणी करने और कारण-प्रभाव के बारे में आलोचनात्मक रूप से सोचने के लिए प्रेरित करता है।
5. **थिंक आउट अलाउड (Think Out Aloud):** यह तकनीक समस्या को हल करते समय अपने विचारों को जोर से कहने की प्रक्रिया है। उदाहरण के लिए, एक शिक्षक जब बोर्ड पर गणित का सवाल हल कर रहा होता है, तो वह कह सकता है, 'पहले, मैं इन दोनों संख्याओं को जोड़ूंगा, और फिर इसे घटाऊंगा।' यह छात्रों को शिक्षक के विचार प्रक्रिया को समझने में मदद करता है और उन्हें वे रणनीतियाँ सिखाता है जिन्हें वे स्वयं इस्तेमाल कर सकते हैं।

सहायक शिक्षण सिद्धांत (Cooperative Learning Theory - CLT)

प्रस्तावक: जॉन ड्यूई

सहायक शिक्षण सिद्धांत एक शैक्षिक दृष्टिकोण है, जिसमें छात्र छोटे समूहों में एक साथ काम करते हैं ताकि वे शैक्षिक लक्ष्य को प्राप्त कर सकें। समूह के प्रत्येक सदस्य की न केवल अपनी सीखने की जिम्मेदारी होती है, बल्कि अपने साथियों को भी सीखने में मदद करनी होती है, जिससे एक सहायक वातावरण बनता है। उदाहरण के लिए, एक विज्ञान कक्षा में, छात्रों को पारिस्थितिकी तंत्र (ecosystems) पर एक प्रोजेक्ट पूरा करने के लिए छोटे समूहों में बांटा जा सकता है। प्रत्येक छात्र एक अलग भूमिका निभाता है, जैसे शोधकर्ता, रेकॉर्डर, या प्रस्तुतकर्ता, और वे सभी मिलकर जानकारी एकत्र करते हैं, एक प्रस्तुति तैयार करते हैं और अपनी खोजों के बारे में कक्षा को सिखाते हैं।

सहकारी शिक्षण सिद्धांत शिक्षा में निर्माणवादी सोच से गहरे रूप से जुड़ा हुआ है। निर्माणवाद यह मानता है कि शिक्षक का कार्य छात्रों को अनुभवों और दुनिया के साथ बातचीत के माध्यम से उनके स्वयं के ज्ञान और समझ को सक्रिय रूप से निर्माण करने में मदद करना है।

निकटवर्ती विकास क्षेत्र (Zone of Proximal Development - ZPD)

सहायक शिक्षण सिद्धांत, जो निर्माणवाद का हिस्सा है, विकोट्स्की द्वारा प्रस्तावित निकटवर्ती विकास क्षेत्र (ZPD) के अवधारणा को संबोधित करता है (जिसे इस पृष्ठ पर समझाया गया है)। ZPD उस अंतर को दर्शाता है जो छात्र स्वतंत्र रूप से कर सकते हैं और जो वे मार्गदर्शन और सहयोग के साथ प्राप्त कर सकते हैं। सहकारी समूहों में, छात्र मिलकर समस्याओं को हल करने और एक-दूसरे की शिक्षा को समर्थन देने के लिए काम करते हैं, इस प्रकार वे सहकर्मियों के साथ इंटरएक्शन और सहायता के माध्यम से अपने व्यक्तिगत ZPD को जोड़ते हैं।

सहायक शिक्षा सिद्धांत के तत्व (Elements of Cooperative Learning Theory)

1. **सकारात्मक परस्पर निर्भरता (Positive Interdependence):** इसका अर्थ है कि एक समूह में प्रत्येक सदस्य की सफलता समूह की सामग्रिक सफलता से जुड़ी होती है। छात्र महसूस करते हैं कि कार्य को पूरा करने के लिए उन्हें एक-दूसरे की आवश्यकता होती है।
2. **व्यक्तिगत और सामूहिक जिम्मेदारी (Individual and Group Accountability):** प्रत्येक छात्र अपनी सीखने की प्रक्रिया के लिए और समूह की सफलता में योगदान देने के लिए जिम्मेदार होता है। व्यक्तिगत और सामूहिक प्रदर्शन - दोनों का मूल्यांकन किया जाता है।
3. **अंतरव्यक्तिक और छोटे समूह कौशल (Interpersonal and Small Group Skills):** छात्रों को संवाद, नेतृत्व और समस्याओं का समाधान जैसे कौशल विकसित करने और उनका उपयोग करने की आवश्यकता होती है, ताकि वे समूहों में प्रभावी ढंग से काम कर सकें।
4. **आमने-सामने प्रेरक संवाद (Face-to-Face Promotive Interaction):** छात्र सीधे संवाद के माध्यम से एक-दूसरे की सीखने में मदद करते हैं और उनका उत्साह बढ़ाते हैं। वे अवधारणाओं को समझाते हैं, विचारों पर चर्चा करते हैं और एक-दूसरे को प्रतिक्रिया प्रदान करते हैं।
5. **समूह प्रक्रिया (Group Processing):** समूह नियमित रूप से अपनी प्रदर्शन पर विचार करते हैं और अपने सहयोग और प्रभावशीलता में सुधार के तरीकों की पहचान करते हैं। इसमें यह

चर्चा करना शामिल है कि क्या अच्छा हुआ और भविष्य के समूह गतिविधियों में क्या सुधार किया जा सकता है।

व्यवहारिक अधिगम सिद्धांत (Behavioural Learning Theory)

प्रस्तावकः जॉन बी. वॉटसन, बी. एफ. स्किनर

बी. एफ. स्किनर द्वारा प्रस्तुत व्यवहारिक अधिगम सिद्धांत यह समझने में मदद करता है कि व्यवहार कैसे प्राप्त होते हैं और सीखे जाते हैं - विशेष रूप से पुरस्कार और दंड के माध्यम से। यह सिद्धांत मानता है कि सीखने में और व्यवहार में बदलाव लाने में परिणामों का महत्व होता है।

व्यवहारवाद से संबंधित प्रमुख शब्द (Key Terms related to Behaviouralism)

1. **उत्तेजना (Stimulus):** उत्तेजना वह कोई भी चीज होती है जो पर्यावरण में एक जीव से प्रतिक्रिया या प्रत्युत्तर उत्पन्न करती है। उदाहरण: कल्पना करें कि आपका फोन बजता है (उत्तेजना)। यह आवाज आपको अपना फोन उठाने के लिए प्रेरित करती है (प्रत्युत्तर)।
2. **प्रत्युत्तर (Response):** प्रत्युत्तर वह व्यवहार है जो किसी जीव द्वारा उत्तेजना के प्रत्युत्तर स्वरूप प्रदर्शित किया जाता है। उदाहरण: जब आप अपना अलार्म घड़ी सुनते हैं (उत्तेजना), आप जागते हैं और उसे बंद करते हैं (प्रत्युत्तर)।
3. **दंड (Punishment):** दंडा उन परिणामों को कहा जाता है जो किसी व्यवहार के दोबारा होने की संभावना को कम कर देते हैं। उदाहरणः यदि एक बच्चा गुस्से में आकर तांडव करता है (व्यवहार), और माता-पिता उसे कमरे में बंद कर देते हैं (दंड), तो बच्चा सीखता है कि गुस्से में तांडव करने से अप्रिय परिणाम होते हैं और भविष्य में यह व्यवहार कम कर सकता है।
4. **पुरस्कार (Reward)/जिसे सुदृढ़न भी कहा जाता है (also known as Reinforcement):** पुरस्कार वह परिणाम होता है जो किसी व्यवहार के दोबारा होने की संभावना को बढ़ाता है।

   उदाहरणः यदि एक छात्र अपना होमवर्क पूरा करता है (व्यवहार) और अपने शिक्षक से सराहना प्राप्त करता है (पुरस्कार), तो छात्र की अपना होमवर्क जारी रखने की संभावना ज्यादा है।

कल्पना करें कि आप 'बडी' नामक कुत्ते को स्किनर के सिद्धांतों का उपयोग करके बैठने के आदेश पर प्रशिक्षित कर रहे हैं:

- **उत्तेजनाः** आप कहते हैं 'बैठो, बडी!'।
- **प्रतिक्रियाः** कुत्ता बैठ जाता है।
- **पुरस्कारः** आप कुत्ते को एक ट्रीट देते हैं।

इस प्रक्रिया के माध्यम से:

- **व्यवहारः** आदेश पर बैठना की संभावना अधिक होती है क्योंकि कुत्ता इसे पुरस्कार मिलने से जोड़ता है (सकारात्मक सुदृढ़न)।
- **अधिगमः** कुत्ता यह सीखता है कि आदेश पर बैठने से पुरस्कार मिलता है, इसलिए भविष्य में इस व्यवहार उसकी को दोहराने की संभावना अधिक होती है।

आइए एक वास्तविक जीवन उदाहरण पर विचार करें जो कार्यस्थल में प्रदर्शन से संबंधित है। किसी एक आईटी कंपनी के कर्मचारी टोटो रॉय जी कसी नए सॉफ्टवेयर टूल पर एक प्रशिक्षण सत्र में भाग ले रहे हैं। सत्र के दौरान, प्रशिक्षक प्रतिभागियों से सॉफ्टवेयर का उपयोग करके एक विशेष कार्य करने के लिए कहते हैं। टोटो जी सफलतापूर्वक कार्य पूरा करते हैं। प्रशिक्षक तुरंत कहते हैं, 'शानदार काम, टोटो जी।' इससे टोटो जी को खुशी होती है। सभी को प्रोत्साहन और सराहना पसंद होती है। यह प्रोत्साहन उन्हें और मेहनत करने के लिए प्रेरित करता है। समय के साथ, वह उस सॉफ्टवेयर का उपयोग करने में माहिर हो जाते हैं।

व्यवहारवाद की विशेषताएँ (Features of Behaviouralism)

1. **उत्तेजना के प्रति प्रतिक्रिया को सकारात्मक पुरस्कार द्वारा सुदृढ़ किया जाता है (Response to a Stimulus is Reinforced When Followed by a Positive Rewarding Effect):** जब आप किसी बाहरी तत्व (जैसे एक प्रश्न का उत्तर देना) के जवाब में कुछ प्रतिक्रिया करते हैं, और उसके बाद सकारात्मक पुरस्कार (जैसे सराहना) मिलता है, तो आप इसे फिर से करने की संभावना रखते हैं। ऊपर दिए गए उदाहरण में, टोटो जी अधिक प्रश्नों का उत्तर देने के लिए प्रेरित होंगे ताकि उन्हें फिर से सराहना मिल सके।
2. **अभ्यास और पुनरावृत्ति का महत्व (Role of Drills and Practice):** अभ्यास और पुनरावृत्ति सीखने को सुदृढ़ करने और कौशल को सुधारने के लिए आवश्यक होते हैं। गणित कक्षा में, अभ्यास के दौरान गुणा तालिकाओं को बार-बार दोहराना शामिल हो सकता है, ताकि उन्हें याद किया जा सके और जल्दी से बोला जा सके। हर सही उत्तर पर छात्र को सराहना या स्टिकर दिया जा सकता है। यह सकारात्मक सुदृढ़न छात्र को अभ्यास करने के लिए प्रेरित करेगा, जिससे गुणा समस्याओं को हल करने में सटीकता और गति बढ़ेगी।
3. **दूसरों को देखना और नकल करना (Observing and Copying Others):** व्यवहारवादी यह मानते हैं कि हम दूसरों को देखकर और उनकी नकल करके भी सीखते हैं। मान लीजिए आप देखते हैं कि आपके दोस्त को किसी अन्य छात्र की मदद करने पर सराहा जा रहा है। आप इससे सीख सकते हैं और दूसरों की मदद करना शुरू कर सकते हैं क्योंकि आप भी वही सराहना चाहते हैं। यह वैसे ही है जैसे जब आप अपने दोस्त को नई डांस मूव्स सीखते हुए देखते हैं और आप भी उसे आजमाना चाहते हैं।

प्रानुकूलन के प्रकार (Types of Conditioning)

जो हम अपने आस-पास की दुनिया से सीखते हैं उसके आधार पर हमारे मन को विशिष्ट तरीकों से प्रतिक्रिया देने के लिए सिखाने की प्रक्रिया को प्रानुकूलन (Conditioning) कहा जाता है। उदाहरण के लिए, कुछ देशों में जैसे भारत में, पुरुषों के लिए यह सांस्कृतिक प्रानुकूलन होती है कि वे रोएं नहीं। कल्पना करें कि एक लड़का ऐसी संस्कृति में बड़ा हो रहा है - जब वह चोटिल होता है या दुखी महसूस करता है, तो वह आंसू रोकने के लिए सीखता है क्योंकि उसे 'मजबूत रहो' या 'पुरुष की तरह बर्ताव करो' कहा जाता है।

जब वह बार बार वैसी परिस्थितियों का सामना करता है, तो यह विचार मजबूत होता जाता है, और वह आंसू रोकने के लिए स्वचालित रूप से सीख

जाता है, भले ही वह दुखी हो। हमारे अनुभवों से सीखना, और जो हमें सिखाया जाता है और समाज में जो हम देखते हैं - उसके आधार पर अपनी प्रतिक्रियाएं बदलना - यही प्रानुकूलन है। अब हम व्यवहारवाद से संबंधित प्रानुकूलन के दो प्रकारों के बारे में जानेंगे।

1. **संचालक प्रानुकूलन (Operant Conditioning) - बी. एफ. स्किनर द्वारा दिया गया:** इसे 'स्किनर बॉक्स' भी कहा जाता है। संचालक प्रानुकूलन वह तरीका है जिसके माध्यम से हमारा मस्तिष्क हमारे कार्यों के परिणामों से सीखता है। उदाहरण के तौर पर, एक छात्र को हर बार सराहा जाता है जब वह अपना होमवर्क पूरा करता है। जब वह 'शानदार काम!' या 'बहुत अच्छा!' सुनता है, तो वह खुश होता है और गर्व महसूस करता है। समय के साथ, वह होमवर्क करने को अच्छा महसूस करने से जोड़ता है क्योंकि उसे सराहना मिलती है। इसे सकारात्मक सुदृढ़न कहा जाता है - यह अच्छा काम करने के लिए एक पुरस्कार जैसा है। इसलिए, क्योंकि उसे सराहना पसंद है, वह होमवर्क करने के लिए और अधिक प्रेरित होता है। यही संचालक प्रानुकूलन है - हम चीजें करते हैं क्योंकि वे अच्छे परिणाम लाती हैं।
2. **पारंपरिक प्रानुकूलन (इवान पावलोव द्वारा दिया गया):** पारंपरिक प्रानुकूलन एक तरीका है जिससे हमारा मस्तिष्क एक साथ घटने वाले दो घटनाओं को जोड़ना सीखता है। उदाहरण के तौर पर, कल्पना करें कि हर बार जब आप अपना पसंदीदा स्नैक खाते हैं, तो आपकी पसंदीदा गाना बजता है। शुरुआत में, आप स्नैक और संगीत को अलग-अलग आनंद लेते हैं। लेकिन जब यह बार-बार होता है, तो आपका मस्तिष्क इन दोनों को जोड़ने लगता है, और अंततः, सिर्फ गाना सुनने से आपको वह स्नैक खाने की इच्छा होने लगती है! यह पारंपरिक प्रानुकूलन है - एक साथ होने वाली दो चीजों के बीच संबंध बनाना।

यह अधिगम की एक अवचेतन या स्वचालित प्रक्रिया है, जिसे रिफ्लेक्सिव या अनैच्छिक प्रानुकूलन भी कहा जाता है। उदाहरण के लिए, मान लीजिए आपके पास एक कुत्ता है। हर बार जब आप उसे खाना खाने के लिए बुलाते हैं, आप एक विशेष घंटी बजाते हैं। समय के साथ, कुत्ता घंटी की आवाज को खाने से जोड़ने लगेगा। यह जुड़ाव कुत्ते के अवचेतन स्तर पर होता है।

S-R अधिगम (S-R Learning): पारंपरिक प्रानुकूलन को S-R लर्निंग से जोड़ा जा सकता है। S-R (उत्तेजना-प्रतिक्रिया) सीखना एक प्रकार का अधिगम है, जिसमें एक विशेष उत्तेजना (जैसे घंटी बजाना) एक विशिष्ट प्रतिक्रिया (जैसे कुत्ते का भोजन लेने आना) से जुड़ी होती है। समय के साथ, जब उत्तेजना प्रस्तुत की जाती है, तो प्रतिक्रिया स्वचालित रूप से हो जाती है।

सिनेमैटिक कनेक्शन

आइए एक उदाहरण देखें, जो एक बहुत ही लोकप्रिय अमेरिकी सिटकॉम '*द ऑफिस*' (2005-2013) से लिया गया है। एक विशेष एपिसोड में, जिम अपने कंप्यूटर पर एक ध्वनि बजाता है और साथ ही, वह ड्वाइट को एक च्यूइंग गम देता है। वह यह क्रिया कई बार दोहराता है। अंत में, ड्वाइट यह सीखता है कि जिम से च्यूइंग गम प्राप्त करने को कंप्यूटर की ध्वनि से जोड़ा जाए। हर बार जब वह ध्वनि बजती है, तो वह अपना हाथ बढ़ाता है, यह उम्मीद करते हुए कि जिम उसे च्यूइंग गम देगा।

एडवर्ड ली थॉर्नडाइक के अधिगम के नियम (Edward Lee Thorndike's Laws of Learning)

एडवर्ड ली थॉर्नडाइक द्वारा अधिगम के तीन नियम दिए गए हैं:

1. **अभ्यास का नियम (Law of Exercise):** यह नियम कहता है कि जितना अधिक आप किसी चीज का अभ्यास करते हैं, उतना ही आप उसमें बेहतर होते जाते हैं। शिक्षण संदर्भ में, जब एक बाहरी तत्व और प्रतिक्रिया के बीच संबंध का अधिक अभ्यास किया जाता है, तो वह संबंध उतना ही मजबूत हो जाता है। उदाहरण के तौर पर, जब एक शिक्षक कक्षा में बार-बार प्रश्न पूछता है, तो छात्रों का ध्यान आकर्षित होने की संभावना अधिक होती है। सरल शब्दों में, हम कह सकते हैं कि सकारात्मक परिणाम (पुरस्कार) के साथ होने वाले व्यवहारों को दोहराया जाने की अधिक संभावना होती है। हालांकि, नकारात्मक परिणाम (दंड) के साथ होने वाले व्यवहारों को दोहराने की संभावना कम होती है।
2. **तत्परता का नियम (Law of Readiness):** अब, मान लीजिए कि एक स्कूल में छात्रों का पसंदीदा खेल अवधि अभी खत्म हुई है। अगली कक्षा में, छात्र किसी भी पुरस्कार के बावजूद शिक्षक द्वारा पूछे गए सवालों का जवाब देने के लिए इच्छुक या प्रेरित नहीं होंगे। इसलिए, छात्र की तत्परता या इच्छाशक्ति बहुत महत्वपूर्ण होती है।
3. **प्रभाव का नियम (Law of Effect):** जैसा कि हमने पहले चर्चा की थी, हम सभी स्टार जैसा महसूस करना चाहते हैं। इसलिए, जब हमें किसी प्रतिक्रिया के लिए पुरस्कार मिलता है, तो हम उन व्यवहारों को दोहराने की संभावना रखते हैं। और जब हमें प्रतिक्रिया के बाद दंड मिलता है, तो हम उन व्यवहारों से बचने की कोशिश करते हैं। उदाहरण के लिए, यदि आप एक सवाल का जवाब नहीं दे पाते, और बाद में शिक्षक आपको अपमानित करते हैं, तो आप शर्मिंदा महसूस करेंगे और अधिक ध्यान देने की कोशिश करेंगे।

सिनेमैटिक कनेक्शन

आइए इन तीनों नियमों को बॉलीवुड फिल्म *दंगल* (2016) के एक सरल उदाहरण से समझते हैं।

- **अभ्यास का नियम (Law of Exercise):** महावीर सिंह फोगट (आमिर खान) अपनी बेटियों को कुश्ती में कड़ी मेहनत से प्रशिक्षित करते हैं। कुश्ती तकनीकों और अभ्यासों की पुनरावृत्ति समय के साथ उनके कौशल को मजबूत करती है - जो अभ्यास के नियम के अनुसार है।
- **तत्परता का नियम (Law of Readiness):** गीता और बबीता की कुश्ती सीखने की तत्परता उनके सफलता में एक महत्वपूर्ण कारक बन जाती है। उनकी वास्तविक रुचि और प्रशिक्षण में शामिल होने की इच्छाशक्ति उनके अधिगम में मदद करती है।
- **प्रभाव का नियम (Law of Effect):** जब गीता अपनी पहली अंतरराष्ट्रीय कुश्ती प्रतियोगिता जीतती है, तो सकारात्मक परिणाम (विजय) एक संतोषजनक परिणाम के रूप में कार्य करता है। यह सफलता उसे और अधिक दृढ़ संकल्प लेने की प्रेरणा देती है।

सामाजिक अधिगम सिद्धांत (Social Learning Theory – SLT)

प्रस्तावक: अल्बर्ट बंडुरा

सामाजिक अधिगम सिद्धांत यह कहता है कि हम अपने आसपास के लोगों से सीखते हैं, जैसे दोस्त, परिवार या यहां तक कि टीवी पर दिखाई देने वाले किरदारों से भी। यह सिद्धांत व्यवहार को आकार देने में सामाजिक इंटरएक्शन और रोल मॉडल के प्रभाव को महत्वपूर्ण मानता है। इसमें चार प्रमुख प्रक्रियाएँ हैं:

1. **ध्यान (Attention):** दूसरों के व्यवहार पर ध्यान देना, खासकर जब वे रोल मॉडल या प्रभावशाली व्यक्ति के रूप में देखे जाते हैं।
2. **पुन:प्राप्ति (Retention):** देखे गए व्यवहार को याद रखना और स्मृति में संचित करना।
3. **पुन:उत्पादन (Reproduction):** देखे गए व्यवहार को संबंधित संदर्भ में दोहराना। जैसे जो देखा गया है, उसे क्रिया में बदलना।
4. **प्रेरणा (Motivation):** व्यवहार के परिणाम या पुरस्कार - जो यह प्रभावित कर सकते हैं कि किसी व्यवहार को अपनाया और दोहराया जाएगा कि नहीं।

आत्म-प्रभावकारिता (Self-efficacy): आत्म-प्रभावकारिता अल्बर्ट बंडुरा के सामाजिक अधिगम सिद्धांत का एक भाग है। यह एक व्यक्ति की अपने कार्यों को पूरा करने और लक्ष्य प्राप्त करने की क्षमता में विश्वास को दर्शाती है। यह विश्वास दूसरों को सफल होते हुए देखने, प्रोत्साहन प्राप्त करने और व्यक्तिगत उपलब्धियों का अनुभव करने से प्रभावित होती है। उदाहरण के लिए, जब छात्र अपने साथियों को कठिन विषयों में सफलता हासिल करते हुए देखते हैं, तो वे अपने कौशल में विश्वास विकसित कर सकते हैं। इस विश्वास से उनका आत्मविश्वास बढ़ता है, जो प्रेरणा, धैर्य और समग्र सफलता में महत्वपूर्ण भूमिका निभाता है, और इसे शैक्षिक और व्यक्तिगत विकास में अहम माना जाता है।

सिनेमैटिक कनेक्शन

फिल्म द *पुर्सूट ऑफ हैपीनेस* (2008) में नायक क्रिस गार्डनर (विल स्मिथ द्वारा निभाया गया) अपनी यात्रा में सामाजिक अधिगम सिद्धांत के पहलुओं को प्रदर्शित करते हैं।

एक संघर्षरत एकल पिता क्रिस अपने आस-पास के सफल व्यवसायियों को देखते हैं और उनके व्यवहारों और दृष्टिकोणों से सीखते हैं। वह देखता है कि वे चुनौतियों का सामना कैसे करते हैं और किस तरह से दृढ़ रहते हैं। क्रिस उनके कठिन परिश्रम और सहनशीलता पर ध्यान देता है। वह इन उदाहरणों को याद रखता है और अपनी जिन्दगी में उन्हीं जैसा व्यवहार करने की कोशिश करता है। जब वह बेघर हो जाता है और अपनी जिन्दगी नई ऊर्जा लाने के लिए संघर्ष करता है, तब भी वह आगे बढ़ता है क्योंकि उसे दूसरों द्वारा हासिल की गई सफलता से प्रेरणा मिलती है। अंतत:, क्रिस अपना सपना पूरा करता है और एक सफल स्टॉकब्रोकर बनता है, जो यह दर्शाता है कि दूसरों से सीखने और दृढ़ रहने से सफलता मिल सकती है। यह सामाजिक शिक्षा सिद्धांत को लागू करता है, जहां सफल व्यवहारों को देखकर और उन्हें अपनाकर व्यक्तिगत विकास और सफलता में प्रभाव डाला जा सकता है।

क्विज स्टेशन *विगत UGC NET परीक्षाओं के प्रश्न*

प्र 1. कथन I: डेवी के सीखने के दृष्टिकोण के अनुसार, शिक्षार्थियोंको रचनात्मकता और सहयोग के माध्यम से अपने ज्ञान का प्रदर्शन करना चाहिए।

कथन II: पिया गेटके अनुसार, सीखना लीमर के विकासात्मक चरणों से स्वतंत्र है। *(7 दिसंबर 2024 – शिफ्ट 1)*

(a) कथन (I) और कथन (II) दो नों सही हैं।
(b) कथन (I) और कथन (II) दो नों गलत हैं।
(c) कथन (I) सही है लेकि न कथन (II) गलत है
(d) कथन (I) गलत है लेकि न कथन (II) सही है

प्र 2. पहली कक्षा का एक बच्चा स्वयं वृत्त बनाना सीखने की कोशिश कर रहा है लेकिन अपने शिक्षक की मदद से ऐसा करने में सक्षम है। वायगोत्स्की के सिद्धांत के आलोक में यह प्रकाश डालता है?

(a) आत्मसात करना (b) गोद लेना
(c) समीपस्थ विकास का क्षेत्र (d) परिपक्वता

प्र 3. जीन पियाजे के संज्ञानात्मक विकास सिद्धांत के अनुसार, किशोरावस्था के छात्र किस विकास चरण में होते हैं? (जून 2019)

(a) संवेदी मोटर चरण
(b) ठोस परिचालन चरण
(c) परिचालन चरण
(d) औपचारिक परिचालन चरण

प्र 4. जीन पियाजे के अनुसार, संज्ञानात्मक विकास के _____ चरण हैं। (दिसम्बर 2018)

(a) 2 (b) 4
(c) 6 (d) 8

प्र 5. सूची I को सूची II से मिलाएं। [दिसंबर 2019]

सूची I (व्यवहार संशोधन तकनीक)	सूची II (उदाहरण)
(A) सकारात्मक सुदृढ़न	(I) एक सुखद उत्तेजना की वापसी या एक प्रतिकूल उत्तेजना का आवेदन व्यवहार को रोकने के लिए
(B) नकारात्मक सुदृढीन	(II) दर्दनाक या प्रतिकूल उत्तेजना को प्रस्तुत करना ताकि व्यवहार की घटना को रोका जा सके
(C) दंड	(III) उत्तेजना को हटाने के बाद व्यवहार की आवृत्ति बढ़ जाती है
(D) विलुप्ति	(IV) उत्तेजना देने के बाद व्यवहार ज्यादा होने लगता है।

निम्नलिखित विकल्पों में से उत्तर चुनें:

कोड:

(a) (A)-(II), (B)-(I), (C)-(III), (D)-(IV)

(b) (A)-(I), (B)-(III), (C)-(IV), (D)-(II)

(c) (A)-(IV), (B)-(III), (C)-(II), (D)-(I)

(d) (A)-(III), (B)-(I), (C)-(II), (D)-(IV)

प्र 6. निम्नलिखित में से कौन-से अवलोकनात्मक अधिगम के तत्व हैं?

A. प्रतिधा रण

B. ध्यान दें

C. अनुकूलन

D. उत्पादन ई. प्रेरणा

कोड:

(a) ABDE (b) CE

(c) ABCE (d) BD

उत्तर 1. (c) 2. (c) 3. (d) 4. (b) 5. (c) 6. (a)

बहु-बुद्धिमत्ता सिद्धांत (Multiple Intelligences Theory – MIT)

प्रस्तावक: हॉवर्ड गार्डनर

हॉवर्ड गार्डनर द्वारा प्रस्तावित बहु-बुद्धिमत्ता सिद्धांत का कहना है कि बुद्धिमत्ता एकल और स्थिर गुण नहीं है, बल्कि यह विभिन्न क्षमताओं का समूह है - जो प्रत्येक व्यक्ति में अलग-अलग स्तरों पर मौजूद होती हैं। गार्डनर ने आठ प्रकार की बुद्धिमत्ताओं की पहचान की, जो यह दर्शाती हैं कि लोग किस प्रकार से सीखते हैं, समझते हैं और दुनिया से किस तरह से जुड़ते हैं।

प्रत्येक व्यक्ति में विभिन्न क्षेत्रों जैसे संगीत, खेल या दूसरों के भावनाओं को समझने में अनूठी ताकत होती है। उदाहरण के लिए, कोई व्यक्ति संगीत वाद्ययंत्र बजाने में माहिर हो सकता है, जो उसकी मजबूत संगीत बुद्धिमत्ता को दर्शाता है। वहीं, कोई व्यक्ति लोगों के भावनाओं को समझने में निपुण हो सकता है, जो उसकी उच्च अंतरवैयक्तिक बुद्धिमत्ता (interpersonal intelligence) को दिखाता है। यह सिद्धांत हमें याद दिलाता है कि बुद्धिमत्ता विविध है और इसमें कई प्रकार की प्रतिभाएं और क्षमताएं शामिल हैं, जो हमें यह समझने और सराहने में मदद करती हैं कि लोग कितने तरह से पारंगत हो सकते हैं। तालिका 2.4 में हॉवर्ड गार्डनर द्वारा प्रस्तावित आठ प्रकार की बुद्धिमत्ताओं को दर्शाया गया है।

तालिका 2.4 बहु-बुद्धिमत्ता

बुद्धिमत्ता का प्रकार	बुद्धि प्रकार	क्रियाओं/पेशाओं के उदाहरण
भाषातात्त्विक (Linguistic)	भाषा का प्रभावी उपयोग - लिखाना और बोलना - दोनों में।	लेखक, कवि, वकील, वक्ता, और पत्रकार।
तार्किक-गणितीय (Logical-Mathematica)	तार्किक रूप से सोचने, गणितीय समस्याओं को हल करने, और वैज्ञानिक सिद्धांतों को समझने की क्षमता।	वैज्ञानिक, गणितज्ञ, अभियंता, और कंप्यूटर प्रोग्रामर
स्थानिक (Spatial)	तीन आयामों में सोचने और वस्तुओं को सटीक रूप से दृश्य बनाने की क्षमता।	वास्तुकार, कलाकार, डिजाइनर, और पायलट।
शारीरिक-किनेस्थेटिक (Bodily-Kinesthetic)	शरीर का प्रभावी और कौशलपूर्वक उपयोग करने की क्षमता।	एथलीट, नर्तक, सर्जन, और शिल्पकार।
संगीतात्मक (Musical)	संगीत बनाने, सराहने और समझने की क्षमता।	संगीतकार, गायक, और संगीत शिक्षक।
आन्तर्वैयक्तिक (Interpersonal)	दूसरों के साथ प्रभावी रूप से समझने और संवाद करने की क्षमता।	शिक्षक, चिकित्सक, विक्रेता, और नेता।
आन्तर्वैयक्तिक (Interpersonal)	स्वयं और अपनी भावनाओं, प्रेरणाओं और लक्ष्यों को समझने की क्षमता।	दार्शनिक, मानसिक चिकित्सक, लेखक, और आत्म-साक्षात्कारकर्ता।
प्राकृतिक (Naturalistic)	पौधों, जानवरों और अन्य प्राकृतिक घटनाओं को पहचानने और श्रेणीबद्ध करने की क्षमता।	जैविक विज्ञानी, प्रकृतिवादी, किसान, और पर्यावरणवादी।
अस्तित्वात्मक (Existential)	जीवन, अस्तित्व और मानव अवस्था पर गहरे सवालों पर विचार करने की क्षमता।	दार्शनिक, धर्मशास्त्री, और गंभीर विचारक।

MIT से संबंधित अन्य सिद्धांत (Other Theories Related to MIT)

1. डेनियल गोलमैन द्वारा परिकल्पित भावनात्मक बुद्धिमत्ता (Emotional Intelligence - EI) एक महत्वपूर्ण कौशल है, जो किसी व्यक्ति के अपने भावनाओं को समझने, व्यक्त करने और उन्हें प्रभावी ढंग से प्रबंधित करने से संबंधित है। उदाहरण के तौर पर, कल्पना करें कि आप एक बड़े परीक्षा के बारे में घबराए हुए हैं - उस स्थिति में अगर आप अपने आप को शांत कर पाते हैं और ध्यान केंद्रित कर पाते हैं, तो आप भावनात्मक बुद्धिमत्ता का उपयोग कर रहे हैं। यह व्यक्तिगत और पेशेवर सफलता में महत्वपूर्ण भूमिका निभाता है, क्योंकि यह व्यक्ति को सामाजिक इंटरएक्शन करने, तनाव को संभालने और लक्ष्यों को प्राप्त करने में मदद करता है।

2. जॉन मेयर और पीटर सलोवे इस अवधारणा को और अधिक विस्तार से समझाते हैं। वे अपने मॉडल में इस बात पर जोर देते हैं कि भावनाओं को पहचानना जरूरी है। इसके बाद, उन्हें अपने लाभ के लिए उपयोग करना चाहिए। इसके साथ ही, यह भी आवश्यक है कि आप यह नियंत्रित करें कि आप कैसे महसूस करते हैं। ये सभी घटक महत्वपूर्ण हैं।

मान लीजिए कि आपको कॉलेज में एक बड़ी प्रेजेंटेशन देनी है। आप घबराए हुए महसूस कर रहे हैं क्योंकि आपको अपने सहपाठियों के सामने बोलने का डर है। इन घबराहटों को आपको अपने ऊपर हावी होने देने के बजाय, आप

मेयर और सलोवी के इमोशनल इंटेलिजेंस मॉडल का उपयोग कर सकते हैं:

1. **भावनाओं की पहचान (Perception of Emotions):** सबसे पहले, आप यह महसूस करते हैं कि आप घबराए हुए हैं - आपका दिल तेजी से धड़क सकता है, और आपके हाथ पसीने से भीग सकते हैं।
2. **भावनाओं का उपयोग (Emotional Facilitation):** यह समझना कि घबराहट कैसे ध्यान और प्रदर्शन को बेहतर बना सकती है।
3. **भावना को समझना (Understanding Emotion):** इस चरण में, आप सोचते हैं कि आप इन भावनाओं को अपने लिए कैसे काम में ला सकते हैं। आपको एहसास होता है कि थोड़ा घबराना वास्तव में आपकी मदद कर सकता है, क्योंकि इससे आप ज्यादा ध्यान केंद्रित करेंगे और बेहतर प्रदर्शन करेंगे।
4. **भावनाओं का प्रबंधन (Management of Emotions):** घबराहट को नियंत्रित करने और उसे आत्मविश्वास में बदलने के लिए रणनीतियाँ अपनाना। उदाहरण के तौर पर, आप गहरी साँसें ले सकते हैं या खुद को सफल प्रेजेंटेशन देते हुए कल्पना कर सकते हैं।

बारोन का भावात्मक सामाजिक बद्धिमत्ता (Emotional Social Intelligence - ESI) का मॉडल इस बात पर ध्यान देता है कि आप अपनी भावनाओं, दूसरों के साथ अपनी इंटरएक्शन, तनाव को और अपने समग्र मूड को कैसे नियंत्रित करते हैं।

मेयर और सलोवी का भावात्मक बुद्धिमत्ता परीक्षण (Mayer and Salovey Emotional Intelligence Test) - MSCEIT: MSCEIT एक परीक्षण है जिसे मेयर और सलोवी ने विकसित किया है। इसके माध्यम से किसी व्यक्ति की भावनाओं को पहचानने, समझने, उपयोग करने और उन्हें प्रभावी रूप से प्रबंधित करने की क्षमता को मापा जा सके।

एलेक्थिमिया: एलेक्थिमिया एक ऐसी स्थिति है जिसमें किसी व्यक्ति को अपनी भावनाओं को पहचानने या वर्णन करने में कठिनाई होती है। इससे व्यक्तियों के लिए अपनी भावनाओं को समझना और व्यक्त करना चुनौतीपूर्ण हो सकता है।

मास्लो की आवश्यकता श्रेणी (Maslow's Need Hierarchy)

प्रस्तावक: अब्राहम मास्लो

मास्लो की आवश्यकता श्रेणी (चित्र 2.4) एक सिद्धांत है जिसे अब्राहम मास्लो ने मनोविज्ञान के संदर्भ में प्रस्तुत किया था। इस सिद्धांत के अनुसार, मनुष्यों की पाँच बुनियादी श्रेणियाँ होती हैं जिनकी आवश्यकताओं को एक

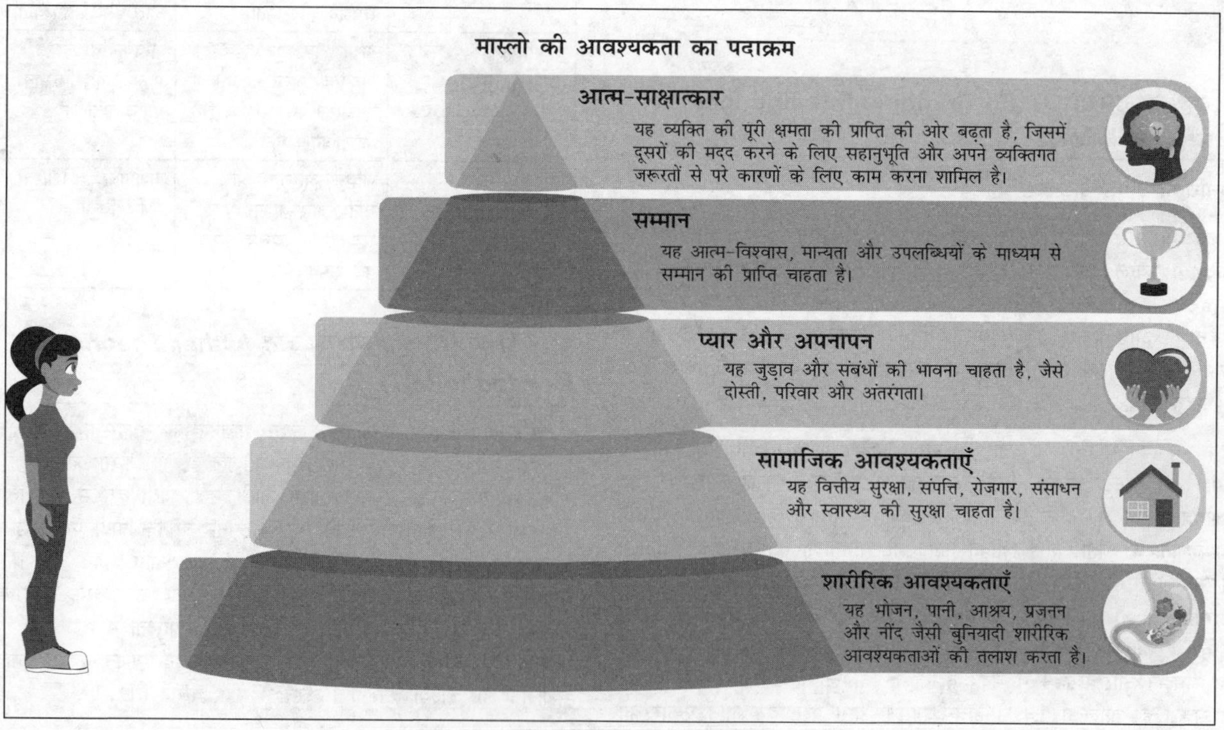

चित्र 2.4 मास्लो की आवश्यकताओं का पदानुक्रम

विशेष क्रम में पूरा करना होता है ताकि आत्म-साक्षात्कार और अत्म-संतुष्टि प्राप्त की जा सके। यहाँ प्रत्येक स्तर का एक सरल विवरण दिया गया है:

1. **शारीरिक आवश्यकताएँ (Physiological Needs):** ये इंसान की जीवित रहने के लिए जरूरी चीजें हैं, जैसे 'रोटी, कपड़ा, मकान' (भोजन, कपड़े और घर)। इन जरूरी चीजों के बिना, व्यक्ति अच्छे से काम नहीं कर सकता।
2. **सुरक्षा आवश्यकताएँ (Safety Needs):** जब शारीरिक आवश्यकताएँ पूरी हो जाती हैं, तो लोग सुरक्षा और संरक्षण चाहते हैं। इसमें शारीरिक सुरक्षा (नुकसान से बचाव), वित्तीय सुरक्षा, स्वास्थ्य सुरक्षा और जीवन के दूसरे हिस्सों में स्थिरता शामिल हैं।
3. **प्यार और अपनापन की आवश्यकताएँ (Love and Belongingness Needs):** सुरक्षा मिलने के बाद, व्यक्ति

सामाजिक रिश्तों और संपर्कों की इच्छा करता है। इसमें स्नेह, अंतरंगता, दोस्ती और समुदाय या समूह में अपनापन की भावना शामिल होती है।

4. **सम्मान की आवश्यकताएँ (Esteem Needs):** जब सामाजिक आवश्यकताएँ पूरी हो जाती हैं, तो लोग पहचान, सम्मान और सकारात्मक आत्म-छवि के लिए प्रयास करते हैं। सम्मान की आवश्यकताएँ दो श्रेणियों में बाँटी जाती हैं:
   (a) **आत्म-सम्मान (Self-Esteem):** इसमें आत्म-सम्मान, आत्मविश्वास और अपनी क्षमताओं पर विश्वास शामिल होता है।
   (b) **दूसरों से सम्मान (Esteem from Others):** इसमें दूसरों से पहचान, सराहना और प्रशंसा प्राप्त करना शामिल है।
5. **आत्म-साक्षात्कार (Self-Actualisation):** आत्म-साक्षात्कार श्रेणी के शीर्ष पर है। यह किसी व्यक्ति की पूरी क्षमता को प्राप्त करने की इच्छा है। इसका मतलब है कि वह सबसे अधिक जो हो सकता है, वही बने। इसमें व्यक्तिगत विकास और सृजनात्मकता शामिल होती है। यह अर्थपूर्ण लक्ष्यों का पीछा करने और अपनी प्रतिभाओं और क्षमताओं को पहचानने की प्रक्रिया का हिस्सा है।

मस्लो का सिद्धांत यह कहता है कि व्यक्ति पहले अपनी बुनियादी आवश्यकताओं को पूरा करते हैं और फिर उच्च-स्तरीय आवश्यकताओं की ओर बढ़ते हैं। जब एक आवश्यकता पूरी हो जाती है, तो वह अब प्रेरणा का कारण नहीं रह जाती। इसके बाद, व्यक्ति अगली आवश्यकता की ओर ध्यान केंद्रित करते हैं। यह सिद्धांत यह समझाने में मदद करता है कि मानव प्रेरणा और व्यवहार कैसे काम करते हैं। यह दिखाता है कि उच्च स्तर की संतुष्टि और विकास पाने के लिए बुनियादी जरूरतों को पहले पूरा करना जरूरी है।

मास्टरी लर्निंग मॉडल (Mastery Learning Model)

मास्टरी लर्निंग मॉडल (MLM) एक शैक्षिक दृष्टिकोण है जिसे बेंजामिन ब्लूम ने 1960 के दशक में विकसित किया था। यह दृष्टिकोण इस पर ध्यान केंद्रित करता है कि सभी छात्रों को किसी विषय को गहरे स्तर पर समझने की आवश्यकता है, इससे पहले कि वे अधिक उन्नत विषयों की ओर बढ़ें। यहाँ मास्टरी लर्निंग मॉडल के प्रमुख सिद्धांत और विशेषताएँ दी गई हैं:

व्यक्तिगत गति (Individualised Pace): MLM में, छात्र अपनी गति से विषय को सीखते हैं, जिससे वे नए विषयों की ओर बढ़ने से पहले सिद्धांतों को समझ सकते हैं। यह व्यक्तिगत दृष्टिकोण यह सुनिश्चित करता है कि प्रत्येक छात्र उच्च स्तर की दक्षता प्राप्त करता है।

कल्पना करें एक गणित कक्षा की, जहाँ छात्र गुणा सीख रहे हैं। मास्टरी लर्निंग मॉडल में:

1. प्रत्येक छात्र गुणा तालिकाओं को चरण दर चरण सीखता है।
2. वे अपनी समझ की जांच करने के लिए नियमित रूप से क्विज लेते हैं।
3. यदि कोई छात्र क्विज में अच्छा नहीं करता है, तो शिक्षक उन्हें वह हिस्सा समझाने में मदद करता है जो वे मिस कर गए थे, जब तक वे इसे सही नहीं समझ पाते।
4. एक बार जब वे गुणा में पारंगत हो जाते हैं, तो वे भाग देने की ओर बढ़ते हैं, लेकिन केवल तब जब यह सिद्ध हो जाता है कि वे गुणा को अच्छी तरह से समझते हैं।

यह तरीका यह सुनिश्चित करता है कि हर छात्र विषय में आगे बढ़ने से पहले प्रत्येक विषय को पूरी तरह से समझे। यह उन्हें कदम दर कदम ज्ञान की एक मजबूत नींव बनाने में मदद करता है। यह एक मजबूत घर बनाना जैसा है, जहाँ हर ईंट (या सिद्धांत) अगले को जोड़ने से पहले मजबूती से जगह पर रखी जाती है।

कॉन्सेप्ट कैप्सूल

मानव स्मृति और उसके प्रकार (Human Memory and its Types)

स्मृति का मतलब है किसी पूर्व अनुभव को याद करना जो मस्तिष्क में संचित रहता है। आइए हम स्मृति को 4 आर (R) के माध्यम से समझते हैं।

स्मृति के 4 आर (R)

1. **याद रखना (Remembering):** इसमें जानकारी को संग्रहीत करना और बाद में उसे पुनः प्राप्त करना शामिल है।

   उदाहरण: आपको अपने दोस्त का फोन नंबर याद है क्योंकि आपने इसे अपने दिमाग में रखा है और जरूरत पड़ने पर इसे आसानी से याद कर सकते हैं।
2. **अवधारण (Retention):** यह आपकी क्षमता है कि आप समय के साथ जानकारी को अपनी स्मृति में बनाए रख सकते हैं।

   उदाहरण: आपने बचपन में साइकिल चलाना सीखा था, और सालों बाद भी आपको याद है कि इसे कैसे चलाना है।
3. **स्मरण (Recall):** इसका मतलब है बिना किसी संकेत के जानकारी को अपने दिमाग में वापस लाना।

   उदाहरण: आप कक्षा की तस्वीर देखे बिना अपने पहले ग्रेड के शिक्षक का नाम याद करते हैं।
4. **पहचान (Recognition):** इसमें पहले सीखी गई जानकारी को फिर से देखने पर पहचानना शामिल है।

   उदाहरण: आप किसी व्यक्ति का चेहरा तभी पहचान लेते हैं जब आप उसकी तस्वीर देखते हैं, भले ही आपको उसका नाम याद न हो।

स्मृति के प्रकार (TYPES OF MEMORY)

1. **संवेदी स्मृति (Sensory Memory):** यह पर्यावरण से प्राप्त संवेदी जानकारी को कुछ सेकंड्स तक संक्षिप्त रूप से संजोकर रखती है।

   उदाहरण: एक फूल की खुशबू सूंघना और उसके बाद कुछ समय तक उसकी महक को याद रखना।

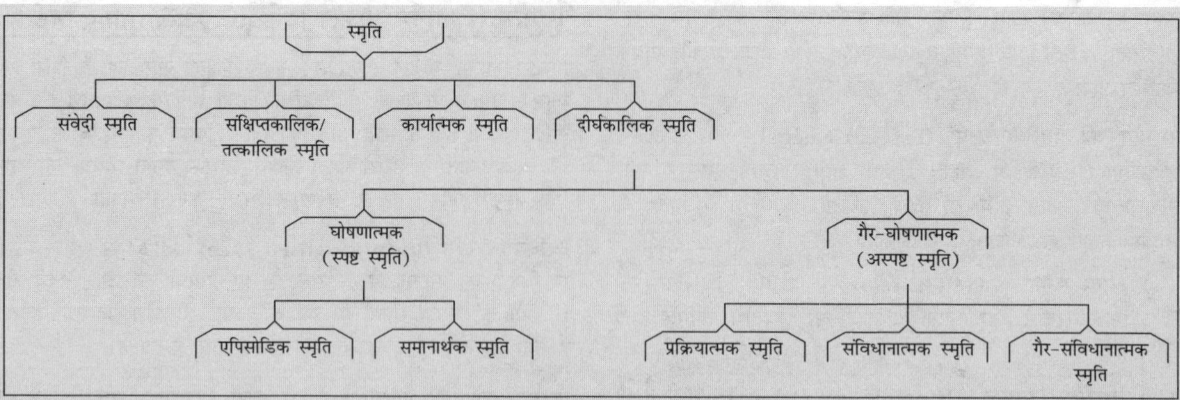

चित्र 2.5 मेमोरी के प्रकार

2. **संक्षिप्तकालिक/तत्कालिक स्मृति (Short Term/ Immediate Memory):** यह जानकारी को अस्थायी रूप से संजोकर रखती है, ताकि वह तुरंत उपयोग की जा सके। यह लगभग 20-30 सेकंड तक रहती है।

   उदाहरण: फोन नंबर को इतनी देर तक याद रखना कि उसे डायल किया जा सके।

3. **कार्यात्मक स्मृति (Working Memory):** यह संक्षिप्तकालिक स्मृति में रखी जानकारी को सक्रिय रूप से प्रक्रिया करती है और उसमें बदलाव करती है।

   उदाहरण: अपने मन में कार्यों की सूची को पुनर्व्यवस्थित करना, ताकि आप यह तय कर सकें कि कौन सा काम पहले करना है, जैसे कि होमवर्क असाइनमेंट्स को पूरा करने का क्रम तय करना।

4. **दीर्घकालिक स्मृति (Long Term Memory):** यह जानकारी को अनिश्चितकाल के लिए लंबे समय तक संजोकर रखती है।

   उदाहरण: सालों बाद अपने पहले स्कूल दिन को याद करना।

दीर्घकालिक स्मृति के प्रकार (TYPES OF LONG TERM MEMORY)

घोषणात्मक (स्पष्ट) स्मृति (Declarative (Explicit) Memory): यह तथ्यों और घटनाओं को सचेत रूप से याद करने में शामिल होती है।

1. **एपिसोडिक स्मृति (Episodic Memory):** व्यक्तिगत अनुभवों और विशिष्ट घटनाओं को याद करना।

   उदाहरण: अपना पिछला जन्मदिन पार्टी याद करना।

2. **समानार्थक स्मृति (Semantic Memory):** सामान्य ज्ञान और तथ्यों को याद करना।

   उदाहरण: यह जानना कि पेरिस, फ्रांस की राजधानी है।

गैर-घोषणात्मक (अस्पष्ट) स्मृति (Non-declarative (Implicit) Memory): यह अवचेतन कौशल और कार्यों से संबंधित होती है।

1. **प्रक्रियात्मक स्मृति (Procedural Memory):** कार्यों और क्रियाओं को करने का तरीका याद रखना।

   उदाहरण: साइकिल चलाना जानना।

2. **संविधानात्मक स्मृति (Associative Memory):** यह याद रखने में शामिल होती है कि विभिन्न चीजों के बीच कनेक्शन या संबंध क्या हैं। यह एक उत्तेजना या अवधारणा को दूसरी के साथ जोड़ने की प्रक्रिया है (जो क्लासिकल कंडीशनिंग के समान है)।

   उदाहरण: लंच बेल की आवाज सुनते ही भूख लगने का एहसास होना।

3. **गैर-संविधानात्मक स्मृति (Non-associative Memory):** यह एक पुनरावृत्त उत्तेजना के प्रति प्रतिक्रिया में बदलाव से संबंधित होती है। इसका मतलब है कि किसी चीज के प्रति आपकी प्रतिक्रिया या संवेदनशीलता बार-बार संपर्क में आने से घट सकती है या बढ़ सकती है।

   उदाहरण: मान लीजिए आप एक नए अपार्टमेंट में रहते हैं जो एक व्यस्त सड़क के पास है। पहले तो ट्रैफिक की आवाज आपको बहुत परेशान करती है। लेकिन कुछ हफ्तों बाद, आप उस आवाज को कम और कम महसूस करने लगते हैं। आपका मस्तिष्क निरंतर शोर के लिए अभ्यस्त हो गया है और अब वह आपको उतना परेशान नहीं करता।

प्राइमिंग (Priming): प्राइमिंग एक तरह की स्मृति शॉर्टकट होती है जो आपके मस्तिष्क को पहले से देखी गई या सुनी गई चीजों को पहचानने या प्रतिक्रिया देने में मदद करती है।

प्राइमिंग आपके मस्तिष्क को संबंधित विचारों या यादों को जोड़ने में मदद करती है, जिससे आप पहले से अनुभव की गई चीजों को जल्दी से याद कर सकते हैं या पहचान सकते हैं। यह एक मानसिक संकेत की तरह होती है जो आपको बिना कोशिश किए चीजों को जल्दी पहचानने में मदद करती है।

उदाहरण: पीला रंग देखकर आप संबंधित वस्तुओं जैसे केले, सूरजमुखी या आम के बारे में सोच सकते हैं, क्योंकि आपका मस्तिष्क संबंधित अवधारणाओं के बीच संबंध बनाता है।

सिनेमैटिक कनेक्शन

इस अध्याय में, हमने यह समझा कि हर छात्र अलग होता है, जिसमें अपनी-अपनी ताकत और क्षमताएँ होती हैं। सभी छात्रों को एक ही पैमाने पर आंकना सही नहीं होता। चित्र 2.6 में एक हास्यपूर्ण दृश्य दिखाया गया है, जिसमें अलग-अलग क्षमता वाले विभिन्न जानवरों को एक ही परीक्षा देने के लिए बोला जा रहा है - पेड़ पर चढ़ने के लिए कहा जाता है। यह चित्रण यह दिखाता है कि एक जैसा दृष्टिकोण सीखने और मूल्यांकन के लिए अनुचित है, जैसा कि हमारी वर्तमान शिक्षा प्रणाली में भी कई बार देखा जाता है। जैसा कि अल्बर्ट आइंस्टीन ने कहा था, 'हर कोई प्रतिभाशाली है। लेकिन अगर आप मछली को पेड़ पर चढ़ने की क्षमता से आंकते हैं, तो वह अपना पूरा जीवन यह सोचते हुए बिताएगी कि वह मूर्ख है।'

***तारे जमीन पर* फिल्म में ईशान अवस्थी की कहानी**

तारे जमीन पर फिल्म में ईशान अवस्थी की कहानी एक उदाहरण है। ईशान एक लड़का है, जिसे बहुत अच्छी चित्रकला और सृजनात्मकता का शौक है। उसकी दिमागी क्षमता बहुत खास है, लेकिन उसे डिस्लेक्सिया नामक समस्या है, जो पढ़ने, लिखने और सही तरीके से शब्दों को पहचानने में दिक्कत देती है। उसका स्कूल सिर्फ पढ़ाई और गणित पर ध्यान देता है, और यहाँ वह बार-बार असफल होता है। इस कारण ईशान की कला और प्रतिभाओं को नजरअंदाज किया जाता है, जिससे उसकी पढ़ाई में खराब प्रदर्शन और आत्म-सम्मान में कमी होती है।

चित्र 2.6 आइंस्टाइन के प्रसिद्ध उद्धरण को दर्शाता चित्र

★★★ परीक्षोपयोगी

2.8 अधिगम का हस्तांतरण (Transfer of Learning)

अधिगम का हस्तांतरण वह क्षमता है जिसके द्वारा किसी एक परिस्थिति में सीखे गए ज्ञान या कौशल को किसी अन्य स्थिति में लागू किया जा सकता है। यह शिक्षा और मनोविज्ञान में एक मौलिक अवधारणा है क्योंकि यह दर्शाता है कि अधिगम मूल संदर्भ से परे भी उपयोगी हो सकता है। उदाहरण के लिए, जूते के फीते बांधना सीखना आपको अन्य चीजों को बांधने में भी मदद कर सकता है, जैसे रिबन या बैकपैक का पट्टा। यह दिखाता है कि अधिगम केवल उस स्थान पर ही मददगार नहीं होता जहां आपने इसे सीखा है; बल्कि इसे कई अलग-अलग स्थितियों में लागू किया जा सकता है।

अधिगम हस्तांतरण के प्रकार

1. **सकारात्मक हस्तांतरण:** यह तब होता है जब जो आप पहले से जानते हैं वह आपको कुछ नया सीखने में मदद करता है। उदाहरण के लिए, यदि आप पियानो बजाना सीखते हैं, तो यह आपको गिटार जैसे किसी अन्य वाद्य यंत्र को सीखने में मदद कर सकता है। दोनों वाद्य यंत्र कुछ संगीत अवधारणाओं को साझा करते हैं, जैसे कि स्केल और लय, जिससे गिटार सीखना आसान हो जाता है।
2. **नकारात्मक हस्तांतरण:** यह तब होता है जब जो आप पहले से जानते हैं, वह कुछ नया सीखने में कठिनाई पैदा करता है। उदाहरण के लिए, एक अंग्रेजी बोलने वाले व्यक्ति को स्पेनिश शब्दों का सही उच्चारण करना मुश्किल हो सकता है। ऐसा इसलिए होता है क्योंकि अंग्रेजी में अलग-अलग ध्वनि पैटर्न होते हैं, जो स्पेनिश बोलने का प्रयास करते समय भ्रम पैदा कर सकते हैं।
3. **निकट हस्तांतरण:** यह तब होता है जब आप जो सीखा है उसे उस स्थिति में लागू करते हैं जो उस स्थिति से बहुत मिलती-जुलती है जहाँ आपने इसे सीखा था। उदाहरण के लिए, यदि आप साइकिल चलाना सीखते हैं, तो आपके लिए स्केटबोर्ड चलाना सीखना आसान हो सकता है, क्योंकि दोनों गतिविधियों में संतुलन और समन्वय की आवश्यकता होती है।
4. **सुदूर हस्तांतरण:** यह उस क्षमता को संदर्भित करता है जिसमें किसी एक स्थिति में सीखे गए कौशल या ज्ञान को एक पूरी तरह से अलग या असंबंधित संदर्भ में लागू किया जा सकता है। उदाहरण के लिए, यदि आपने स्कूल प्रोजेक्ट के लिए अपने समय को व्यवस्थित करना सीखा है, तो आप उन्हीं समय प्रबंधन कौशलों का उपयोग जन्मदिन की पार्टी की योजना बनाते समय कर सकते हैं। भले ही स्कूल प्रोजेक्ट को व्यवस्थित करना और पार्टी की योजना बनाना अलग-अलग हैं, लेकिन समय प्रबंधन का कौशल दोनों स्थितियों में मदद कर सकता है। एक और उदाहरण यह है कि खेलों में सीखे गए

टीमवर्क कौशल आपको स्कूल प्रोजेक्ट पर दूसरों के साथ काम करने में मदद कर सकते हैं। जबकि गतिविधियाँ अलग-अलग हैं, अंतर्निहित कौशल, जैसे कि संचार और सहयोग, स्थानांतरित किए जा सकते हैं। सुदूर स्थानांतरण से पता चलता है कि सीखना कैसे तत्काल संदर्भ से परे जा सकता है और विभिन्न वास्तविक दुनिया की स्थितियों में हमारी मदद कर सकता है।

5. **शून्य (तटस्थ) हस्तांतरण:** ऐसा तब होता है जब आपने पहले जो सीखा है उसका आपके कुछ नया सीखने की क्षमता पर कोई प्रभाव नहीं पड़ता, चाहे वह अच्छा हो या बुरा। उदाहरण के लिए, यदि आप तैरना जानते हैं, तो यह वास्तव में आपकी मदद नहीं करता या आपको नुकसान नहीं पहुँचाता जब आप गणित की समस्या हल करने की कोशिश कर रहे होते हैं। दोनों कौशल असंबंधित हैं, इसलिए आपने तैराकी के बारे में जो सीखा है उसका आपके गणित कौशल पर कोई प्रभाव नहीं पड़ता।
6. **निम्न-मार्ग हस्तांतरण:** यह तब होता है जब आप एक स्थिति में सीखे गए कौशल को उसी स्थिति में स्वचालित रूप से लागू करते हैं, इसके बारे में आपको ज्यादा सोचने की आवश्यकता नहीं होती है। उदाहरण के लिए, अगर आप डेस्कटॉप कीबोर्ड पर टाइप करने के आदी हैं, तो आप लैपटॉप कीबोर्ड पर आसानी से टाइप कर सकते हैं क्योंकि दोनों का लेआउट एक जैसा होता है। कौशल बिना किसी सोच-विचार के स्वाभाविक रूप से हस्तांतरण हो जाते हैं।
7. **उच्च-मार्ग हस्तांतरण:** इस प्रकार का ट्रांसफर तब होता है जब आप किसी ऐसी स्थिति में अधिक अमूर्त विचारों या रणनीतियों को लागू करते हैं जो उस स्थिति से काफी अलग होती हैं जहां आपने उन्हें मूल रूप से सीखा था। इसके लिए आमतौर पर आपको सावधानीपूर्वक और सचेत रूप से सोचने की आवश्यकता होती है। उदाहरण के लिए, दर्शनशास्त्र में सीखे गए महत्वपूर्ण सोच कौशल आपको व्यावसायिक समस्याओं का विश्लेषण करने में मदद कर सकते हैं। यद्यपि दर्शनशास्त्र और व्यवसाय बहुत अलग विषय हैं, दर्शनशास्त्र में आपने जो गहन सोच का अभ्यास किया है, उसे व्यावसायिक स्थितियों में उपयोग किया जा सकता है, लेकिन आपको यह सोचना होगा कि उन कौशलों को कैसे लागू किया जाए।

क्विज स्टेशन *विगत UGC NET परीक्षाओं के प्रश्न*

प्र 1. निम्नलिखित में से कौन सा सीखने के शून्य हस्तांतरण का सबसे अच्छा उदाहरण है? *(28 अगस्त 2024 - शिफ्ट 1)*

(a) एक प्रोग्रामिंग भाषा के ज्ञान का उपयोग दूसरी समान भाषा में करना

(b) फुटबॉल में कौशल सुधारने के लिए बा स्केटबॉल में सीखने की तकनीकों को लागू करना

(c) पेंटिंग में उत्कृष्टता प्राप्त करने के लिए बढ़ईगीरी में अर्जित कौशल का उपयोग करना

(d) भौतिकी समस्याओंके लिए गणितीय समस्या समाधान पद्धति को लागू करना

प्र 2. "यदि किसी छात्र को आर्किटेक्ट के कार्यालय में अंशकालिक नौकरी मिलती है और वह ज्योमेट्री कक्षा में सीखी गई बातों को आर्किटेक्ट को एक स्थानिक समस्या का विश्लेषण करने में मदद करने के लिए लागू करता है जो कि ज्योमेट्री कक्षा में छात्र के सामने आई किसी भी समस्या से काफी अलग है" - सीखने का एक उदाहरण है? *(3 सितंबर 2024 - शिफ्ट 1)*

(a) हस्तांतरण के निकट

(b) अग्रगामी हस्तांतरण

(c) निम्न-मार्ग हस्तांतरण

(d) सुदूर हस्तांतरण

प्र 3. एक स्थिति से दूसरी स्थिति में सचेतन एवं प्रयासपूर्वक सीखने का स्थानांतरण कहलाता है *(2 सितंबर 2024 - शिफ्ट 2)*

(a) हस्तांतरण के निकट

(b) उच्च-मार्ग हस्तांतरण

(c) निम्न-मार्ग हस्तांतरण

(d) सुदूर हस्तांतरण

<u>उत्तर</u> 1. (c) 2. (d) 3. (b)

अध्याय के मुख्य बिंदु

मास्लो के आवश्यकता पदानुक्रम

- शारीरिक आवश्यकताएँ
- सुरक्षा आवश्यकताएँ
- प्यार और अपनेपन की आवश्यकताएँ
- सम्मान की आवश्यकताएँ
- आत्म-साक्षात्कार

अधिगम की विशेषताएँ

- एकात्मक
- जटिल समूह
- नियोजित या अनियोजित हो सकता है
- सक्रिय और निष्क्रिय दोनों हो सकता है
- व्यक्तिगत या सामूहिक हो सकता है
- प्रक्रिया और परिणाम दोनों
- वृद्धिशील हो सकता है
- ट्रिगर किया जा सकता है
- परिणाम वांछनीय हो सकते हैं या नहीं भी हो सकते हैं
- हमेशा एक नैतिक आयाम होता है
- स्व-सक्रिय, रचनात्मक और हस्तांतरणीय

ब्लूम का वर्गीकरण

- संज्ञानात्मक डोमेन (ज्ञान पर ध्यान केंद्रित करता है)
- ज्ञान
- समझ
- अनुप्रयोग
- विश्लेषण
- संश्लेषण
- मूल्यांकन
- साइकोमोटर डोमेन (कौशल पर ध्यान केंद्रित करता है)
- अनुकरण
- संचालन
- सटीकता
- अभिव्यक्ति
- प्राकृतिककरण
- भावात्मक डोमेन (रवैया पर ध्यान केंद्रित करता है)
- प्राप्त करना
- प्रतिक्रिया देना
- मूल्यांकन करना
- व्यवस्थित करना
- चरित्र चित्रण

शिक्षार्थियों के प्रकार

- कक्षा शिक्षण शैली के आधार पर
- दृश्य शिक्षार्थी
- श्रवण शिक्षार्थी

गैग्ने के अधिगम के नौ स्तर

- स्वागत
- अपेक्षा
- पुनर्प्राप्ति
- चयनात्मक धारणा
- अर्थपूर्ण एन्कोडिंग
- प्रतिक्रिया
- सुदृढ़ीकरण
- प्रदर्शन तक पहुँच
- सामान्यीकरण

अधिगम संबंधी विकार

- एडीएचडी
- डिस्कैलकुलिया
- डिस्ग्राफिया
- डिस्लेक्सिया
- डिस्फेसिया/अफेसिया

पियाजे के संज्ञानात्मक विकास के चर

- संवेदी अवधि (0-2 वर्ष)
- पूर्व-संचालन अवधि (2-7 वर्ष)
- ठोस परिचालन अवधि (7-11 वर्ष)
- औपचारिक परिचालन अवधि (11 वर्ष और उससे अधिक)

कोल्ब का अधिगम का चक्र

- ठोस अनुभव (नई गतिविधि में शामिल होना)
- चिंतनशील अवलोकन (अनुभव पर चिंतन करना)
- अमूर्त अवधारणा (अनुभव के आधार पर विचार और अवधारणाएँ बनाना)
- सक्रिय प्रयोग (वास्तविक जीवन की स्थितियों में नए विचारों को आजमाना)

उच्च शिक्षा में शिक्षण के तरीके (Methods of Teaching in Higher Education)

3

इस अध्याय में

*परीक्षोपयोगी (*Exam Essential*): *UGC NET परीक्षा में पूछे जाने की अत्यधिक संभावना*

परिचय (Introduction)

शिक्षकों की अपनी-अपनी अनूठी शिक्षण शैलियाँ होती हैं। मेंटोस के विज्ञापन को शैक्षिक शिक्षण विधियों को समझने के लिए एक सामान्य उदाहरण के रूप में लिया जा सकता है। जिस प्रकार विज्ञापन में जीवन के दो विपरीत दृष्टिकोण–'आम जिंदगी' और 'मेंटोस जिंदगी'–दिखाए गए हैं, वैसे ही शिक्षक पाठ पढ़ाने के लिए विभिन्न तरीके अपना सकते हैं।

कुछ शिक्षक 'आम जिंदगी' का दृष्टिकोण को अपनाते हैं, जहां वे व्याख्यान जैसे पारंपरिक विधियों का उपयोग करते हैं, जिनमें वे छात्रों को एकतरफा तरीके से जानकारी प्रदान करते हैं। दूसरी ओर, कुछ शिक्षक 'मेंटोस जिंदगी' वाला दृष्टिकोण अपनाते हैं और पाठ को बहुत मनोरंजक और आकर्षक बनाने के लिए पात्र अभिनय (role-play) और समूह चर्चाएँ (group discussion) जैसी शिक्षण विधियों का उपयोग करते हैं। ये विधियाँ छात्रों में भागीदारी, आलोचनात्मक चिंतन और सहयोग को बढ़ावा देती हैं, जिससे उन्हें बेहतर सीखने का अनुभव मिलता है।

3.1 शिक्षक-केंद्रित शिक्षण विधियाँ (Teacher-Centric Teaching Methods)

मुख्य ध्यान: शिक्षक

शिक्षण में शिक्षक-केंद्रित विधियाँ पारंपरिक दृष्टिकोण को अपनाती हैं। इसमें छात्रों की भूमिका निष्क्रिय होती है, ज्यादातर जानकारी प्राप्त करते हैं बजाय सक्रिय रूप से शामिल होने के। जहाँ वे मुख्य रूप से जानकारी प्राप्त करते हैं बजाय इसके कि वे सक्रिय रूप से शामिल हों। शिक्षक सब कुछ तय करते हैं - कौन से विषय पढ़ाये जाएंगे, कौन से उपकरण का उपयोग किया जाएगा, कैसे पढ़ाया जाएगा और छात्रों का मूल्यांकन कैसे किया जाएगा। छात्र आमतौर पर अकेले काम करते हैं, समूहों में नहीं। कक्षा अक्सर बहुत शांत होती है, जिसमें शिक्षक अधिकांश बातें करता है। इसका मतलब है कि छात्रों के बीच या छात्रों और शिक्षक के बीच कोई चर्चा नहीं होती और इसमें कोई भागीदारी नहीं होती।

शिक्षक-केंद्रित विधियाँ जानकारी देने और कक्षा के अनुशासन को बनाए रखने के लिए उपयोगी होती हैं। हालांकि, यदि इनका अत्यधिक उपयोग किया जाए तो ये छात्रों की भागीदारी और आलोचनात्मक सोच को सीमित कर सकती हैं। उदाहरण के तौर पर व्याख्यान, टीम शिक्षण और वीडियो का उपयोग किया जाता है, जहाँ शिक्षक छात्रों की प्रगति की निगरानी करते हैं और उनका मूल्यांकन करते हैं। आइए हम इन विधियों के बारे में विस्तार से पढ़ते हैं।

व्याख्यान विधि (Lecture Method)

व्याख्यान विधि एक शिक्षण दृष्टिकोण है जिसमें शिक्षक कक्षा के दौरान बहुत बात करते हैं, अवधारणाओं को स्पष्ट करते हैं और छात्रों के साथ जानकारी साझा करते हैं (चित्र 3.1)। इस विधि के माध्यम से छात्र सीधे शिक्षक की विशेषज्ञता से सीखते हैं, जिससे यह जटिल या विस्तृत सामग्री प्रस्तुत करने में उपयोगी होता है। हालांकि, कभी-कभी यह छात्रों को उबाऊ महसूस करा सकता है क्योंकि उन्हें सवाल पूछने या सीखने की प्रक्रिया में सक्रिय रूप से भाग लेने का ज्यादा अवसर नहीं मिलता।

चित्र 3.1 व्याख्यान विधि

उदाहरण के लिए, कल्पना कीजिए कि एक इतिहास की कक्षा है, जहाँ शिक्षक द्वितीय विश्व युद्ध के कारणों पर चर्चा कर रहे हैं। शिक्षक कक्षा के सामने खड़े होकर युद्ध से पहले की घटनाओं, विभिन्न देशों की भूमिकाओं और संघर्ष के परिणामों को समझाते हैं। अब, चूंकि जानकारी एकतरफा प्रवाह में होती है, तो कई छात्र उबाऊ महसूस कर सकते हैं और कक्षा में सो भी सकते हैं!

टीम शिक्षण विधि (Team Teaching Method)

टीम शिक्षण विधियों में दो या दो से अधिक शिक्षक एक साथ मिलकर कक्षा में पाठ पढ़ाते हैं (चित्र 3.2)। यह सहयोगात्मक दृष्टिकोण शिक्षकों को अपनी विशेषज्ञता और कौशल को एकत्रित करके एक आकर्षक शिक्षण वातावरण बनाने का अवसर देता है। उदाहरण के तौर पर, एक शिक्षक चर्चा का नेतृत्व कर सकते हैं जबकि दूसरा छात्रों को अतिरिक्त स्पष्टीकरण दे सकते हैं।

इस विधि को समझने के लिए हम वास्तविक जीवन से एक व्यावहारिक उदाहरण लेते हैं। 'ग्राहक सेवा' पर एक कॉर्पोरेट प्रशिक्षण सत्र में, दो प्रशिक्षक हैं - मधु और सुगंधा। मधु यह बताती हैं कि ग्राहकों के साथ अच्छे तरीके से कैसे संवाद करें और कठिन परिस्थितियों को कैसे संभालें। वह अपनी व्यक्तिगत अनुभवों से उदाहरण साझा करती हैं ताकि वे समझने में आसान हो सकें। दूसरी ओर, सुगंधा ग्राहकों की समस्या का समाधान जल्दी से ढूंढने के बारे में बात करती हैं।

चित्र 3.2 टीम शिक्षण विधि

मधु और सुगंधा मिलकर यह सुनिश्चित करती हैं कि प्रशिक्षण में सभी लोग ग्राहकों से उचित व्यवहार करने के लिए विभिन्न कौशल सीखें। इस तरीके से, कर्मचारी बेहतर सीख सकते हैं और ग्राहकों से व्यवहार करते समय अधिक आत्मविश्वास महसूस कर सकते हैं। ध्यान दें कि प्रभावी टीम शिक्षण के लिए शिक्षकों के बीच सावधानीपूर्वक योजना, समन्वय और संवाद की आवश्यकता होती है, ताकि छात्रों के लिए एक प्रभावी अधिगम का अनुभव सुनिश्चित किया जा सके।

प्रयोग प्रदर्शन विधि (Demonstration Method)

प्रयोग प्रदर्शन विधि वह है जब शिक्षक यह दिखाते हैं कि कोई चीज कैसे काम करता है या कोई काम कैसे किया जाता है। व्याख्यान विधि में, शिक्षक केवल मौखिक रूप से अवधारणा को समझाते हैं; जबकि इस विधि में, वे आपको व्यावहारिक प्रदर्शन (practical demonstration) के माध्यम से समझाया जाता हैं। उदाहरण के लिए, अगर शिक्षक छात्रों को रासायनिक प्रतिक्रियाओं के बारे में सिखाना चाहते हैं, तो वे कक्षा के सामने एक प्रयोग कर सकते हैं ताकि यह दिखाया जा सके कि विभिन्न पदार्थ एक-दूसरे के साथ कैसे प्रतिक्रिया करते हैं (चित्र 3.3)।

चित्र 3.3 प्रदर्शन विधि

यह विधि छात्रों को अवधारणा को व्यावहारिक रूप में देखने और समझने में मदद करती है, जिससे सीखना आसान हो जाता है। इस विधि का लाभ यह है कि यह छात्रों के लिए सीखने को और अधिक आकर्षक और यादगार बनाती है। वास्तव में, यह छात्रों की जिज्ञासा को बढ़ाती है। हालांकि, इसके लिए तैयारी मंर अतिरिक्त समय और संसाधनों की आवश्यकता हो सकती है, और कभी-कभी हर अवधारणा को प्रदर्शित करना संभव भी नहीं हो पाता।

क्विज स्टेशन *विगत UGC NET परीक्षाओं के प्रश्न*

प्र 1. टीम शिक्षण में निम्नलिखित में से किसकी संभावना होती है:

(a) प्रतिस्पर्धात्मक भावना

(b) सहयोग

(c) एक-दूसरे के शिक्षण को समर्थन देने की आदत

(d) एक-दूसरे के शिक्षण में कमी को उजागर करना

उत्तर 1. (c)

सिनेमैटिक कनेक्शन

हम प्रयोग प्रदर्शन विधि को समझने के लिए *शार्क टैंक इंडिया* (2021) का उदाहरण ले सकते हैं। इस प्रसिद्ध रियलिटी शो में, कई शुरुआती स्तर के स्टार्ट-अप के संस्थापक अपने उत्पादों का प्रदर्शन करते हैं। उनके प्रदर्शन के आधार पर, जज (जिन्हें शार्क्स कहा जाता है) अपनी-अपनी मूल्यांकन करते हैं।

टेलिविजन या वीडियो प्रस्तुति विधि (TV Video Presentation Method)

टेलिविजन या वीडियो प्रस्तुति विधि में, टीवी वीडियो प्रस्तुति विधि में, शिक्षक कक्षा में छात्रों को पढ़ाने के लिए वीडियो का उपयोग करते हैं। केवल बात करने के बजाय, छात्र स्क्रीन पर कुछ देखते हैं जो उन्हें पाठ को समझने में मदद करता है। इसमें वीडियो प्रयोगों, ऐतिहासिक घटनाओं या यहां तक कि छात्रों द्वारा सीखी जा रही सामग्री से संबंधित एनीमेटेड कहानियां भी दिखाई जा सकती हैं।

उदाहरण के लिए, एक किंडरगार्टन शिक्षक बच्चों को अच्छे आचार-व्यवहार अपनाने के लिए प्रोत्साहित करने के लिए एनीमेशन (चित्र 3.4) दिखा सकता है। इसी तरह, एक स्टॉक मार्केट कक्षा में, शिक्षक छात्रों को वेब सीरीज स्कैम 1992 (2020) या फिल्म द वुल्फ ऑफ वॉल स्ट्रीट (2013) दिखा सकते हैं। या फिर, एक सार्वजनिक भाषण कक्षा में, प्रशिक्षक महान वक्ताओं जैसे अटल बिहारी वाजपेयी, नेल्सन मंडेला और बराक ओबामा की भाषणों को दिखा सकते हैं। वीडियो खत्म होने के बाद, शिक्षक छात्रों से प्रश्न पूछ सकते हैं या यह चर्चा कर सकते हैं कि छात्रों ने क्या सीखा।

चित्र 3.4 टीवी वीडियो प्रस्तुति विधि

★★★ परीक्षोपयोगी

3.2 शिक्षार्थी-केंद्रित शिक्षण विधियाँ (Learner-Centric Teaching Methods)

इस विषय को सरल बनाने वाले वीडियो व्याख्यान को देखने के लिए इस QR कोड को स्कैन करें

मुख्य ध्यान: छात्र

शिक्षार्थी-केंद्रित शिक्षण एक नई, छात्र-केंद्रित अध्ययन विधि है। पुराने शिक्षक-प्रेरित तरीकों के विपरीत, इस दृष्टिकोण में छात्रों को उनके अध्ययन में मुख्य भागीदार के रूप में देखा जाता है। यह विधि व्यक्तिगत जरूरतों के अनुसार अनुकूलित है और टीमवर्क को प्रोत्साहित करती है। अध्ययन केवल कक्षा तक सीमित नहीं है – छात्र स्वयं भी अध्ययन कर सकते हैं। छात्रों को यह स्वतंत्रता होती है कि वे क्या, कैसे और कब सीखें, साथ ही यह भी कि उनका मूल्यांकन कैसे किया जाए। शिक्षक-केंद्रित शिक्षण विधियों में ज्ञान का एकतरफा प्रवाह था। हालांकि, शिक्षार्थी-केंद्रित विधियों में, ज्ञान और सूचना कई तरीकों से प्रवाहित होती है। उदाहरण के लिए – शिक्षक से छात्र तक, छात्र से छात्र तक (समूह चर्चाएँ) और छात्र से शिक्षक तक (प्रश्न पूछना, प्रतिक्रिया देना)। इससे एक सक्रिय और जीवंत कक्षा बनती है जहाँ शिक्षक और छात्र दोनों को एक सम्मिलित अनुभव होता है। अब हम शिक्षार्थी-केंद्रित शिक्षण विधियों का अध्ययन करते हैं:

विचार मंथन विधि (Brainstorming Method)

विचार मंथन (Brainstorming) एक ऐसी शिक्षण विधि है जिसमें छात्र मिलकर काम करते हैं ताकि किसी समस्या के लिए विचार या समाधान निकाल सकें (चित्र 3.5)। शिक्षक एक प्रश्न पूछकर या एक विषय देकर शुरुआत करता है। फिर, छात्र बिना गलत होने की चिंता किए अपने विचार साझा करते हैं। वे एक-दूसरे के विचारों पर भरोसा करते हैं और एक टीम के रूप में काम करते हैं। इससे छात्रों को रचनात्मक तरीके से सोचने, समस्याओं को हल करने और बेहतर संवाद स्थापित करने में मदद मिलती है। विचार मंथन छात्रों को विभिन्न दृष्टिकोणों पर विचार करने और पारंपरिक सोच से बाहर सोचने की भी सीख देती है।

चित्र 3.5 विचार-मंथन विधि

उदाहरण के तौर पर, एक विज्ञान कक्षा में नवीकरणीय ऊर्जा स्रोतों (renewable energy sources) पर चर्चा करते समय, छात्र पर्यावरणीय चुनौतियों से निपटने के लिए संभावित वैकल्पिक ऊर्जा समाधान पर ब्रेनस्टॉर्मिंग कर सकते हैं। कुल मिलाकर, विचार मंथन एक क्रियात्मक और इंटरएक्टिव शिक्षा अनुभव को बढ़ावा देता है। दूसरा उदाहरण है - जब दोस्त कैफे कॉफी डे जैसे कैफे में बैठकर स्टार्ट-अप विचारों पर चर्चा करते हैं और सोचते हैं कि वे अपनी कॉर्पोरेट नौकरियों को कैसे छोड़ सकते हैं। वास्तव में, कई प्रसिद्ध स्टार्ट-अप्स, जैसे ओला, फ्लिपकार्ट और एयरबीएनबी, ऐसी चर्चाओं के जरिए शुरू किए गए थे।

अन्वेषण विधि (Heuristic Method)

अन्वेषण शिक्षण विधि में, छात्र स्वयं हाथों-हाथ करके और विषयों को खुद समझकर सीखते हैं (चित्र 3.6)। केवल व्याख्यान सुनने और तथ्यों को याद करने के बजाय, यह विधि छात्रों को वास्तव में उनकी सीखने की प्रक्रिया में शामिल होने के लिए प्रोत्साहित करती है। वे अपने विचारों का अन्वेषण करते हैं और विभिन्न प्रयासों के द्वारा यह समझने की कोशिश करते हैं कि कौन सा तरीका सही है। इस प्रकार, वे सवाल पूछकर और चीजों को आजमाकर विषय को बेहतर तरीके से समझ सकते हैं।

चित्र 3.6 अन्वेषण विधि

उदाहरण के तौर पर, एक वित्त कक्षा (finance class) में, केवल याद करके लागत पत्र (cost sheet) बनाना सीखने के बजाय, छात्र एक हाथों-हाथ परियोजना में भाग ले सकते हैं, जिसमें वे एक कॉलेज कार्यक्रम जैसे सांस्कृतिक महोत्सव या खेल प्रतियोगिता के आयोजन के लिए एक वास्तविक लागत पत्र तैयार करें। पहले, छात्र पिछले आयोजनों के लागत पत्रों का विश्लेषण करेंगे ताकि वे सामान्य खर्चों का अंदाजा लगा सकें। फिर, वे विभिन्न विक्रेताओं से संपर्क कर सकते हैं और स्थान किराए पर लेने, उपकरण, सजावट, भोजन और मनोरंजन जैसी चीजों की कीमतों के बारे में जानकारी प्राप्त करने के लिए विचार कर सकते हैं। इस प्रक्रिया में वे चुनौतियों और समस्याओं का सामना कर सकते हैं, लेकिन ये अनुभव सीखने और विकास के लिए महत्वपूर्ण अवसर प्रदान करते हैं। इस प्रकार का सीखना छात्रों को स्वतंत्र रूप से सीखने और समस्याओं को सुलझाने में मदद करता है।

परियोजना विधि (Project Method)

परियोजना कार्य विधि में, छात्र सक्रिय रूप से ऐसी परियोजनाओं (projects) या कार्यों में भाग लेते हैं, जिनमें उन्हें अपनी जानकारी और कौशल का उपयोग करके वास्तविक जीवन की समस्याओं का समाधान करना होता है। वे केवल व्याख्यान सुनने या पाठ्यपुस्तकों से पढ़ने के बजाय परियोजनाओं पर काम करते हैं, जो उन्हें समूहों में या स्वतंत्र रूप से अन्वेषण और शोध करने के लिए प्रेरित करते हैं (चित्र 3.7)। यह विधि छात्रों में व्यावहारिक अधिगम, आलोचनात्मक सोच, रचनात्मकता और सहयोग को बढ़ावा देती है।

परियोजनाएँ मॉडल बनाना, प्रयोग करना, प्रस्तुतियाँ तैयार करना आदि हो सकती हैं। परियोजना कार्य के माध्यम से, छात्र न केवल विषय की समझ को गहरा करते हैं, बल्कि वे संवाद, समय प्रबंधन और टीम वर्क जैसे महत्वपूर्ण कौशल भी सीखते हैं, जो उनकी शैक्षिक और भविष्य की सफलता के लिए आवश्यक हैं।

चित्र 3.7 परियोजना विधि

गर्मी की छुट्टियाँ हमारे स्कूल के दिनों की कुछ सबसे प्यारी यादों को समेटे होती हैं। क्या आपको याद है कि आपके शिक्षक उन लंबी गर्मी की छुट्टियों में कौन-कौन से प्रोजेक्ट दिए थे? इनमें से कौन सा प्रोजेक्ट आपको सबसे ज्यादा आया था?

क्विज स्टेशन *विगत UGC NET परीक्षाओं के प्रश्न*

प्र 1. किस शिक्षण पद्धति में, शिक्षार्थी की भागीदारी को अधिकतम और सक्रिय बनाया जाता है?

(a) चर्चा पद्धति

(b) बज सत्र पद्धति

(c) ब्रेनस्टॉर्मिंग सत्र पद्धति

(d) परियोजना पद्धति

प्र 2. प्रत्यक्ष शिक्षा को बढ़ावा देने के लिए, निम्नलिखित में से कौन-सी पद्धति सबसे उपयुक्त होगी?

(a) उदाहरण के साथ व्याख्यान

(b) परियोजना पद्धति

(c) चर्चा सत्र

(d) टीम शिक्षण पद्धति

उत्तर 1. (d) 2. (d)

समूह चर्चा विधि (Group Discussion Method)

समूह चर्चा पद्धति में छात्र एक छोटे समूह में किसी विषय या समस्या पर चर्चा करते हैं, जहाँ शिक्षक छात्रों को विषय पर चर्चा करने के लिए दिशा-निर्देश और सहारा प्रदान करते हैं (चित्र 3.8)। समूह के प्रत्येक सदस्य को दिए गए विषय पर अपने विचार, राय और दृष्टिकोण व्यक्त करने का अवसर मिलता है। यह पद्धति छात्रों में सक्रिय भागीदारी, आलोचनात्मक सोच और संचार कौशल को प्रोत्साहित करती है। समूह चर्चाएँ अक्सर दृष्टिकोणों की विविधता को प्रकट करती हैं, जिससे विषय की गहरी समझ का विकास होता है।

चित्र 3.8 समूह चर्चा विधि

उदाहरण के तौर पर, एक सामाजिक अध्ययन कक्षा में, छात्र समूह चर्चा पद्धति का उपयोग करके विभिन्न प्रकार की सरकारों पर चर्चा करते हैं। प्रत्येक समूह किसी एक प्रकार की सरकार, जैसे लोकतंत्र, राजतंत्र, समाजवाद या तानाशाही के बारे में शोध करता है और इसके फायदे और नुकसान पर चर्चा करता है। फिर, वे जो कुछ भी सीखा है, उसे साझा करते हैं, जिससे सभी छात्रों को विभिन्न राजनीतिक प्रणालियों को समझने में मदद मिलती है और उनके सोचने तथा बहस करने के कौशल में सुधार होता है।

पैनल चर्चा विधि (Panel Discussion Method)

पैनल चर्चा विधि शिक्षण का एक ऐसा तरीका है, जो कक्षा के सामने एक टॉक शो जैसा होता है, जहाँ विशेषज्ञ और छात्र किसी विषय पर चर्चा करते हैं (चित्र 3.9)। यह पद्धति जीवंत और संवादात्मक होती है, जिसमें प्रत्येक पैनल सदस्य अपने विचार साझा करता है और चर्चाओं को उत्पन्न करता है। उदाहरण के लिए, एक विज्ञान कक्षा में जलवायु परिवर्तन पर पैनल चर्चा की कल्पना करें। एक पैनल सदस्य कोई पर्यावरण वैज्ञानिक हो सकते हैं, जो जलवायु परिवर्तन के कारणों और प्रभावों को समझाते हैं। दूसरा सदस्य एक नीति निर्माता हो सकते हैं, जो संभावित समाधानों पर चर्चा करते हैं। इन दोनों के बीच छात्र जलवायु परिवर्तन और वैश्विक तापमान वृद्धि पर बातचीत करते हुए सक्रिय रूप से भाग ले सकते हैं।

इस विषय को सरल बनाने वाले वीडियो व्याख्यान को देखने के लिए इस QR कोड को स्कैन करें

पैनल चर्चा विधि का एक और प्रसिद्ध उदाहरण साहित्यिक महोत्सवों में देखा जाता है, जैसे जयपुर साहित्य महोत्सव (JLF) में, जिसे अक्सर 'पृथ्वी का सबसे बड़ा साहित्यिक शो' कहा जाता है। JLF में, प्रसिद्ध लेखक, कवि और साहित्यकार एकत्र होते हैं और कविता, गद्य, दर्शन और अन्य साहित्यिक विषयों पर अपने विचार साझा करते हैं। ये चर्चाएँ प्रतिभागियों और श्रोताओं दोनों के लिए मूल्यवान दृष्टिकोण और समृद्ध अनुभव प्रदान करती हैं। यदि आप JLF के बारे में और जानने के लिए उत्सुक हैं, तो इस जीवंत साहित्यिक इवेंट की झलक पाने के लिए QR कोड को स्कैन कर सकते हैं। क्या आपने कभी पैनल चर्चा में भाग लिया है? उस चर्चा में कौन-सा विषय था, और आपने उससे क्या सीखा?

चित्र 3.9 पैनल चर्चा विधि

यह पद्धति सभी को शामिल करती है और आलोचनात्मक सोच को बढ़ावा देती है। छात्र विभिन्न दृष्टिकोणों से सीखते हैं, प्रश्न पूछते हैं और अपने विचार साझा करते हैं। पैनल चर्चाएँ सीखने को और अधिक आकर्षक और संबंधित बनाती हैं। यह एक ऐसा स्थान बनाती हैं, जहाँ हर कोई योगदान दे सकता है, जिससे छात्रों को जटिल समस्याओं को बेहतर समझने और वास्तविक जीवन के समस्याओं को हल करने के लिए तैयार होने में मदद मिलती है।

सिनेमैटिक कनेक्शन

आइए हम पैनल चर्चा को एक और उदाहरण से समझते हैं। आमिर खान द्वारा होस्ट किया गया शो *सत्यमेव जयते* (2012) में पैनल चर्चाओं का एक महत्वपूर्ण हिस्सा था। इस शो में भारत के विभिन्न सामाजिक मुद्दों पर चर्चा की जाती थी, जैसे महिला भ्रूण हत्या, बाल उत्पीड़न और स्वास्थ्य सेवाओं से जुड़ी समस्याएँ। इन समस्याओं से प्रभावित लोगों की कहानियाँ और विचार साझा करने के बाद, आमिर खान विशेषज्ञों, सामाजिक कार्यकर्ताओं और सरकारी अधिकारियों का एक समूह एकत्र करते थे, जो इन मुद्दों पर और अधिक चर्चा करते थे। इसके अलावा, आमिर दर्शकों से भी सवाल पूछने और अपने विचार साझा करने के लिए आमंत्रित करते थे।

संगोष्ठी विधि (Seminar Method)

संगोष्ठी विधि में लोगों का एक समूह विशिष्ट विषयों पर चर्चा करने और विभिन्न विशेषज्ञों से सीखने के लिए एकत्रित होते हैं (चित्र 3.10)। आमतौर पर, इन संगोष्ठीयों में कई वक्ता होते हैं, जो अपने-अपने विषयों में निपुण होते हैं। इस विधि का एक लाभ यह है कि यह विभिन्न दृष्टिकोणों से जानकारी प्रदान करती है, जो एक ही स्थान पर उपलब्ध होती है। इसके अलावा, सेमिनारों से उन व्यक्तियों को एक दूसरे से जुड़ने और बातचीत करने का अवसर मिलता है, जिनकी रुचियाँ या चिंताएँ समान होती हैं। हालांकि, सेमिनारों का आयोजन और इसमें भाग लेना समयसाध्य और महंगा हो सकता है।

चित्र 3.10 सेमिनार विधि

आइए एक सेमिनार का उदाहरण लेते हैं, जो टैक्स पर पैसे बचाने के बारे में हो। इस सेमिनार में वित्तीय सलाहकार, चार्टर्ड अकाउंटेंट्स और यहां तक कि कर अधिकारियों जैसे वित्त उद्योग के विशेषज्ञ एकत्र होते हैं, जो अपनी जानकारी साझा करते हैं। सेमिनार के दौरान, उपस्थित लोग टैक्स पर पैसे बचाने की विभिन्न रणनीतियों पर चर्चा करते हैं, जैसे टैक्स-सेविंग उपकरणों में निवेश करना, कटौतियों और छूट का लाभ उठाना और टैक्स योजना को समझना। जो लोग इस सेमिनार में भाग लेते हैं, वे नियमित करदाता, छोटे व्यवसायी या वे व्यक्ति हो सकते हैं जो अपने वित्त को बेहतर तरीके से प्रबंधित करना सीखना चाहते हैं।

तालिका 3.1 संगोष्ठी विधि, समूह चर्चा और पैनल चर्चा के बीच अंतर

पहलू	संगोष्ठी विधि	समूह चर्चा	पैनल चर्चा
तैयारी	प्रतिभागी किसी विशिष्ट विषय पर पहले से तैयारी करते हैं	अक्सर स्वत:स्फूर्त होती है, तैयारी की आवश्यकता नहीं भी हो सकती है	पैनलिस्ट आमतौर पर उन क्षेत्रों पर प्रस्तुतियाँ तैयार करते हैं जिनमें उनकी विशेषज्ञता हो
संरचना	अधिक संरचित, जिसमें चर्चा का मार्गदर्शन करने वाला एक सूत्रधार होता है	कम संरचित, जिसमें कोई विशिष्ट नेतृत्व करने वाला नहीं होता है	मध्यम संरचित, जिसमें चर्चा का मार्गदर्शन करने वाला एक संचालक होता है और श्रोताओं की भागीदारी होती है
फोकस	किसी विशिष्ट विषय का गहन अन्वेषण होता है	विविध प्रकार के विषय होते हैं	किसी विशिष्ट विषय पर विशेषज्ञों के दृष्टिकोण की प्रस्तुति और चर्चा होती है
भागीदारी	सभी शामिल लोगों की सक्रिय भागीदारी होती है, योगदान देने के लिए प्रोत्साहित किया जाता है	सभी सदस्यों की समान भागीदारी को प्रोत्साहित करता है	विशेषज्ञ पैनलिस्ट अपने दृष्टिकोण साझा करते हैं, उसके बाद दर्शकों के प्रश्न होते हैं
लक्ष्य	छात्र चर्चा और साझा अंतर्दृष्टि के माध्यम से गहरी समझ हासिल करते हैं	विचारों को साझा करते हैं, विचार-मंथन करते हैं या सामूहिक रूप से समस्याओं का समाधान करते हैं	किसी विशेष विषय पर विविध दृष्टिकोण या विशेषज्ञता प्रस्तुत करते हैं

अभिक्रमित अनुदेशन प्रणाली (Programmed Instructions Method – PI)

PI एक शिक्षण पद्धति है, जो एक सेट कदमों का पालन करने जैसी होती है (चित्र 3.11)। ये व्यवस्थित कदम होते हैं जो आपको अपनी गति से सीखने में मदद करते हैं। हर कदम के बाद, आपको प्रतिक्रिया मिलती है और जब आवश्यक हो, शिक्षक आपकी सहायता करते हैं। इसका उद्देश्य यह देखना है कि क्या आप सही तरीके से सीख रहे हैं। इस प्रकार, आप निरंतर सुधार कर सकते हैं, जब तक कि आपने सब कुछ नहीं सीख लिया।

यह प्रतिक्रिया आपको यह जानने में मदद करती है कि आप सही कर रहे हैं या आपको फिर से प्रयास करने की आवश्यकता है। हालांकि, PI में रुचि खोना संभव हो सकता है, क्योंकि एक जैसे संरचित कदमों को बार-बार करना समय के साथ उबाऊ हो सकता है। हालांकि आप प्रतिक्रिया प्राप्त कर रहे होते हैं और सीख रहे होते हैं, यदि यह बहुत पुनरावृत्त या आप जितनी जल्दी चाहें उतनी प्रगति नहीं देख पा रहे, तो यह सीखने को कम रोमांचक बना सकता है।

चित्र 3.11 अभिक्रमित अनुदेशनप्रणाली (PI)

आइए इस पद्धति को समझने के लिए आपके बचपन के पसंदीदा वीडियो गेम सुपर मारियो का उदाहरण लेते हैं। पहले स्तर (level) में, निर्देश प्राप्त करने के बाद, आपको केवल बुनियादी नियंत्रणों का उपयोग करना होता है, जैसे बाएँ और दाएँ चलना, कूदना और शत्रुओं पर कूद कर हमला करना। इसके बाद, प्रत्येक स्तर अधिक चुनौतीपूर्ण हो जाता है। नए अवरोध, शत्रु और पहेलियाँ खेल को दिलचस्प बनाए रखने के लिए पेश की जाती हैं। जब भी मारियो किसी शत्रु से टकराता है या गड्ढे में गिर जाता है, तो खेल तुरंत प्रतिक्रिया देता है और एक जीवन कम कर देता है। खिलाड़ी अपनी गलतियों से सीखते हैं और नए रणनीतियों को अपनाते हैं ताकि वे वही गलतियाँ फिर से न करें।

PI का एक और दिलचस्प उदाहरण है 'Duolingo' ऐप, जिसका उपयोग वे छात्र करते हैं जो नई भाषा सीखना चाहते हैं। मान लीजिए, आप फ्रेंच सीखना चाहते हैं। यह आपको बुनियादी फ्रेंच सिखाने से शुरू होता है और फिर यह जांचता है कि आपने क्या सीखा है। इसके बाद, यह धीरे-धीरे और अधिक शब्द और वाक्य जोड़ता है, और बीच बीच में आपको परखता है।

व्यक्तिगत अनुदेशन प्रणाली (Personalised System of Instruction Method – PSI)

PSI एक ऐसी शिक्षण पद्धति है जिसमें छात्र अपनी गति से सीखते हैं। वे केवल तब ही अगले पाठ में आगे बढ़ते हैं जब वे वर्तमान सामग्री को समझ लेते हैं। इस पद्धति में छात्रों को व्यक्तिगत मदद और त्वरित प्रतिक्रिया मिलती है। यह संरचित पाठों और परीक्षणों का उपयोग करती है, ताकि यह सुनिश्चित किया जा सके कि छात्र विषयों को सही तरीके से समझ रहे हैं। जबकि छात्र स्वतंत्र रूप से काम करते हैं, शिक्षक जब आवश्यक हो, उनकी सहायता करने के लिए मौजूद होते हैं। PSI का उद्देश्य यह है कि छात्र बेहतर तरीके से सीखें और अपने सीखने के लिए अधिक जिम्मेदार बनें।

PSI का एक वास्तविक उदाहरण - कल्पना करें कि एक ड्राइविंग स्कूल है जहाँ छात्र अपनी गति से गाड़ी चलाना सीखते हैं (चित्र 3.12)। प्रत्येक छात्र को ड्राइविंग नियमों, सड़क के चिन्हों और सुरक्षा टिप्स के साथ एक मैन्युअल दिया जाता है। वे एक प्रशिक्षक के साथ ड्राइविंग का अभ्यास करते हैं। हर पाठ के बाद, वे अपनी जानकारी का परीक्षण करते हैं। अगर वे पास हो जाते हैं, तो वे और अधिक उन्नत ड्राइविंग कौशल पर आगे बढ़ते हैं। अगर वे पास करने में कठिनाई महसूस करते हैं, तो वे सामग्री को फिर से अभ्यास करते हैं और तब तक अभ्यास करते हैं जब तक वे आत्मविश्वास से भरे नहीं होते। यह व्यक्तिगत निर्देश प्रणाली विधि यह सुनिश्चित करता है कि प्रत्येक छात्र अपनी गति से सीखें, और हर कौशल में निपुणता प्राप्त करने के बाद ही अगले स्तर की ड्राइविंग दक्षता पर आगे बढ़ें।

चित्र 3.12 व्यक्तिगत अनुदेशन प्रणाली (PSI) विधि

क्लैरिटी कॉर्नर

1. **आइए समझते हैं कि अभिक्रमित अनुदेशन (PI) और व्यक्तिगत अनुदेशन प्रणाली (PSI) में अंतर क्या है।**
   व्यक्तिगत अनुदेशन प्रणाली (PSI) में छात्रों को अपने सीखने की गति पर अधिक नियंत्रण होता है, और वे अपनी समझ के आधार पर सामग्री के माध्यम से आगे बढ़ सकते हैं। वे उन विषयों को फिर से देख सकते हैं जो उन्हें चुनौतीपूर्ण लगते हैं, और जो सामग्री उन्हें आसान लगती है, उसमें तेजी से प्रगति कर सकते हैं। यहाँ पर जोर व्यक्तिगत सीखने और सामग्री में पूरी महारत हासिल करने पर होता है, ताकि अगले स्तर पर आगे बढ़ सकें।

इसके विपरीत, अभिक्रमित अनुदेशन प्रणाली (PI) अधिक संरचित दृष्टिकोण का पालन करता है, जिसमें में सीखने की सामग्री पूर्वनिर्धारित क्रम में होती है। छात्र व्यवस्थित रूप से सामग्री के माध्यम से प्रगति करते हैं, और कार्यक्रम द्वारा निर्धारित मार्ग का पालन करते हैं। वे प्रत्येक खंड के बाद अभ्यास और क्विज करते हैं, तुरंत प्रतिक्रिया प्राप्त करते हैं, लेकिन उनके पास अपनी सीखने की प्रक्रिया को अनुकूलित करने के लिए कम फ्लेक्सिबिलिटी होती है।

संक्षेप में,

PSI: अधिक स्वायत्तता और फ्लेक्सिबिलिटी

PI: पूर्वनिर्धारित मार्ग लेकिन कम फ्लेक्सिबिलिटी

2. **विभेदित अनुदेशन (DI) और व्यक्तिगत अनुदेशन प्रणाली (PSI) के बीच अंतर**

PSI में स्व-गति आधारित सीखने पर जोर दिया जाता है, जिससे छात्र अपनी गति से पाठ्यक्रम के माध्यम से आगे बढ़ सकते हैं। छात्र सामग्री में महारत हासिल करने के बाद ही आगे बढ़ते हैं, जिससे उन्हें अपनी सीखने की गति पर नियंत्रण मिलता है।

इसके विपरीत, DI का उद्देश्य कक्षा में छात्रों की विभिन्न आवश्यकताओं को पूरा करने के लिए शिक्षण विधियों और सामग्री को अनुकूलित करना है। शिक्षक छात्रों की सीखने की अलग-अलग शैलियों, क्षमताओं और रुचियों को ध्यान में रखते हुए शिक्षण को संशोधित करते हैं। PSI के विपरीत, जहां छात्र अपनी गति पर नियंत्रण रखते हैं, DI में यह शिक्षक-निर्देशित दृष्टिकोण होता है।

हालांकि दोनों ही पद्धतियाँ व्यक्तिगत अधिगम का अनुभव प्रदान करने का लक्ष्य रखती हैं, इनका अपना कार्यान्वयन और फोकस भिन्न होते हैं। PSI छात्र की व्यक्तिगत गति पर जोर देता है, जबकि DI में शिक्षक कक्षा में छात्रों की आवश्यकताओं को पूरा करने के लिए शिक्षण विधियों को अनुकूलित करते हैं।

संक्षेप में,

PSI: छात्रों की व्यक्तिगत गति पर फोकस करता है

DI: विभिन्न शिक्षण शैलियों का उपयोग करके व्यक्तिगत आवश्यकताओं को पूरा करता है

फ्लिप्ड क्लासरूम (Flipped Classrooms)

फ्लिप्ड क्लासरूम में, छात्र आमतौर पर कक्षा से पहले, घर पर या अन्यत्र, शिक्षण सामग्री जैसे प्री-रिकॉर्डेड लेक्चर्स या पठन सामग्री से जुड़ते हैं। कक्षा का समय फिर इंटरएक्टिव गतिविधियों, चर्चाओं और समस्या समाधान अभ्यास के लिए उपयोग किया जाता है, जिनमें शिक्षक मार्गदर्शन प्रदान करते हैं (चित्र 3.13)। इस पद्धति में व्यक्तिगत रूप से सीखने की सुविधा मिलती है, क्योंकि छात्र कक्षा में सक्रिय रूप से भाग लेते हैं।

चित्र 3.13 फ्लिप्ड क्लासरूम

उदाहरण के लिए, आपूर्ति और मांग (supply and demand) की अवधारणा पर वीडियो देखने के बाद, छात्र कक्षा में आते हैं, जहाँ वे एक पात्र अभिनय (role play) में भाग लेने के लिए तैयार होते हैं, जिसमें वे एक बाजार परिदृश्य में खरीदारों और विक्रेताओं के रूप में अभिनय करते हैं। वे कीमतों पर बातचीत करते हैं, बाजार के रुझानों का विश्लेषण करते हैं और आपूर्ति या मांग में बदलाव के संतुलन मूल्य और मात्रा पर प्रभाव का निरीक्षण करते हैं। इसके अलावा, वे वास्तविक दुनिया के आर्थिक मुद्दों पर चर्चा करते हैं, जैसे सरकारी नीतियों का बाजार पर प्रभाव या अर्थव्यवस्था में व्यवसायों की भूमिका।

क्विज स्टेशन *विगत UGC NET परीक्षाओं के प्रश्न*

प्र 1. अभिकथन (A): एक फ्लिप्ड क्लासरूम कार्यक्रम में, छात्र क्लाउड-आधारित प्लेटफॉर्म के माध्यम से डिजिटल शिक्षण सामग्री तक पहुँच सकते हैं।

कारण (R): शिक्षक छात्रों को क्लास के पहले क्लाउड-आधारित प्लेटफॉर्म पर वीडियो व्याख्याएँ, पॉडकास्ट, रिकॉर्डिंग्स और लेख जैसे संसाधन प्रदान करेंगे।

(a) (A) और (R) दोनों सत्य हैं, और (R) (A) की सही व्याख्या करता है।

(b) (A) और (R) दोनों सत्य हैं, और (R) (A) की सही व्याख्या नहीं करता है।

(c) (A) सत्य है, लेकिन (R) असत्य है।

(d) (A) असत्य है, लेकिन (R) सत्य है।

उत्तर 1. (a)

इंटरएक्टिव वीडियो (Interactive Video)

सिर्फ बैठकर देखने के बजाय, आप इसमें भाग ले सकते हैं! इन वीडियो में क्विज, पोल्स और ऐसे क्षण होते हैं जब आपको देखने के दौरान निर्णय लेना होता है (चित्र 3.14)। इससे शिक्षण अधिक इंटरएक्टिव बनता है और आप चीजों को बेहतर तरीके से याद रख पाते हैं। साथ ही, आपको त्वरित

प्रतिक्रिया मिलती है, जो बहुत सहायक होती है। आप इन्हें किसी भी डिवाइस पर देख सकते हैं, और ये यह भी ट्रैक कर सकते हैं कि आप कैसे कर रहे हैं और आपको ऐसे पाठ दे सकते हैं जो आपके लिए सबसे उपयुक्त हों। कुल मिलाकर, ये सीखने को रोमांचक बनाते हैं और आपको चीजों को बेहतर तरीके से समझने में मदद करते हैं।

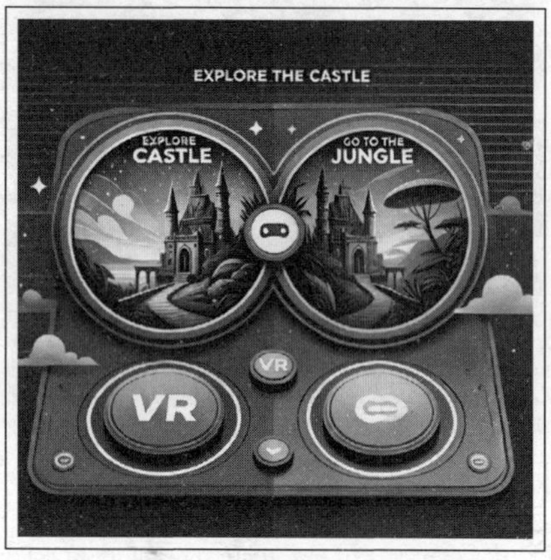

चित्र 3.14 इंटरएक्टिव वीडियो

कल्पना करें कि आप एक वीडियो देख रहे हैं जहाँ मुख्य पात्र, जिसे हम जग्गू कहेंगे, एक रहस्यमय समस्या का समाधान करने के लिए मंगल ग्रह की यात्रा कर रहा है। अगर आपके पास सवाल हों, तो आप उन्हें टाइप कर सकते हैं, और कार्यक्रम आपको उत्तर देगा।

अचानक, जग्गू रास्ते के मोड़ पर पहुँचता है। दर्शक के रूप में, आपको यह तय करना होता है कि जग्गू बाएं डरावने जंगल में जाएगा या दाएं पुरानी हवेली की ओर। यदि आप जंगल को चुनते हैं, तो जग्गू पेड़ों के बीच छुपे हुए सुरागों की खोज कर सकता है। लेकिन अगर आप हवेली को चुनते हैं, तो वह एक गुप्त रास्ता खोज सकता है। आपके द्वारा की गई पसंद के आधार पर कहानी अलग तरीके से आगे बढ़ेगी, और जग्गू का साहसिक कार्य आपकी चुनी गई दिशा के आधार पर अप्रत्याशित मोड़ लेगा।

सिनेमैटिक कनेक्शन

इंटरएक्टिव वीडियो का एक अच्छा उदाहरण है बैंडरस्नैच (2018)। यह Netflix पर ब्लैक मिरर वेब सीरीज का एक विशेष एपिसोड है। इस एपिसोड को सिर्फ देखने के बजाय, आप यह तय करते हैं कि कहानी में आगे क्या होगा। आप मुख्य पात्र, स्टेफन, के लिए निर्णय लेते हैं, और ये निर्णय कहानी के मार्ग को बदलते हैं। कभी-कभी निर्णय छोटे होते हैं, और कभी बड़े। आपके द्वारा चुने गए विकल्पों के आधार पर कहानी अलग-अलग दिशा में बढ़ सकती है और उसके अंत भी अलग हो सकते हैं। यह आपको कहानी में आगे क्या होगा, इस पर नियंत्रण देता है।

एक और उदाहरण है रणवीर वर्सेस वाइल्ड (2022) फिल्म, जहाँ दर्शक अभिनेता रणवीर सिंह के साथ एक साहसिक यात्रा पर जाते हैं। पूरे वीडियो में, दर्शकों को विकल्प दिए जाते हैं, जैसे कि कौन सा रास्ता चुनें या अगला कदम क्या उठाएं। जो विकल्प आप चुनते हैं, उसके आधार पर कहानी अलग-अलग दिशाओं में जाती है, और यह हर दर्शक के लिए एक अनूठा और व्यक्तिगत अनुभव प्रदान करती है। यह इंटरएक्टिव प्रारूप दर्शकों को एक साहसिक यात्रा का सक्रिय भागीदार महसूस कराता है, जिससे उनकी भागीदारी और सामग्री में गहराई से जुड़ने का अनुभव बढ़ता है।

कंप्यूटर सहायक शिक्षण (Computer Assisted Learning - CAL)

कंप्यूटर सहायक शिक्षा (CAL) एक तरीका है, जिसका उपयोग शिक्षक हमें बेहतर तरीके से सीखने में मदद करने के लिए करते हैं। इसमें प्रोग्राम, ऐप्स और विभिन्न इंटरनेट संसाधनों का उपयोग किया जाता है ताकि पाठों को और अधिक दिलचस्प और समझने में आसान बनाया जा सके। CAL वीडियो, चित्र और ध्वनियों का उपयोग करके सीखने की प्रक्रिया को मजेदार बनाता है। यह हर किसी को अपने तरीके से और अपनी गति से सीखने में मदद करता है, जिससे यह सुनिश्चित होता है कि कोई भी पीछे न रह जाए।

आइए एक उदाहरण के रूप में कंप्यूटर के माध्यम से सौरमंडल के बारे में सीखने पर विचार करें। यहां एक इंटरएक्टिव प्रोग्राम है, जहां आप एक वर्चुअल अंतरिक्ष यान (चित्र 3.15) में अंतरिक्ष की यात्रा कर सकते हैं। आप विभिन्न ग्रहों पर क्लिक करके उनके बारे में और अधिक जान सकते हैं। प्रत्येक ग्रह पर आप वीडियो देख सकते हैं और यहां तक कि उसके सतह पर वर्चुअल सैर भी कर सकते हैं। उदाहरण के लिए, अगर आप मंगल ग्रह पर जाते हैं, तो आप इसके चंद्रमाओं के बारे में जान सकते हैं, इसकी सतह को देख सकते हैं और उन मिशनों के बारे में जानकारी प्राप्त कर सकते हैं जिन्होंने मंगल की खोज की है। अगर आपके मन में सवाल होते हैं, तो आप उन्हें टाइप कर सकते हैं, और यह प्रोग्राम आपको उत्तर प्रदान करेगा।

चित्र 3.15 कंप्यूटर असिस्टेड लर्निंग (CAL)

यह ऐसा है कि - जैसे आप वास्तव में अंतरिक्ष में यात्रा कर रहे हों, लेकिन आप सिर्फ अपने कंप्यूटर या टैबलेट का उपयोग कर रहे हैं। इस तरह, आप केवल किताब में ग्रहों के बारे में नहीं पढ़ रहे होते; आप उन्हें पास से देख रहे होते हैं और उनके साथ इंटरएक्ट कर रहे होते हैं। यह अंतरिक्ष के बारे में सीखने को बहुत ही रोमांचक और वास्तविक बना देता है। साथ ही, आप अपनी गति से जान सकते हैं, उन ग्रहों पर अधिक समय बिता सकते हैं, जो आपको सबसे अधिक रुचिकर लगते हैं। और आप हमारे सौरमंडल के काम करने के तरीके को बेहतर समझ सकते हैं।

सिमुलेशन विधि (The Simulation Method)

सिमुलेशन विधि एक शिक्षण दृष्टिकोण है, जिसमें वास्तविक जीवन की स्थितियों की नकल करने वाले कृत्रिम वातावरण या परिप्रेक्ष्य बनाए जाते हैं। इस विधि का उपयोग सीखने को अधिक वास्तविक और व्यावहारिक बनाने के लिए किया जाता है। छात्र जो कुछ भी सीखे हैं, उन्हें अभ्यास करने और समस्याओं का समाधान करने का अवसर मिलता है, बिना किसी वास्तविक परिणाम के। स्वास्थ्य देखभाल, विमान उड़ाने, सैन्य प्रशिक्षण और व्यवसाय प्रबंधन जैसे कई क्षेत्रों में इस विधि का उपयोग किया जाता है।

उदाहरण के लिए, मेडिकल स्कूल में, वे विशेष मशीनों का उपयोग करते हैं ताकि ऐसी परिस्थितियाँ बनाई जा सकें। ये मशीनें वास्तविक मरीजों की तरह कार्य करती हैं। छात्र इन मशीनों पर सर्जरी का अभ्यास कर सकते हैं, यह पता कर सकते हैं कि श्मरीजश के साथ क्या गलत है, और उनसे बात कर सकते हैं। ये मशीनें प्रतिक्रिया भी देती हैं ताकि छात्र बेहतर तरीके से सीख सकें। इस प्रकार, छात्र वास्तविक मरीजों के साथ काम करने से पहले डॉक्टर बनने में बेहतर हो सकते हैं। यह शिक्षण तरीका छात्रों को उनके अध्ययन में अधिक सक्रिय बनाने में मदद करता है। यह उन्हें आलोचनात्मक सोच विकसित करने और दूसरों के साथ अच्छा काम करने में भी सहायता करता है।

आइए एक और उदाहरण लेते हैं। कल्पना करें कि एक बड़ा कमरा है जिसमें एक कॉकपिट है जो बिलकुल वैसा ही दिखता है जैसे एक विमान के अंदर का दृश्य (चित्र 3.16) होता है। यह कमरा उड़ता नहीं है, लेकिन ऐसा महसूस होता है जैसे आप हवा में हैं। चारों ओर स्क्रीन लगी होती हैं जो विमान की खिड़कियों से दृश्य दिखाती हैं। यह एक विमान सिमुलेटर है। पायलट इसका उपयोग असल में आकाश में उड़ान भरे बिना अभ्यास करने के लिए करते हैं। वे उड़ान भरने, लैंडिंग करने और इंजन फेल होने जैसी आपातकालीन स्थितियों से निपटने का अभ्यास कर सकते हैं। यह एक अत्यधिक यथार्थवादी वीडियो गेम की तरह है जो पायलटों को वास्तविक स्थिति के लिए तैयार करता है।

चित्र 3.16 सिम्युलेशन विधि

सिमुलेशन विधि सीखने को सुरक्षित बनाती है क्योंकि छात्र बिना किसी नुकसान के गलतियाँ कर सकते हैं। इस प्रकार, छात्र कठिन चीजों को बेहतर तरीके से समझ सकते हैं और भविष्य में अपनी नौकरियों के लिए तैयार हो सकते हैं।

विभेदित निर्देश (Differentiated Instructions)

विभेदित निर्देश ऐसा है जैसे आइसक्रीम की दुकान पर विभिन्न स्वादों की आइसक्रीम होना। जैसे कुछ लोग चॉकलेट पसंद करते हैं जबकि अन्य वनीला या स्ट्रॉबेरी पसंद करते हैं, वैसे ही छात्र विभिन्न तरीकों से सीखना पसंद करते हैं। इसलिए, सभी को एक ही चीज एक ही तरीके से सिखाने के बजाय, शिक्षक प्रत्येक छात्र की आवश्यकताओं के अनुसार चीजों को बदलते हैं।

आइए अंग्रेजी कक्षा में कविता सीखने का एक उदाहरण लेते हैं। कुछ छात्रों को कविताओं का विश्लेषण करना पसंद होता है – जैसे उन्हें जोर से पढ़ना और उनके अर्थों पर सहपाठियों के साथ चर्चा करना। वहीं, अन्य छात्र अपनी समझ को सृजनात्मक गतिविधियों के माध्यम से व्यक्त करना पसंद करते हैं, जैसे अपनी कविताएँ लिखना या काव्यात्मक विषयों का दृश्य रूप में प्रदर्शन करना। विभेदित निर्देश के माध्यम से, शिक्षक विभिन्न छात्रों की रुचियों और प्राथमिकताओं को ध्यान में रखते हुए अलग-अलग दृष्टिकोण अपनाते हैं, जिससे सभी को प्रभावी रूप से सीखने का अवसर मिलता है।

चित्र 3.17 विभेदित निर्देश

उदाहरण के लिए, कोई समूह कविता में चित्रण (imagery) और प्रतीकवाद (symbolism) पर कक्षा की लाइव चर्चाओं में भाग ले सकता है। दूसरा समूह किसी विशेष शैली या विषय से प्रेरित होकर अपनी कविताएँ लिख सकता है। वहीं, तीसरा समूह रूपकों (metaphors) या उपमाओं (similes) जैसे विभिन्न काव्य उपकरणों को प्रदर्शित करने वाले दृश्य पोस्टर (visual posters) बना सकता है। इस प्रकार, सभी छात्रों को उनकी रुचि और शैली के अनुसार सीखने और अपनी समझ को व्यक्त करने का अवसर मिलता है।

स्कोर बूस्टर

पूरक पठन अनुशंसा

QR कोड काम नहीं कर रहा है? QR कोड के साथ दिए गए संसाधनों तक पहुँचने के लिए आंतरिक फ्रन्ट कवर पर दिए गए निर्देशों का पालन करें

अतिरिक्त विषयों की खोज करें जो आपके UGC NET पेपर 1 में स्कोर को बढ़ा सकते हैं। हालांकि ये विषय आधिकारिक तौर पर पाठ्यक्रम का हिस्सा नहीं हैं, लेकिन ये पिछले UGC NET परीक्षाओं में आए हैं। निम्नलिखित विषयों को कवर करने वाले एक **विशेष पीडीएफ** को डाउनलोड करने के लिए क्यूआर कोड स्कैन करें।

अन्य महत्वपूर्ण शिक्षार्थी-केंद्रित विधियाँ:

1. असाइनमेंट विधि
2. केस स्टडी विधि
3. प्रयोगशाला विधि
4. रोल प्लेइंग विधि
5. ओपन लर्निंग विधि
6. ट्यूटोरियल
7. किनेस्थेटिक लर्निंग विधि
8. लाइव सत्र
9. गेम-आधारित लर्निंग

क्विज स्टेशन *विगत UGC NET परीक्षाओं के प्रश्न*

प्र 1. नीचे दिए गए दो सेटों में से सेट-I शिक्षण के तरीकों को दर्शाता है जबकि सेट-II सफलता/प्रभावशीलता के लिए बुनियादी आवश्यकताओं को दिखाता है। दोनों सेटों का मिलान करें और कोड से चुनकर अपना उत्तर बताएं:

Set I (शिक्षण के स्तर)	Set II (सफलता/प्रभावशीलता के लिए बुनियादी आवश्यकताएँ)
(A) व्याख्यान	I. फीडबैक के साथ छोटे-छोटे चरणों में प्रस्तुति
(B) समूहों में चर्चा	II. बड़ी संख्या में विचारों का उत्पादन
(C) विचार-मंथन	III. सुस्पष्ट भाषा में सामग्री प्रस्तुत करना
(D) अभिक्रमित अनुदेशन	IV. शिक्षण सहायक सामग्री का उपयोग करना
	V. प्रतिभागियों के बीच थीम-आधारित बातचीत

नीचे दिए गए विकल्पों में से सही उत्तर का चयन करें।

A B C D

(a) (I) (II) (III) (IV)

(b) (II) (III) (IV) (V)

(c) (III) (V) (II) (I)

(d) (IV) (II) (I) (III)

प्र 2. नीचे दो स्तंभ दिए गए हैं। स्तंभ-A मे शिक्षण के तरीके सूचीबद्ध हैं और स्तंभ-B में एक तरीके का फोकस सूचीबद्ध है

स्तंभ-A	स्तंभ-B
(A) व्याख्यान विधि	(i) गतिशील, सक्रिय शिक्षण विधि
(B) प्रदर्शन विधि	(ii) अनुभव-आधारित शिक्षण विधि
(C) अन्वेषण विधि	(iii) बड़ी मात्रा में ज्ञान प्रदान करना
(D) विभेदित निर्देश	(iv) छात्र को बिना किसी सहायता के अपनी समस्या का समाधान स्वयं करना होता है

नीचे दिए गए विकल्पों में से अपना उत्तर चुनें:

(a) (A)-(i), (B)-(iii), (C)-(ii), (D)-(iv)

(b) (A)-(ii), (B)-(iv), (C)-(i), (D)-(iii)

(c) (A)-(iii), (B)-(i), (C)-(ii), (D)-(iv)

(d) (A)-(iii), (B)-(ii), (C)-(iv), (D)-(i)

प्र 3. निम्नलिखित में से कौन सी शिक्षार्थीकेन्द्रित दृष्टिकोण की विशेषताएँ हैं? *(2 सितंबर 2024 - शिफ्ट 1)*

A. यह कौशल पर जोर देता है

B. यह शिक्षार्थी की आवश्यकताओं पर केन्द्रित है

C. यह विषयवस्तु के सहयोगात्मक निर्धारण पर केन्द्रित है

D. एक्सपोज़र की परिवर्तनशीलता पर जोर देता है

(a) CD (b) ABC

(c) ABCD (d) BD

प्र 4. एक वर्ग के लिए व्याख्यान विधि का चयन किया जाएगा, यदि *(7 जनवरी 2025 - शिफ्ट 2)*

A. शिक्षक एक अच्छा वक्ता है

B. सभी छात्र औसत से ऊपर हैं

C. पाठ्यक्रम उद्देश्य की मांग है

D. छात्र शिक्षक से ऐसा करने का अनुरोध करते हैं

(a) A (b) C

(c) AC (d) CD

उत्तर 1. (c) 2. (d 3. (c) 4. (d)

★★★ परीक्षोपयोगी

3.3 शिक्षण रणनीतियाँ और उपकरण (Teaching Strategies and Tools)

माइंड-मैपिंग (Mind-Mapping)

माइंड मैप्स दृश्य उपकरण हैं, जिनका उपयोग विचारों को एक संगठित लेकिन रचनात्मक तरीके से व्यवस्थित करने के लिए किया जाता है। यह एक केंद्रीय विचार (जैसे किसी पेड़ का तना) से शुरू होते हैं और फिर उपविषयों और विवरणों में शाखाओं और पत्तियों की तरह फैलते हैं।

माइंड मैप्स क्यों महत्वपूर्ण हैं? (Why are Mind Maps Important?)

निम्नलिखित बिंदु माइंड मैप्स के महत्व को रेखांकित करते हैं:

1. **बेहतर समझ (Enhanced Understanding):** माइंड मैप जटिल विषयों को समझने में आसान बनाने के लिए दृश्य और संगठन का उपयोग करते हैं।
2. **बेहतर स्मृति (Improved Memory):** माइंड मैप्स की दृश्य प्रकृति मेमोरी रिटेंशन में सहायता करती है, जिससे जानकारी को याद रखना आसान हो जाता है।
3. **सृजनात्मकता को प्रोत्साहन (Encouragement of Creativity):** वे विचारों की खोज करने और रचनात्मक तरीके से संबंध बनाने के लिए एक रूपरेखा प्रदान करते हैं।
4. **प्रभावी समस्या-समाधान (Effective Problem-Solving):** माइंड मैप्स समस्याओं को छोटे भागों में विभाजित करने में मदद करते हैं, जिससे समाधान ढूंढना आसान हो जाता है।
5. **स्पष्ट संचार (Clear Communication):** वे विचारों को प्रस्तुत करने के लिए एक दृश्य सहायता के रूप में काम करते हैं, जिससे दूसरों के लिए जटिल अवधारणाओं को समझना आसान हो जाता है।

आप माइंड मैप का उपयोग कहां कर सकते हैं? (Where Can You Use Mind Maps?)

आप माइंड मैप का उपयोग कई जगहों पर कर सकते हैं, जिनमें शामिल हैं:

- प्रस्तुतियाँ
- किसी जटिल अवधारणा को समझना
- समस्या-समाधान और निर्णय लेना
- विचार-मंथन करना और विचार निर्माण करना
- रचनात्मक लेखन और कहानी सुनाना

माइंड मैप का उदाहरण (Example of Mind Maps)

मान लीजिए आपको एक जन्मदिन की पार्टी की योजना बनानी है। जन्मदिन की पार्टी की योजना बनाना एक मजेदार काम हो सकता है, लेकिन कभी-कभी यह थोड़ा चुनौतीपूर्ण भी हो जाता है।

माइंड मैप का उपयोग करके इस प्रक्रिया को आसान और व्यवस्थित बनाया जा सकता है। यह आपको विचारों पर मंथन करने, बदलाव करने और यह सुनिश्चित करने में मदद करता है कि आप कोई महत्वपूर्ण बात न भूलें।

जन्मदिन की पार्टी की योजना बनाने के लिए माइंड मैप बनाना शुरू करने के लिए, मुख्य विचार से शुरुआत करें, जो है ''जन्मदिन की पार्टी।'' इसे अपने कागज के केंद्र में लिखें। फिर, केंद्र से अलग-अलग विषयों की ओर रेखाएं खींचें, जैसे मेहमानों की सूची, सजावट, भोजन, और खेल। ये सभी विषय मुख्य विचार से जुड़े शाखाओं की तरह होंगे।

इन शाखाओं से आप और अधिक विवरण या विचार जोड़ सकते हैं। जैसे, भोजन के तहत आप पिज्जा, केक, और पेय लिख सकते हैं और फिर पिज्जा के प्रकार या केक के फ्लेवर जैसे विशिष्ट विवरण जोड़ सकते हैं। इस तरह, आप अपने सभी विचार एक साथ जुड़े हुए देख सकते हैं, जिससे योजना बनाना और विचारों को व्यवस्थित करना आसान हो जाता है।

माइंड मैप पढ़ाई, परियोजनाओं की योजना बनाने, या विचारों पर मंथन करने के लिए बहुत उपयोगी होते हैं, क्योंकि वे सूचनाओं को दृष्टिगत रूप से व्यवस्थित करते हैं और उन्हें समझना और याद रखना आसान बनाते हैं।

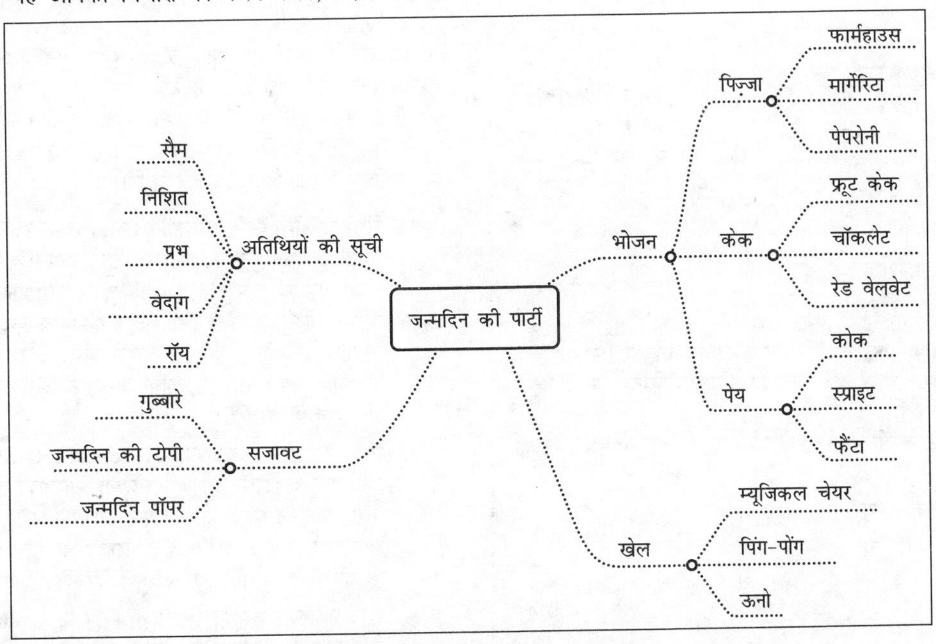

चित्र 3.18 जन्मदिन की पार्टी का माइंड मैप

क्विज स्टेशन *विगत UGC NET परीक्षाओं के प्रश्न*

प्र 1. वह तकनीक क्या कहलाती है जिसमें ऐसे चित्रों का उपयोग किया जाता है, जो अक्सर शब्दों की तुलना में अधिक प्रभावशाली होते हैं, और विभिन्न प्रकार के संबंधों और सोच को प्रेरित करने में अधिक सटीक और शक्तिशाली होते हैं?

(a) ब्रेनस्टॉर्मिंग (b) माइंड-मैपिंग
(c) स्टोरीबोर्डिंग (d) सिनेक्टिक्स

उत्तर 1. (b)

सूक्ष्म-शिक्षण (Microteaching)

इस विषय को सरल बनाने वाले वीडियो व्याख्यान को देखने के लिए इस QR कोड को स्कैन करें

सूक्ष्म-शिक्षण शिक्षकों के लिए एक विशेष प्रशिक्षण प्रक्रिया है, जिसमें वे अपनी शिक्षण कौशल को छोटे और अधिक प्रबंधनीय तरीके से सीखते और अभ्यास करते हैं। इसमें शिक्षक पूरी कक्षा को पढ़ाने के बजाय 3 से 10 छात्रों के छोटे समूह को एक संक्षिप्त पाठ पढ़ाते हैं। यह पाठ आमतौर पर केवल 5 से 20 मिनट तक चलता है।

संक्षिप्त पाठ पढ़ाने के बाद, शिक्षक अपने प्रदर्शन पर विचार करते हैं कि उन्होंने क्या किया और वह कैसा रहा। कभी-कभी, इस पाठ को वीडियो पर रिकॉर्ड किया जाता है ताकि शिक्षक बाद में इसे देखकर सुधार के अवसरों का पता लगा सकें। इसके बाद, शिक्षक अपने सहकर्मियों या सहपाठियों के साथ चर्चा करते हैं। वे यह बात करते हैं कि क्या अच्छा रहा और अगले प्रयास में क्या बेहतर किया जा सकता है।

प्रतिक्रिया प्राप्त करने के बाद, शिक्षक उस पाठ को दोबारा पढ़ाते हैं, लेकिन इस बार वे चर्चा से मिले सुझावों और विचारों को शामिल करते हैं। यह प्रक्रिया शिक्षकों को उनकी शिक्षण विधियों में सुधार करने और अपने पाठ को छात्रों के लिए अधिक रोचक और उपयोगी बनाने में मदद करती है। चित्र 3.19 देखें, जिसमें माइक्रोटिचिंग के विभिन्न चरणों को दर्शाया गया है।

इस विषय को समझने के लिए माइक्रोटिचिंग की तुलना प्री-बोर्ड परीक्षाओं से की जा सकती है। जैसे प्री-बोर्ड परीक्षाएं छात्रों को बोर्ड परीक्षा से पहले अपनी रणनीतियों को अभ्यास करने और सुधारने का मौका देती हैं, उसी तरह माइक्रोटिचिंग शिक्षकों के लिए एक अभ्यास सत्र की तरह है। यह उन्हें अपने शिक्षण कौशल को बेहतर बनाने और कक्षा में अधिक आत्मविश्वास महसूस करने में मदद करता है।

यह तकनीक खासकर नए शिक्षकों के लिए बहुत महत्वपूर्ण है क्योंकि यह उन्हें छोटे-छोटे कदमों में शिक्षण का अभ्यास करने का अवसर देती है। यह ठीक वैसा ही है जैसे खेल के वास्तविक मैच से पहले प्रशिक्षण सत्र में अभ्यास करना। माइक्रोटिचिंग सीमित संसाधनों के साथ भी शिक्षकों को सीखने और बेहतर बनने का अवसर प्रदान करती है।

चित्र 3.19 सूक्ष्म शिक्षण के चरण

क्विज स्टेशन *विगत UGC NET परीक्षाओं के प्रश्न*

प्र 1. सूक्ष्म-शिक्षण छात्र-शिक्षक के लिए सबसे प्रभावी है:

(a) अभ्यास-शिक्षण के दौरान

(b) अभ्यास-शिक्षण के बाद

(c) अभ्यास-शिक्षण से पहले

(d) इनमें से कोई नहीं

प्र 2. सूक्ष्म-शिक्षण एक तकनीक है जिसका उद्देश्य शिक्षक पद के उम्मीदवारों को वास्तविक कक्षा सेटिंग के लिए तैयार करना है।
निम्न में से कौन सा माइक्रो टीचिंग के चरणों का सही क्रम है?

1. ज्ञान प्राप्ति चरण
2. कौशल प्राप्ति चरण
3. स्थानांतरण चरण

कोड:

(a) 1, 2, 3 (b) 1, 3, 2

(c) 2, 1, 3 (d) 3, 1, 2

प्र 3. निम्न में से कौन सी एक स्केल-डाउन शिक्षण स्थिति है?

(a) मैक्रो शिक्षण (b) टीम शिक्षण

(c) सहकारी शिक्षण (d) माइक्रो शिक्षण

उत्तर 1. (a) 2. (a) 3. (d)

मिश्रित शिक्षा (Blended Learning)

मिश्रित शिक्षा अधिगम का एक नया तरीका है, जो दो प्रकार की शिक्षा को मिलाता है: कक्षा आधारित शिक्षा और ऑनलाइन शिक्षा। यह अधिगम का तरीका आपको 'दोनों दुनियाओं का सर्वश्रेष्ठ' प्रदान करता है। इसे 'पारंपरिक शिक्षा' जिसमें शिक्षक पढ़ाते हैं, और 'आधुनिक शिक्षा तकनीकों' जैसे कंप्यूटर और इंटरनेट का उपयोग, का मिश्रण कहा जा सकता है।

ब्लेंडेड लर्निंग छात्रों को शोध करने, स्वाध्ययन करने और निर्णय लेने में बेहतर बनाती है। साथ ही, यह उन्हें कंप्यूटर का उपयोग करने में भी निपुण बनाती है। इस तरीके से, छात्र अपनी शिक्षा के प्रति अधिक जिम्मेदार महसूस करते हैं। ब्लेंडेड लर्निंग का मुख्य उद्देश्य है विभिन्न तरीकों से पढ़ाकर छात्रों को सर्वोत्तम शिक्षा अनुभव प्रदान करना।

1. **मिश्रित आमने-सामने कक्षा (Blended Face-to-Face Class):** मिश्रित आमने-सामने कक्षा में, छात्र अपने शिक्षक के साथ नियमित कक्षा सत्र में भाग लेते हैं, लेकिन वे होमवर्क असाइनमेंट और शोध परियोजनाओं के लिए ऑनलाइन संसाधनों का भी उपयोग करते हैं। उदाहरण के लिए, छात्र कक्षा में चर्चा और गतिविधियाँ कर सकते हैं, लेकिन वे असाइनमेंट जमा करने के लिए ऑनलाइन प्लेटफॉर्म का भी उपयोग करते हैं।
2. **मिश्रित ऑनलाइन कक्षा (Blended Online Class):** मिश्रित ऑनलाइन कक्षा में, ज़्यादातर सीखना ऑनलाइन होता है, लेकिन फिर भी कुछ व्यक्तिगत घटक होते हैं। एक उदाहरण भाषा कक्षा हो सकती है जहाँ छात्र मुख्य रूप से इंटरैक्टिव ऑनलाइन मॉड्यूल और अभ्यास के माध्यम से सीखते हैं। हालाँकि, मूल्यांकन ऑफलाइन आयोजित किया जाता है।
3. **फ्लिप्ड क्लासरूम (The Flipped Classroom):** फ्लिप्ड क्लासरूम में, छात्र घर पर व्याख्यान वीडियो देखते हैं या ऑनलाइन सामग्री पढ़ते हैं और फिर प्रोजेक्ट पर काम करने या चर्चा में शामिल होने के लिए कक्षा में आते हैं। (इस अध्याय में पहले चर्चा की गई है)
4. **रोटेशन मॉडल (The Rotation Model):** रोटेशन मॉडल में, छात्र ऑनलाइन सीखने सहित विभिन्न शिक्षण गतिविधियों के बीच घूमते हैं। उदाहरण के लिए, छात्र दिन का कुछ हिस्सा पारंपरिक कक्षा निर्देश में, कुछ हिस्सा ऑनलाइन असाइनमेंट पर काम करने में और कुछ हिस्सा समूह परियोजनाओं या प्रयोगशालाओं में भाग लेने में बिता सकते हैं।
5. **स्व-मिश्रण मॉडल (The Self-Blend Model):** स्व-मिश्रण मॉडल में, छात्र स्कूल में नियमित रूप से आमने-सामने की कक्षाओं में भाग लेते हैं, लेकिन स्वतंत्र रूप से अतिरिक्त ऑनलाइन पाठ्यक्रम भी लेते हैं। उदाहरण के लिए, 12वीं कक्षा का एक विज्ञान का छात्र स्कूल में पाठ्यक्रम पूरा करने के साथ-साथ JEE प्रवेश के लिए ऑनलाइन कोचिंग भी ले सकता है।
6. **मिश्रित MOOC (The Blended MOOC):** मिश्रित MOOC में, छात्र एक बड़े पैमाने पर खुले ऑनलाइन पाठ्यक्रम (MOOC)

में भाग लेते हैं, लेकिन पाठ्यक्रम सामग्री और असाइनमेंट पर चर्चा करने के लिए शिक्षक या सुविधाकर्ता के साथ व्यक्तिगत बैठकें भी करते हैं। उदाहरण के लिए, एक विश्वविद्यालय कंप्यूटर प्रोग्रामिंग पर MOOC की पेशकश कर सकता है, जहाँ छात्र ऑनलाइन व्याख्यान देखते हैं, लेकिन एक प्रोफेसर के साथ साप्ताहिक व्यक्तिगत अध्ययन सत्र में भाग लेते हैं। (इस अध्याय में पहले चर्चा की गई)

7. **लचीले-मोड पाठ्यक्रम (Flexible Mode Courses):** लचीले-मोड पाठ्यक्रमों में, छात्रों के पास अपनी प्राथमिकताओं और आवश्यकताओं के आधार पर व्यक्तिगत और ऑनलाइन निर्देश के बीच चयन करने का विकल्प होता है। उदाहरण के लिए, एक कॉलेज हाइब्रिड फ्लेक्सिबल (हाइफ्लेक्स) कोर्स की पेशकश कर सकता है, जहाँ छात्र व्यक्तिगत रूप से व्याख्यान में भाग ले सकते हैं या उन्हें ऑनलाइन देख सकते हैं और कैंपस में या दूरस्थ रूप से असाइनमेंट पूरा कर सकते हैं।
8. **एकेडमिक बैंक ऑफ क्रेडिट (Academic Bank of Credits - ABC):** एबीसी सिस्टम में, छात्रों को अपनी गति से आगे बढ़ने और अपनी सीखने की जरूरतों के हिसाब से सबसे उपयुक्त कोर्स चुनने की सुविधा होती है। आइए एक उदाहरण लेते हैं। भारत में, कॉलेज के छात्रों को ऑनलाइन कोर्स पूरा करने के लिए अतिरिक्त क्रेडिट मिलता है। मान लें कि प्रखर पाहुजा एक छात्र है जो गणित में उत्कृष्ट है और गर्मियों की छुट्टियों के दौरान ऑनलाइन एक उन्नत कैलकुलस कोर्स पूरा करता है। वह इस कोर्स के लिए क्रेडिट अर्जित करता है, जिसे फिर कॉलेज में उसके अकादमिक बैंक में संग्रहीत किया जाता है।

क्विज स्टेशन *विगत UGC NET परीक्षाओं के प्रश्न*

प्र 1. आजकल सीखने का सबसे प्रभावी तरीका है:

(a) स्व-अध्ययन (b) आमने-सामने सीखना
(c) ई-लर्निंग (d) मिश्रित सीखना

प्र 2. मिश्रित सीखने के माहौल की महत्वपूर्ण विशेषताएं हैं:

(a) बेहतर छात्र सीखने के परिणाम
(b) अधिक लचीला शिक्षण और सीखने का माहौल
(c) अनुभवात्मक सीखने के बेहतर अवसर
(d) उपरोक्त सभी

प्र 3. मिश्रित सीखने में शामिल है:

1. एक शिक्षण और सीखने का दृष्टिकोण जो निर्देश देने के लिए आमने-सामने कक्षा के तरीकों को कंप्यूटर-मध्यस्थ गतिविधियों के साथ जोड़ता है
2. आमने-सामने और शिक्षक-केंद्रित गतिविधियों का मिश्रण
3. यह समकालिक और अतुल्यकालिक सीखने के उपकरणों का एकीकरण है
4. यह प्रभावी सीखने की प्रक्रिया प्रदान नहीं करता है
5. छात्रों को उनके द्वारा उपयोग किए जाने वाले उपकरणों के माध्यम से गति या विषयों पर कुछ नियंत्रण रखने में सक्षम बनाता है

नीचे दिए गए विकल्पों में से अपना उत्तर चुनें:

(a) 1, 2 और 3 (b) 2, 4 और 5
(c) 2, 3 और 4 (d) 1, 3 और 5

उत्तर 1. (d) 2. (d) 3. (d)

सिक्स थिंकिंग हैट्स (Six Thinking Hats)

'सिक्स थिंकिंग हैट्स' की अवधारणा एक विधि है जिसे एडवर्ड डी बोनो द्वारा प्रस्तुत किया गया है ताकि व्यक्तियों को समस्या-समाधान और निर्णय-निर्माण को विभिन्न दृष्टिकोणों से देखने में मदद मिल सके। शिक्षक सिक्स थिंकिंग हैट्स विधि को अपनी कक्षा में शामिल कर सकते हैं ताकि ब्रेनस्टॉर्मिंग सत्रों (जिसका पहले इस अध्याय में चर्चा की गई है) को सुविधाजनक बनाने और छात्रों में आलोचनात्मक सोच को बढ़ावा देने के लिए एक शक्तिशाली उपकरण के रूप में। इस विधि में, प्रत्येक काल्पनिक 'टोपी' चीजों को देखने का एक अलग तरीका दर्शाती है, जिससे व्यक्तियों को एक स्थिति को कई कोणों से देखने के लिए मार्गदर्शन मिलता है। यहाँ प्रत्येक टोपी और इसके संबंधित सोच शैली का विस्तृत विवरण है-

1. **सफेद टोपी - तथ्य और जानकारी (White Hat - Facts and Information):** सफेद टोपी बनाने का समय, व्यक्तिगत तथ्यात्मक जानकारी एक साथ करने और विश्लेषण करने पर ध्यान केंद्रित करते हैं। वे यह विचार करते हैं कि क्या ज्ञात है, कौन सी जानकारी गायब है और कौन सा निर्णय लेने के लिए अतिरिक्त डेटा की आवश्यकता है। उदाहरण के लिए, एक टीम नए उत्पादों को पहले बाजार के रुझानों पर डेटा एकत्र करने के लिए लॉन्च करने के लिए सफेद टोपी पहन सकती है।
2. **लाल टोपी - भावनाएं और अंतर्ज्ञान (Red Hat - Emotion and Intuition):** लाल टोपी भावनाओं, भावनाओं और अंतर्ज्ञान का प्रतिनिधित्व करती है। लाल टोपी बनाने का समय, व्यक्ति अपने अंतिम लक्ष्य, भावनाएं और किसी स्थिति के बारे में अंतरज्ञान को बिना किसी औचित्य या तर्क के व्यक्ति बनाते हैं। सत्र के दौरान एक विचार-मंथन के लिए, टीम के सदस्य प्रस्तावित विचार पर अपने उदाहरण के लिए स्टेनलेस स्टील को साझा करने के लिए लाल टोपी पहन सकते हैं।
3. **काली टोपी - आलोचनात्मक सोच और सावधानी (Black Hat - Critical Thinking and Caution):** काली टोपी के मॉडल से व्यक्तिगत आलोचनात्मक और सावधान दृष्टिकोण अपनाते हैं। वे किसी निर्णय या विचार से जुड़े विचारों, कमजोरियों और कमियों की पहचान पर ध्यान केन्द्रित करते हैं। उदाहरण के लिए, एक टीम के नए प्रोजेक्ट को लागू करने के लिए कमियां और फुटेज का फुटेज दिखाने के लिए काली टोपी पहनी जा सकती है।
4. **पीली टोपी - आशावाद और सकारात्मक सोच (Yellow Hat - Optimism and Positive Thinking):** वर्चुअल टोपी आशावादी और सकारात्मक सोच को बढ़ावा देती है। पोर्टफोलियो शॉपिंग टाइम, व्यक्तिगत किसी निर्णय या बिक्री के साथ जुड़े ढांचे, अवसरों और ताकतों का पता लगाया जाता है। उदाहरण के लिए, एक रणनीति सत्र के दौरान, टीम के सदस्य किसी विशेष व्यापार रणनीति के प्रभावशाली सकारात्मक प्रभावों और शानदार पर विचार करने के लिए बड़ी टोपी पहन सकते हैं।
5. **हरी टोपी - सृजनात्मकता और नवीनता (Green Hat - Creativity and Innovation):** हरी टोपी चित्रण से प्रेरित सोच और नवीनता को प्रेरित किया जाता है। इस टोपी के नमूने वाले व्यक्ति नए विचार उत्पन्न करते हैं, वैकल्पिक समाधान तलाशते हैं और किसी भी समस्या के लिए नए दृष्टिकोण को पुनर्जीवित करने के लिए बॉक्स के बाहर तलाशते हैं। उदाहरण के लिए, एक उत्पाद डिजाइन बैठक के दौरान, किसी सदस्य के डिजाइन और अधिग्रहण टीम पर विचार करने के लिए हरी टोपी पहनी जा सकती है।

6. **नीली टोपी - मेटा-सोच और प्रक्रिया नियंत्रण (Blue Hat - Meta-Thinking and Process Control):** सोच प्रक्रिया के लिए नियंत्रण तंत्र के रूप में कार्य किया जाता है। यह एक समग्र या बड़ी तस्वीरों का दृश्य प्रस्तुत करता है, जो समग्र सोच प्रक्रिया को सुरक्षा, निर्देशित और समन्वित करने पर ध्यान केन्द्रित करता है। उदाहरण के लिए, टीम लीडरशिप को स्थापित करना, लक्ष्य को स्थापित करना, चर्चाओं को निर्देशित करना और यह सुनिश्चित करने के लिए कि किस्स थिंकिंग हैट्स विधि को प्रभावी ढंग से लागू किया जाए।

इन टॉपियों को 'पहनकर', व्यक्ति किसी भी समस्या या निर्णय को कई दृष्टिकोणों से सुरक्षा के रूप में खोज सकता है, जिससे अधिक व्यापक विश्लेषण, प्रेरक सोच और प्रभावी निर्णय-निर्माण को बढ़ावा दिया जा सकता है।

3.4 सहकारी अधिगम रणनीतियाँ (Cooperative Learning Strategies)

सहकारी अधिगम वह होता है जब छात्र समूहों में मिलकर असाइनमेंट या परियोजनाओं को पूरा करते हैं। इस प्रकार का अधिगम सभी को विचार साझा करने और एक-दूसरे का समर्थन करने में मदद करता है। इस दृष्टिकोण में, प्रत्येक छात्र कार्य में योगदान देता है, और सभी एक-दूसरे से सीखते हैं। उदाहरण के लिए, एक समूह परियोजना में, एक छात्र किसी विषय पर शोध कर सकता है, दूसरा प्रस्तुति बना सकता है, और अन्य अपने विचार साझा कर सकते हैं और समस्याओं को हल करने में मदद कर सकते हैं। यह टीमवर्क छात्रों को महत्वपूर्ण कौशल विकसित करने में मदद करता है।

सहकारी अधिगम सहपाठी समर्थन को प्रोत्साहित करता है, जहाँ छात्र एक-दूसरे को कठिन अवधारणाओं को समझने में मदद करते हैं। यह मजबूत संचार कौशल भी विकसित करता है क्योंकि छात्रों को अपने विचारों को अपनी टीम के साथियों को स्पष्ट रूप से समझाना होता है। एक साथ काम करके, छात्र यह भी सीखते हैं कि संघर्षों को कैसे संभालना है और असहमति को कैसे सुलझाना है। इसके अलावा, वे नेतृत्व कौशल विकसित करते हैं और साझा जिम्मेदारी के महत्व को समझते हैं, जहाँ हर कोई अपना हिस्सा निभाता है। यहाँ कुछ सहकारी अधिगम रणनीतियों के उदाहरण दिए गए हैं-

फिशबोल तकनीक (Fishbowl Technique)

फिशबोल चर्चा में, छात्रों को दो समूहों में विभाजित किया जाता है: एक आंतरिक वृत्त और एक बाहरी वृत्त (चित्र 3.20)। आंतरिक वृत्त में छात्र किसी विषय पर बात करते हैं, जबकि बाहरी वृत्त में छात्र ध्यान से सुनते हैं और नोट्स लेते हैं। यह विधि छात्रों को बोलने और सुनने दोनों कौशल का अभ्यास करने में मदद करती है।

कल्पना करें कि इतिहास की कक्षा प्रथम विश्व युद्ध के कारणों पर चर्चा कर रही है। शिक्षक छह छात्रों को आंतरिक वृत्त में बैठने और विषय पर चर्चा करने के लिए चुनता है। कक्षा के बाकी छात्र बाहरी वृत्त में बैठते हैं, बातचीत सुनते हैं और महत्वपूर्ण बिंदुओं को लिखते हैं। चर्चा के बाद, बाहरी वृत्त में छात्र साझा करते हैं कि उन्होंने सुनने से क्या सीखा। इस तरह, हर कोई स्पष्ट रूप से बोलने और ध्यान से सुनने का अभ्यास करता है।

थिंक-पेयर-शेयर (Think-Pair-Share – TPS)

थिंक-पेयर-शेयर (TPS) एक शिक्षण पद्धति है जो छात्रों को एक साथ काम करके सीखने में मदद करती है। यह इस प्रकार काम करती है:

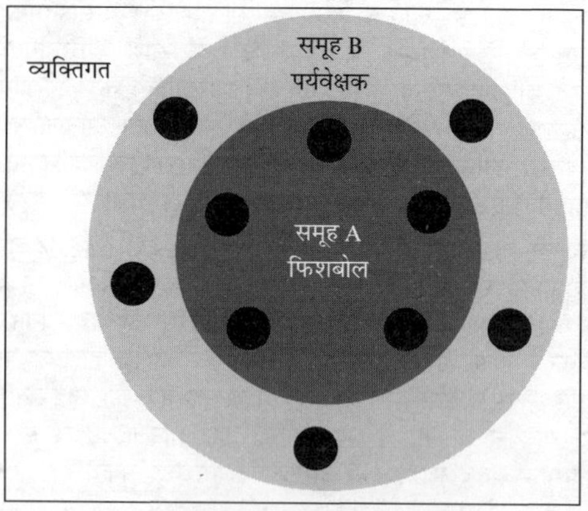

चित्र 3.20 फिशबोल तकनीक

1. **सोचें (Think):** शिक्षक एक प्रश्न पूछता है। प्रत्येक छात्र कुछ मिनटों तक अपने उत्तर के बारे में चुपचाप सोचता है।
2. **जोड़ें (Pair):** फिर, छात्र अपने बगल में बैठे साथी की ओर मुड़ते हैं और अपने विचार और सुझाव साझा करते हैं।
3. **साझा करें (Share):** अंत में, जोड़े पूरी कक्षा के साथ अपनी चर्चा साझा करते हैं।

उदाहरण के लिए, विज्ञान की कक्षा में, यदि शिक्षक पूछता है, 'आकाश नीला क्यों है?' प्रत्येक छात्र व्यक्तिगत रूप से प्रश्न के बारे में सोचता है, फिर अपने विचारों पर एक साथी के साथ चर्चा करता है, और साथ में वे अपने संयुक्त विचारों को सभी के साथ साझा करते हैं। यह विधि व्यक्तिगत सोच, सहयोग और कक्षा-व्यापी साझाकरण को प्रोत्साहित करती है, जिससे छात्रों को अपने स्वयं के प्रतिबिंबों और अपने साथियों की अंतर्दृष्टि दोनों से सीखने में मदद मिलती है।

बज ग्रुप विधि (Buzz Group Method)

बज ग्रुप विधि एक शिक्षण तकनीक है जहाँ छात्रों को एक विशिष्ट प्रश्न पर चर्चा करने के लिए 2-3 लोगों के छोटे समूहों में विभाजित किया जाता है। समूह कुछ मिनटों तक बात करते हैं, जिससे कमरे में भिनभिनाने की आवाज आती है। चर्चा के बाद, प्रत्येक समूह अपने विचारों को पूरी कक्षा के साथ साझा करता है। यह विधि छात्रों को सक्रिय रूप से भाग लेने, अपने विचार साझा करने और एक-दूसरे से सीखने में मदद करती है।

जीव विज्ञान की कक्षा में, छात्रों को प्रकाश संश्लेषण कैसे काम करता है, इस पर चर्चा करने के लिए छोटे-छोटे समूहों में विभाजित किया जाता है। प्रत्येक समूह सूर्य के प्रकाश, क्लोरोफिल और ऑक्सीजन उत्पादन जैसे विषयों पर गहन चर्चा करता है। वे अंतर्दृष्टि साझा करते हैं, जिससे बातचीत का माहौल बनता है। इसके बाद, प्रत्येक समूह कक्षा को अपनी समझ बताता है। उदाहरण के लिए, एक समूह कार्बन डाइऑक्साइड को ग्लूकोज में बदलने में सूर्य के प्रकाश की भूमिका पर प्रकाश डाल सकता है, जबकि दूसरा समूह प्रकाश ऊर्जा को पकड़ने में क्लोरोफिल के महत्व पर जोर देता है। यह विधि छात्रों को सक्रिय रूप से जुड़ने, विचारों का आदान-प्रदान करने और सहयोगात्मक रूप से सीखने का मौका देती है।

जिग्सॉ रणनीति (Jigsaw Strategy)

जिग्सॉ रणनीति एक विधि है जिसमें छात्र समूहों में मिलकर एक-दूसरे के साथ विशिष्ट ज्ञान साझा करते हैं। प्रत्येक समूह किसी विषय या कार्य के

एक अलग पहलू पर ध्यान केंद्रित करता है और उस क्षेत्र में विशेषज्ञ बन जाता है। फिर, वे अपनी खोजों को अपने बाकी सहपाठियों को सिखाते हैं। यह दृष्टिकोण न केवल छात्रों को सामग्री को गहराई से सीखने में मदद करता है बल्कि टीमवर्क और संचार कौशल को भी बढ़ावा देता है।

एक एमबीए कक्षा में, छात्रों को समूहों में विभाजित किया जाता है। प्रत्येक समूह Apple, Google, या Tesla जैसी एक अलग कंपनी पर शोध करता है। वे अध्ययन करते हैं कि ये कंपनियाँ कैसे संचालित होती हैं, पैसा कैसे कमाती हैं और प्रतिस्पर्धा कैसे करती हैं। फिर, वे जो सीखा है उसे अन्य समूहों के सहपाठियों के साथ साझा करते हैं। इससे सभी को विभिन्न व्यावसायिक रणनीतियों को समझने और एक-दूसरे के शोध से सीखने में मदद मिलती है।

अध्याय के मुख्य बिंदु

शिक्षक-केंद्रित विधियाँ

- व्याख्यान विधि
- टीम शिक्षण विधि
- प्रदर्शन विधि
- टीवी वीडियो प्रस्तुति विधि

शिक्षण रणनीतियाँ और उपकरण

- माइंड-मैपिंग
  (विचारों को ग्राफिक रूप से व्यवस्थित करने में मदद करता है)
- माइक्रोटीचिंग
  (छात्रों के एक छोटे समूह के साथ अभ्यास सत्र)
- मिश्रित शिक्षण
  (ऑनलाइन + ऑफ लाइन)
- छह थिंकिंग हैट्स
  (छह अलग-अलग दृष्टिकोणों को शामिल करते हुए समूह चर्चा के लिए एक तकनीक)

शिक्षार्थी-केंद्रित विधियाँ

- विचार-मंथन विधि
- अनुमानी विधि
- परियोजना विधि
- समूह चर्चा विधि
- पैनल चर्चा
- सेमिनार विधि
- क्रमादेशित निर्देश
- निर्देश की व्यक्तिगत प्रणाली (PSI)
- फ्लिप्ड क्लासरूम
- इंटरैक्टिव वीडियो
- कंप्यूटर सहायता प्राप्त शिक्षा
- सिमुलेशन विधि
- विभेदित निर्देश

पूरक में शामिल PDF:

- किनेस्थेटिक लर्निंग
- ट्यूटोरियल
- लाइव सत्र
- गेम-आधारित शिक्षा
- केस स्टडी
- असाइनमेंट विधि
- प्रयोगशाला विधि
- रोल-प्लेइंग
- ओपन लर्निंग

सहकारी अधिगम की रणनीतियाँ

- फिशबोल
  (आंतरिक सर्कल चर्चा करता है, बाहरी सर्कल निरीक्षण करता है)
- थिंक-पेयर-शेयर (TPS)
  (व्यक्ति सोचता है, जोड़ी चर्चा करती है)
- बज समूह विधि
  (संरचित, छोटे समूह चर्चा)
- जिगसॉ रणनीति
  (विशेषज्ञ समूह एक-दूसरे को सिखाते हैं)

4 शिक्षण सहायक प्रणाली (Teaching Support System)

इस अध्याय में

**परीक्षोपयोगी (Exam Essential): UGC NET परीक्षा में पूछे जाने की अत्यधिक संभावना*

4.1 शिक्षण सहायक प्रणाली क्या है? (What is Teaching Support System?)

कल्पना करें कि आप स्कूल या कॉलेज में बैठे हैं, जहां लगभग 50 छात्रों का एक समूह है। इस भीड़ में, आपके चार या पाँच दोस्तों का एक मजबूत समूह है, जिन पर आप पूरी तरह से भरोसा करते हैं। वे आपके जिगरी दोस्त (सबसे अच्छे दोस्त) थे या आपके अंतिम सहायक तंत्र थे। इसी तरह, शिक्षक भी अपने सहायक तंत्र पर निर्भर रहते हैं, जिन्हें अक्सर शिक्षण सहायक कहा जाता है, ताकि वे असाधारण और दिमागी रूप से प्रभावशाली पाठ दे सकें!

शिक्षण सहायक उपकरण वे उपकरण, संसाधन या विधियाँ होती हैं, जिन्हें शिक्षक अधिगम को अधिक आकर्षक और समझने योग्य बनाने के लिए उपयोग करते हैं। ये सहायक उपकरण पारंपरिक साधनों जैसे कि ब्लैकबोर्ड से लेकर आधुनिक उपकरणों जैसे टैबलेट या लैपटॉप तक हो सकते हैं। जैसे-जैसे तकनीकी क्षेत्र में प्रगति हो रही है, वैसे-वैसे शिक्षण सहायक उपकरणों का परिदृश्य भी महत्वपूर्ण रूप से बदला है। उदाहरण के लिए, 2003 में, शिक्षकों के पास आज की तरह कक्षा में उपलब्ध तकनीकी संसाधनों की भरमार नहीं थी।

यह अध्याय शिक्षा में शिक्षण सहायक प्रणाली के महत्व की जांच करता है, यह समझने की कोशिश करता है कि ये कैसे छात्रों में भागीदारी, समझ और स्मरण शक्ति को बढ़ाते हैं। विभिन्न प्रकार के सहायक उपकरणों और उनके उपयोग के तरीके को समझकर, हम उनके प्रभावी और आकर्षक शिक्षण वातावरण बनाने में भूमिका का पता लगाएंगे। तो, चलिए शिक्षण सहायक उपकरणों की दुनिया में कदम रखते हैं और यह जानते हैं कि ये कैसे।

4.2 शिक्षण सहायक सामग्री के लाभ (Benefits of Teaching Aids)

शिक्षण सहायक या शिक्षण सहायक तंत्र के महत्व को समझना महत्वपूर्ण है क्योंकि वे शिक्षण को शिक्षक और छात्रों दोनों के लिए अधिक प्रभावी और आनंददायक बनाते हैं। शिक्षण सहायक शिक्षक को विभिन्न तरीकों से अवधारणाओं को समझाने में मदद करते हैं, जिससे सभी छात्र समझ सकें। वे अधिगम में रुचि बनाए रखते हैं और उन्हें कक्षा के दिए जा रहे पाठ के साथ जुड़े रखते हैं। जब शिक्षण सहायक का प्रभावी ढंग से उपयोग किया जाता है, तो यह शिक्षक के काम को आसान और अधिक संतोषजनक बनाता है, और छात्रों को अधिगम और सफल होने में भी मदद करता है। आइए शिक्षण सहायक के विभिन्न लाभों के बारे में जानें:

1. **बेहतर स्मरण शक्ति (Enhanced Retention):** जब छात्रों को शिक्षण सहायक का उपयोग करके पढ़ाया जाता है, तो वे अवधारणाओं को लंबे समय तक याद रखते हैं। दृश्य सहायक, इंटरैक्टिव सामग्री और हाथों की गतिविधियाँ अधिगम को अधिक यादगार और प्रभावशाली बनाती हैं। उदाहरण के लिए, एक विज्ञान कक्षा के बारे में सोचें जहाँ शिक्षक मानव शरीर का मॉडल दिखाकर हमारे फेफड़ों के काम करने के तरीके को समझाते हैं। जब छात्र मॉडल को देखते और छूते हैं, तो वे बेहतर तरीके से याद रखते हैं कि हमारी श्वसन प्रणाली कैसे काम करती है।
2. **अधिक भागीदारी (Increased Engagement):** शिक्षण सहायक छात्रों की रुचि को बनाए रखने में और अधिगम को अधिक आनंददायक बनाने में मदद करते हैं। उदाहरण के लिए, एक इतिहास की कक्षा पर विचार करें जहाँ शिक्षक पूरी कक्षा को एक भूमिका निभाने वाली गतिविधि में भाग लेने के लिए प्रेरित करते हैं, जिसमें छात्र भारत के स्वतंत्रता संग्राम के प्रसिद्ध व्यक्तित्वों जैसे भगत सिंह

और महात्मा गांधी की भूमिका निभाते हैं। यह इंटरैक्टिव दृष्टिकोण छात्रों के बीच गहरी भागीदारी और समझ को बढ़ावा देता है, जिससे अधिगम का अनुभव अधिक आनंददायक और प्रभावशाली बनता है।

3. **विविधता और एकरसता से ब्रेक (Variety and Break from Monotony):** शिक्षण सहायक पारंपरिक व्याख्यानों की एकरसता को तोड़ते हैं और कक्षा में विविधता लाते हैं। वे जानकारी प्रस्तुत करने के विभिन्न तरीकों को प्रदान करते हैं, जिससे छात्र पूरे पाठ के दौरान ध्यान और रुचि बनाए रखते हैं। एक गणित कक्षा की कल्पना करें जहाँ केवल पृष्ठ पर संख्याओं को देखने के बजाय, आप विशेष चश्मा (VR सेट) पहनते हैं और एक वर्चुअल दुनिया में आकार और पैटर्न को एक्सप्लोर करते हैं।

4. **बहु-संवेदी अधिगम (Multi-Sensory Learning):** शिक्षण सहायक असल में दृष्टि, श्रवण और स्पर्श जैसे कई इंद्रियों के एक साथ उपयोग करते हैं - जिससे छात्रों को अधिगम का अनूठा अनुभव मिलता है। यह बहु-संवेदी दृष्टिकोण छात्रों के लिए जटिल अवधारणाओं को समझना आसान बनाता है।

   उदाहरण के लिए, बहु-संवेदी अधिगम एक 5डी फिल्म देखने के समान है जिसमें आप अपनी सभी इंद्रियों का उपयोग करते हैं। आप स्क्रीन पर हो रही चीजों को देखते हैं। आप फिल्म की आवाजें सुनते हैं। कभी-कभी, आपकी सीट हिलती है - जो आप इसे महसूस कर सकते हैं। वहाँ ऐसी गंधें हो सकती हैं जिन्हें आप सूंघ सकते हैं, जो आपके अनुभव में जोड़ती हैं। ये सभी इंद्रियाँ एक साथ काम करके फिल्म के अनुभव को अधिक मजेदार और यादगार बनाती हैं।

5. **विशेषज्ञों से मार्गदर्शन (Access to Expertise):** शिक्षण सहायक उपकरण विशेषज्ञों को कक्षा में वर्चुअली आने का अवसर प्रदान करते हैं, जिससे छात्रों का अधिगम का अनुभव बढ़ता है बिना शारीरिक उपस्थिति की आवश्यकता के। इससे ज्ञान का निर्बाध साझाकरण संभव होता है और भौगोलिक रूप से दूरस्थ स्थानों से छात्र वास्तविक समय में एक साथ सीख सकते हैं।

   उदाहरण के लिए, कल्पना करें कि आपकी अंग्रेजी कक्षा में शिक्षक प्रसिद्ध लेखक रस्किन बॉन्ड को आमंत्रित करते हैं, ताकि वे छात्रों के साथ लाइव वीडियो कॉन्फ्रेंस के माध्यम से बातचीत कर सकें। शारीरिक रूप से दूर होने के बावजूद, छात्र लेखक के साथ सक्रिय रूप से संवाद कर सकते हैं, प्रश्न पूछ सकते हैं और उनके लेखन अनुभवों के बारे में जान सकते हैं।

   इस वर्चुअल इंटरएक्शन के माध्यम से, छात्र एक प्रसिद्ध हस्ती की विशेषज्ञता से लाभान्वित होते हैं, जिससे उनके साहित्य और कहानी कहने की समझ में समृद्धि आती है।

6. **अधिगम के लिए प्रेरणा (Motivation for Learning):** शिक्षण के सहायक उपकरण प्रेरणादायक उपकरण के रूप में कार्य करते हैं, जो छात्रों के उत्साह को जगाते हैं ताकि वे कक्षा की गतिविधियों में सक्रिय रूप से भाग लें और अपने अधिगम की प्रक्रिया के लिए जिम्मेदारी संभालें।

   उदाहरण के लिए, कल्पना करें कि एक विज्ञान की कक्षा है, जहां छात्रों को साधारण रोबोट बनाने का कार्य सौंपा गया है। यह हाथों से की जाने वाली गतिविधि न केवल वैज्ञानिक अवधारणाओं की गहरी समझ को बढ़ावा देती है, बल्कि अधिगम को एक मजेदार अनुभव में बदल देती है, जैसे खिलौनों के साथ खेलना। इसके परिणामस्वरूप, छात्र अन्वेषण करने और अधिगम के लिए अधिक प्रेरित होते हैं, जो प्रयोग और अन्वेषण की उत्तेजना से प्रेरित होते हैं।

7. **समझ पर जोर (Understanding over Memorisation):** रटने के बजाय, शिक्षण सहायक विषयों की समझ को प्रभावी ढंग से बढ़ावा देते हैं। यह छात्रों में आलोचनात्मक सोच और गहरी समझ को प्रोत्साहित करता है। कल्पना करें कि आप इतिहास कक्षा में प्राचीन सभ्यताओं के बारे में सीख रहे हैं, विशेष रूप से मिस्र में पिरामिडों के निर्माण के बारे में।

   केवल पाठ्यपुस्तक में पढ़ने के बजाय, आपका शिक्षक एक हाथों-हाथ करने वाली गतिविधि लाते हैं जहाँ आप और आपके सहपाठी ब्लॉकों या मिट्टी का उपयोग करके एक लघु पिरामिड बनाते हैं। जैसे ही आप पिरामिड का निर्माण करने के लिए एक साथ काम करते हैं, आप प्राचीन मिस्रवासियों द्वारा सामना की गई चुनौतियों और ऐसे विशाल संरचनाओं का निर्माण करने के लिए आवश्यक इंजीनियरिंग कौशल के बारे में सोचने लगते हैं।

8. **अधिगम का सुदृढ़ीकरण (Reinforcement of Learning):** शिक्षण सहायक न केवल प्रारंभिक अधिगम की सुविधा प्रदान करते हैं बल्कि समय के साथ समझ को सुदृढ़ और गहरा भी करते हैं। वे समीक्षा और अभ्यास के अवसर प्रदान करते हैं, जिससे छात्रों को अपने अधिगम को समेकित करने और विषय वस्तु में महारत हासिल करने में मदद मिलती है।

   उदाहरण के लिए, मान लें कि छात्रों ने विभिन्न देशों की राजधानियों के बारे में सीखा है। बाद में एक गतिविधि में, वे एक ऑनलाइन खेल में शामिल होते हैं जहाँ वे प्रत्येक देश को उसकी राजधानी से मिलाते हैं। यह इंटरैक्टिव अभ्यास न केवल मनोरंजन का एक रूप है बल्कि एक मूल्यवान अभ्यास सत्र के रूप में भी कार्य करता है, जिससे छात्रों को अपनी जानकारी को फिर से याद करने और सुदृढ़ करने का अवसर मिलता है।

क्विज स्टेशन *विगत UGC NET परीक्षाओं के प्रश्न*

प्र 1. निम्नलिखित में से कौन-से शिक्षण सहायक उपकरणों के अंतर्निहित उद्देश्य हैं?

A. छात्रों को अधिगम के लिए प्रेरित करना

B. व्यक्तिगत भिन्नताओं को पूरा करने में मदद करना

C. अमूर्त विचारों को ठोस बनाना

D. अधिगम को स्थायी बनाना

कोड

(a) A, B और C (b) B, C और D

(c) A, C और D (d) उपरोक्त सभी

प्र 2. शिक्षक द्वारा निर्देशात्मक सहायक उपकरणों का उपयोग किया जाता है:

(a) कक्षा को महिमामंडित करने के लिए

(b) छात्रों को आकर्षित करने के लिए

(c) अवधारणाओं को स्पष्ट करने के लिए

(d) अनुशासन सुनिश्चित करने के लिए

प्र 3. शिक्षक दृश्य सहायक उपकरणों का उपयोग करते हैं ताकि अधिगम हो सके:

(a) सरल (b) अधिक ज्ञानवर्धक

(c) तेज (d) रोचक

उत्तर 1. (b) 2. (c) 3. (d)

4.3 शिक्षण सहायक सामग्री के चयन को प्रभावित करने वाले कारक (Factors Influencing the Selection of Teaching Aids)

सही शिक्षण सहायक सामग्री का चयन प्रभावी शिक्षण का एक महत्वपूर्ण पहलू है, क्योंकि यह सीधे छात्रों के अधिगम के अनुभव को प्रभावित करता है। शिक्षण सहायक सामग्री चुनने की प्रक्रिया विभिन्न कारकों से प्रभावित होती है, जिन पर शिक्षकों को ध्यान से विचार करना चाहिए। शिक्षण सहायक सामग्री को पाठ्यक्रम की आवश्यकताओं और अधिगम के उद्देश्यों के साथ जोड़कर, शिक्षक शिक्षण सहायक उपकरणों की प्रभावशीलता को अधिकतम कर सकते हैं। आइए शिक्षण सहायक सामग्री के चयन को प्रभावित करने वाले कारकों पर नजर डालें:

1. **दर्शकों के बारे में विचार (Audience Consideration):** शिक्षण सहायक सामग्री का चयन करते समय, दर्शकों की विशेषताओं पर विचार करना महत्वपूर्ण है। साक्षरता स्तर और दर्शकों के आकार जैसे कारक सहायक सामग्री के चयन को महत्वपूर्ण रूप से प्रभावित करते हैं। उदाहरण के लिए, मुद्रित मीडिया उच्च साक्षरता स्तर वाले दर्शकों के लिए अधिक उपयुक्त हो सकता है, जबकि दृश्य सहायक सामग्री अक्सर बड़े समूहों या साक्षरता के विभिन्न स्तरों वाले दर्शकों के लिए पसंद की जाती है।

   उदाहरण के लिए, ग्रामीण क्षेत्र में कक्षा में पढ़ाते समय, जहाँ साक्षरता दर भिन्न हो सकती है, वीडियो, पोस्टर और प्लेकार्ड जैसे दृश्य साधनों का उपयोग जानकारी देने और दर्शकों को प्रभावी ढंग से आकर्षित करने में अधिक प्रभावी हो सकता है।

2. **शिक्षण के उद्देश्य (Teaching Objectives):** शिक्षण के उद्देश्य सबसे उपयुक्त शिक्षण सहायक सामग्री निर्धारित करने में महत्वपूर्ण भूमिका निभाते हैं। चाहे उद्देश्य ज्ञान प्रदान करना हो, दृष्टिकोण को प्रभावित करना हो या कौशल विकसित करना है – प्रभावशीलता सुनिश्चित करने के लिए इन उद्देश्यों के अनुसार सहायक सामग्री का चयन करना आवश्यक है।

   उदाहरण के लिए, प्रेरक लेखन पर केंद्रित अंग्रेजी कक्षा में शिक्षक छात्रों के तर्क कौशल को विकसित करने के लिए वास्तविक जीवन के उदाहरणों, बहस और भूमिका निभाने वाली गतिविधियों का उपयोग कर सकता है।

3. **विषय-वस्तु की प्रकृति (Nature of Subject Matter):** विषय की जटिलता और सरलता भी शिक्षण सहायक सामग्री के चयन को प्रभावित करती है। सरल और परिचित विषयों को शब्दों और चित्रों के माध्यम से आसानी से समझाया जा सकता है, जबकि जटिल या नई अवधारणाओं को समझाने के लिए ऑडियो-विजुअल (दृश्य और श्रवण) सहायक सामग्री की आवश्यकता हो सकती है।

   एक विज्ञान कक्षा की कल्पना करें, जहाँ छात्र पदार्थ की विभिन्न अवस्थाओं के बारे में सीख रहे हैं: कठिन, तरल और गैस। जबकि प्रत्येक अवस्था के बारे में बुनियादी जानकारी सरल विवरण या चित्रों के माध्यम से समझाई जा सकती है, किंतु यह समझना कि तापमान पदार्थ की अवस्थाओं को कैसे प्रभावित करता है, इसके लिए अतिरिक्त सहायता की आवश्यकता हो सकती है। शिक्षक बर्फ के टुकड़े, पानी और भाप जैसी सामग्रियों का उपयोग करके यह प्रदर्शित कर सकते हैं कि एक ही पदार्थ (जैसे पानी) गर्म या ठंडा होने पर कठिन से तरल और फिर गैस में कैसे बदल सकता है।

4. **शिक्षण सहायक सामग्री की उपलब्धता (Availability of Teaching Aids):** शिक्षण सहायक सामग्री की उपलब्धता उनके उपयोग को प्रभावित करती है। तकनीकी उन्नति के कारण अब इंटरनेट पर उपकरण अधिक सुलभ और सस्ते हो गए हैं, जिससे कई विकल्प उपलब्ध हो गए हैं।

5. **सापेक्ष लागत (Relative Cost):** शिक्षण सहायक सामग्री की लागत भी महत्वपूर्ण है। अगर सहायक सामग्री की प्रभावशीलता और लागत का सही संतुलन बैठाया जाए, तो संसाधनों का बेहतर उपयोग किया जा सकता है। उदाहरण के लिए, यदि स्कूल के पास सीमित संसाधन हैं, तो शिक्षक सस्ती सहायक सामग्री का उपयोग कर सकते हैं, जैसे घर पर बने फ्लैशकार्ड, कला के लिए पुन: उपयोग किए गए सामग्री या मुफ्त ऑनलाइन शैक्षिक वीडियो।

★★★ परीक्षोपयोगी

4.4 एडगर डेल का अनुभव का शंकु (Edgar Dale's Cone of Experience)

क्या आपने कभी सोचा है कि हम रूमाल की तरह जानकारी कैसे संजोते हैं या कुछ अनुभव हमारे दिमाग में क्यों एक आकर्षक धुन की तरह चिपक जाते हैं? एडगर डेल के अनुभव के शंकु में प्रवेश करें, जो एक रोचक अवधारणा है और यह समझने में मदद करता है कि हम कैसे विभिन्न संवेदी अनुभवों के माध्यम से सीखते हैं।

डेल का शंकु हमें यह समझने में मदद करता है कि हम चीजों को अधिगम के कई अलग-अलग तरीकों से कैसे जान सकते हैं। उदाहरण के लिए, अगर आप जानवरों के बारे में सीख रहे हैं, तो आप इसके लिए किताब पढ़ सकते हैं, YouTube पर वीडियो देख सकते हैं, या उन्हें करीब से देखने के लिए चिड़ियाघर भी जा सकते हैं। डेल का शंकु हमें यह बताता है कि अधिगम के कई तरीके होते हैं, जैसे पढ़ना और सुनना, और व्यावहारिक गतिविधियों में भाग लेना।

डेल के अनुभव के शंकु (चित्र 4.1) को हम एक शंकु के रूप में देख सकते हैं, जिसमें कई परतें होती हैं, और हर परत ज्ञान को आत्मसात करने का एक अलग तरीका दिखाती है। ये परतें निष्क्रिय गतिविधियों जैसे पढ़ने और सुनने से लेकर सक्रिय गतिविधियों जैसे व्यावहारिक अनुभव तक होती हैं। अब, हम डेल के अनुभव के शंकु के विभिन्न घटकों को समझने के लिए सबसे ऊपर से शुरुआत करते हैं:

1. **पाठ पढ़ें (Read Text):** इसमें लिखित सामग्री, जैसे किताबें, लेख या दस्तावेज पढ़ने को संदर्भित किया जाता है। शिक्षार्थी पढ़ी गई जानकारी का लगभग 10% याद रखते हैं।
2. **व्याख्यान सुनें (Listen to Lecture):** इसमें किसी को बिना ज़्यादा बातचीत के बोलते या प्रस्तुति देते हुए सुनना शामिल है।

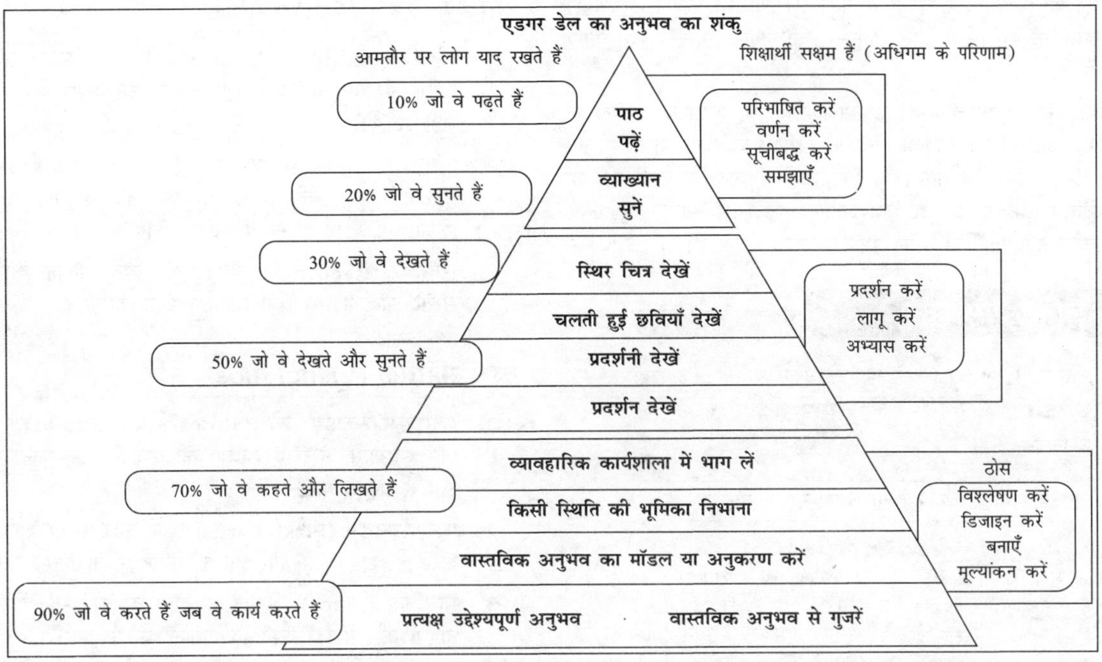

चित्र 4.1 डेल का अनुभव शंकु

शिक्षार्थी व्याख्यान के दौरान सुनी गई बातों का लगभग 20% याद रखते हैं। ऐसा इसलिए है क्योंकि व्याख्यान अक्सर नीरस होते हैं और शिक्षार्थी अपना ध्यान खो देते हैं।

3. **स्थिर चित्र देखें (See Still Images):** इसमें फोटो, आरेख, चार्ट या अन्य स्थिर दृश्य सहायक (visual aid) को देखना शामिल है। शिक्षार्थी स्थिर चित्रों के माध्यम से प्रस्तुत की गई जानकारी का लगभग 30% याद रखते हैं।

4. **चलती हुई छवियाँ देखें (फिल्में/वीडियो देखें) (Watch Moving Images) (Watch Movies/Videos):** इसमें वीडियो या एनिमेशन देखना शामिल है। स्थिर छवियों के समान, शिक्षार्थी चलती हुई छवियों के माध्यम से प्रस्तुत की गई जानकारी का लगभग 30% याद रखते हैं।

5. **प्रदर्शनी देखें (View Exhibit):** इसमें संग्रहालयों, दीर्घाओं या प्रदर्शनियों का दौरा करना शामिल है जहाँ शिक्षार्थी प्रदर्शन या कलाकृतियों को देख सकते हैं और कभी-कभी उनके बारे में सुन सकते हैं। शिक्षार्थी प्रदर्शनियों में मिलने वाली जानकारी का लगभग 50% याद रखते हैं।

6. **प्रदर्शन देखें (Watch Demonstration):** इसमें किसी व्यक्ति को किसी प्रक्रिया या तकनीक का प्रदर्शन करते हुए देखना शामिल है। प्रदर्शनियों को देखने के समान, शिक्षार्थी प्रदर्शनों के माध्यम से प्रस्तुत की गई जानकारी का लगभग 50% याद रखते हैं।

7. **व्यावहारिक कार्यशाला में भाग लें (Participate in Hands-on Workshop):** इसमें ऐसी गतिविधियों में सक्रिय रूप से भाग लेना शामिल है जहाँ शिक्षार्थी वस्तुओं में हेरफेर करते हैं या कार्य करते हैं। व्यावहारिक कार्यशालाओं में भाग लेने से आमतौर पर सीखी गई सामग्री का लगभग 70% हिस्सा याद रहता है।

8. **किसी स्थिति की भूमिका निभाना (Role-Play a Situation):** इसमें वास्तविक जीवन की स्थितियों का अनुकरण करने के लिए परिदृश्यों का अभिनय करना या अलग-अलग भूमिकाएँ निभाना शामिल है। शिक्षार्थी भूमिका निभाने के माध्यम से सीखी गई जानकारी का लगभग 70% याद रखते हैं।

   उदाहरण के लिए, कक्षा में, छात्र विभिन्न भूमिकाएँ निभाने वाले परिदृश्यों का अभिनय करके संघर्ष समाधान के बारे में सीखते हैं। वे वास्तविक समय में संघर्ष समाधान तकनीकों पर बातचीत करते हैं और उन्हें लागू करते हैं। इस इंटरैक्टिव भूमिका निभाने के माध्यम से, वे सीखी गई जानकारी का लगभग 70% याद रखते हैं, क्योंकि वे अधिगम की प्रक्रिया में सक्रिय रूप से शामिल होते हैं और भावनात्मक रूप से निवेशित होते हैं।

9. **वास्तविक अनुभव का मॉडल या अनुकरण करें (Model or Simulate a Real Experience):** यह वास्तविक दुनिया के अनुभवों को दोहराने के लिए मॉडल, सिमुलेशन या आभासी वास्तविकता का उपयोग करने को संदर्भित करता है। शिक्षार्थी नकली अनुभवों के माध्यम से सीखी गई जानकारी का लगभग 90% याद रखते हैं।

   उदाहरण के लिए, पायलट अक्सर आसमान में उड़ान भरने से पहले विभिन्न मौसम स्थितियों और परिदृश्यों में उड़ान भरने का अभ्यास करने के लिए फ्लाइट सिमुलेटर का उपयोग करते हैं (शिक्षण योग्यता के अध्याय 3 में सिमुलेशन विधि के तहत चर्चा की गई)। इन सिमुलेशन के माध्यम से, वे सीखी गई जानकारी का लगभग 90% हिस्सा बनाए रखते हैं, क्योंकि वे वास्तविक दुनिया की उड़ान में शामिल जोखिमों के बिना यथार्थवादी उड़ान स्थितियों का अनुभव करने और उन पर प्रतिक्रिया करने में सक्षम होते हैं।

10. **प्रत्यक्ष उद्देश्यपूर्ण अनुभव (Direct Purposeful Experience):** यह अधिगम का सबसे अधिक गहन स्तर है, जिसमें प्रत्यक्ष अनुभव शामिल होते हैं, जहाँ शिक्षार्थी सीधे वास्तविक

जीवन की स्थितियों या कार्यों से जुड़ते हैं। शिक्षार्थी प्रत्यक्ष, उद्देश्यपूर्ण अनुभवों के माध्यम से प्राप्त जानकारी का लगभग 90% हिस्सा बनाए रखते हैं।

आइए फिर से बातचीत का उदाहरण लें। अब, कक्षा के माहौल के बजाय, आपकी माँ आपको सब्जियाँ खरीदने के लिए बाजार भेजती है। वहाँ, आप सीधे वास्तविक विक्रेताओं से बातचीत करते हैं। यह वास्तविक जीवन का अनुभव आपको पहले से सीखी गई 90% बातचीत तकनीकों को बनाए रखने में मदद करता है।

लर्निंग शॉर्टकट्स

अभी-अभी पढ़ी हुई चीज को याद करने में कठिनाई हो रही है? यहाँ एक सरल तरकीब है डेल के अनुभव शंकु के घटकों को याद रखने के लिए-

वास्तव में बड़ा सांप पायजामा पहनकर पेय परोस रहा है

- पढ़ें पाठ (10%)
- सुनो व्याख्यान (20%)
- देखें स्थिर और चलती छवियाँ (30%)
- घड़ी प्रदर्शनी और प्रदर्शन (50%)
- कार्यशाला में भाग लें या भूमिका निभाएं (70%)
- प्रत्यक्ष उद्देश्यपूर्ण अनुभव (90%)
- सिमुलेट वास्तविक अनुभव (90%)

4.5 शिक्षण सहायक सामग्री के प्रकार (Types of Teaching Aids)

इस विषय को सरल बनाने वाले वीडियो व्याख्यान को देखने के लिए इस QR कोड को स्कैन करें

शिक्षण समर्थन प्रणाली या निर्देशात्मक सुविधाएँ निर्देशात्मक सुविधाएँ, जिन्हें आमतौर पर शिक्षण सहायक के रूप में जाना जाता है, उपकरणों और संसाधनों की एक विविध श्रेणी को शामिल करती हैं जो कक्षाओं और शैक्षिक सेटिंग्स में अधिगम के अनुभव को बढ़ाने के लिए डिजाइन की गई हैं। ये सहायक शिक्षकों के लिए अमूल्य समर्थन के रूप में कार्य करते हैं, जो दृश्य, श्रव्य और इंटरैक्टिव साधनों के माध्यम से अवधारणाओं की समझ और प्रतिधारण को सुविधाजनक बनाते हैं।

शिक्षार्थियों के साथ बातचीत की प्रकृति के आधार पर (Based on Nature of Interaction with Learners)

ये उपकरणों को हमारी इंद्रियों के आकर्षण के आधार पर वर्गीकृत किया जा सकता है - श्रवण (सुनना), दृश्य (देखना), श्रव्य-दृश्य (सुनना और देखना दोनों एक साथ शामिल करना) और गतिविधि सहायक। आइए प्रत्येक प्रकार का अन्वेषण करें:

ऑडियो एड्स (Audio Aids)

1. **रेडियो (Radio):** पाठ और चर्चाओं को प्रसारित करने के लिए उपयोग किया जाता है, विशेष रूप से उन दूरस्थ क्षेत्रों में सहायक है जहां इंटरनेट नहीं है।
2. **ऑडियो बुक्स/पॉडकास्ट (Audio Books/Podcasts):** मल्टीटास्किंग करते समय अधिगम की अनुमति देते हैं, श्रवण शिक्षार्थियों या व्यस्त कार्यक्रमों के लिए महान।
3. **रिकॉर्डर (Recorder):** बैठकों और प्रस्तुतियों को कैप्चर करता है, सस्ती ऑडियो रिकॉर्डिंग विकल्प प्रदान करता है।

दृश्य सहायक (Visual Aids)

1. **स्लाइड्स/स्लाइड शो (Slides/Slide Shows):** कार्यशालाओं और सेमिनारों के लिए छवियों को प्रोजेक्ट करें, जानकारी को स्पष्ट रूप से प्रस्तुत करें।
2. **फ्लैश कार्ड्स (Flash Cards):** छोटे कार्ड स्मरण शक्ति में सहायता करते हैं, शब्दावली और त्वरित समीक्षाओं के लिए उत्तम।
3. **मानचित्र (Maps):** भूगोल को दृश्य रूप में प्रस्तुत करें, स्थानों और नदियों और पहाड़ों जैसी विशेषताओं को दिखाएं।
4. **ग्राफ (Graph):** बार, लाइन और पाई चार्ट के साथ डेटा रुझानों को प्रदर्शित करें, तुलना को सरल बनाएं।
5. **फिल्म स्ट्रिप्स (Film Strips):** प्रक्रियाओं या इतिहास को चरण-दर-चरण दिखाएं, समझ को बढ़ाएं।
6. **पोस्टर और चित्र (Posters and Pictures):** अवधारणाओं को चित्रित करें, पाठों को यादगार बनाएं और चर्चा को प्रेरित करें।
7. **आरेख (Diagram):** दृश्य तत्वों के साथ जटिल विचारों को सरल बनाएं, जीवविज्ञान और भूगोल को स्पष्ट करें।
8. **चार्ट (Charts):** डेटा को दृश्य रूप में व्यवस्थित करें, विज्ञान और अर्थशास्त्र जैसे विषयों में जानकारी का विश्लेषण करने में मदद करें।
9. **बोर्ड (Boards):** ब्लैक बोर्ड और व्हाइट बोर्ड जैसे इंटरैक्टिव प्लेटफॉर्म छात्रों को अधिगम में संलग्न करते हैं।
10. **प्रोजेक्टर (Projector):** बड़े दर्शकों के लिए मल्टी मीडिया सामग्री प्रदर्शित करें, कक्षा प्रस्तुतियों को बढ़ाएं।

ऑडियो-विजुअल सहायक (Audio-Visual Aids)

1. **फिल्में (Films):** अवधारणाओं को प्रभावी ढंग से समझाने के लिए दृश्य और ध्वनि को मिलाएं, अधिगम के लिए आकर्षक।
2. **कठपुतलियाँ (Puppets):** कहानी कहने और पाठों के लिए इंटरैक्टिव उपकरण, रचनात्मकता और समझ को बढ़ावा देते हैं।
3. **कार्टून (Cartoon):** मनोरंजन के माध्यम से सिखाने वाली एनिमेटेड कहानियाँ, जटिल विचारों को सरल बनाती हैं।
4. **टेलीविजन चैनल (Television Channel):** विषयों के पार दृश्य और स्पष्टीकरण के साथ शैक्षिक प्रसारण।
5. **ऑनलाइन वीडियो (Online Video):** किसी भी समय दृश्य सामग्री के साथ लचीला अधिगम, शैक्षिक अनुभवों को समृद्ध करना।

गतिविधि सहायक (Activity Aids)

1. **फील्ड ट्रिप (Field Trips):** बाहरी शिक्षा, वास्तविक दुनिया के वातावरण का अन्वेषण करती है और प्रश्नों को प्रोत्साहित करती है।
2. **प्रयोग (Experimentation):** वैज्ञानिक सिद्धांतों का परीक्षण करके व्यावहारिक शिक्षा, समस्या-समाधान कौशल का निर्माण करती है।
3. **नाट्य (Dramatics):** इंटरैक्टिव अधिगम के लिए भूमिका निभाना, टीम वर्क और समझ को विकसित करता है।

स्कोर बूस्टर

पूरक पठन अनुशंसा

QR कोड काम नहीं कर रहा है? QR कोड के साथ दिए गए संसाधनों तक पहुँचने के लिए आंतरिक फ्रन्ट कवर पर दिए गए निर्देशों का पालन करें

क्या आप मजेदार और आकर्षक तरीके से शिक्षण सहायक सामग्री के बारे में जानने में रुचि रखते हैं? विभिन्न प्रकार के शिक्षण सहायक सामग्री को प्रदर्शित करने वाले विस्तृत व्याख्याओं और जीवंत चित्रों से भरे एक **विशेष पीडीएफ** तक पहुँचने के लिए QR कोड स्कैन करें। आज ही जानें कि ये उपकरण आपके सीखने के अनुभव को कैसे बेहतर बना सकते हैं!

प्रस्तुति के तरीके के आधार पर (Based on Mode of Presentation)

शिक्षण सहायक सामग्री को इस आधार पर वर्गीकृत किया जा सकता है कि उन्हें किस तरह प्रस्तुत किया जाता है, या तो प्रक्षेपण के माध्यम से या उनके भौतिक रूप में (तालिका 4.1)

प्रक्षेपित शिक्षण सुविधाएँ (Projected Instructional Facilities)

प्रक्षेपण में स्क्रीन या सतह पर छवियों को प्रदर्शित करने के लिए उपकरणों का उपयोग करना शामिल है। यह विधि शैक्षिक सेटिंग्स में दृश्यता और स्पष्टता को बढ़ाती है। वे अंधेरे वातावरण में विस्तृत दृश्य प्रस्तुत करने के लिए प्रभावी हैं और आमतौर पर प्रस्तुतियों, व्याख्यानों और सेमिनारों में उपयोग किए जाते हैं। प्रक्षेपित शिक्षण सहायक सामग्री के विभिन्न प्रकार हैं:

1. **प्रत्यक्ष प्रक्षेपण (Direct Projection):** प्रत्यक्ष प्रक्षेपण का अर्थ है स्लाइड या फिल्म प्रोजेक्टर जैसे विशेष उपकरणों का उपयोग करके सीधे सतह पर छवियों को प्रदर्शित करना। ये उपकरण स्लाइड या फिल्मों का उपयोग करते हैं जिन्हें फ्रेम में रखा जाता है और स्क्रीन या दीवार पर प्रक्षेपित किया जाता है। यह एक तस्वीर के माध्यम से प्रकाश चमकाने जैसा है ताकि इसे अंधेरे कमरे में सभी के लिए बड़ा और स्पष्ट बनाया जा सके।

   उदाहरण: स्लाइड प्रोजेक्टर और फिल्म प्रोजेक्टर
2. **अप्रत्यक्ष प्रक्षेपण (Indirect Projection):** अप्रत्यक्ष प्रक्षेपण में ओवरहेड प्रोजेक्टर जैसे उपकरणों का उपयोग करके सतह पर छवियों को प्रतिबिंबित करना शामिल है। स्लाइड की तरह सीधे छवियों को प्रक्षेपित करने के बजाय, ये प्रोजेक्टर सतह से प्रकाश को स्क्रीन या दीवार पर परावर्तित करते हैं। वे पाठ या प्रस्तुतियों के दौरान लिखित नोट्स, आरेख या पारदर्शी शीट दिखाने के लिए उपयोगी हैं।

   उदाहरण: ओवरहेड प्रोजेक्टर
3. **परावर्तित प्रक्षेपण (Reflected Projection):** परावर्तित प्रक्षेपण अपारदर्शी प्रोजेक्टर या एपिडायस्कोप जैसे उपकरणों का उपयोग अपारदर्शी वस्तुओं से छवियों को बड़ा करने और प्रदर्शित करने के लिए करता है। ये प्रोजेक्टर वस्तुओं से प्रकाश को स्क्रीन या दीवार पर परावर्तित करते हैं, जिससे टेक्स्ट या जटिल आरेख जैसी विस्तृत सामग्री सभी के लिए बड़ी और स्पष्ट दिखाई देती है।

   उदाहरण: अपारदर्शी प्रोजेक्टर और एपिडायस्कोप

संक्षेप में, प्रत्यक्ष प्रक्षेपण सीधे स्लाइड या फिल्मों से छवियों को प्रक्षेपित करता है, अप्रत्यक्ष प्रक्षेपण ओवरहेड प्रोजेक्टर का उपयोग करके छवियों को परावर्तित करता है, और परावर्तित प्रक्षेपण अपारदर्शी वस्तुओं से छवियों को सतह पर बड़ा करता है। प्रत्येक विधि शिक्षकों को पाठों को प्रभावी ढंग से चित्रित करने और छात्रों के लिए अधिगम को अधिक आकर्षक बनाने में मदद करती है।

गैर-प्रक्षेपित अनुदेशात्मक सुविधाएँ (Non-Projected Instructional Facilities)

ये दृश्य सहायक सामग्री हैं जिनके लिए प्रक्षेपण तकनीक की आवश्यकता नहीं होती है और इन्हें सीधे उनके भौतिक रूप में उपयोग किया जाता है।

उदाहरणों में शामिल हैं: पोस्टर, चार्ट, आरेख, मानचित्र, फ्लैशकार्ड, मॉडल और भौतिक वस्तुएँ

तालिका 4.1 अनुमानित और गैर-अनुमानित शिक्षण सुविधाएं

अनुमानित अनुदेशन सुविधाएं	गैर-प्रक्षेपित अनुदेशन सुविधाएं				
	ग्राफिक	डिस्प्ले बोर्ड	3-डी	ऑडियो	गतिविधि
फिल्में	चार्ट	ब्लैक बोर्ड	मॉडल	रेडियो	फील्ड ट्रिप
स्लाइड्स	फ्लैश कार्ड	व्हाइटबोर्ड	मॉक-अप	रिकॉर्डिंग	प्रयोग
ओवरहेड प्रोजेक्टर	पोस्टर	बुलेटिन बोर्ड	ऑब्जेक्ट और नमूने	डिजिटल ऑडियो प्लेयर	नाटकीय
एपिडायस्कोप	चित्र और फोटोग्राफ	फ्लालैन बोर्ड	कठपुतलियाँ	टेलीविजन	शिक्षण मशीनें
वीडियो प्रोजेक्टर	ग्राफ	चुंबकीय बोर्ड		टेलीफोन और मोबाइल	प्रोग्राम किए गए निर्देश
फिल्म स्ट्रिप्स	मानचित्र आरेख	पेग बोर्ड			

सिनेमैटिक कनेक्शन

क्या आप कुछ जादुई मज़ा लेने के लिए तैयार हैं? इस QR कोड को स्कैन करें और एक रोमांचक हैरी पॉटर व्लॉग देखें!

हैरी पॉटर फिल्मों के क्षेत्र में, शिक्षण सहायक उपकरणों की तुलना हॉगवर्ट्स के प्रोफेसरों द्वारा उपयोग किए जाने वाले जादुई उपकरणों और संसाधनों से की जा सकती है जो वे अपने छात्रों को शिक्षित करने के लिए उपयोग करते हैं।

उदाहरण के लिए, प्रोफेसर स्नैप विभिन्न औषधि निर्माण तकनीकों को समझाने के लिए औषधि सामग्री और एक कड़ाही का उपयोग करते हैं, जबकि प्रोफेसर मैकगोनागल अपने पाठों में जादुई पाठ्यपुस्तकों और इंटरैक्टिव जादू की छड़ियों का उपयोग करते हैं।

इसी तरह, हमारे गैर-जादुई '*मगल दुनिया*' में शिक्षक दृश्य सहायक उपकरण, शैक्षिक खेल, और मल्टीमीडिया प्रस्तुतियों जैसे शिक्षण सहायक उपकरणों का उपयोग करते हैं अपने पाठों को समृद्ध बनाने और छात्रों के लिए एक अधिक इंटरैक्टिव और आनंददायक अधिगम का अनुभव बनाने के लिए।

4.6 ऑफलाइन और ऑनलाइन शिक्षण मोड (Offline and Online Mode of Teaching)

ऑफलाइन शिक्षण विधि (Offline Teaching Method): विधियाँ, जिन्हें पारंपरिक या पुराने जमाने की विधियाँ भी कहा जाता है, शिक्षा में लंबे समय से उपयोग की जा रही हैं। ये विधियाँ कक्षा में सीधे शिक्षकों और छात्रों के बीच बातचीत पर केंद्रित होती हैं। इनमें व्याख्यान, प्रदर्शन, टीम शिक्षण विधि, परियोजना विधि आदि शामिल हैं। भले ही प्रौद्योगिकी ने ऑनलाइन शिक्षा लाई हो, ऑफलाइन विधियाँ अभी भी बहुत महत्वपूर्ण हैं।

ऑनलाइन शिक्षण विधि (Online Teaching Method): ऑनलाइन शिक्षण विधियाँ वे तरीके हैं जिनसे शिक्षक कंप्यूटर और इंटरनेट का उपयोग करके छात्रों को अधिगम में मदद करते हैं। कक्षा में होने के बजाय, छात्र अपने घरों से लैपटॉप, टैबलेट या फोन का उपयोग करके सीख सकते हैं।

ऑनलाइन और व्यक्तिगत रूप से शिक्षण के बीच अंतर को जानने से शिक्षकों को शिक्षा में बदलावों के अनुकूल होने, पाठ योजनाओं को बेहतर बनाने और विभिन्न छात्र आवश्यकताओं को पूरा करने में मदद मिलती है। प्रत्येक विधि की ताकत का उपयोग करके, शिक्षक अधिगम को बेहतर बना सकते हैं और शिक्षा में भविष्य की चुनौतियों के लिए तैयार हो सकते हैं। आइए ऑनलाइन और ऑफलाइन शिक्षण विधियों के बीच के अंतर में गहराई से जाएं (तालिका 4.2)।

तालिका 4.2 ऑनलाइन और ऑफलाइन विधियों के बीच अंतर

पहलू	ऑनलाइन शिक्षण	ऑफलाइन शिक्षण
बातचीत	मुख्य रूप से आभासी, डिजिटल संचार पर निर्भर करती है	भौतिक कक्षा में आमने-सामने बातचीत
सेटिंग्स	स्थान इंटरनेट एक्सेस के साथ कहीं से भी आयोजित किया जा सकता है	भौतिक कक्षा में आयोजित किया जाता है
शेड्यूल	शिक्षकों और छात्रों के लिए लचीले शेड्यूलिंग विकल्प	स्कूल या संस्थान के अनुसार निश्चित कक्षा समय
सामग्री	डिजिटल सामग्री जैसे ई-पुस्तकें, वीडियो और स्लाइड	पारंपरिक पाठ्यपुस्तकें, व्हाइटबोर्ड और भौतिक संसाधन
जुड़ाव	इंटरैक्टिव अधिगम के लिए ऑनलाइन टूल का उपयोग करता है	व्यक्तिगत जुड़ाव और गतिविधियों पर निर्भर करता है
पहुँच क्षमता	इंटरनेट कनेक्शन और डिजिटल डिवाइस की आवश्यकता है	इंटरनेट या डिवाइस के बिना छात्रों के लिए सुलभ
सामाजिक संपर्क	आभासी संपर्क; सीमित आमने-सामने संपर्क	सामा जिककरण और संबंध बनाने के अवसर
लचीलापन	अधिगम की गति और समय-सारणी में लचीलापन प्रदान करता है	निश्चित कक्षा समय के कारण कम लचीलापन
फीडबैक	डिजिटल मूल्यांकन के माध्यम से तत्काल फीडबैक	अक्सर मौखिक रूप से या लिखित परीक्षा के माध्यम से दिया जाता है
सहयोग	आभासी सहयोग और समूह परियोजनाओं को प्रोत्साहित करता है	भौतिक कक्षाओं में आयोजित सहयोगात्मक गतिविधि

सिनेमैटिक कनेक्शन

बॉलीवुड फिल्म 3 *इडियट्स* (2009) में, जब मोना सिंह भारी बारिश के दौरान प्रसव पीड़ा में होती हैं, तो डॉक्टर शारीरिक रूप से उनके पास नहीं पहुँच पाते। इस गंभीर स्थिति में, डॉक्टर ऑनलाइन शिक्षण विधि का सहारा लेते हैं और वीडियो कॉन्फ्रेंसिंग प्लेटफॉर्म के माध्यम से आमिर खान के किरदार, रैंचो, को सुरक्षित रूप से बच्चे को जन्म देने के तरीके के बारे में मार्गदर्शन करते हैं।

यह दृश्य ऑनलाइन शिक्षण विधियों की क्षमता को दर्शाता है कि वे भौतिक बाधाओं को पार कर महत्वपूर्ण ज्ञान और सहायता दूरस्थ रूप से प्रदान कर सकते हैं, और आपातकालीन स्थितियों में प्रौद्योगिकी के महत्व को उजागर करते हैं।

परीक्षोपयोगी

4.7 डिजिटल पहलें (Digital Initiatives)

MOOCs

MOOCs, या मैसिव ओपन ऑनलाइन कोर्सेज (चित्र 4.2), ऑनलाइन शिक्षण का एक प्रकार हैं जहाँ कोई भी व्यक्ति इंटरनेट कनेक्शन के साथ जुड़ सकता है। ये कोर्स अक्सर विश्वविद्यालयों या शैक्षिक प्लेटफार्मों द्वारा पेश किए जाते हैं और विज्ञान और गणित से लेकर कला और साहित्य तक के विभिन्न विषयों को कवर करते हैं। डव्व्ले पारंपरिक कक्षाओं से अलग होते हैं क्योंकि इनमें दुनिया भर से हजारों छात्र हो सकते हैं।

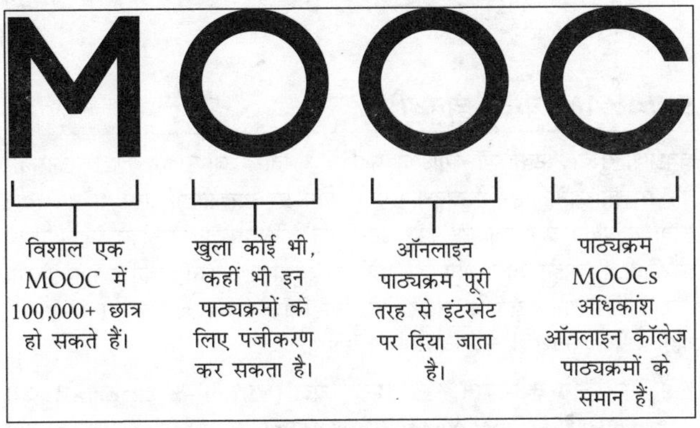

चित्र 4.2 MOOC

MOOC की विशेषताएँ (Characteristics of MOOCs)

1. **ऑनलाइन पहुँच (Online accessibility):** MOOC ऐसे पाठ्यक्रम हैं जिन्हें आप ऑनलाइन ले सकते हैं। वे लचीलापन प्रदान करते हैं, जिससे शिक्षार्थी इंटरनेट कनेक्शन के साथ किसी भी स्थान से उन तक पहुँच सकते हैं, चाहे वह उनके घर से हो या कॉफी शॉप से।
2. **बड़े पैमाने पर भागीदारी (Large-scale participation):** MOOC एक साथ बड़ी संख्या में प्रतिभागियों को आकर्षित करते हैं। दुनिया भर से हजारों या लाखों छात्र एक ही MOOC में शामिल हो सकते हैं।
3. **विविध पाठ्यक्रम विषय (Diverse course topics):** MOOC में गणित, विज्ञान, इतिहास और कला जैसे कई अलग-अलग विषय शामिल हैं। आप अपनी रुचि के लगभग किसी भी विषय पर पाठ्यक्रम पा सकते हैं।
4. **विविध शिक्षण सामग्री (Varied learning materials):** MOOC में वीडियो, रीडिंग, क्विज और इंटरैक्टिव गतिविधियों सहित शिक्षण सामग्री की एक विविध श्रेणी शामिल है। यह अधिगम को और अधिक आकर्षक और मजेदार बनाता है।
5. **स्व-गति से अधिगम (Self-paced learning):** आप MOOC के साथ अपनी गति से सीख सकते हैं। इसमें कोई निश्चित समय-सारिणी नहीं होती (जैसा कि CMOOC में होती है), इसलिए आप जब चाहें तब अध्ययन कर सकते हैं।
6. **वैश्विक पहुँच (Global reach):** MOOCs दुनिया भर के लोगों को एक साथ अधिगम का मौका देते हैं। आप विभिन्न देशों और संस्कृतियों के छात्रों और प्रशिक्षकों से जुड़ सकते हैं।
7. **प्रमाणपत्र या बैज (Certificate of badges):** कुछ MOOCs पाठ्यक्रम पूरा करने पर प्रमाणपत्र या बैज प्रदान करते हैं। ये प्रमाणपत्र आपके अर्जित ज्ञान और कौशल के ठोस सबूत के रूप में काम करते हैं, जिन्हें आप अपनी उपलब्धियों को दिखाने के लिए दूसरों के साथ साझा कर सकते हैं।
8. **उच्च ड्रॉपआउट दर (High dropout rates):** MOOCs में अक्सर उच्च ड्रॉपआउट दर देखने को मिलती है, जो यह दर्शाता है कि कई छात्र पाठ्यक्रम शुरू तो करते हैं लेकिन इसे पूरा करने में विफल रहते हैं। इस घटना में कई कारक योगदान करते हैं, जैसे प्रतिबद्धता की कमी, समय की कमी और अन्य व्यक्तिगत या शैक्षणिक दायित्व।

इतिहास और विकास (History and Development)

1. **उत्पत्ति (Origin):** "MOOC" शब्द 2008 में प्रिंस एडवर्ड आइलैंड विश्वविद्यालय के डेव कॉर्मियर द्वारा जॉर्ज सीमेंस और स्टीफन डाउन्स द्वारा प्रस्तुत "कनेक्टिविज्म और कनेक्टिव नॉलेज" नामक पाठ्यक्रम के जवाब में गढ़ा गया था। यह पाठ्यक्रम, जो शुरू में एक छोटे समूह को दिया गया था, बाद के MOOC के लिए एक मॉडल बन गया।
2. **शुरुआती प्लेटफॉर्म (Early Platforms):** पहला प्रमुख MOOC प्लेटफॉर्म 2011 के आसपास उभरा। कोर्सेरा, उदासिटी और edX जैसे प्लेटफॉर्म स्टैनफोर्ड, MIT और हार्वर्ड जैसे प्रतिष्ठित विश्वविद्यालयों से पाठ्यक्रम पेश करने के लिए प्रमुखता प्राप्त की।
3. **विकास (Growth):** MOOC ने अपनी पहुँच और लचीलेपन के कारण लोकप्रियता हासिल की, जिसने दुनिया भर के शिक्षार्थियों को बिना किसी लागत या न्यूनतम लागत पर गुणवत्तापूर्ण शिक्षा प्राप्त करने के लिए आकर्षित किया।

MOOC के प्रकार (Types of MOOCs)

नीचे MOOC के दो प्रकार सूचीबद्ध हैं:

1. **XMOOC (विस्तारित MOOC):** XMOOC नियमित कक्षा पाठ्यक्रम की तरह हैं, लेकिन ऑनलाइन हैं। उनके पास व्याख्यान, असाइनमेंट और परीक्षाओं के लिए शेड्यूल निर्धारित हैं। कई विश्वविद्यालय XMOOC प्रदान करते हैं और आप उन्हें पूरा करने के बाद प्रमाण पत्र प्राप्त कर सकते हैं। उदाहरण के लिए, कोर्सेरा के पास स्टैनफोर्ड और अन्य विश्वविद्यालयों के XMOOC हैं। इन पाठ्यक्रमों में व्याख्यान, असाइनमेंट और परीक्षाएँ होती हैं, बिल्कुल नियमित कक्षाओं की तरह। आप उन्हें पूरा करने के बाद प्रमाण पत्र प्राप्त कर सकते हैं।
2. **CMOOC (कनेक्टिविस्ट MOOC):** CMOOC दूसरों के साथ मिलकर अधिगम के बारे में अधिक है। वे XMOOC की तरह संरचित नहीं हैं। इसके बजाय, वे लोगों को विचारों को साझा करने और एक साथ परियोजनाओं पर काम करने के लिए प्रोत्साहित करते हैं। लोग जुड़ने और अधिगम के लिए सोशल मीडिया और ऑनलाइन समुदायों का उपयोग करते हैं। उदाहरण के लिए: #CLMOOC एक CMOOC है जहाँ लोग एक साथ सीखते हैं और चीजें बनाते हैं। वे बातचीत करने और अपने काम को साझा करने के लिए सोशल मीडिया का उपयोग करते हैं। यह दूसरों के साथ अधिगम और रचनात्मक होने के बारे में अधिक है।

दुनिया के प्रसिद्ध MOOC प्लेटफॉर्म (Famous MOOC Platforms of the World)

यहाँ दुनिया भर के कुछ महत्वपूर्ण MOOC (मैसिव ओपन ऑनलाइन कोर्स) प्लेटफॉर्म की सूची दी गई है:

1. **Coursera:** दुनिया भर के विश्वविद्यालयों और संगठनों से विभिन्न विषयों को कवर करने वाले पाठ्यक्रम प्रदान करता है।
2. **edX:** हार्वर्ड यूनिवर्सिटी और MIT द्वारा स्थापित, विश्व भर के विश्वविद्यालयों से पाठ्यक्रम प्रदान करता है।
3. **Udacity:** तकनीकी कौशल पर ध्यान केंद्रित करता है और उद्योग भागीदारों के साथ सहयोग में नैनोडिग्री कार्यक्रम प्रदान करता है।
4. **Khan Academy:** K-12 और उससे आगे के लिए मुख्य रूप से गणित, विज्ञान और मानविकी में निःशुल्क पाठ्यक्रम प्रदान करता है।
5. **Skillshare:** डिजाइन, फोटोग्राफी और मार्केटिंग जैसे रचनात्मक कौशल पर ध्यान केंद्रित करता है।
6. **Udemy:** विभिन्न क्षेत्रों के विशेषज्ञों द्वारा पढ़ाए जाने वाले पाठ्यक्रमों की एक विस्तृत शृंखला प्रदान करता है, अक्सर सस्ती कीमतों पर।

स्वयं (SWAYAM)

*(**महत्वपूर्ण नोट:** स्वयं और स्वयंप्रभा के अलावा, भारत सरकार द्वारा उच्च शिक्षा के क्षेत्र में कई अन्य डिजिटल पहल की गई हैं। इन सभी पहलों पर अध्याय 33 में विस्तार से चर्चा की गई है।)*

इस विषय को सरल बनाने वाले वीडियो व्याख्यान को देखने के लिए इस QR कोड को स्कैन करें

स्वयं भारत का राष्ट्रीय MOOC प्लेटफॉर्म है। इसका अर्थ है 'युवा महत्वाकांक्षी दिमागों के लिए सक्रिय-शिक्षण का अध्ययन जाल।' इस पहल का उद्देश्य देश भर के शिक्षार्थियों को मुफ्त पाठ्यक्रम प्रदान करना है, जिसमें कई तरह के विषय और अनुशासन शामिल हैं। स्वयं हर व्यक्ति के लिए गुणवत्तापूर्ण शिक्षा सुलभ बनाने की दृष्टि से काम करता है, चाहे उसकी भौगोलिक स्थिति या वित्तीय बाधाएँ कुछ भी हों। यह छात्रों और शिक्षकों दोनों के लिए इंटरैक्टिव अधिगम के अनुभवों में संलग्न होने के लिए एक मंच के रूप में कार्य करता है। इस विषय को सरल बनाने वाले वीडियो व्याख्यान को देखने के लिए इस क्यूआर कोड को स्कैन करें स्वयं गुणवत्तापूर्ण शिक्षा तक समान पहुँच प्रदान करके डिजिटल विभाजन को कम करने में महत्वपूर्ण भूमिका निभाता है। यह ग्रामीण और आर्थिक रूप से वंचित पृष्ठभूमि के शिक्षार्थियों को उन शैक्षिक अवसरों से लाभान्वित करने में सक्षम बनाता है जो पहले केवल शहरी और विशेषाधिकार प्राप्त आबादी के लिए सुलभ थे।

हाल ही में, SWAYAM ने SWAYAM Plus के साथ विस्तार किया है, जिसे 27 फरवरी, 2024 को IIT मद्रास द्वारा पेश किया गया है। यह उन्नत संस्करण रोजगार और पेशेवर विकास कार्यक्रमों पर केंद्रित है, जिसे L&T, Microsoft और Cisco जैसी कंपनियों के सहयोग से विकसित किया गया है। SWAYAM Plus में बहुभाषी समर्थन और AI-सक्षम मार्गदर्शन की सुविधा है, जो विविध शिक्षार्थियों की जरूरतों को पूरा करता है और भारत में शिक्षा पर प्लेटफॉर्म के प्रभाव को और बढ़ाता है।

SWAYAM के 3 मूलभूत सिद्धांत

1. **पहुँच (Access):** SWAYAM हर व्यक्ति को शिक्षा तक पहुँच प्रदान करने का प्रयास करता है, चाहे उनकी भौगोलिक स्थिति या सामाजिक-आर्थिक पृष्ठभूमि कुछ भी हो।
2. **समानता (Equity):** SWAYAM गुणवत्तापूर्ण शिक्षा तक समान पहुँच प्रदान करके डिजिटल विभाजन को कम करने में महत्वपूर्ण भूमिका निभाता है। यह ग्रामीण और आर्थिक रूप से वंचित पृष्ठभूमि के शिक्षार्थियों को उन शैक्षिक अवसरों से लाभान्वित करने में सक्षम बनाता है जो पहले केवल शहरी और विशेषाधिकार प्राप्त आबादी के लिए सुलभ थे।
3. **गुणवत्ता (Quality):** SWAYAM शैक्षिक सामग्री और वितरण के उच्च मानकों को बनाए रखने के लिए प्रतिबद्ध है। मंच पर पेश किए जाने वाले पाठ्यक्रम प्रतिष्ठित संस्थानों और संकाय सदस्यों द्वारा विकसित किए जाते हैं, यह सुनिश्चित करते हुए कि शिक्षार्थियों को ऐसी शिक्षा मिले जो राष्ट्रीय और अंतर्राष्ट्रीय गुणवत्ता मानदंडों को पूरा करती हो।

SWAYAM के 4 चतुर्थांश

चतुर्थांश मुख्य घटकों या वर्गों को संदर्भित करता है जो SWAYAM प्लेटफॉर्म की संरचना बनाते हैं। ये चतुर्थांश प्लेटफॉर्म पर पाठ्यक्रमों तक पहुँचने वाले छात्रों के लिए एक व्यापक और इंटरैक्टिव अधिगम का अनुभव प्रदान करने के लिए डिजाइन किए गए हैं। प्रत्येक चतुर्थांश अधिगम की प्रभावशीलता और जुड़ाव को बढ़ाने के उद्देश्य से एक विशिष्ट उद्देश्य को पूरा करता है। यहाँ प्रत्येक चतुर्थांश का विवरण दिया गया है:

1. **वीडियो व्याख्यान - ई-ट्यूटोरियल (Video - e-tutorial):** इस चतुर्थांश में, SWAYAM विभिन्न विषयों पर वीडियो व्याख्यान प्रदान करता है। ये वीडियो कक्षा सत्रों की तरह हैं जहाँ शिक्षक दृश्य और उदाहरणों का उपयोग करके अवधारणाओं को समझाते हैं। छात्र इन वीडियो को अपनी गति और सुविधानुसार देख सकते हैं।
2. **डाउनलोड करने योग्य/प्रिंट करने योग्य पठन सामग्री - ई-सामग्री (Downloadable/Printable Reading Material - e-content):** यहाँ, SWAYAM ई-पुस्तकें, व्याख्यान नोट्स और लेख जैसी अतिरिक्त अध्ययन सामग्री प्रदान करता है जिन्हें छात्र डाउनलोड या प्रिंट कर सकते हैं। ये संसाधन छात्रों को वीडियो व्याख्यान में शामिल विषयों की अपनी समझ को गहरा करने में मदद करते हैं।
3. **स्व-मूल्यांकन परीक्षण - परीक्षण और प्रश्नोत्तरी (Self-Assessment Tests - Tests and quizzes):** SWAYAM में परीक्षण और प्रश्नोत्तरी शामिल हैं जो यह आकलन करते हैं कि छात्रों ने पाठों को कितनी अच्छी तरह से समझा है। ये मूल्यांकन छात्रों के लिए अपने ज्ञान की जाँच करने और उन क्षेत्रों की पहचान करने के लिए महत्वपूर्ण हैं जहाँ उन्हें सुधार की आवश्यकता है।
4. **ऑनलाइन चर्चा मंच (Online Discussion Forum):** यह चतुर्भुज छात्रों को साथियों और प्रशिक्षकों के साथ चर्चा में भाग लेने की अनुमति देता है। वे प्रश्न पूछ सकते हैं, विचार साझा कर सकते हैं और असाइनमेंट पर सहयोग कर सकते हैं। मंच संदेह को दूर करने और दूसरों के दृष्टिकोण से अधिगम में मदद करता है।

ये चतुर्भुज वैश्विक स्तर पर डव्ळ प्लेटफॉर्म पर समान हैं, जिनमें कोर्सेरा, edX और Udemy जैसे लोकप्रिय प्लेटफॉर्म शामिल हैं। उनका उद्देश्य एक संरचित और आकर्षक अधिगम का अनुभव प्रदान करना है जो अधिगम के परिणामों को बढ़ाने के लिए मल्टीमीडिया सामग्री, इंटरैक्टिव आकलन और सहयोगी चर्चाओं को जोड़ता है।

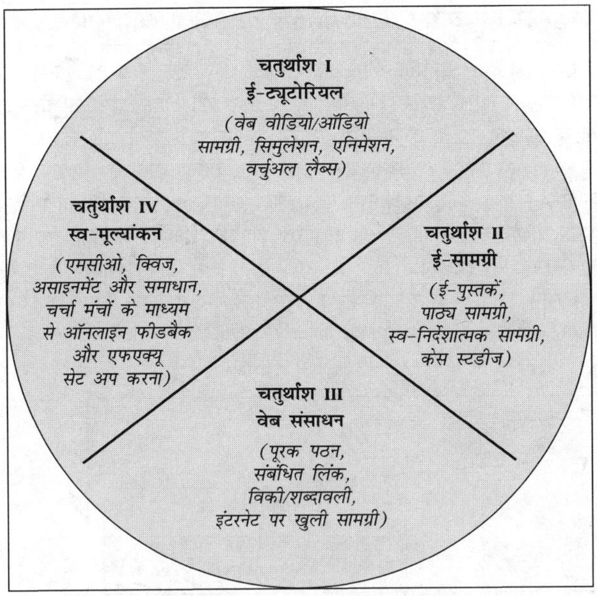

चित्र 4.3 स्वयं के चार चतुर्थांश

SWAYAM के 9 राष्ट्रीय समन्वयक (9 National Coordinators of SWAYAM)

भारत का राष्ट्रीय MOOC प्लेटफॉर्म SWAYAM, विभिन्न शैक्षणिक स्तरों पर मुफ्त ऑनलाइन पाठ्यक्रम प्रदान करने के लिए नौ प्रतिष्ठित शैक्षणिक संस्थानों और संगठनों के साथ सहयोग करता है। ये भागीदार, जिन्हें राष्ट्रीय समन्वयक (तालिका 4.3) के रूप में जाना जाता है, विभिन्न शैक्षिक स्तरों के अनुरूप पाठ्यक्रम तैयार करने के लिए जिम्मेदार हैं, जो सभी के लिए एक व्यापक और सुलभ शिक्षण अनुभव सुनिश्चित करते हैं। उदाहरण के लिए, NCERT स्कूली शिक्षा के लिए पाठ्यक्रम विकसित करता है, जबकि NPTEL विशेष रूप से इंजीनियरिंग छात्रों के लिए पाठ्यक्रम बनाता है। समन्वयकों की सूची नीचे दी गई है:

तालिका 4.3 SWAYAM के राष्ट्रीय समन्वयक

शिक्षा स्तर/ प्रकार	SWAYAM के 9 राष्ट्रीय समन्वयक
विद्यालय	1. **एनसीईआरटी** *(राष्ट्रीय शैक्षिक अनुसंधान और प्रशिक्षण परिषद)* 2. **एनआईओएस** *(राष्ट्रीय मुक्त विद्यालयी शिक्षा संस्थान)* 3. **इग्नू** (स्कूल से बाहर के छात्रों के लिए) *(इंदिरा गांधी राष्ट्रीय मुक्त विश्वविद्यालय)*
स्नातक	4. **सीईसी** *(शैक्षिक संचार के लिए संघ)*
स्नातकोत्तर	5. **यूजीसी** (केवल गैर-तकनीकी स्नातकोत्तर के लिए) *(विश्वविद्यालय अनुदान आयोग)*
स्नातक और स्नातकोत्तर	6. **एनपीटीईएल** (इंजीनियरिंग के लिए) *(राष्ट्रीय प्रौद्योगिकी संवर्धित शिक्षा कार्यक्रम)* 7. **आईआईएमबी** (प्रबंधन अध्ययन के लिए) *(भारतीय प्रबंधन संस्थान, बैंगलोर)*
शिक्षक प्रशिक्षण	8. **एनआईटीटीटीआर** *(राष्ट्रीय तकनीकी शिक्षक प्रशिक्षण और अनुसंधान संस्थान)*
अंतर्राष्ट्रीय पाठ्यक्रम	9. **एआईसीटीई** (स्व-गति और अंतर्राष्ट्रीय पाठ्यक्रमों के लिए) *(अखिल भारतीय तकनीकी शिक्षा परिषद)*

मूल्यांकन प्रक्रिया (Evaluation Process)

SWAYAM पर पाठ्यक्रम किसी भी इच्छुक व्यक्ति के लिए मुफ्त में उपलब्ध हैं। यदि शिक्षार्थी SWAYAM से पाठ्यक्रम पूरा करने के बाद प्रमाणपत्र चाहते हैं, तो उन्हें अंतिम परीक्षा के लिए पंजीकरण करना होगा और उसे उत्तीर्ण करना होगा। इस परीक्षा के लिए शुल्क की आवश्यकता होती है और इसे निर्दिष्ट केंद्रों पर निर्दिष्ट तिथियों पर व्यक्तिगत रूप से देना होता है। विश्वविद्यालय या कॉलेज SWAYAM पाठ्यक्रमों से प्राप्त अंकों या प्रमाणपत्र के आधार पर क्रेडिट ट्रांसफर के लिए इन प्रमाणपत्रों को स्वीकार कर सकते हैं, जो उनकी नीतियों पर निर्भर करता है।

क्रेडिट ट्रांसफर (Credit Transfer)

क्रेडिट ट्रांसफर उस प्रक्रिया को संदर्भित करता है जहां SWAYAM पर पाठ्यक्रम पूरा करने से प्राप्त आपके ग्रेड या अंक आपके विश्वविद्यालय द्वारा आधिकारिक रूप से मान्यता प्राप्त और आपके शैक्षणिक रिकॉर्ड में जोड़े जा सकते हैं।

विश्वविद्यालय अनुदान आयोग (UGC) विश्वविद्यालयों को एक सेमेस्टर में उनके कुल पाठ्यक्रमों का अधिकतम 40% SWAYAM प्लेटफॉर्म के माध्यम से पेश करने की अनुमति देता है। इसका मतलब है कि विश्वविद्यालय SWAYAM से ऑनलाइन पाठ्यक्रमों को अपने नियमित पाठ्यक्रम का हिस्सा बना सकते हैं। जब छात्र इन SWAYAM पाठ्यक्रमों को सफलतापूर्वक पूरा करते हैं और उत्तीर्ण ग्रेड प्राप्त करते हैं, तो उनके क्रेडिट उनके विश्वविद्यालय की डिग्री में जोड़े जाएंगे। यह पहल छात्रों को पारंपरिक कक्षाओं से परे व्यापक पाठ्यक्रम और अधिगम के अवसरों तक पहुंचने में मदद करती है, जो उनके शैक्षणिक योग्यता में योगदान करती है।

स्वयंप्रभा (SWAYAMPRABHA)

यह भारत सरकार द्वारा शुरू की गई एक पहल है (2017), जिसका उद्देश्य पूरे देश में शैक्षिक पहुंच को बढ़ाना है। इसमें 40 डीटीएच (डायरेक्ट टू होम) चैनल शामिल हैं, जो जीसैट-15 उपग्रह का उपयोग करके चौबीसों घंटे उच्च गुणवत्ता वाले शैक्षिक कार्यक्रमों को प्रसारित करने के लिए समर्पित हैं।

स्वयंप्रभा का प्राथमिक लक्ष्य हर दिन कम-से-कम चार घंटे के लिए ताजा शैक्षिक सामग्री प्रदान करना है, जिसे पूरे दिन में पांच बार दोहराया जाता है, जिससे छात्र अपने पसंदीदा अधिगम के समय का चयन कर सकें।

ये 40 चैनल गांधीनगर में BISAG से प्रसारित होते हैं। अध्ययन सामग्री NPTEL, IIT, UGC, CEC, IGNOU, NCERT और NIOS जैसे प्रतिष्ठित संस्थानों से प्राप्त की जाती है, जबकि वेब पोर्टल का प्रबंधन INFLIBNET केंद्र द्वारा किया जाता है। स्वयंप्रभा से संबंधित महत्वपूर्ण परियोजनाएँ हैं:

(a) **साथी (SATHEE):** (प्रतियोगी परीक्षा की तैयारी): कक्षा 11 और 12 के छात्रों को प्रतियोगी परीक्षाओं की तैयारी में सहायता। इन परीक्षाओं में आम तौर पर इंजीनियरिंग प्रवेश परीक्षाएँ (जैसे जेईई मेन और जेईई एडवांस) और एसएससी (कर्मचारी चयन आयोग) परीक्षाएँ शामिल हैं।

(b) **पीएम ईविद्या (PM eVidya):** पीएम ईविद्या भारत सरकार द्वारा देश भर में डिजिटल शिक्षा और ऑनलाइन अधिगम को बढ़ावा देने के लिए शुरू की गई एक पहल है। कोविड-19 महामारी से उत्पन्न चुनौतियों के जवाब में शुरू की गई पीएम ईविद्या का उद्देश्य डिजिटल प्लेटफॉर्म के माध्यम से गुणवत्तापूर्ण शिक्षण संसाधनों तक पहुँच प्रदान करके शिक्षा में निरंतरता सुनिश्चित करना है।

इसकी उल्लेखनीय विशेषताओं में से एक दूरदराज के क्षेत्रों में छात्रों तक पहुँचने के लिए टेलीविजन चैनलों का उपयोग है। "एक कक्षा-एक चैनल" योजना के तहत, पीएम ईविद्या 200 चैनलों पर कक्षा 1 से 12 के लिए पाठ्यक्रम-आधारित शैक्षिक सामग्री प्रसारित करती है। इन चैनलों पर शैक्षिक निकायों जैसे एनसीईआरटी, सीबीएसई, केवीएस, एनआईओएस और अन्य द्वारा विकसित सामग्री दिखाई जाती है, जिससे यह सुनिश्चित होता है कि सीमित इंटरनेट कनेक्टिविटी वाले क्षेत्रों में भी छात्रों को गुणवत्तापूर्ण शैक्षिक संसाधनों तक पहुँच प्राप्त हो। इस प्रकार पीएम ईविद्या शिक्षा की पहुँच और समावेशिता को बढ़ाता है, देश भर में अधिगम का समर्थन करने के लिए डिजिटल प्लेटफॉर्म और पारंपरिक मीडिया दोनों का लाभ उठाता है।

स्वयंप्रभा के चैनल (Channels of SWAYAMPRABHA)

स्वयंप्रभा में 40 समर्पित शैक्षणिक चैनलों का एक नेटवर्क शामिल है, जिसका उद्देश्य पूरे देश में अधिगम के अवसरों का लोकतंत्रीकरण करना है। इन चैनलों को उच्च शिक्षा और स्कूली शिक्षा दोनों क्षेत्रों की जरूरतों को पूरा करने के लिए रणनीतिक रूप से प्रबंधित किया जाता है। प्रत्येक चैनल विशिष्ट विषयों और अनुशासनों के लिए समर्पित है, जो शिक्षार्थियों को उपग्रह प्रौद्योगिकी के माध्यम से प्रसारित व्यापक शिक्षण संसाधनों तक पहुंच प्रदान करता है। चित्र 4.4 में पेश किए गए चैनलों का अवलोकन दिया गया है, जिसमें उनके प्रबंधन प्राधिकरणों और उनके द्वारा प्रदान किए जाने वाले विशिष्ट शैक्षिक स्तरों पर प्रकाश डाला गया है।

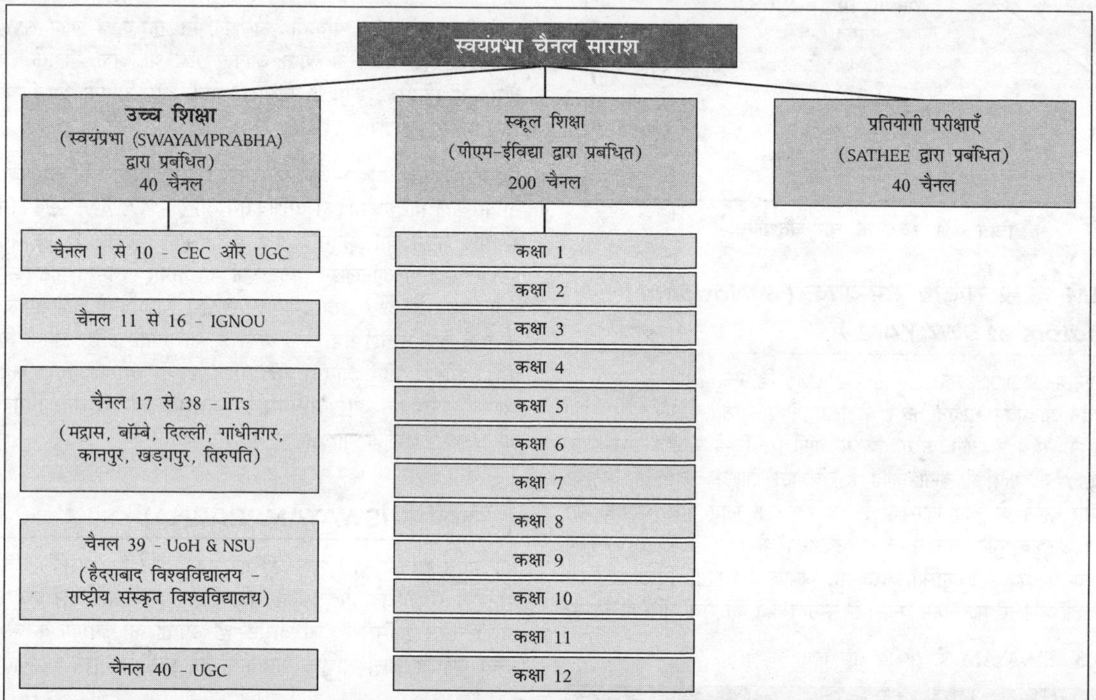

चित्र 4.4 SWAYAMPRABHA चैनल सारांश

तालिका 4.4 महत्वपूर्ण SWAYAMPRABHA चैनल नाम याद रखने के लिए

चैनल संख्या	नाम	विषय
01	वागीश	मानविकी-1, भाषा और साहित्य
02	संस्कृत	मानविकी-2, इतिहास, संस्कृति और दर्शन
03	प्रबोध	सामाजिक विज्ञान-1, सामाजिक और व्यवहार विज्ञान
04	सारस्वत	सामाजिक विज्ञान-2, शिक्षा, मनोविज्ञान, गृह विज्ञान
05	प्रबन्धन	सामाजिक विज्ञान-3, प्रबंधन, पुस्तकालय विज्ञान, सूचना विज्ञान
06	विधिक	सामाजिक विज्ञान-4, कानून, कानूनी अध्ययन, मानवाधिकार
07	कौटिल्य	अर्थशास्त्र, वाणिज्य और वित्त
08	आर्यभट्ट	भौतिक विज्ञान, गणित, भौतिकी, रसायन विज्ञान
09	स्पंदन	जीवन विज्ञान, वनस्पति विज्ञान, प्राणी विज्ञान, जैव विज्ञान
10	दक्ष	अनुप्रयुक्त विज्ञान, संबद्ध भौतिक और रासायनिक विज्ञान
40	व्यास	

लर्निंग शॉर्टकट्स

क्या आप जानते हैं कि यूजीसी नेट परीक्षा में स्वयंप्रभा चैनलों के नाम अक्सर पूछे जाते हैं? तालिका 4.4 से स्वयंप्रभा चैनलों के 10 नामों को याद करने में कठिनाई हो रही है? डरो मत! इसे याद रखने के लिए यहां एक सरल कहानी दी गई है:

English: *On the day of Basant Panchami,* ***Vageesh*** *and* ***Sanskriti****, together with* ***Prabodh****, made arrangements (****prabandhan****) to worship Goddess* ***Saraswati****. They performed the worship with complete rituals (****vidhi****) and traditions. After the worship, they went to seek blessings from their teachers,* ***Kauntalya*** *and* ***Aryabhatta****. They also brought along their friends,* ***Spandan*** *and* ***Daksh****.*

हिंदी अनुवाद: *बसंत पंचमी के दिन,* ***वागीश*** *और* ***संस्कृति*** *ने* ***प्रबोध*** *के साथ मिलकर देवी* ***सरस्वती*** *का पूजन किया। उन्होंने पूजा पूरी* ***विधि विधान*** *से की। पूजा के बाद, उन्होंने अपने गुरु* ***कौंटल्य*** *और* ***आर्यभट्ट*** *से आशीर्वाद मांगा। साथ में वे अपने दोस्त* ***स्पंदन*** *और* ***दक्ष*** *को साथ ले आया।*

क्विज स्टेशन *विगत UGC NET परीक्षाओं के प्रश्न*

प्र 1. कॉलम का मिलान करें: *(22 अगस्त 2024 - शिफ्ट I)*

(A) चतुर्थांश I	(I) ई-ट्यूटोरियल
(B) चतुर्थांश II	(II) ई-सामग्री
(C) चतुर्थांश III	(III) वेब संसाधन
(D) चतुर्थांश IV	(IV) स्व-मूल्यांकन

(a) A-I B-II C-III D-IV
(b) A-I B-III C-II D-IV
(c) A-II B-IV C-I D-III
(d) A-IV B-I C-III D-II

प्र 2. कॉलम का मिलान करें: *(29 अगस्त 2024 - शिफ्ट I)*

(स्वयंप्रभा चौनल नंबर)	(नाम)
(A) चैनल : 04	(I) कौटिल्य
(B) चैनल : 05	(II) विधिक
(C) चैनल : 06	(III) प्रबंधन
(D) चैनल : 07	(IV) सारस्वत

(a) A-III, B-II, C-IV, D-I
(b) A-IV, B-III, C-II, D-I
(c) A-I, B-II, C-III, D-IV
(d) A-II, B-IV, C-I, D-III

प्र 3. 'सामाजिक विज्ञान और मानविकी' विषय के साथ स्वयंप्रभा चौनल-11 की सामग्री निम्नलिखित द्वारा प्रदान की जाती है: *(4 सितंबर 2024 - शिफ्ट 2)*

(a) CEC, नई दिल्ली (b) इग्नू, नई दिल्ली
(c) IIT, दिल्ली (d) IIT, माद्रास

प्र 4. निम्नलिखित में से कौन स्वयम पाठ्यक्रमों हेतु नियुक्त किए गए राष्ट्रीय समन्वयक हैं? *(18 जून 2024 - शिफ्ट II)*

A. भारतीय प्रबन्धन संस्थान, बंग्लौर (आई आई एमी)
B. प्रौद्योगिकी संवर्धित अधिगम संबंधी राष्ट्रीय कार्यक्रेंम (एन पी टी ई एल)
C. राष्ट्रीय मुक्त विद्यालयी संस्थान (एन आई ओ एस)
D. अध्यापक शिक्षा संबंधी ब्लाक संस्थान (बी आईटी हैं)
E. शैक्षिक संप्रेषण हेतु संघ (सी ई सी)

नीचे दिए गए विकल्पों में से सबसे उपयुक्त उत्तर का चयन कीजिए :

(a) केवल B और D
(b) केवल C, D और E
(c) केवल A, B, और C
(d) केवल A, B, C और E

उत्तर 1. (a) 2. (b) 3. (b) 4. (d)

★★★ परीक्षोपयोगी

4.8 शिक्षण सॉफ्टवेयर (Teaching Software in Education)

आज के डिजिटल युग में, सूचना और संचार प्रौद्योगिकी (ICT) ने शिक्षा के परिदृश्य में क्रांति ला दी है, जिससे अधिगम पहले से कहीं ज़्यादा सुलभ, इंटरैक्टिव और कुशल हो गया है। ICT उपकरणों ने शिक्षकों के पढ़ाने के तरीके और शिक्षार्थियों के विषय-वस्तु से जुड़ने के तरीके को बदल दिया है। ये उपकरण शिक्षकों और छात्रों को एक साथ काम करने में मदद करते हैं और अधिगम को और भी मजेदार और आसान बनाते हैं। नीचे उन सामान्य सॉफ्टवेयर टूल की सूची दी गई है जिनके बारे में अक्सर परीक्षाओं में पूछा जाता है और जिनका उपयोग शिक्षण और अधिगम में मदद के लिए शिक्षा में किया जाता है:

- **लर्निंग मैनेजमेंट सिस्टम (Learning Management Systems (LMS):** LMS प्लेटफॉर्म शिक्षकों को पाठ्यक्रम सामग्री, असाइनमेंट और मूल्यांकन को कुशलतापूर्वक प्रबंधित करने में मदद करते हैं।
- **मूडल (Moodle):** ऑनलाइन पाठ्यक्रम, क्विज और चर्चाओं के आयोजन के लिए आदर्श एक ओपन-सोर्स एलएमएस।
- **स्कूलोजी (Schoology):** बेहतर जुड़ाव के लिए सोशल नेटवर्किंग तत्वों के साथ व्यापक एलएमएस सुविधाएँ प्रदान करता है।
- **ब्लैकबोर्ड लर्न (Blackboard Learn):** रिपोर्टिंग और एनालिटिक्स के साथ व्यापक पाठ्यक्रम प्रबंधन उपकरण प्रदान करता है।

- **कैनवस (Canvas):** इंटरैक्टिव सुविधाओं के साथ संरचित ऑनलाइन सीखने के लिए उपयुक्त एक लचीला एलएमएस।
- **एडमोडो (Edmodo):** बेहतर शिक्षक-छात्र बातचीत के लिए एक सोशल नेटवर्किंग-प्रेरित एलएमएस प्लेटफॉर्म।

इंटरैक्टिव व्हाइटबोर्ड टूल (Interactive Whiteboard Tools): इंटरैक्टिव व्हाइटबोर्ड टूल शिक्षकों को डिजिटल पाठ बनाने, दस्तावेजों पर टिप्पणी करने और वास्तविक समय में छात्रों के साथ सहयोग करने में सक्षम बनाते हैं।

- **जैमबोर्ड (Jamboard):** विचार-मंथन, सहयोग और दृश्य शिक्षण के लिए डिजाइन किया गया एक ळववहसम इंटरैक्टिव व्हाइटबोर्ड।
- **स्टॉर्मबोर्ड (Stormboard):** एक विचार-मंथन और विचार-मानचित्रण उपकरण जो टीमवर्क और विचार साझा करने को प्रोत्साहित करता है।
- **कॉन्सेप्ट बोर्ड (Concept Board):** एक सहयोगी प्लेटफॉर्म जो वास्तविक समय की सहभागिता के साथ इंटरैक्टिव पाठों की अनुमति देता है।

सामग्री निर्माण उपकरण (Content Creation Tools): ये उपकरण शिक्षकों को सीखने को और अधिक इंटरैक्टिव बनाने के लिए आकर्षक प्रस्तुतियाँ, ई-पुस्तकें और मल्टीमीडिया सामग्री डिजाइन करने में मदद करते हैं।

- **कैनवा (Canva):** एम्बेडेड वीडियो और इंटरैक्टिव स्लाइड के साथ आकर्षक प्रस्तुतियाँ बनाने के लिए आदर्श।
- **बुक क्रिएटर (Book Creator):** मल्टीमीडिया सुविधाओं के साथ इंटरैक्टिव ई-पुस्तकें विकसित करने के लिए उत्कृष्ट।
- **HSP:** एक मुफ्त, ओपन-सोर्स टूल जो CMS या LMS में एकीकृत समृद्ध, इंटरैक्टिव मल्टीमीडिया सामग्री बनाने में मदद करता है।

वर्चुअल लैब और सिमुलेशन (Virtual Labs and Simulations): वर्चुअल लैब उपकरण विज्ञान अवधारणाओं और प्रयोगों के लिए इंटरैक्टिव सिमुलेशन प्रदान करते हैं।

- **लैबस्टर (Labster):** छात्रों को वैज्ञानिक अवधारणाओं को वर्चुअली तलाशने में मदद करने के लिए इमर्सिव 3डी साइंस लैब सिमुलेशन प्रदान करता है।
- **PhET सिमुलेशन (PhET Simulation):** विज्ञान और गणित अवधारणाओं के लिए आकर्षक सिमुलेशन प्रदान करता है।

ऑनलाइन क्विज, मूल्यांकन और मतदान उपकरण (Online Quizzes, Assessments & Polling Tool): ये उपकरण शिक्षकों को तत्काल प्रतिक्रिया के साथ इंटरैक्टिव क्विज बनाने में सक्षम बनाते हैं।

- **कहूट (Kahoot):** इंटरैक्टिव क्विज और मूल्यांकन के लिए गेम-आधारित एक आदर्श शिक्षण प्लेटफॉर्म।
- **क्विजलेट (Quizlet):** याद रखने और अभ्यास के लिए अनुकूलन योग्य फ्लैशकार्ड और अध्ययन सेट प्रदान करता है।

Google फॉर्म (Google forms): शिक्षकों को तत्काल प्रतिक्रिया के साथ क्विज, सर्वेक्षण और मूल्यांकन बनाने की अनुमति देता है।

- **एडपजल (Edpuzzle):** इंटरैक्टिव सीखने के लिए पहले से रिकॉर्ड किए गए वीडियो में सीधे क्विज एम्बेड करने के लिए आदर्श है।
- **पोल एवरीवेयर (Poll Everywhere):** वास्तविक समय में प्रतिक्रियाएँ एकत्र करने के लिए एक लाइव पोलिंग टूल।
- **मेन्टीमीटर (Mentimeter):** इंटरैक्टिव प्रस्तुतियाँ, क्विज और सत्र से पहले और बाद के सर्वेक्षण आयोजित करने के लिए उत्कृष्ट।
- **स्लाइडो (Slido):** लाइव प्रश्नोत्तर और सर्वेक्षण के माध्यम से दर्शकों की सहभागिता बढ़ाने के लिए डिजाइन किया गया।
- **स्ट्रॉपोल (Strawpoll):** ऑनलाइन पोल और सर्वेक्षण बनाने के लिए एक सरल और त्वरित उपकरण।
- **सर्वे मंकी (Survey Monkey):** विस्तृत सर्वेक्षण डिजाइन करने और पोल प्रतिक्रियाओं का विश्लेषण करने के लिए सबसे उपयुक्त।
- **रूब्रिक्स (Rubrics):** मानदंड-आधारित आकलन और प्रतिक्रिया के लिए उपयोग किया जाता है।

अन्य उपकरण (Other Tools): ये विशेष उपकरण विभिन्न शैक्षिक आवश्यकताओं के लिए अद्वितीय कार्यक्षमता प्रदान करते हैं।

- **माइंडमिस्टर (MindMeister):** ब्रेनस्टॉर्मिंग और अवधारणा विजुअलाइजेशन के लिए डिजाइन किया गया एक माइंड मैपिंग टूल।
- **प्लॉटागन (Plotagon):** एक एनीमेशन टूल जो लिखित स्क्रिप्ट को तुरंत एनिमेटेड वीडियो में बदल देता है।
- **कैमटासिया (Camtasia):** स्क्रीन रिकॉर्डिंग और वीडियो संपादन के लिए एक शक्तिशाली टूल, निर्देशात्मक वीडियो बनाने के लिए आदर्श।
- **प्रेजी (Prezi):** एक प्रेजेंटेशन टूल जो इंटरैक्टिव टाइमलाइन बनाने और रचनात्मक रूप से विकसित अवधारणाओं को प्रदर्शित करने के लिए एकदम सही है।
- **गिटहब क्लासरूम (GitHub Classroom):** शिक्षकों के लिए कोडिंग असाइनमेंट और प्रोजेक्ट प्रबंधित करने के लिए एक समर्पित प्लेटफॉर्म।
- **गूगल अर्थ (Google Earth):** वर्चुअल फील्ड ट्रिप और भौगोलिक अन्वेषण अनुभव प्रदान करता है।
- **ट्रेलो (Trello):** एक प्रोजेक्ट और टास्क मैनेजमेंट टूल जो समूह प्रोजेक्ट को कुशलतापूर्वक व्यवस्थित करने में मदद करता है।
- **हूटसूट (Hootsuite):** सोशल मीडिया अभियानों के प्रबंधन और जुड़ाव का विश्लेषण करने के लिए डिजाइन किया गया।
- **फ्लिपग्रिड (Flipgrid):** छात्रों के लिए वीडियो चर्चाओं को रिकॉर्ड करने और साझा करने के लिए एक प्लेटफॉर्म।
- **पैडलेट (Padlet):** सामग्री को साझा करने और सहयोगात्मक रूप से व्यवस्थित करने के लिए एक डिजिटल बुलेटिन बोर्ड।
- **ऑडेसिटी (Audacity):** ऑडियो सामग्री को रिकॉर्ड करने और संपादित करने के लिए एक पॉडकास्ट निर्माण उपकरण।
- **वीरबेला (Virbela):** एक आभासी वास्तविकता उपकरण जो इमर्सिव लर्निंग वातावरण बनाता है।
- **टर्निटिन (Turnitin):** एक साहित्यिक चोरी का पता लगाने वाला उपकरण जिसका उपयोग शैक्षणिक कार्य में मौलिकता का आकलन करने के लिए किया जाता है।

अध्याय के मुख्य बिंदु

शिक्षण सहायक सामग्री का लाभ

- बेहतर अवधारणा
- बढ़ी हुई सहभागिता
- विविधता और एकरसता से मुक्ति
- बहु-संवेदी शिक्षण
- विशेषज्ञता तक पहुँच
- अधिगम के लिए प्रेरणा
- याद करने की बजाय समझना
- अधिगम को सुदृढ़ बनाना

स्वयंप्रभा

- **लॉन्च किया गया:** भारत सरकार
- **प्रबंधित:** इनफ्लिबनेट सेंटर, शिक्षा मंत्रालय, भारत सरकार
- **वर्ष:** 2017
- **प्रकार:** जीसैट-15 उपग्रह के माध्यम से 40 डीटीएच चैनल
- **प्रसारण घंटे:** 24 × 7 (ताजा सामग्री के 4 घंटे प्रतिदिन 5 बार दोहराया गया)
- **चैनल अपलिंक किए गए:** बीआईएसएजी, गांधीनगर (भास्कर आचार्य अंतरिक्ष अनुप्रयोग और भूसूचना विज्ञान संस्थान)
- **सामग्री स्रोत:** एनपीटीईएल, आईआईटी, यूजीसी, सीईसी, इग्नू, एनसीईआरटी, एनआईओएस
- **उद्देश्य:** टेलीविजन के माध्यम से शैक्षिक पहुंच को बढ़ाना
- **विशेषताएं:** पूरे दिन कार्यक्रमों को दोहराता है सुगम दृश्यता के लिए

डिजिटल पहल

- **MOOC**
  (बड़े पैमाने पर खुले ऑनलाइन पाठ्यक्रम)
- **SWAYAM**
  (कक्षा 9 से स्नातकोत्तर तक ऑनलाइन पाठ्यक्रम)
- **SWAYAM PRABHA**
  (40 DTH शैक्षिक चैनल)

स्वयं (SWAYAM)

- **पूरा नाम:** युवा महत्वाकांक्षी दिमागों के लिए सक्रिय-शिक्षण के अध्ययन जाल
- **पहलकर्ता:** भारत सरकार
- **विकसितकर्ता:** शिक्षा मंत्रालय, एनपीटीईएल, आईआईटी मद्रास, गूगल इंक. और पर्सिस्टेंट सिस्टम लिमिटेड
- **लॉन्च का वर्ष:** 9 जुलाई 2017
- **प्रकार:** मैसिव ओपन ऑनलाइन कोर्स (एमओओसी) प्लेटफॉर्म
- **कोर्स का प्रकार:** कक्षा 9 से स्नातकोत्तर तक के ऑनलाइन पाठ्यक्रम
- **उद्देश्य:** सभी शिक्षार्थियों के लिए निःशुल्क ऑनलाइन पाठ्यक्रम
- **उद्देश्य:** डिजिटल डिवाइड को पाटना
- **3 मुख्य सिद्धांत:** पहुँच, समानता और गुणवत्ता

पाठ्यक्रम संरचना:
(जिसे 4 चतुर्भुज के रूप में भी जाना जाता है)

- वीडियो व्याख्यान (ई-ट्यूटोरियल)
- डाउनलोड करने योग्य/प्रिंट करने योग्य पठन सामग्री (ई-सामग्री)
- स्व-मूल्यांकन परीक्षण (परीक्षण और प्रश्नोत्तरी)
- ऑनलाइन चर्चा मंच (संदेह दूर करने के लिए)

हालिया अपडेट (2021):

- विश्वविद्यालय अनुदान आयोग (UGC) संस्थानों को SWAYAM प्लेटफॉर्म के माध्यम से एक सेमेस्टर में कुल पाठ्यक्रमों का 40% तक प्रदान करने की अनुमति देता है।

SWAYAM समन्वयकों के राष्ट्रीय समन्वयक:
SWAYAM के 9 समन्वयकों को याद रखना महत्वपूर्ण है, जिन्हें **A-NNNN-II-CU** का उपयोग करके आसानी से याद किया जा सकता है, जहाँ प्रत्येक अक्षर संबंधित शैक्षणिक संस्थान या संगठन का प्रतिनिधित्व करता है, जैसे AICTE, NCERT, NIOS, NPTEL, NITTTR, IIMB, IGNOU, CEC, UGC।

SWAYAM PLUS का अवलोकन:

- **लॉन्च तिथि:** 27 फरवरी 2024
- **द्वारा संचालित:** IIT मद्रास
- **द्वारा विकसित कार्यक्रम:** L&T, Microsoft और CISCO
- **उद्देश्य:** रोजगार और व्यावसायिक विकास पर केंद्रित कार्यक्रम प्रदान करना
- **विशेषताएँ:**
  - बहुभाषी भाषा
  - AI सक्षम मार्गदर्शन

एडगर डेल का अनुभव शंकु

- पाठ पढ़ें (10%)
- व्याख्यान सुनें (20%)
- स्थिर चित्र देखें (30%)
- चलती हुई छवियाँ देखें (30%)
- प्रदर्शनी देखें (50%)
- प्रदर्शन देखें (50%)
- व्यावहारिक कार्यशाला में भाग लें (70%)
- किसी स्थिति की भूमिका निभाएँ (70%)
- किसी वास्तविक अनुभव का मॉडल बनाएँ या उसे प्रेरित करें (90%)
- प्रत्यक्ष उद्देश्यपूर्ण अनुभव (90%)

निर्देशात्मक सुविधाएँ

प्रोजेक्टेड निर्देशात्मक सुविधाएँ

- प्रत्यक्ष प्रक्षेपण (स्लाइड प्रोजेक्टर और फिल्म प्रोजेक्टर)
- अप्रत्यक्ष प्रक्षेपण (ओवरहेड प्रोजेक्टर)
- परावर्तित प्रक्षेपण (अपारदर्शी प्रोजेक्टर और एपिडायस्कोप)

गैर-प्रोजेक्टेड निर्देशात्मक सुविधाएँ
(पोस्टर, चार्ट, भौतिक वस्तुएँ आदि)

मूल्यांकन (Evaluation)

5

इस अध्याय में

**परीक्षोपयोगी (Exam Essential): UGC NET परीक्षा में पूछे जाने की अत्यधिक संभावना #CC का अर्थ है कॉन्सेप्ट कैप्सूल*

परिचय (Introduction)

सच कहें तो, हम सभी परीक्षा और टेस्ट से डरते हैं! हम सभी ने परीक्षा से पहले की चिंता और घबराहट को महसूस किया है। लेकिन इन भावनाओं के बावजूद, शिक्षा में मूल्यांकन (evaluation) का महत्व नकारा नहीं जा सकता।

मूल्यांकन शिक्षा का एक कम्पास (compass) जैसा है, जो शिक्षकों और छात्रों को उनके शैक्षिक सफर में मार्गदर्शन करता है। जैसे कम्पास उत्तर दिशा की ओर इशारा करता है, वैसे ही मूल्यांकन हमें यह बताता है कि हमारी सीखने की यात्रा में हम कहां खड़े हैं और आगे हमें किस दिशा में बढ़ना चाहिए। मूल्यांकन के सिद्धांतों की समझ प्रभावी शिक्षण और अधिगम के लिए बेहद जरूरी है।

मूल्यांकन एक ऐसा महत्वपूर्ण उपकरण है, जिससे शिक्षण पद्धतियों की प्रभावशीलता, छात्रों की समझ और शैक्षिक कार्यक्रमों की सफलता का आकलन किया जाता है। मूल्यांकन के सिद्धांतों को समझकर शिक्षक अपनी शिक्षण विधियों में सुधार कर सकते हैं, छात्रों की प्रगति को और बेहतर तरीके से माप सकते हैं और शैक्षिक परिणामों में सुधार में योगदान दे सकते हैं। इसलिए, मूल्यांकन प्रणालियों की गहरी समझ उन शिक्षकों के लिए अत्यंत महत्वपूर्ण है, जो विश्वविद्यालय अनुदान आयोग (UGC) NET परीक्षा की तैयारी कर रहे हैं।

5.1 मूल्यांकन क्या है (What is Evaluation)

मूल्यांकन एक संगठित प्रक्रिया है, जिसके माध्यम से जानकारी एकत्रित, विश्लेषण और समझी जाती है ताकि यह आंका जा सके कि हम अपने शिक्षण लक्ष्यों को कितनी अच्छी तरह से पूरा कर रहे हैं। न्यूजीलैंड के शिक्षा प्रणाली के विकास के लिए प्रसिद्ध शिक्षाविद् सी. ई. बीबी (CE Beeby) ने मूल्यांकन की एक उत्कृष्ट परिभाषा दी है। उनके अनुसार, 'मूल्यांकन साक्ष्यों का व्यवस्थित संग्रह और उनकी व्याख्या है, जो एक प्रक्रिया के रूप में निर्णय लेने की दिशा में निर्णय लेने की प्रक्रिया का हिस्सा है।'

मूल्यांकन यह पहचानने में मदद करता है कि छात्रों को किन क्षेत्रों में अतिरिक्त सहायता या सुधार की आवश्यकता हो सकती है। इससे शिक्षक अपनी शिक्षण पद्धतियों को व्यक्तिगत जरूरतों के अनुसार ढाल सकते हैं। मूल्यांकन शिक्षकों को उपयोगी प्रतिक्रिया भी प्रदान करता है, जिससे वे अपनी शिक्षण रणनीतियों में सुधार कर सकते हैं और कक्षा में अपनी प्रभावशीलता बढ़ा सकते हैं।

इसके अतिरिक्त, मूल्यांकन शैक्षिक निर्णय लेने में महत्वपूर्ण भूमिका निभाता है। विद्यालय के प्रशासक और नीति-निर्माता मूल्यांकन डेटा का उपयोग विद्यालयों के समग्र प्रदर्शन का आकलन करने, सिलेबस में सुधार करने, संसाधनों का प्रभावी ढंग से आवंटन करने और शैक्षिक नीतियों और सुधारों के बारे में सूचित निर्णय लेने के लिए करते हैं। मूल्यांकन कक्षा और विद्यालय

स्तर से परे भी महत्वपूर्ण होता है। यह शैक्षिक कार्यक्रमों और छात्रों के परिणामों में सुधार के प्रयासों के प्रभाव को मापने के लिए आवश्यक है। इसमें साक्षरता कार्यक्रमों का प्रभाव समझना शामिल है। इसके साथ ही, शिक्षकों के लिए आयोजित पेशेवर विकास कार्यशालाओं की उपयोगिता और प्रभावशीलता का भी आकलन किया जाता है। ऐसे मूल्यांकन शैक्षणिक प्रक्रिया को अधिक प्रभावी और परिणामदायक बनाने में मदद करते हैं।

सिनेमैटिक कनेक्शन

आइए मूल्यांकन के महत्व को समझने के लिए एक बॉलीवुड फिल्म का उदाहरण लें। क्या आप *मुन्ना भाई एमबीबीएस* (2003) के संजय दत्त जैसे डॉक्टर पर अपना इलाज कराने के लिए भरोसा करेंगे - जिसने अपनी परीक्षाएं पास नहीं की हैं? बिल्कुल नहीं! इसके बजाय, आप एक ऐसे योग्य डॉक्टर से इलाज करवाना पसंद करेंगे, जिसने कठिन मूल्यांकन प्रक्रियाओं के माध्यम से आवश्यक योग्यता, ज्ञान और कौशल प्राप्त किया हो।

5.2 मूल्यांकन की विशेषताएँ (Characteristics of Evaluation)

मूल्यांकन की विशेषताओं को समझना शिक्षकों के लिए बेहद महत्वपूर्ण है, क्योंकि यह मूल्यांकन प्रक्रिया को निर्देशित करने वाले आवश्यक पहलुओं और सिद्धांतों की जानकारी प्रदान करता है। इससे उन्हें यह जांचने के सही उपकरण मिलते हैं कि छात्र क्या सीख रहे हैं और उनकी प्रगति कैसी हो रही है। इसके अतिरिक्त, मूल्यांकन की विशेषताओं की समझ से शिक्षक ऐसे परीक्षण तैयार कर सकते हैं, जो अलग-अलग प्रकार के शिक्षार्थियों के लिए उपयुक्त हों, ताकि सभी को अपनी योग्यता और कौशल प्रदर्शित करने का समान अवसर मिले। आइए मूल्यांकन की विभिन्न विशेषताओं पर चर्चा करें:

1. **व्यापकता (Comprehensiveness):** मूल्यांकन का उद्देश्य बच्चे के संपूर्ण विकास का आकलन करना होना चाहिए। उदाहरण के लिए, केवल शैक्षणिक ज्ञान का परीक्षण करने के अलावा, शिक्षक छात्रों के सामाजिक कौशल, रचनात्मकता और समस्या-समाधान की क्षमता का भी मूल्यांकन करते हैं। यह छात्रों की क्षमताओं की समग्र समझ सुनिश्चित करता है।
2. **निरंतरता (Continuous):** मूल्यांकन एक सतत प्रक्रिया है, जो पूरे शैक्षणिक वर्ष में चलती है, न कि केवल परीक्षाओं तक सीमित रहती है। उदाहरण के लिए, गणित की कक्षा में शिक्षक नियमित रूप से समस्या-समाधान के कार्य सौंपकर, साप्ताहिक क्विज आयोजित करके और गृहकार्य की समीक्षा करके निरंतर मूल्यांकन लागू कर सकते हैं। ऐसा करने से शिक्षक यह पहचान सकते हैं कि छात्रों को किन क्षेत्रों में अतिरिक्त सहायता या समृद्धि की आवश्यकता है। यह निरंतर मूल्यांकन पद्धति सुनिश्चित करती है कि छात्रों को पूरे शैक्षणिक वर्ष में समय पर प्रतिक्रिया और सहयोग मिले, जिससे उनकी सीखने की प्रक्रिया बेहतर हो सके।
3. **संगठित प्रक्रिया (Systematic Process):** मूल्यांकन संरचित और योजनाबद्ध तरीके से किया जाता है, ताकि मूल्यांकन के तरीकों में स्थिरता और विश्वसनीयता सुनिश्चित की जा सके। उदाहरण के लिए, विद्यालय एक पूर्वनिर्धारित मूल्यांकन कार्यक्रम का पालन करते हैं, जिसमें यूनिट टेस्ट, अर्धवार्षिक और वार्षिक परीक्षाएं शामिल होती हैं। इससे निष्पक्षता और सटीकता सुनिश्चित होती है।
4. **शिक्षण उद्देश्यों के साथ सरेखाता (Alignment with Instructional Objectives):** मूल्यांकन यह मापता है कि शिक्षण उद्देश्यों को किस हद तक प्राप्त किया गया है और यह शैक्षिक लक्ष्यों के साथ सरेखित रहता है। उदाहरण के लिए, उद्देश्य यदि आलोचनात्मक चिंतन कौशल (critical thinking skills) को बढ़ाना है, तो मूल्यांकन कार्य याददाश्त के बजाय जानकारी के विश्लेषण और संश्लेषण पर केंद्रित होंगे न कि रटने पर।
5. **विविध तरीकों का उपयोग (Utilisation of Diverse Methods):** मूल्यांकन में विभिन्न प्रक्रियाओं, परीक्षणों और तकनीकों का उपयोग किया जाता है, ताकि सीखने की अलग-अलग शैलियों और प्राथमिकताओं को ध्यान में रखा जा सके। उदाहरण के लिए, विज्ञान की एक कक्षा में, जहां छात्र जल चक्र (water cycle) का अध्ययन कर रहे हैं, शिक्षक उनकी समझ का आकलन करने के लिए विभिन्न मूल्यांकन विधियों का उपयोग करते हैं। लिखित परीक्षा, जैसे क्विज या टेस्ट, उन छात्रों के लिए उपयुक्त होती हैं जो लिखित अभिव्यक्ति में कुशल हैं। मौखिक प्रस्तुतियां (oral presentations) उन छात्रों को मौका देती हैं, जो अपनी समझ को मौखिक रूप से व्यक्त करने और चर्चाओं में भाग लेने में सक्षम हैं।
6. **समस्याओं की पहचान (Identification of Problems):** मूल्यांकन छात्रों की कमजोरियों और चुनौतियों की पहचान करने में मदद करता है, जिससे उचित उपाय अपनाए जा सकें। उदाहरण के लिए, यदि कोई छात्र गणित की अवधारणाओं में लगातार कठिनाई महसूस करता है, तो शिक्षक अतिरिक्त अभ्यास कार्य या व्यक्तिगत मार्गदर्शन देकर समस्या का समाधान कर सकते हैं।
7. **शिक्षण का अभिन्न हिस्सा (Integral to Teaching):** मूल्यांकन शिक्षण-अधिगम की प्रक्रिया का एक अनिवार्य हिस्सा है, जो छात्रों की प्रगति पर नजर रखने और शिक्षण रणनीतियों में आवश्यकतानुसार सुधार करने में मदद करता है। उदाहरण के लिए, मूल्यांकन से प्राप्त फीडबैक के आधार पर शिक्षक पाठ योजनाओं, अध्ययन सामग्री या शिक्षण विधियों को छात्रों की जरूरतों के अनुसार संशोधित कर सकते हैं।
8. **विकास को प्रोत्साहन देना (Promoting Growth):** मूल्यांकन, सुधार के क्षेत्रों को उजागर करके, छात्रों को उनकी कमजोरियों को पहचानने और उन्हें दूर करने के लिए प्रेरित करता है - जिससे उनके व्यक्तिगत और शैक्षणिक विकास को बढ़ावा मिलता है। उदाहरण के लिए, एक लेखन असाइनमेंट पर रचनात्मक फीडबैक मिलने से छात्र को सहायता लेने और अपने लेखन कौशल को सुधारने की प्रेरणा मिल सकती है।
9. **विश्वसनीयता और वैधता (Reliability and Validity):** अच्छी तरह से बनाई गई मूल्यांकन योजना छात्रों के सीखने और उनकी क्षमता का विश्वसनीय और वैध माप प्रदान करती है, जिससे मूल्यांकन के परिणाम सटीक और निष्पक्ष होते हैं। मूल्यांकन इस प्रकार डिजाइन किए जाने चाहिए कि वे समय के साथ संगत परिणाम दें और लक्षित शैक्षणिक उद्देश्यों को सही ढंग से माप सकें। उदाहरण के लिए, SAT जैसी मानकीकृत परीक्षाएं इस तरह बनाई जाती हैं कि छात्र के ज्ञान के स्तर में समानता होने पर, परिणाम हमेशा एक जैसे हों, चाहे परीक्षा कहीं भी और कभी भी हो।

10. **पूर्व ज्ञान का आकलन (Assessment of Prior Knowledge):** मूल्यांकन शिक्षण-अधिगम की प्रक्रिया शुरू होने से पहले छात्रों के पूर्व ज्ञान का आकलन कर सकता है, जिससे शिक्षकों को शिक्षण को व्यक्तिगत जरूरतों के अनुसार ढालने में मदद मिलती है। उदाहरण के लिए, नृत्य कक्षा शुरू होने से पहले प्रशिक्षक छात्रों से फ्रीस्टाइल नृत्य करने के लिए कह सकता है, ताकि उनकी गतिशीलता, गति, अभिव्यक्ति आदि का मूल्यांकन किया जा सके।

11. **गतिशीलता और लचीलापन (Dynamic and Flexible):** मूल्यांकन विधियों को बदलती परिस्थितियों और छात्रों की जरूरतों के अनुसार समायोजित किया जा सकता है, जिससे उनकी प्रासंगिकता और अनुकूलता सुनिश्चित होती है। उदाहरण के लिए, दूरस्थ शिक्षा के दौरान शिक्षक ऑनलाइन क्विज, वर्चुअल लैब या मल्टीमीडिया प्रस्तुतियों का उपयोग वैकल्पिक मूल्यांकन विधियों के रूप में कर सकते हैं।

12. **वास्तविक प्रकृति (Realistic Nature):** मूल्यांकन को वास्तविक जीवन की स्थितियों और कार्यों को प्रतिबिंबित करना चाहिए, जिससे छात्रों की क्षमताओं और कौशलों का व्यावहारिक विश्लेषण किया जा सके। उदाहरण के लिए, विज्ञान की कक्षा में छात्र प्रयोग कर सकते हैं या वास्तविक समस्याओं को हल कर सकते हैं, जिससे उनके वैज्ञानिक सिद्धांतों के व्यावहारिक अनुप्रयोग का प्रदर्शन हो सके।

13. **निष्पक्षता (Objectivity):** मूल्यांकन परिणाम व्यक्तिगत पूर्वाग्रहों या पक्षपात से मुक्त होने चाहिए, ताकि मूल्यांकन प्रथाओं में निष्पक्षता और समानता सुनिश्चित हो सके। मान लीजिए, एक शिक्षक डोगला खान जी, किसी छात्र अमित को पसंद नहीं करते। चाहे अमित कक्षा में कितना भी अच्छा प्रदर्शन करे, डोगला खान जी उसे अच्छे अंक नहीं देते। इस स्थिति में, कहा जा सकता है कि डोगला खान जी अपनी कक्षा के मूल्यांकन प्रथाओं में निष्पक्ष नहीं हैं।

क्विज स्टेशन *विगत UGC NET परीक्षाओं के प्रश्न*

प्र 1. शिक्षकों के छात्र मूल्यांकन के मुख्य उद्देश्य हैं:

A. छात्रों की कमजोरियों के बारे में जानकारी एकत्र करना।

B. शिक्षकों को शिक्षण को गंभीरता से लेने के लिए प्रेरित करना।

C. शिक्षकों को शिक्षण के नवीन तरीकों को अपनाने में मदद करना।

D. शिक्षकों के उन विशेष गुणों को पहचानना जिनमें और सुधार किया जा सकता है।

नीचे दिए गए कोड से सही उत्तर की पहचान करें:

(a) केवल A और B

(b) केवल A, B और C

(c) केवल B, C और D

(d) केवल A

उत्तर 1. (b)

5.3 मूल्यांकन के कार्य (Functions of Evaluation)

मूल्यांकन के कार्यों को समझना शिक्षकों के लिए जरूरी है, क्योंकि यह शिक्षा में आकलन के विभिन्न उद्देश्यों और लाभों पर प्रकाश डालता है। इस खंड का अध्ययन शिक्षकों को वह ज्ञान और कौशल प्रदान करता है, जो मूल्यांकन को एक प्रभावी उपकरण के रूप में उपयोग करके शिक्षण पद्धतियों को सुधारने और छात्रों की सफलता को प्रोत्साहित करने में मदद करता है। आइए मूल्यांकन के विभिन्न कार्यों पर चर्चा करें:

1. **समस्याओं और कमजोरियों की पहचान करना (Identifying Problems and Weaknesses):** मूल्यांकन उन क्षेत्रों को पहचानने में मदद करता है, जहां छात्र संघर्ष कर रहे होते हैं, जिससे शिक्षक सुधार के लिए उपयुक्त सुधारात्मक उपाय सुझा सकते हैं। उदाहरण के लिए, नियमित क्विज और असाइनमेंट के माध्यम से शिक्षक यह पहचान सकते हैं कि कौन से छात्र गणितीय अवधारणाओं को समझने में कठिनाई महसूस कर रहे हैं और उनकी समस्याओं को हल करने के लिए अतिरिक्त ट्यूटरिंग सत्र प्रदान कर सकते हैं।

2. **क्षमता और योग्यता का आकलन (Assessing Potential and Abilities):** मूल्यांकन, उम्मीदवारों के कौशल और क्षमताओं का आकलन करते हैं, जिससे पाठ्यक्रमों या नौकरियों के लिए उपयुक्त उम्मीदवारों का चयन करने में मदद मिलती है। उदाहरण के लिए, UGC NET परीक्षा उम्मीदवारों की शोध क्षमता और शिक्षण कौशल का आकलन करती है, ताकि विश्वविद्यालयों और कॉलेजों में शैक्षणिक पदों के लिए उनकी पात्रता तय की जा सके।

3. **प्रमाणपत्र और पुरस्कारों का आधार (Basis for Certification and Awards):** मूल्यांकन के परिणामों के आधार पर उन छात्रों को प्रमाणपत्र, डिग्री या पुरस्कार दिए जाते हैं, जो अच्छा प्रदर्शन करते हैं। उदाहरण के लिए, जो छात्र किसी भाषा पाठ्यक्रम की अंतिम परीक्षा पास करते हैं, उन्हें उनकी भाषा कौशल के लिए प्रमाणपत्र दिया जाता है।

4. **उद्देश्यों की पूर्ति का मापन (Measuring Fulfilment of Objectives):** मूल्यांकन यह मापने में मदद करता है कि शैक्षणिक और शैक्षिक उद्देश्यों को किस हद तक पूरा किया गया है, जिससे छात्रों की प्रगति पर महत्वपूर्ण जानकारी मिलती है। उदाहरण के लिए, एक विज्ञान शिक्षक यह आकलन कर सकता है कि छात्र यह समझ पाए हैं कि बिजली कैसे काम करती है, इस आधार पर कि वे एक विद्युत परिपथ (electric circuit) का डिजाइन और प्रयोग करने में सक्षम हैं या नहीं।

5. **फीडबैक प्रदान करना (Providing Feedback):** मूल्यांकन शिक्षकों को छात्रों की समझ के बारे में फीडबैक प्रदान करता है, जिससे वे बेहतर समझ के लिए अपनी शिक्षण विधियों में सुधार कर सकते हैं। उदाहरण के लिए, गणित की परीक्षा के परिणामों की समीक्षा करने के बाद, यदि शिक्षक पाते हैं कि कई छात्रों को भिन्न (fractions) समझने में कठिनाई हो रही है, तो वे इस अवधारणा को मजबूत करने के लिए अधिक प्रायोगिक गतिविधियों को शामिल कर सकते हैं।

6. **प्रेरणा देना (Motivation):** परीक्षा निकट है – यह बात छात्रों को अधिक मेहनत करने और सफलता हासिल करने के लिए प्रेरित करता है। उदाहरण के लिए, छात्र अंतिम परीक्षा के लिए मेहनत से

पढ़ाई कर सकते हैं क्योंकि वे जानते हैं कि उनका प्रदर्शन उनके अंकों में झलकेगा, जिससे उन्हें अपना सर्वश्रेष्ठ प्रदर्शन करने के लिए प्रोत्साहन मिलेगा।

7. **मार्गदर्शन प्रदान करना (Offering Guidance):** मूल्यांकन के परिणाम छात्रों को मार्गदर्शन और समर्थन प्रदान करने में महत्वपूर्ण भूमिका निभाते हैं, जिससे उनके विकास और प्रगति में मदद मिलती है। उदाहरण के लिए, एक करियर अभिक्षमता परीक्षा (career aptitude test) उच्च विद्यालय के छात्रों को उनकी ताकत और रुचियों की पहचान करने में मदद कर सकती है, जिससे वे उपयुक्त कॉलेज के विषयों या करियर पथों का चयन कर सकें।
8. **योजना बनाने में सहायता करना (Facilitating Planning):** मूल्यांकन डेटा शिक्षकों को छात्रों की जरूरतों के अनुसार प्रभावी शिक्षण गतिविधियों की योजना बनाने, संगठित करने और लागू करने में मदद करता है। उदाहरण के लिए, एक शिक्षक मूल्यांकन डेटा का उपयोग करके उन क्षेत्रों की पहचान कर सकता है जहाँ छात्रों को अधिक अभ्यास की आवश्यकता है। इन अंतरालों को भरने के लिए उपयुक्त पाठ योजनाएँ तैयार की जा सकती हैं।
9. **संशोधन को प्रोत्साहित करना (Supporting Revision):** मूल्यांकन के परिणाम पाठ्यक्रम सामग्री और शिक्षण रणनीतियों के संशोधन और सुधार में योगदान करते हैं। उदाहरण के लिए, छात्र सर्वेक्षणों और प्रदर्शन मूल्यांकनों से मिला फीडबैक पाठ्यक्रम निर्माताओं को पाठ्यपुस्तकों को अपडेट करने के लिए प्रेरित कर सकता है। यह फीडबैक नए शिक्षण तरीकों को शामिल करने में भी मदद करता है, जिससे छात्रों के सीखने के परिणाम बेहतर हो सकें।
10. **संस्थानों के बीच तुलना को सक्षम बनाना (Enabling Inter-Institutional Comparison):** मूल्यांकन छात्रों के प्रदर्शन की विभिन्न संस्थानों के बीच तुलना करने की अनुमति देते हैं, जिससे शैक्षिक प्रभावशीलता के बारे में महत्वपूर्ण जानकारी मिलती है। उदाहरण के लिए, 10वीं बोर्ड परीक्षाओं जैसे मानकीकृत टेस्ट स्कोर छात्रों की शैक्षणिक उपलब्धियों की विभिन्न स्कूलों या जिलों के बीच तुलना करने में मदद करते हैं।
11. **शैक्षिक निर्णय लेना (Educational Decision-Making):** मूल्यांकन के परिणाम छात्र चयन, वर्गीकरण, स्थान निर्धारण, प्रोमोशन और अन्य शैक्षिक प्रक्रियाओं से संबंधित निर्णयों को सूचित करते हैं। उदाहरण के लिए, MBA में प्रवेश के लिए कॉमन एडमिशन टेस्ट (CAT) जैसी मानकीकृत परीक्षाओं के स्कोर महत्वपूर्ण होते हैं। CAT के स्कोर, साथ ही अकादमिक प्रदर्शन और सह-पाठ्यक्रम गतिविधियों जैसे अन्य मानदंड, प्रवेश समितियों को प्रतिष्ठित संस्थानों में प्रवेश के लिए आवेदकों की उपयुक्तता का आकलन करने में मदद करते हैं।
12. **प्रगति की जानकारी अभिभावकों तक पहुंचाना (Communicating Progress to Parents):** मूल्यांकन के परिणाम प्रगति रिपोर्ट के माध्यम से अभिभावकों को बताए जाते हैं, जिससे वे अपने बच्चे की शैक्षणिक प्रगति के बारे में जानकार रहते हैं। उदाहरण के लिए, एक रिपोर्ट कार्ड में ग्रेड, शिक्षकों की टिप्पणियां और सुधार के लिए सिफारिशें शामिल हो सकती हैं, जिससे अभिभावक अपने बच्चे की सीखने की प्रक्रिया में घर पर सहयोग कर सकें।

सिनेमैटिक कनेक्शन

बॉलीवुड की दिल छू लेने वाली फिल्म छिछोरे (2019) में मूल्यांकन की थीम को केंद्र में रखा गया है। जब राघव, जो अनिरुद्ध और माया पाठक (दिवंगत सुशांत सिंह राजपूत और श्रद्धा कपूर द्वारा निभाए गए पात्र) का बेटा है, IIT-JEE परीक्षा पास करने के दबाव का सामना करता है, तो वह निराशा में डूब जाता है और अपनी बालकनी से कूदकर आत्महत्या का प्रयास करता है। तुरंत उसे अस्पताल ले जाया जाता है। इस संकट के दौरान, अनिरुद्ध और माया के कॉलेज के दोस्त अस्पताल में इकट्ठा होते हैं। अपनी साझा यादों और अनुभवों के माध्यम से, वे राघव को यह अनमोल सीख देते हैं कि किसी की कीमत केवल शैक्षणिक उपलब्धियों या परीक्षा परिणामों से नहीं आंकी जाती। इसके बजाय, वे जीवन के उतार-चढ़ाव, दोस्ती और धैर्य का महत्व समझाते हैं। यह फिल्म गहराई से दर्शाती है कि मूल्यांकन जीवन का एक महत्वपूर्ण हिस्सा है, लेकिन यह जीवन को संपूर्ण और अर्थपूर्ण तरीके से जीने के महत्व को कभी पीछे नहीं छोड़ सकता।

5.4 मापन, आकलन और मूल्यांकन के बीच अंतर (Difference among Measurement, Assessment and Evaluation)

मापन (Measurement), आकलन (Assessment) और मूल्यांकन (Evaluation) के बीच अंतर को समझना शिक्षकों के लिए आवश्यक है, ताकि वे छात्रों के प्रदर्शन और प्रगति को प्रभावी ढंग से परख सकें। ये तीनों शब्द दिखने में समान लग सकते हैं, लेकिन इनका अर्थ काफी भिन्न है। आइए इसे विस्तार से समझें:

1. **मापन (Measurement)** किसी के प्रदर्शन को संख्याओं के माध्यम से चित्रित करने जैसा है। उदाहरण के लिए, यदि कोई छात्र गणित में 100 में से 92 अंक या विज्ञान में 100 में से 75 अंक प्राप्त करता है, तो ये संख्यात्मक मान उसके प्रदर्शन का मापन दर्शाते हैं।
2. **आकलन (Assessment)** अगला कदम है, जहां इन मापन आंकड़ों का विश्लेषण करके उनके अर्थ निकाले जाते हैं। उदाहरण के लिए, यह कहना कि एक छात्र कक्षा में प्रथम स्थान पर रहा, एक मूल्यांकन है क्योंकि यह इन अंकों को संदर्भ में रखता है और बताता है कि छात्र ने दूसरों की तुलना में कैसा प्रदर्शन किया।

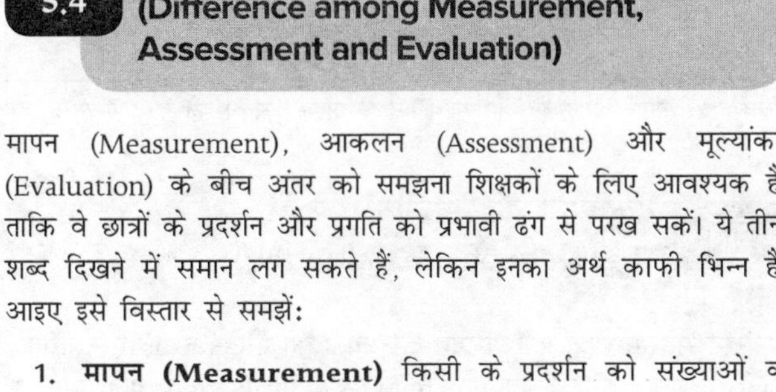

चित्र 5.1 मापन, आकलन और मूल्यांकन के बीच का अंतर

3. **मूल्यांकन (Evaluation)** इससे भी आगे का कदम है। यह किसी तस्वीर को जूम आउट करके समग्र दृष्टिकोण से देखने जैसा है। उदाहरण के लिए, यदि कोई छात्र अर्धवार्षिक परीक्षा में पहले की तुलना में काफी सुधार करता है, तो यह मूल्यांकन है। यह समय के साथ छात्र की प्रगति को देखता है और उनके प्रदर्शन का गहराई से विश्लेषण करके उसमें अर्थ जोड़ता है। मूल्यांकन करते समय, हम केवल अंकों को ही नहीं देखते, बल्कि सुधार, समग्र विकास और अन्य कारकों को भी ध्यान में रखते हैं। यह छात्रों की पूरी शैक्षणिक यात्रा को समझने और उनके प्रदर्शन का सही मूल्यांकन करने में मदद करता है।

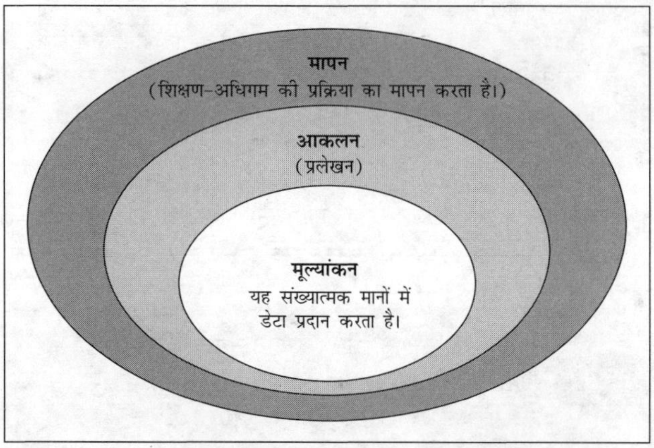

चित्र 5.2: मापन, आकलन और मूल्यांकन के आपसी संबंध को दृष्टिगत करता है।

5.5 मूल्यांकन की तकनीकें (Techniques of Evaluation)

इस खंड में, हम छात्रों की अधिगम की क्षमता को परखने के विभिन्न तरीकों, जिन्हें मूल्यांकन की तकनीक (Techniques of Evaluation) कहा जाता है, पर चर्चा करेंगे। इन तकनीकों को सीखना शिक्षकों के लिए बहुत महत्वपूर्ण है। इस ज्ञान के माध्यम से शिक्षक यह जान सकते हैं कि उनकी शिक्षण विधियां प्रभावी हैं या नहीं और वे हर छात्र के लिए सीखने की प्रक्रिया को कैसे बेहतर बना सकते हैं। इसके अलावा, इससे यह समझने में मदद मिलती है कि छात्र वह सब कुछ सीख रहे हैं, जो उन्हें सीखना चाहिए। छात्रों का सही तरीके से मूल्यांकन करके, शिक्षक यह सुनिश्चित कर सकते हैं कि हर छात्र को सफल होने और सुधारने का अवसर मिले। आइए मूल्यांकन की विभिन्न तकनीकों पर चर्चा करें:

मात्रात्मक तकनीकें (Quantitative Techniques)

मात्रात्मक तकनीकें छात्रों के प्रदर्शन और समझ को मापने के लिए संख्यात्मक डेटा (numerical data) का उपयोग करती हैं। सही उत्तरों को संख्यात्मक मान प्रदान करके, शिक्षक आसानी से छात्रों के अंकों की गणना कर सकते हैं, जो किसी विशेष विषय में उनकी समझ का प्रतिनिधित्व करते हैं।

उदाहरण के लिए, गणित की परीक्षा में, शिक्षक प्रत्येक सही उत्तर के लिए अंक निर्धारित कर सकते हैं। यदि कोई छात्र दस में से आठ प्रश्न सही हल करता है, तो उसका स्कोर 80% होगा। यह संख्यात्मक प्रतिनिधित्व शिक्षक को निष्पक्ष और वस्तुनिष्ठ तरीके से छात्र की गणितीय दक्षता का आकलन करने में मदद करता है।

ये तकनीकें उपयोगी हैं क्योंकि वे स्पष्ट और मापने योग्य परिणाम प्रदान करती हैं, जो यह दिखाती हैं कि छात्र समूह या व्यक्तिगत रूप से सामग्री को कितनी अच्छी तरह समझ रहे हैं। मात्रात्मक मूल्यांकन विशेष रूप से बड़ी कक्षाओं में सहायक होता है, जहां प्रत्येक छात्र के प्रदर्शन का डेटा एक संरचित और संख्यात्मक दृष्टिकोण के बिना इकट्ठा और विश्लेषण करना चुनौतीपूर्ण हो सकता है। आइए मूल्यांकन की विभिन्न मात्रात्मक तकनीकों पर चर्चा करें:

1. **लिखित परीक्षा (Written Examination):** इसे अक्सर पेपर-पेंसिल टेस्ट कहा जाता है। यह पारंपरिक मूल्यांकन पद्धति में छात्रों को दिए गए प्रश्नों के आधार पर उत्तर लिखने की आवश्यकता होती है। यह विधि विषय की समझ, जानकारी याद रखने की क्षमता और विभिन्न परिस्थितियों में अवधारणाओं के अनुप्रयोग का आकलन करने में मदद करती है। एक इतिहास की परीक्षा में, छात्रों को कक्षा में पढ़ाए गए विशेष ऐतिहासिक घटनाओं, व्यक्तियों या अवधारणाओं से संबंधित प्रश्न दिए जा सकते हैं। छात्रों को अपने उत्तर निबंध या संक्षिप्त उत्तर के रूप में लिखने होंगे, जिससे उनकी ऐतिहासिक घटनाओं, अवधारणाओं और विषयों की समझ का प्रदर्शन हो सके।
2. **मौखिक परीक्षा (Oral Examination):** यह लिखित मूल्यांकन को पूरक बनाती है और छात्रों की मौखिक कौशल, जैसे स्पष्ट अभिव्यक्ति, गहन समझ और दबाव में आलोचनात्मक सोचने की क्षमता का आकलन करती है। विज्ञान कक्षा में आयोजित वाइवा वोस (viva voce) मौखिक परीक्षा का एक अच्छा उदाहरण है। इसमें छात्रों को मौखिक रूप से वैज्ञानिक अवधारणाओं की व्याख्या करनी होती है या परीक्षक द्वारा पूछे गए प्रश्नों का उत्तर देना होता है। यह छात्रों की अवधारणाओं की गहरी समझ और उनके व्यावहारिक अनुप्रयोग का परीक्षण करता है।

सिनेमैटिक कनेक्शन

मौखिक परीक्षा को समझने के लिए आइए *डंकी* (2023) फिल्म का उदाहरण लेते हैं, जिसमें शाहरुख खान, तापसी पन्नू और विक्की कौशल मुख्य भूमिकाओं में हैं।

फिल्म में, शाहरुख खान, तापसी पन्नू और विक्की कौशल विदेश जाने के लिए IELTS परीक्षा की तैयारी कर रहे हैं। उन्हें एक परीक्षक का सामना करना पड़ता है, जो उन्हें विभिन्न विषयों पर बोलने के लिए बोलते हैं।

परीक्षक उनकी अभिव्यक्ति, व्याकरण, प्रवाह आदि के आधार पर उनका मूल्यांकन करता है। यह दृश्य मौखिक परीक्षाओं से जुड़े तनाव और दबाव को दर्शाता है, साथ ही इस बात को रेखांकित करता है कि ऐसी परीक्षाओं में सफलता प्राप्त करने के लिए प्रभावी सम्प्रेषण कौशल कितने महत्वपूर्ण हैं।

3. **प्रायोगिक परीक्षा (Practical Eñamination):** प्रायोगिक परीक्षा उन विषयों के लिए आवश्यक होती है, जिनमें हाथों-हाथ कौशल (hands-on skills) की आवश्यकता होती है। यह परीक्षा छात्रों की कार्य करने की क्षमता या प्रयोग करने की दक्षता का आकलन करती है। यह विज्ञान, प्रौद्योगिकी, कृषि, शिल्प और संगीत जैसे क्षेत्रों में महत्वपूर्ण होती है। यह केवल सैद्धांतिक ज्ञान का

नहीं, बल्कि कार्यात्मक कौशल, सटीकता और वास्तविक जीवन की परिस्थितियों में सैद्धांतिक अवधारणाओं के अनुप्रयोग का भी मापन करती है।

इस अवधारणा को समझने के लिए एक दिलचस्प उदाहरण लेते हैं। मान लीजिए, मुंबई पुलिस अपनी टीम में दो खोजी कुत्तों (एक लैब्राडोर और एक जर्मन शेफर्ड) की भर्ती करती है। प्रशिक्षण के बाद, दोनों कुत्तों की प्रायोगिक परीक्षा ली जाएगी, क्योंकि कुत्ते लिखित या मौखिक परीक्षा नहीं दे सकते। प्रायोगिक परीक्षा में उनकी गंध पहचानने, छिपे हुए संदिग्धों और नशीले पदार्थों जैसी अवैध वस्तुओं का पता लगाने की क्षमता का मूल्यांकन किया जाएगा।

एक और उदाहरण विज्ञान की प्रयोगशाला सत्र (science lab session) का ले सकते है, जहां छात्रों को प्रयोग करके अपने वैज्ञानिक अवधारणाओं और सिद्धांतों की समझ का प्रदर्शन करना होता है। यह उनकी व्यावहारिक दक्षता और सैद्धांतिक ज्ञान के वास्तविक अनुप्रयोग का परीक्षण करता है।

गुणात्मक तकनीकें (Qualitative Techniques)

गुणात्मक मूल्यांकन तकनीकें आंकड़ों को संख्याओं में मापने के बजाय उनकी गहराई, गुणवत्ता और प्रकृति को समझने पर ध्यान केंद्रित करती हैं। ये विधियां शिक्षकों को कक्षा की क्रियात्मकता, छात्रों की भावनाओं और शिक्षण रणनीतियों की प्रभावशीलता के बारे में गहन जानकारी प्रदान करती हैं। इससे शिक्षकों को अपनी शिक्षण पद्धतियों में सुधार करने और छात्रों की सीखने की प्रक्रिया को बेहतर ढंग से समर्थन देने में मदद मिलती है। आइए गुणात्मक मूल्यांकन की विभिन्न तकनीकों पर चर्चा करें:

1. **अवलोकन और साक्षात्कार (Observation and Interviews):** इस तकनीक में छात्रों को देखा जाता है और उनसे बातचीत की जाती है, ताकि उनके व्यवहार और अधिगम की प्रक्रिया के बारे में जानकारी प्राप्त की जा सके। उदाहरणतः अंग्रेजी की एक शिक्षिका सुश्री पटेल अपने छात्रों की भाषा दक्षता और सम्प्रेषण कौशल का आकलन करने के लिए समूह चर्चा (group discussions) आयोजित करती हैं। इन चर्चाओं के दौरान, छात्रों को साहित्य, वर्तमान घटनाओं या व्यक्तिगत अनुभवों से जुड़े विषय दिए जाते हैं। सुश्री पटेल यह देखती हैं कि छात्र अपने विचार कितनी अच्छी तरह व्यक्त करते हैं, एक-दूसरे के तर्कों से कैसे जुड़ते हैं और अपनी बात को प्रभावी ढंग से व्यक्त करने के लिए भाषा का उपयोग कैसे करते हैं। इन समूह चर्चाओं से सुश्री पटेल को प्रत्येक छात्र की बोलने की क्षमता, आलोचनात्मक सोच कौशल और समग्र भाषा विकास के बारे में गहरी समझ मिलती है।

2. **चेकलिस्ट (Checklist):** चेकलिस्ट एक गुणात्मक मूल्यांकन तकनीक है, जिसमें किसी विशेष गतिविधि या घटना के दौरान देखे गए विशिष्ट व्यवहारों, कौशलों या मानदंडों का व्यवस्थित रूप से रिकॉर्ड किया जाता है। सौरमंडल पर एक समूह प्रस्तुति (group presentation) के दौरान, शिक्षक एक चेकलिस्ट का उपयोग करके यह नोट कर सकते हैं कि:

   - क्या छात्रों ने मुख्य अवधारणाओं को प्रभावी ढंग से समझाया, टीमवर्क का प्रदर्शन किया, मल्टीमीडिया संसाधनों का उपयोग किया, दर्शकों को आकर्षित किया, और आत्मविश्वास के साथ प्रश्नों का उत्तर दिया।

   चेकलिस्ट मूल्यांकन के लिए एक संरचित दृष्टिकोण प्रदान करती हैं, जिससे शिक्षकों को ताकत के क्षेत्रों और सुधार की आवश्यकता वाले क्षेत्रों की पहचान करने की अनुमति मिलती है। छात्रों के व्यवहार और कौशल के बारे में विस्तृत अंतर्दृष्टि प्रदान करके, चेकलिस्ट लक्षित प्रतिक्रिया और निर्देशात्मक समर्थन की सुविधा प्रदान करती हैं। नच बलिये या डांस इंडिया डांस जैसे डांस रियलिटी शो के जज प्रतियोगियों का मूल्यांकन करने के लिए एक चेकलिस्ट (तालिका 5.1) का उपयोग कर सकते हैं। इस चेकलिस्ट का उद्देश्य प्रदर्शन की प्रमुख विशेषताओं का व्यवस्थित और निष्पक्ष मूल्यांकन करना है:

तालिका 5.1 डांस रियलिटी शो के लिए चेकलिस्ट

मापदंड और विवरण	प्रतिक्रिया
तकनीक	
मुद्रा और संरेखण: क्या नर्तक की मुद्रा सही है?	
नियंत्रण और सटीकता: क्या भाव-भंगिमाओं पर नियंत्रण है?	
लचीलापन: क्या नर्तक लचीलापन प्रदर्शित करता है?	
प्रदर्शन	
अभिव्यक्ति और संगीतात्मकता: क्या संगीत के साथ भावनाएँ व्यक्त की जा रही हैं?	
गतिशीलता और उपस्थिति: क्या नृत्य शैली विविध और आत्मविश्वासी हैं?	
कोरियोग्राफी	
मौलिकता और जटिलता: क्या कोरियोग्राफी मौलिक है?	
स्थानांतरण (Transitions) और रचनात्मकता: क्या स्थानांतरण सहज हैं?	
पोशाक और प्रस्तुति	
पोशाक और थीम: क्या पोशाक थीम के लिए उपयुक्त है?	
प्रस्तुति: क्या बाल, मेकअप और प्रस्तुति पॉलिश हैं?	
समग्र प्रभाव	
मनोरंजन और कलात्मकता: यह कितना मनोरंजक है?	
जुड़ाव और प्रभाव: यह कितना आकर्षक और यादगार है?	
सुधार: क्या सुधार की आवश्यकता हैं?	

3. **संग्रहित रिकॉर्ड (Cumulative Records):** संग्रहित रिकॉर्ड वे व्यापक दस्तावेज होते हैं, जिनमें छात्र की शैक्षणिक और व्यवहारिक जानकारी समय के साथ एकत्रित की जाती है। ये अभिलेख कई वर्षों में छात्र के प्रदर्शन और प्रगति का आकलन करने के लिए मूल्यवान उपकरण के रूप में कार्य करते हैं। इसे समझने के लिए HealthifyMe या Apple Health जैसे फिटनेस ऐप का उदाहरण लें। ये ऐप प्रतिदिन चले गए कदमों को रिकॉर्ड करते हैं और समय के साथ फिटनेस प्रगति का विश्लेषण प्रदान करते हैं। इसी तरह, संग्रहित अभिलेख छात्र के शैक्षणिक प्रदर्शन, व्यवहारिक पैटर्न और सह-पाठ्यक्रम गतिविधियों के हर पहलू को वर्षों में रिकॉर्ड करते हैं।

4. **रेटिंग स्केल (Rating Scale):** रेटिंग स्केल एक गुणात्मक मूल्यांकन विधि है, जिसमें प्रदर्शन, गुणवत्ता या संतुष्टि का आकलन करने के लिए स्कोर या ग्रेड दिए जाते हैं (चित्र 5.3)। उदाहरण

के लिए, एक सामान्य रेटिंग स्केल का उदाहरण मूवी समीक्षाएं हैं। IMDb जैसे प्लेटफॉर्म पर फिल्मों की समीक्षाएं (movie reviews) रेटिंग स्केल का एक सामान्य उदाहरण हैं। प्लेटफॉर्म पर फिल्मों को एक से पांच सितारों तक रेट किया जाता है, जिसमें एक स्टार खराब गुणवत्ता और पांच सितारे उत्कृष्ट गुणवत्ता का संकेत देते हैं।

आपने यह भी देखा होगा कि रेस्तरां में अक्सर बिल के साथ रेटिंग फॉर्म प्रदान किया जाता है, जिसमें ग्राहकों से उनके भोजन अनुभव को रेट करने के लिए कहा जाता है। ये रेटिंग भोजन की गुणवत्ता, सेवा, माहौल और स्वच्छता जैसे कारकों पर आधारित होती है।

चित्र 5.3 रेटिंग स्केल

क्लैरिटी कॉर्नर

रेटिंग स्केल को मात्रात्मक तकनीकों का हिस्सा क्यों नहीं माना जाता? चलिए इसे स्पष्ट करते हैं:

रेटिंग स्केल में भले ही संख्याओं का उपयोग होता है, लेकिन यह मात्रात्मक तकनीकों का हिस्सा नहीं है। इसका कारण यह है कि मात्रात्मक तकनीकों में हम संख्याओं का उपयोग गहन सांख्यिकीय विश्लेषण के लिए करते हैं। अंतर इस बात से परिभाषित होता है कि हम इन संख्याओं का उपयोग कैसे करते हैं।

मूल्यांकन की मात्रात्मक तकनीकों में, हम संख्याओं का उपयोग विस्तृत सांख्यिकीय विश्लेषण के लिए करते हैं ताकि निष्कर्ष निकाले जा सकें। इसमें गणितीय गणना, जैसे अंकों का जोड़, औसत निकालना या तुलना करना शामिल होता है। उदाहरण के लिए, 50 छात्रों की कक्षा में, यह विश्लेषण करना कि शीर्ष पांच छात्र कौन हैं।

दूसरी ओर, रेटिंग स्केल में संख्याएं राय या निर्णय व्यक्त करने के लिए उपयोग की जाती हैं, न कि गहन सांख्यिकीय विश्लेषण के लिए। यह अधिकतर लोगों के विचारों और धारणाओं को समझने के लिए इस्तेमाल होती है। उदाहरण के लिए, किसी छात्र को उनकी रचनात्मकता, आलोचनात्मक सोच और सार्वजनिक भाषण कौशल के आधार पर 1 से 5 तक की रेटिंग देना। मात्रात्मक तकनीकों में संख्याओं का उपयोग सटीक माप और निष्कर्ष निकालने के लिए किया जाता है, जबकि रेटिंग स्केल में संख्याएं गुणात्मक मूल्यांकन का हिस्सा होती हैं। रेटिंग स्केल लोगों के विचारों को समझने और उनकी धारणाओं को रिकॉर्ड करने का एक तरीका है।

इस प्रकार, भले ही रेटिंग स्केल में संख्याओं का उपयोग किया जाता है, लेकिन इन्हें मुख्य रूप से गुणात्मक आकलन के लिए इस्तेमाल किया जाता है, जो लोगों के विचारों को समझने पर केंद्रित होते हैं, न कि सटीक माप पर।

★★★ परीक्षोपयोगी

5.6 मूल्यांकन के प्रकार (Types of Evaluation)

इस विषय को सरल बनाने वाले वीडियो व्याख्यान को देखने के लिए इस QR कोड को स्कैन करें

मूल्यांकन के विभिन्न प्रकार छात्रों के सीखने और प्रदर्शन को आकलन करने के अलग-अलग तरीके हैं। प्रत्येक विधि का अपना विशिष्ट उद्देश्य होता है, जो छात्रों की प्रगति और उपलब्धियों के बारे में मूल्यवान जानकारी प्रदान करता है। मूल्यांकन के विभिन्न प्रकारों में प्रवीणता प्राप्त करके, शिक्षक शिक्षण को अनुकूलित कर सकते हैं, सुधार के क्षेत्रों की पहचान कर सकते हैं, समय पर फीडबैक प्रदान कर सकते हैं और छात्रों की सफलता को बढ़ावा दे सकते हैं। आइए विभिन्न प्रकार के मूल्यांकन पर चर्चा करें:

नैदानिक मूल्यांकन (Diagnostic Evaluation)

नैदानिक मूल्यांकन का उद्देश्य 'अधिगम में कठिनाइयों' की पहचान करना है। यह छात्रों के अधिगम में आने वाली चुनौतियों के मूल कारणों को समझने और दूर करने पर केंद्रित होता है। प्रारूपिक मूल्यांकन (Formative Evaluation) के विपरीत, जो निर्देश के दौरान प्रगति की निगरानी करता है, नैदानिक मूल्यांकन तब आता है जब छात्र चुनौतियों का सामना करते हैं।

उदाहरण के लिए, यदि कोई छात्र किसी विशेष अवधारणा को समझने में लगातार संघर्ष कर रहा है या किसी विषय में खराब प्रदर्शन कर रहा है, तो शिक्षक समस्या के मूल कारणों को समझने के लिए नैदानिक परीक्षण कर सकते हैं। इन विशिष्ट कठिनाइयों को समझकर शिक्षक विशेष सहायता और हस्तक्षेप का प्रयोग कर सकते हैं, जिससे छात्रों को सीखने की बाधाओं को दूर करने में मदद मिलती है। नैदानिक मूल्यांकन शैक्षणिक चिंताओं से परे जाकर व्यक्तिगत, शारीरिक और मनोवैज्ञानिक बाधाओं की पहचान और समाधान में भी मदद करता है।

नैदानिक मूल्यांकन को पाठ्यक्रम की शुरुआत में छात्रों की ताकत, कमजोरियों और सीखने की अक्षमताओं का आकलन करने के लिए भी किया जा सकता है। यह मूल्यांकन आमतौर पर अंतिम ग्रेड में शामिल नहीं किया जाता।

प्लेसमेंट मूल्यांकन (Placement Evaluation)

प्लेसमेंट मूल्यांकन, जिसे 'प्रवेश से पहले का आकलन' भी कहा जाता है, तब किया जाता है जब कोई छात्र किसी स्कूल या कॉलेज में प्रवेश लेना चाहता है। यह ऐसा है जैसे किसी नए स्थान पर पढ़ाई शुरू करने से पहले यह जांचना कि व्यक्ति पहले से क्या जानता है। इसका एक उदाहरण अंतरराष्ट्रीय छात्रों के लिए भाषा दक्षता का परीक्षण है।

मान लीजिए कि भारत का एक छात्र अमेरिका की किसी यूनिवर्सिटी में पढ़ाई के लिए आवेदन करता है। अपनी शैक्षणिक प्रोग्राम शुरू करने से पहले, उससे TOEFL या IELTS जैसे अंग्रेजी भाषा दक्षता परीक्षा देने की अपेक्षा की जा सकती है। उसके टेस्ट स्कोर के आधार पर, यूनिवर्सिटी यह आकलन कर सकती है कि छात्र की अंग्रेजी भाषा की क्षमता उनकी चुनी हुई प्रोग्राम की भाषा आवश्यकताओं को पूरा करती है या नहीं। इस मूल्यांकन से यह सुनिश्चित होता है कि छात्रों के पास अपनी पढ़ाई में सफल होने और अंग्रेजी बोलने वाले शैक्षिक माहौल में प्रभावी तरीके से संवाद करने के लिए आवश्यक भाषा कौशल हैं।

कभी-कभी यह परीक्षण यह तय करने में भी मदद करता है कि छात्र किसी विशेष पाठ्यक्रम में प्रवेश लेने के योग्य है या नहीं। उदाहरण के लिए, अगर आप किसी IIM से MBA करना चाहते हैं, तो आपको CAT परीक्षा में बहुत अच्छा परसेंटाइल लाना होगा।

सिनेमैटिक कनेक्शन

बॉलीवुड फिल्म *हिंदी मीडियम* (2017) में प्लेसमेंट मूल्यांकन की अवधारणा को दिखाया गया है। फिल्म में मुख्य पात्र, राज बत्रा (इरफान खान द्वारा निभाया गया) और उनकी पत्नी मीता अपनी बेटी पिया का एक प्रतिष्ठित इंग्लिश मीडियम स्कूल में प्रवेश दिलाने के लिए प्रयास करते हैं। राज और मीता हिंदी-भाषी पृष्ठभूमि से आते हैं और अपनी बेटी को सबसे अच्छी शिक्षा देना चाहते हैं।

फिल्म में, प्लेसमेंट मूल्यांकन का पहलू इंग्लिश मीडियम स्कूल में प्रवेश प्रक्रिया के दौरान स्पष्ट होता है। पिया को प्रवेश देने से पहले, स्कूल प्रशासन उसकी भाषा दक्षता और संपूर्ण शैक्षणिक क्षमताओं का आकलन करता है। यह मूल्यांकन स्कूल के लिए यह आकलन करने के लिए महत्वपूर्ण है कि क्या पिया के पास अंग्रेजी-भाषी शैक्षिक वातावरण में सफल होने के लिए आवश्यक कौशल हैं।

प्रारूपिक मूल्यांकन (Formative Evaluation)

प्रारूपिक मूल्यांकन सीखने की प्रक्रिया के दौरान लगातार किए जाने वाले आकलन हैं, जो शिक्षकों को प्रतिक्रिया प्रदान करते हैं और उन्हें अपने शिक्षण को सही दिशा में निर्देशित करने में मदद करते हैं। यह मूल्यांकन शिक्षण प्रक्रिया के दौरान होता है, पाठ्यक्रम की योजना बनाते समय से लेकर कोर्स के अंत तक। नियमित स्कूल परीक्षाएँ, जैसे यूनिट टेस्ट, त्रैमासिक मूल्यांकन, अर्धवार्षिक परीक्षाएँ, प्रारूपिक मूल्यांकन के उदाहरण हैं।

ये मूल्यांकन शिक्षकों को यह समझने में मदद करते हैं कि उनकी शिक्षण विधियाँ कितनी प्रभावी हैं और उन्हें कहाँ बदलाव की आवश्यकता हो सकती है। साथ ही, यह छात्रों को यह देखने में मदद करता है कि वे कितना सीख रहे हैं और उन्हें कहाँ अतिरिक्त सहायता की जरूरत हो सकती है। प्रारूपिक मूल्यांकन, नैदानिक मूल्यांकन (Diagnostic Evaluation) के लिए भी आधार तैयार करता है, जो उन विशिष्ट क्षेत्रों पर ध्यान केंद्रित करता है जहाँ छात्रों को कठिनाई हो रही है।

सारांशात्मक मूल्यांकन (Summative Evaluation)

सारांशात्मक मूल्यांकन, जिसे बाहरी मूल्यांकन (External Evaluation) भी कहा जाता है, कोर्स के समापन पर किया जाता है। सीखने की प्रक्रिया के दौरान होने वाले प्रारूपिक मूल्यांकन के विपरीत, सारांशात्मक मूल्यांकन उस समय के दौरान छात्रों द्वारा अर्जित ज्ञान और कौशल का अंतिम आकलन प्रदान करता है।

यह मूल्यांकन यह जांचता है कि शैक्षणिक उद्देश्यों को किस हद तक पूरा किया गया है और यह आमतौर पर ग्रेडिंग के लिए उपयोग किया जाता है। सारांशात्मक मूल्यांकन के सामान्य उदाहरणों में अंतिम परीक्षाएँ, मौखिक प्रस्तुतियाँ, परियोजनाएँ, टर्म पेपर और शिक्षक द्वारा तैयार की गई उपलब्धि परीक्षाएँ (achievement tests) शामिल हैं। यह मूल्यांकन इस बात की जानकारी देता है कि छात्र शैक्षणिक उद्देश्यों को कितनी अच्छी तरह से या संतोषजनक रूप से पूरा कर पाए हैं।

तालिका 5.2 मूल्यांकनों का कालक्रम

कालक्रम	मूल्यांकन के प्रकार
कोर्स शुरू होने से पहले	प्लेसमेंट मूल्यांकन (पिछले ज्ञान की जांच/पात्रता की जांच के लिए) नैदानिक मूल्यांकन (ताकत, कमजोरियों/सीखने की विकारों का विश्लेषण करने के लिए)
पाठ्यक्रम के दौरान	नैदानिक मूल्यांकन (सीखने की कठिनाइयों में मदद करने के लिए) प्रारूपिक मूल्यांकन (प्रदर्शन पर प्रतिक्रिया प्रदान करने के लिए)
कोर्स के पूरा होने के बाद	सारांशात्मक मूल्यांकन (छात्र को प्रमाणित करने और सीखने के परिणामों का आकलन करने के लिए)

त्वरित सुझाव (Quick Tip): मूल्यांकन के क्रम को PDFS-प्लेसमेंट, डायग्नोस्टिक, फॉर्मेटिव और समग्र मूल्यांकन के रूप में याद किया जा सकता है। तालिका में क्रम शीर्ष से नीचे की ओर जाता है, जो सीखने के आकलन के चरणों के साथ मेल खाता है।

मानदंड-संदर्भित मूल्यांकन (Criterion-Referenced Evaluation)

मानदंड-संदर्भित मूल्यांकन का उपयोग पहली बार 1963 में ग्लासर (Glasar) ने शिक्षार्थियों की प्रगति को दर्शाने के लिए किया था। यह मूल्यांकन यह मापने का एक तरीका है कि कोई व्यक्ति विशिष्ट मानदंडों या मानकों को कितना अच्छी तरह पूरा करता है। सरल शब्दों में, यह देखने का तरीका है कि क्या छात्र ने तय किए गए लक्ष्यों को हासिल किया है। उदाहरण के लिए, कल्पना करें कि आप साइकिल चलाना सीख रहे हैं। मानदंड यह हो सकता है कि आप कम-से-कम 30 सेकंड तक बिना गिरे साइकिल चला सकें। अगर आप ऐसा कर लेते हैं, तो आप मानक को पूरा कर चुके हैं।

यह मूल्यांकन शिक्षकों को यह समझने में मदद करता है कि प्रत्येक छात्र क्या जानता है और वह तय किए गए मानदंडों के आधार पर क्या कर सकता है। उदाहरण के लिए, गणित की कक्षा में मानदंड यह हो सकता है कि छात्र समीकरणों को सही तरीके से हल करें। यदि कोई छात्र इन समीकरणों को निर्धारित मानदंडों के अनुसार हल कर सकता है, तो उसने मानक को पूरा कर लिया है।

मानदंड-संदर्भित मूल्यांकन का उपयोग अक्सर शैक्षिक सेटिंग्स में सीखने के परिणामों का आकलन करने के लिए किया जाता है। सफलता के लिए स्पष्ट मानदंड तय करके, छात्रों को यह पता चलता है कि उनसे क्या अपेक्षा की जा रही है, और वे उन लक्ष्यों को पूरा करने की दिशा में प्रयास कर सकते हैं।

क्षेत्र-संदर्भित मूल्यांकन (Domain-Referenced Evaluation)

वेल्स हाइवली (Wells Hively) और जेसन मिलमैन (Jason Millman) मानकीकृत परीक्षण और शैक्षिक प्रदर्शन मापने में विशेषज्ञ थे। उन्होंने मानदंड-संदर्भित मूल्यांकन का विस्तार कर क्षेत्र-संदर्भित परीक्षण को जोड़ा। क्षेत्र-संदर्भित मूल्यांकन किसी विशिष्ट क्षेत्र या डोमेन के भीतर कौशल और ज्ञान की एक व्यापक श्रेणी का आकलन करता है। मानदंड-संदर्भित मूल्यांकन के विपरीत, जो व्यक्तिगत मानदंडों पर केंद्रित होता है, डोमेन-संदर्भित मूल्यांकन व्यापक संदर्भ में समग्र प्रदर्शन का आकलन करता है।

उदाहरण के लिए, ड्राइविंग टेस्ट में, क्षेत्र-संदर्भित मूल्यांकन एक सीखने वाले की ड्राइविंग कौशल की समग्र प्रवीणता का आकलन करेगा, जैसे स्टीयरिंग नियंत्रण, पार्किंग, संकेत देना और ट्रैफिक नियमों का पालन करना। यह केवल विशिष्ट कार्यों पर ध्यान केंद्रित करने के बजाय, ड्राइविंग के पूरे डोमेन में प्रदर्शन को देखता है। यह दृष्टिकोण व्यक्ति की सड़कों पर सुरक्षित ड्राइविंग के लिए तैयारियों का विस्तृत आकलन प्रदान करता है। साथ ही, यह उन क्षेत्रों की पहचान करता है जहाँ सुधार की आवश्यकता हो सकती है।

मानक-संदर्भित मूल्यांकन (Norm-Referenced Evaluation)

किसी व्यक्ति के प्रदर्शन की तुलना एक समूह या 'मानक' (norm) के साथ करता है। इसका उद्देश्य यह देखना होता है कि कोई व्यक्ति दूसरों की तुलना में कहां खड़ा है। उदाहरण के लिए, यदि किसी कक्षा में एक छात्र का स्कोर अधिकांश छात्रों से अधिक है, तो मानक-संदर्भित मूल्यांकन में उसे औसत से ऊपर माना जाएगा। इसी तरह, यदि किसी अन्य छात्र का स्कोर अधिकांश से कम है, तो उसे औसत से नीचे माना जाएगा। एक और उदाहरण लें: आर्यन ने 99 परसेंटाइल स्कोर किया, जिसका मतलब है कि उसने 99% उम्मीदवारों से बेहतर प्रदर्शन किया। यह परसेंटाइल प्रणाली CAT जैसी परीक्षाओं में उपयोग की जाती है।

यह पद्धति अक्सर मानकीकृत परीक्षणों (standardized tests) में उपयोग की जाती है, जहाँ एक बड़े समूह से स्कोर की तुलना की जाती है। मानक-संदर्भित मूल्यांकन यह समझने में मदद करता है कि किसी व्यक्ति का प्रदर्शन उसके साथियों की तुलना में कैसा है, लेकिन यह यह नहीं दर्शाता कि किसी ने विशिष्ट कौशल या ज्ञान में महारत हासिल की है या नहीं। आलोचकों का कहना है कि यह पद्धति दूसरों से बेहतर प्रदर्शन करने का दबाव पैदा कर सकती है, और व्यक्तिगत विकास पर ध्यान केंद्रित नहीं करती। इसके बावजूद, मानक-संदर्भित मूल्यांकन शैक्षिक और पेशेवर परिदृश्य में व्यक्तियों को उनके साथियों के सापेक्ष रैंक करने के लिए व्यापक रूप से उपयोग किया जाता है।

क्लैरिटी कॉर्नर

आइए मास्टरशेफ (MasterChef) कुकिंग प्रतियोगिता के उदाहरण से मानदंड-संदर्भित, क्षेत्र-संदर्भित और मानक-संदर्भित मूल्यांकन को समझें:

- **मानदंड-संदर्भित मूल्यांकन (Criterion-Referenced Evaluation):** मास्टरशेफ प्रतियोगिता में प्रतियोगियों को विशिष्ट मानदंडों के आधार पर विचार किया जाता है, जैसे स्वाद, प्रस्तुति और रचनात्मकता। प्रत्येक डिश को पहले से तय मानकों के अनुसार आँका जाता है, जैसे फ्लेवर बैलेंस, कुकिंग तकनीक और मौलिकता। जो प्रतियोगी इन मानदंडों को पूरा करते हैं, उन्हें अंक दिए जाते हैं, भले ही अन्य डिशेज के मुकाबले उनका प्रदर्शन कैसा भी हो। यह विधि व्यक्तिगत कौशल और तय मानदंडों का पालन करने पर केंद्रित होती है।
- **क्षेत्र-संदर्भित मूल्यांकन (Domain-Referenced Evaluation):** इस मूल्यांकन में केवल एक डिश पर ध्यान केंद्रित करने के बजाय, प्रतियोगियों की विभिन्न पाक (culinary) क्षेत्रों में दक्षता का आकलन किया जाता है। इनमें बेकिंग, पेस्ट्री और अंतरराष्ट्रीय व्यंजन जैसे क्षेत्रों में उनकी कुशलता देखी जाती है। प्रतियोगियों का मूल्यांकन इस बात पर किया जाता है कि वे अलग-अलग कुकिंग तकनीकों और फ्लेवर्स को कितनी प्रभावी ढंग से प्रदर्शित करते हैं। यह विधि प्रतियोगियों की समग्र पाक कला का व्यापक आकलन प्रदान करती है।
- **मानक-संदर्भित मूल्यांकन (Norm-Referenced Evaluation):** मानक-संदर्भित मूल्यांकन में प्रतियोगियों के प्रदर्शन की तुलना उनके साथियों से की जाती है। उदाहरण के लिए, यदि किसी प्रतियोगी की डिश को सभी डिशेज में सबसे अधिक स्कोर मिलता है, तो उसे अपने प्रतिद्वंद्वियों से बेहतर माना जाता है। यह विधि प्रतियोगियों को एक-दूसरे के सापेक्ष रैंक करने पर केंद्रित होती है और यह समझने में मदद करती है कि उनका प्रदर्शन समूह में कैसा है।

शैक्षणिक मूल्यांकन (Scholastic Assessment)

शैक्षणिक मूल्यांकन का तात्पर्य छात्रों की शैक्षणिक क्षमताओं, ज्ञान और कौशल का आकलन करने से है। इसमें छात्रों की सीखने के विभिन्न पहलुओं का मूल्यांकन किया जाता है, जैसे विषय-वस्तु की समझ, समस्या समाधान के कौशल, आलोचनात्मक सोच और सम्प्रेषण कौशल। शैक्षिक क्षमताओं में संज्ञानात्मक कौशल भी शामिल हैं, जैसे कि ज्ञान, समझ, प्रयोग, विश्लेषण, संश्लेषण और मूल्यांकन (अध्याय 2, इकाई 1- शिक्षण अभियोग्यता में चर्चा की गई है)।

शैक्षणिक मूल्यांकन कई तरीकों से किया जा सकता है, जैसे मानकीकृत परीक्षाएँ, क्विज, टेस्ट, प्रोजेक्ट, प्रेजेंटेशन और निबंध। ये मूल्यांकन आमतौर पर छात्रों की किसी विशेष विषय या अध्ययन क्षेत्र में प्रवीणता को मापने के लिए बनाये जाते हैं। शैक्षणिक मूल्यांकन के परिणाम छात्रों की शैक्षणिक प्रगति की जांच करने, सुधार के लिए क्षेत्रों की पहचान करने और शिक्षण संबंधित निर्णय लेने में सहायक होते हैं। ये मूल्यांकन छात्रों के ग्रेड, शैक्षणिक स्थानों और विभिन्न शैक्षिक अवसरों (जैसे छात्रवृत्तियाँ) के लिए पात्रता निर्धारित करने में भी महत्वपूर्ण भूमिका निभाते हैं।

क्विज स्टेशन *विगत UGC NET परीक्षाओं के प्रश्न*

प्र 1. कॉलम का मिलान करें:

सूची I (मूल्यांकन के तरीके)	सूची II (विशिष्ट विशेषताएँ)
(A) प्लेसमेंट मूल्यांकन	I. निर्देशों के दौरान छात्रों की सीखने की प्रगति की निगरानी करना
(B) रचनात्मक मूल्यांकन	II. छात्रों के सीखने में कमजोरियों के अंतर्निहित कारण को जानना
(C) योगात्मक मूल्यांकन	III. प्रवेश व्यवहार जानने के लिए
(D) नैदानिक मूल्यांकन	IV. किसी पाठ्यक्रम या शैक्षणिक वर्ष या कार्यक्रम के अंत में शिक्षार्थी को प्रमाणित करना

नीचे दिए गए विकल्पों में से सही उत्तर चुनें:

(a) A-II, B-III, C-I, D-IV
(b) A-I, B-II, C-III, D-IV
(c) A-IV, B-I, C-II, D-III
(d) A-III, B-I, C-IV, D-II

प्र 2. रचनात्मक मूल्यांकन का उद्देश्य है

(a) छात्रों के सीखने के परिणामों को ग्रेड करना
(b) छात्रों के अधिगम के प्रदर्शन में तेजी लाना
(c) छात्रों के प्रदर्शन ग्राफ की जाँच करना
(d) शिक्षक की प्रभावशीलता के बारे में फीडबैक देना

प्र 3. सारांशात्मक मूल्यांकन का उपयोग निम्नलिखित में से किस उद्देश्य के लिए किया जाता है?

(a) सीखने की प्रक्रिया के दौरान छात्रों की प्रगति का निरीक्षण करना
(b) मुख्य रूप से छात्रों को प्रमाणित करना या ग्रेड देना
(c) छात्रों की रुचि और कार्य करने की आदतों का पता लगाना
(d) छात्रों को विशिष्ट शिक्षण समूहों में शामिल करना

प्र 4. एक विशेष कॉलेज में एक शिक्षक आयोजित परीक्षणों के लिए प्रतिशत रैंक प्रदान करता है। इसे किस प्रकार की मूल्यांकन प्रक्रिया कहा जाएगा?

(a) मानदंड-संदर्भित
(b) मानक-संदर्भित
(c) प्रारूपिक
(d) सारांशात्मक

उत्तर 1. (b) 2. (b) 3. (b) 4. (b)

5.7 मूल्यांकन परीक्षणों के प्रकार (Types of Evaluation Tests)

मूल्यांकन परीक्षण विभिन्न प्रकारों में आते हैं, जिनमें से प्रत्येक का उद्देश्य अधिगम के विभिन्न पहलुओं का आकलन करना होता है। ये परीक्षण छात्रों की समझ, कौशल और क्षमताओं के बारे में मूल्यवान जानकारी प्रदान करते हैं। मूल्यांकन परीक्षणों के विभिन्न प्रकारों को समझना शिक्षकों के लिए आवश्यक है, ताकि वे अपने शिक्षण उद्देश्यों के लिए सबसे उपयुक्त आकलन विधि का चयन कर सकें और छात्रों की प्रगति का प्रभावी तरीके से मूल्यांकन कर सकें। आइए प्रत्येक प्रकार के मूल्यांकन परीक्षण के बारे में पढ़ते हैं:

ऑब्जेक्टिव टेस्ट (Objective Test)

ऑब्जेक्टिव टेस्ट एक आकलन पद्धति है, जिसमें ऐसे प्रश्न शामिल होते हैं जिनके स्पष्ट और निश्चित उत्तर होते हैं। इन प्रश्नों को इस तरह से बनाया जाता है कि उत्तर में कोई अस्पष्टता न हो, और यह तथ्यात्मक जानकारी या विशिष्ट मानदंडों पर आधारित हो। उदाहरण के लिए, मल्टीपल चॉइस (बहुविकल्पीय), सही/गलत और रिक्त स्थान भरें जैसे प्रश्न ऑब्जेक्टिव टेस्ट के सामान्य प्रारूप हैं। ऑब्जेक्टिव टेस्ट का मूल्यांकन निष्पक्ष रूप से किया जाता है, यानी स्कोरिंग पूर्वनिर्धारित मानदंडों पर आधारित होती है और इसमें व्यक्तिगत व्याख्या की गुंजाइश बहुत कम होती है। यह ऑब्जेक्टिव टेस्ट को बड़े पैमाने पर मूल्यांकन के लिए कुशल बनाता है और विभिन्न परीक्षार्थियों के बीच सुसंगत मूल्यांकन की अनुमति देता है।

सिनेमैटिक कनेक्शन

आइए उद्देश्यपूर्ण परीक्षणों को समझने के लिए कौन बनेगा करोड़पति (KBC) (2000) का उदाहरण लेते हैं। इस शो में चयनित प्रतियोगियों को बहुविकल्पीय प्रश्न (MCQs) दिए जाते हैं। इन प्रश्नों को इस तरह प्रस्तुत किया जाता है कि उनके कई विकल्पों में से केवल एक ही सही उत्तर हो। इन परीक्षणों की प्रकृति ऐसी होती है कि सही उत्तर को तथ्यों, तर्क या निष्कर्ष के आधार पर निर्धारित किया जा सकता है, न कि किसी व्यक्तिगत व्याख्या के आधार पर। उदाहरण:

प्र. 1. भारत में सबसे पहले खुलने वाला बहुराष्ट्रीय खाद्य केंद्र (MNC food joint) कौन सा था?

(a) मैकडॉनल्ड्स
(b) केएफसी
(c) पिज्जा हट
(d) डोमिनोज

उत्तर 1. (a)

एप्टिट्यूड टेस्ट (Aptitude Test)

एप्टिट्यूड टेस्ट ऐसे आकलन (assessment) हैं, जिन्हें किसी व्यक्ति की स्वाभाविक क्षमताओं और नई कौशल सीखने की क्षमता को मापने के लिए बनाया गया है। ये टेस्ट विभिन्न संज्ञानात्मक क्षमताओं

(cognitive abilities) का मूल्यांकन करते हैं, जैसे कि तर्कशीलता (logical reasoning), समस्या-समाधान (problem-solving), भाषायी और संख्यात्मक योग्यता (verbal and numerical aptitude), और स्थानिक जागरूकता (spatial awareness)। अभिक्षमता परीक्षा का उपयोग आमतौर पर शैक्षिक और व्यावसायिक क्षेत्रों में किसी व्यक्ति की विशेष भूमिकाओं या शैक्षिक कार्यक्रमों के लिए उपयुक्तता का मूल्यांकन करने के लिए किया जाता है। उदाहरण के लिए, नौकरी भर्तीकर्ता (job recruiters) एप्टिट्यूड टेस्ट का उपयोग यह जानने के लिए कर सकते हैं कि कोई उम्मीदवार किसी विशेष नौकरी के लिए कितना उपयुक्त है।

इसी प्रकार, 12वीं कक्षा पूरी करने के बाद, छात्र एप्टिट्यूड टेस्ट दे सकते हैं ताकि वे यह तय कर सकें कि उन्हें कौन-सा करियर स्ट्रीम चुनना चाहिए। ये टेस्ट उनकी ताकतों और रुचियों के बारे में महत्वपूर्ण जानकारी प्रदान कर सकते हैं, जिससे उन्हें सही करियर पथ की ओर मार्गदर्शन मिलता है।

अचीवमेंट टेस्ट (Achievement Test)

अचीवमेंट टेस्ट ऐसे आकलन हैं, जो किसी व्यक्ति के किसी विशेष विषय या अध्ययन क्षेत्र में ज्ञान या कौशल के स्तर को मापने के लिए बनाए जाते हैं। ये टेस्ट यह मूल्यांकन करते हैं कि किसी व्यक्ति ने किसी विशेष कोर्स या प्रशिक्षण कार्यक्रम को पूरा करने के बाद क्या सीखा या हासिल किया है।

उदाहरण के लिए, गणित का एक अचीवमेंट टेस्ट छात्रों के गणितीय अवधारणाओं और समस्या-समाधान क्षमताओं को मापता है, जो उन्होंने एक सेमेस्टर के दौरान विकसित की हैं।

अचीवमेंट टेस्ट का उपयोग आमतौर पर शैक्षिक क्षेत्रों में छात्रों की शैक्षणिक प्रगति और प्रदर्शन को मापने के लिए किया जाता है। ये शिक्षकों, स्कूलों और शैक्षणिक संस्थानों को उनके शिक्षण तरीकों और पाठ्यक्रम की प्रभावशीलता के बारे में महत्वपूर्ण जानकारी प्रदान करते हैं।

क्विज स्टेशन *विगत UGC NET परीक्षाओं के प्रश्न*

प्र 1. अचीवमेंट टेस्ट आमतौर पर किस उद्देश्य के लिए उपयोग किए जाते हैं

(a) विशिष्ट नौकरी के लिए चयन करना

(b) किसी पाठ्यक्रम के लिए उम्मीदवारों का चयन करना

(c) शिक्षार्थी की ताकत और कमजोरियों की पहचान करना

(d) शिक्षण के बाद सीखने की मात्रा का आकलन करना

उत्तर 1. (d)

प्रोफिशिएंसी टेस्ट (Proficiency Test)

प्रोफिशिएंसी टेस्ट ऐसे आकलन हैं, जो किसी व्यक्ति के किसी विशेष विषय या अध्ययन क्षेत्र में ज्ञान या कौशल के स्तर को मापने के लिए बनाए जाते हैं। ये परीक्षण यह मूल्यांकन करते हैं कि किसी व्यक्ति ने किसी विशेष कोर्स या प्रशिक्षण कार्यक्रम को पूरा करने के बाद क्या सीखा या जाना है। उदाहरण के लिए, गणित का एक प्रोफिशिएंसी टेस्ट छात्रों के गणितीय अवधारणाओं और समस्या-समाधान क्षमताओं को मापता है, जो उन्होंने एक सेमेस्टर के दौरान विकसित की हैं।

प्रोफिशिएंसी टेस्ट का उपयोग आमतौर पर शैक्षिक क्षेत्रों में छात्रों की शैक्षणिक प्रगति और प्रदर्शन को मापने के लिए किया जाता है। ये शिक्षकों, स्कूलों और शैक्षणिक संस्थानों को उनके शिक्षण तरीकों और पाठ्यक्रम की प्रभावशीलता के बारे में महत्वपूर्ण जानकारी प्रदान करते हैं।

प्रोजेक्टिव टेस्ट (Projective Test)

प्रोजेक्टिव टेस्ट एक प्रकार का आकलन है, जिसमें व्यक्ति से अस्पष्ट उत्तेजनाओं (ambiguous stimuli) जैसे चित्र, शब्द या परिस्थितियों पर प्रतिक्रिया देने के लिए कहा जाता है। जिस तरीके से व्यक्ति प्रतिक्रिया देता है, वह उसके विचारों, भावनाओं और व्यक्तित्व के गुणों (personality traits) की झलक प्रदान कर सकता है।

उदाहरण के लिए, 'रोर्शाच इंकब्लॉट टेस्ट' (Rorschach inkblot test) में व्यक्ति को कुछ अमूर्त चित्र दिखाए जाते हैं (चित्र 5.4)। व्यक्ति से कहा जाता है कि वह इन चित्रों को देखे और बताए कि उन्हें क्या दिखाई देता है या उनके दिमाग में क्या आता है। उनकी प्रतिक्रियाएँ उन अवचेतन विचारों और भावनाओं को प्रकट कर सकती हैं, जिनके बारे में वे खुद भी पूरी तरह से जागरूक नहीं होते। ये टेस्ट व्यक्ति के मनोविज्ञान की गहरी परतों में झांकने का काम करते हैं, जिससे उनके व्यक्तित्व के ऐसे पहलू सामने आ सकते हैं, जिन्हें अन्य आकलन विधियों से मापना कठिन हो। हालांकि, प्रोजेक्टिव टेस्ट की व्याख्या कभी-कभी व्यक्तिपरक (subjective) हो सकती है, लेकिन ये किसी व्यक्ति के आंतरिक अनुभवों और दृष्टिकोणों को समझने में महत्वपूर्ण अंतर्दृष्टि प्रदान करते हैं।

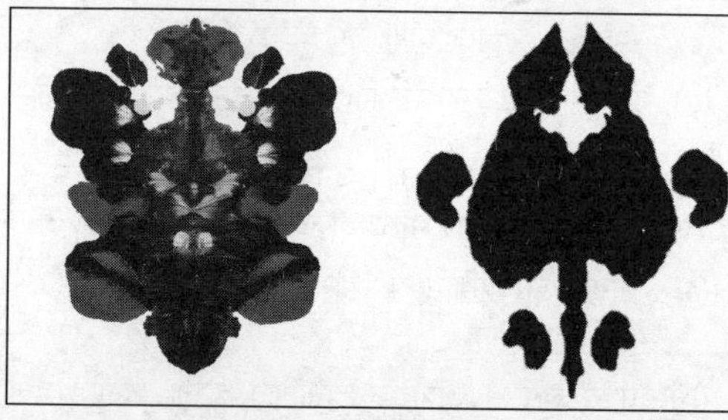

चित्र 5.4 प्रोजेक्टिव टेस्ट

सिनेमैटिक कनेक्शन

लाइट्स, कैमरा, इंस्पिरेशन: छात्रों के लिए जरूरी वेब सीरीज क्या परीक्षाओं से थोड़ा थकान महसूस हो रहा है? यहाँ कुछ वेब सीरीज हैं, जो आपके मनोबल को बढ़ा सकती हैं और आपको किसी भी हाल में आगे बढ़ने के लिए प्रेरित कर सकती हैं। तो अगली बार जब आपको पढ़ाई से ब्रेक लेने की जरूरत हो या थोड़ी प्रेरणा चाहिए हो, इन शोज को जरूर देखें।

- **असपिरेंट्स** (Aspirants) (Amazon Prime पर उपलब्ध): क्या आपने कभी IAS अधिकारी बनने का सपना देखा है? यह सीरीज युवा उम्मीदवारों के संघर्षों और महत्वाकांक्षाओं को बखूबी दर्शाती है, जो बेहद प्रतिस्पर्धी UPSC परीक्षा की तैयारी कर रहे हैं।

- **कोटा फैक्ट्री** (Kota Factory) (Netflix पर उपलब्ध): यह सीरीज कोटा के कोचिंग सेंटर्स के दबाव भरे माहौल को प्रभावी ढंग से चित्रित करती है और IIT की तैयारी करने वाले छात्रों के सपनों और उलझनों को एक शानदार कहानी के माध्यम से प्रस्तुत करती है।
- **हाफ सीए** (Half CA) (Amazon Prime पर उपलब्ध): यह सीरीज उन छात्रों की दुनिया में झांकती है, जो चार्टर्ड अकाउंटेंट (CA) बनने का सपना देख रहे हैं। यह उनकी कठिन चुनौतियों को मजेदार और सोचने पर मजबूर करने वाले अंदाज में पेश करती है, यह सिखाते हुए कि ठोकर खाना ठीक है, जब तक आप आगे बढ़ते रहें।
- लाखों में एक (Amazon Prime पर उपलब्ध) – यह एक छात्र के जीवन का दृश्यांकन करता है जिसे IIT कोचिंग की दौड़ में धकेल दिया जाता है, जो छात्रों को अक्सर सामना करने वाले तीव्र शैक्षणिक दबाव और मानसिक स्वास्थ्य संघर्षों पर प्रकाश डालता है।

ये प्रेरणादायक वेब सीरीज न केवल मनोरंजन करती हैं, बल्कि यह भी याद दिलाती हैं कि शैक्षणिक और पेशेवर सफलता के कठोर मूल्यांकन प्रक्रियाओं को पार करने के लिए धैर्य, साहस और समर्पण कितना महत्वपूर्ण है।

स्कोर बूस्टर

पूरक पठन अनुशंसा

QR कोड काम नहीं कर रहा है? QR कोड के साथ दिए गए संसाधनों तक पहुँचने के लिए आंतरिक फ्रन्ट कवर पर दिए गए निर्देशों का पालन करें

च्वाइस-बेस्ड क्रेडिट सिस्टम (CBCS) की गहन व्याख्या प्रदान करने वाली एक **विशेष PDF** को अनलॉक करने के लिए QR कोड को स्कैन करें। PDF में CBCS की रूपरेखा, मूल्यांकन प्रक्रिया, लाभ और नुकसान शामिल हैं। PDF में अतिरिक्त विषय भी शामिल हैं जो आधिकारिक UGC NET पेपर 1 पाठ्यक्रम का हिस्सा हैं, लेकिन हाल ही में UGC NET परीक्षा में नहीं पूछे गए हैं। इन विषयों को जानने के लिए, विस्तृत व्याख्या के लिए QR कोड को स्कैन करें: 1. ग्रेडिंग सिस्टम 2. कंप्यूटर-आधारित परीक्षण (CBT) में मूल्यांकन 3. मूल्यांकन प्रणाली में नवाचार 4. पाठ्यक्रम कैसे डिजाइन करें

5.8 चॉइस-बेस्ड क्रेडिट सिस्टम (Choice-Based Credit System – CBCS)

चॉइस-बेस्ड क्रेडिट सिस्टम (CBCS) भारत में उच्च शिक्षा के क्षेत्र में क्रांति लाने वाला एक आधुनिक ढांचा है। अंतरराष्ट्रीय शैक्षिक मॉडलों से प्रेरित यह प्रणाली छात्रों को अपनी रुचियों और आकांक्षाओं के अनुसार अपनी शैक्षणिक यात्रा को आकार देने की स्वतंत्रता प्रदान करती है। पारंपरिक शिक्षा संरचनाओं से अलग, CBCS एक विविधतापूर्ण पाठ्यक्रम का विकल्प देता है, जिसमें मुख्य विषयों (core subjects) के साथ-साथ अंत:विषय (interdisciplinary) और कौशल-आधारित (skill-based) पाठ्यक्रम भी शामिल हैं।

यह प्रणाली न केवल शिक्षा की गुणवत्ता को बेहतर बनाती है, बल्कि छात्रों को लचीलापन (fleñibility) और अनुकूलन (customisation) के विकल्प देकर उनके समग्र विकास को भी प्रोत्साहित करती है। नई शिक्षा नीति (NEP) के तहत भारतीय शिक्षा प्रणाली में हो रहे बड़े सुधारों के बीच, CBCS 21वीं सदी के छात्रों की बदलती जरूरतों को पूरा करने और वैश्विक मानकों के साथ तालमेल बिठाने के लिए एक महत्वपूर्ण साधन के रूप में उभरता है। इसे विश्वविद्यालय अनुदान आयोग (UGC) द्वारा भी सिफारिश की गई है।

5.9 पाठ्यक्रम और करिकुलम में अंतर (Differences between Syllabus and Curriculum)

इस विषय को सरल बनाने वाले वीडियो व्याख्यान को देखने के लिए इस QR कोड को स्कैन करें

करिकुलम एक विस्तृत योजना की तरह होता है। इसमें यह शामिल होता है कि कौन-कौन से विषय पढ़ाए जाएंगे, छात्रों में कौन-कौन से कौशल (skills) विकसित किए जाएंगे और वे कौन-कौन से दृष्टिकोण (attitudes) सीखेंगे। यह योजना यह तय करती है कि क्या पढ़ाया जाएगा, कैसे पढ़ाया जाएगा और छात्रों की प्रगति का मूल्यांकन (assessment) कैसे किया जाएगा।

पाठ्यक्रम एक डक्युमेंट होता है, जो किसी विशेष विषय में शामिल होने वाले विषयों और सामग्री (content) का खाका प्रस्तुत करता है। इसे प्रोफेसरों या परीक्षा बोर्ड द्वारा तैयार किया जाता है और यह शिक्षकों और छात्रों दोनों के लिए एक मार्गदर्शिका के रूप में कार्य करता है। यह डक्युमेंट छात्रों को प्रिंट या डिजिटल रूप में प्रदान किया जाता है, ताकि वे विषय को बेहतर ढंग से समझ सकें।

आइए तालिका 5.3 में कक्षा 12 के छात्रों के लिए अंग्रेजी के उदाहरण का उपयोग करके पाठ्यक्रम और करिकुलम के बीच के अंतर को समझें।

तालिका 5.3 कक्षा 12 अंग्रेजी (CBSE) के लिए पाठ्यक्रम और करिकुलम

<table>
<tr><td>पाठ्यक्रम</td><td>पाठ्यक्रम उस विशेष सामग्री या विषयों को दर्शाता है, जो पाठ्यक्रम में पढ़ाए जाएंगे। यह उन विषयों, अवधारणाओं और कौशलों की रूपरेखा प्रदान करता है, जिन्हें छात्रों को एक निश्चित समय सीमा के भीतर सीखने की अपेक्षा की जाती है। उदाहरण के लिए, कक्षा 12 के अंग्रेजी (CBSE) पाठ्यक्रम में निम्नलिखित शामिल हो सकते हैं:
• कविता: रॉबर्ट फ्रॉस्ट (Robert Frost) और रवींद्रनाथ टैगोर (Rabindranath Tagore) की चुनी हुई कविताएँ।
• गद्य: रस्किन बॉन्ड (Ruskin Bond) और लियो टॉल्स्टॉय (Leo Tolstoy) की चुनी हुई कहानियाँ।
• व्याकरण: विशेष व्याकरणिक विषय जैसे काल (tenses), वॉयस (voice), और कथन (narration)।
• लेखन: निबंध (essays), पत्र (letters), और रिपोर्ट (reports) जैसे लेखन कार्य।
साहित्य: शेक्सपियर (Shakespeare) के "जूलियस सीजर" (Julius Caesar) का विस्तृत अध्ययन।
पाठ्यक्रम यह स्पष्ट करता है कि कक्षा में क्या पढ़ाया जाएगा, जिससे शिक्षकों और छात्रों दोनों को पूरे शैक्षणिक वर्ष के लिए एक मार्गदर्शिका मिलती है।</td></tr>
</table>

करिकुलम	करिकुलम एक व्यापक अवधारणा है, जो केवल पाठ्यक्रम तक ही सीमित नहीं है, बल्कि इसमें शैक्षिक कार्यक्रम को पढ़ाने और मूल्यांकन करने के लिए उपयोग किए जाने वाले तरीकों, सामग्रियों और मूल्यांकन प्रक्रिया को भी शामिल किया जाता है। उदाहरण के लिए, कक्षा 12 के अंग्रेजी (CBSE) के करिकुलम में निम्नलिखित शामिल हो सकते हैं: **शिक्षण विधियाँ:** साहित्य, भाषा कौशल और व्याकरण को प्रभावी ढंग से पढ़ाने की रणनीतियाँ। **शिक्षण सामग्री:** पाठ्यपुस्तकों, पूरक पाठ सामग्री, ऑडियो-वीडियो सहायता आदि का चयन। **मूल्यांकन रणनीतियाँ:** छात्रों की समझ और कौशल का मूल्यांकन करने के लिए विभिन्न प्रकार के मूल्यांकन, जैसे टेस्ट, क्विज, परियोजनाएँ (projects), और प्रस्तुतियाँ। **सह-पाठ्यक्रम गतिविधियाँ:** बहस, चर्चाएँ और नाटक प्रदर्शन (drama performances) जैसी गतिविधियों का समावेश, जो सीखने की प्रक्रिया को और समृद्ध बनाते हैं। करिकुलम शिक्षा के प्रति एक समग्र दृष्टिकोण सुनिश्चित करता है। यह न केवल यह निर्धारित करता है कि क्या पढ़ाया जाएगा, बल्कि यह भी सुनिश्चित करता है कि शिक्षा कैसे दी जाएगी, कैसे मूल्यांकन किया जाएगा और छात्रों के समग्र शिक्षण अनुभव को कैसे बेहतर बनाया जाएगा।

आइए तालिका 5.4 में पाठ्यक्रम और पाठ्यचर्या के बीच विस्तृत अंतर को देखें:

तालिका 5.4 पाठ्यक्रम और पाठ्यचर्या के बीच अंतर

पहलू	करिकुलम	पाठ्यक्रम
परिभाषा	सीखने के लक्ष्यों, विषय-वस्तु, शिक्षण विधियों और मूल्यांकन के लिए व्यापक योजना	किसी विशेष विषय के लिए विशिष्ट विषयों, विषय-वस्तु और उद्देश्यों को रेखांकित करने वाला दस्तावेज
क्षेत्र	लक्ष्य, विषय-वस्तु, विधियाँ और मूल्यांकन सहित संपूर्ण शैक्षिक अनुभव को शामिल करता है	किसी एक विषय या पाठ्यक्रम की विषय-वस्तु और उद्देश्यों पर ध्यान केंद्रित करता है
सृजन	शैक्षिक संस्थानों, शिक्षकों और नीति निर्माताओं द्वारा विकसित	प्रोफेसरों या परीक्षा बोर्डों द्वारा बनाया गया, कभी-कभी शैक्षिक अधिकारियों के परामर्श से
उद्देश्य	समग्र शैक्षिक कार्यक्रम और सीखने के परिणामों का मार्गदर्शन करता है	शिक्षकों और छात्रों के लिए एक रोडमैप के रूप में कार्य करता है, जिसमें यह बताया जाता है कि किसी विशिष्ट विषय में क्या पढ़ाया और सीखा जाएगा।
घटक	इसमें शैक्षिक लक्ष्य, सीखने के उद्देश्य, विषय-वस्तु, शिक्षण विधियाँ, मूल्यांकन रणनीतियाँ और संसाधन शामिल हैं	इसमें विषय, विषय-वस्तु कवरेज, उद्देश्य और कभी-कभी किसी विषय या पाठ्यक्रम के लिए विशिष्ट मूल्यांकन विधियाँ शामिल होती हैं
लचीलापन	आमतौर पर कम लचीला, सीखने के लिए एक संरचित ढांचा प्रदान करता है	अधिक लचीला हो सकता है, शिक्षण दृष्टिकोण और छात्र की जरूरतों के आधार पर समायोजन की अनुमति देता है
आवेदन	संपूर्ण शैक्षणिक संस्थानों या प्रणालियों में लागू	व्यक्तिगत पाठ्यक्रमों या विषयों में लागू
उदाहरण	पूरे स्कूल जिले के लिए पाठ्यक्रम तैयार करना, लक्ष्यों, विषयों और शिक्षण रणनीतियों पर ध्यान केंद्रित करना	हाई स्कूल जीव विज्ञान पाठ्यक्रम के लिए पाठ्यक्रम बनाना, कवर किए जाने वाले विषयों, असाइनमेंट और परीक्षाओं की रूपरेखा बनाना

क्विज स्टेशन *विगत UGC NET परीक्षाओं के प्रश्न*

प्र 1: निम्नलिखित में से कौन-सा कथन सही है?

(a) पाठ्यक्रम करिकुलम का परिशिष्ट है
(b) करिकुलम सभी शैक्षणिक संस्थानों में एक जैसा होता है
(c) करिकुलम में औपचारिक और अनौपचारिक शिक्षा दोनों शामिल होते हैं
(d) करिकुलम में मूल्यांकन की विधियाँ शामिल नहीं होतीं

प्र 2: निम्नलिखित में से कौन-सा कथन सही है?

(a) पाठ्यक्रम करिकुलम का एक हिस्सा है
(b) पाठ्यक्रम करिकुलम का परिशिष्ट (annexure) है
(c) किसी विशेष विश्वविद्यालय से सम्बद्ध सभी शैक्षणिक संस्थानों में करिकुलम एक जैसा होता है
(d) किसी विशेष विश्वविद्यालय से सम्बद्ध सभी शैक्षणिक संस्थानों में पाठ्यक्रम एक जैसा नहीं होता

उत्तर 1. (c) 2. (d)

कॉन्सेप्ट कैप्सूल

शिक्षण एक चतुर्ध्रुवीय प्रक्रिया है (Teaching as a Quadripolar Process)

'क्वाड्री' शब्द लैटिन भाषा के 'क्वातुअर' (quattuor) से लिया गया है, जिसका अर्थ है 'चार', जबकि 'पोलर' का संबंध ध्रुवों या विपरीत छोरों से है। चतुर्ध्रुवीय गतिविधि के संदर्भ में, ये दोनों शब्द मिलकर ऐसी स्थिति या प्रणाली को दर्शाते हैं, जिसमें चार अलग-अलग तत्व या ध्रुव शामिल होते हैं।

चतुर्ध्रुवीय गतिविधि के रूप में शिक्षण में चार मुख्य पहलुओं पर ध्यान देना शामिल है: शिक्षक, शिक्षार्थी, करिकुलम (जो पढ़ाया जा रहा है) और भौतिक वातावरण - जहां सीखने की प्रक्रिया होती है (चित्र 5.7)। ये चारों पहलू शिक्षण और सीखने की प्रक्रिया में महत्वपूर्ण भूमिका निभाते हैं। ये आपस में संपर्क करते हुए शैक्षिक अनुभव को आकार देते हैं। आइए इन चार पहलुओं को विस्तार से समझें:

- **शिक्षक (Teacher):** शिक्षक शिक्षण प्रक्रिया का केंद्रबिंदु होते हैं। वे पाठों की योजना बनाने और उन्हें प्रस्तुत करने, चर्चा को प्रोत्साहित करने, छात्रों को मार्गदर्शन और प्रतिक्रिया प्रदान करने, और एक सहायक शिक्षण माहौल बनाने की जिम्मेदारी निभाते हैं। शिक्षक अपने विषय की गहरी जानकारी और शिक्षण तकनीकों का उपयोग करके जानकारी को प्रभावी ढंग से प्रस्तुत करते हैं और छात्रों को शैक्षिक गतिविधियों में सक्रिय रूप से शामिल करते हैं।
- **शिक्षार्थी (Learner):** छात्र वे व्यक्ति होते हैं जो शिक्षण प्राप्त करते हैं और सीखने की प्रक्रिया में भाग लेते हैं। वे विभिन्न पृष्ठभूमियों, अनुभवों, रुचियों और सीखने की शैलियों के साथ आते हैं। शिक्षकों को प्रत्येक छात्र की अनूठी आवश्यकताओं और क्षमताओं को ध्यान में रखना चाहिए, अपनी शिक्षण रणनीतियों को उनके अनुसार अनुकूलित करना चाहिए, और सक्रिय भागीदारी और सार्थक शैक्षिक अनुभवों के लिए अवसर प्रदान करना चाहिए।
- **करिकुलम (Curriculum):** पाठ्यक्रम में वह सामग्री, लक्ष्य, उद्देश्यों और मानक शामिल होते हैं, जो कक्षा में पढ़ाए जाने वाले विषयों का मार्गदर्शन करते हैं। इसमें उन विषयों, अवधारणाओं, कौशलों और ज्ञान का समावेश होता है, जिन्हें छात्रों को किसी विशेष विषय या पाठ्यक्रम के तहत सीखने की अपेक्षा की जाती है। शिक्षक पाठ्यक्रम का उपयोग शिक्षण गतिविधियों की योजना बनाने, संसाधनों का चयन करने और छात्रों की प्रगति का मूल्यांकन करने के लिए एक रूपरेखा के रूप में करते हैं।
- **भौतिक वातावरण (Physical Climate):** भौतिक वातावरण का तात्पर्य उस शिक्षण माहौल से है, जिसमें कक्षा की व्यवस्था, संसाधन, सामग्री और समग्र वातावरण शामिल हैं। एक अनुकूल शारीरिक वातावरण शिक्षण और सीखने पर सकारात्मक प्रभाव डाल सकता है, क्योंकि यह आराम, सुरक्षा और सहभागिता को प्रोत्साहित करता है। शिक्षक कक्षा की जगह को इस तरह व्यवस्थित कर सकते हैं कि समूह कार्य को बढ़ावा मिले, सीखने को बेहतर बनाने के लिए दृश्य सामग्री और तकनीक को शामिल किया जा सके, और एक ऐसा स्वागतपूर्ण वातावरण बनाया जा सके जो सहयोग और रचनात्मकता को प्रोत्साहित करे।

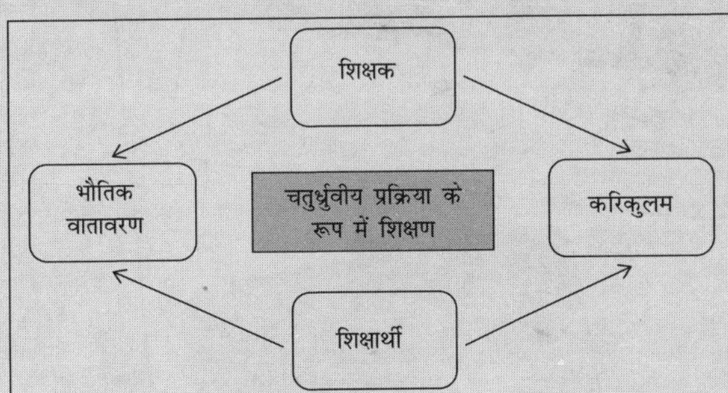

चित्र 5.7 चतुर्ध्रुवीय प्रक्रिया के रूप में शिक्षण

अध्याय के मुख्य बिंदु

मूल्यांकन की विशेषताएँ

- व्यापकता
- निरंतरता
- संगठित प्रक्रिया
- शिक्षण उद्देश्यों के साथ संरेखण
- विविध तरीकों का उपयोग
- समस्याओं की पहचान
- शिक्षण का अभिन्न हिस्सा
- विकास को प्रोत्साहन देना
- विश्वसनीयता और वैधता
- पूर्व ज्ञान का आकलन
- गतिशीलता और लचीलापन
- वास्तविक प्रकृति
- निष्पक्षता

पाठ्यक्रम क्या है?

- करिकुलम (छात्र क्या सीखेंगे और कैसे सीखेंगे, इस बारे में विस्तृत योजना)
- करिकुलम (करिकुलम में शामिल किए जाने वाले विशिष्ट विषय)
- करिकुलम कैसे डिजाइन करें?
- कक्षा के ज्ञान को वास्तविक जीवन की स्थितियों से जोड़ना
- याद करने की तकनीकों से परे शिक्षा को ले जाना
- समग्र विकास के लिए पाठ्यक्रम को बेहतर बनाना
- परीक्षाओं को अधिक लचीला और समग्र बनाना
- लोकतांत्रिक सिद्धांतों से प्रेरित पहचान को बढ़ावा देना

मापन, आकलन और मूल्यांकन के बीच अंतर

- मापन: अंक/स्कोर
- आकलन: स्कोर/अंकों का विश्लेषण
- मूल्यांकन: समय के साथ प्रगति का विश्लेषण

मूल्यांकन के कार्य

- समस्याओं और कमजोरियों की पहचान करना
- क्षमता और योग्यता का आकलन करना
- प्रमाणन और पुरस्कार का आधार
- उद्देश्यों की पूर्ति को मापना
- प्रतिक्रिया प्रदान करना
- प्रेरणा
- मार्गदर्शन प्रदान करना
- योजना को सुविधाजनक बनाना
- संशोधन का समर्थन करना
- अंतर-संस्थागत तुलना को सक्षम बनाना
- शैक्षिक निर्णय लेना
- माता-पिता को प्रगति के बारे में बताना

मूल्यांकन की ग्रेडिंग प्रणाली (पूरक पीडीएफ में शामिल)

- प्रत्यक्ष ग्रेडिंग
- अप्रत्यक्ष ग्रेडिंग
- पूर्ण ग्रेडिंग
- सापेक्ष ग्रेडिंग

मूल्यांकन के प्रकार

- प्लेसमेंट मूल्यांकन
- प्रारूपिक मूल्यांकन
- नैदानिक मूल्यांकन
- सारांशात्मक मूल्यांकन
- मानदंड-संदर्भित मूल्यांकन
- क्षेत्र -संदर्भित मूल्यांकन
- मानदंड-संदर्भित मूल्यांकन
- शैक्षणिक मूल्यांकन

मूल्यांकन प्रणाली में नवाचार (पूरक पीडीएफ में शामिल)

- प्रश्नावली
- छात्र साक्षात्कार
- पत्रिकाएँ
- सुकराती चक्र

मूल्यांकन की तकनीकें

- मात्रात्मक तकनीकें
- लिखित परीक्षा
- मौखिक परीक्षा
- प्रायोगिक परीक्षा
- गुणात्मक तकनीकें
- अवलोकन और साक्षात्कार
- चेकलिस्ट
- रेटिंग स्केल
- संग्रहित रिकॉर्ड

कंप्यूटर आधारित परीक्षण (सीबीटी) में मूल्यांकन (पूरक पीडीएफ में शामिल)

- लाभ
- दक्षता
- तत्काल प्रतिक्रिया
- लचीलापन
- बढ़ी हुई सुरक्षा
- पहुँच
- अधिक बार परीक्षण के अवसर
- डेटा-समृद्ध परिणाम
- उम्मीदवार की पहुँच बढ़ाना
- सुव्यवस्थित रसद
- सीबीटी के प्रकार
- रैखिक परीक्षण
- एक अनुकूलन परीक्षण

मूल्यांकन परीक्षण के प्रकार

- ऑब्जेक्टिव टेस्ट
- एप्टिट्यूड टेस्ट
- अचीवमेंट टेस्ट
- प्रोफिशिएंसी टेस्ट
- प्रोजेक्टिव टेस्ट

मूल्यांकन ज़ोन (EVALUATION ZONE)

1. कम्प्यूटर आधारित शिक्षा या ऑनलाइन शिक्षा के लाभों की पहचान करें: *(21 जनवरी **2025** - शिफ्ट 1)*

(A) स्व-गति से शिक्षा
(B) छात्र कहीं भी अध्ययन कर सकते हैं
(C) प्रयोगशाला/व्यावहारिक कार्य का व्यावहारिक अनुभव
(D) बुलेटिन बोर्ड थ्रेडेड चर्चा क्षेत्रों में किसी भी समय चर्चा में शामिल होने की लचीलापन

नीचे दिए गए विकल्पों में से सही विकल्प का चयन करें:
(a) केवल (A), (B) और (C)
(b) केवल (B), (C) और (D)
(c) केवल C और (D)
(d) केवल (A), (B) और (D)

2. एक कक्षा जिसमें विभिन्न सांस्कृतिक पृष्ठभूमि के छात्र एक सामान्य लक्ष्य तक पहुंचने के लिए किसी परियोजना के विभिन्न हिस्सों को करके सहयोग करते हैं, को .... के रूप में जाना जाता है। *(21 जनवरी **2025** - शिफ्ट 1)*

(a) सतह शैली कक्षा
(b) जिगसॉ कक्षा
(c) क्लस्टर स्टाइल क्लासरूम
(d) आमने-सामने शैली कक्षा

3. सूची-I का सूची-II से मिलान करें: *(9 जनवरी **2025** - शिफ्ट 2)*

सूची-I	सूची-II
A. शिक्षण सहायक सामग्री	I. ऑनलाइन शिक्षा
B. चॉक-बोर्ड	II. गैर-प्रोजेक्टिव सहायता
C. ओवरहेड प्रोजेक्टर	III. शिक्षण-अधिगम को रोचक बनाएं
D. एमओओसी	IV. प्रोजेक्टिव सहायता

नीचे दिए गए विकल्पों में से सही विकल्प का चयन करें:
(a) (A)-(III), (B)-(I), (C)-(IV), (D)-(II)
(b) (A)-(II), (B)-(III), (C)-(I), (D)-(IV)
(c) (A)-(II), (B)-(III), (C)-(IV), (D)-(I)
(d) (A)-(III), (B)-II, (C)-(IV), (D)-(I)

4. शिक्षाशास्त्र से तात्पर्य है: *(9 जनवरी **2025** - शिफ्ट 2)*

(a) शिक्षण-अधिगम प्रक्रिया
(b) बाल मनोविज्ञान
(c) शिक्षण विधियाँ
(d) अधिगम का मूल्यांकन और मापन

5. निम्नलिखित को मास्लो की आवश्यकताओं की श्रेणीबद्ध संरचना के अनुसार व्यवस्थित करें। *(9 जनवरी **2025** - शिफ्ट 1)*

(A) सम्मान की आवश्यकताएँ
(B) सुरक्षा
(C) आत्म-साक्षात्कार
(D) सौंदर्यबोध
(E) शारीरिक

नीचे दिए गए विकल्पों में से सही उत्तर चुनें-
(a) (E), (B), (D), (A), (C) (b) (A), (C), (D), (B), (E)
(c) (E), (B), (A), (D), (C) (d) (E), (D), (B), (A), C

6. निम्नलिखित में से कौन-सा अधिगम के लिए सत्य नहीं है? *(9 जनवरी **2025** - शिफ्ट 1)*

(A) अधिगम व्यवहार में एक अस्थायी परिवर्तन है।
(B) अधिगम व्यवहार में एक स्थायी और स्थायी परिवर्तन है।
(C) अधिगम एक आजीवन प्रक्रिया है।
(D) अधिगम केवल 18 वर्ष की आयु तक होता है।
(E) अधिगम के लिए अनुभवों के पुनर्निर्माण की आवश्यकता होती है।

नीचे दिए गए विकल्पों में से सही उत्तर चुनें:
(a) केवल (A), (B), (C) और (E)
(b) केवल (A), (D) और (E)
(c) केवल (A) और (D)
(d) केवल (B), (C), (D) और (E)

7. निम्नलिखित में से किसे 'कौशल' से संबद्ध नहीं किया जा सकता है? *(8 जनवरी **2025** - शिफ्ट 2)*

(a) अभ्यास (b) अधिगम
(c) प्रवीणता (d) अक्षमता

8. सूची-I का सूची-II से मिलान करें: *(7 जनवरी **2025** - शिफ्ट 2)*

सूची-I (कक्षा संचार प्रौद्योगिकी)	सूची-II (अर्थ)
A. इंटरएक्टिव व्हाइट बोर्ड	I. छात्रों के साथ दूरस्थ संचार
B. वीडियो कॉन्फ्रेंसिंग	II. शिक्षण के लिए दृश्य और इंटरैक्टिव
C. अधिगम प्रबंधन प्रणाली	III. कक्षा में दृश्य सामग्री प्रदर्शित करें
D. प्रोजेक्टर	IV. वीडियो लेक्चर और टेक्स्ट जैसे पाठ्यक्रम सामग्री का आयोजन और वितरित करना

नीचे दिए गए विकल्पों में से सही विकल्प का चयन करें:
(a) (A)-(I), (B)-II, (C)-(IV), (D)-(III)
(b) (A)-(II), (B)-(I), (C)-(III), (D)-(IV)
(c) (A)-(II), (B)-(IV), (C)-(I), (D)-(III)
(d) (A)-(II), (B-I), (C)-(IV), (D)-(III)

9. निम्नलिखित में से कौन-से मेटाकॉग्निशन के लाभ हैं? *(7 जनवरी **2025** - शिफ्ट 1)*

(A) मेटाकोग्निटिव प्रैक्टिस शिक्षार्थियों को अपनी प्रगति की योजना, निगरानी और मूल्यांकन करने में मदद करता है।

(B) मेटाकोग्निटिव प्रथाएं संज्ञानात्मक क्षमता के प्रभाव के ऊपर और ऊपर सीखने में एक अनूठा योगदान देती हैं।
(C) मेटाकोग्निटिव प्रथाएं शिक्षार्थियों की शैक्षणिक उपलब्धियों को बेहतर बनाने में मदद करती है
(D) मेटाकोग्निटिव कौशल छात्रों को स्थानांतरित करने में मदद कदते हैं जो उन्होंने एक संदर्भ से अगले तक सीखा है।

नीचे दिए गए विकल्पों में से सही विकल्प का चयन करें:
(a) केवल (A) और (D)
(b) केवल (B) और (C)
(c) (A), (B), (C) और D
(d) केवल (C)

10. एक शिक्षक एक लर्निंग मैनेजमेंट सिस्टम (MLS) की तलाश में है जो कई मूल्यांकन उपकरणों के साथ एकीकृत हो सके और छात्र की प्रगति को ट्रैक कर सके। इसके लिए कौन सा प्लेटफॉर्म सबसे उपयुक्त है? *(7 जनवरी **2025** - शिफ्ट 1)*
(a) मूडल (b) जूम
(c) ग्रामरली (d) टर्निटिन

11. वर्चुअल साइंस लैब अनुभव बनाने के लिए निम्नलिखित में से किस टूल का उपयोग किया जा सकता है?
*(6 जनवरी **2025** - शिफ्ट 1)*
(A) कहूट!
(B) लैबस्टर
(C) टर्निटिन
(D) फेट सिमुलेशन
(E) पैडलेट

नीचे दिए गए विकल्पों में से सही विकल्प का चयन करें:
(a) केवल (A), (B) और D
(b) केवल (C) और (E)
(c) केवल (A) और (E)
(d) केवल (B) और (D)

12. एना अपनी रसोई की मेज पर बैठी है और यह सोचने में सक्षम है कि उसे किराने की दुकानों से क्या खरीदना है। वह अपनी क्षमता का उपयोग कर रही है: *(4 सितम्बर **2024** - शिफ्ट 2)*
(a) पहचानो (b) पाठ करना
(c) स्मरण करो (d) याद रखना

13. जीव विज्ञान कक्षा में, एक शिक्षक छात्रों की कोशिका संरचना और कार्य की समझ का आकलन करने के लिए एक रचनात्मक मूल्यांकन करना चाहता है। तत्काल फीडबैक के साथ इंटरैक्टिव क्विज बनाने के लिए निम्नलिखित में से कौन-सा टूल सबसे प्रभावी होगा?
*(4 सितम्बर **2024** - शिफ्ट 2)*
(A) गूगल फॉर्म (B) एडोब इलस्ट्रेटर
(C) कहूत (D) दुस्साहस
(E) कैम्टासिया
(a) (B), (C), (E) (b) (A), (C), (D), E
(c) (A), (C) (d) (B), (D), (E)

14. निम्नलिखित में से कौन दीर्घकालिक स्मृति के उप-प्रकार हैं?
*(4 सितम्बर **2024** - शिफ्ट 1)*
(A) एपिसोडिक मेमोरी (B) सिमेंटिक मेमोरी
(C) प्रक्रियात्मक स्मृति (D) प्राइमिंग
(E) क्लास कंडीशनिंग प्रभाव
(a) (A), (B), (C), (D), (E) (b) (B), (D), (E)
(c) (A), (B), (C) (d) (C), (D), (E)

15. एक शिक्षक कक्षा में आने से पहले छात्रों को घर पर देखने के लिए एक वीडियो व्याख्यान प्रदान करता है। अगले दिन कक्षा में वह छात्रों को 'प्रयोगात्मक' गतिविधियों में शामिल करती है। इस स्थिति में उसने कौन-सा दृष्टिकोण अपनाया? *(2 सितम्बर **2024** - शिफ्ट 2)*
(a) समस्या समाधान (b) सहयोगात्मक शिक्षा
(c) पलटी हुई कक्षा (d) वैयक्तिकृत शिक्षा

16. यह विश्वास कि कोई व्यक्ति किसी स्थिति पर काबू पा सकता है और सकारात्मक परिणाम उत्पन्न कर सकता है, कहलाता है-
*(2 सितम्बर **2024** - शिफ्ट 2)*
(a) आत्म-प्रभावकारिता (b) स्वाभिमान
(c) आत्मबोध (d) स्वनियमन

17. पहली कक्षा का एक बच्चा स्वयं वृत्त बनाना सीखने की कोशिश कर रहा है लेकिन अपने शिक्षक की मदद से ऐसा करने में सक्षम है। वायगोत्स्की के सिद्धांत के आलोक में यह प्रकाश डालता है?
*(2 सितम्बर **2024** - शिफ्ट 1)*
(a) आत्मसात करना (b) गोद लेना
(c) समीपस्थ विकास का क्षेत्र (d) परिपक्वता

18. एक शिक्षक चाहता है कि उसके छात्र पहले से रिकॉर्ड किए गए वीडियो देखें और वीडियो में अंतर्निहित प्रश्नों के उत्तर दें। इस उद्देश्य के लिए कौन-सा उपकरण सबसे उपयुक्त होगा?
*(29 अगस्त **2024** - शिफ्ट 1)*
(a) एडपजल (b) एवरनोट
(c) गूगल डॉक्स (d) स्ट्रॉपोल

19. किसी विशेष विषय को पढ़ाने के लिए एक शिक्षक पहले छात्रों को घर पर व्याख्यान का पूर्व-रिकॉर्ड किया गया वीडियो देखने के लिए देता है और फिर छात्रों को कक्षा में चर्चा और समस्या समाधान गतिविधियों में संलग्न करता है। यह इसका एक उदाहरण है:
*(29 अगस्त **2024** - शिफ्ट 1)*
(a) व्याख्यान-प्रदर्शन (b) पलटी हुई कक्षा
(c) अतुल्यकालिक लीमिंग (d) समकालिक अधिगम

20. स्वयं प्रभा के निम्नलिखित में से कौन-से चैनल कंसोर्टियम फॉर एजुकेशनल कम्युनिकेशन (CEC), नई दिल्ली के अंतर्गत हैं?
*(28 अगस्त **2024** - शिफ्ट 1)*
(A) चैनल 11 (B) चैनल 1
(C) चैनल 15 (D) चैनल 3
(E) चैनल 6
(a) (A), (B), (C), (E) (b) (C), (D), (E)
(c) (A), (C) (d) (B), (D), (E)

21. एक शिक्षक सीखने को बढ़ाने के लिए स्वयं को पाठ्यक्रम में एकीकृत करना चाहता है। शिक्षक को छात्रों को स्वयं के निम्नलिखित में से किस लाभ के बारे में बताना चाहिए?
*(28 अगस्त **2024** - शिफ्ट 1)*

(A) गुणवत्ता पूर्ण शैक्षिक संसाधनों तक नि:शुल्क पहुंच
(B) निर्देशों के साथ लाइव बातचीत का अवसर
(C) सहकर्मी-समीक्षित कार्य
(D) स्व-गति से सीखना

(a) (B), (C), (D) (b) (A), (D)
(c) (D) (d) (A), (B)

22. एक कक्षा में अंग्रेजी विषय के पीरियड में राम को 'द डायरी ऑफ अ यंग गर्ल' पुस्तक की लेखिका की याद आती है। इस प्रकार की मेमोरी कहलाती है: *(27 अगस्त **2024** - शिफ्ट 1)*
(a) प्रक्रियात्मक
(b) शब्दार्थ
(c) एपिसोडिक
(d) रचनात्मक

23. चिंतन और अधिगम को विनियमित करने के लिए निम्नलिखित में से तीन अधि-संज्ञानात्मक कौशलों का चयन कीजिए- *(27 अगस्त **2024** - शिफ्ट 1)*
(A) आयोजन (B) प्रस्तुति
(C) अनुवीक्षण (D) मूल्यांकन
(E) अनुक्रमण

(a) केवल (A), (C) और (E)
(b) केवल (A), (C) और (D)
(c) केवल (B), (C) और (E)
(d) केवल (B), (D) और (E)

24. स्वयं प्रभा के बारे में निम्नलिखित में से क्या असत्य है? *(23 अगस्त **2024** - शिफ्ट 1)*
(a) इसे श्री अबुल कलाम आजाद द्वारा लॉन्च किया गया था।
(b) सैटेलाइट का उपयोग डीटीएच चैनलों के माध्यम से शैक्षिक सामग्री को प्रसारित करने के लिए किया जाता है।
(c) स्वयं प्रभा का वेब पोर्टल INFLIBNET, गुजरात द्वारा संचालित किया जाता है।
(d) स्वयं प्रभा के लिए सामग्री एनपीटीईएल, एलआईटी, यूजीसी, सीईसी और इग्नू द्वारा प्रदान की जाती है।

25. परिवर्णी शब्द 'स्वयं' दर्शाता है- *(22 अगस्त **2024** - शिफ्ट 2)*
(a) युवाओं और उपयुक्त दिमागों के लिए चौकस सीखने का स्कोपस वेब
(b) युवाओं और वयस्कों के दिमाग के लिए एजेंट लर्निंग का सोशल वेब
(c) युवा महत्वाकांक्षी दिमागों के लिए सक्रिय सीखने के जाल का अध्ययन करें
(d) उम्मीदवारों और युवा सक्रिय दिमागों का विज्ञान वेब

26. कौन-सा उच्च-स्तरीय ज्ञान इस बात में अंतर कर सकता है कि कोई छात्र कितनी अच्छी तरह और तेजी से सामग्री सीखता है? *(21 अगस्त **2024** - शिफ्ट 2)*
(a) घोषणात्मक (b) रटना
(c) मेटाकॉग्निशन (d) प्रक्रियात्मक

27. कॉलम-I का कॉलम-II से मिलान करें: *(21 अगस्त **2024** - शिफ्ट 1)*

कॉलम-I	कॉलम-II
A. चैनल 03 (प्रबोध)	I. शिक्षा और गृह विज्ञान
B. चैनल 04 (सारस्वत)	II. सूचना, संचार और प्रबंधन अध्ययन
C. चैनल 05 (प्रबन्धन)	III. कानून और कानूनी अध्ययन
D. चैनल 06 (विधिक)	IV. सामाजिक और व्यवहार विज्ञान

(a) (A)-(II), (B)-(IV), (C)-(III), (D)-(I)
(b) (A)-(III), (B)-(I), (C)-(IV), (D)-(II)
(c) (A)-(IV), (B)-(I), (C)-(II), (D)-(III)
(d) (A)-(I), (B)-(III), (C)-(II), (D)-(IV)

28. SWAYAM पर होस्ट किए गए पाठ्यक्रमों के 4 चतुर्थांशों की सूची की पहचान करें- *(18 जून **2024** - शिफ्ट 2)*
(A) स्व-मूल्यांकन परीक्षण
(B) वीडियो व्याख्यान
(C) शंकाओं के निवारण हेतु ऑनलाइन विचार-विमर्श मंच
(D) विशेष रूप से तैयार पाठ्यसामग्री जिसे डाउनलोड/मुद्रित किया जा सकता है।
(E) अधिगमकर्ताओं के मध्य आमने-सामने का वार्तालीप
नीचे दिए गए विकल्पों में से सबसे उपयुक्त उत्तर का चंयन कीजिए:

(a) (A), (B), (D), (E) (b) (A), (B), (C), (D)
(c) (C), (D), (E) (d) (C), (E)

29. निम्नलिखित में से कौन गैर-तकनीकी परा-स्नातक शिक्षा हेतु स्वयं पाठ्यक्रम का राष्ट्रीय समन्वयक (कोआर्डिनेटर) है? *(18 जून **2024** - शिफ्ट 1)*
(a) अखिल भारतीय तकनीकी-शिक्षा परिषद (एआईसीटीई)
(b) राष्ट्रीय तकनीकी शिक्षक-प्रशिक्षण एवं शोध संस्थान (एनआईटीटीआर)
(c) राष्ट्रीय शैक्षिक शोध एवं प्रशिक्षण परिषद (एनसीईआरटी)
(d) विश्वविद्यालय अनुदान आयोग (यूजीसी)

30. निम्नलिखित में कौन अन्तर्निहित (अचेतन) स्मृति (मेमोरी) के उपभाग हैं- *(18 जून **2024** - शिफ्ट 1)*
(A) प्राइमिंग
(B) उपख्यानात्मक (एपीसोडिक) स्मृति
(C) शास्त्रीय अनुबंधन प्रभाव
(D) अर्थगत स्मृति
(E) कार्यविधिक स्मृति

(a) (B), (D) (b) (A), (B), (D), (E)
(c) (A), (C), (E) (d) (A), (B), (C), (D), (E)

31. कौन-सा डीटीएच चैनल सामाजिक विज्ञान-1, सामाजिक और व्यवहार विज्ञान से संबंधित है? *(13 दिसम्बर **2023** - शिफ्ट 1)*
(a) चैनल- 02 - संस्कृति (b) चैनल - 06 - विधिक
(c) चैनल - 03 - प्रबोध (d) चैनल - 05 - प्रबन्धन

32. संज्ञानात्मक विकास के किस चरण में किशोर ठोस अनुभवों के दायरे से परे सोच, तर्क और विश्लेषण कर सकते हैं? *(13 दिसम्बर **2023** - शिफ्ट 1)*
(a) औपचारिक परिचालन चरण
(b) सेंसोरिमोटर स्टेज
(c) ठोस परिचालन चरण
(d) प्री-ऑपरेशनल स्टेज

33. **कथन I:** अंतर्निहित स्मृति जानकारी के जानबूझकर या सचेत स्मरण को संदर्भित करती है
कथन II: स्पष्ट स्मृति उन यादों को संदर्भित करती है जिनके बारे में लोग सचेत रूप से नहीं जानते हैं, लेकिन यह उनके बाद के प्रदर्शन और व्यवहार को प्रभावित कर सकती है
*(8 दिसम्बर **2023** - शिफ्ट 2)*
(a) कथन (I) और कथन (II) दोनों सही हैं।
(b) कथन (I) और कथन (II) दोनों असत्य हैं।
(c) कथन (I) सही है लेकिन कथन (II) असत्य है
(d) कथन (I) असत्य है लेकिन कथन (II) सही है

34. भाषा-बोध, अधिगम और तर्क जैसे जटिल संज्ञानात्मक कार्यों के निष्पादन के लिए ना की अस्थाई ग्राहिता एवं प्रक्रमण प्रदान करने वाला मस्तिष्क तंत्र: वह सूचना जिस पर आप किसी प्रदत्त क्षण पर केन्द्रित करते हैं, निम्नलिखित में से किससे सम्बंधित है? *(20 जून **2023** - शिफ्ट 1)*
(a) सांयोगिक स्मृति (b) कार्यशील स्मृति
(c) शब्दार्थ विषयक स्मृति (d) अल्पकालिक स्मृति

35. ऐसा ज्ञान जिसके स्मरण के प्रति हम सजग नहीं होते हैं, परंतु जो बिना हमारी सजगता के रहते हमारे व्यवहार अथवा सोच को प्रभावित करता है- *(17 जून **2023** - शिफ्ट 2)*
(a) स्पष्ट स्मृति (b) स्कीमाजू
(c) प्रासंगिक स्मृति (d) अन्तर्तिहित स्मृति

36. सहयोगात्मक अधिगम में, निम्नलिखित में से किस रणनीति से श्रवण कौशल विकसित होता है? *(16 जून **2023** - शिफ्ट 2)*
(a) फिश बाउल
(b) स्वरों का समूह (सर्कल ऑफ वाइसेज)
(c) जिग्सॉ रणनीति
(d) प्रकरण अध्ययन

37. निम्नलिखित में से कौन-से मन चित्रण (माइंड मैपिंग) के अभिलक्षण हैं? *(16 जून **2023** - शिफ्ट 1)*
(A) केन्द्रीय विषय के परित: निर्मित
(B) विषयवस्तु को व्याख्यायित करने के लिए लंबे कथनों एवं गद्यांशों का प्रयोग
(C) किसी विषय विशेष की शाखाएँ संबद्ध नोडल संरचना निर्मित करती हैं
(D) विचारों को प्रदर्शित करने के लिए चित्रों एवं प्रतीकों का प्रयोग

(a) केवल (A)
(b) केवल (B) और (D)
(c) केवल (A), (C) और (D)
(d) केवल (B) और (C)

38. निम्नलिखित में से कौन-सी व्यक्तिक विभिन्नताएँ अधिगम को प्रभावित नहीं कर सकती हैं? *(16 जून **2023** - शिफ्ट 1)*
(A) सांस्कृतिक पृष्ठभूमि (B) ऊँचाई
(C) रक्त समूह (D) आयु
(E) रूप-रंग

(a) केवल (A), (D) और (E)
(b) केवल (B), (C) और (E)
(c) केवल (B)
(d) केवल (A), (C) और (D)

39. मूल्यांकन प्रणाली के नवाचारी उपागम का उदाहरण निम्नलिखित में से कौन-सा है? *(15 जून **2023** - शिफ्ट 1)*
(a) मानदंड-संदर्भित परीक्षण (b) समकक्ष मूल्यांकन
(c) मानकीकृत परीक्षण (d) पारंपरिक ग्रेडिंग

40. पियाजे के संज्ञानात्मक विकास की अवस्थाओं को आरोही क्रम में व्यवस्थित कीजिए: *(14 जून **2023** - शिफ्ट 2)*
(A) मूर्त प्रचालनात्मक अवस्था
(B) पूर्व-प्रचालनात्मक अवस्था
(C) संवेदीप्रेरक (सेंसरिमोटर) अवस्था
(D) औपचारिक प्रचालन अवस्था

(a) (B), (C), (D), (A) (b) (C), (B), (A), (D)
(c) (A), (B), (C), (D) (d) D, (C), (A), (B)

41. **कथन I:** मूडल अधिगम प्रबंधन प्रणाली (एलएमएस) का एक उदाहरण है। *(14 जून **2023** - शिफ्ट 1)*
कथन II: मेंटिमीटर एक उपकरण है जिसका ऑनलाइन सर्वेक्षण के निर्माण में प्रयोग किया जाता है।
(a) कथन I और कथन II दोनों सत्य हैं
(b) कथन I और कथन II दोनों असत्य हैं
(c) कथन I सत्य है लेकिन कथन II असत्य है
(d) कथन I असत्य है लेकिन कथन II सत्य है

42. यदि राम एक विशेष विषय में कुछ संकल्पनाओं को समझने में समर्थ नहीं है और वह उस विषय में सतत रूप से निम्न कार्य निष्पादन कर रहा है, तो उसकी कठिनाइयों के कारणों का पता लगाने हेतु कौन-सा मूल्यांकन परीक्षण संचालित करना होगा? *(13 जून **2023** - शिफ्ट 2)*
(a) स्थानन मूल्यांकन (b) निदानात्मक मूल्यांकन
(c) संकलनात्मक मूल्यांकन (d) निर्माणात्मक मूल्यांकन

43. निर्माणात्मक मूल्यांकन की विविध प्रमुख विशेषताएँ क्या है? *(13 जून **2023** - शिफ्ट 1)*
(A) यह शिक्षार्थियों की आवश्यकताओं के अनुसार शिक्षण रणनीतियों के प्रयोग के लिए अध्यापकों को प्रति पुष्टि प्रदान करता है।
(B) यह शिक्षार्थियों को अधिगम में सक्रिय और सतत रूप से संलग्न करने में सहायता करता है।

(C) यह शिक्षार्थियों की अधिगम दक्षता को बढ़ाने में मदद करता है।
(D) यह शिक्षार्थियों के समग्र ग्रेड और प्रमाणन में योगदान करता है।
(E) यह शिक्षार्थियों की एक कालादधि में प्राप्त अधिगम का सार प्रस्तुत करता है।
(a) केवल (B), (D) एवं (E)
(b) केवल (C) एवं (E)
(c) (A) एवं (B)
(d) केवल (A) एवं (D)

44. कक्षा में आने से पूर्व विद्यार्थी व्याख्यान के वीडियो देखते और सुनते हैं। यह किसका उदाहरण है? *(14 मार्च **2023** - शिफ्ट 2)*
(a) व्याख्यान विधि
(b) पलटी कक्षा (फ्लिप्ड क्लासरूम)
(c) कार्यक्रमबद्ध अधिगम
(d) परियोजना विधि

45. शिक्षण अधिगम प्रक्रिया में आदर्श मूल्यांकन की निम्नलिखित में से कौन-कौन सी विशेषताएं हैं? *(12 मार्च **2023** - शिफ्ट 2)*
(A) व्यापकता (B) वैधता
(C) विश्वसनीयता (D) विषयनिष्ठता
(a) (B), (D) (b) (A), (B), (C)
(c) (A), (C), (D) (d) (B), (D)

46. **कथन I:** शिक्षण के स्मृति स्तर का उद्देश्य विद्यार्थियों में तार्किक और समालोचनात्मक चिंतन को विकसित करना है।
कथन II: शिक्षण के विमर्श के स्तर का उद्देश्य विद्यार्थियों में स्वतंत्र चिंतन और नीति निर्माण को विकसित करने का सामर्थ्य है। *(5 मार्च **2023** - शिफ्ट 2)*
(a) कथन I और कथन II दोनों सत्य हैं।
(b) कथन I और कथन II दोनों असत्य हैं।
(c) कथन I सत्य है लेकिन कथन II असत्य है।
(d) कथन I असत्य है लेकिन कथन II सत्य है।

47. सूची-I का सूची-II से मिलान करें: *(4 मार्च **2023** - शिफ्ट 2)*

सूची-I (स्वयं राष्ट्रीय समन्वयक)	सूची-II (सामग्री विकास का क्षेत्र)
A. एआईसीटीई	I. इंजीनियरिंग
B. यूजीसी	II. गैर-तकनीकी स्नातक शिक्षा
C. एनपीटीईएल	III. स्व-पुस्तक और अंतर्राष्ट्रीय पाठ्यक्रम
D. सीईसी	IV. गैर-तकनीकी स्नातकोत्तर शिक्षा

(a) (A)-(II), (B)-(IV), (C)-(III), (D)-(I)
(b) (A)-(III), (B)-(I), (C)-(IV), (D)-(II)
(c) (A)-(IV), (B)-(I), (C)-(II), (D)-(III)
(d) (A)-(I), (B)-(III), (C)-(II), (D)-(IV)

48. एक अधिक कुशल व्यक्ति द्वारा एक शिक्षण सत्र के दौरान पाठ्यक्रम अनुसमर्थन के स्तर में विद्यार्थी के वर्तमान कार्य निष्पादन के अनुकूल मार्गदर्शन का समायो जन करके परिवर्तन करने की तकनीक .... है। *(4 मार्च **2023** - शिफ्ट 2)*
(a) पाड़ बांधना (स्कैफोल्डिंग)
(b) संज्ञानात्मक प्रशिक्षुता
(c) अनुशिक्षण (ट्यूटरिंग)
(d) संकल्पना प्रतिपाद

49. निम्नांकित में से क्या क्विज, वार्तालाप और सर्वेक्षण की रूपरेखा तैयार करने के लिए शैक्षणिक संस्थाओं में प्रयुक्त क्रीड़ा आधारित प्लेटफॉर्म है? *(3 मार्च **2023** - शिफ्ट 2)*
(a) क्लासक्राफ्ट (b) पैडलेट
(c) गूगल क्लासरूम (d) काहू

50. निम्नांकित में से क्या अव्यक्त दीर्घावधिक स्मृति का प्ररूप नहीं है? *(3 मार्च **2023** - शिफ्ट 2)*
(a) क्लासिकी अनुकूलन प्रभाव
(b) प्राइमिंग
(c) उपख्यानात्मक स्मृति
(d) प्रक्रियात्मक स्मृति

51. **कथन I:** जी सैट (GSAT)-30 सैटलाइट का प्रयोग स्वयं प्रभा द्वारा डीटीएच चैनलों पर कार्यक्रमों को प्रसारित करने के लिए किया जाता है।
कथन II: स्वयं प्रभा के कार्यक्रम 24×7 के आधार पर उपलब्ध हैं। *(2 मार्च **2023** - शिफ्ट 2)*
(a) कथन I और कथन II दोनों सही हैं।
(b) कथन I और कथन II दोनों असत्य हैं।
(c) कथन I सही है लेकिन कथन I असत्य है।
(d) कथन I असत्य है लेकिन कथन II सही है

52. निम्नलिखित में से कौन-सा कथन आकलनात्मक पद्धतियों में "संकलनात्मक आकलन" (सम्मेटिव इवेलुएशन) का सर्वोत्तम वर्णन करता है? *(1 मार्च **2023** - शिफ्ट 2)*
(a) शिक्षक कक्षा में ही विद्यार्थियों के संदेहों का निवारण करता है।
(b) शिक्षक पाठ्यक्रम का कार्य पूरा होने के बाद ग्रेड्स प्रदान करता है।
(c) शिक्षक कक्षा में विद्यार्थियों के साथ अंतर्क्रिया के दौरान प्रति पुष्टि (फीडबैक) प्रदान करता है।
(d) शिक्षक प्रति पुष्टि के दौरान प्रश्न-उत्तर सत्र के माध्यम से अधिगमकर्ता का अभिप्रेरण बढ़ता है।

53. निम्नलिखित में से कौन-सा कथन शिक्षण की विचार-मंथन विधि को सर्वोत्तम ढंग से वर्णित करता है? *(1 मार्च **2023** - शिफ्ट 2)*
(a) विचारों की वृहत मात्रा का उत्पादन
(b) प्रदत्त प्रति पुष्टि के साथ लघु सोपान प्रस्तुतिकरण
(c) सुबोध भाषा में विषय-वस्तु प्रस्तुति
(d) सहभागियों के बीच विषय (थीम) आधारित अन्योन्यक्रिया

54. निम्नलिखित में से कौन-सी तकनीक बच्चे की सक्षमता में अभिवृद्धि के लिए सही समय पर सही मात्रा में सही प्रकार का समर्थन प्रदान करती है? *(1 मार्च **2023** - शिफ्ट 1)*
(a) पाड़ (मचान) लगाना (b) सहायता देना
(c) समायोजन करना (d) अन्विति योजनायें (स्कीमाज)

55. निम्नलिखित में से कौन-सा अवलोकन सीखने के तत्व हैं (बंडुरा के सीखने के सामाजिक संज्ञानात्मक सिद्धांत के परिणामों में से एक?) *(28 फरवरी **2023** - शिफ्ट 2)*

(A) ध्यान दें (B) प्रति धारण
(C) अभिव्यक्ति (D) उत्पादन
(E) प्रेरणा

(a) (A), (B), (D) (b) (C), (E)
(c) (A), (B), (D), (E) (d) (B), (C), (D)

56. जैस्मीन ने अपने रसायन विज्ञान के प्रयोगशाला कक्ष में अपनी प्रयोगशाला परीक्षा के समय एक 5 मिली. पिपेट का प्रयोग किया किंतु पाठयांक सही नहीं था। जब वह हतोत्साहित होने लगी, तब उसकी मित्र रंजीता ने उसे पिपेट को ठीक से पकड़ने और रसायन को सही ढंग से डालने का सुझाव दिया। अब उसने सफलता प्राप्त की और अपेक्षित परिणाम प्राप्त किया। यह किस प्रकार का उदाहरण है? *(28 फरवरी **2023** - शिफ्ट 2)*

(a) अनुकूलन (b) साम्यवस्था
(c) आत्मसातीकरण (d) समीपस्थ विकास-क्षेत्र

57. एक बालक सर्वप्रथम विविध वस्तुओं जैसे पुरुषों, महिलाओं पशुओं, पक्षियों के मध्य भेद कर पाना सीखता है और बाद में वह एकल अवधारणा निर्मित करने हेतु इन विभेदित अवधारणाओं को एक कर देता है? *(28 फरवरी **2023** - शिफ्ट 2)*

(a) पुनर्व्यवस्थापन (b) विभेदीकरण
(c) सामान्यीकरण (d) अनुस्मरण

58. सूची-I का सूची-II से मिलान करें: *(28 फरवरी **2023** - शिफ्ट 1)*

सूची-I (स्वयं प्रभा चैनल नंबर)	सूची-II (चैनल का नाम)
A. चैनल 01	I. संस्कृति
B. चैनल 02	II. प्रबोध
C. चैनल 03	III. सारस्वत
D. चैनल 04	IV. वागीश

(a) (A)-(II), (B)-(IV), (C)-(III), (D)-(I)
(b) (A)-(III), (B)-(I), (C)-(IV), (D)-(II)
(c) (A)-(IV), (B)-(I), (C)-(II), (D)-(III)
(d) (A)-(I), (B)-(III), (C)-(II), (D)-(IV)

59. अधिगमकर्ताओं में उच्चतर क्रम के कौशल विकास के लिए निम्नलिखित में से कौन-सी संज्ञानात्मक शिक्षुता की रणनीतियां हैं? *(28 फरवरी **2023** - शिफ्ट 1)*

(A) मार्गदर्शन, सहयोग और समाजीकरण करना
(B) प्रतिरूपण (मॉडलिंग) कोचिंग और पाड़ (मचान) लगाना
(C) आवर्धन, प्रतिधारण और व्याख्या (एक्सप्लेनिंग) करना
(D) स्पष्ट प्रगटीकरण (आर्टिक्यूलेशन), प्रतिबिंबन और अन्वेषण (एक्सप्लोरेशन) करना
(E) स्मृतिकरण, पूर्वाभ्यास और पहचान करना

(a) (A), (D) (b) (A), (C), (E)
(c) (B), (D) (d) (B), (C)

60. **कथन I:** अधिगम प्रबंधन प्रणाली (एलएमएस) का प्रयोग शिक्षकों और विद्यार्थियों के लिए वर्चुअल वातावरण प्रदान करने के लिए किया जाता है।

कथन II: एलएमएस का प्रयोग मिंब्रिंत अधिगम तथा ऑनलाइन अधिगम के लिए किया जा सकता है। *(13 अक्टूबर **2022** - शिफ्ट 2)*

(a) कथन I और कथन I दोनों सही हैं
(b) कथन I और कथन II दोनों असत्य हैं
(c) कथन I सही है लेकिन कथन I असत्य है
(d) कथन I असत्य है लेकिन कथन II सही है

61. शैक्षिक उद्देश्यों के वर्गीकरण पर आधारित सामग्री के अर्थ को समझने की योग्यता को किस रूप में जानते हैं? *(12 अक्टूबर **2022** - शिफ्ट 2)*

(a) ज्ञान (b) प्रतिक्रिया देना
(c) समझ (d) उपयोग

62. कोई बालक शारीरिक अभित्रास का प्रयोग करके अपनें छोटे सहोदर (भाई-बहन) के साथ अपने तरीके से बहुत सारी चीजें सीखता हैं। यदि वह उसी युक्ति का प्रयोग अपने सहपाठी के साथ करता है, तो यह संकेत है: *(11 अक्टूबर **2022** - शिफ्ट 2)*

(a) सामाजिक अधिगम
(b) आत्मसात्करण
(c) साम्यावस्था
(d) समंजन

63. निम्नलिखित में कौन-से शिक्षण के विमर्श स्तर की विशेषताएँ हैं? *(11 अक्टूबर **2022** - शिफ्ट 1)*

(A) विद्यार्थी तथ्यों और सूचना को समझने के द्वारा सीखते हैं।
(B) विषय को रटने के द्वारा सीखने के अतिरिक्त शिक्षण कुछ नहीं है।
(C) समस्या-समाधान करने कीं योग्यता का विकास।
(D) विद्यार्थी की मौलिक सोच और रचनात्मक योग्यताएँ।
(E) विद्यार्थी कड़े अनुशासन में रखे जाते हैं और रटने पर जोर दिया जाता है।

(a) (B), (C) (b) (D), (E)
(c) (A), (B) (d) (C), (D)

64. निम्नलिखित में कौन-सी शिक्षण-अधिगम की एक समूह-केन्द्रित पद्धति है? *(8 अक्टूबर **2022** - शिफ्ट 1)*

(a) व्याख्यान नोट्स प्रदान करना
(b) टीम-शिक्षण
(c) प्रदर्शन पद्धति
(d) विचार-मंथन

65. रटने के अधिगम द्वारा निम्नलिखित में से ब्लूम के वर्गीकरण का कौन-सा स्तर प्राप्त किया जाता है? *(8 अक्टूबर **2022** - शिफ्ट 1)*

(a) स्मरण करना (b) प्रयोग करना
(c) विश्लेषण करना (d) समझना

66. निम्नलिखित में से कौन-सा उपागम सहकारी अधिगम के अन्तर्गत नहीं आता है? *(30 सितम्बर 2022 - शिफ्ट 2)*
(a) फिशबॉल
(b) जिग्सॉ
(c) निरर्शन (डेमॉस्ट्रेशन)
(d) दल-युग्म-एकल (टीम-पेयर-सोलो)

67. निम्नलिखित में से अध्यापन की किस पद्धति में छात्र को बिना किसी सहायता के अपने प्रयासों द्वारा ही अपनी समस्या का उत्तर पाना पड़ता है? *(29 सितम्बर 2022 - शिफ्ट 2)*
(a) प्रकरण (केस) अध्ययन पद्धति
(b) स्वोनुभाविक (हयूरिस्टिक) पद्धति
(c) प्रतिवर्तित (फ्लिप्ड) कक्षा पद्धति
(d) प्रदर्शन पद्धति

68. स्वयं (SWAYAM) पर मूक्स (MOOCs) के लिए ई-विषयवस्तु के विकास के लिए निम्न में से किस मॉडल का प्रयोग होता है? *(29 सितम्बर 2022 - शिफ्ट 1)*
(a) चार चतुष्क
(b) दो चतुष्क
(c) फ्लिप्ड कक्षा
(d) ब्लूम का वर्गीकरण विज्ञान

69. मूल्यांकन का वह प्रकार जो छात्रों के साथ-साथ शिक्षकों को भी फीडबैक देता है, वह है: *(5 जनवरी 2022 - शिफ्ट 1)*
(a) प्लेसमेंट मूल्यांकन (b) रचनात्मक मूल्यांकन
(c) योगात्मक मूल्यांकन (d) नैदानिक मूल्यांकन

70. शिक्षण का वह स्तर जो उच्च स्तरीय चिंतन कौशलों के उपयोग की मांग करता है, वह है: *(5 जनवरी 2022 - शिफ्ट 1)*
(a) मेमोरी लेवल टीचिंग
(b) स्तरीय शिक्षण को समझना
(c) चिंतनशील स्तर का शिक्षण
(d) क्रिएटिविटी लेवल टीचिंग

71. सूचकांक स्नातक स्तर की पसंद-आधारित क्रेडिट प्रणाली में शामिल हैं: *(26 दिसम्बर 2021 - शिफ्ट 1)*
(A) कोर कोर्स
(B) वैकल्पिक पाठ्यक्रम
(C) क्षमता वृद्धि पाठ्यक्रम
(D) पर्यावरण शिक्षा पाठ्यक्रम
(E) अंग्रेजी संचार पाठ्यक्रम
(a) केवल (A), (B) और (C)
(b) केवल (B), (C) और (D)
(c) केवल (C), (D) और (E)
(d) केवल (A), (B) और (E)

72. मेटाकॉग्निशन में निम्नलिखित में से कौन-सा कौशल शामिल है? *(26 दिसम्बर 2021 - शिफ्ट 1)*
(A) योजना (B) विकासशील
(C) निगरानी (D) कॉस्टिंग
(E) मूल्यांकन
(a) केवल (A), (B) और (C)
(b) केवल (A), (C) और E
(c) केवल (B), (D) और (E)
(d) केवल (A), (D) और (E)

73. निम्नलिखित में से कौन स्वयं प्लेटफॉर्म पर शुरू किए जाने वाले इंजीनियरिंग पाठ्यक्रमों के लिए राष्ट्रीय समन्वयक है? *(26 दिसम्बर 2021 - शिफ्ट 1)*
(a) एआईसीटी ई (b) एनसीईआरटी
(c) एनपीटीईएल (d) यूजीसी

74. उस मानसिक प्रक्रिया का नाम क्या है जो आध्यंतीकरण, ग्रहणशक्ति, अधिगमित की जाने वाली विषय-वस्तु के प्रत्याह्वान के द्वारा शिक्षार्थी को उनके चिन्तन विमर्श पर सहायता करती है? *(3 दिसम्बर 2021 - शिफ्ट 2)*
(a) अधिसंज्ञान (b) रूब्रिक
(c) समकक्षी अनुशिक्षण (d) संक्षिप्त जानकारी लेना

75. **कथन I:** छात्रों के मानक-संदर्भित परीक्षण में परीक्षण डेटा हमें छात्रों के स्थान या रैंक को निर्धारित करने में मदद करता है।
कथन II: मानदंड-संदर्भित परीक्षण में, परीक्षण डेटा हमें एक छात्र की दक्षता के स्तर के बारे में बताता है। *(3 दिसम्बर 2021 - शिफ्ट 1)*
(a) कथन I और कथन II दोनों सत्य हैं
(b) कथन I और कथन II दोनों असत्य हैं
(c) कथन I सत्य है लेकिन कथन II असत्य है
(d) कथन I असत्य है लेकिन कथन II सत्य है

76. निम्नलिखित में से कौन-सी अधिगम के संज्ञानात्मक, भावात्मक और मनोप्रेरक क्षेत्रों में उच्चतम वर्गिकी श्रेणियां हैं? *(3 दिसम्बर 2021 - शिफ्ट 1)*
(A) विश्लेषण (B) मूल्यांकन
(C) जागरूकता (D) विशेषता
(E) प्राकृतिककरण
(a) केवल (A), (B) और (C)
(b) केवल (B), (D) और (E)
(c) केवल (B), (C) और (D)
(d) केवल (C), (D) और (E)

77. **कथन I:** पियाजे के संज्ञानात्मक विकास के चरणों के अनुसार, बच्चा एक भाषा सीखता है और पूर्व-संचालन चरण के दौरान वस्तुओं का प्रतिनिधित्व करने के लिए प्रतीकों का उपयोग करना शुरू कर देता है।
कथन II: पियाजे के संज्ञानात्मक विकास के चरणों के अनुसार, बच्चा औपचारिक परिचालन चरण के दौरान पर्यावरण पर सजगता, इंद्रियों और गतिविधि-क्रियाओं के माध्यम से सीखता है। *(30 नवम्बर 2021 - शिफ्ट 1)*
(a) कथन I और कथन II दोनों सत्य हैं
(b) कथन I और कथन II दोनों असत्य हैं
(c) कथन I सत्य है लेकिन कथन II असत्य है
(d) कथन I असत्य है लेकिन कथन II सत्य है

78. IIT कानपुर द्वारा विकसित MOOC प्लेटफॉर्म का नाम है (*29 नवम्बर* ***2021*** *- शिफ्ट 1*)

(a) स्वयं (b) कौरसेरा
(c) मूकिट (d) मूक

79. सीबीसीएस है (*26 नवम्बर* ***2021*** *- शिफ्ट 1*)

(a) मानदंड आधारित विकल्प प्रणाली
(b) च्वाइस बेस्ड क्रेडिट सिस्टम
(c) मानदंड आधारित क्रेडिट योग्य स्कोर
(d) क्रेडिट आधारित विकल्प स्कोर

80. सूची-I का सूची-II से मिलान करें: (*24 नवम्बर* ***2021*** *- शिफ्ट 1*)

सूची-I	सूची-II
A. सफेद टोपी	I. निर्णय और सावधानी-तार्किक नकारात्मक
B. लाल टोपी	II. डेटा एकत्र करना- तथ्य, आंकड़े, सूचना की आवश्यकताएं और अंतराल
C. काली टोपी	III. उकसावे, विकल्प और रचनात्मक-प्रस्ताव
D. हरी टोपी	IV. अंतर्ज्ञान और भावनाएँ

(a) (A)-(III), (B)-II, (C)-(IV), (D)-(I)
(b) (A)-(II), (B)-(IV), (C)-(I), (D)-(III)
(c) (A)-(IV), (B)-(I), (C)-(III), (D)-(II)
(d) (A)-(I), (B)-(III), (C)-(II), (D)-(IV)

81. "स्वयं प्रभा" के प्रेषण और प्रसारण के लिए प्रयोग किए जाने वाले उपग्रह को कहते हैं- (*24 नवम्बर* ***2021*** *- शिफ्ट 1*)

(a) एडुसैट उपग्रह
(b) जीसैट - 15 उपग्रह
(c) जीसैट - 3 उपग्रह
(d) एसपी - ईडीयू - 15 उपग्रह

82. उस तकनीक का क्या नाम है जिसमें बिंबों का प्रयोग किया जाता है जो प्राय: शब्दों की अपेक्षा अधिक भाव व्यक्त करते हैं और विविध प्रकार के साहचर्यों और सोच को जगाने में अधिक सटीक व शक्तिशाली होते हैं? (*24 नवम्बर* ***2021*** *- शिफ्ट 1*)

(a) विचारावेश (b) स्टोरी बोर्डिंग
(c) सिनेक्टिक्स (d) माइंड - मैपिंग

83. सूची-I का सूची-II से मिलान करें: (*22 नवम्बर* ***2021*** *- शिफ्ट 1*)

सूची-I (शिक्षण प्रणालियां)	सूची-II (कार्यान्विकरण)
A. अनुदेश	I. विद्यार्थियों पर शिक्षक के विचारों का एकतरफा आरोपण
B. प्रशिक्षण	II. शिक्षक से विद्यार्थियों को विचारों की सहचारी प्रस्तुति
C. अनुबन्धन	III. शिक्षक द्वारा संचालित अनुशासित अभ्यास
D. मतारोपण	IV. विद्यार्थियों और शिक्षक के बीच विकारों का सक्रिय आदान-प्रदान

84. क्षेत्र - आश्रित अधिगमकर्ताओं के लक्षण/विशेषताएं क्या हैं? (*13 नवम्बर* ***2020*** *- शिफ्ट 2*)

(A) पाठ्यक्रम में निजीकरण लाता है।
(B) शिक्षक से भौतिक संपर्क कम ही रखता है।
(C) शिक्षक से निर्देशन एवं प्रदर्शन की अपेक्षा रखता है।
(D) सहयोग में रुचि-व्यक्त करता है।
(E) अकेले कार्य करने को वरीयता देता है।

(a) (A), (B), (C) (b) (B), (C), (D)
(c) (A), (C), (D) (d) (C), (D), (E)

85. यूजीसी द्वारा उच्च शिक्षा संस्थानों में प्रारम्भ की गई विकल्प आधारित क्रेडिट प्रणाली (सीबीसीएस) के क्या लाभ हैं? (*11 नवम्बर* ***2020*** *- शिफ्ट 2*)

(A) छात्र-केन्द्रित शिक्षा पर ध्यान केन्द्रित किया जाता है।
(B) छात्रों को अंतविद्यापरक और अत:विद्यापरक पाठ्यक्रमों के चयन की अनुमति दी जाती है।
(C) शिक्षा को वैश्विक मानकों के समकक्ष बनाता है।
(D) प्राप्तांकों के संदर्भ में विद्यार्थियों के निष्पादन स्तरों का अनुमान लगाना सरल बनाता है।
(E) भिन्न समय पर भिन्न संस्थानों में अध्ययन करने में गतिशीलता प्रदान करता है।

(a) (A), (B), (C), (D) (b) (B), (C), (D), (E)
(c) (A), (B), (C), (E) (d) (C), (D), (E), (A)

86. शिक्षण के कौन-से स्तर पर, अध्यापक की भूमिका अन्त:क्रियात्मक होने के बजाय अधिक सक्रिय होती है? (*11 नवम्बर* ***2020*** *- शिफ्ट 2*)

(a) स्मृति स्तर
(b) अवबोध स्तर
(c) विमर्शी-चिंतन स्तर
(d) स्वायत्त विकास स्तर

87. अधिगमकर्ता के विकास की कौन-सी अवस्था में संप्रत्यय अगिधम के संर्वधन के लिए पर्याप्त गुंजाइश रहती है? (*11 नवम्बर* ***2020*** *- शिफ्ट 1*)

(a) शैशवावस्था के दौरान
(b) बाल्यावस्था के दौरान
(c) किशोरावस्था के दौरान
(d) पूर्व-किशोरावस्था के दौरान

88. शिक्षण के दौरान जब कोई अध्यापक प्रक्रिया प्रश्न का प्रयोग करता है तो निम्नलिखित में से कौन-से प्रकार के प्रश्नों का प्रभुत्व होगा? (*5 नवम्बर* ***2020*** *- शिफ्ट 1*)

(A) प्रत्यक्ष प्रश्न
(B) उच्चतर क्रम के प्रश्न

(C) अभिसारी प्रश्न
(D) अप्रत्यक्ष प्रश्न
(a) केवल (A), (B) और C
(b) केवल (B), (C) और D
(c) केवल (C), (D) और E
(d) केवल (B), (D) और E

89. अधिगम के ज्ञान के अनुक्रम में किस प्रकार का अधिगम "नियम अधिगम" के तुरंत बाद आता है? *(4 नवम्बर 2020 - शिफ्ट 1)*
(a) समस्या समाधान अधिगम
(b) सप्रंत्यय अधिगम
(c) विभेदन अधिगम
(d) श्रृंखला अधिगम

90. मास्लो के पदानुक्रम में निम्नलिखित में से कौन-सी 'आवश्यकता ताकत' उच्च क्रम की शिक्षा से संबंधित है?
(17 अक्टूबर 2020 - शिफ्ट 1)
(A) शारीरिक जरूरतें
(B) सुरक्षा की जरूरत है
(C) सामाजिक जरूरतें
(D) सम्मान की जरूरत है
(E) आत्मबोध की आवश्यकता
(a) (A), (B) (b) (B), (C)
(c) (C), (D) (d) (D), (E)

91. यह मत, कि शिक्षण - अधिगम स्थितियाँ सातत्य पर लाई जा सकती हैं जिसका विस्तार स्मृति स्तर से विमर्शक स्तर तक होता है, किसके द्वारा प्रतिपादित है? *(1 अक्टूबर 2020 - शिफ्ट 2)*
(a) कुर्त लेविन (b) स्टीफन एम. कोरी
(c) मोरिस एल. बिगी (d) बी. एफ. स्किनर

92. अन्तरक्रियात्मक परिप्रेक्ष्य में अंतर्भूत अभिप्रेरण के साथ अधिगम प्रक्रिया के दौरान शिक्षार्थियों की सक्रिय भागीदारी के लिए कौन-सा अधिगम सिद्धांत सहायक है? *(30 सितम्बर 2020 - शिफ्ट 1)*
(a) वाट्सन का S – R सिद्धांत
(b) स्किनर का प्रबलन सिद्धांत
(c) वाईगोस्की का रचनावादी सिद्धांत
(d) कोहलर का अंतदृष्टि सिद्धांत

93. **कथन I:** आईसीटी - आधारित 'शिक्षण सहायता प्रणाली' में अधिगम परिणामों को इष्टतम बनाने की संभाव्यता होती है।
कथन II: नवीनतम शोधों से यह प्रकाश में आया है कि सामाजिक सामर्थ्य से संबंधित कारक केवल संज्ञानात्मक प्रज्ञा की तुलना में अधिगम के लिए अधिक योगदान करते हैं।
(29 सितम्बर 2020 - शिफ्ट 2)
(a) कथन I और कथन II दोनों सत्य हैं
(b) कथन I और कथन II दोनों असत्य हैं
(c) कथन I सत्य है लेकिन कथन II असत्य है
(d) कथन I असत्य है लेकिन कथन II सत्य है

94. शिक्षण की निम्नलिखित सक्षमताओं की सूची में से उनकी पहचान कीजिए, जो व्यक्तित्व और अभिवृत्ति से संबंधित हैं-
(29 सितम्बर 2020 - शिफ्ट 2)
(A) प्रबंधन करना (B) अनुश्रवण करना
(C) नियंत्रण की संस्थिति (D) नियोजन
(E) आत्म-प्रभावोत्पादकता
(a) (A), (B) (b) (B), (C)
(c) (C), (D) (d) (C), (E)

95. निम्नलिखित में से महत्त्वपूर्ण व्यवहारों की उन विशेषताओं की पहचान कीजिए जो शिक्षण को प्रभावशील बनाने में योगदान देते हैं-
(25 सितम्बर 2020 - शिफ्ट 1)
(A) पाठों की स्पष्टता जिससे अधिगमकर्ताओं को विचार स्पष्ट किये जाते हों
(B) प्रश्न पूछना - जिनमें तथ्य और अवधारणा आधारित प्रश्नों का समावेश हो
(C) ऐसी पूछताछ जिसमें उत्तर प्राप्त करने एवं आग्रहणा संबंधी चेष्टा हो
(D) शिक्षक - कार्य अभिविन्यास जो स्पष्ट रूप से परिभाषित यूनिट के निष्कर्षों पर केन्द्रित हो
(E) अधिगम प्रक्रिया में लगना जिसमें विद्यार्थियों द्वारा अधिगम में लगाए जाने वाले समय की समाविष्टि है
(a) (A), (B), (C) (b) (B), (C), (D)
(c) (A), (D), (E) (d) (B), (D), (E)

96. नीचे दी गई सूची में से, किसी प्रभावी शिक्षक की शैली संबंधित प्रवीणताएं कौन-सी मानी जाती हैं?
(24 सितम्बर 2020 - शिफ्ट 2)
(A) व्यवस्थित व्यवहार जिसका अर्थ है - क्रमानुसार, स्पष्ट और नियंत्रणाधीन होना
(B) साक्षरता जिसका अर्थ है सामान्य ज्ञान तथा वाचन और लेखन में कुशलता
(C) आत्म सामर्थ्य जिसका तात्पर्य है किसी व्यक्ति की किसी कार्य को निष्पादित करने की आत्मप्रत्यक्षीकृत क्षमता
(D) नम्यता जिसका अर्थ है संवेदनशील और मृदु होना
(E) मूल्यांकन और फीडबैक प्रदान करना
(a) (A), (D) (b) (B), (C)
(c) (C), (D) (d) (D), (E)

97. अधिगमकर्ता की निम्नलिखित विशेषताओं में से उन विशेषताओं की पहचान कीजिए जो 'क्षेत्र स्वायत्त' अधिगमकर्ता से संबंधित हैं:
(24 सितम्बर 2020 - शिफ्ट 2)
(A) तथ्यों और सिद्धांतों पर ध्यान केंद्रित करता है
(B) अवधारणाओं और सामग्रियों के वैश्विक पहलुओं को समझता है
(C) प्रतिस्पर्धा करने को अधिमानता देता और पसंद करता है
(D) स्वयं द्वारा सूचना व्यवस्थित कर सकता है / सकती है
(E) सहयोग करना पसंद करता है
(a) (A), (B), (C) (b) (B), (C), (D)
(c) (A), (C), (D) (d) (C), (D), (E)

98. उच्च शिक्षण संस्थाओं में प्रयोग में लायी जाने वाली अध्यापन विधियों की निम्नलिखित सूची में से उन विधियों की पहचान करें जो अधिगमकर्ता केन्द्रित होती हैं: *(24 सितम्बर 2020 - शिफ्ट 1)*

(A) परियोजना कार्य
(B) 'चॉक एंड टॉक'
(C) दृश्य श्रव्य माध्यम के साथ व्याख्या न देना
(D) कम्प्यूटर की सहायता से शिक्षण
(E) अनुरूपण और भूमिका निर्वाह

(a) (B), (C), (D)   (b) (D), (E)
(c) (A), (B), (C)   (d) (C), (D), (E)

99. शिक्षण के दौरान, किसी शिक्षक के वे कथन जो विद्यार्थियों को स्वयं या दूसरे के किसी उत्तर को सविस्तार प्रतिपादित करने के लिए प्रोत्साहित करते हैं, कहलाते हैं- *(24 सितम्बर **2020** - शिफ्ट 1)*

(a) संरचना
(b) अनुदेशनात्मक विविधता
(c) अधिगम प्रक्रिया में संलिप्तता
(d) विशेष पृच्छा

100. निम्नलिखित में से किस शिक्षण स्तर में अधिगमकर्ता को अवधारणाओं के सकारात्मक दृष्टांतों के बीच विभेद करने का अवसर प्राप्त होता है? *(24 सितम्बर **2020** - शिफ्ट 1)*

(a) स्मृति स्तर
(b) अवबोध स्तर
(c) विमर्शी चिन्हन स्तर
(d) स्वायत्त विकास स्तर

उत्तर

1. (d)	**2.** (b)	**3.** (c)	**4.** (a)	**5.** (c)	**6.** (c)	**7.** (d)	**8.** (d)	**9.** (c)	**10.** (a)
11. (d)	**12.** (c)	**13.** (c)	**14.** (a)	**15.** (c)	**16.** (a)	**17.** (c)	**18.** (a)	**19.** (b)	**20.** (d)
21. (b)	**22.** (b)	**23.** (b)	**24.** (a)	**25.** (c)	**26.** (c)	**27.** (c)	**28.** (b)	**29.** (d)	**30.** (c)
31. (c)	**32.** (a)	**33.** (b)	**34.** (b)	**35.** (d)	**36.** (a)	**37.** (c)	**38.** (b)	**39.** (b)	**40.** (b)
41. (a)	**42.** (b)	**43.** (c)	**44.** (b)	**45.** (b)	**46.** (d)	**47.** (c)	**48.** (a)	**49.** (d)	**50.** (c)
51. (d)	**52.** (b)	**53.** (a)	**54.** (a)	**55.** (c)	**56.** (d)	**57.** (c)	**58.** (c)	**59.** (c)	**60.** (a)
61. (c)	**62.** (b)	**63.** (d)	**64.** (d)	**65.** (a)	**66.** (c)	**67.** (b)	**68.** (a)	**69.** (b)	**70.** (c)
71. (a)	**72.** (b)	**73.** (c)	**74.** (a)	**75.** (a)	**76.** (b)	**77.** (c)	**78.** (c)	**79.** (b)	**80.** (b)
81. (b)	**82.** (d)	**83.** (c)	**84.** (c)	**85.** (c)	**86.** (a)	**87.** (c)	**88.** (d)	**89.** (b)	**90.** (d)
91. (c)	**92.** (c)	**93.** (a)	**94.** (d)	**95.** (c)	**96.** (a)	**97.** (c)	**98.** (b)	**99.** (d)	**100.** (b)

विस्तृत समाधान और संकेत

क्या आप किसी कठिन प्रश्न को हल करने में संघर्ष कर रहे हैं या संशय में हैं?

चिंता न करें! ऊपर दिए गए प्रश्नों के विस्तृत समाधान और उपयोगी संकेत प्राप्त करने के लिए इस QR कोड को स्कैन करें।

क्या आप जानते हैं? इस खंड में दिए गए प्रश्न पिछली UGC NET परीक्षाओं (2020-2025) से हैं और अक्सर परीक्षा में दोहराए जाते हैं। उन्हें समझने से आपका स्कोर काफी बढ़ सकता है। इसलिए, उत्तर कुंजी को सिर्फ सरसरी तौर पर न पढ़ें - विस्तृत व्याख्याओं को देखने और प्रत्येक प्रश्न की पूरी समझ हासिल करने के लिए इस QR कोड को स्कैन करें।

QR कोड काम नहीं कर रहा है? QR कोड के साथ दिए गए संसाधनों तक पहुँचने के लिए आंतरिक फ्रन्ट कवर पर दिए गए निर्देशों का पालन करें

क्या आप और अधिक अभ्यास करना चाहते हैं? इस इकाई से **अतिरिक्त 200+ अभ्यास प्रश्नों** तक पहुँचने के लिए इस QR कोड को स्कैन करें। McGraw Hill EDGE प्लेटफॉर्म UGC NET परीक्षा इंटरफेस की नकल करता है, जो आपको एक यथार्थवादी परीक्षा अनुभव प्रदान करता है और आपको वास्तविक परीक्षा प्रारूप से परिचित होने में मदद करता है। यह आपको समय का बेहतर प्रबंधन करने में मदद करता है और आपको परीक्षा के दबाव में MCQ को सटीक रूप से हल करने के लिए तैयार करता है।

शोध अभिवृत्ति/अभिक्षमता का परिचय (Introduction to Research Aptitude)

6

इस अध्याय में

*परीक्षोपयोगी (Exam Essential): UGC NET परीक्षा में पूछे जाने की अत्यधिक संभावना

6.1 शोध क्या है? (What is Research?)

कल्पना करें कि आप और आपके दोस्त गोवा जाने की योजना बना रहे हैं, जो भारत का एक सुंदर समुद्री तट है। आप सूरज, समुद्र और रोमांच के लिए उत्साहित हैं। लेकिन रुकिए! इस सफर पर निकलने से पहले आप क्या करेंगे? आप सबसे अच्छा समय, लोकप्रिय समुद्र तट, रहने की जगह, यात्रा मार्ग और स्थानीय भोजन के बारे में जानकारी इकट्ठा करेंगे।

आप ट्रैवल गाइड्स देखेंगे, ऑनलाइन प्लैटफार्म पर खोज करेंगे और शायद उन लोगों से भी सलाह लेंगे जो पहले वहाँ जा चुके हैं। आप यह सब क्यों करते हैं? क्योंकि आप चाहते हैं कि आपकी यात्रा शानदार, आरामदायक और यादगार हो। वास्तव में, जो आप कर रहे हैं, वही शोध (Research) है– आप जानकारी एकत्र कर रहे हैं और उसका विश्लेषण कर रहे हैं ताकि आपकी यात्रा सही ढंग से योजनाबद्ध और सुखद हो।

शोध केवल अकादमिक अध्ययन या प्रयोगशालाओं में वैज्ञानिकों तक सीमित नहीं है। यह एक ऐसी दक्षता (skill) है, जिसे हम सभी अपने रोजमर्रा के जीवन में बेहतर निर्णय लेने के लिए उपयोग करते हैं–चाहे वह यात्रा की योजना बनाना हो, नया गैजेट खरीदना हो या यह तय करना हो कि रात के खाने में क्या बनाना है। सरल शब्दों में, शोध एक प्रणालीबद्ध जांच (systematic investigation) है, जिसका उद्देश्य तथ्यों, घटनाओं, व्यवहारों या सिद्धांतों को खोजने, समझने, व्याख्या करने या संशोधित करने का होता है। यह केवल जानकारी खोजने तक सीमित नहीं है, बल्कि उसे सही संदर्भ में समझने, निष्कर्ष निकालने और ज्ञान में योगदान देने की प्रक्रिया भी है। शोध जिज्ञासा से प्रेरित होता है–यह समझने, व्याख्या करने या किसी समस्या को हल करने की इच्छा से उत्पन्न होता है। विद्वानों और विशेषज्ञों ने शोध की विभिन्न परिभाषाएँ दी हैं, जिनमें से प्रत्येक इसके स्वरूप और उद्देश्य को अलग-अलग तरीकों से दर्शाती है:

1. **क्लिफोर्ड वूडी (Clifford Woody)**: "शोध में समस्याओं को परिभाषित करना और पुन: परिभाषित करना, परिकल्पनाएँ (hypotheses) या संभावित समाधान बनाना, डेटा एकत्र करना, व्यवस्थित करना और उसका मूल्यांकन करना, निष्कर्ष निकालना और अंत में उन निष्कर्षों का सावधानीपूर्वक परीक्षण करना शामिल है, ताकि यह सुनिश्चित किया जा सके कि वे प्रारंभिक परिकल्पना के अनुरूप हैं या नहीं।"
2. **केर्लिंगर (Kerlinger)**: "शोध एक प्रणालीबद्ध, नियंत्रित, अनुभवजन्य (empirical) और आलोचनात्मक जाँच (critical investigation) है, जो प्राकृतिक घटनाओं के बीच अनुमानित संबंधों पर आधारित परिकल्पनाओं (hypothetical propositions) का विश्लेषण करती है।"
3. **लीदी और ऑरमरोड (Leedy and Ormrod)**: "शोध एक व्यवस्थित प्रक्रिया है, जिसमें जानकारी (डेटा) एकत्र करना, उसका विश्लेषण करना और उसकी व्याख्या करना शामिल है, जिससे हम उस विषय या घटना को बेहतर समझ सकें, जिसमें हम रुचि रखते हैं या जिसे लेकर चिंतित हैं।"
4. **क्रेसवेल (Creswell)**: "शोध एक प्रक्रिया है, जिसमें जानकारी एकत्र करने और विश्लेषण करने के लिए कई चरणों का उपयोग किया जाता है, ताकि किसी विषय या समस्या की समझ को बढ़ाया जा सके।"

यूजीसी नेट पेपर 1 में शोध अभिक्षमता का महत्व (Significance of Research Aptitude in UGC NET Paper 1)

शोध अभिरुचि यूजीसी-नेट (UGC NET) पेपर 1 के पाठ्यक्रम का एक महत्वपूर्ण घटक है, क्योंकि यह परीक्षा उन व्यक्तियों के लिए होती है, जो भविष्य में प्रोफेसर और शिक्षक बनने की इच्छा रखते हैं।

शिक्षकों के लिए शोध केवल ज्ञान प्राप्त करने का साधन नहीं है, बल्कि यह शिक्षण, पाठ्यक्रम विकास और शैक्षिक नीतियों में भी महत्वपूर्ण भूमिका निभाता है।

शोध के सिद्धांतों को समझकर, भविष्य के प्रोफेसर प्रभावी शिक्षण विधियों को पहचान सकते हैं और उन्हें लागू कर सकते हैं। वे छात्रों के प्रदर्शन का मूल्यांकन कर सकते हैं और व्यापक शैक्षिक प्रवृत्तियों (educational trends) को समझ सकते हैं। उदाहरण के लिए, शोध यह दिखा सकता है कि छात्रों को पढ़ाई में अधिक सक्रिय रूप से शामिल करने के नए तरीके कौन-से हैं, सीखने के परिणामों को कैसे बेहतर बनाया जा सकता है या शैक्षिक असमानताओं को कैसे दूर किया जा सकता है। शोध की यह क्षमता शिक्षकों को गतिशील और समावेशी कक्षाएँ (dynamic and inclusive classrooms) बनाने में मदद करती है।

इसके अलावा, शोध शिक्षकों को शैक्षणिक विमर्श (academic discourse) में योगदान करने के लिए सशक्त बनाता है। वे अपने शोध निष्कर्ष प्रकाशित कर सकते हैं, अकादमिक चर्चाओं में भाग ले सकते हैं और सहयोगी शोध कार्य कर सकते हैं। यह निरंतर सीखने की प्रक्रिया शिक्षकों को उनके क्षेत्र में लगातार विकसित होने में मदद करती है, जिससे वे बदलते हुए शैक्षिक परिदृश्य में प्रभावी बने रहते हैं।

6.2 शोध की विशेषताएँ (Characteristics of Research)

शोध की विशेषताओं को समझना छात्रों और विद्वानों (scholars) दोनों के लिए आवश्यक है, क्योंकि यह व्यवस्थित और विश्वसनीय शोध करने के लिए एक दिशा-निर्देश प्रदान करता है। ये विशेषताएँ शोधकर्ताओं के लिए एक चेकलिस्ट की तरह काम करती हैं, जिससे यह सुनिश्चित होता है कि उनका कार्य सटीक, ईमानदार और भरोसेमंद हो। जब शोधकर्ता इन दिशानिर्देशों का पालन करते हैं, तो उनके निष्कर्ष अधिक विश्वसनीय, पुनरावृत्त करने योग्य (replicable) और शैक्षणिक समुदाय एवं समाज के लिए मूल्यवान होते हैं।

इस विषय को सरल बनाने वाले वीडियो व्याख्यान को देखने के लिए इस QR कोड को स्कैन करें

चाहे आप विज्ञान, सामाजिक विज्ञान या मानविकी (humanities) के क्षेत्र में काम कर रहे हों, शोध की इन प्रमुख विशेषताओं का पालन करना शोध को प्रामाणिक और सार्थक बनाए रखने के लिए आवश्यक है। आइए, शोध की कुछ महत्वपूर्ण विशेषताओं को समझें:

1. **सटीकता (Accuracy):** शोध में सटीकता का अर्थ है कि शोध के सभी घटक आपस में कितनी अच्छी तरह जुड़े हुए हैं और प्रयोग किए गए उपकरण एवं विधियाँ कितनी उपयुक्त हैं। यह ठीक वैसे ही है जैसे किसी पहेली (puzzle) के सभी टुकड़े सही तरीके से मिलकर एक स्पष्ट चित्र बनाते हैं। शोधकर्ता सावधानीपूर्वक तरीकों और चरणों (systematic methods and steps) का उपयोग करके सटीकता सुनिश्चित करते हैं, ताकि प्रत्येक भाग की गहन जाँच की जा सके।

   उदाहरण के लिए, यदि आप यह अध्ययन कर रहे हैं कि व्यायाम (exercise) हृदय स्वास्थ्य (heart health) को कैसे प्रभावित करता है, तो आपको यह सुनिश्चित करना होगा कि आप व्यायाम स्तर और हृदय स्वास्थ्य को मापने के लिए सबसे उपयुक्त उपकरण (जैसे फिटनेस ट्रैकर और रक्तचाप मापक) का उपयोग कर रहे हैं। इससे यह सुनिश्चित होता है कि आपके शोध के परिणाम यथासंभव सटीक और विश्वसनीय हों।

2. **विश्वसनीयता (Credibility):** शोध में विश्वसनीयता अध्ययन में उपयोग की गई जानकारी और विधियों की विश्वसनीयता को संदर्भित करती है। इसमें यह सुनिश्चित करना शामिल है कि आपका शोध ठोस साक्ष्य पर आधारित है, उचित कार्यप्रणालियों का उपयोग करता है और सटीक संदर्भों और उद्धरणों के माध्यम से पिछले कार्य को स्वीकार करता है।

   शोध में विश्वसनीयता का अर्थ है कि अध्ययन में प्रयुक्त जानकारी और विधियाँ कितनी भरोसेमंद और प्रमाणिक हैं। यह सुनिश्चित करना आवश्यक है कि आपका शोध मजबूत प्रमाणों पर आधारित हो, उचित शोध पद्धतियों का उपयोग करे और पहले किए गए कार्यों को सटीक संदर्भों और उद्धरणों के माध्यम से स्वीकार करे।

   उदाहरण के लिए, यदि आप जलवायु परिवर्तन पर एक अध्ययन कर रहे हैं, तो शोध की विश्वसनीयता सुनिश्चित करने के लिए निम्नलिखित बातों का ध्यान रखना आवश्यक है:

   - प्रामाणिक स्रोतों से डेटा का उपयोग करें, जैसे सरकारी एजेंसियाँ या शैक्षणिक संस्थान।
   - केवल पहले से उपलब्ध जानकारी पर निर्भर रहने के बजाय, अपना स्वयं का डेटा एकत्र करें, ताकि निष्कर्षों की पुष्टि की जा सके।

3. **सामान्यीकरण (Generalisability):** शोध में सामान्यीकरण का अर्थ है कि अध्ययन में प्राप्त निष्कर्षों को उस विशेष नमूने से आगे बढ़ाकर व्यापक जनसंख्या पर लागू किया जा सकता है या नहीं।

   उदाहरण के लिए, यदि आप एक नए शिक्षण पद्धति की प्रभावशीलता को 30 छात्रों की एक कक्षा में परख रहे हैं, तो आप यह जानना चाहेंगे कि क्या यही परिणाम 2000 अन्य छात्रों पर भी लागू हो सकते हैं, या वे केवल उसी कक्षा तक सीमित हैं। एक और उदाहरण लें - मान लीजिए कि एक शोध में मध्यम आयु वर्ग के एक समूह पर एक नई दवा के कोलेस्ट्रॉल कम करने के प्रभावों की जांच की जा रही है। यदि यह अध्ययन दर्शाता है कि दवा इस समूह में प्रभावी है, तो शोधकर्ता यह जानना चाहेंगे कि क्या यही परिणाम अलग-अलग उम्र और स्वास्थ्य स्थितियों वाले लोगों पर भी लागू किए जा सकते हैं।

   सामाजिक विज्ञान, जैसे कि मनोविज्ञान (psychology) या समाजशास्त्र (sociology), में किसी शोध से प्राप्त निष्कर्षों को व्यापक रूप से लागू करने की क्षमता, जिसे सामान्यीकरण (generalisability) कहा जाता है, बहुत महत्वपूर्ण होती है। यह हमें मानव व्यवहार और सामाजिक प्रवृत्तियों के बारे में सार्थक निष्कर्ष निकालने में सहायता करता है। उदाहरण के लिए, यदि कोई अध्ययन यह जांचता है कि सोशल मीडिया

का किशोरों के मानसिक स्वास्थ्य पर क्या प्रभाव पड़ता है, तो शोध कर्ताओं को यह सुनिश्चित करना होगा कि उनके निष्कर्ष केवल किसी विशेष क्षेत्र या सामाजिक-आर्थिक समूह तक सीमित न रहें, बल्कि विभिन्न पृष्ठभूमियों और संस्कृतियों के किशोरों पर भी लागू हो सकें। हालांकि, यह प्रक्रिया हमेशा सीधी और आसान नहीं होती।

सामान्यीकरण की सीमा को कई कारक प्रभावित कर सकते हैं, जैसे कि नमूना आकार, नमूने की विविधता और अध्ययन की परिस्थितियाँ। इसके अलावा, जहाँ प्राकृतिक विज्ञान, जैसे भौतिकी और जीवविज्ञान, सटीक भविष्यवाणियाँ करने का प्रयास करते हैं, वहीं सामाजिक विज्ञान, जैसे समाजशास्त्र और मनोविज्ञान, जटिल मानवीय व्यवहार से संबंधित होते हैं, जिससे सटीक भविष्यवाणी करना अधिक चुनौतीपूर्ण हो जाता है। इसलिए, शोधकर्ताओं को अपने निष्कर्षों की व्याख्या और उनके अनुप्रयोग के दौरान सामान्यीकरण की सीमाओं और उसकी संभावनाओं पर सावधानीपूर्वक विचार करना चाहिए।

4. **अनुभवजन्य शोध (Empirical Research):** अनुभवजन्य शोध का मुख्य उद्देश्य वास्तविक जीवन के अनुभवों और प्रत्यक्ष अवलोकनों (direct observations) से सीखना होता है, यानी वे चीजें जिन्हें हम देख या छू सकते हैं। यह बिल्कुल वैसे ही है जैसे किसी बगीचे में पौधों की वृद्धि को देखकर उनका अध्ययन करना, न कि सिर्फ अनुमान लगाना। जब शोधकर्ता अनुभवजन्य शोध का उपयोग करते हैं, तो वे वास्तविक दुनिया के आंकड़ों (actual data) के साथ काम करते हैं, जिससे उनके निष्कर्ष अधिक विश्वसनीय और प्रमाणिक होते हैं।

   उदाहरण के लिए, यदि आप यह जानना चाहते हैं कि लोग जलवायु परिवर्तन (climate change) के बारे में क्या सोचते हैं, तो आप लोगों का एक सर्वेक्षण कर सकते हैं और उनके वास्तविक विचारों और अनुभवों को एकत्र कर सकते हैं।

5. **चक्रात्मकता (Cyclical):** शोध की चक्रात्मक प्रकृति का अर्थ यह है कि शोध केवल उत्तर खोजने के बाद समाप्त नहीं हो जाता–बल्कि यह अक्सर नए प्रश्नों को जन्म देता है और आगे अधिक शोध की आवश्यकता होती है। इसे एक अंतहीन चक्र की तरह समझा जा सकता है: आप एक प्रश्न से शुरुआत करते हैं, शोध करते हैं, कुछ उत्तर प्राप्त होते हैं, और फिर वे उत्तर नए प्रश्न उत्पन्न करते हैं। यह एक निरंतर प्रक्रिया है, जो तब तक चलती रहती है जब तक जिज्ञासा और ज्ञान की आवश्यकता बनी रहती है।

   कल्पना करें कि आप यह जानने के लिए एक अध्ययन शुरू करते हैं कि क्या नाश्ता करना छात्रों की एकाग्रता में मदद करता है। शोध करने के बाद, आपको पता चलता है कि जो छात्र नाश्ता करते हैं, वे बेहतर ध्यान केंद्रित कर पाते हैं। लेकिन फिर आपके मन में नए प्रश्न आ सकते हैं, जैसे–"क्या यह इस बात पर निर्भर करता है कि वे नाश्ते में क्या खाते हैं?" या "ध्यान केंद्रित करने में अंतर दिखाने के लिए उन्हें कितना नाश्ता करना चाहिए?" ये नए प्रश्न आगे और अधिक शोध की आवश्यकता को जन्म देते हैं, जिससे अधिक विस्तृत उत्तर मिल सकते हैं।

6. **पुनरावृत्तीयता (Replicable):** शोध की पुनरावृत्तीयता (replicability) का अर्थ है कि यदि कोई अन्य शोधकर्ता उसी विधि और समान परिस्थितियों का पालन करे, तो उसे भी वही परिणाम मिलने चाहिए। इसे एक रेसिपी के अनुसार कुकीज बनाने जैसा समझ सकते हैं–यदि आप वही चरणों का पालन करें, तो हर बार आपको एक जैसे स्वादिष्ट कुकीज मिलेंगे।

   उदाहरण के लिए, मान लीजिए कि आप यह जांचने के लिए एक प्रयोग करते हैं कि क्या किसी नए प्रकार के उर्वरक (fertiliser) से पौधों की वृद्धि तेज होती है। आप कुछ हफ्तों तक पौधों की वृद्धि को मापते हैं और पाते हैं कि इस उर्वरक के कारण पौधे तेजी से बढ़ते हैं। यदि आपका अध्ययन पुनरावृत्तीय (replicable) है, तो कोई अन्य शोधकर्ता भी वही प्रयोग कर सकता है–वही उर्वरक उपयोग करके और आपकी विधि को अपनाकर–और उसे भी समान परिणाम मिलने चाहिए। यह पुनरावृत्ति यह पुष्टि करती है कि उर्वरक वास्तव में पौधों की वृद्धि को तेज करता है और मूल परिणाम केवल संयोग या किसी त्रुटि के कारण नहीं थे।

7. **व्यवस्थित (Systematic):** शोध की संगठित (systematic) प्रकृति का अर्थ है कि यह एक स्पष्ट प्रक्रिया या विधि का पालन करते हुए योजनाबद्ध और व्यवस्थित तरीके से किया जाता है। इसमें एक जटिल समस्या को छोटे-छोटे, प्रबंधनीय चरणों में विभाजित किया जाता है और फिर इन चरणों का सावधानीपूर्वक अनुसरण करके निष्कर्ष तक पहुँचा जाता है। इसी कारण शोध को 'एक उद्देश्यपूर्ण और व्यवस्थित गतिविधियों की श्रृंखला, जो किसी समस्या का समाधान खोजने के लिए की जाती है' के रूप में परिभाषित किया जाता है।

   उदाहरण के लिए, यदि आप यह अध्ययन करना चाहते हैं कि स्क्रीन टाइम बच्चों की नींद की आदतों को कैसे प्रभावित करता है, तो आपको एक व्यवस्थित प्रक्रिया अपनानी होगी। सबसे पहले, आपको परिभाषित करना होगा कि 'स्क्रीन टाइम' का क्या अर्थ है–जैसे बच्चे दिनभर में कितने घंटे टैबलेट या टीवी जैसे उपकरणों का उपयोग करते हैं। इसके बाद, आपको बच्चों की नींद से संबंधित जानकारी एकत्र करनी होगी, जैसे उनकी सोने और जागने की समय-सारणी और उनकी नींद की गुणवत्ता। फिर, आप इन आँकड़ों का विश्लेषण करेंगे ताकि यह समझ सकें कि स्क्रीन टाइम और नींद की समस्याओं के बीच कोई संबंध है या नहीं।

   इस तरह की संरचित (structured) पद्धति का पालन करने से शोध की प्रक्रिया स्पष्ट और तर्कसंगत बनी रहती है। यह विधि अन्य शोध कर्ताओं को आपके अध्ययन को समझने, आवश्यक होने पर दोहराने और आपके निष्कर्षों पर विश्वास करने में मदद करती है। साथ ही, यह शोधकर्ता को अपने शोध प्रश्न पर केंद्रित रहने में सहायता करता है और यह सुनिश्चित करता है कि निष्कर्ष ठोस साक्ष्यों पर आधारित हों, जिससे त्रुटि या पक्षपात की संभावना कम हो जाती है।

8. **तार्किक (Logical):** शोध की तार्किक (logical) प्रकृति का अर्थ है कि यह स्पष्ट सोच और तर्क के नियमों का पालन करता है। इसमें कारणों की पड़ताल (reasoning) और विवेचनात्मक चिंतन (critical thinking) का उपयोग किया जाता है ताकि विभिन्न तथ्यों को आपस में जोड़ा जा सके और ऐसे निष्कर्ष निकाले जा सकें जो समझ में आएं। जब शोध तार्किक होता है, तो उसकी प्रत्येक प्रक्रिया सावधानीपूर्वक योजना के अनुसार चलती है और शोध प्रश्न, अपनाई गई विधियाँ और प्राप्त निष्कर्षों के बीच स्पष्ट संबंध होता है। इसी कारण शोध को *'एक तार्किक और निष्पक्ष प्रक्रिया माना जाता है, जिसमें परिकल्पना (hypothesis) का परीक्षण, डेटा विश्लेषण, व्याख्या और सिद्धांत निर्माण शामिल होता है।'*

   उदाहरण के लिए, यदि हम देखते हैं कि जो लोग नियमित रूप से व्यायाम करते हैं, वे कम तनाव (stress) का अनुभव करते हैं, तो हम तार्किक रूप से यह निष्कर्ष निकाल सकते हैं कि व्यायाम तनाव

को कम करने में सहायक हो सकता है। इस तरह, शोध में युक्तियुक्त तर्क (logical reasoning) लागू करके, शोधकर्ता अपने डेटा से वैध निष्कर्ष निकाल सकते हैं और ठोस साक्ष्यों के आधार पर सही निर्णय ले सकते हैं।

क्विज स्टेशन *विगत UGC NET परीक्षाओं के प्रश्न*

प्र 1. निम्नलिखित में से कौन-सा शोध की विशेषता नहीं है?

(a) शोध व्यवस्थित है

(b) शोध एक प्रक्रिया नहीं है

(c) शोध समस्या उन्मुख है

(d) शोध निष्क्रिय नहीं है

प्र 2. शोध है-

(a) एक उद्देश्यपूर्ण, व्यवस्थित गतिविधि

(b) केवल शैक्षणिक उद्देश्यों के लिए किया गया

(c) व्यावहारिक मुद्दों के बारे में प्रश्नों का उत्तर देने के लिए किया गया

(d) खोज की एक यादृच्छिक, अनियोजित प्रक्रिया

उत्तर 1. (b) 2. (a)

★★★ परीक्षोपयोगी

6.3 शोध के महत्वपूर्ण गुण (Important Attributes of Research)

निष्पक्षता (Objectivity)

सरल शब्दों में, निष्पक्षता का अर्थ है किसी भी पूर्वाग्रह या व्यक्तिगत धारणा के बिना चीजों को देखना। यह किसी स्थिति को वैसा ही देखने जैसा है, जैसा वह वास्तव में है, बिना अपनी भावनाओं या निजी विचारों से प्रभावित हुए। शोध में निष्पक्ष रहना अत्यंत महत्वपूर्ण है, क्योंकि यह सुनिश्चित करता है कि हमारे निष्कर्ष तथ्यों और प्रमाणों पर आधारित हों, न कि हमारे अपने झुकाव या पसंद-नापसंद से प्रभावित।

इसे ऐसे समझ सकते हैं जैसे एक विशेष प्रकार का चश्मा पहनना, जो चीजों को स्पष्ट रूप से दिखाता है, बिना किसी विकृति (distortion) के। जब शोधकर्ता पूरे शोध प्रक्रिया में निष्पक्षता बनाए रखते हैं, तो उनके निष्कर्ष अध्ययन की वास्तविकता और तथ्यों को सही तरीके से प्रतिबिंबित करते हैं। शोध प्रक्रिया में निष्पक्षता सुनिश्चित करने के लिए निम्नलिखित उपाय किए जा सकते हैं:

1. **प्रक्रियात्मक सुरक्षा उपाय (Procedural Safeguards):** यह शोध प्रक्रिया का विस्तृत दस्तावेजीकरण (documentation) बनाए रखने से संबंधित है, जिसमें अवलोकन, डेटा विश्लेषण (data analysis) और शोध पद्धतियों का पूरा विवरण शामिल होता है। इसका उद्देश्य यह सुनिश्चित करना है कि अन्य शोधकर्ता भी इन्हीं चरणों का पालन कर सकें और आपके परिणामों की पुष्टि कर सकें।

   उदाहरण के लिए, यदि आप लोगों की भोजन करने की आदतों पर एक सर्वेक्षण कर रहे हैं, तो आपको प्रक्रिया के हर पहलू को सावधानीपूर्वक रिकॉर्ड करना होगा। इसमें सर्वेक्षण के प्रश्न, उत्तर एकत्र करने का तरीका, सर्वेक्षण की तिथियाँ और समय, और प्रतिभागियों की जनसांख्यिकीय जानकारी (demographic details) शामिल होंगे। इस प्रकार, हर चीज को व्यवस्थित रूप से दस्तावेजित (documented) करके, आप यह सुनिश्चित करते हैं कि कोई भी शोधकर्ता आपके कार्य की समीक्षा कर सके, आपकी विधि को समझ सके और आपके निष्कर्षों की विश्वसनीयता का आकलन कर सके। इसमें एक शोध अध्ययन के दौरान समान विधियों और प्रक्रियाओं का उपयोग करना शामिल है ताकि स्थिरता बनाए रखी जा सके। इसे ऐसे समझें जैसे एक केक बनाने के लिए एक नुस्खा का पालन करना। आप समान माप, सामग्री और कदमों का पालन करते हैं ताकि केक हर बार एक जैसा बने।

   उदाहरण के लिए, यदि आप एक विशिष्ट व्यायाम दिनचर्या के मांसपेशियों की वृद्धि पर प्रभाव का शोध कर रहे हैं, तो आप सभी प्रतिभागियों के लिए दिनचर्या को मानकीकृत करेंगे। इसका मतलब है कि हर कोई समान व्यायाम करता है, समान तीव्रता पर, समान अवधि के लिए। आप अन्य चर, जैसे आहार और आराम, को भी नियंत्रित करेंगे ताकि वे प्रत्येक प्रतिभागी के लिए परिणामों को अलग-अलग प्रभावित न करें। सब कुछ स्थिर रखते हुए, आप सुनिश्चित करते हैं कि आप जो भी परिवर्तन या परिणाम देखते हैं, वे वास्तव में व्यायाम दिनचर्या के कारण हैं, न कि अध्ययन के संचालन में अंतर के कारण।

3. **अवधारणाओं का परिचालन (Operationalisation of Concepts):** संकल्पनाओं का परिचालन का अर्थ है किसी अमूर्त (abstract) विचार या संकल्पना को स्पष्ट और मापने योग्य (measurable) शब्दों में परिभाषित करना, ताकि हर कोई उसे समान रूप से समझ सके। यह किसी शब्द के लिए एक विशेष परिभाषा तय करने जैसा है, जिससे उसकी व्याख्या में कोई भिन्नता न रहे।

   उदाहरण के लिए, यदि आप 'खुशी (happiness)' पर शोध कर रहे हैं, तो आपको इसे मापने योग्य संकेतकों (measurable indicators) के माध्यम से परिभाषित करना होगा। आप यह तय कर सकते हैं कि खुशी को मापने का एक तरीका यह हो सकता है कि कोई व्यक्ति एक घंटे में कितनी बार मुस्कुराता है। या फिर, आप प्रतिभागियों से यह पूछ सकते हैं कि वे अपनी खुशी को 1 से 10 के पैमाने (scale) पर रेट करें। इस प्रकार, जब खुशी को इस तरह स्पष्ट और मापने योग्य तरीके से परिभाषित किया जाता है, तो शोधकर्ता वस्तुनिष्ठ रूप से (objectively) डेटा एकत्र और विश्लेषण कर सकते हैं, जिससे परिणामों की तुलना करना और सार्थक निष्कर्ष निकालना आसान हो जाता है।

4. **पूर्वाग्रह से बचना (Avoiding Bias):** पक्षपात (bias) तब होता है जब हमारी व्यक्तिगत मान्यताएँ, बाहरी प्रभाव (external influences) या व्यक्तिपरक धारणाएँ (subjective perceptions) हमारे शोध की प्रक्रिया को प्रभावित करती हैं। इसलिए, यह महत्वपूर्ण है कि हम अपने पूर्वाग्रहों (biases) से अवगत रहें और शोध पर उनके प्रभाव को कम करने के लिए आवश्यक कदम उठाएँ।

   उदाहरण के लिए, यदि आपको यह विश्वास है कि व्यायाम हमेशा स्वास्थ्य के लिए लाभदायक होता है, तो हो सकता है कि आप

अनजाने में केवल उन अध्ययनों पर ध्यान केंद्रित करें जो इस विचार का समर्थन करते हैं और उन शोधों की अनदेखी करें जो इसके विपरीत परिणाम दिखाते हैं। इस प्रकार के पक्षपात से बचने के लिए, आपको शोध को खुले दिमाग से करना होगा और उपलब्ध सभी आँकड़ों का निष्पक्ष विश्लेषण करना होगा, चाहे वे आपकी मान्यताओं के अनुकूल हों या नहीं।

5. **त्रिकोणीयकरण (Triangulation):** शोध में त्रिकोणीकरण (triangulation) का अर्थ है निष्कर्षों की सटीकता की पुष्टि करने के लिए विभिन्न तरीकों या स्रोतों का उपयोग करना। त्रिकोणीकरण कई प्रकार का हो सकता है:

   कार्यप्रणाली संबंधी (Methodological): अलग-अलग शोध विधियों का उपयोग करना।

   डेटा आधारित (Data): विभिन्न डेटा स्रोतों का प्रयोग करना।

   शोधकर्ता संबंधी (Researcher): अलग-अलग शोधकर्ताओं को शामिल करना।

   सिद्धांतिक (Theoretical): विभिन्न दृष्टिकोणों या सिद्धांतों को अपनाना।

   उदाहरण के लिए, यदि किसी अध्ययन में यह जांचा जा रहा है कि कोई नई शिक्षण पद्धति कितनी प्रभावी है, तो शोधकर्ता विभिन्न पृष्ठभूमि और अनुभव वाले कई शिक्षकों को शामिल कर सकते हैं, जो कक्षा में छात्रों के प्रदर्शन का अवलोकन करें और उसका विश्लेषण करें। प्रत्येक शिक्षक अपने दृष्टिकोण से निष्कर्ष निकालता है, जिससे यह सुनिश्चित किया जाता है कि निष्कर्ष किसी एक शोध कर्ता की व्यक्तिगत राय से प्रभावित न हों।

6. **सहकर्मी समीक्षा (Peer Review):** सहकर्मी समीक्षा शोध में निष्पक्षता बनाए रखने में महत्वपूर्ण भूमिका निभाती है। इसमें बाहरी विशेषज्ञों को शामिल किया जाता है, जो शोध प्रकाशन से पहले उसके निष्कर्षों की समीक्षा करते हैं। ये समीक्षक शोध में किसी भी संभावित त्रुटि या पक्षपात (bias) की पहचान करके सुधार की सलाह देते हैं। इससे अध्ययन की विश्वसनीयता बढ़ती है। (*सहकर्मी समीक्षा पर विस्तृत चर्चा अध्याय 9 में की गई है।*)

7. **डेटा सत्यापन (Data Validation):** यह डेटा प्रमाणीकरण (data validation) वह प्रक्रिया है, जिससे यह सुनिश्चित किया जाता है कि शोध में उपयोग किया गया डेटा विश्वसनीय और त्रुटि-मुक्त हो। यह अध्ययन की समग्र निष्पक्षता (objectivity) को बढ़ाने में मदद करता है और यह सुनिश्चित करता है कि निष्कर्ष ठोस और प्रमाणिक हों।

विश्वसनीयता (Reliability)

शोध में विश्वसनीयता का अर्थ है संगति (consistency), स्थिरता (stability) और विश्वसनीयता (dependability)। किसी शोध या प्रयोग को यदि समान परिस्थितियों में दोहराया जाए और हर बार लगभग समान परिणाम प्राप्त हों, तो उसे विश्वसनीय माना जाता है।

उदाहरण के लिए, यदि शोधकर्ता यह अध्ययन करते हैं कि टीवी देखने का बच्चों के स्कूल प्रदर्शन पर क्या प्रभाव पड़ता है, और अध्ययन के निष्कर्ष बताते हैं कि अधिक टीवी देखने से ग्रेड कम होते हैं, तो इसे एक परिणाम माना जाएगा। अब, यदि वही अध्ययन समान विधियों और प्रक्रियाओं के साथ दोबारा किया जाए और फिर से वही निष्कर्ष सामने आए, तो हम कह सकते हैं कि यह शोध विश्वसनीय (reliable) है। एक और उदाहरण देखें – यदि कोई अध्ययन यह जांचता है कि वीडियो गेम खेलने से किशोरों में हाथ और आंखों के बीच तालमेल (hand-eye coordination) में सुधार होता है, और यह निष्कर्ष निकाला जाता है कि वीडियो गेम खेलने से यह कौशल बढ़ता है, तो इस शोध को तब ही विश्वसनीय माना जाएगा जब बाद के अध्ययनों में भी समान विधियों के तहत इसी तरह के निष्कर्ष मिलें। विश्वसनीय शोध पर बार-बार समान परिणाम प्राप्त होने से उसमें विश्वास बढ़ता है, जिससे यह सिद्ध होता है कि निष्कर्ष केवल संयोगवश नहीं, बल्कि एक निश्चित और स्थिर पैटर्न के आधार पर निकाले गए हैं।

विश्वसनीयता के मानदंड (Criteria for Reliability)

1. **स्थिरता (Stability):** यह मापदंड एक ही माप को एक ही व्यक्तियों पर दोहराने पर समान परिणाम प्राप्त करने के बारे में है। उदाहरण के लिए, यदि आप हर दिन एक वजन मापने वाले पैमाने पर खड़े होते हैं, तो पैमाना आपको प्रत्येक बार लगभग समान रीडिंग देनी चाहिए, यह मानते हुए कि आपका वजन महत्वपूर्ण रूप से नहीं बदला है। यदि ऐसा होता है, तो आप जानते हैं कि पैमाना विश्वसनीय है।

2. **समानता (Equivalence):** इसका अर्थ है कि यदि अलग-अलग शोधकर्ता एक ही माप प्रक्रिया का उपयोग करें, तो उन्हें समान परिणाम मिलने चाहिए। इसे इस तरह समझ सकते हैं–यदि दो अलग-अलग डॉक्टर एक ही थर्मामीटर का उपयोग करके आपका तापमान मापें, तो उन्हें समान रीडिंग मिलनी चाहिए। यदि ऐसा होता है, तो यह माप प्रक्रिया समानता (equivalence) के मानदंड को पूरा करती है।

3. **समरूपता (Homogeneity):** यह मानदंड यह सुनिश्चित करता है कि यदि किसी विशेष चीज को मापने के लिए अलग-अलग विधियाँ अपनाई जाएँ, तो भी परिणाम स्थिर और सुसंगत होने चाहिए। उदाहरण के लिए, यदि आप किसी मेज की लंबाई अलग-अलग रूलर (rulers) से मापते हैं, और हर बार समान परिणाम मिलता है, तो यह दर्शाता है कि माप प्रक्रिया सामरूप (homogeneous) है और परिणाम विश्वसनीय हैं।

विश्वसनीयता के प्रकार (Types of Reliability)

1. **इंटर-रेटर या इंटर-ऑब्जर्वर विश्वसनीयता (Inter-Rater or Inter-Observer Reliability):** यह विश्वसनीयता इस बात को मापती है कि क्या अलग-अलग अवलोकनकर्ता (observers) या मूल्यांकनकर्ता (raters) एक ही चीज का आकलन करते समय समान निष्कर्ष पर पहुँचते हैं। उदाहरण के लिए, किसी फुटबॉल मैच में, यदि रेफरी 1 और रेफरी 2 दोनों स्वतंत्र रूप से यह तय करते हैं कि मेसी (Messi) को एक फाउल के लिए येलो कार्ड दिया जाना चाहिए, तो इसका मतलब है कि उनके निर्णयों में संगति है, जिससे उच्च इंटर-रेटर विश्वसनीयता सिद्ध होती है।

2. **टेस्ट-रीटेस्ट विश्वसनीयता (Test-Retest Reliability):** यह यह जांचता है कि क्या किसी माप (measurement) के परिणाम समय के साथ स्थिर रहते हैं। उदाहरण के लिए, यदि आप आज एक गणित परीक्षा देते हैं और 80% अंक प्राप्त करते हैं, और फिर वही

परीक्षा कल देते हैं और लगभग 81% अंक प्राप्त करते हैं, तो यह दर्शाता है कि यह परीक्षा संगत परिणाम देती है। इसका अर्थ है कि परीक्षण की उच्च परीक्षण-पुनर्परीक्षण (test-retest) विश्वसनीयता है।

3. **समानांतर-प्रपत्र विश्वसनीयता (Parallel-Forms Reliability):** यह यह मापता है कि क्या एक ही सामग्री से बनाए गए दो अलग-अलग परीक्षण समान परिणाम देते हैं। उदाहरण के लिए, यदि परीक्षा A और परीक्षा B दोनों को छात्रों की गणितीय दक्षता (math skills) को मापने के लिए तैयार किया गया है और दोनों परीक्षणों के औसत स्कोर समान आते हैं, तो यह समानांतर-रूपों की विश्वसनीयता को दर्शाता है। इसका अर्थ है कि दोनों परीक्षाएँ एक ही कौशल को स्थिरता से माप रही हैं।

4. **आंतरिक स्थिरता विश्वसनीयता (Internal Consistency Reliability):** यह यह जांचता है कि किसी परीक्षण (test) के विभिन्न प्रश्नों के परिणाम कितने संगत हैं। उदाहरण के लिए, यदि प्रकाश-संश्लेषण (photosynthesis) पर आधारित एक परीक्षा में अलग-अलग पहलुओं से जुड़े कई प्रश्न शामिल हैं, और जो छात्र एक प्रश्न में अच्छा स्कोर करते हैं, वे अन्य प्रश्नों में भी अच्छा प्रदर्शन करते हैं, तो इसका मतलब है कि परीक्षा में आंतरिक स्थिरता विश्वसनीयता है। इसका तात्पर्य यह है कि परीक्षा अपने विभिन्न घटकों में एक समान तरीके से मापन कर रही है।

5. **विभाजित-आधा विश्वसनीयता (Split-Half Reliability):** यह, यह मापता है कि क्या कोई प्रश्नावली (questionnaire) या परीक्षण तब भी विश्वसनीय है, जब इसे दो भागों में विभाजित कर दिया जाए। मान लीजिए कि हमारे पास 20 प्रश्नों वाली एक सर्वेक्षण प्रश्नावली है। सभी 20 प्रश्नों को एक साथ देने के बजाय, हम इन्हें दो समूहों में बाँट देते हैं - पहले 10 प्रश्न और बाकी 10 प्रश्न। अब, यदि उत्तरदाताओं के पहले और दूसरे भाग में दिए गए उत्तर समान पैटर्न दिखाते हैं, तो इसका मतलब है कि सर्वेक्षण स्थिर और विश्वसनीय है, यानी यह जो मापने का प्रयास कर रहा है, उसे सही तरीके से माप रहा है।

6. **वैकल्पिक रूप विश्वसनीयता (Alternate Form Reliability):** यह, यह जांचता है कि क्या किसी प्रश्नावली या परीक्षण के दो अलग-अलग संस्करण एक ही समय पर एक ही समूह को दिए जाने पर समान परिणाम देते हैं। मान लीजिए कि कर्मचारियों के तनाव स्तर (stress levels) को मापने के लिए दो अलग-अलग सर्वेक्षण तैयार किए गए हैं। दोनों सर्वेक्षण समान विषय पर प्रश्न पूछते हैं, लेकिन उनका प्रारूप और संरचना भिन्न हैं। यदि दोनों सर्वेक्षण यह दर्शाते हैं कि कर्मचारियों में समान स्तर का तनाव है, तो इसका अर्थ है कि दोनों संस्करण विश्वसनीय हैं–वे स्थिरता के साथ तनाव का सही मापन कर रहे हैं। यह शोधकर्ताओं को यह सुनिश्चित करने में मदद करता है कि उनका मापन सुसंगत और विश्वसनीय है और यह केवल प्रश्नों की संरचना या प्रस्तुति से प्रभावित नहीं हो रहा।

   दूसरी ओर, यदि किसी तनाव मूल्यांकन प्रश्नावली (stress assessment questionnaire) के दो अलग-अलग संस्करण तैयार किए जाएँ: संस्करण A कार्यस्थल पर तनाव से संबंधित प्रश्न पूछे। संस्करण B घरेलू जीवन में तनाव से जुड़े प्रश्न पूछे। यदि संस्करण A लगातार संस्करण B की तुलना में अधिक तनाव स्कोर दिखाता है, तो यह समग्र तनाव स्तर (overall stress levels) को सही तरीके से माप नहीं सकता। ऐसा इसलिए है क्योंकि यह केवल विशिष्ट प्रकार के तनाव (कार्यस्थल या घरेलू तनाव) पर अधिक जोर देता है, न कि व्यक्ति के समग्र तनाव स्तर पर।

त्रुटियों के प्रकार (Types of Errors)

शोध में होने वाली त्रुटियाँ परिणामों की सटीकता और विश्वसनीयता को प्रभावित कर सकती हैं। ये मुख्य रूप से दो प्रकार की होती हैं:

1. **यादृच्छिक त्रुटि (Random Error):** यादृच्छिक त्रुटि तब होती है जब माप अलग-अलग कारणों से अनियंत्रित रूप से भिन्न होते हैं, जिन्हें पूरी तरह से नियंत्रित करना कठिन होता है। यह ठीक उसी तरह है जैसे डार्ट्स खेलते समय कभी निशाना सही लगता है और कभी तीर अलग-अलग दिशाओं में चला जाता है, भले ही आपने एक ही तरह से निशाना साधा हो। इस भिन्नता का कारण हल्की हवा का झोंका या हाथ का हल्का कंपन हो सकता है।

   कल्पना करें कि आप स्टॉपवॉच का उपयोग करके अपने मित्र की दौड़ने की गति को माप रहे हैं। यदि आप स्टॉपवॉच शुरू या बंद करने में थोड़ी भी देरी करते हैं, तो हर बार समय थोड़ा अलग आ सकता है। यह एक यादृच्छिक त्रुटि है। इसी तरह, यदि दौड़ के दौरान हवा तेज हो जाती है या मौसम बदलता है, तो ये कारक आपके मित्र की गति को प्रभावित कर सकते हैं, जिससे परिणामों में परिवर्तन आ सकता है। यादृच्छिक त्रुटियाँ किसी पैटर्न का पालन नहीं करतीं और इन्हें पूरी तरह से नियंत्रित करना संभव नहीं होता। हालांकि, शोधकर्ता इन त्रुटियों को कम करने के लिए कई बार माप लेते हैं और औसत निकालकर अधिक सटीक निष्कर्ष प्राप्त करने का प्रयास करते हैं।

2. **प्रणालीगत त्रुटि (Systematic Error):** प्रणालीगत त्रुटि तब होती है जब किसी चीज को मापने या रिकॉर्ड करने में लगातार एक ही तरह की गलती होती है। यह त्रुटि सभी परिणामों को समान रूप से प्रभावित करती है, जिससे वे गलत हो जाते हैं। यादृच्छिक त्रुटि (random error) अनियमित रूप से होती है और अनुमान लगाना कठिन होता है, लेकिन प्रणालीगत त्रुटि एक निश्चित पैटर्न का अनुसरण करती है। यदि इसे ठीक नहीं किया गया, तो यह भ्रामक निष्कर्षों तक ले जा सकती है।

   उदाहरण के लिए, सोचिए कि आपके घर की दीवार घड़ी हमेशा वास्तविक समय से 10 मिनट पीछे चल रही है। हर बार जब आप समय देखेंगे, यह 10 मिनट गलत दिखाएगी। यह प्रणालीगत त्रुटि है क्योंकि गलती हर बार समान रहती है। यदि आप इस घड़ी पर निर्भर रहते हैं, तो आपके द्वारा बनाई गई सभी योजनाएँ 10 मिनट देरी से होंगी। इसी तरह, कल्पना करें कि एक वजन मापने वाली मशीन हमेशा आपके वास्तविक वजन में 2 किलोग्राम अधिक जोड़ देती है। जब भी आप इस पर खड़े होंगे, यह आपके वास्तविक वजन से 2 किलोग्राम अधिक दिखाएगी। यह भी एक प्रणालीगत त्रुटि है, क्योंकि हर बार एक ही तरह की गलती होती है, जिससे सभी माप गलत हो जाते हैं। इस प्रकार, प्रणालीगत त्रुटि को पहचानना और सुधारना आवश्यक होता है, ताकि शोध के निष्कर्ष सही और विश्वसनीय बने रहें।

वैधता (Validity)

वैधता यह मापने का तरीका है कि कोई परीक्षण, प्रयोग, या अध्ययन वास्तव में वही माप रहा है, जिसे वह मापने के लिए बनाया गया है। इसे समझने के लिए एक थर्मामीटर के उदाहरण पर विचार करें। यदि थर्मामीटर का काम तापमान मापना है, लेकिन यह वायुमंडलीय दबाव दिखाने लगे, तो यह वैध नहीं होगा, क्योंकि यह अपने निर्धारित उद्देश्य को पूरा नहीं कर रहा है।

किसी अध्ययन को वैध होने के लिए यह आवश्यक है कि उसके परिणाम उस अवधारणा या चर (variable) को सही ढंग से दर्शाएँ, जिसे शोध किया जा रहा है। उदाहरण के लिए, कल्पना करें कि एक शिक्षक छात्रों की गणितीय क्षमताओं का परीक्षण करना चाहता है, लेकिन परीक्षा में अधिकतर इतिहास से जुड़े प्रश्न शामिल हैं। अब, भले ही छात्र सभी प्रश्नों के सही उत्तर दें, फिर भी यह परीक्षा गणितीय क्षमताओं को मापने के लिए वैध नहीं मानी जाएगी, क्योंकि इसमें गणित पर ध्यान केंद्रित नहीं किया गया है। इस स्थिति में, इस परीक्षा की वैधता कम होगी।

वैधता के प्रकार (Types of Validity)

1. **आंतरिक वैधता (Internal Validity):** आंतरिक वैधता यह सुनिश्चित करने से संबंधित है कि अध्ययन के परिणाम वास्तव में उन्हीं कारणों से आए हैं, जिन्हें परीक्षण किया जा रहा है, न कि किसी अन्य छिपे हुए कारक (hidden factors) के कारण। उदाहरण के लिए, यदि किसी अध्ययन में यह जांचा जा रहा है कि व्यायाम (exercise) वजन घटाने (weight loss) को कैसे प्रभावित करता है, तो इसकी आंतरिक वैधता अधिक होगी यदि सभी प्रतिभागियों को केवल व्यायाम करने का निर्देश दिया जाए, जबकि उनके आहार, नींद, और तनाव स्तर जैसे अन्य कारक समान बनाए रखें। इस तरह, अगर किसी प्रतिभागी का वजन कम होता है, तो इसे आत्मविश्वास से व्यायाम का प्रभाव माना जा सकता है, और अन्य कारकों के हस्तक्षेप से परिणाम विकृत होने की संभावना कम होगी।

2. **बाह्य वैधता (External Validity):** बाह्य वैधता यह मापने से संबंधित है कि किसी अध्ययन के निष्कर्षों को अन्य परिस्थितियों में कितनी अच्छी तरह लागू किया जा सकता है। यदि किसी अध्ययन की बाह्य वैधता अधिक है, तो इसका अर्थ है कि उसके निष्कर्ष वास्तविक जीवन की स्थितियों में भी सही साबित हो सकते हैं और अधिक लोगों, विभिन्न स्थानों या अन्य समयावधियों में भी लागू किए जा सकते हैं।

   उदाहरण के लिए, मान लीजिए कि एक अध्ययन में यह पाया गया कि एक नई शिक्षण पद्धति से किसी स्कूल के छात्रों की गणितीय क्षमताएँ बेहतर होती हैं। यदि अध्ययन की बाह्य वैधता अधिक है, तो इसका मतलब है कि यही शिक्षण पद्धति अन्य स्कूलों में, अलग-अलग छात्रों और शिक्षकों के साथ भी समान रूप से प्रभावी हो सकती है। इस प्रकार, यदि कोई तरीका एक स्कूल में सफल होता है, तो इसकी संभावना अधिक होती है कि यह अन्य स्कूलों में भी काम करेगा, जिससे अध्ययन के निष्कर्ष व्यापक रूप से लागू करने योग्य और विश्वसनीय बन जाते हैं।

3. **सतही वैधता (Face Validity):** सतही वैधता यह मापती है कि कोई परीक्षण या मूल्यांकन जिस चीज को मापने के लिए बनाया गया है, वह दिखने में वैसा ही प्रतीत होता है या नहीं। यह एक ऊपरी स्तर की जाँच होती है, जो यह तय करती है कि परीक्षण देखने में उचित और प्रासंगिक लगता है या नहीं। उदाहरण के लिए, यदि आपको गणित की परीक्षा दी जाती है और उसमें मूलभूत अंकगणित (arithmetic), बीजगणित (algebra), और ज्यामिति (geometry) से संबंधित प्रश्न होते हैं, तो इस परीक्षा की सतही वैधता अधिक होगी, क्योंकि यह स्पष्ट रूप से गणितीय कौशल को मापने के लिए बनी हुई प्रतीत होती है। हालांकि, सतही वैधता व्यक्तिगत धारणा (perception) पर निर्भर करती है, और यह आधिकारिक परीक्षण नहीं होती। यह मुख्य रूप से लोगों के विचारों और निर्णयों पर आधारित होती है कि क्या परीक्षा सही विषयवस्तु का आकलन कर रही है या नहीं।

4. **निर्माण वैधता (Construct Validity):** संरचनात्मक वैधता सतही वैधता से अधिक गहरी होती है। यह जाँचती है कि कोई परीक्षण वास्तव में उसी अवधारणा को माप रहा है, जिसे वह मापने के लिए बनाया गया है या नहीं। यह सुनिश्चित करने के लिए विस्तृत विश्लेषण किया जाता है कि यह परीक्षण इसी तरह की अन्य माप विधियों से मेल खाता है और असंबंधित अवधारणाओं से मेल नहीं खाता।

   उदाहरण के लिए, मान लीजिए कि आप एक शिक्षक हैं और आप छात्रों की रचनात्मकता (creativity) को मापना चाहते हैं। यदि आप उन्हें एक ऐसी परीक्षा देते हैं जिसमें केवल बहुविकल्पीय प्रश्न होते हैं, तो यह वास्तव में रचनात्मकता को नहीं मापेगा। इसके बजाय, यह छात्रों की स्मरण शक्ति और तथ्यों को याद रखने की क्षमता को माप सकता है। इसका मतलब यह होगा कि इस परीक्षा में संरचनात्मक वैधता की कमी है, क्योंकि यह सही तरीके से रचनात्मकता को नहीं दर्शा रहा है।

5. **सामग्री वैधता (Content Validity):** विषय-वस्तु वैधता का अर्थ है कि किसी परीक्षा या मापन उपकरण (measurement instrument) में वह सभी पहलू कितनी अच्छी तरह शामिल किए गए हैं, जिनका सही मूल्यांकन किया जाना चाहिए। सरल शब्दों में, इसका मतलब यह है कि किसी परीक्षा या मापन उपकरण की विषय-वस्तु पूरी तरह से उन सभी व्यवहारों, कौशलों या विशेषताओं का प्रतिनिधित्व करती है, जिनका आकलन किया जा रहा है।

   उदाहरण के लिए मान लीजिए कि एक विज्ञान शिक्षक जीवविज्ञान विषय की परीक्षा बना रहा है। यदि परीक्षा में विषय-वस्तु वैधता होनी चाहिए, तो उसमें कोशिका संरचना (cell structure), अनुवांशिकी (genetics), विकास (evolution) और पारिस्थितिकी तंत्र (ecosystems) जैसे विभिन्न विषयों से प्रश्न शामिल होने चाहिए। यदि परीक्षा केवल एक विषय, जैसे कोशिका संरचना पर केंद्रित हो, तो उसमें विषय-वस्तु वैधता की कमी होगी, क्योंकि यह जीवविज्ञान के संपूर्ण पाठ्यक्रम का सही प्रतिनिधित्व नहीं करेगा। इसलिए, जब शिक्षक परीक्षा में विभिन्न विषयों को शामिल करता है, तो वह यह सुनिश्चित करता है कि परीक्षा छात्रों के संपूर्ण जीवविज्ञान ज्ञान का सही मूल्यांकन कर रही है।

6. **निष्कर्ष वैधता (Conclusion Validity):** निष्कर्ष वैधता का संबंध इस बात से है कि किसी अध्ययन के निष्कर्ष कितने विश्वसनीय और सटीक हैं, जो एकत्र किए गए डेटा पर आधारित होते हैं। उदाहरण के लिए, यदि एक अध्ययन से पता चलता है कि एक नई शिक्षण विधि छात्रों के परीक्षा अंकों में सुधार करती है, तो

निष्कर्ष वैधता यह जांचती है कि यह परिणाम कितना भरोसेमंद है। इसका अर्थ है कि अध्ययन में पर्याप्त संख्या में छात्र शामिल थे और अंकों को मापने के लिए विश्वसनीय परीक्षणों का उपयोग किया गया था। यदि निष्कर्ष वैधता अधिक होती है, तो इसका मतलब है कि हम पूरे विश्वास के साथ कह सकते हैं कि नई शिक्षण विधि वास्तव में परीक्षा अंकों को सुधारती है।

7. **पारिस्थितिक वैधता (Ecological Validity)**: पारिस्थितिक वैधता यह दर्शाती है कि किसी अध्ययन के निष्कर्ष वास्तविक जीवन की परिस्थितियों में कितनी अच्छी तरह लागू हो सकते हैं। यह जांचता है कि अध्ययन की परिस्थितियाँ, प्रक्रियाएँ और प्रतिभागी वास्तविक जीवन की स्थितियों का कितना सही प्रतिनिधित्व करते हैं। उदाहरण के लिए, यदि एक मनोवैज्ञानिक प्रयोग प्रयोगशाला में किया गया है, लेकिन उसके निष्कर्ष वास्तविक जीवन के व्यवहार पर भी लागू किए जा सकते हैं, तो इस प्रयोग में उच्च पारिस्थितिक वैधता होगी।
8. **पूर्वानुमान वैधता (Predictive Validity)**: पूर्वानुमान वैधता एक परीक्षण की भविष्य के परिणामों की भविष्यवाणी करने की क्षमता है। यह आकलन करता है कि एक परीक्षण या मापन भविष्य के मानदंड या व्यवहार की कितनी अच्छी तरह भविष्यवाणी कर सकता है। उदाहरण के लिए, यदि एक कॉलेज प्रवेश परीक्षा को उच्च पूर्वानुमान वैधता कहा जाता है, तो इसका मतलब है कि इस परीक्षा के अंकों को छात्रों के भविष्य के शैक्षणिक प्रदर्शन के अच्छे भविष्यवक्ता होना चाहिए। यदि प्रवेश परीक्षा में उच्च अंक प्राप्त करने वाले छात्र आमतौर पर अपने कॉलेज पाठ्यक्रमों में अच्छा प्रदर्शन करते हैं, तो परीक्षा में मजबूत पूर्वानुमान वैधता है।
9. **पश्चानुमान वैधता (Predictive Validity)**: इसे पुनरानुमानिक वैधता (Retrodictive Validity) भी कहा जाता है। यह किसी परीक्षा या मापन उपकरण की उस क्षमता को दर्शाती है, जिसके द्वारा वह पूर्व में घटित घटनाओं या व्यवहारों की सटीक भविष्यवाणी कर सकता है। जहां पूर्वानुमान वैधता (Predictive Validity) भविष्य की घटनाओं का अनुमान लगाती है, वहीं पश्चानुमानिक वैधता यह जांचती है कि कोई परीक्षण पहले घटित घटनाओं की कितनी सटीक व्याख्या कर सकता है या उनका कितना अच्छा लेखा-जोखा दे सकता है।
10. **अभिसारी वैधता (Convergent Validity)**: जब एक ही अवधारणा को मापने के लिए अलग-अलग तरीकों का उपयोग किया जाता है और वे समान या मेल खाते परिणाम देते हैं, तो इसे संमिलन वैधता कहा जाता है। उदाहरण के लिए, किसी कंपनी में नौकरी संतोष (job satisfaction) पर शोध करने वाले वैज्ञानिक दो अलग-अलग तरीकों–प्रश्नावली और साक्षात्कार–का उपयोग करते हैं। यदि जो कर्मचारी प्रश्नावली में उच्च नौकरी संतोष व्यक्त करते हैं, वही साक्षात्कार में भी उसी भावना को दर्शाते हैं, तो इससे संमिलन वैधता का संकेत मिलता है। इसका अर्थ है कि दोनों विधियाँ एक ही अवधारणा (नौकरी संतोष) को प्रभावी ढंग से माप रही हैं और अध्ययन के निष्कर्ष अधिक विश्वसनीय हैं।
11. **समवर्ती वैधता (Concurrent Validity)**: समकालिक वैधता तब होती है जब किसी नए परीक्षण या मापन को एक स्थापित और विश्वसनीय परीक्षण या मापन से एक ही समय (concurrently) में तुलना की जाती है। इसे इस तरह समझा जा सकता है–अगर एक नया थर्मामीटर बनाया जाता है, तो उसकी सटीकता जांचने के लिए उसे एक विश्वसनीय और पहले से मान्यता प्राप्त थर्मामीटर के साथ तुलना की जाती है। यदि दोनों समान तापमान दर्शाते हैं, तो नए थर्मामीटर की समकालिक वैधता अधिक मानी जाएगी।

    उदाहरण के लिए, मान लीजिए कि हाई स्कूल के छात्रों की गणितीय क्षमता मापने के लिए एक नया मानकीकृत परीक्षण (standardized test) बनाया गया है। इसकी समकालिक वैधता जांचने के लिए शोध कर्ता इसके परिणामों की तुलना एक प्रसिद्ध गणितीय परीक्षा जैसे SAT (Scholastic Aptitude Test) से कर सकते हैं। यदि नए परीक्षण के अंक SAT अंकों से मेल खाते हैं, तो इसका मतलब होगा कि नया परीक्षण गणितीय कौशल को सटीक रूप से माप रहा है और इस पर भरोसा किया जा सकता है।
12. **मानदंड वैधता (Criterion Validity)**: मानदंड वैधता यह जांचने से संबंधित है कि क्या कोई परीक्षा या परीक्षण उस विशेष मानदंड या परिणाम के साथ सटीक रूप से मेल खाता है या उसकी भविष्यवाणी कर सकता है, जिसका यह आकलन करने के लिए बनाया गया है। सरल शब्दों में, यह यह जांचता है कि कोई परीक्षा या परीक्षण किसी पहले से मान्यता प्राप्त मानक के आधार पर भविष्य के व्यवहार या परिणामों की भविष्यवाणी कर सकता है या नहीं।

    मान लीजिए कि छात्रों के अंतिम परीक्षा प्रदर्शन का अनुमान लगाने के लिए एक नया परीक्षण (test) विकसित किया गया है। इसकी मानदंड वैधता को जांचने के लिए इस नए परीक्षण के अंकों की तुलना छात्रों के वास्तविक अंतिम परीक्षा के अंकों से की जाएगी। यदि इस नए परीक्षण के अंकों और अंतिम परीक्षा के अंकों के बीच एक मजबूत संबंध पाया जाता है, तो इसका मतलब होगा कि इस परीक्षण की मानदंड वैधता अच्छी है। यानी, यह परीक्षण प्रभावी ढंग से छात्रों के शैक्षणिक प्रदर्शन की सही भविष्यवाणी कर सकता है।

क्लैरिटी कॉर्नर

किसी मानदंड और समवर्ती वैधता के बीच भ्रमित हैं? आइए दोनों के बीच के अंतर को समझकर भ्रम को दूर करें-

- **समय (Timing)**: मानदंड वैधता भविष्य के परिणामों की भविष्यवाणी करने पर केंद्रित होती है। समकालिक वैधता वर्तमान में किए गए परीक्षणों के बीच के संबंध को जांचती है।
- **तुलना (Comparison)**: मानदंड वैधता परीक्षण स्कोर की तुलना भविष्य के परिणाम (मानदंड) से करती है, जबकि समवर्ती वैधता परीक्षण स्कोर की तुलना उसी समय पर एक ही निर्माण को मापने वाले दूसरे परीक्षण के स्कोर से करती है।

★★★ परीक्षोपयोगी

6.4 शोध प्रतिमान (Research Paradigm)

शोध प्रतिमान एक चश्मे की तरह होता है जिसे शोधकर्ता अपने अध्ययन की दुनिया को देखने और समझने के लिए पहनते हैं। यह विश्वासों, सिद्धांतों और धारणाओं के उस समूह को संदर्भित करता है जो शोध की विधियों, दृष्टिकोणों और तरीकों को दिशा प्रदान करता है। यह शोधकर्ता की सोच,

मान्यताओं और दृष्टिकोण को प्रभावित करता है, जिससे वह अपने शोध प्रश्नों को परिभाषित करता है, विधियों का चयन करता है और निष्कर्षों की व्याख्या करता है। आइए इसे एक उदाहरण से समझते हैं। मान लीजिए कि दो शोधकर्ता "खुशी" (Happiness) पर अध्ययन कर रहे हैं।

शोधकर्ता 1 (Researcher 1): उनका मानना है कि खुशी को वस्तुनिष्ठ रूप से मापा जा सकता है, जैसे थर्मामीटर तापमान को मापता है। वे लोगों से एक सर्वेक्षण के माध्यम से उनकी खुशी को 1 से 10 के पैमाने पर रेट करने के लिए कह सकते हैं और सांख्यिकीय विश्लेषण करके उसमें मौजूद पैटर्न को खोज सकते हैं।

शोधकर्ता 2 (Researcher 2): उनका मानना है कि खुशी एक जटिल अवधारणा है और इसे इतनी आसानी से संख्याओं में नहीं मापा जा सकता। वे लोगों का साक्षात्कार लेकर यह समझने की कोशिश कर सकते हैं कि उन्हें क्या चीजें खुश करती हैं और उनके अनुभवों व कहानियों के माध्यम से उनकी भावनाओं का विश्लेषण कर सकते हैं।

शोध में अलग-अलग दृष्टिकोण विभिन्न शोध प्रतिमानों (Research Paradigms) का प्रतिनिधित्व करते हैं। ये प्रतिमान यह तय करते हैं कि शोधकर्ता अपने विषय को कैसे देखते हैं और उसका अध्ययन कैसे करते हैं। चुनी गई शोध विधियाँ दर्शाती हैं कि विभिन्न शोध प्रतिमान अलग-अलग तरीकों और पद्धतियों को जन्म देते हैं, जिनमें अपनी-अपनी खूबियाँ और सीमाएँ होती हैं। शोध प्रतिमानों को विभिन्न श्रेणियों में विभाजित किया जा सकता है:

1. **यथार्थवाद (Realism):** यथार्थवाद बाहरी दुनिया या बाहरी स्रोतों से जानकारी प्राप्त करने पर केंद्रित होता है। उदाहरण के लिए, यदि जलवायु परिवर्तन (Climate Change) पर एक अध्ययन किया जा रहा है और शोधकर्ता विभिन्न देशों के मौसम केंद्रों से तापमान डेटा एकत्र कर रहे हैं, तो वे यथार्थवादी (Realist) प्रतिमान का अनुसरण कर रहे हैं। उनका उद्देश्य तापमान में होने वाले वास्तविक उतार-चढ़ाव को समझना है।
2. **निर्माणवाद (Constructivism):** निर्माणवाद इस बात पर जोर देता है कि हर व्यक्ति का अनुभव अनोखा होता है और उसकी व्यक्तिगत अनुभूति से अधिक महत्वपूर्ण कुछ नहीं हो सकता। उदाहरण के लिए, यदि कोई शोध कैंसर से बचे हुए व्यक्तियों (Cancer Survivors) के अनुभवों का अध्ययन कर रहा है और इसके लिए गहराई से व्यक्तिगत साक्षात्कार कर रहा है, तो यह एक निर्माणवादी प्रतिमान का हिस्सा होगा। इसमें शोधकर्ता उन लोगों की विविध और व्यक्तिगत सोच व अनुभवों को समझने का प्रयास करते हैं।
3. **व्यवहारवाद (Pragmatism):** व्यवहारवाद यथार्थवाद और निर्माणवाद दोनों के तत्वों को शामिल करता है और इन्हें परस्पर विरोधी न मानकर एक-दूसरे के पूरक दृष्टिकोण के रूप में देखता है। उदाहरण के लिए, यदि किसी शोध में कक्षा में इस्तेमाल की जाने वाली नई शिक्षण पद्धति की प्रभावशीलता का मूल्यांकन किया जा रहा है, तो शोधकर्ता मिश्रित विधि (Mixed-Methods Approach) अपना सकते हैं। वे मात्रात्मक सर्वेक्षण (Quantitative Surveys) का उपयोग करके छात्रों के प्रदर्शन को वस्तुनिष्ठ रूप से माप सकते हैं। साथ ही, गुणात्मक साक्षात्कार (Qualitative Interviews) के माध्यम से शिक्षकों के व्यक्तिगत अनुभवों को समझ सकते हैं।

सकारात्मवाद (Positivism)

चीजों को समझने के लिए ठोस सबूतों और प्रत्यक्ष रूप से देखे जा सकने वाले तथ्यों पर निर्भर करता है ताकि चीजों को समझा जा सके। सकारात्मवादी यह मानते हैं कि दुनिया में स्पष्ट कारण और प्रभाव (cause-and-effect) के संबंध होते हैं, और हम इन्हें सावधानीपूर्वक अवलोकन और मापन के माध्यम से समझ सकते हैं। इसे ऐसे समझें जैसे किसी वस्तु को आवर्धक काँच (magnifying glass) से देखकर उसमें पैटर्न ढूँढना।

इस सिद्धांत को 19वीं शताब्दी में फ्रांसीसी दार्शनिक ऑगस्ट कॉम्टे (Auguste Comte) ने विकसित किया था। पॉजिटिविस्ट शोधकर्ता वास्तविकता को वस्तुनिष्ठ (objective) मानते हैं, अर्थात वे यह विश्वास करते हैं कि हमारे विचारों या धारणाओं से स्वतंत्र एक बाहरी वास्तविकता मौजूद है। दूसरे शब्दों में, उनका मानना है कि दुनिया से जुड़े तथ्य और सत्य अवलोकन और मापन के माध्यम से खोजे जा सकते हैं, चाहे किसी व्यक्ति की व्यक्तिगत सोच या व्याख्या कुछ भी हो।

सकारात्मवाद की कमियाँ (Drawbacks of Positivism)

1. **सीमित ज्ञान का दायरा (Limited Scope of Knowledge):** सकारात्मवाद की एक प्रमुख कमी यह है कि यह केवल उन चीजों पर ध्यान केंद्रित करता है जिन्हें देखा और मापा जा सकता है। इसका परिणाम यह हो सकता है कि जटिल विषयों की समझ सीमित रह जाए। उदाहरण के लिए, यदि हम केवल वैज्ञानिक प्रयोगों पर निर्भर होकर मानव व्यवहार को समझने का प्रयास करें, तो हम उन महत्वपूर्ण पहलुओं को नजरअंदाज कर सकते हैं जो मापना कठिन होते हैं, जैसे भावनाएँ, प्रेरणाएँ और सांस्कृतिक प्रभाव।
2. **वस्तुनिष्ठता के लिए चुनौतियाँ (Challenges to Objectivity):** सकारात्मवादी विधियाँ निष्पक्ष और तटस्थ रहने का प्रयास करती हैं, लेकिन शोधकर्ताओं की व्यक्तिगत मान्यताओं, मूल्यों और पूर्वाग्रहों का प्रभाव उनकी व्याख्या और अवलोकन पर पड़ सकता है। यह विषयगतता (subjectivity) शोध परिणामों में त्रुटियाँ या विकृतियाँ उत्पन्न कर सकती है, जिससे उनकी विश्वसनीयता और वैधता प्रभावित होती है। उदाहरण के लिए, मनोविज्ञान जैसी सामाजिक विज्ञानों में, शोधकर्ता पूरी तरह से तटस्थ बने रहने में कठिनाई महसूस कर सकते हैं, क्योंकि मानव व्यवहार और भावनाएँ व्यक्तिगत अनुभवों से प्रभावित होती हैं।

क्विज स्टेशन *विगत UGC NET परीक्षाओं के प्रश्न*

प्र 1. प्रत्यक्षवादी शोधकर्ता वास्तविकता को मानते हैं

(a) व्यक्तिपरक

(b) वस्तुनिष्ठ

(c) तटस्थ

(d) महत्वहीन

उत्तर 1. (b)

उत्तर-सकारात्मवाद (Post-positivism)

पोस्ट-पॉजिटिविज्म की अवधारणा 20वीं शताब्दी के उत्तरार्ध में थॉमस कून (Thomas Kuhn), कार्ल पोपर (Karl Popper) और इमरे लाकातोस (Imre Lakatos) जैसे विद्वानों द्वारा विकसित की गई थी। इन विद्वानों ने पूर्ण सत्य (absolute truth) की धारणा पर प्रश्न उठाए और शोध में आलोचनात्मक चिंतन के महत्व पर जोर दिया। उत्तर-सकारात्मवाद, सकारात्मवाद की कुछ सीमाओं के प्रति प्रतिक्रिया के रूप में उभरने वाला एक शोध दृष्टिकोण है।

जहाँ सकारात्मवाद वैज्ञानिक विधियों और प्रायोगिक साक्ष्यों (empirical evidence) के उपयोग पर बल देता है, वहीं उत्तर-सकारात्मवाद विभिन्न दृष्टिकोणों और वैकल्पिक व्याख्याओं को भी महत्व देता है, बजाय इसके कि वह पूर्ण निश्चितता (absolute certainty) या सार्वभौमिक नियमों (universal laws) की खोज करे। सकारात्मवाद वास्तविकता को वस्तुनिष्ठ (objective) और मानव धारणा से स्वतंत्र मानता है, जबकि उत्तर-सकारात्मवाद यह स्वीकार करता है कि हमारी वास्तविकता की समझ हमारे अनुभवों और विश्वासों से प्रभावित होती है।

यह शोधकर्ताओं को अपने पूर्वाग्रहों से अवगत रहने और सामाजिक व सांस्कृतिक संदर्भों को ध्यान में रखते हुए जटिल विषयों की गहराई से पड़ताल करने के लिए प्रोत्साहित करता है। उदाहरण के लिए, एक सकारात्मवादी शोध कर्ता चिंता (anxiety) में सार्वभौमिक पैटर्न खोजने के लिए केवल आँकड़े एकत्रित करने पर ध्यान केंद्रित करेगा, जबकि एक पोस्ट- सकारात्मवादी शोधकर्ता यह भी देखेगा कि सांस्कृतिक और व्यक्तिगत कारक लोगों के चिंता अनुभवों को कैसे प्रभावित करते हैं, और विभिन्न दृष्टिकोणों का सम्मान करेगा।

उत्तर-सकारात्मवाद के तहत विकास (Developments under Post-positivism)

उत्तर-सकारात्मवाद उन महत्वपूर्ण विकासों पर जोर देता है, जो इसे सकारात्मवाद से अलग करते हैं और शोध के दृष्टिकोण को अधिक समृद्ध बनाते हैं:

1. **गुणात्मक और मात्रात्मक रणनीतियों का एकीकरण (Integration of Qualitative and Quantitative Strategies):** उत्तर-सकारात्मवाद शोध में गुणात्मक (qualitative) और मात्रात्मक (quantitative) दोनों तरीकों को मिलाने पर बल देता है। जहां सकारात्मवाद मुख्य रूप से संख्यात्मक आंकड़ों और सांख्यिकी (statistics) पर निर्भर करता है, वहीं उत्तर-सकारात्मवाद साक्षात्कार और अवलोकन जैसी गुणात्मक जानकारी के महत्व को भी स्वीकार करता है। इन दोनों दृष्टिकोणों को मिलाकर शोधकर्ता किसी जटिल विषय को अधिक समग्र रूप से समझ सकते हैं।

   उदाहरण के लिए, यदि किसी अध्ययन में शैक्षिक उपलब्धि का मूल्यांकन किया जा रहा है, तो मात्रात्मक सर्वेक्षणों (quantitative surveys) के माध्यम से छात्र प्रदर्शन के संख्यात्मक आंकड़े एकत्र किए जा सकते हैं, जबकि गुणात्मक साक्षात्कारों (qualitative interviews) के माध्यम से छात्रों के अनुभवों और दृष्टिकोणों को गहराई से समझा जा सकता है।

2. **रणनीति-आधारित शोध प्रश्नों पर जोर (Emphasis on Strategy-Based Research questions):** उत्तर-सकारात्मवाद शोधकर्ताओं को एक सार्वभौमिक सत्य खोजने के बजाय विशिष्ट रणनीतियों के आधार पर शोध प्रश्न विकसित करने के लिए प्रोत्साहित करता है। उदाहरण के लिए, 'चिंता (anxiety) का कारण क्या है?' जैसे व्यापक प्रश्न पूछने के बजाय, उत्तर-प्रतिवादवादी शोधकर्ता यह जानने पर ध्यान केंद्रित कर सकते हैं कि सांस्कृतिक कारक (cultural factors) चिंता के स्तर को कैसे प्रभावित करते हैं। इससे जटिल विषयों की अधिक गहन समझ विकसित हो सकती है।

   इसी तरह, यदि किसी शोध में स्वास्थ्य देखभाल (healthcare) पर ध्यान दिया जा रहा है, तो सभी मरीजों के लिए एक ही समाधान खोजने की बजाय, विभिन्न रणनीतियों पर शोध किया जा सकता है। उदाहरण के लिए, यह अध्ययन किया जा सकता है कि अलग-अलग मरीज समूहों के लिए उनकी विशिष्ट आवश्यकताओं के अनुसार संतोषजनक स्वास्थ्य सेवाएं कैसे प्रदान की जा सकती हैं।

क्विज स्टेशन *विगत UGC NET परीक्षाओं के प्रश्न*

प्र 1. निम्नलिखित कथनों पर विचार करें

1. वास्तविकता की प्रकृति मानव मन से बाहर है।
2. ध्यान आलोचनात्मक वास्तविकता पर है।
3. शोध का उद्देश्य सार्वभौमिक खोजना है।
4. स्वीकार्य विधि और डेटा मूल रूप से 'वैज्ञानिक विधि' है।
5. यह विधि आगमनात्मक दृष्टिकोण के करीब है।

उपर्युक्त कथनों में निम्नलिखित में से कौन-सा दृष्टिकोण काम कर रहा है?

(a) प्रत्यक्षवाद

(b) उत्तर-प्रत्यक्षवाद

(c) निगमनात्मक दृष्टिकोण

(d) प्रयोगात्मक दृष्टिकोण

उत्तर 1. (b)

★★★ परीक्षोपयोगी

6.5 शोध दृष्टिकोणन (Research Approaches)

शोध पद्धति (Research Methodology) के दृष्टिकोण उन मानचित्रों (roadmaps) की तरह होते हैं, जो शोधकर्ताओं को खोज और समझ की प्रक्रिया में मार्गदर्शन देते हैं। इन दृष्टिकोणों के मूल में तीन प्रमुख स्तंभ होते हैं: ज्ञानमीमांसा (Epistemology), मूल्यमीमांसा (Axiology) और सत्ता मीमांसा (Ontology)। ये दृष्टिकोण ज्ञान (Epistemology), मूल्यों (Axiology) और वास्तविकता के स्वरूप (Ontology) से संबंधित मूलभूत प्रश्नों की पड़ताल करते हैं। इन तीन स्तंभों के आधार पर शोधकर्ता अपनी शोध पद्धतियाँ विकसित करते हैं, जो यह निर्धारित करती हैं कि वे अपने अध्ययन को किस प्रकार समझेंगे और संपन्न करेंगे (चित्र 6.1)।

ज्ञानमीमांसा (Epistemology)

ज्ञानमीमांसा, दर्शनशास्त्र की एक शाखा है, जो ज्ञान के स्वरूप और उसके अर्जन (acquisition) की प्रक्रिया की पड़ताल करती है। इस शब्द को स्कॉटिश दार्शनिक और आध्यात्मिक लेखक जेम्स फ्रेडरिक फेरियर (James Frederick Ferrier) ने गढ़ा था। यह दृष्टिकोण इस बात को समझने का प्रयास करता है कि हम चीजों को कैसे जानते हैं, हमारे ज्ञान की सीमा क्या है और हम इसे प्राप्त करने के लिए किन विधियों का उपयोग करते हैं। ज्ञान अर्जित करने के दो प्रमुख तरीके होते हैं:

1. **तर्कवाद (Rationalism):** तर्कवाद ज्ञान प्राप्ति में तर्क (logic) और बुद्धि (reason) की भूमिका पर जोर देता है। यह मानता है कि इंद्रियों (senses) से प्राप्त जानकारी की तुलना में मस्तिष्क, तार्किक निष्कर्षों के आधार पर अधिक विश्वसनीय होता है। इस दृष्टिकोण में, निष्कर्ष पर पहुँचने से पहले तर्क और विचारों का विश्लेषण किया जाता है, फिर संवेदी अनुभव (sensory experience) की भूमिका को स्वीकार किया जाता है।

   उदाहरण के लिए, मान लीजिए, कोई व्यक्ति यह तय कर रहा है कि उसे कौन-सा विश्वविद्यालय चुनना चाहिए। वह इस निर्णय के लिए कई महत्वपूर्ण कारकों पर विचार कर सकता है, जैसे विश्वविद्यालय की प्रतिष्ठा, शिक्षा की गुणवत्ता, शुल्क (fees) और स्नातक होने के बाद मिलने वाले करियर के अवसर। इन सभी पहलुओं का तार्किक रूप से विश्लेषण करने के बाद, वह यह तय करता है कि कौन-सा विश्वविद्यालय उसकी आवश्यकताओं और लक्ष्यों के अनुरूप सबसे उपयुक्त होगा।

2. **अनुभववाद (Empiricism):** अनुभववाद ज्ञान प्राप्ति में संवेदी अनुभव (sensory experience) और अवलोकन (observation) के महत्व पर जोर देता है। यह विचार करता है कि हम अपनी इंद्रियों - देखने, सुनने, छूने और सीधे अनुभव करने के माध्यम से ज्ञान अर्जित करते हैं। केवल सिद्धांतों या दूसरों के कहे पर निर्भर रहने के बजाय, अनुभववाद यह मानता है कि सबसे अच्छा तरीका स्वयं अवलोकन और प्रयोग (experiment) करना है। उदाहरण के लिए, अनुभववाद ज्ञान प्राप्ति में संवेदी अनुभव (sensory experience) और अवलोकन (observation) के महत्व पर जोर देता है। यह विचार करता है कि हम अपनी इंद्रियों - देखने, सुनने, छूने और सीधे अनुभव करने के माध्यम से ज्ञान अर्जित करते हैं। केवल सिद्धांतों या दूसरों के कहे पर निर्भर रहने के बजाय, अनुभववाद यह मानता है कि सबसे अच्छा तरीका स्वयं अवलोकन और प्रयोग (experiment) करना है।

एक्सियोलॉजी (Axiology)

मूल्यमीमांसा दर्शन (philosophy) की वह शाखा है, जो मूल्यों (values) और उनके संबंध में किए जाने वाले निर्णयों (judgements) का अध्ययन करती है। यह इस बात की पड़ताल करता है कि क्या वांछनीय (desirable) है और क्या नैतिक रूप से सही (morally good) माना जाता है। मूल्यमीमांसा नैतिक सिद्धांतों, सौंदर्य मानकों (aesthetic standards) और स्वयं मूल्य (value) के स्वरूप का विश्लेषण करती है। मूल्यमीमांसा को दो मुख्य भागों में विभाजित किया जाता है:

1. नीतिशास्त्र **(Ethics):** नीतिशास्त्र उन नैतिक मूल्यों और सिद्धांतों पर केंद्रित होता है, जो मानव व्यवहार और परस्पर क्रियाओं को नियंत्रित करते हैं। यह उन प्रश्नों की पड़ताल करता है, जो यह निर्धारित करते हैं कि क्या नैतिक रूप से सही या गलत, अच्छा या बुरा, न्यायसंगत या अन्यायसंगत है। उदाहरण के लिए, नैतिकता से जुड़े प्रश्न तब उत्पन्न हो सकते हैं, जब यह तय किया जाए कि क्या कुछ कार्य, जैसे झूठ बोलना या चोरी करना, नैतिक रूप से स्वीकार्य हैं या पूरी तरह से निषिद्ध होने चाहिए।
2. सौंदर्यशास्त्र **(Aesthetics):** सौंदर्यमीमांसा उन मूल्यों का अध्ययन करता है, जो सौंदर्य, कला और रुचि से संबंधित होते हैं। यह इस बात की जांच करता है कि विभिन्न कलात्मक अभिव्यक्तियों - जैसे साहित्य, दृश्य कला, संगीत और वास्तुकला (architecture) में क्या सौंदर्यपूर्ण रूप से मनोहर (aesthetically pleasing) या मूल्यवान माना जाता है। उदाहरण के लिए, जब किसी पेंटिंग की सुंदरता, किसी संगीत रचना के भावनात्मक प्रभाव या किसी साहित्यिक कृति के महत्व पर चर्चा होती है, तो ये सभी सौंदर्यमीमांसा के क्षेत्र में आते हैं।

सत्ता मीमांसा (Ontology)

सत्ता मीमांसा (Ontology) दार्शनिक अध्ययन की एक शाखा है, जो अस्तित्व (existence) और वास्तविकता (reality) के मूल स्वरूप की पड़ताल करती है। यह गहन प्रश्नों का उत्तर खोजने का प्रयास करती है, जैसे - इस संसार में क्या-क्या अस्तित्व में है और ये तत्व एक-दूसरे से कैसे संबंधित हैं? कल्पना करें कि आप यह समझने की कोशिश कर रहे हैं कि क्या हमारे सपने वास्तविक हैं या महज एक भ्रम (illusion) हैं। कुछ लोग कह सकते हैं कि सपने वास्तविक होते हैं, क्योंकि हम उन्हें अनुभव करते हैं। वहीं, कुछ अन्य यह तर्क दे सकते हैं कि सपने वास्तविक नहीं होते, क्योंकि वे हमारी नींद टूटते ही गायब हो जाते हैं। सत्ता मीमांसा विभिन्न दृष्टिकोणों की खोज करता है कि वास्तविकता क्या है और इस संसार में चीजें किस प्रकार अस्तित्व में आती हैं।

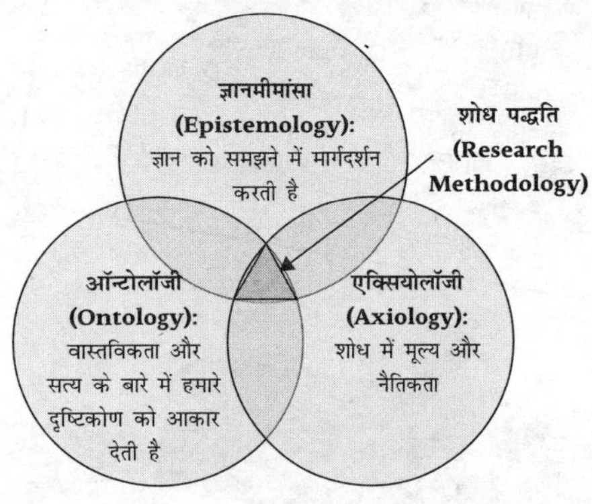

चित्र 6.1 शोध दर्शन

स्कोर बूस्टर

पूरक पठन अनुशंसा

QR कोड काम नहीं कर रहा है? QR कोड के साथ दिए गए संसाधनों तक पहुँचने के लिए आंतरिक फ्रन्ट कवर पर दिए गए निर्देशों का पालन करें

नीचे आधिकारिक UGC NET पेपर 1 पाठ्यक्रम में उल्लिखित विषय दिए गए हैं जिन्हें हाल के UGC NET परीक्षाओं में नहीं पूछा गया है। यदि आप उन्हें जानना चाहते हैं, तो विस्तृत स्पष्टीकरण के साथ एक **विशेष पीडीएफ** तक पहुँचने के लिए QR कोड को स्कैन करें:

1. शोध के उद्देश्य
2. शोधकर्ता के गुण

अध्याय के मुख्य बिंदु

शोध प्रतिमान

- प्रत्यक्षवाद
  (वैज्ञानिक विधियाँ जैसे प्रयोग और अवलोकन)
- उत्तर-प्रत्यक्षवाद
  (वैज्ञानिक विधियाँ जैसे प्रयोग और अवलोकन + निष्पक्षता, व्याख्या और एकाधिक दृष्टिकोण)

विश्वसनीयता के प्रकार

- अंतर-रेटर या अंतर-पर्यवेक्षक विश्वसनीयता
- परीक्षण-पुन:परीक्षण विश्वसनीयता
- समानांतर-फॉर्म विश्वसनीयता
- आंतरिक संगति विश्वसनीयता
- विभाजित-आधा विश्वसनीयता
- वैकल्पिक फॉर्म विश्वसनीयता

शोध के उद्देश्य
(पूरक पीडीएफ में शामिल)

- परिचितता प्राप्त करें या नई अंतर्दृष्टि विकसित करें
- किसी घटना की आवृत्ति का अध्ययन करें
- मौजूदा ज्ञान की समीक्षा करें और उसका संश्लेषण करें
- किसी मौजूदा स्थिति या समस्या की जांच करें
- परिवर्तनशील संबंधों को दर्शाने वाली परिकल्पनाओं का परीक्षण करें
- उपचारात्मक उपाय और समाधान सुझाएँ
- सामान्य मुद्दों का अन्वेषण और विश्लेषण करें
- दैनिक जीवन के पहलुओं की जाँच करें
- नई प्रक्रियाएँ या प्रणालियाँ बनाएँ या बनाएँ
- नया ज्ञान उत्पन्न कर

वैधता के प्रकार

- आंतरिक वैधता
- बाह्य वैधता
- चेहरा वैधता
- सामग्री वैधता
- निर्माण वैधता
- निष्कर्ष वैधता
- पारिस्थितिक वैधता
- पूर्वानुमानात्मक वैधता
- उत्तरकालिक वैधता
- अभिसारी वैधता
- समवर्ती वैधता
- मानदंड वैधता

शोध की विशेषताएँ

- सटीकता
- विश्वसनीयता
- सामान्यीकरण
- अनुभवजन्य शोध
- व्यवस्थित
- नियंत्रित कारक
- चक्रीय
- तार्किक
- प्रतिकृति योग्य

शोध दृष्टिकोण

- ज्ञानमीमांसा
- मूल्यमीमांसा
- ऑन्टोलॉजी

एक शोधकर्ता के गुण
(पूरक पीडीएफ में शामिल)

- विश्लेषणात्मक और तार्किक रूप से सोचता है
- जिज्ञासु और कल्पनाशील
- अवलोकन करता है और सिद्धांत बनाता है
- डेटा और विधियों का मूल्यांकन करता है
- नए विचार उत्पन्न करता है
- विवरण पर ध्यान देता है
- दृढ़ और समर्पित
- निष्कर्षों को स्पष्ट रूप से संप्रेषित करता है

शोध की पद्धतियाँ (Methods of Research)

7

इस अध्याय में

*परीक्षोपयोगी *(Exam Essential): UGC NET परीक्षा में पूछे जाने की अत्यधिक संभावना*

परिचय (Introduction)

कल्पना करें कि आप एक स्कूल समिति के सदस्य हैं, जिसका उद्देश्य है छात्रों के प्रदर्शन में सुधार करना। इस लक्ष्य को पूरा करने के लिए, आप केवल एक प्रकार की जानकारी पर निर्भर नहीं रहेंगे। आप परीक्षा अंकों का विश्लेषण कर सकते हैं ताकि यह समझा जा सके कि समय के साथ प्रदर्शन में क्या रुझान दिख रहे हैं। इसके अलावा, आप शिक्षकों, छात्रों और अभिभावकों से सर्वेक्षण के माध्यम से उनकी राय और विचार प्राप्त कर सकते हैं।

साथ ही, आप शिक्षकों के साथ फोकस समूह आयोजित कर सकते हैं ताकि वे कक्षा में देखी गई समस्याओं पर गहराई से चर्चा कर सकें। इनमें से प्रत्येक तरीका अलग-अलग प्रकार की जानकारी प्रदान करता है, और जब इन सभी तरीकों को एक साथ इस्तेमाल किया जाता है, तो किसी भी एक विधि की तुलना में स्थिति की अधिक संपूर्ण तस्वीर मिलती है।

यह वास्तविक जीवन का उदाहरण दर्शाता है कि शोधकर्ता क्यों अनेक शोध विधियों का उपयोग करते हैं। अब आइए समझते हैं कि वास्तव में शोध विधियाँ क्या होती हैं। ये वे व्यवस्थित तकनीकें हैं, जिनका उपयोग डेटा को एकत्रित करने, विश्लेषण करने और उसकी व्याख्या करने के लिए किया जाता है। शोधकर्ता इन विधियों को ज्ञान बढ़ाने, सिद्धांतों का परीक्षण करने या परिणामों का मूल्यांकन करने के लिए अपनाते हैं, जो उनके विशेष शोध प्रश्नों या चुनौतियों पर निर्भर करता है। जिस प्रकार छात्र प्रदर्शन में सुधार के लिए विभिन्न प्रकार की जानकारी की आवश्यकता होती है, उसी तरह जटिल शोध प्रश्नों को समझने के लिए भी कई विधियों की जरूरत होती है।

इस अध्याय में, हम यह जानेंगे कि विभिन्न शोध विधियों का उपयोग विविध शोध प्रश्नों के समाधान के लिए कैसे किया जा सकता है। इन विधियों में निपुणता प्राप्त करके, आप अपनी शोध योजना को और अधिक प्रभावी बना सकते हैं, जिससे आपके निष्कर्ष मजबूत, विश्वसनीय और व्यावहारिक बन सकें!

★★★ परीक्षोपयोगी

7.1 डेटा के प्रकार के आधार पर (Based on Type of Data)

मात्रात्मक शोध (Quantitative Research)

मात्रात्मक विधियाँ वे शोध तकनीकें हैं, जिनमें संख्यात्मक डेटा को एकत्रित और विश्लेषित किया जाता है। इन विधियों का ध्यान मापने योग्य और गिनती की जा सकने वाली जानकारी पर केंद्रित होता है, जिससे शोधकर्ता आँकड़ों का उपयोग करके पैटर्न, संबंध और प्रवृत्तियों (trends) को समझ सकते हैं। यह विधियाँ आमतौर पर संरचित तरीकों का उपयोग करती हैं, जैसे कि सर्वेक्षण, प्रयोग या प्रश्नावली, जहाँ डेटा को संख्याओं के रूप में व्यक्त किया जा सकता है।

उदाहरण के लिए, मान लीजिए कि आप यह जानना चाहते हैं कि छात्र प्रतिदिन पढ़ाई में कितना समय व्यतीत करते हैं। इसके लिए, आप एक सर्वेक्षण तैयार कर सकते हैं, जिसमें छात्रों से यह पूछा जाए कि वे होमवर्क, पढ़ाई या परीक्षा की तैयारी में कितने घंटे लगाते हैं। जब आप सर्वेक्षण के उत्तर एकत्र कर लेंगे, तो आप मात्रात्मक विधियों का उपयोग करके डेटा का विश्लेषण कर सकते हैं। इसमें औसत अध्ययन समय की गणना करना, विभिन्न समूहों में अध्ययन के पैटर्न की पहचान करना, या यह देखना शामिल हो सकता है कि अध्ययन समय और परीक्षा अंकों के बीच कोई संबंध है या नहीं।

उदाहरण के लिए, शोध के निष्कर्ष यह दिखा सकते हैं कि जो छात्र अधिक समय तक पढ़ाई करते हैं, वे उच्च अंक प्राप्त करते हैं, या जो छात्र शांत वातावरण में अध्ययन करना पसंद करते हैं, वे अकादमिक रूप से बेहतर प्रदर्शन करते हैं। इस प्रकार, मात्रात्मक विश्लेषण से प्राप्त यह निष्कर्ष शिक्षकों और नीति-निर्माताओं के लिए महत्वपूर्ण प्रमाण प्रदान करते हैं, जिससे वे छात्रों के सीखने के अनुभव और शैक्षणिक परिणामों को सुधारने के लिए प्रभावी कदम उठा सकते हैं।

गुणात्मक शोध (Qualitative Research)

गुणात्मक शोध एक ऐसी विधि है, जिसका उपयोग मुख्य रूप से लोगों के दृष्टिकोण, व्यवहार और अनुभवों को गहराई से समझने के लिए किया जाता है। इस प्रकार के शोध में, हम गैर-संख्यात्मक (non-numerical) डेटा एकत्रित और विश्लेषित करते हैं ताकि किसी विषय, विचार या अनुभव की गहरी समझ प्राप्त की जा सके। संख्याओं और आँकड़ों पर ध्यान केंद्रित करने के बजाय, गुणात्मक विधियाँ शब्दों, कहानियों और विस्तृत विवरणों का उपयोग करती हैं ताकि यह समझा जा सके कि लोग विभिन्न परिस्थितियों में कैसे सोचते हैं, महसूस करते हैं या व्यवहार करते हैं।

गुणात्मक शोध विधियों में साक्षात्कार (interviews), विचार-विमर्श समूह (focus groups) और पर्यवेक्षण शामिल होते हैं। इन विधियों के माध्यम से शोधकर्ता विस्तृत और समृद्ध जानकारी एकत्र कर सकते हैं, जो आमतौर पर शब्दों में व्यक्त की जाती है, न कि संख्याओं में। ये विधियाँ मानवीय व्यवहार की बारीकियों और उनके पीछे के कारणों को समझने में सहायक होती हैं।

गुणात्मक शोध को समझने के लिए एक उदाहरण लेते हैं। नंदिनी, एक शोध कर्ता, जयपुर में सौंदर्यपरक (aesthetic) कैफे की बढ़ती लोकप्रियता से प्रभावित होकर यह जानना चाहती है कि इसके पीछे कौन-कौन से सांस्कृतिक और सामाजिक कारक काम कर रहे हैं। इसके लिए, वह शहर के विभिन्न थीम-आधारित कैफे का दौरा करती है। प्रत्येक स्थान पर, वह कैफे मालिकों से बातचीत करती है और उनके कैफे की डिजाइन और थीम की प्रेरणा के बारे में जानकारी प्राप्त करती है।

साथ ही, नंदिनी ग्राहकों से भी बातचीत करती है और यह समझने का प्रयास करती है कि उन्हें इन कैफे में क्या आकर्षित करता है। क्या यह इंस्टाग्राम-योग्य (Instagram-worthy) सजावट है, कॉफी की गुणवत्ता है, माहौल (ambiance) है, या इन सबका संयोजन? इसके अतिरिक्त, वह ग्राहकों के व्यवहार का भी निरीक्षण करती है–जैसे कितने लोग अपने आसपास की तस्वीरें लेते हैं और वे वहाँ कितनी देर तक ठहरते हैं।

इस गुणात्मक शोध के आधार पर, नंदिनी इस निष्कर्ष पर पहुँचती है कि जयपुर के इन सौंदर्यपरक कैफे की लोकप्रियता सिर्फ उनके दृश्य सौंदर्य (visual appeal) या व्यंजनों (culinary offerings) तक सीमित नहीं है, बल्कि वे एक जीवंत और सुकूनभरा वातावरण भी प्रदान करते हैं, जो शहर की भागदौड़ से एक मानसिक राहत देता है। ये कैफे स्थानीय लोगों और पर्यटकों दोनों के लिए एक सांस्कृतिक अनुभव प्रदान करते हैं, जहाँ पारंपरिक राजस्थानी तत्वों को आधुनिक डिजाइन शैलियों के साथ मिलाया जाता है।

गुणात्मक शोध की विशेषताएँ (Characteristics of Qualitative Research)

1. **अद्वितीय केस ओरिएंटेशन (Unique Case Orientation):** इसका अर्थ है कि किसी अध्ययन में प्रत्येक व्यक्ति या प्रकरण (case) को विशेष और अद्वितीय (unique) माना जाता है। उदाहरण के लिए, यदि किसी अध्ययन में दीर्घकालिक बीमारी (chronic illness) से ग्रसित रोगियों के अनुभवों को समझने का प्रयास किया जा रहा है, तो शोधकर्ता प्रत्येक रोगी के साथ गहराई से साक्षात्कार करेगा। इस प्रक्रिया में रोगी की व्यक्तिगत कहानियों और दृष्टिकोण पर ध्यान दिया जाएगा। हर रोगी के अनुभव को एक अलग पहचान दी जाएगी, जिससे उनकी व्यक्तिगत यात्रा, चुनौतियों और सामना करने की रणनीतियों के बारे में गहन जानकारी प्राप्त होगी।।
2. **संदर्भ संवेदनशील (Context Sensitive):** गुणात्मक शोध उस संदर्भ पर जोर देता है जिसमें डेटा एकत्र किया जाता है। उदाहरण के लिए, यदि किसी अध्ययन में यह देखा जा रहा है कि शैक्षिक कार्यक्रमों का छात्रों के प्रदर्शन पर क्या प्रभाव पड़ता है, तो शोधकर्ता निम्नलिखित कारकों पर विचार करेगा – विद्यालय की भौगोलिक स्थिति, छात्रों की सामाजिक-आर्थिक पृष्ठभूमि और उस क्षेत्र में शिक्षा प्रणाली के ऐतिहासिक विकास की प्रक्रिया। इस प्रकार की संदर्भ-संवेदनशीलता यह सुनिश्चित करती है कि अध्ययन के निष्कर्ष को सामाजिक, ऐतिहासिक और कालगत (temporal) संदर्भों में सही ढंग से समझा जा सके, जो शोध के परिणामों को प्रभावित करते हैं।
3. **स्वर, दृष्टिकोण और आत्मनिरीक्षण (Voice, Perspective and Reflexivity):** गुणात्मक शोध में शोधकर्ता अपने दृष्टिकोण,

पूर्वाग्रह (biases) और अनुभवों के प्रति सचेत रहते हैं, क्योंकि ये कारक डेटा की व्याख्या को प्रभावित कर सकते हैं। शोधकर्ता इस बात का प्रयास करते हैं कि अध्ययन के निष्कर्षों को यथार्थ रूप से प्रस्तुत किया जाए। वे अपनी भूमिका को स्वीकार करते हुए इस बात का ध्यान रखते हैं कि प्रतिभागियों की आवाज और उनके अनुभव अध्ययन के केंद्र में बने रहें। आत्मनिरीक्षण (Reflexivity) की इस प्रक्रिया में शोधकर्ता अपने शोध कार्य में अपनी भूमिका को स्पष्ट रूप से दर्ज करते हैं और इस पर चिंतन करते हैं कि उनके विचार और दृष्टिकोण अध्ययन के निष्कर्षों को किस प्रकार प्रभावित कर सकते हैं। यह पारदर्शिता शोध को अधिक प्रामाणिक और विश्वसनीय बनाती है।

गुणात्मक शोध के प्रकार (Types of Qualitative Research)

1. **प्रत्ययवाद (Phenomenology):** यह एक गुणात्मक शोध पद्धति है जो लोगों के 'जीवन के अनुभवों' को समझने और विश्लेषण करने पर केंद्रित होती है। यह संख्यात्मक डेटा से अधिक, लोगों के विचारों, भावनाओं और धारणाओं में गहराई से जाने का प्रयास करती है ताकि किसी विशेष अनुभव या घटना को बेहतर तरीके से समझा जा सके।

   उदाहरण के लिए मान लीजिए कि आप यह शोध कर रहे हैं कि लोग कैंसर जैसी गंभीर और जीवन को बदल देने वाली बीमारी का सामना कैसे करते हैं। प्रत्ययवादी दृष्टिकोण अपनाने पर, आप कैंसर रोगियों के गहन साक्षात्कार करेंगे और उनके व्यक्तिगत अनुभवों को जानने की कोशिश करेंगे। आप उनसे खुले प्रश्न पूछेंगे ताकि उनके निदान से लेकर उपचार तक की पूरी यात्रा को समझा जा सके। इसमें उनकी भावनात्मक चुनौतियाँ, शारीरिक कठिनाइयाँ और सहायता प्रणाली (support system) को समझने का प्रयास किया जाएगा। इस शोध का मुख्य उद्देश्य यह जानना होगा कि रोगी के दृष्टिकोण से कैंसर के साथ जीवन जीना कैसा अनुभव होता है।

2. **संकेतशास्त्र (Semiotics):** यह शोध पद्धति संचार उपयोग किए जाने वाले संकेतों और प्रतीकों (signs and symbols) का अध्ययन करती है, जैसे कि लोगो (logos), इशारे (gestures) या इमोजी (emojis)। यह यह विश्लेषण करता है कि विभिन्न संस्कृतियों या परिस्थितियों में इन संकेतों के अलग-अलग अर्थ कैसे होते हैं।

   उदाहरण के लिए थंब्स-अप इमोजी को आमतौर पर ऑनलाइन सहमति या स्वीकृति व्यक्त करने के लिए उपयोग किया जाता है। संकेतशास्त्र इस साधारण प्रतीक का विश्लेषण करेगा और यह देखेगा कि यह विभिन्न संदर्भों में कैसे अलग-अलग अर्थ रखता है। जैसे, टेक्स्ट संदेशों या सोशल मीडिया पोस्ट्स में यह सकारात्मक प्रतिक्रिया दर्शा सकता है, लेकिन कुछ संस्कृतियों में इसका एक अलग और संभावित रूप से नकारात्मक अर्थ भी हो सकता है।

3. **व्याख्यानशास्त्र (Hermeneutics):** यह ग्रंथों की व्याख्या करने की प्रक्रिया है, जिसमें पुस्तकों या धार्मिक ग्रंथों जैसे बाइबल या कुरान को उनके सांस्कृतिक और ऐतिहासिक संदर्भों में समझने का प्रयास किया जाता है।

   उदाहरण के लिए धार्मिक ग्रंथों की व्याख्या का अध्ययन करना व्याख्यानशास्त्र का एक प्रमुख क्षेत्र है। यह इस बात का विश्लेषण करता है कि विद्वान और अनुयायी इन ग्रंथों की व्याख्या कैसे करते हैं और उनसे नैतिक शिक्षा तथा आध्यात्मिक मार्गदर्शन कैसे प्राप्त करते हैं।

4. **विमर्श विश्लेषण** (Discourse Analysis): यह अध्ययन करता है कि वार्तालापों, भाषणों या ग्रंथों में भाषा का उपयोग कैसे किया जाता है और समाज में यह अर्थ व शक्ति संतुलन को कैसे प्रभावित करता है।

   उदाहरण के लिए राजनीतिक अभियानों (political campaigns) के दौरान, विमर्श विश्लेषण यह जांचता है कि उम्मीदवार अपने भाषणों और बहसों में भाषा का उपयोग कैसे करते हैं ताकि मतदाताओं को प्रभावित किया जा सके और राजनीतिक मुद्दों को एक विशेष दृष्टिकोण से प्रस्तुत किया जा सके।

5. **कथात्मक शोध (Narrative Research):** यह लोगों की कहानियों या जीवन-प्रसंगों (narratives) को एकत्रित करने और उनका अध्ययन करने पर केंद्रित होता है ताकि यह समझा जा सके कि वे अपने जीवन को कैसे अनुभव और व्याख्या करते हैं। शोध कर्ता इन कहानियों का विश्लेषण कर विभिन्न विषयों और पैटर्न (patterns) को पहचानते हैं, जो मानवीय अनुभवों और पहचान से जुड़े गहरे अर्थों को उजागर करते हैं।

   उदाहरण के लिए मान लीजिए कि एक शोधकर्ता यह समझना चाहता है कि परिवार नए देश में बसने की चुनौतियों का सामना कैसे करते हैं। वह कई परिवारों का साक्षात्कार लेकर उनके अनुभवों, भावनाओं और अनुकूलन (adaptation) की रणनीतियों को संकलित करता है। इन कहानियों का विश्लेषण करने पर शोधकर्ता को सामान्य विषय मिलते हैं, जैसे कि धैर्य (resilience), सांस्कृतिक समायोजन (cultural adjustment) और पारिवारिक गतिशीलता (family dynamics)। यह अध्ययन प्रवास (relocation) की प्रक्रिया और इसके व्यक्तिगत व पारिवारिक प्रभावों पर महत्वपूर्ण अंतर्दृष्टि प्रदान करता है।

अन्य प्रकार के गुणात्मक शोध (Other Types of Qualitative Research)

नीचे उल्लिखित शोध को गुणात्मक शोध के रूप में वर्गीकृत किया जा सकता है। प्रत्येक प्रकार को इस अध्याय में अलग-अलग चर्चा की गई है।

1. नृवंशविज्ञान शोध (Ethnographic Research)
2. अध्ययनात्मक शोध (Case Study)
3. ग्राउंडेड थ्योरी/शोध (Grounded Theory/Research)
4. आगमनात्मक शोध (Inductive Research)
5. मौलिक शोध (Fundamental Research)
6. अन्वेषणात्मक शोध (Exploratory Research)

मिश्रित शोध (Mixed Research)

मिश्रित शोध, जिसे मिश्रित-पद्धति शोध (Mixed-Methods Research) भी कहा जाता है, एक ऐसी शोध पद्धति है जो मात्रात्मक (quantitative - संख्यात्मक) और गुणात्मक (qualitative - गैर-संख्यात्मक) दोनों दृष्टिकोणों को एक साथ मिलाकर उपयोग करती है। यह पद्धति शोधकर्ताओं को किसी विषय को विभिन्न कोणों से समझने में मदद करती है और जटिल प्रश्नों के गहन विश्लेषण के लिए उपयुक्त होती है। इस दृष्टिकोण के माध्यम से केवल आँकड़ों (numbers) का अध्ययन ही नहीं किया जाता, बल्कि व्यक्तिगत अनुभवों और उनके अर्थों की भी पड़ताल की जाती है।

मान लीजिए कि आप यह शोध कर रहे हैं कि विश्वविद्यालय के छात्र अपनी मित्रता कैसे विकसित करते हैं। यदि आप मिश्रित शोध पद्धति का उपयोग करना चाहते हैं, तो आप पहले मात्रात्मक डेटा एकत्रित करेंगे ताकि व्यापक पैटर्न को समझा जा सके। आप छात्रों को एक सर्वेक्षण (survey) दे सकते हैं, जिसमें उनसे पूछा जाएगा कि उन्होंने विश्वविद्यालय में शामिल होने के बाद कितने दोस्त बनाए हैं और वे इन दोस्तों से कहाँ मिले (जैसे - कक्षाओं में, क्लबों के माध्यम से, या सामाजिक आयोजनों में)। यह डेटा आपको मित्रता निर्माण में आम पैटर्न और प्रवृत्तियों (trends) को समझने में मदद करेगा।

इसके बाद, आप शोध में गुणात्मक पहलू जोड़ सकते हैं। इसके लिए, आप कुछ छात्रों के साथ व्यक्तिगत साक्षात्कार या चर्चा समूह आयोजित कर सकते हैं। यह आपको उनके व्यक्तिगत अनुभवों को गहराई से समझने में सहायता करेगा। आप उनसे यह पूछ सकते हैं कि उन्होंने दोस्त कैसे बनाए, उन्हें दूसरों से जुड़ने में क्या मदद मिली और उन्होंने किन चुनौतियों का सामना किया। इस प्रकार का गुणात्मक डेटा उन संदर्भों और भावनात्मक पहलुओं को उजागर करता है जो मात्रात्मक आँकड़ों के माध्यम से समझना कठिन होता है।

मिश्रित शोध पद्धति एक संपूर्ण दृष्टिकोण प्रदान करती है। मात्रात्मक डेटा पैटर्न और प्रवृत्तियों को पहचानने में मदद करता है, जबकि गुणात्मक डेटा उन पैटर्नों के पीछे के कारणों और गहरी अंतर्दृष्टि को उजागर करता है। इस समग्र दृष्टिकोण के माध्यम से, शोधकर्ता सामाजिक विषयों जैसे कि विश्वविद्यालय के छात्रों में मित्रता निर्माण जैसी जटिल सामाजिक घटनाओं को बेहतर ढंग से समझ सकते हैं।

क्विज स्टेशन *विगत UGC NET परीक्षाओं के प्रश्न*

प्र 1. गुणात्मक शोधकर्ताओं की मुख्य व्यस्तताओं की पहचान करें *(4 सितंबर 2024 - शिफ्ट 1)*

(A) प्रक्रिया पर जोर (B) सामान्यीकरण पर जोर
(C) संदर्भ पर जोर (D) विवरण पर जोर

(a) ABC (b) BCD
(c) ABD (d) AC

प्र 2. गुणात्मक शोध क्या है?

(a) बिना किसी विशिष्ट उद्देश्य के
(b) मुख्य रूप से घटनाओं की गहन खोज से संबंधित
(c) संख्यात्मक डेटा के संग्रह और विश्लेषण से संबंधित है
(d) केवल आध्यात्मिक पहलुओं पर निर्भर

प्र 3. कथन (I): गुणात्मक शोध संदर्भगत समझ पर जोर देता है। कथन (II): मात्रात्मक शोध आमतौर पर अत्यधिक असंरचित होता है। *(7 दिसंबर 2024 - शिफ्ट 1)*

(a) कथन (I) और कथन (II) दोनों सही हैं।
(b) कथन (I) और कथन (II) दोनों गलत हैं।
(c) कथन (I) सही है लेकिन कथन (II) गलत है।
(d) कथन (I) गलत है लेकिन कथन (II) सही है।

उत्तर 1. (d) 2. (b) 3. (c)

7.2 तर्क पर आधारित (Based on Logic)

निगमनात्मक शोध (Deductive Research)

जिसे शीर्ष-डाउन दृष्टिकोण के रूप में जाना जाता है।

निगमनात्मक (Deductive) शोध एक प्रकार की शोध पद्धति है, जो एक सामान्य विचार या सिद्धांत से शुरू होती है और फिर इसे विशिष्ट डेटा या प्रमाणों के माध्यम से परखती है कि यह सही है या नहीं। यह ठीक वैसे ही है जैसे पहले एक बड़ी पहेली की तस्वीर देखी जाए और फिर यह जांचा जाए कि उसके अलग-अलग टुकड़े उस तस्वीर में सही तरीके से फिट होते हैं या नहीं। इस विधि में एक व्यवस्थित तर्क प्रक्रिया का उपयोग किया जाता है, जिसमें सामान्य से विशेष की ओर बढ़ते हुए तर्कसंगत निष्कर्ष निकाले जाते हैं। इसे एक उदाहरण से समझते हैं - मान लीजिए कि हमारे पास एक सामान्य सिद्धांत है: "सभी मनुष्य नश्वर हैं"। यह एक व्यापक रूप से स्वीकार्य विचार है, जिसका अर्थ है कि हर व्यक्ति, चाहे वह कोई भी हो या कहीं से भी हो, मृत्यु के अधीन है। अब, एक विशिष्ट मामला लेते हैं: "आदित्य एक मनुष्य है"। इस विशिष्ट तथ्य को ध्यान में रखते हुए, हम निगमनात्मक तर्क (deductive reasoning) का उपयोग करके आदित्य के बारे में एक निष्कर्ष निकाल सकते हैं। चूंकि हम जानते हैं कि "सभी मनुष्य नश्वर हैं" और "आदित्य एक मनुष्य है", तो तार्किक निष्कर्ष होगा कि "आदित्य नश्वर है"।

यह तर्क प्रक्रिया निगमनात्मक इसलिए कहलाती है क्योंकि यह एक सामान्य नियम से शुरू होकर उसे एक विशेष मामले पर लागू करती है और फिर निष्कर्ष निकालती है। यह प्रक्रिया तर्कसंगत होती है और सामान्य से विशेष की ओर एक स्पष्ट क्रम का पालन करती है:

- **सामान्य सिद्धांत (General Principle):** सभी पुरुष नश्वर हैं।
- **विशिष्ट मामला (Specific Case):** आदित्य एक पुरुष है।
- **निगमन (Deduction):** चूंकि सभी पुरुष नश्वर हैं और आदित्य एक पुरुष है, इसलिए आदित्य नश्वर है।

सिनेमैटिक कनेक्शन

प्रतिष्ठित जासूस शर्लक होम्स ने अपने सबसे कठिन पहेलियों को सुलझाने के लिए कुशलतापूर्वक निगमनात्मक तर्क (deductive reasoning) का उपयोग किया। उदाहरण के लिए, 'A Study in Scarlet' कहानी में, होम्स एक पीड़ित के जूते पर असामान्य कीचड़ (mud) देखता है। उसे पता होता है कि यह कीचड़ लंदन के एक विशेष क्षेत्र में ही पाई जाती है। इस जानकारी के आधार पर, वह यह निष्कर्ष निकालता है कि पीड़ित हाल ही में उस क्षेत्र में गया था। यह निष्कर्ष जांच को सीमित करने में मदद करता है, जिससे होम्स महत्वपूर्ण सुरागों तक पहुँच पाता है और अंततः मामले को सुलझा लेता है। आइए देखें कि होम्स ने इस विधि का उपयोग कैसे किया:

शर्लक की तरह बनें! 221B बेकर स्ट्रीट पर मजेदार व्लॉग (vlog) एडवेंचर के लिए क्यूआर कोड को स्कैन करें!

सामान्य सिद्धांत (General Principle): विभिन्न प्रकार की कीचड़ कुछ विशिष्ट स्थानों में पाई जाती है।

विशिष्ट मामला (Specific Case): होम्स एक संदिग्ध के जूते पर एक अनोखे प्रकार की कीचड़ देखता है।

निष्कर्ष (Deduction): चूंकि यह कीचड़ एक विशेष क्षेत्र में ही पाई जाती है, इसलिए होम्स यह निष्कर्ष निकालता है कि संदिग्ध उस स्थान पर गया था।

आगमनात्मक शोध (Inductive Research)

जिसे बॉटम-अप दृष्टिकोण के रूप में जाना जाता है।

आगमनात्मक शोध में, शोधकर्ता विशिष्ट अवलोकनों या डेटा से शुरू करते हैं और फिर धीरे-धीरे डेटा में पहचाने गए पैटर्न के आधार पर व्यापक सिद्धांत या सामान्यीकरण विकसित करते हैं। निगमनात्मक शोध के विपरीत, जो एक सामान्य सिद्धांत से शुरू होता है और विशिष्ट साक्ष्य के साथ इसका परीक्षण करता है, आगमनात्मक शोध में विशिष्ट से सामान्य की ओर बढ़ना, अवलोकनों से सिद्धांत बनाना शामिल है।

कल्पना करें कि आप कुछ समय के लिए पुरुषों के एक समूह का अवलोकन कर रहे हैं। आप उनकी मृत्यु दर के बारे में कोई पूर्वधारणा नहीं रखते हैं। अपने अवलोकन के दौरान, आप देखते हैं कि सुकरात, जूलियस सीजर और अब्राहम लिंकन जैसे पुरुष अंतत: मर गए। जैसे-जैसे आप इन विशिष्ट मामलों को इकट्ठा करना जारी रखते हैं, आप एक पैटर्न को नोटिस करना शुरू करते हैं: आपके द्वारा देखे गए प्रत्येक व्यक्ति का अंतत: एक ही भाग्य होता है - वे सभी मर जाते हैं।

इन व्यक्तिगत मामलों से, आप एक व्यापक सामान्यीकरण बनाना शुरू कर सकते हैं, जैसे कि 'सभी लोग नश्वर हैं'।

यह एक आगमनात्मक निष्कर्ष है क्योंकि आप एक सामान्य नियम बनाने के लिए विशिष्ट उदाहरणों का उपयोग कर रहे हैं। आप जितने ज्यादा अवलोकन इस पैटर्न का समर्थन करते हैं, आपका आगमनात्मक तर्क उतना ही मजबूत होता जाता है। इस व्यापक नियम या सिद्धांत को परिणामों की भविष्यवाणी करने या व्यापक समूह को समझने के लिए नए मामलों पर लागू किया जा सकता है। आगमनात्मक तर्क वैज्ञानिक शोध में आम है जहाँ पैटर्न और रुझान देखे जाते हैं, जिससे सामान्य सिद्धांतों का विकास होता है। इस प्रक्रिया में शामिल हैं:

- **विशिष्ट अवलोकन (Specific Observations)**: सुकरात, सीजर और लिंकन मर जाते हैं।
- **पैटर्न की पहचान (Pattern Recognition)**: हर व्यक्ति जिसका अवलोकन किया जाता है वह अंतत: मर जाता है।
- **सामान्यीकरण (Generalisation)**: सभी मनुष्य नश्वर हैं।

आगमनात्मक तर्क तब मददगार होता है जब कोई मौजूदा सिद्धांत नहीं होता जो शोध का मार्गदर्शन कर सके, या जब आप नए पैटर्न और रुझानों को खोजना चाहते हैं। इसे आमतौर पर खोजपरक (exploratory) शोध में अपनाया जाता है, जिसका लक्ष्य अवलोकन करना, कनेक्शन ढूंढना और फिर इनसे व्यापक सिद्धांत या अवधारणाएँ विकसित करना होता है। यह सोचने में लचीलापन प्रदान करता है और ऐसे नए निष्कर्षों तक पहुँचने में मदद करता है, जिनकी शुरुआत में कल्पना नहीं की गई थी।

आगमनात्मक शोध के प्रकार (Types of Inductive Research)

ग्राउंडेड थ्योरी रिसर्च (Grounded Theory Research)

ग्राउंडेड थ्योरी (जिसे ग्राउंडेड रिसर्च भी कहा जाता है) एक गुणात्मक (qualitative) शोध विधि है, जो आगमनात्मक दृष्टिकोण (inductive approach) का उपयोग करके वास्तविक डेटा के आधार पर सिद्धांतों (theories) को विकसित करती है। यह शोध पद्धति आगमनात्मक तर्क (inductive reasoning) के सिद्धांतों से गहराई से जुड़ी होती है। इस शोध में शोधकर्ता किसी पूर्वनिर्धारित सिद्धांत (theory) या विचार के साथ शुरुआत नहीं करते। इसके बजाय, वे डेटा का विश्लेषण करते हैं और उसमें मौजूद पैटर्न (patterns) और थीम (themes) की पहचान करते हैं। इन पैटर्न और थीम का उपयोग करके वे एक सिद्धांत विकसित करते हैं, जो अध्ययन किए गए सामाजिक प्रक्रिया या स्थिति को स्पष्ट करता है।

मान लीजिए कि शोधकर्ता यह समझना चाहते हैं कि लोग नौकरी खोने (job loss) की स्थिति से कैसे निपटते हैं। वे हाल ही में नौकरी खो चुके कई व्यक्तियों का साक्षात्कार (interview) लेते हैं और उनसे उनके अनुभवों और भावनाओं के बारे में खुले (ended) प्रश्न पूछते हैं। जब वे इन साक्षात्कारों का विश्लेषण करते हैं, तो कुछ पैटर्न उभरने लगते हैं, जैसे कि:

लोग नई नौकरी खोजने के लिए अपनाई गई रणनीतियाँ, भावनात्मक प्रतिक्रियाएँ जैसे तनाव (stress) या दृढ़ता (resilience) और व्यक्तिगत संबंधों में होने वाले बदलाव।

इन पैटर्न के आधार पर, शोधकर्ता एक सिद्धांत विकसित करते हैं, जो यह समझाने में मदद करता है कि अलग-अलग व्यक्ति नौकरी खोने की स्थिति से किस तरह निपटते हैं। यह सिद्धांत प्रतिभागियों द्वारा साझा किए गए वास्तविक अनुभवों और कहानियों पर आधारित होता है, जिससे इस मानवीय व्यवहार (human behavior) का एक विस्तृत और गहराई से अध्ययन किया जा सकता है।

निगमनात्मक शोध (Deductive Research)	आगमनात्मक शोध (Inductive Research)
सिद्धांत	अवलोकन
↓	↑
परिकल्पना	पैटर्न
↓	↑
अवलोकन	परिकल्पना
↓	↑
पुष्टि	सिद्धांत

चित्र 7.1 निगमनात्मक और आगमनात्मक दृष्टिकोण

क्विज स्टेशन *विगत UGC NET परीक्षाओं के प्रश्न*

प्र 1. गुणात्मक अनुसंधान आमतौर पर किससे जुड़ा हुआ है–

(22 अगस्त 2024 - शिफ्ट 2)

(a) आगमनात्मक दृष्टिकोण

(b) निगमनात्मक दृष्टिकोण

(c) प्रत्यक्षवाद

(d) वस्तुवाद

उत्तर 1. (a)

7.3 पूछताछ के तरीके के आधार पर (Based on Mode of Enquiry)

संरचित शोध (Structured Research)

संरचित शोध में डेटा को बहुत ही व्यवस्थित तरीके से एकत्रित और विश्लेषित किया जाता है। इसमें शोधकर्ता एक सख्त नियमों के सेट या एक विशेष योजना का पालन करते हैं ताकि जानकारी सही ढंग से एकत्र की जा सके। इस विधि में संकलित डेटा अक्सर संख्यात्मक होता है और इसे आसानी से विश्लेषण करके पैटर्न, प्रवृत्तियाँ या आपसी संबंध खोजे जा सकते हैं। यह एक प्रकार का मात्रात्मक शोध है।

उदाहरण के लिए, रेस्तरां में मिलने वाले फीडबैक फॉर्म को लें। शोधकर्ता प्रत्येक ग्राहक से कुछ विशेष प्रश्न पूछने के लिए एक निश्चित प्रश्नावली तैयार करते हैं, जैसे – "आप खाने को कितने अंक देंगे?" या "क्या सेवा मित्रवत थी?" हर प्रतिभागी के लिए प्रश्न समान होते हैं, और उनके उत्तर विकल्प निर्धारित होते हैं, जैसे – "उत्कृष्ट", "अच्छा", "संतोषजनक" या "खराब"। यह संरचित तरीका शोधकर्ताओं को सभी उत्तरदाताओं से सुसंगत डेटा प्राप्त करने में मदद करता है, जिससे प्रतिक्रियाओं की तुलना करना और रेस्तरां के अनुभव की गुणवत्ता पर निष्कर्ष निकालना आसान हो जाता है। संरचित शोध का उपयोग यह सुनिश्चित करने के लिए किया जाता है कि जानकारी एक समान और व्यवस्थित तरीके से एकत्र की जाए। इस स्थिरता के कारण शोधकर्ताओं के लिए डेटा का विश्लेषण करना, प्रवृत्तियों या पैटर्न की पहचान करना और परिणामों के आधार पर सही निर्णय लेना आसान हो जाता है। चाहे वह सर्वेक्षण (surveys), प्रश्नावली (questionnaires) या अवलोकन चेकलिस्ट (observation checklists) के माध्यम से हो, संरचित शोध जानकारी को प्रभावी ढंग से एकत्र करने और उसकी व्याख्या करने के लिए एक स्पष्ट रूपरेखा प्रदान करता है।

असंरचित शोध (Unstructured Research)

असंरचित शोध एक लचीला (flexible) तरीका है, जिसमें जानकारी एकत्र करने के लिए कोई सख्त या पहले से निर्धारित योजना का पालन नहीं किया जाता। इसमें एक निश्चित प्रश्नावली या कठोर प्रक्रिया की बजाय, शोध कर्ता विषयों की पड़ताल अधिक खुले तरीके से करते हैं, जिससे अक्सर अप्रत्याशित जानकारियाँ और नई खोजें सामने आती हैं। यह गुणात्मक शोध का एक प्रकार है।

आइए असंरचित शोध को एक उदाहरण से समझते हैं। डॉ. किमची नूडलसन, एक शोधकर्ता, जापान में रहने वाले भारतीयों के अनुभवों का अध्ययन कर रहे हैं। वह कोई सख्त नियम या पूर्व-निर्धारित प्रश्नों का पालन करने के बजाय, स्थानीय भारतीय निवासियों से असंरचित साक्षात्कार (unstructured interviews) लेते हैं, जहाँ वे स्वतंत्र रूप से अपनी सोच, अनुभव और जापान में बसने की कहानियाँ साझा कर सकते हैं। इन खुली बातचीत (open-ended conversations) के माध्यम से, डॉ. किमची नूडलसन जापान में बसने की चुनौतियों, खुशियों और बारीकियों को गहराई से समझ पाते हैं।

असंरचित शोध का उपयोग अक्सर गुणात्मक अध्ययन (qualitative studies) में किया जाता है, जहाँ मुख्य उद्देश्य लोगों के अनुभवों, भावनाओं या विचारों को समझना होता है। यह तब उपयोगी होता है जब आप किसी विषय को गहराई से खोजना चाहते हैं और स्वयं को पूर्व-निर्धारित प्रश्नों तक सीमित नहीं रखना चाहते। यह तरीका आपको रोचक पहलुओं का अनुसरण करने और शोध किए जा रहे विषय पर व्यापक दृष्टिकोण प्राप्त करने की सुविधा देता है।

★★★ परीक्षोपयोगी

7.4 उद्देश्य के आधार पर (Based on Purpose)

निष्कर्षात्मक शोध (Conclusive Research)

उद्देश्यः विशिष्ट शोध प्रश्नों या समस्याओं के स्पष्ट और निश्चित उत्तर या समाधान प्रदान करना।

निष्कर्षात्मक शोध एक ऐसा शोध प्रकार है, जिसे किसी विशिष्ट प्रश्न या समस्या के स्पष्ट और ठोस उत्तर प्रदान करने के लिए डिजाइन किया जाता है। इसका उद्देश्य ठोस साक्ष्य और डेटा एकत्र करना होता है, जिससे निष्कर्ष निकाला जा सके और निर्णय लिए जा सकें। इस प्रकार के शोध में आमतौर पर संरचित डेटा संग्रह पद्धतियाँ और सांख्यिकीय विश्लेषण (statistical analysis) शामिल होते हैं, ताकि संबंधों को स्थापित किया जा सके या भविष्यवाणियाँ की जा सकें।

आइए एक उदाहरण लेते हैं। डेस्क दत्ता जी एक अध्ययन कर रहे हैं, जिसमें वे यह जाँच रहे हैं कि क्या समय प्रबंधन तकनीक (time management technique) कार्यस्थल की उत्पादकता बढ़ाने में प्रभावी है। इसके लिए वे एक प्रयोग (experiment) डिजाइन करते हैं, जिसमें एक कॉर्पोरेट ऑफिस के कर्मचारियों को दो समूहों में बाँटा जाता है:

पहला समूह – इस समूह को नई समय प्रबंधन तकनीक को लागू करने के लिए प्रशिक्षण और संसाधन दिए जाते हैं।

दूसरा समूह – यह समूह अपनी मौजूदा कार्यशैली के अनुसार काम जारी रखता है।

कुछ हफ्तों तक, शोधकर्ता दोनों समूहों के महत्वपूर्ण उत्पादकता मापदंडों को ट्रैक करते हैं, जैसे – कार्य पूरा करने की दर (task completion rate), समय सीमा (deadlines) का पालन और कुल कार्य संतुष्टि (work satisfaction)।

इसके बाद, वे डेटा का विश्लेषण करते हैं कि क्या दोनों समूहों की उत्पादकता में कोई महत्वपूर्ण अंतर है। इस अध्ययन के निष्कर्षात्मक परिण ाम यह स्पष्ट कर देंगे कि नई समय प्रबंधन तकनीक का कार्यस्थल की उत्पादकता पर मापने योग्य प्रभाव है या नहीं।

एक और उदाहरण लेते हैं। मान लिजिए किसी कंपनी द्वारा यह पता लगाने के लिए एक सर्वेक्षण (survey) किया जाता है कि क्या एक नई विज्ञापन अभियान (advertising campaign) से बिक्री बढ़ी है। शोधकर्ता अभियान से पहले और बाद में बिक्री डेटा एकत्र करेंगे और सांख्यिकीय विश्लेषण का उपयोग करके देखेंगे कि क्या बिक्री में कोई उल्लेखनीय वृद्धि हुई है जिसे अभियान के लिए जिम्मेदार ठहराया जा सकता है। निष्कर्षात्मक शोध अत्यंत महत्वपूर्ण होता है क्योंकि यह ठोस प्रमाण प्रदान करता है, जिससे सूचित निर्णय (informed decisions) लिए जा सकते हैं। इसे अक्सर व्यवसाय,

विपणन, स्वास्थ्य सेवा और अन्य क्षेत्रों में उपयोग किया जाता है, जहाँ स्पष्ट, डेटा-आधारित निष्कर्षों की आवश्यकता होती है, ताकि सही रणनीतियाँ और क्रियाएँ तय की जा सकें।

खोजपूर्ण शोध (Exploratory Research)

उद्देश्य: किसी समस्या या घटना की जांच करना, गहरी समझ प्राप्त करना और परिकल्पनाएँ (hypotheses) उत्पन्न करना।

अन्वेषणात्मक शोध एक ऐसा शोध प्रकार है, जिसका उद्देश्य किसी विषय या समस्या का अन्वेषण (exploration) करना होता है, विशेष रूप से तब जब उस विषय पर कम जानकारी या समझ उपलब्ध हो। इस प्रकार का शोध स्पष्ट और निश्चित उत्तर प्रदान करने के लिए नहीं किया जाता, बल्कि इसका मुख्य उद्देश्य किसी विषय को गहराई से समझना और आगे की जांच के लिए संभावित क्षेत्रों की पहचान करना होता है। यह ठीक वैसे ही है जैसे कोई नया शहर घूमना–आप चारों ओर घूमते हैं, लोगों से सवाल पूछते हैं और जानकारी एकत्र करते हैं ताकि यह समझ सकें कि वहाँ क्या-क्या है, इससे पहले कि आप यह तय करें कि अपने प्रयासों को किस दिशा में केंद्रित करना है।

उदाहरण के लिए मान लीजिए कि एक शहर सार्वजनिक परिवहन (public transportation) में सुधार करना चाहता है, लेकिन उसे यह नहीं पता कि लोग इसके बारे में क्या सोचते हैं। एक अन्वेषणात्मक शोध परियोजना में शोध कर्ता एक छोटे समूह के लोगों का साक्षात्कार कर सकते हैं और पूछ सकते हैं- वे बसों और ट्रेनों के साथ अपने अनुभव को कैसे देखते हैं? उन्हें इसमें क्या पसंद या नापसंद है? वे इसमें क्या बदलाव देखना चाहते हैं? इस शोध का उद्देश्य निश्चित उत्तर ढूँढना नहीं है, बल्कि विषय के बारे में अधिक जानना और ऐसी अंतर्दृष्टि (insights) प्राप्त करना है जो भविष्य के शोध या निर्णय लेने में मदद कर सके।

अन्वेषणात्मक शोध में खुले प्रश्न, साक्षात्कार, फोकस समूह (focus groups) या अवलोकन का उपयोग किया जाता है। यह शोधकर्ताओं को लचीला (flexible) बनाता है और उन्हें नए विचारों को समायोजित करने की अनुमति देता है। यह नई संभावनाओं को उजागर कर सकता है और भविष्य के संरचित शोध (structured research) के लिए आधार तैयार कर सकता है।

अन्वेषणात्मक शोध के प्रकार (Types of Exploratory Research)

1. **व्यवहार्यता अध्ययन (Feasibility):** व्यवहार्यता अध्ययन एक प्रकार का अन्वेषणात्मक शोध है, जो किसी प्रस्तावित शोध परियोजना की व्यावहारिकता और संभाव्यता का मूल्यांकन करता है। इसमें यह जांचा जाता है कि क्या उपलब्ध तकनीक और संसाधनों का उपयोग करके शोध किया जा सकता है (तकनीकी व्यवहार्यता), क्या यह आर्थिक रूप से लाभदायक और व्यावसायिक रूप से सफल हो सकता है (आर्थिक व्यवहार्यता), और क्या यह कानूनी आवश्यकताओं का पालन करता है (कानूनी व्यवहार्यता)। इस अध्ययन का मुख्य उद्देश्य संभावित चुनौतियों की पहचान करना और यह निर्णय लेना है कि परियोजना को आगे बढ़ाया जाना चाहिए या नहीं।
2. **पायलट अध्ययन (Pilot Study):** पायलट अध्ययन एक छोटे स्तर पर किया गया अन्वेषणात्मक शोध होता है, जो मुख्य शोध परियोजना शुरू करने से पहले किया जाता है। इसका मुख्य उद्देश्य उन विधियों और प्रक्रियाओं का परीक्षण और सुधार करना होता है, जिन्हें मुख्य अध्ययन में उपयोग किया जाएगा। उदाहरण के लिए, यदि किसी नए शिक्षण पद्धति को पूरे देश के विभिन्न स्कूलों में लागू करने की योजना बनाई जा रही हो, तो शोधकर्ता पहले एक या दो कक्षाओं में पायलट अध्ययन कर सकते हैं ताकि उसकी व्यवहार्यता और प्रभावशीलता का आकलन किया जा सके। यह प्रारंभिक परीक्षण डेटा संग्रह और प्रयोगात्मक डिजाइन से संबंधित संभावित समस्याओं की पहचान करने में सहायता करता है। पायलट अध्ययन के परिण ामों और प्राप्त सुझावों का विश्लेषण करके शोधकर्ता शोध विधियों में आवश्यक सुधार कर सकते हैं, जिससे मुख्य अध्ययन के लिए बेहतर तैयारी सुनिश्चित की जा सके।

कारणात्मक शोध या व्याख्यात्मक शोध (Casual Research)

उद्देश्य: दो चीजों के बीच संबंधों की जांच करना और कारण-प्रभाव (Cause-and-Effect) संबंधों को निर्धारित करना।

कारणात्मक शोध, जिसे व्याख्यात्मक शोध (Explanatory Research) भी कहा जाता है, एक ऐसा अध्ययन है जो यह समझने के लिए डिजाइन किया गया है कि किसी चीज का कारण क्या है और उसका प्रभाव क्या होता है। इसका उद्देश्य यह पता लगाना है कि क्या एक चीज (कारण) सीधे किसी अन्य चीज (प्रभाव) को प्रभावित करती है या उसे जन्म देती है। यह शोध उन कारणों और संबंधों की पहचान करने में महत्वपूर्ण भूमिका निभाता है, जिनकी वजह से कुछ घटनाएँ घटित होती हैं।

उदाहरण के लिए मान लीजिए कि आप यह अध्ययन कर रहे हैं कि क्या कॉफी पीने से लोगों की जागे रहने की क्षमता प्रभावित होती है। एक कारणात्मक शोध अध्ययन में, आप एक समूह को कॉफी देंगे और दूसरे समूह को कोई अन्य बिना कैफीन वाला पेय, जैसे चाय या पानी। इसके बाद, आप यह मापेंगे कि प्रत्येक समूह कितनी देर तक जागा रह सकता है। यदि आप यह पाते हैं कि कॉफी पीने वाला समूह दूसरे समूह की तुलना में अधिक समय तक जागा रहता है, तो आप यह निष्कर्ष निकाल सकते हैं कि कॉफी पीना जागे रहने में मदद करता है। यह एक स्पष्ट कारण-प्रभाव संबंध को दर्शाता है।

निदानात्मक शोध (Diagnostic Research)

उद्देश्य: किसी समस्या या मुद्दे के कारणों या कारकों की पहचान और विश्लेषण करना।

निदानात्मक शोध एक ऐसी पद्धति है, जिसका उपयोग किसी विशेष समस्या, स्थिति या परिस्थिति के पीछे छिपे कारणों को समझने और पहचानने के लिए किया जाता है। इसका लक्ष्य प्रासंगिक डेटा का व्यवस्थित विश्लेषण करके समस्या के मूल कारणों का पता लगाना होता है। यह ठीक उसी तरह काम करता है जैसे कोई डॉक्टर किसी बीमारी का निदान करता है – वह लक्षणों की जांच करके यह समझने की कोशिश करता है कि बीमारी किस कारण हो रही है, ताकि उसका सही इलाज किया जा सके। इसी तरह, निदानात्मक शोध किसी विशेष मुद्दे के पीछे के कारणों को उजागर करता है, जिससे समस्या के समाधान की दिशा में बेहतर कदम उठाए जा सकें।

मान लीजिए कि किसी स्कूल में छात्रों के बीच ड्रॉपआउट (विद्यालय छोड़ने) की दर बहुत अधिक है। नैदानिक शोध के तहत इस समस्या को गहराई से समझने के लिए जानकारी जुटाई जाएगी। शोधकर्ता उन छात्रों के साक्षात्कार ले सकते हैं, जिन्होंने स्कूल छोड़ दिया है, ताकि उनके अनुभवों को जाना जा सके। वे शिक्षकों और माता-पिता से सर्वेक्षण के माध्यम से जानकारी एकत्र कर सकते हैं और स्कूल के रिकॉर्ड का विश्लेषण कर सकते हैं ताकि कुछ पैटर्न पहचाने जा सकें।

इस शोध के दौरान यह पता चल सकता है कि छात्रों के ड्रॉपआउट होने के पीछे कारण जैसे - बदमाशी (bullying), आर्थिक समस्याएं, या रुचिकर पाठ्यक्रम की कमी - हो सकते हैं। एक बार जब शोधकर्ता समस्या के मूल कारणों की पहचान कर लेते हैं, तो वे ऐसे समाधान सुझा सकते हैं, जिनसे इस समस्या को हल किया जा सके या भविष्य में इसे होने से रोका जा सके। निदानात्मक शोध एक समस्या के पीछे छिपे कारणों को स्पष्ट करने में मदद करता है और निर्णय लेने वालों को सूचित निर्णय लेने व सुधार के लिए प्रभावी रणनीतियाँ बनाने में सहायक होता है।

वर्णनात्मक शोध (Descriptive Research)

उद्देश्य: किसी घटना या विषय का वर्णन और विशेषताओं, पैटर्न और गुणों की विस्तृत जानकारी प्रदान करना।

वर्णनात्मक शोध एक ऐसा शोध प्रकार है, जिसका उद्देश्य किसी स्थिति, घटना या परिघटना (phenomenon) का विस्तृत रूप से वर्णन करना है, बिना इसे प्रभावित किए या बदलने का प्रयास किए। इस शोध में मुख्य रूप से जानकारी एकत्र की जाती है और उसे यथासंभव सटीक तरीके से प्रस्तुत किया जाता है, बिना किसी निष्कर्ष निकालने या भविष्यवाणी करने के।

वर्णनात्मक शोध का एक उदाहरण यह हो सकता है कि किसी स्कूल में कितने छात्र सोशल मीडिया का उपयोग करते हैं और वे कौन-कौन से प्लेटफॉर्म पसंद करते हैं, इसका पता लगाने के लिए एक सर्वेक्षण किया जाए। शोधकर्ता एक प्रश्नावली तैयार कर सकते हैं, जिसमें छात्रों से पूछा जाएगा कि वे कौन-कौन से ऐप्स उपयोग करते हैं, कितनी बार उनका उपयोग करते हैं और किस उद्देश्य से करते हैं। इसके बाद, एकत्र किए गए डेटा का विश्लेषण किया जाता है ताकि स्कूल में सोशल मीडिया के उपयोग का एक विस्तृत चित्रण प्रस्तुत किया जा सके।

एक और उदाहरण पशुओं के व्यवहार पर एक अध्ययन हो सकता है। किसी विशेष पर्यावास (habitat) में शोधकर्ता किसी पशु समूह का अवलोकन कर सकते हैं और उनके सामाजिक ढांचे, दैनिक दिनचर्या और अन्य प्रजातियों के साथ उनके संबंधों का वर्णन कर सकते हैं। यह विस्तृत विवरण उस पारिस्थितिकी तंत्र (ecosystem) की मूलभूत समझ विकसित करने में मदद करता है, बिना उसमें किसी प्रकार का बदलाव किए।

वर्णनात्मक शोध उपयोगी होता है क्योंकि यह किसी स्थिति या घटना का सटीक और विस्तृत चित्र प्रस्तुत करता है। यह भविष्य के अनुसंधानों के लिए एक आधार तैयार करता है और उन क्षेत्रों की पहचान करने में मदद करता है, जिन पर आगे और गहराई से अध्ययन किया जा सकता है।

वर्णनात्मक शोध के प्रकार
(Types of Descriptive Research)

- **कारणात्मक तुलनात्मक शोध (Causal Comparative Research):** कारणात्मक तुलनात्मक शोध वर्णनात्मक अध्ययन का एक प्रकार है, जिसमें शोधकर्ता दो या अधिक समूहों या संस्थाओं की तुलना करते हैं ताकि यह पता लगाया जा सके कि वे किन मामलों में समान या अलग हैं। उदाहरण के लिए, यह अध्ययन किया जा सकता है कि विभिन्न क्षेत्रों में रहने वाले लोगों की खान-पान की आदतें कैसे भिन्न होती हैं। कारणात्मक तुलनात्मक शोध के दो प्रमुख प्रकार हैं:
  1. **प्रतिगामी कारणात्मक तुलनात्मक शोध (Retrospective Causal Comparative Research):** इस प्रकार के शोध में शोधकर्ता पिछले घटनाओं या परिस्थितियों का अध्ययन करते हैं ताकि यह समझा जा सके कि उनका क्या प्रभाव पड़ा। इसमें पहले से घटित घटनाओं या समूहों के बीच के अंतरों का अवलोकन किया जाता है और फिर पीछे जाकर यह पता लगाने का प्रयास किया जाता है कि इन अंतरों के कारण क्या थे। शोधकर्ता यह जानने के लिए ऐतिहासिक डेटा का विश्लेषण कर सकते हैं कि अलग-अलग शैक्षिक पृष्ठभूमि वाले छात्रों के प्रदर्शन में क्या अंतर रहा। वे यह समझने का प्रयास कर सकते हैं कि पूर्व की शैक्षिक परिस्थितियों ने उनके शैक्षणिक उपलब्धि को किस प्रकार प्रभावित किया।
  2. **संभाव्य कारणात्मक तुलनात्मक शोध (Prospective Causal Comparative Research):** प्रतिगामी शोध के विपरीत, संभाव्य कारणात्मक तुलनात्मक शोध का ध्यान भविष्य में होने वाले परिणामों की भविष्यवाणी करने पर केंद्रित होता है। इसमें शोधकर्ता पहले संभावित कारणों या भविष्य के परिणामों के पूर्वानुमानों को पहचानते हैं और फिर यह देखते हैं कि ये कारक भविष्य में क्या प्रभाव डालते हैं। शोधकर्ता अलग-अलग शिक्षण पद्धतियों का प्रभाव समझने के लिए अध्ययन कर सकते हैं। वे विभिन्न शिक्षण विधियों को लागू कर सकते हैं और फिर समय के साथ यह देख सकते हैं कि छात्रों की शैक्षणिक प्रगति पर इसका क्या प्रभाव पड़ता है।

अन्य प्रकार के वर्णनात्मक शोध (Other Types of Descriptive Research)

निम्नलिखित शोध विधियों को वर्णनात्मक शोध की श्रेणी में रखा जा सकता है। प्रत्येक प्रकार का विस्तृत अध्ययन अलग-अलग खंडों में किया गया है।

1. अवलोकनात्मक शोध (Observational Research)
2. सर्वेक्षण शोध (Survey Research)
3. प्रकरण अध्ययन (Case Studies)
4. ऐतिहासिक शोध (Historical Research)
5. विश्लेषणात्मक शोध (Analytical Research)
6. अन्वेषणात्मक शोध (Exploratory Research)
7. अनुप्रस्थ शोध (Cross-Sectional Research)
8. अनुदैर्ध्य शोध (Longitudinal Research)

विश्लेषणात्मक शोध (Analytical Research)

उद्देश्य: डेटा का विश्लेषण और व्याख्या करके जटिल संबंधों या परिघटनाओं (phenomena) को समझना।

विश्लेषणात्मक शोध एक ऐसी प्रक्रिया है, जिसमें जटिल जानकारी को छोटे-छोटे भागों में विभाजित करके उसके आंतरिक ढांचे, संबंधों या पैटर्न को समझने का प्रयास किया जाता है। इस प्रकार का शोध डेटा, तथ्यों या सूचनाओं का गहन विश्लेषण करता है ताकि निष्कर्ष निकाले जा सकें, समस्याओं का समाधान किया जा सके या जटिल मुद्दों की स्पष्ट समझ विकसित की जा सके।

उदाहरण के लिए, मान लीजिए कि आप एक वैज्ञानिक हैं, जो किसी शहर में वायु प्रदूषण का अध्ययन कर रहे हैं। विश्लेषणात्मक शोध के तहत आप वायु गुणवत्ता से संबंधित डेटा एकत्र करेंगे, जैसे कि विभिन्न प्रदूषकों (pollutants) का स्तर। इसके बाद, आप इस डेटा का विश्लेषण करके यह समझने की कोशिश करेंगे कि इसमें कौन-कौन से पैटर्न या रुझान (trends) उभर रहे हैं। आप यह भी जांच सकते हैं कि यातायात (traffic) या औद्योगिक गतिविधियों (industrial activity) जैसी विभिन्न चीजें वायु गुणवत्ता को कैसे प्रभावित कर रही हैं। इस शोध का मुख्य उद्देश्य प्रदूषण के कारणों को समझना और संभावित समाधान सुझाना है।

एक व्यावसायिक विश्लेषक (business analyst) बिक्री डेटा का अध्ययन करके ग्राहकों की खरीद प्रवृत्तियों (buying trends) को समझ सकता है। उदाहरण के लिए, कौन से उत्पाद सबसे अधिक बिकते हैं, साल का कौन सा समय सबसे अधिक बिक्री वाला होता है, और कौन-सी छूट या प्रमोशन सबसे अच्छा परिणाम देती है–इन सभी पहलुओं का विश्लेषण करके व्यवसाय की बिक्री रणनीति को बेहतर बनाया जा सकता है। विश्लेषणात्मक शोध विज्ञान से लेकर व्यापार तक विभिन्न क्षेत्रों में उपयोग किया जाता है। यह जटिल समस्याओं को समझने और सही निर्णय लेने में सहायक होता है, जिससे प्रभावी समाधान और रणनीतियाँ विकसित की जा सकती हैं।

मूल्यांकनात्मक शोध (Evaluative Research)

उद्देश्य: किसी कार्यक्रम, नीति, उत्पाद या हस्तक्षेप की प्रभावशीलता, दक्षता या प्रभाव का मूल्यांकन करना।

मूल्यांकनात्मक शोध एक ऐसी विधि है, जिसका उपयोग यह निर्धारित करने के लिए किया जाता है कि कोई कार्यक्रम, नीति या पहल (initiative) कितनी प्रभावी रूप से कार्य कर रही है। इसमें व्यवस्थित रूप से डेटा एकत्र करना और उसका विश्लेषण करना शामिल होता है, ताकि यह समझा जा सके कि निर्धारित लक्ष्य प्राप्त हो रहे हैं या नहीं। यह शोध विभिन्न प्रयासों की सफलता और प्रभाव को मापने में सहायक होता है, जिससे शोधकर्ता सही निर्णय ले सकें।

मान लीजिए कि भारत में स्वच्छ भारत अभियान (Clean India Mission) को स्वच्छता और साफ-सफाई सुधारने के लिए शुरू किया गया था। इस कार्यक्रम का मूल्यांकन करने के लिए, शोधकर्ता एक अध्ययन तैयार कर सकते हैं, जिससे यह मापा जा सके कि यह अभियान सार्वजनिक स्वास्थ्य और स्वच्छता प्रथाओं (sanitation practices) पर कितना प्रभाव डाल रहा है। मूल्यांकनात्मक शोध प्रक्रिया के तहत निम्नलिखित कदम उठाए जा सकते हैं:

- सर्वेक्षण (surveys), साक्षात्कार (interviews) और प्रत्यक्ष अवलोकन (direct observations) के माध्यम से डेटा एकत्र करना।
- यह देखना कि इस अभियान के तहत कितने नए स्वच्छता केंद्र बनाए गए।
- सार्वजनिक स्थानों की स्वच्छता के स्तर की जांच करना।
- लोगों के स्वच्छता और सफाई को लेकर दृष्टिकोण (attitude) में क्या बदलाव आया है, इसका विश्लेषण करना।

यदि शोधकर्ता पाते हैं कि शौचालय उपयोग में वृद्धि हुई है और खुले में शौच की घटनाओं में कमी आई है, तो यह निष्कर्ष निकाला जा सकता है कि यह अभियान सफल हो रहा है। लेकिन अगर कुछ क्षेत्रों में अपेक्षित सुधार नहीं दिखते, तो शोधकर्ता नीति निर्माताओं को आवश्यक सुधारों की सिफारिशें दे सकते हैं ताकि कार्यक्रम को और अधिक प्रभावी बनाया जा सके।

मूल्यांकनात्मक शोध का उपयोग शिक्षा, स्वास्थ्य सेवा, सामाजिक सेवाओं और व्यावसायिक क्षेत्रों में व्यापक रूप से किया जाता है। इससे विभिन्न पहलों की सफलता का आकलन किया जा सकता है, जिससे नीतियों और कार्यक्रमों में सुधार लाने और संसाधनों का अधिक प्रभावी उपयोग सुनिश्चित करने में सहायता मिलती है।

सहसंबंधीय शोध (Correlational Research)

उद्देश्य: यह पता लगाना कि क्या दो या अधिक चर (variables) आपस में संबंधित हैं और क्या एक में होने वाला परिवर्तन दूसरे में परिवर्तन से जुड़ा हुआ है।

सहसंबंधी शोध एक ऐसा अध्ययन है, जिसमें यह देखा जाता है कि विभिन्न चीजों या चर (variables) के बीच कोई संबंध है या नहीं। यह शोधकर्ताओं को यह समझने में मदद करता है कि क्या दो या दो से अधिक कारक एक साथ घटित होते हैं, लेकिन यह यह प्रमाणित नहीं करता कि एक चीज दूसरी को प्रभावित करती है। बल्कि, यह केवल यह दिखाता है कि कोई पैटर्न या प्रवृत्ति (trend) है, जो एक संबंध का संकेत दे सकती है।

सहसंबंधीय शोध कैसे काम करता है यह समझाने के लिए, आइए एक उदाहरण पर विचार करें। मान लीजिए कि आप यह जानना चाहते हैं कि व्यायाम (exercise) और तनाव (stress) के स्तर के बीच कोई संबंध है या नहीं। इसके लिए आप एक सर्वेक्षण कर सकते हैं, जिसमें लोगों से यह पूछा जाए कि वे हर सप्ताह कितनी बार व्यायाम करते हैं और 1 से 10 के पैमाने पर वे अपने तनाव के स्तर को कैसे रेट करते हैं। डेटा एकत्र करने के बाद, आप उसका विश्लेषण कर सकते हैं कि क्या कोई पैटर्न या प्रवृत्ति उभरती है। यदि आपको यह पता चलता है कि जो लोग अधिक व्यायाम करते हैं, वे कम तनाव महसूस करते हैं, तो यह व्यायाम और तनाव में कमी के बीच एक सहसंबंध (correlation) का संकेत देगा।

यह याद रखना आवश्यक है कि सहसंबंध का अर्थ यह नहीं है कि एक चीज दूसरी का कारण बनती है। यह एक आम गलतफहमी होती है। उदाहरण के लिए, यदि शोध में यह पाया जाता है कि छतरियों (umbrellas) की बिक्री और बारिश होने की आवृत्ति (frequency) के बीच संबंध है, तो इसका यह अर्थ नहीं है कि छतरी खरीदने से बारिश होती है। बल्कि, यह संभव है कि दोनों ही एक बाहरी कारण–मौसम–से प्रभावित होते हों। बारिश अधिक होने पर लोग अधिक छतरियाँ खरीदते हैं।

क्विज स्टेशन *विगत UGC NET परीक्षाओं के प्रश्न*

प्र 1. एक शोध अध्ययन में यह जानने के लिए कि इंटरनेट सर्फिंग का परीक्षा प्रदर्शन पर क्या प्रभाव पड़ता है, यह पाया गया कि जैसे-जैसे इंटरनेट सर्फिंग में बिताए गए घंटों की संख्या बढ़ती है, परीक्षा का प्रदर्शन खराब होता जाता है। यह अध्ययन किसका उदाहरण है?

(a) प्रायोगिक विधि (Experimental method)

(b) सहसंबंधी शोध (Correlational research)

(c) अध्ययन विधि (Case study)

(d) वर्णनात्मक शोध (Descriptive Research)

उत्तर 1. (b)

7.5 जांच की प्रकृति के आधार पर (Based on Nature of Inquiry)

धारणा आधारित शोध (Conceptual Research)

धारणा आधारित शोध एक ऐसा शोध प्रकार है, जो डेटा एकत्र करने या प्रयोग करने के बजाय विचारों या अवधारणाओं (concepts) के अन्वेषण और विकास पर केंद्रित होता है। इसका उद्देश्य सिद्धांतों (theoretical concepts) को समझना और व्याख्या करना, रूपरेखाएँ (frameworks) बनाना और विचारों के बीच संबंधों की जांच करना होता है। यह शोध पद्धति मुख्य रूप से दार्शनिकों और विचारकों द्वारा उपयोग की जाती है, जैसे कि सुकरात (Socrates) और अरस्तू (Aristotle)।

मान लीजिए कि आप 'सुख' (happiness) की अवधारणा में रुचि रखते हैं। सांकल्पनिक शोध के तहत आप यह खोज करेंगे कि सुख का क्या अर्थ है, विभिन्न संस्कृतियाँ इसे कैसे परिभाषित करती हैं, और कौन-कौन से कारक इसमें योगदान देते हैं। इसके लिए आप प्रयोग करने या डेटा एकत्र करने के बजाय, पहले से मौजूद सिद्धांतों, लेखों और चर्चाओं का अध्ययन करेंगे।

आप यह देख सकते हैं कि विभिन्न विचारक सुख को कैसे परिभाषित करते हैं, इसमें कौन-कौन से सिद्धांत शामिल हैं और इसे ऐतिहासिक रूप से कैसे समझा गया है। आप दार्शनिक ग्रंथों (philosophical texts) का अध्ययन कर सकते हैं, मनोवैज्ञानिक शोध (psychological studies) का विश्लेषण कर सकते हैं और सांस्कृतिक दृष्टिकोणों (cultural perspectives) की तुलना कर सकते हैं, ताकि इस अवधारणा की गहरी समझ विकसित की जा सके। इस प्रकार का शोध प्रयोगों (experiments) या सर्वेक्षणों (surveys) पर निर्भर नहीं करता, बल्कि विभिन्न स्रोतों से जानकारी पढ़ने, विश्लेषण करने और विचारों को एकीकृत (synthesise) करने की प्रक्रिया पर आधारित होता है।

प्रायोगिक शोध (Empirical Research)

प्रायोगिक शोध एक ऐसी विधि है, जिसमें शोध प्रश्नों के उत्तर देने के लिए प्रत्यक्ष रूप से देखे जा सकने वाले डेटा या प्रमाणों (observable data or evidence) को व्यवस्थित रूप से एकत्र और विश्लेषण किया जाता है। यह विधि प्रत्यक्ष अवलोकन (direct observation) या प्रयोगों (experimentation) पर निर्भर करती है, जिससे डेटा संकलित किया जाता है जिसे मापा, गणना और वस्तुनिष्ठ रूप से विश्लेषण किया जा सकता है।

इस विधि को समझने के लिए एक उदाहरण लेते हैं। सुश्री निंदिया कुमारी किशोरों में स्क्रीन समय (screen time) के प्रभाव को नींद की गुणवत्ता पर अध्ययन कर रही हैं। इसके लिए, उन्होंने किशोरों के दो समूह बनाए: पहला समूह, जिसे सोने से पहले स्क्रीन का असीमित उपयोग करने की अनुमति दी गई। दूसरा समूह, जिसका स्क्रीन समय सीमित रखा गया। वह कुछ हफ्तों तक नींद की निगरानी करने वाले उपकरणों का उपयोग करके डेटा एकत्र करती हैं। वह सोने का समय, जागने का समय, कुल नींद की अवधि और नींद में होने वाले व्यवधानों को रिकॉर्ड करती हैं।

संपूर्ण विश्लेषण के बाद, सुश्री निंदिया कुमारी को इस बात के ठोस प्रमाण मिलते हैं कि सोने से पहले अत्यधिक स्क्रीन समय किशोरों की नींद की गुणवत्ता को प्रभावित करता है। विशेष रूप से, वह यह देखती हैं कि जो किशोर सोने से पहले स्क्रीन के संपर्क को सीमित रखते हैं, उन्हें रात में कम व्यवधान का सामना करना पड़ता है, जिससे उनकी समग्र नींद की गुणवत्ता में सुधार होता है। यह प्रायोगिक शोध इस बात को स्पष्ट करता है कि आज की तकनीक-प्रधान दुनिया में किशोरों की बेहतर नींद और समग्र स्वास्थ्य को बढ़ावा देने के लिए स्क्रीन समय का उचित प्रबंधन आवश्यक है।

क्विज स्टेशन *विगत UGC NET परीक्षाओं के प्रश्न*

प्र 1. एक अनुभववादी (Empiricist) का विश्वास होता है कि:

(a) प्राकृतिक विज्ञान की विधियों को सामाजिक विज्ञान शोध में लागू नहीं किया जाना चाहिए।

(b) सामाजिक विज्ञान की विधियों को प्राकृतिक विज्ञान में लागू नहीं किया जा सकता।

(c) ज्ञान हमारी इंद्रियों के माध्यम से अर्जित किया जाता है।

(d) कोई भी ज्ञान वास्तविक नहीं होता।

उत्तर 1. (c)

दार्शनिक शोध (Philosophical Research)

दार्शनिक शोध वह प्रक्रिया है, जिसमें तर्क और विचार के माध्यम से ज्ञान, अस्तित्व, नैतिकता और वास्तविकता से जुड़े मौलिक प्रश्नों की खोज की जाती है। यह अनुभवजन्य शोध (empirical research) से भिन्न होता है, क्योंकि इसमें अवलोकन, प्रयोग या डेटा संग्रह पर निर्भर रहने के बजाय तर्कात्मक विश्लेषण (logical analysis), तर्क-वितर्क (argumentation) और आलोचनात्मक सोच (critical thinking) का उपयोग करके विचारों, अवधारणाओं और सिद्धांतों की जांच की जाती है।

दार्शनिक शोध का एक उदाहरण न्याय (justice) की अवधारणा का अध्ययन करना हो सकता है। कोई शोधकर्ता ऐसे प्रश्नों की खोज कर सकता है– "न्याय क्या है?" "समाज निष्पक्षता (fairness) को कैसे सुनिश्चित कर सकता है?" इस प्रकार के शोध में प्लेटो (Plato), अरस्तू (Aristotle) या जॉन रॉल्स (John Rawls) जैसे प्रसिद्ध दार्शनिकों के कार्यों को पढ़कर उनका विश्लेषण किया जाता है, फिर किसी विशेष दृष्टिकोण या सिद्धांत का समर्थन करने के लिए तर्क विकसित किए जाते हैं।

दार्शनिक शोध में ऐसे प्रश्न भी खोजे जा सकते हैं, जैसे – वास्तविकता की प्रकृति (nature of reality) क्या है? जीवन का अर्थ क्या है? कोई कार्य नैतिक रूप से सही या गलत क्यों होता है? इस शोध का लक्ष्य इन बड़े प्रश्नों को गहराई से समझना और नए दृष्टिकोण या सिद्धांत विकसित करना होता है। दार्शनिक शोध हमारी सोच को आकार देने में महत्वपूर्ण भूमिका निभाता है और नैतिक (ethical) तथा अस्तित्व संबंधी (existential) मुद्दों पर होने वाली चर्चाओं का मार्गदर्शन करता है।

ऐतिहासिक शोध (Historical Research)

ऐतिहासिक शोध का उद्देश्य बीते हुए घटनाओं, व्यक्तियों और संस्कृतियों का अध्ययन करना है ताकि यह समझा जा सके कि समय के साथ चीजें कैसे बदली हैं और वर्तमान को आकार देने वाले कारक और कहानियाँ क्या रही हैं। इस प्रकार के शोध में शोधकर्ता विभिन्न स्रोतों जैसे दस्तावेज, फोटोग्राफ, कलाकृतियाँ (artefacts) और मौखिक इतिहास (oral histories) का उपयोग करके अतीत की घटनाओं को जोड़ते हैं और ऐतिहासिक घटनाओं व प्रवृत्तियों की गहरी समझ प्राप्त करते हैं।

भारतीय स्वतंत्रता आंदोलन से जुड़ा ऐतिहासिक शोध यह हो सकता है कि महात्मा गांधी की ब्रिटिश शासन से स्वतंत्रता की लड़ाई में क्या भूमिका रही। शोधकर्ता गांधीजी के लेखन, भाषण और पत्रों का अध्ययन कर सकते हैं ताकि उनके अहिंसा (nonviolence) और सविनय अवज्ञा (civil disobedience) के सिद्धांत को बेहतर तरीके से समझा जा सके। इसके अलावा, वे उस समय के समाचार पत्रों का विश्लेषण कर सकते हैं ताकि यह जाना जा सके कि उनकी गतिविधियों को कैसे रिपोर्ट किया गया और जनता ने उन पर कैसी प्रतिक्रिया दी।

इतना ही नहीं, ऐतिहासिक शोधकर्ता ब्रिटिश सरकार के दस्तावेजों का भी अध्ययन कर सकते हैं ताकि यह समझा जा सके कि भारतीय स्वतंत्रता आंदोलन को औपनिवेशिक (colonial) दृष्टिकोण से कैसे देखा गया था। जब ये स्रोत भारतीय स्वतंत्रता सेनानियों के दृष्टिकोण से मिलने वाली जानकारियों से तुलना किए जाते हैं, तो उस समय की जटिलताओं और ऐतिहासिक परिदृश्य की गहरी समझ प्राप्त की जा सकती है।

ऐतिहासिक शोध का प्रकार (Type of Historical Research)

संग्रहालयीय शोध (Archival Research): संग्रहालयीय शोध ऐतिहासिक शोध का एक प्रकार है, जिसमें अभिलेखागार (archives) या विशेष संग्रहों (repositories) में संरक्षित प्राथमिक स्रोतों का अध्ययन किया जाता है। ये अभिलेखागार वे स्थान होते हैं, जहाँ ऐतिहासिक दस्तावेज, रिकॉर्ड और अन्य सामग्री संग्रहीत की जाती हैं। इन स्रोतों में शामिल हो सकते हैं: पांडुलिपियां, पत्र, डायरियां, तस्वीरें, सरकारी दस्तावेज, वस्तुएं और ऑडियो-विजुअल। उदाहरण के लिए, यदि कोई इतिहासकार द्वितीय विश्व युद्ध के एक शहर पर पड़े प्रभाव का अध्ययन कर रहा है, तो वह युद्धकालीन नागरिक जीवन को समझने के लिए अभिलेखागार में संग्रहीत पत्र, डायरियाँ और फोटोग्राफ का विश्लेषण कर सकता है। यह विधि ऐतिहासिक घटनाओं की गहरी और प्रत्यक्ष समझ प्रदान करती है, क्योंकि इसमें उन लोगों के मूल अनुभव और विवरण शामिल होते हैं, जिन्होंने इन घटनाओं को प्रत्यक्ष रूप से देखा और अनुभव किया था।

क्विज स्टेशन *विगत UGC NET परीक्षाओं के प्रश्न*

प्र 1. जो शोध अतीत का अध्ययन करके नए तथ्यों की व्याख्या करता है, उसे कहा जाता है:

(a) दार्शनिक शोध (Philosophical research)

(b) ऐतिहासिक शोध (Historical research)

(c) पौराणिक शोध (Mythological research)

(d) विषयवस्तु विश्लेषण (Content analysis)

उत्तर 1. (b)

7.6 डेटा संग्रह विधि के आधार पर शोध (Based on Data Collection Method)

केस स्टडी (Case Study)

केस स्टडी शोध (Case Study Research) एक ऐसी विधि है, जिसमें शोधकर्ता किसी एक मामले (case) या कुछ सीमित मामलों का गहराई से अध्ययन करते हैं। ये मामले किसी व्यक्ति, समूह, घटना या किसी विशेष संगठन से संबंधित हो सकते हैं। इसका उद्देश्य उस विषय की गहरी समझ विकसित करना है, जिसमें उसके संदर्भ (context), जटिलताओं (complexities) और विशिष्ट विशेषताओं (unique characteristics) का विश्लेषण किया जाता है।

मान लीजिए कि शोधकर्ता COVID-19 महामारी का मानसिक स्वास्थ्य (mental health) पर प्रभाव जानने के लिए एक केस स्टडी कर रहे हैं। वे विभिन्न पृष्ठभूमि से आए प्रतिभागियों (participants) का चयन करते हैं और साक्षात्कार (interviews), सर्वेक्षण (surveys) और मनोवैज्ञानिक मूल्यांकन (psychological assessments) के माध्यम से डेटा एकत्र करते हैं। वे यह समझने का प्रयास करते हैं कि सामाजिक अलगाव (social isolation), आर्थिक अनिश्चितता (economic uncertainty) और बीमारी के भय (fear of illness) जैसे कारकों ने लोगों के मानसिक स्वास्थ्य पर क्या प्रभाव डाला।

इस केस स्टडी के माध्यम से शोधकर्ता यह जानने का प्रयास करते हैं कि महामारी ने मानसिक स्वास्थ्य को किस प्रकार जटिल तरीकों से प्रभावित किया है। केस स्टडी शोध गहन और विशिष्ट जानकारी प्रदान करता है, जिससे जटिल मुद्दों को बेहतर ढंग से समझा जा सकता है। इसके अलावा, यह नीति-निर्माताओं (policymakers), स्वास्थ्य सेवा प्रदाताओं (healthcare providers) और मानसिक स्वास्थ्य विशेषज्ञों (mental health professionals) के लिए भी उपयोगी साबित हो सकता है, ताकि वे COVID-19 जैसी घटनाओं से उत्पन्न मानसिक स्वास्थ्य चुनौतियों का समाधान कर सकें।

क्विज स्टेशन *विगत UGC NET परीक्षाओं के प्रश्न*

प्र 1. केस स्टडी होती है:

(a) आनुवंशिकी (genetics) और सूक्ष्मजीवविज्ञान (microbiology) के क्षेत्रों में किए गए अध्ययन।

(b) किसी विषय और उसकी संबंधित परिस्थितियों का गहन अध्ययन।

(c) मौजूदा सामाजिक-राजनीतिक स्थिति पर एक रिपोर्ट।

(d) स्वास्थ्य और स्वच्छता के क्षेत्र में विशेष शोध।

उत्तर 1. (b)

प्रेक्षणात्मक शोध (Observational Research)

प्रेक्षणीय शोध एक ऐसा अध्ययन है, जिसमें शोधकर्ता लोगों, जानवरों या अन्य विषयों को उनके प्राकृतिक परिवेश (natural setting) में देखकर जानकारी एकत्र करते हैं। इस शोध की मुख्य विशेषता यह है कि शोधकर्ता पर्यावरण को नियंत्रित या प्रभावित नहीं करते; वे केवल घटनाओं का अवलोकन (observe) और उनका रिकॉर्ड (record) करते हैं। यह विधि स्वाभाविक रूप से होने वाले व्यवहारों, पैटर्न और अंत:क्रियाओं (interactions) को समझने के लिए उपयोग की जाती है।

मान लीजिए कि आप यह जानना चाहते हैं कि लोग सार्वजनिक उद्यानों (public parks) का उपयोग कैसे करते हैं। एक प्रेक्षणीय शोध परियोजना के तहत, आप पार्क में बैठकर यह नोट कर सकते हैं कि लोग वहां अपना समय कैसे बिताते हैं। आप देख सकते हैं: कितने लोग खेल के मैदान का उपयोग कर रहे हैं; कितने लोग जॉगिंग कर रहे हैं; कितने लोग केवल बेंच पर बैठकर आराम कर रहे हैं। इन गतिविधियों को देखकर आप पार्क के उपयोग से संबंधित बहुमूल्य जानकारियाँ एकत्र कर सकते हैं, बिना आगंतुकों के व्यवहार को प्रभावित किए।

सिनेमैटिक कनेक्शन

जेम्स बॉन्ड की फिल्म कैसिनो रोयाल (2006) में प्रेक्षणीय शोध का एक शानदार उदाहरण देखने को मिलता है। इस फिल्म में डेनियल क्रेग द्वारा निभाया गया जेम्स बॉन्ड खुफिया जानकारी एकत्र करने के लिए अवलोकन तकनीकों का उपयोग करता है। कैसिनो रोयाल में पोकर खेल शुरू होने से पहले, बॉन्ड अपने प्रतिद्वंद्वी ले शिफ्र (Le Chiffre) और अन्य खिलाड़ियों के व्यवहार और रणनीतियों को बारीकी से देखता है। वह बिना किसी हस्तक्षेप के चुपचाप उनके हावभाव, शरीर की भाषा (body language) और आपसी बातचीत का निरीक्षण करता है। इस प्रकार, बॉन्ड मूल्यवान जानकारी एकत्र करता है, जो उसे खेल के दौरान ले शिफ्र की कमजोरियों का लाभ उठाने में मदद करती है। बिना हस्तक्षेप किए चुपचाप अवलोकन करना, जो प्रेक्षणीय शोध का मूल सिद्धांत है, इस फिल्म में स्पष्ट रूप से प्रदर्शित होता है। यह शोध विधि प्रत्यक्ष अवलोकन के माध्यम से व्यवहार और पैटर्न को समझने पर केंद्रित होती है।

अवलोकन के प्रकार (Types of Observation)

1. **प्राकृतिक अवलोकन (Naturalistic Observation):** यह एक विशेष प्रकार का प्रेक्षणीय शोध (Observational Research) है, जिसमें शोधकर्ता बिना किसी हस्तक्षेप के विषयों (subjects) का उनके प्राकृतिक परिवेश में अध्ययन करते हैं। इस विधि के माध्यम से, व्यवहार और अंत:क्रियाएँ (interactions) उसी रूप में दर्ज की जाती हैं, जैसे वे स्वाभाविक रूप से होती हैं, जिससे विषयवस्तु की अधिक वास्तविक समझ प्राप्त होती है।

   मान लीजिए कि एक शोधकर्ता यह अध्ययन करना चाहता है कि बच्चे पार्क में कैसे खेलते हैं। वह कोई विशेष खेल गतिविधि आयोजित करने या प्रश्न पूछने के बजाय, दूर से चुपचाप बच्चों का अवलोकन करता है। वह नोट कर सकता है कि बच्चे किन गतिविधियों में संलग्न होते हैं, वे एक-दूसरे के साथ कैसे बातचीत करते हैं, और उनके व्यवहार में क्या पैटर्न या बदलाव दिखते हैं। यह विधि शोध कर्ताओं को वास्तविक जीवन में होने वाले व्यवहारों को बिना प्रभावित किए समझने में मदद करती है और स्वाभाविक सामाजिक अंत:क्रियाओं (social interactions) पर मूल्यवान अंतर्दृष्टि प्रदान करती है।

2. **फोकल/फोकस सैंपलिंग (Focal/Focus Sampling):** फोकल या फोकस सैंपलिंग एक अवलोकन विधि है, जिसमें शोधकर्ता विशिष्ट समय अवधि के लिए व्यक्तिगत जानवरों या व्यक्तियों को ध्यानपूर्वक देखते हैं। "फोकल" शब्द इस विचार को दर्शाता है कि शोधकर्ता अवलोकन अवधि के दौरान किसी एक विशिष्ट विषय (subject) पर केंद्रित रहते हैं, बजाय इसके कि वे सभी विषयों को एक साथ देखें। इस विधि का उपयोग व्यक्तिगत व्यवहार पैटर्न और समूह के भीतर की अंत:क्रियाओं (interactions) को गहराई से समझने के लिए किया जाता है।

   मान लीजिए कि शोधकर्ता यह अध्ययन करना चाहते हैं कि कुत्ते पार्क में कैसे खेलते हैं। वे फोकल सैंपलिंग विधि का उपयोग करने का निर्णय लेते हैं। वे एक समय में केवल एक कुत्ते को चुनते हैं और उसे 15 मिनट तक बारीकी से देखते हैं। इस दौरान, वे नोट करते हैं कि वह कुत्ता क्या करता है–जैसे दौड़ना, बॉल पकड़ना या इधर-उधर सूंघना। वे अलग-अलग दिनों में विभिन्न कुत्तों का इसी तरह अवलोकन करते हैं। यह विधि उन्हें प्रत्येक कुत्ते के व्यवहार को समझने में मदद करती है और यह भी कि वे पार्क में अन्य कुत्तों और मनुष्यों के साथ कैसे बातचीत करते हैं।

सर्वेक्षण (Survey)

सर्वेक्षण शोध (Survey Research) एक ऐसी विधि है जिसमें लोगों से प्रश्न पूछकर जानकारी एकत्र की जाती है। इसका उपयोग यह जानने के लिए किया जाता है कि लोग क्या सोचते हैं, वे कैसे व्यवहार करते हैं, या उनकी पसंद क्या है। सर्वेक्षण कई तरीकों से किया जा सकता है, जैसे साक्षात्कार (interviews), प्रश्नावली (questionnaires), फोन कॉल या ऑनलाइन फॉर्म के माध्यम से। उदाहरण के लिए, यदि कोई कंपनी यह जानना चाहती है कि लोग उनके नए उत्पाद को पसंद कर रहे हैं या नहीं, तो वे उन ग्राहकों को एक प्रश्नावली भेज सकते हैं जिन्होंने वह उत्पाद खरीदा है। वे उनसे पूछ सकते हैं कि क्या उन्हें यह पसंद आया, वे इसे कितनी बार उपयोग कर रहे

हैं, और उन्हें इसके कौन-कौन से फीचर उपयोगी लगे। इसके बाद, कंपनी इन उत्तरों का विश्लेषण करके ग्राहक संतुष्टि को समझ सकती है और सुधार के लिए आवश्यक बदलाव कर सकती है।

सर्वेक्षण शोध मूल्यवान होता है क्योंकि यह लोगों से सीधे डेटा एकत्र करने का एक प्रभावी तरीका है। यह शोधकर्ताओं को बड़ी मात्रा में जानकारी तेजी से जुटाने में मदद करता है और इसे व्यापार, राजनीति, शिक्षा और स्वास्थ्य सेवा जैसे विभिन्न क्षेत्रों में उपयोग किया जा सकता है। इस प्रकार का शोध संगठनों और शोधकर्ताओं को एकत्र किए गए डेटा के आधार पर सही निर्णय लेने में सहायता करता है।

खुला बनाम बंद सर्वेक्षण (Open-ended vs Closed-ended Surveys)

1. खुले प्रश्न (Open-ended Questions) लोगों को अपने शब्दों में उत्तर देने की स्वतंत्रता देते हैं। इसका मतलब है कि वे जो चाहें कह सकते हैं और अधिक विस्तार से जानकारी दे सकते हैं। उदाहरण के लिए, यदि आप किसी से पूछते हैं, "इस रेस्तरां में आपको सबसे अधिक क्या पसंद है?", तो वे अपनी पसंद की सभी चीजों के बारे में बता सकते हैं, बिना किसी निश्चित विकल्प तक सीमित हुए।
2. बंद प्रश्न (Closed-ended Questions) लोगों को निश्चित विकल्पों में से चुनने का अवसर देते हैं। इसमें वे या तो दिए गए विकल्पों में से कोई एक चुनते हैं या किसी चीज को एक निश्चित पैमाने (जैसे 1 से 5) पर रेट करते हैं। ये प्रश्न उत्तरों को गिनने और उनकी तुलना करने में मदद करते हैं। उदाहरण के लिए, "इस फिल्म को आप 1 से 5 के बीच कितनी रेटिंग देना चाहेंगे?" इस तरह के प्रश्न स्पष्ट और मापने योग्य उत्तर प्रदान करते हैं।

   दोनों प्रकार के प्रश्नों के अपने फायदे हैं: खुले प्रश्न अधिक विस्तृत और विविध उत्तर प्राप्त करने में मदद करते हैं, जबकि बंद प्रश्न उत्तरों का विश्लेषण और तुलना करना आसान बनाते हैं। शोधकर्ता अपने उद्देश्यों और डेटा के उपयोग की योजना के आधार पर इनका चयन करते हैं।

क्विज स्टेशन *विगत UGC NET परीक्षाओं के प्रश्न*

प्र 1. भारत सरकार प्रति दस वर्ष में जनगणना करवाती है। इस प्रक्रिया में उपयोग की जाने वाली शोध विधि कौन-सी है?

(a) केस स्टडी (Case study)

(b) विकासात्मक (Developmental)

(c) सर्वेक्षण (Survey)

(d) प्रायोगिक (Experimental)

उत्तर 1. (c)

7.7 समय सीमा के आधार पर (Based on Time Frame)

दीर्घकालिक शोध (Longitudinal Research)

दीर्घकालिक शोध एक ऐसी विधि है जिसमें लंबे समय तक एक ही व्यक्तियों या समूहों से डेटा एकत्र किया जाता है। इससे शोधकर्ताओं को समय के साथ हुए बदलाव, प्रवृत्तियों और विकास को ट्रैक करने में मदद मिलती है। यह समझने के लिए कि अलग-अलग चरणों में विभिन्न कारक कैसे विकसित होते हैं या एक-दूसरे को कैसे प्रभावित करते हैं, यह विधि बहुत उपयोगी होती है।

आइए इसे एक उदाहरण से समझते हैं। सन फार्मास्युटिकल (Sun Pharmaceutical) एक दीर्घकालिक अध्ययन करने की योजना बना रही है ताकि यह आकलन किया जा सके कि एक नई दवा वृद्ध रोगियों में पुराने दर्द (chronic pain) के प्रबंधन में कितनी प्रभावी और सुरक्षित है। इस अध्ययन में 65 वर्ष और उससे अधिक आयु के उन व्यक्तियों को शामिल किया जाएगा, जो गठिया (arthritis) या न्यूरोपैथी (neuropathy) जैसी दीर्घकालिक दर्द संबंधी समस्याओं से पीड़ित हैं।

तीन वर्षों की अवधि में, प्रतिभागियों की नियमित रूप से निगरानी और मूल्यांकन किया जाएगा। इसमें दर्द की तीव्रता, गतिशीलता (mobility) और समग्र जीवन की गुणवत्ता में होने वाले परिवर्तनों को देखा जाएगा। डेटा को चिकित्सीय परीक्षणों, रोगी द्वारा रिपोर्ट किए गए परिणामों और चिकित्सा रिकॉर्ड्स के माध्यम से एकत्र किया जाएगा। इसी एक ही समूह को लंबे समय तक ट्रैक करने से सन फार्मास्युटिकल उन प्रवृत्तियों और पैटर्न को पहचान सकती है, जो केवल एक बार किए गए अध्ययन में दिखाई नहीं देते। यह दीर्घकालिक शोध विधि दवा की प्रभावशीलता को व्यापक रूप से समझने में मदद करती है, जिससे चिकित्सीय प्रथाओं और रोगी देखभाल (patient care) से जुड़े निर्णयों को बेहतर बनाया जा सकता है।

अनुदैर्ध्य शोध के प्रकार (Types of Longitudinal Research)

1. **विकासात्मक शोध (Developmental Research):** यह शोध यह अध्ययन करने पर केंद्रित होता है कि समय के साथ व्यक्ति कैसे बदलते और विकसित होते हैं। इसमें शारीरिक, संज्ञानात्मक (cognitive), भावनात्मक और सामाजिक परिवर्तनों जैसे विभिन्न पहलुओं को समझा जाता है। शोधकर्ता विभिन्न आयु समूहों या जीवन के अलग-अलग चरणों में विकासात्मक प्रक्रियाओं का अवलोकन और विश्लेषण करने के लिए दीर्घकालिक शोध विधियों का उपयोग करते हैं।

   आइए इसे एक उदाहरण से समझें।

   श्री ठाकुर बच्चों के संज्ञानात्मक विकास का अध्ययन करने के लिए एक विकासात्मक शोध कर रहे हैं। वे शैशवावस्था से किशोरावस्था तक बच्चों के संज्ञानात्मक कौशल को ट्रैक कर रहे हैं।

वे नियमित अंतराल पर मूल्यांकन करते हैं ताकि भाषा विकास, समस्या-समाधान कौशल और स्मरण शक्ति में होने वाले बदलावों को मापा जा सके। इस अध्ययन के माध्यम से, वे यह समझ पाते हैं कि संज्ञानात्मक क्षमताएं समय के साथ कैसे विकसित होती हैं, और बच्चों में विकास के सामान्य चरण तथा व्यक्तिगत भिन्नताएं क्या होती हैं।

विकासात्मक शोध के माध्यम से वैज्ञानिक मानव विकास और परिपक्वता को गहराई से समझते हैं। यह शोध विकास संबंधी सिद्धांतों (theories of development) को समृद्ध बनाता है और यह सुनिश्चित करने के लिए मार्गदर्शन करता है कि मानव जीवन के विभिन्न चरणों में विकास को अधिकतम रूप से कैसे बढ़ावा दिया जाए। यह शोध मनोविज्ञान, शिक्षा और स्वास्थ्य सेवा जैसे विभिन्न क्षेत्रों में महत्वपूर्ण भूमिका निभाता है। यह उन कारकों की पहचान करने में मदद करता है जो स्वस्थ विकास को बढ़ावा देते हैं और विकास में देरी या विकारों के जोखिम को कम करने में सहायक होते हैं।

2. **कोहोर्ट अध्ययन (Cohort Study):** कोहोर्ट अध्ययन एक ऐसे समूह का अनुसरण करता है, जिसमें किसी विशेष विशेषता या अनुभव को साझा करने वाले लोग शामिल होते हैं। इस अध्ययन में समय के साथ उनके परिणामों का अवलोकन किया जाता है। उदाहरण के लिए, शोधकर्ता उन व्यक्तियों के एक समूह को ट्रैक कर सकते हैं, जो एक ही वर्ष में जन्मे हैं, ताकि यह अध्ययन किया जा सके कि आहार और व्यायाम की आदतें उम्र बढ़ने के साथ हृदय रोग के जोखिम को कैसे प्रभावित करती हैं।
3. **संभावित अध्ययन (Prospective Studies):** इस अध्ययन में शोधकर्ता प्रतिभागियों का एक निश्चित अवधि तक अवलोकन करते हैं, ताकि किसी विशिष्ट परिणाम की निगरानी की जा सके। उदाहरण के लिए, शोधकर्ता उन कारखाना कर्मचारियों के एक समूह का अध्ययन कर सकते हैं, जो नियमित रूप से रासायनिक पदार्थों के संपर्क में आते हैं। वे लंबे समय तक इन कर्मचारियों की स्वास्थ्य स्थितियों की निगरानी कर सकते हैं, यह देखने के लिए कि क्या उन्हें श्वसन संबंधी रोग या कैंसर होने की संभावना अधिक है। यह अध्ययन जोखिम कारकों और स्वास्थ्य परिणामों के बीच कारण-परिणाम संबंध स्थापित करने में मदद करता है।
4. **प्रवृत्ति अध्ययन (Trend Study):** प्रवृत्ति अध्ययन किसी जनसंख्या की विशेषताओं या व्यवहारों में समय के साथ होने वाले परिवर्तनों का विश्लेषण करता है। शोधकर्ता विभिन्न पीढ़ियों (generations) में सर्वेक्षण कर सकते हैं ताकि यह समझा जा सके कि तकनीक के प्रति दृष्टिकोण समय के साथ कैसे बदले हैं। वे अध्ययन कर सकते हैं कि व्यक्तिगत कंप्यूटरों को अपनाने से लेकर स्मार्टफोन के व्यापक उपयोग तक, दशकों में तकनीक के प्रति लोगों की मानसिकता कैसे विकसित हुई है।

अनुप्रस्थ शोध (Cross-Sectional Research)

अनुप्रस्थ शोध (cross-sectional research) एक ऐसे विधि है जिसमें विभिन्न व्यक्तियों या विषयों (subjects) से एक ही समय में डेटा एकत्र किया जाता है। यह विधि किसी विशेष समय पर जनसंख्या (population) की विशेषताओं, व्यवहारों या दृष्टिकोणों की एक झलक (snapshot) प्रदान करती है, जिससे शोधकर्ता उस समय बिंदु पर विभिन्न तत्वों के बीच संबंधों या अंतर का विश्लेषण कर सकते हैं।

मान लीजिए कि आप हाई स्कूल (high school) के छात्रों की खान-पान की आदतों (eating habits) के बारे में जानना चाहते हैं। एक अनुप्रस्थ अध्ययन (cross-sectional study) में, आप किसी एक दिन में छात्रों के एक समूह से जानकारी एकत्र करेंगे। आप उनसे पूछ सकते हैं कि उन्होंने नाश्ते (breakfast), दोपहर के भोजन (lunch) और रात के खाने (dinner) में क्या खाया, और क्या उन्होंने दिनभर हल्के-फुल्के स्नैक्स (snacks) लिए। इससे आपको उस समूह की मौजूदा प्रवृत्तियों (current trends) और व्यवहारों (behaviours) की जानकारी मिलेगी, लेकिन यह अध्ययन यह नहीं दिखा पाएगा कि उनकी खान-पान की आदतें समय के साथ कैसे बदलती हैं।

अनुप्रस्थ शोधकर्ताओं को तेजी और प्रभावी तरीके से एक बड़े समूह का अध्ययन करने की अनुमति देता है। इसके लिए प्रतिभागियों को लंबे समय तक ट्रैक करने की आवश्यकता नहीं होती, जिससे समय और लागत की बचत होती है। इसके अलावा, किसी जनसंख्या के मौजूदा स्थिति या विशेषताओं की एक स्पष्ट तस्वीर प्रदान करता है। हालाँकि, इसकी सीमाएँ हैं - यह समय के साथ हुए परिवर्तनों (changes over time) को नहीं दर्शा सकता है और कारण-परिणाम संबंध स्थापित करने में सक्षम नहीं होता।

क्विज स्टेशन *विगत UGC NET परीक्षाओं के प्रश्न*

प्र 1. विभिन्न समय अवधियों से संबंधित दस्तावेजों का गुणात्मक सामग्री विश्लेषण निम्नलिखित में से किस शोध डिजाइन से मेल खाता है?

(22 अगस्त 2024 - शिफ्ट 2)

(a) क्रॉस-सेक्शनल (Cross-sectional)
(b) अनुदैर्ध्य (Longitudinal)
(c) केस स्टडी (Case study)
(d) तुलनात्मक (Comparative)

उत्तर 1. (b)

★★★ परीक्षोपयोगी

7.8 अनुप्रयोग के आधार पर (On the Basis of Application)

अनुप्रयोग (application) के आधार पर, शोध विधियों को तीन प्रकारों में वर्गीकृत किया जाता है:

मौलिक शोध (Fundamental Research)

इस विषय को सरल बनाने वाले वीडियो व्याख्यान को देखने के लिए इस QR कोड को स्कैन करें

मौलिक शोध, जिसे मूलभूत शोध या शुद्ध शोध भी कहा जाता है, एक ऐसी जांच प्रक्रिया है जिसका उद्देश्य मौलिक सिद्धांतों के ज्ञान और समझ को बढ़ाना होता है, बिना किसी विशेष व्यावहारिक अनुप्रयोग के। इसका मुख्य उद्देश्य नए प्रश्नों और अवधारणाओं का अन्वेषण करना और यह समझना है कि चीजें कैसे काम करती हैं। यह शोध आमतौर पर जिज्ञासा या मौलिक सत्य की खोज से प्रेरित होता है और आगे चलकर व्यावहारिक शोध के लिए आधार प्रदान करता है। उदाहरण के लिए, मान लीजिए कि एक मनोवैज्ञानिक मानव स्मृति पर अध्ययन कर रहा है। शोधकर्ता यह जानना चाहता है कि स्मृतियाँ मस्तिष्क में कैसे बनती और संग्रहीत होती हैं। हालाँकि इस शोध का कोई तात्कालिक व्यावहारिक उपयोग नहीं है, लेकिन यह मनोविज्ञान के व्यापक क्षेत्र में योगदान करता है और आगे चलकर सीखने की तकनीकों, स्मृति संबंधी रोगों और शैक्षिक पद्धतियों पर किए जाने वाले अनुसंधानों के लिए मार्ग प्रशस्त कर सकता है।

मौलिक शोध वैज्ञानिकों को प्राकृतिक नियमों और विभिन्न प्रक्रियाओं को गहराई से समझने में मदद करता है। भले ही इस शोध के तात्कालिक उपयोग न हों, यह भविष्य में नई खोजों के लिए आधार तैयार करता है और हमें दुनिया को बेहतर समझने में सहायता करता है।

अनुप्रयुक्त शोध (Applied Research)

अनुप्रयुक्त शोध एक प्रकार की जांच प्रक्रिया है जिसका उद्देश्य व्यावहारिक समस्याओं को हल करना या वास्तविक दुनिया की विशिष्ट चुनौतियों का समाधान करना होता है। मौलिक शोध के विपरीत, जो किसी विशेष अनुप्रयोग को ध्यान में रखे बिना मौलिक सिद्धांतों को समझने पर केंद्रित होता है, अनुप्रयुक्त शोध अधिक व्यावहारिक और परिणामोन्मुखी होता है।

उदाहरण के लिए, मान लीजिए कि एक प्रौद्योगिकी कंपनी एक नया स्मार्टफोन ऐप विकसित करना चाहती है, जो लोगों को उनकी फिटनेस संबंधी लक्ष्यों को ट्रैक करने में मदद करे। इस शोध में यह अध्ययन किया जाएगा कि लोग वर्तमान में अपनी फिटनेस को कैसे ट्रैक करते हैं, कौन-से फीचर उन्हें उपयोगी लगते हैं और वे किन चुनौतियों का सामना करते हैं। शोधकर्ता इस जानकारी का उपयोग एक ऐसा ऐप डिजाइन करने के लिए करेंगे, जो उपयोगकर्ताओं की जरूरतों को पूरा करे और जिसमें कदम गिनने, वर्कआउट ट्रैक करने और भोजन योजना बनाने जैसी सुविधाएँ हों।

इस संदर्भ में, अनुप्रयुक्त शोध में उपयोगकर्ता प्रतिक्रिया एकत्र करने के लिए किए गए सर्वेक्षण, ऐप की कार्यक्षमता का परीक्षण करने के लिए किए गए प्रयोग और फिटनेस ट्रैकिंग में रुझानों की पहचान करने के लिए डेटा विश्लेषण शामिल हो सकता है। लक्ष्य एक ऐसा उत्पाद बनाना है जो लोगों को उनके फिटनेस लक्ष्य प्राप्त करने में मदद करे और शोध के निष्कर्षों का उपयोग करके इसमें व्यावहारिक सुधार किए जाएँ।

क्विज स्टेशन *विगत UGC NET परीक्षाओं के प्रश्न*

प्र 1. न्यूटन ने गति के तीन मूलभूत नियम दिए। यह शोध किस श्रेणी में आता है?

(a) वर्णनात्मक शोध
(b) नमूना सर्वेक्षण
(c) मौलिक शोध
(d) अनुप्रयुक्त शोध

प्र 2. मौलिक शोध के सिद्धांतों का उपयोग किया जाता है:

(a) क्रियात्मक शोध
(b) अनुप्रयुक्त शोध
(c) दार्शनिक शोध
(d) ऐतिहासिक शोध

प्र 3. मौलिक शोध किस क्षमता को दर्शाता है?

(a) नए विचारों का संश्लेषण करने की क्षमता
(b) नए सिद्धांतों को विस्तारित करने की क्षमता
(c) शोध से संबंधित मौजूदा सामग्री का मूल्यांकन करने की क्षमता
(d) विभिन्न विषयों से संबंधित मौजूदा साहित्य का अध्ययन करने की क्षमता

उत्तर 1. (c) 2. (b) 3. (b)

क्रियात्मक शोध (Action Research)

क्रियात्मक शोध एक ऐसा शोध है जिसमें लोग वास्तविक दुनिया की समस्याओं को हल करने और कार्य प्रणालियों में सुधार करने के लिए मिलकर कार्य करते हैं। यह ऐसा शोध है जिसमें अध्ययन के साथ-साथ व्यावहारिक क्रियाएँ भी की जाती हैं। केवल अवलोकन और विश्लेषण करने के बजाय, क्रियात्मक शोध में समाधान लागू किए जाते हैं, उनके परिणामों से सीखा जाता है और प्राप्त अनुभव के आधार पर आवश्यक बदलाव किए जाते हैं। यह शोध सहयोगात्मक और व्यावहारिक होता है, जिसका मुख्य उद्देश्य किसी विशेष वातावरण में सकारात्मक परिवर्तन लाना होता है।

क्रियात्मक शोध के चार मुख्य चरण (Four Main Steps in Action Research)

क्रियात्मक शोध में चार मुख्य चरण होते हैं: योजना, क्रिया, अवलोकन और पुनर्विचार (चित्र 7.2)। इसे एक उदाहरण से समझते हैं। मान लीजिए कि एक विद्यालय में शिक्षकों का एक समूह यह देखता है कि उनके छात्र गणित में कठिनाई महसूस कर रहे हैं। समस्या पर केवल चर्चा करने के बजाय, वे क्रियात्मक शोध का उपयोग करके समाधान खोजने का निर्णय लेते हैं।

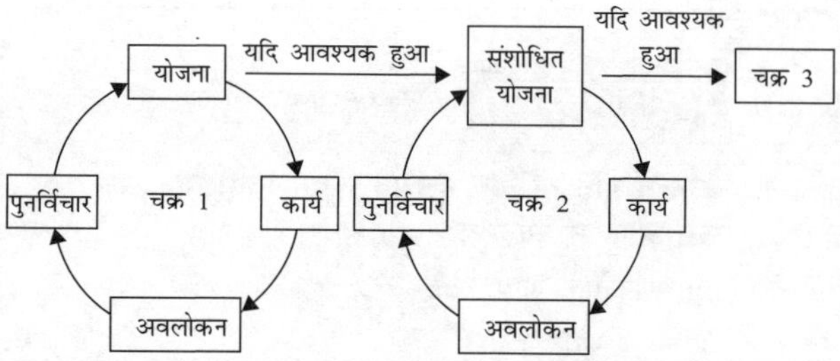

चित्र 7.2 क्रियात्मक शोध

1. **योजना (Planning):** यह पहला चरण है, जिसमें शिक्षक समस्या की पहचान करते हैं और इसे हल करने के लिए एक योजना तैयार करते हैं। इस मामले में, वे देखते हैं कि छात्र गणित में संघर्ष कर रहे हैं, इसलिए वे गणित सीखने में सुधार लाने के लिए नए विचारों पर विचार-विमर्श करते हैं। वे शिक्षण विधियों को बदलने, अतिरिक्त अभ्यास सत्र आयोजित करने या गणित को अधिक रोचक बनाने के लिए तकनीक का उपयोग करने का निर्णय ले सकते हैं। इस चरण का मुख्य उद्देश्य एक स्पष्ट योजना बनाना है, जिसे समस्या को हल करने के लिए लागू किया जा सके।
2. **क्रिया (Action):** इस चरण में, शिक्षक अपनी योजना को क्रियान्वित करते हैं। वे सहमत की गई नई शिक्षण विधि से गणित पढ़ाना शुरू करते हैं या अतिरिक्त अभ्यास सत्र शुरू करते हैं। इस चरण का उद्देश्य समाधान को आजमाना और यह देखना है कि क्या इससे कोई प्रभाव पड़ता है। शिक्षक सक्रिय रूप से छात्रों के साथ मिलकर उन परिवर्तनों को लागू करते हैं, जिन्हें उन्होंने योजना के दौरान तैयार किया था।
3. **अवलोकन (Observation):** क्रिया करने के बाद, शिक्षक यह देखते हैं कि क्या प्रभाव पड़ा है। वे यह जानने के लिए डेटा एकत्र करते हैं कि किए गए बदलाव काम कर रहे हैं या नहीं। इसमें छात्रों के गणितीय परीक्षा अंकों को ट्रैक करना, नए शिक्षण तरीकों पर छात्रों की प्रतिक्रिया का निरीक्षण करना या यह पूछना शामिल हो सकता है कि वे गणित की कक्षा के बारे में कैसा महसूस कर रहे हैं। अवलोकन शिक्षकों को यह समझने में मदद करता है कि उनकी क्रियाओं का क्या प्रभाव पड़ा और किन क्षेत्रों में सुधार की आवश्यकता है।
4. **पुनर्विचार (Reflection):** अंतिम चरण में अवलोकन के परिणामों पर विचार किया जाता है। शिक्षक एकत्र किए गए डेटा को देखते हैं और उसका विश्लेषण करते हैं। वे यह सोचते हैं कि नए शिक्षण तरीकों से छात्रों को गणित में सुधार करने में मदद मिली या नहीं। कौन-से पहलू प्रभावी रहे, और किनमें बदलाव की जरूरत है? इस पुनर्विचार के आधार पर शिक्षक यह तय कर सकते हैं कि वे वर्तमान विधि को जारी रखें, उसमें आवश्यक समायोजन करें या किसी बिल्कुल नए तरीके को आजमाएँ। पुनर्विचार बहुत महत्वपूर्ण है क्योंकि यह योजना और क्रिया के अगले चक्र को दिशा प्रदान करता है, जिससे एक सतत सीखने और सुधार की प्रक्रिया बनती है।

इन चार चरणों–योजना (Planning), क्रिया (Action), अवलोकन (Observation) और पुनर्विचार (Reflection)–का पालन करके क्रियात्मक शोध शिक्षकों को वास्तविक दुनिया की समस्याओं का व्यावहारिक और सहयोगात्मक समाधान खोजने में मदद करता है, जिससे शिक्षा और अन्य क्षेत्रों में सतत सुधार संभव होता है।

क्विज स्टेशन *विगत UGC NET परीक्षाओं के प्रश्न*

प्र 1. क्रियात्मक शोध करने में सामान्यतः चरणों का कौन-सा क्रम अपनाया जाता है?

(a) पुनर्विचार, अवलोकन, योजना, क्रिया
(b) योजना, क्रिया, अवलोकन, पुनर्विचार
(c) योजना, पुनर्विचार, अवलोकन, क्रिया
(d) क्रिया, अवलोकन, योजना, पुनर्विचार

प्र 2. एक विद्यालय के प्रधानाध्यापक शिक्षकों और छात्रों का साक्षात्कार आयोजित करते हैं ताकि विद्यालय कार्यक्रमों में उनकी बढ़ी हुई भागीदारी की संभावनाओं का पता लगाया जा सके। यह प्रयास किस प्रकार के शोध से संबंधित हो सकता है?

(a) मूल्यांकन शोध
(b) मौलिक शोध
(c) क्रियात्मक शोध
(d) अनुप्रयुक्त शोध

प्र 3. वह शोध शाखा, जिसका तत्काल अनुप्रयोग होता है, कौन-सा है?

(a) संकल्पनात्मक शोध
(b) क्रियात्मक शोध
(c) मौलिक शोध
(d) प्रायोगिक शोध

प्र 4. क्रियात्मक शोध क्या है?

(a) एक अनुप्रयुक्त शोध
(b) तत्काल समस्याओं को हल करने के लिए किया गया शोध
(c) एक दीर्घकालिक शोध
(d) अनुकरणीय शोध

उत्तर 1. (b) 2. (c) 3. (b) 4. (b)

7.9 अन्य प्रकार के शोध (Other Types of Research)

नृवंशविज्ञान शोध (Ethnographic Research)

नृवंशविज्ञान शोध किसी विशेष संस्कृति या समुदाय में स्वयं को शामिल करके उनके सामाजिक व्यवहार, रीति-रिवाजों और विश्वासों को समझने की प्रक्रिया है। प्रयोगों या सर्वेक्षणों को दूर से संचालित करने के बजाय, नृवंशविज्ञानी जिन लोगों का अध्ययन कर रहे होते हैं, उनके साथ समय

बिताते हैं, उनकी दिनचर्या का अवलोकन करते हैं, उनकी गतिविधियों में भाग लेते हैं और कभी-कभी उनके बीच रहकर भी अध्ययन करते हैं। यह दृष्टिकोण शोधकर्ताओं को समूह की परंपराओं, विश्वासों और सामाजिक संरचनाओं का गहराई से और नजदीकी अवलोकन करने की सुविधा देता है।

आइए एक उदाहरण लें। डॉ. सालुंके एक नृवंशविज्ञान अध्ययन करना चाहते हैं, जिसमें एक मछुआरा गाँव की संस्कृति पर ध्यान केंद्रित किया जाएगा। वे मछुआरों और उनके परिवारों के बीच रहते हैं, उनकी दैनिक दिनचर्या, मछली पकड़ने की प्रथाओं और सामाजिक संबंधों का अवलोकन करते हैं। समुदाय की गतिविधियों में भाग लेकर और लोगों से संवाद स्थापित करके, डॉ. सालुंके को गाँव के लोगों के जीवन-यापन, उनके मूल्य, परंपराओं और जिन चुनौतियों का वे सामना करते हैं, उनके बारे में गहन समझ प्राप्त होती है। इस गहन अन्वेषणात्मक दृष्टिकोण को अपनाकर, नृवंशविज्ञान शोध मानव व्यवहार और संस्कृति की जटिलताओं पर विस्तृत और समृद्ध अंतर्दृष्टि प्रदान करता है। यह शोधकर्ताओं को सांस्कृतिक प्रवृत्तियों, सामाजिक संरचनाओं और उन गहरे अर्थों को उजागर करने में मदद करता है, जो अन्य शोध विधियों के माध्यम से स्पष्ट नहीं हो सकते।

नृवंशविज्ञान शोध विभिन्न संस्कृतियों और उपसंस्कृतियों की खोज के लिए विशेष रूप से उपयोगी है, जिससे मानव समाज की जटिलताओं को समझने और विभिन्न संस्कृतियों के बीच आपसी समझ को बढ़ावा देने में सहायता मिलती है।

नृवंशविज्ञान शोध के प्रकार (Type of Ethnographic Research)

स्व-नृवंशविज्ञान (Autoethnography): यह नृवंशविज्ञान शोध का एक प्रकार है, जिसमें शोधकर्ता आत्मचिंतन (self-reflection) और व्यक्तिगत लेखन (personal writing) के माध्यम से अपने स्वयं के अनुभवों का विश्लेषण करते हैं और उन्हें व्यापक सांस्कृतिक, सामाजिक और राजनीतिक संदर्भों से जोड़ते हैं।

उदाहरण के लिए, मान लीजिए कि एक शोधकर्ता, जिसने एक छोटे पारिवारिक खेत में अपना बचपन बिताया है, ग्रामीण समुदायों पर कृषि नीतियों के प्रभाव का अध्ययन करना चाहता है। अपने बचपन के अनुभवों और उन चुनौतियों पर विचार करके, जिनका उनके परिवार को बदलती नीतियों के कारण सामना करना पड़ा, वह इस विषय पर एक व्यक्तिगत और भावनात्मक दृष्टिकोण प्रदान कर सकता है। इसके बाद, वे इन व्यक्तिगत कथाओं को व्यापक मुद्दों, जैसे छोटे खेतों पर आर्थिक दबाव और ग्रामीण क्षेत्रों में खेती के सांस्कृतिक महत्व से जोड़ सकते हैं। यह दृष्टिकोण शोधकर्ता को इन नीतियों के व्यापक प्रभावों पर गहरी और विस्तृत अंतर्दृष्टि प्रदान करने में मदद करता है, जिससे शोध अधिक प्रभावशाली और लोगों से जुड़ने योग्य बन जाता है।

सिनेमैटिक कनेक्शन

हॉलीवुड फिल्म 'अवतार' (2009), जिसे जेम्स कैमरून ने निर्देशित किया है, में नृवंशविज्ञान शोध को जेक सुली के चरित्र के माध्यम से दर्शाया गया है। जेक अवतार प्रोग्राम के तहत पैंडोरा ग्रह पर नावी संस्कृति का हिस्सा बनता है। वह नावी समुदाय के साथ रहता है, उनकी भाषा, रीति-रिवाजों और जीवनशैली को सीखता है। उनके अनुष्ठानों और दैनिक गतिविधियों में भाग लेकर, जेक उनके साथ संबंध स्थापित करता है और उनका विश्वास अर्जित करता है। यह गहन सहभागिता और अवलोकन नृवंशविज्ञान शोध के प्रमुख तत्व हैं, जो जेक को नावी संस्कृति को अंदरूनी दृष्टिकोण से समझने में मदद करते हैं। नृवंशविज्ञान शोध में जिस प्रकार शोधकर्ता जिस संस्कृति का अध्ययन कर रहे होते हैं, उसमें रहकर विस्तृत जानकारी एकत्र करते हैं, उसी तरह जेक भी नावी समुदाय के भीतर रहकर उनकी संस्कृति के बारे में गहरी अंतर्दृष्टि प्राप्त करता है।

सहभागी शोध (Participatory Research)

सहभागी शोध एक ऐसी शोध विधि है, जिसमें जिन लोगों का अध्ययन किया जा रहा होता है, वे स्वयं शोध प्रक्रिया में सक्रिय रूप से भाग लेते हैं। केवल अवलोकन करने या उनसे डेटा एकत्र करने के बजाय, शोधकर्ता प्रतिभागियों के साथ मिलकर कार्य करते हैं, जिससे वे अपने विचार, राय और अनुभव साझा कर सकें। यह दृष्टिकोण शोध को अधिक सहयोगात्मक बनाने के लिए विकसित किया गया है, ताकि इसमें शामिल लोगों की आवाज सुनी जाए और उनका योगदान मूल्यवान माना जाए।

सहभागी शोध को आम चुनाव के संदर्भ में एक सामान्य उदाहरण के माध्यम से समझा जा सकता है। चुनावों से पहले, एक बड़े शहर में एक राजनीतिक नेता 'सामुदायिक सभाएँ' आयोजित करता है, जहाँ वे स्थानीय निवासियों के साथ संवाद स्थापित करते हैं, उनकी चिंताओं और आकांक्षाओं को समझने का प्रयास करते हैं। इन बैठकों के दौरान, नेता और उनकी पार्टी के सदस्य निवासियों की समस्याओं को ध्यान से सुनते हैं, स्थानीय मुद्दों पर चर्चा करते हैं और सरकारी योजनाओं पर उनकी प्रतिक्रिया प्राप्त करते हैं। इन सभाओं में निवासियों को शिक्षा, स्वास्थ्य सेवा, बुनियादी ढाँचे और शासन जैसे विभिन्न विषयों पर अपनी राय व्यक्त करने का अवसर मिलता है। राजनीतिक नेता समुदाय के सदस्यों द्वारा प्रस्तुत विभिन्न दृष्टिकोणों और विचारों पर गहन ध्यान देते हैं।

इस सहभागी दृष्टिकोण को अपनाकर, नेता यह सुनिश्चित करने का प्रयास करते हैं कि उनका चुनाव प्रचार और बाद की नीतियाँ समुदाय की आवश्यकताओं और अपेक्षाओं के अनुरूप हों। नागरिकों को निर्णय लेने की प्रक्रिया में सक्रिय रूप से शामिल करने की यह विधि पारदर्शिता, जवाबदेही और नागरिक सशक्तिकरण को बढ़ावा देती है। इस सहयोगात्मक प्रयास के माध्यम से, नेता सरकार और जनता के बीच संबंधों को मजबूत करने और एक अधिक समावेशी और उत्तरदायी शासन मॉडल को प्रोत्साहित करने का लक्ष्य रखते हैं।

क्विज स्टेशन *विगत UGC NET परीक्षाओं के प्रश्न*

प्र 1. निम्नलिखित में से कौन-सा कथन सहभागी शोध के संदर्भ में सत्य नहीं है?

(a) यह ज्ञान को शक्ति के रूप में मान्यता देता है

(b) यह लोगों को विशेषज्ञ के रूप में महत्व देता है

(c) यह एक सामूहिक जाँच प्रक्रिया है

(d) इसका एकमात्र उद्देश्य ज्ञान का उत्पादन करना है

उत्तर 1. (d)

तालिका 7.1 मात्रात्मक और गुणात्मक शोध का सारांश

तुलना बिंदु	मात्रात्मक शोध	गुणात्मक शोध
स्पष्टता और संरचना	स्पष्ट और संरचित	खोजपूर्ण और असंरचित
दृष्टिकोण	वस्तुनिष्ठ दृष्टिकोण	व्यक्तिपरक दृष्टिकोण
फोकस	'क्या' और 'कब' पर ध्यान केंद्रित करता है। यह हमें बताता है कि कितना और कितने	'क्यों' पर ध्यान केंद्रित करता है। यह समस्या, दृष्टिकोण या व्यवहार की समझ प्रदान करता है
जांच की दिशा	सामान्य से विशिष्ट	विशिष्ट से सामान्य
तर्क	निगमनात्मक तर्क	आगमनात्मक तर्क
डेटा प्रकार	संख्यात्मक और मापनीय	गैर-संख्यात्मक और पाठ्य
व्यक्त किया गया	संख्याओं, रेखांकन, तालिकाओं, कम शब्दों में	शब्द
नमूना आकार	बड़े नमूना आकार	छोटे नमूना आकार
नमूनाकरण	निष्पक्षता के लिए यादृच्छिक नमूनाकरण	सुविधा के लिए गैर-यादृच्छिक नमूनाकरण
जांच फोकस	परिणाम-उन्मुख जांच	प्रक्रिया-उन्मुख जांच
सामान्यीकरण	विशिष्ट परिणाम, अत्यधिक सामान्यीकरण योग्य	वर्णनात्मक परिणाम, कम सामान्यीकरण योग्य
प्रश्न	बंद-अंत या बहुविकल्पीय	खुले-अंत
उद्देश्य	पुष्टिकारक	अन्वेषणात्मक
ताकत	सटीकता	गहन अंतर्दृष्टि, लचीलापन
कमजोरियाँ	कठोर, गहराई की कमी हो सकती है	समय लेने वाला
तलाश पद्धतियाँ	• सर्वेक्षण • प्रयोग • अनुप्रयुक्त शोध • निर्णायक शोध	• साक्षात्कार • केस स्टडीज • मौलिक शोध • खोजपूर्ण शोध • नृवंशविज्ञान शोध • ग्राउंडेड थ्योरी/शोध • घटना विज्ञान • सांकेतिक विज्ञान • हेर्मेनेयुटिक्स • प्रवचन शोध • कथात्मक शोध

तालिका 7.2 बुनियादी और अनुप्रयुक्त शोध का सारांश

तुलना बिंदु	मूलभूत शोध	अनुप्रयुक्त शोध
उद्देश्य	वर्तमान ज्ञान का विस्तार करता है	विशेष जीवन समस्याओं का समाधान करता है
प्रकृति	सैद्धांतिक और खोजपूर्ण	व्यावहारिक और वर्णनात्मक
दायरा	व्यापक दायरा	अधिक विशिष्ट दायरा
प्रौद्योगिकी से जुड़ाव	प्रौद्योगिकी से कम जुड़ाव	प्रौद्योगिकी की उन्नति से जुड़ा हुआ
लक्ष्य	भविष्य की घटना की भविष्यवाणी करता है	भविष्य की समस्याओं के लिए समाधान या रोकथाम बनाता है
प्रेरणा	जिज्ञासा-संचालित	ग्राहक-संचालित
वाणिज्यिक उद्देश्य	प्रत्यक्ष वाणिज्यिक उद्देश्य नहीं हैं	प्रत्यक्ष वाणिज्यिक उद्देश्य हैं
आर्थिक संबंध	अर्थव्यवस्था से कम जुड़ा हुआ	आर्थिक गतिविधियों से अत्यधिक जुड़ा हुआ
अकादमिक प्रकाशन	अकादमिक प्रकाशनों में कम दिखाई देते हैं	अकादमिक प्रकाशनों में ज़्यादा दिखाई देते हैं
सेटिंग	एक बाँझ वातावरण में होता है	वास्तविक दुनिया की सेटिंग में होता है

अध्याय के मुख्य बिंदु

वर्णनात्मक शोध के प्रकार

समय सीमा के आधार पर
- अनुप्रस्थ शोध
- अनुदैर्ध्य शोध

विकासात्मक शोध
कोहोर्ट अध्ययन
संभावित अध्ययन
प्रवृत्ति अध्ययन
डेटा के प्रकार के आधार पर
- मात्रात्मक शोध

सर्वेक्षण
प्रयोग
अनुप्रयुक्त शोध
निर्णायक
- गुणात्मक शोध

घटना विज्ञान
संकेत विज्ञान
हेर्मेनेयुटिक्स
भाषण विश्लेषण
कथात्मक शोध
साक्षात्कार
केस स्टडीज
मौलिक शोध
खोजपूर्ण शोध
नृवंशविज्ञान शोध
ग्राउंडेड थ्योरी/रिसर्च
- खमिश्रित शोध

अन्य वर्णनात्मक शोध
- ऐतिहासिक शोध
- विश्लेषणात्मक शोध
- खोजपूर्ण शोध
- पूर्वव्यापी शोध

कारण तुलनात्मक शोध
पूर्वव्यापी कारण तुलनात्मक शोध
संभावित कारण तुलनात्मक शोध

तर्क पर आधारित

- निगमनात्मक शोध
- आगमनात्मक शोध

आधार आधारित सिद्धांत/शोध

जांच के तरीके के आधार पर

- संरचित शोध
- असंरचित शोध

उद्देश्य के आधार पर

- निर्णायक शोध
- आकस्मिक शोध
- नैदानिक शोध
- वर्णनात्मक शोध
- विश्लेषणात्मक शोध
- सहसंबंधी शोध
- मूल्यांकनात्मक शोध
- खोजपूर्ण शोध

व्यवहार्यता अध्ययन
पायलट अध्ययन

जांच की प्रकृति के आधार पर

- वैचारिक शोध
- अनुभवजन्य शोध
- दार्शनिक शोध
- ऐतिहासिक शोध

अभिलेखीय शोध

डेटा संग्रह विधि के आधार पर

- केस स्टडी
- सर्वेक्षण
- अवलोकन संबंधी शोध

प्राकृतिक अवलोकन
फोकल/फोकस सैंपलिंग

आवेदन के आधार पर

- मौलिक शोध
- अनुप्रयुक्त शोध
- क्रिया शोध

योजना
क्रिया
अवलोकन
प्रतिबिंब

शोध के अन्य प्रकार

- सहभागी शोध
- नृवंशविज्ञान शोध
- स्व-नृवंशविज्ञान शोध

8

अनुसंधान प्रक्रिया के चरण (Steps in Research Process)

इस अध्याय में

**परीक्षोपयोगी (Exam Essential) : UGC NET परीक्षा में पूछे जाने की अत्यधिक संभावना #CC का अर्थ है कॉन्सेप्ट कैप्सूल*

परिचय (Introduction)

कल्पना कीजिए कि आप भारत में सबसे अच्छे ट्रेक के बारे में अनुसंधान करना चाहते हैं। आप सबसे पहले समस्या की पहचान करते हैं: कौन-से ट्रेक "प्राकृतिक सुंदरता, कठिनाई स्तर और कुल संतुष्टि" के मामले में सबसे अधिक लाभकारी अनुभव प्रदान करते हैं? इसके बाद, आप भारत में लोकप्रिय ट्रेकिंग मार्गों पर मौजूद साहित्य और यात्रा ब्लॉग की समीक्षा करते हैं।

अपने निष्कर्षों के आधार पर, आप एक सामान्य सिद्धांत बनाते हैं: हिमालय में कुछ ट्रेक, जैसे रूपकुंड ट्रेक और चादर ट्रेक, ट्रेकर्स के लिए सर्वश्रेष्ठ अनुभव प्रदान करते हैं। इसके बाद, आप अनुभवी ट्रेकर्स के साथ सर्वेक्षण और साक्षात्कार के माध्यम से डेटा एकत्र करते हैं, उस डेटा का विश्लेषण करते हैं और अंत में यह निष्कर्ष निकालते हैं कि कौन-से ट्रेक सबसे अधिक अनुशंसित हैं। उपरोक्त वर्णित प्रक्रिया की तरह, शोध में कदम व्यवस्थित और कठोर जांच करने के लिए एक संरचित ढांचा प्रदान करते हैं। उपरोक्त प्रक्रिया की तरह ही, अनुसंधान के चरण एक संरचित रूपरेखा प्रदान करते हैं, जिससे व्यवस्थित और गहन अन्वेषण किया जा सके। यह प्रक्रिया कई पद्धतिगत चरणों से होकर गुजरती है, जिनका हम इस अध्याय में विस्तार से अध्ययन करेंगे। प्रत्येक चरण यह सुनिश्चित करने में महत्वपूर्ण भूमिका निभाता है कि अनुसंधान व्यापक, सटीक और विश्वसनीय हो।

अनुसंधान के चरणों को समझना UGC NET पेपर 1 के अभ्यर्थियों के लिए विशेष रूप से आवश्यक है, क्योंकि यह पाठ्यक्रम का एक मूलभूत भाग है।

इन चरणों में दक्षता प्राप्त करना न केवल उम्मीदवारों को शैक्षिक अनुसंधान के लिए आवश्यक कौशल प्रदान करता है, बल्कि उनकी मौजूदा अनुसंधानों के आलोचनात्मक मूल्यांकन और अपने क्षेत्र में सार्थक योगदान देने की क्षमता को भी बढ़ाता है। यह अध्याय प्रत्येक चरण का एक व्यापक मार्गदर्शन प्रदान करने का लक्ष्य रखता है, ताकि छात्र परीक्षा और भविष्य के अनुसंधान कार्यों के लिए पूरी तरह से तैयार हो सकें।

चरण 1: अनुसंधान समस्या को परिभाषित करना

↓

चरण 2: साहित्य की समीक्षा करना

↓

चरण 3: चर (variable) की पहचान करना

↓

चरण 4: परिकल्पना तैयार करना

↓

चरण 5: अनुसंधान डिजाइन तैयार करना

↓

चरण 6: नमूने चुनना

↓

चरण 7: डेटा एकत्र करना

↓

चरण 8: डेटा विश्लेषण और परिकल्पना परीक्षण

↓

चरण 9: सामान्यीकरण और व्याख्या करना

↓

चरण 10: अनुसंधान रिपोर्ट लिखना

चरण 1 अनुसंधान समस्या को परिभाषित करना (Defining the Research Problem)

किसी भी अनुसंधान प्रक्रिया का पहला चरण एक विषय का चयन करना और अनुसंधान समस्या को परिभाषित करना होता है। यह चरण महत्वपूर्ण है क्योंकि यह पूरे अध्ययन की दिशा और सीमा निर्धारित करता है।

1. **विषय का चयन (Selecting the Topic):** अनुसंधान विषय का चयन करने में किसी रुचिकर क्षेत्र या विशेष समस्या की पहचान करना शामिल होता है, जिसे आप गहराई से अध्ययन करना चाहते हैं। यह आवश्यक है कि विषय न केवल दिलचस्प हो, बल्कि प्रासंगिक और अनुसंधान के लिए व्यावहारिक भी हो। इसका अर्थ है कि अनुसंधान करते समय संसाधनों की उपलब्धता, समय-सीमा और मौजूदा साहित्य की सीमा जैसे कारकों को ध्यान में रखना चाहिए। एक अच्छी तरह से चुना गया विषय इतना विशिष्ट होना चाहिए कि इसे प्रबंधित किया जा सके, लेकिन साथ ही इतना व्यापक भी होना चाहिए कि पर्याप्त जानकारी उपलब्ध हो।
2. **अनुसंधान समस्या को परिभाषित करना (Defining the Research Problem):** एक बार विषय चुनने के बाद, अगला कार्य अनुसंधान समस्या को स्पष्ट रूप से परिभाषित करना होता है। इसमें एक विशिष्ट समस्या, प्रश्न या ज्ञान की कमी की पहचान करना शामिल है, जिसे अनुसंधान द्वारा संबोधित किया जाएगा। समस्या को परिभाषित करने से अध्ययन के केंद्र बिंदु को सीमित करने और अनुसंधान के उद्देश्यों को स्पष्ट दिशा प्रदान करने में मदद मिलती है।

एक अच्छी तरह से परिभाषित अनुसंधान समस्या स्पष्ट, संक्षिप्त और अनुसंधान योग्य होनी चाहिए। यह अक्सर एक प्रश्न या कथन के रूप में प्रस्तुत की जाती है, जो अध्ययन की आवश्यकता को उजागर करती है।

उदाहरण के लिए, यदि चुना गया विषय "*किशोरों पर सोशल मीडिया का प्रभाव*" है, तो अनुसंधान समस्या को इस प्रकार परिभाषित किया जा सकता है: "*सोशल मीडिया के उपयोग का किशोरों के मानसिक स्वास्थ्य पर क्या प्रभाव पड़ता है?*" यह स्पष्ट रूप से अध्ययन के केंद्र को दर्शाता है और अनुसंधान प्रश्नों, परिकल्पनाओं और उद्देश्यों को तैयार करने के लिए आधार प्रदान करता है।

अनुसंधान समस्या के चयन में मुख्य विचार (Main Considerations in Selecting a Research Problem)

जब अनुसंधान समस्या का चयन किया जाता है, तो कुछ महत्वपूर्ण विचार इसे प्रबंधनीय बनाने और पूरे अनुसंधान प्रक्रिया के दौरान प्रेरित बने रहने में सहायता करते हैं। कैफीन के सेवन और उसकी स्मरण शक्ति पर प्रभाव का विषय इन विचारों को समझाने के लिए एक अच्छा उदाहरण हो सकता है।

1. **रुचि (Interest):** अनुसंधान एक समय-साध्य प्रक्रिया है और इसमें कई अप्रत्याशित चुनौतियाँ आ सकती हैं। एक ऐसा विषय चुनना जो वास्तव में आपकी रुचि का हो, अनुसंधान के प्रति प्रेरित बने रहने के लिए आवश्यक है। उदाहरण के लिए, यदि आपको यह जानने में रुचि है कि आहार संबंधी आदतें संज्ञानात्मक कार्यप्रणाली को कैसे प्रभावित करती हैं, तो कैफीन का स्मरण शक्ति पर प्रभाव अध्ययन का एक आकर्षक विषय हो सकता है, जिससे आप संभावित कठिनाइयों के बावजूद प्रेरित बने रहेंगे।
2. **प्रबंधनीय परिमाण (Manageable Magnitude):** अनुसंधान विषय को उपलब्ध समय और संसाधनों के भीतर व्यावहारिक रूप से संपन्न किया जा सकने योग्य होना चाहिए। उदाहरण के लिए, सभी आहार संबंधी पदार्थों के स्मरण शक्ति पर प्रभाव का अध्ययन करने

के बजाय, केवल कैफीन पर ध्यान केंद्रित करना अध्ययन को अधिक स्पष्ट और प्रबंधनीय बनाता है। यदि हम इसे और अधिक केंद्रित करना चाहें, तो यह अध्ययन कैफीन की विभिन्न मात्राओं का किसी विशेष आयु वर्ग की अल्पकालिक और दीर्घकालिक स्मरण शक्ति पर प्रभाव जांचने पर आधारित हो सकता है। इससे अनुसंधान अधिक लक्षित और सुलभ बन जाएगा।

3. **अवधारणा मापन (Concept Measurement):** अध्ययन में शामिल संकल्पनाओं को स्पष्ट रूप से परिभाषित करना और मापने के तरीकों को पहले से तय करना आवश्यक है। इस अध्ययन में 'स्मरण शक्ति' को मानकीकृत परीक्षणों के माध्यम से और 'कैफीन सेवन' को सटीक मात्रा के आधार पर परिभाषित किया जा सकता है। उदाहरण के लिए, अल्पकालिक स्मरण शक्ति मापने के लिए डिजिट स्पैन टेस्ट और दीर्घकालिक स्मरण शक्ति के लिए रे ऑडिटरी वर्बल लर्निंग टेस्ट का उपयोग किया जा सकता है। इससे डेटा की सटीकता और विश्वसनीयता सुनिश्चित की जा सकती है।
4. **विशेषज्ञता स्तर (Level of Expertise):** आपको अनुसंधान करने के लिए आवश्यक कौशल में निपुण होना चाहिए या उन्हें सीखने के लिए तैयार रहना चाहिए। यदि आपका मनोविज्ञान या तंत्रिका विज्ञान में कोई पृष्ठभूमि है, तो आप संज्ञानात्मक कार्यप्रणाली से संबंधित प्रयोगों को बेहतर ढंग से डिजाइन कर सकते हैं और उनके परिणामों की व्याख्या कर सकते हैं। उदाहरण के लिए सांख्यिकीय विश्लेषण तकनीकों की समझ होने से आपको कैफीन और स्मरण शक्ति पर किए गए अध्ययन से एकत्र किए गए डेटा का विश्लेषण करने में सहायता मिलेगी।
5. **प्रासंगिकता (Relevance):** आपका अनुसंधान मौजूदा ज्ञान में योगदान करना चाहिए और वर्तमान शोध में मौजूद कमियों को संबोधित करना चाहिए। कैफीन के स्मरण शक्ति पर प्रभाव मनोविज्ञान, पोषण और सार्वजनिक स्वास्थ्य जैसे क्षेत्रों के लिए प्रासंगिक है। उदाहरण के लिए यदि अनुसंधान से यह पता चलता है कि कैफीन स्मरण शक्ति में सुधार करता है या उसे प्रभावित करता है, तो यह उन छात्रों और पेशेवरों के लिए आहार संबंधी सिफारिशों को प्रभावित कर सकता है, जो मानसिक सतर्कता बनाए रखने के लिए कैफीन पर निर्भर रहते हैं।
6. **डेटा की उपलब्धता (Availability of Data):** अनुसंधान विषय को अंतिम रूप देने से पहले यह सुनिश्चित करें कि आवश्यक डेटा सुलभ है। कैफीन और स्मरण शक्ति के अध्ययन के लिए, आपको ऐसे प्रतिभागियों की आवश्यकता होगी जो कैफीन का सेवन करने के लिए तैयार हों और स्मरण शक्ति परीक्षणों में भाग लें। इसके अलावा, कैफीन के प्रभावों पर मौजूदा साहित्य और डेटाबेस आवश्यक पृष्ठभूमि जानकारी प्रदान कर सकते हैं, जिससे अनुसंधान को अधिक सटीक और विस्तृत बनाया जा सकता है।
7. **नैतिक मुद्दे (Ethical Issues):** अपने अनुसंधान से जुड़े संभावित नैतिक चिंताओं का पूर्वानुमान लगाएँ और उन्हें उचित रूप से संबोधित करें। उदाहरण के लिए, प्रतिभागियों से पूर्व सहमति (informed consent) प्राप्त करना और यह सुनिश्चित करना कि वे कैफीन के सेवन से जुड़े संभावित जोखिमों से अवगत हों, अत्यंत महत्वपूर्ण है।

   इसके अलावा, प्रतिभागियों की गोपनीयता बनाए रखना और अध्ययन के दौरान उनके कल्याण का सम्मान करना अनिवार्य है।

इन चरणों और विचारों का पालन करके, अनुसंधान समस्या को व्यवस्थित रूप से तैयार किया जा सकता है, जिससे वह स्पष्ट, केंद्रित और अनुसंधान योग्य हो। उदाहरण के लिए, "क्या कैफीन का सेवन स्मरण शक्ति को बढ़ाता है या उसे प्रभावित करता है?" जैसे अनुसंधान प्रश्न को सटीक रूप से तैयार किया जा सकता है। यह प्रक्रिया अंततः सार्थक और विश्वसनीय अनुसंधान परिणामों की ओर ले जाती है।

एक बार जब हमने अनुसंधान प्रश्न या समस्या तैयार कर ली है, तो अगला चरण मौजूदा साहित्य की व्यापक समीक्षा करना है।

क्विज स्टेशन *विगत UGC NET परीक्षाओं के प्रश्न*

प्र 1. अनुसंधान का पहला चरण क्या है?

(a) किसी समस्या का चयन करना
(b) किसी समस्या की खोज करना
(c) किसी समस्या को खोजना
(d) किसी समस्या की पहचान करना

प्र 2. कोई अनुसंधान समस्या तभी व्यावहारिक होती है जब

(a) उसमें उपयोगिता और प्रासंगिकता हो
(b) वह अनुसंधान योग्य हो
(c) वह नई हो और ज्ञान में कुछ जोड़ती हो
(d) उपरोक्त सभी

उत्तर 1. (c) 2. (d)

चरण 2 साहित्य समीक्षा (Reviewing Literature)

इस विषय को सरल बनाने वाले वीडियो व्याख्यान को देखने के लिए इस QR कोड को स्कैन करें

अनुसंधान प्रक्रिया का अगला चरण साहित्य समीक्षा करना है। इसका अर्थ है मौजूदा अनुसंधान, पुस्तकें, लेख और अन्य स्रोतों की जाँच करना जो आपके अनुसंधान विषय से संबंधित हैं। इसमें जानकारी की पहचान करना, उसका विश्लेषण करना और उसे समाहित करना शामिल है, ताकि यह समझा जा सके कि आपके अध्ययन क्षेत्र में अब तक क्या ज्ञात है। यह प्रक्रिया शोधकर्ताओं को मौजूदा ज्ञान पर आधारित कार्य करने, पिछले कार्यों की पुनरावृत्ति से बचने और अपने अनुसंधान प्रश्नों को परिष्कृत करने में मदद करती है।

साहित्य समीक्षा अनुसंधान प्रक्रिया का एक महत्वपूर्ण हिस्सा है। यह अनुसंधान के प्रत्येक अगले चरण में योगदान देती है और शोधकर्ता को अपने अध्ययन क्षेत्र में मौजूदा ज्ञान को गहराई से समझने में सक्षम बनाती है।

साहित्य समीक्षा के मुख्य उद्देश्य (Main Objectives of Reviewing Literature)

1. **ज्ञान का विस्तार (Broadening Knowledge):** मौजूदा साहित्य की समीक्षा करने से शोधकर्ता की अनुसंधान समस्या को समझने की क्षमता बढ़ती है। उदाहरण के लिए, यदि आप कैफीन का स्मरण

शक्ति पर प्रभाव अध्ययन कर रहे हैं, तो कैफीन के संज्ञानात्मक कार्यों पर प्रभाव से संबंधित पूर्व अनुसंधानों को पढ़ने से मौजूदा ज्ञान का एक ठोस आधार प्राप्त हो सकता है।

2. **स्पष्टता और केंद्रित दृष्टिकोण को बढ़ाना (Enhancing Clarity and Focus):** साहित्य समीक्षा अनुसंधान समस्या को स्पष्ट और परिष्कृत करने में मदद करती है, जिससे अनुसंधान की विश्वसनीयता बढ़ती है। जब आप यह देखते हैं कि पिछले शोधकर्ताओं ने समान प्रश्नों को कैसे संबोधित किया है, तो आप साहित्य में मौजूद अंतराल या असंगतियों की पहचान कर सकते हैं।

   उदाहरण के लिए हो सकता है कि अधिकांश अध्ययन कैफीन के सतर्कता (alertness) पर प्रभाव पर केंद्रित हों, लेकिन दीर्घकालिक स्मरण शक्ति (long-term memory) पर इसके प्रभाव का पर्याप्त अध्ययन न किया गया हो। यह अंतर आपके अनुसंधान के लिए अधिक स्पष्ट और केंद्रित दृष्टिकोण प्रदान कर सकता है।

3. **अनुसंधान पद्धति में सुधार (Improving Research Methodology):** साहित्य समीक्षा के माध्यम से, आप यह सीख सकते हैं कि समान विषयों पर किए गए अध्ययन किन अनुसंधान पद्धतियों का उपयोग करते हैं, जिससे आप एक अधिक सशक्त अनुसंधान योजना तैयार कर सकते हैं।

   उदाहरण के लिए यदि आप पाते हैं कि कैफीन और स्मरण शक्ति पर अधिकांश अध्ययन नियंत्रित समूहों (control groups) के साथ प्रयोगात्मक डिजाइन (experimental designs) का उपयोग करते हैं, तो यह निर्णय लेने में मदद मिलेगी कि आप भी इस पद्धति को अपनाएँ, जिससे आपके अनुसंधान की वैधता (validity) में सुधार होगा।

4. **निष्कर्षों को संदर्भ में प्रस्तुत करना (Contextualising Findings):** साहित्य समीक्षा आपके निष्कर्षों को मौजूदा शोध के संदर्भ में रखकर उनकी तुलना करने में मदद करती है। यह प्रक्रिया अनुसंधान को मौजूदा ज्ञान आधार में मूल्यवान योगदान देने योग्य बनाती है।

   उदाहरण के लिए यदि कैफीन और स्मरण शक्ति पर आपके अध्ययन के निष्कर्ष कुछ अध्ययनों से मेल खाते हैं लेकिन अन्य अध्ययनों से भिन्न हैं, तो इन मतभेदों पर चर्चा करने से आपके अनुसंधान का अद्वितीय योगदान (unique contribution) उजागर हो सकता है।

साहित्य की समीक्षा करने की प्रक्रिया
(Procedure for Reviewing Literature)

1. **चरण 1: मौजूदा साहित्य की खोज (Searching Existing Literature)** – सबसे पहले, संबंधित पुस्तकों, शोधपत्रों और विश्वसनीय इंटरनेट स्रोतों की खोज करें। उदाहरण के लिए, PubMed, Google Scholar और JSTOR जैसे डेटाबेस कैफीन और स्मृति पर कई शोध पत्रों तक पहुंच प्रदान कर सकते हैं।
2. **चरण 2: साहित्य की समीक्षा (Reviewing the Literature)** – प्राप्त साहित्य का आलोचनात्मक मूल्यांकन करें, जिसमें प्रमुख निष्कर्षों, अनुसंधान पद्धतियों और विद्यमान शोध में मौजूद कमियों पर ध्यान दें। संक्षेप और समग्र विश्लेषण के माध्यम से विषय की गहन समझ विकसित करें।
3. **चरण 3: सैद्धांतिक और वैचारिक ढांचे का विकास (Developing Theoretical and Conceptual Frameworks)** – साहित्य से प्राप्त अंतर्दृष्टियों का उपयोग करके एक सैद्धांतिक ढांचा तैयार करें, जो आपके शोध का मार्गदर्शन करेगा। यह ढांचा अध्ययन की संरचना निर्धारित करता है और इसे मौजूदा सिद्धांतों व अवधारणाओं के अनुरूप बनाता है।

साहित्य समीक्षा के प्रमुख स्रोत
(Main Sources of Literature Review)

1. **पुस्तकें और पत्रिकाएँ (Books and Journals):** पुस्तकों से विषय की मूलभूत जानकारी मिलती है, जबकि पत्रिकाएँ नवीनतम शोध निष्कर्ष प्रदान करती हैं। उदाहरण के लिए, 2020 में प्रकाशित एक शोध पत्र कैफीन के संज्ञानात्मक प्रभावों (cognitive effects) पर किए गए नवीनतम प्रयोगात्मक अध्ययनों का विवरण दे सकता है।
2. **इंटरनेट स्रोत (Internet Sources):** इंटरनेट नवीनतम जानकारी प्राप्त करने का एक मूल्यवान साधन है। हालांकि, ऑनलाइन स्रोतों की प्रामाणिकता और विश्वसनीयता सुनिश्चित करना आवश्यक है। सहकर्मी-समीक्षित (peer-reviewed) पत्रिकाएँ और प्रतिष्ठित शैक्षणिक संस्थानों के लेख अधिक विश्वसनीय माने जाते हैं।

   आपके शोध कार्य के अंत में, एक ग्रंथसूची (bibliography) शामिल करें (जिस पर अगले अध्याय में चर्चा की जाएगी), जिसमें उपयोग किए गए सभी स्रोतों की सूची दी जाए। यह संदर्भों का स्पष्ट और संपूर्ण विवरण प्रदान करता है, जिससे पारदर्शिता बनी रहती है और अन्य लोग आपके कार्य को सत्यापित कर सकते हैं।

   साहित्य की गहन समीक्षा करके, आप अपने शोध के लिए एक मजबूत आधार स्थापित कर सकते हैं, जिससे यह सूचित, विश्वसनीय और मौजूदा ज्ञान में सार्थक योगदान देने वाला बनता है।

   अब जब हमने मौजूदा साहित्य की समीक्षा करना सीख लिया है, तो आइए अनुसंधान प्रक्रिया (research process) के तीसरे चरण की ओर बढ़ते हैं, अर्थात चर कारकों (variables) की पहचान।

चरण 3 चर कारकों की पहचान (Identifying Variables)

इस विषय को सरल बनाने वाले वीडियो व्याख्यान को देखने के लिए इस QR कोड को स्कैन करें

साहित्य की विस्तृत समीक्षा के बाद, शोधकर्ता अगले चरण की ओर बढ़ता है, जिसमें वह प्रमुख चर कारकों (variables) की पहचान करता है। आइए सबसे पहले यह समझें कि चर कारक का क्या अर्थ है।

हम अपने दैनिक जीवन में कई ऐसे कारकों या विशेषताओं से मिलते हैं, जो व्यक्ति से व्यक्ति, परिस्थिति से परिस्थिति या समय के साथ बदल सकते हैं। शोध में, इन्हीं बदलने वाले कारकों को चर (variables) कहा जाता है।

कल्पना कीजिए कि आप एकदम सही कुकीज (cookies) बनाने की कोशिश कर रहे हैं। इस स्थिति में, आपके द्वारा उपयोग किए गए अवयव – जैसे आटा, चीनी, अंडे और मक्खन – आपके चर कारक हैं। प्रत्येक सामग्री की मात्रा या गुणवत्ता में बदलाव हो सकता है, जो आपकी कुकीज के अंतिम परिणाम को प्रभावित करेगा। इसी तरह, शोध में भी चर कारक वे तत्व होते

हैं, जो बदल सकते हैं या प्रभावित कर सकते हैं और अध्ययन के परिणाम को निर्धारित करते हैं।

शोध के क्षेत्र में, 'चर' (variables) उस विशेषता, संख्या या मात्रा को कहा जाता है, जो बदल सकती है या परिवर्तनशील हो सकती है। इसमें वे सभी तत्व शामिल होते हैं, जिन्हें किसी अध्ययन में मापा, बदला या नियंत्रित किया जा सकता है। चर कारक महत्वपूर्ण होते हैं, क्योंकि शोधकर्ता इन्हीं तत्वों का अध्ययन या विश्लेषण करते हैं ताकि निष्कर्ष निकाल सकें और भविष्य की संभावनाओं का अनुमान लगा सकें।

कल्पना करें कि शोधकर्ताओं की एक टीम आहार (diet) और हृदय स्वास्थ्य (heart health) के बीच संबंध का अध्ययन कर रही है। इस अध्ययन में दो मुख्य चर कारक होंगे - आहार का प्रकार (जैसे उच्च.वसा वाला, कम वसा वाला, शाकाहारी या वीगन) और हृदय स्वास्थ्य के संकेतक (जैसे कोलेस्ट्रॉल स्तर, रक्तचाप और हृदय गति)।

शोधकर्ता यह डेटा इकट्ठा और विश्लेषण कर सकते हैं कि प्रतिभागी कौन-सा आहार ले रहे हैं और उनके हृदय स्वास्थ्य के मापदंड क्या हैं। उदाहरण के लिए, यदि वे देखते हैं कि शाकाहारी आहार लेने वाले लोग लगातार कम कोलेस्ट्रॉल स्तर प्रदर्शित करते हैं, जबकि उच्च वसा वाला आहार लेने वालों में यह स्तर अधिक होता है, तो वे यह निष्कर्ष निकाल सकते हैं कि शाकाहारी आहार हृदय स्वास्थ्य के लिए लाभकारी है। इस निष्कर्ष के आधार पर, शोधकर्ता यह भी अनुमान लगा सकते हैं कि स्कूल कैफेटेरिया में शाकाहारी विकल्प बढ़ाने से समय के साथ छात्रों के हृदय स्वास्थ्य में सुधार हो सकता है।

यह उदाहरण दर्शाता है कि शोधकर्ताओं के लिए चर कारक न केवल मौजूदा परिस्थितियों को समझने में सहायक होते हैं, बल्कि वे भविष्य की प्रवृत्तियों (trends) का सटीक अनुमान लगाने में भी मदद करते हैं।

चरों के प्रकार (Types of Variables)

कारण के आधार पर (On the Basis of Causation)

1. **स्वतंत्र चर (Independent Variable & IV):** स्वतंत्र चर वह कारक होता है, जिसे शोधकर्ता अन्य चर कारकों पर इसके प्रभाव को जाँचने के लिए बदलता या नियंत्रित करता है। इसे 'स्वतंत्र' इसलिए कहा जाता है क्योंकि इसके बदलाव का अध्ययन में मौजूद अन्य चर कारकों पर सीधा प्रभाव नहीं पड़ता।

   इस विषय को सरल बनाने वाले वीडियो व्याख्यान को देखने के लिए इस QR कोड को स्कैन करें

   स्वतंत्र चर को बदलने का मुख्य उद्देश्य यह देखना होता है कि इसका प्रभाव आश्रित चर (Dependent Variable & DV) पर कैसा पड़ता है। आश्रित चर वह परिणाम या प्रतिक्रिया होती है, जिसे मापा जाता है।

   उदाहरण के लिए, एक अध्ययन में शोधकर्ता यह जाँच रहे हैं कि परीक्षा से पहले छात्रों की नींद की मात्रा का उनके परीक्षा प्रदर्शन पर क्या प्रभाव पड़ता है। इस अध्ययन में, प्रतिभागियों को दो समूहों में विभाजित किया जाएगा - एक समूह को पूरी रात की नींद (8 घंटे) मिलेगी और दूसरे समूह को सीमित नींद (4 घंटे) दी जाएगी। निर्धारित अवधि के बाद, सभी प्रतिभागी एक ही परीक्षा देंगे। इस

कॉन्सेप्ट कैप्सूल

अवधारणा क्या है? (What is a Concept?)

शोध में, 'अवधारणा' (concept) ऐसे व्यापक और अमूर्त (abstract) विचारों को संदर्भित करती है, जिन्हें शोधकर्ता गहराई से समझने का प्रयास करते हैं। उदाहरण के लिए, शिक्षण की प्रभावशीलता (teaching effectiveness), कक्षा का प्रदर्शन (class performance) और नौकरी की संतुष्टि (job satisfaction) कुछ महत्वपूर्ण अवधारणाएँ हैं। ये अवधारणाएँ प्रत्यक्ष रूप से मापी नहीं जा सकतीं, क्योंकि ये सामान्य धारणाएँ हैं, जिनका अर्थ अलग-अलग संदर्भों और व्यक्तियों के अनुसार बदल सकता है।

इन अवधारणाओं को वैज्ञानिक अध्ययन के लिए उपयोगी बनाने के लिए, शोधकर्ताओं को इन्हें स्पष्ट रूप से परिभाषित करना आवश्यक होता है ताकि सभी प्रतिभागियों और पर्यवेक्षकों के बीच इनका एक समान अर्थ हो। इस प्रक्रिया में अमूर्त अवधारणाओं को विशिष्ट और मापने योग्य तत्वों में परिवर्तित किया जाता है, जिन्हें 'चर कारक' (variables) कहा जाता है। उदाहरण के लिए, 'सम्पत्ति' (wealth) की अवधारणा को मापने योग्य बनाने के लिए इसे 'स्वामित्व वाले वाहनों और संपत्तियों की संख्या' तथा 'वार्षिक आय' जैसे चर कारकों के माध्यम से व्यक्त किया जा सकता है। इससे शोधकर्ता इस अवधारणा का संरचित तरीके से विश्लेषण और मात्रात्मक (quantitative) अध्ययन कर सकते हैं।

आइए, एक और उदाहरण लेकर समझते हैं कि अवधारणा को चर कारकों में कैसे बदला जाता है। 'छात्र प्रेरणा' (student motivation) एक महत्वपूर्ण अवधारणा है, जो छात्रों की शैक्षणिक उपलब्धियों को समझने में मदद करती है। इस अमूर्त अवधारणा को ठोस रूप में मापने के लिए, शोधकर्ता इसे निम्नलिखित चर कारकों के माध्यम से परिभाषित कर सकते हैं, कक्षा के बाहर अध्ययन में बिताए गए घंटों की संख्या, कक्षा चर्चा में भागीदारी की दर, और समय पर असाइनमेंट जमा करने की आवृत्ति।

छात्र प्रेरणा की अवधारणा को इन मापने योग्य चर कारकों में बदलकर, शोधकर्ता सटीक डेटा एकत्र कर सकते हैं, जो दर्शाता है कि विभिन्न छात्र अपनी पढ़ाई के प्रति कितने प्रेरित हैं। इस दृष्टिकोण से गहराई से विश्लेषण किया जा सकता है कि कौन-से कारक छात्र प्रेरणा को बढ़ाने या बाधित करने में सबसे अधिक प्रभावशाली हैं। इसके आधार पर, शिक्षक ऐसी रणनीतियाँ विकसित कर सकते हैं, जो प्रेरणा को बढ़ाने और शैक्षिक परिणामों में सुधार करने में सहायक हों। इस प्रकार, जब शोधकर्ता किसी अवधारणा को मापने योग्य रूप में परिभाषित करते हैं, तो वे प्रभावी रूप से डेटा एकत्र और तुलना कर सकते हैं। इससे उन्हें अपने अध्ययनों से विश्वसनीय निष्कर्ष निकालने में सहायता मिलती है।

प्रयोग में, स्वतंत्र चर (IV) नींद की मात्रा है, जिसे प्रत्येक समूह को दिया गया है।

2. **आश्रित चर (Dependent Variable & DV):** आश्रित चर वह कारक होता है, जो स्वतंत्र चर में किए गए बदलावों के परिणामस्वरूप बदलता है। किसी भी शोध में, आश्रित चर की पहचान करना आवश्यक होता है क्योंकि यह प्रत्यक्ष रूप से दर्शाता है कि स्वतंत्र चर में किए गए परिवर्तनों का प्रभाव क्या पड़ा।

   शोधकर्ता आश्रित चर (DV) को मापते हैं ताकि यह निर्धारित किया जा सके कि यह प्रयोग में बनाई गई विभिन्न परिस्थितियों के अनुसार कैसे बदलता है। यह शोधकर्ताओं को चर कारकों के बीच संबंध को समझने और अपने अध्ययनों से निष्कर्ष निकालने में मदद करता है।

   उदाहरण के लिए, यदि कोई अध्ययन यह जाँच रहा है कि परीक्षा से पहले छात्रों की नींद की मात्रा का उनके परीक्षा प्रदर्शन पर क्या प्रभाव पड़ता है, तो आश्रित चर (DV) छात्रों के परीक्षा स्कोर होंगे। परीक्षा स्कोर इस बात पर निर्भर करेंगे कि छात्रों ने परीक्षा से पहले कितनी नींद ली थी, जो कि स्वतंत्र चर (IV) है।

3. **मध्यवर्ती चर (Intervening Variable):** मध्यवर्ती चर, जिसे मध्यस्थ चर (mediating variable) भी कहा जाता है, सांख्यिकीय या प्रयोगात्मक अनुसंधान में स्वतंत्र चर (IV – कारण) और आश्रित चर (DV – प्रभाव) के बीच संबंध को स्पष्ट करने के लिए प्रयोग किया जाता है। यह दिखाता है कि स्वतंत्र चर, आश्रित चर को किस प्रक्रिया या तंत्र के माध्यम से प्रभावित करता है, जिससे किसी विशेष परिणाम के होने का कारण समझने में मदद मिलती है।

   उदाहरण के लिए, यदि कोई अध्ययन यह जाँच रहा है कि नींद की अवधि (IV) परीक्षा प्रदर्शन (DV) को कैसे प्रभावित करती है, तो इस संदर्भ में एक मध्यवर्ती चर छात्र की सतर्कता (alertness) का स्तर हो सकता है। यहाँ, नींद की मात्रा (IV) सीधे छात्र की सतर्कता (मध्यवर्ती चर) को प्रभावित करेगी, और फिर यही सतर्कता परीक्षा में उसके प्रदर्शन (DV) को निर्धारित करने में सहायक होगी।

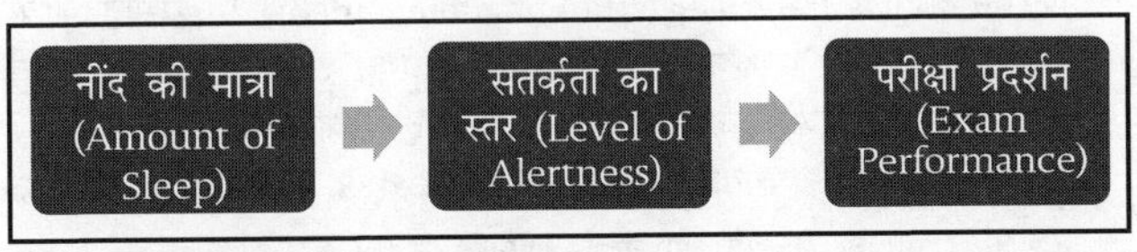

4. **बाह्य चर (Extraneous Variable):** बाह्य चर (Extraneous Variable) वह कोई भी चर होता है जो स्वतंत्र चर (IV) के अलावा अनुसंधान अध्ययन में आश्रित चर (DV) को प्रभावित कर सकता है। ये चर अध्ययन के मुख्य विषय नहीं होते, लेकिन यदि इन पर सही नियंत्रण नहीं रखा जाए, तो ये परिणामों में गड़बड़ी पैदा कर सकते हैं और निष्कर्षों को गलत बना सकते हैं। आइए, पहले दिए गए उदाहरण को आगे बढ़ाएं, जिसमें नींद की अवधि (sleep duration) का परीक्षा प्रदर्शन (exam performance) पर प्रभाव अध्ययन किया जा रहा है।

   इस उदाहरण में, बाह्य चर में परीक्षा कक्ष का तापमान, शोर का स्तर, दिन का समय या छात्र का तनाव स्तर जैसे कारक शामिल हो सकते हैं। इस उदाहरण में, बाहरी चर वे कारक हो सकते हैं, जो परीक्षा परिणाम को प्रभावित कर सकते हैं, जैसे - परीक्षा कक्ष का तापमान (temperature of the exam room), शोर स्तर (noise level), दिन का समय (time of day), छात्र का तनाव स्तर (stress level)। यदि इन कारकों को नियंत्रित नहीं किया गया, तो ये परीक्षा परिणामों को नींद की मात्रा से स्वतंत्र रूप से प्रभावित कर सकते हैं, जिससे अध्ययन के निष्कर्ष गलत हो सकते हैं। बाहरी चर दो प्रकार के होते हैं:

   (a) **भ्रमित करने वाले चर - भ्रामक (Confounding Variables - Confounds):** ये वे कारक होते हैं, जिन्हें शोध कर्ता नियंत्रित करना भूल जाते हैं या एक समान नहीं रखते, और ये अनजाने में परिणामों को प्रभावित कर सकते हैं। उदाहरण के लिए मान लीजिए कि एक अध्ययन में यह देखा जा रहा है कि विभिन्न प्रकार की मिट्टी पौधों की वृद्धि को कैसे प्रभावित करती है। यदि प्रत्येक पौधे को समान मात्रा में धूप नहीं दी जाती, तो धूप एक नया कारक बन जाएगा, जो पौधों की वृद्धि को प्रभावित करेगा। इससे यह समझना मुश्किल हो जाएगा कि असली प्रभाव मिट्टी का है या धूप का।

   (b) **कृत्रिम चर (Artifacts):** ये वे कारक होते हैं, जिन्हें शोध कर्ता अनजाने में स्थिर रखते हैं, जबकि उन्हें परिवर्तित किया जाना चाहिए ताकि उनके प्रभावों को बेहतर ढंग से समझा जा सके। उदाहरण के लिए मान लीजिए कि एक अध्ययन में यह जांचा जा रहा है कि विभिन्न संगीत शैलियाँ हृदय गति (heart rate) को कैसे प्रभावित करती हैं। यदि हमेशा केवल शास्त्रीय संगीत ही बजाया जाए, तो यह एक कृत्रिम चर (artifact) बन जाएगा। इसका मतलब यह होगा कि अन्य संगीत शैलियों, जैसे रॉक (rock) या जैज (jazz), के प्रभावों को समझने का अवसर गंवा दिया जाएगा, क्योंकि वे अध्ययन में शामिल ही नहीं हैं।

5. **नियंत्रण चर (Control Variables)** वे कारक होते हैं, जिन्हें किसी प्रयोग (experiment) में शोधकर्ता जानबूझकर समान या स्थिर रखते हैं। इसका उद्देश्य यह सुनिश्चित करना होता है कि प्रयोग में देखे गए कोई भी परिवर्तन केवल परीक्षण किए जा रहे चर (variable) के प्रभाव के कारण हों, न कि किसी अन्य कारक की वजह से।

   उदाहरण के लिए मान लीजिए कि आप यह परीक्षण कर रहे हैं कि अलग-अलग मात्रा में उर्वरक (fertiliser) पौधों की वृद्धि को कैसे प्रभावित करता है। इस प्रयोग में:

   - **स्वतंत्र चर (Independent Variable):** उर्वरक की मात्रा (जैसे बिना, कम, मध्यम, अधिक) जो पौधों को दी जा रही है।
   - **आश्रित चर (Dependent Variable):** पौधों की वृद्धि, जिसे ऊँचाई या जैवभार (biomass) के रूप में मापा जा सकता है।
   - **नियंत्रण चर (Control Variable):** मिट्टी का प्रकार, धूप की मात्रा, तापमान, और पानी की मात्रा। ये सभी कारक सभी पौधों के लिए समान रखे जाते हैं ताकि यह सुनिश्चित किया जा सके कि पौधों की वृद्धि में देखे गए कोई भी अंतर केवल उर्वरक की मात्रा के कारण हों, न कि अन्य पर्यावरणीय कारकों की वजह से।

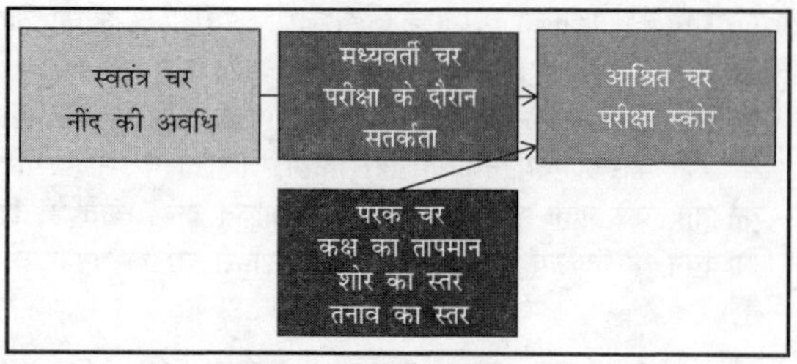

चित्र 8.1 स्वतंत्र, आश्रित, मध्यवर्ती और बाह्य चरों के बीच संबंध

माप के आधार पर (On the Basis of Measurement)

1. **मात्रात्मक चर (Quantitative Variables):** मात्रात्मक चर, जिन्हें संख्यात्मक चर (numerical variables) भी कहा जाता है, वे चर होते हैं जो मापने योग्य मात्राओं या संख्यात्मक मानों (numerical values) का प्रतिनिधित्व करते हैं। ये चर किसी मात्रा या संख्या को दर्शाते हैं और इन्हें संख्यात्मक पैमाने (numerical scale) पर मापा या गिना जा सकता है।

   गुणात्मक चर (qualitative variables), जो किसी विशेषता या गुण का वर्णन करते हैं, के विपरीत, मात्रात्मक चर संख्यात्मक डेटा प्रदान करते हैं, जिनका सांख्यिकीय विश्लेषण किया जा सकता है।

   उदाहरण के लिए आय (income) एक मात्रात्मक चर है क्योंकि यह किसी व्यक्ति या परिवार द्वारा एक निश्चित अवधि (जैसे एक वर्ष या एक महीना) में अर्जित धनराशि को दर्शाता है। आय को ₹30,000, ₹50,000 या ₹100,000 जैसी संख्यात्मक इकाइयों में मापा जा सकता है, और यह अलग-अलग व्यक्तियों या परिवारों के बीच भिन्न हो सकती है।

   इसी तरह, एक महीने में पढ़ी गई पुस्तकों की संख्या भी एक मात्रात्मक चर है, क्योंकि यह गिनी जा सकने वाली संख्या को दर्शाता है और इसे संख्यात्मक मान के रूप में व्यक्त किया जा सकता है।

क्विज स्टेशन *विगत UGC NET परीक्षाओं के प्रश्न*

प्र 1. निम्नलिखित में से कौन-सा चर मात्रात्मक रूप में व्यक्त नहीं किया जा सकता?

(a) सामाजिक-आर्थिक स्थिति
(b) वैवाहिक स्थिति
(c) संख्यात्मक योग्यता
(d) व्यावसायिक दृष्टिकोण

प्र 2. निम्नलिखित में से कौन-सा विकल्प मात्रात्मक चरों के उदाहरणों को शामिल करता है?

(a) आयु, तापमान, आय और ऊँचाई
(b) ग्रेड प्वाइंट औसत, चिंता स्तर और पठन प्रदर्शन
(c) लिंग, धर्म और जातीय समूह
(d) (a) और (b) दोनों

उत्तर 1. (d) 2. (d)

2. **गुणात्मक चर (Qualitative Variables):** गुणात्मक चर वे विशेषताएँ या गुण (characteristics or attributes) होते हैं, जिन्हें देखा और दर्ज किया जा सकता है, लेकिन संख्याओं के माध्यम से मापा नहीं जा सकता। संख्यात्मक मूल्यों के बजाय, इन चरों को शब्दों या श्रेणियों (categories) के माध्यम से व्यक्त किया जाता है। ये किसी चीज की मात्रा के बजाय उसकी गुणवत्ता या प्रकृति की जानकारी प्रदान करते हैं।

   किसी व्यक्ति की वैवाहिक स्थिति गुणात्मक चर का एक उदाहरण है। प्रत्येक व्यक्ति को उनकी वैवाहिक स्थिति के आधार पर विभिन्न श्रेणियों में वर्गीकृत किया जा सकता है, जैसे 'विवाहित', 'अविवाहित', 'तलाकशुदा' या 'विधवा'।

   ये श्रेणियाँ अलग-अलग समूहों को दर्शाती हैं, लेकिन इन्हें संख्यात्मक रूप में मापा नहीं जा सकता। गुणात्मक चर, जैसे कि वैवाहिक स्थिति, सामाजिक संबंधों, पारिवारिक संरचनाओं और जनसांख्यिकीय प्रवृत्तियों को समझने के लिए महत्वपूर्ण होते हैं। ये शोधकर्ताओं को किसी जनसंख्या की सामाजिक संरचना और व्यवहारगत पहलुओं का विश्लेषण करने में मदद करते हैं।

अध्ययन रूपरेखा के आधार पर चर (On the Basis of Study Design)

1. **सक्रिय चर (Active Variables):** शोध के संदर्भ में सक्रिय चर वे कारक या परिस्थितियाँ होती हैं, जिन्हें शोधकर्ता जानबूझकर नियंत्रित या परिवर्तित करता है। इन चरों को जानबूझकर बदला जाता है ताकि उनके प्रभाव को अध्ययन में अन्य चरों पर देखा जा सके।

   आमतौर पर, सक्रिय चर स्वतंत्र चर (Independent Variables - IV) होते हैं, यानी वे चर जिन्हें शोधकर्ता सीधे नियंत्रित करता है ताकि उनके प्रभाव को आश्रित चर (Dependent Variable - DV) या अध्ययन के परिणामों पर परखा जा सके।

   यदि एक अध्ययन में विभिन्न शिक्षण विधियों (teaching methods) का छात्रों की उपलब्धि (student achievement) पर प्रभाव जांचा जा रहा है, तो शिक्षण विधि सक्रिय चर होगी। शोधकर्ता अलग-अलग शिक्षण तकनीकों (जैसे व्याख्यान आधारित, संवादात्मक, व्यावहारिक) का चयन और प्रयोग करता है ताकि यह देखा जा सके कि वे छात्रों के शैक्षणिक प्रदर्शन को कैसे प्रभावित करती हैं।

   संक्षेप में, सक्रिय चर वे कारक होते हैं जिन्हें शोधकर्ता अध्ययन में जानबूझकर बदलता है ताकि अन्य चरों पर उनके प्रभाव की जांच की जा सके। इससे कारण-प्रभाव (cause-and-effect) संबंधों की पहचान करने और वैज्ञानिक ज्ञान को आगे बढ़ाने में सहायता मिलती है।

2. **विशेषता चर (Attribute Variables):** विशेषता चर, जिन्हें श्रेणीबद्ध चर (Categorical Variables) भी कहा जाता है, वे गुण या विशेषताएँ होती हैं जो अध्ययन में किसी व्यक्ति या वस्तु का वर्णन करती हैं। ये चर शोधकर्ता द्वारा बदले, नियंत्रित या हेरफेर नहीं किए जा सकते, क्योंकि वे जन्मजात गुणों या स्थायी श्रेणियों का प्रतिनिधित्व करते हैं।

   विशेषता चर के उदाहरणों में लिंग, आयु, जातीयता, राष्ट्रीयता, वैवाहिक स्थिति और शैक्षिक स्तर शामिल हैं। ये विशेषताएँ लोगों को भिन्न समूहों में वर्गीकृत करती हैं, लेकिन इन्हें संख्यात्मक रूप में नहीं मापा या बदला जा सकता।

उदाहरण के लिए यदि कोई अध्ययन लिंग और मतदान व्यवहार (gender and voting behavior) के बीच संबंध की जांच कर रहा है, तो लिंग एक विशेषता चर होगा। यह व्यक्तियों को पुरुष और महिला समूहों में वर्गीकृत करता है, लेकिन इसे शोधकर्ता द्वारा बदला या नियंत्रित नहीं किया जा सकता।

सिनेमैटिक कनेक्शन

आइए, बॉलीवुड फिल्म *चक दे! इंडिया* का उपयोग करके सक्रिय और विशेषता चर को समझें:

- **सक्रिय चर (Active Variable):** फिल्म में, महिला खिलाड़ियों के ऑन-फील्ड प्रदर्शन मानदंड एक सक्रिय चर का उदाहरण हैं। इसमें शामिल हैं: किए गए गोल, सफल टैकल (Successful Tackles), गति। फिल्म में, ये प्रदर्शन से जुड़े चर खिलाड़ियों की कौशल, रणनीतियों और प्रयासों के आधार पर लगातार बदलते रहते हैं, जिससे इनकी सक्रियता सिद्ध होती है।
- **विशेषता चर (Attribute Variables):** फिल्म में, महिला हॉकी टीम की खिलाड़ियों की विविध पृष्ठभूमियाँ और पहचान एक विशेषता चर का उदाहरण हैं। टीम में अलग-अलग राज्यों जैसे पंजाब, हरियाणा, दिल्ली और उत्तर प्रदेश की खिलाड़ी शामिल हैं। राज्य (State of Origin) एक ऐसी विशेषता है, जो खिलाड़ियों के जन्म या पृष्ठभूमि से जुड़ी होती है और यह पूरी फिल्म में अपरिवर्तित रहती है।

मापन की इकाई के आधार पर (On the Basis of Unit of Measurement)

1. **श्रेणीगत चर (Categorical Variables):** श्रेणीगत चर वे होते हैं जो गुणात्मक विशेषताओं या गुणों का प्रतिनिधित्व करते हैं और केवल एक सीमित, निर्दिष्ट विकल्पों या श्रेणियों का समूह अपना सकते हैं। इसका एक उदाहरण 'रक्त समूह' (Blood Group) है। रक्त समूह के संदर्भ में, व्यक्तियों को विशेष श्रेणियों जैसे A, B, AB या O में वर्गीकृत किया जा सकता है, जहां प्रत्येक श्रेणी एक विशिष्ट रक्त प्रकार को दर्शाती है। संख्यात्मक चरों के विपरीत, जिनके मान किसी सीमित श्रेणी के भीतर अनंत हो सकते हैं, श्रेणीगत चर जैसे रक्त समूह में केवल सीमित और पूर्वनिर्धारित विकल्प होते हैं। श्रेणीगत चरों को आगे दो भागों में विभाजित किया जाता है:

   A. द्विखंडीय चर (Dichotomous Variable): द्विखंडीय चर वे होते हैं जो केवल दो विशिष्ट श्रेणियां या विकल्प अपना सकते हैं। ये श्रेणियां परस्पर अनन्य (Mutually Exclusive) होती हैं, जिसका अर्थ है कि कोई भी व्यक्ति या वस्तु केवल इन दो में से किसी एक श्रेणी में आ सकती है। द्विखंडीय चर का एक उदाहरण 'धूम्रपान की स्थिति' (Smoking Status) है, जिसे 'धूम्रपान करने वाला' या 'धूम्रपान न करने वाला' के रूप में वर्गीकृत किया जा सकता है। व्यक्ति को इस आधार पर इनमें से किसी एक श्रेणी में रखा जाता है कि वह धूम्रपान करता है या नहीं। इसमें कोई अन्य विकल्प उपलब्ध नहीं होता, जिससे यह एक द्विखंडीय चर बन जाता है।

   B. बहुखंडीय चर (Polytomous Variable): बहुखंडीय चर, जिन्हें बहुपद चर (Multinomial Variables) भी कहा जाता है, वे श्रेणीगत चर होते हैं जिनमें दो से अधिक श्रेणियां या स्तर होते हैं। द्विखंडीय चर, जिनमें केवल दो श्रेणियां होती हैं, के विपरीत बहुखंडीय चर में तीन या अधिक श्रेणियां होती हैं। बहुखंडीय चर का एक उदाहरण 'शिक्षा स्तर' है, जिसमें श्रेणियां हो सकती हैं जैसे 'हाई स्कूल डिप्लोमा', 'स्नातक डिग्री', 'स्नातकोत्तर डिग्री' या 'पीएच.डी.'। प्रत्येक श्रेणी शिक्षा प्राप्ति के एक अलग स्तर को दर्शाती है, और व्यक्ति को उसकी उच्चतम प्राप्त शिक्षा के आधार पर इनमें से किसी एक श्रेणी में रखा जा सकता है।

क्विज स्टेशन *विगत UGC NET परीक्षाओं के प्रश्न*

प्र 1. श्रेणीगत चर (Categorical Variable) का एक उदाहरण कौन सा है?

(a) शिक्षक के बालों का रंग

(b) एक शिक्षक द्वारा निबंध का मूल्यांकन करने में लिया गया औसत समय

(c) शिक्षक द्वारा कार्यालय से कक्षा तक तय की जाने वाली दूरी

(d) एक खिलाड़ी द्वारा एक चक्कर पूरा करने में लिया गया समय

<u>उत्तर</u> 1. (a)

2. **सतत चर (Continuous Variables)** – सतत चर एक प्रकार का मात्रात्मक (Quantitative) चर होता है, जो किसी विशेष श्रेणी के भीतर किसी भी मान को ग्रहण कर सकता है। ध्यान दें कि सतत चर को दशमलव (Decimals) में भी व्यक्त किया जा सकता है। सतत चर का एक दिलचस्प वास्तविक उदाहरण व्यक्तियों की ऊंचाई (Height of Individuals) है। ऊंचाई बहुत छोटे से लेकर बहुत लंबे तक निरंतर भिन्न हो सकती है, और इसके बीच में कई संभावित मान हो सकते हैं।

   उदाहरण के लिए, किसी कक्षा के छात्रों के समूह को लें। प्रत्येक छात्र की ऊंचाई अलग-अलग हो सकती है, और इसे इंच या सेंटीमीटर में मापा जा सकता है। कुछ छात्र 155 cm लंबे हो सकते हैं, जबकि कुछ 190 cm तक हो सकते हैं या इनके बीच किसी भी मान पर आ सकते हैं। कुछ छात्रों की ऊंचाई दशमलव में भी व्यक्त की जा सकती है, जैसे 178.5 cm। प्रत्येक छात्र की ऊंचाई एक सतत चर को दर्शाती है क्योंकि यह किसी सीमा के भीतर किसी भी मान को बिना किसी रुकावट के ग्रहण कर सकती है।

क्विज स्टेशन *विगत UGC NET परीक्षाओं के प्रश्न*

प्र 1. निम्नलिखित में से कौन सा सतत चर (Continuous Variable) का उदाहरण नहीं है?

(a) परिवार का आकार

(b) बुद्धिमत्ता

(c) ऊँचाई

(d) दृष्टिकोण

<u>उत्तर</u> 1. (?)

3. **गैर-निरंतर/विस्क्रीय चर (Non-Continuous/Discrete Variables):** गैर-निरंतर चर, जिन्हें विस्क्रीय चर (Discrete Variables) भी कहा जाता है, वे चर होते हैं जो केवल निश्चित और विशिष्ट मान ही अपना सकते हैं। सरल शब्दों में, गैर-निरंतर चर केवल पूर्ण संख्याओं (Whole Numbers) के रूप में व्यक्त किए जा सकते हैं। वास्तविक जीवन में गैर-निरंतर चर का एक दिलचस्प उदाहरण 'किसी व्यक्ति के भाई-बहनों की संख्या' (Number of Siblings) है। इस परिदृश्य में, भाई-बहनों की संख्या एक विस्क्रीय चर के रूप में कार्य करती है। प्रत्येक व्यक्ति के पास एक निश्चित, गिनी जाने योग्य संख्या में भाई-बहन हो सकते हैं, जैसे शून्य (0), एक (1), दो (2) या तीन (3)। ये मान विशिष्ट और अलग-अलग श्रेणियों को दर्शाते हैं, और इन्हें दशमलव (Decimal) या भिन्नों (Fractions) में व्यक्त नहीं किया जा सकता।

सिनेमैटिक कनेक्शन

आइए निरंतर (Continuous) और गैर-निरंतर (Non-Continuous) चरों को एक ऐसी चीज से जोड़ें जिसे हम सभी पसंद करते हैं- इंडियन प्रीमियर लीग (IPL)। कल्पना करें: यह IPL नीलामी का दिन है, और सभी लोग–BCCI अध्यक्ष, टीम के सदस्य और नीलामकर्ता–एकत्र हुए हैं।

- **निरंतर चर (Continuous Variable):** IPL नीलामी में खिलाड़ियों की नीलामी राशि एक निरंतर चर का प्रतिनिधित्व करती है। जैसे, ₹10.5 करोड़ या ₹120.25 करोड़ की बोली लगाई जा सकती है, और फ्रेंचाइजी खिलाड़ी जैसे विराट कोहली (Virat Kohli) या रोहित शर्मा (Rohit Sharma) के लिए लगातार ऊंची बोली लगाती रहती हैं। बोली की राशि दो पूर्ण संख्याओं के बीच कोई भी मान ले सकती है, जो नीलामी प्रक्रिया में खिलाड़ी के मूल्यांकन की गतिशील प्रकृति को दर्शाती है।
- **गैर-निरंतर या विस्क्रीय चर (Non-Continuous or Discrete Variables):** दूसरी ओर, नीलामी के लिए उपलब्ध खिलाड़ियों की संख्या एक गैर-निरंतर चर है। यह केवल निश्चित और अलग-अलग मान ही ले सकता है, जैसे 73 खिलाड़ी या 55 खिलाड़ी। हम यह नहीं कह सकते कि 23.5 खिलाड़ी नीलामी में हैं– यह हमेशा पूर्ण संख्याओं में होगा। गैर-निरंतर चर का एक और उदाहरण IPL में भाग लेने वाली टीमों की संख्या है। कोई आधी टीम नहीं खेल सकती; यह हमेशा एक पूरी टीम होगी।

★★★ परीक्षोपयोगी

चरों का मापन (Measurement of Variables)

चरों का मापन उन विशेषताओं या गुणों को संख्यात्मक मान प्रदान करने की प्रक्रिया है, जो व्यक्तियों, वस्तुओं या घटनाओं का प्रतिनिधित्व करते हैं। यह प्रक्रिया शोधकर्ताओं को विभिन्न घटनाओं को संगठित (Systematic) तरीके से मात्रात्मक रूप में समझने और विश्लेषण करने की अनुमति देती है। मापन में स्केल (Scales) एक महत्वपूर्ण भूमिका निभाते हैं। स्केल वे उपकरण या साधन होते हैं, जिनका उपयोग चरों को पूर्वनिर्धारित मानदंडों (Predefined Criteria) के आधार पर मान सौंपने के लिए किया जाता है। स्केल को विभिन्न प्रकारों में वर्गीकृत किया जा सकता है, जैसे: नाममात्रिक स्केल (Nominal Scale), क्रमानुक्रमिक स्केल (Ordinal Scale), अंतराल स्केल (Interval Scale), अनुपात स्केल (Ratio Scale)।

प्रत्येक स्केल की अपनी विशिष्ट विशेषताएँ और अनुप्रयोग (Applications) होते हैं। आइए हम इन स्केल के प्रकारों को विस्तार से समझें (तालिका 8.1)।

नाममात्रिक स्केल (Nominal Scale)

प्रकार: केवल लेबल (कोई क्रम नहीं)

नाममात्रिक स्केल, जिसे अक्सर वर्गीकरण स्केल (Classificatory Scale) भी कहा जाता है, मापन की सबसे सरल विधि है, जिसमें चरों को अलग-अलग, गैर-क्रमबद्ध समूहों या वर्गों में विभाजित किया जाता है। अन्य स्केलों के विपरीत, नाममात्रिक स्केल में श्रेणियों के बीच कोई विशेष क्रम या रैंकिंग नहीं होती। इसके बजाय, यह विभिन्न समूहों के लिए नामित पहचानकर्ता (Named Identifiers) या लेबल (Labels) प्रदान करता है, जिससे चरों को गुणात्मक विशेषताओं के आधार पर वर्गीकृत किया जा सकता है। नाममात्रिक चर गुणात्मक होते हैं और इनका कोई संख्यात्मक मूल्य नहीं होता।

उदाहरण के लिए, कल्पना करें कि एक सर्वेक्षण में प्रतिभागियों से उनकी पसंदीदा परिवहन सुविधा चुनने के लिए कहा गया है। दी गई विकल्प हो सकते हैं, जैसे 'कार,' 'बस,' 'मेट्रो' और 'साइकिल' - विशिष्ट श्रेणियों का प्रतिनिधित्व करते हैं। हालांकि, इन विकल्पों के बीच कोई अंतर्निहित रैंकिंग नहीं है। कोई यह नहीं कह रहा है कि कार #1 है, मेट्रो #2 है, बस #3 है और साइकिल #4 है। इसके बजाय, प्रत्येक विकल्प उत्तरदाताओं को उनके परिवहन प्राथमिकताओं के आधार पर वर्गीकृत करने के लिए एक लेबल के रूप में कार्य करता है।

क्रमानुक्रमिक स्केल (Ordinal Scale)

प्रकार: लेबल + रैंकिंग

क्रमानुक्रमिक स्केल (Ordinal Scale) मापन की एक ऐसी विधि है, जिसमें चरों को अलग-अलग श्रेणियों में वर्गीकृत किया जाता है और इन श्रेणियों के बीच एक विशिष्ट क्रम या रैंकिंग भी प्रदान की जाती है। नाममात्रिक स्केल (Nominal Scale) के विपरीत, जो केवल श्रेणियों को वर्गीकृत करता है बिना किसी निश्चित क्रम के, क्रमानुक्रमिक स्केल में हर श्रेणी को एक सापेक्ष स्थान (Relative Position) या रैंक (Rank) दिया जाता है।

एक क्रमानुक्रमिक स्केल का उदाहरण ग्राहक संतोष स्तर (Customer Satisfaction Levels) की रैंकिंग है। इस क्रमानुक्रमिक स्केल में प्रत्येक श्रेणी संतोष के एक विशिष्ट स्तर का प्रतिनिधित्व करती है, लेकिन इनका एक निश्चित क्रम भी होता है, जिसमें संतुष्टि का स्तर न्यूनतम से अधिकतम की दिशा में बढ़ता है। ग्राहक अपनी अनुभूति (Perception) और अनुभव (Experience) के आधार पर अपना संतोष स्तर चुन सकते हैं, जिससे संतुष्टि स्तरों को न्यूनतम से अधिकतम तक रैंक किया जा सकता है।

अंतराल स्केल (Interval Scale)

प्रकार: लेबल + रैंकिंग + चरों के बीच समान अंतराल

अंतराल स्केल (Interval Scale) एक ऐसी मापन विधि है जिसमें स्केल के क्रमागत बिंदुओं के बीच अंतराल समान होते हैं। इसका अर्थ यह है कि स्केल के किसी भी दो बिंदुओं के बीच का अंतर अर्थपूर्ण (Meaningful) और सुसंगत (Consistent) होता है, और यह पूरे स्केल में समान रहता है। हालांकि, अंतराल स्केल में सत्य शून्य बिंदु (True Zero Point) नहीं होता, जिसका अर्थ है कि शून्य (Zero) मापी जा रही विशेषता की पूर्ण अनुपस्थिति को नहीं दर्शाता, बल्कि केवल एक संदर्भ बिंदु के रूप में कार्य करता है।

अंतराल स्केल का एक रोचक वास्तविक जीवन उदाहरण तापमान का मापन है, जो सेल्सियस (Celsius) या फारेनहाइट (Fahrenheit) स्केल का उपयोग करके किया जाता है। इन स्केलों में प्रत्येक डिग्री तापमान के एक विशिष्ट स्तर को दर्शाता है, और क्रमागत डिग्रियों के बीच का अंतराल समान और अर्थपूर्ण होता है।

उदाहरण के लिए, 20°C और 30°C के बीच का अंतर उतना ही है जितना 30°C और 40°C के बीच का अंतर, यानी दोनों मामलों में अंतर 10 डिग्री का है। यह समान अंतराल को दर्शाता है। हालांकि, यह ध्यान देने योग्य है कि Celsius और Fahrenheit स्केल में 0°C और 0°F का अर्थ तापमान की पूर्ण अनुपस्थिति नहीं होता बल्कि यह केवल एक मनमाना (Arbitrary) संदर्भ बिंदु होता है। इसलिए, अंतराल स्केल तापमान मूल्यों की सटीक माप और तुलना की अनुमति देता है, लेकिन यह सत्य शून्य (True Zero) प्रदान नहीं करता, जिससे यह अनुपात स्केल (Ratio Scale) से भिन्न होता है।

अनुपात स्केल (Ratio Scale)

प्रकार: लेबल + रैंकिंग + चरों के बीच समान अंतराल + शून्य बिंदु

अनुपात स्केल (Ratio Scale) मापन की वह विधि है जिसमें चारों को अलग-अलग श्रेणियों में वर्गीकृत किया जाता है, इन श्रेणियों के बीच समान अंतराल बनाए जाते हैं और इसमें एक सत्य शून्य बिंदु (True Zero Point) भी शामिल होता है। अनुपात स्केल में शून्य बिंदु (Zero Point) उस गुण के पूर्ण अभाव को दर्शाता है जिसे मापा जा रहा है, और इस स्केल में प्राप्त मान अर्थपूर्ण एवं व्याख्यायोग्य होते हैं।

तालिका 8.1 चर को मापने के पैमाने

वेरिएबल्स हो सकते हैं	नाममात्रिक स्केल	क्रमानुक्रमिक स्केल	अंतराल स्केल	अनुपात स्केल
श्रेणीबद्ध	✓	✓		✓
रैंक किया गया		✓	✓	✓
समान अंतराल			✓	✓
मानों की निरंतरता				✓
उपयोग का उदाहरण	पसंदीदा परिवहन साधन	ग्राहक संतोष स्तर	तापमान का मापन	भार का मापन

अनुपात स्केल का एक उदाहरण भार का मापन है, जिसे किलोग्राम या पाउंड (lbs.) में मापा जाता है। इस स्केल में प्रत्येक इकाई भार के एक समान अंतर को दर्शाती है, और शून्य बिंदु (0 kg या 0 lbs.) का अर्थ भार की पूर्ण अनुपस्थिति (Absence of Weight) होता है। इसके अलावा, भार के मूल्यों के अनुपात (Ratios) भी अर्थपूर्ण होते हैं। उदाहरण के लिए, यदि एक वस्तु का भार 10 kg है और दूसरी वस्तु का भार 20 kg है, तो दूसरी वस्तु का भार पहली वस्तु के भार से दुगुना है।

दृष्टिकोण मापन (Attitudinal Scale)

दृष्टिकोण मापन स्केल एक ऐसा उपकरण है जिसका उपयोग किसी विशिष्ट विषय पर लोगों की राय या भावनाओं को समझने के लिए किया जाता है। यह यह मापने में सहायता करता है कि कोई व्यक्ति किसी विषय से कितनी मजबूती से सहमत या असहमत है।

उदाहरण के लिए, किसी स्कूल में कक्षा के भीतर मोबाइल फोन के उपयोग से संबंधित एक नई नीति लागू करने पर छात्रों की राय जानने के लिए एक सर्वेक्षण किया जा रहा है। इस सर्वेक्षण में छात्रों को नीति से संबंधित कई कथन प्रस्तुत किए जाते हैं, जैसे "कक्षा में मोबाइल का उपयोग सीखने की प्रक्रिया को बेहतर बनाता है" और उनसे उनके सहमति या असहमति के स्तर को मापने के लिए कहा जाता है।

इस स्केल में छात्रों से यह पूछा जाता है कि वे दिए गए कथन से कितने सहमत या असहमत हैं, और वे अपने उत्तर को "पूरी तरह सहमत" से लेकर "पूरी तरह असहमत" तक एक स्केल पर अंकित कर सकते हैं।

छात्रों से प्राप्त प्रतिक्रियाओं के आधार पर, स्कूल इस नीति के प्रति उनके दृष्टिकोण को बेहतर ढंग से समझ सकता है। यह जानकारी नीति की स्वीकृति का आकलन करने, संभावित चिंताओं या सुधार की आवश्यकताओं की पहचान करने और इसके प्रभावी कार्यान्वियन (Implementation) के लिए सूचित निर्णय (Informed Decisions) लेने में सहायता कर सकती है।

दृष्टिकोण मापन स्केल एक संगठित तरीका प्रदान करता है जिससे राय (Opinions) और अनुभूतियों (Perceptions) को एकत्रित किया जा सकता है। इससे संगठनों को ऐसे निर्णय लेने में सहायता मिलती है जो छात्रों या संबंधित व्यक्तियों के दृष्टिकोण और प्राथमिकताओं के अनुरूप हों। अब आइए दृष्टिकोण मापन स्केल के विभिन्न प्रकारों को समझते हैं।

1. **लाइकर्ट स्केल (Likert Scale):** लाइकर्ट स्केल दृष्टिकोण मापन के लिए व्यापक रूप से प्रयुक्त एक विधि है, जिसका उपयोग लोगों के दृष्टिकोण (Attitudes), राय (Opinions) या अनुभूतियों (Perceptions) को मापने के लिए किया जाता है। इसमें कई कथनों या प्रश्नों की एक श्रृंखला होती है, जिन पर उत्तरदाता सहमति (Agreement) या असहमति (Disagreement) के अपने स्तर को संख्यात्मक स्केल पर इंगित करते हैं।

   लाइकर्ट स्केल का एक उदाहरण ग्राहक संतोष सर्वेक्षण (Customer Satisfaction Survey) है, जिसे किसी रेस्तरां द्वारा किया जा सकता है। इस सर्वेक्षण में निम्नलिखित कथन शामिल हो सकते हैं: "भोजन की गुणवत्ता उत्कृष्ट थी", "सेवा त्वरित और विनम्र थी", और "मैं इस रेस्तरां को दूसरों को सुझाऊंगा"। इसके बाद, उत्तरदाताओं से यह पूछा जाता है कि वे प्रत्येक कथन से कितने सहमत या असहमत हैं। वे अपनी प्रतिक्रिया "पूरी तरह सहमत" से लेकर "पूरी तरह असहमत (Strongly Disagree)" तक के एक स्केल पर व्यक्त करते हैं।

उदाहरण के लिए, एक उत्तरदाता भोजन की गुणवत्ता से पूरी तरह सहमत हो सकता है, सेवा की त्वरितता पर सहमत हो सकता है और रेस्तरां की सिफारिश करने के सवाल पर तटस्थ (Neutral) प्रतिक्रिया दे सकता है। लाइकर्ट स्केल के माध्यम से एकत्रित प्रतिक्रियाओं का विश्लेषण करके, रेस्तरां अपने ग्राहक संतोष स्तर (Customer Satisfaction Levels) का आकलन कर सकता है और भोजन अनुभव के विभिन्न पहलुओं में सुधार के संभावित क्षेत्रों की पहचान कर सकता है।

तालिका 8.2 स्पाइस रूट कैफे-ग्राहक प्रतिक्रिया फॉर्म

	सख्ती से सहमत	सहमत	न्यूट्रल	असहमत	सख्त असहमति
भोजन की गुणवत्ता उत्कृष्ट थी	✓				
सेवा तुरंत थी		✓			
अम्बियंस बहुत अच्छा था				✓	
अन्य लोगों को अनुशंसा करेंगे			✓		

2. **थर्स्टोन स्केल (Thurstone Scale):** थर्स्टोन स्केल (Thurstone Scale) एक विधि है जिसका उपयोग किसी विशिष्ट विषय पर लोगों के दृष्टिकोण (Attitudes) या राय (Opinions) को मापने के लिए किया जाता है। यह लाइकर्ट स्केल (Likert Scale) से भिन्न है, क्योंकि इसमें उत्तरदाता प्रत्येक कथन की सहमति स्तर को रेट करने के बजाय, कथनों में से उन कथनों को चुनते हैं जिनसे वे सहमत हैं और उन्हें अपनी सहमति के अनुसार रैंक (Rank) प्रदान करते हैं।

   उदाहरण के लिए, पर्यावरण संरक्षण (Environmental Conservation) पर एक सर्वेक्षण को देखें। इसमें प्रतिभागियों को निम्नलिखित कथन दिए जाते हैं: "मैं संकटग्रस्त प्रजातियों की सुरक्षा के लिए नीतियों का समर्थन करता हूँ", "मैं प्राकृतिक संसाधनों के संरक्षण के लिए स्थायी प्रथाओं (Sustainable Practices) में विश्वास करता हूँ", और "मैं प्रदूषण पर कड़े नियम लागू करने की वकालत करता हूँ।"

   उत्तरदाताओं को इन कथनों को उनकी सहमति या समर्थन स्तर (Agreement or Endorsement) के आधार पर रैंक देने के लिए कहा जाता है।

   कोई उत्तरदाता संकटग्रस्त प्रजातियों की सुरक्षा के लिए बनाए गए नियमों को सर्वोच्च प्राथमिकता पर रैंक कर सकता है, जिससे उसकी मजबूत सहमति प्रदर्शित होती है। वह स्थायी प्रथाओं के समर्थन वाले कथन को दूसरे स्थान पर रख सकता है, जिससे मध्यम सहमति प्रदर्शित होती है। वहीं, वह प्रदूषण नियंत्रण पर कड़े नियम लागू करने वाले कथन को निम्न रैंक दे सकता है, जिससे उसकी अल्प सहमति या असहमति प्रकट हो सकती है।

3. **गुटमैन स्केल (Guttman Scale):** गुटमैन स्केल (Guttman Scale), जिसे संचयी स्केल (Cumulative Scale) भी कहा जाता है, एक प्रकार का दृष्टिकोण मापन स्केल है, जिसका उपयोग किसी विशिष्ट विषय या अवधारणा के प्रति लोगों के दृष्टिकोण या राय की तीव्रता (Strength) या गहराई (Intensity) को मापने के लिए किया जाता है। इसमें "हाँ/नहीं" (Yes/No) आधारित प्रश्नों या कथनों की एक श्रृंखला होती है, जिन्हें जटिलता के क्रम में व्यवस्थित किया जाता है।

   यह स्केल एक सीढ़ी (Ladder) की तरह काम करता है, जिसमें हर अगला कदम पहले की तुलना में अधिक विशिष्ट या कठिन होता है।

   उदाहरण के लिए, यदि कोई उत्तरदाता किसी कठिन कथन से सहमत होता है, तो इसका अर्थ यह है कि वह पिछले सभी सरल कथनों से भी सहमत होगा। आइए इसे एक उदाहरण की सहायता से समझते हैं। नीचे गुटमैन स्केल का उपयोग करके एक छात्र की पढ़ने की क्षमता (Reading Abilities) का मापन दिया गया है:

छात्र का नाम: आयुष मेहरा
कक्षा: 3B
विषय: अंग्रेजी

1. छात्र वर्णमाला के अक्षरों को पहचान सकता है।
   - हाँ
   - नहीं
2. छात्र सरल शब्द पढ़ सकता है।
   - हाँ
   - नहीं
3. छात्र वाक्य पढ़ सकता है।
   - हाँ
   - नहीं
4. छात्र छोटे पैराग्राफ समझ सकता है।
   - हाँ
   - नहीं
5. छात्र लंबे पैराग्राफ समझ सकता है।
   - हाँ
   - नहीं

पहला कथन मूलभूत अक्षर पहचान से संबंधित है, जो पढ़ने की क्षमता की आधारभूत कौशल (Foundational Skill) को दर्शाता है। इसके बाद के कथन इस नींव पर आगे बढ़ते हैं – पहले सरल शब्द पढ़ने, फिर वाक्य पढ़ने और अंततः लंबे पैराग्राफ समझने तक पहुँचते हैं। प्रत्येक कथन यह मानकर चलता है कि उत्तरदाता ने पहले दिए गए कौशल में दक्षता हासिल कर ली है, जिससे एक पदानुक्रमिक प्रगति (Hierarchical Progression) बनती है। उदाहरण के लिए, यदि कोई छात्र लंबे लेख (Longer Passages) को समझ सकता है, तो इसका अर्थ यह है कि वह पहले से ही अक्षरों की पहचान करने, सरल शब्द पढ़ने, वाक्य पढ़ने और छोटे पैराग्राफ समझने में सक्षम है।

क्विज स्टेशन *विगत UGC NET परीक्षाओं के प्रश्न*

प्र 1. 'व्यक्तियों के धर्म को दिए गए कोड नंबर' निम्नलिखित में से किस माप के पैमाने पर डेटा का एक उदाहरण है?
(2 सितंबर 2024 - शिफ्ट 2)

(a) नाममात्र (b) क्रमिक
(c) अंतराल (d) अनुपात

प्र 2. ऐसी स्थिति या विशेषता, जो अलग-अलग मान या श्रेणियाँ ले सकती है, क्या कहलाती है?

(a) एक स्थिरांक
(b) एक चर
(c) एक कारण-प्रभाव संबंध
(d) एक वर्णनात्मक संबंध

प्र 3. वे कौन से चर हैं, जिन्हें शोधकर्ता अध्ययन के लिए चुनता है ताकि यह आकलन किया जा सके कि वे अन्य चर पर क्या प्रभाव डालते हैं?

(a) आश्रित (b) स्वतंत्र
(c) बाह्य (d) मिश्रित चर

प्र 4. निम्नलिखित में से कौन-सा स्वतंत्र चर शोध अध्ययन में हेरफेर नहीं किया जा सकता?

(a) लिंग
(b) जातीयता
(c) बुद्धिमत्ता और अन्य गुण
(d) उपरोक्त में से कोई नहीं

प्र 5. एक प्रयोग यह परीक्षण करने के लिए किया गया कि नींद की कमी का यादृच्छिक स्मरण पर क्या प्रभाव पड़ता है। इस प्रयोग में आश्रित चर क्या है?

(a) विषयों द्वारा बिना नींद के बिताए गए घंटे
(b) यादृच्छिक स्मरण स्कोर
(c) प्रयोगात्मक समूह में नींद से वंचित विषयों की संख्या
(d) नींद के घंटे और थकान के बीच सहसंबंध

प्र 6. बाह्य चर मूल रूप से क्या होते हैं?

(a) स्वतंत्र चर
(b) आश्रित चर
(c) स्वतंत्र या आश्रित
(d) न तो स्वतंत्र और न ही आश्रित

प्र 7. वह चर जो यह माना जाता है कि किसी अन्य चर में परिवर्तन लाने का कारण बनता है, उसे क्या कहते हैं?

(a) श्रेणीगत चर (b) आश्रित चर
(c) स्वतंत्र चर (d) मध्यस्थ चर

प्र 8. यह चर इस बात पर निर्भर करता है कि स्वतंत्र चर द्वारा इस पर क्या प्रभाव डाला जाता है।

(a) बाह्य (b) आश्रित
(c) हेरफेर किया गया (d) उपरोक्त सभी

प्र 9. कालम का मिलान करें: *(29 अगस्त 2024 - शिफ्ट 1)*

माप का पैमाना	चर का उदाहरण
(A) नामिक (नोमिनल)	I. विद्यार्थियों की लंबाई
(B) क्रमसूचक (ऑर्डिनल)	II. दिन का समय
(C) अंतराल	III. जाति
(D) अनुपात	IV. सैन्यकर्मी की रैंक

(a) A-I B-II C-III D-IV
(b) A-II B-III C-IV D-I
(c) A-III B-IV C-II D-I
(d) A-IV B-I C-II D-III

प्र 10. निम्नलिखित में से क्या 'अनुपात-पैमाने' पर लागू होता है?
(9 जनवरी 2025 - शिफ्ट 1)

A. यह गुणवत्ता और मूल्यों का आकलन करने में उपयोगी उपकरण है
B. इसमें समान अंतराल गुण हैं
C. इसमें एक सच्चा शून्य है
D. अंकों में वास्तविक संख्याओं के गुण होते हैं और उन्हें जोड़ा, घटाया आदि जा सकता है।
E. यह गैर-पैरामीट्रिक सांख्यिकीय तकनीकों का उपयोग करता है

नीचे दिए गए विकल्पों में से सही उत्तर चुनें:

(a) केवल A, C और D
(b) केवल D और E
(c) केवल A, B और C
(d) केवल B, C और D

उत्तर 1. (c) 2. (b) 3. (b) 4. (d) 5. (b) 6. (a)
7. (c) 8. (b) 9.(c) 10. (d)

चरण 4 परिकल्पना का निर्माण (Formulating Hypothesis)

इस विषय को सरल बनाने वाले वीडियो व्याख्यान को देखने के लिए इस QR कोड को स्कैन करें

चर (Variables) की पहचान के बाद, शोध का अगला चरण परिकल्पना (Hypothesis) का निर्माण करना होता है। आइए हम परिकल्पना के अर्थ और इसके कार्यों को समझें। कल्पना कीजिए कि आप हिमाचल प्रदेश (Himachal Pradesh) के मनाली (Manali) की यात्रा की योजना बना रहे हैं। योजना शुरू करने से पहले, आप एक सामान्य सिद्धांत या परिकल्पना बनाते हैं कि "3 रात 4 दिन की मनाली यात्रा INR 6,000 के बजट में पूरी की जा सकती है।" यह परिकल्पना यह सुझाव देती है कि यात्रा कार्यक्रम (Itinerary) को सावधानीपूर्वक योजना बनाकर, बजट अनुकूल आवास (Budget Accommodations) चुनकर और किफायती परिवहन व गतिविधियों का चयन करके, आप अपने वित्तीय सीमा को पार किए बिना यादगार यात्रा का आनंद ले सकते हैं।

सरल शब्दों में, शोध में परिकल्पना किसी घटना या प्रक्रिया के बारे में एक भविष्यवाणी (Prediction) होती है। इसे "किसी समस्या का अस्थायी उत्तर (Tentative Answer to a Problem)" भी कहा जा सकता है। परिकल्पना का निर्माण पूर्व अवलोकन (Prior Observations), पूर्व ज्ञान या मौजूदा सिद्धांतों (Existing Theories) के आधार पर किया जाता है और यह वैज्ञानिक जांच की शुरुआती बिंदु होती है। शोधकर्ताओं के पास एक या अधिक परिकल्पनाएँ हो सकती हैं, जो उन प्रश्नों का प्रतिनिधित्व करती हैं जिन्हें वे संबोधित करना चाहते हैं। इनमें वे भविष्यवाणियाँ (Predictions) शामिल होती हैं जो वे उन चरों (Variables) के बीच संभावित संबंधों के बारे में करना चाहते हैं, जिनका वे अध्ययन कर रहे हैं।

उदाहरण के लिए, यदि कोई अध्ययन यह जांचना चाहता है कि व्यायाम (Eñercise) वजन घटाने (Weight Loss) को कैसे प्रभावित करता है, तो परिकल्पना इस प्रकार हो सकती है: "नियमित व्यायाम से अधिक वजन घटता है।" यहाँ, शोधकर्ता दो चरों के बीच संबंध की परिकल्पना कर रहा है: व्यायाम की आवृत्ति (Exercise Frequency) और वजन घटाने (Weight Loss)।

स्कोर बूस्टर

पूरक पठन अनुशंसा

QR कोड काम नहीं कर रहा है? QR कोड के साथ दिए गए संसाधनों तक पहुँचने के लिए आंतरिक फ्रन्ट कवर पर दिए गए निर्देशों का पालन करें

नीचे आधिकारिक UGC NET पेपर 1 पाठ्यक्रम में उल्लिखित विषय दिए गए हैं जो हाल ही में UGC NET परीक्षाओं में नहीं पूछे गए हैं। यदि आप उन्हें जानना चाहते हैं, तो विस्तृत स्पष्टीकरण के साथ एक **विशेष पीडीएफ** तक पहुँचने के लिए QR कोड को स्कैन करें:

1. परिकल्पना की विशेषताएँ
2. परिकल्पना के कार्य

परिकल्पना से जुडी विशेष शोध विधियाँ:

1. परिकल्पना निगमनात्मक विधि
2. अनुभव-प्रेरक अनुसंधान

★★★ परीक्षोपयोगी

परिकल्पना के प्रकार (Types of Hypothesis)

अनुसंधान पद्धति (Research Methodology) में विभिन्न प्रकार की परिकल्पनाओं को समझना आवश्यक है, क्योंकि वे अनुसंधान प्रक्रिया को सही दिशा में ले जाने के लिए विशिष्ट उद्देश्यों की पूर्ति करती हैं। शोधकर्ता अपने अनुसंधान प्रश्नों (Research Questions) और उद्देश्यों (Objectives) की प्रकृति के आधार पर विभिन्न प्रकार की परिकल्पनाओं का उपयोग करते हैं।

परिकल्पनाओं को अलग-अलग प्रकारों में वर्गीकृत करके, शोधकर्ता अपने शोध उद्देश्यों को प्रभावी रूप से स्पष्ट कर सकते हैं, अपेक्षित परिणाम निर्दिष्ट कर सकते हैं और अपनी परिकल्पनाओं के परीक्षण के लिए उचित पद्धतियाँ (Methodologies) तैयार कर सकते हैं। अब आइए विभिन्न प्रकार की परिकल्पनाओं को विस्तार से समझते हैं।

शून्य परिकल्पना (Null Hypothesis)

शून्य परिकल्पना को 'H_0' या 'H_n' द्वारा दर्शाया जाता है। यह किसी भी शोध अध्ययन का आधार या प्रारंभिक बिंदु होता है। यह परिकल्पना यह बताती है कि शोध में अध्ययन किए जा रहे चरों (Variables) के बीच कोई संबंध नहीं है। नीचे कुछ उदाहरण दिए गए हैं:

- **H_0:** आयु का इंटरनेट की लत से कोई संबंध नहीं है
- **H_0:** अधिक मात्रा में मक्खन का सेवन करने से कोलेस्ट्रॉल के स्तर पर कोई प्रभाव नहीं पड़ता
- **H_0:** किसी व्यक्ति की आय का स्तर और उसके द्वारा खरीदे गए मोबाइल ब्रांड के बीच कोई संबंध नहीं है

शून्य परिकल्पना (Null Hypothesis) एक शोध अध्ययन का प्रारंभिक बिंदु होता है। इसके बाद, शोधकर्ता डेटा एकत्र करते हैं और सांख्यिकीय विश्लेषण (Statistical Analysis) करते हैं ताकि यह निर्धारित किया जा सके कि क्या इस परिकल्पना को खारिज करने के लिए पर्याप्त साक्ष्य मौजूद हैं। यदि पर्याप्त साक्ष्य मिलते हैं, तो शून्य परिकल्पना को अस्वीकार कर दिया जाता है और एक वैकल्पिक परिकल्पना (Alternative Hypothesis) को स्वीकार किया जाता है, जो यह दर्शाती है कि चरों के बीच वास्तव में कोई संबंध या अंतर मौजूद है।

वैकल्पिक परिकल्पना (Alternative Hypothesis)

वैकल्पिक परिकल्पना (Alternative Hypothesis), जिसे 'H_0' या 'H_a' द्वारा दर्शाया जाता है, किसी शोध अध्ययन में शून्य परिकल्पना (Null Hypothesis) के विपरीत एक वैकल्पिक दृष्टिकोण प्रस्तुत करती है। यह परिकल्पना यह सुझाव देती है कि अध्ययन किए जा रहे चरों (Variables) के बीच वास्तव में कोई संबंध या प्रभाव मौजूद है। जहाँ शून्य परिकल्पना यह मानती है कि कोई संबंध नहीं है, वहीं वैकल्पिक परिकल्पना यह प्रस्तावित करती है कि एक विशिष्ट संबंध, अंतर या प्रभाव मौजूद है। अब आइए उन्हीं उदाहरणों को देखें जिनका उपयोग शून्य परिकल्पना के लिए किया गया था:

- **H_1:** इंटरनेट की लत उपयोगकर्ता की आयु पर निर्भर करती है।
- **H_1:** अधिक मात्रा में मक्खन का सेवन कोलेस्ट्रॉल के स्तर को प्रभावित करता है।
- **H_1:** किसी व्यक्ति की आय का स्तर उसके द्वारा खरीदे गए मोबाइल ब्रांड से संबंधित है।

वैकल्पिक परिकल्पनाएँ एक अलग दृष्टिकोण प्रस्तुत करती हैं, यह सुझाव देते हुए कि अध्ययन किए जा रहे चरों के बीच एक अर्थपूर्ण संबंध हो सकता है। शोधकर्ता डेटा संग्रह और विश्लेषण के माध्यम से यह निर्धारित करने का प्रयास करते हैं कि क्या साक्ष्य शून्य परिकल्पना की तुलना में वैकल्पिक परिकल्पना का समर्थन करते हैं। इससे चरों के बीच संबंध की प्रकृति को समझने में मदद मिलती है और नए निष्कर्ष सामने आते हैं।

कार्यशील परिकल्पना (Working Hypothesis)

कार्यशील परिकल्पना, जिसे अनुसंधान परिकल्पना (Research Hypothesis) भी कहा जाता है, एक अस्थायी कथन होती है जिसे शोधकर्ता मौजूदा ज्ञान या अवलोकनों के आधार पर प्रस्तावित करते हैं। यह परिकल्पना शोध अध्ययन के लिए एक मार्गदर्शक विचार के रूप में कार्य करती है और डेटा संग्रह और विश्लेषण के माध्यम से परीक्षण और परिष्करण (Refinement) की प्रक्रिया से गुजरती है। शून्य परिकल्पना (Null Hypothesis) जहाँ चरों के बीच किसी संबंध को नकारती है, और वैकल्पिक परिकल्पना एक विशिष्ट संबंध प्रस्तावित करती है, वहीं कार्यशील परिकल्पना शोधकर्ता की प्रारंभिक अपेक्षा या अध्ययन के संभावित परिणाम (Predicted Outcome) को व्यक्त करती है। अब आइए इसे उदाहरणों के माध्यम से समझते हैं:

- **कार्यशील परिकल्पना:** बढ़ती आयु इंटरनेट की लत के उच्च स्तर से संबंधित हो सकती है।
- **कार्यशील परिकल्पना:** अत्यधिक मात्रा में मक्खन का सेवन कोलेस्ट्रॉल के स्तर को बढ़ा सकता है।
- **कार्यशील परिकल्पना:** जिन व्यक्तियों की आय अधिक होती है, वे आमतौर पर प्रीमियम ब्रांड के मोबाइल फोन खरीदने की प्रवृत्ति रखते हैं।

कार्यशील परिकल्पनाएँ शोधकर्ताओं को उनके अनुसंधान को दिशा देने और अनुसंधान प्रश्नों को तैयार करने में सहायता करती हैं। अध्ययन की प्रगति के साथ और डेटा एकत्र किए जाने के बाद, शोधकर्ता यह मूल्यांकन करते हैं कि क्या साक्ष्य कार्यशील परिकल्पना का समर्थन करते हैं या उसे खारिज करते हैं। इस प्रक्रिया से शोध प्रश्नों और परिकल्पनाओं को और अधिक परिष्कृत करने का अवसर मिलता है, जिससे शोध की सटीकता और विश्वसनीयता बढ़ती है।

क्विज स्टेशन *विगत UGC NET परीक्षाओं के प्रश्न*

प्र 1. कार्यशील परिकल्पना क्या होती है?

(a) किसी तर्क के लिए सिद्ध परिकल्पना

(b) जिसे परीक्षण करने की आवश्यकता नहीं होती

(c) आगे के शोध के लिए अस्थायी रूप से स्वीकृत परिकल्पना

(d) एक वैज्ञानिक सिद्धांत

प्र 2. शून्य परिकल्पना क्या होती है?

(a) जब चरों के बीच कोई अंतर नहीं होता

(b) शोध परिकल्पना के समान होती है

(c) व्यक्तिनिष्ठ प्रकृति की होती है

(d) जब चरों के बीच अंतर होता है

उत्तर 1. (c) 2. (a)

वर्णनात्मक परिकल्पना (Descriptive Hypothesis)

वर्णनात्मक परिकल्पना किसी विशेष जनसंख्या (Population) या घटना (Phenomenon) की विशेषताओं को वर्णित करने के लिए बनाई जाती है। अन्य प्रकार की परिकल्पनाएँ जहाँ चरों (Variables) के बीच संबंधों या संभावित परिणामों की भविष्यवाणी करती हैं, वहीं वर्णनात्मक परिकल्पना किसी विषय की वर्तमान स्थिति का एक चित्र प्रस्तुत करने पर केंद्रित होती है।

उदाहरण के लिए, यदि परिकल्पना इस प्रकार हो – "भारत के शहरी क्षेत्रों में वर्तमान बेरोजगारी दर 10 प्रतिशत है।" यह परिकल्पना किसी परिवर्तन या संबंध की भविष्यवाणी नहीं करती, बल्कि शहरी भारत में बेरोजगारी दर का मात्रात्मक विवरण प्रस्तुत करती है, जिसे डेटा संग्रह और विश्लेषण के माध्यम से सत्यापित किया जा सकता है।

वर्णनात्मक परिकल्पनाओं की प्रमुख विशेषताएँ:

1. वर्तमान स्थिति का विवरण देती है: वर्णनात्मक परिकल्पना किसी विशेष चर (Variable) की वर्तमान स्थिति को चित्रित करने का प्रयास करती है। उदाहरण के लिए "शहर में वयस्क पुरुषों की औसत ऊँचाई 5 फीट 7 इंच है।"
2. विशिष्ट विशेषताओं पर केंद्रित होती है: यह परिकल्पना किसी परिभाषित समूह (Defined Group) या संदर्भ (Context) के भीतर विशिष्ट लक्षणों या गुणों पर ध्यान केंद्रित करती है। उदाहरण के लिए "शहर के 80 प्रतिशत घरों में इंटरनेट की सुविधा उपलब्ध है।"
3. आसानी से मापी जा सकती है: वर्णनात्मक परिकल्पना में शामिल चर मात्रात्मक (Quantifiable) होते हैं और इन्हें सटीक रूप से मापा जा सकता है। उदाहरण के लिए "इस क्षेत्र में औसत वार्षिक वर्षा 1200 मिलीमीटर है।"
4. आधारभूत जानकारी प्रदान करती है: ये परिकल्पनाएँ अक्सर अग्रगामी अनुसंधान (Further Research) और तुलना (Comparison) के लिए एक आधारभूत स्तर (Baseline) प्रदान करती हैं। उदाहरण के लिए "जिले के ग्रामीण क्षेत्रों में साक्षरता दर 65 प्रतिशत है।" वर्णनात्मक परिकल्पना तैयार करके, शोधकर्ता व्यवस्थित रूप से डेटा एकत्र कर सकते हैं और बताए गए लक्षणों को सत्यापित या खंडित कर सकते हैं।

   उदाहरण के लिए, शहरी भारत में बेरोजगारी दर से संबंधित परिकल्पना का परीक्षण करने के लिए, शोधकर्ता सर्वेक्षण (Surveys) कर सकते हैं या मौजूदा सांख्यिकीय डेटा (Statistical Data) का उपयोग करके वास्तविक बेरोजगारी दर को माप सकते हैं। यदि एकत्र किया गया डेटा परिकल्पना से मेल खाता है, तो यह वर्णन की सटीकता की पुष्टि करता है। यदि डेटा भिन्न होता है, तो यह विसंगति के कारणों (Reasons for Discrepancy) की आगे जांच के लिए प्रेरित करता है।

संबंधपरक परिकल्पना (Relational Hypothesis)

संबंधपरक परिकल्पना दो या दो से अधिक चरों के बीच संबंध को दर्शाती है। जहाँ वर्णनात्मक परिकल्पना केवल एक चर की विशेषताओं का विवरण प्रस्तुत करती है, वहीं संबंधपरक परिकल्पना यह भविष्यवाणी करती है कि एक चर दूसरे चर के सापेक्ष कैसे बदलता है। यह किसी अध्ययन में विभिन्न तत्वों के बीच संबंधों और पारस्परिक प्रभावों को समझने के लिए आवश्यक होती है।

उदाहरण के लिए, यदि परिकल्पना यह कहती है कि "शहरी क्षेत्रों में रहने वाले माता-पिता ग्रामीण क्षेत्रों के माता-पिता की तुलना में अपने बच्चों की शिक्षा पर अधिक खर्च करते हैं," तो यह परिकल्पना निवास स्थान (शहरी

या ग्रामीण) और शिक्षा पर किए गए खर्च के बीच संबंध को दर्शाती है। इसी तरह, यदि कहा जाए कि "शारीरिक गतिविधि में वृद्धि से मानसिक स्वास्थ्य में सुधार होता है," तो यहाँ परिकल्पना यह भविष्यवाणी कर रही है कि शारीरिक गतिविधि की मात्रा और मानसिक स्वास्थ्य की स्थिति के बीच एक संबंध है।

इन परिकल्पनाओं को परखने के लिए, शोधकर्ता संबंधित चरों पर डेटा एकत्र करते हैं और सांख्यिकीय विधियों का उपयोग करके उनके बीच संबंध का विश्लेषण करते हैं। उदाहरण के लिए, पहली परिकल्पना का परीक्षण करने के लिए शोधकर्ता शहरी और ग्रामीण क्षेत्रों में रहने वाले माता-पिता से शिक्षा पर किए गए खर्च से संबंधित डेटा एकत्र कर सकते हैं। इसके बाद, वे औसत खर्च की तुलना करेंगे ताकि यह जांचा जा सके कि क्या शहरी और ग्रामीण क्षेत्रों में माता-पिता द्वारा शिक्षा पर किए गए खर्च में वास्तव में कोई महत्वपूर्ण अंतर मौजूद है या नहीं, जैसा कि परिकल्पना में भविष्यवाणी की गई थी।

व्याख्यात्मक परिकल्पना (Explanatory Hypothesis)

व्याख्यात्मक परिकल्पना कारण-प्रभाव (Cause-and-Effect) संबंधों को समझने में मार्गदर्शन प्रदान करती है। यह प्रस्तावित करती है कि एक चर में परिवर्तन दूसरे चर में परिवर्तन लाएगा, जिससे एक दिशात्मक प्रभाव (Directional Influence) स्पष्ट होता है।

उदाहरण के लिए, यदि परिकल्पना यह कहती है कि "जब वेतन बढ़ता है, तो खाद्य पदार्थों पर खर्च भी बढ़ता है," तो यह एक कारण-प्रभाव संबंध को दर्शाती है, जहाँ वेतन वृद्धि (कारण) खाद्य पदार्थों पर अधिक खर्च (प्रभाव) का कारण बनती है। इसका तात्पर्य यह है कि जैसे-जैसे लोगों की आय बढ़ती है, वे भोजन पर अधिक खर्च करने की प्रवृत्ति रखते हैं। हालाँकि, यह भी इंगित किया जाता है कि इसका उल्टा आवश्यक रूप से सत्य नहीं है, अर्थात भोजन पर अधिक खर्च करने से वेतन में वृद्धि नहीं होती।

अन्य महत्वपूर्ण परिकल्पनाएँ (Other Important Hypotheses)

उपरोक्त प्रमुख परिकल्पनाओं के अलावा, हाल के UGC NET परीक्षाओं में कुछ अन्य प्रकार की परिकल्पनाओं से संबंधित प्रश्न भी शामिल किए गए हैं। परीक्षा की तैयारी के लिए निम्नलिखित परिकल्पनाएँ महत्वपूर्ण हैं:

1. **सरल परिकल्पना (Simple Hypothesis):** सरल परिकल्पना एक आश्रित (Dependent) और एक स्वतंत्र (Independent) चर के बीच संबंध की भविष्यवाणी करती है। यह आमतौर पर निर्दिष्ट करती है कि स्वतंत्र चर (कारण) में परिवर्तन से आश्रित चर (प्रभाव) में क्या बदलाव होगा। उदाहरण के लिए, "अधिक व्यायाम करने से हृदय स्वास्थ्य में सुधार होता है।" इस परिकल्पना में व्यायाम स्वतंत्र चर है, जबकि हृदय स्वास्थ्य आश्रित चर है।
2. **जटिल परिकल्पना (Complex Hypothesis):** जटिल परिकल्पना उन संबंधों की भविष्यवाणी करती है, जिनमें एक से अधिक स्वतंत्र और आश्रित चर शामिल होते हैं। यह विश्लेषण करती है कि कैसे कई कारक मिलकर परिणामों को प्रभावित कर सकते हैं। उदाहरण के लिए, "व्यायाम और आहार दोनों समग्र स्वास्थ्य में योगदान करते हैं, जहाँ अधिक व्यायाम और स्वस्थ आहार बेहतर हृदय स्वास्थ्य की ओर ले जाते हैं।" इस परिकल्पना में व्यायाम और आहार स्वतंत्र चर हैं, जबकि हृदय स्वास्थ्य आश्रित चर है। यह दर्शाता है कि व्यायाम और आहार दोनों मिलकर हृदय स्वास्थ्य को प्रभावित करते हैं, जिससे एक बहुआयामी (Multifaceted) संबंध स्पष्ट होता है।
3. **दिशात्मक परिकल्पना (Directional Hypothesis):** दिशात्मक परिकल्पना केवल चरों के बीच संबंध की भविष्यवाणी नहीं करती, बल्कि इस संबंध की दिशा भी बताती है। यह पहले से उपलब्ध ज्ञान या सिद्धांतों के आधार पर निर्दिष्ट करती है कि प्रभाव सकारात्मक होगा या नकारात्मक। उदाहरण के लिए, "अध्ययन के घंटे बढ़ने से परीक्षा में प्राप्त अंकों में सुधार होगा।" यह परिकल्पना एक सकारात्मक संबंध का संकेत देती है, यह दर्शाते हुए कि अधिक अध्ययन समय से परीक्षा प्रदर्शन बेहतर होगा।
4. **गैर-दिशात्मक परिकल्पना (Non-Directional Hypothesis):** गैर-दिशात्मक परिकल्पना यह स्थापित करती है कि दो चरों के बीच एक संबंध मौजूद है, लेकिन यह उस संबंध की दिशा को निर्दिष्ट नहीं करती। यह केवल यह कहती है कि एक चर दूसरे से संबंधित है, लेकिन यह नहीं बताती कि यह संबंध सकारात्मक होगा या नकारात्मक। उदाहरण के लिए, "अध्ययन के घंटे और परीक्षा अंकों के बीच एक संबंध है।" यह परिकल्पना इस बात को स्वीकार करती है कि अध्ययन के घंटे और परीक्षा अंकों के बीच कोई संबंध हो सकता है, लेकिन यह अनुमान नहीं लगाती कि अधिक अध्ययन करने से परीक्षा में अंक बढ़ेंगे या घटेंगे।
5. **वैचारिक परिकल्पना (Conceptual Hypothesis):** वैचारिक परिकल्पना किसी क्षेत्र में पहले से उपलब्ध सिद्धांतों या मॉडलों के आधार पर चरों के बीच संबंध का प्रस्ताव करती है। उदाहरण के लिए, "सामाजिक अधिगम सिद्धांत (Social Learning Theory) के अनुसार, हिंसक मीडिया के संपर्क में आने से बच्चों में आक्रामक व्यवहार बढ़ता है।" यह परिकल्पना सामाजिक अधिगम सिद्धांत पर निर्भर करती है और यह सुझाव देती है कि जो बच्चे हिंसक मीडिया देखते हैं, उनमें आक्रामकता अधिक पाई जा सकती है।
6. **अनुभवजन्य परिकल्पना (Empirical Hypothesis):** अनुभवजन्य परिकल्पना उन निष्कर्षों पर आधारित होती है, जो अवलोकनों (Observations) या प्रयोगों (Experiments) से प्राप्त किए गए होते हैं। यह पहले के शोध निष्कर्षों या डेटा विश्लेषण के आधार पर सामने आती है। उदाहरण के लिए, "पिछले अध्ययनों से पता चलता है कि नींद की कमी से संज्ञानात्मक प्रदर्शन (Cognitive Performance) में गिरावट आती है।" इस परिकल्पना का आधार पूर्व शोधों से प्राप्त आँकड़े और विश्लेषण हैं, जो यह दर्शाते हैं कि नींद की कमी का प्रभाव व्यक्ति की मानसिक दक्षता पर पड़ता है।

★★★ परीक्षोपयोगी

चरण 5 अनुसंधान डिजाइन तैयार करना (Preparing the Research Design)

इस विषय को सरल बनाने वाले वीडियो व्याख्यान को देखने के लिए इस QR कोड को स्कैन करें

परिकल्पना निर्धारित करने के बाद, अगला चरण अनुसंधान डिजाइन तैयार करना होता है। अनुसंधान डिजाइन (Research Design) तैयार करना एक विस्तृत रोडमैप बनाने के समान है, जो शोध को संचालित करने के लिए आवश्यक कदमों और विधियों को स्पष्ट करता है। यह अध्ययन को व्यवस्थित और संगठित रखने के लिए दिशा और स्पष्टता प्रदान करता है।

एक अच्छा अनुसंधान डिजाइन उन आवश्यक प्रश्नों को संबोधित करता है, जो अध्ययन की परिधि (Scope), एकत्र किए जाने वाले डेटा के प्रकार और डेटा संग्रह एवं विश्लेषण की विधियों से संबंधित होते हैं। प्रत्येक चरण में उचित औचित्य (Justification) आवश्यक होता है, क्योंकि यह संसाधनों के कुशल उपयोग को सुनिश्चित करता है। अनुसंधान डिजाइन को शोध प्रश्नों के उत्तर प्राप्त करने के लिए एक योजना (Plan), संरचना (Structure) और रणनीति (Strategy) के रूप में परिभाषित किया जाता है।

एक अच्छी अनुसंधान डिजाइन की भूमिका:

1. **अनुसंधान में दक्षता (Efficiency in Research):** एक सुव्यवस्थित अनुसंधान डिजाइन यह सुनिश्चित करता है कि शोध प्रक्रिया कुशल (Efficient) और व्यवस्थित (Systematic) हो, जिससे अनावश्यक चरणों और भ्रम से बचा जा सके। उदाहरण के लिए, यदि अनुसंधान डिजाइन सही तरीके से संरचित है, तो शोधकर्ता अनावश्यक डेटा संग्रह से बच सकते हैं और केवल प्रासंगिक डेटा पर ध्यान केंद्रित कर सकते हैं, जिससे शोध प्रक्रिया तेज और प्रभावी हो जाती है।

   शोध में एक स्पष्ट और सुव्यवस्थित डिजाइन डेटा संग्रह प्रक्रिया को अधिक प्रभावी बनाता है। उदाहरण के लिए, यदि किसी अध्ययन में यह जांचना है कि सोशल मीडिया मानसिक स्वास्थ्य को कैसे प्रभावित करता है, तो एक स्पष्ट अनुसंधान डिजाइन छात्रों से डेटा एकत्र करने की प्रक्रिया को सरल बना सकता है।

2. **संसाधनों का सर्वोत्तम उपयोग (Optimum Utilisation of Resources):** एक अच्छा अनुसंधान डिजाइन सीमित संसाधनों का अधिकतम लाभ उठाने में मदद करता है, जिससे समय, धन और प्रयास की न्यूनतम लागत में अधिकतम जानकारी प्राप्त की जा सकती है। उदाहरण के लिए, ऑनलाइन सर्वेक्षणों का उपयोग करके शोधकर्ता बड़ी मात्रा में डेटा को तेजी और कम लागत में एकत्र कर सकते हैं, जिससे वित्तीय संसाधनों की भी बचत होती है। सोशल मीडिया के प्रभाव पर अध्ययन में ऑनलाइन सर्वेक्षणों का उपयोग करके अधिक से अधिक भागीदारी सुनिश्चित की जा सकती है, जिससे शारीरिक बैठकों की आवश्यकता समाप्त हो जाती है।

3. **लचीलापन (Flexibility):** एक अच्छा अनुसंधान डिजाइन शोध प्रक्रिया के दौरान आने वाली अनपेक्षित चुनौतियों या परिवर्तनों के प्रति लचीला होता है। उदाहरण के लिए, यदि प्रारंभिक डेटा संग्रह विधियाँ प्रभावी नहीं होती हैं, तो एक लचीले डिजाइन में शोधकर्ता वैकल्पिक विधियों को अपनाने में सक्षम होते हैं। हमारे उदाहरण में, यदि ऑनलाइन सर्वेक्षण पर्याप्त डेटा प्रदान नहीं कर रहे हैं, तो फोकस ग्रुप (Focus Groups) के माध्यम से अधिक गहराई से जानकारी प्राप्त की जा सकती है।

4. **पूर्वाग्रह की न्यूनता (Minimisation of Bias):** एक अच्छा अनुसंधान डिजाइन डेटा संग्रह में पूर्वाग्रह (Bias) को कम करने के लिए रणनीतियाँ शामिल करता है, जिससे शोध निष्कर्ष अधिक विश्वसनीय और सटीक बनते हैं।

5. **विश्वसनीयता और वस्तुनिष्ठता (Reliability and Objectivity):** एक संरचित अनुसंधान योजना का पालन करने से अध्ययन के निष्कर्ष अधिक विश्वसनीय (Reliable) और वस्तुनिष्ठ (Objective) होते हैं, जिससे शोध की विश्वसनीयता (Credibility) बढ़ती है। उदाहरण के लिए, यदि डेटा संग्रह के लिए मानकीकृत मापन उपकरणों (Standardised Measurement Tools) और स्पष्ट प्रोटोकॉल (Clear Protocols) का उपयोग किया जाता है, तो शोध को अन्य शोधकर्ताओं द्वारा दोहराया (Replicated) और सत्यापित (Verified) किया जा सकता है। यह अध्ययन की विश्वसनीयता और निष्पक्षता को बढ़ाने में मदद करता है।

अध्ययन डिजाइन के विभिन्न प्रकार होते हैं, जो अलग-अलग प्रकार के शोध प्रश्नों और उद्देश्यों के लिए उपयुक्त होते हैं। इन डिजाइनों को समझने से शोध कर्ताओं को अपने विशेष अनुसंधान प्रश्नों के लिए सबसे प्रभावी दृष्टिकोण चुनने में मदद मिलती है, जिससे अध्ययन अधिक गहन (Rigorous) और वैध (Valid) बनता है। इस खंड में हम विभिन्न प्रकार के अध्ययन डिजाइनों का अन्वेषण करेंगे, उनके लक्षणों और उचित अनुप्रयोगों को उजागर करेंगे।

प्रायोगिक अनुसंधान डिजाइन (Experimental Research Design)

प्रायोगिक अध्ययन (Experimental Study) एक अनुसंधान डिजाइन का प्रकार है, जिसमें शोधकर्ता स्वतंत्र चर (Independent Variable - IV) में परिवर्तन करके आश्रित चर (Dependent Variable - DV) पर उसके प्रभाव को देखते हैं। यह विधि कारण से प्रभाव की दिशा में अध्ययन शुरू करती है, जिससे चरों के बीच संबंध की नियंत्रित जाँच संभव होती है। प्रायोगिक अध्ययन में प्रतिभागियों को दो समूहों में विभाजित किया जाता है:

1. **प्रायोगिक समूह (Experimental Group):** यह वह समूह होता है जिसे अध्ययन किए जा रहे उपचार या हस्तक्षेप (Treatment or Intervention) को दिया जाता है। उदाहरण के लिए, यदि अध्ययन एक नई दवा से संबंधित है, तो प्रायोगिक समूह में वे मरीज शामिल होंगे जो इस दवा को प्राप्त करते हैं।

2. **नियंत्रण समूह (Control Group):** यह समूह उपचार या हस्तक्षेप प्राप्त नहीं करता। इस समूह का उपयोग प्रायोगिक उपचार के प्रभावों की तुलना के लिए किया जाता है। उदाहरण के लिए, यदि यह एक चिकित्सा अध्ययन है, तो नियंत्रण समूह में वे मरीज शामिल होंगे जो नई दवा नहीं लेते, जिससे शोधकर्ता यह देख सकें कि दवा का वास्तविक प्रभाव क्या है।

पूर्व-प्रायोगिक अनुसंधान डिजाइन (Pre-Experimental Research Design)

पूर्व-प्रायोगिक डिजाइन (pre-experimental designs) प्रयोगात्मक अनुसंधान डिजाइन का सबसे सरल रूप है। इसमें शोधकर्ता बिना यादृच्छिक (random) आवंटन के किसी उपचार या हस्तक्षेप (treatment or intervention) के प्रभावों का अवलोकन करते हैं (अगले पृष्ठ पर दिए गए Concept Capsule को देखें)। इसका अर्थ यह है कि शोधकर्ता किसी एक समूह पर उपचार या हस्तक्षेप लागू करते हैं और फिर उसके परिणामों को मापते हैं। इस प्रकार, तुलना के लिए कोई अलग नियंत्रण समूह नहीं होता।

1. **वन-शॉट केस स्टडी रिसर्च डिजाइन (One-Shot Case Study Research Design):** इस डिजाइन में, एकल समूह को किसी उपचार या हस्तक्षेप के संपर्क में लाया जाता है और फिर उसके प्रभावों का अवलोकन किया जाता है। उदाहरण के लिए, यदि एक शिक्षक कक्षा में एक नई शिक्षण पद्धति लागू करता है और फिर यह

देखने के लिए परीक्षा लेता है कि छात्र सामग्री को कितनी अच्छी तरह समझ पाए, तो यह इस डिजाइन का उपयोग होगा। इसमें उस समूह की तुलना नहीं की जाती, जिसने नई शिक्षण पद्धति प्राप्त नहीं की।

2. **वन-ग्रुप प्रीटेस्ट-पोस्टटेस्ट डिजाइन (One-Group Pretest-Posttest Design):** इस डिजाइन में किसी एक समूह का उपचार से पहले और बाद में आकलन किया जाता है, ताकि उसमें हुए बदलावों का अध्ययन किया जा सके। उदाहरण के लिए, एक शिक्षक किसी नए शिक्षण पद्धति को लागू करने से पहले छात्रों की परीक्षा लेकर उनका प्रदर्शन मापता है (pretest)। फिर, एक पूरे सत्र तक नई विधि का उपयोग करने के बाद, वह दोबारा परीक्षा (post-test) लेकर छात्रों के प्रदर्शन की तुलना करता है। इस प्रकार, उपचार से पहले और बाद के प्रदर्शन में जो अंतर दिखाई देता है, वह नई शिक्षण पद्धति की प्रभावशीलता को दर्शाता है।

3. **स्थिर-समूह तुलना (Static-Group Comparison):** इस डिजाइन में दो समूह शामिल होते हैं – एक समूह जिसे उपचार (treatment) दिया जाता है और दूसरा जिसे नहीं दिया जाता। हालांकि, इन समूहों का चयन यादृच्छिक रूप से (randomly) नहीं किया जाता, बल्कि उन्हें मौजूदा परिस्थितियों या सुविधा के आधार पर विभाजित किया जाता है। इससे पक्षपात (bias) उत्पन्न हो सकता

कॉन्सेप्ट कैप्सूल

प्रयोगात्मक अनुसंधान में मुख्य अवधारणाएँ (Key Concepts in Experimental Research)

यादृच्छिकीकरण (Randomisation)

यादृच्छिकीकरण (Randomisation) प्रयोगात्मक अनुसंधान का एक मूलभूत तत्व है। इसमें प्रतिभागियों को विभिन्न समूहों (जैसे, उपचार समूह और नियंत्रण समूह) में पूरी तरह से संयोगवश (by chance) विभाजित किया जाता है। यह सुनिश्चित करता है कि प्रतिभागियों का वितरण निष्पक्ष तरीके से हो, जिससे प्रयोगात्मक और नियंत्रण समूहों में किसी भी पूर्वाग्रह (bias) की संभावना कम हो।

यादृच्छिकीकरण यह सुनिश्चित करने में मदद करता है कि प्रयोगात्मक और नियंत्रण समूहों के बीच देखे गए अंतर केवल हस्तक्षेप (intervention) के कारण हैं, न कि अन्य बाहरी कारकों की वजह से। यह अध्ययन की आंतरिक वैधता (internal validity) को मजबूत करता है, पूर्वाग्रह के जोखिम को कम करता है, और इस संभावना को बढ़ाता है कि प्रयोग की शुरुआत में दोनों समूह समान स्थितियों में हों।

यादृच्छिकीकरण की प्रक्रिया (Process of Randomisation)

यदि हम एक अध्ययन कर रहे हैं जिसमें वजन घटाने पर एक नए व्यायाम कार्यक्रम (exercise programme) की प्रभावशीलता का परीक्षण किया जा रहा है, और हमारे पास 200 प्रतिभागी हैं, तो प्रक्रिया इस प्रकार होगी–

- **चरण 1** - हम 200 प्रतिभागियों की एक सूची तैयार करेंगे।
- **चरण 2** - उस सूची में से यादृच्छिक रूप से (randomly) 100 प्रतिभागियों का चयन किया जाएगा, जो नए व्यायाम कार्यक्रम का पालन करेंगे (प्रयोगात्मक समूह - experimental group)। शेष 100 प्रतिभागी अपने सामान्य दिनचर्या के अनुसार जारी रखेंगे (नियंत्रण समूह - control group)।

यादृच्छिकीकरण के महत्वपूर्ण पहलू
(Important Aspects of Randomisation):

1. समूहों का यादृच्छिक चयन (Random Selection of Groups): यादृच्छिकीकरण में प्रतिभागियों को पूरी तरह से संयोगवश (randomly) प्रयोगात्मक समूह (experimental group) या नियंत्रण समूह (control group) में विभाजित किया जाता है। इसका अर्थ यह है कि चयन प्रक्रिया किसी विशेष मानदंड या विशेषताओं से प्रभावित नहीं होती, बल्कि पूरी तरह से संयोग पर आधारित होती है। उदाहरण के लिए, यदि वजन घटाने पर एक नए व्यायाम कार्यक्रम (exercise programme) की प्रभावशीलता को परखा जा रहा है, तो प्रतिभागियों को यादृच्छिक रूप से या तो नया व्यायाम कार्यक्रम अपनाने के लिए (प्रयोगात्मक समूह) या अपनी पुरानी दिनचर्या जारी रखने के लिए (नियंत्रण समूह) चुना जाएगा।
2. **समान चयन संभावना (Equal Chance of Selection):** प्रत्येक प्रतिभागी के पास प्रयोगात्मक या नियंत्रण समूह में चुने जाने की समान संभावना होती है। इस समान संभाव्यता से यह सुनिश्चित किया जाता है कि दोनों समूह उपचार को छोड़कर अन्य सभी मामलों में समान हों।

प्रयोगात्मक डिजाइनों के प्रकार (Types of Experimental Designs):

ब्लाइंड अध्ययन (Blind Study): इस अध्ययन में प्रतिभागियों को यह नहीं बताया जाता कि वे किस समूह में हैं। उदाहरण के लिए, किसी दवा परीक्षण (medication trial) में, प्रतिभागियों को या तो वास्तविक दवा दी जाती है या प्लेसीबो (placebo – नकली उपचार), लेकिन उन्हें यह नहीं बताया जाता कि वे कौन सा उपचार प्राप्त कर रहे हैं। इससे यह सुनिश्चित किया जाता है कि उनकी अपेक्षाएँ या विश्वास परिणामों को प्रभावित न करें।

डबल-ब्लाइंड अध्ययन (Double-Blind Study): इस अध्ययन में न तो प्रतिभागी और न ही शोधकर्ता यह जानते हैं कि कौन किस समूह में है। यदि हम दवा परीक्षण के उदाहरण को जारी रखें, तो इसमें न केवल प्रतिभागियों को यह जानकारी नहीं होती कि उन्होंने वास्तविक दवा ली है या प्लेसीबो, बल्कि उपचार देने वाले शोधकर्ताओं को भी इसकी जानकारी नहीं होती। इससे यह सुनिश्चित होता है कि शोधकर्ता की अपेक्षाएँ या पूर्वाग्रह अध्ययन की प्रक्रिया या व्याख्या को प्रभावित न करें।

है और ठोस कारणात्मक निष्कर्ष (causal inferences) निकालने की क्षमता सीमित हो सकती है।

उदाहरण के लिए, मान लीजिए कि दो अलग-अलग कक्षाओं का अध्ययन किया जाता है - एक में पारंपरिक शिक्षण पद्धति का उपयोग किया जाता है और दूसरी में एक नई इंटरैक्टिव शिक्षण पद्धति अपनाई जाती है। इन कक्षाओं का चयन उनके मौजूदा समय-सारणी के आधार पर किया जाता है, न कि यादृच्छिक रूप से। एक सेमेस्टर के बाद, दोनों कक्षाओं के छात्रों के प्रदर्शन की तुलना की जाती है ताकि यह आंका जा सके कि नई शिक्षण पद्धति कितनी प्रभावी है।

क्लैरिटी कॉर्नर

आइए प्रयोगात्मक अनुसंधान डिजाइन के तत्वों के बीच भ्रम को दूर करें:

आइए एक उदाहरण के माध्यम से समझें कि अध्ययन तकनीकों (study techniques) का परीक्षा अंकों (test scores) पर क्या प्रभाव पड़ता है।

- **परिकल्पना (Hypothesis):** एक विशेष अध्ययन तकनीक का उपयोग करने से परीक्षा अंक बेहतर होंगे।
- **स्वतंत्र चर (Independent Variable):** विशेष अध्ययन तकनीक का उपयोग।
- **निर्भर चर (Dependent Variable):** परीक्षा अंक।
- **प्रयोगात्मक समूह (Experimental Group):** वे छात्र जो विशेष अध्ययन तकनीक का उपयोग करते हैं।
- **नियंत्रण समूह (Control Group):** वे छात्र जो अपनी सामान्य अध्ययन विधियों का उपयोग करते हैं।

प्रक्रिया (Procedure)

छात्रों को यादृच्छिक रूप से (randomly) या तो प्रयोगात्मक समूह (experimental group) या नियंत्रण समूह (control group) में विभाजित किया जाता है। प्रयोगात्मक समूह को नई अध्ययन तकनीक सिखाई जाती है और उसे अपनाने के लिए कहा जाता है, जबकि नियंत्रण समूह अपनी सामान्य अध्ययन विधियों का पालन करता है। एक अध्ययन अवधि (study period) के बाद, दोनों समूह एक समान परीक्षा देते हैं और उनके अंकों की तुलना की जाती है।

सत्य प्रयोगात्मक अनुसंधान डिजाइन (True Experimental Research Design)

सत्य प्रयोगात्मक डिजाइन की विशेषता यह है कि इसमें प्रतिभागियों को यादृच्छिक रूप से विभिन्न समूहों में विभाजित किया जाता है, जिससे यह सुनिश्चित होता है कि प्रयोग की शुरुआत में सभी समूह समान स्तर पर हों। यह मजबूत कारणात्मक संबंध स्थापित करने में मदद करता है। आइए, एक नए शिक्षण पद्धति की प्रभावशीलता का मूल्यांकन करने के संदर्भ में विभिन्न प्रकार के सत्य प्रयोगात्मक डिजाइन को समझें।

1. **प्रीटेस्ट-पोस्टटेस्ट डिजाइन (The Pretest-Posttest Design):** इस डिजाइन में प्रतिभागियों को यादृच्छिक रूप से प्रयोगात्मक समूह (experimental group) या नियंत्रण समूह (control group) में विभाजित किया जाता है। दोनों समूहों का पहले परीक्षण (pretest) लिया जाता है, फिर प्रयोगात्मक समूह को उपचार (treatment) दिया जाता है जबकि नियंत्रण समूह को नहीं। इसके बाद, दोनों समूहों का पुनः परीक्षण (posttest) किया जाता है।

   उदाहरण के लिए, एक शोधकर्ता छात्रों को यादृच्छिक रूप से दो समूहों में विभाजित करता है। दोनों समूहों का pretest लिया जाता है ताकि उनकी विषय पर वर्तमान समझ का आकलन किया जा सके। इसके बाद, प्रयोगात्मक समूह को नई शिक्षण विधि से पढ़ाया जाता है, जबकि नियंत्रण समूह पारंपरिक विधि से पढ़ता रहता है। एक सेमेस्टर के बाद, दोनों समूहों का posttest लिया जाता है और उनके प्रदर्शन की तुलना की जाती है।

2. **पोस्टटेस्ट-ओनली कंट्रोल ग्रुप डिजाइन (The Posttest-Only Control Group Design):** इस डिजाइन में प्रतिभागियों को यादृच्छिक रूप से प्रयोगात्मक या नियंत्रण समूह में विभाजित किया जाता है, लेकिन केवल posttest किया जाता है, pretest नहीं। उदाहरण के लिए, छात्रों को यादृच्छिक रूप से दो समूहों में बांटा जाता है। प्रयोगात्मक समूह को नई शिक्षण विधि से पढ़ाया जाता है, जबकि नियंत्रण समूह पारंपरिक विधि का पालन करता है। सेमेस्टर के अंत में, दोनों समूहों का अंतिम परीक्षा (posttest) लिया जाता है और उनके प्रदर्शन की तुलना की जाती है।

3. **सोलोमन फोर-ग्रुप डिजाइन (Solomon Four-Group Design):** यह डिजाइन प्रीटेस्ट-पोस्टटेस्ट और केवल - पोस्टटेस्ट डिजाइनों के तत्वों को मिलाकर चार समूहों का उपयोग करता है। इसका उद्देश्य pretest के प्रभाव को नियंत्रित करना है। उदाहरण के लिए, छात्रों को यादृच्छिक रूप से चार समूहों में विभाजित किया जाता है:
   - समूह 1: देता है, नई शिक्षण विधि से पढ़ता है और फिर पोस्टटेस्ट देता है।
   - समूह 2: प्रीटेस्ट देता है, पारंपरिक विधि से पढ़ता है और फिर पोस्टटेस्ट देता है।
   - समूह 3: नई शिक्षण विधि से पढ़ता है और बिना प्रीटेस्ट दिए पोस्टटेस्ट देता है।
   - समूह 4: पारंपरिक विधि से पढ़ता है और बिना प्रीटेस्ट दिए पोस्टटेस्ट देता है।

यह डिजाइन शोधकर्ताओं को यह समझने में मदद करता है कि चतमजमेज और नई शिक्षण विधि के प्रभाव को अलग-अलग कैसे मापा जाए।

अर्ध-प्रयोगात्मक अनुसंधान डिजाइन (Quasi-Experimental Research Design)

इस डिजाइन में, शोधकर्ता एक स्वतंत्र चर (IV - Independent Variable) में बदलाव करके उसके आश्रित चर (DV - Dependent Variable) पर प्रभावों का अध्ययन करते हैं, जो कि प्रयोगात्मक अनुसंधान (experimental research) के समान होता है। हालांकि, प्रयोगात्मक अनुसंधान में प्रतिभागियों को यादृच्छिक रूप से (randomly) समूहों में विभाजित किया जाता है, जबकि अर्ध-प्रयोगात्मक डिजाइन (quasi-experimental designs) में

अक्सर पहले से मौजूद समूहों (pre-existing groups) या स्वाभाविक रूप से उत्पन्न स्थितियों (naturally occurring conditions) का उपयोग किया जाता है। अर्ध-प्रयोगात्मक डिजाइन उन स्थितियों में उपयोग किया जाता है, जहाँ प्रतिभागियों को प्रयोगात्मक और नियंत्रण समूहों में यादृच्छिक रूप से विभाजित करना व्यावहारिक या नैतिक रूप से संभव नहीं होता।

आइए एक उदाहरण की मदद से समझें। एक कंपनी यह मूल्यांकन करना चाहती है कि कर्मचारी प्रशिक्षण कार्यक्रम का उत्पादकता पर क्या प्रभाव पड़ता है। कंपनी अपने केवल एक शाखा में यह प्रशिक्षण कार्यक्रम लागू करती है, लेकिन अन्य शाखाओं में इसे लागू नहीं किया जाता। शोधकर्ता फिर प्रशिक्षण कार्यक्रम प्राप्त करने वाले शाखा के कर्मचारियों की उत्पादकता का उन शाखाओं के कर्मचारियों से तुलना करते हैं, जिन्हें यह प्रशिक्षण नहीं मिला। चूंकि कर्मचारियों को यादृच्छिक रूप से प्रशिक्षण प्राप्त करने के लिए चयनित नहीं किया गया था, इसलिए यह अध्ययन अर्ध-प्रयोगात्मक डिजाइन का एक उदाहरण है। यह तुलना प्रशिक्षण कार्यक्रम की प्रभावशीलता को समझने में मदद करती है, हालांकि विभिन्न शाखाओं के बीच कुछ प्राकृतिक भिन्नताएँ भी हो सकती हैं, जो परिणामों को प्रभावित कर सकती हैं।

सिनेमैटिक कनेक्शन

क्रिस्टोफर नोलन (Christopher Nolan) की फिल्म निर्माण शैली केवल कहानी कहने तक सीमित नहीं है; यह गहन शोध की एक यात्रा है। एक समर्पित शोधकर्ता की तरह, नोलन अपने विषय में पूरी तरह डूब जाते हैं, प्रत्येक विवरण की बारीकी से जांच करते हैं ताकि उनकी फिल्मों में प्रामाणिकता और विश्वसनीयता बनी रहे।

उदाहरण के लिए इंसेप्शन (Inception, 2010) को ही लीजिए। नोलन ने इस फिल्म के लिए सपनों की दुनिया, नींद के पैटर्न और अचेतन मन (subconscious mind) पर गहन शोध किया। उन्होंने विभिन्न मनोवैज्ञानिक सिद्धांतों और अवधारणाओं से प्रेरणा ली, ताकि एक ऐसी फिल्म बनाई जा सके जो न केवल दृश्यात्मक रूप से शानदार हो, बल्कि बौद्धिक रूप से भी उत्तेजक हो। उनका यह गहन शोध न केवल कथा को जटिलता की कई परतों से समृद्ध बनाता है, बल्कि कल्पनाशील तत्वों को भी वास्तविकता का आधार प्रदान करता है।

फैक्टोरियल अनुसंधान डिजाइन (Factorial Research Design)

फैक्टोरियल अनुसंधान डिजाइन एक विधि है, जिसका उपयोग प्रयोगों में दो या अधिक स्वतंत्र चर (IVs) के आश्रित चर (DV) पर प्रभावों का अध्ययन करने के लिए किया जाता है। इस डिजाइन में, शोधकर्ता प्रत्येक स्वतंत्र चर के विभिन्न स्तरों में परिवर्तन करते हैं और उन्हें मिलाकर यह देखते हैं कि वे व्यक्तिगत रूप से और एक साथ आश्रित चर को कैसे प्रभावित करते हैं।

उदाहरण के लिए, मान लीजिए कि एक अध्ययन यह जांचता है कि अध्ययन की विधि (लेक्चर बनाम प्रदर्शन) और कैफीन सेवन (कैफीन के साथ बनाम बिना कैफीन) का स्मरण क्षमता (memory performance) पर क्या प्रभाव पड़ता है।

कारक:

- अध्ययन विधि (व्याख्यान बनाम प्रदर्शन)
- कैफीन की खपत (कैफीन के साथ बनाम कैफीन के बिना)

तालिका 8.3 प्रायोगिक शर्तें

स्थिति	पूरा नाम	कैफीन का सेवन
1	व्याख्यान	कैफीन के साथ
2	व्याख्यान	कैफीन के बिना
3	प्रदर्शन	कैफीन के साथ
4	प्रदर्शन	कैफीन के बिना

व्याख्या:

- प्रतिभागियों को यादृच्छिक रूप से चार में से किसी एक स्थिति में रखा जाता है।
- प्रत्येक स्थिति अध्ययन विधि (लेक्चर या प्रदर्शन) और कैफीन सेवन (कैफीन के साथ या बिना कैफीन) के संयोजन का प्रतिनिधित्व करती है।
- इन स्थितियों में प्रतिभागियों की स्मरण क्षमता की तुलना करके, शोध कर्ता अध्ययन विधि और कैफीन सेवन के स्वतंत्र और परस्पर प्रभावों का विश्लेषण कर सकते हैं।

यह दृष्टिकोण यह समझने में मदद करता है कि ये कारक एक-दूसरे के साथ किस प्रकार अंत:क्रिया (interaction) करते हैं और स्मरण क्षमता को कैसे प्रभावित करते हैं।

क्विज स्टेशन *विगत UGC NET परीक्षाओं के प्रश्न*

प्र 1. शोधकर्ता दो या अधिक स्वतंत्र चरों (फैक्टर्स) में एक साथ परिवर्तन करता है ताकि उनके आश्रित चर पर प्रभावों का अवलोकन किया जा सके। यह डिजाइन एक ही अध्ययन में दो या अधिक परिकल्पनाओं का परीक्षण करने की अनुमति देता है। इसे क्या कहा जाता है?

(a) यादृच्छिकीकृत ब्लॉक डिजाइन

(b) फैक्टोरियल डिजाइन

(c) गैर-यादृच्छिक डिजाइन

(d) अर्ध-प्रायोगिक शोध

उत्तर 1. (b)

लर्निंग शॉर्टकट्स

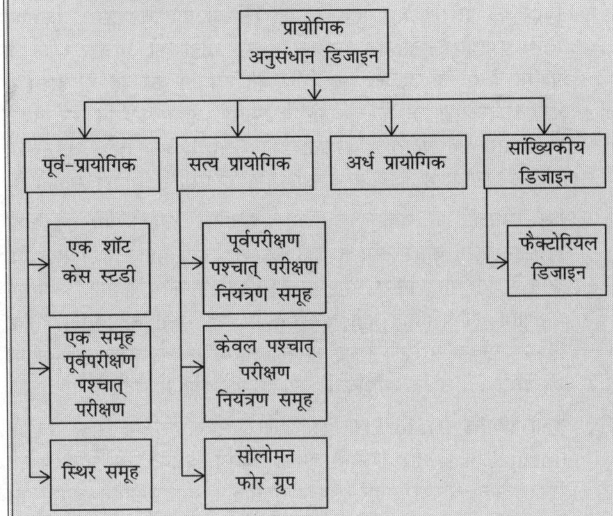

गैर-प्रायोगिक अनुसंधान डिजाइन (Non-Experimental Research Design)

गैर-प्रायोगिक अध्ययन, जिसे प्रेक्षणात्मक अनुसंधान (observational research) भी कहा जाता है, एक ऐसा शोध प्रकार है जिसमें शोधकर्ता चरों (variables) का अवलोकन करता है, लेकिन उनमें कोई बदलाव नहीं करता। प्रायोगिक अध्ययन से भिन्न, गैर-प्रायोगिक अध्ययन पहले प्रभावों को देखता है और फिर उनके संभावित कारण को खोजने का प्रयास करता है। इस प्रकार के अध्ययन में माना गया कारण पहले ही घटित हो चुका होता है, और शोधकर्ता इसका अवलोकन करके उसके प्रभाव को समझने का प्रयास करता है।

उदाहरण के लिए, यदि कोई शोधकर्ता यह अध्ययन करना चाहता है कि सोशल मीडिया का उपयोग किशोरों की आत्म-सम्मान पर क्या प्रभाव डालता है, तो वह अलग-अलग सोशल मीडिया उपयोग स्तर वाले किशोरों की आत्म-सम्मान की तुलना कर सकता है, बिना उनके सोशल मीडिया उपयोग में कोई परिवर्तन किए। गैर-प्रायोगिक अध्ययन में भी चरों को स्वतंत्र चर (IVs) और आश्रित चर (DVs) कहा जाता है।

नीचे कुछ महत्वपूर्ण गैर-प्रायोगिक अध्ययन डिजाइन दिए गए हैं:

1. **कार्य अनुसंधान (Action Research):** कार्य अनुसंधान किसी तत्काल समस्या को हल करने के लिए प्रारंभ किया जाता है। (इसे अध्याय 7: शोध की विधियाँ में पहले ही विस्तार से चर्चा की गई है।)
2. **कोहोर्ट अध्ययन (Cohort Studies):** कोहोर्ट अध्ययन उन प्रतिभागियों की कुछ सामान्य विशेषताओं पर आधारित होते हैं, जैसे जन्म का वर्ष, स्नातक की पढ़ाई या विवाह। शोधकर्ता एक विशेष कोहोर्ट (लोगों के समूह) का समय के साथ अध्ययन करते हैं ताकि उनके जीवन में घटने वाली घटनाओं और उनके परिणामों को समझा जा सके। इसमें शोधकर्ता चरों में कोई बदलाव नहीं करते, बल्कि घटनाओं के स्वाभाविक रूप से होने की प्रक्रिया का अवलोकन करते हैं।

   मान लीजिए, एक शोधकर्ता उन MBA स्नातकों के रोजगार पैटर्न (employment patterns) का अध्ययन करना चाहता है, जिन्होंने 1991 में स्नातक किया था, जो भारत में आर्थिक संकट का वर्ष था। इस कोहोर्ट (cohort) को फॉलो करके, शोधकर्ता यह विश्लेषण कर सकता है कि उस वर्ष की आर्थिक स्थिति ने उनके करियर की दिशा को कैसे प्रभावित किया। कोहोर्ट अध्ययन का एक अन्य उदाहरण यह हो सकता है कि कोई शोधकर्ता कई वर्षों तक धूम्रपान करने वालों और धूम्रपान न करने वालों के एक समूह को फॉलो करे ताकि यह देखा जा सके कि उनमें फेफड़ों के कैंसर की घटना किस तरह होती है।
3. **पूर्व तथ्यात्मक डिजाइन अनुसंधान (Ex Post Facto Design Research):** पूर्व तथ्यात्मक अनुसंधान, जिसका अर्थ लैटिन में "घटना के बाद" होता है, पिछले घटनाओं का अध्ययन करता है ताकि वर्तमान स्थितियों को समझा जा सके। इस अनुसंधान डिजाइन में, शोधकर्ता यह जांचते हैं कि अध्ययन शुरू होने से पहले मौजूद एक स्वतंत्र चर (IV) आश्रित चर (DV) को कैसे प्रभावित करता है। यह डिजाइन उन मामलों में उपयोगी होता है, जहाँ नैतिक या व्यावहारिक कारणों से चरों में कोई बदलाव करना संभव नहीं होता।

   पूर्व तथ्यात्मक अनुसंधान को गैर-प्रायोगिक शोध डिजाइन का एक प्रकार माना जाता है। इसमें शोधकर्ता पहले से मौजूद स्थितियों या व्यवहारों का अवलोकन और विश्लेषण करते हैं, बिना किसी चर में प्रत्यक्ष रूप से बदलाव किए।

   मान लीजिए, एक अध्ययन यह जांचना चाहता है कि बचपन में पोषण (nutrition) का वयस्कता में शैक्षणिक प्रदर्शन (academic performance) पर क्या प्रभाव पड़ता है। शोधकर्ता ऐसे वयस्कों के शैक्षणिक उपलब्धियों की तुलना कर सकते हैं, जिन्होंने बचपन में अलग-अलग पोषण स्तर का अनुभव किया था। इस प्रकार के अध्ययन महत्वपूर्ण होते हैं क्योंकि हम समय को पीछे ले जाकर किसी व्यक्ति के बचपन के पोषण को बदल नहीं सकते।

   इसलिए, स्वाभाविक रूप से मौजूद पोषण में विविधताओं और उनके दीर्घकालिक प्रभावों का विश्लेषण करके शोधकर्ता यह समझ सकते हैं कि बचपन के पोषण का वयस्क जीवन में क्या प्रभाव पड़ता है। अब, Ex post facto शोध की आवश्यकता को समझने के लिए एक और उदाहरण पर विचार करें। मान लीजिए, शोधकर्ता यह जानना चाहते हैं कि कमजोर दृष्टि (weak eyesight) का शैक्षणिक प्रदर्शन (academic performance) पर क्या प्रभाव पड़ता है। लेकिन नैतिक और व्यावहारिक दृष्टि से किसी की दृष्टि को जानबूझकर कमजोर करना संभव नहीं है। इसके बजाय, शोधकर्ता ऐसे विद्यार्थियों के शैक्षणिक प्रदर्शन की तुलना कर सकते हैं, जिनकी पहले से ही कमजोर दृष्टि है, और इसकी तुलना सामान्य दृष्टि वाले विद्यार्थियों से कर सकते हैं। इस स्थिति में, कमजोर दृष्टि स्वतंत्र चर (IV) है, और शैक्षणिक प्रदर्शन आश्रित चर (DV) है। इस दृष्टिकोण से, शोधकर्ता दृष्टि और शैक्षणिक प्रदर्शन के बीच संबंध का अध्ययन कर सकते हैं, बिना किसी को नुकसान पहुँचाए या चरों में कोई बदलाव किए।

क्विज स्टेशन *विगत UGC NET परीक्षाओं के प्रश्न*

प्र 1. पूर्व तथ्यात्मक अनुसंधान का अर्थ है -

(a) अनुसंधान घटना के घटित होने के बाद किया जाता है।

(b) अनुसंधान घटना के घटित होने से पहले किया जाता है।

(c) अनुसंधान घटना के घटित होने के साथ-साथ किया जाता है।

(d) अनुसंधान घटना की संभावनाओं को ध्यान में रखकर किया जाता है।

उत्तर 1. (a)

★★★ परीक्षोपयोगी

प्रायोगिक अनुसंधान डिजाइन में पूर्वाग्रह के प्रकार (Types of Biases in Experimental Research Design)

1. **प्लेसिबो प्रभाव (Placebo Effect):** कल्पना कीजिए कि आपको सिरदर्द हो रहा है, और कोई आपको एक शुगर पिल (चीनी की गोली) देता है, यह कहते हुए कि यह एक प्रभावशाली दर्द निवारक है। आश्चर्यजनक रूप से, आप महसूस कर सकते हैं कि सिरदर्द कम हो गया, जबकि उस गोली में कोई सक्रिय तत्व नहीं था। इस दिलचस्प घटना को प्लेसिबो प्रभाव (Placebo Effect) कहा जाता है।

   प्लेसिबो, प्रायोगिक अनुसंधान डिजाइन का एक महत्वपूर्ण घटक है। प्लेसिबो एक हानिरहित गोली या उपचार होता है, जिसका वास्तव में कोई प्रभाव नहीं होता। इसका उपयोग यह जानने के लिए किया जाता है कि केवल उपचार प्राप्त करने के विश्वास से ही कोई बदलाव हो सकता है या नहीं।

   प्रायोगिक शोध में, प्रतिभागियों को विभिन्न समूहों में विभाजित किया जाता है, जहां एक समूह को वास्तविक उपचार दिया जाता है, दूसरे समूह को प्लेसिबो दिया जाता है, और कभी-कभी एक नियंत्रण समूह (control group) को कोई उपचार नहीं दिया जाता। इस डिजाइन से यह पता चलता है कि उपचार का प्रभाव वास्तव में कितना है और केवल उपचार प्राप्त करने की मानसिकता से क्या बदलाव हो सकता है।

   उदाहरण के लिए, सिरदर्द के लिए नई दवा का परीक्षण करने के लिए, शोधकर्ता प्रतिभागियों को तीन समूहों में विभाजित कर सकते हैं: पहला समूह वास्तविक दवा प्राप्त करता है। दूसरा समूह प्लेसिबो (एक हानिरहित गोली, जिसका कोई प्रभाव नहीं है) प्राप्त करता है। तीसरा समूह कोई उपचार नहीं प्राप्त करता।

   इन परिणामों की तुलना करके, शोधकर्ता यह निर्धारित कर सकते हैं कि दवा वास्तव में कितनी प्रभावी है और प्लेसिबो प्रभाव किस हद तक काम कर रहा है।

2. **प्रयोगकर्ता प्रभाव (Experimenter Effect) (जिसे Experimenter Bias या Researcher Bias भी कहा जाता है):** प्रयोगकर्ता प्रभाव तब होता है जब किसी शोधकर्ता की मान्यताएँ या अपेक्षाएँ अनजाने में प्रयोग के परिणामों को प्रभावित करती हैं।

   उदाहरण के लिए, कल्पना कीजिए कि कोई शिक्षक एक नई शिक्षण विधि का परीक्षण कर रहा है। यदि शिक्षक को विश्वास है कि यह विधि प्रभावी है, तो वह अनजाने में उन छात्रों को अधिक ध्यान या प्रशंसा दे सकता है, जो इस विधि का उपयोग कर रहे हैं। इससे वे छात्र केवल शिक्षक के व्यवहार के कारण बेहतर प्रदर्शन कर सकते हैं, जिससे यह प्रतीत हो सकता है कि नई शिक्षण विधि वास्तव में अधिक प्रभावी है, जबकि वास्तविकता में ऐसा न भी हो सकता है।

   इस समस्या को रोकने के लिए, वैज्ञानिक प्रयोगों को इस तरह डिजाइन करने का प्रयास करते हैं कि शोधकर्ता यह न जान सकें कि कौन से प्रतिभागी किस समूह में हैं। इससे उनकी व्यक्तिगत अपेक्षाएँ परिणामों को प्रभावित नहीं कर सकतीं। यह सुनिश्चित करता है कि निष्कर्ष केवल परीक्षण किए जा रहे कारक के वास्तविक प्रभावों पर आधारित हों, न कि शोधकर्ता की इच्छाओं या मान्यताओं पर।

3. **हेलो प्रभाव (Halo Effect):** हेलो प्रभाव एक मानसिक पूर्वाग्रह (mental bias) है, जिसमें हमारी किसी व्यक्ति के प्रति पहली सकारात्मक धारणा हमारे संपूर्ण मूल्यांकन को प्रभावित करती है। उदाहरण के लिए, यदि हम किसी ऐसे व्यक्ति से मिलते हैं जो बहुत मित्रवत (friendly) और दयालु (kind) प्रतीत होता है, तो हम स्वाभाविक रूप से यह मान सकते हैं कि वह व्यक्ति बुद्धिमान (smart) या अन्य क्षेत्रों में भी प्रतिभाशाली (talented) होगा, भले ही हमारे पास इसका कोई प्रत्यक्ष प्रमाण न हो। यह इसलिए होता है क्योंकि हमारा मस्तिष्क सकारात्मक गुणों को आपस में जोड़ने की प्रवृत्ति रखता है - यदि कोई अच्छा है, तो हम मान लेते हैं कि वह अन्य चीजों में भी अच्छा होगा।

   मान लीजिए, एक कंपनी दो अलग-अलग लॉन्ड्री डिटर्जेंट ब्रांड्स का परीक्षण कर रही है ताकि यह पता लगाया जा सके कि कौन सा डिटर्जेंट कपड़ों को बेहतर ढंग से साफ करता है। शोधकर्ता ब्रांड A के बारे में पहले से ही सकारात्मक राय रखते हैं क्योंकि उन्होंने अपने दोस्तों और परिवार से इसके बारे में अच्छी बातें सुनी हैं। दूसरी ओर, उन्होंने ब्रांड B के बारे में ज्यादा नहीं सुना है और इस पर उनकी कोई मजबूत राय नहीं है।

   हेलो प्रभाव के कारण, शोधकर्ता अनजाने में ब्रांड A से बेहतर परिणामों की अपेक्षा कर सकते हैं। जब वे प्रयोग करते हैं, तो वे ब्रांड A के पक्ष में अधिक ध्यान दे सकते हैं, जैसे कि दाग का अधिक साफ होना या कपड़ों से ताजगी की खुशबू आना। इस बीच, ब्रांड B को उसी निष्पक्ष दृष्टिकोण से परखा नहीं जाता, जिससे शोधकर्ता निष्कर्ष निकाल सकते हैं कि ब्रांड A बेहतर है, भले ही दोनों डिटर्जेंट समान रूप से अच्छा काम कर रहे हों या ब्रांड B भी उतना ही प्रभावी हो सकता था। यह उदाहरण दिखाता है कि कैसे हेलो प्रभाव प्रारंभिक छापों या पूर्वाग्रहों के आधार पर अनुसंधान परिणामों को प्रभावित कर सकता है।

4. **हौथोर्न प्रभाव (Hawthorne Effect) (जिसे Participant Bias भी कहा जाता है):** हौथोर्न प्रभाव तब होता है जब लोग अपना व्यवहार इस कारण बदलते हैं क्योंकि उन्हें पता होता है कि उन पर निगरानी रखी जा रही है या उनका अध्ययन किया जा रहा है। यह वैसा ही होता है जैसे कोई व्यक्ति अलग तरह से व्यवहार करता है जब उसे पता होता है कि कोई उसे देख रहा है।

मान लीजिए, शोधकर्ता किसी स्कूल की कैफेटेरिया में छात्रों के भोजन विकल्पों का अध्ययन कर रहे हैं। वे यह देखना चाहते हैं कि यदि स्वस्थ (healthier) भोजन विकल्प उपलब्ध कराए जाएँ, तो क्या छात्र बेहतर विकल्प चुनेंगे। अध्ययन के दौरान, जब छात्रों को पता चलता है कि उन पर नजर रखी जा रही है, तो वे सलाद या फल जैसे स्वास्थ्यकर खाद्य पदार्थ चुन सकते हैं, भले ही वे सामान्य रूप से पिज्जा या फ्रेंच फ्राइज को प्राथमिकता देते हों। यह बदलाव जरूरी नहीं कि इसलिए हुआ हो क्योंकि उन्हें अचानक स्वास्थ्यवर्धक भोजन अधिक पसंद आने लगा, बल्कि इसलिए हुआ क्योंकि वे अध्ययन से अवगत हैं और दिखाना चाहते हैं कि वे अच्छे विकल्प चुन सकते हैं।

यह प्रभाव शोधकर्ताओं के लिए महत्वपूर्ण है क्योंकि इसका मतलब है कि लोग हमेशा स्वाभाविक रूप से व्यवहार नहीं कर सकते जब उन्हें पता हो कि वे देखे जा रहे हैं। शोधकर्ता इस प्रभाव को कम करने के लिए कुछ रणनीतियों का उपयोग करते हैं, जैसे: प्रतिभागियों को बिना बताए चुपचाप उनका अवलोकन करना (discreet observation)। प्रतिभागियों को सहज महसूस कराना ताकि वे स्वाभाविक रूप से व्यवहार करें।

5. **मूल्यांकन भय (Evaluation Apprehension):** मूल्यांकन भय तब होता है जब लोग इस बात को लेकर चिंतित या घबराए हुए महसूस करते हैं कि दूसरे उन्हें कैसे आँक रहे हैं या उनका मूल्यांकन कर रहे हैं। इस भावना के कारण लोग ऐसा व्यवहार कर सकते हैं जिससे वे अच्छे दिखें और वे किसी ऐसे कार्य से बच सकते हैं जिससे वे नकारात्मक रूप से देखे जा सकते हैं।

   कल्पना कीजिए कि किसी कक्षा में छात्र एक प्रस्तुति (presentation) दे रहे हैं। यदि उन्हें पता हो कि उनके सहपाठी और शिक्षक उनका मूल्यांकन करने वाले हैं, तो वे चिंतित महसूस कर सकते हैं और बेहतर प्रदर्शन करने के लिए अधिक मेहनत कर सकते हैं। यह घबराहट उनके आत्म-प्रस्तुतीकरण और भाषण को प्रभावित कर सकती है, क्योंकि वे अपने श्रोताओं को प्रभावित करना और आलोचना से बचना चाहते हैं।

   यह प्रभाव दर्शाता है कि जब लोग जानते हैं कि उनका मूल्यांकन किया जा रहा है, तो वे स्वयं को एक सकारात्मक रूप में प्रस्तुत करना चाहते हैं, जिससे उनके कार्य और प्रदर्शन प्रभावित हो सकते हैं।

6. **प्रतिपूरक प्रतिद्वंद्विता (Compensatory Rivalry):** प्रतिपूरक प्रतिद्वंद्विता तब होती है जब किसी अध्ययन में नियंत्रण समूह (control group) के प्रतिभागी अधिक मेहनत करने लगते हैं क्योंकि उन्हें पता होता है कि उन्हें विशेष उपचार या नई विधि नहीं मिल रही है।

   मान लीजिए, एक अध्ययन यह जांच रहा है कि क्या स्कूल के बाद ट्यूशन (after-school tutoring) छात्रों की ग्रेड सुधारने में मदद करता है। कुछ छात्रों को प्रयोगात्मक समूह (experimental group) में रखा जाता है और उन्हें अतिरिक्त ट्यूशन दी जाती है। अन्य छात्रों को नियंत्रण समूह (control group) में रखा जाता है और उन्हें यह ट्यूशन नहीं दी जाती। इस स्थिति में, नियंत्रण समूह के कुछ छात्र अधिक मेहनत कर सकते हैं, शिक्षकों या साथियों से अतिरिक्त मदद ले सकते हैं, और यह दिखाने की कोशिश कर सकते हैं कि वे बिना ट्यूशन के भी सफल हो सकते हैं।

   यह अतिरिक्त प्रयास ट्यूशन के कारण नहीं है बल्कि इसलिए है क्योंकि वे जानते हैं कि उन्हें यह नहीं मिल रहा है और वे साबित करना चाहते हैं कि वे इसके बिना भी सफल हो सकते हैं। यह ट्यूशन को वास्तव में जितना प्रभावी है उससे कम प्रभावी बना सकता है, क्योंकि नियंत्रण समूह का बेहतर प्रदर्शन उनके अपने प्रयासों के कारण हो सकता है न कि ट्यूशन की अनुपस्थिति के कारण। इस अतिरिक्त प्रयास के कारण, ट्यूशन कार्यक्रम की प्रभावशीलता कम दिखाई दे सकती है, क्योंकि नियंत्रण समूह का प्रदर्शन उनके स्वयं के प्रयासों के कारण बेहतर हो सकता है, न कि ट्यूशन की अनुपस्थिति के कारण।

7. **प्रदर्शन पूर्वाग्रह (Performance Bias):** प्रदर्शन पूर्वाग्रह तब होता है जब अध्ययन में विभिन्न समूहों के साथ अलग-अलग तरीके से व्यवहार किया जाता है या वे अध्ययन की स्थितियों को अलग तरह से अनुभव करते हैं। ये अंतर अध्ययन के परिणामों को प्रभावित कर सकते हैं, भले ही वे परीक्षण किए जा रहे उपचार या हस्तक्षेप (intervention) से सीधे संबंधित न हों।

   मान लीजिए, एक अध्ययन एक नई शिक्षण विधि (teaching method) का परीक्षण कर रहा है। एक समूह के छात्रों को शिक्षकों से अतिरिक्त ध्यान और प्रोत्साहन मिलता है। दूसरे समूह को उतना ध्यान या समर्थन नहीं मिलता। भले ही शिक्षण विधि स्वयं अधिक प्रभावी न हो, लेकिन जिस समूह को अधिक समर्थन मिला, वह बेहतर प्रदर्शन कर सकता है। यह प्रदर्शन शिक्षण विधि की प्रभावशीलता के कारण नहीं, बल्कि शिक्षकों द्वारा दिए गए अतिरिक्त सहयोग के कारण हो सकता है।

8. **व्यक्तिगत पूर्वाग्रह (Personal Bias):** मान लीजिए, कोई शोध कर्ता किसी विशेष आहार (diet) में बहुत विश्वास करता है। इस वजह से, वह अनजाने में केवल सकारात्मक परिणामों पर ध्यान केंद्रित कर सकता है और नकारात्मक परिणामों को नजरअंदाज कर सकता है। इससे अध्ययन के निष्कर्ष विकृत हो सकते हैं, क्योंकि शोधकर्ता की व्यक्तिगत मान्यताएँ परिणामों को निष्पक्ष रूप से प्रस्तुत करने में बाधा बन सकती हैं।

9. **अपेक्षा पूर्वाग्रह (Expectancy Bias):** अपेक्षा पूर्वाग्रह तब होता है जब शोधकर्ता या पर्यवेक्षक (observer) निष्कर्षों की व्याख्या इस तरह करते हैं, जिससे उनकी प्रारंभिक अपेक्षाएँ या परिकल्पनाएँ (hypotheses) सही साबित होती दिखें। इस पूर्वाग्रह का प्रभाव यह हो सकता है कि शोधकर्ता केवल उन्हीं पैटर्न्स या परिणामों को देखे जो उनके मूल विश्वासों का समर्थन करते हैं और संभावित वैकल्पिक व्याख्याओं या डेटा में मौजूद अन्य पहलुओं को नजरअंदाज कर दें।

10. **पर्यवेक्षक पूर्वाग्रह (Observer Bias):** पर्यवेक्षक पूर्वाग्रह तब उत्पन्न होता है जब शोधकर्ता की अपेक्षाएँ या मान्यताएँ उसके अवलोकन और व्याख्या को प्रभावित करती हैं। यदि किसी कक्षा में किए गए अध्ययन में शोधकर्ता यह मानता है कि लड़के अधिक शरारती होते हैं, तो वह अनजाने में उनकी गतिविधियों पर अधिक ध्यान केंद्रित कर सकता है और इसी प्रकार की हरकतें करने वाली लड़कियों की अनदेखी कर सकता है।

11. **साक्षात्कारकर्ता पूर्वाग्रह (Interviewer Bias):** साक्षात्कारकर्ता पूर्वाग्रह तब होता है जब सर्वेक्षण या साक्षात्कार करने वाला व्यक्ति अनजाने में उत्तरदाताओं (respondents) को प्रभावित करता है, जिससे उनके उत्तर बदल सकते हैं। यह प्रभाव साक्षात्कारकर्ता के

व्यवहार, आवाज के लहजे या किसी प्रकार के सूक्ष्म संकेतों (subtle cues) के कारण हो सकता है। उदाहरण के लिए, यदि कोई साक्षात्कारकर्ता किसी प्रतिभागी से यह प्रश्न पूछे – "आप हमारे उत्पाद का उपयोग करना पसंद करते हैं, है ना?" या उत्तर देते समय सिर हिलाकर सहमति जताए, तो उत्तरदाता दबाव में आ सकता है और सामाजिक रूप से स्वीकार्य उत्तर देने की कोशिश कर सकता है, भले ही वह उसका वास्तविक मत न हो। यह पूर्वाग्रह एकत्र किए गए डेटा की सटीकता को प्रभावित कर सकता है, क्योंकि लोग साक्षात्कारकर्ता की अपेक्षाओं के अनुसार उत्तर देने लगते हैं।

12. **मापन पूर्वाग्रह (Measurement Bias):** मापन पूर्वाग्रह तब होता है जब डेटा एकत्र करने के लिए उपयोग किए गए उपकरण या विधियाँ लगातार गलत परिणाम उत्पन्न करती हैं। यह दोषपूर्ण उपकरणों, पक्षपाती मापन तकनीकों या अविश्वसनीय परीक्षण विधियों के कारण हो सकता है। इसलिए, शोधकर्ताओं को सुनिश्चित करना चाहिए कि उनके प्रयोग में प्रयुक्त सभी मापन उपकरण सटीक और मान्य (valid) हों।
13. **पुनःस्मरण पूर्वाग्रह (Recall Bias):** पुनःस्मरण पूर्वाग्रह तब होता है जब अध्ययन में भाग लेने वाले प्रतिभागी अपनी पिछली घटनाओं या अनुभवों को गलत तरीके से याद करते हैं या रिपोर्ट करते हैं। यह इसलिए होता है क्योंकि स्मृतियाँ (memories) अक्सर अपूर्ण होती हैं और समय, भावनाओं तथा अन्य कारकों से प्रभावित हो सकती हैं। मान लीजिए, एक अध्ययन धूम्रपान की आदतों और फेफड़ों के कैंसर के बीच संबंध की जांच कर रहा है। प्रतिभागियों से पिछले 10 वर्षों के उनके धूम्रपान इतिहास को याद करके बताने के लिए कहा जाता है। पुनःस्मरण पूर्वाग्रह के कारण, कुछ प्रतिभागी प्रतिदिन पी गई सिगरेट की संख्या या धूम्रपान की कुल अवधि को सही ढंग से याद न कर सकते हैं। यह पूर्वाग्रह अध्ययन के निष्कर्षों को विकृत कर सकता है, क्योंकि डेटा की सटीकता पूरी तरह से प्रतिभागियों की याददाश्त पर निर्भर करती है।

चरण 6 नमूने चुनना (Selecting Samples)

इस विषय को सरल बनाने वाले वीडियो व्याख्यान को देखने के लिए इस QR कोड को स्कैन करें

एक बार शोध डिजाइन तैयार हो जाने के बाद, अगला चरण नमूनों का चयन (sampling) करना होता है। आइए नमूनों के अर्थ और महत्व को समझें।

हम अपने दैनिक जीवन में कई बार अनजाने में नमूना चयन (sampling) करते हैं। उदाहरण के लिए, खाना पकाते समय। जब हम सब्जी पकाते हैं, तो प्रेशर कुकर में रखी हर सब्जी की जांच करने के बजाय, हम केवल कुछ टुकड़ों को देखकर यह तय करते हैं कि पूरी सब्जी पक चुकी है या नहीं। इसी तरह, यदि आप खीर (या पायसम) बनाते हैं, तो मिठास जांचने के लिए पूरी खीर चखने के बजाय केवल एक चम्मच खीर का स्वाद लेते हैं। यदि वह मीठी लगती है, तो आप निष्कर्ष निकालते हैं कि पूरी खीर समान रूप से मीठी होगी।

इन व्यंजनों को बनाते समय, आप जानना चाहते हैं कि वे पर्याप्त मीठे हैं या नहीं। आप संभवतः मिठास के स्तर का आकलन करने के लिए एक चम्मच का स्वाद लेते हैं। हर बूंद खीर का स्वाद लेने के बजाय, आप मिठास के स्तर का आकलन करने के लिए एक चम्मच का स्वाद लेते हैं। यदि खीर का चम्मच पूरी तरह से मीठा लगता है, तो आप निष्कर्ष निकाल सकते हैं कि पूरी बैच की खीर में समान स्तर की मिठास है।

ये रोजमर्रा के उदाहरण दिखाते हैं कि कैसे नमूने हमें एक बड़े जनसंख्या के बारे में निष्कर्ष निकालने की अनुमति देते हैं, जो एक छोटे, प्रतिनिधि उपसमूह पर आधारित होते हैं। नमूने कई लाभ प्रदान करते हैं। मुख्य रूप से, यह शोध की कुल लागत को कम करता है। नमूने समय भी बचाते हैं, जिससे शोध अधिक कुशल हो जाता है।

उदाहरण के लिए, कल्पना करें कि आप एक स्कूल मेले का आयोजन कर रहे हैं और जानना चाहते हैं कि छात्रों के बीच कौन से प्रकार के खेल और गतिविधियाँ सबसे लोकप्रिय होंगी। यदि आप प्रत्येक छात्र से पूछना शुरू करते हैं, तो इसमें कई दिन लग सकते हैं। स्कूल के हर छात्र से पूछने के बजाय, जो समय लेने वाला और कठिन होगा, आप 'नमूने' का उपयोग करने का निर्णय लेते हैं। आप विभिन्न कक्षाओं और ग्रेड के छात्रों के एक छोटे समूह का चयन करते हैं जो पूरे छात्र निकाय का प्रतिनिधित्व करते हैं। आप इन छात्रों से उनकी पसंद और रुचियों के बारे में पूछते हैं। इस छोटे, प्रतिनिधि समूह से राय एकत्र करके, आप कुछ ही घंटों में यह जान सकते हैं कि मेले में कौन सी गतिविधियाँ संभवतः लोकप्रिय होंगी। इस तरह, आप एक ऐसा कार्यक्रम योजना बना सकते हैं जिसे अधिकांश छात्र पसंद करेंगे, बिना हर एक छात्र का सर्वेक्षण किए।

नमूनाकरण से संबंधित प्रमुख शब्दावली (Key Terms Related to Sampling)

1. जनसंख्या – जनसंख्या उन सभी व्यक्तियों या वस्तुओं का समूह है जिनका आप अध्ययन करने में रुचि रखते हैं। इसमें समूह के सभी सदस्य शामिल होते हैं जो आपके शोध के मानदंडों में फिट होते हैं। उदाहरण के लिए, यदि आप किसी देश में हाई स्कूल के छात्रों की खाने की आदतों का अध्ययन कर रहे हैं, तो जनसंख्या उस देश के सभी हाई स्कूल के छात्र होंगे।
2. नमूना – नमूना जनसंख्या का एक उपसमूह है जिसे वास्तविक अध्ययन के लिए चुना जाता है। इस छोटे समूह को बड़ी जनसंख्या का प्रतिनिधित्व करने के लिए चुना जाता है। शोधकर्ता नमूनों का उपयोग करते हैं क्योंकि समय, लागत या पहुंच जैसी बाधाओं के कारण पूरी जनसंख्या का अध्ययन करना अक्सर अव्यावहारिक या असंभव होता है।

   उदाहरण के लिए, किसी देश के सभी हाई स्कूल के छात्रों का सर्वेक्षण करने के बजाय, आप कुछ स्कूलों के छात्रों का एक नमूना चुन सकते हैं जो व्यापक जनसंख्या का प्रतिनिधित्व करता है। नमूनों का उपयोग करने से शोधकर्ताओं को पूरी जनसंख्या का अध्ययन किए बिना जनसंख्या के बारे में निष्कर्ष निकालने की अनुमति मिलती है। हालांकि, परिणाम सटीक होने के लिए, नमूना जनसंख्या का प्रतिनिधि होना चाहिए। यह अक्सर यादृच्छिक नमूना या अन्य नमूना विधियों के माध्यम से प्राप्त किया जाता है जो पूर्वाग्रह को कम करने के लिए डिजाइन किए गए हैं।

   लेकिन शोधकर्ता यह कैसे सुनिश्चित करते हैं कि उनका नमूना प्रतिनिधि है? वे लिंग, आयु, शैक्षिक स्तर, सामाजिक-आर्थिक स्थिति और वैवाहिक स्थिति जैसे विभिन्न कारकों पर विचार करते हैं। उदाहरण के लिए, यदि जनसंख्या का आधा हिस्सा महिला है, तो नमूने का लगभग आधा हिस्सा भी महिला होना चाहिए।

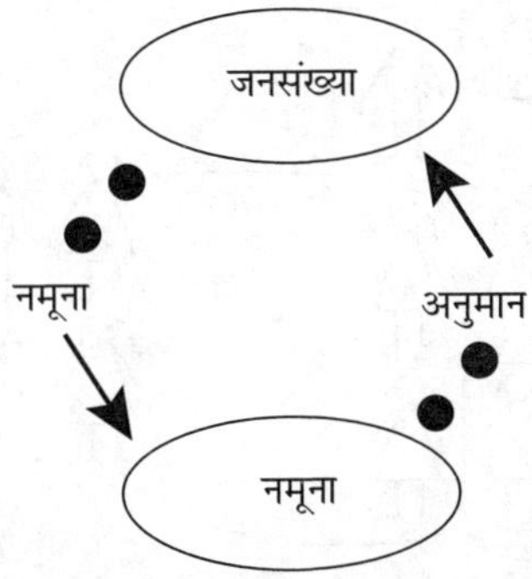

यह सुनिश्चित करता है कि नमूना जनसंख्या की विविधता को सटीक रूप से दर्शाता है। मूल रूप से, नमूना लेना एक बड़ी तस्वीर का स्नैपशॉट लेने जैसा है। सही तरीके से किया गया, यह शोधकर्ताओं को एक छोटे, प्रबंधनीय नमूने के आधार पर पूरी जनसंख्या के बारे में सार्थक निष्कर्ष निकालने की अनुमति देता है।

यह ध्यान देने योग्य है कि जब हम शोध में जनसंख्या की बात करते हैं, तो यह हमेशा मानव जनसंख्या को संदर्भित नहीं करता है। यह कारखानों, स्कूलों या अध्ययन के तहत किसी भी अन्य समूह को संदर्भित कर सकता है। जनसंख्या को 'N' द्वारा निरूपित किया जाता है, जबकि नमूने को 'n' द्वारा निरूपित किया जाता है।

4. **नमूना आकार**- नमूने का आकार, या शामिल व्यक्तियों या वस्तुओं की संख्या, शोध निष्कर्षों की सटीकता में महत्वपूर्ण भूमिका निभाती है। सरल शब्दों में, जितना बड़ा नमूना, परिणाम उतने ही विश्वसनीय होते हैं।

   कल्पना करें कि आप अपने स्कूल में छात्रों की औसत ऊंचाई का अनुमान लगाने की कोशिश कर रहे हैं। यदि आप केवल तीन छात्रों की ऊंचाई मापते हैं, तो आपका परिणाम पूरी कक्षा का सटीक प्रतिनिधित्व नहीं कर सकता है। हालांकि, यदि आप 30 छात्रों की ऊंचाई मापते हैं, तो आपका अनुमान सच्चे औसत के बहुत करीब होने की संभावना है। एक बड़ा नमूना आकार त्रुटि के मार्जिन को कम करने और निष्कर्षों में विश्वास बढ़ाने में मदद करता है।

5. **जनसंख्या में विविधता**- कल्पना कीजिए कि आप लोगों की आइसक्रीम स्वाद की पसंद को समझने के लिए एक सर्वेक्षण कर रहे हैं। एक आइसक्रीम पार्लर में, क्लासिक विकल्पों जैसे चॉकलेट और वनीला से लेकर अधिक विदेशी विकल्पों जैसे मैंगो सोरबेट और कुकी डो तक स्वाद की एक रमणीय विविधता उपलब्ध है। कुछ व्यक्तियों को चॉकलेट की समृद्धि या वनीला की सरलता पसंद होती है, जबकि अन्य स्ट्रॉबेरी की फल मिठास या कारमेल स्वर्ल की भोगना का आनंद लेते हैं।

   अब, कल्पना करें कि आपको आइसक्रीम प्रेमियों के एक नमूने का चयन करने का कार्य सौंपा गया है ताकि व्यापक जनसंख्या की स्वाद पसंद का प्रतिनिधित्व किया जा सके। यदि आप केवल 10 या 15 व्यक्तियों के एक छोटे समूह का सर्वेक्षण करते हैं, तो आपके नमूने में आइसक्रीम प्रेमियों के बीच विविध पसंद को पर्याप्त रूप से कैप्चर करने का जोखिम हो सकता है। आप ऐसे परिणाम प्राप्त कर सकते हैं जो आइसक्रीम स्वाद पसंद की सच्ची विविधता को सटीक रूप से प्रतिबिंबित नहीं करते हैं।

   दूसरी ओर, यदि आप नमूना आकार को बढ़ाकर, मान लें, 50 या 100 व्यक्तियों तक कर देते हैं, तो आपके पास एक प्रतिनिधि नमूना प्राप्त करने का बेहतर मौका होगा। एक बड़े नमूना आकार के साथ, आप जनसंख्या में मौजूद विभिन्न आइसक्रीम स्वाद पसंद को शामिल करने की अधिक संभावना रखते हैं। इस तरह, आप सुनिश्चित कर सकते हैं कि आपके शोध निष्कर्ष आइसक्रीम प्रेमियों के बीच राय की विविधता को सटीक रूप से प्रतिबिंबित करते हैं।

यह उदाहरण दिखाता है कि सर्वेक्षण में कितने लोगों को शामिल करना है, यह तय करते समय लोगों की पसंद की विविधता के बारे में सोचना कितना महत्वपूर्ण है। सर्वेक्षण में अधिक लोगों को शामिल करने से आप वहां मौजूद सभी विभिन्न रायों को कैप्चर कर सकते हैं, जिससे आपके परिणाम अधिक विश्वसनीय हो जाते हैं।

क्विज स्टेशन *विगत UGC NET परीक्षाओं के प्रश्न*

प्र 1. किसी सर्वेक्षण के लिए जनसंख्या के एक उपसमूह का चयन करने की प्रक्रिया को क्या कहा जाता है?

(a) सर्वेक्षण अनुसंधान

(b) प्रतिनिधित्व

(c) त्रिकोणीयकरण

(d) नमूना चयन

उत्तर 1. (d)

★★★ परीक्षोपयोगी

नमूनाकरण के प्रकार (Types of Sampling)

संभाव्यता या यादृच्छिक नमूना चयन (Probability or Random Sampling)

इस विषय को सरल बनाने वाले वीडियो व्याख्यान को देखने के लिए इस QR कोड को स्कैन करें

संभाव्यता या यादृच्छिक नमूना एक विधि है जिसमें जनसंख्या के प्रत्येक व्यक्ति के पास नमूने में शामिल होने का समान, स्वतंत्र और ज्ञात अवसर होता है। उदाहरण के लिए, यदि किसी जनसंख्या में 100 लोग हैं, तो प्रत्येक व्यक्ति के पास नमूना प्रक्रिया में चुने जाने का 1/100 अवसर होता है।

हालांकि, यह ध्यान रखना महत्वपूर्ण है कि जबकि संभाव्यता या यादृच्छिक नमूना सामान्यत: सटीक होता है, फिर भी त्रुटियों की संभावना होती है जिसे 'त्रुटि का मार्जिन' कहा जाता है। इस त्रुटि के मार्जिन की सांख्यिकीय रूप से गणना की जा सकती है और सर्वेक्षण के परिणामों में इसे ध्यान में रखा जा सकता है। उदाहरण के लिए, शोधकर्ता अपने अध्ययन के लिए स्वीकार्य त्रुटि के मार्जिन को निर्धारित करने के लिए श्महत्व स्तरश जैसे शब्दों का उपयोग कर सकते हैं। अब हम यादृच्छिक नमूना के प्रकारों में गहराई से जानेंगे।

1. **सरल यादृच्छिक नमूना** - सरल यादृच्छिक नमूना एक विधि है जहाँ जनसंख्या के प्रत्येक तत्व या सदस्य के पास नमूने के लिए चुने जाने का ज्ञात और समान अवसर होता है (चित्र 8.2)। इसका मतलब

है कि जनसंख्या में प्रत्येक व्यक्ति के पास बिना किसी पक्षपात या प्राथमिकता के चुने जाने का समान अवसर होता है।

इस अवधारणा को स्पष्ट करने के लिए एक उदाहरण पर विचार कीजिए। मान लीजिए आप एक सर्वेक्षण कर रहे हैं ताकि एक शहर में 100 निवासियों के बीच पिज्जा टॉपिंग्स के लिए लोगों की पसंद को समझा जा सके। यादृच्छिक नमूना के साथ, प्रत्येक निवासी के पास सर्वेक्षण के लिए चुने जाने का समान अवसर होता है।

सरल यादृच्छिक नमूना को लागू करने के लिए, शोधकर्ता अक्सर यादृच्छिक संख्या जनरेटर का उपयोग करते हैं या निष्पक्षता और निष्पक्षता सुनिश्चित करने के लिए टोपी से नाम निकालते हैं (लॉटरी विधि)। प्रत्येक व्यक्ति को चुने जाने का समान अवसर देकर, सरल यादृच्छिक नमूना पक्षपात को कम करने और प्रतिनिधि नमूने उत्पन्न करने में मदद करता है जो जनसंख्या की विशेषताओं को सटीक रूप से दर्शाते हैं।

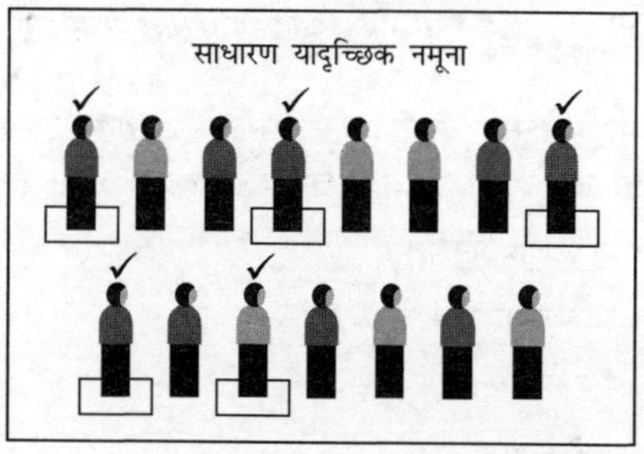

चित्र 8.2 सरल यादृच्छिक नमूना

2. **स्तरीकृत यादृच्छिक नमूना** – स्तरीकृत यादृच्छिक नमूना एक विधि है जिसका उपयोग तब किया जाता है जब जनसंख्या विषम होती है, जिसका अर्थ है कि इसमें विभिन्न विशेषताओं वाले विविध समूह होते हैं (चित्र 8.3)। इस विधि में जनसंख्या को कुछ विशेषताओं के आधार पर समूहों में विभाजित किया जाता है, जैसे कि आयु या लिंग। इन समूहों को स्तरीकृत कहा जाता है। फिर, प्रत्येक समूह से उसकी जनसंख्या में आकार के अनुपात में एक यादृच्छिक नमूना लिया जाता है।

उदाहरण के लिए, मान लीजिए कि एक कॉलेज में 1000 छात्र हैं, जिनमें से 600 छात्र मानविकी का अध्ययन करते हैं और 400 छात्र वाणिज्य का अध्ययन करते हैं। यदि हम छात्र संतुष्टि पर एक सर्वेक्षण करना चाहते हैं, तो हम यह सुनिश्चित करने के लिए स्तरीकृत यादृच्छिक नमूना विधि का उपयोग कर सकते हैं कि दोनों विषयों का प्रतिनिधित्व हो। सबसे पहले, हम छात्र जनसंख्या को दो स्तरीकृत में विभाजित करते हैं – मानविकी छात्र और वाणिज्य छात्र। प्रत्येक स्तरीकृत समान विशेषताओं वाले एक विशिष्ट समूह का प्रतिनिधित्व करता है।

इसके बाद, हम प्रत्येक स्तरीकृत से यादृच्छिक नमूने चुनते हैं। उदाहरण के लिए, यदि हम 100 छात्रों का सर्वेक्षण करने की योजना बना रहे हैं, तो हम यह सुनिश्चित करेंगे कि 60 छात्र मानविकी समूह से हों और 40 छात्र वाणिज्य समूह से हों। यह अनुपातिक नमूना यह सुनिश्चित करता है कि प्रत्येक स्तरीकृत का नमूने में उसके कुल जनसंख्या में आकार के अनुपात में प्रतिनिधित्व हो।

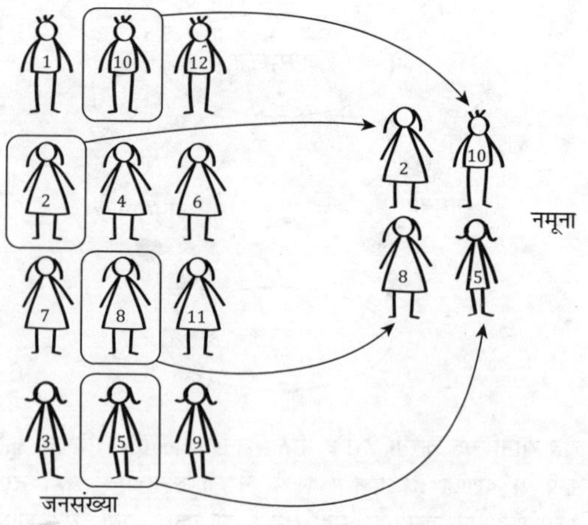

चित्र 8.3 स्तरीकृत नमूना

3. **क्लस्टर सैंपलिंग**– क्लस्टर सैंपलिंग एक विधि है जिसका उपयोग तब किया जाता है जब जनसंख्या का आकार बड़ा होता है और व्यक्तिगत इकाइयों की पहचान करना आसान नहीं होता (चित्र 8.4)। क्लस्टर सैंपलिंग में, जनसंख्या को क्लस्टरों में विभाजित किया जाता है, जैसे कि पड़ोस या स्कूल। फिर, कुछ क्लस्टरों को यादृच्छिक रूप से चुना जाता है, और उन क्लस्टरों के सभी सदस्यों को नमूने में शामिल किया जाता है।

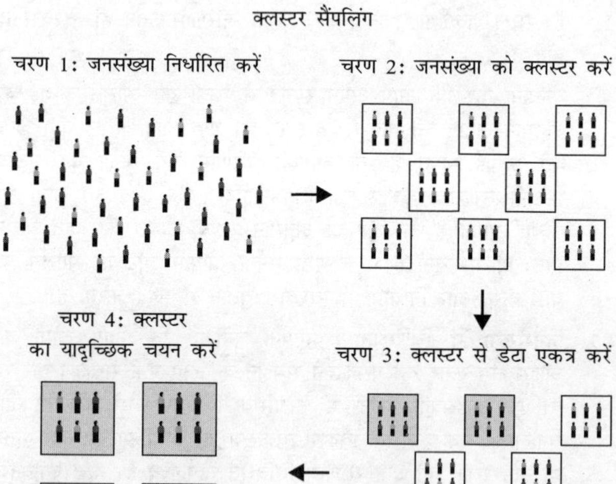

चित्र 8.4 क्लस्टर सैंपलिंग

उदाहरण के लिए, कल्पना करें कि आप एक शहर में छात्रों की पढ़ने की आदतों का अध्ययन कर रहे हैं जिसमें कई स्कूल हैं। सभी छात्रों का सर्वेक्षण करने की कोशिश करने के बजाय, जो कठिन होगा, आप विभिन्न क्षेत्रों के कुछ स्कूलों को यादृच्छिक रूप से चुनते हैं। फिर, आप उन चुने हुए स्कूलों के सभी छात्रों का सर्वेक्षण करते हैं।

इस तरह, आपको छात्रों का एक प्रतिनिधि नमूना मिलता है बिना हर

स्कूल का सर्वेक्षण किए। इस तरह से क्लस्टरों का चयन करने से शोधकर्ताओं को बड़ी और विविध जनसंख्या को प्रभावी ढंग से कवर करने में मदद मिलती है। व्यक्तियों के बजाय क्लस्टरों का नमूना लेने से बिखरी हुई जनसंख्या तक पहुंचने की परेशानी और लागत कम हो जाती है।

क्वासी-संभाव्यता नमूना (Quasi-Probability Sampling)

1. **प्रणालीगत नमूना** - प्रणालीगत नमूना में, नमूना एक विशेष क्रम का पालन करके चुना जाता है जैसे कि जनसंख्या की दवीं इकाई का चयन करना (चित्र 8.5)। उदाहरण के लिए, मान लीजिए कि आपके पास एक कक्षा में 100 छात्रों की सूची है, और आप एक सर्वेक्षण के लिए 20 छात्रों का नमूना लेना चाहते हैं। नामों को यादृच्छिक रूप से चुनने के बजाय, आप प्रणालीगत नमूना का उपयोग कर सकते हैं। आप सूची में हर पांचवें छात्र को चुनने का निर्णय ले सकते हैं। तो, आप 5वें छात्र से शुरू करेंगे, फिर 10वें, फिर 15वें और इसी तरह जब तक आप 20 छात्रों को नहीं चुन लेते। यह क्वासी-संभाव्यता नमूना का एक हिस्सा है, क्योंकि पहला व्यक्ति यादृच्छिक रूप से चुना जाता है और फिर अगले दवीं इकाई की गणना करके बाद के व्यक्तियों को चुना जाएगा।

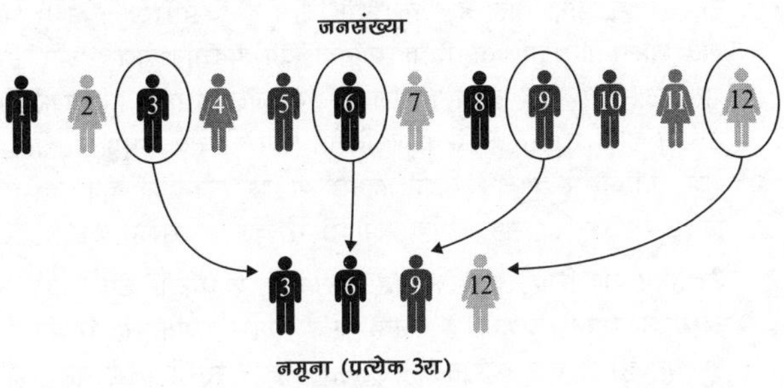

चित्र 8.5 व्यवस्थित नमूनाकरण

2. **बहु-चरणीय नमूनाकरण**- जैसा कि नाम से पता चलता है, इस नमूनाकरण में, नमूना कई चरणों में चुना जाता है (चित्र 8.6)। बहु-चरणीय नमूनाकरण को समझने के लिए, देश के विभिन्न क्षेत्रों में मतदान वरीयताओं के बारे में जानने के लिए एक बड़े राष्ट्रीय सर्वेक्षण के बारे में सोचें। **सबसे पहले, पूरे देश से कुछ राज्यों को यादृच्छिक रूप से चुना जाता है। प्रत्येक चुने गए राज्य में, कुछ जिलों को यादृच्छिक रूप से चुना जाता है। फिर, प्रत्येक जिले के भीतर कुछ गाँव चुने जाते हैं। इसलिए, देश के हर मतदाता से बात करने के बजाय, हमें केवल चुने गए जिलों और राज्यों के भीतर चयनित गाँवों के मतदाताओं से बात करने की जरूरत है। यह सुनिश्चित करता है कि नमूना पूरी आबादी का प्रतिनिधित्व करता है, जिससे यह बड़े सर्वेक्षणों के लिए एक व्यावहारिक और कुशल तरीका बन जाता है।**

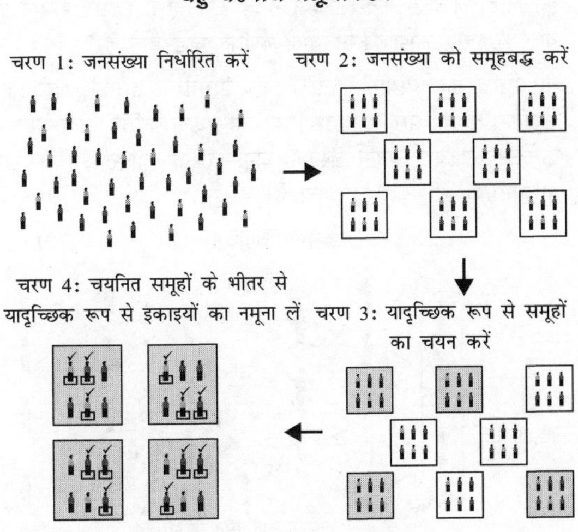

चित्र 8.6 बहु-चरणीय नमूनाकरण

गैर-संभाव्यता या गैर-यादृच्छिक नमूनाकरण (Non-Probability or Non-Random Sampling)

एक ऐसी विधि है जिसमें अध्ययन में आइटम को शोधकर्ता की सुविधा के आधार पर शामिल किया जाता है, न कि संरचित यादृच्छिक प्रक्रिया के माध्यम से।

इस विषय को सरल बनाने वाले वीडियो व्याख्यान को देखने के लिए इस QR कोड को स्कैन करें

इस प्रकार के नमूने का उपयोग अक्सर तब किया जाता है जब समय और संसाधन सीमित होते हैं, क्योंकि यह त्वरित और सुविधाजनक होता है।

हालांकि, यह ध्यान रखना महत्वपूर्ण है कि गैर-संभाव्यता नमूनाकरण में जनसंख्या के सभी सदस्यों के चुने जाने की समान संभावना नहीं होती है। परिणामस्वरूप, गैर-संभाव्यता नमूनाकरण पूर्वाग्रहों को पेश कर सकता है और संभाव्यता नमूनाकरण विधियों की तुलना में त्रुटि का उच्च मार्जिन हो सकता है। आइए अब गैर-संभाव्यता या गैर-यादृच्छिक नमूनाकरण के प्रकारों में गोता लगाएँ-

1. **सुविधा नमूनाकरण:** सुविधा नमूनाकरण, जिसे आकस्मिक नमूनाकरण के रूप में भी जाना जाता है, तब होता है जब शोध कर्ता ऐसे प्रतिभागियों को चुनते हैं जो आसानी से पहुँच में हों या आसानी से उपलब्ध हों (चित्र 8.7)। मान लीजिए कि एक शोधकर्ता विश्वविद्यालय में छात्र संतुष्टि पर एक सर्वेक्षण कर रहा है।

   यादृच्छिक नमूनाकरण विधि का उपयोग करने के बजाय, जहाँ प्रत्येक छात्र के चुने जाने की समान संभावना होती है, शोधकर्ता उन छात्रों का सर्वेक्षण करने का निर्णय लेता है जो एक विशिष्ट समय सीमा के दौरान परिसर में आसानी से उपलब्ध होते हैं। यह सुविधाजनक नमूनाकरण दृष्टिकोण शोधकर्ता को प्रतिनिधि नमूना चुनने में समय और संसाधनों का निवेश किए बिना जल्दी से डेटा एकत्र करने की अनुमति देता है। हालाँकि, केवल उन छात्रों का सर्वेक्षण करके जो परिसर में आसानी से सुलभ हैं, शोधकर्ता अनजाने में परिणामों में पूर्वाग्रह ला सकता है।

   उदाहरण के लिए, जो छात्र परिसर में अधिक सक्रिय हैं या जिनके पास विश्वविद्यालय के बारे में मजबूत राय है, वे नमूने में अधिक प्रतिनिधित्व कर सकते हैं, जबकि जो छात्र कम व्यस्त हैं, वे कम प्रतिनिधित्व कर सकते हैं। इससे ऐसे परिणाम मिल सकते हैं जो पूरी छात्र आबादी का पूरी तरह से प्रतिनिधित्व नहीं करते हैं।

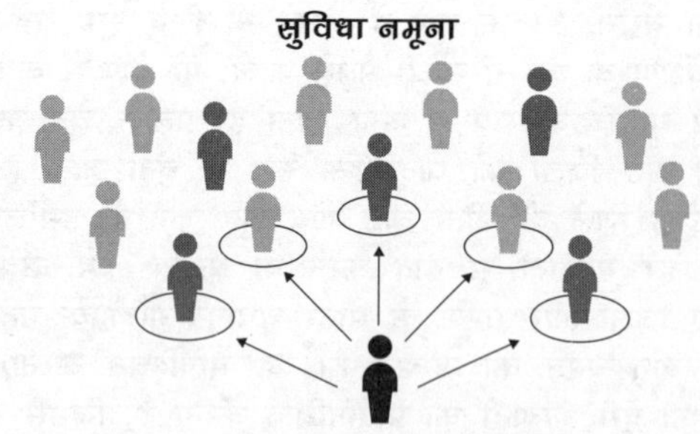

चित्र 8.7 सुविधा नमूना

2. **निर्णयात्मक या उद्देश्यपूर्ण नमूना**- निर्णयात्मक या उद्देश्यपूर्ण नमूना तब होता है जब शोधकर्ता विशेष रूप से प्रतिभागियों को उनके ज्ञान या निर्णय के आधार पर चुनते हैं कि कौन अध्ययन के लिए सबसे प्रासंगिक होगा (चित्र 8.8)। यह उन लोगों को हाथ से चुनने जैसा है जिनके बारे में शोधकर्ता सोचता है कि वे मूल्यवान अंतर्दृष्टि प्रदान करेंगे। कल्पना करें कि एक शोधकर्ता किशोरों पर वीडियो गेम की लत के प्रभावों का अध्ययन कर रहा है। प्रतिभागियों को यादृच्छिक रूप से चुनने के बजाय, वे निर्णयात्मक या उद्देश्यपूर्ण नमूना का उपयोग करते हैं। इस मामले में, शोधकर्ता जानबूझकर उन प्रतिभागियों का चयन करता है जो ऑनलाइन गेमिंग समुदायों के सदस्य हैं, अक्सर गेमिंग फोरम पर जाते हैं या अतीत में वीडियो गेम की लत के लिए मदद मांग चुके हैं। ये व्यक्ति अत्यधिक गेमिंग आदतों की चुनौतियों और परिणामों के साथ प्रत्यक्ष अनुभव रखने की संभावना रखते हैं। लत के लक्षण दिखाने वालों को लक्षित करके, शोधकर्ता का उद्देश्य यह पता लगाना है कि अत्यधिक गेमिंग किशोरों में अकादमिक, रिश्तों और मानसिक स्वास्थ्य को कैसे प्रभावित करता है।

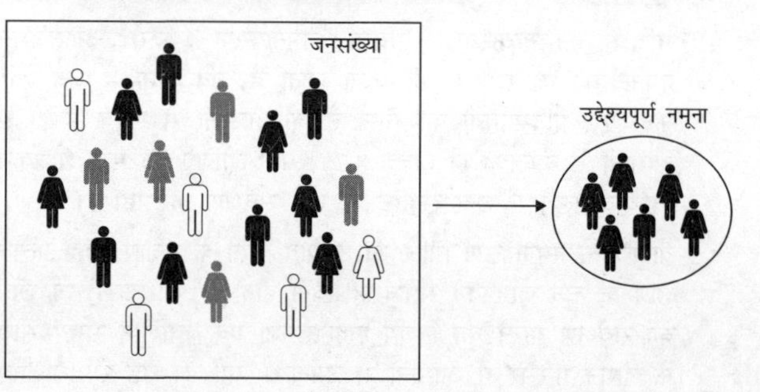

चित्र 8.8 निर्णय या उद्देश्यपूर्ण नमूनाकरण

3. **कोटा सैंपलिंग**- कोटा सैंपलिंग तब होती है जब शोधकर्ता जनसंख्या को कुछ विशेषताओं, जैसे आयु, लिंग या आय के आधार पर विभिन्न समूहों में विभाजित करते हैं, और फिर कोटा पूरा होने तक प्रतिभागियों का चयन करते हैं (चित्र 8.9)। यह सुनिश्चित करने जैसा है कि आपके पास प्रत्येक श्रेणी से निश्चित संख्या में लोग हों ताकि आपका नमूना जनसंख्या का सटीक प्रतिनिधित्व करे।

उदाहरण के लिए, कल्पना कीजिए कि आप किसी शहर में स्मार्टफोन के उपयोग का अध्ययन कर रहे हैं। आप यह सुनिश्चित करने के लिए कोटा सैंपलिंग का उपयोग करने का निर्णय लेते हैं कि आपके नमूने में विभिन्न आयु समूहों के लोग शामिल हों। आप शहर की जनसांख्यिकी के आधार पर प्रत्येक आयु समूह के लिए कोटा निर्धारित करते हैं, जैसे 18-25, 26-40 और 41-60।

यदि आपको कुल 100 लोगों की आवश्यकता है, और आपके कोटा पांच अलग-अलग आयु समूहों में से प्रत्येक के लिए 20 लोग हैं, तो आप सुनिश्चित करेंगे कि आपके पास 18-24 आयु वर्ग के 20 लोग, 25-34 आयु वर्ग के 20 लोग और इसी तरह हों। यह सुनिश्चित करता है कि आपका नमूना शहर की जनसंख्या के आयु वितरण को दर्शाता है, जिससे आपको विभिन्न आयु वर्गों में स्मार्टफोन उपयोग की बेहतर समझ मिलती है।

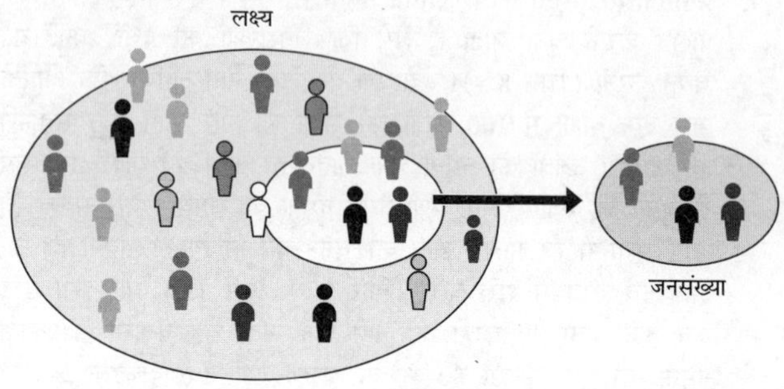

चित्र 8.9 कोटा नमूनाकरण

4. **स्नोबॉल सैंपलिंग**- स्नोबॉल सैंपलिंग, जिसे चेन रेफरल सैंपलिंग के नाम से भी जाना जाता है, एक ऐसी विधि है जिसमें अध्ययन में भाग लेने वाले प्रतिभागी अन्य प्रतिभागियों की पहचान करने और उन्हें भर्ती करने में मदद करते हैं, जिससे 'स्नोबॉल प्रभाव' (चित्र 8.10) उत्पन्न होता है। यह दृष्टिकोण विशेष रूप से तब उपयोगी होता है जब कठिन-से-पहुंचने वाली जनसंख्या या घटनाओं का अध्ययन किया जा रहा हो जहाँ व्यक्ति आपस में जुड़े हो सकते हैं।

उदाहरण के लिए, कल्पना करें कि एक शोधकर्ता उन लोगों का अध्ययन करना चाहता है जिन्हें एक दुर्लभ चिकित्सा स्थिति का अनुभव है। वे एक व्यक्ति को ढूंढकर शुरू करते हैं जिसे यह स्थिति है, शायद एक सहायता समूह या एक ऑनलाइन फोरम के माध्यम से। फिर, वे उस व्यक्ति से पूछते हैं कि वे अन्य लोगों की सिफारिश करें जिन्हें भी यह स्थिति है।

वे लोग, बदले में, और अधिक लोगों का सुझाव देते हैं और इसी तरह। जैसे-जैसे प्रक्रिया जारी रहती है, नमूने में अधिक प्रतिभागियों को जोड़ा जाता है, जिससे एक नेटवर्क बनता है जिसमें समान अनुभव या विशेषताएँ साझा करने वाले व्यक्ति जुड़े होते हैं।

यह विधि तब उपयोगी होती है जब पारंपरिक तरीकों, जैसे कि रैंडम सैंपलिंग के माध्यम से प्रतिभागियों को ढूंढना कठिन होता है। यह एक कनेक्शन नेटवर्क बनाने जैसा है जहाँ प्रत्येक व्यक्ति अधिक संभावित प्रतिभागियों की ओर ले जाता है।

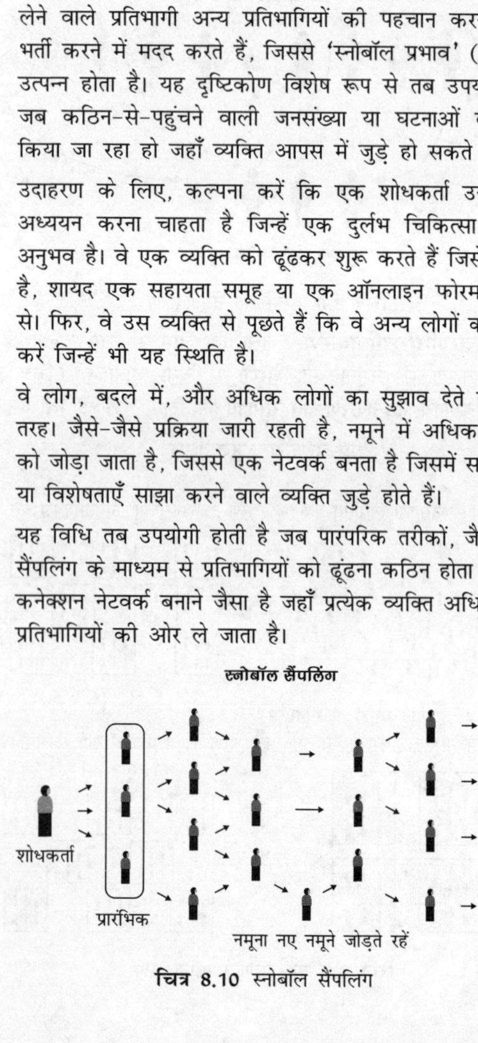

चित्र 8.10 स्नोबॉल सैंपलिंग

क्विज स्टेशन *विगत UGC NET परीक्षाओं के प्रश्न*

प्र 1. नमूनाकरण जिसमें नमूनाकरण इकाइयों का चयन कुछ विशेषज्ञों की सलाह पर या शोधकर्ता की अंतर्ज्ञान या राय से किया जाता है, उसे कहा जाता है।

(9 जनवरी 2025 - शिफ्ट 1)

(a) निर्णय नमूनाकरण
(b) स्नोबॉल नमूनाकरण
(c) कोटा नमूनाकरण
(d) सुविधा नमूनाकरण

प्र 2. कॉलम का मिलान करें:

नमूने का प्रकार	अर्थ
A. नामिक (नोमिनल)	I. एक सूची में प्रत्येक i-th आइटम का चयन करें
B. संभा व्यता नमूना करण	II. जनसंख्या को कई उप-आबादी में विभाजित किया गया है जो व्यक्तिगत रूप से अधिक सजातीय हैं
C. व्यवस्थित नमूना करण	III. ब्रह्मांड के प्रत्येक आइटम में नमूने में शामिल करने का एक समान मौका है
D. गैर-प्रबलता नमूना करण	IV. प्रक्रिया जो इस संभावना का अनुमान लगाने के लिए कोई आधार नहीं देती है कि जनसंख्या में प्रत्येक आइटम को नमूने में शामिल किया गया है

सही विकल्प चुनें:

(a) A-I B-III C-II D-IV
(b) A-I B-II C-III D-IV
(c) A-II B-III C-I D-IV
(d) A-III B-II C-I D-IV

प्र 3. गैर-संभाव्यता नमूनाकरण तकनीकों की पहचान करें:

(4 सितंबर 2024 - शिफ्ट 1)

A. व्यवस्थित नमूनाकरण
B. सरल यादृच्छिक नमूनाकरण
C. स्नोबॉल नमूनाकरण
D. उद्देश्यपूर्ण नमूनाकरण

(a) A, B (b) C, D
(c) A, C (d) A, B, C

प्र 4. एक शोधकर्ता अपनी जनसंख्या को कुछ समूहों में विभाजित करता है और प्रत्येक समूह से नमूने का आकार तय करता है। इसे कहते हैं

(a) स्तरीकृत नमूना
(b) कोटा नमूना
(c) क्लस्टर नमूना
(d) उपरोक्त सभी

प्र 5. क्लस्टर नमूनाकरण का उपयोग तब किया जाता है जब

(a) जनसंख्या बिखरी हुई हो और नमूना आकार बड़ा रखना हो
(b) जनसंख्या विषम हो
(c) लंबे सर्वेक्षण की आवश्यकता हो
(d) (a) और (c) दोनों

प्र 6. यदि कोई शोध परियोजना इस प्रकार स्थापित की जाती है कि रुचि की आबादी में प्रत्येक व्यक्ति के नमूने में होने की समान संभावना हो, तो शोध में शामिल है

(18 जून 2024 - शिफ्ट 1)

(a) कोटा नमूनाकरण
(b) निर्णयात्मक नमूनाकरण
(c) संभाव्यता नमूनाकरण
(d) सुविधा नमूनाकरण

प्र 7. यहाँ, कुछ लोगों के चुने जाने की संभावना जनसंख्या के अन्य सदस्यों की तुलना में अधिक है। यह है

(a) संभाव्यता नमूनाकरण
(b) गैर-संभाव्यता नमूनाकरण
(c) कोटा नमूनाकरण
(d) उपरोक्त में से कोई नहीं

प्र 8. एक अन्वेषक एक विस्तृत भौगोलिक क्षेत्र में दृष्टिबाधित बच्चों की व्यावसायिक आकांक्षाओं का अध्ययन करना चाहता है। उसे अपना नमूना इस प्रकार चुनना चाहिए

(a) सरल यादृच्छिक नमूनाकरण
(b) स्तरीकृत नमूनाकरण
(c) उद्देश्यपूर्ण नमूनाकरण
(d) सुविधाजनक नमूनाकरण

उत्तर 1. (a) 2. (c) 3. (b) 4. (b) 5. (d) 6. (c) 7. (b) 8. (b)

नमूनाकरण में त्रुटियाँ (Errors in Sampling)

नमूनाकरण में त्रुटियाँ तब होती हैं जब नमूना लेने की क्रिया डेटा में अशुद्धियाँ लाती है। ये त्रुटियाँ शोध निष्कर्षों की विश्वसनीयता और वैधता को प्रभावित कर सकती हैं। आइए नमूनाकरण में विभिन्न प्रकार की त्रुटियों पर नजर डालें:

नमूनाकरण त्रुटियाँ (Sampling Errors)

नमूनाकरण त्रुटियाँ नमूना लेने की क्रिया के कारण ही होती हैं। ये त्रुटियाँ नमूने को गलत बना सकती हैं, जिससे जनसंख्या के बारे में गलत निष्कर्ष निकल सकते हैं। नमूनाकरण त्रुटि इसलिए हो सकती है क्योंकि नमूनाकरण प्रक्रिया में संयोग या त्रुटियों के कारण नमूना पूरी जनसंख्या का पूरी तरह से प्रतिनिधित्व नहीं कर सकता है।

उदाहरण के लिए, कल्पना कीजिए कि आप अपने स्कूल में छात्रों की औसत ऊँचाई जानना चाहते हैं। आप 50 छात्रों की ऊँचाई मापते हैं और पाते हैं कि औसत ऊँचाई 5 फीट 4 इंच है। हालाँकि, यदि आप स्कूल में सभी छात्रों की ऊँचाई मापते हैं, तो आप पा सकते हैं कि वास्तविक औसत ऊँचाई थोड़ी अलग है, मान लें कि 5 फीट 7 इंच। नमूना औसत और वास्तविक औसत के बीच का अंतर ही नमूनाकरण त्रुटि है।

1. **यादृच्छिक नमूनाकरण त्रुटियाँ:** यादृच्छिक नमूनाकरण त्रुटियाँ यादृच्छिक नमूना चुनने की प्रक्रिया में संयोग कारकों के कारण होती हैं। यहां तक कि जब यादृच्छिक नमूनाकरण का उपयोग निष्पक्षता सुनिश्चित करने और पूर्वाग्रह को कम करने के लिए किया जाता है, तब भी हमेशा एक संभावना होती है कि नमूना यादृच्छिक भिन्नताओं के कारण जनसंख्या का पूरी तरह से प्रतिनिधित्व नहीं कर सकता है।

   उदाहरण के लिए, यदि एक शोधकर्ता विश्वविद्यालय के 50 छात्रों को यादृच्छिक रूप से उनके अध्ययन की आदतों का सर्वेक्षण करने के लिए चुनता है, तो यह संभव है कि, संयोगवश, चयनित नमूने में औसत से कम अध्ययन करने वाले छात्रों की असामान्य रूप से उच्च संख्या शामिल हो सकती है। इससे यह गलत निष्कर्ष निकल सकता है कि समग्र छात्र समूह वास्तव में जितना अध्ययन करता है उससे कम अध्ययन करता है।

2. **जनसंख्या-विशिष्ट त्रुटि** – जनसंख्या-विशिष्ट त्रुटि तब होती है जब शोधकर्ता उस जनसंख्या की सही पहचान या समझ नहीं कर पाते हैं जिसे वे अध्ययन करना चाहते हैं।

   उदाहरण के लिए, यदि किसी सर्वेक्षण का उद्देश्य विश्वविद्यालय के छात्रों की राय एकत्र करना है लेकिन गलती से इसमें हाई स्कूल के छात्रों की प्रतिक्रियाएँ शामिल हो जाती हैं, तो यह त्रुटियाँ उत्पन्न करता है क्योंकि डेटा इच्छित जनसंख्या का प्रतिनिधित्व नहीं करता है।

3. **प्रणालीगत त्रुटि** – नमूनाकरण में प्रणालीगत त्रुटि (जिसे प्रणालीगत पूर्वाग्रह भी कहा जाता है) तब होती है जब नमूना चुनने में लगातार गलती या समस्या होती है, जिससे परिणाम वास्तविक जनसंख्या मूल्यों से लगातार भिन्न होते हैं।

   उदाहरण के लिए, मान लीजिए कि एक कंपनी लोगों से उनके पसंदीदा टीवी शो के बारे में सर्वेक्षण करना चाहती है। वे दिन के समय लैंडलाइन फोन नंबरों पर कॉल करने का निर्णय लेते हैं ताकि राय पूछी जा सके। हालाँकि, यह विधि व्यवस्थित रूप से उन युवा लोगों को छोड़ सकती है जो ज्यादातर सेल फोन का उपयोग करते हैं या दिन के समय काम करते हैं। परिणामस्वरूप, सर्वेक्षण के परिणाम जनसंख्या की टीवी प्राथमिकताओं का पक्षपाती दृष्टिकोण दे सकते हैं।

4. **चयन त्रुटि** – चयन त्रुटि तब उत्पन्न होती है जब प्रतिभागी किसी अध्ययन या सर्वेक्षण में स्वयं चयन करते हैं। जब व्यक्ति स्वेच्छा से यह चुनते हैं कि भाग लेना है या नहीं, तो इससे पक्षपाती परिणाम हो सकते हैं क्योंकि जो लोग प्रतिक्रिया देते हैं वे उन लोगों से व्यवस्थित रूप से भिन्न हो सकते हैं जो प्रतिक्रिया नहीं देते। इस प्रकार की त्रुटि ऑनलाइन सर्वेक्षणों, सोशल मीडिया पोल या स्वैच्छिक प्रतिक्रिया सर्वेक्षणों में आम है जहां उत्तरदाताओं की राय या सर्वेक्षण विषय से संबंधित विशिष्ट रुचियाँ अधिक मजबूत हो सकती हैं।

   उदाहरण के लिए, एक ऑनलाइन तकनीकी फोरम के माध्यम से वितरित मोबाइल फोन प्राथमिकताओं पर एक सर्वेक्षण ऐसे प्रतिभागियों को आकर्षित कर सकता है जो विशेष रूप से तकनीकी-प्रेमी या गैजेट्स के प्रति उत्साही हैं, जिससे उनके प्राथमिकताओं की ओर परिणाम झुक सकते हैं और व्यापक जनसंख्या को प्रतिबिंबित नहीं कर सकते।

5. **नमूना फ्रेम त्रुटि** – नमूना फ्रेम त्रुटि तब होती है जब किसी अध्ययन के लिए नमूना गलत या अधूरी जनसंख्या सूची से लिया जाता है।

   उदाहरण के लिए, यदि मतदान प्राथमिकताओं के बारे में एक सर्वेक्षण एक पुरानी मतदाता पंजीकरण सूची का उपयोग करता है, तो यह हाल ही में स्थानांतरित हुए या 18 वर्ष के हो चुके पात्र मतदाताओं को छोड़ सकता है, जिससे एक पक्षपाती नमूना बन सकता है।

सिनेमैटिक कनेक्शन

2024 के लोकसभा चुनावों के दौरान, मीडिया ने परिणाम की भविष्यवाणी करने के लिए एग्जिट पोल किए। एक प्रमुख एग्जिट पोल ने भविष्यवाणी की कि एनडीए (राष्ट्रीय जनतांत्रिक गठबंधन) 400 से अधिक सीटें जीतेगा। हालांकि, यह भविष्यवाणी गलत साबित हुई जब एनडीए ने 400 के बजाय 290 सीटें हासिल कीं। यह नमूना फ्रेम त्रुटि का एक उपयुक्त उदाहरण है। एग्जिट पोल में, पोलस्टर (पोल करने वाले लोग) मतदान केंद्रों से बाहर निकलने वाले मतदाताओं से पूछते हैं कि उन्होंने किसे वोट दिया। यदि पोलस्टर मुख्य रूप से विशिष्ट क्षेत्रों या समान पृष्ठभूमि के मतदाताओं से बात करते हैं, तो पोल के परिणाम यह नहीं दर्शा सकते कि वास्तव में सभी ने कैसे मतदान किया। ऐसा इसलिए होता है क्योंकि सर्वेक्षण किए गए मतदाताओं का समूह (नमूना) सभी मतदाताओं (जनसंख्या) का सटीक प्रतिनिधित्व नहीं कर सकता। इस प्रकार की त्रुटि एग्जिट पोल के परिणामों को वास्तविक चुनाव परिणाम से काफी भिन्न बना सकती है, जिससे यह उजागर होता है कि सर्वेक्षण किए गए मतदाताओं का सैंपल विविध और पूरी मतदान जनसंख्या का प्रतिनिधि होना कितना महत्वपूर्ण है।

गैर-नमूना त्रुटियाँ (Non-sampling Errors)

गैर-नमूना त्रुटियाँ वे त्रुटियाँ हैं जो जनसंख्या से नमूना चुनने की प्रक्रिया से संबंधित नहीं होती हैं। गैर-नमूना त्रुटियाँ विभिन्न स्रोतों से उत्पन्न हो सकती हैं जैसे डेटा संग्रह विधियों में त्रुटि, अनुचित डेटा विश्लेषण, पक्षपाती सर्वेक्षण प्रश्न आदि।

उदाहरण के लिए, यदि एक शोधकर्ता फोन साक्षात्कार कर रहा है और कुछ उत्तरदाता किसी प्रश्न को गलत समझते हैं, गलत उत्तर प्रदान करते हैं, तो यह गैर-नमूना त्रुटियाँ उत्पन्न करता है। इसके अतिरिक्त, यदि कुछ चयनित उत्तरदाता अनुपलब्ध हैं या भाग लेने से इनकार करते हैं, तो यह भी गैर-नमूना त्रुटियों में योगदान कर सकता है।

1. **प्रतिक्रिया त्रुटियाँ**- प्रतिक्रिया पूर्वाग्रह तब होता है जब सर्वेक्षण या अध्ययन में प्रतिभागी पूरी तरह से सत्य या सटीक उत्तर नहीं देते हैं। यह विभिन्न कारणों से हो सकता है, जैसे कि वे उत्तर देना चाहते हैं जो उन्हें लगता है कि सामाजिक रूप से स्वीकार्य हैं या बिना पूरी तरह से विचार किए बयानों से सहमत हो जाते हैं।

   मान लीजिए कि एक सर्वेक्षण है जो लोगों से पर्यावरणीय मुद्दों पर उनकी राय पूछ रहा है। कुछ उत्तरदाता इस तरह से उत्तर दे सकते हैं जो उन्हें लगता है कि सामाजिक रूप से स्वीकार्य है, यह कहते हुए कि वे हमेशा पुनर्चक्रण करते हैं और पर्यावरण के अनुकूल उत्पादों का उपयोग करते हैं, भले ही वे हमेशा ऐसा न करते हों। यह सामाजिक वांछनीयता पूर्वाग्रह का एक रूप है, जहां लोग खुद को सकारात्मक रूप में प्रस्तुत करना चाहते हैं।

2. **गैर-प्रतिक्रिया त्रुटि**- गैर-प्रतिक्रिया त्रुटि तब होती है जब शोधकर्ता सभी चयनित प्रतिभागियों से प्रतिक्रियाएँ प्राप्त करने में असमर्थ होते हैं, जिससे डेटा अधूरा हो जाता है। यह प्रतिभागियों के भाग लेने से इनकार करने, उन्हें पहुंचने में असमर्थता, या प्रारंभिक संपर्क के बाद सर्वेक्षण पूरा करने में विफलता के कारण हो सकता है। गैर-प्रतिक्रिया त्रुटि समस्याग्रस्त है क्योंकि यह सर्वेक्षण परिणामों में पूर्वाग्रह ला सकती है। यदि जो व्यक्ति प्रतिक्रिया नहीं देते हैं वे उन लोगों से व्यवस्थित रूप से भिन्न होते हैं जो प्रतिक्रिया देते हैं (उदाहरण के लिए, उनकी राय या अनुभव अलग हो सकते हैं), तो सर्वेक्षण परिणाम पूरे लक्षित जनसंख्या के विचारों या विशेषताओं को सटीक रूप से प्रतिबिंबित नहीं कर सकते हैं। शोधकर्ता गैर-प्रतिक्रिया त्रुटि को कम करने का प्रयास करते हैं प्रभावी सर्वेक्षण डिजाइन, स्पष्ट संचार और भागीदारी को प्रोत्साहित करने की रणनीतियों का उपयोग करके।

क्विज स्टेशन *विगत UGC NET परीक्षाओं के प्रश्न*

प्र 1. नमूना त्रुटि कम हो जाती है

(a) नमूना आकार में कमी

(b) नमूना आकार में वृद्धि

(c) यादृच्छिकीकरण की प्रक्रिया

(d) विश्लेषण की प्रक्रिया

प्र 2. किसी शोध की सटीकता सुनिश्चित करने के लिए, नमूना होना चाहिए

(a) यादृच्छिक रूप से लिया गया

(b) कोटा द्वारा तय किया गया

(c) जनसंख्या का प्रतिनिधि

(d) उद्देश्यपूर्ण

प्र 3. निम्नलिखित में से किस प्रकार के नमूने में सबसे कम पूर्वाग्रह होने की संभावना है?

(30 अगस्त 2024 - शिफ्ट 1)

(a) स्नोबॉल नमूनाकरण

(b) सरल यादृच्छिक नमूनाकरण

(c) सुविधा नमूनाकरण

(d) उद्देश्यपूर्ण नमूनाकर

उत्तर 1. (b) 2. (c) 3. (b)

चरण 7 डेटा एकत्र करना (Collecting Data)

नमूने चुनने के बाद, अनुसंधान का अगला चरण डेटा एकत्र करना है। डेटा संग्रह में विभिन्न स्रोतों से व्यवस्थित रूप से जानकारी या अवलोकन एकत्र करना शामिल है, जैसे सर्वेक्षण, साक्षात्कार, प्रयोग या अवलोकन। इस प्रक्रिया का उद्देश्य प्रासंगिक और सटीक डेटा प्राप्त करना है जिसे अनुसंधान प्रश्नों का उत्तर देने या परिकल्पनाओं का परीक्षण करने के लिए उपयोग किया जा सकता है।

डेटा के प्रकार (Types of Data)

प्राथमिक डेटा (Primary Data)

प्राथमिक डेटा अनुसंधान में उस जानकारी को संदर्भित करता है जो शोध कर्ताओं द्वारा सीधे मूल स्रोतों से पहली बार एकत्र की जाती है। यह डेटा विशेष रूप से वर्तमान शोध अध्ययन के उद्देश्य के लिए एकत्र किया जाता है और इसे पहले किसी और द्वारा एकत्र या विश्लेषित नहीं किया गया है।

प्राथमिक डेटा एकत्र करने के तरीकों में सर्वेक्षण, साक्षात्कार, अवलोकन, प्रयोग और फोकस समूह शामिल हैं, जो सभी शोधकर्ताओं को उनके विशिष्ट

शोध प्रश्नों के अनुरूप विस्तृत और प्रासंगिक जानकारी एकत्र करने की अनुमति देते हैं। हालांकि, प्राथमिक डेटा एकत्र करने की प्रक्रिया महंगी, समय लेने वाली और संसाधन-गहन हो सकती है, जिसके लिए डिजाइन, निष्पादन और विश्लेषण में महत्वपूर्ण प्रयास की आवश्यकता होती है।

आइए एक उदाहरण लेकर प्राथमिक डेटा को समझते हैं। मान लीजिए कि शोधकर्ताओं का एक समूह कॉलेज के छात्रों में मानसिक स्वास्थ्य पर व्यायाम के प्रभाव का अध्ययन कर रहा है। वे सीधे छात्रों को प्रशासित सर्वेक्षणों के माध्यम से प्राथमिक डेटा एकत्र करने का निर्णय लेते हैं। शोधकर्ता एक प्रश्नावली डिजाइन करते हैं जो छात्रों से उनके व्यायाम की आदतों के बारे में पूछती है, जैसे कि उनके वर्कआउट की आवृत्ति और अवधि, साथ ही उनके मानसिक स्वास्थ्य की स्थिति, जिसमें तनाव का स्तर, चिंता और मूड शामिल हैं। फिर वे कॉलेज के छात्रों के एक नमूने को सर्वेक्षण वितरित करते हैं और प्रतिक्रियाएं एकत्र करते हैं। इस डेटा को प्राथमिक माना जाता है क्योंकि इसे विशेष रूप से उनके अध्ययन के लिए शोधकर्ताओं द्वारा पहली बार एकत्र किया जाता है।

माध्यमिक डेटा (Secondary Data)

अनुसंधान में माध्यमिक डेटा उस जानकारी को संदर्भित करता है जिसे पहले से ही किसी और द्वारा एक अलग उद्देश्य के लिए एकत्र और प्रकाशित किया गया है। यह एक कुकबुक से नुस्खा का उपयोग करने जैसा है, बजाय इसके कि आप अपना खुद का खरोंच से बनाएं। माध्यमिक डेटा बाहरी स्रोतों जैसे टेलीविजन, रेडियो, इंटरनेट, पत्रिकाओं, पुस्तकों और समाचार पत्रों से प्राप्त किए जाते हैं।

उदाहरण के लिए, एक शोधकर्ता जो युवा वयस्कों में सोशल मीडिया उपयोग के रुझानों की जांच कर रहा है, वह प्रतिष्ठित बाजार अनुसंधान फर्मों द्वारा आयोजित ऑनलाइन सर्वेक्षणों या फेसबुक या इंस्टाग्राम जैसे प्लेटफार्मों द्वारा प्रदान की गई सोशल मीडिया एनालिटिक्स रिपोर्ट से माध्यमिक डेटा एकत्र कर सकता है।

माध्यमिक डेटा प्राथमिक डेटा की तुलना में अधिक लागत प्रभावी और समय-कुशल है क्योंकि यह आसानी से सुलभ है और शोधकर्ता को डेटा संग्रह प्रक्रिया को शुरू करने की आवश्यकता नहीं है। इन लाभों के बावजूद, माध्यमिक डेटा हमेशा वर्तमान शोध की विशिष्ट आवश्यकताओं के साथ पूरी तरह से मेल नहीं खा सकता है, और यह कभी-कभी पुराना या कम विश्वसनीय हो सकता है, क्योंकि शोधकर्ता का मूल डेटा संग्रह प्रक्रिया पर कोई नियंत्रण नहीं होता है।

स्कोर बूस्टर

पूरक पठन अनुशंसा

QR कोड काम नहीं कर रहा है? QR कोड के साथ दिए गए संसाधनों तक पहुँचने के लिए आंतरिक फ्रन्ट कवर पर दिए गए निर्देशों का पालन करें

'प्राथमिक और द्वितीयक डेटा की विशेषताओं' पर गहन व्याख्या प्रदान करने वाली एक विशेष पीडीएफ को अनलॉक करने के लिए क्यूआर कोड को स्कैन करें

क्विज स्टेशन *विगत UGC NET परीक्षाओं के प्रश्न*

प्र 1. निम्नलिखित में से कौन सा डेटा स्रोत प्राथमिक डेटा संग्रह पर आधारित नहीं है?

(a) भारत की जनगणना

(b) राष्ट्रीय नमूना सर्वेक्षण

(c) भारत के सांख्यिकीय सार

(d) राष्ट्रीय परिवार स्वास्थ्य सर्वेक्षण

प्र 2. निम्नलिखित में से कौन सा शब्द डेटा का सबसे अच्छा वर्णन करता है जो मूल रूप से किसी अन्य व्यक्ति द्वारा किसी अन्य उद्देश्य के लिए पहले एकत्र किया गया था?

(a) प्राथमिक डेटा

(b) द्वितीयक डेटा

(c) प्रायोगिक डेटा

(d) उपरोक्त में से कोई नहीं

उत्तर 1. (c) 2. (b)

डेटा संग्रह के उपकरण (Tools of Data Collection)

इस विषय को सरल बनाने वाले वीडियो व्याख्यान को देखने के लिए इस QR कोड को स्कैन करें

(इस विषय का एक भाग अध्याय 7 में शामिल है, विशेष रूप से अनुभाग 7.6 में जिसका शीर्षक है 'डेटा संग्रह पर आधारित अनुसंधान विधियाँ'।)

अनुसंधान में, जानकारी एकत्र करने की प्रक्रिया अक्सर विभिन्न उपकरणों पर निर्भर करती है जो डेटा को प्रभावी ढंग से एकत्र करने के लिए डिजाइन किए गए हैं। ये उपकरण विश्लेषण और व्याख्या के लिए प्रासंगिक जानकारी को व्यवस्थित रूप से कैप्चर करने के साधन के रूप में कार्य करते हैं। आइए कुछ लोकप्रिय डेटा संग्रह उपकरणों पर नजर डालें-

अवलोकन (Observation)

डेटा संग्रहण के उपकरण के रूप में अवलोकन में प्राकृतिक परिवेश में हस्तक्षेप किए बिना सीधे व्यवहारों, घटनाओं या घटनाओं को देखना और रिकॉर्ड करना शामिल है। यह एक मौन पर्यवेक्षक की तरह है, जो चुपचाप आपके चारों ओर हो रही घटनाओं पर नोट्स लेता है।

उदाहरण के लिए, कल्पना कीजिए कि आप बच्चों में खेल के मैदान के व्यवहार का अध्ययन कर रहे हैं। उनसे प्रश्न पूछने या उन्हें कार्य देने के बजाय, आप बस उन्हें खेलते और बातचीत करते हुए देखते हैं। आप नोट्स ले सकते हैं कि वे किसके साथ खेलते हैं, कौन से खेल उन्हें पसंद हैं और वे संघर्षों को कैसे सुलझाते हैं। इस तरह, आप उनके व्यवहार पर प्राकृतिक परिवेश में डेटा एकत्र करते हैं बिना उसे प्रभावित किए।

अवलोकन के प्रकार (Types of Observation)

1. **संरचित अवलोकन**- ये पहले से निर्धारित दिशानिर्देशों या मानदंडों का पालन करते हैं। उदाहरण के लिए, कक्षा में पाठ के दौरान छात्रों द्वारा हाथ उठाने की संख्या की गणना करना, पूर्वनिर्धारित चेकलिस्ट का उपयोग करके।
2. **असंरचित अवलोकन**- ये लचीले और खुले होते हैं, जिससे शोध कर्ताओं को बिना विशिष्ट मानदंडों के घटनाओं का अन्वेषण करने की अनुमति मिलती है। एक उदाहरण है बच्चों के बीच खेल के मैदान में बातचीत का अवलोकन करना, बिना पूर्वनिर्धारित श्रेणियों के, प्राकृतिक व्यवहारों पर ध्यान केंद्रित करना।
3. **प्रतिभागी अवलोकन**- शोधकर्ता पर्यवेक्षित सेटिंग में प्रतिभागियों के रूप में सक्रिय रूप से शामिल होते हैं जबकि डेटा का अवलोकन और रिकॉर्डिंग भी करते हैं।

   उदाहरण के लिए, एक शोधकर्ता आदिवासी समुदाय के भीतर रहने का चयन कर सकता है ताकि उनके दैनिक दिनचर्या, रीति-रिवाजों और बातचीत को गहराई से समझा जा सके। यह विधि शोधकर्ताओं को समुदाय के सदस्यों के साथ सहानुभूति और संबंध विकसित करने में सक्षम बनाती है, जिससे उनके जीवन और अनुभवों में समृद्ध अंतर्दृष्टि प्राप्त होती है।
4. **गैर-प्रतिभागी अवलोकन**- शोधकर्ता पर्यवेक्षित सेटिंग में सक्रिय रूप से भाग लिए बिना व्यवहारों का अवलोकन और रिकॉर्डिंग करते हैं। उदाहरण के लिए, शोधकर्ता खुदरा स्टोर में ग्राहकों और कर्मचारियों के बीच बातचीत का अवलोकन कर सकते हैं बिना सीधे उनके साथ बातचीत किए।
5. **छद्म अवलोकन**- इस विधि में, शोधकर्ता अपनी पहचान या उद्देश्य को छुपाते हैं ताकि पर्यवेक्षित व्यवहार पर प्रेक्षण के प्रभाव को कम किया जा सके। उदाहरण के लिए, गुप्त रूप से स्टोर में ग्राहक सेवा बातचीत का अवलोकन करना बिना कर्मचारियों को यह बताए कि वे पर्यवेक्षित हो रहे हैं।

साक्षात्कार (Interview)

साक्षात्कार एक विधि है जिसका उपयोग शोधकर्ता लोगों से सीधे जानकारी प्राप्त करने के लिए करते हैं, उनसे प्रश्न पूछकर। यह उपकरण शोधकर्ताओं को विचारों, भावनाओं और अनुभवों को गहराई से अन्वेषण करने की अनुमति देता है।

साक्षात्कार दो प्रकार के हो सकते हैं-

1. **व्यक्तिगत साक्षात्कार**, यानी साक्षात्कारकर्ता के साथ आमने-सामने बातचीत करना।
2. **टेलीफोनिक साक्षात्कार**, यानी साक्षात्कारकर्ता के साथ फोन कॉल पर बातचीत करना।

आइए एक विस्तृत उदाहरण के माध्यम से समझें कि डेटा संग्रह उपकरण के रूप में साक्षात्कार कैसे काम करते हैं।

कल्पना कीजिए कि एक शोधकर्ता हाई स्कूल से कॉलेज में स्थानांतरित होने वाले छात्रों के अनुभवों का अध्ययन कर रहा है। अंतर्दृष्टि प्राप्त करने के लिए, शोधकर्ता कई छात्रों के साथ एक-एक करके साक्षात्कार करता है। प्रत्येक साक्षात्कार एक शांत और आरामदायक सेटिंग में होता है, जैसे कि एक पुस्तकालय अध्ययन कक्ष।

साक्षात्कार के दौरान, शोधकर्ता खुले प्रश्न पूछता है ताकि छात्रों को अपने विचारों और अनुभवों को स्वतंत्र रूप से साझा करने के लिए प्रोत्साहित किया जा सके। उदाहरण के लिए, वे प्रश्न पूछ सकते हैं जैसे, 'क्या आप मुझे अपने कॉलेज के लिए अपेक्षाओं के बारे में बता सकते हैं?' या 'कॉलेज शुरू करने के बाद से आपने किन चुनौतियों का सामना किया है?' जैसे ही छात्र जवाब देते हैं, शोधकर्ता ध्यानपूर्वक सुनता है, प्रमुख बिंदुओं और विवरणों को नोट करता है। वे विशिष्ट विषयों में गहराई से जाने या किसी अस्पष्ट उत्तर को स्पष्ट करने के लिए अनुवर्ती प्रश्न भी पूछ सकते हैं। इन साक्षात्कारों के माध्यम से, शोधकर्ता छात्रों के दृष्टिकोण, चुनौतियों और कॉलेज जीवन में संक्रमण से संबंधित आकांक्षाओं में मूल्यवान अंतर्दृष्टि प्राप्त करता है। वे शैक्षणिक तनाव, सामाजिक समायोजन और व्यक्तिगत विकास जैसे विषयों को उजागर करते हैं।

फोकस ग्रुप (Focus Group)

एक फोकस ग्रुप एक समूह साक्षात्कार की तरह होता है जहां लगभग छह से बारह लोग समान लक्षणों या रुचियों के साथ एकत्र होते हैं। उन्हें एक संचालक द्वारा निर्देशित किया जाता है जो पहले से तय किए गए विशिष्ट विषयों के आधार पर चर्चा का मार्गदर्शन करता है। लक्ष्य एक ऐसा वातावरण बनाना है जहां प्रतिभागी अपने विचारों और दृष्टिकोणों को साझा करने में सहज महसूस करें।

उदाहरण के लिए, एक नए स्मार्टफोन ऐप पर चर्चा करने वाले फोकस ग्रुप की कल्पना कीजिए। संचालक प्रतिभागियों से उनके समान ऐप्स का उपयोग करने के अनुभवों के बारे में, उन्हें कौन सी विशेषताएं पसंद हैं या नापसंद हैं, और वे नए ऐप में क्या सुधार देखना चाहते हैं, पूछ सकता है। इस प्रकार की चर्चा शोधकर्ताओं या डेवलपर्स को यह समझने में मदद करती है कि उपयोगकर्ता ऐप से क्या चाहते हैं और क्या जरूरतें हैं।

फोकस ग्रुप अनुसंधान और योजना में मूल्यवान होते हैं क्योंकि वे यह समझने में मदद करते हैं कि एक विशिष्ट समूह के लोग विशेष विषयों के बारे में कैसे सोचते और महसूस करते हैं। शोधकर्ता एकत्रित जानकारी का उपयोग दृष्टिकोणों को बेहतर ढंग से समझने, विचारों को एकत्र करने या व्यापक कार्यान्वयन से पहले नए अवधारणाओं का परीक्षण करने के लिए करते हैं।

सूचियाँ (Schedules)

सूचियाँ शोधकर्ताओं द्वारा लोगों से जानकारी एकत्र करने के लिए उपयोग किए जाने वाले संगठित प्रश्नों की तरह होती हैं। वे डेटा को व्यवस्थित और सुसंगत तरीके से एकत्र करने के लिए एक संरचित ढांचा प्रदान करती हैं। आइए एक विस्तृत उदाहरण के माध्यम से समझें कि डेटा संग्रह उपकरण के रूप में सूचियाँ कैसे काम करती हैं।

मान लीजिए कि एक शोधकर्ता स्कूलों में बच्चों के खाने की आदतों का अध्ययन कर रहा है। डेटा एकत्र करने के लिए, वे एक खाद्य सेवन अनुसूची बनाते हैं जिसमें स्कूल के घंटों के दौरान बच्चे क्या खाते और पीते हैं, इसके बारे में प्रश्न होते हैं। यह अनुसूची छात्रों को लंचटाइम के दौरान दी जाती है, और उनसे इसे ईमानदारी से भरने के लिए कहा जाता है।

प्रश्नों में खाए गए खाद्य पदार्थों के प्रकार, भाग के आकार और स्वस्थ या अस्वस्थ स्नैक्स के लिए प्राथमिकताएँ शामिल होती हैं। छात्रों को विस्तृत उत्तर देने के लिए प्रोत्साहित किया जाता है, जिसमें घर से लाए गए या स्कूल में खरीदे गए किसी भी स्नैक का उल्लेख करना शामिल है। शोधकर्ता सटीक उत्तरों को प्रोत्साहित करने के लिए गोपनीयता सुनिश्चित करता है। अनुसूचियों को एकत्र करने के बाद, शोधकर्ता डेटा का विश्लेषण करता है ताकि छात्रों के बीच सामान्य खाने के पैटर्न की पहचान की जा सके।

यह स्कूलों में स्वस्थ खाने के विकल्पों को बढ़ावा देने के लिए संभावित हस्तक्षेपों को सूचित करने में मदद करता है।

डाक प्रश्नावली (Mailed Questionnaires)

डाक प्रश्नावली लिखित सर्वेक्षणों की तरह होती हैं जो ई-मेल या डाक के माध्यम से लोगों से जानकारी एकत्र करने के लिए भेजी जाती हैं। वे बड़ी संख्या में प्रतिभागियों तक पहुंचने और विभिन्न विषयों पर डेटा एकत्र करने का एक सुविधाजनक तरीका प्रदान करती हैं। यह विधि आर्थिक या व्यावसायिक सर्वेक्षणों के लिए व्यापक रूप से उपयोग की जाती है।

उदाहरण के लिए, मान लीजिए कि एक शोधकर्ता वयस्कों के बीच आहार की आदतों और पोषण ज्ञान का अध्ययन कर रहा है। वे एक प्रश्नावली डिजाइन करते हैं जिसमें लोग क्या खाते हैं, वे कितनी बार व्यायाम करते हैं और पोषण के बारे में क्या जानते हैं, इस बारे में प्रश्न होते हैं। फिर वे प्रश्नावली की प्रतियाँ प्रिंट करते हैं और विभिन्न क्षेत्रों में यादृच्छिक रूप से चयनित वयस्कों को मेल करते हैं।

प्रतिभागी मेल में प्रश्नावली प्राप्त करते हैं, इसे घर पर भरते हैं और फिर इसे मेल द्वारा शोधकर्ता को वापस भेजते हैं। शोधकर्ता सभी पूर्ण प्रश्नावली एकत्र करता है, डेटा संकलित करता है और वयस्कों की आहार की आदतों और पोषण ज्ञान के बारे में निष्कर्ष निकालने के लिए प्रतिक्रियाओं का विश्लेषण करता है।

डाक प्रश्नावली उपयोगी होती हैं क्योंकि वे शोधकर्ताओं को बड़ी और विविध समूहों तक पहुंचने की अनुमति देती हैं बिना उनसे व्यक्तिगत रूप से मिले। हालांकि, प्रतिक्रिया दर भिन्न हो सकती है, और अन्य विधियों की तुलना में डेटा एकत्र करने में अधिक समय लग सकता है।

क्विज स्टेशन *विगत UGC NET परीक्षाओं के प्रश्न*

प्र 1. एक शोधकर्ता शहरी क्षेत्र में एक विशेष राजनीतिक दल की संभावनाओं का अध्ययन करने में रुचि रखता है। अध्ययन के लिए उसे कौन सा उपकरण पसंद करना चाहिए?

(a) रेटिंग स्केल

(b) साक्षात्कार

(c) प्रश्नावली

(d) अनुसूची

उत्तर 1. (c)

चरण 8 डेटा विश्लेषण और परिकल्पना परीक्षण (Data Analysis and Hypothesis Testing)

इस विषय को सरल बनाने वाले वीडियो व्याख्यान को देखने के लिए इस QR कोड को स्कैन करें

डेटा संग्रहण के बाद, अगला चरण डेटा विश्लेषण है, जिसमें संग्रहीत डेटा को व्यवस्थित करना, उसकी व्याख्या करना और निष्कर्ष निकालना शामिल है। इस चरण में सांख्यिकीय विश्लेषण, गुणात्मक कोडिंग या अन्य विश्लेषणात्मक तकनीकों का उपयोग करके डेटा के भीतर पैटर्न, रुझान या संबंधों को उजागर करना शामिल हो सकता है।

साथ में, डेटा संग्रहण और विश्लेषण अनुसंधान प्रक्रिया के आवश्यक घटक बनाते हैं, जो शोधकर्ताओं को अंतर्दृष्टि उत्पन्न करने, सूचित निर्णय लेने और अपने संबंधित क्षेत्रों में ज्ञान के उन्नयन में योगदान करने के साधन प्रदान करते हैं। डेटा विश्लेषण डेटा को श्रेणीबद्ध करने से शुरू होता है।

डेटा को श्रेणीबद्ध करना जानकारी को समूहों या श्रेणियों में व्यवस्थित करना शामिल है ताकि इसे विश्लेषण और व्याख्या करना आसान हो सके। डेटा को श्रेणीबद्ध करने में दो प्रमुख प्रक्रियाएं हैं-

1. **संपादन**- संपादन डेटा को साफ करने के बारे में है ताकि त्रुटियों, गलत गणनाओं या गलत वर्गीकरणों को देखा और ठीक किया जा सके। उदाहरण के लिए, यदि आप सर्वेक्षण प्रतिक्रियाओं का विश्लेषण कर रहे हैं, तो संपादन में गायब उत्तरों की जांच करना, टाइपो को ठीक करना या डुप्लिकेट प्रविष्टियों को हटाना शामिल हो सकता है।

   यदि एक उत्तरदाता गलती से एकल-चयन प्रश्न में एकाधिक विकल्प चुनता है, तो संपादन प्रक्रिया में ऐसे त्रुटियों की पहचान करना और उन्हें ठीक करना शामिल होगा ताकि डेटा सेट की सटीकता सुनिश्चित हो सके। इससे यह सुनिश्चित करने में मदद मिलती है कि डेटा विश्लेषण के लिए सटीक और विश्वसनीय है।

2. **कोडिंग**- कोडिंग गुणात्मक डेटा, जैसे कि सर्वेक्षण में व्यक्त की गई राय या प्राथमिकताओं को संख्यात्मक या श्रेणीबद्ध कोड में परिवर्तित करने की प्रक्रिया है।

   उदाहरण के लिए, कल्पना कीजिए कि आप पसंदीदा रंगों के बारे में सर्वेक्षण प्रतिक्रियाओं का विश्लेषण कर रहे हैं। वास्तविक रंगों (जैसे नीला, लाल या हरा) के साथ काम करने के बजाय, आप प्रत्येक रंग को एक संख्यात्मक कोड सौंपते हैं (जैसे, नीले के लिए 1, लाल के लिए 2, हरे के लिए 3)। यह आपको डेटा को अधिक कुशलता से विश्लेषित करने की अनुमति देता है, जैसे कि प्रत्येक रंग को पसंद करने वाले उत्तरदाताओं का प्रतिशत गणना करना या विभिन्न जनसांख्यिकीय समूहों के बीच प्राथमिकताओं की तुलना करना। एक बार डेटा संपादित और कोडित हो जाने के बाद, इसे तालिकाबद्ध और विश्लेषित किया जा सकता है ताकि अंतर्दृष्टि प्राप्त की जा सके और सूचित निर्णय लिए जा सकें।

कॉन्सेप्ट कैप्सूल

गुणात्मक डेटा में सामग्री विश्लेषण सामग्री

विश्लेषण एक डेटा विश्लेषण दृष्टिकोण है जिसका उपयोग गुणात्मक डेटा, जैसे कि पाठ में विशिष्ट शब्दों, विषयों, या अवधारणाओं की पहचान करने के लिए किया जाता है। शोधकर्ता इसका उपयोग यह मापने और विश्लेषण करने के लिए करते हैं कि ये तत्व कितनी बार प्रकट होते हैं, उनके अर्थ क्या हैं, और उनके बीच के संबंध क्या हैं।

सामग्री विश्लेषण में कोडिंग- सामग्री विश्लेषण करने के लिए, शोधकर्ता पहले पाठ को "कोड" के रूप में जाने जाने वाले प्रबंधनीय श्रेणियों में विभाजित करते हैं। प्रत्येक कोड पाठ में पहचाने गए विशिष्ट शब्द, विषय, या अवधारणा का प्रतिनिधित्व करता है। इन कोडों को फिर व्यापक "कोड श्रेणियों" में व्यवस्थित किया जाता है, जो डेटा को और अधिक संक्षेप और वर्गीकृत करते हैं।

उदाहरण- समाचार पत्र के खेल कवरेज का विश्लेषण

कल्पना कीजिए कि एक शोधकर्ता यह विश्लेषण करना चाहता है कि एक महीने में समाचार पत्र के लेखों में कौन से खेल सबसे अधिक बार चर्चा में आते हैं। यहां बताया गया है कि वे सामग्री विश्लेषण और कोडिंग का उपयोग करके इसे कैसे कर सकते हैं-

1. **कोड की पहचान करें-** शोधकर्ता समाचार पत्र के लेखों को पढ़ता है और उनमें उल्लिखित विशिष्ट खेलों की पहचान करता है, जैसे "फुटबॉल," "बास्केटबॉल," "टेनिस," और "गोल्फ।"
2. **कोड असाइन करें-** प्रत्येक बार जब किसी लेख में किसी खेल का उल्लेख किया जाता है, तो उसे एक कोड असाइन किया जाता है। उदाहरण के लिए-
   - "फुटबॉल" = F
   - "बास्केटबॉल" = B
   - "टेनिस" = T
   - "गोल्फ" = G
3. **कोड श्रेणियाँ बनाएं-** इन कोडों को फिर व्यापक श्रेणियों में समूहित किया जाता है, जैसे "टीम स्पोर्ट्स" (फुटबॉल के लिए F, बास्केटबॉल के लिए B) और "व्यक्तिगत खेल" (टेनिस के लिए T, गोल्फ के लिए G)।
4. **विश्लेषण-** प्रत्येक कोड की घटनाओं की गिनती करके और जिस संदर्भ में वे प्रकट होते हैं उसका विश्लेषण करके, शोधकर्ता यह निर्धारित करता है कि उस अवधि के दौरान समाचार पत्रों में कौन से खेल सबसे अधिक कवरेज प्राप्त करते हैं। वे पा सकते हैं कि फुटबॉल और बास्केटबॉल सबसे अधिक बार चर्चा में आते हैं, जबकि टेनिस और गोल्फ को कम ध्यान मिलता है।

   सामग्री विश्लेषण और कोडिंग का उपयोग करके, शोधकर्ता व्यवस्थित रूप से गुणात्मक डेटा में पैटर्न की जांच और समझ कर सकते हैं, जिससे मीडिया में खेल कवरेज जैसे विषयों पर अंतर्दृष्टि प्राप्त होती है।

डेटा का वर्गीकरण (Classification of Data)

डेटा के वर्गीकरण में डेटा को साझा विशेषताओं के आधार पर समूहों या वर्गों में व्यवस्थित करना शामिल है। यह प्रक्रिया डेटा की संरचना को समझने और इसके भीतर पैटर्न या संबंधों की पहचान करने में मदद करती है। डेटा को वर्गीकृत करने के लिए कई तरीके हैं, जिनमें से प्रत्येक को अलग-अलग शोध उद्देश्यों और विश्लेषणात्मक आवश्यकताओं के अनुरूप बनाया गया है।

विशेषताओं के आधार पर (On the Basis of Attributes)

विशेषताओं के आधार पर डेटा वर्गीकरण में डेटा को विशिष्ट विशेषताओं के आधार पर समूहों में वर्गीकृत करना शामिल है।

विशेषताएँ वर्णनात्मक (जैसे साक्षरता, लिंग या धर्म) या संख्यात्मक (जैसे वजन, ऊँचाई या आय) हो सकती हैं।

इस वर्गीकरण को आगे सरल वर्गीकरण में वर्गीकृत किया जा सकता है, जहाँ डेटा को दो वर्गों में विभाजित करने के लिए केवल एक विशेषता पर विचार किया जाता है, और बहुविध वर्गीकरण, जहाँ कई वर्ग बनाने के लिए दो या अधिक विशेषताओं पर एक साथ विचार किया जाता है।

1. **सरल वर्गीकरण:** इस दृष्टिकोण में, डेटा को एक विशेषता की उपस्थिति या अनुपस्थिति के आधार पर दो वर्गों में विभाजित किया जाता है। उदाहरण के लिए, हम उम्मीदवारों को इस आधार पर वर्गीकृत कर सकते हैं कि उनके पास आईफोन है या नहीं (तालिका 8.4)। निम्न तालिका उन उम्मीदवारों की संख्या दर्शाती है जिनके पास आईफोन है (105) और जिनके पास नहीं है (145), कुल मिलाकर 250 उम्मीदवार हैं।

तालिका 8.4 सरल वर्गीकरण का उदाहरण

	हां	नहीं	कुल
iPhone	105	145	250

2. **मैनिफोल्ड वर्गीकरण:** मैनिफोल्ड वर्गीकरण में, कई वर्गों को बनाने के लिए कई विशेषताओं पर एक साथ विचार किया जाता है। मान लीजिए कि हम छात्रों को विभिन्न विषयों (गणित, विज्ञान और अंग्रेजी) और उनके ग्रेड स्तर (ग्रेड 9, ग्रेड 10 और ग्रेड 11) में उनके प्रदर्शन के आधार पर वर्गीकृत करना चाहते हैं।

   इस उदाहरण में (तालिका 8.5), हम छात्रों को उनके ग्रेड स्तर (ग्रेड 9, ग्रेड 10 या ग्रेड 11) और तीन विषयों (गणित, विज्ञान और अंग्रेजी) में उनके प्रदर्शन के आधार पर वर्गीकृत करते हैं। तालिका में प्रत्येक सेल एक विशिष्ट श्रेणी में आने वाले छात्रों की संख्या का प्रतिनिधित्व करता है।

यह मैनिफोल्ड वर्गीकरण हमें विभिन्न ग्रेड और विषयों में छात्रों के शैक्षणिक प्रदर्शन का एक साथ विश्लेषण करने की अनुमति देता है, जिससे उनकी उपलब्धियों का एक व्यापक दृष्टिकोण मिलता है।

तालिका 8.5 मैनिफोल्ड वर्गीकरण

ग्रेड लेवल	गणित	विज्ञान	अंग्रेजी	कुल
ग्रेड 9	60	55	65	180
ग्रेड 10	70	75	80	225
ग्रेड 11	80	85	75	240
कुल	**210**	**215**	**220**	**645**

कक्षा अंतराल के आधार पर (On the Basis of Class Interval)

कक्षा अंतरालों पर आधारित वर्गीकरण में मात्रात्मक डेटा को निर्दिष्ट श्रेणियों के आधार पर समूहों या कक्षाओं में व्यवस्थित करना शामिल है। इस विधि का आमतौर पर आय, आयु, वजन, शुल्क, उत्पादन और अधिभोग जैसे डेटा के साथ उपयोग किया जाता है।

तालिका 8.6 आय श्रेणियों के उदाहरण का उपयोग करके कक्षा अंतरालों पर आधारित वर्गीकरण को दर्शाती है। प्रत्येक कक्षा अंतराल एक विशिष्ट आय श्रेणी का प्रतिनिधित्व करता है, जैसे ₹20,000 से ₹40,000 या ₹40,001 से ₹60,000। 'आवृत्ति' स्तंभ उन व्यक्तियों की संख्या को दर्शाता है जिनकी आय प्रत्येक कक्षा अंतराल के भीतर आती है।

उदाहरण के लिए, ₹20,000 और ₹40,000 के बीच आय वाले 250 व्यक्ति हैं, ₹40,001 और ₹60,000 के बीच आय वाले 180 व्यक्ति हैं और इसी तरह। यह वर्गीकरण डेटा को व्यवस्थित और सारांशित करने में मदद करता है, जिससे आय वितरण का विश्लेषण करना आसान हो जाता है।

तालिका 8.6 वर्ग अंतराल के आधार पर वर्गीकरण

कक्षा अंतराल	आवृत्ति
₹20,000-₹40,000	250
₹40,001-₹60,000	180
₹60,001-₹80,000	120
₹80,001-₹100,000	90
₹100,001-₹120,000	60

डेटा विश्लेषण के प्रकार (Types of Data Analysis)

गुणात्मक डेटा विश्लेषण (Qualitative Data Analysis)

गुणात्मक डेटा विश्लेषण में पैटर्न, थीम और अर्थों की पहचान करने के लिए टेक्स्ट, इमेज या अवलोकन जैसे गैर-संख्यात्मक डेटा की जांच करना शामिल है। इस दृष्टिकोण का उपयोग अक्सर समाजशास्त्र, नृविज्ञान और मनोविज्ञान जैसे क्षेत्रों में किया जाता है।

मान लीजिए कि शोधकर्ता COVID-19 महामारी के दौरान ऑनलाइन सीखने के लिए संक्रमण करने वाले छात्रों के अनुभवों का अध्ययन कर रहे हैं। वे छात्रों के साथ साक्षात्कार करते हैं और उनसे ऑनलाइन कक्षाओं के बारे में उनके विचारों और भावनाओं के बारे में पूछते हैं। साक्षात्कार प्रतिलेखों का विश्लेषण करने के बाद, शोधकर्ता प्रौद्योगिकी के साथ कठिनाइयों, प्रेरित रहने की चुनौतियों और सामाजिक संपर्क के बारे में चिंताओं जैसे सामान्य विषयों की पहचान करते हैं।

ये विषय ऑनलाइन सीखने वाले छात्रों के अनुभवों में मूल्यवान अंतर्दृष्टि प्रदान करते हैं, जिससे शोधकर्ताओं को उनके सामने आने वाली बाधाओं और उन्हें आवश्यक समर्थन को समझने में मदद मिलती है। गुणात्मक डेटा विश्लेषण के माध्यम से, शोधकर्ता छात्रों के शैक्षणिक और भावनात्मक कल्याण पर ऑनलाइन सीखने के प्रभाव की गहरी समझ हासिल करते हैं, ऑनलाइन सीखने के अनुभव को बेहतर बनाने और छात्रों की सफलता का समर्थन करने के लिए रणनीतियों की जानकारी देते हैं।

मात्रात्मक डेटा विश्लेषण (Quantitative Data Analysis)

मात्रात्मक डेटा विश्लेषण में पैटर्न, संबंध और प्रवृत्तियों को उजागर करने के लिए संख्यात्मक डेटा की जांच करना शामिल है। यह डेटा का विश्लेषण और व्याख्या करने के लिए सांख्यिकीय तरीकों का उपयोग करने पर ध्यान केंद्रित करता है, जिससे शोधकर्ताओं को चर के बीच संबंधों को निर्धारित करने और वस्तुनिष्ठ निष्कर्ष निकालने की अनुमति मिलती है। मात्रात्मक डेटा विश्लेषण के मुख्य दृष्टिकोण इस प्रकार हैं:

1. **मैनुअल डेटा विश्लेषण:** यह विधि कुछ उत्तरदाताओं और सीमित चर वाले अध्ययनों के लिए अच्छी तरह से काम करती है।

   मैनुअल डेटा विश्लेषण में कंप्यूटर सॉफ्टवेयर या टूल पर निर्भर किए बिना पारंपरिक तरीकों का उपयोग करके संख्यात्मक डेटा का विश्लेषण करना शामिल है। शोधकर्ता मैन्युअल रूप से डेटा की गणना, व्याख्या और निष्कर्ष निकालते हैं।

   कल्पना करें कि एक शोधकर्ता वजन घटाने पर व्यायाम के प्रभावों पर एक अध्ययन कर रहा है। व्यायाम कार्यक्रम से पहले और बाद में प्रतिभागियों के वजन पर डेटा एकत्र करने के बाद, शोधकर्ता सभी वजन घटाने के मूल्यों को जोड़कर और प्रतिभागियों की संख्या से विभाजित करके समूह के लिए औसत वजन घटाने की मैन्युअल रूप से गणना करता है। फिर वे यह निर्धारित करने के लिए परिणामों की व्याख्या करते हैं कि व्यायाम कार्यक्रम का वजन घटाने पर कोई महत्वपूर्ण प्रभाव पड़ा है या नहीं।

2. **कंप्यूटर-सहायता प्राप्त डेटा विश्लेषण:** कंप्यूटर-सहायता प्राप्त डेटा विश्लेषण में संख्यात्मक डेटा का अधिक कुशलतापूर्वक और सटीक विश्लेषण करने के लिए सॉफ्टवेयर या कंप्यूटर प्रोग्राम का उपयोग करना शामिल है। शोधकर्ता डेटा को सॉफ्टवेयर में इनपुट करते हैं, जो गणना करता है, सांख्यिकीय सारांश तैयार करता है और डेटा के विजुअलाइजेशन तैयार करता है।

   पिछले उदाहरण को जारी रखते हुए, औसत वजन घटाने की मैन्युअल गणना करने के बजाय, शोधकर्ता डेटा का विश्लेषण करने के लिए SPSS या R जैसे सांख्यिकीय सॉफ्टवेयर का उपयोग करता है। वे

वजन घटाने के डेटा को सॉफ्टवेयर में इनपुट करते हैं, जो स्वचालित रूप से औसत वजन घटाने, मानक विचलन और अन्य सांख्यिकीय उपायों की गणना करता है।

सॉफ्टवेयर डेटा को विजुअलाइज करने के लिए ग्राफ या चार्ट भी बनाता है, जिससे शोधकर्ता के लिए परिणामों की व्याख्या करना और उन्हें प्रस्तुत करना आसान हो जाता है।

डेटा के सांख्यिकीय गुण (Statistical Properties of Data)

सांख्यिकी में, एक वितरण यह वर्णन करता है कि डेटा मान कैसे फैले हुए या संगठित हैं। यह इंगित करता है कि विभिन्न परिणाम कितनी बार होते हैं। सांख्यिकीय परिणामों का सटीक विश्लेषण और व्याख्या करने के लिए डेटा वितरण को समझना आवश्यक है। आइए विभिन्न प्रकार के वितरणों को देखें।

सामान्य वितरण (Normal Distribution)

एक सामान्य वितरण सममित और घंटी के आकार का होता है। अधिकांश डेटा बिंदु औसत (माध्य) के आसपास होते हैं, और जैसे-जैसे आप औसत से दूर जाते हैं, डेटा बिंदु कम होते जाते हैं (चित्र 8.11)।

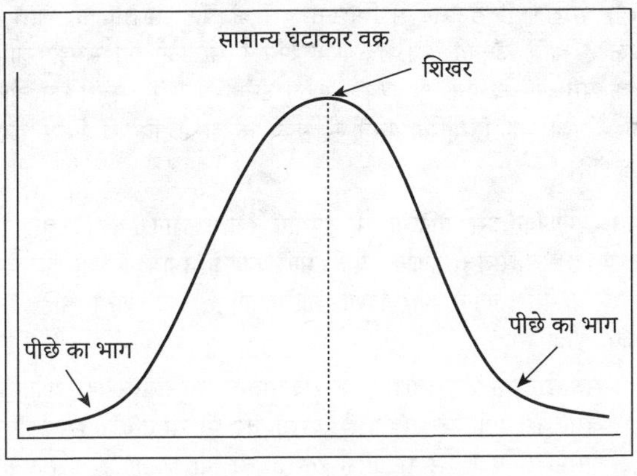

चित्र 8.11 सामान्य वितरण

उदाहरण के लिए, एक निश्चित जनसंख्या में वयस्क पुरुषों की ऊंचाई पर विचार करें। यदि ये ऊंचाइयां सामान्य रूप से वितरित होती हैं, तो अधिकांश पुरुषों की ऊंचाई औसत मूल्य के आसपास होगी, मान लें 5'10"A औसत ऊंचाई से काफी अधिक या कम ऊंचाई वाले पुरुष कम होंगे। यदि ग्राफ पर प्लॉट किया जाए, तो ऊंचाइयां घंटी के आकार का वक्र बनाएंगी, जिसमें अधिकांश ऊंचाइयां औसत ऊंचाई के आसपास केंद्रित होंगी और चरम सीमाओं पर व्यक्तियों की संख्या क्रमशः कम होती जाएगी।

एक और उदाहरण एक बड़े समूह के छात्रों के परीक्षा स्कोर का है, जहां अधिकांश छात्र औसत स्कोर के आसपास स्कोर करते हैं, और बहुत कम छात्र बहुत उच्च या बहुत निम्न स्कोर प्राप्त करते हैं। यह घंटी वक्र यह समझने में मदद करता है कि डेटा कैसे वितरित होता है और यह कई सांख्यिकीय विश्लेषणों में मौलिक है, जिससे यह मनोविज्ञान, व्यवसाय और प्राकृतिक विज्ञान जैसे क्षेत्रों में एक महत्वपूर्ण अवधारणा बनाता है।

एक वक्र में, शिखर उच्चतम बिंदु को दर्शाता है, जो डेटासेट में सबसे सामान्य मान का प्रतिनिधित्व करता है। टेल्स वक्र के उन सिरों को संदर्भित करती हैं जहां डेटा बिंदु कम सामान्य होते जाते हैं, शिखर से दूर चरम सीमाओं की ओर बढ़ते हुए।

विषम वितरण (Skewed Distribution)

सभी डेटा सामान्य वितरण का अनुसरण नहीं करते हैं। विषम वितरण में, डेटा माध्य के चारों ओर सममित रूप से वितरित नहीं होता है। इसके बजाय, वितरण की एक पूंछ दूसरी की तुलना में लंबी या मोटी होती है। विषम वितरण असममित होता है, जिसमें डेटा बिंदु माध्य के एक तरफ अधिक एकत्रित होते हैं।

विषमता डेटा में विषमता की दिशा और सीमा को इंगित करती है। यह हमें यह जानने में मदद करता है कि वितरण का समग्र आकार सामान्य वितरण से कितना विचलित होता है। सामान्य वितरण की विषमता शून्य होती है। आइए एक उदाहरण की मदद से विषमता के विभिन्न प्रकारों (चित्र 8.12) को समझें।

1. **सकारात्मक विषमता (दायां विषमता):** एक दाएं-तिरछा वितरण, जिसे सकारात्मक रूप से तिरछा भी कहा जाता है, तब होता है जब वितरण के दाई ओर की पूंछ बाई ओर की तुलना में लंबी या मोटी होती है। इसका मतलब यह है कि अधिकांश डेटा बिंदु ग्राफ के बाई ओर केंद्रित हैं, कुछ असाधारण रूप से उच्च मान पूंछ को दाई ओर बढ़ाते हैं। दाएं-तिरछे वितरण का एक सामान्य उदाहरण आय है।

   कई आबादी में, बड़ी संख्या में लोग औसत या औसत से कम आय अर्जित करते हैं, जबकि कम संख्या में व्यक्ति काफी अधिक आय अर्जित करते हैं। ये उच्च आय वाले लोग आय वितरण ग्राफ में एक लंबी दाई पूंछ बनाते हैं, जो सकारात्मक तिरछापन प्रदर्शित करता है।

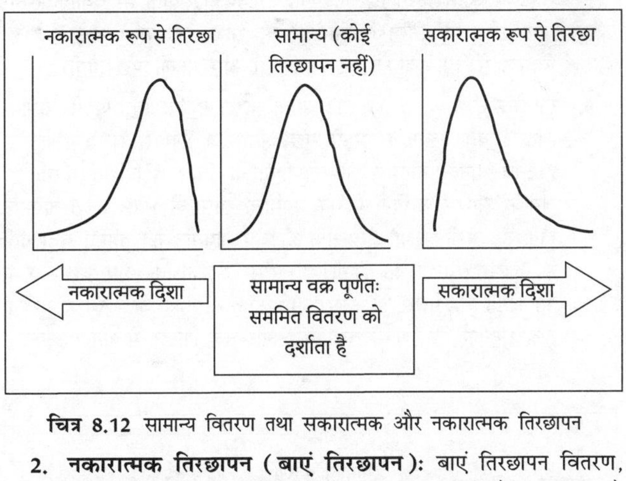

चित्र 8.12 सामान्य वितरण तथा सकारात्मक और नकारात्मक तिरछापन

2. **नकारात्मक तिरछापन (बाएं तिरछापन):** बाएं तिरछापन वितरण, जिसे नकारात्मक रूप से तिरछापन भी कहा जाता है, तब होता है जब वितरण के बाई ओर की पूंछ दाई ओर की पूंछ से लंबी या मोटी होती है। यह दर्शाता है कि अधिकांश डेटा बिंदु ग्राफ के दाई ओर केंद्रित हैं, कुछ असाधारण रूप से कम मान पूंछ को बाई ओर बढ़ाते हैं।

   बाएं तिरछेपन वितरण का एक उदाहरण सेवानिवृत्ति की आयु है। ज्यादातर लोग सामान्य सेवानिवृत्ति की आयु के आसपास रिटायर होते

हैं, जैसे कि 60 से 70 वर्ष की आयु के बीच। हालाँकि, कुछ लोग बहुत पहले ही रिटायर हो जाते हैं, शायद 40 या 50 की उम्र में, कई कारणों से जैसे कि जल्दी वित्तीय स्वतंत्रता या स्वास्थ्य संबंधी समस्याएँ। ये जल्दी रिटायर होने वाले लोग सेवानिवृत्ति की आयु वितरण ग्राफ में एक लंबी बाई पूंछ बनाते हैं, जो नकारात्मक तिरछापन को दर्शाता है।

कर्टोसिस (Kurtosis)

जबकि तिरछापन समग्र आकार पर ध्यान केंद्रित करता है, कर्टोसिस पूंछ के आकार पर ध्यान केंद्रित करता है। कर्टोसिस मापता है कि वितरण की पूंछ सामान्य वितरण की पूंछ की तुलना में कितनी अलग तरह से आकार की है। विशेष रूप से, कर्टोसिस इंगित करता है कि वितरण में डेटा बिंदु सामान्य वितरण की तुलना में पूंछ और शिखर में अधिक या कम केंद्रित हैं।

यह चौथा मानकीकृत केंद्रीय क्षण है और हमेशा सकारात्मक होता है। कर्टोसिस मान 1 से $+\infty$ तक हो सकते हैं। सामान्य वितरण का कर्टोसिस 3 है। आइए कर्टोसिस के प्रकारों पर नजर डालें (चित्र 8.13):

1. **मेसोकर्टिक (K = 3):** ये प्रकार के वितरण सामान्य वितरण हैं जो ऊंचाई और चौड़ाई में मध्यम होते हैं।

   एक बड़ी, विविध आबादी की ऊँचाई आम तौर पर एक मेसोकर्टिक वितरण का अनुसरण करती है क्योंकि अधिकांश व्यक्तियों की ऊँचाई औसत के करीब होती है, जिसमें बहुत कम छोटे या लंबे व्यक्ति होते हैं। इस वितरण में एक मध्यम शिखर और एक सामान्य वितरण के समान पूंछ होगी।
2. **प्लैटिकर्टिक (K < 3):** इसका मतलब है कि वितरण में सामान्य वितरण की तुलना में पतली पूंछ और एक सपाट शिखर है। एक आसान परीक्षा में अंकों का वितरण जहां अधिकांश छात्र समान रूप से उच्च स्कोर करते हैं, वह प्लैटिकर्टिक हो सकता है। क्योंकि स्कोर कुछ उच्च या निम्न आउटलेयर के साथ एक साथ बंधे होते हैं, वितरण में एक व्यापक, सपाट शिखर और पतली पूंछ होगी।
3. **लेप्टोकर्टिक (K > 3):** यह इंगित करता है कि वितरण में सामान्य वितरण की तुलना में मोटी पूंछ और तेज शिखर है। राजस्थान में हीटवेव दैनिक तापमान का लेप्टोकर्टिक वितरण प्रदर्शित करती है। जबकि अधिकांश दिनों में एक सामान्य सीमा के भीतर उच्च तापमान होता है, कभी-कभी अत्यधिक हीटवेव तापमान को काफी बढ़ा देती है, जिसमें रीडिंग 45 डिग्री सेल्सियस से अधिक और कभी-कभी 50 डिग्री सेल्सियस या उससे अधिक तक पहुंच जाती है। ये दुर्लभ, तीव्र घटनाएँ वितरण में वसा पूंछ और तेज शिखर में योगदान करती हैं।

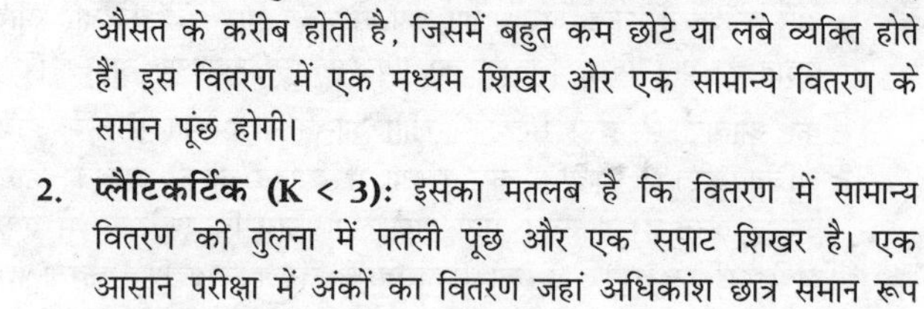

चित्र 8.13 कर्टोसिस के विभिन्न प्रकार

क्विज स्टेशन *विगत UGC NET परीक्षाओं के प्रश्न*

प्र 1. सामान्य संभावना वक्र होना चाहिए

(a) सकारात्मक रूप से तिरछा
(b) नकारात्मक रूप से तिरछा
(c) लेप्टोकर्टिक तिरछा
(d) शून्य तिरछा

प्र 2. सांख्यिकीय वितरण के शिखर की तीक्ष्णता को निम्न द्वारा दर्शाया जाता है *(3 सितंबर 2024 - शिफ्ट 1)*

(a) कर्टोसिस (b) तिरछापन
(c) माध्य (d) माध्यिक

उत्तर 1. (d) 2. (a)

चरों का परीक्षण (Testing of Variables)

चरों के परीक्षण में डेटासेट में विभिन्न चरों के बीच संबंधों की जांच करना शामिल है ताकि उनकी अंत: क्रियाओं और निर्भरताओं को समझा जा सके। चरों के परीक्षण का एक आवश्यक पहलू उनके बीच सहसंबंध का आकलन करना है, जो यह निर्धारित करने में मदद करता है कि वे किस हद तक संबंधित हैं।

सहसंबंध गुणांक इस प्रक्रिया में उपयोग किया जाने वाला एक मूलभूत उपकरण है। सहसंबंध गुणांक एक सांख्यिकीय उपाय है जो दो चरों के बीच संबंधों की ताकत और दिशा को मापता है। यह शून्य सहित −1 से +1 तक होता है।

1. **सकारात्मक सहसंबंध**- एक सकारात्मक सहसंबंध यह दर्शाता है कि जैसे-जैसे एक चर बढ़ता है, दूसरा चर भी बढ़ता है। इसके विपरीत, जैसे-जैसे एक चर घटता है, दूसरा चर भी घटता है। इस प्रकार के सहसंबंध को शून्य से अधिक, +1 तक के सहसंबंध गुणांक द्वारा दर्शाया जाता है।

   उदाहरण के लिए, अध्ययन के घंटों और परीक्षा के अंकों के बीच संबंध पर विचार कीजिए। आमतौर पर, जो छात्र अधिक घंटे पढ़ाई में बिताते हैं, वे उच्च परीक्षा अंक प्राप्त करते हैं। यदि सहसंबंधी अध्ययन में सहसंबंध गुणांक +0.8 का पता चलता है, तो यह अध्ययन के घंटों और परीक्षा के अंकों के बीच एक मजबूत सकारात्मक सहसंबंध दर्शाता है।
2. **नकारात्मक सहसंबंध**- एक नकारात्मक सहसंबंध दर्शाता है कि जैसे-जैसे एक चर बढ़ता है, दूसरा चर घटता है। इस व्युत्क्रम संबंध को शून्य से कम, −1 तक के सहसंबंध गुणांक द्वारा दर्शाया जाता है।

   उदाहरण के लिए, सोशल मीडिया पर बिताए गए समय और नींद की गुणवत्ता के बीच संबंध की कल्पना कीजिए। एक अध्ययन में पाया जा सकता है कि सोशल मीडिया का बढ़ता उपयोग खराब नींद की गुणवत्ता से जुड़ा है। यदि सहसंबंध गुणांक −0.6 है, तो यह सोशल

मीडिया के उपयोग और नींद की गुणवत्ता के बीच एक मध्यम नकारात्मक सहसंबंध दर्शाता है।

3. **शून्य सहसंबंध-** एक शून्य सहसंबंध दो चर के बीच कोई संबंध नहीं दर्शाता है। इस मामले में, एक चर में परिवर्तन दूसरे चर में परिवर्तन की भविष्यवाणी नहीं करता है। सहसंबंध गुणांक शून्य के करीब है।

   उदाहरण के लिए, एक वर्ष में पढ़ी गई पुस्तकों की संख्या और व्यक्तियों की ऊंचाई के बीच संबंध पर विचार करें। एक अध्ययन में पाया जा सकता है कि इन दो चरों के बीच कोई महत्वपूर्ण संबंध नहीं है, जिसके परिणामस्वरूप सहसंबंध गुणांक शून्य के करीब है। इसका मतलब यह है कि पढ़ी गई पुस्तकों की संख्या किसी व्यक्ति की ऊंचाई का अनुमान नहीं लगाती है।

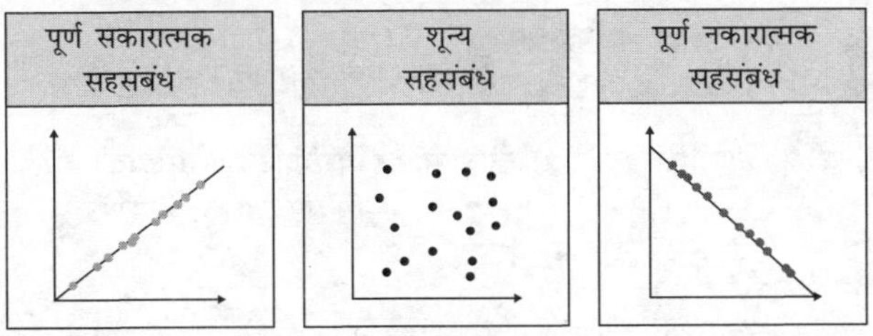

चित्र 8.14 सहसंबंध के प्रकार

क्विज स्टेशन *विगत UGC NET परीक्षाओं के प्रश्न*

प्र 1. सहसंबंध गुणांक को सबसे अच्छी तरह से इस प्रकार वर्णित किया जाता है

(a) दो चरों के बीच संबंध की सीमा का माप।

(b) स्वतंत्र और आश्रित चर के बीच कारणात्मक दिशा का सूचकांक

(c) इस संभावना का संकेत कि एक प्रयोगात्मक खोज को दूसरों द्वारा दोहराया जाएगा

(d) इस संभावना का माप कि देखे गए अंतरों को संयोग के लिए जिम्मेदार ठहराया जा सकता है

प्र 2. बुद्धि परीक्षण स्कोर और ग्रेड के बीच सहसंबंध है

(a) सकारात्मक (b) नकारात्मक

(c) पूर्ण (d) कोई सहसंबंध नहीं

प्र 3. निम्नलिखित में से कौन सा सहसंबंधी मान सबसे मजबूत है?

(a) +0.10 (b) -0.95

(c) +0.90 (d) -1.00

प्र 4. चूँकि एक चर का मान बढ़ रहा है, दूसरे चर का मान भी बढ़ रहा है, तो सहसंबंध गुणांक होगा

(a) धनात्मक (b) ऋणात्मक

(c) शून्य (d) उपरोक्त में से कोई नहीं

उत्तर 1. (a) 2. (a) 3. (d) 4. (a)

परिकल्पना का परीक्षण (Testing of Hypothesis)

परिकल्पना परीक्षण के चरण (Stages in Hypothesis Testing)

इस विषय को सरल बनाने वाले वीडियो व्याख्यान को देखने के लिए इस QR कोड को स्कैन करें

परिकल्पनाएँ शोध जाँच को निर्देशित करने में महत्वपूर्ण भूमिका निभाती हैं, जिससे शोधकर्ता अपने विचारों का व्यवस्थित रूप से परीक्षण कर सकते हैं और साक्ष्य के आधार पर मान्य निष्कर्ष निकाल सकते हैं। शोध प्रक्रिया के चरण 8 में, चरण 4 में तैयार की गई परिकल्पना (पृष्ठ संख्या 140 पर चर्चा की गई) को एकत्रित डेटा और विश्लेषण के आधार पर पुष्टि या खारिज किया जा सकता है।

आइए हम परिकल्पना परीक्षण के प्रत्येक चरण में गहराई से जाँच करें कि क्या किसी नए विज्ञापन अभियान ने बिक्री में 20% की वृद्धि की है।

चरण 1: शून्य और वैकल्पिक परिकल्पनाएँ बताएँ: परिकल्पना परीक्षण शून्य परिकल्पना (H_0) और वैकल्पिक परिकल्पना (H_1) बताने से शुरू होता है। हमारे उदाहरण में, शून्य परिकल्पना विज्ञापन अभियान के कारण बिक्री में कोई बदलाव नहीं मानती है। इसलिए, यह बताता है कि 'अभियान ने बिक्री में 20% की वृद्धि नहीं की'।

वैकल्पिक परिकल्पना इसके विपरीत सुझाव देती है, यह दर्शाता है कि 'अभियान ने बिक्री में 20% की वृद्धि की।' परिकल्पनाओं को स्पष्ट रूप से दोहराना परीक्षण और परिणामों की सटीक व्याख्या करने के लिए महत्वपूर्ण है।

चरण 2: डेटा एकत्र करें: परिकल्पना परीक्षण करने के लिए, हमें डेटा की आवश्यकता है। हमारे परिदृश्य में, हम ग्राहकों के नमूने से अभियान से पहले और बाद में बिक्री डेटा एकत्र करते हैं। यह सुनिश्चित करना आवश्यक है कि डेटा संग्रह प्रक्रिया निष्पक्ष हो और उस आबादी का प्रतिनिधित्व करती हो जिसमें हम रुचि रखते हैं। पूर्वाग्रह को कम करने और परिणामों की विश्वसनीयता सुनिश्चित करने के लिए नमूनाकरण तकनीकों को सावधानीपूर्वक चुना जाना चाहिए।

चरण 3: सांख्यिकीय परीक्षण करें: परिकल्पना परीक्षण के लिए उपयुक्त सांख्यिकीय परीक्षण चुनना महत्वपूर्ण है। हमारे मामले में, हम एक ऐसा परीक्षण चुनेंगे जो अभियान से पहले और बाद में बिक्री के बीच अंतर की तुलना करता है। यह परीक्षण मूल्यांकन करता है कि बिक्री में कोई भी देखी गई वृद्धि सांख्यिकीय रूप से महत्वपूर्ण है या यह संयोग से हुई है।

डेटा की प्रकृति और शोध प्रश्न के आधार पर विभिन्न सांख्यिकीय परीक्षण उपलब्ध हैं, जैसे कि टी-टेस्ट या एनोवा (इस पर अगले पृष्ठ में चर्चा की गई)।

चरण 4: तय करें कि शून्य परिकल्पना समर्थित है या अस्वीकृत: सांख्यिकीय परीक्षण के परिणामों के आधार पर, हम तय करते हैं कि शून्य परिकल्पना का समर्थन करना है या अस्वीकार करना है। यह निर्णय आमतौर पर गणना की गई संभाव्यता मान (पी-वैल्यू) की तुलना पूर्व निर्धारित महत्व स्तर से करके किया जाता है, जिसे आमतौर पर 0.05 पर सेट किया जाता है।

यदि p-मान 0.05 से कम या बराबर है, तो हम शून्य परिकल्पना को अस्वीकार करते हैं और वैकल्पिक परिकल्पना को स्वीकार करते हैं, यह निष्कर्ष निकालते हुए कि अभियान ने बिक्री में 20% की वृद्धि की। इसके

विपरीत, यदि च-मान 0.05 से अधिक है, तो हम शून्य परिकल्पना को अस्वीकार करने में विफल रहते हैं, यह दर्शाता है कि यह निष्कर्ष निकालने के लिए पर्याप्त सबूत नहीं हैं कि अभियान का बिक्री पर महत्वपूर्ण प्रभाव पड़ा।

चरण 5: अपने निष्कर्ष प्रस्तुत करें: परिकल्पना परीक्षण के परिणामों को संप्रेषित करना पारदर्शिता के लिए आवश्यक है। शोध पत्र के परिणाम अनुभाग में (अध्याय 10: थीसिस लेखन और शोध नैतिकता में विस्तार से चर्चा की गई है), हम एकत्र किए गए डेटा और किए गए सांख्यिकीय परीक्षण के परिणामों का सारांश प्रदान करते हैं।

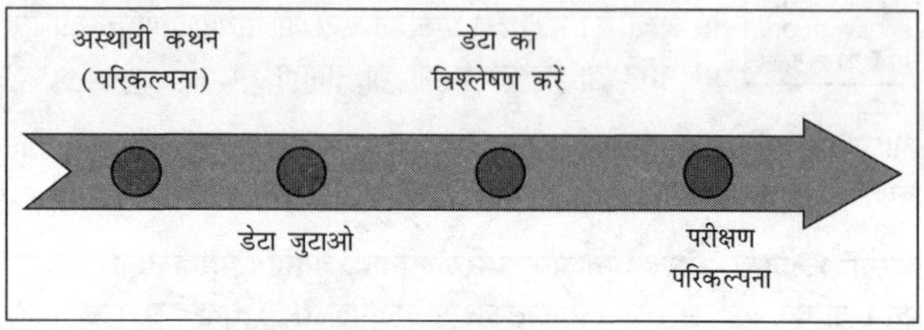

परिकल्पना परीक्षण के प्रकार
(Types of Hypothesis Tests)

परिकल्पना परीक्षण अनुसंधान में डेटा का विश्लेषण करने और निष्कर्ष निकालने के लिए महत्वपूर्ण उपकरण हैं। इन्हें व्यापक रूप से पैरामीट्रिक और गैर-पैरामीट्रिक परीक्षणों में वर्गीकृत किया जाता है, जो जनसंख्या मापदंडों के बारे में धारणाओं के आधार पर विभिन्न उद्देश्यों की पूर्ति करते हैं।

पैरामीट्रिक परीक्षण (Parametric Tests)

पैरामीट्रिक परीक्षण डेटा के आकार और विशेषताओं के बारे में धारणाएँ बनाते हैं। वे मानते हैं कि डेटा एक विशिष्ट पैटर्न का अनुसरण करता है, जैसे कि बेल कर्व, और इस धारणा का उपयोग समूहों की तुलना करने या चरों के बीच संबंधों को मापने के लिए करते हैं। पैरामीट्रिक परीक्षण किसी विशिष्ट कार्य के लिए किसी विशिष्ट उपकरण का उपयोग करने जैसा है - यदि डेटा धारणाओं को पूरा करता है, तो ये परीक्षण शक्तिशाली और सटीक हो सकते हैं। पैरामीट्रिक परीक्षण के कुछ महत्वपूर्ण प्रकार हैं:

- टी-टेस्ट
- जेड-टेस्ट
- एनोवा (विचरण का विश्लेषण)
- सहसंबंध गुणांक

गैर-पैरामीट्रिक परीक्षण (Non-Parametric Tests)

गैर-पैरामीट्रिक परीक्षण डेटा के बारे में ये धारणाएँ नहीं बनाते हैं। वे अधिक लचीले होते हैं और उनका उपयोग तब किया जा सकता है जब हम अनिश्चित हों कि डेटा किसी विशेष पैटर्न का अनुसरण करता है या नहीं। गैर-पैरामीट्रिक परीक्षण अधिक सामान्य उपकरण का उपयोग करने जैसा है जो स्थितियों की एक विस्तृत श्रृंखला में काम करता है - वे पैरामीट्रिक परीक्षणों की तरह सटीक नहीं हैं, लेकिन वे तब उपयोगी होते हैं जब डेटा पैरामीट्रिक परीक्षणों की धारणाओं को पूरा नहीं करता है। कुछ सामान्य गैर-पैरामीट्रिक परीक्षण:

- ची-स्क्वायर परीक्षण
- विलकॉक्सन हस्ताक्षरित रैंक परीक्षण
- फ्रीडमैन परीक्षण
- गुडमैन क्रुस्कल का गामा
- मान-व्हिटनी परीक्षण
- स्पीयरमैन रैंक सहसंबंध

क्विज स्टेशन *विगत UGC NET परीक्षाओं के प्रश्न*

प्र 1. निम्नलिखित में से कौन से गैर-पैरामीट्रिक सांख्यिकी हैं?
(4 सितंबर 2024 - शिफ्ट 1)

A. T-परीक्षण

B. F-परीक्षण

C. स्पीयरमैन का रैंक-ऑर्डर सहसंबंध

D. मान-व्हिटनी-विलकॉक्सन परीक्षण

E. केंडल गुणांक

नीचे दिए गए विकल्पों में से सही उत्तर चुनें:

(a) केवल A, B और C

(b) केवल B, C और D

(c) केवल B, D और E

(d) केवल C, D और E

प्र 2. निम्नलिखित में से कौन सी विधि दो चर के बीच सहसंबंध को मापने के लिए काम आती है?

(a) स्कैटर डायग्राम

(b) आवृत्ति वितरण

(c) दो-तरफा तालिका

(d) रैंक सहसंबंध का गुणांक

उत्तर 1. (d) 2. (d)

परिकल्पना परीक्षण में त्रुटियाँ
(Errors in Hypothesis Testing)

परिकल्पना परीक्षण में, हम अक्सर दो प्रकार की त्रुटियों का सामना करते हैं: टाइप I और टाइप II। आइए हम COVID-19 परीक्षण के एक उदाहरण को देखकर इन त्रुटियों को समझें।

शून्य परिकल्पना (H_0): 'व्यक्ति को COVID-19 नहीं है।'

इसका मतलब है कि, डिफॉल्ट रूप से, हम मान लेते हैं कि व्यक्ति वायरस से संक्रमित नहीं है जब तक कि परीक्षण इस धारणा को खारिज करने के लिए पर्याप्त सबूत न दे।

1. **टाइप I त्रुटि (गलत सकारात्मक):** शून्य परिकल्पना सत्य है, लेकिन इसे खारिज कर दिया गया है।

   यह तब होता है जब परीक्षण गलत तरीके से इंगित करता है कि किसी व्यक्ति को बीमारी है जबकि वास्तव में ऐसा नहीं है।

   एक COVID-19 परीक्षण की कल्पना करें जो अक्सर उन व्यक्तियों के लिए सकारात्मक परिणाम देता है जो COVID-19 से संक्रमित नहीं हैं। यदि स्वास्थ्य सेवा पेशेवर इन परिणामों पर भरोसा करते हैं और इन व्यक्तियों को अनावश्यक रूप से संगरोध या उपचार करते हैं, तो इससे अनावश्यक तनाव, वित्तीय लागत और संसाधनों पर दबाव पड़ सकता है।

2. **टाइप II त्रुटि (गलत नकारात्मक):** शून्य परिकल्पना गलत है, लेकिन इसे अस्वीकार नहीं किया गया है

   ऐसा तब होता है जब परीक्षण उन व्यक्तियों में बीमारी का पता लगाने में विफल रहता है जो वास्तव में संक्रमित हैं। मान लीजिए कि COVID-19 परीक्षण अक्सर उन व्यक्तियों के लिए नकारात्मक परिणाम देता है जो COVID-19 से संक्रमित हैं। यदि स्वास्थ्य सेवा प्रदाता इन नकारात्मक परिणामों पर भरोसा करते हैं और संक्रमित व्यक्तियों को बिना अलगाव या उपचार के जाने देते हैं, तो इससे वायरस दूसरों में फैल सकता है और संभावित रूप से प्रकोप खराब हो सकता है।

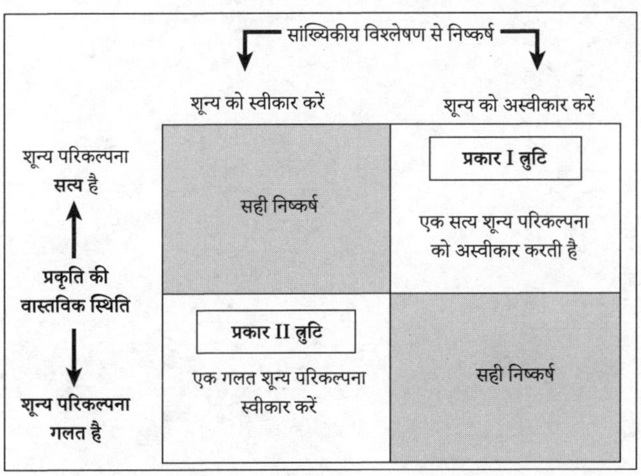

चित्र 8.15 परिकल्पना परीक्षण में त्रुटियाँ

इस चिकित्सा संदर्भ में:

1. **टाइप I त्रुटि (गलत सकारात्मक):** परीक्षण गलत तरीके से स्वस्थ व्यक्तियों को बीमारी के रूप में पहचानता है, जिससे अनावश्यक कार्रवाई और लागत होती है।
2. **टाइप II त्रुटि (गलत नकारात्मक):** परीक्षण संक्रमित व्यक्तियों की पहचान करने में विफल रहता है, जिससे बीमारी अनियंत्रित रूप से फैलती है। ये उदाहरण दर्शाते हैं कि परिकल्पना परीक्षण में त्रुटियों के वास्तविक दुनिया के अनुप्रयोगों में गंभीर परिणाम हो सकते हैं, जो निदान उपकरणों के कठोर परीक्षण और व्याख्या के महत्व पर बल देते हैं।

चित्र 8.16 प्रकार I और II त्रुटियाँ दर्शाने वाला मीम

चरण 9 सामान्यीकरण और व्याख्या करना (Carrying out Generalisation and Interpretation)

सामान्यकरण (Generalisation)

शोध प्रक्रिया के नौवें चरण में, शोधकर्ता अपने निष्कर्षों को सामान्य बनाने और परिणामों की व्याख्या करके सार्थक निष्कर्ष निकालने पर ध्यान केंद्रित करते हैं।

सामान्यीकरण से तात्पर्य किसी विशिष्ट नमूने या जनसंख्या पर किए गए अध्ययन के परिणामों को बड़ी आबादी या संदर्भ में लागू करने की प्रक्रिया से है। इसमें नमूने में देखे गए पैटर्न या रुझानों के आधार पर व्यापक आबादी के बारे में अनुमान लगाना शामिल है।

उदाहरण के लिए, आइए गणित में छात्रों के सीखने के परिणामों पर दृश्य-श्रव्य सहायता के उपयोग के प्रभावों की खोज करने वाले एक शोध अध्ययन पर विचार करें। यह अध्ययन भारत के विभिन्न राज्यों के विभिन्न स्कूलों में किया गया है, जिसमें विभिन्न सामाजिक-आर्थिक पृष्ठभूमि और शैक्षिक सेटिंग्स शामिल हैं। डेटा का विश्लेषण करने पर, शोधकर्ताओं ने पाया कि दृश्य-श्रव्य सहायता के संपर्क में आने वाले छात्रों ने नियंत्रण समूह की तुलना में अपने गणित के अंकों में महत्वपूर्ण सुधार प्रदर्शित किया।

इस परिदृश्य में, शोधकर्ता भारत में गणित का अध्ययन करने वाले छात्रों की पूरी आबादी के लिए अपने निष्कर्षों को सामान्यीकृत कर सकते हैं। वे यह अनुमान लगा सकते हैं कि शिक्षण प्रथाओं में दृश्य-श्रव्य सहायता को एकीकृत करने से न केवल अध्ययन में शामिल स्कूलों में बल्कि देश भर में समान शैक्षिक वातावरण में भी बेहतर सीखने के परिणाम मिल सकते हैं।

व्याख्या (Interpretation)

दूसरी ओर, व्याख्या में मौजूदा ज्ञान और सैद्धांतिक रूपरेखा के व्यापक संदर्भ में अध्ययन के निष्कर्षों का विश्लेषण करना शामिल है। इसके लिए शोध

कर्ताओं को अंतर्निहित तंत्रों या देखे गए परिणामों में योगदान देने वाले कारकों में गहराई से जाने और परिणामों के लिए वैकल्पिक स्पष्टीकरणों पर विचार करने की आवश्यकता होती है।

हमारे उदाहरण में, शोधकर्ता संभावित कारणों की खोज करके निष्कर्षों की व्याख्या कर सकते हैं कि क्यों दृश्य-श्रव्य सहायता का उपयोग गणित के अंकों को बेहतर बनाने में प्रभावी था। वे निष्कर्षों की अधिक सूक्ष्म समझ प्रदान करने के लिए शिक्षक प्रशिक्षण, पाठ्यक्रम सरेखण, छात्र जुड़ाव और सांस्कृतिक कारकों जैसे पहलुओं की जांच कर सकते हैं।

यह व्याख्या भारतीय शिक्षा विभाग में निर्णय लेने का मार्गदर्शन करती है। वे स्कूलों को दृश्य-श्रव्य उपकरण प्रदान करने या शिक्षकों को अपने पाठों में इन उपकरणों का प्रभावी ढंग से उपयोग करने के लिए प्रशिक्षण देने के लिए धन आवंटित करने का निर्णय ले सकते हैं। विभाग पाठ्यक्रम में दृश्य-श्रव्य सहायता को एकीकृत करने के लिए दिशानिर्देश भी विकसित कर सकता है। शोध निष्कर्षों की व्याख्या करके, विभाग यह सुनिश्चित करता है कि निर्णय साक्ष्य पर आधारित हों और छात्रों के सीखने के अनुभवों को बढ़ाने के उद्देश्य से हों।

अंततः, व्याख्या शोध अंतर्दृष्टि को कार्रवाई योग्य कदमों में बदल देती है जो पूरे भारत में शिक्षा को लाभान्वित करती है। इसलिए, व्याख्या केवल डेटा को समझने के बारे में नहीं है; यह विभिन्न क्षेत्रों में साक्ष्य-आधारित वास्तविक दुनिया के निर्णय लेने के लिए उस समझ का उपयोग करने के बारे में है।

चरण 10 अनुसंधान रिपोर्ट लिखना (Writing the Research Report)

अनुसंधान प्रक्रिया का अंतिम चरण शोध रिपोर्ट लिखना है। इस महत्वपूर्ण चरण में अनुसंधान समस्या के निर्माण से लेकर निष्कर्षों की व्याख्या और सामान्यीकरण तक संपूर्ण शोध यात्रा का दस्तावेजीकरण शामिल है। शोध रिपोर्ट स्पष्ट, संक्षिप्त और संरचित होनी चाहिए, जिससे पाठकों को अध्ययन के उद्देश्य, कार्यप्रणाली, परिणाम और निहितार्थों को समझने में मदद मिले। यह किए गए शोध की एक औपचारिक प्रस्तुति के रूप में कार्य करता है और भविष्य के संदर्भ के लिए अध्ययन का एक व्यापक विवरण प्रदान करता है (अध्याय 9- थीसिस लेखन और शोध नैतिकता में विस्तार से चर्चा की गई है)।

अध्याय के मुख्य बिंदु

चरण 1: अनुसंधान समस्या को परिभाषित करना

- विषय का चयन करना
- अनुसंधान समस्या को परिभाषित करना
  (सुनिश्चित करें कि अनुसंधान समस्या प्रबंधनीय, रोचक, प्रासंगिक, नैतिक रूप से सही हो और मापनीय अवधारणाएँ हों)

चरण 2: साहित्य की समीक्षा करना

- अनुसंधान समस्या की समझ को व्यापक बनाने और शोध फोकस को स्पष्ट और पुनर्परिभाषित करने के लिए मौजूदा साहित्य की समीक्षा करना
- पुस्तकों, पत्रिकाओं और विश्वसनीय इंटरनेट स्रोतों से प्रासंगिक साहित्य की खोज, मूल्यांकन और संश्लेषण करना

चरण 3: चर की पहचान करना

- अनुसंधान चर की पहचान करना
- मापने के लिए उपयुक्त पैमाने का चयन करना

चर के प्रकार:

- **कारण के आधार पर**
  - स्वतंत्र चर
  - आश्रित चर
  - हस्तक्षेप करने वाले चर
  - बाह्य चर
  - नियंत्रण चर
- **अध्ययन डिजाइन के आधार पर**
  - क्रियात्मक चर
  - विशेष चर
- **प्रकृति के आधार पर**
  - मात्रात्मक चर
  - गुणात्मक चर
- **मापन की इकाई के आधार पर**
  - निरंतर चर
  - गैर-निरंतर/असतत चर
  - श्रेणीबद्ध चर
    - द्विभाजक चर
    - बहुविभाजक चर

मापन चर:

- **नाममात्र पैमाना**
  (केवल लेबल)
- **क्रमिक पैमाना**
  (लेबल + रैंकिंग)
- **अंतराल पैमाना**
  (लेबल + रैंकिंग + चर के बीच समान अंतराल)
- **अनुपात पैमाना**
  (लेबल + रैंकिंग + चर के बीच समान अंतराल + शून्य बिंदु)
- मनोवृत्ति पैमाना
  - लाइकर्ट स्केल
  - थर्स्टोन स्केल
  - गुटमैन स्केल

चरण 4: परिकल्पना तैयार करना

- शून्य और वैकल्पिक परिकल्पना तैयार करना

परिकल्पना के प्रकार:

- शून्य परिकल्पना
- वैकल्पिक परिकल्पना
- कार्यशील परिकल्पना
- वर्णनात्मक परिकल्पना
- संबंधपरक परिकल्पना
- व्याख्यात्मक परिकल्पना
- सरल परिकल्पना
- जटिल परिकल्पना
- दिशात्मक परिकल्पना
- गैर-दिशात्मक परिकल्पना
- संकल्पनात्मक परिकल्पना
- अनुभवजन्य परिकल्पना

चरण 5: शोध डिजाइन तैयार करना

- अध्ययन डिजाइन तैयार करना
- प्रयोगात्मक/गैर-प्रयोगात्मक दृष्टिकोण का चयन करना

शोध डिजाइन के प्रकार:

- **प्रायोगिक शोध डिजाइन**
  - पूर्व-प्रयोगात्मक शोध डिजाइन
  - सत्य प्रायोगिक शोध डिजाइन
  - प्रश्न-प्रयोगात्मक शोध डिजाइन
  - प्रयोगात्मक शोध डिजाइन
- **गैर-प्रयोगात्मक शोध डिजाइन**
  - क्रियात्मक शोध
  - सह-अध्ययन
  - पूर्व-प्रयोगात्मक डिजाइन शोध

शोध में पूर्वाग्रहों के प्रकार:

- प्लेसबो प्रभाव
- प्रयोगकर्ता प्रभाव
  (जिसे प्रयोगकर्ता पूर्वाग्रह/शोधकर्ता पूर्वाग्रह के रूप में भी जाना जाता है)

- हेलो प्रभाव
- हॉथोर्न प्रभाव
  (जिसे प्रतिभागी पूर्वाग्रह के रूप में भी जाना जाता है)
- मूल्यांकन आशंका
- प्रतिपूरक प्रतिद्वंद्विता
- प्रदर्शन पूर्वाग्रह
- व्यक्तिगत पूर्वाग्रह
- प्रत्याशा पूर्वाग्रह
- पर्यवेक्षक पूर्वाग्रह
- साक्षात्कारकर्ता पूर्वाग्रह
- माप पूर्वाग्रह
- स्मरण पूर्वाग्रह

↓

चरण 6: नमूनों का चयन

- नमूनाकरण विधि का चयन
- नमूनाकरण त्रुटियों पर ध्यान देना जो त्रुटिपूर्ण हो सकती हैं

नमूनों के प्रकार:

- **संभाव्यता या यादृच्छिक नमूनाकरण**
  - सरल यादृच्छिक नमूनाकरण
  - स्तरीकृत यादृच्छिक नमूनाकरण
- **अर्ध-संभाव्यता नमूनाकरण**
  - व्यवस्थित नमूनाकरण
  - बहु-चरण नमूनाकरण
- **गैर-संभाव्यता या गैर-यादृच्छिक नमूनाकरण**
  - सुविधा नमूनाकरण
  - निर्णय या उद्देश्यपूर्ण नमूनाकरण
  - कोटा नमूनाकरण

नमूनाकरण में त्रुटियाँ:

- **नमूनाकरण त्रुटियाँ**
  - यादृच्छिक नमूनाकरण त्रुटि
  - व्यवस्थित त्रुटि
  - जनसंख्या विशिष्ट त्रुटि
  - नमूना फ्रेम त्रुटि
  - चयन त्रुटि
- **गैर-नमूनाकरण त्रुटियाँ**
  - प्रतिक्रिया त्रुटि
  - गैर-प्रतिक्रिया त्रुटि
  - साक्षात्कारकर्ता पूर्वाग्रह

↓

चरण 7: डेटा एकत्र करना

- प्राथमिक और द्वितीयक डेटा के बीच या संयोजन का चयन करना।
- डेटा संग्रह के लिए उपलब्ध उपकरणों का चयन करना

डेटा के प्रकार:

- प्राथमिक डेटा
- द्वितीयक डेटा

डेटा संग्रह के उपकरण:

- अवलोकन
- साक्षात्कार
- फोकस समूह
- अनुसूचियाँ
- मेल की गई प्रश्नावली

↓

चरण 8: डेटा विश्लेषण और परिकल्पना परीक्षण

- डेटा को वर्गीकृत और वर्गीकृत करना
- डेटा का विश्लेषण करना
- परिकल्पना का परीक्षण करना
- सांख्यिकीय परीक्षण लागू करना

डेटा विश्लेषण के प्रकार:

- गुणात्मक
- मात्रात्मक

डेटा के सांख्यिकीय गुण:

- सामान्य वितरण
- विषम वितरण
  - सकारात्मक तिरछा
  - नकारात्मक तिरछा
- कर्टोसिस
  - मेसोकुर्टिक ($K = 3$)
  - प्लैटिकुरटिक ($K < 3$)
  - लेप्टोकर्टिक ($K > 3$)

चरों का परीक्षण:

- सहसंबंध गुणांक
  - सकारात्मक सहसंबंध: 0 से +1
  - नकारात्मक सहसंबंध: -1 से 0
  - शून्य सहसंबंध: 0

परिकल्पना परीक्षण के चरण:

- चरण 1: शून्य और वैकल्पिक परिकल्पनाएँ बताएँ
- चरण 2: डेटा एकत्र करें
- चरण 3: सांख्यिकीय परीक्षण करें
- चरण 4: तय करें कि शून्य परिकल्पना समर्थित है या अस्वीकृत
- चरण 5: अपने निष्कर्ष प्रस्तुत करें

परिकल्पना परीक्षण के प्रकार:

- पैरामीट्रिक परीक्षण
  - टी-परीक्षण
  - जेड-परीक्षण
  - एनोवा (विचरण का विश्लेषण)
  - सहसंबंध गुणांक
- **गैर-पैरामीट्रिक परीक्षण**
  - सी हाई-स्क्वायर परीक्षण
  - विलकॉक्सन हस्ताक्षरित रैंक परीक्षण
  - फ्राइडमैन परीक्षण
  - गुडमैन क्रुस्कल का गामा
  - मान-व्हिटनी परीक्षण
  - स्पीयरमैन रैंक सहसंबंध

परिकल्पना परीक्षण में त्रुटियाँ:
- प्रकार I त्रुटि (गलत सकारात्मक): शून्य परिकल्पना सत्य है, लेकिन इसे अस्वीकार कर दिया गया है
- प्रकार II त्रुटि (गलत नकारात्मक): शून्य परिकल्पना गलत है, लेकिन इसे अस्वीकार नहीं किया गया है

→

चरण 9: सामान्यीकरण और व्याख्या करना

- प्रतिनिधि नमूने से प्राप्त निष्कर्षों को बड़ी आबादी पर लागू करना
- परिणाम की व्याख्या करना, निष्कर्ष निकालना और व्यावहारिक सिफारिशें करने के लिए मौजूदा साहित्य से तुलना करना

↓

चरण 10: अनुसंधान रिपोर्ट लिखना

- अगले अध्याय में विस्तार से चर्चा की जाएगी।

थीसिस लेखन और शोध नैतिकता (Thesis Writing and Research Ethics)

9

इस अध्याय में

*परीक्षोपयोगी (Exam Essential): UGC NET परीक्षा में पूछे जाने की अत्यधिक संभावना, #CC का अर्थ है कॉन्सेप्ट कैप्सूल

परिचय (Introduction)

कल्पना करें कि आप एक समर्पित शोधकर्ता के रूप में कोविशील्ड (Covishield), जो कि एक व्यापक रूप से उपयोग किया जाने वाला COVID-19 वैक्सीन है, के संपूर्ण स्वास्थ्य और प्रतिरक्षा प्रणाली पर प्रभाव का अध्ययन कर रहे हैं। आपके शोध में सर्वेक्षण के माध्यम से डेटा एकत्र करना, मेडिकल रिकॉर्ड का विश्लेषण करना और स्वास्थ्य देखभाल पेशेवरों के साक्षात्कार लेना शामिल है, ताकि इस वैक्सीन की प्रभावशीलता और संभावित दुष्प्रभावों का मूल्यांकन किया जा सके।

हालांकि, शोध के दौरान कुछ नैतिक दुविधाएं उत्पन्न होती हैं, जैसे लोगों की सहमति (consent) और रोगियों की गोपनीयता (patient confidentiality)। ऐसे में, आप कैसे सुनिश्चित करेंगे कि आपका शोध प्रतिभागियों के अधिकारों और उनके कल्याण का सम्मान करता हो, जबकि वैज्ञानिक ज्ञान को आगे भी बढ़ाए? ये नैतिक विचार थीसिस-लेखन (thesis writing) और शोध नैतिकता (research ethics) की समझ के महत्व को उजागर करते हैं।

UGC NET के उम्मीदवारों के लिए थीसिस-लेखन और शोध नैतिकता की समझ अत्यंत महत्वपूर्ण है, क्योंकि यह उन्हें गहन और नैतिक अनुसंधान करने के लिए आवश्यक कौशल और ज्ञान प्रदान करता है। थीसिस-लेखन में प्रवीणता प्राप्त करके उम्मीदवार यह सीखते हैं कि वे अपने शोध निष्कर्षों को प्रभावी ढंग से कैसे प्रस्तुत कर सकते हैं, जिससे वे अपने क्षेत्र में ज्ञानवर्धन में योगदान दे सकते हैं।

इसके अलावा, शोध नैतिकता की जानकारी यह सुनिश्चित करती है कि उम्मीदवार अपने अध्ययन को इस तरह संचालित करें, जिससे प्रतिभागियों के अधिकार और कल्याण सुरक्षित रहें, डेटा संग्रह और विश्लेषण में सत्यनिष्ठा बनी रहे और वैज्ञानिक समुदाय में विश्वास बना रहे। भविष्य के शोधकर्ताओं और शिक्षाविदों के रूप में, UGC NET उम्मीदवार अनुसंधान और अकादमिक क्षेत्र के विकास में महत्वपूर्ण भूमिका निभाते हैं। इसलिए, थीसिस-लेखन और शोध नैतिकता में सर्वोत्तम मानकों और नैतिक सिद्धांतों का पालन करके वे अकादमिक उत्कृष्टता और सत्यनिष्ठा के प्रति अपनी प्रतिबद्धता को दर्शाते हैं।

★★★ परीक्षोपयोगी

9.1 थीसिस लेखन (Thesis Writing)

थीसिस लेखन का प्रारूप (Format of Thesis Writing)

इस विषय को सरल बनाने वाले वीडियो व्याख्यान को देखने के लिए इस QR कोड को स्कैन करें

थीसिस लेखन में प्रारूप (format) और शैली (style) महत्वपूर्ण तत्व होते हैं, जो स्पष्टता, संगठन और शैक्षणिक मानकों का पालन सुनिश्चित करते हैं। प्रारूप थीसिस की संरचना को दर्शाता है, जबकि शैली भाषा, स्वर (tone) और प्रस्तुति को संदर्भित करती है, जिससे पूरे दस्तावेज में एकरूपता और पेशेवर दृष्टिकोण बना रहता है।

रिपोर्ट का शीर्षक

विषय-सूची

1. ______________________
2. ______________________
3. ______________________

सार/सारांश

____

परिचय

____

साहित्य समीक्षा

____

कार्यविधि

- ______________________
- ______________________
- ______________________

परिणाम

____

चर्चा

____

निष्कर्ष

____

सिफारिशें

____

ग्रंथ सूची

____

परिशिष्ट

____

चित्र 9.1 रिपोर्ट का प्रारूप

प्रारूप और शैली की आवश्यकताओं को समझना शोध निष्कर्षों को प्रभावी ढंग से प्रस्तुत करने और शैक्षणिक संस्थानों व पाठकों की अपेक्षाओं को पूरा करने के लिए आवश्यक है। इस खंड में, हम थीसिस लेखन में प्रारूप और शैली के विभिन्न तत्वों का अध्ययन करेंगे और एक सुव्यवस्थित व परिष्कृत शैक्षणिक दस्तावेज तैयार करने के लिए मार्गदर्शन प्रदान करेंगे। थीसिस लेखन में निम्नलिखित प्रारूप का पालन किया जाना चाहिए:

प्रारंभिक अनुभाग (Prefatory Section/Front Matter)

थीसिस का प्रारंभिक अनुभाग पूरे दस्तावेज की नींव रखता है और इसमें निम्नलिखित घटक शामिल होते हैं:

1. **शीर्षक पृष्ठ/आवरण पृष्ठ (Title Page/Cover Page):** शीर्षक पृष्ठ थीसिस का पहला प्रभाव उत्पन्न करता है। इसमें कार्य का शीर्षक, लेखक का नाम, मार्गदर्शक (supervisor) का नाम, संस्थान/विश्वविद्यालय का नाम और प्रस्तुत करने की तिथि शामिल होती है। यह पृष्ठ संक्षिप्त, जानकारीपूर्ण और विषय को स्पष्ट रूप से व्यक्त करने वाला होना चाहिए।
2. **प्रमाणपत्र (Certificate):** इस अनुभाग में एक औपचारिक प्रमाण पत्र शामिल होता है, जो शोध परियोजना की सफल पूर्णता और किसी विशिष्ट डिग्री के लिए शैक्षणिक आवश्यकताओं की पूर्ति की पुष्टि करता है। यह प्रमाण पत्र आमतौर पर उस शैक्षणिक संस्थान या विश्वविद्यालय द्वारा जारी किया जाता है, जहां शोध कार्य किया गया हो।
3. **सारांश (Abstract):** सारांश थीसिस का संक्षिप्त विवरण प्रस्तुत करता है, जो आमतौर पर 100-150 शब्दों या लगभग 5-10 वाक्यों का होता है। इसमें लेखक शोध समस्या, पद्धति (methodology), प्रमुख निष्कर्ष और निष्कर्षों को संक्षेप में बताता है, जिससे पाठक अध्ययन के मुख्य बिंदुओं को एक नजर में समझ सकें।
4. **अनुक्रमणिका/विषय सूची (Table of Contents):** यह अनुभाग थीसिस के मुख्य विषय शीर्षकों और उप-शीर्षकों को उनके संबंधित पृष्ठ संख्याओं के साथ सूचीबद्ध करता है। यह दस्तावेज के भीतर आसानी से नेविगेशन को सक्षम बनाता है और इसमें आभार प्रदर्शन (Acknowledgments), परिशिष्ट (Appendices) और ग्रंथ सूची (Bibliography) जैसे अनुभाग भी शामिल होने चाहिए।
5. **आकृतियों की सूची (List of Figures):** इस अनुभाग में थीसिस में शामिल आकृतियों (figures) की सूची दी जाती है, जिसमें उनकी क्रम संख्या, शीर्षक और पृष्ठ संख्या होती है। यह पाठकों को दस्तावेज में प्रयुक्त चित्रात्मक प्रस्तुतियों को ढूंढने और संदर्भित करने में सहायता करता है।
6. **सारणी की सूची (List of Tables):** आकृतियों की सूची के समान, यह अनुभाग थीसिस में प्रयुक्त सभी सारणियों (tables) की क्रम संख्या, शीर्षक और पृष्ठ संख्या को सूचीबद्ध करता है, जिससे तालिका संबंधी जानकारी को शीघ्रता से खोजा जा सके।
7. **संक्षिप्त रूपों की सूची और शब्दावली (List of Abbreviations and Glossary):** इस अनुभाग को संज्ञा सूची (nomenclature section) भी कहा जाता है। इसमें थीसिस में प्रयुक्त संक्षिप्त शब्दों, प्रतीकों, संक्षेपाक्षरों (acronyms) और उनके अर्थों की सूची दी जाती है। यह विशेष रूप से तकनीकी शब्दावली या संकेतों की स्पष्टता और समझ बढ़ाने में सहायक होता है।

8. **आभार प्रदर्शन (Acknowledgement):** थीसिस के इस भाग में उन व्यक्तियों, संगठनों या संस्थानों के प्रति कृतज्ञता व्यक्त की जाती है, जिन्होंने शोध परियोजना को पूरा करने में सहयोग दिया हो।

मुख्य अनुभाग (Main Section/Body)

थीसिस का मुख्य भाग इसकी मूल सामग्री को समाहित करता है, जिसमें शोध निष्कर्षों और उनके विश्लेषण को विस्तार से प्रस्तुत किया जाता है। इसमें कई महत्वपूर्ण घटक होते हैं, जो शोध को व्यवस्थित और स्पष्ट रूप से प्रस्तुत करने में सहायक होते हैं।

1. **परिचय (Introduction):** इस अनुभाग में शोध का संक्षिप्त परिचय दिया जाता है, जिसमें इसके उद्देश्य, क्षेत्र और प्रासंगिकता को शामिल किया जाता है। उदाहरण के लिए, यदि थीसिस का विषय "मेकअप उत्पादों का त्वचा स्वास्थ्य पर प्रभाव" है, तो इस भाग में मेकअप और इसके त्वचा पर प्रभावों पर चर्चा की जाएगी। यह विषय सौंदर्य उत्पादों के उपभोक्ताओं और त्वचा विशेषज्ञों (dermatologists) दोनों के लिए क्यों महत्वपूर्ण है, इस पर प्रकाश डाला जाएगा। साथ ही, शोध के उद्देश्य और अध्ययन की सीमा (scope) को भी स्पष्ट किया जाएगा।
2. **सैद्धांतिक ढांचा और साहित्य समीक्षा (Theoretical Framework and Review of Literature):** इस भाग में शोध विषय से संबंधित पूर्व में किए गए अध्ययनों का सारांश और विश्लेषण प्रस्तुत किया जाता है। इसमें प्रमुख विद्वानों के लेख, पुस्तकें और अन्य स्रोतों की व्यापक समीक्षा शामिल होती है, जो शोध प्रश्न से जुड़े महत्वपूर्ण सिद्धांतों, अवधारणाओं और निष्कर्षों को समझने में सहायक होते हैं।
3. **शोध पद्धति (Research Methodology):** इस अनुभाग में यह स्पष्ट किया जाता है कि शोध कैसे संचालित किया गया। इसमें उन प्रक्रियाओं का विवरण दिया जाता है, जिनका उपयोग शोध प्रश्न का उत्तर देने या परिकल्पना (hypothesis) की जांच करने के लिए किया गया। इसमें शोध डिजाइन का उल्लेख होता है, जिससे यह स्पष्ट किया जाता है कि अध्ययन गुणात्मक (qualitative), मात्रात्मक (quantitative) या मिश्रित विधियों (mixed methods) पर आधारित था और इस दृष्टिकोण को अपनाने के पीछे क्या कारण थे। इसके अतिरिक्त, इसमें नमूना चयन की प्रक्रिया को समझाया जाता है कि प्रतिभागियों (participants) या डेटा स्रोतों का चयन कैसे किया गया। इसके बाद डेटा संग्रहण तकनीकों, जैसे कि सर्वेक्षण (surveys), साक्षात्कार (interviews), प्रयोग (experiments) या अवलोकन (observations) जैसी विधियों का विस्तृत विवरण दिया जाता है। इस भाग का मुख्य उद्देश्य शोध प्रक्रिया में पारदर्शिता बनाए रखना है ताकि पाठक यह समझ सकें कि अध्ययन कैसे किया गया और प्राप्त निष्कर्ष कितने विश्वसनीय (valid) हैं।
4. **डेटा विश्लेषण और व्याख्या (Data Analysis and Interpretation):** इस अनुभाग में डेटा विश्लेषण की विधियों को समझाया जाता है, चाहे वह सांख्यिकीय तकनीकों (statistical techniques), गुणात्मक विश्लेषण (qualitative analysis) या दोनों का संयोजन हो। निष्कर्षों को स्पष्ट रूप से प्रस्तुत किया जाता है, जिसमें आमतौर पर सारणियां (tables), ग्राफ (graphs) या चार्ट्स (charts) का उपयोग किया जाता है ताकि डेटा को आसानी से समझा जा सके।
5. **सारांश और निष्कर्ष (Summary and Conclusions):** इस भाग की शुरुआत अध्ययन के मुख्य बिंदुओं और परिणामों के संक्षिप्त सारांश से होती है, जिसमें शोध क्षेत्र में दिए गए योगदानों को उजागर किया जाता है। इसके बाद, निष्कर्ष (conclusion) शोध निष्कर्षों की विस्तृत व्याख्या करता है और उन्हें शोध प्रश्न या उद्देश्यों के संदर्भ में प्रस्तुत करता है।
6. **सिफारिशें (Recommendations):** इस अनुभाग में शोध के आधार पर सुझाए गए कदम या उपाय शामिल होते हैं। ये सिफारिशें अध्ययन में पहचाने गए मुद्दों को हल करने के लिए प्रस्तुत की जाती हैं और व्यावहारिक समाधान या सुधार रणनीतियों का प्रस्ताव देती हैं।
7. **भविष्य के शोध के लिए सुझाव (Suggestions for Future Research):** इस भाग में उन विषयों या पहलुओं को पहचाना जाता है, जिन्हें वर्तमान अध्ययन में पूरी तरह से नहीं खोजा गया या जिन पर आगे शोध करने की आवश्यकता है। यह अनुभाग भावी शोधकर्ताओं को ज्ञान के उन क्षेत्रों की पहचान करने में मदद करता है, जिन पर आगे अनुसंधान किया जा सकता है। इसमें आमतौर पर नए शोध प्रश्नों का प्रस्ताव, वैकल्पिक शोध पद्धतियों का सुझाव, अतिरिक्त चर (variables) को शामिल करने की सिफारिश, विभिन्न जनसंख्या समूहों (populations) या संदर्भों (contexts) में अध्ययन करने का सुझाव शामिल होता है।

अंतिम अध्याय (Terminal Chapters/End Matter)

अंतिम अध्याय थीसिस के लिए एक भंडार की तरह होता है, जहां अतिरिक्त जानकारी संग्रहीत की जाती है, जिससे शोध को समझने और उसकी प्रामाणिकता की जांच करने में सहायता मिलती है। इस खंड में तीन मुख्य भाग होते हैं।

1. **ग्रंथ सूची या संदर्भ सूची (Bibliography or List of References):** यह थीसिस में उल्लेखित सभी पुस्तकों, लेखों और अन्य स्रोतों की सूची होती है। इसका उद्देश्य पाठकों को उन स्रोतों का पता लगाने और उनकी सत्यता की जांच करने में सहायता प्रदान करना है, जिससे वे विषय को और अधिक गहराई से समझ सकें या प्रस्तुत जानकारी की पुष्टि कर सकें। लेखकों को अपने शैक्षणिक संस्थान या अपने विषय से संबंधित किसी प्रतिष्ठित पत्रिका द्वारा सुझाई गई उद्धरण शैली (citation style) का पालन करना चाहिए। सामान्य रूप से उपयोग किए जाने वाले उद्धरण शैलियों पर अगला अनुभाग, "संदर्भ देने की शैली" (Style of Referencing), विस्तृत जानकारी प्रदान करता है।
2. **परिशिष्ट (Appendix):** इस अनुभाग में वे अतिरिक्त सामग्री शामिल होती हैं, जो शोध से संबंधित तो होती हैं, लेकिन मुख्य विषय-वस्तु में आवश्यक नहीं होतीं। इसमें सहायक डेटा, चार्ट, ग्राफ, सारणियां, प्रश्नावली, सर्वेक्षण, ट्रांसक्रिप्ट या अन्य सहायक दस्तावेज सम्मिलित किए जा सकते हैं। प्रत्येक अतिरिक्त अनुभाग को परिशिष्ट कहा जाता है और उसका एक शीर्षक होता है (जैसे परिशिष्ट A, B, C) तथा उसकी विषय-वस्तु का संक्षिप्त विवरण होता है।

क्विज स्टेशन *विगत UGC NET परीक्षाओं के प्रश्न*

प्र 1. थीसिस लेखन प्रारूप को अंतिम रूप देते समय, निम्नलिखित में से कौन-सा पूरक पृष्ठों का हिस्सा होगा?

(a) तालिकाओं और आंकड़ों की सूची

(b) सामग्री की तालिका

(c) अध्ययन का निष्कर्ष

(d) ग्रंथ सूची और परिशिष्ट

प्र 2. किसी थीसिस में आकृतियाँ (figures) और सारणियाँ (tables) कहाँ शामिल की जाती हैं?

(a) परिशिष्ट

(b) एक अलग अध्याय

(c) समापन अध्याय

(d) स्वयं पाठ

उत्तर 1. (d) 2. (d)

संदर्भ देने की शैली (Styles of Referencing)

इस विषय को सरल बनाने वाले वीडियो व्याख्यान को देखने के लिए इस QR कोड को स्कैन करें

शोध में, विभिन्न संदर्भ शैलियों का उपयोग किया जाता है ताकि आपके कार्य में प्रयुक्त स्रोतों को उचित श्रेय दिया जा सके और पाठकों को उन स्रोतों को आसानी से खोजने में सहायता मिल सके। ग्रंथ सूची (bibliography) में इन शैलियों के अनुसार प्रत्येक स्रोत की जानकारी को व्यवस्थित किया जाता है, जिसमें लेखक का नाम, कार्य का शीर्षक, प्रकाशन तिथि और प्रकाशन स्थान शामिल होते हैं।

प्रत्येक शैली की अपनी विशिष्ट प्रारूपण (formatting) नियम होते हैं। उपयुक्त शैली दिशानिर्देशों का पालन करके यह सुनिश्चित किया जाता है कि ग्रंथ सूची सही और एकरूप ढंग से प्रस्तुत की जाए, जिससे पाठकों के लिए संदर्भित स्रोतों को खोजना सरल हो। शोध में आमतौर पर प्रयुक्त संदर्भ शैलियों में मॉडर्न लैंग्वेज एसोसिएशन (MLA) और अमेरिकन साइकोलॉजिकल एसोसिएशन (APA) शैली प्रमुख हैं। तालिका 9.2 में APA और MLA शैली में ग्रंथ सूची प्रारूप के बीच अंतर को दर्शाया गया है।

एक अन्य उदाहरण शिकागो मैनुअल ऑफ स्टाइल (Chicago Manual of Style) है, जो इतिहास, कला इतिहास और मानविकी जैसे विषयों में अक्सर उपयोग किया जाता है। यह दो उद्धरण शैलियों को प्रस्तुत करता है–

(a) नोट्स और ग्रंथ सूची (Notes and Bibliography), जिसे साहित्य, इतिहास और कला में व्यापक रूप से अपनाया जाता है।

(b) लेखक-तिथि (Author-Date), जिसका उपयोग प्राकृतिक और सामाजिक विज्ञान में किया जाता है।

ट्यूराबियन (Turabian) शैली, जो शिकागो शैली का ही एक संस्करण है, अकादमिक लेखन में इसकी सरलता और स्पष्टता के कारण अधिक पसंद की जाती है। अन्य लोकप्रिय संदर्भ शैलियों को तालिका 9.1 में सूचीबद्ध किया गया है।

तालिका 9.1 संदर्भ देने की लोकप्रिय शैलियाँ

संक्षिप्त नाम	पूरा नाम
APA	अमेरिकन साइकोलॉजिकल एसोसिएशन
ACS	अमेरिकन केमिकल सोसाइटी
AGLC	ऑस्ट्रेलियाई गाइड टू लीगल साइटेशन
AMA	अमेरिकन मेडिकल एसोसिएशन
AMJ	एकेडमी ऑफ मैनेजमेंट स्टाइल
CMS	शिकागो मैनुअल ऑफ स्टाइल
CSE (CBE)	काउंसिल ऑफ साइंस एडिटर्स/काउंसिल ऑफ बायोलॉजी एडिटर्स
Harvard	हार्वर्ड
IEEE	इंस्टीट्यूट ऑफ इलेक्ट्रिकल एंड इलेक्ट्रॉनिक्स इंजीनियर्स
MHRA	मॉडर्न हमनीटीएस रिसर्च एसोसिएशन
MLA	मॉडर्न लैंग्वेज एसोसिएशन
Vancouver	वैंकूवर

तालिका 9.2 एपीए शैली और एमएलए शैली के बीच अंतर

पहलू	अमेरिकन साइकोलॉजिकल एसोसिएशन (एपीए शैली)	मॉडर्न लैंग्वेज एसोसिएशन (एमएलए शैली)
पुस्तक	लेखक का अंतिम नाम, पहला नाम। (प्रकाशन का वर्ष)। पुस्तक का शीर्षक। प्रकाशन स्थान- प्रकाशक	लेखक का अंतिम नाम, पहला नाम। पुस्तक शीर्षक। प्रकाशन का शहर-प्रकाशक, वर्ष।
एन्साइक्लोपीडिया	लेखक का अंतिम नाम, पहला नाम। (प्रकाशन का वर्ष)। लेख का शीर्षक। विश्वकोश का शीर्षक (संस्करण, खंड, पृष्ठ)। प्रकाशन स्थान- प्रकाशक।	लेखक का अंतिम नाम, पहला नाम। 'लेख का शीर्षक।' विश्वकोश का शीर्षक। प्रकाशन वर्ष।
न्यूजपेपर और मैगजीन	लेखक का अंतिम नाम, पहला नाम। (वर्ष, महीना दिन)। लेख शीर्षक। समाचार पत्र शीर्षक, पृष्ठ/खंड संख्या, पृष्ठ।	लेखक का अंतिम नाम, पहला नाम। 'लेख का शीर्षक।' पत्रिका का शीर्षक खंड संख्या तिथि- समावेशी पृष्ठ।
वेबसाइट	लेखक का अंतिम नाम, पहला नाम। (प्रकाशन का वर्ष)। लेख का शीर्षक। पत्रिका का शीर्षक, खंड संख्या, प्राप्त किया गया माह, दिन, वर्ष, <पूर्ण URL> से।	लेखक का अंतिम नाम, पहला नाम। 'परियोजना या डेटाबेस के भीतर कार्य का शीर्षक।' साइट, परियोजना या डेटाबेस का शीर्षक। संपादक (यदि उपलब्ध हो) । प्रकाशन का वर्ष, किसी भी प्रायोजक संस्था या संगठन का नाम। पहुँचने की तिथि और <पूर्ण URL>।

क्विज स्टेशन *विगत UGC NET परीक्षाओं के प्रश्न*

प्र 1. निम्नलिखित में से कौन सा संदर्भ देने की शैली को संदर्भित नहीं करता है? *(9 जनवरी **2025** - शिफ्ट 2)*

(a) MLA

(b) APS

(c) शिकागो

(d) MHR

प्र 2. निम्नलिखित में से कौन-सा संदर्भ मॉडर्न लैंग्वेज एसोसिएशन (MLA) प्रारूप के अनुसार लिखा गया है?

(a) Hall, Donald. Fundamentals of Electronics, New Delhi: Prentice Hall of India, 2005

(b) Hall, Donald, Fundamentals of Electronics, New Delhi: Prentice Hall of India, 2005

(c) Hall, Donald, Fundamentals of Electronics, New Delhi- Prentice Hall of India, 2005

(d) Hall, Donald. Fundamentals of Electronics. New Delhi: Prentice Hall of India, 2005

प्र 3. किसी जर्नल में शोध पत्र संदर्भ लिखने की 'APA' शैली में शोध पत्र के संबंध में निम्नलिखित जानकारी के सही क्रम की पहचान करें

*(27 अगस्त **2024** - शिफ्ट 1)*

A. लेख का शीर्षक

B. लेखक का अंतिम नाम

C. पृष्ठ संख्या

D. जर्नल का नाम

(a) ABCD

(b) ABDC

(c) BADC

(d) BDA

उत्तर 1. (b) 2. (d) 3. (c)

फुटनोट और एंडनोट (Footnotes and Endnotes)

फुटनोट (Footnote) एक टिप्पणी होती है, जो पृष्ठ के निचले भाग में दी जाती है और उस पृष्ठ की सामग्री से संबंधित अतिरिक्त जानकारी, संदर्भ (citations) या टिप्पणियाँ प्रदान करती है। उदाहरण के लिए, किसी शोध पत्र में आपको पाठ के भीतर एक सुपरस्क्रिप्ट संख्या (जैसे कि 2) दिखाई दे सकती है, जो उसी पृष्ठ के निचले हिस्से में दिए गए फुटनोट की ओर इशारा करती है। संबंधित फुटनोट इस प्रकार दिख सकता है:

2. Doe, Jane. Understanding Modern Economics. Cambridge University Press, 2018.

एंडनोट (Endnote) एक टिप्पणी होती है, जो किसी दस्तावेज या उसके किसी अनुभाग के अंत में दी जाती है और पाठ से संबंधित अतिरिक्त जानकारी, संदर्भ या टिप्पणियाँ प्रस्तुत करती है।

फुटनोट और एंडनोट दोनों ही छोटे, क्रमांकित संकेत होते हैं, जो मुख्य पाठ में संदर्भित विस्तृत स्पष्टीकरण, उद्धरण या टिप्पणियाँ प्रदान करते हैं। फर्क यह है कि फुटनोट पृष्ठ के निचले हिस्से में होता है, जबकि एंडनोट पूरे दस्तावेज के अंत में दिया जाता है।

फुटनोट और एंडनोट महत्वपूर्ण साधन हैं, जो मुख्य पाठ की प्रवाहशीलता को बाधित किए बिना अतिरिक्त जानकारी, उद्धरण या व्याख्यात्मक टिप्पणियाँ प्रदान करने में सहायक होते हैं।

तालिका 9.3 एंडनोट और फुटनोट के बीच प्रमुख अंतर

फीचर	एंडनोट	फुटनोट
प्लेसमेंट	किसी दस्तावेज या अनुभाग के अंत में	पृष्ठ के नीचे जहाँ संदर्भ दिखाई देता है
सुगमता प्रवेश	पाठक के लिए तुरंत जाँच करना कम सुविधाजनक है	पाठक के लिए तुरंत जाँच करना ज़्यादा सुविधाजनक है
क्लटर	मुख्य पाठ को साफ और अव्यवस्थित रखता है	यदि बहुत सारे फुटनोट हैं तो पेज के निचले भाग में अव्यवस्था हो सकती है
उपयोग	लंबे, विस्तृत स्पष्टीकरण के लिए उपयोगी जो पाठ के प्रवाह को बाधित कर सकते हैं	त्वरित संदर्भों या संक्षिप्त स्पष्टीकरण के लिए उपयोगी
निरंतरता	पाठकों को दस्तावेज के अंत तक जाने की आवश्यकता होती है	पाठकों को पृष्ठ छोड़े बिना संदर्भ और स्पष्टीकरण देखने की अनुमति देता है

विभिन्न शैली मार्गदर्शिकाएँ (Style Guides) जैसे कि APA (अमेरिकन साइकोलॉजिकल एसोसिएशन), MLA (मॉडर्न लैंग्वेज एसोसिएशन), शिकागो (Chicago) और हार्वर्ड (Harvard) फुटनोट और एंडनोट को प्रारूपित करने के लिए विशिष्ट नियम निर्धारित करती हैं। इनमें उनके स्थान, क्रमांक और सामग्री की प्रस्तुति से संबंधित दिशा-निर्देश होते हैं। अब, आइए कुछ सामान्य प्रकार के फुटनोट और उनके उपयोग को समझें।

Fn

अर्थ: शैक्षणिक लेखन में, फुटनोट एक पृष्ठ के निचले भाग में दी गई टिप्पणी होती है, जो अतिरिक्त जानकारी प्रदान करती है या किसी स्रोत का संदर्भ देती है।

उदाहरण: किसी इतिहास की पुस्तक में आपको यह वाक्य मिल सकता है: "इस युद्ध के बारे में अधिक जानकारी के लिए, Fn. 1 देखें।" इसका अर्थ

है कि पाठक को पृष्ठ के निचले भाग में दिए गए फुटनोट 1 को देखना चाहिए, जहाँ युद्ध से संबंधित अतिरिक्त जानकारी या संदर्भ दिया गया है।

उपयोग: Fn. यह दर्शाने के लिए प्रयोग किया जाता है कि पृष्ठ के निचले हिस्से में अतिरिक्त जानकारी या स्रोत संदर्भ उपलब्ध है, जिससे पाठक की समझ बढ़ती है और मुख्य पाठ अव्यवस्थित नहीं होता।

Et al.

संक्षिप्त रूप: *Et alia* (लैटिन), जिसका अर्थ है "और अन्य"।

अर्थ: Et al. का उपयोग संदर्भों (citations) में कई लेखकों या योगदानकर्ताओं को इंगित करने के लिए किया जाता है, बिना सभी नामों को सूचीबद्ध किए। यह विशेष रूप से उन अध्ययनों या शोधपत्रों के लिए उपयोगी होता है, जिनमें कई लेखक होते हैं।

उदाहरण: किसी अकादमिक लेख में लिखा हो सकता है: "Smith et al. (2020) ने जलवायु परिवर्तन पर एक अध्ययन किया।" इसका अर्थ है कि इस अध्ययन में स्मिथ और अन्य लेखक शामिल थे, लेकिन उनके नाम सूचीबद्ध नहीं किए गए हैं।

उपयोग: Et al. को संदर्भों को संक्षिप्त और व्यवस्थित बनाए रखने के लिए प्रयोग किया जाता है, जिससे उद्धरण (citations) अधिक सुव्यवस्थित दिखते हैं।

Cf.

संक्षिप्त रूप: *Confer* (लैटिन), जिसका अर्थ है "तुलना करें"।

अर्थ: Cf. का उपयोग अकादमिक लेखन में पाठकों को किसी अन्य स्रोत की ओर निर्देशित करने के लिए किया जाता है, जहाँ वे संबंधित या विपरीत जानकारी प्राप्त कर सकते हैं।

उदाहरण: किसी शोधपत्र में लिखा हो सकता है: "इस अध्ययन के निष्कर्ष पिछले शोध का समर्थन करते हैं (cf. Smith] 2020)।" इसका अर्थ है कि पाठकों को 2020 में स्मिथ द्वारा किए गए अध्ययन से इस शोध की तुलना करनी चाहिए।

उपयोग: Cf. पाठकों को अन्य स्रोतों के साथ तुलना करने या किसी विषय पर अधिक गहराई से अध्ययन करने के लिए निर्देशित करता है, जिससे अकादमिक लेखन में जानकारी की व्यापकता और गहराई बढ़ती है।

Vide

अर्थ: Vide एक संकेतक (notation) है, जिसका उपयोग पुस्तकों या पाठ्य सामग्रियों में किया जाता है, जिससे पाठकों को उसी दस्तावेज में किसी अन्य निर्दिष्ट स्रोत को देखने के लिए निर्देशित किया जाता है।

उदाहरण: किसी इतिहास की पुस्तक में लिखा हो सकता है: "प्राचीन सभ्यताओं पर अधिक जानकारी के लिए, vide अध्याय 3।" यहाँ "vide" पाठकों को अध्याय 3 में जाकर अधिक जानकारी प्राप्त करने का संकेत देता है।

उपयोग: Vide पाठकों को उसी दस्तावेज में किसी विशिष्ट जानकारी को खोजने और संदर्भित करने में मदद करता है, जिससे वे आसानी से आवश्यक विवरण तक पहुँच सकते हैं और विषय को अधिक व्यवस्थित रूप से समझ सकते हैं।

Ante

अर्थ: Ante एक संकेतक शब्द है, जिसका उपयोग अकादमिक लेखन में किया जाता है यह दर्शाने के लिए कि कोई विशेष स्रोत या संदर्भ पहले ही उसी दस्तावेज, शोध पत्र, या लेख में उद्धृत किया जा चुका है।

उदाहरण: मान लीजिए कि आप जलवायु परिवर्तन (climate change) पर एक शोध पत्र लिख रहे हैं और पहले ही Smith (2020) के एक अध्ययन का संदर्भ दे चुके हैं। बाद में उसी दस्तावेज में, जब आप फिर से Smith (2020) के अध्ययन का उल्लेख करना चाहते हैं, तो पूरी उद्धरण जानकारी दोबारा लिखने के बजाय, आप "ante" का उपयोग कर सकते हैं:

In-text citation: "According to Smith (2020), the impact of climate change on biodiversity is significant (ante)."

यहाँ "ante" पाठकों को संकेत देता है कि Smith (2020) का अध्ययन पहले ही उद्धृत किया जा चुका है।

उपयोग: Ante अकादमिक लेखन में स्पष्टता और संक्षिप्तता बनाए रखने में मदद करता है, जिससे दोहराए गए पूर्ण उद्धरणों से बचा जा सकता है और संदर्भों की निरंतरता बनी रहती है।

Passim

अर्थ: *Passim* एक लैटिन शब्द है, जिसका अर्थ है "यहाँ और वहाँ" या "पूरे में बिखरा हुआ"।

उपयोग: इसका उपयोग उद्धरणों में यह दिखाने के लिए किया जाता है कि कोई विषय या जानकारी उद्धृत कार्य (cited work) के विभिन्न स्थानों पर पाई जा सकती है, न कि केवल एक पृष्ठ या अनुभाग में।

उदाहरण: यदि आप किसी पुस्तक का संदर्भ दे रहे हैं, जिसमें किसी विषय पर पूरे पाठ में चर्चा की गई है, तो "passim" का उपयोग करके यह संकेत दिया जा सकता है। जैसे:

"The concept of cultural identity is explored extensively (Johnson] 2020] passim)."

इसका अर्थ है कि Johnson (2020) की पुस्तक में सांस्कृतिक पहचान (cultural identity) पर चर्चा पूरी पुस्तक में कई जगहों पर की गई है।

उपयोग: Passim तब उपयोग किया जाता है, जब उद्धृत जानकारी किसी स्रोत में कई स्थानों पर बिखरी हुई होती है, जिससे लेखक को प्रत्येक पृष्ठ संख्या निर्दिष्ट किए बिना यह इंगित करने की सुविधा मिलती है कि विषय व्यापक रूप से चर्चा किया गया है।

Ibid.

संक्षिप्त रूप: *Ibidem* (लैटिन), जिसका अर्थ है "उसी स्थान पर"।

अर्थ: Ibid. का उपयोग अनुसंधान में यह इंगित करने के लिए किया जाता है कि उद्धृत स्रोत वही है, जिसे ठीक पिछले उद्धरण में संदर्भित किया गया था। यह विशेष रूप से फुटनोट (footnotes) या एंडनोट (endnotes) में स्थान बचाने और स्पष्टता बनाए रखने के लिए उपयोगी होता है।

उदाहरण:

- **पहला उद्धरण:** John Smith, "The Art of Writing," Journal of Literature, vol. 5, no. 2 (2020), p. 45.
- **दूसरा उद्धरण:** Ibid., p. 30.

Id.

संक्षिप्त रूप: *Idem* (लैटिन), जिसका अर्थ है "वही"।

अर्थ: Id. का उपयोग अनुसंधान लेखन में उसी लेखक और कार्य को संदर्भित करने के लिए किया जाता है, जिसे ठीक पिछले उद्धरण में उद्धृत किया गया था, लेकिन जरूरी नहीं कि वही पृष्ठ संख्या हो। यह बार-बार पूरे उद्धरण को दोहराने से बचाता है और संदर्भों को संक्षिप्त बनाए रखता है।

उदाहरण:

- **पहला उद्धरण:** John Smith, "The Art of Writing," Journal of Literature, vol. 5, no. 2 (2020), p. 45.
- **दूसरा उद्धरण (अगले पृष्ठ पर):** Id., p. 30.

Op. cit.

संक्षिप्त रूप: *Opus citatum* या *Opere citato* (लैटिन), जिसका अर्थ है "पहले उद्धृत कार्य"।

अर्थ: Op. cit. का उपयोग अनुसंधान लेखन में किसी ऐसे स्रोत को संदर्भित करने के लिए किया जाता है, जिसे पहले ही दस्तावेज में उद्धृत किया गया हो, लेकिन यह उद्धरण सीधे पिछले उद्धरण में नहीं था। यह उद्धरणों में दोहराव से बचाता है और संदर्भ प्रवाह को स्पष्ट बनाए रखता है।

उदाहरण: यदि आप किसी पुस्तक या लेख का संदर्भ देते हैं और बाद में अपने शोध पत्र में उसे फिर से उद्धृत करना चाहते हैं, लेकिन बीच में अन्य उद्धरण भी शामिल हैं, तो "op. cit." का उपयोग किया जाता है।

- **पहला उद्धरण:** John Smith, "The Art of Writing," Journal of Literature, vol. 5, no. 2 (2020), p. 45.
- **दूसरा उद्धरण:** Jane Doe, "The History of Art," Art Journal, vol. 10, no. 3 (2018), p. 25.
- **तीसरा उद्धरण:** John Smith, Op. cit.

क्लैरिटी कॉर्नर

Ibid., Id., और Op. cit. में भ्रमित हैं? चिंता न करें, आइए इसे सरलता से समझें:

- **Ibid. (Ibidem):** जब किसी लेखक का वही संदर्भ ठीक पिछले उद्धरण के तुरंत बाद दोबारा दिया जाता है, तो Ibid. का उपयोग किया जाता है।
- **Id. (Idem):** जब उसी लेखक का फिर से संदर्भ दिया जाता है, लेकिन यह उद्धरण उसी पृष्ठ से नहीं बल्कि किसी अन्य पृष्ठ से लिया गया होता है, तो Id. का उपयोग किया जाता है।
- **Op. cit. (Opere citato):** जब किसी लेखक को फिर से संदर्भित किया जाता है, लेकिन वह उद्धरण सीधे पिछले उद्धरण के बाद नहीं है, तो Op. cit. का उपयोग किया जाता है।

क्विज स्टेशन *विगत UGC NET परीक्षाओं के प्रश्न*

प्र 1. जब दो या अधिक लगातार फुटनोट (footnotes) एक ही कार्य (work) को संदर्भित करते हैं, तो निम्नलिखित में से कौन-सा प्रयोग किया जाता है?

(a) Ibid.

(b) et al.

(c) op. cit.

(d) loc. cit.

उत्तर 1. (a)

9.2 शोध प्रकाशनों के प्रकार (Types of Research Publication)

शैक्षणिक और वैज्ञानिक अनुसंधान के क्षेत्र में, शोध निष्कर्षों को प्रस्तुत करने के लिए विभिन्न साधनों और प्रारूपों का उपयोग किया जाता है। प्रत्येक प्रारूप का एक विशिष्ट उद्देश्य और लक्षित पाठक वर्ग होता है। ये शोध प्रकाशन विधियाँ संरचित तरीकों से शोध प्रलेखन, विश्लेषण और प्रस्तुति को सुनिश्चित करती हैं, जिससे जानकारी विद्वानों के समुदाय के लिए सुलभ, प्रमाणिक और उपयोगी बनती है। आइए कुछ प्रमुख शोध प्रकाशनों को समझें।

शोध पत्र (Research Paper)

शोध पत्र एक निबंध (essay) या रिपोर्ट की तरह होता है, जिसमें किसी विषय पर एक दृष्टिकोण और शोध कार्य प्रस्तुत किया जाता है। यह पहले से मौजूद या संबंधित विषयों पर किए गए अन्य शोध कार्यों के समर्थन से स्थापित किया जाता है। शोध पत्र आमतौर पर एक निश्चित संरचना का अनुसरण करता है, जिसमें परिचय (Introduction), कार्यप्रणाली (Methodology), निष्कर्ष (Results), चर्चा (Discussion) और निष्कर्ष (Conclusion) जैसे खंड शामिल होते हैं। इसका मुख्य उद्देश्य शोध निष्कर्षों को शैक्षणिक समुदाय तक पहुँचाना और किसी विशेष क्षेत्र में मौजूद ज्ञान के भंडार में योगदान देना होता है।

शोध पत्र अक्सर शैक्षणिक पत्रिकाओं (Academic Journals) में प्रकाशित किए जाते हैं, जहाँ इन्हें क्षेत्र के विशेषज्ञों द्वारा पीयर रिव्यू (Peer Review) की प्रक्रिया से गुजारा जाता है, ताकि उनकी गुणवत्ता और वैधता सुनिश्चित की जा सके। शोध पत्र शोधकर्ताओं, विद्यार्थियों और पेशेवरों के लिए महत्वपूर्ण स्रोत होते हैं, जो अपने संबंधित क्षेत्रों में नवीनतम खोजों और प्रगति से अवगत रहना चाहते हैं।

अब आइए शोध पत्र के एक प्रकार को समझें।

टर्म पेपर (Term Paper)

टर्म पेपर एक लिखित कार्य होता है, जिसे छात्र आमतौर पर एक सेमेस्टर या शैक्षणिक सत्र के दौरान पूरा करते हैं। इसमें छात्रों को किसी विशिष्ट विषय या क्षेत्र पर गहन अध्ययन करना होता है और अपने निष्कर्षों को

एक संरचित प्रारूप में प्रस्तुत करना होता है। टर्म पेपर आमतौर पर स्नातक (Undergraduate) और स्नातकोत्तर (Graduate) पाठ्यक्रमों में विभिन्न विषयों के अंतर्गत दिया जाता है। इसका उद्देश्य छात्रों की पाठ्य सामग्री की समझ, उनकी आलोचनात्मक सोचने की क्षमता और स्वतंत्र शोध करने की योग्यता का आकलन करना होता है।

उदाहरण के लिए, यदि इतिहास के पाठ्यक्रम में टर्म पेपर असाइन किया गया है, तो एक छात्र "नाजी शासन और एडॉल्फ हिटलर का उदय" जैसे महत्वपूर्ण विषय पर शोध और लेखन कर सकता है। इस प्रक्रिया में, छात्र प्राथमिक (Primary) और द्वितीयक (Secondary) स्रोतों से जानकारी एकत्र करेगा, विभिन्न दृष्टिकोणों का विश्लेषण करेगा और प्रमाणों के आधार पर एक ठोस तर्क प्रस्तुत करेगा। इस अध्ययन में, छात्र हिटलर के सत्ता में आने के सामाजिक, राजनीतिक और आर्थिक कारणों की जांच कर सकता है, साथ ही उसके शासन के परिणामों का विश्लेषण कर सकता है।

टर्म पेपर का विषय छात्र स्वयं चुन सकता है या यह पर्यवेक्षक (Supervisor) द्वारा सौंपा जा सकता है। इसे व्यक्तिगत रूप से या समूह के रूप में सौंपा जा सकता है। जमा करने के बाद, छात्रों को अपने टर्म पेपर की प्रस्तुति (Presentation) भी तैयार करनी पड़ सकती है, जिसे वे शिक्षकों और छात्रों के एक पैनल के समक्ष प्रस्तुत करते हैं।

लेख (Article)

लेख, जिसे शैक्षणिक या विद्वत्तापूर्ण लेख (scholarly or academic paper) भी कहा जाता है, किसी विशेष अध्ययन क्षेत्र में विद्वानों और वैज्ञानिकों द्वारा लिखित एक शोध कार्य होता है। यह टर्म पेपर (Term Paper) से अलग होता है, क्योंकि टर्म पेपर आमतौर पर छात्रों द्वारा लिखा जाता है, जबकि अनुच्छेद विशेषज्ञों द्वारा तैयार किया जाता है, ताकि वे किसी विशेष विषय पर अपने विचार और शोध निष्कर्ष प्रस्तुत कर सकें। लेख मुख्य रूप से दो प्रकार के होते हैं:

शोध लेख (Research Articles)

शोध लेख किसी अध्ययन क्षेत्र में नई खोजों और निष्कर्षों पर केंद्रित होता है। यह आमतौर पर शोध उद्देश्यों के लिए एकत्र किए गए डेटा के विश्लेषण के परिणामस्वरूप लिखा जाता है और प्राथमिक डेटा (Primary Data) पर आधारित होता है। उदाहरण के लिए, किसी चिकित्सा पत्रिका (medical journal) में प्रकाशित एक अध्ययन, जिसमें किसी नई दवा के उपचार प्रभाव का नैदानिक परीक्षण (clinical trial) के माध्यम से मूल्यांकन किया गया हो, एक शोध लेख हो सकता है। शोध लेख तैयार करने और प्रकाशित करने की प्रक्रिया में कई महत्वपूर्ण चरण होते हैं, जो इसकी गुणवत्ता और वैज्ञानिक योगदान को सुनिश्चित करने में सहायक होते हैं:

1. **शोध करना (Conducting Research):** इस प्रारंभिक चरण में शोध अध्ययन की योजना बनाना और इसे निष्पादित करना शामिल होता है। इसमें प्रयोग (experiments), सर्वेक्षण (surveys), साक्षात्कार (interviews) या अन्य डेटा संग्रहण विधियाँ अपनाई जा सकती हैं।
2. **पांडुलिपि लेखन (Manuscript Writing):** शोधकर्ता अपने निष्कर्षों को एक स्पष्ट और संगठित पांडुलिपि (manuscript) में रूपांतरित करते हैं, जिसमें उनके अध्ययन की कार्यप्रणाली (methodology), निष्कर्ष (results) और निष्कर्षात्मक टिप्पणियाँ (conclusions) को सटीकता और स्पष्टता के साथ प्रस्तुत किया जाता है।
3. **पत्रिका चयन (Journal Selection):** उपयुक्त पत्रिका का चयन करना एक महत्वपूर्ण चरण है, जिसमें पत्रिका के दायरे (scope), उसके पाठक वर्ग और अकादमिक समुदाय में उसकी प्रतिष्ठा को ध्यान में रखा जाता है। प्रसिद्ध पत्रिकाओं के कुछ उदाहरण हैं 'ResearchGate' और 'ScienceDirect'।
4. **पत्रिका में सबमिशन (Journal Submission):** लेखक अपने शोध पत्र को चयनित पत्रिका में विचारार्थ प्रस्तुत करते हैं और पत्रिका के दिशानिर्देशों और प्रारूप आवश्यकताओं का पालन करते हैं।
5. **पांडुलिपि ट्रैकिंग (Manuscript Tracking):** सबमिशन के बाद, लेखक अपनी पांडुलिपि की प्रगति को पत्रिका के संपादकीय प्रणाली (editorial system) के माध्यम से ट्रैक कर सकते हैं और संपादकीय टीम से किसी भी अपडेट या अनुरोध की जानकारी प्राप्त कर सकते हैं।
6. **पीयर रिव्यू (Peer Review):** पांडुलिपि की समीक्षा क्षेत्र के विशेषज्ञों द्वारा की जाती है, जो इसकी गुणवत्ता, मौलिकता (originality) और प्रासंगिकता (significance) का मूल्यांकन करते हैं। पीयर रिव्यू प्रक्रिया शोध की अखंडता (integrity) और विश्वसनीयता (credibility) को सुनिश्चित करने में महत्वपूर्ण भूमिका निभाती है।
7. **पांडुलिपि अस्वीकृति (Manuscript Rejection):** कई मामलों में, समीक्षा करने वाले विशेषज्ञों या संपादकों की प्रतिक्रिया के आधार पर पांडुलिपि अस्वीकार की जा सकती है। ऐसे में, लेखकों को अपने शोध पत्र में आवश्यक सुधार करने और इसे किसी अन्य पत्रिका में पुनः प्रस्तुत करने की आवश्यकता हो सकती है।
8. **प्रकाशन के बाद (Post-Publication):** एक बार जब शोध लेख को स्वीकार कर लिया जाता है और प्रकाशित कर दिया जाता है, तो यह शैक्षणिक चर्चा का हिस्सा बन जाता है। यह लेख अकादमिक समुदाय में मूल्यवान अंतर्दृष्टि प्रदान करता है और संभावित रूप से भविष्य के शोध को प्रभावित कर सकता है।

समीक्षात्मक लेख (Review Article)

समीक्षात्मक लेख, जिसे रिव्यू पेपर भी कहा जाता है, किसी विशिष्ट विषय पर उपलब्ध साहित्य (existing literature) के निष्कर्षों का एक व्यापक सारांश प्रस्तुत करता है। यह द्वितीयक स्रोतों (Secondary Sources) पर आधारित होता है और इसमें मौलिक (original) शोध प्रस्तुत नहीं किया जाता। इसकी मुख्य विशेषता यह है कि यह पाठकों को केवल एक लेख पढ़कर किसी विषय के बारे में संपूर्ण जानकारी प्राप्त करने का अवसर प्रदान करता है, जिससे उन्हें सभी उपलब्ध अध्ययनों को पढ़ने की आवश्यकता नहीं पड़ती। यह लेख किसी अध्ययन क्षेत्र में वर्तमान ज्ञान की स्थिति को समझने में मदद करता है। समीक्षात्मक लेख के विभिन्न प्रकार होते हैं:

1. **नैरेटिव रिव्यू (Narrative Review):** नैरेटिव रिव्यू किसी विशेष विषय पर उपलब्ध साहित्य का व्यापक अवलोकन प्रदान करता है। यह आमतौर पर एक वर्णनात्मक (narrative) या विवरणात्मक

(descriptive) शैली में लिखा जाता है। इस प्रकार की समीक्षा में, लेखक विभिन्न स्रोतों से जानकारी एकत्र करता है और उसे अपने शब्दों में संक्षेप में प्रस्तुत करता है।

उदाहरण के लिए, यदि कोई शोधकर्ता स्मार्टफोन के विकास (Evolution of Smartphones) पर अध्ययन कर रहा है, तो वह विभिन्न स्रोतों से जानकारी एकत्र करेगा और स्मार्टफोन के इतिहास, विशेषताओं और प्रभावों को संक्षेप में प्रस्तुत करेगा। इस प्रकार, पाठकों को इस तकनीक का एक समग्र अवलोकन मिलेगा।

2. **सिस्टमेटिक रिव्यू (Systematic Review):** सिस्टमेटिक रिव्यू एक अधिक संरचित (structured) दृष्टिकोण अपनाता है। शोध कर्ता किसी विषय से संबंधित अध्ययनों की पहचान, चयन और विश्लेषण के लिए एक निश्चित पद्धति का पालन करते हैं। वे प्रत्येक अध्ययन की गुणवत्ता का सावधानीपूर्वक मूल्यांकन करते हैं और विभिन्न निष्कर्षों को एक साथ मिलाकर निष्कर्ष निकालते हैं।

   उदाहरण के लिए, यदि शोधकर्ता यह जानना चाहते हैं कि कोई विशेष दवा वास्तव में प्रभावी है या नहीं, तो वे उस दवा पर किए गए सभी अध्ययनों को देखेंगे, उनके परिणामों की तुलना करेंगे और एक स्पष्ट निष्कर्ष निकालेंगे, जो एकत्रित प्रमाणों (evidence) पर आधारित होगा।

3. **मेटा-विश्लेषण (Meta-Analysis):** मेटा-विश्लेषण (Meta-Analysis) किसी विषय पर किए गए कई अध्ययनों के निष्कर्षों को संकलित करता है और उनका एक संयुक्त विश्लेषण करता है। इसमें किसी एकल अध्ययन को देखने के बजाय, शोधकर्ता कई अध्ययनों से डेटा एकत्र करते हैं, सभी आंकड़ों (data) का समग्र विश्लेषण करते हैं और उसके आधार पर निष्कर्ष निकालते हैं।

   उदाहरण के लिए, यदि शोधकर्ता यह जानना चाहते हैं कि कोई विशेष आहार (diet) वजन घटाने (weight loss) के लिए प्रभावी है या नहीं, तो वे उस आहार पर किए गए कई अध्ययनों से डेटा एकत्र करेंगे, संख्यात्मक विश्लेषण (statistical analysis) करेंगे और यह देखेंगे कि क्या सभी अध्ययनों में कोई स्पष्ट प्रवृत्ति (trend) उभरती है।

थीसिस (Thesis)

थीसिस एक विस्तृत शैक्षणिक दस्तावेज (academic document) होता है, जो किसी छात्र के शोध प्रयासों का अंतिम चरण दर्शाता है। इसे आमतौर पर भारत और यूरोप में पीएच.डी. (Ph.D.) डिग्री प्राप्त करने के लिए तैयार किया जाता है। थीसिस किसी अध्ययन क्षेत्र में एक मौलिक (original) योगदान प्रस्तुत करता है और आमतौर पर अध्यायों में विभाजित होता है, जिसमें परिचय (Introduction), साहित्य समीक्षा (Literature Review), कार्यप्रणाली (Methodology), निष्कर्ष (Results), चर्चा (Discussion) और समापन (Conclusion) शामिल होते हैं।

थीसिस पूरा करने के बाद, छात्रों को वाइवा वोस (Viva Voce) या मौखिक परीक्षा (Oral Examination) से गुजरना पड़ता है, जहाँ वे परीक्षकों के पैनल के समक्ष अपने शोध का बचाव (defend) करते हैं। ये परीक्षक विश्वविद्यालय के आंतरिक (internal) हो सकते हैं या अन्य शैक्षणिक संस्थानों से बाहरी (external) रूप में नियुक्त किए जा सकते हैं।

वाइवा वोस छात्रों को अपने शोध प्रक्रिया (research process) को स्पष्ट करने, परीक्षकों द्वारा पूछे गए प्रश्नों और आलोचनाओं (critiques) का उत्तर देने और अपने विषय की गहरी समझ प्रदर्शित करने का अवसर प्रदान करता है। थीसिस का सफलतापूर्वक बचाव (defense) एक छात्र की शैक्षणिक यात्रा का एक महत्वपूर्ण चरण होता है, जो यह दर्शाता है कि वह अपने अध्ययन क्षेत्र में योगदान देने के लिए तैयार है और आगे के शैक्षणिक अनुसंधान की दिशा में अग्रसर हो सकता है।

डिसर्टेशन (Dissertation)

डिसर्टेशन स्नातकोत्तर (postgraduate) अध्ययन का उच्चतम स्तर होता है, जो आमतौर पर MS, M.Tech., M.Sc. या M.Phil. जैसी डिग्रियों के लिए तैयार किया जाता है। यह किसी विशिष्ट विषय या अध्ययन क्षेत्र की गहन पड़ताल (in-depth exploration) को दर्शाता है, जहाँ छात्रों से यह अपेक्षित होता है कि वे विषय से संबंधित मौजूदा ज्ञान को समझें और उसमें महत्वपूर्ण योगदान दें।

डिसर्टेशन प्रक्रिया के दौरान, छात्र को कठोर शैक्षणिक मानकों (academic standards) का पालन करना होता है, जिसमें स्रोतों का उचित संदर्भ (proper citation), नैतिक शोध पद्धतियाँ (ethical research practices) और निष्कर्षों की स्पष्ट प्रस्तुति (clear communication of findings) शामिल होती है। अंत में, तैयार किया गया डिसर्टेशन छात्र की शैक्षणिक प्रगति, शोध कौशल और उसके अध्ययन क्षेत्र में विशेषज्ञता (expertise) का प्रमाण होता है।

थीसिस और डिसर्टेशन के बीच अंतर और थीसिस व शोध लेख (article) के बीच अंतर तालिका 9.4 और तालिका 9.5 में दिया गया है।

क्विज स्टेशन *विगत UGC NET परीक्षाओं के प्रश्न*

प्र 1. थीसिस लेखन का प्रारूप किसके समान होता है?

(a) शोध पत्र/लेख तैयार करने में
(b) सेमिनार प्रस्तुति लिखने में
(c) शोध प्रबंध (dissertation) में
(d) कार्यशाला/सम्मेलन पत्र प्रस्तुत करने में

प्र 2. थीसिस और शोध लेख लिखने की शैली कैसी होनी चाहिए?

(a) भाषा-शैली के संदर्भ में रचनात्मक
(b) प्रयुक्त भाषा के संदर्भ में वैज्ञानिक
(c) आकृतियों और सारणियों के स्थान-निर्धारण के संदर्भ में यांत्रिक
(d) संदर्भ देने की शैली के संदर्भ में परिवर्तनीय

प्र 3. निम्नलिखित में से कौन-सा जर्नल में प्रकाशित होता है?

(a) लेख (Article)

(b) शोध पत्र (Paper)

(c) (a) और (b) दोनों

(d) उपरोक्त में से कोई नहीं

प्र 4. इनमें से किसमें ग्रंथ सूची (bibliography) में स्रोतों का उल्लेख करना आवश्यक होता है?

(a) सम्मेलन (Conference)

(b) कोलोकीयम (Colloquium)

(c) सेमिनार (Seminar)

(d) शोध पत्र (Paper)

प्र 5. शोध प्रबंध के निम्नलिखित खंडों को सही क्रम में व्यवस्थित करें। *(18 जून 2024 - शिफ्ट 2)*

A. अभिस्वीकृति

B. शोध विधियाँ

C. चर्चा

D. साहित्य समीक्षा

नीचे दिए गए विकल्पों में से सही उत्तर चुनें:

(a) ABCD

(b) BDCA

(c) DBCA

(d) ADB

प्र 6. एक शोध पत्र (Research Paper)

(a) किसी विषय पर जानकारी का संकलन होता है।

(b) लेखक द्वारा किए गए मूल शोध को प्रस्तुत करता है।

(c) सहकर्मी-समीक्षित (Peer-reviewed) मूल शोध या अन्य शोधों के मूल्यांकन को प्रस्तुत करता है।

(d) एक से अधिक जर्नल में प्रकाशित किया जा सकता है।

प्र 7. यदि आप उन सैद्धांतिक कारणों को समझना चाहते हैं जिनके कारण शोधकर्ताओं ने एक अध्ययन किया जो एक पत्रिका में शोध लेख के रूप में प्रकाशित हुआ, तो आप शोध लेख के निम्नलिखित में से कौन-सा भाग पढ़ेंगे?

(21 अगस्त 2024 - शिफ्ट 1)

(a) चर्चा

(b) सार

(c) परिचय

(d) परिणाम

उत्तर 1. (c) 2. (b) 3. (c) 4. (d) 5. (d)
6. (c) 7. (c)

तालिका 9.4 थीसिस और डिसर्टेशन के बीच अंतर

फीचर	थीसिस	डिसर्टेशन
डिग्री का प्रकार	आमतौर पर मास्टर डिग्री की ओर ले जाता है	आमतौर पर डॉक्टरेट की डिग्री की ओर ले जाता है
शोध किया गया	शोधकर्ता द्वारा किए गए मूल शोध पर आधारित	मौजूदा जानकारी और शोध निष्कर्षों का उपयोग करता है
लंबाई	लंबा और अधिक समय लेने वाला	छोटा और अपेक्षाकृत जल्दी पूरा होने वाला
परिकल्पना	शोध कार्य पर आधारित परिकल्पना को शामिल करने की आवश्यकता है	प्रभावी निष्कर्षों के लिए नई खोजों की समझ की आवश्यकता है
फोकस	पाठकों के समक्ष मुख्य तर्क को साबित करने पर ध्यान केंद्रित करता है	पृष्ठभूमि कार्य और साहित्य विश्लेषण पर जोर देता है
साहित्य में योगदान	मौजूदा साहित्य में नए निष्कर्ष जोड़ता है	किसी बात को साबित करने के लिए मौजूदा शोध का उपयोग करता है
प्रारूप	एक अकादमिक शोध पत्र के रूप में लिखा गया	एक अकादमिक पुस्तक के समान
संग्रह	मूल शोध डेटा पर निर्भर करता है	मौजूदा सामग्री के काल्पनिक विश्लेषण पर आधारित

तालिका 9.5 थीसिस और लेख के बीच अंतर

फीचर	थीसिस	आर्टिकल
उद्देश्य	शिक्षा: ज्ञान और कौशल का प्रदर्शन	उन्नति: विश्वसनीयता बढ़ाती है और क्षेत्र में योगदान देती है
दर्शक	शैक्षणिक समिति और प्रोफेसर	वैज्ञानिक या शोधकर्ता जो आगे अध्ययन या शोध करना चाहते हैं
सार	लंबा, 500 शब्दों तक	छोटा, 150-250 शब्दों तक
परिचय	अधिक विस्तृत	अधिक संक्षिप्त, इसमें केवल आवश्यक जानकारी शामिल है
लंबाई	लंबा, 50 पेज तक और लगभग 20,000 शब्द	छोटा, 3,000 से 6,000 शब्दों के बीच
सामग्री और विधि	विधियों और प्रक्रियाओं की विस्तृत प्रस्तुति	विधियों की नियंत्रित प्रस्तुति
चर्चा	परिणामों की विस्तृत व्याख्या	परिणामों की स्पष्ट और संक्षिप्त प्रस्तुति
संदर्भ	उद्धृत स्रोतों की विस्तृत सूची	उद्धृत स्रोतों की चुनिंदा सूची
परिशिष्ट	समावेशन अनिवार्य	समावेशन वैकल्पिक
मूल्यांकन	विश्वविद्यालय में परीक्षकों का पैनल	सहकर्मी समीक्षा के अधीन हो सकता है
प्रस्तुतिकरण	डिग्री पूर्ति के लिए विश्वविद्यालय को	शैक्षणिक पत्रिकाएँ

9.3 शोध एकत्र करने के प्रकार (Types of Research Gathering)

1. **बैठक (Meeting):** बैठक एक ऐसा आयोजन होता है जहां लोग किसी विशेष विषय पर चर्चा करने या किसी विशिष्ट मुद्दे का समाधान निकालने के लिए एकत्र होते हैं। यह विभिन्न रूपों में हो सकता है, जैसे कि संगोष्ठी (symposium), कार्यशाला (workshop) या सम्मेलन (conference)। इन सभी आयोजनों का मुख्य उद्देश्य लोगों को एक साथ लाना, विचारों का आदान-प्रदान करना, जानकारी साझा करना और साझा हितों पर सहयोग करना होता है।

इस विषय को सरल बनाने वाले वीडियो व्याख्यान को देखने के लिए इस QR कोड को स्कैन करें

2. **संगोष्ठी (Symposium):** संगोष्ठी एक औपचारिक सभा होती है, जहां विशेषज्ञ किसी विशिष्ट विषय या आपस में जुड़े विषयों पर संक्षिप्त व्याख्यान या प्रस्तुतियाँ देते हैं। प्रस्तुतियों के बाद वे दर्शकों के साथ चर्चा करते हैं और विषय से संबंधित प्रश्नों के उत्तर देते हैं। यह प्रारूप प्रतिभागियों के बीच विचारों और अंतर्दृष्टियों के आदान-प्रदान को प्रोत्साहित करता है और विषय की गहरी समझ को बढ़ावा देता है।

   इसके अतिरिक्त, संगोष्ठी का अर्थ किसी विशेष विषय पर लेखों के संकलन से भी हो सकता है, जैसे कि किसी पत्रिका या अकादमिक जर्नल में प्रकाशित लेख, जो विषय से संबंधित ज्ञान और जानकारी के प्रसार में योगदान देते हैं।

   उदाहरण: जलवायु परिवर्तन पर एक संगोष्ठी में जलवायु वैज्ञानिक, पर्यावरणविद् और नीति निर्माता एकत्र होंगे, जहां वे जलवायु परिवर्तन शमन और अनुकूलन से संबंधित अपने शोध निष्कर्षों और नीतिगत प्रस्तावों को प्रस्तुत करेंगे।

3. **कोलोकीयम (Colloquium):** कोलोकीयम एक अकादमिक सभा होती है, जहां विशेषज्ञ किसी विशेष विषय पर भाषण या प्रस्तुतियाँ देते हैं, जिसके बाद प्रश्नोत्तर सत्र होता है। संगोष्ठी और कोलोकीयम के बीच मुख्य अंतर उनके दर्शकों और विशेषज्ञता के स्तर में होता है।

   हालाँकि, दोनों आयोजनों में विशेषज्ञ प्रस्तुतियाँ देते हैं और चर्चा करते हैं, लेकिन कोलोकीयम व्यापक दर्शकों के लिए होता है, जो चर्चा किए जा रहे विषय में विशेष ज्ञान नहीं रखते। इसका अर्थ यह है कि कोलोकीयम में प्रस्तुत की गई सामग्री आमतौर पर अधिक सहज होती है और आम जनता के लिए तैयार की जाती है, जबकि संगोष्ठी किसी अधिक विशिष्ट और विशेषज्ञ दर्शकों को लक्षित कर सकती है, जिनके पास पहले से ही विषय की गहरी समझ होती है।

   उदाहरण: जलवायु परिवर्तन पर एक कोलोकीयम में शिक्षकों, छात्रों और समुदाय के सदस्यों को आमंत्रित किया जा सकता है, जहाँ वे जलवायु परिवर्तन के वैज्ञानिक पहलुओं और उसके प्रभावों के बारे में जान सकते हैं।

4. **पैनल चर्चा (Panel Discussion):** पैनल चर्चा में विशेषज्ञों या व्यक्तियों का एक समूह किसी विशेष विषय या मुद्दे पर चर्चा करने और विचार साझा करने के लिए एकत्र होता है। यह चर्चा दर्शकों के सामने होती है और इसमें पारंपरिक संरचना नहीं होती, जहाँ "एक वक्ता एक समय में बोलेगा" जैसे नियमों का पालन किया जाए। यह एक अनौपचारिक बातचीत की तरह होती है, जहाँ प्रतिभागी एक-दूसरे के विचारों पर प्रतिक्रिया देते हैं और चर्चा में भाग लेते हैं।

5. **सेमिनार (Seminar):** सेमिनार एक औपचारिक प्रस्तुति होती है, जिसे एक या अधिक विशेषज्ञों द्वारा एक छोटे समूह को दिया जाता है, जो आमतौर पर विषय पर गहरी समझ रखते हैं। सेमिनार नियमित रूप से आयोजित किए जा सकते हैं, जैसे कि मासिक या साप्ताहिक, और आमतौर पर एक आमंत्रित वक्ता होता है, जो किसी विशिष्ट विषय पर विस्तार से चर्चा करता है।

6. **वेबिनार (Webinar):** वेबिनार एक ऑनलाइन कार्यक्रम या प्रस्तुति का प्रकार होता है, जिसमें ऑडियो और वीडियो घटकों का संयोजन होता है। प्रतिभागी अपने कंप्यूटर या मोबाइल डिवाइस के माध्यम से दूरस्थ रूप से जुड़ते हैं और ऑडियो भाग को अपने डिवाइस के स्पीकर या टेलीफोन के माध्यम से सुन सकते हैं। इस दौरान,

प्रस्तुतकर्ता इंटरनेट पर स्लाइड्स या लाइव डेमोंस्ट्रेशन साझा करता है, जिससे प्रतिभागी दृश्य रूप से सामग्री को समझ सकते हैं।

7. **कार्यशाला (Workshop):** कार्यशाला एक इंटरएक्टिव शिक्षण सत्र होती है, जहाँ प्रतिभागी व्यावहारिक गतिविधियों, चर्चाओं और प्रस्तुतियों में भाग लेते हैं ताकि किसी विशेष विषय पर विशिष्ट कौशल या ज्ञान विकसित कर सकें। ये सत्र आमतौर पर किसी क्षेत्र के विशेषज्ञों या पेशेवरों द्वारा संचालित किए जाते हैं और सीखने की एक व्यावहारिक दृष्टि प्रदान करते हैं।

उदाहरण: जलवायु परिवर्तन पर एक कार्यशाला में प्रतिभागी पर्यावरणीय मुद्दों को समझने और समाधान खोजने के लिए व्यावहारिक गतिविधियों में शामिल होते हैं। उदाहरण के लिए, वे प्लास्टिक कचरा ऑडिट (Plastic Waste Audit) में भाग ले सकते हैं, जहाँ वे विभिन्न प्रकार के प्लास्टिक कचरे को एकत्र, छांट और विश्लेषण करते हैं, जिससे उपभोग पैटर्न और प्लास्टिक प्रदूषण को कम करने के संभावित समाधान समझ सकें। इसके अतिरिक्त, वे अपने कार्बन फुटप्रिंट की गणना कर सकते हैं और अपने दैनिक जीवन में कार्बन उत्सर्जन को कम करने की रणनीतियों का पता लगा सकते हैं। इस प्रकार, ये इंटरएक्टिव गतिविधियाँ और चर्चाएँ प्रतिभागियों को व्यावहारिक कौशल और ज्ञान प्रदान करती हैं, जिससे वे पर्यावरणीय स्थिरता को बढ़ावा देने और जलवायु परिवर्तन से निपटने में योगदान कर सकते हैं।

8. **सम्मेलन (Conference):** सम्मेलन एक ऐसा आयोजन होता है, जहाँ व्यक्ति किसी विशेष विषय या विषयवस्तु पर चर्चा करने के लिए एकत्र होते हैं। इसमें आमतौर पर मुख्य भाषण (Keynote Speeches) और प्रस्तुतियाँ होती हैं, जिन्हें सभी प्रतिभागियों के लिए दिया जाता है, साथ ही अधिक केंद्रित चर्चाओं या कार्यशालाओं के लिए अलग-अलग सत्र भी आयोजित किए जाते हैं।

उदाहरण: जलवायु परिवर्तन पर एक सम्मेलन का उदाहरण संयुक्त राष्ट्र जलवायु परिवर्तन सम्मेलन (United Nations Climate Change Conference) हो सकता है, जिसे आमतौर पर COP (Conference of the Parties) के रूप में जाना जाता है। यह एक बहु-दिवसीय जलवायु परिवर्तन सम्मेलन है, जो वैज्ञानिकों, नीति निर्माताओं, कार्यकर्ताओं और दुनिया भर के हितधारकों को एक साथ लाता है।

सम्मेलन में मुख्य भाषण, पैनल चर्चाएँ, कार्यशालाएँ और नेटवर्किंग सत्र होते हैं, जो जलवायु परिवर्तन के शमन (mitigation) और अनुकूलन (adaptation) के विभिन्न पहलुओं पर केंद्रित होते हैं। इसमें विभिन्न

क्विज स्टेशन *विगत UGC NET परीक्षाओं के प्रश्न*

प्र 1. निम्नलिखित में से किस व्यवस्था में विचारों और मुद्दों की एक व्यापक श्रेणी को प्रस्तुत करना संभव हो सकता है?

(a) शोध लेख (Research article)
(b) कार्यशाला मोड (Workshop mode)
(c) सम्मेलन (Conference)
(d) संगोष्ठी (Symposium)

प्र 2. जब शिक्षाविदों (academicians) को कुछ शैक्षिक विषयों या विषयों के समूह पर व्याख्यान या प्रस्तुति देने के लिए बुलाया जाता है, तो इसे क्या कहा जाता है?

(a) प्रशिक्षण कार्यक्रम (Training program)
(b) सेमिनार (Seminar)
(c) कार्यशाला (Workshop)
(d) संगोष्ठी (Symposium)

प्र 3. निम्नलिखित में से किस गतिविधि में रचनात्मक सोच को विकसित करने की क्षमता अपेक्षाकृत अधिक होती है?

(a) शोध सार तैयार करना (Preparing research summary)
(b) सेमिनार पेपर प्रस्तुत करना (Presenting a seminar paper)
(c) शोध सम्मेलन में भाग लेना (Participation in research conference)
(d) कार्यशाला में भाग लेना (Participation in workshop)

प्र 4. निम्नलिखित में से कौन-सा मुख्य रूप से एक अकादमिक बैठक (academic meeting) है?

(a) कोलोकीयम (Colloquium)
(b) सम्मेलन (Conference)
(c) संगोष्ठी (Symposium)
(d) उपरोक्त में से कोई नहीं (None of the above)

प्र 5. कार्यशालाएँ (Workshops) किसके लिए आयोजित की जाती हैं?

(a) व्याख्यान देने के लिए (Giving lectures)
(b) विभिन्न लक्ष्य समूहों के लिए (Multiple target groups)
(c) नए सिद्धांतों को प्रदर्शित करने के लिए (Showcase new theories)
(d) व्यावहारिक प्रशिक्षण/अनुभव प्रदान करने के लिए (Hands-on training/experience)

प्र 6. सेमिनार की कौन-सी विशेषताएँ हैं?

1. यह शैक्षणिक निर्देश (academic instruction) का एक रूप है।
2. इसमें प्रश्नोत्तरी, चर्चा और वाद-विवाद शामिल होते हैं।
3. इसमें बड़ी संख्या में व्यक्तियों का समूह शामिल होता है।
4. इसमें कुशल व्यक्तियों की भागीदारी आवश्यक होती है।

नीचे दिए गए कूटों में से सही उत्तर चुनें:

(a) 2 और 3

(b) 2 और 4

(c) 2, 3 और 4

(d) 1, 2 और 4

प्र 7. नीचे दिए गए दो समूहों में, सेट-I में प्रस्तुति के प्रारूप (format of presentation) और सेट-II में उनकी विशिष्ट विशेषताएँ (distinctive features) दी गई हैं। दोनों का सही मिलान करें और नीचे दिए गए कूटों में से उत्तर का चयन करें।

सेट-I (प्रस्तुति का प्रारूप)

(A) थीसिस/शोध प्रबंध (Thesis/Dissertation)

(B) शोध पत्र (Research paper)

(C) कार्यशाला (Workshop)

(D) सेमिनार (Seminar)

सेट-II (विशिष्ट विशेषताएँ)

(i) विचारों की स्वतंत्र अभिव्यक्ति पर आधारित (Based on freewheeling of ideas)

(ii) लक्ष्य-उन्मुख समूह आधारित चिंतन (Target-oriented group-based reflection)

(iii) विशिष्ट विषयों पर चिंतनशील विचार-विमर्श (Reflective deliberations based on specific themes)

(iv) किए गए शोध के सारांश पर प्रस्तुति (Presentation on a summary of research done)

(v) व्यवस्थित और निर्धारित प्रारूप (Systematic prescribed format)

कोड:

	A	B	C	D
(a)	(iii)	(i)	(ii)	(v)
(b)	(ii)	(iii)	(iv)	(v)
(c)	(v)	(iv)	(ii)	(iii)
(d)	(i)	(ii)	(iii)	(v)

उत्तर 1. (c) 2. (b) 3. (d) 4. (a) 5. (d) 6. (d) 7. (c)

पृष्ठभूमियों से आए प्रतिभागी अपने शोध निष्कर्ष, नीतिगत पहलकदमियाँ और जलवायु परिवर्तन से निपटने के व्यावहारिक समाधान साझा करते हैं।

9.4 शोध नैतिकता (Research Ethics)

शोध नैतिकता (Research Ethics) वे मूलभूत सिद्धांत और दिशानिर्देश हैं जो शोध की प्रक्रिया को नियंत्रित करते हैं, जिससे सत्यनिष्ठा (integrity) और उत्तरदायित्व (responsibility) सुनिश्चित किए जा सकें। कानून कुछ व्यवहारों को निर्धारित करता है, जबकि नैतिकता (ethics) एक व्यापक ढांचा प्रदान करती है, जो कानूनी आवश्यकताओं से परे कार्यों का मार्गदर्शन करती है। ये सिद्धांत सुनिश्चित करते हैं कि शोधकर्ता नैतिक मानकों का पालन करें, प्रतिभागियों के अधिकारों और गरिमा (dignity) का सम्मान करें और शोध प्रक्रिया में पूर्ण सत्यनिष्ठा बनाए रखें।

इस विषय को सरल बनाने वाले वीडियो व्याख्यान को देखने के लिए इस QR कोड को स्कैन करें

नैतिक शोध के घटक (Components of Ethical Research)

1. **ईमानदारी (Honesty):** शोधकर्ताओं को अपने अध्ययन के सभी पहलुओं को सत्यता से प्रस्तुत करना चाहिए, जिसमें डेटा, परिणाम, विधियाँ और प्रकाशन की स्थिति शामिल हैं। उदाहरण के लिए, यदि किसी वैज्ञानिक ने किसी नई दवा का परीक्षण किया और पाया कि उसके हानिकारक प्रभाव हैं, तो उन्हें इस निष्कर्ष को ईमानदारी से रिपोर्ट करना चाहिए। भले ही इसका अर्थ यह हो कि दवा को योजना के अनुसार बेचा नहीं जा सकता, लेकिन सत्यता बनाए रखना आवश्यक है ताकि उन लोगों की सुरक्षा सुनिश्चित की जा सके, जो इस दवा का उपयोग कर सकते हैं।
2. **निष्पक्षता (Objectivity):** शोध में निष्पक्षता का अर्थ है निष्कर्षों को व्यक्तिगत भावनाओं या राय से प्रभावित न होने देना। उदाहरण के लिए, यदि शोधकर्ता यह अध्ययन कर रहे हैं कि कोई नई शिक्षण पद्धति छात्रों के प्रदर्शन को कैसे प्रभावित करती है, तो निष्पक्षता बनाए रखने के लिए उन्हें अध्ययन को इस तरह स्थापित करना होगा कि यह सभी छात्रों के लिए निष्पक्ष हो, चाहे उनकी व्यक्तिगत राय कुछ भी हो।
3. **सत्यनिष्ठा (Integrity):** सत्यनिष्ठा का अर्थ है विचार और क्रियाओं में ईमानदारी और स्थिरता बनाए रखना। शोधकर्ताओं को नैतिक मानकों का पालन करना चाहिए और हितों के टकराव (conflict of interest) से बचना चाहिए। उदाहरण के लिए, यदि किसी शोधकर्ता को किसी दवा कंपनी से वित्तीय सहायता मिल रही है, तो उसे इस जानकारी को सार्वजनिक रूप से उजागर करना चाहिए ताकि पारदर्शिता (transparency) और सत्यनिष्ठा सुनिश्चित की जा सके।
4. **सावधानी (Carefulness):** शोधकर्ताओं को अपने कार्य में सतर्कता बरतनी चाहिए ताकि लापरवाही या त्रुटियों से बचा जा सके। शोध प्रक्रिया के सभी पहलुओं, जैसे कि प्रयोगात्मक प्रक्रियाओं

(experimental procedures) और डेटा संग्रह विधियों (data collection methods), का उचित दस्तावेजीकरण आवश्यक है। उदाहरण के लिए, प्रयोगशाला में विस्तृत नोट्स रखना शोधकर्ताओं को अपने प्रयोगों को ट्रैक करने और निष्कर्षों में सटीकता सुनिश्चित करने में मदद करता है।

5. **खुलापन (Openness):** खुलापन का अर्थ है डेटा, निष्कर्ष, विचार, उपकरण और संसाधनों को वैज्ञानिक समुदाय के साथ साझा करना। शोधकर्ताओं को आलोचनाओं और नए विचारों के लिए तैयार रहना चाहिए, जिससे सहयोग (collaboration) को बढ़ावा मिले और सामूहिक रूप से ज्ञान का विकास हो सके। उदाहरण के लिए, वैज्ञानिक अक्सर अपने डेटासेट्स को सार्वजनिक रिपॉजिटरी (repositories) जैसे कि GitHub या Figshare पर साझा करते हैं, जिससे पारदर्शिता (transparency) और अन्य शोधकर्ताओं के साथ सहयोग को बढ़ावा मिलता है।

6. **बौद्धिक संपदा अधिकारों का सम्मान (Respect for Intellectual Property Rights):** शोधकर्ताओं को बौद्धिक संपदा अधिकारों (Intellectual Property Rights) जैसे कि पेटेंट, कॉपीराइट और अन्य बौद्धिक संपदा रूपों का सम्मान करना चाहिए। इसमें अन्य शोधकर्ताओं के कार्यों का सही तरीके से उद्धरण देना और आवश्यकतानुसार कॉपीराइट सामग्री के उपयोग के लिए अनुमति प्राप्त करना शामिल है। यदि शोधकर्ता इन नियमों का पालन नहीं करते, तो इससे उनकी प्रतिष्ठा को नुकसान हो सकता है और कानूनी परिणाम भी भुगतने पड़ सकते हैं।

7. **निष्ठा (Fidelity):** शोध में निष्ठा का अर्थ है पूरी शोध प्रक्रिया में सटीकता और स्थिरता बनाए रखना। इसमें शोध विधियों का सावधानीपूर्वक पालन करना, डेटा को सही तरीके से एकत्रित करना और निष्कर्षों की व्याख्या करते समय सत्यनिष्ठा बनाए रखना शामिल है। निष्ठा सुनिश्चित करती है कि शोध निष्कर्ष ठोस प्रमाण ों पर आधारित हों और वे किसी भी पूर्वाग्रह या भ्रामक जानकारी से मुक्त हों।

8. **उत्तरदायी प्रकाशन (Responsible Publication):** उत्तरदायी प्रकाशन का अर्थ है शोध निष्कर्षों को समाज के लाभ के लिए प्रकाशित करना और अनावश्यक या दोहराव वाली प्रकाशनों से बचना। शोधकर्ताओं को अपने कार्य को प्रकाशित करते समय नैतिक दिशानिर्देशों और मानकों का पालन करना चाहिए, ताकि यह वैज्ञानिक समुदाय के लिए सकारात्मक योगदान दे सके। उदाहरण के लिए, शोध कर्ताओं को एक ही निष्कर्ष को कई पत्रिकाओं में प्रकाशित करने से बचना चाहिए, क्योंकि इससे संसाधनों की बर्बादी होती है और वैज्ञानिक समुदाय में भ्रम उत्पन्न हो सकता है। उत्तरदायी प्रकाशन का मुख्य उद्देश्य मूल और महत्वपूर्ण शोध को प्रस्तुत करना होता है, जो मौजूदा ज्ञान को आगे बढ़ाने में सहायक हो।

9. **सामाजिक उत्तरदायित्व (Social Responsibility):** शोध कर्ताओं की यह जिम्मेदारी होती है कि वे समाज और विभिन्न समुदायों की भलाई के लिए शोध करें, जो समाज में मौजूद महत्वपूर्ण समस्याओं को हल करने में सहायक हो। इसमें सार्वजनिक स्वास्थ्य में सुधार लाने, पर्यावरण संरक्षण या अन्य सामाजिक मुद्दों पर शोध करना शामिल हो सकता है। यह अनुसंधान कौशल का उपयोग करके सकारात्मक प्रभाव डालने और सभी के लिए एक बेहतर दुनिया बनाने में मदद करने के बारे में है।

10. **गैर-भेदभाव (Non-Discrimination):** शोधकर्ताओं को अपने सहकर्मियों या छात्रों के प्रति लिंग, जाति या व्यक्तिगत विश्वासों के आधार पर भेदभाव नहीं करना चाहिए। समावेशी और विविध शोध टीमों से रचनात्मकता और नवाचार को बढ़ावा मिलता है, जिससे वैज्ञानिक परिणाम अधिक प्रभावी होते हैं। उदाहरण के लिए, प्रयोगशाला में शोधकर्ताओं को अपने सहकर्मियों और छात्रों का मूल्यांकन उनकी वैज्ञानिक क्षमता और शोध दल में उनके योगदान के आधार पर करना चाहिए, न कि उनके लिंग, जाति या व्यक्तिगत संपर्कों के आधार पर।

11. **योग्यता संवर्धन (Enhancing Competence):** शोधकर्ताओं को अपने पेशेवर कौशल और ज्ञान को निरंतर विकसित करने का प्रयास करना चाहिए। जीवनभर सीखने और कौशल विकास के माध्यम से वे अपनी विशेषज्ञता को निखार सकते हैं। साथ ही, उन्हें अपने से जूनियर शोधकर्ताओं का मार्गदर्शन करना चाहिए और वैज्ञानिक समुदाय में ज्ञान और विशेषज्ञता साझा करनी चाहिए। उदाहरण के लिए, यदि कोई शोधकर्ता अपने सांख्यिकीय विश्लेषण कौशल को बेहतर बनाने के लिए कार्यशालाओं या ऑनलाइन पाठ्यक्रमों में भाग लेता है, तो यह उनके पेशेवर कौशल संवर्धन की प्रतिबद्धता को दर्शाता है।

12. **कानूनी अनुपालन (Ensuring Legality):** शोधकर्ताओं को यह सुनिश्चित करना चाहिए कि उनका शोध सभी संबंधित कानूनों, संस्थागत नीतियों और सरकारी नियमों का पालन करता हो। इसमें मानव प्रतिभागियों या जानवरों को शामिल करने वाले शोध के लिए आवश्यक अनुमतियाँ प्राप्त करना और नियामक निकायों द्वारा निध ारित नैतिक दिशानिर्देशों का पालन करना शामिल है।

13. **जानवरों का देखभाल (Animal Care):** यदि किसी शोध में जानवरों का उपयोग किया जाता है, तो शोधकर्ताओं को यह सुनिश्चित करना चाहिए कि उनका उचित देखभाल और नैतिक रूप से व्यवहार किया जाए। इसमें प्रयोगों को इस तरह से डिजाइन करना शामिल है कि जानवरों को कम से कम दर्द और कष्ट हो। शोधकर्ताओं को पशु देखभाल और प्रबंधन के लिए स्थापित प्रोटोकॉल का पालन करना चाहिए और पशु कल्याण नियमों का अनुपालन सुनिश्चित करना चाहिए। नैतिक शोध प्रक्रियाओं को सुनिश्चित करने के लिए पशु कल्याण मानकों का पालन आवश्यक है।

नैतिक शोध के लाभ (Benefits of Ethical Research)

1. **सटीकता सुनिश्चित करना और गलतियाँ न्यूनतम करना (Ensuring Accuracy and Minimizing Mistakes):** नैतिक शोध पद्धतियाँ शोधकर्ताओं को सत्य की खोज करने और गलतियों से बचने में मदद करती हैं। ईमानदारी और सावधानीपूर्वक अध्ययन करने से शोधकर्ता सटीक परिणाम प्राप्त कर सकते हैं और विश्वसनीय निष्कर्ष निकाल सकते हैं।
2. **सहयोगी मूल्यों का विकास (Collaborative Values):** नैतिक शोध से विश्वास, उत्तरदायित्व, आपसी सम्मान और निष्पक्षता जैसे मूल्यों को बढ़ावा मिलता है। इससे शोधकर्ताओं के बीच प्रभावी टीम वर्क को प्रोत्साहन मिलता है और शोध समुदाय के भीतर मजबूत और सकारात्मक संबंध बनते हैं।

3. **सार्वजनिक उत्तरदायित्व (Public Accountability):** नैतिक शोध यह सुनिश्चित करता है कि शोधकर्ता समाज और आम जनता के प्रति उत्तरदायी हों। इसके लिए आवश्यक है कि वे अपनी शोध विधियों को पारदर्शी बनाएँ, निष्कर्षों की रिपोर्टिंग में ईमानदार रहें और अपने शोध के व्यक्तियों और समुदायों पर पड़ने वाले प्रभाव के प्रति जिम्मेदार हों।
4. **प्रतिभागियों की सहभागिता (Participant Engagement):** नैतिक शोध पद्धतियाँ जनता के विश्वास को बढ़ाती हैं, जिससे प्रतिभागियों को शामिल करना आसान हो जाता है। जब लोग विश्वास करते हैं कि शोध नैतिक रूप से संचालित किया जा रहा है, तो वे अधिक स्वेच्छा से भाग लेते हैं और अध्ययन में योगदान देते हैं, जिससे शोध परिणामों की गुणवत्ता और विश्वसनीयता मजबूत होती है।

शोध नैतिकता के मुख्य दृष्टिकोण (Main Approaches to Research Ethics)

नैतिकता के तीन मुख्य दृष्टिकोण हैं:

1. **कर्तव्यनिष्ठ दृष्टिकोण (Deontological Approach):** यह दृष्टिकोण नैतिक निर्णय लेने के लिए एक सार्वभौमिक संहिता का उपयोग करता है। यह पूर्ण सत्य पर आधारित होता है, जिसका अर्थ है कि कुछ कार्य हमेशा सही या गलत होते हैं, चाहे परिस्थिति कुछ भी हो। उदाहरण के लिए, इस दृष्टिकोण में झूठ बोलना हमेशा गलत माना जाता है।
2. **नैतिक संशयवाद दृष्टिकोण (Ethical Scepticism Approach):** यह दृष्टिकोण कहता है कि नैतिक मानक व्यक्ति की संस्कृति और समय के अनुसार बदलते हैं। यह सापेक्षवाद पर आधारित है, जिसका अर्थ है कि सही और गलत की परिभाषा सांस्कृतिक और ऐतिहासिक संदर्भों के अनुसार बदल सकती है। उदाहरण के लिए, खाने की आदतों पर किए गए एक अध्ययन को लें। कुछ संस्कृतियों में कुछ जानवरों को खाना सामान्य माना जाता है, जबकि अन्य संस्कृतियों में यह वर्जित होता है। इस दृष्टिकोण के अनुसार, शोधकर्ताओं को जिस संस्कृति का वे अध्ययन कर रहे हैं, उसके नैतिक मानकों का सम्मान करना चाहिए, भले ही वे उनके स्वयं के मानकों से भिन्न हों।
3. **उपयोगितावादी दृष्टिकोण (Utilitarian Approach):** यह आधुनिक दृष्टिकोण मानता है कि परिणाम ही साधनों को उचित ठहराते हैं। इसमें निर्णय लागत-लाभ विश्लेषण के आधार पर लिए जाते हैं, जहाँ सकारात्मक और नकारात्मक परिणामों दोनों को ध्यान में रखा जाता है। उदाहरण के लिए, किसी नई दवा के क्लिनिकल परीक्षण को लें। इस दृष्टिकोण के अनुसार, दवा के संभावित लाभ (जैसे जीवन बचाना या बीमारी का इलाज करना) और संभावित जोखिम (जैसे दुष्प्रभाव या प्रतिभागियों को होने वाली हानि) का विश्लेषण किया जाएगा। यदि कुल मिलाकर लाभ हानियों से अधिक हैं, तो परीक्षण को उचित ठहराया जा सकता है, भले ही कुछ नकारात्मक परिणाम हों।

शोध में दुराचार के घटक (Components of Research Misconduct)

1. **मनगढ़ंत डेटा (Fabrication):** इसमें नकली डेटा या परिणाम गढ़ना शामिल है। उदाहरण के लिए, कल्पना करें कि एक वैज्ञानिक को नए निष्कर्ष प्रकाशित करने का दबाव है। वास्तविक प्रयोग करने के बजाय, वे डेटा को स्वयं बनाकर यह दावा करते हैं कि उन्होंने कुछ नया खोजा है। यह अनैतिक है क्योंकि यह गलत जानकारी पैदा करता है, जिस पर अन्य लोग भरोसा कर सकते हैं, जिससे गलत निष्कर्ष निकल सकते हैं और वैज्ञानिक शोध में विश्वास की हानि हो सकती है।
2. **गलत तथ्य प्रस्तुत करना (Falsification):** इसमें डेटा, उपकरण या शोध प्रक्रियाओं में हेरफेर करना शामिल है ताकि परिणामों को गलत तरीके से प्रस्तुत किया जा सके। उदाहरण के लिए, यदि कोई शोधकर्ता कोई प्रयोग करता है, लेकिन उसे आशा के अनुरूप परिणाम नहीं मिलते, तो वह डेटा के अंकों में बदलाव कर सकता है ताकि ऐसा लगे कि उसकी परिकल्पना सही थी। यह अनैतिक है क्योंकि यह सत्य को विकृत करता है, अन्य शोधकर्ताओं को गुमराह करता है और गलत वैज्ञानिक प्रगति का कारण बन सकता है।
3. **साहित्यिक चोरी (Plagiarism):** यह किसी अन्य व्यक्ति के कार्य या विचारों को बिना श्रेय दिए अपने रूप में प्रस्तुत करना है। उदाहरण के लिए, यदि कोई छात्र शोध पत्र लिखते समय किसी अकादमिक लेख के एक भाग को बिना मूल लेखक का नाम दिए कॉपी कर लेता है, तो यह साहित्यिक चोरी मानी जाएगी। यह अनैतिक है क्योंकि यह किसी और की बौद्धिक संपदा चुराने के समान है और किसी दूसरे के परिश्रम को स्वयं का बताने का प्रयास करता है, जिससे मूल लेखक और साहित्यिक चोरी करने वाले दोनों की प्रतिष्ठा को नुकसान हो सकता है।
4. **एकाधिक लेखनकर्ता (Multiple Authorship):** इसमें एक शोध पत्र में कई लेखकों का नाम शामिल होता है, लेकिन यदि श्रेय समान रूप से नहीं दिया जाता, तो यह नैतिक समस्या उत्पन्न कर सकता है। उदाहरण के लिए, किसी शोध परियोजना में कई वैज्ञानिक शामिल होते हैं, लेकिन कभी-कभी केवल वरिष्ठ शोधकर्ताओं का नाम शोध पत्र में शामिल किया जाता है, भले ही अधिकांश कार्य जूनियर शोधकर्ताओं ने किया हो। दूसरी ओर, कभी-कभी ऐसे व्यक्तियों का नाम भी लेखकों की सूची में जोड़ा जाता है, जिन्होंने शोध में बहुत कम योगदान दिया होता है या बिल्कुल भी योगदान नहीं दिया होता, केवल उनके पद या संबंधों के कारण। यह अनैतिक है क्योंकि यह सही तरीके से नहीं दर्शाता कि कार्य किसने किया और उन लोगों को उचित मान्यता नहीं मिलती, जिन्होंने वास्तव में योगदान दिया है।

क्या आप जानते हैं? FFP एक लोकप्रिय संक्षिप्त शब्द है, जिसका अर्थ है Fabrication, Falsification और Plagiarism। ये तीनों गंभीर शोध दुराचार के प्रकार हैं, जिनका वैज्ञानिक शोध में कोई स्थान नहीं होना चाहिए।

प्रतिभागियों से संबंधित नैतिक मुद्दे (Ethical Issues Related to Participants)

शोध में प्रतिभागियों से जुड़े नैतिक मुद्दे अत्यंत महत्वपूर्ण होते हैं। एक मूलभूत नियम यह है कि अध्ययन में शामिल किसी भी व्यक्ति को किसी प्रकार की हानि न हो। अतीत की घटनाएँ, जैसे कि नाजी डॉक्टरों द्वारा किए गए चिकित्सा परीक्षण या नैदानिक परीक्षणों में कमजोर समूहों के साथ हुआ अन्यायपूर्ण व्यवहार, यह दर्शाते हैं कि नैतिक नियम कितने आवश्यक हैं।

उदाहरण के लिए, बिना लोगों की सहमति के किए गए प्रयोग या अत्यधिक मात्रा में दी गई दवाओं के कारण कई प्रतिभागियों को स्थायी नुकसान हुआ है।

आजकल, शोधकर्ता प्रतिभागियों को एक महत्वपूर्ण भागीदार के रूप में देखते हैं और उनकी सुरक्षा, उनके अधिकारों के सम्मान और गरिमापूर्ण व्यवहार पर ध्यान केंद्रित करते हैं। किसी भी शोध परियोजना की शुरुआत से अंत तक नैतिक चिंताओं को प्राथमिकता दी जाती है, ताकि यह सुनिश्चित किया जा सके कि प्रतिभागियों के साथ उचित व्यवहार किया जाए और उनकी सुरक्षा सर्वोच्च प्राथमिकता बनी रहे। आइए प्रतिभागियों से जुड़े कुछ महत्वपूर्ण नैतिक मुद्दों पर नजर डालें:

1. **बलपूर्वक सम्मिलित करना/प्रतिभागियों की पूर्व-सहमति की कमी (Coercion/Lack of Informed Consent of the Respondents):** जबरदस्ती का अर्थ होता है किसी व्यक्ति को उसकी इच्छा के विरुद्ध कार्य करने के लिए दबाव डालना या बाध्य करना। यह तब होता है जब लोगों को पूरी जानकारी दिए बिना किसी अध्ययन में भाग लेने के लिए प्रेरित किया जाता है। शोध में प्रतिभागियों की पूर्व-सहमति (Informed Consent) प्राप्त करना आवश्यक है। शोधकर्ताओं को अध्ययन के उद्देश्य, जोखिम और संभावित लाभों को स्पष्ट रूप से समझाना चाहिए। उदाहरण के लिए, चिकित्सा परीक्षणों में प्रतिभागियों को संभावित दुष्प्रभावों की जानकारी दी जानी चाहिए, ताकि वे पूरी तरह से समझकर इसमें भाग लेने का निर्णय ले सकें।
2. **स्वैच्छिक छल (Voluntary Deception):** इसका अर्थ प्रतिभागियों से शोध के वास्तविक उद्देश्य को छिपाने से है। कभी-कभी शोधकर्ता यह सुनिश्चित करने के लिए कि प्रतिक्रियाएँ पूर्वाग्रह (bias) से मुक्त हों, अध्ययन से संबंधित सभी विवरण तुरंत प्रकट नहीं करते। हालांकि, यह कार्य नैतिक रूप से तथा सावधानी के साथ किया जाना चाहिए, ताकि यह सुनिश्चित किया जा सके कि प्रतिभागियों को जानकारी के अभाव के कारण गुमराह न किया जाए या उन्हें कोई नुकसान न पहुंचे।
3. **अत्यधिक प्रलोभन/प्रोत्साहन की पेशकश (Excessive Inducement/Offering Incentives):** कभी-कभी शोधकर्ता अधिक प्रतिभागियों को आकर्षित करने के लिए अत्यधिक धन या अन्य प्रकार के इनाम की पेशकश करते हैं। इससे प्रतिभागी अध्ययन के उद्देश्य या संभावित जोखिमों पर ध्यान देने के बजाय केवल इनाम को प्राथमिकता देने लगते हैं। उदाहरण के लिए, यदि किसी शोध में बड़ी वित्तीय प्रोत्साहन राशि का वादा किया जाता है, तो इससे लोग अनावश्यक दबाव में आकर भाग लेने के लिए तैयार हो सकते हैं, भले ही वे स्वेच्छा से ऐसा न करना चाहते हों। इस समस्या से बचने के लिए शोधकर्ताओं को यह सुनिश्चित करना चाहिए कि दिए जाने वाले प्रोत्साहन निष्पक्ष और उचित हों, और वे प्रतिभागियों के निर्णय को अनुचित रूप से प्रभावित न करें।
4. **गोपनीयता और निजता (Confidentiality and Privacy):** जब शोधकर्ता संवेदनशील जानकारी, जैसे कि व्यक्तिगत विश्वासों या अनुभवों से संबंधित विवरण प्राप्त कर रहे होते हैं, तो उन्हें गोपनीयता को सर्वोच्च प्राथमिकता देनी चाहिए और प्रतिभागियों की निजता का सम्मान करना चाहिए। उदाहरण के लिए, यदि किसी व्यक्ति की व्यक्तिगत थेरेपी से संबंधित जानकारी उसकी अनुमति के बिना उजागर कर दी जाती है, तो इससे उसकी प्रतिष्ठा को नुकसान हो सकता है या भावनात्मक तनाव उत्पन्न हो सकता है। शोधकर्ताओं को ऐसी जानकारी को नैतिक रूप से संभालना चाहिए, गोपनीयता सुनिश्चित करनी चाहिए और आवश्यकता पड़ने पर सहयोग प्रदान करना चाहिए।
5. **शारीरिक और मानसिक हानि से बचाव (Avoiding/Minimising Physical and Psychological Harm):** नैतिक शोध को इस प्रकार संचालित किया जाना चाहिए कि प्रतिभागियों को किसी भी प्रकार की हानि से बचाया जा सके। उदाहरण के लिए, यदि किसी मनोवैज्ञानिक अध्ययन में प्रतिभागियों को तनावपूर्ण परिस्थितियों में डाला जाता है, लेकिन उन्हें पर्याप्त सहायता प्रदान नहीं की जाती, तो इससे शारीरिक और मानसिक नुकसान हो सकता है। शोधकर्ताओं को अध्ययन के दौरान संभावित हानियों का पूर्वानुमान लगाना चाहिए और उन्हें न्यूनतम करने के लिए आवश्यक कदम उठाने चाहिए।

ऊपर बताए गए नैतिक मुद्दों के साथ-साथ, तीन सिद्धांत हैं जो मार्गदर्शन करते हैं कि शोधकर्ताओं को अपने द्वारा अध्ययन किए जाने वाले लोगों/प्रतिवादियों के साथ कैसा व्यवहार करना चाहिए:

- **न्याय (Justice):** यह सुनिश्चित करना कि प्रतिभागियों के चयन और उनके साथ किए गए व्यवहार में निष्पक्षता हो और किसी प्रकार की पक्षपातपूर्ण या भेदभावपूर्ण नीति न अपनाई जाए।
- **कल्याण (Beneficence):** प्रतिभागियों के सर्वोत्तम हित में कार्य करना, उनके कल्याण को प्राथमिकता देना और शोध से उत्पन्न किसी भी संभावित हानि को कम से कम करना।
- **सम्मान (Respect):** प्रतिभागियों के साथ गरिमापूर्ण व्यवहार करना, उनकी स्वायत्तता (स्वतंत्र निर्णय लेने का अधिकार) का सम्मान करना और उनकी गोपनीयता तथा निजता की सुरक्षा करना।

स्कोर बूस्टर

पूरक पठन अनुशंसा

QR कोड काम नहीं कर रहा है? QR कोड के साथ दिए गए संसाधनों तक पहुँचने के लिए आंतरिक फ्रन्ट कवर पर दिए गए निर्देशों का पालन करें

नीचे आधिकारिक यूजीसी नेट पेपर 1 पाठ्यक्रम में उल्लिखित विषय दिए गए हैं जो हाल ही में यूजीसी नेट परीक्षा में नहीं पूछे गए हैं। यदि आप उन्हें जानना चाहते हैं, तो विस्तृत स्पष्टीकरण के साथ एक **विशेष पीडीएफ** तक पहुंचने के लिए QR कोड को स्कैन करें:

1. शोधकर्ता से संबंधित नैतिक मुद्दे
2. अनुसंधान में आईसीटी की भूमिका
3. अनुसंधान में प्रयुक्त महत्वपूर्ण आईसीटी उपकरण
4. अनुसंधान में प्रयुक्त सांख्यिकीय सॉफ्टवेयर

क्विज स्टेशन *विगत UGC NET परीक्षाओं के प्रश्न*

प्र 1. शोध को नैतिक नहीं माना जाता यदि:

(a) यह किसी विशेष बिंदु को सिद्ध करने का प्रयास करता है।

(b) यह उत्तरदाता की गोपनीयता और गुमनामी सुनिश्चित नहीं करता।

(c) यह डेटा की वैज्ञानिक जांच नहीं करता।

(d) यह बहुत उच्च स्तर का नहीं है।

प्र 2. निम्नलिखित में से कौन-सा नुकसान शोध प्रतिभागियों को हो सकता है?

(a) शारीरिक चोट

(b) तनाव और चिंता

(c) विकास में बाधा

(d) उपरोक्त सभी

प्र 3. शोध अध्ययनों में व्यक्तिगत डेटा को गोपनीय रखने का मुख्य उद्देश्य क्या है?

(a) प्रतिभागियों से यह छिपाना कि उनके बारे में क्या लिखा गया है।

(b) पहचान उजागर होने या व्यक्तिगत जानकारी लीक होने की आशंका।

(c) सरकारी अधिकारियों द्वारा एक्सेस के लिए।

(d) प्रतिभागियों के निजी जीवन के बारे में अधिक जानने के लिए।

प्र 4. निम्नलिखित में से कौन-सा नुकसान शोध प्रतिभागियों को हो सकता है?

(a) मानसिक तनाव

(b) शारीरिक चोट

(c) आत्म-सम्मान की हानि

(d) उपरोक्त सभी

प्र 5. शोध प्रतिभागियों के व्यक्तिगत डेटा को सुरक्षित गोपनीय अभिलेखों में रखना क्यों महत्वपूर्ण है?

(a) शोध नैतिकता के सिद्धांतों का पालन करने के लिए।

(b) बाद में शोध लागत वसूलने के लिए डेटा बेचना।

(c) अन्य शोधकर्ताओं से गोपनीयता बनाए रखने के लिए।

(d) उपरोक्त में से कोई नहीं।

प्र 6. एक अच्छी थीसिस लेखन में शामिल होना चाहिए:

1. विराम चिह्नों और व्याकरण संबंधी त्रुटियों को न्यूनतम करना।
2. संदर्भों की सावधानीपूर्वक जांच।
3. थीसिस लेखन की एकरूपता बनाए रखना।
4. स्पष्ट और सुव्यवस्थित सारांश।

नीचे दिए गए कूटों में से सही उत्तर चुनें:

(a) 1, 2, 3 और 4

(b) 1, 2 और 3

(c) 1, 2 और 4

(d) 2, 3 और 4

उत्तर 1. (b) 2. (d) 3. (b) 4. (d) 5. (a) 6. (a)

परीक्षोपयोगी ★★★

9.5 साहित्यिक चोरी (Plagiarism)

साहित्यिक चोरी का अर्थ है किसी और के कार्य, विचारों या अभिव्यक्तियों को बिना उचित श्रेय दिए अपने रूप में प्रस्तुत करना। इसमें पुस्तकों, लेखों, वेबसाइटों या किसी अन्य स्रोत से पाठ, विचार, चित्र या डेटा की नकल करना और उसे अपना बताना शामिल है।

साहित्यिक चोरी के प्रकार (Types of Plagiarism)

1. **पूर्ण साहित्यिक चोरी (Complete Plagiarism):** यह तब होता है जब कोई व्यक्ति किसी अन्य लेखक के पूरे कार्य को अपने नाम से प्रस्तुत करता है। उदाहरण के लिए, किसी मित्र के निबंध को अपने नाम से जमा करना पूर्ण साहित्यिक चोरी है।
2. **प्रत्यक्ष या शब्दशः साहित्यिक चोरी (Direct or Verbatim Plagiarism):** किसी दस्तावेज से पूरे वाक्य या अनुच्छेद को बिना श्रेय दिए हूबहू कॉपी कर लेना। उदाहरण के लिए, यदि कोई छात्र किसी वेबसाइट से एक पैराग्राफ कॉपी करके अपने निबंध में चिपका देता है और स्रोत का उल्लेख नहीं करता, तो यह प्रत्यक्ष साहित्यिक चोरी कहलाएगी।
3. **पैराफ्रेजिंग साहित्यिक चोरी (Paraphrasing Plagiarism):** किसी अन्य व्यक्ति के लेखन में छोटे-मोटे बदलाव करके उसे अपना बताना। उदाहरण के लिए, किसी वाक्य में कुछ शब्द बदल देना लेकिन उसकी मूल संरचना और विचारों को वही रखना, यह भी साहित्यिक चोरी मानी जाती है।
4. **स्रोत-आधारित साहित्यिक चोरी (Source-Based Plagiarism):** इसमें गलत या काल्पनिक स्रोतों का संदर्भ देना शामिल है। उदाहरण के लिए, अपने दावों को मजबूत करने के लिए किसी ऐसी पुस्तक या लेख का हवाला देना जो वास्तव में मौजूद ही नहीं है।
5. **मोजेक या पैचवर्क साहित्यिक चोरी (Mosaic or Patchwork Plagiarism):** विभिन्न स्रोतों से वाक्यांश या अनुच्छेद लेकर अपने लेखन में मिलाना, लेकिन उचित संदर्भ न देना। उदाहरण के लिए,

अलग-अलग लेखों के वाक्यों को जोड़कर एक निबंध तैयार करना और स्रोत का उल्लेख न करना।

6. **गलत लेखकत्व (Inaccurate Authorship):** इसमें किसी ऐसे व्यक्ति को लेखक के रूप में दर्शाना शामिल है जिसने शोध में महत्वपूर्ण योगदान नहीं दिया हो, या ऐसे व्यक्ति को श्रेय न देना जिसने योगदान दिया हो। उदाहरण के लिए, किसी मार्गदर्शक (supervisor) को सह-लेखक के रूप में सूचीबद्ध करना, जबकि उन्होंने शोध में योगदान नहीं दिया हो।
7. **आकस्मिक साहित्यिक चोरी (Accidental Plagiarism):** यह अनजाने में हुई साहित्यिक चोरी को संदर्भित करता है, जो लापरवाही या गलतफहमी के कारण होती है। उदाहरण के लिए, यदि किसी व्यक्ति को यह एहसास नहीं होता कि वह किसी और के विचारों का उपयोग कर रहा है और इसलिए वह उचित संदर्भ नहीं देता, तो यह आकस्मिक साहित्यिक चोरी कहलाती है।
8. **आत्म-साहित्यिक चोरी (Self or Auto Plagiarism):** आत्म-साहित्यिक चोरी तब होती है जब कोई व्यक्ति अपनी पूर्व प्रकाशित सामग्री के महत्वपूर्ण भागों को पुन: उपयोग करता है, लेकिन यह स्वीकार नहीं करता कि इसे पहले प्रकाशित किया जा चुका है। यह दो प्रकार की हो सकती है:
   - (a) **आंशिक प्रकाशन (Partial Publication):** आंशिक प्रकाशन का अर्थ है किसी व्यक्ति द्वारा पहले प्रकाशित किए गए कार्य के कुछ हिस्सों को बिना उचित संदर्भ या स्वीकृति के किसी नई प्रकाशित सामग्री में पुन: उपयोग करना। इसमें पहले प्रकाशित लेख या शोध पत्र के अनुभागों को नए संदर्भ में शामिल किया जाता है, लेकिन यह स्पष्ट नहीं किया जाता कि ये भाग पहले ही प्रकाशित हो चुके हैं। यह आत्म-साहित्यिक चोरी का एक विशेष रूप है, जहां केवल कुछ हिस्सों को दोबारा इस्तेमाल किया जाता है।
   - (b) **डुप्लिकेट प्रकाशन (Duplicate Publication):** इसे अनावश्यक या बहु-प्रकाशन (Redundant or Multiple Publication) भी कहा जाता है। यह तब होता है जब कोई लेखक बिना उचित जानकारी दिए एक ही शोध पत्र या काफी हद तक समान सामग्री को एक से अधिक पत्रिकाओं (journals) या सम्मेलनों (conference proceedings) में प्रकाशित करता है। उदाहरण के लिए, यदि कोई शोधकर्ता किसी जर्नल में एक लेख प्रकाशित करता है और बाद में उसी लेख को किसी अन्य जर्नल में प्रस्तुत करता है, लेकिन यह उल्लेख नहीं करता कि यह पहले से प्रकाशित हो चुका है, तो इसे आत्म-साहित्यिक चोरी माना जाता है।

साहित्यिक चोरी के स्तर (Levels of Plagiarism)

विश्वविद्यालय अनुदान आयोग (UGC) 2018 के साहित्यिक चोरी संबंधी नियमों में विभिन्न स्तरों की साहित्यिक चोरी और उनके लिए निर्धारित दंडों का उल्लेख किया गया है। ये श्रेणियां निम्नलिखित हैं:

स्तर 1– मामूली साहित्यिक चोरी (Minor Plagiarism)

विवरण: किसी अन्य व्यक्ति के कार्य का 10% तक नकल करना और स्रोत का उल्लेख न करना।

दंड: तत्काल कोई दंड नहीं।

स्तर 2 – मध्यम स्तर की साहित्यिक चोरी (Moderate Plagiarism)

विवरण: किसी अन्य व्यक्ति के कार्य का 10% से 40% तक नकल करना और स्रोत का उल्लेख न करना।

थीसिस/शोध प्रबंध के लिए दंड: छात्र को 6 महीने के भीतर संशोधन कर दोबारा प्रस्तुत करना होगा।

शैक्षणिक प्रकाशनों के लिए दंड: शोध पत्र को वापस ले लिया जाएगा (manuscript withdrawal)।

स्तर 3 – गंभीर साहित्यिक चोरी (Serious Plagiarism)

विवरण: किसी अन्य व्यक्ति के कार्य का 40% से 60% तक नकल करना और स्रोत का उल्लेख न करना।

थीसिस/शोध प्रबंध के लिए दंड: छात्र को एक वर्ष तक पुन: सबमिशन की अनुमति नहीं दी जाएगी।

शैक्षणिक प्रकाशनों के लिए दंड: शोध पत्र वापस लिया जाएगा, एक वार्षिक वेतन वृद्धि रोकी जाएगी, और दो वर्षों के लिए मार्गदर्शन (supervision rights) निलंबित किया जाएगा।

स्तर 4 – अत्यंत गंभीर साहित्यिक चोरी (Very Serious Plagiarism)

विवरण: किसी अन्य व्यक्ति के कार्य का 60% या उससे अधिक नकल करना और स्रोत का उल्लेख न करना।

थीसिस/शोध प्रबंध के लिए दंड: छात्र का पंजीकरण रद्द कर दिया जाएगा।

शैक्षणिक प्रकाशनों के लिए दंड: शोध पत्र वापस लिया जाएगा, दो वर्षों की वार्षिक वेतन वृद्धि रोक दी जाएगी, और तीन वर्षों के लिए मार्गदर्शन (supervision rights) निलंबित कर दिया जाएगा।

9.6 शोध समीक्षा और सहकर्मी समीक्षा (Research Review and Peer Review)

शोध समीक्षा (Research Review) का अर्थ किसी शोध अध्ययन, लेख या शोध पत्र की आलोचनात्मक मूल्यांकन प्रक्रिया से है। इसमें शोध की गुणवत्ता, प्रासंगिकता, कार्यप्रणाली (methodology), निष्कर्ष और समग्र योगदान की जांच की जाती है, जिससे यह समझा जा सके कि शोध क्षेत्र में इसका क्या महत्त्व है।

सहकर्मी समीक्षा (Peer Review) एक ऐसी प्रक्रिया है जिसमें विषय-विशेषज्ञ स्वतंत्र रूप से किसी शोध पत्र का मूल्यांकन करते हैं। इसका मुख्य उद्देश्य शोध की गुणवत्ता को परखना और यह सुनिश्चित करना होता है कि वह प्रकाशन के योग्य है या नहीं। सहकर्मी समीक्षा शैक्षणिक पत्रिकाओं (academic journals) में गुणवत्ता नियंत्रण (quality control) का एक महत्वपूर्ण माध्यम है और यह शोध को बेहतर बनाने के लिए मूल्यवान सुझाव भी प्रदान करती है। सहकर्मी समीक्षा के विभिन्न प्रकार होते हैं:

1. **सिंगल-ब्लाइंड (Single-Blind):** इस प्रकार की समीक्षा में लेखक को समीक्षकों की पहचान नहीं बताई जाती, लेकिन समीक्षक जानते हैं

कि लेखक कौन हैं। इससे समीक्षक बिना किसी दबाव के ईमानदारी से प्रतिक्रिया दे सकते हैं।

2. **डबल-ब्लाइंड (Double-Blind)**: इस प्रक्रिया में न तो लेखक समीक्षकों की पहचान जानते हैं और न ही समीक्षक लेखकों की। यह पद्धति निष्पक्षता सुनिश्चित करती है और समीक्षा पूरी तरह शोध सामग्री के आधार पर की जाती है।
3. **सहयोगात्मक समीक्षा (Collaborative Review)**: इस प्रकार की समीक्षा में समीक्षक, लेखक या पत्रिका के संपादक आपस में मिलकर शोध पत्र को बेहतर बनाने का प्रयास करते हैं। इससे अधिक व्यापक और रचनात्मक समीक्षा संभव होती है।
4. **प्रकाशित समीक्षा (Published Review)**: इस प्रक्रिया में समीक्षकों के नाम और उनकी टिप्पणियाँ अंतिम लेख के साथ प्रकाशित की जाती हैं। इससे समीक्षा प्रक्रिया में पारदर्शिता आती है और पाठकों को यह पता चलता है कि समीक्षा किसने की और क्या सुझाव दिए गए।
5. **पारदर्शी समीक्षा (Transparent Review)**: इस प्रकार की समीक्षा में पाठकों को लेखक और समीक्षकों के बीच पूरी समीक्षा प्रक्रिया को पढ़ने की अनुमति होती है। यह पारदर्शिता पाठकों को समीक्षा प्रक्रिया को समझने और यह देखने में मदद करती है कि शोध पत्र को सुझावों के आधार पर कैसे सुधारा गया।

क्विज स्टेशन *विगत UGC NET परीक्षाओं के प्रश्न*

प्र 1. साहित्यिक चोरी पर यूजीसी विनियम 2018 के अनुसार, थीसिस में निम्नलिखित में से किस समानता प्रतिशत के लिए पीएचडी कार्यक्रम में छात्र का पंजीकरण रद्द कर दिया जाएगा? *(22 अगस्त 2024 - शिफ्ट 1)*

A. 37% B. 46%
C. 8% D. 62% E. 78%

(a) ABCD (b) BCDE
(c) CDE (d) DE

प्र 2. साहित्यिक चोरी पर यूजीसी विनियम 2018 के अनुसार, एक शोध लेख में समानता के निम्नलिखित में से किस प्रतिशत के परिणामस्वरूप विश्वविद्यालय के शिक्षक को दो साल की अवधि के लिए पीएचडी छात्र की देखरेख करने से रोक दिया जाएगा? *(29 अगस्त 2024 - शिफ्ट 1)*

(a) 27% (b) 38%
(c) 44% (d) 65%

उत्तर 1. (d) 2. (c)

कॉन्सेप्ट कैप्सूल

इम्पैक्ट फैक्टर (Impact Factor)

इम्पैक्ट फैक्टर (**Impact Factor - IF**) एक मापदंड है जिसका उपयोग यह आकलन करने के लिए किया जाता है कि किसी शैक्षणिक पत्रिका (academic journal) का उसके विशेष क्षेत्र में कितना महत्त्व है। इसे इस आधार पर गणना किया जाता है कि किसी पत्रिका में प्रकाशित लेखों को एक निश्चित अवधि (आमतौर पर दो वर्षों) में औसतन कितनी बार उद्धृत (citation) किया गया है। यदि किसी पत्रिका का इम्पैक्ट फैक्टर अधिक है, तो इसका अर्थ है कि वह पत्रिका अपने क्षेत्र में अधिक महत्त्वपूर्ण मानी जाती है और उसमें प्रकाशित शोध अधिक प्रभावशाली हैं।

उदाहरण के लिए, चिकित्सा (medicine) क्षेत्र की एक पत्रिका को लें। यदि इस पत्रिका में प्रकाशित लेखों को अन्य शोधकर्ताओं द्वारा चिकित्सा साहित्य में बार-बार संदर्भित किया जाता है, तो इसका मतलब यह होगा कि यह पत्रिका उच्च गुणवत्ता वाला और प्रभावशाली शोध प्रकाशित कर रही है, जो क्षेत्र की प्रगति में योगदान दे रहा है। इसके परिणामस्वरूप, इस पत्रिका का इम्पैक्ट फैक्टर अधिक होगा, जो इसके महत्त्व और प्रतिष्ठा को दर्शाएगा।

इम्पैक्ट फैक्टर के अतिरिक्त अन्य मेट्रिक्स भी होते हैं, जिनका उपयोग शोध की प्रभावशीलता और उत्पादकता का आकलन करने के लिए किया जाता है। ये मेट्रिक्स शोध की प्रासंगिकता और दृश्यता का मूल्यांकन करने में महत्त्वपूर्ण भूमिका निभाते हैं और अक्सर शोधकर्ता, संस्थान और वित्तपोषण एजेंसियों द्वारा प्रकाशन, वित्तपोषण और अकादमिक मान्यता से संबंधित निर्णय लेने में उपयोग किए जाते हैं। आइए कुछ लोकप्रिय मेट्रिक्स पर नजर डालें:

- **h-इंडेक्स (h-index)**: यह मेट्रिक किसी लेखक के प्रकाशनों की संख्या और उनके प्रभाव दोनों का आकलन करता है। उदाहरण के लिए, यदि किसी शोधकर्ता ने 20 शोध पत्र प्रकाशित किए हैं और उनमें से 10 को कम से कम 10 बार उद्धृत किया गया है, तो उनका h-इंडेक्स 10 होगा।
- **g-इंडेक्स (g-index)**: यह मेट्रिक उन शोध पत्रों को प्राथमिकता देता है, जिन्हें अत्यधिक उद्धरण प्राप्त हुए हैं। यह औसत उद्धरण गणना प्रदान करता है और शोध की समग्र गुणवत्ता को मापने में सहायक होता है।
- **i10-इंडेक्स (i10-index)**: गूगल स्कॉलर (Google Scholar) द्वारा विकसित यह मेट्रिक यह मापता है कि किसी लेखक के कितने शोध पत्रों को कम से कम 10 बार उद्धृत किया गया है। यह मेट्रिक शोधकर्ता के कार्य की पहुंच और प्रभावशीलता को मापने में मदद करता है।
- **साइटेशन इंडेक्स (Citation Index)**: यह मापता है कि किसी लेख को अन्य शोधकर्ताओं ने अपने कार्यों में कितनी बार संदर्भित किया है। यह दिखाता है कि किसी लेख का उसके क्षेत्र में कितना प्रभाव है। जिन लेखों को अधिक उद्धरण प्राप्त होते हैं, उन्हें आमतौर पर अधिक महत्त्वपूर्ण और प्रभावशाली माना जाता है।

★★★ परीक्षोपयोगी

9.7 अनुसंधान के क्षेत्र में डिजिटल पहल (Digital Initiatives in the Field of Research)

1. **भारत की विकासशील अर्थव्यवस्था के लिए ट्रांस-डिसिप्लिनरी अनुसंधान योजना [Scheme for Trans-Disciplinary Research for India's Developing Economy (STRIDE)]:** भारत की विकासशील अर्थव्यवस्था के लिए अंत:विषय अनुसंधान योजना (STRIDE)- 2019 में शुरू की गई, STRIDE एक कार्यक्रम है जिसे भारत में विभिन्न विषयों में अनुसंधान क्षमताओं को बढ़ाने के लिए डिजाइन किया गया है। इसका मुख्य उद्देश्य शोधकर्ताओं की समस्या-समाधान कौशल को सुधारना और प्रमुख क्षेत्रों में प्रभावशाली अनुसंधान परियोजनाओं को वित्तपोषित करना है।

   कार्यक्रम उन विशिष्ट क्षेत्रों पर केंद्रित है जिन्हें "थ्रस्ट क्षेत्र" कहा जाता है, जिनमें दर्शनशास्त्र, इतिहास, मनोविज्ञान, साहित्य, भारतीय भाषाएँ और कई अन्य शामिल हैं। इन क्षेत्रों को संसाधन और विशेष ध्यान प्रदान करके, STRIDE का उद्देश्य ज्ञान को आगे बढ़ाना और मानव और सामाजिक विकास के महत्वपूर्ण पहलुओं में नवाचार को बढ़ावा देना है।

2. **सामाजिक विज्ञान में प्रभावशाली नीति अनुसंधान [IMpactful Policy REsearch in Social Science (IMPRESS)]:** यह एक कार्यक्रम है जिसे 2021 में शुरू किया गया था ताकि अनुसंधान को वित्तपोषित किया जा सके जो शासन और सामाजिक विकास को महत्वपूर्ण रूप से प्रभावित कर सके। मुख्य उद्देश्य दो वर्षों में 1,500 तक अनुसंधान परियोजनाओं का समर्थन करना है, जो उच्च शैक्षिक संस्थानों में सामाजिक विज्ञान पर केंद्रित हैं। भारतीय सामाजिक विज्ञान अनुसंधान परिषद (ICSSR) इस कार्यक्रम का प्रबंधन और कार्यान्वयन करेगी।

   कार्यक्रम राज्य और लोकतंत्र, शहरी परिवर्तन, मीडिया और संस्कृति, रोजगार, ग्रामीण विकास, शासन, आर्थिक नीति, स्वास्थ्य, पर्यावरण, शिक्षा, सोशल मीडिया और कानून जैसे क्षेत्रों में अनुसंधान को वित्तपोषित करेगा। इन परियोजनाओं का उद्देश्य ऐसी अंतर्दृष्टि प्रदान करना है जो नीति निर्माण का मार्गदर्शन कर सके और समाज के विभिन्न पहलुओं में सुधार कर सके।

3. **शोधगंगा (Shodhganga):** यह एक महत्वपूर्ण डिजिटल भंडार है जो भारत भर के विश्वविद्यालयों में प्रस्तुत पीएच.डी. थीसिस और शोध प्रबंधों को संग्रहीत करता है और उन तक पहुंच प्रदान करता है। सूचना और पुस्तकालय नेटवर्क (INFLIBNET) केंद्र द्वारा प्रबंधित, शोधगंगा में 3,880 से अधिक थीसिस और शोध प्रबंध हैं। यह मंच शोधकर्ताओं और विद्वानों को विभिन्न क्षेत्रों से शैक्षणिक अनुसंधान कार्यों तक आसानी से पहुंचने की अनुमति देता है।

   यह भंडार शिक्षा मंत्रालय के तहत आईसीटी (NME-ICT) के माध्यम से राष्ट्रीय शिक्षा मिशन द्वारा समर्थित है। इसे मूल्यवान शैक्षणिक अनुसंधान को संरक्षित करने और देश भर में ज्ञान के साझा करने को बढ़ावा देने के लिए विकसित और बनाए रखा गया है।

   उदाहरण के लिए, यदि एक पीएच.डी. छात्र उपनिवेशवाद के सामाजिक-आर्थिक प्रभाव जैसे विषय पर एक थीसिस पूरी करता है, तो वे अपना कार्य शोधगंगा पर अपलोड करेंगे, जिससे अन्य लोग इसे एक्सेस और उपयोग कर सकें।

4. **शोधगंगोत्री (Shodhgangotri):** यह एक केंद्रीकृत डेटाबेस है जिसे विशेष रूप से भारतीय विश्वविद्यालयों में चल रही एम.फिल. और पीएच.डी. अनुसंधान परियोजनाओं को ट्रैक करने के लिए डिजाइन किया गया है। यह मंच शोध विद्वानों को अपने अनुसंधान प्रस्ताव और परियोजना सारांश प्रस्तुत करने की अनुमति देता है, जिससे उनके अनुसंधान उद्देश्यों, विधियों और अपेक्षित परिणामों को शैक्षणिक समुदाय के सामने प्रदर्शित किया जा सके।

   यह मंच न केवल सहयोग और सहकर्मियों और विशेषज्ञों से प्रतिक्रिया की सुविधा प्रदान करता है, बल्कि टर्निटिन जैसे ऑनलाइन साहित्यिक चोरी का पता लगाने वाले उपकरणों के साथ भी एकीकृत होता है। यह सुनिश्चित करता है कि अनुसंधान प्रस्ताव मौलिक और साहित्यिक चोरी से मुक्त हों, जिससे शैक्षणिक कार्य की गुणवत्ता और विश्वसनीयता बनी रहे। उदाहरण के लिए, यदि कोई विद्वान श्भारतीय कृषि में जलवायु परिवर्तन अनुकूलन रणनीतियाँश पर एक थीसिस प्रस्तुत करता है, तो टर्निटिन दस्तावेज की मौलिकता की जांच करेगा, जिससे शैक्षणिक मानकों को बनाए रखने में मदद मिलेगी। यह इन प्लेटफार्मों पर संग्रहीत अनुसंधान की गुणवत्ता और विश्वसनीयता की रक्षा करता है, शैक्षणिक मानकों को बनाए रखता है और शोधकर्ताओं और संस्थानों के बीच विश्वास को बढ़ावा देता है।

5. **ई-शोधसिंधु (e-ShodhSindhu):** यह एक व्यापक डिजिटल संसाधन मंच है जो भारत में शैक्षणिक संस्थानों को सहकर्मी-समीक्षित पत्रिकाओं और बिब्लियोग्राफिक डेटाबेस सहित विभिन्न प्रकार के इलेक्ट्रॉनिक संसाधनों तक सस्ती पहुंच प्रदान करता है। इन संसाधनों तक समान और किफायती पहुंच प्रदान करके, ई-शोधसिंधु का उद्देश्य भारतीय शैक्षणिक संस्थानों में शिक्षा और अनुसंधान की समग्र गुणवत्ता में सुधार करना है।

   इस पहल का प्रबंधन शिक्षा मंत्रालय द्वारा किया जाता है, और इसे तीन मौजूदा संघों- यूजीसी-इन्फोनेट डिजिटल लाइब्रेरी कंसोर्टियम, एनलिस्ट (नेशनल लाइब्रेरी एंड इंफॉर्मेशन सर्विसेज इंफ्रास्ट्रक्चर फॉर स्कॉलरली कंटेंट), और इंडेस्ट-एआईसीटीई कंसोर्टियम (इंडियन नेशनल डिजिटल लाइब्रेरी इन इंजीनियरिंग साइंसेज एंड टेक्नोलॉजी) को मिलाकर बनाया गया है।

6. **शोध शुद्धि (Shodh Shuddhi):** यह एक कार्यक्रम है जिसे भारत के शिक्षा मंत्रालय द्वारा सितंबर 2019 में शुरू किया गया था। इसका मुख्य उद्देश्य उच्च शिक्षा संस्थानों (HEIs) को साहित्यिक चोरी का पता लगाने वाले सॉफ्टवेयर (PDS) तक पहुंच प्रदान करके शैक्षणिक अनुसंधान की गुणवत्ता में सुधार करना है। यह सॉफ्टवेयर शोध कार्य में साहित्यिक चोरी की पहचान करने और उसे रोकने में मदद करता है, जिससे शैक्षणिक अखंडता बनी रहती है। इस पहल को भारतीय विश्वविद्यालयों और कॉलेजों में अनुसंधान की अखंडता और गुणवत्ता का समर्थन करने के लिए राष्ट्रीय संचालन समिति की सिफारिशों के आधार पर पेश किया गया था।

7. **ई-विद्वान (E-VIDWAN):** विद्वान एक व्यापक डेटाबेस है जो वैज्ञानिकों, शोधकर्ताओं और संकाय सदस्यों की प्रोफाइल संग्रहीत करता है। ये विशेषज्ञ भारत के प्रमुख विश्वविद्यालयों और अनुसंधान संगठनों में शिक्षण और अनुसंधान पर ध्यान केंद्रित करते हैं। डेटाबेस में इन विशेषज्ञों के बारे में महत्वपूर्ण विवरण होते हैं, जैसे उनकी शैक्षिक पृष्ठभूमि, संपर्क जानकारी, कार्य अनुभव, शैक्षणिक प्रकाशन, कौशल और उपलब्धियां। इसका उपयोग दो महत्वपूर्ण उद्देश्यों के लिए किया जाता है-
   - **विशेषज्ञों को ढूंढना**- जब समूहों को समितियों या टीमों में शामिल होने के लिए स्मार्ट लोगों की आवश्यकता होती है, तो वे सही विशेषज्ञों को खोजने के लिए विद्वान को देखते हैं।
   - **सरकारी उपयोग**- मंत्रालय और सरकारी कार्यालय विशेषज्ञों पर नजर रखने और उनके काम का मूल्यांकन करने के लिए विद्वान का उपयोग करते हैं।

सिनेमैटिक कनेक्शन

सिनेमा की दुनिया अक्सर ज्ञान को आगे बढ़ाने और जटिल समस्याओं को हल करने में अनुसंधान की महत्वपूर्ण भूमिका को उजागर करती है। आइए दो उल्लेखनीय फिल्मों पर नजर डालें जो क्रांतिकारी अनुसंधान के प्रभाव पर केंद्रित हैं-

- द *थ्योरी ऑफ एवरीथिंग (2014)* स्टीफन हॉकिंग के जीवन का वर्णन करती है, जो एक प्रसिद्ध भौतिक विज्ञानी हैं जिनके ब्लैक होल और ब्रह्मांड की प्रकृति पर किए गए शोध ने हमारी ब्रह्मांड विज्ञान की समझ को मौलिक रूप से बदल दिया है। उनके सिद्धांतों ने न केवल हमारे ब्रह्मांड की समझ को विस्तारित किया है बल्कि अनगिनत शोधकर्ताओं को अंतरिक्ष और समय के रहस्यों का पता लगाने के लिए प्रेरित किया है।
- द *मैन हू न्यू इनफिनिटी (2015)* श्रीनिवास रामानुजन के जीवन का अनुसरण करती है, जो भारत के एक स्व-शिक्षित गणितज्ञ थे जिनके असाधारण योगदान ने गणितीय सिद्धांत को क्रांतिकारी बना दिया। उनके नवाचारी विचार और प्रमेय आज भी अध्ययन और प्रशंसा किए जाते हैं, यह दर्शाते हुए कि व्यक्तिगत अनुसंधान कैसे सीमाओं को पार कर सकता है और भविष्य की पीढ़ियों को प्रभावित कर सकता है।

8. **राष्ट्रीय पुस्तकालय और शैक्षणिक सामग्री के लिए सूचना सेवाएं अवसंरचना (National Library and Information Services Infrastructure for Scholarly Content (N&list Programme)**- एन-लिस्ट कार्यक्रम सूचना और पुस्तकालय नेटवर्क (INFLIBNET) द्वारा एक विशाल संग्रह ई-पुस्तकों और उच्च गुणवत्ता वाले ई-जर्नल्स तक पहुंच प्रदान करता है। इसका उद्देश्य शिक्षकों और छात्रों के बीच अनुसंधान को प्रोत्साहित करना है, जिससे मूल्यवान शैक्षणिक संसाधन उपलब्ध कराए जा सकें। इस कार्यक्रम ने पहले ही लाखों ई-पुस्तकों और हजारों ई-जर्नल्स को कॉलेजों और विश्वविद्यालयों के लिए उपलब्ध करा दिया है।

आईआईटी द्वारा अनुसंधान पहल (Research Initiatives by IITs)

1. **अनुसंधान, नवाचार और प्रौद्योगिकी को प्रभावित करना [Impacting Research, Innovation, and Technology (IMPRINT)]:** यह एक कार्यक्रम है जिसे शिक्षा मंत्रालय द्वारा इंजीनियरिंग और प्रौद्योगिकी के माध्यम से सामाजिक समस्याओं का समाधान करने के लिए शुरू किया गया है। 2015 में शुरू हुआ, यह राष्ट्रव्यापी पहल भारत के सामने आने वाले प्रमुख मुद्दों को हल करने के लिए उन्नत अनुसंधान का उपयोग करने पर केंद्रित है।

   यह परियोजना विभिन्न भारतीय प्रौद्योगिकी संस्थानों (IITs) और भारतीय विज्ञान संस्थान (IISc) के बीच एक सहयोगात्मक प्रयास है। ये संस्थान मिलकर महत्वपूर्ण इंजीनियरिंग और प्रौद्योगिकी चुनौतियों का समाधान करने के लिए एक अनुसंधान रणनीति विकसित करने पर काम करते हैं। अपनी विशेषज्ञता और संसाधनों को मिलाकर, IMPRINT का उद्देश्य नवाचार को बढ़ावा देना और देश की ज्वलंत समस्याओं के लिए व्यावहारिक समाधान तैयार करना है।
2. **शैक्षणिक और अनुसंधान सहयोग को बढ़ावा देने की योजना [Scheme for Promotion of Academic and Research Collaboration (SPARC)]**- 2018 में शुरू किया गया, SPARC का उद्देश्य शीर्ष वैश्विक संस्थानों के साथ साझेदारी को बढ़ावा देकर भारतीय विश्वविद्यालयों में अनुसंधान वातावरण को बढ़ाना है। SPARC का लक्ष्य भारतीय उच्च शिक्षा संस्थानों और प्रमुख अंतरराष्ट्रीय विश्वविद्यालयों के बीच शैक्षणिक और अनुसंधान सहयोग को बढ़ावा देना है।

   भारतीय प्रौद्योगिकी संस्थान (IIT) खड़गपुर SPARC कार्यक्रम के समन्वय और कार्यान्वयन के लिए जिम्मेदार है। भाग लेने के लिए, भारतीय संस्थानों को राष्ट्रीय संस्थागत रैंकिंग फ्रेमवर्क (NIRF) के शीर्ष 100 में या NIRF विषय रैंकिंग के शीर्ष 100 में रैंक किया जाना चाहिए। यह सुनिश्चित करता है कि केवल उच्च प्रदर्शन करने वाले संस्थान इन अंतरराष्ट्रीय अनुसंधान सहयोगों से लाभान्वित हों और योगदान दें।
3. **उच्चतर आविष्कार योजना [Ucchatar Avishkar Yojana (UAY)]:** यह एक योजना है जो भारतीय प्रौद्योगिकी संस्थानों (IITs) में नवाचार और समस्या समाधान को बढ़ावा देने के लिए डिजाइन की गई है। इसके लक्ष्य हैं विनिर्माण उद्योगों में सुधार करने वाले नए विचारों का समर्थन करना, शोधकर्ताओं के बीच रचनात्मकता को प्रोत्साहित करना, और उद्योगों के साथ मिलकर प्रयोगशालाओं और अनुसंधान सुविधाओं में सुधार करना। इससे व्यावहारिक और उन्नत प्रौद्योगिकियों के विकास में मदद मिलती है।

क्विज स्टेशन *विगत UGC NET परीक्षाओं के प्रश्न*

प्र 1. निम्नलिखित में से कौन-सी भारत सरकार की योजना सामाजिक रूप से प्रासंगिक, स्थानीय आवश्यकता-आधारित, राष्ट्रीय महत्वपूर्ण और वैश्विक रूप से महत्वपूर्ण नवाचार अनुसंधान परियोजनाओं का समर्थन करने का लक्ष्य रखती है?

(a) SPARC
(b) STRIDE
(c) IMPRESS
(d) STARS

प्र 2. विश्वविद्यालय अनुदान आयोग (यूजीसी) ने एक नई पहल STRIDE को मंजूरी दी है। STRIDE में 'D' का क्या अर्थ है?

(a) धन
(b) धरोहर
(c) विकासशील
(d) अनुशासनात्मक

प्र 3. नीति प्रासंगिक क्षेत्रों में अनुसंधान के लिए, निम्नलिखित में से कौन सा संगठन 'इम्प्रेस' पहल के साथ सौंपा गया है?

(a) IIAS
(b) ICSSR
(c) ICPR
(d) ICHR

प्र 4. उस योजना का नाम बताएं जो भारतीय संस्थानों और दुनिया के सर्वश्रेष्ठ संस्थानों के बीच शैक्षणिक और अनुसंधान सहयोग की सुविधा प्रदान करती है।

(a) ICSSR-IMPRESS
(b) स्टाफ विकास योजना (Staff Development Scheme)
(c) SPARC
(d) संस्थागत विकास योजना (Institutional Development Scheme)

प्र 5. निम्नलिखित में से कौन सी डिजिटल पहल वैज्ञानिकों / शोधकर्ताओं और अन्य शिक्षक सदस्यों के प्रोफाइल का डेटाबेस प्रदान करती है जो प्रमुख शैक्षणिक संस्थानों और अनुसंधान एवं विकास संगठनों में काम कर रहे हैं?

(a) स्वयं प्रभा
(b) ई-विद्वान
(c) राष्ट्रीय शैक्षणिक भंडार (NAD)
(d) ई-शोध सिंधु

प्र 6. शिक्षा मंत्रालय का कौन सा डिजिटल प्लेटफॉर्म तीन सहयोगी पहलों, अर्थात् यूजीसी-इन्फोनेट डिजिटल लाइब्रेरी कंसोर्टियम, एनएलआईएसटी और इंडेस्ट-एआईसीटीई कंसोर्टियम को मिलाकर बनाया गया है?

(a) शोध गंगा
(b) ई-शोध सिंधु
(c) ई-विद्वान
(d) शोध शुद्धि

प्र 7. निम्नलिखित का मिलान करें- *(18 जून 2024 - शिफ्ट 1)*

भारत में डिजिटल पहल	उद्देश्य
A. शोध सिंधु	I. भारतीय विश्वविद्यालयों में शोध विषय का सारांश होस्ट करता है
B. शोध गंतोत्री	II. शिक्षा के लिए मुफ्त/लिब्रे और ओपन-सोर्स सॉफ्टवेयर
C. शोध शुद्धि	III. विश्वविद्यालयों और कॉलेजों को ई-संसाधनों तक पहुंच प्रदान करता है
D. FOSEE	IV. मूल शैक्षणिक लेखन सुनिश्चित करने के उद्देश्य से साहित्यिक चोरी की जांच पहल

विकल्प-

(a) A-IV, B-III, C-II, D-I
(b) A-III, B-I, C-IV, D-II
(c) A-I, B-II, C-III, D-IV
(d) A-II, B-IV, C-III, D-I

प्र 8. साहित्यिक चोरी के संबंध में विश्वविद्यालय अनुदान आयोग (यूजीसी) विनियम, 2018 के अनुसार, यदि शोध प्रबंध में निम्नलिखित में से कितने प्रतिशत समानता पाई जाती है, तो छात्र को छह महीने के भीतर संशोधित शोध प्रबंध प्रस्तुत करना होगा? *(30 अगस्त 2024 - शिफ्ट 2)*

(a) 9%
(b) 13%
(c) 42%
(d) 47%

उत्तर 1. (b) 2. (c) 3. (b) 4. (c) 5. (b)
6. (b) 7. (b) 8. (b)

अध्याय के मुख्य बिंदु

संदर्भ की शैलियाँ

- अमेरिकन साइकोलॉजिकल एसोसिएशन (APA)
- मॉडर्न लैंग्वेज एसोसिएशन (MLS)
- शिकागो मैनुअल ऑफ स्टाइल

थीसिस लेखन का प्रारूप

- प्रस्तावना अनुभाग (फ्रंट मैटर)
  - शीर्षक पृष्ठ/कवर पेज
  - प्रमाणपत्र
  - सार
  - विषय-सूची
  - आंकड़ों की सूची
  - तालिकाओं की सूची
  - संक्षिप्ताक्षरों और शब्दावली की सूची
  - स्वीकृति
- मुख्य अनुभाग (बॉडी)
  - परिचय
  - सिद्धांत
  - शोध पद्धति
  - डेटा विश्लेषण और व्याख्या
  - सारांश और निष्कर्ष
  - अनुशंसाएँ
  - सुझाव
- अंतिम अध्याय (अंतिम मैटर)
  - परिशिष्ट
  - ग्रंथ सूची

शोध कदाचार के घटक

- निर्माण
- मिथ्याकरण
- साहित्यिक चोरी
- एकाधिक लेखकत्व

साहित्यिक चोरी के स्तर

- स्तर 0 (साहित्यिक चोरी 10% तक)
- स्तर 1 (साहित्यिक चोरी 10-40% के बीच)
- स्तर 2 (साहित्यिक चोरी 40-60% के बीच)
- स्तर 3 (साहित्यिक चोरी 60% से अधिक)

लोकप्रिय साहित्यिक चोरी जाँचकर्ता टूल/सॉफ्टवेयर

- टर्निटिन
- कॉपीस्केप
- क्वेटेक्स्ट
- प्लेगस्कैन
- उरकुंड एक्स
- साहित्यिक चोरी जाँचकर्ता एक्स
- यूनिचेक
- अकादमिक साहित्यिक चोरी
- PlagiarismDetector.net
- प्लेगट्रैकर

नैतिक अनुसंधान के घटक

- ईमानदारी
- निष्पक्षता
- अखंडता
- सावधानी
- खुलापन
- बौद्धिक संपदा अधिकारों का सम्मान
- निष्ठा
- जिम्मेदार प्रकाशन
- सामाजिक जिम्मेदारी
- गैर-भेदभाव
- योग्यता बढ़ाना
- वैधता सुनिश्चित करना
- पशु देखभाल

शोध पत्र के घटक

- शीर्षक पृष्ठ
- सार
- परिचय
- विधियाँ
- परिणाम (पाठ, तालिकाएँ और चित्र)
- चर्चा
- संदर्भ
- परिशिष्ट

सहकर्मी समीक्षा के प्रकार

- सिंगल-ब्लाइंड
- डबल-ब्लाइंड
- सहयोगात्मक
- प्रकाशित
- पारदर्शी

शोध सभा

- बैठक
- संगोष्ठी
- कार्यशाला
- संगोष्ठी
- पैनल
- सेमिनार
- सम्मेलन
- वेबिनार

अनुसंधान के क्षेत्र में डिजिटल पहल (Digital Initiatives in the Field of Research)

वर्ष	पहल	उत्तरदायी निकाय	मुख्य पेशकश
1999	ई-विद्वान	NMEICT	भारत में वैज्ञानिकों, शोधकर्ताओं और संकाय के प्रोफाइल का एक डेटाबेस, विशेषज्ञ पहचान और सरकारी मूल्यांकन के लिए उपयोग किया जाता है।
2005	N-लिस्ट प्रोग्राम (राष्ट्रीय पुस्तकालय और सूचना सेवाएं बुनियादी ढांचा विद्वान सामग्री के लिए)	INFLIBNET	ई-पुस्तकों और उच्च गुणवत्ता वाले ई-जर्नल्स के विशाल संग्रह तक पहुंच प्रदान करता है।
2011	शोधगंगा	INFLIBNET	डिजिटल रिपॉजिटरी जो पीएच.डी. थीसिस और शोध प्रबंधों को संग्रहीत और एक्सेस प्रदान करती है।
2012	शोधगंगोत्री	UGC, MoE और INFLIBNET	भारतीय विश्वविद्यालयों में चल रहे एम.फिल. और पीएच.डी. अनुसंधान परियोजनाओं को ट्रैक करने के लिए विशेष रूप से डिजाइन किया गया केंद्रीकृत डेटाबेस।
2015	ई-शोधसिंधु	MoE	सहकर्मी-समीक्षित पत्रिकाओं और ग्रंथ सूची डेटाबेस सहित इलेक्ट्रॉनिक संसाधनों की एक विस्तृत श्रृंखला तक सस्ती दरों पर पहुंच प्रदान करता है।
2018	इम्प्रेस (IMPRESS) (सामाजिक विज्ञान में प्रभावशाली नीति अनुसंधान)	ICSSR	सामाजिक विज्ञान में अनुसंधान परियोजनाओं को निधि प्रदान करता है।
2019	स्ट्राइड (STRIDE) (भारत की विकासशील अर्थव्यवस्था के लिए ट्रांस-डिसिप्लिनरी रिसर्च योजना)	UGC	भारत में विभिन्न विषयों में अनुसंधान क्षमताओं को बढ़ाने के लिए डिजाइन किया गया।
2019	शोध शुद्धि	MoE	उच्च शिक्षा संस्थानों को साहित्यिक चोरी का पता लगाने वाला सॉफ्टवेयर प्रदान करता है।

आईआईटी द्वारा अनुसंधान पहलें (Research Initiatives by IITs)

वर्ष	पहल	उत्तरदायी निकाय	मुख्य पेशकश
2014	यूएवाई (UAY) (उच्चतर आविष्कार योजना)	शिक्षा मंत्रालय और सभी आईआईटी	आईआईटी में नवाचार और अनुसंधान का समर्थन करता है उद्योग सहयोग को बढ़ावा देकर और अनुसंधान सुविधाओं में सुधार करके।
2015	इम्प्रिंट (IMPRINT) (इम्पैक्टिंग रिसर्च, इनोवेशन, और टेक्नोलॉजी)	शिक्षा मंत्रालय, कई आईआईटी और आईआईएससी	नवाचार को बढ़ावा देने और देश की ज्वलंत समस्याओं के लिए व्यावहारिक समाधान बनाने का लक्ष्य।
2018	स्पार्क (SPARC) (स्कीम फॉर प्रमोशन ऑफ अकादमिक एंड रिसर्च कोलैबोरेशन)	आईआईटी खड़गपुर	भारतीय विश्वविद्यालयों और प्रमुख वैश्विक संस्थानों के बीच शैक्षणिक और अनुसंधान सहयोग को बढ़ावा देता है।

शब्दावली (Glossary)

- **IGNOU** – इंदिरा गांधी राष्ट्रीय मुक्त विश्वविद्यालय (Indira Gandhi National Open University)
- **INFLIBNET** – सूचना और पुस्तकालय नेटवर्क केंद्र (Information and Library Network Centre)
- **DAVV** – देवी अहिल्या विश्वविद्यालय (Devi Ahilya Vishwavidyalaya)
- **ICSSR** – भारतीय सामाजिक विज्ञान अनुसंधान परिषद (Indian Council of Social Science Research)
- **NMEICT** – सूचना और संचार प्रौद्योगिकी के माध्यम से शिक्षा पर राष्ट्रीय मिशन (National Mission on Education through Information and Communication Technology)
- **UGC** – विश्वविद्यालय अनुदान आयोग (University Grants Commission)
- **MoE** – शिक्षा मंत्रालय (पूर्व में मानव संसाधन विकास मंत्रालय) **[Ministry of Education (Formerly Ministry of Human Resource Development)]**

मूल्यांकन ज़ोन (EVALUATION ZONE)

1. गुणात्मक डेटा विश्लेषण के चरणों के सही अनुक्रम की पहचान करें:

(21 जनवरी 2025 - शिफ्ट 1)

(A) डेटा को व्यवस्थित करना
(B) डेटा को कोड करना
(C) थीम और पैटर्न की पहचान करना
(D) निष्कर्षों की व्याख्या करना

नीचे दिए विकल्पों में से सही विकल्प का चयन करें-

(a) (B), (A), (C), (D) (b) (A), (B), (C), (D)
(c) (A), (B), (D), (C) (d) (B), (C), (A), (D)

2. परिणामों या प्रभाव चर कहा जाता है:

(21 जनवरी 2025 - शिफ्ट 1)

(a) त्रिकोणीय चर (b) बाह्य चर
(c) अंतराल चर (d) आश्रित चर

3. विश्वसनीयता और वैधता के बारे में सही कथन की पहचान करें।

(21 जनवरी 2025 - शिफ्ट 1)

(A) विश्वसनीयता संगति को मापता है
(B) वैधता सटीकता को मापती है
(C) विश्वसनीयता वैधता भी सुनिश्चित करती है
(D) अंतर-रेटर विश्वसनीयता का उपयोग विभिन्न अध्ययनों के बीच परिणामों की तुलना करने के लिए किया जाता है।

नीचे दिए विकल्पों में से सही विकल्प का चयन करें-

(a) केवल (A), (B) और (C)
(b) केवल (A) और B)
(c) केवल (B), (C और (D)
(d) केवल (A), (B) और (D)

4. सूची-I का सूची-II से मिलान करें:

(21 जनवरी 2025 - शिफ्ट 1)

सूची-I (नमूनाकरण के प्रकार)	सूची-II (विवरण)
A. यादृच्छिक नमूनाकरण	I. जनसंख्या को उपसमूहों में विभाजित करना जो व्यक्तिगत रूप से जनसख्या की तुलना में अधिक समरूप हैं और उनमें से प्रत्येक से नमूनाकरण करना
B. स्तरीकृत नमूनाकरण	II. प्रत्येक nवें व्यक्ति का चयन करना
C. क्लस्टर नमूनाकरण	III. नमूनाकरण का उपयोग तब किया जाता है जब जनसंख्या को छोटे समूहों में विभाजित किया जाता है जो कुछ सामान्य विशेषताओं को साझा करते हैं।
D. व्यवस्थित नमूनाकरण	IV. सभी प्रतिभागियों के लिए समान अवसर

नीचे दिए विकल्पों में से सही विकल्प का चयन करें-

(a) (A)-(IV), (B)-(I), (C)-(III), (D)-(II)
(b) (A)-(I), (B)-(IV), (C)-(III), (D)-(II)
(c) (A)-(IV), (B)-(I), (C)-(II), (D)-(III)
(d) (A)-(I), (B)-II, (C)-(III), (D)-(IV)

5. मानव से संबंधित शोध परियोजना में किन नैतिक सिद्धांतों का पालन किया जाना चाहिए? *(9 जनवरी 2025 - शिफ्ट 2)*

(A) सभी प्रतिभागियों को अपनी सूचित सहमति देनी चाहिए
(B) सभी प्रतिभागियों को उस प्रयोग के बारे में पर्याप्त जानकारी होनी चाहिए जिसमें वे भागीदार हैं
(C) प्रतिभागियों के साथ कभी-कभी कठोर व्यवहार उचित होता है
(D) कुछ अनिच्छुक प्रतिभागियों को शामिल किया जा सकता है

नीचे दिए विकल्पों में से सही विकल्प का चयन करें-

(a) केवल (A) और (D)
(b) केवल (A) और (B)
(c) केवल (B), (C) और (D)
(d) केवल (B) और (C)

6. प्रत्यक्षवादी शोध प्रतिमान के प्रकाश में निम्नलिखित में से कौन सा गलत है? *(9 जनवरी 2025 - शिफ्ट 1)*

(a) वैज्ञानिक ज्ञान, सिद्धांत-मुक्त और अवलोकन से मुक्त मूल्य प्राप्त आंकड़ों के संचय से प्राप्त होता है
(b) वैज्ञानिक पद्धति को मानविकी और सामाजिक मामलों पर लागू नहीं किया जा सकता
(c) जो कुछ भी देखा नहीं जा सकता है वह बहुत कम महत्व का है
(d) विज्ञान मूलभूत ज्ञान की खोज है

7. साहित्यिक चोरी पर यूजीसी दिशानिर्देशों के अनुसार, पाठ की कितने प्रतिशत समानता तक दंड का प्रावधान नहीं है?

(9 जनवरी 2025 - शिफ्ट 1)

(a) 10 प्रतिशत (b) 16 प्रतिशत
(c) 25 प्रतिशत (d) 40 प्रतिशत

8. वैज्ञानिक जांच की विधि के प्रकाश में, सही क्रम चुनें:

(8 जनवरी 2025 - शिफ्ट 2)

(A) परिकल्पना का निर्माण
(B) परिणामों की व्याख्या
(C) समस्या की पहचान
(D) डेटा का संग्रह, संगठन और विश्लेषण
(E) परिकल्पना का सत्यापन, अस्वीकृति, संशोधन

नीचे दिए विकल्पों में से सही विकल्प का चयन करें-

(a) (A), (C), (B), (E), (D) (b) (B), (C), (A), (D), (E)
(c) (D), (A), (C), (E), (B) (d) (C), (A), (D), (B), (E)

9. साहित्य-समीक्षा के बारे में निम्नलिखित में से कौन-सा कथन असत्य है? *(8 जनवरी 2025 - शिफ्ट 1)*

(a) साहित्य-समीक्षा अनुसंधान प्रक्रिया का अभिन्न भाग नहीं है।
(b) साहित्य-समीक्षा में काफी समय लगता है, और निराशा/ऊब होती है, लेकिन बहुत लाभप्रद भी होती है।

(c) यह आपके रुचि के क्षेत्र में उपलब्ध ज्ञान के भंडार से परिचित होने में आपकी सहायता करती है।
(d) यह अध्ययन की सैद्धान्तिक पृष्ठभूमि प्रदान करती है।

10. किस प्रकार का अनुसंधान अतीत के अध्ययन के माध्यम से नए तथ्यों की खोज करता है? *(8 जनवरी **2025** - शिफ्ट 1)*
(a) पौराणिक अनुसंधान
(b) विषय विश्लेषण
(c) ऐतिहासिक अनुसंधान
(d) दार्शनिक अनुसंधान

11. निम्नलिखित में से कौन-सा शैलियों को संदर्भित नहीं कर रहा है? *(7 जनवरी **2025** - शिफ्ट 2)*
(A) हार्वर्ड संदर्भ शैली
(B) ऑक्सफोर्ड संदर्भ शैली
(C) केम्ब्रिज संदर्भ शैली
(D) न्यूयॉर्क संदर्भ शैली
(E) वैंकूवर संदर्भ शैली
नीचे दिए विकल्पों में से सही विकल्प का चयन करें-
(a) केवल (C) और (D) (b) केवल (C), (D) और (E)
(c) केवल (D) और (E) (d) केवल (B) और (C)

12. मापन के अंतराल मापनी से जुड़े चरों की पहचान कीजिए: *(6 जनवरी **2025** - शिफ्ट 1)*
(A) 24 घंटे के प्रारूप में दिन का समय
(B) जन्म तिथि
(C) वजन/भार
(D) ऊँचाई
नीचे दिए विकल्पों में से सही विकल्प का चयन करें-
(a) केवल (A) और (B)
(b) केवल (C) और (D)
(c) केवल (A), (C) और (D)
(d) केवल (A)

13. शोधकर्ताओं द्वारा किसी अध्ययन में प्रतिभागियों के व्यवहार को सूक्ष्मता से और अनजाने में प्रभावित करने की प्रवृत्ति, स्वतंत्र चर के वास्तविक प्रभाव को अस्पष्ट करती है, जिसे कहा जाता है- *(6 जनवरी **2025** - शिफ्ट 1)*
(a) प्रतिक्रिया पूर्वाग्रह
(b) प्रयोगकर्ता पूर्वाग्रह
(c) सामाजिक वांछनीयता पूर्वाग्रह
(d) हॉथोर्न पूर्वाग्रह

14. एक अध्ययन जिसमें स्वतंत्र चरों में हेरफेर और नियंत्रण शामिल है, यह आकलन करने के लिए कि क्या वे आश्रित चर में परिवर्तन का कारण बनते हैं, निम्न से संबंधित है: *(2 जनवरी **2025** - शिफ्ट 1)*
(a) प्रायोगिक अनुसंधान
(b) अनुदैर्ध्य अनुसंधान
(c) अभिलेखीय अनुसंधान
(d) केस स्टडी

15. पुस्तक संदर्भ लिखने की APA शैली में उनकी उपस्थिति के सही क्रम में निम्नलिखित को व्यवस्थित करें: *(3 जनवरी **2025** - शिफ्ट 1)*
(A) प्रकाशन का वर्ष
(B) लेखक का अंतिम नाम
(C) प्रकाशन कंपनी का नाम
(D) पुस्तक का शीर्षक
नीचे दिए विकल्पों में से सही विकल्प का चयन करें-
(a) (A), (B), (C), (D)
(b) (B), (D), (C), (A)
(c) (A), (C), (B), (D)
(d) (B), (A), (D), (C)

16. सतत चरों को पहचानें- *(4 सितम्बर **2024** - शिफ्ट 2)*
(A) एक सिक्के की सौ उछालों में प्राप्त पटों की संख्या
(B) एक स्कूल में छात्रों का वजन
(C) वस्तुनिष्ठ प्रकार की परीक्षा में छात्रों द्वारा प्राप्त अंक
(D) कृषि क्षेत्र में पौधों की ऊंचाई
(a) (A), (B) (b) (C), (D)
(c) (A), (C) (d) (B), (D)

17. दो शोधकर्ता विभिन्न पद्धतियों का पालन करते हुए किसी समस्या की जांच करते समय समान परिणाम प्राप्त करते हैं। उनके माप बताते हैं: *(4 सितम्बर **2024** - शिफ्ट 1)*
(a) इंटररेटर वैधता
(b) अभिसरण वैधता
(c) वैधता का निर्माण करें
(d) टेस्ट-रीटेस्ट वैधता

18. एक सांख्यिकीय वितरण के शिखर की तीक्ष्णता का प्रतिनिधित्व किया जाता है *(3 सितम्बर **2024** - शिफ्ट 1)*
(a) कुर्टोसिस (b) तिरछापन
(c) माध्य (d) माध्यिका

19. निम्नलिखित में से कौन-सा "डिजिटल इंडिया" विषय इसके उद्देश्य से गलत रूप से मेल खाता है? *(3 सितम्बर **2024** - शिफ्ट 1)*
(a) स्पोकन ट्यूटोरियल-विभिन्न नि:शुल्क और ओपन-सोर्स सॉफ्टवेयर स्वयं सीखें
(b) FOSSEE-शैक्षणिक संस्थानों में मालिकाना सॉफ्टवेयर पर निर्भरता कम करें
(c) ई-कल्प-डिजाइन के लिए डिजिटल-लर्निंग माहौल बनाएं
(d) ई-शोधसिंधी-एंबेडेड सिस्टम और रोबोटिक्स में शिक्षा का प्रसार

20. मात्रात्मक सामग्री विश्लेषण के बारे में सही कथन पहचानें: *(2 सितम्बर **2024** - शिफ्ट 2)*
(a) यह एक निश्चित मात्रा में अनुदैर्ध्य विश्लेषण की अनुमति दे सकता है
(b) यह एक घुसपैठिया विधि है
(c) यह बहुत कठोर विधि है
(d) यह एक प्रतिक्रियाशील विधि है

21. सूची-I का सूची-II से मिलान करें:

*(30 अगस्त **2024** - शिफ्ट 2)*

सूची-I	सूची-II
A. नाममात्र	I. छात्रों का वजन
B. साधारण	II. जातीयता
C. अंतराल	III. झुंझलाहट की डिग्री
D. अनुपात	IV. जन्मतिथि

(a) (A)-(I), (B)-II, (C)-(III), (D)-(IV)
(b) (A)-(II), (B)-(III), (C)-(IV), (D)-(I)
(c) (A)-(III), (B)-(IV), (C)-(I), (D)-(II)
(d) (A)-(IV), (B)-(I), (C)-(II), (D)-(III)

22. साहित्यिक चोरी पर यूजीसी विनियम 2018 के अनुसार, थीसिस जिसमें निम्नलिखित में से किस प्रतिशत की समानता के परिण ामस्वरूप उस कार्यक्रम में छात्र का पंजीकरण रद्द कर दिया जाएगा जिसमें वह पंजीकृत है- *(30 अगस्त **2024** - शिफ्ट 1)*

(a) 42% (b) 53%
(c) 58% (d) 61%

23. सूची-I का सूची-II से मिलान करें:

*(29 अगस्त **2024** - शिफ्ट 2)*

सूची-I	सूची-II
A. द्विभाजित चर	I. किसी अन्य चर से यथाचित रूप से प्रभावित होता है
B. स्वतंत्र चर	II. जहां श्रेणियों के बीच की दूरियां इसकी श्रेणियों की सीमा में समान हैं
C. आश्रित चर	III. इसकी केवल दो श्रेणियां हैं
D. अंतराल चर	IV. दूसरे चर पर कारणात्मक प्रभाव पड़ता है

(a) (A)-(I), (B)-II, (C)-(III), (D)-(IV)
(b) (A)-(III), (B)-(I), (C)-(IV), (D)-(II)
(c) (A)-(III), (B)-(IV), (C)-(I), (D)-(II)
(d) (A)-(I), (B)-(III), (C)-(IV), (D)-(II)

24. निम्नलिखित में से किस प्रकार के नमूने में अधिकतम पूर्वाग्रह होने की संभावना है? *(29 अगस्त **2024** - शिफ्ट 1)*

(a) सरल यादृच्छिक नमूनाकरण
(b) स्तरीकृत यादृच्छिक नमूनाकरण
(c) स्नोबॉल नमूनाकरण
(d) क्लस्टर यादृच्छिक नमूनाकरण

25. चिकित्सा शोध के सन्दर्भ में तुलनात्मक समूह को क्या कहा जाता है जो वह प्राप्त करता है जो उपचार प्रतीत होता है, लेकिन वास्तव में उस पर उस उपचार का कोई प्रभाव नहीं पड़ता हैः

*(27 अगस्त **2024** - शिफ्ट 1)*

(a) प्रायोगिक समूह (b) नियंत्रित समूह
(c) प्लैसिबो समूह (d) अनाश्रित समूह

26. सूची-I का सूची-II से मिलान करें:

*(23 अगस्त **2024** - शिफ्ट 2)*

सूची-I	सूची-II
A. ई-शोधसिंधु	I. कम दरों पर सदस्यता-आधारित विद्वतापूर्ण जानकारी (ई-पुस्तकें और ई-जर्नल)
B. ई-यंत्र	II. आईआईटी, मुंबई द्वारा संचालित रोबोटिक्स आउटरीच परियोजना
C. ई-विद्वान	III. विशेष डेटाबेस और राष्ट्रीय शोधकर्ता नेटवर्क
D. ई-कल्प	IV. डिज़ाइन के लिए डिजिटल-लर्निंग वातावरण

(a) (A)-(IV), (B)-II, (C)-(III), (D)-(I)
(b) (A)-III (B)-II, (C)-(I), (D)-(IV)
(c) (A)-(I), (B)-II, (C)-(III), (D)-(IV)
(d) (A)-(II), (B)-(IV), (C)-(III), (D)-(I)

27. विभिन्न समयावधियों से संबंधित दस्तावेजों का गुणात्मक सामग्री विश्लेषण निम्नलिखित में से किस शोध डिजाइन से मेल खाता है?

*(22 अगस्त **2024** - शिफ्ट 2)*

(a) क्रॉस-सेक्शनल (b) अनुदैर्ध्य
(c) केस स्टडी (d) तुलनात्मक

28. किसी एकल मामले की प्रकृति के बारे में महत्वपूर्ण विशेषताओं को प्रकट करने के लिए सर्वेक्षण अनुसंधान निम्नलिखित में से किस शोध डिजाइन से मेल खाता है? *(22 अगस्त **2024** - शिफ्ट 1)*

(a) क्रॉस-अनुभागीय (b) अनुदैर्ध्य
(c) केस स्टडी (d) तुलनात्मक

29. विभिन्न लोगों द्वारा किए गए एक ही स्थिति के अवलोकनों की स्थिरता के माप को संदर्भित करता है-

*(21 अगस्त **2024** - शिफ्ट 2)*

(a) वैधता का निर्माण करें
(b) आंतरिक वैधता
(c) स्प्लिट-हाफ विश्वसनीयता
(d) इंटररेटर विश्वसनीयता

30. वह दृष्टिकोण जिसमें शोध तुलना के लिए समूह बनाने के लिए मौजूदा डेटा का उपयोग करते हैं, कहलाते हैं-

*(21 अगस्त **2024** - शिफ्ट 2)*

(a) परिचालन (b) पूर्वव्यापी
(c) प्रायोगिक (d) अर्ध-प्रयोगात्मक

31. निम्नलिखित में से कौन-सा शोध दृष्टिकोण बताता है कि सिद्धांत शोध का परिणाम है? *(21 अगस्त **2024** - शिफ्ट 1)*

(a) निगमनात्मक दृष्टिकोण
(b) आगमनात्मक दृष्टिकोण
(c) मात्रात्मक दृष्टिकोण
(d) पार-अनुभागीय दृष्टिकोण

32. सूची-I का सूची-II से मिलान करें:

(18 जून 2024 - शिफ्ट 1)

सूची-I (संक्षेपाक्षर)	सूची-II (अर्थ)
A. et.al.,	I. उसी स्थान पर
B. ante.,	II. और दूसरे
C. cf.,	III. पहले
D. ibid.,	IV. तुलना

नीचे दिए गए विकल्पों में से सही उत्तर चुनें:

(a) (A)-(I), (B)-II, (C)-(III), (D)-(IV)
(b) (A)-(II), (B)-(III), (C)-(IV), (D)-(I)
(c) (A)-(III), (B)-(IV), (C)-(I), (D)-(II)
(d) (A)-(IV), (B)-(III), (C)-(II), (D)-(I)

33. यथार्थ के अध्ययन का निम्नलिखित में से कौन-सा उपागम व्यंजित करता है कि केवल अनुभव और इंद्रियबोध द्वारा प्राप्त ज्ञान स्वीकार्य हैं- *(18 जून 2024 - शिफ्ट 1)*

(a) निर्मितिवाद (b) नुजतिवर्णन
(c) अनुभववाद (d) संक्रियावाद

34. निम्नलिखित में से कौन-सा अकादमिक लेखन में प्रयुक्त संक्षिप्त नाम "ante" के अर्थ को सही ढंग से दर्शाता है?

(14 दिसम्बर 2023 - शिफ्ट 1)

(a) गुमनाम (b) पहले
(c) बाद में (d) और अन्य

35. सांख्यिकीय वितरण में विषमता की डिग्री पर टिप्पणी करने के लिए निम्नलिखित में से कौन-सा उपाय उपयोगी होगा?

(14 दिसम्बर 2023 - शिफ्ट 1)

(a) केन्द्रीय प्रवृत्ति (b) फैलाव
(c) कुर्टोसिस (d) तिरछापन

36. निम्नलिखित में से किसी परीक्षण आँकड़े के पी-मान के लिए, एक शून्य परिकल्पना को अस्वीकार किए जाने की संभावना है?

(13 दिसम्बर 2023 - शिफ्ट 2)

(A) 0.38 का 2% (B) 38%
(C) 2% (D) 0.46

(a) केवल (A) और (B)
(b) केवल (A) और (C)
(c) केवल (B) और (C)
(d) केवल (B) और (D)

37. **कथन I:** एक आश्रित चर द्विभाजित हो सकता है।

कथन II: एक स्वतंत्र चर कभी भी द्विभाजित नहीं हो सकता।

(12 दिसम्बर 2023 - शिफ्ट 2)

(a) कथन (I) और कथन (II) दोनों सत्य हैं।
(b) कथन (I) और कथन (II) दोनों असत्य हैं।
(c) कथन (I) सत्य है लेकिन कथन (II) असत्य है
(d) कथन (I) असत्य है लेकिन कथन (II) सत्य है

38. एक शोध डिजाइन जिसमें अन्वेषक या प्रतिभागी को इस बात की जानकारी नहीं होती है कि प्रतिभागी को क्या उपचार मिल रहा है, इसका तात्पर्य है: *(11 दिसम्बर 2023 - शिफ्ट 2)*

(a) एकल अंध अध्ययन (b) अर्ध अंध अध्ययन
(c) डबल ब्लाइंड स्टडी (d) अनुदैर्ध्य अध्ययन

39. स्वतंत्र चर के वास्तविक प्रभाव को अस्पष्ट करते हुए, एक अध्ययन में प्रतिभागियों के व्यवहार को सूक्ष्मता से और अनजाने में प्रभावित करने की शोधकर्ताओं की प्रवृत्ति को संदर्भित करता है:

(11 दिसम्बर 2023 - शिफ्ट 2)

(a) नागफनी प्रभाव (b) जैवसामाजिक प्रभाव
(c) प्रायोगिक पूर्वाग्रह (d) प्रतिभागी पूर्वाग्रह

40. निम्नलिखित में से कौन इस प्रश्न से संबंधित है कि क्या सामाजिक वैज्ञानिक निष्कर्ष लोगों की रोजमर्रा की प्राकृतिक सामाजिक सेटिंग पर लागू होते हैं? *(8 दिसम्बर 2023 - शिफ्ट 1)*

(a) पारिस्थितिक वैधता (b) बाह्य वैधता
(c) मापन वैधता (d) फेस वैलिडिटी

41. **कथन I:** पियर्सन का सहसंबंध गुणांक 'r' दो नाममात्र चर के बीच संबंधों की ताकत और दिशा का एक बहुत उपयोगी उपाय है।

कथन II: पियर्सन का सहसंबंध गुणांक 'r' हमेशा 0 और 1 के बीच होता है। *(7 दिसम्बर 2023 - शिफ्ट 2)*

(a) कथन I और कथन II दोनों सत्य हैं
(b) कथन I और कथन II दोनों असत्य हैं
(c) कथन I सत्य है लेकिन कथन II असत्य है
(d) कथन I असत्य है लेकिन कथन II सत्य है

42. वह चर जिसका दूसरे चर पर कारणात्मक प्रभाव पड़ता है, कहलाता है- *(7 दिसम्बर 2023 - शिफ्ट 2)*

(a) आश्रित चर (b) स्वतंत्र चर
(c) भ्रमित करने वाला चर (d) बाह्य चर

43. एक ज्ञानमीमांसीय स्थिति जो सामाजिक वास्तविकता और उससे परे के अध्ययन के लिए प्राकृतिक विज्ञान के तरीकों के अनुप्रयोग की वकालत करती है, उसका संदर्भ है:

(6 दिसम्बर 2023 - शिफ्ट 1)

(a) सकारात्मकता (b) व्याख्यावाद
(c) वस्तुनिष्ठवाद (d) निर्माणवाद

44. किसी जर्नल के लेख के लिए एपीए संदर्भण शैली मे, निम्नलिखित में से कोन-सा अंत में आयेगा? *(19 जून 2023 - शिफ्ट 2)*

(a) लेखक का अंतिम नाम
(b) अनुसंधान लेख का शीर्षक
(c) पेज संख्या
(d) डीओआई संख्या

45. जब अनुसंधानकर्ता प्रत्येक दत्त-संग्रहण बिन्दु पर अलग-अलग व्यक्तियों का प्रति चयन करके किसी विशिष्ट, सुभाषित जनसंख्या का विभिन्न कालावधियों में अध्ययन करते हैं तो इसे क्या कहा जाता है? *(17 जून 2023 - शिफ्ट 2)*

(a) कोहॉर्ट अध्ययन (b) प्रतिनिध्याम्क अध्ययन
(c) पैनल अध्ययन (d) भूतलक्षी अध्ययन

46. **कथन I:** शून्य परिकल्पना की पुष्टि किए जाने के बजाय उसे अस्वीकार करने का जोखिम 0.01 p-स्तर की तुलना में 0.05 p-स्तर पर अधिक होता है।

कथन II: टाइप-त्रुटि करने का जोखिम 0.01 p-स्तर की तुलना में 0.05 p-स्तर पर कम होता है। *(17 जून 2023 - शिफ्ट 1)*

(a) कथन I और कथन II दोनों सत्य हैं
(b) कथन I और कथन II दोनों असत्य हैं
(c) कथन I सत्य है लेकिन कथन II असत्य है
(d) कथन I असत्य है लेकिन कथन II सत्य है

47. **कथन I:** द्विभाजी पर में दो से अधिक श्रेणियां होती हैं।

कथन II: नामित चर में दो से अधिक श्रेणियां हो सकती हैं। *(17 जून 2023 - शिफ्ट 1)*

(a) कथन I और कथन II दोनों सत्य हैं
(b) कथन I और कथन II दोनों असत्य हैं
(c) कथन I सत्य है लेकिन कथन II असत्य है
(d) कथन I असत्य है लेकिन कथन II सत्य है

48. प्रति चयन के निम्नलिखित प्रकारों में किसको विवेक सम्मत प्रतिचयन के रूप में जाना जाता है? *(16 जून 2023 - शिफ्ट 1)*

(a) कोटा प्रतिचयन
(b) सुविधानुसार प्रतिचयन
(c) संगुच्छ प्रतिचयन
(d) संप्रयोजनात्मक प्रतिचयन

49. **कथन I:** विषयवस्तु विश्लेषण करने की प्रक्रिया में कूट बनाना (कूटन) एक सहला चरण है।

कथन II: कूट बनाने (कूटन) संबंधी अनूसूची में वे सभी आयाम सम्मिलित होते हैं जो कूटन-प्रक्रिया और कूटकर्ता हेतु *(15 जून 2023 - शिफ्ट 2)*

(a) कथन I और कथन II दोनों सत्य हैं
(b) कथन I और कथन II दोनों असत्य हैं
(c) कथन I सत्य है लेकिन कथन II असत्य है
(d) कथन I असत्य है लेकिन कथन II सत्य है

50. **कथन I:** विषयवस्तु विश्लेषण, प्रलेखों तथा पाठों के विश्लेषण का एक उपागम है जो उन्हें गुणात्मक पदों में विश्लेषित करने का प्रयत्न करता है। *(15 जून 2023 - शिफ्ट 1)*

कथन II: विषयवस्तु-विश्लेषण एक बहत पारदर्शी शोध विधि है।

(a) कथन I और कथन II दोनों सत्य हैं
(b) कथन I और कथन II दोनों असत्य हैं
(c) कथन I सत्य है लेकिन कथन II असत्य है
(d) कथन I असत्य है लेकिन कथन II सत्य है

51. एक शोधकर्ता चार अलग-अलग नमूनों से नमूना सहसंबंध गुणांक r1, r2, r3 और r4 की गणना करता है और क्रमशः उनके p-मान 0.9, 0.999, 0.05 और 0.005 प्राप्त करता है। 1% स्तर पर सहसंबंध गुणांक महत्वपूर्ण है *(14 जून 2023 - शिफ्ट 1)*

(a) r1 (b) r2
(c) r3 (d) r4

52. जब किसी दिए गए विषय पर अनेक अध्ययनों के एक सामान निष्कर्ष होते है, तो मापन दर्शाते हैं- *(13 जून 2023 - शिफ्ट 1)*

(a) अभिसारी वैधता (b) निकष वैधता
(c) अपसारी वैधता (d) निर्मिति वैधता

53. **कथन I:** आजुवात पात मापनी में शून्य बिन्दु यथेच्छ होता है।

कथन II: नाममात्र मापनी में आँकड़ों का क्रम निर्धारण / रैंक निर्धारण किया जा सकता है। *(14 मार्च 2023 - शिफ्ट 2)*

(a) कथन I और कथन II दोनों सत्य हैं
(b) कथन I और कथन II दोनों असत्य हैं
(c) कथन I सत्य है लेकिन कथन II असत्य है
(d) कथन I असत्य है लेकिन कथन II सत्य है

54. डाक-प्रश्नावली सर्वेक्षण की एक प्रमुख सीमा-निर्धारण क्या है? *(14 मार्च 2023 - शिफ्ट 2)*

(a) अनुपूरक प्रश्नों की आवश्यकता
(b) अतिरिक्त दत्त (डेटा) की उपलब्धता
(c) सह-पत्र (कवरिंग लेटर) की आवश्यकता
(d) गैर-प्रत्युत्त की उच्चतर दर

55. शोध में निम्नलिखित में से कौन से नैतिक सिद्धांत हैं? *(11 मार्च 2023 - शिफ्ट 2)*

(A) प्रतिभागियों के लिए आदर
(B) संसूचित सहमति
(C) प्रतिभागियों के लिए न्याय
(D) स्वैच्छिक छल
(E) अवपीड़क सहमति

(a) (A), (B), (C) (b) (B), (C), (D)
(c) (C), (D), (E) (d) (A), (D), (E)

56. सैद्धांतिक परिकल्पनाओं (कन्स्ट्रक्ट) को सम्मिलित करने वाले संबंधों के एक पूर्वानुमान को किस रूप में जाना जाता हैं? *(11 मार्च 2023 - शिफ्ट 2)*

(a) प्रचालनीय प्राक्कल्पना
(b) सामान्य प्राक्कल्पना
(c) गैर-दिशात्मक प्राक्कल्पना
(d) अवधारणात्मक प्राक्कल्पना

57. 'स्ट्राइड' (एसटीआरआईडीई) का पूर्ण रूप क्या है? *(6 मार्च 2023 - शिफ्ट 2)*

(a) स्कीम फॉर टेक्नीकल रिव्यू ऑफ इंस्टीट्रशनस डायरेक्ट एस्टैबिलशमेन्ट
(b) स्कीम फॉर ट्रांस-डिसिप्लिनरी रिसर्च फॉर इंडियाज डेवलपिंग इकोनॉमी
(c) सेन्सीटाइजेशन फॉर ट्रांस-डिसिप्लिनरी रिसर्च फॉर इन्फार्मेशन एंड डिजिटल एजुकेशन
(d) स्कूल फॉर टेक्नोलोजिकल रिसर्च फॉर इन्स्टीट्यूशन्स डेवलपमेन्ट एंड एन्टरप्रन्यरशिप

58. निम्नलिखित में से कौन-सी शोध की नीतिगत समस्यायें हैं- *(5 मार्च 2023 - शिफ्ट 2)*

(A) साहित्यिक चोरी (प्लेजिअरिजम)
(B) बलप्रयोग

(C) गोपनीयता भंग किया जाना
(D) उपकारिता
(E) ईमानदारी

(a) (A), (B), (C) (b) (B), (C), (D)
(c) (C), (D), (E) (d) (A), (D), (E)

59. वह प्रक्रिया जिसमें वैज्ञानिक शोध और प्रत्ययों का विषय के विशेषज्ञों द्वारा मूल्यांकन किया जाता है, उसे कहा जाता है-
(4 मार्च 2023 - शिफ्ट 2)

(a) साहित्य समीक्षा
(b) संकल्पनात्मक समीक्षा
(c) समकक्षी (पीयर) समीक्षा
(d) सामान्य समीक्षा

60. यदि एक व्यक्ति की पोशाक उसके मतदान व्यवहार को प्रतिबिम्बित या पूर्वानुमित नहीं करती है तो यह किसके बारे में पूर्वधारणा है?
(2 मार्च 2023 - शिफ्ट 2)

(a) सकारात्मक सहसंबंध (b) शून्य सहसंबंध
(c) आंशिक सहसंबंध (d) खंडित सहसंबंध

61. यदि विद्यमान अभिलेखों और अन्य सामग्री के विश्लेषण द्वारा व्यवहार और अभिवृत्तियों का पता लगाने के लिए शोध किया जाता है तो यह किस रूप में जाना जाता हैं? *(2 मार्च 2023 - शिफ्ट 2)*

(a) विगत शोध (b) गैर-प्रेक्षणात्मक शोध
(c) गैर-प्रतिभागी शोध (d) पुरा लेखीय शोध

62. यह जानने के बाद जिन परिणामों को प्राप्त करने के लिए किसी अनुसंधान परियोजना में जो लोग भाग ले रहे हैं, उनकी कोई वैधता नहीं है, के पश्चात् उनके व्यवहार में परिवर्तन कहलाता है-
(1 मार्च 2023 - शिफ्ट 2)

(a) अंधा प्रभाव (ब्लाइंड इफेक्ट)
(b) मूल्यांकन प्रभाव
(c) हॉउथार्न प्रभाव
(d) मांग प्रभाव

63. यदि सामान्य वितरण की स्थिति से भिन्न दाहिनी तरफ वक्र का वैषम्य हो, तो हम इसे कहते हैं? *(1 मार्च 2023 - शिफ्ट 2)*

(a) धनात्मक रूप से विषम
(b) ऋणात्मक रूप से विषम
(c) असमान रूप से विषम
(d) चिपिटक कुदता (प्लैटिकुरटिक)

64. सूची-I का सूची-II से मिलान करें:
(12 अक्टूबर 2022 - शिफ्ट 2)

सूची-I (विश्वसनीयता के परीक्षण)	सूची-II (विवरण)
A. टेस्ट और री-टेस्ट	I. नमूना समूह को अलग-अलग दो भागों में एक प्रश्नावली देना।
B. अंत:मूल्यानकर्ता	II. एक प्रश्नावली के विभिन्न संस्करण प्रदान करना जो उत्तरदाताओं के लिए समतुल्य हों।
C. समानांतर रूप	III. एक ही परीक्षण अलग-अलग लोगों द्वारा किया जाता है।
D. आधा भाग	IV. समय की अवधि में एक ही परीक्षण दोहराया जाता है।

(a) (A)-(I), (B)-II, (C)-(III), (D)-(IV)
(b) (A)-(II), (B)-(III), (C)-(IV), (D)-(I)
(c) (A)-(III), (B)-(IV), (C)-(I), (D)-(II)
(d) (A)-(IV), (B)-(III), (C)-(II), (D)-(I)

65. स्व-मानवजाति वर्णना एक उपागम हैं, जो निम्नलिखित में से किसका विश्लेषण करता है? *(13 अक्टूबर 2022 - शिफ्ट 2)*

(a) निजी अनुभव (b) सामुदायिक मुद्दे
(c) स्थानीय जनजातियों (d) सांस्कृतिक दूरी

66. निम्नलिखित में से कौन-से शोध लेखों की गुणवत्ता संबंधित हैं?
(11 अक्टूबर 2022 - शिफ्ट 1)

(A) शोध लेखों की संख्या
(B) प्रभाव-कारक
(C) उद्धरण-सूचकांक
(D) उनके प्रकाशन की बारंबारता
(E) एच-सूचकांक

(a) (A), (B), (C) (b) (B), (C), (D), (E)
(c) (B), (C), (E) (d) (A), (B), (C), (E)

67. संदर्भ शैली (स्फ्रेसिंग) के रूप में 'MLA' का पूरा नाम क्या है?
(11 अक्टूबर 2022 - शिफ्ट 1)

(a) मार्ड लैंग्वेज एडैप्टेशन
(b) मार्डन लैंग्वेज एसोसिएशन
(c) मैनेजमेंट लैंग्वेज अथॉरिटी
(d) मेनस्ट्रीम लैंग्वेज एसोसिएशन

68. अर्थ हेतु अध्ययन अधीन (सब्जैक्ट) के जीवन के विश्लेषण में निम्नलिखित में से किसका फोकस होता है?
(10 अक्टूबर 2022 - शिफ्ट 2)

(a) संरचनावाद (b) व्यावहारिकतावाद
(c) समाजशास्त्र (d) दृश्यघटना विज्ञान

69. **कथन I:** त्रिभजीकरण को शोध प्रश्नों के उत्तर देने में शोधकर्ताओं द्वारा भिन्न-भिन्न परिप्रेक्ष्य लेने के रूप में किया जाता है।

कथन II: त्रिभजीकरण से अपेक्षा की जाती है कि इससे गुणवत्तापूर्ण शोध के संवर्धन के लिए विभिन्न अंतर्दृष्टियों से ज्ञान का सृजन होगा। *(8 अक्टूबर 2022 - शिफ्ट 2)*

(a) कथन I और कथन II दोनों सत्य हैं
(b) कथन I और कथन II दोनों असत्य हैं
(c) कथन I सत्य है लेकिन कथन II असत्य है
(d) कथन I असत्य है लेकिन कथन II सत्य है

70. एक वास्तविक शून्य बिंदु की विशेषता है-
(8 अक्टूबर 2022 - शिफ्ट 2)

(a) नाममात्र का पैमाना (b) अनुपात पैमाना
(c) अंतराल मुहर (d) साधारण पैमाना

71. निम्नलिखित में से कौन-से एक नृवंशविज्ञान शोधकर्ता के कार्य हैं?
(8 अक्टूबर 2022 - शिफ्ट 1)

(A) वह सामाजिक परिवेश में तद्गीन हो जाता है।
(B) वह उन समूहों के सदस्यों के बारें में दस्तावेजों के संग्रहण से बचता है, जिन पर वह शोध कर रहा होता है।
(C) वह समूह के सदस्यों के व्यवहार का पर्यवेक्षण करता है।
(D) वह उनके वार्तालाप पर ध्यान देता है।
(E) वह प्रतिभागियों का साक्षात्कार नहीं लेता है, जब वे पर्यवेक्षण के अधीन नहीं रहे हैं।

(a) केवल (A), (B), (C)
(b) केवल (A), (C), (D)
(c) केवल (B), (C), (D)
(d) केवल (C), (D), (E)

72. निम्नलिखित में से किसके समुच्चय के मापन हेतु लिकर्ट स्केल का प्रयोग किया जाता है- *(30 सितम्बर 2022 - शिफ्ट 2)*

(a) मूल्यों (b) मानकों
(c) अभिवृत्तियों (d) फॉर्मूले

73. ऐतिहासिक अनुसंधान का सीमा बन्धन क्या है?
(30 सितम्बर 2022 - शिफ्ट 1)

(a) समस्या की पहचान
(b) विश्लेषणात्मक संश्लेषण
(c) सार्वभौमिक सामान्यीकरण
(d) संभावित निष्कर्ष

74. परिकल्पना, जो शून्य परिकल्पना का विकल्प है, को दर्शाया जाता है
(29 सितम्बर 2022 - शिफ्ट 1)

(a) H_0 (b) H_1
(c) Halt (d) $H \neq 0$

75. पहचाने गए शोध प्रश्न या उद्देश्य से संबंधित प्राथमिक अध्ययनों को गुणात्मक तरीके से सारांशित और व्याख्या करना कहलाता है:
(5 जनवरी 2022 - शिफ्ट 2)

(a) गुणात्मक समीक्षा (b) यथार्थवादी समीक्षा
(c) कथात्मक समीक्षा (d) मेटा समीक्षा

76. इस वैधता को किस नाम से जाना जाता है, जहां एक माप की माप की वैधता का आकलन जो इसकी तुलना उसी अवधारणा के दूसरे माप से करता है जिसे एक अलग विधि से उत्पन्न किया गया है?
(5 जनवरी 2022 - शिफ्ट 1)

(a) भविष्य कहने वाला वैधता
(b) वैधता का निर्माण
(c) समवर्ती वैधता
(d) अभिसारी वैधता

77. कभी-कभी, जो विषय जानते हैं कि वे एक नियंत्रण समूह में हैं, वे प्रयोगात्मक समूह के मुकाबले उत्कृष्टता प्राप्त करने के लिए कड़ी मेहनत कर सकते हैं। ऐसी घटना के रूप में जाना जाता है।
(25 दिसम्बर 2021 - शिफ्ट 1)

(a) नियंत्रित प्रतियोगिता (b) प्रेरक प्रतियोगिता
(c) प्रति पूरक प्रतिद्वंद्विता (d) प्रेरक प्रभाव

78. निम्नलिखित में से कौन-से वास्तविक केस स्टडी हैं?
(3 दिसम्बर 2021 - शिफ्ट 2)

(A) निष्कर्षों को सामान्य बनाना आसान है
(B) आमतौर पर एक समय में विश्लेषण के लिए एक मामले का चयन करता है
(C) चरित्र में अत्यधिक मात्रात्मक
(D) विभिन्न दृष्टिकोणों को एकीकृत करता है
(E) विशेष के लिए सबसे अधिक परिणामी दृष्टिकोण को अप. नाता है

(a) केवल (A), (B), (C) (b) केवल (B), (C), (D)
(c) केवल (B), (D), (E) (d) केवल (C), (D), (B)

79. **अभिकथन (A):** वास्तविक सेटिंग्स डेटा का प्रत्यक्ष स्रोत हैं और शोधकर्ता गुणात्मक शोध में प्रमुख साधन है।

कारण (R): गुणात्मक शोध का उद्देश्य संदर्भमुक्त सामान्यीकरण पर पहुंचने के बजाय वास्तविकता के चित्रण पर अपेक्षाकृत अधिक निर्देशित है। *(3 दिसम्बर 2021 - शिफ्ट 1)*

(a) (A) और (R) दोनों सत्य हैं और (R) (A) की सही व्याख्या है
(b) (A) और (R) दोनों सत्य हैं लेकिन (R) (A) की सही व्याख्या नहीं है
(c) (A) सत्य है लेकिन (R) असत्य है
(d) (A) असत्य है लेकिन (R) सत्य है

80. निम्नलिखित में से कौन गुणात्मक शोध का उदाहरण है?
(3 दिसम्बर 2021 - शिफ्ट 1)

(a) प्रायोगिक अनुसंधान
(b) कार्योत्तर अनुसंधान
(c) वर्णनात्मक सर्वेक्षण अनुसंधान
(d) ग्राउंडेड थ्योरी

81. **कथन I:** प्रयोगकर्ता प्रभाव प्रयोगकर्ता के व्यवहार के कारण प्रयोगात्मक डेटा के संग्रह या विश्लेषण के दौरान उत्पन्न त्रुटियाँ हैं।

कथन II: प्रयोगात्मक सेटिंग में कुछ संकेतों की उपस्थिति के कारण, प्रतिभागी प्रयोग के उद्देश्य की एक व्याख्या बनाते हैं और अवचेतन रूप से उस व्याख्या के अनुरूप अपने व्यवहार को बदलते हैं।
(1 दिसम्बर 2021 - शिफ्ट 1)

(a) कथन I और कथन II दोनों सत्य हैं
(b) कथन I और कथन II दोनों असत्य हैं
(c) कथन I सत्य है लेकिन कथन II असत्य है
(d) कथन I असत्य है लेकिन कथन II सत्य है

82. निम्नलिखित में से कौन-कौन अपूचाल सांख्यिकी हैं?
(26 नवम्बर 2021 - शिफ्ट 1)

(A) टी-परीक्षण
(B) एफ-परीक्षण
(C) स्पियरमेन का स्थिति कुम सहसंबंध
(D) मान-व्हिटनी-विलकोसोन परीक्षण
(E) केंडेल सुसंगतता गुणक

(a) केवल (A), (B) और (C)
(b) केवल (B), (C) और (D)

(c) केवल (B), (D) और (E)
(d) केवल (C), (D) और E

83. बहिरंग चर को और किस नाम से जाना जाता है?
(24 नवम्बर 2021 - शिफ्ट 1)
(a) मानवकृति
(b) निर्भर चर
(c) अंत:क्षेपक (इंटरवीनर)
(d) राचिहित कारक

84. **कथन I:** क्रियात्मक अनुसंधान का प्रयोग प्राथमिक रूप से किसी व्यवसायी द्वारा दी गई स्थिति को सुधारने के लिए किया जाता है।

कथन II: अनुप्रयुक्त अनुसंधान पहले से स्थापित सिद्धांतों की प्रयोज्यता का पता लगाने के लिए निर्देशित है।
(22 नवम्बर 2021 - शिफ्ट 1)
(a) कथन I और कथन II दोनों सत्य हैं
(b) कथन I और कथन II दोनों असत्य हैं
(c) कथन I सत्य है लेकिन कथन II असत्य है
(d) कथन I असत्य है लेकिन कथन II सत्य है

85. अनुसंधान के अनुभवजन्य-प्रेरक प्रतिमान की विशेषताओं की पहचान करें-
(22 नवम्बर 2021 - शिफ्ट 1)
(A) अनुसंधान केवल परिणामों या उत्पादों के बजाय प्रक्रिया से संबंधित है
(B) तार्किक प्रत्यक्षवादी दर्शन के आधार पर जो एक ही उद्देश्य वास्तविकता मानता है
(C) शोधकर्ता 'प्रतिभागी दृष्टिकोण' कहलाते हैं से चिंतित हैं
(D) सार्वभौमिक संदर्भ मुक्त सामान्यीकरण स्थापित करने का प्रयास

(a) केवल (A) और (B)
(b) केवल (B) और (C)
(c) केवल (C) और (D)
(d) केवल (A) और (C)

86. भारत सरकार की निम्नलिखित किस योजना का उद्देश्य नवोन्मेषी अनुसंधान परियोजनाओं को समर्थन देना है जो सामाजिक रूप से प्रासंगिक, स्थानीय आवश्यकता अनुरूप, राष्ट्रीय दृष्टि से महत्त्वपूर्ण तथा वैश्विक महत्त्व की हों: *(13 नवम्बर 2021 - शिफ्ट 1)*
(a) SPARC (b) STRIDE
(c) IMPRESS (d) STARS

87. **कथन I:** कक्षा मूल्यांकन में, एक शिक्षक पाता है कि छात्रों के अंकों का वितरण सकारात्मक रूप से विषम है। इसलिए, अंकों का माध्य माध्यिका से अधिक होगा और माध्यिका बहुलक से अधिक होगा।

कथन II: जब छात्रों के अंकों का वितरण सामान्य पाया जाता है, तो केंद्रीय प्रवृत्ति के सभी तीन माप मेल खाते हैं।
(4 नवम्बर 2021 - शिफ्ट 2)
(a) कथन I और कथन II दोनों सत्य हैं
(b) कथन I और कथन II दोनों असत्य हैं
(c) कथन I सत्य है लेकिन कथन II असत्य है
(d) कथन I असत्य है लेकिन कथन II सत्य है

88. एक महाविद्यालय के अध्यापक की कक्षा में देर से आने वालों को समस्या का अध्ययन करने की मंशा है। उस संदर्भ में किस प्रकार की प्रति चयन प्रक्रिया उचित होगी?
(4 नवम्बर 2021 - शिफ्ट 1)
(a) स्तरित प्रतिचयन (b) यादृच्छिक प्रतिचयन
(c) सप्रयोजन प्रतिचयन (d) समूह प्रतिचयन

89. सामान्यीकरण योग्यता के लिए संभावना की खोज पर केन्द्रित होने के साथ निम्नलिखित में से कौन-सा शोध का प्रकार मुख्यत: सैद्धांतिक प्रगति के प्रयोग पर लक्षित होता है?
(9 अक्टूबर 2021 - शिफ्ट 1)
(a) मौलिक अनुसंधान (b) मूल्यांकनात्मक अनुसंधान
(c) क्रियात्मक अनुसंधान (d) अनुप्रयुक्त अनुसंधान

90. **कथन I:** क्रियात्मक अनुसंधान चक्रीय होता है क्योंकि इसमें योजना-क्रिया-पर्यवेक्षण-विचारणा का चक्र शामिल होता है।

कथन II: क्रियात्मक अनुसंधान का प्रयोजन चरों के बीच का रणात्मक संबंध की व्याख्या करने हेतु एक सिद्धांत विकसित करना होता है। *(30 सितम्बर 2020 - शिफ्ट 2)*
(a) कथन I और कथन II दोनों सत्य हैं
(b) कथन I और कथन II दोनों असत्य हैं
(c) कथन I सत्य है लेकिन कथन II असत्य है
(d) कथन I असत्य है लेकिन कथन II सत्य है

91. शोध अध्ययन के निम्नलिखित कौन-से चरण के संबंध में शोध नीतिशास्त्र के उल्लंघन के क्षेत्र को प्रासंगिक माना जाता है?
(30 सितम्बर 2020 - शिफ्ट 1)
(A) शोध परिकल्पना को सूत्रबद्ध करना तथा इसके परीक्षण के लिए निराकरणीय परिकल्पना स्थापित करना।
(B) शोध अध्ययन के क्षेत्र को परिभाषित तथा परिसीमित करना।
(C) शोध आँकड़ों का विश्लेषण तथा निर्वचन करना।
(D) समग्र शोध तथा प्रतिदर्श प्रतिचयन की विधि को परिभाषित करना।
(E) शोध परिणामों को सूचित करना तथा नीति को सूत्रबद्ध करने के लिए आधार के रूप में इसका प्रयोग करना।

(a) (C), (E) (b) (A), (B)
(c) (B), (C) (d) (D), (E)

92. विश्वविद्यालय का एक शिक्षक इस बारे में एक शोध परियोजना प्रस्तावित करता है कि "माता-पिता विश्वविद्यालय के कार्यक्रमों के प्रति क्यों उदासीन रहते हैं?" निम्नलिखित में से कौन-सी विधि इस परियोजना के लिए सर्वाधिक उपयुक्त होगी?
(29 सितम्बर 2020 - शिफ्ट 2)
(a) प्रयोगात्मक विधि
(b) ऐतिहासिक विधि
(c) प्रतिभागी-प्रेक्षणपरक विधि
(d) कार्योत्तर विधि

93. शोध के निम्नांकित में से किन चरणों में आईसीटी समर्थन के विनियोजन की गुंजाइश अपेक्षाकृत अधिक है?
(25 सितम्बर 2020 - शिफ्ट 2)
(A) समस्या प्रतिपादन (B) परिकल्पना निर्माण
(C) प्रदत्त संकलन (D) प्रदत्त विश्लेषण

(a) (A), (B) (b) (B), (D)
(c) (C), (D) (d) (D), (E)

94. निम्नांकित प्रदत्त सूची से उन विशेषताओं को संसूचित करने वाले कथनों को चुनिए जो गुणात्मक शोध प्रतिमान से संबंधित हैं: *(25 सितम्बर **2020** - शिफ्ट 2)*

(A) यह शोध प्रतिभागियों के परिप्रेक्ष्य से सामाजिक घटनाओं के अवबोध से संबंधित है।
(B) यह चरों के मध्य संबंध स्थापित करने की ओर अग्रसर होता है तथा मापित सामाजिक तथ्यों में परिवर्तन के कारणों की व्याख्या करता है।
(C) यह वास्तविक परिदृश्य में संचालित होता है जो आधार सामग्री का प्रत्यक्ष स्रोत है तथा शोधकर्त्ता एक महत्त्वपूर्ण साधक है।
(D) यह प्रक्रिया से संबंधित है न कि परिणामों या उत्पादों मात्र से।
(E) यह सार्वभौम सन्दर्भ रहित सामान्यीकरणों के प्रतिपादन का प्रयास करता है।

(a) (A), (B), (C) (b) (B), (C), (D)
(c) (A), (C), (D) (d) (C), (D), (E)

95. किसी शोध परियोजना में उचित प्राचलिक परीक्षा का उपयोग करते हुए शोधकर्ता को निराकरणीय परिकल्पना को निरस्त करने के साक्ष्य प्राप्त हो जाते हैं। ऐसा करने से किस प्रकार की त्रुटि होने की संभावना होती है? *(25 सितम्बर **2020** - शिफ्ट 1)*

(a) अल्फा त्रुटि
(b) बीटा त्रुटि
(c) अल्फा और बीटा दोनों त्रुटियाँ
(d) न तो अल्फा और न ही बीटा त्रुटि

96. सूची-I का सूची-II से मिलान करें: *(25 सितम्बर **2020** - शिफ्ट 1)*

सूची-I	सूची-II
A. परीक्षण-पुन: परीक्षण विधि	I. सहसंबंध के लिए परीक्षण के दो समकक्ष हिस्सों के साथ एक सत्र में परीक्षण का प्रबंधन करना
B. वैकल्पिक रूप विधि	II. दो या अधिक मूल्यांकनकर्ता स्वतंत्र रूप से परीक्षण का मूल्यांकन करते है
C. विभाजित-आधा विधि	III. दो अलग-अलग सत्रों में एक ही समूह के लिए एक ही परीक्षण का प्रबंधन करना
D. अंतर-रेटर विधि	IV. एक ही समूह को दो अलग-अलग सत्रों में दो प्रकार के परीक्षण देना

(a) (A)-(I), (B)-II, (C)-(III), (D)-(IV)
(b) (A)-(II), (B-I), (C)-(IV), (D)-(III)
(c) (A)-(IV), (B)-(III), (C)-(II), (D)-(I)
(d) (A)-(III), (B)-(IV), (C)-(I), (D)-(II)

97. सूची-I का सूची-II से मिलान करें: *(24 सितम्बर **2020** - शिफ्ट 2)*

सूची-I	सूची-II
A. अनुसंधान समस्याएं	I. वे उपकरण जिनका उपयोग करके डेटा एकत्र किया जाता है
B. अनुसंधान परिकल्पना	II. किसी परिभाषित समुच्चय या ब्रह्माण्ड से निकाला गया उपसमुच्चय
C. अध्ययन का नमूना	III. किसी शोध प्रश्न का अस्थायी समाधान या उत्तर
D. अनुसंधान उपकरण	IV. शोध प्रश्न जिसका उत्तर दिया जाना है

(a) (A)-(IV), (B)-(III), (C)-(II), (D)-(I)
(b) (A)-(III), (B)-II, (C)-(I), (D)-(IV)
(c) (A)-(I), (B)-II, (C)-(III), (D)-(IV)
(d) (A)-(III), (B)-(IV), (C)-(I), (D)-(II)

98. निम्नलिखित में से कौन-से अनुसंधान चरण अनुसंधान आचार-शास्त्र से सबसे कम प्रभावित होते हैं? *(24 सितम्बर **2020** - शिफ्ट 1)*

(A) अनुसंधान चरों की पहचान करना
(B) अनुसंधान चरों को परिभाषित करना
(C) आंकड़ा संग्रहण प्रक्रिया
(D) आंकड़ा विश्लेषण प्रक्रिया
(E) अनुसंधान निष्कर्षों की रिपोर्टिंग

(a) (A), (B) (b) (B), (C)
(c) (C), (D) (d) (D), (E)

99. कोई महाविद्यालय अध्यापक एक शोध कार्यक्रम तैयार करता है जिसमें उसका उद्देश्य अध्यापन के दौरान अपनी कक्षा में सामाजिक-भावनात्मक पहलू को सुधारना है। इस संदर्भ में निम्नलिखित में से कौन-सी शोध विधि उपयुक्त मानी जाएगी? *(24 सितम्बर **2020** - शिफ्ट 1)*

(a) प्रयोगमूलक विधि
(b) वर्णनात्मक विधि
(c) ऐतिहासिक विधि
(d) क्रियात्पक अनुसंधान विधि

100. निम्नलिखित में से कौन-सी शोध प्रक्रिया परा-विधेयतात्मक उपागम के अंतर्गत आएगी? *(24 सितम्बर **2020** - शिफ्ट 1)*

(a) मानकीय सर्वेक्षण
(b) प्रयोगमूलक अध्ययन
(c) नृजातीय-वर्णन संबंधी अध्ययन
(d) कार्योत्तर अध्ययन

उत्तर

1. (b)	**2.** (d)	**3.** (b)	**4.** (a)	**5.** (b)	**6.** (b)	**7.** (a)	**8.** (d)	**9.** (a)	**10.** (c)
11. (a)	**12.** (a)	**13.** (b)	**14.** (a)	**15.** (d)	**16.** (d)	**17.** (b)	**18.** (a)	**19.** (d)	**20.** (a)
21. (b)	**22.** (d)	**23.** (c)	**24.** (c)	**25.** (c)	**26.** (c)	**27.** (b)	**28.** (c)	**29.** (d)	**30.** (b)
31. (b)	**32.** (b)	**33.** (c)	**34.** (b)	**35.** (d)	**36.** (b)	**37.** (c)	**38.** (a)	**39.** (c)	**40.** (a)
41. (b)	**42.** (b)	**43.** (a)	**44.** (d)	**45.** (a)	**46.** (c)	**47.** (d)	**48.** (d)	**49.** (c)	**50.** (d)
51. (d)	**52.** (a)	**53.** (b)	**54.** (d)	**55.** (a)	**56.** (d)	**57.** (b)	**58.** (a)	**59.** (c)	**60.** (b)
61. (d)	**62.** (c)	**63.** (a)	**64.** (d)	**65.** (a)	**66.** (c)	**67.** (b)	**68.** (d)	**69.** (a)	**70.** (b)
71. (b)	**72.** (c)	**73.** (c)	**74.** (b)	**75.** (c)	**76.** (d)	**77.** (c)	**78.** (c)	**79.** (a)	**80.** (d)
81. (a)	**82.** (d)	**83.** (a)	**84.** (a)	**85.** (d)	**86.** (b)	**87.** (a)	**88.** (c)	**89.** (d)	**90.** (c)
91. (a)	**92.** (c)	**93.** (c)	**94.** (c)	**95.** (a)	**96.** (d)	**97.** (a)	**98.** (a)	**99.** (d)	**100.** (c)

बोनस बॉक्स — संख्यात्मक प्रश्न

हाल के रुझानों से पता चलता है कि UGC अब **इकाई 2 – शोध अभिवृत्ति (Research Aptitude)** से संख्यात्मक प्रश्न शामिल कर रहा है। निम्नलिखित प्रश्नों का सेट आपको इस उभरते रुझान से परिचित होने में मदद करेगा।

1. सहप्रसरण अर्थात cov (x, y) और मानक σx विचलन और σy) पर निम्नलिखित जानकारी से गणना किए गए सहसंबंध गुणांकों को बढ़ते क्रम में व्यवस्थित करें।
(30 अगस्त 2024 – शिफ्ट 2)

(A) cov (x, y) = 18, σx = 4, σy = 9
(B) cov (x, y) = 15, σx = 8, σy = 3
(C) cov (x, y) = 16, σx = 7, σy = 4
(D) cov (x, y) = 21, σx = 6, σy = 5

(a) A, (C), (B), (D)
(b) C, (B), (A), D
(c) (B), (C), (D), (A)
(d) D, (B), (A), C

2. निम्नलिखित माध्य (X) और मानक विचलन (σ) के साथ डेटासेट को उनके भिन्नता के गुणांक के घटते क्रम में व्यवस्थित करें।
(29 अगस्त 2024 – शिफ्ट 1)

(A) σ = 4.3, X = 13.8
(B) σ = 3.8, X = 12.7
(C) σ = 5.7, X = 14.9
(D) σ = 4.7, X = 14.1

(a) (A), (B), (C), (D)
(b) (B), (C), (D), (A)
(c) (C), (D), (A), (B)
(d) (D), (A), (B), (C)

उत्तर: 1. (a) 2. (c)

* ऊपर दिए गए संख्यात्मक प्रश्नों के चरण-दर-चरण समाधान को देखने के लिए, नीचे दिए गए QR कोड को स्कैन करें।

विस्तृत समाधान और संकेत

क्या आप किसी कठिन प्रश्न को हल करने में संघर्ष कर रहे हैं या संशय में हैं?

चिंता न करें! ऊपर दिए गए प्रश्नों के विस्तृत समाधान और उपयोगी संकेत प्राप्त करने के लिए इस QR कोड को स्कैन करें।

क्या आप जानते हैं? इस खंड में दिए गए प्रश्न पिछली UGC NET परीक्षाओं (2020–2025) से हैं और अक्सर परीक्षा में दोहराए जाते हैं। उन्हें समझने से आपका स्कोर काफी बढ़ सकता है। इसलिए, उत्तर कुंजी को सिर्फ सरसरी तौर पर न पढ़ें – विस्तृत व्याख्याओं को देखने और प्रत्येक प्रश्न की पूरी समझ हासिल करने के लिए इस QR कोड को स्कैन करें।

QR कोड काम नहीं कर रहा है? QR कोड के साथ दिए गए संसाधनों तक पहुँचने के लिए आंतरिक फ्रन्ट कवर पर दिए गए निर्देशों का पालन करें

क्या आप और अधिक अभ्यास करना चाहते हैं? इस इकाई से **अतिरिक्त 200+ अभ्यास प्रश्नों** तक पहुँचने के लिए इस QR कोड को स्कैन करें। McGraw Hill EDGE प्लेटफॉर्म UGC NET परीक्षा इंटरफेस की नकल करता है, जो आपको एक यथार्थवादी परीक्षा अनुभव प्रदान करता है और आपको वास्तविक परीक्षा प्रारूप से परिचित होने में मदद करता है। यह आपको समय का बेहतर प्रबंधन करने में मदद करता है और आपको परीक्षा के दबाव में MCQ को सटीक रूप से हल करने के लिए तैयार करता है।

बोध (Comprehension)

10

इस अध्याय में

**परीक्षोपयोगी (Exam Essential): UGC NET परीक्षा में पूछे जाने की अत्यधिक संभावना, #CC का अर्थ है कॉन्सेप्ट कैप्सूल*

परिचय (Introduction)

कल्पना करें कि आप आर्टिफिशियल इंटेलिजेंस (AI) के नौकरी बाजार पर प्रभाव से संबंधित एक लेख पढ़ रहे हैं। यह लेख आँकड़ों, विशेषज्ञों के विश्लेषण और विभिन्न उद्योगों में AI द्वारा किए जा रहे बदलावों के उदाहरणों से भरा हुआ है। जब आप इसे पढ़ते हैं, तो आपको मुख्य विचारों की पहचान करनी होती है, आँकड़ों को समझना होता है और प्रस्तुत तर्कों का आलोचनात्मक मूल्यांकन करना होता है। किसी भी पाठ को पढ़ने, समझने और विश्लेषण करने की इस क्षमता को पठन बोध (Reading Comprehension) कहा जाता है। इसमें केवल शब्दों को पहचानना ही नहीं, बल्कि उनके अर्थ, संदर्भ और पाठ के विभिन्न भागों के बीच संबंधों को समझना भी शामिल होता है। यदि आप प्रभावी रूप से पढ़ने और समझने में सक्षम हैं, तो आप महत्वपूर्ण जानकारी निकाल सकते हैं, निष्कर्ष निकाल सकते हैं और जो कुछ आपने पढ़ा है, उसे वास्तविक जीवन की स्थितियों पर लागू कर सकते हैं।

सरल शब्दों में कहें तो पठन बोध (RC) का अर्थ है - जो कुछ आप पढ़ रहे हैं, उसे समझना। UGC NET पेपर 1 परीक्षा में अभ्यर्थियों को विभिन्न विषयों पर आधारित परिच्छेद दिए जाते हैं। इन गद्यांशों के बाद कई प्रश्न होते हैं, जो पठन बोध की विभिन्न क्षमताओं का परीक्षण करते हैं, जैसे–मुख्य विचार को समझना, सहायक तथ्यों की पहचान करना, निहित अर्थों को जानना और तर्कों का विश्लेषण करना। छात्रों को परिच्छेद को ध्यानपूर्वक पढ़ना होता है और फिर उन प्रश्नों के उत्तर देने होते हैं, जो कभी-कभी जानकारी को संक्षेप में प्रस्तुत करने, लेखक के उद्देश्य को पहचानने या आँकड़ों की व्याख्या करने से संबंधित होते हैं। इस खंड में अच्छा स्कोर करने के लिए परिच्छेद की विषय-वस्तु को जल्दी और प्रभावी ढंग से समझने की क्षमता आवश्यक होती है।

10.1 पठन बोध हल करने के तरीके (Approaches to Solve Reading Comprehension)

इस विषय को सरल बनाने वाले वीडियो व्याख्यान को देखने के लिए इस QR कोड को स्कैन करें

पठन बोध के प्रश्न हल करने के विभिन्न तरीकों को समझने से पहले, हम एक सरल प्रयोग करते हैं।

प्रयोग 1: सामान्य अवलोकन (Experiment 1: General Observation)

नीचे दिए गए चित्र (चित्र 10.1) को ध्यान से देखें। फिर अपनी आँखें बंद करें और याद करने की कोशिश करें कि कमरे में क्या-क्या चीजें थीं।

चित्र 10.1 कमरे को ध्यान से देखें

अब बिना दोबारा चित्र देखे, क्या आप बता सकते हैं कि कमरे में कितनी गेंदें थीं? शायद आपको सही संख्या याद करने में कठिनाई हुई होगी। क्या आप जानते हैं ऐसा क्यों हुआ? क्योंकि आपका ध्यान पूरे कमरे की वस्तुओं पर था, न कि केवल गेंदों पर।

प्रयोग 2: केंद्रित खोज (Experiment 2: Focused Search)

अब कमरे के उसी चित्र को दोबारा देखें। लेकिन इस बार, विशेष रूप से गेंदों की संख्या गिनने का प्रयास करें।

अब शायद आपने देखा होगा कि कमरे में कुल दस गेंदें थीं। आपने इस बार अधिक तेजी और सटीकता से उत्तर पाया। ऐसा इसलिए हुआ क्योंकि जब आपको पता था कि किस चीज को खोजना है, तो आपका मस्तिष्क उसी पर ध्यान केंद्रित कर सटीक जानकारी खोज सका। जब मैंने आपसे गेंदों की गिनती करने के लिए कहा, तो आपने केवल उन्हीं पर ध्यान केंद्रित किया और बाकी चीजों की अनदेखी कर दी, क्योंकि वे आपके कार्य से संबंधित नहीं थीं।

इन्हीं प्रयोगों के आधार पर, हम पठन बोध प्रश्न हल करने के दो मुख्य तरीकों को समझ सकते हैं:

1. **परिच्छेद से प्रश्न (शीर्ष-से-नीचे दृष्टिकोण) (Passage to Question (Top-Down Approach)**
   - पहले परिच्छेद पढ़ें।
   - फिर प्रश्नों को देखें और उत्तर परिच्छेद में खोजें।

यह उसी तरह है जैसे प्रयोग 1, जिसमें आपने पूरा कमरा देखा लेकिन यह नहीं पता था कि आपको विशेष रूप से क्या खोजना है। इसलिए आपको पूरी जानकारी याद रखनी पड़ी, जो कठिन और धीमी प्रक्रिया थी।

2. **प्रश्न से परिच्छेद (नीचे-से-ऊपर दृष्टिकोण) [Question to Passage (Bottom-Up Approach)]:**
   - पहले प्रश्न पढ़ें।
   - फिर परिच्छेद को पढ़कर उत्तर खोजें।

यह उसी तरह है जैसे प्रयोग 2, जिसमें आपको पहले ही पता था कि गेंदों को खोजना है। इसलिए आपका ध्यान केवल गेंदों पर था, जिससे उत्तर जल्दी और सटीक मिला।

जब आप नीचे-से-ऊपर दृष्टिकोण (Bottom-Up Approach) का उपयोग करते हैं, तो:

- **गति बढ़ती है (Your Speed Increases):** प्रश्न पहले पढ़ने से आपको पता चल जाता है कि परिच्छेद में कौन-सी जानकारी ढूँढनी है, जिससे आप सीधे संबंधित भाग पर ध्यान केंद्रित कर सकते हैं और उत्तर तेजी से पा सकते हैं।
- **अनावश्यक जानकारी को अनदेखा करते हैं (You Ignore Irrelevant Information):** क्योंकि आप केवल विशेष कीवर्ड और जानकारी खोज रहे होते हैं, इसलिए आप परिच्छेद के उन हिस्सों को स्वाभाविक रूप से छोड़ देते हैं जो प्रश्नों से संबंधित नहीं होते, जिससे आपकी पढ़ने की प्रक्रिया अधिक प्रभावी हो जाती है।

अधिकांश छात्र शीर्ष-से-नीचे दृष्टिकोण (Top-down Approach) को पसंद करते हैं, लेकिन नीचे-से-ऊपर दृष्टिकोण (Bottom-up Approach) आपका कम-से-कम 30% समय बचा सकता है।

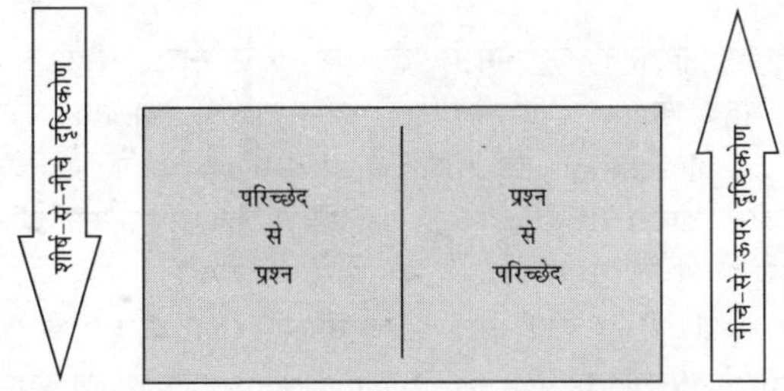

चित्र 10.2 पढ़ने की समझ को हल करने के दो दृष्टिकोण

10.2 परिच्छेद को जल्दी पढ़ने के तरीके (How to Read the Passage Quickly)

कई छात्र पठन बोध की प्रक्रिया को समय-साध्य मानते हैं और इससे परेशान हो जाते हैं। हालांकि, कुछ प्रभावी रणनीतियाँ हैं जो इस प्रक्रिया को सरल बना सकती हैं। इस खंड में, हम उन वैज्ञानिक रूप से प्रमाणित युक्तियों की चर्चा करेंगे, जो UGC NET पेपर 1 के पठन बोध खंड को अधिक कुशलता से हल करने में आपकी मदद करेंगी।

अधिकांश छात्र परिच्छेद को शब्द-दर-शब्द पढ़ते हैं, जो बहुत समय लेता है और कीमती परीक्षा समय बर्बाद कर सकता है। इसके बजाय, हम दो प्रभावी रणनीतियाँ सुझाते हैं, जो परिच्छेद को जल्दी पढ़ने, सही उत्तर देने और अपने स्कोर को बेहतर बनाने में मदद कर सकती हैं।

लेकिन इन रणनीतियों को अपनाने से पहले, यह याद रखना महत्वपूर्ण है कि सफलता का कोई शॉर्टकट नहीं होता। परिच्छेद को जल्दी और प्रभावी ढंग से पढ़ने के लिए, नियमित रूप से पढ़ने की आदत विकसित करना आवश्यक है। इसलिए, हम आपको सलाह देते हैं कि परीक्षा से कम-से-कम 30 दिन पहले, हर दिन एक परिच्छेद का अभ्यास करें, जिससे आपकी पढ़ने की गति और समझने की क्षमता विकसित हो सके।

युक्ति #1: स्किमिंग (Trick #1: Skimming)

स्किमिंग एक ऐसी तकनीक है, जिससे आप परिच्छेद के हर शब्द को पढ़े बिना उसका सामान्य विचार जल्दी से समझ सकते हैं। इसमें हर छोटे विवरण पर ध्यान देने के बजाय, मुख्य विचारों और प्रमुख बिंदुओं की पहचान करने के लिए पाठ को स्कैन किया जाता है। यह विधि परीक्षा परिस्थितियों में समय बचाने और परिच्छेद की समग्र समझ प्राप्त करने में मदद करती है।

आइए इसे एक उदाहरण से समझते हैं:

> ग्रेट बैरियर रीफ दुनिया की सबसे बड़ी प्रवाल भित्ति प्रणाली है, जो ऑस्ट्रेलिया के क्वींसलैंड तट के साथ 2,300 किलोमीटर तक फैली हुई है। यह 2,900 से अधिक व्यक्तिगत प्रवाल भित्तियों और 900 द्वीपों से बनी है, जो इसे पृथ्वी पर सबसे बड़ा समुद्री पारिस्थितिकी तंत्र बनाती है। यह प्रवाल भित्ति हजारों मछलियों, प्रवालों और अन्य समुद्री जीवों की प्रजातियों का घर है, जिनमें से कई केवल यहीं पाई जाती हैं।

जलवायु परिवर्तन ग्रेट बैरियर रीफ के लिए सबसे बड़ा खतरा है। समुद्र के बढ़ते तापमान के कारण प्रवालों का रंग फीका (Coral Bleaching) पड़ जाता है, जिससे वे अपने महत्वपूर्ण सहजीवी शैवाल खो देते हैं। यदि यह प्रक्रिया लंबे समय तक चलती है या अत्यधिक गंभीर होती है, तो इससे बड़े पैमाने पर प्रवालों की मृत्यु हो सकती है। इसके अलावा, वायुमंडलीय CO_2 के स्तर में वृद्धि से समुद्री अम्लीकरण (Ocean Acidification) होता है, जो प्रवालों के कंकाल को कमजोर कर देता है और उन्हें क्षति के प्रति अधिक संवेदनशील बना देता है।

ग्रेट बैरियर रीफ को बचाने के लिए समुद्री संरक्षित क्षेत्र, सतत मत्स्य पालन प्रथाएँ और वैश्विक कार्बन उत्सर्जन को कम करने की पहल की जा रही हैं। शोधकर्ता और संरक्षणविद् प्रवाल पुनर्स्थापन परियोजनाओं पर भी कार्य कर रहे हैं ताकि क्षतिग्रस्त क्षेत्रों का पुनर्वास किया जा सके। इस प्राकृतिक चमत्कार का अस्तित्व जलवायु परिवर्तन की चुनौतियों का समाधान करने के लिए वैश्विक सहयोग और त्वरित कार्रवाई पर निर्भर करता है।

उपर्युक्त परिच्छेद में ग्रेट बैरियर रीफ के बारे में मुख्य विचारों और आवश्यक विवरणों को जल्दी समझने के लिए स्किमिंग (Skimming) का उपयोग किया गया था। इसमें महत्वपूर्ण शब्दों और आंकड़ों को रेखांकित किया गया, जैसे 'ग्रेट बैरियर रीफ', 'सबसे बड़ा प्रवाल भित्ति तंत्र', '2,300 किलोमीटर', 'प्रवाल विरंजन' और 'प्रवाल पुनर्स्थापन परियोजनाएँ'। इन शब्दों से रीफ के आकार, जैव विविधता, पर्यावरणीय खतरों और संरक्षण प्रयासों की जानकारी मिलती है।

कम महत्वपूर्ण शब्द, जैसे संज्ञाएँ ('में', 'का', 'साथ'), सामान्य क्रियाएँ ('है', 'हैं', 'बना रहे हैं') और संयोजक वाक्यांश ('और', 'लेकिन', 'यदि') को अनदेखा किया गया क्योंकि वे मुख्य विचार को समझने में विशेष योगदान नहीं देते। आवश्यक जानकारी और प्रमुख शब्दों पर ध्यान केंद्रित करके, पाठ की मूल भावना को जल्दी समझा जा सकता है, जिससे समझने और प्रश्नों का उत्तर देने में आसानी होती है।

युक्ति #2: स्कैनिंग (Trick #2: Scanning)

अब जब स्किमिंग प्रक्रिया के माध्यम से महत्वपूर्ण शब्द और वाक्यांश चिह्नित कर लिए गए हैं, तो स्कैनिंग का उपयोग करके किसी विशेष जानकारी को तेजी से खोजा जा सकता है। स्कैनिंग में रेखांकित शब्दों और वाक्यांशों को तेजी से देखना शामिल है ताकि प्रत्येक परिच्छेद का मुख्य विषय समझ में आ सके। यह तकनीक हमें विशिष्ट प्रश्नों के उत्तर खोजने में मदद करती है बिना पूरे पाठ को दोबारा पढ़े। आइए पहले से चिह्नित किए गए ग्रेट बैरियर रीफ के परिच्छेद पर स्कैनिंग लागू करें:

- **परिच्छेद 1:** 'ग्रेट बैरियर रीफ', 'सबसे बड़ा प्रवाल भित्ति तंत्र', '2,300 किलोमीटर' और 'हजारों प्रजातियाँ' जैसे शब्दों पर ध्यान दें। यह परिच्छेद रीफ के आकार और जैव विविधता के बारे में बताता है।
- **परिच्छेद 2:** 'जलवायु परिवर्तन', 'प्रवाल विरंजन', 'प्रवाल की व्यापक मृत्यु' और 'महासागरीय अम्लीकरण' जैसे वाक्यांश इस बात को स्पष्ट करते हैं कि पर्यावरणीय बदलाव रीफ के लिए कैसे खतरा पैदा कर रहे हैं।
- **परिच्छेद 3:** 'ग्रेट बैरियर रीफ की रक्षा करें', 'समुद्री संरक्षित क्षेत्र', 'सतत मछली पकड़ने के तरीके' और 'प्रवाल पुनर्स्थापन परियोजनाएँ' जैसे शब्द यह दर्शाते हैं कि यह परिच्छेद रीफ के संरक्षण और सुरक्षा के प्रयासों पर केंद्रित है।

रेखांकित शब्दों और वाक्यांशों को स्कैन करके, आप विशिष्ट प्रश्नों के उत्तर के लिए आवश्यक जानकारी को जल्दी से ढूंढ सकते हैं। उदाहरण के लिए, यदि कोई प्रश्न संरक्षण प्रयासों के बारे में पूछता है, तो आप तीसरे अनुच्छेद को स्कैन कर सकते हैं ताकि संबंधित विवरण मिल सके। यह विधि समय बचाती है और आपको आवश्यक जानकारी को कुशलतापूर्वक ढूंढने में मदद करती है।

★★★ परीक्षोपयोगी

10.3 पठन बोध (RC) हल करने की अनुशंसित रणनीति (Recommended Strategy to Solve RC)

पठन बोध के लिए अनुशंसित चरण-दर-चरण रणनीति को समझने के लिए, आइए एक पाठ को उदाहरण के रूप में लें:

अमेज़न वर्षावन (Amazon Rainforest), जिसे अक्सर 'पृथ्वी के फेफड़े' कहा जाता है, एक विशाल और विविध पारिस्थितिकी तंत्र है, जो दक्षिण अमेरिका के कई देशों जैसे ब्राजील, पेरू और कोलंबिया में फैला हुआ है। इस वन में लगभग 390 अरब पेड़ पाए जाते हैं, जो 16,000 प्रजातियों में विभाजित हैं। यह वर्षावन पृथ्वी के ऑक्सीजन और कार्बन चक्र को संतुलित करने में महत्वपूर्ण भूमिका निभाता है। यह भारी मात्रा में कार्बन डाइऑक्साइड अवशोषित करता है और ऑक्सीजन छोड़ता है, जो पृथ्वी पर जीवन बनाए रखने के लिए आवश्यक है।

हालांकि, अमेज़न वर्षावन गंभीर खतरे में है। वनों की कटाई (Deforestation) के कारण इसका क्षेत्र तेजी से घट रहा है। बड़े पैमाने पर लकड़ी की कटाई, कृषि विस्तार और अवैध खनन के कारण हर साल लाखों एकड़ जंगल नष्ट हो जाते हैं। इससे न केवल हजारों प्रजातियों का आवास नष्ट हो रहा है, बल्कि वायुमंडल में ग्रीनहाउस गैसों की मात्रा भी बढ़ रही है। यह वनों की कटाई न केवल वैश्विक जलवायु को प्रभावित करती है, बल्कि उन आदिवासी समुदायों (Indigenous Communities) के जीवन को भी संकट में डालती है, जो सदियों से जंगलों के साथ सामंजस्यपूर्ण जीवन जीते आए हैं।

अमेज़न में वनों की कटाई को रोकने के लिए स्थानीय और वैश्विक स्तर पर विभिन्न प्रयास किए जा रहे हैं। सरकारें, गैर-लाभकारी संगठन और आदिवासी समूह मिलकर संरक्षित क्षेत्र (Protected Areas) बनाने, लकड़ी कटाई के कड़े नियम लागू करने और सतत भूमि उपयोग (Sustainable Land-Use) को बढ़ावा देने के लिए काम कर रहे हैं। अंतरराष्ट्रीय समझौते और वित्तीय सहायता भी इन प्रयासों में सहायक हैं। इसके अलावा, जन जागरूकता अभियानों के माध्यम से लोगों को अमेज़न की सुरक्षा के महत्व के बारे में शिक्षित किया जा रहा है और उन्हें अधिक टिकाऊ उपभोग (Sustainable Consumption) की आदतें अपनाने के लिए प्रेरित किया जा रहा है।

प्रश्नोत्तर

प्र 1. अमेज़न वर्षावन का प्रमुख पारिस्थितिकीय कार्य क्या है?

(a) संकटग्रस्त प्रजातियों के लिए आवास प्रदान करना
(b) पृथ्वी के ऑक्सीजन और कार्बन चक्र को संतुलित करना
(c) औषधीय पौधों का स्रोत बनना
(d) पर्यटकों के लिए मनोरंजन गतिविधियाँ प्रदान करना

प्र 2. अमेज़न वर्षावन के लिए पाठ में उल्लिखित प्रमुख खतरे कौन-से हैं?

(a) जलवायु परिवर्तन और प्राकृतिक आपदाएँ
(b) लकड़ी की कटाई, कृषि विस्तार और खनन के कारण वनों की कटाई
(c) शहरीकरण और औद्योगिक विकास
(d) प्रदूषण और अत्यधिक मछली पकड़ना

प्र 3. अमेज़न में वनों की कटाई का आदिवासी समुदायों पर क्या प्रभाव पड़ता है?

(a) उन्हें नए रोजगार अवसर मिलते हैं
(b) उनके पारंपरिक जीवनशैली में बाधा उत्पन्न होती है
(c) उन्हें आधुनिक सुविधाओं तक अधिक पहुंच मिलती है
(d) उनकी कृषि उत्पादकता में सुधार होता है

प्र 4. अमेज़न में वनों की कटाई को रोकने के लिए कौन-सी रणनीतियाँ अपनाई जा रही हैं?

(a) पर्यटन और मनोरंजन गतिविधियाँ बढ़ाना
(b) शहरी विकास परियोजनाओं का विस्तार करना
(c) संरक्षित क्षेत्र बनाना और सतत भूमि उपयोग को बढ़ावा देना
(d) बड़े पैमाने पर कृषि निवेश को प्रोत्साहित करना

चरण 1: प्रश्नों को पढ़ें और महत्वपूर्ण शब्दों की पहचान करें

पाठ को पढ़ने से पहले, सभी प्रश्नों को ध्यान से पढ़ें और मुख्य शब्दों या वाक्यांशों का मानसिक नोट बनाकर शुरुआत करें। यह जानना महत्वपूर्ण है कि पाठ में किन बिंदुओं को खोजने की जरूरत है। नीचे दिए गए प्रश्नों में हम आवश्यक शब्दों को चिह्नित कर सकते हैं:

प्र 1. अमेज़न वर्षावन का प्राथमिक पारिस्थितिकीय कार्य (Ecological Function) क्या है?

प्र 2. अमेज़न वर्षावन के लिए प्रमुख खतरे कौन-से हैं?

प्र 3. वनों की कटाई का आदिवासी समुदायों पर प्रभाव क्या है?

प्र 4. वनों की कटाई रोकने के लिए अपनाई जा रही रणनीतियाँ क्या हैं?

यद्यपि आप ऑनलाइन परीक्षा में इन शब्दों को लिखित रूप से रेखांकित नहीं कर सकते हैं, लेकिन इन प्रमुख शब्दों को मानसिक रूप से नोट कर लेने से आपको परिच्छेद को पढ़ने में मदद मिलेगी और उत्तर ढूंढना आसान हो जाएगा।

चरण 2: पाठ को स्किम करें

अब पूरे पाठ को तेजी से पढ़ें ताकि उसकी सामान्य रूपरेखा समझ में आ जाए। जब सरसरी निगाह करते हैं, तो महत्वपूर्ण शब्दों और वाक्यांशों को मानसिक रूप से ध्यान में रखें जो प्रमुखता से दिखाई देते हैं। इससे यह पता चलेगा कि उत्तर पाठ के किस भाग में मिल सकता है। उपरोक्त उदाहरण में, हम इस तरह से अंश को सरसरी तौर पर पढ़ सकते हैं:

अमेज़न वर्षावन (Amazon Rainforest), जिसे अक्सर 'पृथ्वी के फेफड़े' कहा जाता है, एक विशाल और विविध पारिस्थितिकी तंत्र है, जो दक्षिण अमेरिका के कई देशों जैसे ब्राजील, पेरू और कोलंबिया में फैला हुआ है। इस वन में लगभग 390 अरब पेड़ पाए जाते हैं, जो 16,000 प्रजातियों में विभाजित हैं। यह वर्षावन पृथ्वी के ऑक्सीजन और कार्बन चक्र को संतुलित करने में महत्वपूर्ण भूमिका निभाता है। यह भारी मात्रा में कार्बन डाइऑक्साइड अवशोषित करता है और ऑक्सीजन छोड़ता है, जो पृथ्वी पर जीवन बनाए रखने के लिए आवश्यक है।

हालांकि, अमेज़न वर्षावन गंभीर खतरे में है। वनों की कटाई (Deforestation) के कारण इसका क्षेत्र तेजी से घट रहा है। बड़े पैमाने पर लकड़ी की कटाई, कृषि विस्तार और अवैध खनन के कारण हर साल लाखों एकड़ जंगल नष्ट हो जाते हैं। इससे न केवल हजारों प्रजातियों का आवास नष्ट हो रहा है, बल्कि वायुमंडल में ग्रीनहाउस गैसों की मात्रा भी बढ़ रही है। यह वनों की कटाई न केवल वैश्विक जलवायु को प्रभावित करती है, बल्कि उन आदिवासी समुदायों (Indigenous Communities) के जीवन को भी संकट में डालती है, जो सदियों से जंगलों के साथ सामंजस्यपूर्ण जीवन जीते आए हैं।

अमेज़न में वनों की कटाई को रोकने के लिए स्थानीय और वैश्विक स्तर पर विभिन्न प्रयास किए जा रहे हैं। सरकारें, गैर-लाभकारी संगठन और आदिवासी समूह मिलकर संरक्षित क्षेत्र (Protected Areas) बनाने, लकड़ी कटाई के कड़े नियम लागू करने और सतत भूमि उपयोग (Sustainable Land-Use) को बढ़ावा देने के लिए काम कर रहे हैं। अंतरराष्ट्रीय समझौते और वित्तीय सहायता भी इन प्रयासों में सहायक हैं। इसके अलावा, जन जागरूकता अभियानों के माध्यम से लोगों को अमेज़न की सुरक्षा के महत्व के बारे में शिक्षित किया जा रहा है और उन्हें अधिक टिकाऊ उपभोग (Sustainable Consumption) की आदतें अपनाने के लिए प्रेरित किया जा रहा है।

चरण 3- चरण 1 और चरण 2 का उपयोग करके प्रश्नों का उत्तर दें

- अब, प्रश्नों को एक-एक करके देखें। प्रत्येक प्रश्न से मुख्य शब्दों को चुनें।
- उत्तर खोजने के लिए आप जिस क्षेत्र में उत्तर पा सकते हैं, उसे खोजने के लिए पाठ में हाइलाइट किए गए हिस्सों को देखें।
- उत्तर खोजने और प्रश्न को हल करने के लिए पाठ में उन विशिष्ट पंक्तियों या अनुभागों को ध्यान से पढ़ें।

उदाहरण के लिए,

- प्रश्न 1 में, हाइलाइट किया गया मुख्य शब्द 'प्राथमिक पारिस्थितिक कार्य' था। हमारे हाइलाइट किए गए मुख्य शब्दों से, हम जानते हैं कि पारिस्थितिक कार्य अनुच्छेद 1 में वर्णित है। अनुच्छेद 1 को फिर से स्किम करें। आपको उत्तर मिलेगा (b) ग्रह के ऑक्सीजन और कार्बन चक्रों को नियंत्रित करना।
- इसी तरह, प्रश्न 2 में, हाइलाइट किया गया मुख्य शब्द 'प्रमुख खतरा' है। हमारे हाइलाइट किए गए मुख्य शब्दों से, हम जानते हैं कि खतरे अनुच्छेद 2 में वर्णित हैं। इस अनुच्छेद को देखें, और आपको उत्तर मिलेगा, अर्थात् (b) लॉगिंग, कृषि और खनन के कारण वनों की कटाई।
- शेष प्रश्नों के लिए भी यही प्रक्रिया दोहराएं।

QR कोड स्कैन करें और एक मुफ्त वीडियो देखें जिसमें पठन बोध में विभिन्न प्रकार के प्रश्नों और उन्हें हल करने के प्रभावी तरीकों की व्याख्या की गई है।

10.4 विभिन्न प्रकार के प्रश्न और उन्हें कैसे हल करें (Different Types of Questions and How to Solve Them)

तालिका 10.1 पढ़ने की समझ में विभिन्न प्रकार के प्रश्न

प्रश्न	क्या करें?	उदाहरण	कैसे हल करें?
केंद्रीय विषय या मुख्य विचार	मुख्य विचार, केंद्रीय विषय, समग्र संदेश या लेखक क्या संदेश देना चाह रहा है, इसकी पहचान करना।	• इस परिच्छेद का मुख्य विचार क्या है? • निम्नलिखित में से कौन-सा परिच्छेद को सबसे अच्छी तरह से समझाता है?	उत्तर आमतौर पर परिचय या निष्कर्ष में पाए जाते हैं।
अनुमान आधारित या अंतर्निहित सूचना आधारित	परिच्छेद से निष्कर्ष निकालने के लिए आलोचनात्मक सोच का उपयोग करना।	• निम्नलिखित तर्कों में से लेखक किस तर्क का समर्थन करने की सबसे अधिक संभावना रखता है? • परिच्छेद से क्या अनुमान लगाया जा सकता है? • निम्नलिखित में से कौन दिए गए परिच्छेद का आलोचनात्मक मूल्यांकन करता है?	एक शिक्षित अनुमान या तार्किक निष्कर्ष निकालने के लिए परिच्छेद विवरण को संयोजित करें।
प्रत्यक्ष या स्पष्ट सूचना आधारित	ऐसे प्रश्न सीधे तौर पर परिच्छेद में दिए गए डेटा, तथ्यों या आंकड़ों पर आधारित होते हैं।	दिए गए परिच्छेद के अनुसार निम्नलिखित विकल्पों में से क्या सत्य है?	उसी शब्दों को पाठ में खोजें और उत्तर पाने के लिए वाक्यों को फिर से पढ़ें। यदि आवश्यक हो तो उन्मूलन का उपयोग करें।
शब्दावली आधारित	सही अर्थ, पर्यायवाची और विपरीतार्थक शब्द या वाक्यांश की पहचान करने के लिए।	• जैसा कि परिच्छेद में दिया गया है, ____ का अर्थ क्या है? • निम्नलिखित में से कौन-सा शब्द ____ के अर्थ के समान है? • ____ के विपरीत शब्द की पहचान करें।	परिच्छेद में शब्द खोजें और उसके अर्थ को समझने के लिए वाक्य को फिर से पढ़ें।
सारांश प्रश्न	पाठ या किसी विशेष पाठ का सारांश प्रदान करें।	नीचे दिए गए विकल्पों में से उस विकल्प को चुनें जो दिए गए परिच्छेद का सारांश प्रस्तुत करता है।	कृपया पाठ को ध्यान से पढ़ें, महत्वपूर्ण बिंदुओं को हाइलाइट करें और उन्हें विकल्पों के साथ मिलाएं।
लेखक का उद्देश्य	लेखक के विचार, उद्देश्य, राय या दृष्टिकोण का निर्धारण करें।	लेखक को यह परिच्छेद लिखने के लिए किसने प्रेरित किया?	परिच्छेद की सामग्री को समझें ताकि लेखक के इरादे का निर्धारण किया जा सके।
स्वर या मूड प्रश्न	परिच्छेद के स्वर या मूड को समझना।	लेखक ने अंश में जो स्वर या मूड व्यक्त किया है, आप उसे कैसे वर्णित करेंगे?	परिच्छेद के मूड या टोन का विश्लेषण करने में मदद करने के लिए, लेखक की भाषा की जाँच करें ।
अनुक्रम या व्यवस्था प्रश्न	विचारों या घटनाओं को परिच्छेद के अनुसार सही क्रम में व्यवस्थित करना।	जैसा कि परिच्छेद में दिया गया है, निम्नलिखित को सही क्रम में व्यवस्थित करें।	परिच्छेद में सही अनुक्रम को चिह्नित करें और विकल्पों की जाँच करें।

10.5 सामान्य गलतियाँ जिनसे बचना चाहिए (Common Mistakes to Avoid)

इस विषय को सरल बनाने वाले वीडियो व्याख्यान को देखने के लिए इस QR कोड को स्कैन करें

1. **परिच्छेद को ध्यान से न पढ़ना (Not Reading the Passage Carefully):** परिच्छेद को ठीक से न पढ़ना एक आम गलती है, जिससे समझने की क्षमता प्रभावित होती है और सही उत्तर देने में कठिनाई होती है। यदि आप परिच्छेद को जल्दी-जल्दी पढ़ते हैं और उसकी बारीकियों पर ध्यान नहीं देते, तो आप महत्वपूर्ण बिंदुओं को नजरअंदाज कर सकते हैं, मुख्य विचारों को गलत समझ सकते हैं या आवश्यक तर्कों और तथ्यों को छोड़ सकते हैं। यह गलत उत्तरों और कम अंकों का कारण बनता है। ध्यान से पढ़ने का मतलब है कि सामग्री पर ध्यान केंद्रित करना, संदर्भ को समझना और परिच्छेद की संरचना पर गौर करना। उदाहरण के लिए, यदि कोई परिच्छेद जलवायु परिवर्तन के कारणों और प्रभावों के बारे में है, तो ध्यान न देने से आप वनों की कटाई या औद्योगिक उत्सर्जन जैसे महत्वपूर्ण कारणों को नजरअंदाज कर सकते हैं। परिच्छेद के प्रत्येक भाग को ध्यानपूर्वक पढ़ने से मुख्य विचार और आवश्यक विवरण समझने में मदद मिलेगी, जो सही उत्तर देने के लिए आवश्यक हैं।
2. **बहुत तेज या बहुत धीमी गति से पढ़ना (Reading Too Fast or Too Slow):** गलत गति से पढ़ना भी एक आम गलती है, जिससे प्रदर्शन प्रभावित हो सकता है। बहुत तेज पढ़ने से आप महत्वपूर्ण विवरण छोड़ सकते हैं, जटिल विचारों को गलत समझ सकते हैं और सूक्ष्म भावनाओं को नजरअंदाज कर सकते हैं। वहीं, बहुत धीमी गति से पढ़ने से आपका समय व्यर्थ हो सकता है और आपको सभी प्रश्नों को हल करने के लिए पर्याप्त समय नहीं मिलेगा। उचित गति से पढ़ना प्रभावी समझ और समय प्रबंधन के लिए जरूरी है। उदाहरण के लिए, यदि आप औद्योगिक क्रांति के ऐतिहासिक प्रभावों पर आधारित परिच्छेद को बहुत तेजी से पढ़ते हैं, तो आप महत्वपूर्ण घटनाओं या बदलावों के बारे में जानकारी खो सकते हैं। वहीं, यदि आप बहुत धीरे पढ़ते हैं, तो आप समय समाप्त होने से पहले प्रश्नों को हल नहीं कर पाएंगे। अभ्यास के जरिए एक संतुलित गति विकसित करें, जिससे आप परिच्छेद को ठीक से समझ सकें और समय का बेहतर उपयोग कर सकें।
3. **प्रश्नों को ठीक से न पढ़ना (Not Reading the Questions Properly):** प्रश्नों को गलत समझना या पूरी तरह न समझना एक गंभीर गलती हो सकती है, जिससे गलत उत्तर दिए जा सकते हैं। प्रत्येक प्रश्न को ध्यान से पढ़ना जरूरी है ताकि यह स्पष्ट हो सके कि वास्तव में पूछा क्या गया है, फिर परिच्छेद में उत्तर खोजा जाए। कई बार प्रश्नों की भाषा जटिल हो सकती है, इसलिए सावधानी से पढ़ना जरूरी है। उदाहरण के लिए, यदि प्रश्न है– "परिच्छेद में उल्लेखित वनों की कटाई का मुख्य कारण क्या है?" लेकिन आप इसे "वनों की कटाई के प्रभाव क्या हैं?" समझ लेते हैं, तो आप गलत जानकारी खोजने लगेंगे। इस गलती से बचने के लिए प्रत्येक प्रश्न को ध्यान से पढ़ें और उसमें दिए गए महत्वपूर्ण शब्दों और संकेतों पर विशेष ध्यान दें।
4. **उत्तर विकल्पों को ठीक से न देखना (Not Checking the Options Carefully):** उत्तर विकल्पों को ध्यानपूर्वक न पढ़ना भी एक आम गलती है, जिससे गलत उत्तर चुने जा सकते हैं। कई बार एक से अधिक विकल्प सही लग सकते हैं, लेकिन सबसे उपयुक्त उत्तर चुनना आवश्यक होता है। उदाहरण के लिए, यदि प्रश्न है– "परिच्छेद के अनुसार निम्नलिखित में से कौन-सा कथन सत्य है?" और विकल्प हैं: (A) वर्षा में वृद्धि, (B) शहरी विकास, (C) कृषि विस्तार, (D) उपरोक्त सभी। यदि आप सभी विकल्पों को ठीक से नहीं देखते, तो आप 'B' को सही मान सकते हैं, जबकि सही उत्तर 'D' है, क्योंकि परिच्छेद में कई कारणों का उल्लेख किया गया था। प्रत्येक विकल्प की तुलना परिच्छेद की जानकारी से करें और सबसे सटीक उत्तर चुनें।
5. **परिच्छेद का अभ्यास न करना (Not Practising the Passage):** नियमित अभ्यास न करना भी एक बड़ी गलती है, जिससे पढ़ने और समझने की क्षमता विकसित नहीं हो पाती। विभिन्न प्रकार के गद्यांशों का अभ्यास करने से आप नए विषयों और प्रश्न प्रारूपों से परिचित होते हैं, जिससे आपकी विश्लेषण क्षमता बेहतर होती है। बिना अभ्यास के, आप परीक्षा में नए विषयों या प्रश्नों को समझने में संघर्ष कर सकते हैं। उदाहरण के लिए, यदि आप नियमित रूप से वैज्ञानिक विषयों, ऐतिहासिक घटनाओं और साहित्यिक विश्लेषण से जुड़े गद्यांशों का अभ्यास करते हैं, तो परीक्षा में ऐसे गद्यांशों को समझना आसान हो जाएगा। लगातार अभ्यास करने से पढ़ने की रणनीति विकसित होती है, गति और सटीकता में सुधार आता है और आत्मविश्वास बढ़ता है।
6. **कठिन प्रश्नों पर जरूरत से ज्यादा समय बर्बाद करना (Wasting Too Much Time on Difficult Questions):** अगर आप किसी कठिन प्रश्न पर बहुत अधिक समय लगाते हैं, तो इससे आसान प्रश्नों को हल करने का समय नहीं बचता और कुल अंक कम हो सकते हैं। पढ़ने और उत्तर देने के लिए समय प्रबंधन बहुत महत्वपूर्ण है। उदाहरण के लिए, अगर आप UGC NET Paper 1 दे रहे हैं और एक परिच्छेद पर आधारित पाँच प्रश्न हल करने के लिए आपके पास लगभग 10 मिनट हैं, लेकिन परिच्छेद बहुत कठिन है, तो आपको सोच-समझकर रणनीति बनानी होगी।

   रिद्धिमा और अंकुश ने इस स्थिति से अलग-अलग तरह से निपटने की कोशिश की। रिद्धिमा ने कठिन परिच्छेद को हल करने में 30 मिनट लगा दिए, लेकिन उसे अपने उत्तरों पर पूरा भरोसा नहीं था। दूसरी ओर, अंकुश ने 10 मिनट में जितने प्रश्न हल कर सका, किए और फिर अन्य इकाइयों के प्रश्नों पर ध्यान दिया। रिद्धिमा ने अतिरिक्त 20 मिनट पढ़ने में लगाए, जिससे वह 10 आसान प्रश्नों को हल नहीं कर पाई और परीक्षा में असफल हो गई। वहीं, अंकुश ने कठिन परिच्छेद में केवल एक प्रश्न सही किया, लेकिन उसने बचा हुआ समय दस आसान प्रश्नों को सही करने में लगाया और इस कारण से परीक्षा पास कर ली।

   इससे यह सीख मिलती है कि कभी-कभी कठिन प्रश्नों को छोड़कर आगे बढ़ना बेहतर होता है और यदि समय बचता है, तो बाद में उन पर वापस आना चाहिए। इस तरह, आप अधिक से अधिक प्रश्न हल कर सकते हैं और अपना स्कोर बढ़ा सकते हैं।
7. **ध्यान भंग होना और पढ़ने में रुचि खो देना (Losing Focus and Interest While Reading):** पढ़ते समय ध्यान भटकना या रुचि कम होना एक आम समस्या है, जिससे मुख्य बिंदु छूट सकते हैं और परिच्छेद को सही तरह से समझना मुश्किल हो सकता है। सही समझ और सही उत्तर देने के लिए ध्यान बनाए रखना जरूरी है। यदि

आपको कोई परिच्छेद, जैसे कि आर्थिक नीतियों पर आधारित कोई पाठ, उबाऊ लगता है और आपका ध्यान भटकने लगता है, तो आप नीतियों के प्रभावों से जुड़ी महत्वपूर्ण जानकारियाँ मिस कर सकते हैं, जिससे आपके उत्तर गलत हो सकते हैं।

इस गलती से बचने के लिए, परिच्छेद को पढ़ते समय उसमें सक्रिय रूप से शामिल रहें। पाठ की कल्पना करें, खुद से प्रश्न पूछें और पढ़ते-पढ़ते मुख्य बिंदुओं का संक्षेप में पुनरावलोकन करें। बीच-बीच में छोटे मानसिक विराम (mental breaks) लेने से भी ध्यान बनाए रखने में मदद मिलती है। इसके अलावा, यह ध्यान रखें कि आपको बार-बार परिच्छेद को पढ़ने का समय नहीं मिलेगा, इसलिए पहली बार में ही बिना किसी रुकावट के पूरा ध्यान लगाकर पढ़ें।

8. **संक्रांति शब्दों की उपेक्षा करना (Ignoring Transition Words):** संक्रांति शब्दों (transition words) को नजरअंदाज करने से परिच्छेद के प्रवाह और विचारों के आपसी संबंधों को समझने में कठिनाई हो सकती है। 'लेकिन', 'इसलिए', 'इसके अलावा' और 'फलस्वरूप' जैसे शब्द किसी तर्क में बदलाव, विरोधाभास या निष्कर्ष को दर्शाते हैं।

   उदाहरण के लिए, यदि कोई परिच्छेद अक्षय ऊर्जा (renewable energy) पर चर्चा कर रहा है और उसमें यह वाक्य दिया गया है - "सौर ऊर्जा अधिक किफायती होती जा रही है; लेकिन, इसमें भंडारण तकनीक से जुड़ी कुछ चुनौतियाँ बनी हुई हैं।" यहाँ "लेकिन" शब्द यह संकेत देता है कि अगले भाग में पहले बताए गए लाभों के बावजूद कुछ समस्याएँ भी मौजूद हैं। यदि आप इस शब्द को नजरअंदाज कर देते हैं, तो आप गलत निष्कर्ष निकाल सकते हैं और यह मान सकते हैं कि परिच्छेद केवल सौर ऊर्जा के लाभों पर केंद्रित है, जबकि वास्तव में इसमें चुनौतियों का भी उल्लेख है। संक्रांति शब्दों पर ध्यान देना लेखक के तर्क को सही ढंग से समझने में सहायक होता है और परिच्छेद की समग्र व्याख्या में सुधार करता है।

9. **भूमिका और निष्कर्ष वाले परिच्छेद छोड़ देना (Skipping Introductory and Concluding Paragraphs):** परिच्छेद की शुरुआत और अंत में लिखे गए अनुच्छेदों को छोड़ देने से मुख्य विचार और विषय छूट सकते हैं। ये अनुभाग अक्सर पूरे परिच्छेद की रूपरेखा तैयार करते हैं और महत्वपूर्ण जानकारी प्रदान करते हैं।

   उदाहरण के लिए, यदि कोई परिच्छेद व्यायाम के लाभों पर आधारित है, तो उसकी भूमिका (introduction) में शारीरिक गतिविधियों के समग्र महत्व पर चर्चा हो सकती है, जबकि निष्कर्ष (conclusion) में पूरे परिच्छेद के मुख्य बिंदुओं का सारांश दिया जा सकता है। यदि आप इन हिस्सों को छोड़ देते हैं, तो आपको विषय की संपूर्ण समझ नहीं मिल पाएगी, जिससे उत्तर देने में कठिनाई हो सकती है। हमेशा भूमिका और निष्कर्ष को ध्यान से पढ़ें ताकि परिच्छेद की पूरी रूपरेखा और मुख्य तर्कों को समझ सकें।

10. **पूर्व जानकारी पर अत्यधिक निर्भर रहना (Relying on Prior Knowledge):** परिच्छेद में दी गई जानकारी के बजाय अपने पूर्व ज्ञान पर भरोसा करने से गलत उत्तर देने की संभावना बढ़ जाती है। पढ़ने की समझ से जुड़े प्रश्न इस बात की जाँच करने के लिए बनाए जाते हैं कि आप परिच्छेद को कितनी अच्छी तरह समझते हैं, न कि आप पहले से क्या जानते हैं। इसलिए, हमेशा उत्तर देने से पहले परिच्छेद में दी गई जानकारी को देखें और सत्यापित करें, भले ही आपको लगे कि आपको उत्तर पहले से पता है।

    उदाहरण के लिए, यदि कोई परिच्छेद पांडा के आहार के बारे में जानकारी देता है और उसमें लिखा है - "पांडा मुख्य रूप से बाँस खाते हैं, जो उनके आहार का 99% हिस्सा होता है।" अब, अगर आप पहले से जानते हैं कि पांडा कभी-कभी अन्य चीजें भी खाते हैं, तो आप गलती से यह मान सकते हैं कि प्रश्न का उत्तर अलग होगा। लेकिन यदि प्रश्न पूछा जाए - "पांडा मुख्य रूप से क्या खाते हैं?" तो सही उत्तर केवल "बाँस" होगा, क्योंकि यही जानकारी परिच्छेद में दी गई है, हालांकि आप जानते हैं कि वे कभी-कभी अन्य चीजें भी खाते होंगे। हमेशा परिच्छेद की जानकारी के आधार पर उत्तर दें, न कि अपनी पूर्व धारणाओं के अनुसार। इससे गलतियों से बचा जा सकता है और सटीकता बनी रहती है।

10.6 हल किए गए परिच्छेद (Solved Passages)

परिच्छेद #1 (Passage #1)

पैसिफिक सैल्मन (Pacific salmon) उत्तर अमेरिका के पश्चिमी तट पर, कैलिफोर्निया से अलास्का तक पाए जाने वाली एक प्रसिद्ध प्रजाति है। ये मछलियाँ अपने अद्भुत जीवन चक्र के लिए जानी जाती हैं, जिसमें वे उन मीठे पानी की नदियों और धाराओं से विशाल महासागर तक जाती हैं, जहाँ वे जन्म लेती हैं, और फिर अपनी जन्मस्थली लौटकर प्रजनन (spawn) करने के बाद मर जाती हैं। यह प्रवास प्रक्रिया उनके अस्तित्व के लिए बहुत महत्वपूर्ण है। पैसिफिक सैल्मन पारिस्थितिकी तंत्र (ecosystem) का एक अहम हिस्सा हैं, क्योंकि उनके मरने के बाद वे जंगलों और नदियों को पोषक तत्व प्रदान करते हैं। अपने पारिस्थितिक महत्व के अलावा, पैसिफिक सैल्मन व्यावसायिक और मनोरंजन मछली पकड़ने के लिए अत्यंत मूल्यवान हैं। साथ ही, यह मछली स्वदेशी समुदायों (indigenous communities) के लिए सांस्कृतिक और आहार संबंधी दृष्टि से भी महत्वपूर्ण है।

हालाँकि, पैसिफिक सैल्मन कई चुनौतियों का सामना कर रही हैं, जिनमें अत्यधिक मछली पकड़ना (overfishing), आवास विनाश (habitat destruction) और जलवायु परिवर्तन (climate change) शामिल हैं। इन मछलियों को बचाने के लिए कई प्रयास किए जा रहे हैं, जैसे कि उनके प्रवास मार्ग में आने वाली बाधाओं को हटाना और नदियों व धाराओं में जल की गुणवत्ता में सुधार करना। साथ ही, हैचरियाँ (hatcheries) भी सैल्मन की संख्या को बनाए रखने में मदद कर रही हैं, हालाँकि उनका जंगली सैल्मन (wild salmon) की आनुवंशिक संरचना और पारिस्थितिकी तंत्र पर प्रभाव एक चल रहे शोध और बहस का विषय है। पैसिफिक सैल्मन के जटिल जीवन चक्र और उनके पारिस्थितिक योगदान को समझना उनके संरक्षण और तटीय पारिस्थितिक तंत्र (coastal ecosystems) के स्वास्थ्य के लिए आवश्यक है।

प्र 1. इस परिच्छेद का मुख्य उद्देश्य क्या है?

(a) पैसिफिक सैल्मन के जीवन चक्र और पारिस्थितिक भूमिका का वर्णन करना।

(b) पैसिफिक सैल्मन के व्यावसायिक महत्व पर चर्चा करना।

(c) सैल्मन की आबादी पर हैचरियों के प्रभाव का विश्लेषण करना।

(d) स्वदेशी समुदायों के लिए पैसिफिक सैल्मन के सांस्कृतिक महत्व को समझाना।

स्पष्टीकरण: यह एक सामान्य निष्कर्ष निकालने वाला प्रश्न है। परिच्छेद मुख्य रूप से पैसिफिक सैल्मन के जीवन चक्र, पारिस्थितिक भूमिका और उनके सामने आने वाली चुनौतियों को समझाने पर केंद्रित है। इसलिए, सही उत्तर (a) है।

प्र 2. परिच्छेद के अनुसार, पैसिफिक सैल्मन अपनी जन्मस्थली क्यों लौटते हैं?

(a) भोजन के लिए

(b) प्रजनन (spawn) के लिए

(c) शिकारी जीवों (predators) से बचने के लिए

(d) गर्म पानी की तलाश में

स्पष्टीकरण: यह एक विशिष्ट जानकारी (specific detail) से जुड़ा प्रश्न है जो सैल्मन के जीवन चक्र को समझने की जाँच करता है। परिच्छेद स्पष्ट रूप से कहता है कि पैसिफिक सैल्मन प्रजनन के लिए अपनी जन्मस्थली लौटते हैं। इसलिए, सही उत्तर (b) है।

प्र 3. निम्नलिखित में से कौन-सी चुनौती परिच्छेद में पैसिफिक सैल्मन के लिए नहीं बताई गई है?

(a) अत्यधिक मछली पकड़ना (overfishing)

(b) आवास विनाश (habitat destruction)

(c) प्लास्टिक प्रदूषण (pollution from plastics)

(d) जलवायु परिवर्तन (climate change)

स्पष्टीकरण: यह प्रश्न यह जाँचता है कि परिच्छेद में क्या उल्लेखित नहीं है। परिच्छेद में अत्यधिक मछली पकड़ने, आवास विनाश और जलवायु परिवर्तन का उल्लेख किया गया है, लेकिन प्लास्टिक प्रदूषण का जिक्र नहीं है। इसलिए, सही उत्तर (c) है।

प्र 4. निम्नलिखित में से कौन-सा संरक्षण प्रयास परिच्छेद में शामिल नहीं किया गया है?

(a) प्रवास बाधाओं को हटाना (Removing barriers to migration)

(b) जल गुणवत्ता में सुधार करना (Improving water quality)

(c) व्यावसायिक मछली पकड़ने के कोटे में वृद्धि (Increasing commercial fishing quotas)

(d) हैचरियों का समर्थन करना (Supporting hatcheries)

स्पष्टीकरण: यह एक नकारात्मक विवरण (negative detail) आधारित प्रश्न है, जिसमें यह जाँचना है कि कौन-सा विकल्प परिच्छेद में नहीं दिया गया है। परिच्छेद में संरक्षण प्रयासों के रूप में प्रवास बाधाओं को हटाने, जल गुणवत्ता सुधारने और हैचरियों का उल्लेख किया गया है, लेकिन व्यावसायिक मछली पकड़ने के कोटे में वृद्धि का उल्लेख नहीं किया गया है। इसलिए, सही उत्तर (c) है।

प्र 5. सैल्मन संरक्षण में हैचरियों की भूमिका के बारे में क्या निष्कर्ष निकाला जा सकता है?

(a) उनका जंगली सैल्मन की आबादी पर केवल सकारात्मक प्रभाव पड़ता है।

(b) उनके जंगली सैल्मन की आनुवंशिकी और पारिस्थितिकी तंत्र पर प्रभाव को लेकर अभी भी बहस चल रही है।

(c) उन्हें सभी सैल्मन संरक्षण समस्याओं के लिए सबसे अच्छा समाधान माना जाता है।

(d) सैल्मन संरक्षण प्रयासों में अब उनका उपयोग नहीं किया जाता।

स्पष्टीकरण: यह एक निष्कर्ष निकालने (inference) वाला प्रश्न है जो पाठ में दी गई जानकारी को गहराई से समझने की जाँच करता है। परिच्छेद में बताया गया है कि हैचरियों का सैल्मन की आनुवंशिकी और पारिस्थितिकी तंत्र पर प्रभाव अभी भी शोध और बहस का विषय बना हुआ है। इसलिए, सही उत्तर (b) है।

परिच्छेद #2 (Passage #2)

ग्रेट बैरियर रीफ (Great Barrier Reef) ऑस्ट्रेलिया के क्वींसलैंड (Queensland) के तट के पास स्थित है और यह दुनिया की सबसे बड़ी प्रवाल भित्ति प्रणाली (coral reef system) है, जिसकी लंबाई 2,300 किलोमीटर से अधिक है। इसमें लगभग 3,000 व्यक्तिगत प्रवाल भित्तियाँ (reefs) और 900 द्वीप शामिल हैं। यह प्राकृतिक आश्चर्य अपनी समृद्ध जैव विविधता (biodiversity) के लिए प्रसिद्ध है, जो समुद्री जीवन की एक विशाल श्रेणी को आश्रय प्रदान करता है, जिसमें 1,500 से अधिक मछली प्रजातियाँ, 400 प्रवाल प्रजातियाँ और अनगिनत अन्य जीव जैसे मोलस्क (molluscs), समुद्री कछुए (sea turtles) और शार्क (sharks) शामिल हैं।

ग्रेट बैरियर रीफ न केवल इन प्रजातियों के लिए एक महत्वपूर्ण निवास स्थान है, बल्कि समुद्री पारिस्थितिकी तंत्र (marine ecosystem) का भी एक अहम हिस्सा है। यह पोषक तत्वों के चक्र (nutrient cycling) को बनाए रखने और तटीय सुरक्षा (coastal protection) प्रदान करने में महत्वपूर्ण भूमिका निभाता है।

हालाँकि, इस रीफ का स्वास्थ्य कई खतरों के कारण गंभीर संकट में है, जिनमें जलवायु परिवर्तन (climate change), प्रदूषण (pollution) और अत्यधिक मछली पकड़ना (overfishing) शामिल हैं। वैश्विक तापमान वृद्धि (global warming) के कारण समुद्र के बढ़ते तापमान (rising sea temperatures) ने व्यापक प्रवाल विरंजन (coral bleaching) की घटनाओं को जन्म दिया है। प्रवाल विरंजन तब होता है जब प्रवाल (corals) अपने ऊतकों में रहने वाले सहजीवी शैवाल (symbiotic algae) को निकाल देते हैं, जिससे वे सफेद हो जाते हैं और बीमारियों तथा मृत्यु के प्रति अधिक संवेदनशील हो जाते हैं।

इसके अलावा, कृषि अपवाह (agricultural runoff), जिसमें कीटनाशक (pesticides) और उर्वरक (fertilisers) होते हैं, जल की गुणवत्ता को खराब कर रहा है, जिससे रीफ के नाजुक संतुलन पर और अधिक दबाव पड़ रहा है। अत्यधिक मछली पकड़ने (overfishing) से पारिस्थितिक संतुलन (ecological equilibrium) भी बाधित हुआ है, जिससे रीफ के स्वास्थ्य को बनाए रखने में मदद करने वाली प्रमुख प्रजातियों में गिरावट आई है।

ग्रेट बैरियर रीफ को संरक्षित करने और बचाने के प्रयास बहुआयामी हैं। संरक्षण पहलों में समुद्री संरक्षित क्षेत्रों (marine protected areas) की स्थापना, मछली पकड़ने की प्रक्रियाओं पर नियम लागू करना और रीफ के क्षतिग्रस्त हिस्सों के पुनर्वास (restoration projects) के लिए परियोजनाएँ शामिल हैं। वैज्ञानिक ताप-सहिष्णु प्रवाल प्रजातियों (heat-resistant coral species) के प्रजनन और बेहतर कृषि पद्धतियों (agricultural practices) के माध्यम से जल की गुणवत्ता सुधारने जैसे नवाचारों पर भी शोध कर रहे हैं। सार्वजनिक जागरूकता अभियानों (public awareness campaigns) और वैश्विक सहयोग (global cooperation) की भी आवश्यकता है ताकि ग्रेट बैरियर रीफ को भविष्य की पीढ़ियों के लिए संरक्षित किया जा सके।

प्र 1. परिच्छेद के अनुसार, प्रवाल विरंजन (coral bleaching) के मुख्य कारणों में से एक क्या है?

(a) अत्यधिक मछली पकड़ना (Overfishing)
(b) कृषि अपवाह (Agricultural runoff)
(c) समुद्र के बढ़ते तापमान (Rising sea temperatures)
(d) तटीय विकास (Coastal development)

स्पष्टीकरण: यह एक विशिष्ट जानकारी (specific detail) आधारित प्रश्न है जो प्रवाल विरंजन की प्रक्रिया को समझने की जाँच करता है। परिच्छेद में स्पष्ट रूप से बताया गया है कि वैश्विक तापमान वृद्धि (global warming) के कारण समुद्र के बढ़ते तापमान (rising sea temperatures) ने प्रवाल विरंजन की घटनाओं को जन्म दिया है। इसलिए, सही उत्तर (c) है।

प्र 2. निम्नलिखित में से कौन-सा खतरा ग्रेट बैरियर रीफ (Barrier Reef) के लिए परिच्छेद में उल्लेखित नहीं है?

(a) जलवायु परिवर्तन (Climate change)
(b) प्रदूषण (Pollution)
(c) अत्यधिक मछली पकड़ना (Overfishing)
(d) आक्रामक प्रजातियाँ (Invasive species)

स्पष्टीकरण: यह एक विशिष्ट जानकारी (specific detail) से जुड़ा प्रश्न है, जिसमें यह पहचानना है कि परिच्छेद में क्या उल्लेख नहीं किया गया है। परिच्छेद में जलवायु परिवर्तन, प्रदूषण और अत्यधिक मछली पकड़ने का उल्लेख किया गया है, लेकिन आक्रामक प्रजातियों (invasive species) का कोई जिक्र नहीं किया गया है। इसलिए, सही उत्तर (d) है।

प्र 3. निम्नलिखित में से कौन-सा ग्रेट बैरियर रीफ के संरक्षण प्रयासों (conservation efforts) का हिस्सा नहीं है?

(a) समुद्री संरक्षित क्षेत्रों की स्थापना (Establishment of marine protected areas)
(b) मछली पकड़ने की प्रक्रियाओं पर नियम (Regulations on fishing practices)
(c) कृत्रिम प्रवाल भित्तियों (artificial reefs) का निर्माण
(d) ताप-सहिष्णु प्रवाल प्रजातियों का प्रजनन (Breeding heat-resistant coral species)

स्पष्टीकरण: यह एक नकारात्मक विवरण (negative detail) आधारित प्रश्न है, जिसमें यह पता लगाना है कि कौन-सा विकल्प परिच्छेद में उल्लिखित नहीं है। परिच्छेद में समुद्री संरक्षित क्षेत्रों की स्थापना, मछली पकड़ने की प्रक्रियाओं पर नियंत्रण और ताप-सहिष्णु प्रवाल प्रजातियों के प्रजनन का उल्लेख किया गया है, लेकिन कृत्रिम प्रवाल भित्तियों (artificial reefs) के निर्माण का कोई उल्लेख नहीं किया गया है। इसलिए, सही उत्तर (c) है।

प्र 4. ग्रेट बैरियर रीफ के संरक्षण में सार्वजनिक जागरूकता (public awareness) के महत्व के बारे में क्या निष्कर्ष निकाला जा सकता है?

(a) इसका वैज्ञानिक प्रयासों की तुलना में बहुत कम प्रभाव पड़ता है।
(b) यह वैश्विक सहयोग (global cooperation) और खतरों के प्रभावी समाधान के लिए महत्वपूर्ण है।
(c) यह नियामक उपायों (regulatory measures) से कम महत्वपूर्ण है।
(d) यह मुख्य रूप से स्थानीय समुदायों (local communities) पर केंद्रित है।

स्पष्टीकरण: यह एक निष्कर्ष निकालने (inference) वाला प्रश्न है, जिसमें परिच्छेद की जानकारी को गहराई से समझने की आवश्यकता है। परिच्छेद में बताया गया है कि सार्वजनिक जागरूकता अभियान (public awareness campaigns) और वैश्विक सहयोग (global cooperation) ग्रेट बैरियर रीफ के सामने आने वाले खतरों को कम करने में आवश्यक हैं। इसलिए, सही उत्तर (b) है।

परिच्छेद #3 (Passage #3)

औद्योगिक क्रांति (Industrial Revolution), जो 18वीं शताब्दी के अंत में शुरू हुई, ने लोगों के जीवन और कार्य करने के तरीकों को मौलिक रूप से बदल दिया। यह क्रांति ब्रिटेन में शुरू हुई और इतिहास में एक महत्वपूर्ण मोड़ साबित हुई, जिससे अर्थव्यवस्थाएँ कृषि-आधारित (agrarian-based) से औद्योगिक और शहरी (industrial and urban) बन गईं। मशीनरी, जैसे कि स्टीम इंजन (steam engine) और विनिर्माण प्रक्रियाओं में नवाचारों ने कारखानों की स्थापना और बड़े पैमाने पर उत्पादन (mass production) को संभव बनाया।

इस युग में प्रौद्योगिकी और परिवहन में महत्वपूर्ण प्रगति हुई, जिसमें रेलवे प्रणाली (railway system) का विकास भी शामिल था, जिसने वस्तुओं और लोगों को लंबी दूरी तक ले जाना आसान बना दिया।

हालाँकि, औद्योगिक क्रांति ने गहरे सामाजिक और आर्थिक परिवर्तन भी लाए। तीव्र शहरीकरण के कारण शहरों में अत्यधिक भीड़भाड़ हो गई और कई लोग दयनीय परिस्थितियों में रहने लगे। कारखानों में काम करने की स्थिति अक्सर कठोर थी, जहाँ श्रमिकों को लंबे घंटों तक काम करना पड़ता था, मजदूरी बहुत कम थी और कार्यस्थल असुरक्षित थे। बाल श्रम व्यापक रूप से प्रचलित था और श्रमिकों के पास अपने अधिकारों की रक्षा के लिए कोई साधन नहीं था।

इन चुनौतियों के कारण अंततः श्रमिक आंदोलनों और सुधारों की शुरुआत हुई, जिनका उद्देश्य श्रमिकों के अधिकारों और जीवन स्थितियों में सुधार लाना था। इन कठिनाइयों के बावजूद, औद्योगिक क्रांति ने आधुनिक आर्थिक विकास और प्रगति की नींव रखी। इसने ऐसे नवाचारों को प्रेरित किया, जिन्होंने उद्योगों और समाजों को आगे बढ़ाया। इस काल में हुई परिवर्तनशील घटनाएँ सामाजिक संरचनाओं (social structures), आर्थिक प्रथाओं (economic practices) और तकनीकी प्रगति को आज भी प्रभावित कर रही हैं।

प्र 1. निम्नलिखित कथनों को ध्यानपूर्वक पढ़ें:

अभिकथन (A): औद्योगिक क्रांति के कारण समाज में महत्वपूर्ण बदलाव आए।

कारण (R): औद्योगिक क्रांति का मुख्य उद्देश्य कृषि उत्पादन को बढ़ाना था।

(a) दोनों A और R सही हैं, और R, A की सही व्याख्या करता है।
(b) दोनों A और R सही हैं, लेकिन R, A की सही व्याख्या नहीं करता।
(c) A सही है, लेकिन R गलत है।
(d) A गलत है, लेकिन R सही है।

स्पष्टीकरण: यह एक अभिकथन-कारण (assertion-reason) आधारित प्रश्न है। परिच्छेद में स्पष्ट रूप से बताया गया है कि औद्योगिक क्रांति ने समाज में बड़े बदलाव लाए, इसलिए अभिकथन (a) सही है। हालाँकि, कारण

(R) गलत है क्योंकि परिच्छेद कहता है कि यह क्रांति कृषि उत्पादन को बढ़ाने पर केंद्रित नहीं थी, बल्कि अर्थव्यवस्थाओं को कृषि-आधारित से औद्योगिक और शहरी रूप में बदलने पर केंद्रित थी। इसलिए, सही उत्तर (c) है।

प्र 2. परिच्छेद के अनुसार, औद्योगिक क्रांति द्वारा लाया गया एक प्रमुख सामाजिक परिवर्तन कौन-सा था?

(a) कृषि उत्पादन में वृद्धि

(b) शहरीकरण में वृद्धि

(c) संचार प्रौद्योगिकी में प्रगति

(d) रेलवे प्रणाली का विस्तार

स्पष्टीकरण: यह एक विशिष्ट जानकारी (specific detail) से जुड़ा प्रश्न है, जो सामाजिक परिवर्तनों को समझने की जाँच करता है। परिच्छेद में स्पष्ट रूप से बताया गया है कि औद्योगिक क्रांति के कारण तीव्र शहरीकरण हुआ, जहाँ बड़ी संख्या में लोग शहरों की ओर पलायन करने लगे। इसलिए, सही उत्तर (b) है।

प्र 3. औद्योगिक क्रांति के दौरान कारखानों में कार्य करने की स्थितियाँ श्रमिक आंदोलनों के कारण क्यों बनीं?

(a) श्रमिक अपनी मजदूरी से संतुष्ट थे।

(b) कारखाने कार्यस्थलों को सुरक्षित बनाते थे।

(c) श्रमिकों को लंबी कार्य अवधि, कम मजदूरी और असुरक्षित परिस्थितियों का सामना करना पड़ता था।

(d) बाल श्रम को शुरुआत में ही समाप्त कर दिया गया था।

स्पष्टीकरण: यह एक विशिष्ट जानकारी आधारित प्रश्न है, जिसमें श्रमिक आंदोलनों के कारणों को समझने की आवश्यकता है। परिच्छेद में बताया गया है कि कारखानों में काम करने की स्थिति बहुत कठोर थी, मजदूरी कम थी और कार्यस्थल असुरक्षित थे। श्रमिकों को अपने अधिकारों के लिए आंदोलन करना पड़ा, जिससे श्रमिक सुधारों की शुरुआत हुई। इसलिए, सही उत्तर (c) है।

प्र 4. औद्योगिक क्रांति का आधुनिक आर्थिक विकास पर क्या प्रभाव पड़ा?

(a) इसका समकालीन उद्योगों पर नगण्य प्रभाव पड़ा।

(b) इसने तकनीकी प्रगति को बाधित किया।

(c) इसने आधुनिक आर्थिक विकास की नींव रखी।

(d) इससे मुख्य रूप से कृषि क्षेत्र को लाभ हुआ।

स्पष्टीकरण: यह एक निष्कर्ष निकालने (inference) वाला प्रश्न है, जिसमें परिच्छेद की गहरी समझ की आवश्यकता होती है। परिच्छेद स्पष्ट रूप से बताता है कि औद्योगिक क्रांति ने आधुनिक आर्थिक विकास और नवाचारों की नींव रखी, जिसने उद्योगों और समाजों को प्रभावित किया। इसलिए, सही उत्तर (c) है।

प्र 5. परिच्छेद में प्रयुक्त 'श्रमिक आंदोलन' शब्द का तात्पर्य सबसे अधिक किससे है?

(a) श्रमिकों का विभिन्न शहरों में पलायन करना।

(b) कार्य परिस्थितियों और श्रमिक अधिकारों में सुधार लाने के प्रयास।

(c) कारखानों का ग्रामीण क्षेत्रों में स्थानांतरण।

(d) विनिर्माण प्रक्रियाओं में नवाचार।

स्पष्टीकरण: यह एक विशिष्ट जानकारी से जुड़ा प्रश्न है, जो 'श्रमिक आंदोलन' शब्द के सही संदर्भ को समझने की जाँच करता है। परिच्छेद में स्पष्ट रूप से बताया गया है कि श्रमिक आंदोलन कठोर कार्य परिस्थितियों और श्रमिकों के अधिकारों में सुधार के लिए उठाए गए कदम थे। इसलिए, सही उत्तर (b) है।

कॉन्सेप्ट कैप्सूल

परीक्षा के दौरान समय बचाने के टिप्स (Tips to Save Time During Exams)

1. **परिच्छेद को तेजी से पढ़ें (Skim the Passage):** परिच्छेद को जल्दी से पढ़ें ताकि उसके मुख्य विषय, स्वर (tone) और संरचना (structure) की सामान्य समझ मिल सके। पूरी जानकारी याद रखने के बजाय, परिच्छेद के मूल संदेश को समझने पर ध्यान दें।
2. **पहली बार पढ़ने को प्रभावी बनाएं (Optimise First Read):** पहली बार पढ़ते समय परिच्छेद को जितना हो सके, समझने की कोशिश करें। यदि पहली बार में पूरी तरह समझ नहीं आता, तो दोबारा पढ़ सकते हैं, लेकिन कई बार पढ़ने में समय नष्ट करने से बचें।
3. **मानसिक रूप से कीवर्ड नोट करें:** परिच्छेद को पढ़ते समय, महत्वपूर्ण बिंदुओं और कीवर्ड को मानसिक रूप से नोट करें जो प्रश्नों के उत्तर देने के लिए महत्वपूर्ण हैं। चूँकि ऑनलाइन परीक्षा में रेखांकित या हाइलाइट करना संभव नहीं है, इसलिए आप उत्तरों की तलाश करते समय परिच्छेद के प्रासंगिक भागों पर ध्यान केंद्रित करने में मदद करने के लिए किसी रफ शीट पर अनुच्छेद के मुख्य शब्द (प्रासंगिक भागों) को लिख सकते हैं।
4. **प्रश्नों के लिए समय का सही उपयोग करें (Time Management for Questions):** प्रत्येक प्रश्न के लिए समय को समझदारी से विभाजित करें। जो प्रश्न अधिक समय ले रहे हैं, उन्हें छोड़कर बाद में हल करने के लिए लौटें, यदि समय बचता है।
5. **ध्यान केंद्रित रखें और शांत रहें (Stay Focused and Calm):** परीक्षा के दौरान शांत दिमाग बनाए रखें। ध्यान भटकाने वाली चीजों से बचें और परिच्छेद पढ़ते समय तथा उत्तर देते समय पूरी तरह केंद्रित रहें। घबराहट आपकी गति को धीमा कर सकती है।
6. **शब्दों का अर्थ संदर्भ से समझें (Contextual Vocabulary):** यदि किसी शब्द का अर्थ नहीं पता है, तो उसे वाक्य के संदर्भ से समझने की कोशिश करें।

7. **मानसिक रूप से सारांश बनाएं (Mentally Summarise):** पढ़ते समय परिच्छेद के मुख्य बिंदुओं का अपने दिमाग में संक्षेप करें।
8. **विकल्प हटाने की रणनीति अपनाएँ (Use Elimination):** परिच्छेद की जानकारी के आधार पर जो उत्तर स्पष्ट रूप से गलत हैं, उन्हें हटा दें। इससे आपके विकल्प सीमित हो जाएंगे और समय की बचत होगी।

तैयारी की रणनीतियाँ (Preparation Strategies)

1. **पिछले वर्षों के प्रश्नपत्रों को हल करें (Review Past Papers):** पहले के वर्षों के प्रश्नपत्रों से परिच्छेद हल करें ताकि प्रश्नों के प्रकार की समझ विकसित हो सके।
2. **नियमित अभ्यास करें (Practice Regularly):** नियमित अभ्यास करने से इस खंड में आपकी दक्षता बढ़ेगी। इसके अलावा, समय-सीमा के साथ अभ्यास परीक्षाएँ दें ताकि वास्तविक परीक्षा का अनुभव मिले और समय प्रबंधन कौशल बेहतर हो। अभ्यास के दौरान प्रत्येक परिच्छेद को हल करने में लगे समय को नोट करें और इसे कम करने का प्रयास करें।
3. **अपनी गलतियों का विश्लेषण करें (Analyse Mistakes):** अभ्यास सत्रों के बाद अपनी गलतियों की समीक्षा करें और समझें कि किन क्षेत्रों में सुधार की जरूरत है।
4. **पढ़ने की गति बढ़ाएँ (Enhance Reading Speed):** पढ़ने की गति बढ़ाने पर कार्य करें, लेकिन समझ में कोई कमी न हो। जैसा कि एड कोच (Ed Koch) ने कहा था, "मैं तुम्हें समझा सकता हूँ, लेकिन तुम्हारे लिए समझ नहीं सकता।" इसलिए, अपने समग्र पठन अभ्यास को बढ़ाएँ ताकि समझने की क्षमता और पढ़ने की गति में सुधार हो।

मूल्यांकन ज़ोन (EVALUATION ZONE)

बोधः

गद्यांश को ध्यानपूर्वक पढ़ें और प्रश्नों के उत्तर दें।

कोई भी दो कवि इतने भिन्न नहीं हो सकते। ईजेकील भारत के परिष्कृत पश्चिमी महानगर से हैं; महापात्र पूर्वी मोफुसिल शहर से हैं। ईजेकील साहित्यिक पृष्ठभूमि वाले अंग्रेजी के प्रोफेसर हैं; महापात्र एक प्रशिक्षित भौतिक विज्ञानी हैं। ईजेकील एक बेने-इजरायल यहूदी हैं; महापात्र दूसरी पीढ़ी के ईसाई हैं। अगर ईजेकील ने स्वतंत्रता के बाद भारतीय अंग्रेजी कविता का बीड़ा उठाया, तो महापात्र ने इसे एक नई दिशा दी। ईजेकील की कविता औपचारिक रूप से विचारशील है; महापात्र की कविता मुक्त-प्रवाह, भावना-या-विचार-शासित पंक्तियों में लिखी गई है। पूर्व ने यथार्थवादी कविता लिखी; बाद की कविता छवियों और प्रतीकों से भरी हुई है। कोई इस तरह से आगे बढ़ सकता है। कोई आश्चर्य नहीं, हम देखते हैं कि महापात्र अपने गद्य टुकड़ों में ईजेकील के काव्य सिद्धांत में कुछ के खिलाफ हमला करते हैं। अस्सी के दशक तक ईजेकील को भारतीय अंग्रेजी कवियों में सबसे अग्रणी माना जाता था, लेकिन हाल ही में उन्हें अत्यधिक असंगत कवि के रूप में देखा जा रहा है। *(9 जनवरी **2025** - शिफ्ट 1)*

1. गद्यांश के अनुसार, निम्नलिखित में से कौन सा कथन ईजेकील के काव्यात्मक दृष्टिकोण के बारे में् महापात्र के दृष्टिकोण का सबसे अच्छा वर्णन करता है?
(a) वह इससे प्रेरित है
(b) वह इसके प्रति उदासीन है
(c) वह इसका विरोध करता है
(d) वह इसकी पुष्टि करता है

2. स्वतंत्रता के बाद के भारतीय अंग्रेजी कविता का अग्रणी कौन सा कवि माना जा सकता है?
(a) महापात्र
(b) आर. पार्थसारथी
(c) कमला दास
(d) ईजेकील

3. निम्नलिखित में से कौन सा कवि पश्चिमी भारत के एक महानगरीय क्षेत्र से है?
(a) महापात्र (b) कमला दास
(c) ईजेकील (d) आर. पार्थसारथी

4. 1980 के दशक के बाद ईजेकील की प्रतिष्ठा को कैसे बदलते हुए वर्णित किया गया है?
(a) वह तेजी से लोकप्रिय हो गया
(b) उसे अत्यधिक असंगत माना गया
(c) उसे साहित्यिक मंडलियों में अब नहीं पढ़ा गया
(d) उसे अपने समय का सबसे प्रभावशाली कवि माना गया

5. महापात्र की कविता शैली की तुलना ईजेकील की कविता शैली से कैसे की जाती है?
(a) औपचारिक रूप से संरचित और यथार्थवादी
(b) स्वतंत्र प्रवाह और भावना या विचार द्वारा शासित
(c) जटिल तुकबंदी योजनाओं के साथ लिखा गया
(d) गीतात्मक और सरल

बोधः

गद्यांश को ध्यानपूर्वक पढ़ें और प्रश्नों के उत्तर दें।

हस्तशिल्प हाथ के औजारों से सामग्री को हाथ से संसाधित करने के बारे में है। परिणाम उपयोगी चीजें या सजावटी चीजें हो सकती हैं। उत्पाद में उपयोग की जाने वाली सामग्री प्राकृतिक, औद्योगिक रूप से संसाधित या पुनर्नवीनीकरण हो सकती है। उत्पाद के मॉडल प्राचीन, संशोधित पारंपरिक और फैशनेबल होते हैं। हस्तशिल्प समाज में गहराई से जमे हुए हैं और परंपराओं को संरक्षित और बनाए रखने के विचार में योगदान करते हैं। अपने उत्पाद में, शिल्पकार अपने सांस्कृतिक विरासत के एक क्षेत्र को विचारों, रूपों, सामग्री और कार्य तरीकों में स्थानांतरित करते हैं, साथ ही अपने स्वयं के मूल्य, जीवन के दर्शन, फैशन और आत्म-छवि को भी। शिल्पकारों को कारीगर भी कहा जाता है, जिनके पास सामग्री और कार्य तरीकों का तकनीकी ज्ञान होता है। वे कुशल कर्मचारी होते हैं जिनका पेशा मैनुअल कौशल पर निर्भर करता है। हस्तशिल्प में बहुत सारा निहित ज्ञान होता है जो हर साल बढ़ता है, कौशल के साथ। आदेश और प्रशिक्षु प्रणाली का व्यापक रूप से कौशल और निहित ज्ञान को स्थानांतरित करने के लिए उपयोग किया गया है।

*(7 जनवरी **2025** - शिफ्ट 2)*

6. दुनिया 'अपरेंटिस' का अर्थ है:
(a) बढ़ई (b) प्लम्बर
(c) प्रशिक्षु (d) कलाकार

7. मार्ग के केंद्रीय विषय को पहचानें।
(a) भारत के आविष्कार
(b) भारत की कृतियों और डिजाइन
(c) भारत की वास्तुकला
(d) भारत के हस्तशिल्प

8. शिल्प के विचार के पीछे का महत्व है:
(a) लाभकारी रोजगार
(b) नए उत्पाद बनाने के लिए
(c) परंपरा को संरक्षित करने के लिए
(d) गुणवत्ता का समय बिताने के लिए

9. उत्पादों में उपयोग की जाने वाली सामग्री हैं:
(a) प्राकृतिक केवल
(b) औद्योगिक रूप से संसाधित और प्राकृतिक केवल
(c) पुनर्नवीकरण और प्राकृतिक केवल
(d) प्राकृतिक, पुनः उपयोग और औद्योगिक रूप से संसाधित

10. उन बयानों को चुनें जो सच नहीं है।
(a) शिल्पकार अपने मूल्यों और जीवन के दर्शन को स्थानांतरित करते हैं
(b) शिल्प कौशल में कोई निहित डेटा नहीं है
(c) शिल्प के लिए उपयोग की जाने वाली सामग्री को आमतौर पर पुनर्नवीकरण किया जाता है
(d) शिल्पकारों द्वारा तैयार किए गए मॉडल बहुत फैशनेबल हैं

उत्तर देने के लिए अनुच्छेद पढ़ें:

शांति निकेतन ने एक ऐसी संस्कृति का निर्माण करने का प्रयास किया, जो अपने निर्माण और दृष्टिकोण में बंगाली/भारतीय थी, फिर भी आधुनिक दुनिया के लिए महत्वपूर्ण थी। 1912 में रवीन्द्रनाथ ने आश्रम-सम्मिलानी नामक संस्था की स्थापना की। यह स्कूल के कामकाज की देखभाल के लिए प्रभारी शिक्षकों के साथ निर्वाचित छात्रों का एक निकाय था। छात्र संघ मुख्य रूप से छात्र हित से चिंतित हैं; वे-या कोई अन्य संघ, उस मामले के लिए-प्राधिकरण द्वारा सत्ता के दुरुपयोग के खिलाफ अपने अधिकारों की रक्षा के लिए बनाए गए हैं। वहाँ निर्वाचित छात्रसंघ द्वारा एक अदालत चलाई जाती थी। जब भी किसी गंभीर अपराध की शिकायत आती थी तो अदालत रात के खाने के बाद किसी शांत जगह पर आरोपी के साथ बैठक करती थी। सम्मिलानी महीने में दो बार मिलते थे- एक बार अमावस्या की रात को, दूसरा पूर्णिमा की रात को। सिलाइदाहा में ग्रामीणों के बीच लंबे समय तक रहने के दौरान रवीन्द्रनाथ को एहसास हुआ कि केवल आत्मनिर्भ. रता, स्व-शासन और आत्म-सम्मान ही हमारी ग्रामीण आबादी को उनकी कमजोरी, गरीबी और हीनता की भावना से मुक्त कर सकता है; यह कि समाज को शासन करना चाहिए, न कि यूरोप से आयातित राज्य को। श्री निकेतन-विश्वभारती का ग्रामीण विकास/पुनर्निर्माण कार्यक्रम 1922 में शुरू हुआ। रवीन्द्रनाथ ने सहकारी आंदोलन के सिद्धांतों को श्रीनिकेतन में लागू किया; और जैसा कि हम जानते हैं उन्होंने इसे हर जगह लागू किया - सभी के लिए समान सम्मान, समान भागीदारी, भौतिक और आध्यात्मिक संपदा का समान वितरण। *(4 सितम्बर **2024** - शिफ्ट 2)*

11. सिलाइदाहा में रहने के दौरान रवीन्द्रनाथ टैगोर को क्या एहसास हुआ?
(a) शिक्षा ही समाज का उत्थान कर सकती है।
(b) समाज को शासन करना चाहिए, न कि यूरोप से आयातित राज्य को।
(c) औद्योगीकरण समृद्धि की प्रमुख कुंजी है।
(d) शासन का पारंपरिक मॉडल सबसे अच्छा दृष्टिकोण है।

12. आश्रम-सम्मिलानी का उद्देश्य था:
(a) एक विशिष्ट छात्र संघ के रूप में कार्य करना
(b) छात्रों के अधिकारों के बारे में बात करना
(c) निर्वाचित छात्रों और शिक्षकों के एक निकाय के साथ स्कूल के कामकाज की देखभाल करना
(d) संस्था की वित्तीय स्थिति का प्रबंधन करना

13. श्री निकेतन के ग्रामीण विकास कार्यक्रम में रवीन्द्रनाथ टैगोर ने कौन-से सिद्धांत लागू किए?
(a) केन्द्रीकृत शासन व्यवस्था
(b) औद्योगिक विकास
(c) धन का समान सम्मान, भागीदारी एवं वितरण
(d) सामुदायिक कल्याण पर व्यक्तिगत विकास

14. शांति निकेतन का मुख्य उद्देश्य इस प्रकार बताया जा सकता है:
(a) कोलकाता की संस्कृति का प्रसार करना
(b) पश्चिमी प्रभावों की पूर्णत: उपेक्षा करना
(c) ऐसी संस्कृति पर जोर देना जो बंगाली/भारतीय हो फिर भी आधुनिक दुनिया के लिए महत्वपूर्ण हो
(d) केवल पारंपरिक लोक संस्कृति पर ध्यान केंद्रित करना

15. आश्रम-सम्मिलानी की कितनी बार बैठक हुई?
(a) वर्ष में एक बार (b) महीने में दो बार
(c) साप्ताहिक (d) मासिक

उत्तर देने के लिए अनुच्छेद पढ़ें:

बंगाल की खाड़ी में 6° और 14° आक्षांश और 92° व 94° रेखांश के मध्य स्थित अंडमान व निकोबार द्वीप समूह मध्य पुरापाषाण काल से हजारों वर्षों से बसे हुए हैं। इस अवधि के अधिकांश समय में इन द्वीपों के निवासियों ने अपना पृथक अस्तित्व बनाए रखा है, जो विशिष्ट भाषायी, सांस्कृतिक व क्षेत्रीय समूहों में विविधीकृत हुए हैं। मध्य उन्नीसवी शताब्दी ई. में, वे सर्वप्रथम बाहरी दुनिया के साथ सतत संपर्क में आए। आज उनमें मुख्यत: जाखा, आने और सेन्तिनली जैसी महान (ग्रेट) अंडमानी जनजातियां और ग्रेट निकोबारी व शॉम्पेन जैसे निकोबारी शामिल हैं। दक्षिण-पश्चिम व उत्तर-पूर्वी दोनों वर्षा-ऋतुओं से पोषित उष्णकटिबंधीय वाला यह संघ-राज्य वर्तमान में तीन राजस्व जिलों में विभाजित है और इसकी राजधानी पोर्ट ब्लेयर है।

अंडमान व निकोबार द्वीप समूह के निवासी भारत के कई भागों और बर्मा से भी प्रवजन कर यहां आकर बसे हैं। अंडमान व निकोबार द्वीप समूह की संस्कृति विशिष्ट और अनन्य है और इसमें मुख्यत: दो प्रकार के निवासी हैं- भारतीय व देशज मूल निवासी। प्रथम प्रकार में विशेष रुप से पंजाब, पश्चिम बंगाल, तमिलनाडु जैसे भारतीय मुख्य भूमि के क्षेत्रों और म्यांमार व बर्मा से आए प्रवासी हैं। मूल देशज निवासी अंडमान व निकोबार द्वीप समूह को देश के अन्य भागों से भिन्न बनाते हैं। वे ही वह प्रधान कारण है कि क्यों इन द्वीपों की एक उद्दाम आभा हैं। *(27 अगस्त **2024** - शिफ्ट 2)*

16. अंडमान व निकोबार द्वीप समूह:
(a) कुछ छोटे सुन्दर देशों का समूह है।
(b) अनेक सुन्दर द्वीपों का समूह है।
(c) थोड़े से गांवो का समूह है।
(d) रेगिस्तानों का समूह है।

17. अंडमान व निकोबार द्वीप समूह निम्न में से कौन-सा पक्ष वहां के निवासियों को उनकी पृथक पहचान जारी रखने में सहायक नहीं हैं?
(a) भाषायी पक्ष (b) सांस्कृतिक पक्ष
(c) क्षेत्रीय पक्ष (d) पोषण पक्ष

18. अंडमान व निकोबार द्वीप समह के निवासियों का निम्न में से कौन-सा समूह भारतीय मुख्यभूमि म्यांमार और श्रीलंका से प्रव्रजन कर आया है?
(a) भारतीय (b) मूल निवासी
(c) नागा (d) मारवाड़ी

19. निम्न में से किस समुदाय का अंडमान व निकोबार द्वीप समूह से संबंध है?
(a) खासी (b) संथाल
(c) बोडो (d) जारवा

20. पोर्ट ब्लेयर निम्न में से किसका भाग है?
(a) केरल
(b) आंध्र प्रदेश
(c) श्रीलंका
(d) अंडमान व निकोबार द्वीप समूह

उत्तर देने के लिए अनुच्छेद पढ़ें:

बाघ अभयारण्य हमारे पर्यटन उद्योग का एक महत्वपूर्ण हिस्सा हैं। भारत में 42 घोषित बाघ अभयारण्य हैं जो आमतौर पर राज्य वन विभागों द्वारा संचालित होते हैं। भारतीय बाघ, जिसे बंगाल टाइगर भी कहा जाता है, भारत का राष्ट्रीय पशु है। इसका वैज्ञानिक नाम पैंथेरा टाइग्रिस टाइग्रिस है। बाघों को उनके वैज्ञानिक, आर्थिक, सौंदर्य, सांस्कृतिक और पारिस्थितिक मूल्यों के लिए अभयारण्य में रखा जाता है और उन्हें लोगों की शिक्षा और आनंद के लिए राष्ट्रीय विरासत के रूप में रखा जाता है। लेकिन हाल के वर्षों में अवैध शिकार के कारण बाघों की हत्या में तेजी से वृद्धि के कारण बाघ पर्यटन एक परेशानी भरा मुद्दा बन गया है। यह न केवल पर्यटन विभाग के लिए बल्कि विभिन्न वन्यजीव संगठनों और अन्य शासी निकायों के लिए भी एक चेतावनी है। चूँकि सरकारें पर्याप्त प्रवर्तन प्रतिक्रियाएँ और जाँच लागू करने में विफल रही हैं, पिछले कुछ वर्षों में वन्यजीव अपराधों में वृद्धि हुई है। आज कुछ कार्यकर्ता और पर्यावरणविद् हैं जो वन्यजीव अभ्यारण्यों तक सार्वजनिक पहुंच पर पूर्ण प्रतिबंध की मांग कर रहे हैं। लेकिन इस तरह का पूर्ण प्रतिबंध एक झटका होगा. इसमें कोई सवाल नहीं है कि वाणिज्यिक पर्यटन को सख्ती से विनियमित किया जाना चाहिए, हालांकि, पूर्ण प्रतिबंध एक बेहद हानिकारक कदम होगा, क्योंकि यह संरक्षण शिक्षा, निगरानी और अन्य संरक्षण गतिविधियों पर नकारात्मक प्रभाव डालेगा।

*(14 दिसम्बर **2023** - शिफ्ट 1)*

21. **कथन I:** व्यावसायिक पर्यटन पर प्रतिबंध लगाने से संरक्षण गति. विधियों पर सकारात्मक प्रभाव पड़ेगा।
कथन II: पैंथेरा टाइग्रिस टाइग्रिस भारत का राष्ट्रीय पशु है।
(a) कथन I और कथन II दोनों सत्य हैं।
(b) कथन I और कथन II दोनों असत्य हैं।
(c) कथन I सत्य है लेकिन कथन II असत्य है
(d) कथन I असत्य है लेकिन कथन II सत्य है

22. वन्य जीवन अपराधों की समस्या का समाधान निम्न द्वारा पाया जा सकता है:
(a) वन्यजीव अभ्यारण्यों तक सार्वजनिक पहुंच पर प्रतिबंध लगाना
(b) बाघ पर्यटन पर प्रतिबंध लगाना
(c) वाणिज्यिक पर्यटन को विनियमित करना
(d) वन्य जीवन की आबादी में कटौती

23. हाल के वर्षों में बाघ पर्यटन एक समस्या बन गया है क्योंकि:
(a) बहुत अधिक बाघ हैं
(b) बाघ लोगों को मारते हैं
(c) पर्यटक बाघों को परेशान करते हैं
(d) बाघों का अवैध शिकार होता है

24. बाघों को निम्नलिखित कारणों से अभयारण्य में रखा जाता है:
(A) पारिस्थितिक मूल्य
(B) सांस्कृतिक मूल्य
(C) कृषि मूल्य
(D) सौंदर्यात्मक मूल्य
(E) औषधीय मूल्य
नीचे दिए गए विकल्पों में से सही उत्तर चुनें:
(a) (A), (B), (D) (b) (B), (C), (D)
(c) (C), (D), (E) (d) (A), (D), (E)

25. जानवरों, पौधों आदि के लिए संरक्षित क्षेत्र कहलाता है:
(a) एक अभयारण्य (b) एक जंगल
(c) देहात (d) छावनी

उत्तर देने के लिए अनुच्छेद पढ़ें:

भारत को जितना वह अभी कर रहा है उससे अधिक बेहतर दिवालोक (दिन का प्रकाश) के प्रबंधन की आवश्यकता है। अधिक ऊर्जा दक्ष बनने की शरुआत करने के लिए इस अधिकतम करने का भी एक उत्तम स्थल है। कोर्नेल के एक अध्ययन के अनुसार प्रभावों के अतिरिक्त दिवालोक का समुचित प्रयोग न करने पर इसकी लागत -$4.1 बिलियन या जीडीपी की 0.2% आती है। भारत की आधिकारिक कालमापी वैज्ञानिक एवं औद्योगिक अनुसंधान परिषद (सीएसआईआर) - राष्ट्रीय भौतिक प्रयोगशाला द्वारा प्रस्तावित संभवत: वर्ष 1947 के पूर्व की दो काल क्षेत्र (टाइमजोन) की व्यवस्था पर लौटते हुए विशेषज्ञों ने भारत में बहुकाल क्षेत्र (मल्टीपल टाइम जोन) का सुझाव दिया है। किन्तु भारी निवेश जरुरतों को ध्यान में रखते हुए तथा साथ ही समन्वय का संभारतंत्रीय प्रयोग इक विचार को अनाकर्षक बनाता है।

दिवालोक बचत अधिक व्यावहारिक विकल्प है। दिवालोक बचत समय या ग्रीष्मकाल, दिन से अधिक प्रकाश प्राप्त करने के लिए घड़ियों के एक घंटा आगे बढ़ा देने की व्यवस्था है। यह मार्च से अक्टूबर महीने के बीच ग्रीष्म माह में दिवालोक के अतिरिक्त समय (घंटे) का करेगा और यह शीतकाल की सुबह प्रकाश के प्रयोग का परिहार करेगा क्योंकि सूर्योदय विलंब से होता है। यह पद्धति देश के पूर्वी एवं रा में विशेष रुप से उपयोगी होगी।

दिवालोक के प्रयोग को और आगे अधिकतम करने के लिए, कार्यस्थलों पर एक समान कार्यारंभ के समय बदला व लाभकारी हो सकते हैं। देश के पूर्वी भागों की अपेक्षा पश्चिमी भागों में सूर्यास्त लगभग 90 मिनट देर से होता है। उत्तर पूर्व एवं पूर्वी राज्यों में अन्यत्र स्थानों की तुलना में प्रतिष्ठान एक घंटा पूर्व कार्यारंभ कर सकते हैं। यह यहाँ लोगों को पर्यावरणी संकेतों के साथ अपने काम के घंटों में सामंजस्य बिठाने की गुंजाइश प्रदान करेगा, जिसका अनुसरण अन्यत्र दूसरे लोग करेंगे। दिवालोक के अधिकतम उपयोग के लिए समय आगे बढ़ाने में ऊर्जा बचत संभावना निहित है जो सार्थक रुप से ऊर्जा प्रयोग में परिवर्तन, भारत के कार्बन सुजो और सूर्य के प्रकाश के नैसर्गिक संसाधन के उत्तोलन में सहायक होगा। जब सूरज चमक रहा हो तो यह अधिकतम लाभ प्राप्त करने संदर्भित है।

*(15 जून **2023** - शिफ्ट 2)*

26. 1947 से पहले भारत इस प्रणाली का उपयोग करता था:
(A) एकाधिक समय क्षेत्र
(B) दो समय क्षेत्र
(C) एक समय क्षेत्र
(D) दिन के उजाले की बचत
(a) केवल (A) और (B) (b) केवल (B)
(c) केवल (C) और (D) (d) केवल (B), (C) और (D)

27. दिवालोक बचत समय निम्नलिखित में से किसके अलावा सभी कार्य निष्पादित करेगा?
(A) घड़ियों को एक घंटा आगे बढाना
(B) देश के सभी भागों में कार्य विलंब से प्रारंभ करना
(C) दिन से अधिक प्रकाश प्राप्त करना
(D) कार्यावधि को भिन्न-भिन्न समय पर रखना

(a) केवल (A) और B (b) केवल B
(c) केवल (A), (C) और D (d) केवल B और D

28. **कथन I:** दिन के उजाले की बचत का समय मार्च से अक्टूबर तक दिन के उजाले के अतिरिक्त घंटे का उपयोग करने की अनुमति देगा।
कथन II: सभी कार्यस्थलों पर एक समान खुलने का समय दिन के उजाले का अधिकतम उपयोग करेगा।
(a) कथन I और कथन II दोनों सत्य हैं।
(b) कथन I और कथन II दोनों असत्य हैं।
(c) कथन I सत्य है लेकिन कथन II असत्य है
(d) कथन I असत्य है लेकिन कथन II सत्य है

29. बहुकालक्षेत्र या द्विकाल क्षेत्र होना व्यावहारिक विकल्प नहीं है क्योंकि:
(A) इसे नहीं किया जा सकता है।
(B) इसमें शामिल लागत बहुत अधिक है।
(C) इससे कोई उद्देश्य सिद्ध नहीं होगा।
(D) समन्वय के संभारतंत्रीय प्रयोग की आवश्यकता होगी।

(a) केवल (A), (B) और (C)
(b) केवल (A), (B) और (D)
(c) केवल (C) और (D)
(d) केवल (B) और (D)

उत्तर देने के लिए अनुच्छेद पढ़ें:

रुडयार्ड किपलिंग द्वारा 'व्हाइट मैन्स बर्डन' के विचार को 1899 में लिखी गई इसी शीर्षक की कविता के माध्यम से प्रोत्साहित किया गया और बढ़ावा दिया गया। 1860 तक भारत में ब्रिटिश विस्तारपूर्ण हो चुका था। 'व्हाइट मैन्स बर्डन' की संकल्पना के एक शताब्दी पूर्व ही करनॉय इसका उपयोग अठारहवीं सदी में ब्रिटिश विस्तार के लिए प्रेरक कारक के रुप में करते हैं। करनॉय की धारणा के विपरीत मिशनरी प्रारंभ से ही स्थानीय लोगों के अधिकारों के लिए लड़ते थे। धारवाड़ जिले में एक कन्नड़ किसान की फाँसी को देखने के पश्चात् रेव. वी. टेलर 1836 में बॉम्बे प्रेसिडेन्सी में कन्नड़ को न्यायालय की भाषा के रूप में मान्यता दिलाने हेतु लड़े। उपनिवेश-पूर्व पेशवा शासन के कारण इस पूरे कन्नड़ भाषी जिले में ग्रामीण और जिला अधिकारी मराठी थे। औपनिवेशिक शासन में भी यही प्रणाली जारी रही। कन्नड़ किसान को फांसी इसलिए दी गई क्योंकि हत्या के आरोपी किसान ने अपने साक्ष्य कन्नड़ भाषा में रखे थे। इसे स्थानीय अधिकारी द्वारा मराठी में रिकॉर्ड किया गया और न्यायालय की कार्यवाही हिन्दुस्तानी में करायी गई। कैदी को न मराठी का ज्ञान था और न हिन्दुस्तानी का तथा उसने न चाहते हुए भी अपराध स्वीकार कर लिया। उसके विरुद्ध कोई परिस्थितिजन्य साक्ष्य नहीं था। उस पर हत्या का आरोप लगाया गया था और उसे फांसी दे दी गई। टेलर ने प्रशासन और शिक्षा की भाषा के रूप में कन्नड़ को अपनाए जाने के लिए प्रभावी लड़ाई लड़ी। छः माह के भीतर कन्नड राज-काज की भाषा बनायी गई और जिले में सत्ताईस कन्नड़ माध्यम वाले प्राथमिक विद्यालय स्थापित किए गए।

*(28 फरवरी **2023** - शिफ्ट 1)*

30. **अभिकथन A:** धारवाड़ जिले में ग्रामीण और जिला अधिकारी कन्नड़ थे।
कारण R: उपनिवेश-पूर्वकाल में धारवाड़ जिले में पेशवा का शासन था।
(a) A और R दोनों सही हैं और R, A की सही व्याख्या है।
(b) A और R दोनों सही हैं लेकिन R, A की सही व्याख्या नहीं है।
(c) A सही है लेकिन R सही नहीं है।
(d) A सही नहीं है लेकिन R सही है।

31. किसान द्वारा दिया गया साक्ष्य किस भाषा में रिकॉर्ड किया गया?
(a) हिन्दुस्तानी (b) कन्नड़
(c) मराठी (d) अंग्रेजी

32. **कथन I:** करनॉय भारत में ब्रिटिश विस्तार के पक्ष में थे।
कथन II: करनॉय श्वेत लोगों की श्रेष्ठता में विश्वास करते थे।
(a) कथन I और कथन II दोनों सत्य हैं।
(b) कथन I और कथन II दोनों असत्य हैं।
(c) कथन I सत्य है लेकिन कथन II असत्य है
(d) कथन I असत्य है लेकिन कथन II सत्य है

33. वह किसान जिसे फांसी दे दी गई, निम्नलिखित में से किस भाषा में बातचीत कर सकता था?
(a) हिन्दुस्तानी (b) अंग्रेजी
(c) मराठी (d) कन्नड़

34. निम्नलिखित में से कौन-कौन स्थानीय लोगों के अधिकारों के प्रति सहानुभूति रखते थे?
(A) रुडयार्ड किपलिंग
(B) वी. टेलर
(C) करनॉय

(a) (A), (B) (b) (B)
(c) (B), (C) (d) (C)

उत्तर देने के लिए आरसी अनुच्छेद पढ़ें:

पूर्व में निर्धनता के विरुद्ध युद्ध जनसंख्या की समस्या से अन्तःबद्ध था। जनसंख्या के बारें में कथनों और दृष्टिकोणों का प्रसार होने लगा।

बहुत से मामले में इन्द्रियानुभविक तर्कशास्त्र के अशोधित स्वरूप को अपनाया गया। इसके फलस्वरूप माल्थस के सिद्धांत और विहित सुझाव अवश्यंभावी हो गए। ऐसा इस स्थिति के बावजूद हैं कि विशेषज्ञ विकास प्रतिमानों पर जनांकिकीय कारकों के प्रभाव को संकल्पना का स्वरूप देने के लिए गंभीर प्रयत्न करते रहे। विभिन्न चरों को संबद्ध करने तथा नीति और कार्यक्रम निर्माण हेतु आधार उपलब्ध कराने के आशय से निदर्श और सिद्धांत प्रतिपादित किए गए। जैसा कि पश्चिमी देशों के अनुभव से ज्ञात हुआ, ऐसी प्रत्याशाथी कि देशों के विकसित होने पर जनसंख्या वृद्धि की दरों में गिरावट आना आरंभ हो जाएगा। किन्तु जैसा कि बहुत से लोगों ने चेतावनी दी थी, देशों ने इस प्रक्रम के घटित होने तक की प्रतीक्षा नहीं की। उन्हें अपेक्षाकृत अधिक प्रत्यक्ष साधन का उपयोग कर जनसंख्या वृद्धि में कमी लाने की गति में तेजी लाना चाहिए। निश्चित तौर पर जनसंख्या को लेकर यह चिन्ता विशेष रूप से एशियाई देशों के संदर्भ में अनेक दशकों से बनी हुई है। नस्ल और नस्लवाद के विषय पर होने वाली चर्चाओं में यह केन्द्रीय विषय (मूल मुद्दा) था। किन्तु जिस पैमाने पर और जिस रूप में चर्चा हुई वह नवीन था।

शैक्षणिक जगत में नवोदित अंतर्राष्ट्रीय संगठनों की परिधि में होने वाली बहस में भी एक नई तान दिखाई दीं। उन्होंने आर्थिक विकास और जनसंख्या नियंत्रण के मध्य संबंध जैसे विषयों पर ध्यान केन्द्रित किया। उन्होंने समृद्ध देशों के जनांकिकीय अनुभव और निर्धन राष्ट्रों पर इसके संभावित प्रभाव

जैसे विषयों पर भी चर्चा की। अब जनसंख्या के संबंध में नया दृष्टिकोण अपनाने की आवश्यकता हैं जिसमें इसके प्रबंधन के लिए नए वैज्ञानिक और प्रौद्योगिकीय उपागमों का अनुप्रयोग किया जाना अपेक्षित है।

*(11 अक्टूबर **2023** - शिफ्ट 2)*

35. जनसंख्या के संबंध में माल्थस के दृष्टिकोण किसके कारण अवश्यंभावी हो गए?
(a) निर्धनता के विरुद्ध युद्ध
(b) जनसंख्या के संबंध में दिए गए कथनों का प्रसार
(c) अपरि शुद्ध इन्द्रियानुभविक तर्क
(d) असंबद्ध आधार पर औचित्य-प्रतिपादन

36. जनांकिकी के विभिन्न चरों से संबंधित निर्देशों से निम्नांकित में से किसका आधार निर्मित हुआ?
(a) जनसंख्या वितरण
(b) जनसंख्या की नई अवधारणा के सृजन का प्रयास
(c) गरीबी उन्मूलन पर प्रभाव
(d) विकास नीति निर्माण

37. पश्चिमी देशों का अनुभव था कि विकास की परिणति क्या होगी?
(a) नस्ली समानता
(b) जनसंख्या में गिरावट
(c) नस्लवाद संबंधी बहस का अन्त
(d) एशिया पर अन्तरराष्ट्रीय फोकस

38. अकादमिक चर्चा का नया तान निम्नांकित में से किससे संबंधित था?
(A) आर्थिक विकास और जनसंख्या नियंत्रण
(B) संसाधन संग्रह और प्रतिफल
(C) नस्ली कारक और जनांकिकीय
(D) पश्चिमी देशों में जनसंख्या नियंत्रण को लेकर चिन्ता

(a) (A) और (B) (b) (B) और (C)
(c) (C) और (D) (d) (A) और (C)

39. अंतिम विश्लेषण में गद्यांश में निम्नांकित में से क्या सुझाव दिया गया है?
(a) जनसंख्या नियंत्रण का एक नया वैज्ञानिक प्रबंधन
(b) पश्चिमी देशों में जनांकिकीय लाभांश का अध्ययन
(c) जनसंख्या नियंत्रण के संबंध में पूर्व में किए गए सभी अध्ययनों की अस्वीकृति
(d) नस्लवाद, निर्धनता और जनसंख्या का शैक्षणिक समाधानों के साथ संबंधन

उत्तर देने के लिए अनुच्छेद पढ़ें:

विद्वानजन तीसरी दुनिया के समाजों के पश्चिमी प्रत्यक्षण की ओर संकेत करतें हैं। जब वे यह प्रश्न उठाते हैं कि तीसरी दुनिया की स्त्रियों संबंधी ज्ञान का सृजन कौन करता है, तो वे इसी की चर्चा करते हैं। एक भारतीय विद्वान ने खोज की है कि विकास संबंधी अधिकांश नारीवादी साहित्य में तीसरी दुनिया की स्त्रियों को 'आवश्यकता' और 'समस्याएं' रखने के रूप में प्रस्तुत किया जाता हैं परन्तु जिनके पास बहुत कम विकल्प होते हैं और कार्य करने की कोई स्वतंत्रता नहीं होती है। इस प्रकार की विश्लेषण विधियों से तीसरी दुनिया की एक औसत स्त्री की छवि उभरती है जिसकी रचना सांख्यिकी और कतिपय श्रेणियों के प्रयोग के माध्यम से की गई होती हैं। कहा जाता है कि तीसरी दुनिया की एक औसत स्त्री अपनें लिंग पर आधरित और "तीसरी दुनिया"- अनभिज्ञ, निर्धन, अशिक्षित, परम्पराओं से बंधी, घरेलु, परिवारोन्मुखी और पीड़ित होने के कारण अनिवार्यत: एक रुंडित जीवन व्यतीत करती है। यह छवि पश्चिमी स्त्री के शिक्षित, आधुनिक और अपने निर्णय स्वयं करने की स्वतंत्रता रखने के स्व-चित्रण से विपरीत है। ये चित्रण यह कल्पना करते है कि पश्चिमी मानक वे निर्देश चिन्ह हैं जिनसे तीसरी दुनिया कीं स्त्रियों की स्थिति कों मापा जाए।

इसका परिणाम है पश्चिमी स्त्रियों की तीसरी दुनिया की स्त्रियों के प्रति पितृसत्तात्मक अभिवृत्ति। यह पश्चिम की श्रेष्ठता के प्राधान्य विचार का सततीकरण है। तीसरी दुनिया में स्त्रियों के उत्पीड़न के समरूपीकरण और व्यवस्थापन की इसी प्रक्रिया में, अधिकांश पश्चिमी नारीवादी विमर्श में शक्ति का प्रयोग किया जाता है। इस शक्ति को व्याख्या की अपनी विषयनिष्ठ प्रकृति के कारण पुन: परिभाषित किए जाने की आवश्यकता हैं।

40. पश्चिमी नारीवादी साहित्य तीसरी दुनिया की स्त्रियों को निम्नलिखित में से किस रूप में चित्रित करता है?
(a) जिनके पास कम विकल्प हैं और कोई स्वतंत्रता नहीं है
(b) बाह्य प्रभावों से महत्तर समर्थन
(c) आधुनिकीकरण की प्रसुविधाएं
(d) पश्चिमी प्रभाव के अधीन

41. तीसरी दुनिया की स्त्री की छवि किन मानकों के द्वारा निर्मित होती है:
(a) सहानुभूतिशील चित्रण
(b) परिमाणन और श्रेणीकरण
(c) भौगोलिक सामीप्य
(d) कौटुंबिक मुद्दे

42. पश्चिमी स्त्री अपने आपको इस रूप में मानती है:
(a) उत्पीड़ित स्त्री के उद्धारक
(b) सजातीयकरण की अभिकर्ता (एजेन्ट)
(c) आधुनिक और स्वतंत्र
(d) तीसरी दुनिया की स्त्री जैसी समान रूप से शोषित

43. पश्चिमी नारीवादी साहित्य तीसरी दुनिया की स्त्री को निम्नलिखित के साथ देखता है:
(a) उनके मुद्दों का गहन ज्ञान
(b) उन्हें मुक्त कराने का आवेग
(c) सार्वभौमिक मूल्यों को लागू करने की आवश्यकता
(d) वास्तविक कसौटी के रूप में पश्चिमी मानक

44. गद्यांश निम्नलिखित की आलोचना करता है;
(a) विनम्र तीसरी दुनिया की स्त्री की
(b) आधुनिकीकृत पश्चिमी स्त्री की
(c) पश्चिमी श्रेष्ठता के प्रमुख विचार की
(d) नारीवादी विमर्श के सजातीयकरण की

उत्तर देने के लिए अनुच्छेद पढ़ें:

मैरी क्यूरी पोलेड में जन्मी एक भौतिकविद और रसायनविद् थीं और अपने समय की सर्वाधिक प्रसिद्ध वैज्ञानिक थीं। अपने पति पियरे के साथ मिलकर उन्होंने रेडियम का आविष्कार किया, जिसका प्रयोग व्यापक स्तर पर कैंसर के उपचार के लिए किया जाता है और उसने यूरेनियम और अन्य रेडियोधर्मी तत्वों का अध्ययन किया। पियरे और मेरी के सौहार्दपूर्ण गठजोड़ ने बाद में परमाणु (एटम) की खोज में सहयोग किया। अपने पति पियरे के साथ, इन्हें वर्ष 1903 में भौतिकी में नोबल पुरस्कार प्रदान किया गया।

मैरी का जन्म वॉरसा, पोलेंड में दिनांक 7 नवंबर 1867 को हुआ था, जो एक भौतिकी अध्यापक की पुत्री थीं। अपनी आरंभिक आयु में उन्होंने उत्कृष्ट मस्तिष्क और तीव्र व्यक्तित्व का प्रदर्शन किया। सीखने के प्रति उनकी विशिष्ट इच्छा ने उन्हें हाई स्कूल के बाद आगे अध्ययन जारी रखने के लिए प्रेरित किया। यद्यपि जब उन्हें पता चला कि वॉरसा में विश्वविद्यालय महिलाओं के लिए बंद हो गई है तो उन्हे अत्यंत निराशा हुई।

उच्चतर शिक्षा प्राप्त करने के लिए दृढ़ संकल्पित होने के कारण उन्होंने पोलेंड को छोड़ दिया और वर्ष 1891 में फ्रेंच विश्वविद्यालय सोरबोन में प्रवेश लिया, जहां उन्होंने अपनी मास्टर्स की डिग्री प्राप्त की और भौतिकी में डॉक्टरेट प्राप्त की।

मैरी बहुत खुशकिस्मत थी कि उसे सोरबोन में, उस समय के कुछ महान वैज्ञानिकों के साथ कार्य करने का मौका मिला, जिनमें से एक पियरे क्यूरी थे। मैरी और पियरे का विवाह 1895 में हुआ था और उन्होंने भौतिकी प्रयोगशाला में मिलकर अनेक सृजनात्मक वर्षों के लिए कार्य किया। रेडियम के आविष्कार के कुछ समय पश्चात् ही, वर्ष 1909 में एक घोड़ा-गाड़ी द्वारा उनकी मृत्यु हो गई। मैरी इस दुखद घटना के कारण स्तब्ध हो गई और हृदयविदारक शोक में डूब गई। इस उदासी में, उन्होंने अपने निकट सम्बन्ध और वैज्ञानिक अनुसंधानों में साझा किये गये हर्ष के समय को याद किया। अपनी दो बेटियों को बड़ा करने के उत्तरदायी ने उसके तनाव को अत्यधिक बढ़ा दिया था।

अन्ततः क्यूरी की विषाद की स्थिति उस समय धूमिल हो गई जब, उन्हें सोरबोन में भौतिकी के प्रोफेसर के रूप में अपने पति का स्थान लेने को कहा गया। वह पहली महिला थीं, जिन्हें विश्वप्रसिद्ध विश्वविद्यालय में प्रोफेसरशिप प्रदान की गई थी। उन्होंने वर्ष 1911 में रेडियम पार्थक्य के लिए रसायन शास्त्र में दूसरा नोबल पुरस्कार प्राप्त किया। क्यूरी की सबसे बड़ी बेटी आइरीन खुद एक वैज्ञानिक थीं और रसायन शास्त्र में नोबल पुरस्कार विजेता थीं।

हालांकि, अन्ततः मैरी क्यूरी को रेडियम के दीर्घकालिक उद्भासन के कारण घातक रोग हो गया, लेकिन उनका अपने कार्य के प्रति कभी मोहभंग नहीं हुआ। परिणामों की परवाह किये बिना उन्होंने स्वयं को विज्ञान और भौतिक संसार के रहस्यों को उजागर करने के प्रति समर्पित किया था।

*(30 सितम्बर **2022** - शिफ्ट 1)*

45. मैरी क्यूरी को किस उम्र में पहला नोबेल पुरस्कार मिला था?
(a) 36 वर्ष (b) 46 वर्ष
(c) 56 वर्ष (d) 44 वर्ष

46. मैरी क्यूरी ने अपनी शादी के कितने वर्ष बाद अपने पति को खो दिया?
(a) 11 वर्ष (b) 39 वर्ष
(c) 28 वर्ष (d) 6 वर्ष

47. किस कारण मैरी क्यूरी को सोरबोन विश्वविद्यालय में अध्ययन करना पड़ा?
(a) वॉरसा में विश्वविद्यालय ने उन्हें प्रवेश नहीं दिया।
(b) वह पियरे क्यूरी के साथ कार्य करना चाहती थीं।
(c) वह रेडियम पर कार्य करना चाहती थीं।
(d) अपनी आरम्भिक आयु में वॉरसा में अध्ययन करके वह खुश नहीं थी।

48. कैंसर के उपचार के लिए व्यापक स्तर पर निम्नलिखित तत्वों में से किसका प्रयोग किया जाता है?
(a) यूरेनियम (b) रेडियम
(c) थोरियम (d) प्लूटोनियम

49. यह गद्यांश दर्शाता है कि मैरी क्यूरी एक महान वैज्ञानिक थी, जो/जिनका:
(a) सौहार्दपूर्ण प्रकृति की थीं।
(b) विज्ञान के प्रति अदम्य जोश और समर्पण था।
(c) भावुक रूप से कमजोर थीं।
(d) अपने पति की मृत्यु के पश्चात् मोहभंग हो गया था।

उत्तर देने के लिए अनुच्छेद पढ़ें:

नेतृत्व अध्ययन एक उद्गामी विषय हैं, और नेतृत्व की अवधारणा परिवर्तित होती रहेगी। नेतृत्व को और अनुगामियों के बीच के पूभ्राव संबंध के रूप में परिभाषित किया गया हैं जो अपने साझा उद्देश्यों को पूर्तिबिंबित करने वाले वास्तविक परिवर्तन और परिणाम चाहते हैं। नेतृत्व में प्रभाव सम्मिलित है, यह लोगों के बीच होता हैं, वे लोग सौदेश्य महत्त्वपूर्ण परिवर्तन चाहते हैं और ये परिवर्तन नेताओं और अनुगामियों के साझा उद्देश्यों को पूर्तिबिंबित करते हैं।

प्रभाव का अर्थ हैं कि लोगों के बीच का संबंध निष्क्रिय नहीं है; तथापि इस परिभाषा का एक भान यह भी हैं कि प्रभाव बहुदिशायी होता है। यह किसी से कुछ कराने के लिए आदेश या धमकी का प्रयोग नहीं करता है। अमेरिका के बुनियादी सांस्कृतिक मूल्य नेतृत्व के बारे में विचारण को अत्यधिक सरल बना देते हैं कि नेता अपने अनुगामियों के लिए क्या करता है। तथापि नेतृत्व का दोनों दिशाओं में प्रभाव होता है। अधिकतर संगठनों में उच्च अधिकारी अधीनस्थों को प्रभावित करते हैं। परन्तु अधीनस्थ भी अपने उच्चाधिकारियों को प्रभावित करते हैं। इस संबंध में सम्मिलित लोग वास्तविक और महत्त्वपूर्ण परिवर्तन चाहते हैं - नेतृत्त्व में परिवर्तन करने अंर्तग्रस्त होता हैं, सामान्य रूप से जो होता है उसे बरकरार रखना नहीं। इसके अतिरिक्त अभिप्रेरित परिवर्तन नेताओं द्वारा निर्देशित नहीं होते हैं। अपितु उन उद्देश्यों को प्रतिबिंबित करते हैं जो नेताओं और अनुगामियों के बीच साझा होते हैं। इसके अतिरिक्त परिवर्तन एक ऐसे परिणाम की दिशा में होता हैं जिसे नेता और अलुगामी दोनों चाहते हैं; एक वांछित भविष्य अथवा साझा उद्देश्य जो उन्हें एक अधिक शून्य परिणाम की ओर प्रेरित करता है। नेतृत्व का एक अन्य महत्त्वपूर्ण पक्ष हैं लोगों को एक साझा स्वप्न के इर्द-गिर्द लाने के लिए प्रभावित करना। अतः नेतृत्व में वांछनीय भविष्य की ओर परिवर्तन लाने के लिए लोगों का प्रभाव सम्मिलित है। *(26 नवम्बर **2021** - शिफ्ट 1)*

50. "नेतृत्व अध्ययन एक उभरता हुआ अनुशासन है", का अर्थ है:
(a) नेतृत्व अध्ययन एक स्थापित क्षेत्र है
(b) नेतृत्व अध्ययन अनुसंधान का एक मान्य क्षेत्र है
(c) नेतृत्व अध्ययन छात्रवृत्ति का एक विकसित क्षेत्र है
(d) नेतृत्व अध्ययन एक विस्तृत क्षेत्र है

51. नेतृत्व को परिभाषित करने के लिए किन चरों का प्रयोग किया जाता है?
(a) संबंध को प्रभावित करने की शक्ति और शब्द सही अर्थ में परिवर्तन की कामना
(b) प्रभाव द्वारा शीघ्रतापूर्वक कार्य कराने की शक्ति
(c) परिवर्तन और नियंत्रण की शक्ति
(d) प्रभावित करने की शक्ति और अधिदेशित परिवर्तन की कामना

52. इस मार्ग का मुख्य विषय क्या है?
(a) नेतृत्व निर्माण की व्याख्या
(b) नेतृत्व के बारे में तर्क
(c) नेतृत्व के मॉडल
(d) नेतृत्व के पक्ष और विपक्ष

53. नेतृत्व के कार्यों का क्या परिणाम होना चाहिए?
(a) नेता की दूरदर्शिता की दिशा में गतिविधि
(b) नेता और अनुगामियों की साझा दूरदर्शिता की दिशा में गति. विधि
(c) बहुतमत की दूरदर्शिता की दिशा में गतिविधि
(d) नेताओं के परधिकार को सुदृढ़ करना

54. इस गद्यांश में नेतृत्व की जिस अवधारणा की चर्चा की गई है, वह है-
(a) ऊर्ध्वाधर-ऊपर से नीचे (b) समस्तरीय
(c) व्यक्तिवादी (d) अपवादजनक

उत्तर

1. (c)	**2.** (d)	**3.** (c)	**4.** (b)	**5.** (b)	**6.** (c)	**7.** (d)	**8.** (c)	**9.** (d)	**10.** (b)
11. (b)	**12.** (c)	**13.** (c)	**14.** (c)	**15.** (b)	**16.** (b)	**17.** (d)	**18.** (a)	**19.** (d)	**20.** (d)
21. (d)	**22.** (c)	**23.** (d)	**24.** (a)	**25.** (a)	**26.** (b)	**27.** (b)	**28.** (c)	**29.** (d)	**30.** (d)
31. (c)	**32.** (a)	**33.** (d)	**34.** (b)	**35.** (c)	**36.** (d)	**37.** (b)	**38.** (d)	**39.** (a)	**40.** (a)
41. (b)	**42.** (c)	**43.** (d)	**44.** (b)	**45.** (a)	**46.** (a)	**47.** (a)	**48.** (b)	**49.** (b)	**50.** (c)
51. (a)	**52.** (a)	**53.** (b)	**54.** (b)						

विस्तृत समाधान और संकेत

क्या आप किसी कठिन प्रश्न को हल करने में संघर्ष कर रहे हैं या संशय में हैं?

चिंता न करें! ऊपर दिए गए प्रश्नों के विस्तृत समाधान और उपयोगी संकेत प्राप्त करने के लिए इस QR कोड को स्कैन करें।

क्या आप जानते हैं? इस खंड में दिए गए प्रश्न पिछली UGC NET परीक्षाओं (2020-2025) से हैं और अक्सर परीक्षा में दोहराए जाते हैं। उन्हें समझने से आपका स्कोर काफी बढ़ सकता है। इसलिए, उत्तर कुंजी को सिर्फ सरसरी तौर पर न पढ़ें - विस्तृत व्याख्याओं को देखने और प्रत्येक प्रश्न की पूरी समझ हासिल करने के लिए इस QR कोड को स्कैन करें।

QR कोड काम नहीं कर रहा है? QR कोड के साथ दिए गए संसाधनों तक पहुँचने के लिए आंतरिक फ्रन्ट कवर पर दिए गए निर्देशों का पालन करें

क्या आप और अधिक अभ्यास करना चाहते हैं? इस इकाई से **अतिरिक्त 200+ अभ्यास प्रश्नों** तक पहुँचने के लिए इस QR कोड को स्कैन करें। McGraw Hill EDGE प्लेटफॉर्म UGC NET परीक्षा इंटरफेस की नकल करता है, जो आपको एक यथार्थवादी परीक्षा अनुभव प्रदान करता है और आपको वास्तविक परीक्षा प्रारूप से परिचित होने में मदद करता है। यह आपको समय का बेहतर प्रबंधन करने में मदद करता है और आपको परीक्षा के दबाव में MCQ को सटीक रूप से हल करने के लिए तैयार करता है।

संप्रेषण का परिचय (Introduction to Communication)

11

इस अध्याय में

**परीक्षोपयोगी* (Exam Essential): UGC NET परीक्षा में पूछे जाने की अत्यधिक संभावना, *#CC का अर्थ है कॉन्सेप्ट कैप्सूल*

11.1 संप्रेषण का अर्थ (Meaning of Communication)

इस विषय को सरल बनाने वाले वीडियो व्याख्यान को देखने के लिए इस QR कोड को स्कैन करें

संप्रेषण (Communication) मानव संपर्क की आधारशिला है, जो हमारे जीवन के हर पहलू में प्रवाहित होने वाली ऊर्जा के समान है। जब हम सुबह जागकर अपने प्रियजनों को खुशी से 'सुप्रभात' कहते हैं, या अपने सहकर्मियों के साथ बातचीत करते हैं (चित्र 11.1), तब संप्रेषण ही हमारे अनुभवों और आपसी संबंधों को आकार देता है।

यदि संप्रेषण प्रभावी न हो, तो गलतफहमियां जन्म लेती हैं, रिश्तों में दरार आ जाती है, और जुड़ाव व सहयोग के अवसर हाथ से निकल जाते हैं। वास्तव में, संप्रेषण केवल एक कौशल नहीं, बल्कि एक महत्वपूर्ण उपकरण है, जो हमें आपस में जुड़े हुए इस जटिल विश्व को समझने, सहानुभूति विकसित करने और सहयोग को बढ़ावा देने में सहायता करता है।

चित्र 11.1 सहकर्मी बातचीत कर रहे हैं

Communication शब्द की उत्पत्ति लैटिन भाषा के 'Communicare' शब्द से हुई है, जिसका अर्थ है 'साझा करना'। यह शब्द 'Communis' से निकला है, जिसका अर्थ है 'सामान्य बनाना'। इस प्रकार, 'संप्रेषण' शब्द की उत्पत्ति ही इस बात को दर्शाती है कि इसका मूल उद्देश्य जानकारी, विचारों और भावनाओं को साझा करना और उनके प्रति सामान्य समझ विकसित करना है।

चाहे वह किसी मित्र से बातचीत हो, एक संदेश हो या फिर ऑनलाइन साझा किया गया कोई मजेदार मीम, यह सब हमारे आपसी जुड़ाव और समझ को बेहतर बनाने का ही एक हिस्सा है। इसलिए, जब भी हम बोलते हैं, लिखते हैं या सिर हिलाकर सहमति जताते हैं, तब हम संप्रेषण का उपयोग करके आपसी दूरी को कम कर रहे होते हैं और दूसरों के साथ अपने रिश्ते मजबूत बना रहे होते हैं।

क्विज स्टेशन *विगत UGC NET परीक्षाओं के प्रश्न*

प्र 1. अंग्रेजी शब्द 'Communication' की उत्पत्ति किन शब्दों से हुई है?

(a) Communis और Communicare
(b) Communist और Commune
(c) Communism और Communalism
(d) Communion और Common sense

उत्तर 1. (a)

11.2 संप्रेषण का स्वरूप और विशेषताएँ (Nature and Characteristics of Communication)

इस विषय को सरल बनाने वाले वीडियो व्याख्यान को देखने के लिए इस QR कोड को स्कैन करें

संप्रेषण हमारे आपसी संपर्क का एक महत्वपूर्ण हिस्सा है। इसमें कई पहलू शामिल होते हैं, जैसे बातचीत, शारीरिक हावभाव और तकनीक का उपयोग करके जुड़ना। संप्रेषण के स्वरूप और विशेषताओं को समझने से हमें यह पता चलता है कि यह कैसे कार्य करता है और क्यों महत्वपूर्ण है। आइए इन पहलुओं को विस्तार से समझें और जानें कि संप्रेषण हमारे संबंधों को कैसे आकार देता है और हमारे जीवन को कैसे प्रभावित करता है।

1. **कला, विज्ञान और कौशल (Art, Science and Craft):** संप्रेषण रचनात्मकता (Creativity), सिद्ध सिद्धांतों (Proven Principles) और विशिष्ट कौशलों (Specific Skills) का मिश्रण है, जो इसे एक कला (Art), विज्ञान (Science) और कौशल (Craft) बनाता है। उदाहरण के लिए, एक शिक्षक प्रभावी पाठ योजनाएँ तैयार करने के लिए रचनात्मक कहानी कहने की तकनीकों (कला) का उपयोग करता है, जिसे वह शैक्षिक मनोविज्ञान के सिद्धांतों (विज्ञान) के आधार पर विकसित करता है।
2. **जटिल प्रक्रिया (Complex Process):** संप्रेषण केवल शब्दों के आदान-प्रदान से अधिक जटिल प्रक्रिया है। यह बोले गए शब्दों, संकेतों और अभिव्यक्तियों के परस्पर मेल से बनता है। जब हम संवाद करते हैं, तो न केवल शब्दों के शाब्दिक अर्थ पर ध्यान देते हैं, बल्कि उनके उच्चारण, शरीर की भाषा और चेहरे के हावभाव को भी समझने की कोशिश करते हैं। इसके अलावा, संप्रेषण की जटिलता सांस्कृतिक भिन्नताओं, व्यक्तिगत अनुभवों और भावनात्मक स्थितियों से और बढ़ जाती है, जिससे हर बातचीत में नए आयाम जुड़ते हैं।
3. **सीखी जा सकने वाली क्षमता (Learnable Skill):** संप्रेषण कौशल (Communication Skills) सीखे जा सकते हैं, जिससे व्यक्ति अभ्यास के माध्यम से खुद को बेहतर बना सकता है। उदाहरण के लिए, नियमित अभ्यास और मार्गदर्शन के माध्यम से एक शर्मीला व्यक्ति सार्वजनिक भाषण (Public Speaking) में आत्मविश्वास के साथ बोलना सीख सकता है।
4. **गतिशील प्रकृति (Dynamic Nature):** संप्रेषण स्थिर नहीं होता, बल्कि यह निरंतर विकसित होता रहता है। उदाहरण के लिए, भाषा सदियों से बदलती रही है, और समाज, संस्कृति और प्रौद्योगिकी के बदलावों के अनुसार नए शब्द, वाक्यांश और अभिव्यक्तियाँ जुड़ती जाती हैं। इसके अलावा, इंटरनेट और सोशल मीडिया जैसी नई तकनीकों ने संवाद करने के तरीकों को पूरी तरह बदल दिया है, जिससे बातचीत के नए साधन और मंच उपलब्ध हुए हैं।

   टेलीफोन के आविष्कार से लेकर ज़ूम (Zoom) जैसे वीडियो कॉन्फ्रेंसिंग ऐप्स के उदय तक, संप्रेषण के तरीके समय के साथ विकसित होते रहे हैं ताकि व्यक्तियों और समुदायों की जरूरतों और प्राथमिकताओं के अनुसार खुद को ढाल सकें।
5. **चक्रीय प्रक्रिया (Cyclical Process):** संप्रेषण एक सतत प्रक्रिया है, जिसमें संदेश प्रेषक (Sender) और प्राप्तकर्ता (Receiver) के बीच लगातार आदान-प्रदान होता रहता है। उदाहरण के लिए, एक बातचीत में एक व्यक्ति बोलता है, दूसरा व्यक्ति जवाब देता है, और यह संवाद आगे-पीछे चलता रहता है।
6. **सहयोगी सहभागिता (Cooperative Interaction):** प्रभावी संप्रेषण के लिए प्रेषक और प्राप्तकर्ता, दोनों का सहयोग आवश्यक होता है। उदाहरण के लिए, एक कक्षा में, शिक्षक को गणित की समस्या स्पष्ट रूप से समझानी होती है, और छात्र को ध्यान से सुनना और यदि कोई संदेह हो तो प्रश्न पूछना चाहिए। यदि शिक्षक या छात्र में से कोई भी सहयोग न करे, तो छात्र अवधारणा को गलत समझ सकता है, जिससे गणना में त्रुटियाँ हो सकती हैं।
7. **दो प्रतिभागी (Two Participants):** संप्रेषण आमतौर पर एक प्रेषक (Sender) और एक प्राप्तकर्ता (Receiver) के बीच होता है। उदाहरण के लिए, एक ग्राहक सेवा प्रतिनिधि (Customer Service Representative) अपने ग्राहक (Client) से बातचीत करता है ताकि उनकी शंकाओं और चिंताओं का समाधान किया जा सके।
8. **विचारों और जानकारी का प्रवाह (Flow of Ideas and Information):** संप्रेषण का मुख्य उद्देश्य विचारों और जानकारी का आदान-प्रदान करना होता है। उदाहरण के लिए, किसी वैज्ञानिक सम्मेलन में एक शोध पत्र प्रस्तुत करना शोध निष्कर्षों को शैक्षणिक समुदाय तक पहुँचाने का एक तरीका है।
9. **ध्यान की आवश्यकता (Need for Attention):** ध्यान न देने से गलतफहमियाँ हो सकती हैं, इसलिए प्रभावी संप्रेषण के लिए ध्यान देना आवश्यक है। उदाहरण के लिए, कक्षा में छात्रों को शिक्षक की बात ध्यान से सुननी चाहिए ताकि वे पाठ को स्पष्ट रूप से समझ सकें।
10. **स्पष्टता और संक्षिप्तता (Clarity and Conciseness):** प्रभावी संप्रेषण के लिए संदेश स्पष्ट, संक्षिप्त और सटीक होना चाहिए। उदाहरण के लिए, हवाई यात्रा के दौरान एयर होस्टेस सुरक्षा निर्देश देती हैं, जैसे सीट बेल्ट बाँधने, ऑक्सीजन मास्क पहनने और आपातकालीन निकास के बारे में जानकारी। यह निर्देश स्पष्ट और संक्षिप्त होते हैं ताकि यात्री उन्हें जल्दी और आसानी से समझ सकें।
11. **उद्देश्यपूर्ण गतिविधि (Purposive Activity):** संप्रेषण का उद्देश्य किसी विशिष्ट लक्ष्य को प्राप्त करना होता है। उदाहरण के लिए, सिनेमा हॉल में 'धूम्रपान न करें' (No Smoking) वाले विज्ञापन लोगों को धूम्रपान छोड़ने और स्वास्थ्य के प्रति जागरूक करने के लिए बनाए जाते हैं। यह दर्शकों के व्यवहार को प्रभावित करने और धूम्रपान छोड़ने के लिए प्रेरित करने का प्रयास करता है।
12. **सामाजिक अनिवार्यता (Social Necessity):** संप्रेषण विचारों और भावनाओं को साझा करने के लिए आवश्यक है। उदाहरण के लिए, मित्र आपस में संवाद करते हैं ताकि अपने अनुभवों को बाँट सकें और एक-दूसरे का भावनात्मक समर्थन कर सकें।
13. **व्यापक सहभागिता (Comprehensive Engagement):** संप्रेषण में केवल बोलना ही नहीं, बल्कि सुनना और समझना भी शामिल होता है। उदाहरण के लिए, एक प्रभावी परामर्श सत्र (Counselling Session) में न केवल व्यक्ति अपनी समस्याओं को व्यक्त करता है, बल्कि परामर्शदाता (Counsellor) भी सहानुभूति के साथ सुनता है और समाधान प्रदान करता है।
14. **भाषा का ज्ञान (Knowledge of Language):** प्राप्तकर्ता की भाषा को समझना सफल संप्रेषण के लिए आवश्यक है। उदाहरण के लिए, एक पर्यटक (Tourist) अपनी यात्रा के दौरान स्थानीय लोगों से संवाद करने के लिए उस भाषा के बुनियादी वाक्यांश सीखता है।
15. **विचारों का आदान-प्रदान (Exchange of Ideas):** संप्रेषण सूचनाओं और विचारों के आदान-प्रदान की सुविधा प्रदान करता है। उदाहरण के लिए, किसी टीम मीटिंग में कर्मचारी विचार साझा करते

हैं, अंतर्दृष्टियाँ प्रस्तुत करते हैं और किसी समस्या या परियोजना के समाधान का प्रस्ताव रखते हैं।

16. **संपूर्ण संदेश (Complete Message):** संदेश संपूर्ण और प्राप्तकर्ता की भावनाओं को ध्यान में रखते हुए बनाया जाना चाहिए। उदाहरण के लिए, यदि किसी निमंत्रण पत्र में केवल तारीख और समय दिया गया हो, लेकिन स्थान का उल्लेख न किया गया हो, तो प्राप्तकर्ता भ्रमित हो सकता है।

    इस अधूरे संदेश के कारण मेहमानों को असुविधा हो सकती है, क्योंकि उन्हें स्वयं स्थान की जानकारी प्राप्त करनी होगी या वे आयोजन में शामिल होने से चूक सकते हैं। इसलिए, किसी भी संदेश को पूरा और स्पष्ट रूप से प्रस्तुत किया जाना चाहिए ताकि गलतफहमियों से बचा जा सके।

17. **संदर्भ और संबंधों का महत्व (Context and Relationship Aspect):** संप्रेषण हमेशा एक विशिष्ट संदर्भ (Context) में होता है और इसमें संबंधित पक्षों के रिश्ते (Relationship) को ध्यान में रखा जाता है। उदाहरण के लिए, एक नौकरी के साक्षात्कार (Job Interview) में उम्मीदवार को औपचारिक भाषा और उपयुक्त लहजे का उपयोग करना चाहिए ताकि वह अपनी योग्यता और सम्मान को प्रदर्शित कर सके। इसी प्रकार, मित्र बातचीत करते समय अनौपचारिक भाषा का प्रयोग कर सकते हैं, जो कि अनौपचारिक संबंध को दर्शाता है।

क्विज स्टेशन *विगत UGC NET परीक्षाओं के प्रश्न*

प्र 1. निम्नलिखित में से कौन-सी संचार की सही परिभाषाएँ हैं?
*(22 अगस्त **2024** - शिफ्ट 2)*

A. विचार करने, खोजने और बताने की प्रक्रिया।
B. संदेश भेजने, प्राप्त करने और व्याख्या करने की प्रक्रिया।
C. चार संदेशों के माध्यम से सामाजिक संपर्क है।
D. संदेशों को सोचने, लिखने और प्रसारित करने की प्रक्रिया।

(a) A, B (b) A, C
(c) B, D (d) B, C

प्र 2. निम्नलिखित में से कौन-से संप्रेषण की विशेषताएँ हैं?

1. संप्रेषण में विचारों, तथ्यों और मतों (Opinions) का आदान-प्रदान शामिल होता है।
2. संप्रेषण में सूचना (Information) और समझ (Understanding) दोनों शामिल होते हैं।
3. संप्रेषण एक सतत प्रक्रिया (Continuous Process) है।
4. संप्रेषण एक चक्रीय प्रक्रिया (Circular Process) है।

नीचे दिए गए कूट (Codes) में से सही उत्तर चुनें:

(a) 1, 2 और 3 (b) 1, 2 और 4
(c) 2, 3 और 4 (d) 1, 2, 3 और 4

उत्तर 1. (d) 2. (d)

सिनेमैटिक कनेक्शन

संप्रेषण की अवधारणा को दर्शाने वाली एक प्रसिद्ध बॉलीवुड फिल्म *बर्फी!* (2012) है। यह फिल्म मर्फी 'बर्फी' जॉनसन, एक आकर्षक और जीवंत युवक की कहानी को प्रस्तुत करती है, जिसे रणबीर कपूर ने निभाया है। बर्फी सुन और बोल नहीं सकता, लेकिन इसके बावजूद वह अपनी भावनाओं को प्रभावी ढंग से संप्रेषित करता है। फिल्म में बर्फी के जीवन में दो महिलाएँ आती हैं–श्रुति घोष, जिसे इलियाना डिक्रूज ने निभाया है, और झिलमिल चटर्जी, जिसे प्रियंका चोपड़ा ने निभाया है।

बोलने और सुनने में असमर्थ होने के बावजूद, बर्फी अपने हावभाव, अभिव्यक्तियों और कार्यों के माध्यम से प्रभावी रूप से संवाद करता है। वह अपने आसपास के लोगों से गहरे संबंध स्थापित करता है। उसकी चंचलता और स्नेहपूर्ण बातचीत श्रुति, उसकी बचपन की मित्र, के साथ उसकी प्रेम और लगाव की भावनाओं को बिना शब्दों के भी व्यक्त कर देती है।

11.3 संप्रेषण के कार्य और उद्देश्य (Functions and Objectives of Communication)

संप्रेषण व्यक्तिगत और व्यावसायिक दोनों क्षेत्रों में विभिन्न कार्यों और उद्देश्यों की पूर्ति करता है। इसका मुख्य उद्देश्य व्यक्तियों या समूहों के बीच जानकारी, विचारों और भावनाओं का आदान-प्रदान करना है। इसके अलावा, संप्रेषण संगठन के भीतर समन्वय, सहयोग और निर्णय लेने की प्रक्रिया को भी आसान बनाता है। संप्रेषण के कार्यों और उद्देश्यों को समझकर व्यक्ति और संगठन सामाजिक संबंधों को बेहतर ढंग से संभाल सकते हैं और अपने लक्ष्यों को प्राप्त कर सकते हैं। आइए संप्रेषण के विभिन्न कार्यों और उद्देश्यों को विस्तार से समझें।

1. **ज्ञान का स्थानांतरण (Knowledge Transfer):** संप्रेषण व्यक्तियों के बीच जानकारी और विचारों के आदान-प्रदान में सहायक होता है। उदाहरण के लिए, एक शिक्षक कक्षा में छात्रों को प्रकाश-संश्लेषण (Photosynthesis) की अवधारणा समझाता है। स्पष्ट संप्रेषण के माध्यम से शिक्षक ज्ञान का स्थानांतरण करता है, जिससे छात्र इस अवधारणा को समझ पाते हैं और इसके प्राकृतिक संसार में महत्व को पहचानते हैं।

2. **अधिगम और कौशल विकास में सहायता (Learning and Skill Development):** प्रभावी संप्रेषण नए विषयों को अधिगम, प्रशिक्षण प्राप्त करने और कौशल विकसित करने के लिए आवश्यक है। उदाहरण के लिए, कर्मचारी प्रशिक्षण सत्र में भाग लेते हैं, जहाँ निर्देशों और प्रदर्शनों के स्पष्ट संप्रेषण से वे नए कौशल और ज्ञान प्राप्त करते हैं।

3. **लक्ष्यों का संप्रेषण (Communicating Goals):** संप्रेषण लक्ष्यों और उद्देश्यों को स्पष्ट रूप से व्यक्त करने में सहायक होता है; जिससे योजना बनाना और लक्ष्य प्राप्त करना आसान हो जाता है। उदाहरण के लिए, एक प्रबंधक एक बैठक आयोजित करता है, जहाँ वह अपनी बिक्री टीम को बिक्री लक्ष्यों (Sales Targets) के बारे में जानकारी देता है।

4. **फीडबैक तंत्र (Feedback Mechanism):** संप्रेषण के दौरान प्राप्त फीडबैक (Feedback) यह बताता है कि संदेश सही ढंग से समझा गया है या नहीं और इससे संप्रेषण की प्रभावशीलता में सुधार होता है। उदाहरण के लिए, एक कोच खिलाड़ी के प्रदर्शन का अवलोकन करता है और उसे सुधार के लिए सुझाव देता है।
5. **जागरूकता फैलाना (Spreading Awareness):** संप्रेषण विभिन्न विषयों, जैसे नए विचारों, तकनीकों या सामाजिक मुद्दों के बारे में जागरूकता फैलाने में मदद करता है। उदाहरण के लिए, एक सोशल मीडिया प्रचार अभियान (Social Media Campaign) मानसिक स्वास्थ्य के महत्व के बारे में जागरूकता बढ़ाने के लिए बनाया जाता है।
6. **विचारों और मूल्यों को आकार देना (Shaping Opinions and Values):** संप्रेषण लोगों की राय, मूल्यों और विश्वासों को प्रभावित करने में महत्वपूर्ण भूमिका निभाता है। उदाहरण के लिए, एक राजनीतिक नेता किसी नीति पर जनता की राय को प्रभावित करने के लिए भाषण देता है।
7. **निर्णय लेने में सहायता (Decision-Making Support):** प्रभावी संप्रेषण सही जानकारी और विभिन्न दृष्टिकोण प्रदान करके निर्णय लेने की प्रक्रिया को मजबूत करता है। उदाहरण के लिए, किसी परियोजना की रणनीति तय करने से पहले सहकर्मियों का एक समूह विभिन्न विकल्पों पर चर्चा करता है।
8. **भावनाओं को समझना (Understanding Emotions):** संप्रेषण दूसरों की भावनाओं, इच्छाओं और अपेक्षाओं को समझने में मदद करता है, जिससे सहानुभूति (Empathy) और आपसी जुड़ाव बढ़ता है। उदाहरण के लिए, कठिन समय में दोस्त एक-दूसरे की भावनाओं को साझा करके एक-दूसरे को सांत्वना देते हैं।
9. **प्रेरणा (Motivation):** संप्रेषण व्यक्तियों या समूहों को विशिष्ट लक्ष्यों की ओर प्रेरित करने में सहायक होता है। उदाहरण के लिए, एक कोच प्रतियोगिता से पहले एथलीटों को प्रेरित करने के लिए उत्साहवर्धक भाषण देता है।
10. **सांस्कृतिक संरक्षण (Cultural Preservation):** संप्रेषण संस्कृति को संरक्षित रखने और उसकी परंपराओं को पीढ़ी दर पीढ़ी आगे बढ़ाने में महत्वपूर्ण भूमिका निभाता है। उदाहरण के लिए, किसी समुदाय के बुजुर्ग युवा पीढ़ी को कहानियों और परंपराओं के माध्यम से सांस्कृतिक धरोहर से परिचित कराते हैं।
11. **परिस्थितियों पर प्रभाव (Impact on Situations):** संप्रेषण का प्रभाव इस पर निर्भर करता है कि संदेश को किस प्रकार से प्रस्तुत किया जाता है और इसे प्राप्तकर्ता कैसे समझता है। उदाहरण के लिए, एक नौकरी के साक्षात्कार (Job Interview) में स्पष्ट और आत्मविश्वास भरा संप्रेषण साक्षात्कारकर्ता पर सकारात्मक प्रभाव डाल सकता है, जिससे उम्मीदवार के चयन की संभावना बढ़ जाती है।

    इसके विपरीत, यदि संप्रेषण अस्पष्ट या घबराहट से भरा हो, तो यह नकारात्मक प्रभाव डाल सकता है और नौकरी मिलने की संभावना कम हो सकती है।
12. **स्पष्टता और प्रभावशीलता (Clarity and Effectiveness):** प्रभावी संप्रेषण (Effective Communication) का उद्देश्य जानकारी को स्पष्ट, संक्षिप्त और प्रभावी रूप से प्रस्तुत करना होता है, जिससे आपसी समझ सुनिश्चित हो सके। उदाहरण के लिए, यदि किसी फर्नीचर असेंबली मैनुअल में विस्तृत और स्पष्ट निर्देश दिए गए हों, तो उपयोगकर्ता आसानी से सही ढंग से फर्नीचर जोड़ सकते हैं।

संप्रेषण के व्यापक कार्य (Macro Functions of Communication)

1. **भावनात्मक कार्य (Emotive Function):** यह प्रकार का संप्रेषण लोगों को अपनी भावनाएँ व्यक्त करने में मदद करता है ताकि दूसरे लोग उनकी भावनाओं को समझ सकें। उदाहरण के लिए, जब आपको कोई उपहार मिलता है, तो आप खुशी प्रकट करने के लिए कहते हैं, "वाह! मैं बहुत खुश हूँ!"
2. **औपचारिक संपर्क कार्य (Phatic Function):** यह संप्रेषण लोगों को बातचीत शुरू करने और यह जाँचने में मदद करता है कि संप्रेषण सुचारू रूप से हो रहा है या नहीं। उदाहरण के लिए, जब आप किसी मित्र से मिलते हैं, तो आप कहते हैं, "हाय! कैसे हो?" ताकि बातचीत की शुरुआत हो सके।
3. **प्रसंगात्मक कार्य (Contextual Function):** यह संवाद किसी विशेष संदर्भ या वातावरण को स्थापित करने में सहायता करता है। उदाहरण के लिए, "एक समय की बात है..." कहने से एक परीकथा (Fairy Tale) की शुरुआत का संकेत मिलता है।
4. **काव्यात्मक कार्य (Poetic Function):** यह शब्दों की ध्वनि और प्रभाव पर केंद्रित होता है, जिसे अक्सर कविताओं और कहानियों में विशेष प्रभाव पैदा करने के लिए उपयोग किया जाता है। उदाहरण के लिए, एक कहानी में "तारों ने रात के आकाश में नृत्य किया" पढ़ने से एक सुखद और प्रभावशाली दृश्य बनता है।
5. **संदर्भात्मक कार्य (Referential Function):** इसका उपयोग जानकारी साझा करने और किसी वास्तविक या सत्य बात को बताने के लिए किया जाता है। उदाहरण के लिए, "कुत्तों के चार पैर होते हैं।" यह एक तथ्य है, जो स्पष्ट जानकारी प्रदान करता है।
6. **भाषा-विश्लेषणात्मक कार्य (Metalinguistic Function):** यह भाषा को समझने और विभिन्न शब्दों के अर्थ को स्पष्ट करने में सहायता करता है। उदाहरण के लिए, "'Cat' शब्द 'C' से शुरू होता है।" यह भाषा की संरचना को समझाने का एक तरीका है।
7. **निर्देशात्मक कार्य (Directive Function):** इस प्रकार का संप्रेषण निर्देश देने या अनुरोध करने के लिए उपयोग किया जाता है ताकि कोई व्यक्ति कोई विशेष कार्य कर सके। उदाहरण के लिए, एक माता-पिता अपने बच्चे से कहते हैं, "कृपया अपना कमरा साफ करो।"
8. **अन्वेषणात्मक कार्य (Heuristic Function):** इस प्रकार के संप्रेषण का उपयोग नई जानकारी की खोज और समझ बढ़ाने के लिए किया जाता है। उदाहरण के लिए, जब कोई बच्चा पूछता है, "आसमान नीला क्यों होता है?" तो वह नए ज्ञान की खोज कर रहा होता है।

क्विज स्टेशन विगत UGC NET परीक्षाओं के प्रश्न

प्र 1. "स्टेप ऑन स्केल, कृपया" भाषा के किस कार्य का प्रतिनिधित्व करता है? (6 जनवरी 2025 - शिफ्ट 1)

(a) सूचनात्मक
(b) अभिव्यंजक
(c) निर्देश
(d) प्रदर्शनकारी

प्र 2. जब संचार का प्राथमिक कार्य नई जानकारी प्रदान करना होता है, तो इसे कहा जाता है - (6 दिसंबर 2023 - शिफ्ट 1)

(a) अवचेतन (b) एकल कार्य
(c) संदर्भात्मक (d) विभेदक

उत्तर 1. (c) 2. (c)

★★★ परीक्षोपयोगी

11.4 संप्रेषण का विकास (Evolution of Communication)

निम्न तालिका में सम्प्रेषण विकासों की विस्तृत और कालानुक्रमिक समयरेखा दी गई है, जिसमें युगों से मनुष्यों द्वारा सूचना साझा करने के तरीके को आकार दिया है:

दिनांक/वर्ष	घटना/विकास	विवरण
प्रागैतिहासिक युग	**गुफा चित्रकारी**	कहानियाँ बताने या घटनाओं को दर्ज करने के लिए गुफाओं की दीवारों पर चित्रकारी के माध्यम से संचार का सबसे प्रारंभिक रूप।
लगभग 50,000-30,000 ई.पू.	**भाषा का विकास**	मनुष्यों द्वारा बोली जाने वाली भाषा का विकास, विचारों और कहानियों के संचरण और साझाकरण को सक्षम बनाता है।
3,100 ई.पू.	**कीलाक्षर लेखन**	सुमेरियों ने मिट्टी की पट्टियों पर पच्चर के आकार की लिपि (लैटिन: *क्यूनस*) का आविष्कार किया, जो पहली लेखन प्रणालियों में से एक थी।
3,000 ई.पू.	**चित्रलेख और चित्रलिपि**	शब्दों या ध्वनियों को दर्शाने वाले लिखित प्रतीक या चित्र, जिनका प्रयोग प्राचीन सभ्यताओं जैसे मिस्र, सुमेरियन और चीनी सभ्यताओं द्वारा किया जाता था।
2000 ई.पू.	**वर्णमाला का विकास**	बोली जाने वाली भाषा को दर्शाने के लिए वर्णमाला प्रणालियों का निर्माण, लेखन के अधिक जटिल रूपों का स्थान लेना।
59 ई.पू.	**एक्टा डियूर्ना (दैनिक कार्य) या दैनिक समाचार पत्र**	प्राचीन रोम में पहला दैनिक सार्वजनिक अभिलेख, जिसमें सरकारी घोषणाएं और अदालती फैसले शामिल थे।
तीसरी शताब्दी ई.	**कोडेक्स (हस्तलिखित पुस्तकें)**	कोडेक्स पुस्तकों ने स्क्रॉल का स्थान ले लिया, जिससे लिखित सामग्री को संग्रहीत करना और उस तक पहुंच आसान हो गई, मुख्य रूप से मठों में लेखकों द्वारा हाथ से प्रतिलिपि बनाई गई।
7वीं शताब्दी ई.	**मुद्रण के लिए लकड़ी के ब्लॉक**	चीन में मुद्रण के लिए लकड़ी के ब्लॉकों का उपयोग, जिससे पुस्तकों और पाठ्य-पुस्तकों का बड़े पैमाने पर उत्पादन संभव हुआ।
200 ई.पू.	**कागज का आविष्कार**	चीनियों द्वारा कागज का आविष्कार, जिसने पपीरस जैसी पुरानी लेखन सामग्री का स्थान ले लिया।
1440 का दशक	**चल प्रकार मुद्रण/धातु मुद्रण**	जोहान्स गुटेनबर्ग द्वारा चलायमान टाइप युक्त मुद्रण मशीन का आविष्कार, जिससे तीव्र एवं अधिक कुशल मुद्रण संभव हुआ।
1500 का दशक	**समाचार पत्र**	मुद्रित समाचार के प्रारंभिक स्वरूप, जैसे एकल पृष्ठ शीट, 16वीं शताब्दी में प्रचलित थे, जो बुनियादी समाचार अद्यतन उपलब्ध कराते थे।
1600 का दशक	**समाचार पुस्तकें**	इंग्लैंड में लोकप्रिय समाचार पत्रों के पूर्ववर्ती, जिनमें एक या दो पृष्ठों को मोड़कर 8 या 16 पृष्ठ बनाए जाते थे और जिनमें घरेलू समाचार होते थे।
1650 का दशक	**प्रथम मुद्रित समाचार पत्र**	जर्मनी और नीदरलैंड में मुद्रित समाचार पत्रों का उदय, समाचारों का नियमित प्रकाशन तथा जनता के लिए एक नई संचार पद्धति उपलब्ध होना।
1710 का दशक	**ब्रॉडशीट समाचार पत्र**	समाचार पत्र का सबसे बड़ा प्रारूप जिसमें एक बड़ी, मुड़ी हुई समाचार शीट होती है, ब्रिटेन में लोकप्रिय हुआ जब समाचार पत्रों पर उनकी पृष्ठ संख्या के आधार पर कर लगाया गया।

दिनांक/वर्ष	घटना/विकास	विवरण
1844	**इलेक्ट्रिक टेलीग्राफ**	सैमुअल मोर्स ने पहला टेलीग्राफ संदेश भेजा, जिससे लंबी दूरी का संचार संभव हुआ। मोर्स ने 1830 के दशक में मोर्स कोड भी विकसित किया जिसका इस्तेमाल टेलीग्राफ संदेश भेजने के लिए किया गया।
1868	**टाइपराइटर**	क्रिस्टोफर शोल्स ने पहला व्यावहारिक टाइपराइटर बनाया, जिससे दस्तावेज लिखने में तेजी आई। शोल्स को '*टाइपराइटर का जनक*' और 'QWERTY कीबोर्ड' का आविष्कारक कहा जाता है।
1876	**टेलीफोन**	अलेक्जेंडर ग्राहम बेल ने टेलीफोन का आविष्कार किया, जिससे लंबी दूरी पर वास्तविक समय में बातचीत करना संभव हो गया।
1877	**ग्रामोफोन**	थॉमस एडिसन ने फोनोग्राफ का आविष्कार किया, जिससे ध्वनि की रिकॉर्डिंग और प्लेबैक संभव हो सका।
1894	**रेडियो**	गुग्लिल्मो मार्कोनी ने रेडियो का विकास किया, जिससे वायरलेस संचार की शुरुआत हुई और जनसंचार का प्रसार हुआ, तथा वायु तरंगों के माध्यम से समाचार और मनोरंजन आम जनता तक पहुंचा।
1903	**आधुनिक टैब्लॉयड समाचार पत्र**	अल्फ्रेड हार्म्सवर्थ ने लंदन में *द डेली मिरर* की शुरुआत की, जो पहला आधुनिक टैब्लॉयड समाचार पत्र था, जिसकी विशेषता थी इसका छोटा आकार और सनसनीखेज, मनोरंजन-आधारित समाचारों पर ध्यान केंद्रित करना।
1910 का दशक	**आधुनिक ब्रॉडशीट समाचार पत्र**	ब्रॉडशीट का विकास टैब्लॉयड के साथ हुआ, लेकिन वे गंभीर, गहन पत्रकारिता से जुड़े थे। एक अलग प्रारूप के रूप में उनकी प्रमुखता 20वीं सदी में स्पष्ट हो गई, जो अक्सर टैब्लॉयड से अलग होती थी।
1910 का दशक	**पहली रंगीन फिल्म ए विजिट टू द सीसाइड (1908)**	पहली रंगीन लघु फिल्म *ए विजिट टू द सीसाइड* (1908) रिलीज हुई, जिसमें फिल्म और मनोरंजन में तकनीकी प्रगति को दर्शाया गया। *क्यूपिड एंगलिंग* (1918) एकमात्र फीचर फिल्म थी जिसे डगलस नेचुरल कलर प्रक्रिया का उपयोग करके फोटो खींचा गया था।
1920	**वाणिज्यिक रेडियो प्रसारण**	पिट्सबर्ग, पेनसिल्वेनिया में KDKA ने पहला रेडियो वाणिज्यिक प्रसारण प्रसारित किया।
1923	**टाइम पत्रिका**	टाइम पत्रिका को विश्व समाचारों पर ध्यान केन्द्रित करने वाली पहली समाचार पत्रिका के रूप में शुरू किया गया था, जो गहन समाचार विश्लेषण प्रस्तुत करती थी।
1925	**टेलीविजन**	जॉन लोगी बेयर्ड ने मनोरंजन के लिए ऑडियो और विजुअल का संयोजन करते हुए पहला लाइव टीवी प्रसारण किया।
1960 से 1990 का दशक	**इंटरनेट और वर्ल्ड वाइड वेब**	इंटरनेट और वर्ल्ड वाइड वेब ने वैश्विक स्तर पर संचार में क्रांति ला दी है, सूचना, ईमेल और सोशल मीडिया प्लेटफार्मों तक पहुंच प्रदान करके दुनिया को डिजिटल रूप से जोड़ दिया है।
2000 का दशक	**स्मार्टफोन और सोशल मीडिया**	स्मार्टफोन और सोशल मीडिया के आगमन ने त्वरित संदेश भेजने, सोशल नेटवर्किंग और सूचना को वास्तविक समय पर साझा करने की सुविधा देकर संचार को बदल दिया है।

क्या आप जानते हैं?

देवर्षि नारद, हिंदू पौराणिक कथाओं के एक प्रमुख पात्र (ऋषि), समाज में अपनी अद्वितीय भूमिका के कारण प्रथम संचारक के रूप में माने जाते हैं। उन्हें दुनिया भर में यात्रा करने, जानकारी इकट्ठा करने और इसे देवताओं, राजाओं और आम लोगों के साथ साझा करने के लिए जाना जाता था। नारद न केवल घटनाओं की रिपोर्ट करते थे बल्कि विभिन्न समूहों के बीच मध्यस्थ के रूप में भी कार्य करते थे, संघर्षों को सुलझाने के लिए सलाह और मार्गदर्शन प्रदान करते थे। जानकारी इकट्ठा करने, उसे संप्रेषित करने और समाज के कल्याण के लिए संवाद को प्रोत्साहित करने के इस संयोजन ने देवर्षि नारद को संचार के इतिहास में एक महत्वपूर्ण पात्र बना दिया है।

भारत में पहला मुद्रणालय गोवा में स्थापित किया गया था। इसे 16वीं शताब्दी में पुर्तगालियों द्वारा स्थापित किया गया था, जो भारत में मुद्रण संस्कृति की शुरुआत का प्रतीक है। इस मुद्रणालय ने मुद्रित सामग्री, विशेष रूप से धार्मिक ग्रंथों के प्रसार में महत्वपूर्ण भूमिका निभाई।

क्विज स्टेशन *विगत UGC NET परीक्षाओं के प्रश्न*

प्र 1. देवर्षि नारद को प्रथम संचारक माना जाता है, क्योंकि:

(22 अगस्त 2024 - शिफ्ट 1)

(a) वह हमेशा दूसरों के खिलाफ बोलते हैं।

(b) वह मौके से रिपोर्ट करते हैं, पार्टियों के बीच मध्यस्थता करते हैं और समाज की भलाई के लिए सोचते हैं।

(c) वह हर समय हर जगह नहीं होते हैं।

(d) वह अपने स्वामी के प्रति वफादार हैं।

प्र 2. हैरल्ड इन्निस द्वारा चिह्नित स्थान अभिनत संचार मीडिया का कालक्रमिक अनुक्रम है:

(30 अगस्त 2024 - शिफ्ट 2)

A. रेडियो

B. टेलीविजन

C. भोजपत्र (पपीरस)

D. कागज

E. समाचार पत्र

(a) ACDEB (b) CDEAB
(c) DEBAC (d) EBADC

प्र 3. परिवहन और संचार के बीच अलगाव के रूप में सबसे पहले किस तकनीक को चिह्नित किया गया था?
(18 जून 2024 - शिफ्ट 1)

(a) टेलीग्राफ (b) प्रोजेक्शन
(c) प्रिंटिंग (d) फोटोग्राफी

प्र 4. सम्प्रेषण विकास में चरणों के सही अनुक्रम की पहचान करें:

(A) एक्टा डियूर्ना
(B) गुफा चित्रकारी
(C) मुद्रण के लिए लकड़ी के ब्लॉक
(D) भाषाओं का विकास
(E) धातु मुद्रण

(a) ABDCE (b) BDCAE
(c) CDEAB (d) DEABC

उत्तर 1. (b) 2. (b) 3. (a) 4. (b)

★★★ परीक्षोपयोगी

11.5 कक्षा संप्रेषण (Classroom Communication)

इस विषय को सरल बनाने वाले वीडियो व्याख्यान को देखने के लिए इस QR कोड को स्कैन करें

कक्षा संप्रेषण का अर्थ है कि शिक्षक और छात्र कक्षा में एक-दूसरे से कैसे बातचीत करते हैं। यह बहुत महत्वपूर्ण होता है क्योंकि इससे सभी को पढ़ाई को बेहतर तरीके से समझने, मिलकर काम करने और अधिगम में रुचि बनाए रखने में मदद मिलती है। शिक्षकों के लिए, अच्छा संप्रेषण का मतलब है कि वे पाठों को स्पष्ट रूप से समझा सकें, छात्रों की उलझनों को दूर कर सकें और यह सुनिश्चित कर सकें कि हर छात्र को शामिल किया जाए और उसे महत्व दिया जाए।

जब शिक्षक और छात्र अच्छे से संवाद कर पाते हैं, तो अधिगम की प्रक्रिया सभी के लिए आसान और अधिक आनंददायक हो जाती है, जिससे छात्र स्कूल में बेहतर प्रदर्शन कर पाते हैं।

कक्षा संप्रेषण की प्रभावशीलता पाँच मुख्य कारकों पर निर्भर करती है: शिक्षक, छात्र, दिया जाने वाला संदेश, प्रयुक्त शिक्षण विधियाँ और माध्यम, तथा कक्षा का शिक्षण वातावरण। इन सभी तत्वों की भूमिका कक्षा में संप्रेषण की गुणवत्ता को प्रभावित करने में महत्वपूर्ण होती है। प्रभावी कक्षा संप्रेषण के सिद्धांतों को निम्नलिखित रूप से समझाया गया है।

शिक्षकों के लिए सिद्धांत (Principles for Teachers)

1. **आत्म-अवधारणा और परिवेश की यथार्थवादी समझ विकसित करें (Develop a Realistic Self-Concept and Perception about Surroundings):** शिक्षकों को यह स्पष्ट रूप से समझना चाहिए कि वे कौन हैं, उनकी ताकत और कमजोरियां क्या हैं। साथ ही, उन्हें अपने कक्षा के वातावरण, छात्रों की पृष्ठभूमि और उनकी आवश्यकताओं के प्रति भी जागरूक रहना चाहिए।

   उदाहरण के लिए, यदि कोई शिक्षक कहानी सुनाने में निपुण है, तो वे अपने पाठों में अधिक कथा-तत्व (narrative elements) शामिल कर सकते हैं, जबकि कक्षा प्रबंधन जैसी चुनौतियों से निपटने के लिए सहयोग ले सकते हैं। कक्षा की गतिशीलता को समझना शिक्षकों को अपने शिक्षण शैली को छात्रों की जरूरतों के अनुसार ढालने में मदद करता है।

2. **विषय-वस्तु में दक्षता विकसित करें (Develop Proficiency in the Subject Matter):** शिक्षकों के लिए अपने विषय का गहन ज्ञान होना आवश्यक है ताकि वे उसे प्रभावी ढंग से पढ़ा सकें। इसका अर्थ है कि उन्हें पढ़ाने से पहले विषय-वस्तु को अच्छी तरह से अध्ययन और समझना चाहिए।

   उदाहरण के लिए, एक विज्ञान शिक्षक को गुरुत्वाकर्षण (gravity) या रासायनिक अभिक्रियाओं (chemical reactions) की गहरी समझ होनी चाहिए, ताकि वे छात्रों को स्पष्ट रूप से समझा सकें। विषय-वस्तु में दक्षता होने से शिक्षक छात्रों के प्रश्नों का आत्मविश्वास के साथ उत्तर दे सकते हैं, जिससे छात्रों की अधिगम की प्रक्रिया बेहतर होती है।

3. **छात्रों को समझें (Understand the Learners):** शिक्षकों को अपने छात्रों की ताकत, कमजोरियां, रुचियां और अधिगम की शैली के बारे में जानकारी होनी चाहिए। इससे वे अपने शिक्षण तरीकों को छात्रों की विविध आवश्यकताओं के अनुरूप ढाल सकते हैं।

   उदाहरण के लिए, यदि किसी छात्र को व्यावहारिक गतिविधियों (hands-on activities) के माध्यम से बेहतर अधिगम में मदद मिलती है, तो शिक्षक उसे इस प्रकार के अनुभव प्रदान कर सकते हैं। इसी तरह, दृश्य अधिगम (visual learning) पसंद करने वाले छात्रों के लिए शिक्षक चित्र, ग्राफ और अन्य दृश्य सहायक सामग्री (visual aids) का उपयोग कर सकते हैं। छात्रों को समझने से शिक्षक व्यक्तिगत रूप से सहयोग और प्रेरणा दे सकते हैं, जिससे उनकी भागीदारी और अधिगम के परिणाम बेहतर होते हैं।

4. **प्रभावी संप्रेषण कौशल विकसित करें (Develop Effective Communication Skills - Both Verbal and Non-Verbal):** अच्छा संप्रेषण (Communication) शिक्षक के लिए अत्यंत महत्वपूर्ण है, क्योंकि यह न केवल जानकारी को स्पष्ट रूप से प्रस्तुत करने में मदद करता है, बल्कि छात्रों के साथ जुड़ने का भी एक प्रभावी तरीका है। इसमें केवल स्पष्ट और आत्मविश्वास के साथ बोलना ही नहीं, बल्कि शरीर की भाषा (body language) और चेहरे के भावों (facial expressions) का उपयोग भी शामिल है।

   उदाहरण के लिए, शिक्षक का आँखों से संपर्क बनाए रखना (eye contact) और उचित संकेतों (gestures) का प्रयोग करना किसी विषय के महत्वपूर्ण बिंदुओं को प्रभावी ढंग से समझाने में मदद करता है। प्रभावी संप्रेषण एक सकारात्मक कक्षा वातावरण तैयार करता है, जहाँ छात्र प्रश्न पूछने और सक्रिय रूप से भाग लेने में सहज महसूस करते हैं।

5. **शिक्षाशास्त्र और वयस्क शिक्षण के ज्ञान से परिचित हों (Knowledge about Pedagogy and Andragogy):** शिक्षकों को शिक्षाशास्त्र (Pedagogy - बच्चों को पढ़ाने की

कला) और वयस्क शिक्षण (Andragogy - वयस्कों को पढ़ाने की विधियाँ) के बारे में जानकारी होनी चाहिए। इन सिद्धांतों को समझने से शिक्षक अपने शिक्षण तरीकों को छात्रों की उम्र और उनकी विकासात्मक अवस्था के अनुसार अनुकूलित कर सकते हैं।

उदाहरण के लिए, छोटे बच्चों के लिए व्यावहारिक गतिविधियाँ (hands-on activities) और बार-बार ब्रेक लेने से उनकी अधिगम की क्षमता बेहतर हो सकती है, जबकि वयस्क शिक्षार्थी (adult learners) अधिक स्वतंत्रता (autonomy) और वास्तविक जीवन में उपयोगी अवधारणाओं को प्राथमिकता देते हैं। शिक्षाशास्त्र और वयस्क शिक्षण दोनों का ज्ञान होने से शिक्षक सभी उम्र के छात्रों के लिए प्रभावी और रोचक पाठ तैयार कर सकते हैं।

6. **लचीले दृष्टिकोण को अपनाएँ (Adopt a Flexible Approach):** शिक्षकों को अनुकूलनशील (adaptable) होना चाहिए और छात्र फीडबैक तथा कक्षा की बदलती परिस्थितियों के अनुसार अपनी शिक्षण विधियों में बदलाव के लिए तैयार रहना चाहिए। लचीलापन (flexibility) शिक्षकों को विभिन्न अधिगम की गति (learning pace) और शैलियों (styles) को अपनाने में मदद करता है, जिससे यह सुनिश्चित किया जा सके कि सभी छात्रों को सफल होने का अवसर मिले।

   उदाहरण के लिए, यदि छात्र मौखिक प्रस्तुति (lecture method) के माध्यम से किसी पाठ को समझने में असमर्थ हैं, तो एक लचीला शिक्षक कोई अन्य तरीका आजमा सकता है, जैसे मल्टीमीडिया का उपयोग करना या समूह गतिविधियों (group activities) को शामिल करना। लचीला दृष्टिकोण यह दर्शाता है कि सीखना एक गतिशील (dynamic) प्रक्रिया है, जिसे छात्रों की जरूरतों के अनुसार समायोजित किया जा सकता है।

7. **वस्तुनिष्ठ और निष्पक्ष बनें (Being Objective and Unbiased):** शिक्षकों को सभी छात्रों के साथ निष्पक्षता और समानता के साथ व्यवहार करना चाहिए, बिना किसी पक्षपात या भेदभाव के। इसका अर्थ यह है कि छात्रों का मूल्यांकन उनके प्रदर्शन (performance) और प्रयास के आधार पर किया जाना चाहिए, न कि किसी व्यक्तिगत पूर्वाग्रह के आधार पर।

   उदाहरण के लिए, शिक्षक को असाइनमेंट का मूल्यांकन पूर्वनिर्धारित मानदंडों के अनुसार करना चाहिए और सभी छात्रों को सुधार के लिए रचनात्मक फीडबैक (constructive feedback) देना चाहिए। निष्पक्षता एक सहायक (supportive) और समावेशी (inclusive) शिक्षण वातावरण बनाती है, जहाँ सभी छात्र, चाहे उनकी पृष्ठभूमि या क्षमताएँ कुछ भी हों, सम्मानित और मूल्यवान महसूस करते हैं।

संदेश तैयार करने के सिद्धांत (Principles for Crafting Message)

1. **स्पष्ट और विशिष्ट उद्देश्य (Clear and Specified Objectives):** संदेशों के स्पष्ट और विशिष्ट लक्ष्य होने चाहिए, जिन्हें SMART उद्देश्यों (Specific, Measurable, Achievable, Relevant, Time-bound) के रूप में जाना जाता है।

   उदाहरण के लिए, 'छात्र भिन्नों (fractions) को समझेंगे' कहने के बजाय, SMART उद्देश्य होगा - 'छात्र सप्ताह के अंत तक असमान हर वाले भिन्नों को जोड़ और घटा सकेंगे।' इससे शिक्षक और छात्र दोनों को यह स्पष्ट हो जाता है कि उन्हें क्या हासिल करना है।

2. **उद्देश्य से संबंधित जानकारी (Relevant to the Objective):** संदेश सीधे बताए गए उद्देश्य से जुड़े होने चाहिए और केवल उन्हीं विषयों पर केंद्रित होने चाहिए, जो छात्रों को इसे प्राप्त करने में मदद करें।

   उदाहरण के लिए, यदि उद्देश्य सौरमंडल (solar system) के बारे में सीखना है, तो संदेश में ग्रहों, तारों और आकाशगंगाओं पर चर्चा होनी चाहिए, न कि किसी असंबंधित विषय पर। प्रासंगिक संदेश छात्रों को केंद्रित और अधिगम की प्रक्रिया में संलग्न बनाए रखते हैं।

3. **उचित क्रमबद्धता (Properly Sequenced):** संदेशों को तार्किक क्रम में व्यवस्थित किया जाना चाहिए, ताकि वे पहले से प्राप्त ज्ञान पर आधारित हों और वांछित परिणाम तक ले जाएं।

   उदाहरण के लिए, यदि जोड़ (addition) सिखाना है, तो पहले एक अंकों की संख्याओं से शुरू करना चाहिए और फिर धीरे-धीरे जटिल गणनाओं की ओर बढ़ना चाहिए। उचित क्रमबद्धता (sequencing) से छात्रों को अवधारणाओं को आसानी से समझने में मदद मिलती है और भ्रम की संभावना कम होती है।

4. **छात्रों के लिए बोधगम्य भाषा का प्रयोग करें (Use Language Comprehensible to the Learners):** संदेशों में ऐसी भाषा होनी चाहिए, जिसे छात्र उनकी उम्र, भाषा ज्ञान और पहले से अर्जित समझ के आधार पर समझ सकें।

   उदाहरण के लिए, छोटे बच्चों को जानवरों के बारे में पढ़ाते समय, यह कहना अधिक प्रभावी होगा - 'बिल्ली म्याऊं करती है' बजाय इसके कि 'बिल्ली एक स्तनधारी प्राणी है, जो विशिष्ट ध्वनि उत्पन्न करती है।' स्पष्ट और बोधगम्य भाषा का प्रयोग संप्रेषण को प्रभावी बनाता है और अधिगम की प्रक्रिया को बेहतर करता है।

5. **उपयुक्त प्रतीकों का प्रयोग करें (Use Appropriate Symbols):** जहाँ आवश्यक हो, वहाँ प्रतीकों या दृश्य सहायक सामग्रियों (visual aids) को शामिल करना चाहिए, ताकि समझने में आसानी हो।

   उदाहरण के लिए, यदि गणित के पाठ में भिन्न (fractions) पढ़ाया जा रहा है, तो केवल लिखित स्पष्टीकरण देने के बजाय पाई चार्ट (pie chart) या भिन्न पट्टी (fraction bars) का उपयोग करना अधिक प्रभावी होगा। सही प्रतीकों के उपयोग से अमूर्त (abstract) अवधारणाओं को ठोस और सुलभ बनाया जा सकता है।

6. **प्रासंगिक अभ्यास शामिल करें (Include Relevant Exercises):** संदेशों में ऐसे अभ्यास और गतिविधियाँ शामिल होनी चाहिए, जो छात्रों को सीखे गए विषय का अभ्यास करने और उसे मजबूत करने में मदद करें।

   उदाहरण के लिए, यदि व्याकरण का कोई नियम सिखाया गया है, तो छात्रों को ऐसे अभ्यास दिए जाने चाहिए, जहाँ वे उस नियम को वाक्यों या अनुच्छेदों में लागू कर सकें। प्रासंगिक अभ्यासों से छात्र अपने ज्ञान को सुदृढ़ कर सकते हैं और विषय में अधिक निपुण बन सकते हैं।

7. **पर्याप्त उदाहरण और गैर-उदाहरणों का उपयोग करें (Make Generous Use of Examples and Non-examples):** संदेशों में प्रमुख अवधारणाओं को स्पष्ट करने के लिए पर्याप्त

उदाहरण दिए जाने चाहिए। साथ ही, गैर-उदाहरण (non-examples) भी शामिल करने चाहिए, ताकि छात्र यह भी समझ सकें कि कोई चीज क्या नहीं है।

उदाहरण के लिए, यदि शिक्षक 'मूल्य संख्या (prime numbers)' पढ़ाना चाहते हैं, तो वे यह बता सकते हैं कि मूल्य संख्या एक विशेष प्रकार की पूर्ण संख्या (whole number) होती है, जिसे केवल 1 और स्वयं उस संख्या से विभाजित किया जा सकता है।

शिक्षक यह कह सकते हैं: "7 एक मूल्य संख्या है, क्योंकि इसे केवल 1 और 7 से विभाजित किया जा सकता है, और कोई शेष नहीं बचता।" फिर, इसे और स्पष्ट करने के लिए शिक्षक एक गैर-उदाहरण (non-example) दे सकते हैं: "6 मूल्य संख्या नहीं है, क्योंकि इसे 1, 2, 3 और 6 से विभाजित किया जा सकता है।" इस प्रकार, उदाहरणों और गैर-उदाहरणों का उपयोग करके छात्र मूल अवधारणाओं को अधिक स्पष्ट रूप से समझ सकते हैं।

सहायक शिक्षण वातावरण स्थापित करने के सिद्धांत (Principles for Establishing a Supportive Learning Atmosphere)

1. **कक्षाएँ अत्यधिक भीड़भाड़ वाली नहीं होनी चाहिए (Classes Should Not Be Overcrowded):** शिक्षण को प्रभावी बनाने के लिए कक्षा का आकार प्रबंधनीय होना चाहिए, ताकि प्रत्येक छात्र को शिक्षक से उचित ध्यान और सहायता मिल सके। अधिक भीड़भाड़ वाली कक्षाओं में ध्यान भटकने की संभावना अधिक होती है, अनुशासन बनाए रखना कठिन हो जाता है और व्यक्तिगत शिक्षण के अवसर सीमित हो जाते हैं। उदाहरण के लिए, यदि किसी कक्षा में 20 छात्र हैं, तो शिक्षक प्रत्येक छात्र से बेहतर तरीके से संवाद कर सकते हैं और उनकी व्यक्तिगत आवश्यकताओं को पूरा कर सकते हैं। इसके विपरीत, यदि कक्षा में 50 छात्र हैं, तो प्रत्येक छात्र को व्यक्तिगत ध्यान देना चुनौतीपूर्ण हो सकता है।
2. **कक्षा में उचित बैठने की व्यवस्था सुनिश्चित करें (Ensure Proper Seating Arrangement in the Class):** कक्षा में बैठने की व्यवस्था ऐसी होनी चाहिए, जो अधिगम को प्रोत्साहित करे और छात्रों के बीच सहभागिता और संवाद को बढ़ावा दे। उदाहरण के लिए, यदि डेस्क को छोटे समूहों में व्यवस्थित किया जाए, तो इससे सहयोगात्मक अधिगम और साथियों के बीच ज्ञान साझा करने को बढ़ावा मिलेगा। इसी तरह, यह सुनिश्चित करना कि सभी छात्र ब्लैकबोर्ड और शिक्षक को स्पष्ट रूप से देख सकें, प्रभावी संप्रेषण में सहायक होता है। बैठने की एक सुव्यवस्थित योजना ऐसा वातावरण बनाती है, जहाँ छात्र सहज महसूस करते हैं और कक्षा गतिविधियों में सक्रिय रूप से भाग लेने के लिए प्रेरित होते हैं।
3. **छात्रों के साथ अच्छा संबंध बनाएँ (Build Rapport with the Students):** छात्रों के साथ सकारात्मक संबंध स्थापित करना एक सहायक शिक्षण वातावरण बनाने के लिए आवश्यक है। शिक्षक छात्रों की भलाई में वास्तविक रुचि दिखाकर, उनकी चिंताओं को सुनकर और उनकी उपलब्धियों को मान्यता देकर एक मजबूत संबंध बना सकते हैं। उदाहरण के लिए, कक्षा की शुरुआत में छात्रों का गर्मजोशी से अभिवादन करना, उनके नाम याद रखना और अवकाश के दौरान अनौपचारिक बातचीत करना एक विश्वास और परस्पर सम्मान की भावना विकसित करता है। एक मजबूत शिक्षक-छात्र संबंध छात्रों को आत्मविश्वास देता है, जिससे वे बिना किसी झिझक के अधिगम में रुचि लेते हैं और गलतियाँ करने से नहीं डरते।
4. **छात्रों के बीच सहयोग और स्वस्थ प्रतिस्पर्धा को प्रोत्साहित करें (Encourage Cooperation and Healthy Competition among Students):** कक्षा में ऐसा वातावरण बनाना चाहिए, जहाँ छात्र एक-दूसरे के साथ सहयोग करें, एक-दूसरे की सहायता करें और व्यक्तिगत रूप से भी बेहतर प्रदर्शन करने के लिए प्रेरित हों। उदाहरण के लिए, समूह परियोजनाएँ (group projects) टीम वर्क और साथियों से अधिगम (peer learning) को प्रोत्साहित करती हैं, जबकि समय-समय पर आयोजित कक्षा प्रतियोगिताएँ (class competitions) छात्रों को उत्कृष्ट प्रदर्शन के लिए प्रेरित कर सकती हैं। सहयोगात्मक प्रयासों और व्यक्तिगत उपलब्धियों दोनों के महत्व को समझाने से ऐसा शिक्षण वातावरण बनता है, जहाँ छात्र स्वयं को मूल्यवान महसूस करते हैं और सामूहिक रूप से सफलता प्राप्त करने के लिए प्रेरित होते हैं।
5. **फीडबैक तंत्र स्थापित करें (Feedback Mechanism):** एक ऐसा फीडबैक तंत्र विकसित करें, जहाँ छात्र अपने अधिगम के अनुभवों पर अपनी राय दे सकें और शिक्षक से रचनात्मक प्रतिक्रिया (constructive feedback) प्राप्त कर सकें। उदाहरण के लिए, समय-समय पर सर्वेक्षण (surveys) या कक्षा चर्चाएँ (class discussions) आयोजित करके छात्रों से शिक्षण विधियों, कक्षा के माहौल और सुधार के संभावित क्षेत्रों पर उनकी राय ली जा सकती है। इसके अलावा, छात्रों को उनके प्रदर्शन और प्रगति पर समय पर प्रतिक्रिया देने से उन्हें अपनी ताकत और सुधार की जरूरत वाले क्षेत्रों को समझने में मदद मिलती है। यह प्रक्रिया छात्रों में विकासशील मानसिकता (growth mindset) और निरंतर अधिगम की प्रवृत्ति को प्रोत्साहित करती है।
6. **प्रयोग करने के लिए प्रेरित करें (Encourage Experimentation):** छात्रों को नए विचारों को खोजने, जोखिम लेने और रचनात्मक रूप से सोचने के लिए प्रोत्साहित करें। उदाहरण के लिए, खुले अंत वाले प्रोजेक्ट (open-ended projects) या समस्या समाधान (problem-solving) की गतिविधियाँ सौंपने से छात्रों को विभिन्न दृष्टिकोणों के साथ प्रयोग करने और अपनी गलतियों से अधिगम का अवसर मिलता है। ऐसा कक्षा वातावरण तैयार करना, जहाँ असफलता को सफलता की ओर बढ़ने का एक कदम माना जाए, छात्रों में आत्मनिर्भरता (resilience) और नवाचार (innovation) को बढ़ावा देता है।
7. **सकारात्मक व्यवहार को सुदृढ़ करें (Provide Reinforcement):** छात्रों के प्रयासों और उपलब्धियों को पहचानें और पुरस्कृत करें, ताकि सकारात्मक व्यवहार और शैक्षणिक प्रगति को प्रोत्साहित किया जा सके। उदाहरण के लिए, छात्रों की कड़ी मेहनत, सुधार या कक्षा गतिविधियों में भागीदारी की सराहना करने से उनका आत्मविश्वास और प्रेरणा बढ़ती है। इसके अतिरिक्त, मूर्त पुरस्कार (tangible rewards) जैसे स्टिकर, प्रमाण पत्र या कक्षा विशेषाधिकार प्रदान करने से वांछित व्यवहार को प्रोत्साहन मिलता है और एक सकारात्मक शिक्षण वातावरण विकसित होता है।

8. **भयमुक्त वातावरण प्रदान करें (Provide Non-Threatening Environment):** एक ऐसा सुरक्षित और समावेशी (inclusive) कक्षा वातावरण बनाना आवश्यक है, जहाँ छात्र बिना किसी डर या उपहास (ridicule) के अपने विचार व्यक्त कर सकें। उदाहरण के लिए, सम्मानजनक संवाद (respectful communication) के लिए कुछ बुनियादी नियम स्थापित करना और बदमाशी (bullying) या भेदभाव (discrimination) की घटनाओं को तुरंत और प्रभावी रूप से संबोधित करना शामिल हो सकता है। एक भयमुक्त वातावरण खुले संवाद (open dialogue), सहयोग (collaboration) और आपसी सम्मान (mutual respect) को बढ़ावा देता है, जिससे एक सहायक और पोषणकारी (nurturing) शिक्षण वातावरण तैयार होता है।

शिक्षण में सुधार के लिए शैक्षणिक संस्थानों के सिद्धांत (Principles for Educational Institutes to Improve Teaching)

विद्यालयों में प्रभावी संप्रेषण (communication) शिक्षण और अधिगम की प्रक्रिया को बेहतर बनाने में महत्वपूर्ण भूमिका निभाता है। यहाँ कुछ आवश्यक सिद्धांत दिए गए हैं, जिनका पालन करके स्कूल अपनी शिक्षण प्रणाली को सुधार सकते हैं:

1. **सुव्यवस्थित व्यवस्था बनाए रखना (Keeping Things Organised - Negative Entropy):** विद्यालयों को सुव्यवस्थित (well-organised) रखना आवश्यक है, ताकि भ्रम (confusion) से बचा जा सके। स्पष्ट समय-सारिणी (clear schedules), सुसंगत नियम (consistent rules) और नियमित प्रक्रियाएँ (routines) अपनाने से सभी को यह पता रहता है कि उन्हें क्या करना है और क्या अपेक्षित है।
2. **फीडबैक से सीखना और उसमें सुधार करना (Listening and Learning from Feedback):** शिक्षकों और विद्यालयों को छात्रों, शिक्षकों और अन्य लोगों की प्रतिक्रिया (feedback) को ध्यान से सुनना चाहिए। फीडबैक से शिक्षण की गुणवत्ता में सुधार किया जा सकता है। उदाहरण के लिए, यदि छात्र कहते हैं कि वे किसी विषय को नहीं समझ पा रहे हैं, तो शिक्षकों को अपने शिक्षण पद्धति (teaching methods) में बदलाव करना चाहिए, ताकि वे बेहतर ढंग से समझा सकें।
3. **स्थिरता और निरंतरता बनाए रखना (Keeping Things Steady and Consistent - Steady State):** विद्यालयों को स्थिर और पूर्वानुमेय (predictable) होना चाहिए। इसका अर्थ यह है कि समय के साथ अच्छे शिक्षण अभ्यास (teaching practices) और निष्पक्ष नियम (fair rules) को बनाए रखना चाहिए। यदि शिक्षण विधियाँ लगातार बदलती रहती हैं, तो यह छात्रों के लिए भ्रम पैदा कर सकता है।
4. **विभिन्न आवश्यकताओं को पूरा करना (Meeting Different Needs - Differentiation):** हर छात्र की अधिगम की शैली (learning style) अलग होती है। विद्यालयों को विभिन्न प्रकार की शिक्षण विधियाँ (different teaching methods) अपनानी चाहिए, ताकि सभी छात्रों को सफलता प्राप्त करने का अवसर मिले। उदाहरण के लिए, कुछ छात्रों को पढ़ने-लिखने में अतिरिक्त सहायता (extra help) की आवश्यकता हो सकती है, जबकि कुछ छात्र गणित (math) में अधिक प्रतिभाशाली हो सकते हैं। विद्यालयों को यह सुनिश्चित करना चाहिए कि सभी छात्रों की जरूरतों को ध्यान में रखा जाए।
5. **सफलता के लिए अनेक मार्ग उपलब्ध कराना (Many Ways to Succeed - Equifinality):** अधिगम और सफलता प्राप्त करने के कई रास्ते होते हैं। विद्यालयों को यह समझना चाहिए कि प्रत्येक छात्र अपने लक्ष्य को अलग-अलग तरीकों से प्राप्त कर सकता है। उदाहरण के लिए, कुछ छात्र पढ़कर (reading) सीखते हैं, जबकि अन्य प्रयोगों (experiments) या परियोजनाओं (projects) के माध्यम से अधिक प्रभावी ढंग से सीख सकते हैं। विद्यालयों को प्रत्येक छात्र की अधिगम की शैली को पहचानकर उनकी क्षमता को बढ़ावा देना चाहिए।
6. **मुख्य उद्देश्यों पर ध्यान केंद्रित करना (Focus on Goals - Teleology):** विद्यालयों को अपने मुख्य उद्देश्यों पर ध्यान देना चाहिए, जैसे कि छात्रों का समग्र विकास (overall growth) और उन्हें समाज का अच्छा नागरिक बनाना। शिक्षा केवल तथ्यों (facts) को याद करने तक सीमित नहीं होनी चाहिए, बल्कि उसमें जीवन के लिए आवश्यक कौशल (skills) और मूल्यों (values) के विकास को भी प्राथमिकता दी जानी चाहिए।
7. **स्पष्ट भूमिकाएँ और जिम्मेदारियाँ सुनिश्चित करना (Clear Roles and Responsibilities - Hierarchy):** विद्यालयों में स्पष्ट रूप से यह तय होना चाहिए कि किसकी क्या जिम्मेदारी (responsibility) है और निर्णय (decisions) कैसे लिए जाते हैं। इससे विद्यालय के भीतर एक संगठित और सुव्यवस्थित वातावरण (structured environment) तैयार किया जा सकता है।

इन सिद्धांतों को अपनाने से विद्यालय एक बेहतर शिक्षण और अधिगम का वातावरण (learning environment) बना सकते हैं, जहाँ शिक्षक और छात्र प्रभावी संप्रेषण के माध्यम से अपने लक्ष्यों को प्राप्त कर सकें।

स्कोर बूस्टर

पूरक पठन अनुशंसा

QR कोड काम नहीं कर रहा है? QR कोड के साथ दिए गए संसाधनों तक पहुँचने के लिए आंतरिक फ्रन्ट कवर पर दिए गए निर्देशों का पालन करें

क्या आप जानते हैं कि 'कक्षा सम्प्रेषण' UGC NET परीक्षाओं में अक्सर पूछा जाने वाला एक महत्वपूर्ण विषय है? **प्रभावी कक्षा सम्प्रेषण के लिए 20 युक्तियों पर विशेष नोट्स** युक्त एक **विशेष PDF** डाउनलोड करने के लिए QR कोड को स्कैन करें।

PDF में एक अन्य महत्वपूर्ण विषय, **'सुनने का कौशल'** भी शामिल है। हालाँकि यह आधिकारिक तौर पर UGC NET पेपर 1 पाठ्यक्रम का हिस्सा नहीं है, लेकिन इस विषय पर प्रश्न पिछली UGC NET परीक्षाओं में कई बार आए हैं। आप निम्नलिखित विषयों की गहन व्याख्या भी प्राप्त कर सकते हैं:

- सुनने की प्रक्रिया
- सुनने और सुनने के बीच अंतर
- सुनने के स्तर

क्विज स्टेशन *विगत UGC NET परीक्षाओं के प्रश्न*

प्र 1. कक्षा में विद्यार्थियों की संलग्नता को बढ़ावा देने के लिए निम्नलिखित में से क्या सत्य हैं? *(8 जनवरी 2025 - शिफ्ट 1)*

A. शिक्षक के पर्यवेक्षण में वृद्धि

B. कक्षा की अपेक्षाकृत अल्पावधि

C. इसके आगे क्या किया जाए, इसके बारे में अनवरत संकेत देना

D. स्पष्ट रूप से परिभाषित चरणों के साथ क्रियाकलाप

नीचे दिए गए विकल्पों में से सही उत्तर चुनें:

(a) A और B केवल

(b) A, C और D केवल

(c) B, C और D केवल

(d) C और D केवल

प्र 2. सुनने के मूल कारक हैं: *(23 अगस्त 2024 - शिफ्ट 2)*

A. स्वार्थ

B. वक्ता

C. तथ्य

D. बोलने की शैली

E. वातावरण

(a) ABD (b) ACE

(c) BCE (d) BDE

प्र 3. प्रभावी कक्षा संप्रेषण का उद्देश्य अधिगम कर्ताओं को क्या प्रदान करना है? *(3 मार्च 2023 - शिफ्ट 1)*

A. नवीन ज्ञान

B. नवीन व्यवहार

C. नवीन साफ्ट कौशल

D. आक्रामक मनोवृत्ति के नये ढंग

E. अतिशय अनुक्रिया

(a) ABC (b) BCD

(c) CDE (d) ADE

4. छात्रों के श्रवण कौशल को निम्नलिखित में से कौन सीधे तौर पर प्रभावित करते हैं? *(2 मार्च 2023 - शिफ्ट 1)*

A. विद्यार्थी प्रोटोकॉल

B. प्रशासनिक हित

C. व्याख्यान की गति

D. व्याख्यान का समय-निर्धारण

E. क्षेत्रीय उच्चारण

(a) ABC (b) BCD

(c) CDE (d) ADE

उत्तर 1. (b) 2. (a) 3. (a) 4. (c)

11.6 प्रभावी संप्रेषण की विशेषताएँ (Characteristics of Effective Communication)

इस विषय को सरल बनाने वाले वीडियो व्याख्यान को देखने के लिए इस QR कोड को स्कैन करें

प्रभावी संप्रेषण मजबूत संबंध बनाने की कुंजी है, चाहे वह हमारे व्यक्तिगत जीवन में हो, कार्यस्थल पर हो या सामाजिक सेटिंग्स में हो। यह केवल जानकारी साझा करने के बारे में नहीं है; यह सुनिश्चित करने के बारे में है कि संदेश स्पष्ट हो, समझा जाए और जिस तरह से इसे भेजा गया था उसी तरह से प्राप्त हो। इसे प्राप्त करने के लिए, कुछ सिद्धांत या विशेषताएँ आवश्यक हैं।

संप्रेषण के 7 सी (The 7 Cs of Communication)

संप्रेषण के 7 सी (7 Cs of Communication) वे सिद्धांत हैं जो संप्रेषण की प्रभावशीलता को बेहतर बनाने के लिए बनाए गए हैं। ये सिद्धांत यह सुनिश्चित करते हैं कि संदेश स्पष्ट, प्रभावी और श्रोताओं की आवश्यकताओं के अनुसार हों।

1. **संक्षिप्तता (Conciseness):** अपने संदेश को छोटा और सारगर्भित रखें। अनावश्यक शब्दों या अतिरिक्त जानकारी से बचें। उदाहरण के लिए, 'मैं आपको यह ईमेल लिख रहा हूँ ताकि आपको सूचित कर सकूँ कि सोमवार की बैठक स्थगित कर दी गई है' के बजाय 'सोमवार की बैठक स्थगित कर दी गई है' कहना अधिक प्रभावी होगा।
2. **ठोसता (Concreteness):** संदेश को विशिष्ट और स्पष्ट बनाएं, अस्पष्ट भाषा से बचें। उदाहरण के लिए, 'हमें जल्द ही कुछ सुधार देखने को मिल सकता है' की जगह 'अगले महीने तक हमें 10% सुधार देखने को मिलेगा' कहना अधिक प्रभावी होगा।
3. **शुद्धता (Correctness):** संप्रेषण को सटीक, व्याकरण की दृष्टि से सही और त्रुटि-मुक्त बनाएं। यदि आप कोई तथ्य या आंकड़े साझा कर रहे हैं, तो उन्हें दोबारा जांचें। उदाहरण के लिए, यदि आप कहते हैं, 'आपको 30% की छूट मिलेगी', जबकि असल में छूट 20% है, तो यह भ्रामक हो सकता है।
4. **विचारशीलता (Consideration):** अपने श्रोताओं की भावनाओं और दृष्टिकोण को ध्यान में रखें। उदाहरण के लिए, 'आपका प्रदर्शन अच्छा नहीं है' कहने के बजाय 'आइए, आपके प्रदर्शन को बेहतर बनाने के तरीकों पर विचार करें' कहना अधिक संवेदनशील और सहायक होगा।
5. **स्पष्टता (Clarity):** आपका संदेश सरल और आसानी से समझने योग्य होना चाहिए। उदाहरण के लिए, 'हमें सितंबर तक 10 नए कर्मचारियों को नियुक्त करना है' कहना बेहतर होगा बजाय इसके कि आप कहें, 'आने वाले महीनों में कार्यबल में महत्वपूर्ण वृद्धि की आवश्यकता है'।
6. **शिष्टता (Courtesy):** अपने शब्दों में विनम्रता और आदर बनाए रखें। 'कृपया' और 'धन्यवाद' जैसे शब्द संवाद को अधिक प्रभावी बनाते हैं। उदाहरण के लिए, 'मुझे रिपोर्ट भेजो' कहने के बजाय 'क्या आप कृपया मुझे रिपोर्ट भेज सकते हैं?' कहना अधिक उपयुक्त होगा।
7. **पूर्णता (Completeness):** अपने संदेश में पूरी जानकारी दें ताकि प्राप्तकर्ता को स्पष्ट समझ हो। यदि आप किसी को बैठक में आमंत्रित

कर रहे हैं, तो समय, तिथि, स्थान और उद्देश्य सभी का उल्लेख करें। अधूरी जानकारी से भ्रम की स्थिति उत्पन्न हो सकती है।

संप्रेषण के 4 एस (The 4 Ss of Communication)

संप्रेषण के 4 एस (4 Ss of Communication) वे सिद्धांत हैं जो संप्रेषण की प्रभावशीलता को बढ़ाने के लिए बनाए गए हैं। प्रत्येक 'S' संप्रेषण के एक महत्वपूर्ण पहलू का प्रतिनिधित्व करता है, जो स्पष्ट और प्रभावी संवाद में योगदान देता है।

1. **संक्षिप्तता (Shortness):** संप्रेषण को संक्षिप्त और सारगर्भित रखें तथा अनावश्यक विवरण से बचें। किसी अवधारणा को विस्तृत रूप से समझाने के बजाय, एक संक्षिप्त वाक्य या बुलेट पॉइंट में मुख्य बातें प्रभावी रूप से प्रस्तुत की जा सकती हैं।
2. **शक्ति (Strength):** संप्रेषण में शक्ति का अर्थ संदेश के प्रभाव और उसकी पकड़ से है। एक प्रभावशाली संदेश श्रोताओं का ध्यान आकर्षित करता है और उन्हें कार्रवाई के लिए प्रेरित करता है। उदाहरण के लिए, एक प्रेरणादायक भाषण जो लोगों को अपने लक्ष्यों को जुनून और दृढ़ संकल्प के साथ हासिल करने के लिए प्रेरित करे, वह संप्रेषण में शक्ति को दर्शाता है।
3. **ईमानदारी (Sincerity):** अपने संप्रेषण में सच्चे और ईमानदार बनें। यदि आप माफी मांग रहे हैं, तो 'मैं अपनी गलती के लिए क्षमा चाहता हूँ, और इसे सुधारने के लिए यह कदम उठाने जा रहा हूँ' कहना एक औपचारिक और बिना भावनाओं वाली माफी से अधिक प्रभावी होगा।
4. **सरलता (Simplicity):** सरल और स्पष्ट भाषा का उपयोग करें तथा जटिल शब्दावली से बचें। उदाहरण के लिए, 'हमें अपने वित्तीय विसंगतियों को सुधारने की आवश्यकता है' कहने के बजाय, 'हमें अपने बजट संबंधी समस्याओं को ठीक करना है' कहना अधिक प्रभावी और सहज होगा।

कॉन्सेप्ट कैप्सूल

परिवचन (Paraphrasing)

परिवचन (Paraphrasing) प्रभावी सुनने की एक महत्वपूर्ण कौशल है, जिसमें श्रोता वक्ता के संदेश को अपने शब्दों में दोहराते हैं ताकि यह दिखा सकें कि उन्होंने उसे समझा है और वक्ता की भावनाओं को स्वीकार किया है। परिवचन के माध्यम से श्रोता यह सुनिश्चित करता है कि संदेश की उसकी समझ सही है और किसी भी गलतफहमी को दूर किया जा सके। यह प्रक्रिया न केवल श्रोता की समझ की सटीकता को स्पष्ट करने में मदद करती है, बल्कि वक्ता को यह भरोसा भी दिलाती है कि उसकी बात सुनी और समझी जा रही है।

इसके अलावा, परिवचन बातचीत में सक्रिय भागीदारी को प्रोत्साहित करता है और एक सहयोगात्मक और सहायक वातावरण बनाता है। यह श्रोता को सहानुभूति और सम्मान व्यक्त करने का अवसर देता है, जिससे वक्ता की भावनाओं और चिंताओं को प्रतिबिंबित किया जा सके। साथ ही, यह तकनीक वक्ता को अपने विचारों और भावनाओं को और अधिक विस्तार से व्यक्त करने के लिए प्रेरित कर सकती है, जिससे विषय की गहरी समझ विकसित हो सके।

व्यावसायिक वातावरण में, परिवचन विशेष रूप से बैठकों, वार्तालापों (negotiations) और परामर्श सत्रों (counselling sessions) के दौरान सक्रिय सुनने के लिए बहुत महत्वपूर्ण होता है। यह संप्रेषण को अधिक प्रभावी बनाता है, व्यक्तियों के बीच विश्वास और आपसी समझ को बढ़ाता है, और अंततः अधिक सार्थक और उत्पादक संवाद में योगदान देता है।

आइए एक परामर्श सत्र में परिवचन के एक उदाहरण को देखें:

परामर्शदाता (Therapist): "आपको क्या परेशान कर रहा है?"

मरीज (Client): "मैं बहुत तनाव में हूँ। मेरे पास संभालने के लिए बहुत सारे काम हैं, और मुझे ऐसा लगता है कि मैं लगातार पीछे छूट रहा हूँ।"

परामर्शदाता (परिवचन करते हुए) (paraphrasing): "तो, आप अपने कार्यभार को संतुलित करने में बहुत तनाव महसूस कर रहे हैं, और इससे आपको ऐसा लग रहा है कि आप सब कुछ ठीक से नहीं संभाल पा रहे हैं।"

मरीज (Client): "हाँ, बिल्कुल यही बात है। मैं बस सब कुछ सही से मैनेज नहीं कर पा रहा हूँ।"

इस उदाहरण में, परामर्शदाता ने मरीज की चिंताओं को परिवचन के माध्यम से दोहराया, जिससे यह स्पष्ट हुआ कि उन्होंने मरीज की भावनाओं और अनुभवों को सही तरीके से समझा है। यह मान्यता (validation) मरीज को अपनी भावनाओं को और गहराई से व्यक्त करने के लिए प्रोत्साहित करती है और उनकी चुनौतियों पर अधिक विस्तृत चर्चा को संभव बनाती है।

अध्याय के मुख्य बिंदु

संचार की प्रकृति एवं विशेषताएं

- कला, विज्ञान और कौशल
- जटिल प्रक्रिया
- अधिगम योग्य कौशल
- गतिशील प्रकृति
- चक्रीय प्रक्रिया
- सहयोगात्मक संपर्क
- दो सहभागियों की भागीदारी
- विचारों और सूचनाओं का प्रवाह
- ध्यान की आवश्यकता
- स्पष्टता और संक्षिप्तता
- उद्देश्यपूर्ण गतिविधि
- सामाजिक आवश्यकता
- समग्र सहभागिता
- भाषा का ज्ञान
- विचारों का आदान-प्रदान
- पूर्ण संदेश
- संदर्भ और संबंध का पहलू

सुनने की प्रक्रिया (पूरक PDF में विस्तार से दिया गया है)

- श्रवण
- समझना
- मूल्यांकन करना
- प्रतिक्रिया देना
- स्मरण रखना

प्रभावी कक्षा संप्रेषण के 20 सुझाव (पूरक PDF में विस्तार से दिया गया है)

- आलोचनात्मक सोच को प्रोत्साहित करें
- सहानुभूति और व्यावहारिक दृष्टिकोण अपनाएँ
- सहायक सामाजिक वातावरण बनाएं
- पुनरावृत्ति और विविध प्रस्तुति का उपयोग करें
- श्रोताओं का विश्लेषण करें
- विषय ज्ञान को बढ़ाएँ
- सहानुभूति और समझ को प्रदर्शित करें
- छात्र-केंद्रित दृष्टिकोण अपनाएँ
- सहयोगात्मक कक्षा संप्रेषण को संरचित करें
- नजदीकी विकास क्षेत्र के माध्यम से छात्र अधिगम का मार्गदर्शन करें
- विभिन्न अधिगम शैलियों के लिए शिक्षण रणनीतियों को अनुकूलित करें
- विवाद-आधारित संप्रेषण को बढ़ावा दें
- पारस्परिक संप्रेषण को प्रोत्साहित करें
- संप्रेषण के उपयोगितावादी स्वरूप को पहचानें
- लक्ष्य-उन्मुख और सहयोगात्मक संप्रेषण को सुविधाजनक बनाएं
- मल्टीमीडिया संसाधनों का उपयोग करें
- संप्रेषण प्रभावशीलता की निगरानी करें
- सक्रिय भागीदारी को बढ़ावा दें
- आत्म-निर्देशित अधिगम को प्रोत्साहित करें

प्रभावी संप्रेषण की विशेषताएँ

संप्रेषण के 7 सी

- संक्षिप्तता
- ठोसता
- शुद्धता
- विचारशीलता
- स्पष्टता
- शिष्टता
- पूर्णता

संप्रेषण के 4 एस

- संक्षिप्तता
- शक्ति
- ईमानदारी
- सरलता

संप्रेषण के कार्य और उद्देश्य

- ज्ञान का संप्रेषण
- अधिगम और कौशल विकास
- लक्ष्य संप्रेषण
- फीडबैक तंत्र
- जागरूकता प्रसार
- मत और मूल्यों का निर्माण
- निर्णय लेने में सहायता
- भावनाओं की समझ
- प्रेरणा
- संस्कृति का संरक्षण
- परिस्थितियों पर प्रभाव
- स्पष्टता और प्रभावशीलता

सुनने के स्तर (पूरक PDF में विस्तार से दिया गया है)

- सक्रिय श्रवण
- सीमांत श्रवण
- प्रतिरोधी श्रवण
- सहृदय श्रवण
- मूल्यांकनात्मक श्रवण
- परियोजनात्मक श्रवण
- छद्म श्रवण

संप्रेषण की प्रक्रिया और मॉडल (Process and Models of Communication)

12

इस अध्याय में

*परीक्षोपयोगी (Exam Essential): UGC NET परीक्षा में पूछे जाने की अत्यधिक संभावना, #CC का अर्थ है कॉन्सेप्ट कैप्सूल

परिचय (Introduction)

क्या आपको वह प्रसिद्ध चॉकलेट ब्रांड का विज्ञापन याद है जिसमें एक किरदार कहता है – "मास्टरजी, पिताजी की पतलून एक बालिश्त छोटी कर दो!" यह मजेदार दृश्य हमें यह याद दिलाता है कि जैसे कपड़ों को व्यक्ति के अनुरूप ठीक से फिट करने के लिए बदलाव की आवश्यकता होती है, वैसे ही प्रभावी संप्रेषण के लिए भी परिस्थितियों और श्रोताओं के अनुसार समायोजन जरूरी होता है।

जिस प्रकार परिधान को व्यक्ति के अनुरूप बनाया जाता है, उसी प्रकार संप्रेषण को भी विभिन्न परिस्थितियों और श्रोताओं के अनुसार ढालने की आवश्यकता होती है। इस अध्याय में, हम यह समझेंगे कि संप्रेषण रणनीतियों को अलग-अलग परिस्थितियों और श्रोताओं के अनुरूप कैसे अनुकूलित किया जाता है। हम प्रेषक, संदेश और प्राप्तकर्ता के बीच के संबंधों को गहराई से समझेंगे। वास्तविक जीवन के उदाहरणों और संप्रेषण मॉडलों के अध्ययन के माध्यम से, हम यह जानने का प्रयास करेंगे कि संदेशों को इस प्रकार तैयार किया जाए कि वे अपने लक्षित श्रोताओं के लिए प्रभावी और सार्थक बन सकें, जिससे सार्थक बातचीत और जुड़ाव स्थापित हो सके।

12.1 संप्रेषण के तत्व (Elements of Communication)

संप्रेषण की मूलभूत समझ होना बहुत आवश्यक है। संप्रेषण के तत्वों को समझकर हम विचारों को बेहतर ढंग से साझा कर सकते हैं, दूसरों को समझ सकते हैं और अलग-अलग समूहों में सहज रूप से समायोजित हो सकते हैं। अब हम संप्रेषण के विभिन्न तत्वों पर विचार करेंगे।

प्रेषक (Sender)

प्रेषक वह व्यक्ति या संस्था होती है जो संप्रेषण प्रक्रिया की शुरुआत करता है। कक्षा में, शिक्षक छात्रों को पढ़ाते समय प्रेषक होता है। किसी व्यवसाय में, प्रबंधक जब कर्मचारियों को ईमेल भेजता है, तो वह प्रेषक होता है। सोशल मीडिया पर, जब कोई उपयोगकर्ता स्टेटस अपडेट करता है, तो वह प्रेषक की भूमिका निभाता है। इन सभी स्थितियों में, जो व्यक्ति संप्रेषण प्रक्रिया की शुरुआत करता है और संदेश भेजता है, उसे प्रेषक कहा जाता है।

अंतर्वैयक्तिक संप्रेषण (interpersonal communication) में, प्रेषक वह व्यक्ति होता है जो बोलकर, लिखकर, इशारों से या अन्य किसी माध्यम से अपना संदेश व्यक्त करता है। संगठनात्मक संप्रेषण (organizational communication) में, प्रेषक कोई विभाग हो सकता है, जो एक आधिकारिक ज्ञापन (memo) भेज रहा हो, या कोई कंपनी हो सकती है, जो विज्ञापन प्रसारित कर रही हो। प्रेषक का कार्य अपने विचारों, भावनाओं या संदेशों को इस प्रकार संप्रेषित करना होता है कि वे प्राप्तकर्ता तक स्पष्ट रूप से पहुँच सकें।

प्रेषक की भूमिका केवल संदेश भेजने तक सीमित नहीं होती, बल्कि उसे संभावित संप्रेषण बाधाओं का भी ध्यान रखना पड़ता है और अपनी रणनीति को उसी अनुसार समायोजित करना होता है। प्रतिक्रिया (feedback) और

आत्ममूल्यांकन के माध्यम से, प्रेषक अपने संप्रेषण कौशल को सुधार सकता है और श्रोताओं के साथ सार्थक संवाद स्थापित कर सकता है।

प्रभावी संप्रेषण मुख्य रूप से प्रेषक की क्षमता पर निर्भर करता है कि वह अपने विचारों को स्पष्ट रूप से व्यक्त कर सके और संदेश भेजने के लिए उचित माध्यमों का चयन कर सके। भाषा में दक्षता, सांस्कृतिक जागरूकता और भावनात्मक बुद्धिमत्ता जैसे कारक भी प्रेषक की प्रभावशीलता को प्रभावित करते हैं। इसके अलावा, प्रेषक को प्राप्तकर्ता की पृष्ठभूमि, ज्ञान और अपेक्षाओं को ध्यान में रखना आवश्यक होता है, ताकि संदेश सही तरीके से समझा जा सके।

सिनेमैटिक कनेक्शन

फिल्म द शौशैंक रिडेंप्शन (The Shawshank Redemption] 1994) में एंडी डुफ्रेंस (Andy Dufresne), जिसे टिम रॉबिंस (Tim Robbins) ने निभाया है, संप्रेषण प्रक्रिया में एक प्रभावी प्रेषक की भूमिका का उदाहरण प्रस्तुत करता है। पूरे फिल्म में, एंडी जेल के भीतर विभिन्न व्यक्तियों से संवाद करता है और संदेश संप्रेषित करने के लिए अलग-अलग तरीकों का उपयोग करता है। एक प्रमुख उदाहरण तब देखने को मिलता है जब एंडी राज्य सरकार को पत्र लिखता है ताकि जेल पुस्तकालय के लिए धन प्राप्त किया जा सके। प्रेषक के रूप में, एंडी अपने पत्रों को सावधानीपूर्वक तैयार करता है, प्रभावी और प्रेरक भाषा का उपयोग करता है और ठोस तर्क प्रस्तुत करता है ताकि उसकी बात प्रभावी ढंग से रखी जा सके। उसे यह एहसास होता है कि उसका संदेश प्राप्तकर्ताओं तक सही तरीके से पहुँचना आवश्यक है, क्योंकि इस प्रयास का असर जेल में रहने वाले कैदियों के जीवन पर पड़ सकता है।

प्राप्तकर्ता (Receiver)

प्राप्तकर्ता संप्रेषण प्रक्रिया का एक महत्वपूर्ण हिस्सा होता है, जिसका कार्य प्रेषक द्वारा भेजे गए संदेश को समझना और उसका विश्लेषण करना होता है। कक्षा में, शिक्षक द्वारा दी गई जानकारी को ग्रहण करने वाले छात्र प्राप्तकर्ता होते हैं।

इसी प्रकार, किसी व्यावसायिक वातावरण में, जब कर्मचारी अपने प्रबंधक के ईमेल पढ़ते हैं, तो वे प्राप्तकर्ता की भूमिका निभाते हैं। जब आप अपना पसंदीदा यूट्यूब वीडियो देखते हैं, तो आप उस सामग्री को ग्रहण और समझने वाले प्राप्तकर्ता होते हैं।

प्राप्तकर्ता का कार्य संदेश को सही तरीके से समझना होता है। इसके लिए भाषा, लहजा और संदर्भ जैसे कारकों को ध्यान में रखना आवश्यक होता है ताकि प्रेषक के विचारों को स्पष्ट रूप से समझा जा सके। सक्रिय श्रवण (active listening) और संलग्नता (engagement) प्राप्तकर्ताओं की दो प्रमुख विशेषताएँ होती हैं, जो प्रभावी संप्रेषण को सुनिश्चित करने में सहायक होती हैं।

इसके अतिरिक्त, प्राप्तकर्ता प्रेषक को प्रतिक्रिया (feedback) भी प्रदान करता है, जिससे यह स्पष्ट होता है कि संदेश को किस हद तक समझा गया है। यह प्रतिक्रिया प्रेषक को अपने संप्रेषण शैली को आवश्यकतानुसार समायोजित करने में मदद करती है। प्रतिक्रिया चक्र (feedback loops) प्रभावी संप्रेषण का एक अनिवार्य हिस्सा होते हैं, क्योंकि वे स्पष्टता, सामंजस्य और प्रेषक तथा प्राप्तकर्ता के बीच आपसी समझ को बढ़ावा देते हैं।

प्राप्तकर्ता के दृष्टिकोण, पृष्ठभूमि और प्राथमिकताओं को समझना संप्रेषण की प्रभावशीलता को बढ़ाता है, जिससे प्रेषक अपने संदेश को इस प्रकार तैयार कर सकता है कि वह श्रोताओं को अधिक प्रभावी ढंग से प्रभावित कर सके।

संदेश (Message)

संदेश संप्रेषण प्रक्रिया का केंद्रीय तत्व होता है, जिसमें प्रेषक से प्राप्तकर्ता तक पहुँचाई जाने वाली मुख्य सामग्री या जानकारी शामिल होती है। इसमें विचार, भावनाएँ, निर्देश या कोई अन्य सूचना शामिल हो सकती है। संदेश विभिन्न माध्यमों के जरिए संप्रेषित किए जा सकते हैं, जैसे मौखिक संप्रेषण, लिखित पाठ, इशारे, चेहरे के भाव या प्रतीक।

उदाहरण के लिए, जब दो मित्र आमने-सामने बातचीत कर रहे होते हैं, तो उनका संदेश आगामी यात्रा की योजनाओं पर चर्चा हो सकता है। इस प्रक्रिया में, प्रेषक (एक मित्र) यात्रा से जुड़ी विशिष्ट जानकारी साझा करता है, जैसे गंतव्य, तिथियाँ और योजनाबद्ध गतिविधियाँ, जबकि प्राप्तकर्ता (दूसरा मित्र) इस जानकारी को सुनता और समझता है।

अब हम संदेश के दो महत्वपूर्ण प्रकारों को समझेंगे:

- **शब्दार्थिक संदेश (Denotative Messages):** ये संदेश एक शब्द या प्रतीक के सीधे, शाब्दिक अर्थ पर ध्यान केंद्रित करते हैं। यह किसी शब्द की शब्दकोश परिभाषा है। इन संदेशों का उद्देश्य स्पष्ट, तथ्यात्मक जानकारी देना है। उदाहरण के लिए, श्घरश शब्द का तात्पर्य केवल एक भौतिक आवास से है जहाँ कोई व्यक्ति रहता है।
- **अर्थ-सूचक संदेश (Connotative Messages):** ये संदेश किसी शब्द या प्रतीक की शब्दकोश परिभाषा से परे अर्थ रखते हैं। वे संस्कृति, व्यक्तिगत अनुभव या समाज से प्रभावित भावनाओं, विचारों या संघों को दर्शाते हैं। उदाहरण के लिए, जबकि श्घरश रहने के लिए एक जगह को दर्शाता है, अर्थपूर्ण रूप से यह गर्मजोशी, आराम और पारिवारिक बंधन का सुझाव दे सकता है।

संदेश प्रसंस्करण के चरण (Stages of Message Processing)

1. **धारणा (Perception):** यह वह समय होता है जब व्यक्ति पहली बार किसी संदेश को नोटिस करता है या उसके बारे में जागरूक होता है। उदाहरण के लिए, बिलबोर्ड के पास से गुजरते समय, एक व्यक्ति एक विज्ञापन देखता है जिसमें एक नए स्मार्टफोन की चमकदार छवि होती है। आकर्षक दृश्य उनकी ध्यान आकर्षित करते हैं, जिससे वे संप्रेषित किए जा रहे संदेश के प्रति जागरूक हो जाते हैं।
2. **समझ (Understanding):** इस चरण में, व्यक्ति संदेश को संसाधित करता है और उसका अर्थ समझने के लिए उसकी व्याख्या करता है। उदाहरण को आगे बढ़ाते हुए, व्यक्ति बिलबोर्ड पर टैगलाइन पढ़ता है- 'भविष्य आपके हाथ में है', और समझता है कि विज्ञापन एक उन्नत, अभिनव स्मार्टफोन मॉडल का प्रचार कर रहा है।
3. **चयन (Selection):** व्यक्ति यह पहचानता है कि संदेश के कौन से हिस्से व्यक्तिगत रूप से प्रासंगिक हैं। व्यक्ति उन विशेषताओं पर

ध्यान केंद्रित कर सकता है जो उसके लिए महत्वपूर्ण हैं, जैसे कि फोन की कैमरा गुणवत्ता या लंबी बैटरी लाइफ, जबकि रंग विकल्प या एक्सेसरीज जैसे कम महत्वपूर्ण विवरणों को अनदेखा कर सकता है।

4. **आंतरिकीकरण (Internalisation):** यहाँ, चयनित जानकारी को व्यक्ति के विचारों या विश्वासों में एकीकृत किया जाता है। व्यक्ति यह मानने लग सकता है कि नवीनतम स्मार्टफोन में अपग्रेड करने से उनके फोटोग्राफी कौशल में सुधार होगा या वे काम पर अधिक उत्पादक बनेंगे। यह चरण दृष्टिकोण को आकार देता है और संदेश के साथ संबंध बनाता है।
5. **कार्रवाई (Action):** अंत में, व्यक्ति संदेश के आधार पर प्रतिक्रिया करता है या निर्णय लेता है। इस उदाहरण में, व्यक्ति फोन के बारे में अधिक जानने के लिए स्टोर पर जा सकता है, दोस्तों के साथ इसकी विशेषताओं पर चर्चा कर सकता है, या अंततः इसे खरीदने का निर्णय ले सकता है।

प्रत्येक चरण एक सरल संदेश को सार्थक प्रभाव में बदलने में महत्वपूर्ण भूमिका निभाता है, जो निर्णय और कार्रवाई को प्रेरित करता है।

सिनेमैटिक कनेक्शन

बॉलीवुड फिल्म लगान (Lagaan, 2001) में एक दृश्य है, जहाँ भुवन (जिसे आमिर खान ने निभाया है) अपने गाँव वालों को क्रिकेट मैच की शर्तों और नियमों के बारे में जानकारी देता है, जिसे ब्रिटिश अधिकारी कैप्टन रसेल ने प्रस्तावित किया था। इस संप्रेषण में भुवन शब्दार्थिक (denotative) संदेशों का उपयोग करता है, जिसमें वह खेल के नियमों को स्पष्ट रूप से समझाता है, जैसे प्रत्येक टीम में खिलाड़ियों की संख्या, मैच की अवधि और हारने के संभावित परिणाम।

जब भुवन गाँव वालों को संबोधित करता है, तो वह क्रिकेट मैच से जुड़ी सभी आवश्यक जानकारी तथ्यात्मक और स्पष्ट रूप में प्रस्तुत करता है। उसका उद्देश्य यह सुनिश्चित करना होता है कि सभी ग्रामीण इस चुनौती की शर्तों और इसके संभावित परिणामों को सही ढंग से समझें।

यह उदाहरण दर्शाता है कि शब्दार्थिक संदेशों का उपयोग महत्वपूर्ण विवरणों को संप्रेषित करने और आगामी कार्यों तथा निर्णयों के लिए रूपरेखा स्थापित करने के लिए किया जाता है।

माध्यम (Medium)

संप्रेषण का माध्यम वह चैनल होता है जिसके माध्यम से संदेश प्रेषक से प्राप्तकर्ता तक पहुँचता है। इसमें मौखिक, लिखित, दृश्य, डिजिटल और गैर-मौखिक माध्यम शामिल होते हैं। प्रत्येक माध्यम की अपनी विशिष्ट चुनौतियाँ और लाभ होते हैं, जो संदेश को प्रभावी रूप से संप्रेषित करने में भूमिका निभाते हैं।

कक्षा में, संप्रेषण का माध्यम व्हाइटबोर्ड हो सकता है, जिस पर शिक्षक महत्वपूर्ण अवधारणाएँ लिखकर छात्रों तक जानकारी पहुँचाते हैं। इसी तरह, किसी व्यावसायिक बैठक में, वीडियो कॉन्फ्रेंसिंग प्लेटफॉर्म संप्रेषण का माध्यम बन सकता है, जो दूरस्थ टीम सदस्यों के बीच चर्चा को संभव बनाता है।

संप्रेषण माध्यमों का रणनीतिक चयन और प्रभावी उपयोग यह सुनिश्चित करता है कि संदेश सही ढंग से संप्रेषित और ग्रहण किया जाए। यह प्रभावी संवाद को प्रोत्साहित करता है और विभिन्न संप्रेषण परिप्रेक्ष्यों में इच्छित परिणाम प्राप्त करने में सहायक होता है। नीचे कुछ संप्रेषण माध्यमों के उदाहरण दिए गए हैं (तालिका 12.1)।

तालिका 12.1 मीडिया के प्रकार

श्रेणी	मीडिया
मौखिक मीडिया	• आमने-सामने बातचीत • टेलीफोन पर बातचीत • वीडियो कॉल या कॉन्फ्रेंस • सार्वजनिक भाषण या प्रस्तुतियाँ
लिखित मीडिया	• इन्फोग्राफिक्स • चार्ट या ग्राफ • स्लाइड के साथ प्रस्तुतियाँ
डिजिटल या ऑनलाइन मीडिया	• सोशल मीडिया प्लेटफॉर्म (जैसे फेसबुक, ट्विटर, इंस्टाग्राम) • वेबसाइट या ब्लॉग • ऑनलाइन फोरम या चर्चा बोर्ड • इंस्टेंट मैसेजिंग ऐप (जैसे व्हाट्सएप, मैसेंजर) • वीडियो-शेयरिंग प्लेटफॉर्म (जैसे यूट्यूब, वीमियो)
गैर-मौखिक मीडिया	• शारीरिक भाषा (जैसे चेहरे के भाव, हाव-भाव, मुद्रा) • आवाज का लहजा • दृश्य संकेत (जैसे कपड़े, दिखावट) • स्थानिक व्यवस्था (जैसे मीटिंग में बैठने की व्यवस्था) • मौन या विराम

प्रतिक्रिया (Feedback)

प्रतिक्रिया संप्रेषण प्रक्रिया का एक मौलिक तत्व है, जो आपसी समझ, स्पष्टता और सुधार का माध्यम बनता है। यह प्राप्तकर्ता द्वारा प्रेषक को दिए गए उत्तर, प्रतिक्रियाएँ और मूल्यांकन को दर्शाता है, जो संचारित संदेश से संबंधित होते हैं (चित्र 12.1)।

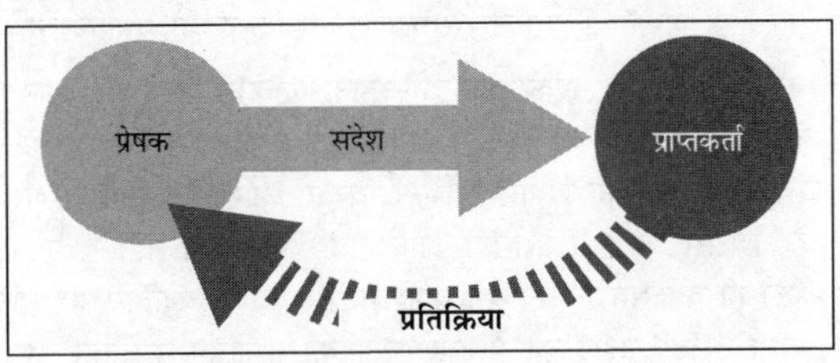

चित्र 12.1 प्रतिक्रिया

प्रतिक्रिया विभिन्न रूपों में हो सकती है, जैसे मौखिक उत्तर, लिखित टिप्पणियाँ, इशारे, चेहरे के भाव या कभी-कभी मौन भी, जो संप्रेषण के संदर्भ और प्रकृति पर निर्भर करता है।

उदाहरण के लिए, किसी बैठक में सहमति या समझ को व्यक्त करने के लिए सिर हिलाना (nodding) प्रतिक्रिया का एक रूप है। इसी तरह, किसी प्रस्तुति के दौरान, श्रोताओं की तालियाँ या उनकी ध्यानपूर्वक चुप्पी वक्ता के संदेश की स्वीकृति या स्पष्टीकरण की आवश्यकता को इंगित करती है।

प्रतिक्रिया का मुख्य उद्देश्य संदेश की प्रभावशीलता को सत्यापित करना होता है। जब प्राप्तकर्ता प्रतिक्रिया देता है, तो वह संदेश की अपनी समझ, व्याख्या और प्रतिक्रिया को प्रेषक तक पहुँचाता है, जिससे प्रेषक यह आकलन कर सकता है कि उसका आशय सही ढंग से संप्रेषित हुआ या नहीं।

उदाहरण के लिए, कक्षा में जब शिक्षक किसी जटिल विषय पर व्याख्यान देता है, तो छात्र सहमति में सिर हिलाते हैं, प्रासंगिक प्रश्न पूछते हैं और चर्चा में भाग लेते हैं। यह सक्रिय सहभागिता प्रतिक्रिया का कार्य करती है, जिससे यह पुष्टि होती है कि संदेश प्रभावी ढंग से संप्रेषित और समझा गया है।

शोर (Noise)

संप्रेषण में शोर से तात्पर्य किसी भी प्रकार की रुकावट या बाधा से है, जो संदेश के संप्रेषण, प्राप्ति या प्रतिक्रिया को बाधित कर सकती है, जिससे गलतफहमी या गलत व्याख्या होने की संभावना बढ़ जाती है। विभिन्न संप्रेषण परिप्रेक्ष्यों में शोर के कुछ प्रमुख प्रकार निम्नलिखित हैं:

इस विषय को सरल बनाने वाले वीडियो व्याख्यान को देखने के लिए इस QR कोड को स्कैन करें

1. **भौतिक शोर (Physical Noise):** यह बाहरी कारकों से उत्पन्न होने वाली रुकावट होती है, जो संप्रेषण को प्रभावित करती है। इसमें यातायात, निर्माण कार्य, मशीनों की आवाज जैसी तेज ध्वनियाँ शामिल हो सकती हैं, जो प्रेषक की आवाज को स्पष्ट रूप से सुनने में कठिनाई पैदा करती हैं या प्राप्तकर्ता के ध्यान को भटकाती हैं।

   उदाहरण के लिए, कल्पना करें कि आप किसी संगीत समारोह (concert) में अपने मित्र से बात करने की कोशिश कर रहे हैं, लेकिन चारों ओर जोरदार संगीत बज रहा है। भारी आवाज वाले स्पीकर आपकी बातचीत को दबा देते हैं, जिससे एक-दूसरे को स्पष्ट रूप से सुनना मुश्किल हो जाता है। आपको जोर से बोलना और अपनी बात बार-बार दोहरानी पड़ती है, फिर भी संवाद करना चुनौतीपूर्ण बना रहता है।

2. **मानसिक शोर (Psychological Noise):** यह व्यक्ति के आंतरिक कारकों से उत्पन्न होता है, जो प्रभावी संप्रेषण में बाधा डालते हैं। इसमें मानसिक विचलन, पूर्वधारणाएँ, पूर्वाग्रह, भावनात्मक स्थितियाँ या व्यक्तिगत चिंताएँ शामिल हो सकती हैं, जो प्रेषक के संदेश को संप्रेषित करने या प्राप्तकर्ता द्वारा उसे समझने की प्रक्रिया को प्रभावित करती हैं।

   उदाहरण के लिए, एक छात्र को अपना गृहकार्य करने पर ध्यान केंद्रित करना है, लेकिन वह दिन में अपने मित्र के साथ हुई बहस को लेकर चिंतित है। उसका दिमाग विभिन्न विचारों और भावनाओं से भरा हुआ है, जिससे वह पूरी तरह से अपने कार्य पर ध्यान नहीं दे पा रहा है। भले ही वह समझने की पूरी कोशिश कर रहा हो, लेकिन यह मानसिक बाधा उसकी पढ़ाई की प्रभावशीलता को प्रभावित कर रही है।

3. **शब्दार्थिक शोर (Semantic Noise):** यह भाषा, शब्दावली या अर्थ की भिन्नता के कारण उत्पन्न होने वाली गलतफहमी होती है। अस्पष्ट शब्दों, जटिल तकनीकी शब्दावली या अपरिचित शब्दों के कारण संप्रेषण में भ्रम उत्पन्न हो सकता है, जिससे संदेश की व्याख्या में कठिनाई होती है।

   उदाहरण के लिए, शशि थरूर, जो अपनी समृद्ध और जटिल शब्दावली के लिए जाने जाते हैं, यदि किसी राजनीतिक विषय को बहुत जटिल भाषा में समझाने का प्रयास करते हैं, तो यह उनके श्रोताओं के लिए चुनौतीपूर्ण हो सकता है। यदि उनके श्रोता हाई स्कूल के छात्र हैं, जिनका इस तरह की जटिल भाषा और विचारों से अधिक परिचय नहीं है, तो वे उनके संदेश को पूरी तरह से समझ नहीं पाएँगे और भ्रमित हो जाएँगे।

4. **शारीरिक शोर (Physiological Noise):** यह संप्रेषण को प्रभावित करने वाले शारीरिक कारकों से संबंधित होता है, जैसे सुनने की कमी, बोलने में कठिनाई या अन्य संवेदी अक्षमताएँ। ये शारीरिक सीमाएँ प्रेषक की स्पष्ट रूप से संदेश देने की क्षमता को बाधित कर सकती हैं या प्राप्तकर्ता के लिए उसे सही ढंग से समझना मुश्किल बना सकती हैं।

   उदाहरण के लिए, एक कक्षा चर्चा के दौरान, यदि कोई छात्र सुनने में असमर्थ है और होंठ पढ़ने (lip-reading) पर निर्भर करता है, तो शिक्षक की तेज गति से बोलने की शैली उसके लिए समस्या उत्पन्न कर सकती है। वह पूरी तरह से बातचीत का हिस्सा नहीं बन पाता, महत्वपूर्ण बातें चूक जाता है और चर्चा में पूरी तरह से भाग लेने के लिए संघर्ष करता है, जिससे वह अलग-थलग महसूस करने लगता है।

5. **सांस्कृतिक शोर (Cultural Noise):** सांस्कृतिक शोर उन भिन्नताओं को दर्शाता है जो विभिन्न संस्कृतियों की मान्यताओं, मूल्यों, संप्रेषण शैलियों और गैर-मौखिक संकेतों के कारण उत्पन्न होती हैं। ये अंतर संदेशों की व्याख्या को प्रभावित कर सकते हैं और गलतफहमियों या संप्रेषण में बाधाओं को जन्म दे सकते हैं।

   उदाहरण के लिए, एक व्यावसायिक बैठक में, यदि एक अमेरिकी अधिकारी स्वीकृति व्यक्त करने के लिए थंब्स-अप (thumbs-up) का इशारा करता है, तो यह सकारात्मक संकेत माना जाएगा। लेकिन यदि उनका ऑस्ट्रेलियन समकक्ष इसे देखता है, तो वह इसे अशिष्ट समझ सकता है, क्योंकि ऑस्ट्रेलिया में यह संकेत असभ्य माना जाता है। इस प्रकार, यह सांस्कृतिक भिन्नता दोनों पक्षों के बीच भ्रम और तनाव उत्पन्न कर सकती है।

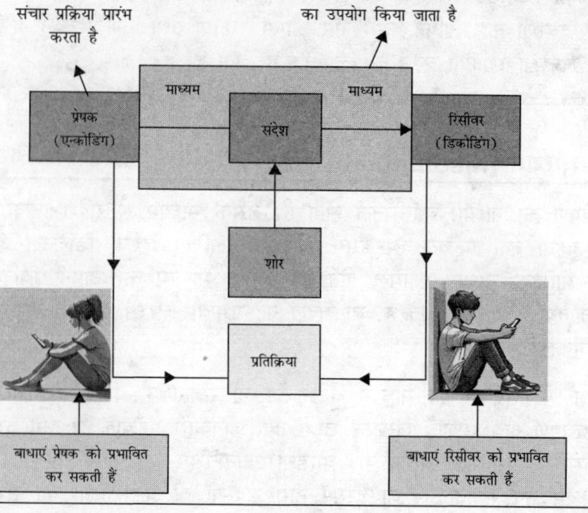

चित्र 12.2 संप्रेषण के तत्व

6. **तकनीकी शोर (Technological Noise):** तकनीकी शोर उन व्यवधानों या गड़बड़ियों को दर्शाता है जो संप्रेषण माध्यमों या उपकरणों में आने वाली समस्याओं के कारण उत्पन्न होते हैं। इसमें खराब ऑडियो गुणवत्ता, कटे हुए कॉल, इंटरनेट की धीमी गति या तकनीकी उपकरणों की खराबी जैसी बाधाएँ शामिल हो सकती हैं, जो संदेश के संप्रेषण में रुकावट डालती हैं और प्रेषक और प्राप्तकर्ता के बीच प्रभावी संप्रेषण को बाधित कर सकती हैं।

   उदाहरण के लिए, कल्पना करें कि आप अपनी टीम के साथ एक महत्वपूर्ण वीडियो कॉन्फ्रेंस में हैं, जहाँ एक महत्वपूर्ण परियोजना पर चर्चा हो रही है। अचानक, स्क्रीन फ्रीज हो जाती है और इंटरनेट कनेक्शन खराब होने के कारण आप अपने सहयोगियों की आवाज सुन नहीं पाते। आप समस्या को ठीक करने की कोशिश करते हैं, लेकिन तकनीकी गड़बड़ियाँ बनी रहती हैं, जिससे बैठक का प्रवाह बाधित हो जाता है और प्रभावी संप्रेषण संभव नहीं हो पाता। परिणामस्वरूप, कीमती समय नष्ट हो जाता है और टीम की उत्पादकता प्रभावित होती है।

शोर के प्रभाव को पहचानना और उसे कम करना विविध पारस्परिक, संगठनात्मक और सांस्कृतिक संदर्भों में सम्प्रेषण की स्पष्टता, सटीकता और प्रभावशीलता को बढ़ाने के लिए आवश्यक है।

12.2 संप्रेषण में बाधाएँ (Barriers to Communication)

इस विषय को सरल बनाने वाले वीडियो व्याख्यान को देखने के लिए इस QR कोड को स्कैन करें

कल्पना करें कि आप एक दोस्त के साथ गंभीर वार्तालाप कर रहे हैं, और कोई आपको बीच में टोकता है। यह ऐसा है जैसे कि आप किसी बिना भीड़भाड़ वाली (खाली) सड़क पर ड्राइव करने की कोशिश कर रहे हैं, लेकिन आपकी कार के सामने हमेशा कोई न कोई आ जाता हो। ऐसा लगातार होने पर कुछ समय के पश्चात् आप बातचीत का क्रम बनाए रखने में आपने आप को असमर्थ पाते हैं और निराशा महसूस करते हैं। बहुत कुछ वैसा ही जब संप्रेषण की बाधाएं सामने आती हैं - वे बातचीत के स्वाभाविक प्रवाह को बाधित करती हैं और भ्रम पैदा करती हैं।

संप्रेषण में बाधाएँ वे अवरोध हैं, जो लोगों के बीच प्रभावी रूप से जानकारी और विचारों के आदान-प्रदान को कठिन बना सकती हैं। ये किसी भी स्थिति में उत्पन्न हो सकती हैं, चाहे वह कार्यस्थल हो, घर हो, या फिर दोस्तों के साथ कोई चर्चा हो। ये बाधाएँ आपके संदेश को विकृत (distort) या अवरुद्ध (block) कर सकती हैं, जिससे गलतफहमियाँ, देरी या यहाँ तक कि विवाद भी हो सकते हैं।

इन बाधाओं को पहचानना बहुत आवश्यक है, क्योंकि इससे हम उन्हें दूर करने की रणनीतियाँ विकसित कर सकते हैं। जब हम यह समझते हैं कि कौन-से कारक प्रभावी संप्रेषण में बाधा डालते हैं, तो हम सक्रिय रूप से ऐसे कदम उठा सकते हैं जो इन अवरोधों को कम करें। इस तरह, हम अपने संप्रेषण को अधिक स्पष्ट, कुशल और सफल बना सकते हैं।

यह न केवल व्यक्तिगत संबंधों को मजबूत करता है, बल्कि कार्यस्थल में टीम वर्क, समस्या समाधान और उत्पादकता को भी बढ़ाता है। आइए अब संप्रेषण में होने वाली कुछ आम बाधाओं पर विचार करें:

1. **तकनीकी बाधाएँ (Technical Barriers):** ये बाधाएँ तब उत्पन्न होती हैं जब कोई तकनीकी समस्या संप्रेषण को प्रभावित करती है। उदाहरण के लिए, यदि किसी वीडियो कॉल के दौरान इंटरनेट की गति धीमी हो, या यदि कंप्यूटर पर कोई फाइल न खुले, तो यह संप्रेषण में रुकावट डाल सकता है।
2. **भौतिक बाधाएँ (Physical Barriers):** यह बाधाएँ तब उत्पन्न होती हैं जब पर्यावरणीय परिस्थितियाँ संवाद करने में कठिनाई पैदा करती हैं। उदाहरण के लिए, बहुत अधिक शोरगुल वाले स्थानों में बातचीत करना मुश्किल हो सकता है, या जब दो लोग बहुत दूर होते हैं, तो उनका संप्रेषण प्रभावित हो सकता है।
3. **शब्दार्थिक बाधाएँ (Semantic Barriers):** भाषा से संबंधित गलतफहमियाँ इस प्रकार की बाधाएँ उत्पन्न करती हैं। जब कोई व्यक्ति किसी शब्द का अर्थ नहीं समझ पाता, या कोई शब्द अलग-अलग संदर्भों में भिन्न अर्थ रखता है, तो संदेश का सही संप्रेषण नहीं हो पाता। उदाहरण के लिए, यदि कोई व्यक्ति व्यंग्यात्मक रूप में कुछ कहता है, लेकिन प्राप्तकर्ता इसे शाब्दिक रूप में लेता है, तो यह भ्रम उत्पन्न कर सकता है।
4. **संगठनात्मक बाधाएँ (Organisational Barriers):** ये बाधाएँ कार्यस्थल की नीतियों और प्रणालियों के कारण उत्पन्न होती हैं। उदाहरण के लिए, यदि किसी संगठन में बहुत सख्त नियम लागू हों, जिससे जानकारी साझा करना कठिन हो जाए, या कोई जटिल प्रशासनिक प्रक्रिया हो, जहाँ संदेश कई स्तरों से गुजरकर गंतव्य तक पहुँचता हो और विकृत हो जाता हो, तो यह एक बड़ी बाधा बन सकती है।
5. **मानसिक बाधाएँ (Psychological Barriers):** व्यक्तिगत मानसिकता और भावनाएँ संप्रेषण को प्रभावित कर सकती हैं। उदाहरण के लिए, यदि कोई व्यक्ति जिस व्यक्ति से संवाद कर रहा है, उस पर भरोसा नहीं करता, तो वह सही तरीके से संदेश ग्रहण नहीं कर पाएगा। उदाहरण के लिए, यदि कोई तनावग्रस्त महसूस करता है, तो हो सकता है कि वह अच्छी तरह से संवाद न कर पाए, या यदि वह जिस व्यक्ति से बात कर रहा है उस पर भरोसा नहीं करता है, तो संप्रेषण बहुत सफल नहीं हो सकता है।
6. **सामाजिक बाधाएँ (Social Barriers):** लोगों की सामाजिक पृष्ठभूमि या सामाजिक स्थिति में अंतर होने के कारण संप्रेषण प्रभावित हो सकता है। इसमें भाषा की भिन्नता, सांस्कृतिक गलतफहमियाँ या पूर्वाग्रह (prejudices) शामिल हो सकते हैं, जो आपसी संवाद को कठिन बना सकते हैं।
7. **सांस्कृतिक बाधाएँ (Cultural Barriers):** जब अलग-अलग संस्कृतियों के लोग आपस में संवाद करते हैं, तो उनकी मान्यताएँ, रीति-रिवाज और संप्रेषण शैलियाँ भिन्न हो सकती हैं, जिससे गलतफहमियाँ उत्पन्न हो सकती हैं। उदाहरण के लिए, एक संस्कृति में कोई विशेष इशारा सम्मानसूचक हो सकता है, जबकि दूसरी संस्कृति में वही इशारा अपमानजनक समझा जा सकता है।
8. **शारीरिक बाधाएँ (Physiological Barriers):** ये बाधाएँ शारीरिक सीमाओं के कारण उत्पन्न होती हैं, जैसे सुनने की समस्या, देखने की कमजोरी या बोलने में कठिनाई। उदाहरण के लिए, यदि कोई व्यक्ति सुनने में असमर्थ है, तो उसे मौखिक संवाद को समझने में कठिनाई हो सकती है। इसी प्रकार, यदि कोई व्यक्ति दृष्टिहीन है, तो वह लिखित संप्रेषण को सीधे नहीं पढ़ सकता।

स्कोर बूस्टर
पूरक पठन अनुशंसा

QR कोड काम नहीं कर रहा है? QR कोड के साथ दिए गए संसाधनों तक पहुँचने के लिए आंतरिक फ्रन्ट कवर पर दिए गए निर्देशों का पालन करें

संचार बाधाओं को समझने में परेशानी हो रही है? चिंता मत करो! संचार बाधाओं की गहन व्याख्याओं की पेशकश करने वाले एक **विशेष पीडीएफ** को अनलॉक करने के लिए क्यूआर कोड स्कैन करें।

पीडीएफ एक और महत्वपूर्ण विषय को भी कवर करता है, **'संचार बाधाओं को दूर करना,'** हालांकि यह आधिकारिक तौर पर यूजीसी नेट पेपर 1 के पाठ्यक्रम का हिस्सा नहीं है, इस विषय पर प्रश्न कई बार पिछले यूजीसी नेट परीक्षाओं में आए हैं।

★★★ परीक्षोपयोगी

12.3 संप्रेषण की प्रक्रियाः कोल और चान मॉडल (Process of Communication: Cole and Chan Model)

इस विषय को सरल बनाने वाले वीडियो व्याख्यान को देखने के लिए इस QR कोड को स्कैन करें

संप्रेषण की प्रक्रिया एक रोचक यात्रा की तरह होती है, जिसमें संदेश भेजे, प्राप्त किए और समझे जाते हैं। इस प्रक्रिया में विचारों को शब्दों में बदलने (encoding) से लेकर प्राप्तकर्ता द्वारा उनके विश्लेषण (decoding) तक हर चरण महत्वपूर्ण होता है।

यदि हम संप्रेषण को एक ऐसी प्रक्रिया मानें जिसका कोई निश्चित आरंभ या अंत नहीं है, तो इसे 'प्रक्रिया' (Process) कहा जाता है। इसका अर्थ यह है कि संप्रेषण निरंतर चलता रहता है, जैसे एक सतत प्रवाह, जिसमें संदेश लगातार भेजे और प्राप्त किए जाते हैं।

लर्निंग शॉर्टकट्स

पढ़ी हुई बात याद करने में मुश्किल हो रही है? चिंता मत करो! यहाँ एक सरल तरकीब है जिससे आप संप्रेषण प्रक्रिया के पाँच चरणों को याद कर सकते हैं–

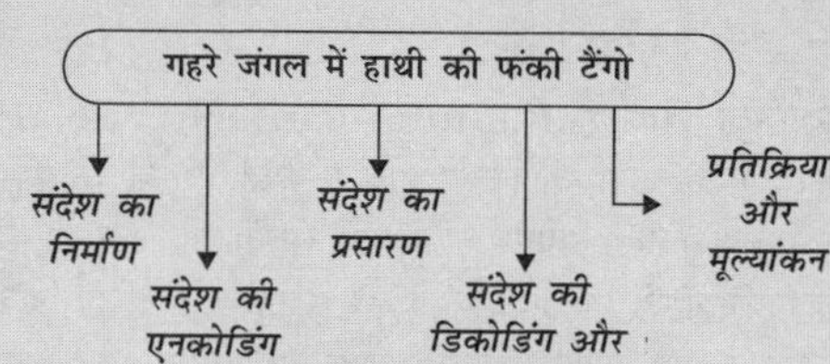

कोल और चान (Cole and Chan) का संप्रेषण मॉडल कक्षा में होने वाले संप्रेषण को समझने के लिए एक संगठित रूपरेखा प्रदान करता है। यह मॉडल संप्रेषण प्रक्रिया को विभिन्न चरणों में विभाजित करता है और शैक्षणिक वातावरण में संप्रेषण को अधिक प्रभावी बनाने के लिए आवश्यक दृष्टिकोण प्रदान करता है। आइए, अब इस मॉडल में शामिल चरणों को विस्तार से समझते हैं।

अब हम संप्रेषण के इन चरणों को विस्तार से समझेंगे:

चरण 1: संदेश का निर्माण (Stage 1: Formulation of Message)

इस चरण में, संप्रेषण की प्रक्रिया प्रेषक द्वारा विचारों या जानकारी को उत्पन्न करने से शुरू होती है। संदेश निर्माण के दौरान, प्रेषक यह तय करता है कि उसे कौन-सी जानकारी साझा करनी है, अपने विचारों को व्यवस्थित करता है और संदेश की संरचना तथा सामग्री निर्धारित करता है।

उदाहरण के लिए, किसी प्रस्तुति देने से पहले, वक्ता अपने मुख्य बिंदुओं को तैयार करता है, उपयुक्त उदाहरण चुनता है और अपने भाषण की रूपरेखा बनाता है। शैक्षणिक संप्रेषण के संदर्भ में, इस चरण में शिक्षक अपने पाठ की सामग्री और उद्देश्यों की योजना बनाता है। वह यह तय करता है कि छात्रों को क्या पढ़ाना है और प्रभावी रूप से संदेश पहुँचाने के लिए किस विधि का उपयोग करना है। उदाहरण के लिए, यदि कोई विज्ञान शिक्षक सौरमंडल (solar system) पर पाठ पढ़ाने की योजना बना रहा है, तो वह छात्रों को व्यस्त रखने के लिए रोचक गतिविधियाँ, प्रमुख अवधारणाएँ और अधिगम परिणाम (learning outcomes) तय कर सकता है।

चरण 2: संदेश का संहिताकरण (Stage 2: Message Encoding)

संप्रेषण प्रक्रिया में दूसरा चरण संदेश का संहिताकरण (Encoding) होता है। संहिताकरण का अर्थ है विचारों को ऐसे शब्दों, इशारों, प्रतीकों या अन्य संप्रेषण माध्यमों में बदलना, जिन्हें प्राप्तकर्ता समझ सके। इसका उद्देश्य एक स्पष्ट और अर्थपूर्ण संदेश तैयार करना होता है।

उदाहरण के लिए, प्रस्तुति देने से पहले, वक्ता अपने तैयार किए गए संदेश को बोले गए शब्दों, दृश्य सामग्री (visual aids) या लिखित पाठ के रूप में प्रस्तुत करता है। इसके लिए वह स्लाइड शो, हैंडआउट्स या चित्रों का उपयोग कर सकता है, ताकि मौखिक व्याख्या को पूरक बनाया जा सके।

इस चरण में शिक्षक जानकारी को कक्षा में पढ़ाने के लिए उपयुक्त रूप में प्रस्तुत करता है। उदाहरण के लिए, यदि इतिहास का शिक्षक प्राचीन सभ्यताओं (ancient civilisations) के बारे में पढ़ाने की योजना बना रहा है, तो वह मौखिक व्याख्या, चित्रों, वीडियो और इंटरैक्टिव गतिविधियों का उपयोग कर सकता है, जिससे छात्रों की रुचि बनी रहे और वे विषय को आसानी से समझ सकें।

प्रभावी संदेश संहिताकरण के लिए दिशानिर्देश (Guidelines for Effective Message Encoding)

1. **संप्रेषण माध्यम का चयन (Choosing the Communication Medium):** इस चरण में, संप्रेषणकर्ता न केवल संदेश की सामग्री तय करता है, बल्कि यह भी तय करता है कि किस माध्यम से इसे

संप्रेषित किया जाएगा। माध्यम का चयन श्रोताओं की प्राथमिकताओं को ध्यान में रखकर किया जाता है। उदाहरण के लिए, अमेजन (Amazon) यदि अपने बिग बिलियन डे सेल (Big Billion Day Sale) को प्रचारित करना चाहता है, तो वह टेलीविजन विज्ञापन, डिजिटल विज्ञापन, सोशल मीडिया पोस्ट, ईमेल न्यूजलेटर और वेबसाइट बैनर तैयार कर सकता है। इनमें से प्रत्येक संप्रेषण माध्यम में बिक्री संदेश (sale message) को संहिताबद्ध (encode) करने के लिए अलग-अलग तरीके अपनाने होंगे, ताकि यह माध्यम और दर्शकों की प्राथमिकताओं के अनुरूप हो।

2. **समझने योग्य माध्यम का चयन (Selecting Comprehensible Media):** संप्रेषणकर्ता सुनिश्चित करता है कि चुना गया संप्रेषण माध्यम प्राप्तकर्ता की समझ के अनुरूप हो। उदाहरण के लिए, यदि श्रोता अशिक्षित हैं, तो मौखिक संप्रेषण (oral communication) को प्राथमिकता दी जा सकती है, ताकि वे संदेश को बेहतर ढंग से समझ सकें।
3. **जानकारी के क्रमबद्ध संगठन की योजना (Planning Information Sequencing):** इस चरण के दौरान, शिक्षक यह तय करते हैं कि किसी अवधारणा को सबसे प्रभावी तरीके से कैसे समझाया जाए और जानकारी को तार्किक रूप से कैसे क्रमबद्ध किया जाए। उदाहरण के लिए, यदि एक विज्ञान शिक्षक जल चक्र (water cycle) पर पाठ पढ़ाने की योजना बना रहा है, तो वह जानकारी को चार चरणों – वाष्पीकरण (evaporation), संघनन (condensation), वर्षण (precipitation) और संग्रहण (collection) – में विभाजित कर सकता है, ताकि छात्र इसे आसानी से समझ सकें।
4. **प्रतीकात्मक रूपों का उपयोग (Adapting Symbolic Forms):** शिक्षक विचारों को अलग-अलग पाठ्यक्रमों (curricula) के अनुरूप बनाने के लिए विभिन्न प्रतीकात्मक रूपों का उपयोग करते हैं। उदाहरण के लिए, शारीरिक शिक्षा (Physical Education) के शिक्षक व्यायाम सिखाने के लिए प्रदर्शनों और इशारों (gestures) का उपयोग कर सकते हैं, ताकि छात्रों को गतिविधियों को आसानी से समझने और अपनाने में मदद मिल सके।
5. **श्रोताओं के कारकों का विचार (Considering Audience Factors):** शिक्षक अपने संदेश संहिताकरण को छात्र की उम्र, पूर्व ज्ञान और सीखने की प्राथमिकताओं के अनुसार अनुकूलित करते हैं, जिससे संप्रेषण की प्रभावशीलता बढ़ती है और सीखने की प्रक्रिया में सुधार होता है। उदाहरण के लिए, यदि शिक्षक प्राथमिक कक्षा के बच्चों को पढ़ा रहे हैं, तो वे सरल शब्दों, कहानियों और चित्रों का उपयोग कर सकते हैं। वहीं, यदि उच्च शिक्षा के छात्रों को पढ़ाना हो, तो अधिक गहन और विश्लेषणात्मक सामग्री का उपयोग किया जा सकता है।

सिनेमैटिक कनेक्शन

संदेश संहिताकरण (Message Encoding) को समझने के लिए एक रोचक उदाहरण लेते हैं। बॉलीवुड फिल्म राजी (Raazi, 2018) में नायिका सहमत (आलिया भट्ट द्वारा निभाया गया किरदार) अपने साथी जासूसों से संवाद करने के लिए मोर्स कोड (Morse Code) का उपयोग करती है। मोर्स कोड बिंदुओं और रेखाओं के माध्यम से संप्रेषण करने की एक विधि है, जो सहमत को संवेदनशील जानकारी गुप्त रूप से प्रेषित करने का एक सुरक्षित तरीका प्रदान करता है।

उदाहरण के लिए, फिल्म के महत्वपूर्ण दृश्यों में, सहमत विभिन्न तरीकों से मोर्स कोड संदेश भेजती है – जैसे अपनी उंगलियों से सतह पर हल्की थपथपाहट करना या टॉर्च की रोशनी का उपयोग करना। प्रत्येक बिंदु और रेखा किसी अक्षर या विशेष शब्द का प्रतिनिधित्व करती है, जिससे सहमत बिना कुछ कहे विस्तृत जानकारी साझा कर पाती है।

मोर्स कोड के माध्यम से अपने संदेशों को संहिताबद्ध (encode) करके, सहमत यह सुनिश्चित करती है कि केवल वही लोग, जिन्हें यह कोड समझ आता है, संदेश को पढ़ सकें। इस तकनीक का उपयोग करके वह महत्वपूर्ण जानकारी साझा करने में सक्षम होती है, बिना किसी संदेह को जन्म दिए और खुद को खतरे में डाले बिना।

क्विज स्टेशन *विगत UGC NET परीक्षाओं के प्रश्न*

प्र 1. संप्रेषण प्रक्रिया के दौरान, संदेश को एक प्रतीकात्मक रूप में बदला जाता है, जिसे कहा जाता है:

(a) डिकोडिंग (Decoding)
(b) एनकोडिंग (Encoding)
(c) डीसिफरिंग (Deciphering)
(d) एक्सपैंडिंग (Expanding)

प्र 2. संप्रेषण प्रक्रिया में 'एनकोड करना' का अर्थ है:

(a) विचारों को एक कोड में परिवर्तित करना
(b) एक कोड की व्याख्या करना
(c) प्रेषक और प्राप्तकर्ता के बीच मार्ग को अवरुद्ध करना
(d) बड़े समूहों से बात करना

उत्तर 1. (b) 1. (a)

चरण 3: संदेश संप्रेषण (Stage 3: Message Transmission)

संदेश संप्रेषण का अर्थ है, प्रेषक द्वारा चुने गए चैनल या माध्यम के माध्यम से एन्कोड किए गए संदेश को प्राप्तकर्ता तक शारीरिक या इलेक्ट्रॉनिक रूप से पहुँचाना। चैनल उस माध्यम को संदर्भित करता है जिसके द्वारा कोई संदेश या संकेत प्रेषक से प्राप्तकर्ता तक पहुँचाया जाता है।

संदेश संप्रेषण के लिए विभिन्न चैनल उपयोग किए जा सकते हैं, जैसे आमने-सामने (face-to-face) संवाद, लिखित दस्तावेज (written documents), डिजिटल मीडिया (digital media), दूरसंप्रेषण नेटवर्क (telecommunications networks)। उदाहरण के लिए, कोई वक्ता अपनी प्रस्तुति दर्शकों तक माइक्रोफोन और प्रोजेक्टर के माध्यम से लाइव इवेंट में प्रस्तुत करता है, या फिर इसे ईमेल या ऑनलाइन प्लेटफॉर्म के जरिए दूरस्थ दर्शकों तक साझा करता है।

शैक्षणिक संप्रेषण के संदर्भ में, संदेश संप्रेषण तब होता है जब शिक्षक विभिन्न चैनेलों का उपयोग करके पाठ पढ़ाता है, जैसे कक्षा में मौखिक रूप से व्याख्यान देना, स्लाइडशो प्रदर्शित करना, छात्रों को अध्ययन सामग्री वितरित करना।

प्रभावी संदेश संप्रेषण के लिए दिशानिर्देश (Guidelines for Effective Message Transmission)

1. **शिक्षा में बहु-चैनल एकीकरण (Leveraging Multichannel Integration in Education):** शिक्षकों के पास संप्रेषण के लिए कई चैनेलों का उपयोग करने की सुविधा होती है, जिससे वे एकीकृत प्रस्तुति प्रदान कर सकते हैं। विभिन्न चैनेलों को शामिल करके, शिक्षक विभिन्न अधिगम शैलियों (learning styles) और प्राथमिकताओं को ध्यान में रखते हुए सुनिश्चित कर सकते हैं कि संदेश प्रभावी ढंग से संप्रेषित और समझा जाए।

   उदाहरण के लिए, एक शिक्षक पाठ्यपुस्तकों या हैंडआउट्स के माध्यम से लिखित प्रारूप में पाठ पढ़ा सकता है, या व्याख्यान और चर्चाओं के माध्यम से मौखिक प्रारूप में इसे प्रस्तुत कर सकता है। इसके अलावा, शिक्षक दृश्य सामग्री (visual aids), इशारों (gestures) और प्रदर्शनों (demonstrations) का उपयोग करके अपने संदेश की प्रस्तुति को और अधिक प्रभावी बना सकते हैं।

2. **मल्टीमीडिया तकनीकों का उपयोग (Adapting Multimedia Techniques):** संदेश संप्रेषण की विधि - चाहे वह मौखिक शब्दों, छवियों, पाठ या डिजिटल प्रारूप में हो - प्रेषक, संदेश और दर्शकों को प्रभावित करती है। आधुनिक मल्टीमीडिया तकनीकों के विकास के साथ, इसका प्रभाव और अधिक महत्वपूर्ण हो गया है।

   इसलिए, संप्रेषण की सफलता केवल इस पर निर्भर नहीं करती कि क्या कहा गया, बल्कि इस पर भी निर्भर करती है कि कैसे कहा गया। उदाहरण के लिए, एक इतिहास शिक्षक किसी ऐतिहासिक घटना को समझाने के लिए पाठ्यपुस्तक पढ़ाने की बजाय एक डॉक्यूमेंटरी फिल्म (documentary film) दिखा सकता है, जिससे छात्र अधिक भावनात्मक रूप से जुड़ सकते हैं और विषय को बेहतर ढंग से समझ सकते हैं।

सिनेमैटिक कनेक्शन

संदेश संप्रेषण (Message Transmission) को समझने के लिए एक दिलचस्प उदाहरण लिया जा सकता है। बॉलीवुड फिल्म लगे रहो मुन्ना भाई (Lage Raho Munna Bhai, 2006) में, नायक मुन्ना भाई (संजय दत्त द्वारा निभाया गया किरदार) एक रेडियो शो होस्ट करता है, जहाँ वह गांधीवादी सिद्धांतों पर अपने दार्शनिक विचार साझा करता है। वह 'रेडियो' को माध्यम (medium) के रूप में उपयोग करता है, ताकि प्रेम, शांति और अहिंसा के संदेश को एक विस्तृत श्रोता समूह तक पहुँचा सके।

रेडियो शो के दौरान, मुन्ना भाई कॉल करने वाले श्रोताओं से बातचीत करता है, कहानियाँ साझा करता है और गांधीवादी विचारधारा को सहज और प्रभावी तरीके से समझाता है। अपनी आकर्षक और हास्यपूर्ण संवाद शैली के माध्यम से, वह श्रोताओं का ध्यान आकर्षित करता है और उन्हें महात्मा गांधी की शिक्षाओं को अपने दैनिक जीवन में अपनाने के लिए प्रेरित करता है।

चरण 4: संदेश डिकोडिंग और व्याख्या (Stage 4: Message Decoding and Interpretation)

जब संदेश प्राप्तकर्ता तक पहुँचता है, तो अगला चरण संदेश डिकोडिंग (Message Decoding) का होता है। डिकोडिंग वह प्रक्रिया है, जिसके द्वारा प्राप्तकर्ता प्रेषक द्वारा भेजे गए संदेश की व्याख्या और समझ करता है। इस प्रक्रिया में प्राप्तकर्ता संदेश का अर्थ निकालता है और उसमें निहित प्रतीकों, भाषा, संदर्भ और उद्देश्य को समझता है।

कक्षा के संदर्भ में, छात्र शिक्षक की व्याख्या को सुनकर, उपलब्ध कराई गई अध्ययन सामग्री को पढ़कर और कक्षा की गतिविधियों में भाग लेकर पाठ सामग्री को डिकोड करते हैं। वे शिक्षक द्वारा प्रस्तुत जानकारी की व्याख्या करते हैं, ताकि वे प्रस्तुत की गई अवधारणाओं और विचारों को अच्छी तरह समझ सकें।

प्रभावी संदेश डिकोडिंग में प्राप्तकर्ताओं की भूमिका (Role of Receivers in Effective Message Decoding)

1. **प्राप्तकर्ता का योगदान (Receiver's Contribution):** प्रभावी संप्रेषण सुनिश्चित करने में प्राप्तकर्ता (Receiver) की महत्वपूर्ण भूमिका होती है। यदि प्राप्तकर्ता संदेश को सटीक रूप से डिकोड और व्याख्या करने में सक्षम होता है, तो संप्रेषण अधिक प्रभावी बनता है। यह इस बात को रेखांकित करता है कि संदेश के संप्रेषण में स्पष्टता बनाए रखने के लिए प्राप्तकर्ता के दृष्टिकोण को समझना आवश्यक है।
2. **अर्थ निर्माण में सक्रिय भागीदारी (Active Meaning Construction):** प्राप्तकर्ता संदेश में निहित अर्थ को खोजने के लिए अपनी पृष्ठभूमि ज्ञान और संप्रेषण के संदर्भ पर निर्भर करता है। वास्तव में, भाषा में स्वयं कोई निश्चित अर्थ नहीं होता; बल्कि प्राप्तकर्ता ही अपनी समझ और व्याख्या के आधार पर अर्थ का निर्माण करता है।
3. **सक्रिय सहभागिता (Active Engagement):** संदेश को डिकोड करने के लिए प्राप्तकर्ता की सक्रिय भागीदारी आवश्यक होती है। उदाहरण के लिए, यदि शिक्षक किसी जटिल विषय पर व्याख्यान दे रहा है, तो छात्रों को नए ज्ञान को अपने मौजूदा ज्ञान से जोड़कर संदेश को डिकोड करना होगा। छात्र अपने पूर्व ज्ञान और संदर्भ संकेतों (contextual cues) का उपयोग करके संदेश की प्रभावी व्याख्या कर सकते हैं और पढ़ाए जा रहे विषय को बेहतर ढंग से समझ सकते हैं।
4. **प्राप्तकर्ता की क्षमताओं का प्रभाव (Impact of Receiver's Abilities):** यदि प्राप्तकर्ता के पास पूर्व ज्ञान है और वह संदेश में प्रयुक्त भाषा और संप्रेषण शैली से परिचित है, तो वह संदेश को अधिक आसानी से समझ सकता है। हालांकि, यदि प्राप्तकर्ता में सुनने, पढ़ने और आलोचनात्मक रूप से सोचने की क्षमता की कमी है, तो उसे संदेश को उस रूप में समझने में कठिनाई हो सकती है, जिस रूप में प्रेषक उसे संप्रेषित करना चाहता था।

चरण 5: प्रतिक्रिया और मूल्यांकन (Stage 5: Feedback and Evaluation)

प्रतिक्रिया (Feedback) वह उत्तर या प्रतिक्रिया होती है जो प्राप्तकर्ता (receiver) द्वारा प्रेषक (sender) के संदेश के प्रति दी जाती है। इसे

प्राप्तकर्ता द्वारा संप्रेषणकर्ता (communicator) के संदेश को स्वीकार करने या उत्तर देने की प्रक्रिया भी कहा जा सकता है, जिससे दोनों पक्षों के बीच सूचना का आदान-प्रदान होता है।

प्रतिक्रिया विभिन्न रूपों में व्यक्त की जा सकती है, जैसे कि गैर-मौखिक संकेत (non-verbal cues) – चेहरे के भाव, हाव-भाव (gestures) आदि, या मौखिक प्रतिक्रियाएँ (verbal responses) – जैसे स्पष्टीकरण मांगना, सहमति या असहमति व्यक्त करना। प्रतिक्रिया प्राप्तकर्ता की समझ, धारणा और प्रतिक्रिया के बारे में महत्वपूर्ण जानकारी प्रदान करती है, जिससे प्रेषक अपनी संप्रेषण शैली को परिष्कृत कर सकता है और परस्पर समझ को बढ़ावा दे सकता है।

आइए राधिका का उदाहरण लें, जो एक बहुराष्ट्रीय कंपनी (MNC) में विपणन प्रबंधक (marketing manager) है। वह एक नई विपणन अभियान (marketing campaign) पर प्रस्तुति दे रही है। प्रस्तुति के दौरान, वह देखती है कि कुछ लोग सहमति में सिर हिला रहे हैं और ध्यानपूर्वक सुन रहे हैं, जबकि कुछ की भौहें चढ़ी हुई हैं, जिससे भ्रम का संकेत मिलता है।

राधिका रुककर प्रतिक्रिया मांगती है, जिससे एक टीम सदस्य एक विशेष बिंदु पर स्पष्टीकरण मांगता है। राधिका प्रश्न का उत्तर देती है, जिससे सभी को रणनीति स्पष्ट हो जाती है। सक्रिय रूप से प्रतिक्रिया प्राप्त करके और उसका उत्तर देकर, राधिका सुनिश्चित करती है कि उसका संदेश स्पष्ट और प्रभावी ढंग से संप्रेषित हो रहा है, जिससे उसकी टीम के बीच समझ और सहयोग मजबूत होता है।

एक कक्षा में, शिक्षक छात्रों को यह प्रोत्साहित कर सकता है कि वे उसके शिक्षण विधियों और पाठ प्रस्तुतिकरण की स्पष्टता और प्रभावशीलता पर प्रतिक्रिया दें। सक्रिय रूप से प्रतिक्रिया प्राप्त करने से शिक्षक उन क्षेत्रों की पहचान कर सकता है जिनमें सुधार की आवश्यकता है और आवश्यक समायोजन कर सकता है ताकि छात्रों की समझ और भागीदारी को बेहतर बनाया जा सके।

सिनेमैटिक कनेक्शन

आइए देखें कि किस प्रकार बॉलीवुड की उत्कृष्ट फिल्म *डियर जिंदगी* (2016) प्रभावी संप्रेषण की शक्ति को दर्शाती है, विशेष रूप से आलिया भट्ट और शाहरुख़ ख़ान के बीच होने वाले थेरेपी सत्रों के माध्यम से।

यह फिल्म काइरा नाम की एक युवा महिला की कहानी पर केंद्रित है, जिसे जीवन में कई चुनौतियों का सामना करना पड़ता है। अपनी उलझनों और परेशानियों के बीच, काइरा मार्गदर्शन और सहयोग के लिए डॉ. जहांगीर ख़ान, जिन्हें प्यार से जग कहा जाता है (शाहरुख़ ख़ान द्वारा निभाया गया किरदार), की शरण लेती है। जग, एक थेरेपिस्ट के रूप में, काइरा को उसकी आंतरिक उलझनों से बाहर निकलने और स्वयं को समझने में सहायता करता है।

प्रारंभ में, काइरा थेरेपी सत्रों के दौरान जग की प्रतिक्रिया को लेकर असहज और रक्षात्मक महसूस करती है। वह अपनी कमजोरियों को स्वीकार करने में संघर्ष करती है और अक्सर जग की बातों का प्रतिरोध करती है।

हालांकि, जैसे-जैसे फिल्म आगे बढ़ती है, काइरा धीरे-धीरे प्रतिक्रिया को अधिक खुलेपन और स्वीकार्यता के साथ अपनाने लगती है। उसे यह एहसास होता है कि जग की दृष्टि और सुझाव उसकी जीवन की चुनौतियों को नए दृष्टिकोण से देखने में मदद कर सकते हैं। काइरा की प्रतिक्रिया सुनने, चिंतन करने और उसे अपनाने की क्षमता उसकी परिपक्वता और आत्म-जागरूकता के बढ़ने का प्रमाण बन जाती है।

इसके अलावा, काइरा केवल प्रतिक्रिया को सुनने तक सीमित नहीं रहती, बल्कि उसे अपने जीवन के निर्णयों में भी शामिल करने लगती है। वह प्रतिक्रिया को पूरी तरह अस्वीकार करने के बजाय, उसे अपने विचारों की प्रक्रिया का हिस्सा बनाकर अपने व्यवहार और दृष्टिकोण में सकारात्मक बदलाव लाने लगती है।

प्रभावी संप्रेषण में प्रतिक्रिया की भूमिका (Role of Feedback in Effective Communication)

1. **नियंत्रित प्रतिक्रिया (Controlled Feedback):** कुशल शिक्षक प्रतिक्रिया को इस प्रकार नियंत्रित कर सकते हैं कि यह चल रहे संप्रेषण प्रक्रिया में अनावश्यक बाधा न बने, बल्कि खुले संवाद और रचनात्मक आलोचना को बढ़ावा दे।
2. **प्रतिक्रिया के माध्यम से मूल्यांकन (Evaluation through Feedback):** प्रतिक्रिया संप्रेषण की प्रभावशीलता का आकलन करने का एक महत्वपूर्ण अवसर प्रदान करती है। यह व्यक्तियों के बीच वार्तालाप को व्यवस्थित करने में सहायता करती है और वांछित विचारों को सुदृढ़ करने में सहायक होती है।
3. **प्रतिक्रिया को प्रोत्साहित करना (Encouraging Feedback):** प्रभावी संप्रेषण में संप्रेषक (communicator) प्रायः प्राप्तकर्ताओं (receivers) से प्रतिक्रिया प्राप्त करने को प्रोत्साहित करते हैं और प्राप्त प्रतिक्रिया के आधार पर अपने संदेशों की सामग्री और प्रस्तुति में आवश्यक समायोजन करते हैं। यह अनुकूलनशील दृष्टिकोण संप्रेषक को अपने संदेशों को श्रोताओं की आवश्यकताओं और प्राथमिकताओं के अनुसार ढालने में मदद करता है।

क्विज स्टेशन *विगत UGC NET परीक्षाओं के प्रश्न*

प्र 1. निम्नलिखित में से कौन से कथन प्रतिक्रिया (Feedback) के संदर्भ में सत्य हैं?

1. एक ऐसी स्थिति जिसमें प्रेषक (Sender) और प्राप्तकर्ता (Receiver) के बीच सूचना का आदान-प्रदान होता है।
2. संदेशों की तेज गति से प्रस्तुति सुनने की क्षमता को नकारात्मक रूप से प्रभावित करती है।
3. अनुचित माध्यम के चयन और उपयोग से सुनने की क्षमता प्रभावित होती है।
4. संदेश के प्रति श्रोता की मौखिक या गैर-मौखिक प्रतिक्रियाएँ।

कूट (Codes):

(a) 1, 2, 3 और 4 (b) 1, 2 और 4
(c) 2, 3 और 4 (d) 1, 2 और 3

प्र 2. संचार के निम्नलिखित चार चरणों को उचित क्रम में व्यवस्थित करें: (22 August 2024 & Shift 2)

A. ट्रांसमिशन

B. एन्कोडिंग

C. प्रेषक

D. प्रतिक्रिया

(a) C, B, A, D (b) B, A, C, D

(c) D, C, B, A (d) A, B, C, D

प्र 3. संप्रेषण (Communication) तब वृत्ताकार (Circular) बन जाता है जब:

(a) डिकोडर (Decoder) एन्कोडर (Encoder) बन जाता है।

(b) प्रतिक्रिया (Feedback) अनुपस्थित होती है।

(c) स्रोत (Source) विश्वसनीय होता है।

(d) माध्यम (Channel) स्पष्ट होता है।

उत्तर 1. (a) 2. (a) 3. (a)

क्लैरिटी कॉर्नर

आइए एक ही बार में संप्रेषण की पाँच अवस्थाओं को समझें! आलू और टिक्की के बीच टेक्स्ट संदेशों के माध्यम से बातचीत हो रही है, जिसमें आलू कुछ पूछने की कोशिश कर रहा है:

- **संदेश का निर्माण (Formulation of Message):** आलू इस सप्ताहांत मूवी नाइट के लिए टिक्की को आमंत्रित करने का निर्णय लेता है। वह यह सोचकर अपना संदेश तैयार करता है कि कौन-सी फिल्म देखनी है और वे कब और कहाँ मिलेंगे।
- **संदेश का संकेतन (Message Encoding):** आलू अपने फोन पर आमंत्रण संदेश टाइप करता है, ऐसे शब्दों और इमोजी का चयन करता है जो उसकी उत्सुकता और योजना के विवरण को सही ढंग से व्यक्त करें। वह "सेंड" बटन दबाता है, और संदेश टिक्की तक पहुँचने के लिए प्रेषित हो जाता है।
- **संदेश का संप्रेषण (Message Transmission):** यह टेक्स्ट संदेश मोबाइल नेटवर्क के माध्यम से भेजा जाता है और टिक्की के फोन पर डिलीवर हो जाता है। उसे एक नोटिफिकेशन प्राप्त होता है, और वह आलू का संदेश पढ़ती है।
- **संदेश का डिकोडिंग और व्याख्या (Message Decoding and Interpretation):** टिक्की आलू के संदेश को डिकोड करती है और समझती है कि वह उसे मूवी नाइट के लिए आमंत्रित कर रहा है और योजना के बारे में जानकारी दे रहा है। वह इस संदेश को सकारात्मक रूप से लेती है और इस आमंत्रण को लेकर उत्साहित महसूस करती है।
- **प्रतिक्रिया और मूल्यांकन (Feedback and Evaluation):** टिक्की आलू के संदेश का उत्तर देती है, मूवी नाइट को लेकर अपनी उत्सुकता व्यक्त करती है और आने की पुष्टि करती है। आलू को टिक्की का उत्तर प्राप्त होता है, जिससे यह सुनिश्चित हो जाता है कि उसका संदेश सही ढंग से समझा गया और अच्छी तरह से स्वीकार किया गया है। यह प्रतिक्रिया आलू को आश्वस्त करती है और उसके संप्रेषण की सफलता को मजबूत करती है।

वृत्ताकार संप्रेषण (Circular Communication)

बातचीत जारी रहने पर टिक्की उस फिल्म का सुझाव देती है जिसे वह देखना चाहती है। अब, आलू, जिसने शुरुआत में आमंत्रण भेजा था, प्राप्तकर्ता डिकोडर बन जाता है और टिक्की के संदेश को समझने की कोशिश करता है। वह टिक्की के सुझाव के उत्तर में एक वैकल्पिक फिल्म सुझाता है, जिससे वह फिर से प्रेषक एन्कोडर की भूमिका में आ जाता है। जैसे-जैसे बातचीत आगे बढ़ती है, प्रेषक और प्राप्तकर्ता की भूमिकाएँ अदल-बदल होती रहती हैं, जिससे आलू और टिक्की के बीच संप्रेषण एक वृत्ताकार पैटर्न में परिवर्तित हो जाता है।

★★★ परीक्षोपयोगी

12.4 संप्रेषण के मॉडल (Models of Communication)

संप्रेषण के मॉडल को समझना किसी सुव्यवस्थित मशीन के रहस्यों को उजागर करने जैसा है। ये मॉडल एक खाका प्रदान करते हैं, जो यह दर्शाता है कि व्यक्तियों के बीच सूचना कैसे प्रवाहित होती है। इन मॉडलों का अध्ययन करने से हमें प्रभावी संप्रेषण की प्रक्रिया को समझने और अपनी बातचीत को स्पष्टता और प्रभावशाली बनाने के लिए बेहतर ढंग से समायोजित करने की शक्ति मिलती है। आइए अब संप्रेषण के विभिन्न मॉडलों का अध्ययन करें।

रेखीय संप्रेषण मॉडल (Linear Models of Communication)

उपयुक्तता: जनसंप्रेषण के लिए प्रभावी (Communicating with masses)

रेखीय संप्रेषण मॉडल को अक्सर संप्रेषण का सबसे सरल रूप माना जाता है। इसकी जड़ें अरस्तू (Aristotle) के वाक्पटुता (rhetoric) के सिद्धांत से जुड़ी हुई हैं। इस मॉडल में, संप्रेषण एक सीधी रेखा में प्रेषक से प्राप्तकर्ता तक प्रवाहित होता है, जिसमें कोई प्रतिक्रिया या पारस्परिक संवाद नहीं होता (चित्र 12.3)।

इसे एक एकतरफा मार्ग की तरह समझा जा सकता है, जहाँ प्रेषक संदेश को संकेतिक (encode) करता है, उसे एक माध्यम (channel) के माध्यम से भेजता है और प्राप्तकर्ता उसे समझने (decode) का कार्य करता है। हालाँकि, यह मॉडल वास्तविक जीवन के संप्रेषण की जटिलताओं को अत्यधिक सरल बना देता है, जहाँ प्रतिक्रिया और संदर्भ महत्वपूर्ण भूमिका निभाते हैं।

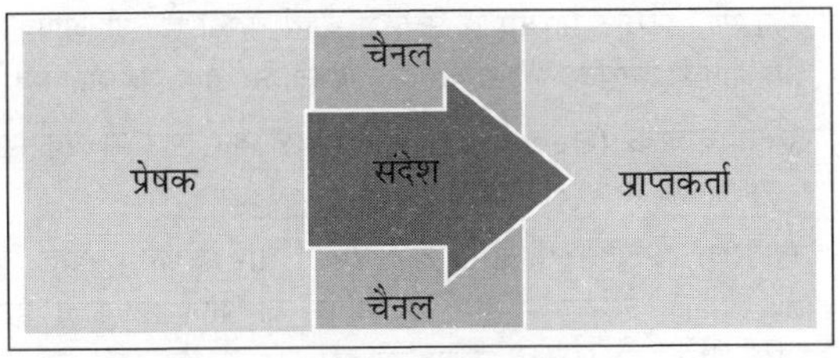

चित्र 12.3 संप्रेषण का रैखिक मॉडल

इसकी सीमाओं के बावजूद, रेखीय मॉडल संप्रेषण की मूलभूत समझ प्रदान करता है। यह संदेशों को स्पष्ट रूप से संकेतिक करने और संप्रेषण के लिए उचित माध्यम चुनने के महत्व को दर्शाता है। उदाहरण के लिए, एक रेडियो प्रसारण को लें, जहाँ उद्घोषक (announcer) श्रोताओं को समाचार अपडेट देता है। आइए अब रेखीय संप्रेषण के विभिन्न मॉडलों की जाँच करें।

अरस्तू संप्रेषण मॉडल (Aristotle Model)

प्राचीन ग्रीक दार्शनिक अरस्तू (Aristotle) द्वारा प्रस्तावित संप्रेषण मॉडल मानवीय संवाद की गतिकी (dynamics) को समझने के लिए एक कालातीत ढांचा प्रस्तुत करता है। यह संप्रेषण के पाँच प्रमुख स्तंभों को परिभाषित करता है (चित्र 12.4):

1. **वक्ता (Speaker):** संदेश देने वाला व्यक्ति
2. **वाक्य (Speech):** संदेश का वास्तविक स्वरूप
3. **अवसर (Occasion):** संप्रेषण से संबंधित परिस्थितियाँ, जैसे समय, स्थान और उद्देश्य
4. **लक्षित श्रोता (Target Audience):** वे लोग जिन तक संदेश पहुँचाना है
5. **प्रभाव (Effect):** संदेश से उत्पन्न प्रतिक्रिया या प्रभाव

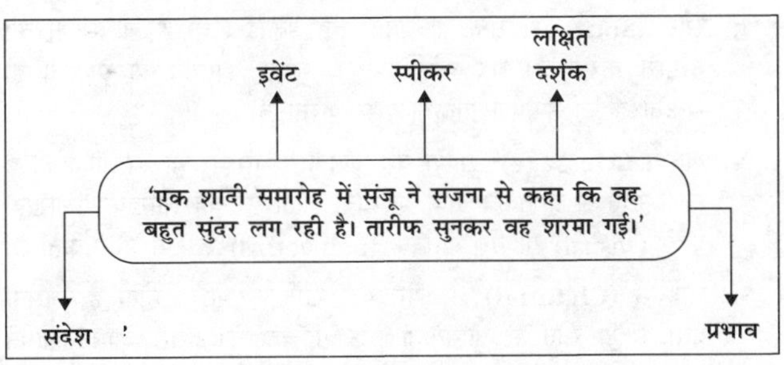

चित्र 12.4 अरस्तू का मॉडल

अरस्तू के मॉडल में एथोस (Ethos), पैथोस (Pathos) और लोगोस (Logos) - इन तीन प्रमुख तर्कशास्त्रीय (persuasion) विधियों को भी सम्मिलित किया गया है। इसे एक उदाहरण से समझते हैं:

1. **एथोस (Ethos):** वक्ता की विश्वसनीयता और प्रामाणिकता
2. **पैथोस (Pathos):** भावनाओं (जैसे क्रोध, दुःख, खुशी आदि) के माध्यम से श्रोताओं से जुड़ाव
3. **लोगोस (Logos):** तर्कसंगत विचार, प्रमाण और तथ्यात्मक तर्कों के आधार पर श्रोताओं को प्रभावित करना

उदाहरण के लिए, एक राजनीतिक भाषण में, कोई उम्मीदवार अपनी योग्यता और अनुभव को उजागर करके अपनी विश्वसनीयता (Ethos) स्थापित कर सकता है, कठिनाइयों से जुड़ी व्यक्तिगत कहानियाँ साझा करके श्रोताओं में सहानुभूति (Pathos) उत्पन्न कर सकता है और आँकड़ों और साक्ष्यों के आधार पर तार्किक तर्क (Logos) प्रस्तुत करके मतदाताओं को प्रभावित कर सकता है।

लैसवेल का संप्रेषण मॉडल (Lasswell's Model)

अमेरिकी राजनीतिक वैज्ञानिक हेरॉल्ड लैसवेल (Harold Lasswell) द्वारा 1948 में प्रस्तावित यह मॉडल संप्रेषण प्रक्रिया को समझने के लिए एक सीधा और व्यवस्थित ढांचा प्रदान करता है। लैसवेल के मॉडल में पाँच प्रमुख प्रश्नों को शामिल किया गया है (चित्र 12.5): कौन?, क्या कहता है?, किस माध्यम से?, किससे? और किस प्रभाव से?

1. **कौन? (Who?):** यह तत्व संदेश भेजने वाले (sender) या स्रोत (source) को संदर्भित करता है। इसमें संप्रेषणकर्ता (communicator) की पहचान, विशेषताओं और उद्देश्यों से संबंधित प्रश्नों का उत्तर दिया जाता है।
2. **क्या कहा जा रहा है? (Says What?):** यह भाग स्वयं संदेश (message) से संबंधित है, यानी संचारित की जा रही सामग्री, विचार या जानकारी। इसमें संदेश के रूप, संरचना और विषय-वस्तु को शामिल किया जाता है।
3. **किस माध्यम से? (Through Which Channel?):** माध्यम (channel) वह साधन या तरीका होता है जिसके माध्यम से संदेश प्रेषक से प्राप्तकर्ता तक पहुँचता है। इसमें आमने-सामने संवाद (face-to-face communication), लिखित पाठ (written text), टेलीविजन, रेडियो, सोशल मीडिया आदि शामिल हो सकते हैं।
4. **किसे? (To Whom?):** यह तत्व श्रोताओं या प्राप्तकर्ताओं **(audience-recipients)** पर केंद्रित होता है। इसमें उनकी जनसांख्यिकी (demographics), रुचियाँ, ज्ञान का स्तर, दृष्टिकोण और अन्य ऐसे कारक शामिल होते हैं जो यह प्रभावित कर सकते हैं कि वे संदेश को कैसे समझते और स्वीकार करते हैं।
5. **क्या प्रभाव पड़ा? (With What Effect?):** अंतिम तत्व संप्रेषण प्रक्रिया के प्रभाव या परिणाम की जाँच करता है। यह मूल्यांकन करता है कि क्या प्रेषक के निर्धारित उद्देश्य पूरे हुए या नहीं, और यह भी देखता है कि क्या कोई अनपेक्षित प्रतिक्रियाएँ या परिणाम सामने आए हैं।

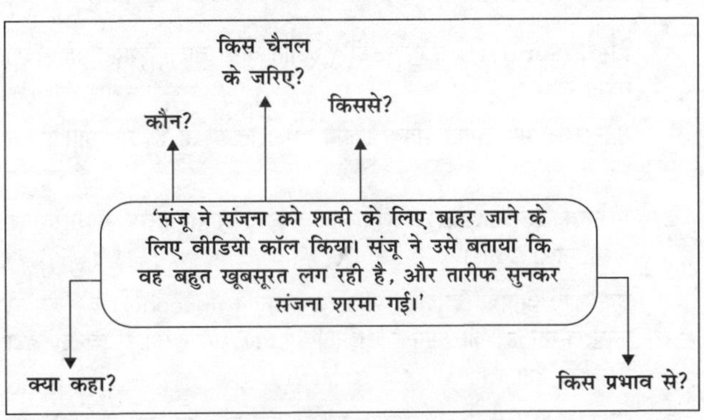

चित्र 12.5 लैसवेल का मॉडल

क्विज स्टेशन *विगत UGC NET परीक्षाओं के प्रश्न*

प्र 1. संप्रेषण के लैसवेल मॉडल के संदर्भ में निम्नलिखित का मिलान करें।

1. कौन	A. प्राप्तकर्ता
2. किसको	B. संप्रेषणक
3. किस प्रभाव से	C. प्रेरक संदेश
4. क्या कहता है	D. प्रभाव उत्तर

कोड:

(a) 1-A, 2-B, 3-C, 4-D

(b) 1-B, 2-A, 3-C, 4-D

(c) 1-B, 2-A, 3-D, 4-C

(d) 1-A, 2-C, 3-B, 4-D

उत्तर 1. (c)

शैनन और वीवर का संप्रेषण (Shannon and Weaver)

1948 में क्लॉड शैनन (Claude Shannon) और वॉरेन वीवर (Warren Weaver) द्वारा विकसित यह मॉडल संप्रेषण सिद्धांत (communication theory) के अध्ययन में एक क्रांतिकारी परिवर्तन लेकर आया। मूल रूप से सूचना सिद्धांत (information theory) के लिए डिजाइन किया गया यह गणितीय मॉडल विभिन्न संदर्भों में संप्रेषण प्रक्रिया को समझने का आधार प्रदान करता है।

इसके अलावा, यह मॉडल "शोर (Noise)" और "प्रतिक्रिया (Feedback)" की अवधारणाएँ प्रस्तुत करता है, जो संप्रेषण प्रक्रिया में महत्वपूर्ण भूमिका निभाते हैं। शोर (Noise) किसी भी प्रकार के व्यवधान या विकृति को दर्शाता है, जो संदेश के संप्रेषण या ग्रहण को बाधित कर सकता है। प्रतिक्रिया (Feedback) प्राप्तकर्ता की प्रतिक्रिया या उत्तर को दर्शाती है, जो प्रेषक को महत्वपूर्ण जानकारी प्रदान करता है।

आइए इस मॉडल के घटकों को एक उदाहरण के माध्यम से समझते हैं (चित्र 12.6)। मान लीजिए कि आप अपने सहकर्मी को एक ईमेल भेज रहे हैं:

1. **प्रेषक (Sender):** संप्रेषण की शुरुआत करने वाला व्यक्ति जो संदेश बनाता है।

   उदाहरण: आप अपने सहकर्मी को ईमेल लिख रहे हैं, तो आप प्रेषक हैं।

2. **संकेतक (Encoder):** संदेश को एक उपयुक्त प्रारूप में परिवर्तित करने वाली इकाई।

   उदाहरण: आपका ईमेल एप्लिकेशन संकेतक (encoder) के रूप में कार्य करता है, जो आपके टाइप किए गए संदेश को डिजिटल डेटा में बदल देता है।

3. **माध्यम (Channel):** वह साधन जिसके माध्यम से संकेतित (encoded) संदेश प्रेषित होता है।

   उदाहरण: इंटरनेट माध्यम के रूप में कार्य करता है, जो आपके ईमेल को आपके कंप्यूटर से सहकर्मी के इनबॉक्स तक पहुँचाता है।

4. **संकेत वाचक (Decoder):** प्राप्त संदेश को फिर से एक समझने योग्य प्रारूप में बदलने वाली इकाई।

   उदाहरण: आपके सहकर्मी का ईमेल एप्लिकेशन संकेत वाचक (decoder) के रूप में कार्य करता है, जो प्राप्त डिजिटल डेटा को पढ़ने योग्य पाठ (text) में बदलता है।

5. **प्राप्तकर्ता (Receiver):** संदेश को ग्रहण करने और उसकी व्याख्या करने वाला व्यक्ति।

   उदाहरण: आपका सहकर्मी संदेश का निर्धारित प्राप्तकर्ता (receiver) है, जो आपके ईमेल को पढ़ता और उसका उत्तर देता है।

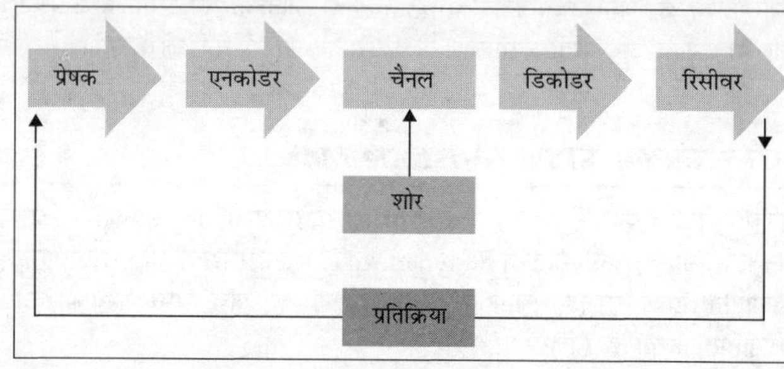

चित्र 12.6 शैनन और वीवर मॉडल

बर्लो का एस-एम-सी-आर मॉडल (Berlo's S-M-C-R Model)

1960 में डेविड बर्लो (David Berlo) द्वारा प्रस्तावित S-M-C-R मॉडल संप्रेषण प्रक्रिया में शामिल तत्वों को समझने के लिए एक व्यापक ढांचा प्रस्तुत करता है। S-M-C-R का अर्थ है:

1. **स्रोत (Source):** स्रोत या प्रेषक वह इकाई होती है जो संदेश की उत्पत्ति करती है। यह कोई व्यक्ति, समूह, संगठन या प्रणाली हो सकता है जो संप्रेषण प्रक्रिया शुरू करता है।
2. **संदेश (Message):** संदेश वह जानकारी, विचार या सामग्री होती है जिसे स्रोत से प्राप्तकर्ता तक पहुँचाया जाता है। यह मौखिक, लिखित, दृश्य (visual) या गैर-मौखिक (non-verbal) रूप में हो सकता है।
3. **माध्यम (Channel):** माध्यम वह मार्ग या साधन होता है जिसके द्वारा संदेश स्रोत से प्राप्तकर्ता तक पहुँचता है। इसमें आमने-सामने संवाद, लिखित पत्राचार, टेलीफोन कॉल, डिजिटल संप्रेषण प्लैटफॉर्म आदि शामिल हो सकते हैं।
4. **प्राप्तकर्ता (Receiver):** प्राप्तकर्ता वह व्यक्ति होता है जिसके लिए संदेश भेजा गया है। वह माध्यम के माध्यम से प्राप्त संदेश को डिकोड या व्याख्या करता है और उसके अनुसार प्रतिक्रिया देता है। संप्रेषण की प्रभावशीलता इस बात पर निर्भर करती है कि प्राप्तकर्ता संदेश को कितनी अच्छी तरह समझता और व्याख्या करता है।

बर्लो के मॉडल में प्रतिक्रिया की भूमिका पर विशेष जोर दिया गया है। प्रतिक्रिया प्राप्तकर्ता की प्रतिक्रिया को दर्शाती है, जो स्रोत को यह समझने में सहायता करती है कि संप्रेषण कितना प्रभावी रहा और आपसी समझ को बढ़ावा देने में मदद करती है।

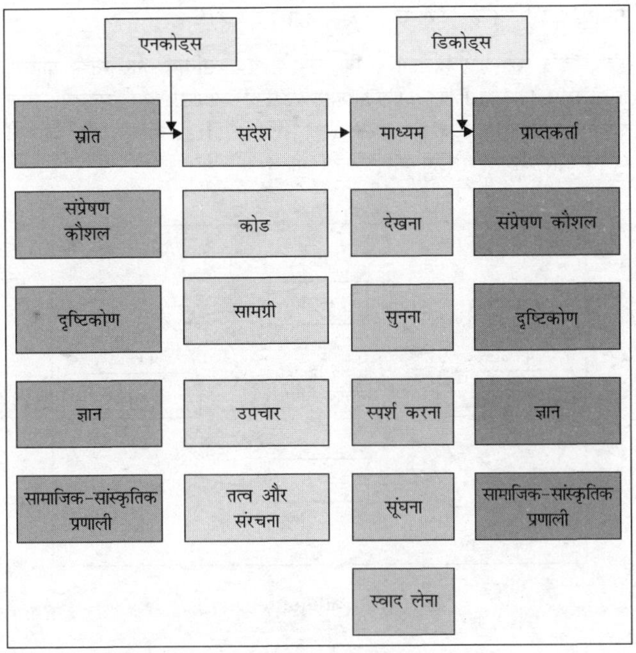

चित्र 12.7 बर्लो का S-M-C-R मॉडल

क्विज स्टेशन *विगत UGC NET परीक्षाओं के प्रश्न*

प्र 1. बर्लो का S-M-C-R मॉडल में, 'C' किसका प्रतिनिधित्व करता है? *(8 जनवरी 2025-शिफ्ट I)*

(a) चैनल (मार्ग)

(b) कम्यूनिकेटर (संचारकर्ता)

(c) कॉन्टेक्स्ट (संदर्भ)

(d) कंटेंट (विषय-वस्तु)

उत्तर 1. (a)

परस्पर क्रियात्मक संप्रेषण मॉडल (Interactional Model of Communication)

परस्पर क्रियात्मक संप्रेषण मॉडल दो लोगों के बीच होने वाली बातचीत की तरह है, जहाँ दोनों वक्ता और श्रोता की भूमिका निभाते हैं। कल्पना करें कि आप अपने मित्र से बात कर रहे हैं - कभी आप अपनी कहानियाँ साझा कर रहे होते हैं, और कभी आप उनकी कहानियाँ सुन रहे होते हैं। यह संवाद का दोतरफा आदान-प्रदान ही संप्रेषण को वास्तव में परस्पर क्रियात्मक बनाता है।

1997 में विल्बर श्रैम (Wilbur Schramm) द्वारा प्रस्तुत यह मॉडल विशेष रूप से प्रतिक्रिया (Feedback) को शामिल करता है। प्रतिक्रिया उन संकेतों की तरह होती है, जैसे सिर हिलाना, 'उह-हुह' कहना, या प्रश्न पूछना, जो यह दर्शाते हैं कि संदेश को कैसे ग्रहण किया जा रहा है और प्रेषक (sender) को अपनी बातचीत को समायोजित करने में सहायता करते हैं।

इस मॉडल को अक्सर "संयोग मॉडल (Convergence Model)" भी कहा जाता है। इसे एक टेनिस मैच की तरह समझ सकते हैं, जहाँ गेंद संदेश के समान होती है। यह केवल एक दिशा में नहीं जाती, बल्कि खिलाड़ियों के बीच आगे-पीछे चलती रहती है, क्योंकि यह संप्रेषण की गतिशील और पारस्परिक प्रकृति को उजागर करता है।

यह मॉडल संप्रेषण को एक सहयोगी प्रक्रिया के रूप में देखता है, जहाँ दोनों पक्ष एक-दूसरे को प्रभावित करते हैं। इसमें हमारी पृष्ठभूमि महत्वपूर्ण भूमिका निभाती है - हमारी संस्कृति, सामाजिक जीवन, मनोविज्ञान, परिस्थिति और संप्रेषण के माध्यम (जैसे आमने-सामने बात करना या टेक्स्टिंग) सभी संप्रेषण की गुणवत्ता को प्रभावित करते हैं। इस मॉडल के बारे में बात करते समय सभी को प्रासंगिक माना जाता है।

कल्पना करें कि आप और आपका मित्र कई समान अनुभव साझा करते हैं, इससे आपकी बातचीत अधिक सहज होती है, है ना? ऐसा इसलिए होता है क्योंकि आपकी साझा अनुभव आपको बेहतर जुड़ने में मदद करते हैं। और जितना अधिक आप बातचीत करते हैं, उतना ही अधिक आप एक-दूसरे को समझते हैं, जिससे आपसी समझ और विस्तृत होती जाती है।

परस्पर क्रियात्मक मॉडल केवल बाहरी घटनाओं पर ही ध्यान नहीं देता, बल्कि यह यह भी समझता है कि हमारे आंतरिक कारक भी संप्रेषण को प्रभावित कर सकते हैं। यह पर्यावरणीय कारकों जैसे स्थान मनोवैज्ञानिक कारकों जैसे हमारा मूड को भी ध्यान में रखता है। उदाहरण के लिए, यदि आप तनाव में हैं या बहुत खुश हैं, तो यह बदल सकता है कि आप किसी संदेश की व्याख्या कैसे करते हैं (चित्र 12.8)।

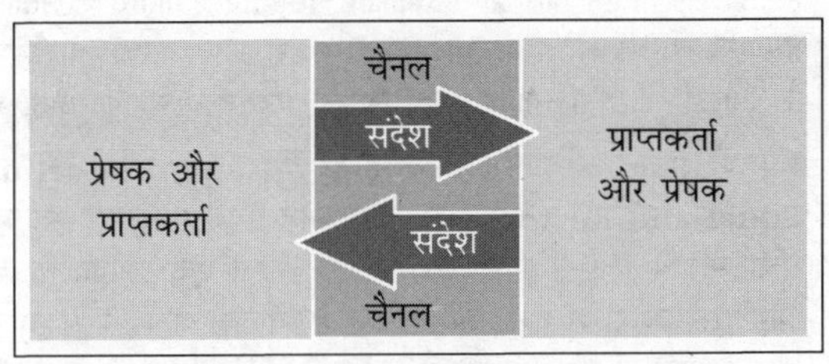

चित्र 12.8 संप्रेषण का परस्पर क्रियात्मक मॉडल

ऑसगुड-श्रैम संप्रेषण मॉडल (Osgood-Schramm Model of Communication)

ऑसगुड-श्रैम संप्रेषण मॉडल, जिसे वृत्ताकार मॉडल (Circular Model) भी कहा जाता है, संप्रेषण की पारस्परिक (interactive) प्रकृति को उजागर करता है। इसे चार्ल्स ई. ऑसगुड (Charles E- Osgood) और विल्बर श्रैम (Wilbur Schramm) ने विकसित किया था। यह मॉडल संप्रेषण को एक गतिशील प्रक्रिया के रूप में प्रस्तुत करता है, जहाँ प्रेषक (Sender) और प्राप्तकर्ता (Receiver) दोनों सक्रिय भूमिका निभाते हैं। इसे एक नृत्य (dance) की तरह समझा जा सकता है, जहाँ दोनों सहभागी वैकल्पिक रूप से कभी नेतृत्व करते हैं तो कभी अनुसरण करते हैं-उसी प्रकार, संप्रेषण में भी संदेशों का संकेतन (encoding) और वाचन (decoding) पारस्परिक रूप से होता है।

सिनेमैटिक कनेक्शन

आइए हम ऑसगुड-श्रैम मॉडल को प्रसिद्ध सिटकॉम बिग बैंग थ्योरी (2007-2019) के एक दिलचस्प उदाहरण की मदद से समझते हैं। अपने प्रसिद्ध गेम नाइट्स में से एक के दौरान, लियोनार्ड, राज, हॉवर्ड और शेल्डन ने पिक्शनरी खेलने का फैसला किया। पिक्शनरी एक खेल है जिसमें एक व्यक्ति एक चित्र बनाता है, और अन्य लोग यह अनुमान लगाने की कोशिश करते हैं कि यह क्या दर्शाता है।

लियोनार्ड, एन्कोडर, सावधानीपूर्वक व्हाइटबोर्ड पर फिल्म श्रोडिंगर की कैट की अपनी व्याख्या को स्केच करता है। जैसे ही वह चित्र बनाता है, राज, हॉवर्ड और शेल्डन, डिकोडर, उसके चित्र को देखते हैं, यह समझने की कोशिश करते हैं कि वह क्या दर्शा रहा है।

शेल्डन, अपने विश्वकोशीय ज्ञान के साथ, जल्दी से चित्र को डिकोड करता है, क्वांटम फिजिक्स की अवधारणा को पहचानता है। अंत में, जैसे ही लियोनार्ड अपना चित्र पूरा करता है, डिकोडर फीडबैक प्रदान करते हैं, अपनी व्याख्याओं की पुष्टि या प्रश्न करते हैं, उनके गेम नाइट के संदर्भ में संप्रेषण की गतिशील प्रक्रिया को प्रदर्शित करते हैं।

चार्ल्स ऑसगुड के अनुसार, संप्रेषण एक सजीव प्रक्रिया (lively process) है। यह केवल संदेश भेजने और प्राप्त करने तक सीमित नहीं है, बल्कि संपूर्ण चक्र (cycle) होता है जिसमें संदेश साझा किए जाते हैं, प्राप्त किए जाते हैं और समझे जाते हैं। इसे निम्नलिखित बिंदुओं से समझा जा सकता है:

1. **संप्रेषण वृत्ताकार होता है (Communication is Circular):** संप्रेषण में कोई निश्चित शुरुआत (start) या अंत (end) बिंदु नहीं होता। इसमें प्रेषक और प्राप्तकर्ता की भूमिकाएँ लगातार बदलती रहती हैं। एक व्यक्ति संदेश भेजता है, दूसरा उसे प्राप्त करता और समझता है, और फिर प्रतिक्रिया देता है, जिससे यह चक्र चलता रहता है।
2. **संप्रेषण समान और पारस्परिक होता है (Communication is Equal and Reciprocal):** इस मॉडल के अनुसार, संप्रेषण में सभी सक्रिय रूप से भाग लेते हैं। यह केवल एक व्यक्ति के बोलने और दूसरे के सुनने तक सीमित नहीं है, बल्कि दोनों ही संदेश बनाने और समझने में संलग्न रहते हैं।
3. **संदेश की व्याख्या आवश्यक होती है (The Message Requires Interpretation):** सिर्फ संदेश भेजना और प्राप्त करना पर्याप्त नहीं है, बल्कि उसका सही अर्थ समझना भी जरूरी होता है। हम जो सुनते या देखते हैं, उसे समझने के लिए व्याख्या (interpretation) आवश्यक होती है, जो हमारी भावनाओं, परिवेश और जीवन के अनुभवों पर निर्भर कर सकती है।
4. **संप्रेषण की तीन मुख्य प्रक्रियाएँ (Three Steps in Communication):** ये हैं एन्कोडिंग, डिकोडिंग और व्याख्या। एन्कोडिंग तब होती है जब कोई व्यक्ति अपने विचारों को संदेश के रूप में प्रस्तुत करता है। डिकोडिंग तब होती है जब दूसरा व्यक्ति संदेश प्राप्त करता है और उसे समझने की कोशिश करता है। व्याख्या का मतलब है कि संदेश का वास्तव में क्या मतलब है, इसे समझना।

ऑसगुड-श्रैम मॉडल को प्रतिक्रिया चक्र (Feedback Loop) की तरह समझ सकते हैं (चित्र 12.9)। जब आप कुछ कहते हैं, आपका मित्र उस पर प्रतिक्रिया देता है, फिर आप उस प्रतिक्रिया के आधार पर अपनी बात को समायोजित करते हैं और यह चक्र चलता रहता है।

यह मॉडल यह याद दिलाता है कि संप्रेषण एक सक्रिय और साझा प्रक्रिया है, जिसमें जानकारी का आदान-प्रदान, उसकी व्याख्या और आपसी समझ शामिल होती है। यह केवल बोलने तक सीमित नहीं है, बल्कि एक-दूसरे से जुड़ने और बेहतर समझने की प्रक्रिया भी है।

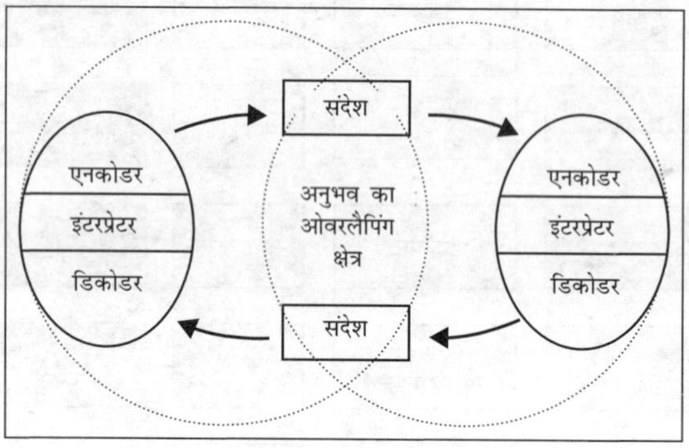

चित्र 12.9 ऑसगूड-श्रैम मॉडल

हेलिकल मॉडल ऑफ कम्युनिकेशन (Helical Model of Communication)

फ्रैंक डांस द्वारा समझाए गए हेलिकल मॉडल ऑफ कम्युनिकेशन की तुलना हेलिक्स (चित्र 12.10) की संरचना से की जाती है, जो एक सर्पिल या कुंडल की तरह होती है। इस मॉडल में, संप्रेषण नीचे से छोटा शुरू होता है और धीरे-धीरे एक गोलाकार गति में ऊपर की ओर बढ़ता है, शीर्ष पर एक बड़ा वृत्त बनाता है।

यह विस्तार समय के साथ जारी रहता है। संप्रेषण प्रक्रिया की शुरुआत में, संप्रेषणक केवल अपने आप का एक छोटा हिस्सा एक-दूसरे के साथ साझा करते हैं। यह हेलिक्स के नीचे के छोटे वृत्त के समान है। जैसे-जैसे संप्रेषण आगे बढ़ता है, यह ऊपर की ओर बढ़ता है, अपनी सीमाओं का विस्तार करता है और अधिक जटिल हो जाता है।

सर्पिल मॉडल को एक बच्चे के संप्रेषण विकास से समझें:

1. **प्रारंभिक बिंदु (Starting Point):** जब कोई बच्चा जन्म लेता है, तो उसकी संप्रेषण करने की क्षमता सीमित होती है। वह केवल रोकर (crying) अपनी आवश्यकताओं को व्यक्त करता है। यह सर्पिल के सबसे छोटे बिंदु के समान है।
2. **धीरे-धीरे विस्तार (Gradual Eñpansion):** जैसे-जैसे बच्चा बड़ा होता है, उसकी संप्रेषण क्षमता बढ़ती जाती है। वह पहले आवाजें निकालता है, फिर धीरे-धीरे भाषा सीखकर अपने विचारों और इच्छाओं को व्यक्त करना शुरू करता है। यह प्रक्रिया सर्पिल के धीरे-धीरे ऊपर की ओर बढ़ने के समान होती है।
3. **निरंतर विकास (Continuous Development):** जिस तरह सर्पिल लगातार ऊपर की ओर बढ़ता रहता है, उसी तरह बच्चे की संप्रेषण क्षमता भी समय के साथ विकसित होती रहती है। वह स्वयं को अधिक कुशलता से व्यक्त करना और दूसरों को बेहतर ढंग से समझना सीखता है।

4. **अतीत के अनुभवों पर निर्भरता (Dependence on Past Experiences):** सर्पिल मॉडल यह दर्शाता है कि अतीत के अनुभव संप्रेषण को प्रभावित करते हैं। उदाहरण के लिए, जब कोई बच्चा स्कूल में शब्दों के उच्चारण सीखता है, तो वे आदतें उसके पूरे जीवन में बनी रहती हैं।
5. **परिवर्तन और विकास (Modification and Evolution):** संप्रेषण लगातार विकसित और अनुकूलित (adapt) होता रहता है, जो पिछले अनुभवों और वर्तमान परिस्थितियों पर निर्भर करता है। जिस तरह सर्पिल समय के साथ फैलता और मुड़ता रहता है, उसी तरह संप्रेषण भी समय के साथ बदलाव से गुजरता है।

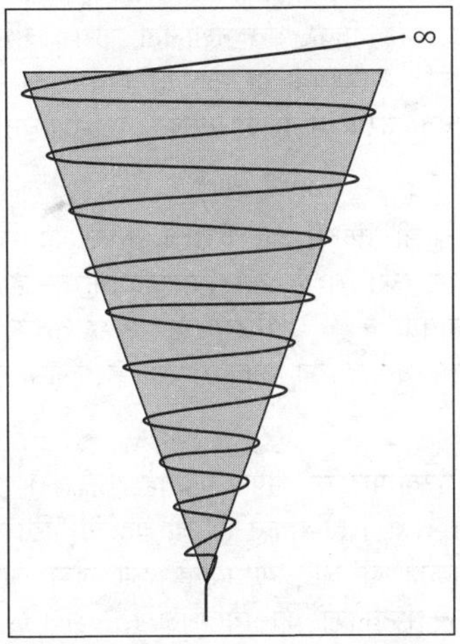

चित्र 12.10 संप्रेषण का हेलिकल मॉडल

संप्रेषण का लेन-देन मॉडल (Transactional Model of Communication)

लेन-देन मॉडल में संप्रेषण को एक गतिशील प्रक्रिया के रूप में देखा जाता है, जहाँ दोनों पक्ष बातचीत के अर्थ को मिलकर आकार देते हैं। कल्पना करें कि आप अपने मित्र से बातचीत कर रहे हैं। इस मॉडल में, आप और आपका मित्र केवल संदेश भेजने और प्राप्त करने वाले नहीं हैं, बल्कि दोनों ही ऐसे संप्रेषणक हैं, जो लगातार एक-दूसरे को प्रभावित कर रहे हैं।

इस मॉडल की एक महत्वपूर्ण विशेषता यह है कि यह केवल बोले गए शब्दों पर ही ध्यान नहीं देता, बल्कि संप्रेषण के दौरान होने वाली हर चीज को शामिल करता है। इसमें शरीर की भाषा (body language), आवाज का स्वर (tone of voice), और संप्रेषण का माहौल (environment) भी शामिल होता है। ये सभी तत्व यह निर्धारित करते हैं कि संदेश को कैसे समझा जाएगा।

इस मॉडल का दूसरा मुख्य तत्व प्रतिक्रिया (feedback) है। लेन-देनात्मक संप्रेषण में यह केवल एक व्यक्ति के बोलने और दूसरे के सुनने तक सीमित नहीं होता, बल्कि दोनों पक्ष लगातार प्रतिक्रिया देते रहते हैं और अपने संप्रेषण को दूसरे व्यक्ति की प्रतिक्रिया के आधार पर समायोजित करते हैं।

इस मॉडल का सबसे रोचक पहलू यह है कि यह इस विचार पर जोर देता है कि अर्थ केवल शब्दों में नहीं होता, बल्कि लोगों के बीच की बातचीत से उत्पन्न होता है। उदाहरण के लिए, दो व्यक्ति एक ही वाक्य सुन सकते हैं, लेकिन वे उसे अलग-अलग तरीकों से समझ सकते हैं, क्योंकि उनकी व्याख्या उनके अपने दृष्टिकोण और अनुभवों पर निर्भर करती है।

अंततः, लेन-देन मॉडल के अनुसार, संप्रेषणकों के बीच का संबंध भी बातचीत के प्रवाह को प्रभावित करता है। यह मॉडल केवल संदेश के स्पष्ट अर्थ (जैसे बोले गए शब्दों) को ही नहीं देखता, बल्कि उसमें शामिल लोगों के बीच के संबंधों को भी ध्यान में रखता है।

कल्पना करें कि आप अपने सबसे अच्छे दोस्त के साथ अपनी पसंदीदा फिल्म के बारे में बात कर रहे हैं। चूँकि आप दोनों को फिल्मों पर चर्चा करना पसंद है, इसलिए बातचीत सहज रूप से आगे बढ़ती है और आप एक-दूसरे को आसानी से समझते हैं। अब सोचिए कि यदि वही बातचीत आप अपने किसी सहपाठी से कर रहे हों, जिससे आप अधिक परिचित नहीं हैं।

भले ही विषय एक ही हो, फिर भी बातचीत का अनुभव अलग हो सकता है। हो सकता है कि आप अपने शब्दों को चुनने में अधिक सतर्क रहें या आपको यह संदेह हो कि वह आपकी मजाकिया बातों को समझ पाएगा या नहीं। ऐसा इसलिए होता है क्योंकि आप और आपके दोस्त के बीच का संबंध आपके और आपके सहपाठी के संबंध से अलग है। इसलिए, संप्रेषण का लेन-देन मॉडल (Transactional Model of Communication) इस बात पर जोर देता है कि संप्रेषणकों के बीच का संबंध - चाहे वह करीबी दोस्त हों, सहकर्मी हों या अजनबी - बातचीत के तरीके को प्रभावित करता है।

क्लैरिटी कॉर्नर

आइए परस्पर क्रियात्मक और लेन-देन संप्रेषण मॉडलों के बीच अंतर स्पष्ट करें।

प्रतिभागियों पर ध्यान केंद्रित करना (Focus on Participants)

- परस्पर क्रियात्मक मॉडल/ऑसगुड-श्रैम मॉडल (Interactional Model/Osgood-Schramm Model) में, संप्रेषण मुख्य रूप से संदेश प्रेषक (sender) और प्राप्तकर्ता (receiver) की भूमिकाओं पर केंद्रित होता है। इसमें यह स्पष्ट रूप से निर्धारित होता है कि कौन संदेश भेज रहा है और कौन उसे प्राप्त कर रहा है।
- लेन-देन मॉडल (Transactional Model) में प्रतिभागियों को केवल प्रेषक और प्राप्तकर्ता के रूप में नहीं देखा जाता, बल्कि वे संप्रेषणक (communicators) होते हैं। इसका अर्थ यह है कि दोनों पक्ष सक्रिय रूप से संप्रेषण प्रक्रिया को आकार देने में भूमिका निभाते हैं, बजाय इसके कि वे केवल संदेश भेजने या प्राप्त करने की निष्क्रिय भूमिका निभाएँ।

प्रतिक्रिया पर विचार (Consideration of Feedback)

- दोनों मॉडल प्रतिक्रिया (feedback) को स्वीकार करते हैं, लेकिन लेन-देन मॉडल में इसे अधिक महत्व दिया जाता है। परस्पर क्रियात्मक मॉडल/ऑसगुड-श्रैम मॉडल में प्रतिक्रिया को अक्सर प्राप्त संदेश के उत्तर के रूप में देखा जाता है। इसके विपरीत, लेन-देन मॉडल में प्रतिक्रिया को संप्रेषण प्रक्रिया का अभिन्न अंग माना जाता है। इसमें केवल संदेश का उत्तर देना ही नहीं, बल्कि दोनों पक्षों की प्रतिक्रिया के आधार पर निरंतर समायोजन और अनुकूलन शामिल होता है।

गैर-मौखिक संप्रेषण और संदर्भ का समावेश (Inclusion of Non-Verbal Communication and Context)

- लेन-देन मॉडल में गैर-मौखिक संप्रेषण (non-verbal communication) और संदर्भ (context) को प्रमुखता दी जाती है। इसमें शरीर की भाषा (body language), आवाज का स्वर (tone of voice) और संप्रेषण का वातावरण (environment) जैसे तत्व संप्रेषण प्रक्रिया को आकार देने और समझने में महत्वपूर्ण भूमिका निभाते हैं।
- इसके विपरीत, परस्पर क्रियात्मक मॉडल/ऑसगुड-श्रैम मॉडल गैर-मौखिक संकेतों को पूरी तरह नजरअंदाज नहीं करता, लेकिन इसमें उन्हें उतनी प्रमुखता नहीं दी जाती, जितनी लेन-देन मॉडल में दी जाती है।

कैट्ज संप्रेषण मॉडल (Katz Model of Communication)

यह मॉडल डेविड कैट्ज (David Katz) द्वारा 1959 में विकसित किया गया था। कैट्ज संप्रेषण मॉडल (Katz Model of Communication) में गेटकीपर्स (gatekeepers) या मध्यस्थों (intermediaries) की अवधारणा महत्वपूर्ण भूमिका निभाती है। गेटकीपर्स वे व्यक्ति या समूह होते हैं, जो सूचना के प्रवाह को नियंत्रित करते हैं और यह तय करते हैं कि कौन-सा संदेश भेजा जाएगा और उसे कैसे समझा जाएगा।

गेटकीपर्स विभिन्न रूपों में हो सकते हैं, जैसे संपादक (editors), मीडिया निर्माता (media producers), या सोशल मीडिया मॉडरेटर (social media moderators)। इनका कार्य सूचना का चयन, संपादन और छँटाई करना होता है, जिससे यह सुनिश्चित किया जा सके कि केवल प्रासंगिक और विश्वसनीय जानकारी ही लक्षित श्रोताओं तक पहुँचे। गेटकीपिंग (gatekeeping) प्रक्रिया सूचना की विशाल मात्रा को प्रबंधित करने और संबंधित एवं प्रमाणिक संदेशों के प्रसार को सुनिश्चित करने के लिए आवश्यक होती है।

गेटकीपर्स सेंसर समूह (censor groups) के रूप में भी कार्य कर सकते हैं, जो यह तय करते हैं कि कौन-सा सामग्री प्रसारित करने की अनुमति दी जाएगी। वे कुछ निश्चित मानकों या दिशानिर्देशों के आधार पर ऐसी जानकारी को सेंसर कर सकते हैं, जिसे अनुचित, आपत्तिजनक या गलत माना जाता है। यह सेंसरशिप (censorship) संप्रेषण प्रक्रिया के विभिन्न चरणों में हो सकती है-संदेश की प्रारंभिक रचना से लेकर विभिन्न माध्यमों के माध्यम से उसके प्रसार तक।

उदाहरण के लिए, सेंसर बोर्ड (censor board) गेटकीपर के रूप में कार्य करता है और फिल्म निर्माताओं (filmmakers) और दर्शकों (audience) के बीच एक मध्यस्थ की भूमिका निभाता है। इसका मुख्य कार्य यह सुनिश्चित करना है कि फिल्में नैतिकता, मर्यादा और कानूनी मानकों का पालन करें, इससे पहले कि वे जनता के लिए रिलीज की जाएँ। जब सेंसर बोर्ड किसी फिल्म का मूल्यांकन करता है, तो वह भाषा, हिंसा, यौन सामग्री और सांस्कृतिक संवेदनशीलता जैसे विभिन्न पहलुओं पर विचार करता है। यदि आवश्यक हो, तो वह नियमों या सामाजिक मानकों का पालन सुनिश्चित करने के लिए संपादन या संशोधन का अनुरोध कर सकता है।

जब सेंसर बोर्ड किसी फिल्म को रिलीज करने की मंजूरी देता है, तो वह प्रभावी रूप से उस संदेश को नियंत्रित करता है जो दर्शकों तक पहुँचेगा। किसी सामग्री के कुछ हिस्सों को सेंसर करके या उसे नियंत्रित करके, बोर्ड अंतिम उत्पाद को आकार देता है, जिसे दर्शक थिएटर या स्क्रीन पर देखेंगे।

इसके अतिरिक्त, गेटकीपर्स के अपने पूर्वाग्रह (biases), एजेंडा (agenda) या निजी हित (interests) हो सकते हैं, जो यह निर्धारित करते हैं कि किन संदेशों को प्राथमिकता दी जाए या किन्हें दबा दिया जाए। इससे संप्रेषण प्रक्रिया में विभिन्न दृष्टिकोणों की विविधता (diversity of viewpoints) प्रभावित हो सकती है और कुछ मुद्दों पर सार्वजनिक राय (public opinion) को भी प्रभावित किया जा सकता है।

चित्र 12.11 कैट्ज संप्रेषण मॉडल

कॉन्सेप्ट कैप्सूल

आसन्न युग्म (Adjacency Pairs)

आसन्न युग्म वार्तालाप में प्रयुक्त एक मूलभूत संरचना है। इसमें दो संबंधित वाक्यांश (utterances) होते हैं, जहाँ एक कथन के बाद दूसरे कथन की पूर्वानुमानित (predictable) और अपेक्षित (expected) प्रतिक्रिया होती है। इसे बातचीत में मौखिक पैटर्न (verbal pattern) के रूप में देखा जा सकता है। यह पैटर्न रोजमर्रा की बातचीत में आम है और यह दिखाता है कि मौखिक संप्रेषण एक व्यवस्थित प्रक्रिया है।

इसकी प्रक्रिया इस प्रकार होती है: जब कोई व्यक्ति कुछ कहता है, तो वह आमतौर पर एक निश्चित प्रकार की प्रतिक्रिया को प्रेरित करता है। उदाहरण के लिए, यदि कोई प्रश्न पूछता है, तो उत्तर की अपेक्षा की जाती है। इसी तरह, यदि कोई अनुरोध करता है, तो आमतौर पर उसे स्वीकार (compliance) या अस्वीकार (refusal) किया जाता है।

उदाहरण

प्रश्न-उत्तर युग्म:

A: "तुम्हारा पसंदीदा रंग कौन-सा है?"

B: "नीला"

अभिवादन-उत्तर युग्मः

A: "नमस्ते, कैसे हो?"

B: "नमस्ते, मैं अच्छा हूँ, धन्यवाद। तुम कैसे हो?"

प्रस्ताव-स्वीकृति/अस्वीकृति युग्मः

A: "क्या तुम कॉफी लोगे?"

B: "हाँ, कृपया।" या "नहीं, धन्यवाद"

शिकायत-क्षमा युग्म (Complaint-Apology Pair):

A: "तुमने फिर से लाइट जलती छोड़ दी।"

B: "माफ करना, अगली बार ध्यान रखूँगा।"

इन सभी मामलों में, पहला कथन ('A') दूसरे व्यक्ति ('B') से एक विशिष्ट प्रकार की प्रतिक्रिया उत्पन्न करता है, जिससे एक आसन्न युग्म (adjacency pair) बनता है। ये युग्म रोजमर्रा की बातचीत के प्रवाह और संरचना (rhythm and structure) को बनाए रखने में मदद करते हैं।

स्कोर बूस्टर

पूरक पठन अनुशंसा

QR कोड काम नहीं कर रहा है? QR कोड के साथ दिए गए संसाधनों तक पहुँचने के लिए आंतरिक फ्रन्ट कवर पर दिए गए निर्देशों का पालन करें

ऐसे अतिरिक्त विषय खोजें जो UGC NET पेपर 1 में आपके स्कोर को बढ़ा सकते हैं। आधिकारिक तौर पर पाठ्यक्रम का हिस्सा न होने के बावजूद, ये विषय पिछली UGC NET परीक्षाओं में शामिल हो चुके हैं। निम्नलिखित विषयों को कवर करने वाला एक **विशेष PDF** डाउनलोड करने के लिए QR कोड को स्कैन करें:

महत्वपूर्ण संचार मॉडल:

1. बौद्ध मॉडल (पूर्वी संचार)
2. अरिस्टोटेलियन मॉडल (आधुनिक संचार)
3. न्यूकॉम्ब का मॉडल
4. वेस्टली और मैकलीन मॉडल
5. बरनलुंड का लेन-देन मॉडल
6. रोजर और किनकैड मॉडल

महत्वपूर्ण विचारकः

1. एडम स्मिथ
2. अल्फ्रेड मार्शल
3. जॉन लोके

अध्याय के मुख्य बिंदु

संप्रेषण के रैखिक मॉडल

मॉडल	वर्ष प्रारंभ	मुख्य घटक	केंद्र	विशिष्ट विशेषताएँ
अरस्तू मॉडल	~300 ई.पू.	⇒ वक्ता ⇒ भाषण ⇒ अवसर ⇒ लक्षित दर्शक ⇒ प्रभाव	एक 'वक्ता-केंद्रित' मॉडल जहां वक्ता अपने भाषण के माध्यम से श्रोताओं को मनाने का प्रयास करता है।	संप्रेषण में अनुनय के तीन तरीके - 'एथोस, पैथोस और लोगोस' की अवधारणाओं का परिचय दिया गया।
लैसवेल मॉडल	1948	⇒ कौन? ⇒ क्या कहते हैं? ⇒ किस चैनल के माध्यम से? ⇒ किसके लिए? ⇒ इसका क्या प्रभाव होगा?	संप्रेषण प्रक्रियाओं को समझने के लिए रूपरेखा।	संप्रेषण कार्य को संप्रेषणक, संदेश सामग्री, चैनल, प्राप्तकर्ता और प्रभाव में विभाजित किया गया।
शैनन और वीवर मॉडल	1949	⇒ प्रेषक ⇒ एनकोडर ⇒ चैनल ⇒ डिकोडर ⇒ रिसीवर	प्रभावी संप्रेषण के लिए एनकोडिंग और डिकोडिंग पर जोर दिया गया।	संप्रेषण में बाधा उत्पन्न करने वाले कारक के रूप में 'शोर' को स्वीकार करने वाले पहले व्यक्ति।
बर्लो का एस-एम-सी-आर मॉडल	1960	⇒ स्रोत ⇒ संदेश ⇒ चैनल ⇒ रिसीवर	संदेश प्रेषण और प्राप्ति को प्रभावित करने वाले कारकों का विस्तृत विवरण प्रस्तुत किया गया	संप्रेषण में फीडबैक के महत्व पर बल दिया गया।

संप्रेषण के परस्पर क्रियात्मक मॉडल

मॉडल	वर्ष प्रारंभ	मुख्य घटक	केंद्र	विशिष्ट विशेषताएं
ऑसगुड-श्रैम मॉडल	1954	⇒ संप्रेषण चक्रीय है ⇒ संप्रेषण समान और पारस्परिक है ⇒ संदेश की व्याख्या की आवश्यकता है	संचार की गतिशील, चक्रीय और अंत:क्रियात्मक (interactive nature) प्रकृति पर जोर दिया गया है, जहां सूचना के आदान-प्रदान के दौरान प्रेषक और प्राप्तकर्ता की भूमिकाएं लगातार बदलती रहती हैं।	प्रभावी संप्रेषण में एक महत्वपूर्ण कारक के रूप में साझा 'अनुभव के क्षेत्र' की अवधारणा को प्रस्तुत किया गया। तीन चरण प्रस्तुत किए गए: एनकोडिंग, डिकोडिंग और इंटरप्रिटिंग।
फ्रैंक डांस का हेलिकल मॉडल	1967	⇒ प्रस्थान बिंदू ⇒ क्रमिक विस्तार ⇒ सतत विकास ⇒ पिछले अनुभवों पर निर्भरता ⇒ संशोधन और विकास	संप्रेषण को एक गतिशील और विकासशील प्रक्रिया के रूप में देखा जा सकता है, जो एक हेलिक्स के समान है, जहा यह धीरे-धीरे एक गोलाकार गति में ऊपर की ओर फैलता है; तथा शीर्ष पर एक बड़ा वृत्त बनाता है।	संप्रेषण में एक कारक के रूप में 'समय' को शामिल किया गया।

संप्रेषण के लेन-देन संबंधी मॉडल

मॉडल	वर्ष प्रारंभ	मुख्य घटक	केंद्र	विशिष्ट विशेषताएं
संप्रेषण का काट्ज मॉडल	1959	⇒ जनसंचार माध्यम (प्रेषक) ⇒ मतग्य नेता (गेटकीपर) ⇒ जनता (श्रोतागण)	जनसंचार माध्यमों से सूचना पहले मतग्य नेताओं (Gatekeeper) तक पहुँचती है, और फिर उन नेताओं से व्यापक जनता तक पहुँचती है, इस प्रक्रिया को 'दो- चरणीय प्रवाह सिद्धांत' के रूप में प्रस्तुत किया गया।	संप्रेषण में 'मतग्य' (Gatekeepers) की अवधारणा प्रस्तुत की गई है जो प्रेषक और प्राप्तकर्ता के बीच सूचना के प्रवाह को नियंत्रित करती है।

संप्रेषण के प्रकार (Types of Communication)

13

इस अध्याय में

*परीक्षोपयोगी *(Exam Essential): UGC NET* परीक्षा में पूछे जाने की अत्यधिक संभावना, #*CC* का अर्थ है कॉन्सेप्ट कैप्सूल

परिचय (Introduction)

विभिन्न प्रकार के संप्रेषण को समझना हमारे दैनिक संपर्कों को नेविगेट करने के लिए आवश्यक है। संप्रेषण कई रूपों में आता है, मौखिक आदान-प्रदान से लेकर लिखित संदेशों और यहां तक कि चेहरे के भाव और इशारों जैसे गैर-मौखिक संकेतों तक। इन विभिन्न प्रकार के संप्रेषण के बारे में जानकर, हम यह समझने में मूल्यवान अंतर्दृष्टि प्राप्त करते हैं कि कैसे प्रभावी ढंग से खुद को व्यक्त करें, दूसरों को समझें और सार्थक संबंध बनाएं।

चाहे वह दोस्तों, परिवार, सहकर्मियों या अजनबियों के साथ संप्रेषण हो, विभिन्न संप्रेषण शैलियों के बारीकियों को जानने से हमें अपने विचारों और भावनाओं को अधिक स्पष्ट और सहानुभूतिपूर्वक व्यक्त करने में मदद मिल सकती है। आइए विभिन्न प्रकार के संप्रेषण में गोता लगाएँ:

13.1 माध्यमों के आधार पर (Based on Channels)

शाब्दिक संप्रेषण (Verbal Communication)

इस विषय को सरल बनाने वाले वीडियो व्याख्यान को देखने के लिए इस QR कोड को स्कैन करें

शाब्दिक संप्रेषण (Verbal Communication) में संदेश, विचार या जानकारी को व्यक्त करने के लिए बोले या लिखे गए शब्दों का उपयोग किया जाता है। इसमें आमने-सामने की बातचीत (Face-to-Face Conversation), टेलीफोन कॉल (Phone Calls), प्रस्तुतियाँ (Presentations), भाषण (Speeches), ईमेल (Emails), पत्र (Letters) और टेक्स्ट संदेश (Text Messages) जैसे विभिन्न रूप शामिल हैं। शाब्दिक संप्रेषण हमारे रोजमर्रा के संपर्कों, पारस्परिक संबंधों, व्यावसायिक लेन-देन, शिक्षा और सार्वजनिक विमर्श (Public Discourse) में महत्वपूर्ण भूमिका निभाता है।

प्रभावी शाब्दिक संप्रेषण के लिए रणनीतियाँ और विचार (Strategies and Considerations for Effective Verbal Communication)

1. **अपने संदेश को सरल बनाएं (Simplify Your Message):** चाहे आमने-सामने बात कर रहे हों या लिख रहे हों, संदेश को सीधा और आसानी से समझने योग्य रखें। इसे अक्सर KISS (Keep It Short And Simple) कहा जाता है।
2. **सहानुभूति का अभ्यास करें (Practice Empathy):** सहानुभूति का अर्थ है उस व्यक्ति के दृष्टिकोण को समझना जिससे आप बात कर रहे हैं और अपने संदेश को इस तरह ढालना कि वह उन्हें सही तरीके से समझ आए।
3. **आत्मविश्वास के साथ बात करें (Assertiveness):** आत्मविश्वास से अपनी बात कहें, लेकिन दूसरों के विचारों का भी सम्मान करें।
4. **दो-तरफा संप्रेषण को बढ़ावा दें (Foster Two-Way Communication):** प्रतिक्रिया (थ्ममकइंबा) के लिए खुले मंच बनाएं, जिससे विचारों और चिंताओं का रचनात्मक आदान-प्रदान हो सके।
5. **सकारात्मक भाषा का प्रयोग करें (Use Positive Language):** सकारात्मक शब्दों और भावों का चयन करके आशावाद, आत्मविश्वास और प्रोत्साहन व्यक्त करें। यह एक अधिक अनुकूल और प्रेरक संवाद वातावरण बनाने में मदद करता है। सकारात्मक शब्दों का प्रयोग शाब्दिक संप्रेषण को और प्रभावी बनाता है।
6. **प्रारंभिक भाषाओं को समझें (Understanding Protolanguages):** भाषा के प्रारंभिक रूपों और विकास को जानने से संप्रेषण के पैटर्न को समझने में मदद मिलती है। प्रारंभिक भाषाओं (Protolanguages) का अध्ययन विशेषज्ञों को यह समझने में सहायता करता है कि भाषाएं कहाँ से शुरू हुई और समय के साथ कैसे बदलीं। इससे विभिन्न भाषाओं के बीच संबंधों को समझने में मदद मिलती है।
7. **भाषा के विकास को पहचानें (Recognise Language Evolution):** यह स्वीकार करें कि भाषाएं स्थिर नहीं होतीं, बल्कि समय के साथ विभिन्न कारकों से प्रभावित होती हैं। संस्कृति, इतिहास और विभिन्न समुदायों के आपसी संपर्क से भाषाएं बदलती रहती हैं। भाषाओं की उत्पत्ति को समझकर हम यह जान सकते हैं कि आज हम किस तरह संवाद करते हैं और निरंतर सीखते और अनुकूलित होते रहना क्यों आवश्यक है।
8. **संप्रेषण में रुकावटों को दूर करें (Address Communication Breakdowns):** गलतफहमियों या अस्पष्ट संदेशों को पहचानकर उनका समाधान करें ताकि संप्रेषण प्रभावी बना रहे। शाब्दिक संप्रेषण में बाधाएँ उत्पन्न हो सकती हैं, जिन्हें 'एंट्रॉपी' (Entropy) कहा जाता है। ये बाधाएँ गलतफहमी, गलत व्याख्या या अस्पष्ट संदेश के रूप में प्रकट हो सकती हैं। भले ही हम अपने संदेशों को स्पष्ट और सहानुभूतिपूर्ण ढंग से प्रस्तुत करने का प्रयास करें, फिर भी ये बाधाएँ आ सकती हैं। इन्हें समय पर पहचानकर हल करना प्रभावी संप्रेषण के लिए आवश्यक है।

शाब्दिक संप्रेषण के प्रमुख तत्व (Key Elements in Verbal Communication)

1. **ध्वन्यात्मक (Phonemic):** ध्वन्यात्मक तत्व भाषा की ध्वनि प्रणाली (Sound System) से संबंधित होते हैं। इसमें ध्वनियों (Phonemes) का अध्ययन शामिल है, जो किसी शब्द के अर्थ को बदलने वाली सबसे छोटी ध्वनि इकाइयाँ होती हैं। शाब्दिक संप्रेषण में ध्वन्यात्मक पहलू उच्चारण (Pronunciation), स्वराघात (Intonation), बलाघात (Stress Patterns) और लय (Rhythm) को नियंत्रित करते हैं।
2. **संज्ञानात्मक (Cognitive):** संज्ञानात्मक तत्व इस बात से जुड़े होते हैं कि भाषा को मस्तिष्क में कैसे संसाधित (Process), समझा (Understand) और उत्पन्न (Produce) किया जाता है। इसमें भाषा को समझने, याद रखने, ध्यान केंद्रित करने और समस्याओं को हल करने जैसी प्रक्रियाएँ शामिल होती हैं, जो शाब्दिक संदेशों को व्याख्यायित (Interpret) और उत्पन्न (Generate) करने में सहायक होती हैं।
3. **वाक्यगत (Syntactic):** वाक्यगत तत्व भाषा की संरचना (Structure) से जुड़े होते हैं, विशेष रूप से उन नियमों से, जो शब्दों और वाक्यांशों (Phrases) को व्यवस्थित (Arrange) करके व्याकरणिक रूप से सही वाक्य (Grammatically Correct Sentences) बनाने में सहायता करते हैं। मौखिक संप्रेषण में वाक्यगत पहलू वाक्य संरचना (Sentence Structure), शब्द क्रम (Word Order), व्याकरण (Grammar) और वाक्यविन्यास (Syntañ) से संबंधित होते हैं।
4. **प्रयोगात्मक (Pragmatic):** प्रयोगात्मक तत्व भाषा के प्रयोग और संप्रेषण को प्रभावित करने वाले सामाजिक मानकों (Social Conventions) से जुड़े होते हैं। इसमें वक्ता के इरादे (Speaker's Intentions), संप्रेषण का संदर्भ (Context of Communication), सांस्कृतिक मानदंड (Cultural Norms), शिष्टाचार (Politeness), अनुमान (Inference) और अप्रत्यक्ष अभिव्यक्ति (Conversational Implicature) शामिल होते हैं। प्रयोगात्मक दक्षता (Pragmatic Competence) किसी भी संप्रेषण के निहित अर्थ (Implied Meanings) को समझने, अप्रत्यक्ष भाषा (Indirect Speech Acts) की व्याख्या करने और सामाजिक संपर्कों (Social Interactions) को प्रभावी ढंग से संभालने के लिए आवश्यक है। प्रयोगात्मक विशेषज्ञता वाला व्यक्ति सामाजिक रूप से उपयुक्त बातों की गहरी समझ रखता है और हर सामाजिक संदर्भ में क्या कहना है, यह भली-भाँति जानता है।

क्विज स्टेशन *विगत UGC NET परीक्षाओं के प्रश्न*

प्र 1. एक व्यक्ति को सामाजिक रूप से उपयुक्त बातों की बहुत गहरी समझ होती है और वह हर सामाजिक संदर्भ में क्या कहना है, यह हमेशा जानता है। इस व्यक्ति के पास किस प्रकार की भाषागत क्षमता (Linguistic Competence) है?

(a) ध्वन्यात्मक (Phonemic)

(b) संज्ञानात्मक (Cognitive)

(c) वाक्यगत (Syntactic)

(d) प्रयोगात्मक (Pragmatic)

उत्तर 1. (d)

शाब्दिक संचार दो प्रकार का होता है:

मौखिक संप्रेषण (Oral Communication)

मौखिक संप्रेषण (Oral Communication) में बोले गए शब्दों का उपयोग करके दूसरों से जुड़ना शामिल है। यह विभिन्न परिस्थितियों में पाया जाता है, जैसे आमने-सामने की बातचीत (Face-to-Face Conversations), भाषण (Speeches), टेलीफोन कॉल (Phone Calls), वीडियो चैट (Video Chats) और यहां तक कि रेडियो और टेलीविजन पर प्रसारित (Broadcasts) होने वाले संवाद।

मौखिक संप्रेषण की कुछ प्रमुख विशेषताएँ इसे प्रभावी बनाती हैं। यह स्वाभाविक (Spontaneous) होता है, जिससे वक्ता और श्रोता के बीच सहज और आसान संवाद संभव होता है। यह वास्तविक समय (Real-Time) में बातचीत को बढ़ावा देता है, जिससे जुड़ाव और आत्मीयता की भावना उत्पन्न होती है। हालांकि, मौखिक संप्रेषण की कुछ सीमाएँ भी होती हैं। यह अस्थायी (Temporary) होता है, क्योंकि बोले गए शब्द हवा में विलीन हो जाते हैं, जिससे जानकारी भूलने या गलत समझने (Misinterpretation) का खतरा रहता है। इसके अलावा, हाव-भाव (Gestures) और चेहरे के भाव (Facial Expressions) जैसे गैर-मौखिक संकेत (Non-Verbal Cues), जो मौखिक संप्रेषण को समर्थन देते हैं, विभिन्न संस्कृतियों में हमेशा समान रूप से नहीं समझे जाते।

जब हम मौखिक रूप से संवाद करते हैं, तो कई कारक हमारे संदेश की प्रभावशीलता को प्रभावित करते हैं:

1. **स्वर का उतार-चढ़ाव और ध्वनि की तीव्रता (Pitch and Volume):** स्वर का उतार-चढ़ाव (Pitch) हमारी आवाज की उच्चता या निम्नता को दर्शाता है, जो विभिन्न भावनाओं और इरादों को व्यक्त कर सकता है। चाहे हम कक्षा में पढ़ा रहे हों या उत्साह या गुस्सा जता रहे हों, हमारे स्वर में विविधता बनाए रखना आवश्यक है, ताकि श्रोता रुचि बनाए रखें। ध्वनि की तीव्रता (Volume) इस पर निर्भर करती है कि हम कितनी जोर से बोल रहे हैं। यह इस बात को ध्यान में रखकर नियंत्रित किया जाता है कि हम कितने लोगों से बात कर रहे हैं और हमारे व श्रोता के बीच कितनी दूरी है।
2. **स्पष्टता और सही उच्चारण (Clarity in Speaking and Articulation):** शब्दों का स्पष्ट उच्चारण (Pronunciation) और प्रभावी ढंग से प्रस्तुत करना यह सुनिश्चित करता है कि हमारा संदेश सही तरीके से समझा जाए। यह केवल हमारे बोलने के तरीके पर ही निर्भर नहीं करता, बल्कि इस पर भी कि हम अपने विचारों को कितनी अच्छी तरह व्यवस्थित कर रहे हैं और मौखिक रूप से उन्हें कैसे व्यक्त कर रहे हैं।

सिनेमैटिक कनेक्शन

बॉलीवुड में एक प्रसिद्ध किरदार जो स्पष्ट रूप से नहीं बोलता, वह है पप्पू यादव, जिसे राजपाल यादव ने फिर हेरा फेरी (2006) फिल्म में निभाया था। पप्पू एक मजेदार और असावधान किरदार है, जो अक्सर भ्रमित होकर अस्पष्ट ढंग से बात करता है। वह शब्दों का गलत उच्चारण करता है और कभी-कभी पूरी तरह से गलत शब्दों का उपयोग करता है, जिससे उसके संवाद में गलतफहमियां पैदा होती हैं। उसकी संवाद शैली उसकी हास्यपूर्ण प्रस्तुति का एक महत्वपूर्ण हिस्सा बन जाती है और उसके चरित्र को यादगार बनाती है।

3. **गति (Rate):** यह उस गति को दर्शाता है, जिससे हम बोलते हैं। एक स्थिर और संतुलित गति बनाए रखना आत्मविश्वास और स्पष्टता व्यक्त करने में सहायक होता है। यदि हम बहुत तेज बोलते हैं, तो श्रोता को समझने में कठिनाई हो सकती है, और यदि बहुत धीमे बोलते हैं, तो संवाद उबाऊ या निराशाजनक लग सकता है। यह विशेष रूप से शैक्षिक संदर्भों (Educational Settings) में महत्वपूर्ण होता है, जहाँ स्पष्ट और प्रभावी संप्रेषण आवश्यक होता है।
4. **ध्वनिविज्ञान (Phonetics):** ध्वनिविज्ञान (Phonetics) भाषण ध्वनियों (Speech Sounds) और उनके निर्माण (Formation) की विस्तृत समझ प्रदान करता है। यह इस बात का अध्ययन करता है कि मनुष्य इन ध्वनियों को कैसे उत्पन्न करता है, उन्हें कैसे समझता है, और ये ध्वनियाँ लिखित भाषा में कैसे परिवर्तित होती हैं। इस अवधारणा को समझने के लिए, अंग्रेजी वर्णमाला प्रणाली (English Alphabet System) को देखें। अंग्रेजी में 26 अक्षर (Letters) होते हैं, लेकिन वास्तव में 44 अलग-अलग ध्वनियाँ (Distinct Sounds) मौजूद होती हैं (चित्र 13.1)। इसका अर्थ यह है कि कई बार एक ही ध्वनि को अलग-अलग अक्षरों या अक्षर संयोजनों (Letter Combinations) के माध्यम से व्यक्त किया जा सकता है, और दूसरी ओर, एक ही अक्षर या अक्षर संयोजन अलग-अलग ध्वनियों का प्रतिनिधित्व कर सकता है।

Consonants						**Vowels and diphthongs**					
p	pen	/pen/	s	so	/səʊ/	iː	see	/siː/	ʌ	cup	/kʌp/
b	bad	/bæd/	z	zoo	/zuː/	i	happy	/ˈhæpi/	ɜː	bird	/bɜːd/
t	tea	/tiː/	ʃ	shoe	/ʃuː/	ɪ	sit	/sɪt/	ə	about	/əˈbaʊt/
d	did	/dɪd/	ʒ	vision	/ˈvɪʒn/	e	ten	/ten/	eɪ	say	/seɪ/
k	cat	/kæt/	h	hat	/hæt/	æ	cat	/kæt/	əʊ	go	/gəʊ/
g	got	/gɒt/	m	man	/mæn/	ɑː	father	/ˈfɑːðə(r)/	aɪ	five	/faɪv/
tʃ	chain	/tʃeɪn/	n	no	/nəʊ/	ɒ	got	/gɒt/	aʊ	now	/naʊ/
dʒ	jam	/dʒæm/	ŋ	sing	/sɪŋ/	ɔː	saw	/sɔː/	ɔɪ	boy	/bɔɪ/
f	fall	/fɔːl/	l	leg	/leg/	ʊ	put	/pʊt/	ɪə	near	/nɪə(r)/
v	van	/væn/	r	red	/red/	u	actual	/ˈæktʃuəl/	eə	hair	/heə(r)/
θ	thin	/θɪn/	j	yes	/jes/	uː	too	/tuː/	ʊə	pure	/pjʊə(r)/
ð	this	/ðɪs/	w	wet	/wet/						

चित्र 13.1 अंग्रेजी वर्णमाला में ध्वन्यात्मक प्रतीक

अंग्रेजी में अक्षर (Letters) या अक्षर संयोजन (Combinations of Letters) एक ही ध्वनि (Sound) को दर्शा सकते हैं, और इसके विपरीत, एक ही अक्षर या अक्षर संयोजन अलग-अलग ध्वनियों का प्रतिनिधित्व कर सकता है। यह ध्वन्यात्मक जटिलता (Phonetic Complexity) अंग्रेजी भाषा की विशेषताओं में से एक है, जिससे यह स्पष्ट होता है कि उच्चारण और वर्तनी (Spelling) का संबंध हमेशा सीधा नहीं होता।

उदाहरण के लिए, 'bear' और 'bare' शब्दों को लें। ये दोनों शब्द अलग-अलग तरीके से लिखे जाते हैं, लेकिन इनका उच्चारण समान होता है, क्योंकि दोनों में एक ही ध्वनि (Sound) प्रयोग की गई है। यह दर्शाता है कि अंग्रेजी में एक ही ध्वनि को विभिन्न अक्षर संयोजनों के माध्यम से लिखा जा सकता है। इसके अलावा, अंग्रेजी में कई ऐसे शब्द होते हैं, जिनमें मूक अक्षर (Silent Letters) होते हैं, जो लिखे तो जाते हैं, लेकिन उच्चारण में नहीं आते। उदाहरण के लिए, 'knight', 'gnat', और 'psychology' जैसे शब्दों में कुछ अक्षरों का उच्चारण नहीं किया जाता। ध्वनिविज्ञान (Phonetics) को समझने से हम इन जटिलताओं को बेहतर ढंग से पहचान सकते हैं और यह जान सकते हैं कि ध्वनियाँ वर्तनी (Spelling) से कैसे संबंधित होती हैं। यह हमें भाषा के उच्चारण और

संप्रेषण को अधिक प्रभावी बनाने में मदद करता है, चाहे शब्दों की वर्तनी कुछ भी हो।

लिखित संप्रेषण (Written Communication)

इस विषय को सरल बनाने वाले वीडियो व्याख्यान को देखने के लिए इस QR कोड को स्कैन करें

लिखित संप्रेषण में हम लिखित संकेतों और प्रतीकों पर निर्भर रहते हैं, चाहे वे मुद्रित हों या हस्तलिखित। समझ को बेहतर बनाने के लिए इनमें अक्सर चित्रों या ग्राफ जैसे दृश्य माध्यमों (visual aids) का उपयोग किया जाता है। लिखित संप्रेषण की प्रभावशीलता कई कारकों पर निर्भर करती है, जैसे कि संप्रेषक (communicator) की लेखन क्षमता, शैली और व्याकरण की समझ। चाहे ईमेल हो, पत्र हो, रिपोर्ट हो या ज्ञापन (memo), लिखित संप्रेषण संदेशों को स्पष्टता और सटीकता के साथ संप्रेषित करने की सुविधा प्रदान करता है।

संगठनों (organisations) के भीतर, लिखित संप्रेषण आंतरिक (internal) और बाह्य (external) दोनों उद्देश्यों की पूर्ति करता है। आंतरिक रूप से, यह ज्ञापन, रिपोर्ट और ईमेल के रूप में होता है, जिससे कर्मचारियों के बीच संवाद सुगम बनता है। बाह्य रूप से, संगठन हितधारकों (stakeholders) और ग्राहकों तक पहुंचने के लिए ईमेल, पत्र, प्रस्ताव और विज्ञापनों जैसे माध्यमों का उपयोग करते हैं। हालांकि लिखित संप्रेषण व्यापक रूप से प्रयुक्त होता है, लेकिन मौखिक संप्रेषण भी आंतरिक और बाह्य दोनों प्रकार के संवादों के लिए आवश्यक बना रहता है।

सिनेमैटिक कनेक्शन

बॉलीवुड फिल्म मुझसे दोस्ती करोगे! (2002) में लिखित संप्रेषण पात्रों के संबंधों की गतिशीलता (relationship dynamics) में महत्वपूर्ण भूमिका निभाता है। फिल्म में नायक राज (जिसकी भूमिका ऋतिक रोशन ने निभाई है) नौकरी के लिए लंदन चला जाता है और अपने बचपन के दोस्तों, टीना और पूजा (क्रमश: रानी मुखर्जी और करीना कपूर खान द्वारा अभिनीत) को पीछे छोड़ देता है। भौगोलिक दूरी के बावजूद, राज ईमेल के माध्यम से टीना और पूजा के साथ संपर्क बनाए रखता है। वह नियमित रूप से उन्हें संदेश भेजता है, जिनमें वह अपने विचार व्यक्त करता है, अपने जीवन के अपडेट साझा करता है और उनके साथ बिताए गए पलों को याद करता है। इन ईमेलों के माध्यम से, राज अपनी भावनाओं को संप्रेषित करता है और दूरी के बावजूद अपने दोस्तों के साथ अपने संबंधों को मजबूत बनाए रखता है।

लिखित संप्रेषण के लाभ (Advantages of Written Communication):

1. संदेश भेजने से पहले उसे कई बार संपादित (edit) और संशोधित (revise) किया जा सकता है, जिससे गलतियों की संभावना कम हो जाती है।
2. लिखित संप्रेषण प्रत्येक भेजे गए संदेश का स्थायी रिकॉर्ड (permanent record) प्रदान करता है, जिसे भविष्य में संदर्भ या अध्ययन के लिए सुरक्षित रखा जा सकता है।
3. एक लिखित संदेश प्राप्तकर्ता को इसे पूरी तरह समझने और उपयुक्त प्रतिक्रिया (appropriate feedback) देने का अवसर देता है, जिससे स्पष्टता और समझ में सुधार होता है।
4. यह संप्रेषण में एक औपचारिकता और वस्तुनिष्ठता (objectivity) का तत्व जोड़ता है, जिससे विचारों की स्पष्ट अभिव्यक्ति आसान हो जाती है।

लिखित संप्रेषण की सीमाएं (Disadvantages of Written Communication):

1. लिखित संप्रेषण त्वरित और स्वाभाविक प्रतिक्रिया (spontaneous feedback) को प्रेरित नहीं कर सकता, जिससे संवाद में विलंब (delay) हो सकता है।
2. लिखित संदेश तैयार करने में अधिक समय लग सकता है, विशेष रूप से उन परिस्थितियों में जहां तत्काल प्रतिक्रिया आवश्यक होती है।
3. लिखित संदेशों में गैर-मौखिक संकेतों (non-verbal cues) जैसे स्वर (tone of voice) या शारीरिक भाषा (body language) की कमी होने के कारण, गलत व्याख्या (misinterpretation) या गलतफहमी (misunderstanding) की संभावना बनी रहती है।
4. कुछ मामलों में, लिखित संप्रेषण अत्यधिक औपचारिक या दूरस्थ (distant) महसूस हो सकता है, जिससे व्यक्तिगत संबंधों या आपसी तालमेल (rapport) के विकास में बाधा आ सकती है।

तालिका 13.1 शाब्दिक संप्रेषण के प्रकार

मौखिक संप्रेषण	लिखित संप्रेषण
• आमने-सामने बातचीत	• ईमेल
• भाषण	• पत्र
• टेलीफोन पर बातचीत	• रिपोर्ट
• वीडियो संप्रेषण (यूट्यूब वीडियो शामिल हैं)	• ज्ञापन
	• अनुबंध
• रेडियो संप्रेषण	• विज्ञापन
• टेलीविजन संप्रेषण	• ब्रोशर
• इंटरनेट पर आवाज	• सोशल मीडिया पोस्ट

★★★ परीक्षोपयोगी

अशाब्दिक संप्रेषण (Non-Verbal Communication)

अशाब्दिक संप्रेषण (Non-Verbal Communication), जिसे अक्सर नजरअंदाज कर दिया जाता है, लेकिन यह अत्यधिक प्रभावशाली होता है और मानव संपर्क का एक महत्वपूर्ण पहलू है। इसमें संदेशों या संकेतों को शब्दों के बजाय अन्य माध्यमों से व्यक्त किया जाता है, जैसे इशारे (gestures), चेहरे के भाव (facial expressions) और शारीरिक भाषा (body language)। इसके अलावा, यह सामाजिक संकेतों (social cues), काइनेसिक्स (kinesics), भौतिक दूरी (distance), भौतिक परिवेश (physical environments), रूप-रंग (appearance), ध्वनि (sounds) और स्पर्श (touch) को भी शामिल करता है। अशाब्दिक संप्रेषण काफी हद

तक सांस्कृतिक संदर्भ (cultural context) पर निर्भर करता है। उदाहरण के लिए, किसी संस्कृति में 'अंगूठा दिखाना' (thumbs-up) 'बहुत बढ़िया' या 'शाबाश' का संकेत हो सकता है, जबकि किसी अन्य संस्कृति में यह अपमानजनक माना जा सकता है।

सिनेमैटिक कनेक्शन

सिनेमा की दुनिया में चार्ली चैपलिन अशाब्दिक संप्रेषण के एक महान कलाकार के रूप में जाने जाते हैं। उनकी क्लासिक फिल्मों जैसे सिटी लाइट्स (City Lights) और मॉडर्न टाइम्स (Modern Times) में, चैपलिन अपने प्रभावशाली इशारों, चेहरे के भावों और शारीरिक कॉमेडी (physical comedy) के माध्यम से दर्शकों को मंत्रमुग्ध कर देते हैं। वह बिना एक भी शब्द कहे भावनाओं और कहानियों को संप्रेषित करने में निपुण थे।

चार्ली चैपलिन की असाधारण अशाब्दिक संप्रेषण प्रतिभा ने उन्हें भाषाई सीमाओं (language barriers) से परे जाने की क्षमता प्रदान की। उनकी लोकप्रियता का मुख्य कारण यह था कि उनके हावभाव और चेहरे के भावों को कोई भी व्यक्ति, चाहे वह किसी भी भाषा का हो, आसानी से समझ सकता था। इस व्यापक स्वीकार्यता ने चैपलिन को वैश्विक दर्शकों के दिलों में जगह दिलाई और उन्हें सिनेमा के इतिहास में एक प्रिय व्यक्तित्व बना दिया।

चार्ली चैपलिन की फिल्में अशाब्दिक संप्रेषण की शक्ति का उत्कृष्ट उदाहरण प्रस्तुत करती हैं। वे यह दर्शाती हैं कि कैसे कोई व्यक्ति केवल अपने शरीर और अभिव्यक्तियों के माध्यम से जटिल कहानियां बयां कर सकता है और बिना एक भी शब्द कहे, गहरी भावनाएं जगा सकता है।

अशाब्दिक संप्रेषण (Non-Verbal Communication) मुख्य रूप से दो प्रकार की विशेषताओं से बना होता है: स्थिर (Static) और गतिशील (Dynamic)। आइए इनका विस्तार से अध्ययन करें।

स्थिर विशेषताएँ (Static Features)

स्थिर विशेषताएँ वे भौतिक गुण या विशेषताएँ होती हैं, जो सामान्य रूप से स्थिर रहती हैं और बिना किसी गति के भी जानकारी संप्रेषित कर सकती हैं। इनमें शामिल हैं:

1. **दूरी/स्थान (Distance/Space):** सामाजिक संबंधों और बातचीत की तीव्रता को दर्शाती है। उदाहरण के लिए कुछ संस्कृतियों में बातचीत के दौरान किसी के करीब खड़ा होना मित्रता या आत्मीयता का संकेत हो सकता है, जबकि अधिक दूरी बनाए रखना औपचारिकता या व्यक्तिगत स्थान (personal space) के प्रति सम्मान प्रकट कर सकता है।
2. **अभिविन्यास (Orientation):** विभिन्न स्थितियाँ सहयोग (cooperation) या प्रतिस्पर्धा (competition) को दर्शा सकती हैं। उदाहरण के लिए किसी बैठक (meeting) में लोग यदि एक-दूसरे के बगल में बैठते हैं, तो यह सहयोग या सहमति को दर्शा सकता है, जबकि आमने-सामने बैठना प्रतिस्पर्धात्मक या संघर्षपूर्ण स्थिति का संकेत दे सकता है (चित्र 13.2)।

चित्र 13.2 अभिविन्यास

3. **शारीरिक संपर्क/स्पर्श (Physical Contact/Touch):** जिस तरह से हम दूसरों के स्पर्श या स्पर्श से बचते हैं, वह एक शक्तिशाली अशाब्दिक संदेश भेज सकता है। उदाहरण के लिए एक मजबूत हाथ मिलाना (firm handshake) आत्मविश्वास और गर्मजोशी को दर्शा सकता है, जबकि पूरी तरह से शारीरिक संपर्क से बचना असहजता या पेशेवर सीमाओं को बनाए रखने की इच्छा को दिखा सकता है।

गतिशील विशेषताएँ (Dynamic Features)

गतिशील विशेषताएँ वे होती हैं, जो गति, भिन्नता (variation) और समय के साथ परिवर्तन को दर्शाती हैं। ये विशेषताएँ संवाद को अधिक प्रभावशाली और गहराईपूर्ण बनाती हैं। इनमें शामिल हैं:

1. **चेहरे के भाव (Facial Expressions):** भावनाएँ जैसे खुशी, दुख, गुस्सा, आश्चर्य और भय को दर्शाते हैं। उदाहरण के लिए एक सच्ची मुस्कान खुशी और मित्रता को दर्शाती है, जबकि माथे पर शिकन (furrowed brow) भ्रम या चिंता का संकेत हो सकती है।
2. **शारीरिक मुद्रा (Posture):** शरीर की मुद्रा आत्मविश्वास और भावनाओं को व्यक्त करती है। उदाहरण के लिए सीधे कंधे और सीधा बैठना आत्मविश्वास को दर्शाता है, जबकि झुकी हुई मुद्रा (slouching) अरुचि या थकान का संकेत दे सकती है।
3. **इशारे (Gestures):** हाथों की गतिविधियाँ मौखिक संप्रेषण (verbal communication) को पूरक बनाती हैं और विचारों को स्पष्ट करने में मदद करती हैं। उदाहरण के लिए बातचीत के दौरान सिर हिलाना (nodding) सहमति या समझ को दर्शा सकता है, जबकि उंगली से इशारा करना (pointing) किसी बात पर जोर देने या दिशा दिखाने का संकेत हो सकता है।
4. **नेत्र संपर्क (Eye Contact):** आंखों का संपर्क रुचि, ध्यान या भावनाएँ प्रकट करता है। उदाहरण के लिए बात करते समय आंखों में देखना ईमानदारी और आत्मविश्वास को दर्शा सकता है, जबकि नजरें चुराना शर्म या बेईमानी का संकेत दे सकता है।
5. **परालैंग्वेज (Paralanguage):** यह हमारी बोलने की शैली को दर्शाता है, जिसमें स्वर (tone), पिच (pitch), गति (speed) और आवाज की तीव्रता (volume) शामिल होती है। उदाहरण के लिए बहुत तेज बोलना उत्तेजना या घबराहट को दर्शा सकता है, जबकि बहुत धीमी गति से बोलना गंभीरता या उदासी को दर्शा सकता है।

अशाब्दिक संप्रेषण के 11 प्रकार (11 Types of Non-Verbal Communication)

अशाब्दिक संप्रेषण (Non-Verbal Communication) विभिन्न प्रकार के व्यवहारों और संकेतों को शामिल करता है, जो बिना शब्दों का उपयोग किए संदेशों को संप्रेषित करते हैं। यहां नौ प्रकार के अशाब्दिक संप्रेषण की चर्चा की गई है:

1. **प्रोक्सेमिक्स (Proxemics):** प्रोक्सेमिक्स यह अध्ययन करता है कि लोग संवाद के दौरान स्थान (space) का उपयोग और अनुभव कैसे करते हैं। इसमें बातचीत के दौरान व्यक्तियों के बीच की दूरी शामिल होती है। उदाहरण के लिए, एक व्यावसायिक बैठक में, सहकर्मी आमतौर पर एक निश्चित दूरी बनाए रखते हैं ताकि पेशेवरता और व्यक्तिगत स्थान (personal space) का सम्मान दर्शाया जा सके। (चित्र 13.3)।

चित्र 13.3 प्रोक्सेमिक्स

इसके विपरीत, करीबी दोस्त या परिवार के सदस्य एक-दूसरे के करीब बैठ सकते हैं या खड़े हो सकते हैं, जिससे उनके रिश्ते में घनिष्ठता और आराम का संकेत मिलता है। इसी तरह, जब कोई व्यक्ति किसी के निजी स्थान का उल्लंघन करता है, तो इससे असहजता या आक्रामकता की भावना उत्पन्न हो सकती है, जैसे कि जब कोई अजनबी भीड़भाड़ वाली लिफ्ट में बहुत करीब खड़ा हो जाता है। प्रोक्सेमिक्स को समझकर व्यक्ति सामाजिक स्थितियों को बेहतर ढंग से संभाल सकते हैं और दूसरों की सीमाओं और सांस्कृतिक मानदडों का सम्मान कर सकते हैं।

2. **पैरालिंग्विस्टिक्स (Paralinguistics):** पैरालिंग्विस्टिक संकेत शब्दों के अलावा बोले गए भाषण में होने वाले विभिन्न बदलावों को दर्शाते हैं। इसमें आवाज का स्वर (tone), पिच (pitch), ध्वनि की तीव्रता (volume) और बोलने की गति (rhythm) शामिल होती है। उदाहरण के लिए, फोन कॉल के दौरान यदि कोई मित्र तेज आवाज और तेज गति से बोल रहा हो, तो यह उत्साह को दर्शा सकता है, जबकि धीमी और शांत आवाज उदासी या चिंता का संकेत दे सकती है। पैरालिंग्विस्टिक संकेत संदेश की व्याख्या को प्रभावित करते हैं और भावनाओं और दृष्टिकोणों को व्यक्त करने में महत्वपूर्ण भूमिका निभाते हैं।
3. **किनेसिक्स (Kinesics):** किनेसिक्स में शरीर की गतिविधियां और इशारों के माध्यम से संप्रेषण शामिल होता है। हाथ के इशारे (hand gestures), चेहरे के भाव (facial expressions), शरीर की मुद्रा (posture) और नेत्र संपर्क (eye contact) किनेसिक्स का हिस्सा हैं। उदाहरण के लिए, एक जॉब इंटरव्यू के दौरान, साक्षात्कारकर्ता के साथ आंखों में आंखें डालकर बात करना और सीधे बैठना आत्मविश्वास और पेशेवरता को दर्शाता है, जबकि लगातार हाथ हिलाना या आंखें चुराना घबराहट या असहजता को व्यक्त कर सकता है। किनेसिक्स भावनाओं, इरादों और सांस्कृतिक बारीकियों को व्यक्त करने में महत्वपूर्ण भूमिका निभाता है।
4. **हैप्टिक्स (Haptics):** हैप्टिक्स स्पर्श (touch) के माध्यम से संप्रेषण को संदर्भित करता है। स्पर्श विभिन्न संदर्भों और सांस्कृतिक मानदंडों के आधार पर अलग-अलग संदेश व्यक्त कर सकता है। उदाहरण के लिए, पीठ पर हल्का थपथपाना (pat on the back) प्रोत्साहन या समर्थन का संकेत हो सकता है, जबकि हाथ मिलाना (handshake) सहमति या अभिवादन को दर्शा सकता है। हैप्टिक्स को समझना पारस्परिक संबंधों में तालमेल बनाने और मजबूत संपर्क स्थापित करने के लिए आवश्यक है।

चित्र 13.4 हैप्टिक्स

5. **ऑक्यूलिक्स (Oculesics):** ऑक्यूलिक्स नेत्र व्यवहार (eye behavior) के अध्ययन को संदर्भित करता है। उदाहरण के लिए, सीधे आंखों में देखकर बात करना (direct eye contact) ध्यान और आत्मविश्वास का संकेत माना जाता है, जबकि आंखें चुराना (avoiding eye contact) असहजता या बेईमानी को दर्शा सकता है। ऑक्यूलिक्स को समझकर व्यक्ति अशाब्दिक संकेतों की बेहतर व्याख्या कर सकते हैं और संप्रेषण प्रभावशीलता को बढ़ा सकते हैं।

चित्र 13.5 ओक्यूलिक्स

6. **फोनेमिक्स (Phonemics):** फोनेमिक्स संप्रेषण में ध्वन्यात्मक संकेतों (vocal cues) के अध्ययन को संदर्भित करता है, जिसमें उच्चारण (accent) और शब्दों के सही उच्चारण (pronunciation) शामिल होते हैं। उदाहरण के लिए, ब्रिटिश अंग्रेजी और अमेरिकी

अंग्रेजी में उच्चारण का अंतर देखें। दोनों में एक ही शब्दों का प्रयोग किया जाता है, लेकिन स्वर ध्वनियों (vowel sounds) और लहजे (intonation) में सूक्ष्म बदलाव इनकी सांस्कृतिक पहचान और क्षेत्रीय संबद्धता को दर्शाते हैं। फोनेमिक्स बोले गए भाषा के बारीक अर्थों को व्यक्त करने और संप्रेषण प्रभावशीलता को बढ़ाने में महत्वपूर्ण भूमिका निभाता है।

चित्र 13.6 फोनेमिक्स

7. **वेशभूषा और रूप-रंग (Dress and Appearance):** किसी व्यक्ति की वेशभूषा और रूप-रंग उसके व्यक्तित्व, सामाजिक स्थिति और सांस्कृतिक पहचान के बारे में जानकारी प्रदान करता है। कपड़ों की शैली, केशविन्यास (hairstyle), आभूषण (accessories) और संवारने की आदतें (grooming habits) सभी अशाब्दिक संप्रेषण का हिस्सा होती हैं। उदाहरण के लिए, औपचारिक पोशाक (formal attire) पेशेवरता (professionalism) और अधिकार (authority) को दर्शा सकती है, जबकि अनौपचारिक कपड़े (casual clothing) आराम या अनौपचारिकता का संकेत देते हैं। वेशभूषा और रूप-रंग विभिन्न सामाजिक परिस्थितियों में पहली छवि (first impression) और लोगों की धारणाओं को प्रभावित करते हैं।
8. **क्रोमैटिक्स (Chromatics):** क्रोमैटिक्स रंगों के संप्रेषण में उपयोग को संदर्भित करता है। विभिन्न रंग अलग-अलग भावनाएं और प्रतीकात्मक अर्थ उत्पन्न करते हैं, जो लोगों की धारणाओं और व्यवहार को प्रभावित कर सकते हैं। उदाहरण के लिए, लाल और नारंगी जैसे गर्म रंग (warm colours) ऊर्जा और जोश को व्यक्त कर सकते हैं, जबकि नीला और हरा जैसे ठंडे रंग (cool colours) शांति और संतुलन का अहसास करा सकते हैं। क्रोमैटिक्स को समझकर व्यक्ति संदेशों को प्रभावी ढंग से व्यक्त करने और वांछित प्रभाव बनाने के लिए रंगों का रणनीतिक रूप से उपयोग कर सकते हैं।
9. **क्रोनेमिक्स (Chronemics):** क्रोनेमिक्स यह अध्ययन करता है कि संप्रेषण में समय को कैसे समझा और उपयोग किया जाता है। उदाहरण के लिए, कुछ संस्कृतियों में समय की पाबंदी (punctuality) को अत्यधिक महत्व दिया जाता है, और किसी बैठक में देर से पहुंचना अनादर का संकेत माना जाता है। दूसरी ओर, कुछ संस्कृतियों में "फैशनेबल रूप से देर से आना" (fashionably late) सामाजिक रूप से स्वीकार्य और कुछ अवसरों पर अपेक्षित भी होता है। क्रोनेमिक्स को समझकर व्यक्ति विभिन्न संस्कृतियों में समय प्रबंधन और शेड्यूलिंग के अंतर को पहचान सकते हैं, जिससे गलतफहमियों से बचा जा सकता है और संप्रेषण अधिक प्रभावी हो सकता है।

चित्र 13.7 क्रोनमिक्स

10. **आइकॉनिक संप्रेषण (Iconic Communication):** आइकॉनिक संप्रेषण में प्रतीकों (symbols), चित्रों (images) और दृश्य संकेतों (visual cues) का उपयोग शामिल होता है, जो अर्थ को व्यक्त करते हैं। इसमें इशारे (gestures), संकेत (signs), इमोजी (emojis) और अन्य दृश्य प्रतिनिधित्व (visual representations) शामिल होते हैं। उदाहरण के लिए, शौचालय के दरवाजों पर चित्रात्मक चित्रण (pictorial representations) पुरुष और महिला सुविधाओं को दर्शाता है, जिससे पहचान करना आसान हो जाता है। इसी तरह, लाल ट्रैफिक लाइट स्टॉप (stop) या खतरे (danger) का संकेत देती है, जो शब्दों की आवश्यकता के बिना स्पष्ट निर्देश प्रदान करता है।
11. **कोड्स (Codes):** कोड्स विशेष सांस्कृतिक या सामाजिक समूहों द्वारा उपयोग किए जाने वाले साझा संकेतों, प्रतीकों और इशारों की प्रणालियों को संदर्भित करते हैं। ये कोड प्रभावी संप्रेषण को सक्षम बनाते हैं और साझा अर्थों और मूल्यों को व्यक्त करते हैं। उदाहरण के लिए, खेलों में रेफरी द्वारा उपयोग किए जाने वाले हाथ के संकेत (hand signals) फाउल या पेनाल्टी को इंगित करते हैं, जबकि सैन्य कोड (military codes) आदेशों और निर्देशों को संप्रेषित करने के लिए उपयोग किए जाते हैं। किसी विशिष्ट संदर्भ या समुदाय में प्रभावी संप्रेषण के लिए कोड्स को समझना आवश्यक है। हम अगले खंड में कोड्स के महत्वपूर्ण प्रकारों पर चर्चा करेंगे।

कोड के प्रकार (Types of Codes)

1. **मौखिक कोड (Verbal Code):** ये कोड भाषा का उपयोग करके अर्थ व्यक्त करते हैं। इसमें बोले गए शब्द, लिखित पाठ और अन्य संप्रेषण माध्यम शामिल होते हैं जो भाषा पर निर्भर करते हैं। उदाहरण के लिए, जब कोई कहता है, "मुझे भूख लगी है," तो वह मौखिक संप्रेषण के माध्यम से अपने भोजन की आवश्यकता व्यक्त कर रहा होता है।
2. **गैर-मौखिक कोड (Non-Verbal Code):** ये कोड ऐसे संप्रेषण को दर्शाते हैं जो शब्दों के बिना होता है। इसमें शारीरिक हाव-भाव (body language), चेहरे के भाव (facial expressions), इशारे (gestures), नेत्र संपर्क (eye contact), आवाज का लहजा (tone of voice) और अन्य गैर-मौखिक संकेत शामिल होते हैं। उदाहरण के लिए, जब कोई व्यक्ति कहानी सुनते समय मुस्कुराता है, तो वह अपनी रुचि और आनंद को व्यक्त करने के लिए अशाब्दिक संप्रेषण का उपयोग कर रहा होता है।

3. **प्रतीकात्मक कोड (Symbolic Code):** ये कोड उन प्रतीकों (symbols) का उपयोग करते हैं जो किसी विशेष संस्कृति या संदर्भ में विशिष्ट अर्थ व्यक्त करते हैं। उदाहरण के लिए, लाल ट्रैफिक लाइट एक प्रतीकात्मक कोड है जो संकेत देता है कि चालकों को अपने वाहन रोकने चाहिए।
4. **आइकॉनिक कोड (Iconic Code):** ये कोड उन छवियों या प्रतीकों का उपयोग करते हैं जो अपने संदर्भ से मिलते-जुलते होते हैं और इस समानता के कारण उनका अर्थ स्पष्ट होता है। उदाहरण के लिए, डिजिटल संप्रेषण में "स्माइली फेस" इमोजी खुशी या सकारात्मकता को व्यक्त करता है।
5. **सौंदर्यपरक कोड (Aesthetic Code):** ये कोड रंग (colour), बनावट (teñture), रूप (form) और संरचना (composition) जैसी इंद्रियों को प्रभावित करने वाले तत्वों का उपयोग करके भावनाओं और अर्थों को व्यक्त करते हैं। उदाहरण के लिए, किसी पेंटिंग में गहरे रंग और टेढ़ी-मेढ़ी रेखाओं का उपयोग दुःख या अशांति को व्यक्त कर सकता है।
6. **सांस्कृतिक कोड (Cultural Code):** ये कोड किसी विशेष सांस्कृतिक समूह में प्रचलित परंपराएं, भाषा, रीति-रिवाज, मूल्य और सामाजिक मानदंडों को दर्शाते हैं। उदाहरण के लिए, भारतीय संस्कृति में अभिवादन के रूप में "नमस्ते" कहना एक सांस्कृतिक कोड है, जो सम्मान और विनम्रता को दर्शाता है।
7. **सार्थक कोड (Semantic Code):** ये कोड किसी विशिष्ट संदर्भ या संस्कृति में शब्दों, प्रतीकों या संकेतों को दिए गए अर्थों से संबंधित होते हैं। उदाहरण के लिए, "गुलाब" शब्द का अर्थ विभिन्न संदर्भों में भिन्न हो सकता हैख्यदि यह किसी प्रेम संदेश में उपयोग किया जाए, तो यह प्रेम और स्नेह का प्रतीक होगा, जबकि बागवानी के संदर्भ में यह केवल एक फूल को संदर्भित करेगा।
8. **बाइनरी कोड (Binary Code):** बाइनरी कोड सूचनाओं को केवल दो प्रतीकों–0 और 1–के माध्यम से व्यक्त करने की प्रणाली है। यह आमतौर पर कंप्यूटर और डिजिटल संप्रेषण में डेटा को संख्यात्मक रूप से संप्रेषित और संसाधित करने के लिए उपयोग किया जाता है। उदाहरण के लिए, बाइनरी कोड "0101" दशमलव संख्या 5 का प्रतिनिधित्व करता है।
9. **वैचारिक कोड (Ideological Code):** ये कोड विचारधाराओं (ideologies), मूल्यों (values) और विश्वासों (beliefs) से जुड़े होते हैं, जो किसी व्यक्ति की सोच, संदेशों की व्याख्या और अर्थ निर्माण को प्रभावित करते हैं। उदाहरण के लिए, "स्वतंत्रता" (freedom) शब्द का अर्थ अलग-अलग समाजों में भिन्न हो सकता है ख्र लोकतांत्रिक समाज में यह व्यक्तिगत अधिकारों और स्वतंत्रता से जुड़ा हो सकता है, जबकि किसी अधिनायकवादी शासन में इसे राज्य की आज्ञाकारिता से जोड़कर देखा जा सकता है।
10. **मिथक (Myth):** मिथक प्राचीन कथाओं की तरह होते हैं, जो सांस्कृतिक ज्ञान और मूल्यों को पीढ़ी दर पीढ़ी संप्रेषित करते हैं। ये केवल कहानियां नहीं होते, बल्कि गहरे संदेश और प्रतीकात्मक अर्थ व्यक्त करते हैं।

उदाहरण के लिए, भारतीय पौराणिक कथाओं में रावण और भगवान राम गहरे प्रतीकात्मक अर्थ रखते हैं। रावण, जिसके दस सिर अहंकार, लोभ और अहंकार के विभिन्न रूपों का प्रतिनिधित्व करते हैं, बुराई का प्रतीक माना जाता है। भगवान राम धर्म, सदाचार और धार्मिकता के प्रतीक हैं। रामायण केवल एक राजकुमार द्वारा राजकुमारी को बचाने की कथा नहीं है, बल्कि यह धर्म और सद्गुण की बुराई पर विजय का शाश्वत संदेश देती है।

कॉन्सेप्ट कैप्सूल

मेहराबियन का अध्ययन (Mehrabian's Study)

मेहराबियन के संप्रेषण मॉडल (communication model) के अनुसार, संप्रेषण में शब्दों की भूमिका केवल 7% होती है, जबकि स्वर (tone of voice) 38% और शारीरिक भाषा (body language) 55% योगदान देती है। इस विभाजन को आमतौर पर 7/38/55 नियम या 3 Vs (Verbal, Vocal और Visual) के रूप में जाना जाता है (चित्र 13.8)।

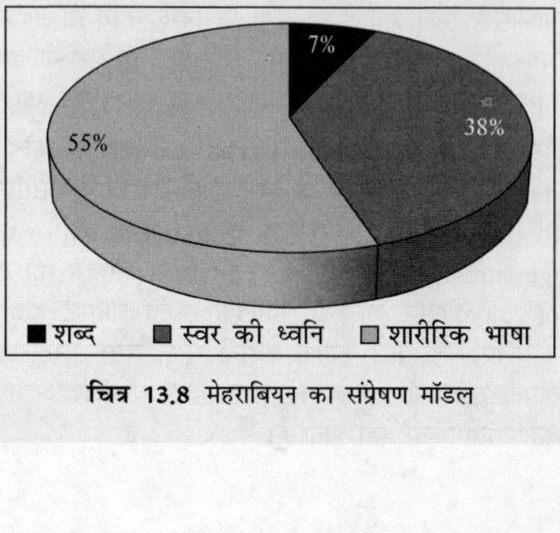

चित्र 13.8 मेहराबियन का संप्रेषण मॉडल

उदाहरण के लिए, जब एक शिक्षक कक्षा में कोई अवधारणा समझा रहे होते हैं, तो उनके स्वर और शारीरिक भाषा उनके उत्साह या आत्मविश्वास को व्यक्त कर सकते हैं, जिससे छात्रों की समझ और उनकी भागीदारी केवल शब्दों की तुलना में अधिक प्रभावी हो सकती है।

शिक्षण में, छात्रों का ध्यान आकर्षित करना अधिगम की प्रक्रिया का पहला कदम होता है। शोध से पता चलता है कि ध्यान मुख्य रूप से दृश्य (visual) संकेतों के माध्यम से आकर्षित होता है, क्योंकि 87% लोग जानकारी प्राप्त करने के लिए दृष्टि पर निर्भर करते हैं। उदाहरण के लिए, यदि विज्ञान की कक्षा में सौरमंडल के बारे में पढ़ाया जा रहा है, तो रंगीन चित्र या आरेख (diagrams) जोड़ने से छात्रों की रुचि बढ़ सकती है और उनकी समझ बेहतर हो सकती है।

दूसरी ओर, श्रव्य संकेतों जैसे रोचक कहानी सुनाने (storytelling) या जीवंत कक्षा चर्चा (lively discussions) का योगदान ध्यान आकर्षित करने में केवल 7% होता है। उदाहरण के लिए, एक इतिहास शिक्षक यदि ऐतिहासिक घटनाओं को रोचक ढंग से कहानी के रूप में प्रस्तुत करें, तो

इससे छात्रों का ध्यान आकर्षित किया जा सकता है और वे विषय को गहराई से समझ सकते हैं।

इसके अलावा, गंध (smell), स्पर्श (touch), और स्वाद (taste) जैसी अन्य इंद्रियों की तुलना में दृश्य और श्रव्य संकेतों पर अधिक निर्भरता को देखा गया है। इसलिए, शिक्षकों को कक्षा में छात्रों की सहभागिता और समझ को अधिकतम करने के लिए दृश्य और श्रव्य शिक्षण पद्धतियों को प्राथमिकता देनी चाहिए। उदाहरण के लिए, इंटरएक्टिव मल्टीमीडिया प्रस्तुतियाँ (interactive multimedia presentations) या शैक्षिक वीडियो (educational videos) का उपयोग जटिल अवधारणाओं को प्रभावी रूप से समझाने और शिक्षण परिणामों को बेहतर बनाने में मदद कर सकता है।

क्विज स्टेशन *विगत UGC NET परीक्षाओं के प्रश्न*

प्र 1. मेहराबियन के अनुसार, समग्र संप्रेषण में (i) शब्दों, (ii) आवाज के लहजे और (iii) शारीरिक भाषा का योगदान क्रमशः है

(a) 38%, 7% और 55%

(b) 7%, 38% और 55%

(c) 55%, 38% और 7%

(d) उपरोक्त में से कोई नहीं

उत्तर 1. (b)

क्विज स्टेशन *विगत UGC NET परीक्षाओं के प्रश्न*

प्र 1. जब शाब्दिक (verbal) और अशाब्दिक (non-verbal) संदेश परस्पर विरोधी होते हैं, तो कहा जाता है कि अधिकांश लोग किस पर विश्वास करते हैं?

(a) अनिश्चित संदेश (Indeterminate messages)

(b) शाब्दिक संदेश (Verbal messages)

(c) अशाब्दिक संदेश (Non-verbal messages)

(d) आक्रामक संदेश (Aggressive messages)

प्र 2. निम्नलिखित में से किस शब्द के लिए 'क्रोनमिक्स' (chronemics) शब्द का प्रयोग संदेशों की व्याख्या में किया जाता है?

(a) गंध (Smell)

(b) स्वाद (Taste)

(c) समय (Time)

(d) उपरोक्त सभी (All of the above)

प्र 3. वह कौन-सा शब्द है, जो शरीर की भाषा (body language) जैसे चेहरे के हाव-भाव (facial expressions) और इशारों (gestures) की व्याख्या से संबंधित है, जिसे औपचारिक रूप से अशाब्दिक व्यवहार (non-verbal behaviour) कहा जाता है?

(a) पैरा-भाषा (Para-Language)

(b) काइनेसिक्स (Kinesics)

(c) ध्वनिविज्ञान (Phonetics)

(d) अफवाह संप्रेषण (Grapevine)

प्र 4. संप्रेषण (communication) में भाषा (language) क्या होती है?

(a) अशाब्दिक कोड (The non-verbal code)

(b) शाब्दिक कोड (The verbal code)

(c) प्रतीकात्मक कोड (The symbolic code)

(d) आइकॉनिक संकेत (The iconic code)

प्र 5. अशाब्दिक संप्रेषण (Non-verbal communication) में क्या शामिल है?

(a) भाषण देना (Delivering a speech)

(b) टेलीफोन पर बातचीत (Telephonic conversation)

(c) गाना गाना (Singing a song)

(d) हाथ मिलाना (Shaking hands)

प्र 6. वह कौन-सा तकनीकी शब्द है, जो बोले गए शब्दों के साथ आने वाले स्वर संकेतों (voice cues) को परिभाषित करता है? यह आवाज की ध्वनि और उसके माध्यम से व्यक्त किए गए अर्थों से संबंधित होता है, न कि बोले गए शब्दों से।

(a) पैरा-भाषा (Para-Language)

(b) काइनेसिक्स (Kinesics)

(c) ध्वनिविज्ञान (Phonetics)

(d) अफवाह संप्रेषण (Grapevine)

प्र 7. थम्स अप एक तरह का संचार है

(a) मौखिक

(b) गैर-मौखिक

(c) ट्रांसपर्सनल

(d) इंट्रापेरोनल

प्र 8. निम्नलिखित का मिलान करें:

शब्द	विवरण
1. प्रोक्सेमिक्स	A. शारीरिक भाषा का एक व्यक्तिगत स्थान पहलू
2. ऑक्यूलेसिक्स	B. अशाब्दिक संप्रेषण में आँख से संपर्क की भूमिका
3. क्रोनेमिक्स	C. अशाब्दिक संप्रेषण में समय का उपयोग
4. हैप्टिक्स	D. स्पर्श का अध्ययन

कोड:

(a) 1-A, 2-C, 3-B, 4-D

(b) 1-A, 2-B, 3-C, 4-D

(c) 1-A, 2-B, 3-D, 4-C

(d) 1-D, 2-C, 3-B, 4-A

उत्तर 1. (c) 2. (c) 3. (b) 4. (b) 5. (d)
6. (b) 7. (b) 8. (b)

13.2 उद्देश्य और शैली के आधार पर संप्रेषण (Based on Purpose and Style)

औपचारिक संप्रेषण (Formal Communication)

औपचारिक संप्रेषण का अर्थ है सूचनाओं, संदेशों या विचारों का एक संगठित और आधिकारिक तरीके से आदान-प्रदान। इसमें स्पष्ट पदानुक्रम (hierarchy), परिभाषित संप्रेषण चैनल (defined channels) और व्यावसायिक मानकों (professional standards) का पालन किया जाता है। औपचारिक संप्रेषण में संदेशों को सटीक भाषा और औपचारिक स्वर (formal tone) में व्यक्त किया जाता है, जिससे संवाद में स्पष्टता और व्यावसायिकता सुनिश्चित होती है।

औपचारिक संप्रेषण का एक आम उदाहरण कॉर्पोरेट वातावरण में देखने को मिलता है, जहां संप्रेषण आधिकारिक माध्यमों (official channels) जैसे मेमो (memos), रिपोर्ट (reports) और बैठकों (meetings) के माध्यम से होता है। उदाहरण के लिए, किसी कंपनी के सीईओ (CEO) कर्मचारियों को नई कंपनी नीति (company policy) की घोषणा करने के लिए एक औपचारिक ईमेल भेज सकते हैं, जिसमें नीति के उद्देश्य और कर्मचारियों पर इसके प्रभाव को स्पष्ट किया जाता है।

इसी तरह, औपचारिक संप्रेषण शैक्षणिक संस्थानों (academic institutions) में भी महत्वपूर्ण भूमिका निभाता है, जहां प्रोफेसर छात्रों से पाठ्यक्रम (syllabi), व्याख्यान (lectures) और आधिकारिक घोषणाओं (official announcements) के माध्यम से संवाद करते हैं।

सरकारी और कूटनीतिक (diplomatic) मामलों में भी औपचारिक संप्रेषण का व्यापक उपयोग किया जाता है। इसमें राजनयिक संदेश (diplomatic cables), आधिकारिक बयान (official statements) और संधियाँ (treaties) शामिल होती हैं, जो देशों के बीच संवाद स्थापित करने के लिए प्रयोग की जाती हैं। उदाहरण के लिए, देशों के बीच कूटनीतिक वार्ताओं (diplomatic negotiations) में औपचारिक बैठकों (formal meetings) और लिखित समझौतों (written agreements) के माध्यम से कूटनीतिक मुद्दों का समाधान किया जाता है और राजनयिक संबंधों को स्थापित किया जाता है।

औपचारिक संप्रेषण में लिखित और मौखिक दोनों प्रकार की बातचीत शामिल होती है, जैसे औपचारिक भाषण (formal speeches), प्रस्तुतियाँ (presentations) और साक्षात्कार (interviews)। उदाहरण के लिए, जब कोई राजनेता (politician) किसी औपचारिक कार्यक्रम में भाषण देता है, तो वह अपने शब्दों और हावभाव (gestures) का चयन बहुत ध्यानपूर्वक करता है ताकि संदेश को प्रभावी ढंग से प्रस्तुत किया जा सके और गरिमापूर्ण व्यवहार (dignified behaviour) बनाए रखा जा सके।

सिनेमैटिक कनेक्शन

टीवी सीरीज Suits (2011-2019) में औपचारिक संप्रेषण (formal communication) को अक्सर पेशेवर माहौल, जैसे कानूनी फर्म (law firms) और कॉर्पोरेट कार्यालयों में दिखाया गया है। इसका एक प्रमुख उदाहरण वरिष्ठ भागीदारों (senior partners) द्वारा अपने सहयोगियों से बातचीत करने का तरीका है, जैसे कि जेसिका पियर्सन (Jessica Pearson) का कार्यालय या बैठकों में अपने अधीनस्थों को संबोधित करने का तरीका।

इस वेब सीरीज में औपचारिक संप्रेषण स्थापित प्रोटोकॉल और प्रक्रियाओं का पालन करने पर जोर देता है, जैसे कि निर्णय लेने के लिए सही प्रक्रिया का पालन करना और पेशेवर सीमाओं का सम्मान करना। जब संवेदनशील कानूनी मामलों पर चर्चा की जाती है या ग्राहकों के साथ सौदेबाजी (negotiations) होती है, तो हार्वे स्पेक्टर (Harvey Specter) या लुईस लिट (Louis Litt) जैसे पात्र औपचारिकता बनाए रखते हैं। वे कानूनी शब्दावली का उपयोग करते हैं, पेशेवर व्यवहार अपनाते हैं और आचार संहिता (ethical standards of conduct) का पालन करते हैं।

अनौपचारिक संप्रेषण (Informal Communication)

अनौपचारिक संप्रेषण दोस्तों या परिवार के साथ बातचीत करने जैसा होता है। यह सहज होता है, इसमें कोई नियम नहीं होते। आप बस बात करते हैं। यह बिना किसी योजना या संरचना के स्वाभाविक रूप से होता है। उदाहरण के लिए, जब आप किसी दोस्त के साथ कॉफी पीते हुए चर्चा करते हैं या काम के दौरान सहकर्मी के साथ कोई मजाक साझा करते हैं, तो वह अनौपचारिक संप्रेषण के अंतर्गत आता है

यह स्वतःस्फूर्त (spontaneous) और मैत्रीपूर्ण (friendly) होता है, जो रिश्तों और मित्रता को मजबूत करने में मदद करता है। औपचारिक संप्रेषण (formal communication) के विपरीत, इसमें जटिल भाषा (fancy language) या आधिकारिक प्रारूप (official format) की जरूरत नहीं होती। यह पूरी तरह से खुद को व्यक्त करने और दूसरों से व्यक्तिगत स्तर पर जुड़ने के बारे में होता है। ध्यान दें कि अनौपचारिक संप्रेषण को अंगूरलता संप्रेषण (Grapevine Communication) भी कहा जाता है। आइए अनौपचारिक संप्रेषण के विभिन्न प्रकारों को समझें:

अनौपचारिक संप्रेषण के प्रकार (Types of Informal Communication)

1. **गॉसिप (Gossip):** गॉसिप यानी दूसरों के निजी या व्यक्तिगत मामलों पर अनौपचारिक चर्चा। यह अक्सर दिलचस्प या सनसनीखेज होती है और तेजी से फैल सकती है (चित्र 13.9)। उदाहरण के लिए, जब दोस्त किसी के रोमांटिक जीवन या कार्यशैली पर चर्चा करते हैं, तो वह गॉसिप होती है। हालांकि गॉसिप मनोरंजक हो सकती है, लेकिन अगर यह झूठी जानकारी फैलाती है या किसी की प्रतिष्ठा को नुकसान पहुंचाती है, तो यह हानिकारक भी हो सकती है। बॉलीवुड गॉसिप इसका एक अच्छा उदाहरण है, जैसे किसी सेलिब्रिटी के रोमांस या तलाक की अफवाहें। इस तरह की गॉसिप सार्वजनिक ध्यान आकर्षित कर सकती है।

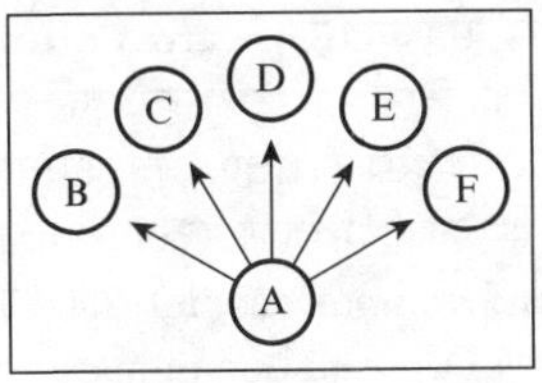

चित्र 13.9 गॉसिप

2. **सिंगल-स्ट्रैंड (Single Strand):** सिंगल-स्ट्रैंड संप्रेषण में जानकारी एक व्यक्ति से दूसरे व्यक्ति तक सीधे लाइनियर तरीके (linear fashion) से पास होती है, जैसे शृंखला प्रतिक्रिया (chain reaction) (चित्र 13.10)। उदाहरण के लिए, अगर कोई शिक्षक किसी छात्र से कुछ कहता है, और वह छात्र इसे अपने दोस्तों से साझा करता है, फिर वे इसे और आगे बढ़ाते हैं, तो यह सिंगल-स्ट्रैंड संप्रेषण कहलाता है। यह सरल (straightforward) होता है, लेकिन यदि जानकारी गलत तरीके से समझी जाए या उसमें बदलाव आ जाए, तो इससे गलतफहमियां (misunderstandings) हो सकती हैं।

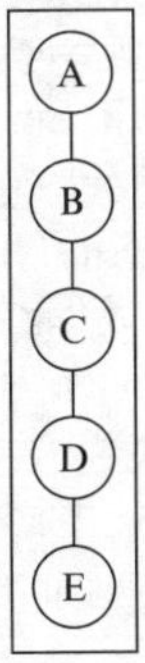

चित्र 13.10 सिंगल स्ट्रैंड

याद कीजिए बचपन का खेल "चीनी फुसफुसाहट" (Chinese Whispers)? इसमें एक व्यक्ति किसी संदेश को धीमे से दूसरे के कान में कहता है, फिर वह अगले को सुनाता है, और इसी तरह संदेश अंत तक पहुंचता है। अंत में, अंतिम व्यक्ति जो संदेश बोलता है, वह अक्सर मूल संदेश से अलग होता है। यह दर्शाता है कि सिंगल-स्ट्रैंड संप्रेषण में जानकारी कैसे विकृत (distorted) हो सकती है।

3. **क्लस्टर चेन (Cluster Chain):** क्लस्टर नेटवर्क (Cluster Networks) ऐसे समूह होते हैं, जहां लोग अपने समूहों या सर्कल (clusters) के भीतर ही संवाद करते हैं। ये समूह कभी-कभी आपस में ओवरलैप (overlap) कर सकते हैं, लेकिन प्रत्येक समूह का अपना अनौपचारिक संप्रेषण चैनल (informal communication channel) होता है (चित्र 13.11)। उदाहरण के लिए, कार्यस्थल (workplace) में विभिन्न विभागों (departments) में अपने-अपने क्लस्टर नेटवर्क होते हैं, जहां कर्मचारी सूचनाएं साझा करते हैं और गॉसिप करते हैं। इसे एक बड़ी संस्था (organisation) के भीतर छोटे समुदायों (little communities) की तरह देखा जा सकता है। एक और दिलचस्प उदाहरण WhatsApp समूह का है, जहां कार्यालय के कुछ करीबी सहकर्मी (favourite office colleagues) एक साथ रहते हैं और कभी-कभी अपने बॉस को लेकर अपनी नाराजगी व्यक्त (vent frustration) करते हैं।

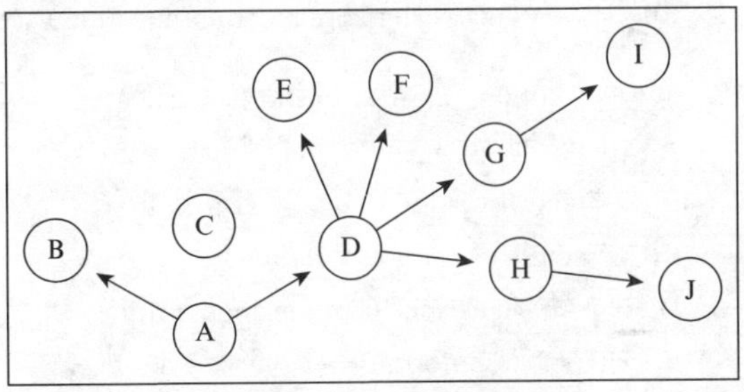

चित्र 13.11 क्लस्टर चेन

4. **प्रॉबेबिलिटी चेन (Probability Chain):** प्रॉबेबिलिटी चेन संप्रेषण में एक व्यक्ति यादृच्छिक रूप (randomly) से किसी अन्य व्यक्ति का चयन करता है और उसे जानकारी देता है। यह एक किस्म के संयोग के खेल (game of chance) की तरह होता है, जहां प्रत्येक व्यक्ति के चुने जाने की समान संभावना होती है (चित्र 13.12)।

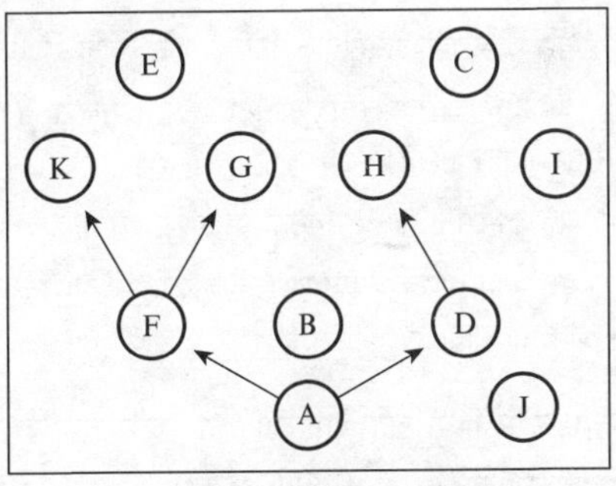

चित्र 13.12 प्रॉबेबिलिटी चेन

उदाहरण के लिए, कार्यस्थल (workplace) में यदि टीम लीडर (team leader) अपनी टीम को किसी अचानक बदली गई प्रोजेक्ट डेडलाइन (sudden change in project deadlines) के बारे में सूचित करना चाहता है, तो वह औपचारिक ईमेल भेजने के बजाय प्रॉबेबिलिटी चेन संप्रेषण का उपयोग कर सकता है। टीम लीडर एक यादृच्छिक (randomly selected) टीम सदस्य को यह जानकारी देता है और उससे कहता है कि वह किसी अन्य यादृच्छिक सदस्य को यह संदेश दे। इसी तरह, हर सदस्य किसी अन्य साथी को संदेश देता है, जब तक कि सभी को यह सूचना नहीं

मिल जाती। हालांकि, इस अनौपचारिक पद्धति (informal method) से सूचना तेजी से फैलती है, लेकिन यह आवश्यक नहीं कि जानकारी पूरी तरह सटीक (accurate) रहे। क्योंकि हर बार सूचना स्थानांतरित होने पर उसमें गलतफहमी या विकृति (distortion) होने की संभावना रहती है।

क्विज स्टेशन *विगत UGC NET परीक्षाओं के प्रश्न*

प्र 1. सूचनाओं के अनौपचारिक प्रसारण या छानकर दी गई जानकारी को क्या कहा जाता है?

(a) गॉसिप (Gossip)
(b) ग्रेपवाइन (Grapevine)
(c) ऊर्ध्वाधर संप्रेषण (Vertical communication)
(d) क्षैतिज संप्रेषण (Horizontal communication)

प्र 2. ग्रेपवाइन संप्रेषण की मुख्य चुनौतियाँ क्या हैं?

A. इसका औपचारिक स्वरूप (Its formal nature)
B. विकृति (Distortion)
C. गलतफहमी (Misunderstanding)
D. स्रोत की अनिश्चितता (Source anonymity)
E. अनुरूपता (Conformity)

नीचे दिए गए विकल्पों में से सही उत्तर चुनें:

(a) केवल A, B और C
(b) केवल B, C और D
(c) केवल C, D और E
(d) केवल A, C और D

प्र 3. ग्रेपवाइन संप्रेषण के बारे में निम्नलिखित में से कौन-सा कथन सत्य नहीं है?

(a) यह औपचारिक संप्रेषण नेटवर्क की तुलना में तेज होता है।
(b) यह औपचारिक संप्रेषण नेटवर्क की तुलना में कम सटीक होता है।
(c) यह लगभग सभी संगठनों में पाया जाता है।
(d) इसे औपचारिक संप्रेषण की तुलना में अधिक पसंद किया जाता है।

प्र 4. ग्रेपवाइन संप्रेषण की श्रेणियों का सही क्रम पहचानें:

A. क्लस्टर चेन (Cluster chain)
B. प्रॉबेबिलिटी चेन (Probability chain)
C. गॉसिप चेन (Gossip chain)
D. सिंगल-स्ट्रैंड चेन (Single-strand chain)

नीचे दिए गए विकल्पों में से सही उत्तर चुनें:

(a) A, B, C, D (b) B, C, D, A
(c) D, C, B, A (d) C, D, A, B

उत्तर 1. (b) 2. (b) 3. (d) 4. (c)

13.3 दिशा के आधार पर संप्रेषण (Based on Direction)

ऊर्ध्वाधर संप्रेषण (Vertical Communication)

इस विषय को सरल बनाने वाले वीडियो व्याख्यान को देखने के लिए इस QR कोड को स्कैन करें

ऊर्ध्वाधर संप्रेषण (Vertical Communication) का तात्पर्य किसी संगठन (organisation) के विभिन्न पदानुक्रम स्तरों (hierarchical levels) के बीच सूचना, संदेश और फीडबैक (feedback) के आदान-प्रदान से है। यह संगठनात्मक संरचना (organisational hierarchy) में ऊपर से नीचे (downward) और नीचे से ऊपर (upward) की दिशा में प्रवाहित होता है, जिससे विभिन्न स्तरों के अधिकारियों और कर्मचारियों के बीच संपर्क स्थापित होता है।

a. **ऊपर की ओर संप्रेषण (Upward Communication):** इसमें सूचना संगठन के निम्न स्तर से उच्च स्तर की ओर भेजी जाती है (चित्र 13.13)। उदाहरण के लिए, जब कर्मचारी अपने पर्यवेक्षकों को फीडबैक देते हैं, अपनी चिंताओं (concerns) या सुधार के सुझाव (suggestions for improvement) को साझा करते हैं, तो यह ऊर्ध्वगामी संप्रेषण (Upward Communication) कहलाता है। इसका मुख्य उद्देश्य प्रबंधन को कर्मचारियों की आवश्यकताओं और उनकी राय से अवगत कराना है, जिससे कार्यस्थल में सुधार किया जा सके।

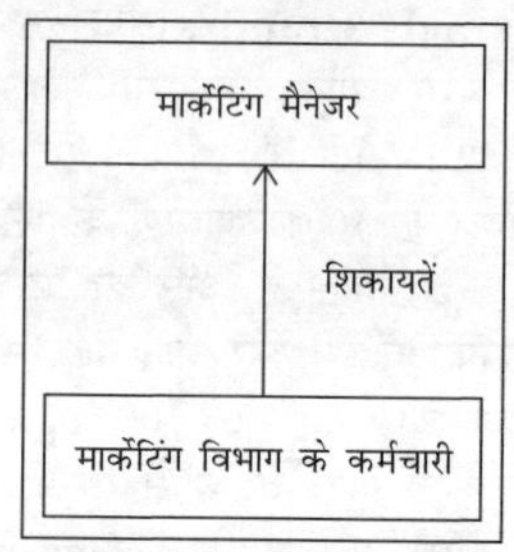

चित्र 13.13 ऊपर की ओर संप्रेषण

b. **नीचे की ओर संप्रेषण (Downward Communication):** इसमें सूचना संगठन के उच्च स्तर (higher levels) से निम्न स्तर (lower levels) की ओर भेजी जाती है (चित्र 13.14)। उदाहरण के लिए, जब प्रबंधक (managers) कर्मचारियों को कंपनी के लक्ष्य (company goals), नीतियां (policies), या निर्देश (directives) बताते हैं, तो यह निम्नगामी संप्रेषण (Downward Communication) कहलाता है। यह संगठन के उद्देश्यों और अपेक्षाओं को स्पष्ट करने में मदद करता है और सुनिश्चित करता है कि सभी कर्मचारी एक ही दिशा में कार्य करें (alignment in organisational objectives and expectations)

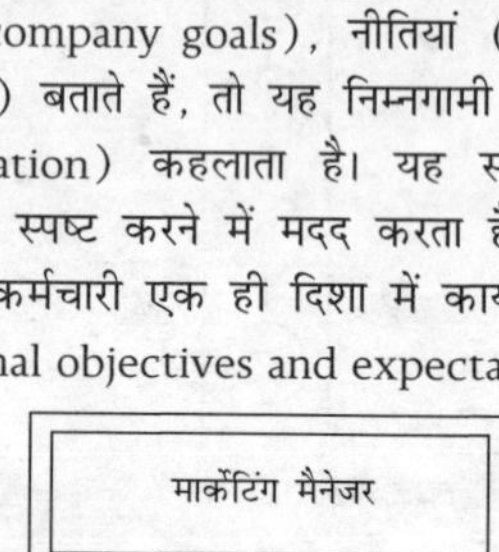

चित्र 13.14 नीचे की ओर संप्रेषण

पार्श्व या क्षैतिज संप्रेषण (Lateral or Horizontal Communication)

पार्श्व या क्षैतिज संप्रेषण का तात्पर्य संगठन में समान स्तर (same hierarchical level) के व्यक्तियों या विभागों के बीच संप्रेषण से है (चित्र 13.15)। इसका मुख्य उद्देश्य विभिन्न कार्यात्मक क्षेत्रों के बीच समन्वय, सहयोग, और सूचना साझा करना है।

उदाहरण के लिए, अगर विपणन और बिक्री विभाग किसी परियोजना पर काम कर रहे हैं, तो उन्हें ग्राहकों की पसंद और बाजार के रुझानों पर जानकारी साझा करनी होगी। इस मामले में, विपणन टीम और बिक्री टीम के कर्मचारी आपसी विचार-विमर्श और समन्वय द्वारा अपने लक्ष्य प्राप्त करने के लिए क्षैतिज संप्रेषण का उपयोग करते हैं।

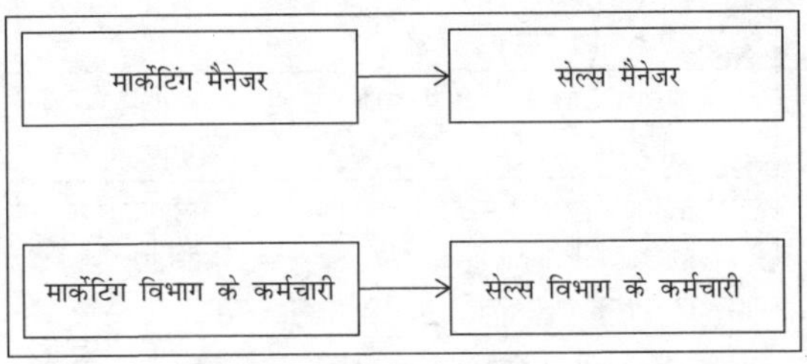

चित्र 13.15 क्षैतिज संप्रेषण

ध्यान दें कि पार्श्व (क्षैतिज) संप्रेषण (Lateral Communication) में शामिल लोगों को बाउंड्री स्पैनर्स (Boundary Spanners) कहा जाता है। इसे याद रखने का एक आसान तरीका यह है कि कल्पना करें कि एक प्रबंधक अपने विभाग की सीमा को पार करके दूसरे विभाग के प्रबंधक से बात कर रहा है। इस प्रकार, वह अपनी सीमाओं (boundaries) से आगे बढ़कर संप्रेषण कर रहा है, जिससे विभागों के बीच समन्वय और सहयोग संभव होता है।

विकर्ण संप्रेषण (Diagonal Communication)

विकर्ण संप्रेषण (Diagonal Communication) संगठन के विभिन्न पदानुक्रम स्तरों (hierarchical levels) और कार्यात्मक क्षेत्रों (functional areas) के बीच संपर्क स्थापित करता है, खासकर उन लोगों या टीमों के बीच, जो प्रत्यक्ष रूप से एक ही आदेश श्रृंखला (chain of command) में नहीं होते (चित्र 13.16)।

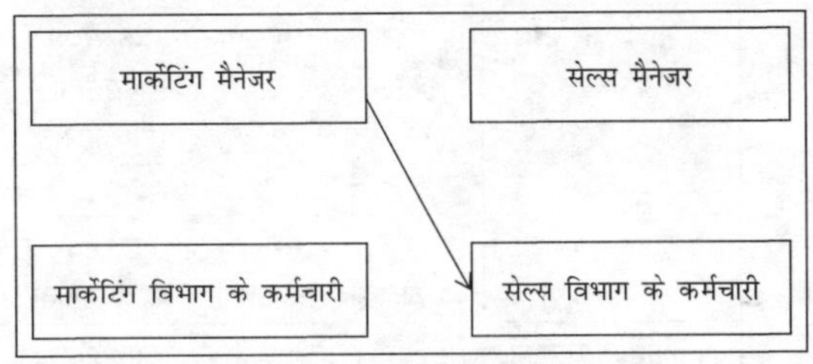

चित्र 13.16 विकर्ण संप्रेषण

उदाहरण के लिए, अगर बिक्री प्रबंधक यह देखता है कि ग्राहक इको-फ्रेंडली उत्पादों में अधिक रुचि दिखा रहे हैं, तो वह यह जानकारी मार्केटिंग टीम को विकर्ण संप्रेषण के माध्यम से साझा कर सकता है। इस प्रकार, बिक्री विभाग और विपणन विभाग के बीच रणनीतियों का समायोजन किया जाता है, जिससे एक सुसंगत और प्रभावी दृष्टिकोण अपनाया जा सके। इस संप्रेषण से विभिन्न विभागों के बीच सहयोग बढ़ता है और ग्राहक की आवश्यकताओं को बेहतर ढंग से पूरा किया जा सकता है।

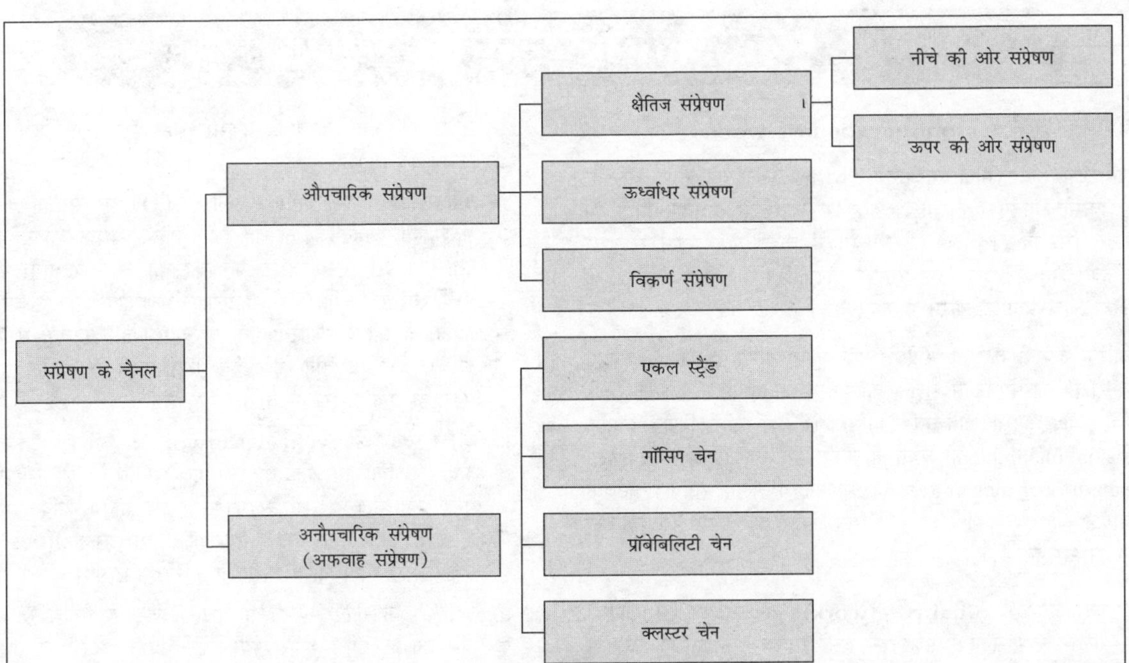

चित्र 13.17 संप्रेषण के प्रकार

क्विज स्टेशन *विगत UGC NET परीक्षाओं के प्रश्न*

प्र 1. सहकर्मी से सहकर्मी संप्रेषण

(a) क्षैतिज (b) जटिल

(c) गैर-लेन-देन (d) सत्तावादी

प्र 2. सूची I को सूची II से सुमेलित करें:

सूची I संप्रेषण के प्रकार	सूची II मुख्य विशेषताएं
A. नीचे की ओर संप्रेषण	I. मुख्य रूप से संगठनात्मक/सदस्यों की संप्रेषण संबंधी आवश्यकता को पूरा करने के लिए विकसित होता है
B. ऊपर की ओर संप्रेषण	II. यह कार्य समन्वय के लिए निर्णय लेने में एक उपयोगी कड़ी बनाता है
C. क्षैतिज संप्रेषण	III. प्रबंधन को वर्तमान मुद्दों और समस्याओं के बारे में फीडबैक प्रदान करता है
D. ग्रेपवाइन संप्रेषण	IV. यह किसी संगठन में सबसे आम/संप्रेषण प्रणाली है

नीचे दिए गए विकल्पों में से सही उत्तर चुनें:

(a) (A)-(I), (B)-(II), (C)-(IV), (D)-(III)

(b) (A)-(II), (B)-(I), (C)-(III), (D)-(IV)

(c) (A)-(III), (B)-(IV), (C)-(I), (D)-(II)

(d) (A)-(IV), (B)-(III), (C)-(II), (D)-(I)

प्र 3. कॉलम का मिलान करें:

A. एक कंपनी का बॉस अपने सचिव को बाहर से कुछ मदद के लिए फोन करता है	I. विपणन संप्रेषण
B. एक कंपनी अपने कर्मचारियों के लिए दिशा-निर्देशों का एक परिपत्र जारी करती है	II. क्षैतिज संप्रेषण
C. कर्मचारी आपस में कुछ मुद्दों पर चर्चा करते हैं	III. ऊर्ध्वाधर संप्रेषण
D. एक कंपनी अपने खुदरा विक्रेताओं और थोक विक्रेताओं को एक औपचारिक पत्र भेजती है	IV. अनौपचारिक संप्रेषण

(a) A-IV B-III C-II D-I

(b) A-I B-II C-III D-IV

(c) A-II B-III C-IV D-I

(d) A-III B-IV C-I D-II

उत्तर 1. (a) 2. (d) 3. (a)

कॉन्सेप्ट कैप्सूल

संप्रेषण नेटवर्क (Communication Networks)

संप्रेषण नेटवर्क उन मार्गों या रास्तों (pathways) की तरह होते हैं, जिनसे किसी संगठन (organisation) में जानकारी प्रवाहित होती है। जिस तरह सड़कों (roads) के माध्यम से वाहन एक स्थान से दूसरे स्थान तक जाते हैं, उसी तरह संप्रेषण नेटवर्क सूचनाओं को लोगों या समूहों के बीच प्रवाहित करने में मदद करते हैं।

औपचारिक रूप से कहें तो, संप्रेषण नेटवर्क वे मार्ग (pathways) होते हैं, जिनसे किसी संगठन में सूचना का प्रवाह (flow of information) होता है, जो आपसी बातचीत (interactions) और निर्णय-निर्माण (decision-making) को प्रभावित करता है। संगठन की कार्यप्रणाली (organisational dynamics) को समझने के लिए संप्रेषण नेटवर्क को जानना आवश्यक है। आइए, विभिन्न प्रकार के संप्रेषण नेटवर्क को विस्तार से समझते हैं:

1. **चेन नेटवर्क (Chain Network):** चेन नेटवर्क में संप्रेषण रैखिक रूप से एक सदस्य से दूसरे सदस्य तक क्रमिक रूप से प्रवाहित होता है। इस नेटवर्क में हर सदस्य केवल अपने निकटतम सदस्य से संवाद करता है, जिससे यह श्रृंखला का रूप लेता है (चित्र 13.18)।

   उदाहरण के लिए, अगर सीईओ (CEO) पूरे संगठन को कोई संदेश देना चाहता है, तो वह पहले शीर्ष प्रबंधक को यह सूचना देगा, जो इसे मध्य-स्तरीय प्रबंधकों को आगे बढ़ाएंगे। फिर ये मध्य-स्तरीय प्रबंधक इसे फ्रंटलाइन पर्यवेक्षकों को भेजेंगे, और अंततः वे इसे कर्मचारियों तक पहुंचाएंगे। इस नेटवर्क में संप्रेषण क्रमशः प्रवाहित होता है, ठीक उसी तरह जैसे रिले दौड़ में खिलाड़ी एक-दूसरे को बैटन सौंपते हैं।

2. **व्हील नेटवर्क (Wheel Network):** व्हील नेटवर्क एक केंद्रीय व्यक्ति या नेता के इर्द-गिर्द घूमता है, जो संप्रेषण का मुख्य केंद्र होता है। सभी सदस्य सीधे इस केंद्रीय व्यक्ति से संवाद करते हैं, और फिर वह आवश्यकतानुसार जानकारी को अन्य सदस्यों तक पुनर्वितरित करता है (चित्र 13.19)।

   उदाहरण के लिए, किसी प्रोजेक्ट मैनेजर के नेतृत्व में कार्यरत टीम को लें। टीम के सदस्य अपनी प्रगति और समस्याएं सीधे प्रोजेक्ट मैनेजर को रिपोर्ट करते हैं, और प्रोजेक्ट मैनेजर इस

जानकारी को पूरी टीम के बीच समन्वित करता है। यह नेटवर्क तेजी से निर्णय लेने और केंद्रीकृत नियंत्रण को सुगम बनाता है। लेकिन यदि केंद्रीय व्यक्ति पर अत्यधिक कार्यभार आ जाता है, तो यह संप्रेषण में बाधा (bottleneck) भी उत्पन्न कर सकता है।

3. **सर्कल नेटवर्क (Circle Network):** सर्कल नेटवर्क को रिंग नेटवर्क भी कहा जाता है। इसमें संप्रेषण एक वृत्ताकार पैटर्न में व्यवस्थित सदस्यों के बीच होता है। प्रत्येक सदस्य केवल अपने दो समीपस्थ सदस्यों से संवाद करता है, जिससे एक बंद-लूप संरचना (closed-loop structure) बनती है (चित्र 13.20)। उदाहरण के लिए, मान लीजिए कुछ दोस्त एक सर्कल बनाकर बैठकर अपनी आगामी यात्रा की योजना बना रहे हैं। इस सर्कल नेटवर्क में हर दोस्त अपने बगल में बैठे दो दोस्तों से बात करता है।

   यदि मित्र A को कोई विचार साझा करना हो, तो वह मित्र B और मित्र C से बात करेगा। इसी तरह, मित्र B, मित्र A और मित्र D से बात करेगा, और यह प्रक्रिया पूरे सर्कल में जारी रहती है। यह संप्रेषण पैटर्न सूचना के सहज प्रवाह को सुनिश्चित करता है और समूह के सभी सदस्यों को सूचित और चर्चा में संलग्न रखता है।

4. **ऑल-चैनल नेटवर्क (All-Channel Network):** ऑल-चैनल नेटवर्क में सभी सदस्य एक-दूसरे से स्वतंत्र रूप से संवाद कर सकते हैं, और इसमें कोई निश्चित पदानुक्रम (hierarchy) या केंद्रीय व्यक्ति नहीं होता (चित्र 13.21)।

   उदाहरण के लिए, किसी ब्रेनस्टॉर्मिंग सत्र को लें, जहां सभी लोग बिना किसी पदानुक्रम की परवाह किए विचार साझा करते हैं और एक-दूसरे के साथ सहयोग करते हैं। यह नेटवर्क लचीलेपन, रचनात्मकता, और समावेशिता को बढ़ावा देता है। लेकिन यदि इसे प्रभावी ढंग से प्रबंधित नहीं किया गया, तो सूचना की अधिकता या दिशाहीनता हो सकती है। यह संरचना अक्सर स्टार्ट-अप में देखी जाती है, जहां ब्रेनस्टॉर्मिंग सत्रों में पदानुक्रम को महत्व नहीं दिया जाता।

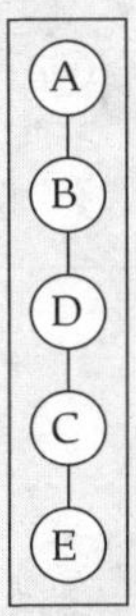

चित्र 13.18 चेन नेटवर्क

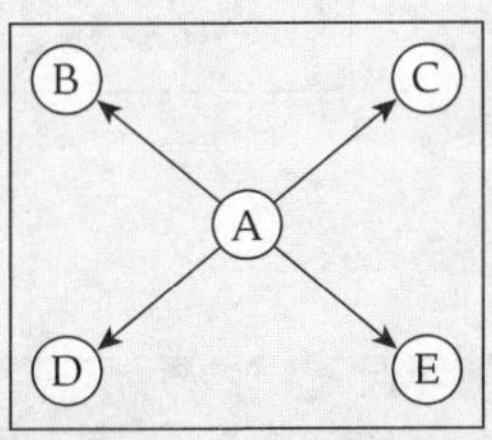

चित्र 13.19 व्हील नेटवर्क

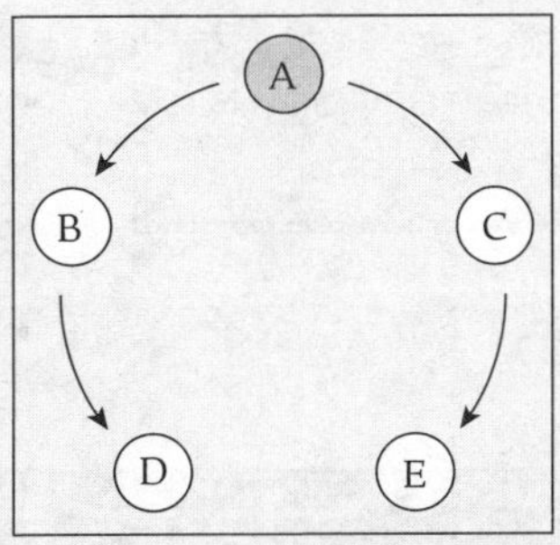

चित्र 13.20 सर्कल नेटवर्क

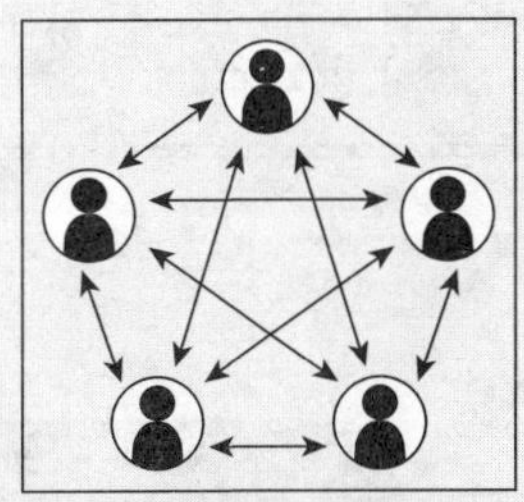
चित्र 13.21 ऑल चैनल नेटवर्क

13.4 संबंधों के आधार पर संप्रेषण (Based on Relationship)

व्यक्तिगत संप्रेषण (Intrapersonal Communication)

संबंध: स्वयं के साथ

इस विषय को सरल बनाने वाले वीडियो व्याख्यान को देखने के लिए इस QR कोड को स्कैन करें

अंतर्व्यक्तिक संप्रेषण वह आंतरिक संवाद और आत्म-चिंतन है, जिसे व्यक्ति अपने मन में करता है। इसे द्वैतिक संप्रेषण (dyadic communication) भी कहा जाता है। इसमें व्यक्ति अपने विचारों, भावनाओं और अनुभवों का विश्लेषण और व्याख्या करता है। उदाहरण के लिए, जब कोई व्यक्ति नौकरी के साक्षात्कार के बाद अपने प्रदर्शन का मूल्यांकन करता है या अपने लक्ष्यों और आकांक्षाओं पर विचार करता है, तो वह अंतर्व्यक्तिक संप्रेषण में संलग्न होता है (चित्र 13.22)।

चित्र 13.22 अंतर्व्यक्तिक संप्रेषण

अंतर्व्यक्तिक संप्रेषण आत्म-जागरूकता, आत्म-नियमन और अंतर्व्यक्तिक विकास में महत्वपूर्ण भूमिका निभाता है, क्योंकि यह व्यक्ति को अपने विश्वासों, मूल्यों और भावनाओं का आकलन करने में मदद करता है। यह निर्णय लेने और समस्याओं को हल करने की प्रक्रिया को भी प्रभावित

करता है, क्योंकि व्यक्ति विभिन्न विकल्पों पर विचार करता है और उनके संभावित परिणामों का विश्लेषण करता है। अंतर्व्यक्तिक संप्रेषण के माध्यम से व्यक्ति स्वयं को और अधिक गहराई से समझता है, जिससे आत्म-विश्वास और जीवन की चुनौतियों से निपटने की क्षमता विकसित होती है।

सिनेमैटिक कनेक्शन

फिल्म तमाशा (2015) में मुख्य पात्र वेद (रणबीर कपूर द्वारा निभाया गया) कई दृश्यों में अंतर्व्यक्तिक संप्रेषण करता है, विशेष रूप से तब जब वह अपने आंतरिक विचारों और संघर्षों पर विचार करता है। एक उल्लेखनीय दृश्य तब आता है जब वेद, सामाजिक अपेक्षाओं और अपनी नीरस नौकरी से घुटन महसूस करता है और अपनी वास्तविक इच्छाओं और जुनून पर सवाल उठाने लगता है। अकेले अपने कमरे में, वह आत्मनिरीक्षण करता है और अपने सपनों व आकांक्षाओं को लेकर स्वयं से संवाद करता है। यह आंतरिक बातचीत वेद के भीतर के संघर्ष को उजागर करती है और यह दिखाती है कि वह समाज के नियमों और अपनी सच्ची पहचान के बीच संतुलन बनाने के लिए संघर्ष कर रहा है। अंतर्व्यक्तिक संप्रेषण के ये उदाहरण वेद के चरित्र विकास में गहराई जोड़ते हैं और दर्शकों को उसके मानसिक दुविधाओं को समझने में मदद करते हैं।

अंतर्वैयक्तिक संप्रेषण (Interpersonal Communication)

संबंधः दूसरों के साथ

अंतर्वैयक्तिक संप्रेषण वह प्रक्रिया है जिसमें दो या अधिक व्यक्ति जानकारी, विचार और भावनाओं का आदान-प्रदान करते हैं। यह विभिन्न संदर्भों में हो सकता है, जैसे मित्रों के बीच बातचीत, सहकर्मियों के बीच समझौता वार्ता, या पारिवारिक सदस्यों के बीच संवाद। उदाहरण के लिए, जब दो दोस्त अपने सप्ताहांत की योजनाओं पर चर्चा करते हैं, तो वे अपनी पसंद और जानकारी साझा करते हुए अंतर्वैयक्तिक संप्रेषण में शामिल होते हैं (चित्र 13.23)।

चित्र 13.23 अंतर्वैयक्तिक संप्रेषण

कॉन्सेप्ट कैप्सूल

अंतरिक्ष (Space) का विज्ञान

हर व्यक्ति के चारों ओर एक अदृश्य घेरा होता है, जिसे 'व्यक्तिगत स्थान' (personal space) या 'स्थानीय बुलबुला' (space bubble) कहा जाता है। यह आमतौर पर लगभग 3 फीट का होता है। यह क्षेत्र केवल उस व्यक्ति का होता है, और जब कोई बिना अनुमति इस दायरे में प्रवेश करता है, तो इसे 'बुलबुला फटना' (bubble burst) कहा जाता है, जिससे व्यक्ति को असहजता या झुंझलाहट महसूस हो सकती है। किसी व्यक्ति को कितने व्यक्तिगत स्थान की आवश्यकता होती है, यह इस बात को दर्शा सकता है कि उसका दूसरों के साथ रिश्ता कितना औपचारिक या अनौपचारिक है। उदाहरण के लिए, यदि आप अपने किसी करीबी मित्र से बात कर रहे हैं, तो आप उनके अधिक करीब खड़े हो सकते हैं, लेकिन यदि आप किसी नए व्यक्ति से मिल रहे हैं, तो आप कुछ दूरी बनाए रख सकते हैं। औपचारिक परिस्थितियों में, जैसे कि नौकरी के साक्षात्कार के दौरान, लोग सम्मान और पेशेवर माहौल बनाए रखने के लिए अपने स्थानीय बुलबुले को बड़ा रखते हैं। इसके विपरीत, परिवार या करीबी मित्रों के साथ यह बुलबुला छोटा हो सकता है, क्योंकि पहले से ही निकटता और विश्वास की भावना मौजूद होती है। व्यक्तिगत स्थान को समझना और उसका सम्मान करना विभिन्न सामाजिक परिस्थितियों में लोगों को सहज और सम्मानित महसूस कराने में मदद करता है।

चित्र 13.24 अंतरिक्ष बुलबुला

इसी प्रकार, एक नौकरी के साक्षात्कार के दौरान, साक्षात्कारकर्ता और उम्मीदवार के बीच योग्यता, अनुभव और अपेक्षाओं पर बातचीत होती है, जो अंतर्वैयक्तिक संप्रेषण का उदाहरण है। अंतर्वैयक्तिक संप्रेषण में मौखिक और गैर-मौखिक दोनों तत्व शामिल होते हैं, जैसे आवाज का लहजा, चेहरे के भाव, इशारे और शारीरिक भाषा, जो संवाद को प्रभावी बनाने में मदद करते हैं। कुल मिलाकर, अंतर्वैयक्तिक संप्रेषण रिश्तों को मजबूत करने, विवादों को सुलझाने और व्यक्तिगत व पेशेवर जीवन में आपसी समझ को बढ़ावा देने के लिए आवश्यक है।

अधि-व्यक्तिगत संप्रेषण (Transpersonal Communication)

संबंध: आध्यात्मिक शक्तियाँ/ईश्वर/आत्माएँ

अधि-व्यक्तिगत संप्रेषण साधारण मानवीय संवाद से परे होता है। इसमें किसी ऐसी शक्ति से जुड़ना शामिल होता है जो हमारे स्वयं से बड़ी होती है, जैसे आध्यात्मिकता या सामूहिक चेतना। उदाहरण के लिए, जब कोई व्यक्ति ध्यान (meditation) करता है या प्रार्थना करता है, तो वह एक उच्च शक्ति या सार्वभौमिक ऊर्जा से जुड़ने का प्रयास करता है, जिससे वह अधि-व्यक्तिगत संप्रेषण में संलग्न होता है (चित्र 13.25)।

चित्र 13.25 अधि-व्यक्तिगत संप्रेषण

यह संप्रेषण हमारे भीतर गहरे स्तर की जागरूकता और समझ को विकसित करने का माध्यम है, जो हमारे व्यक्तिगत अस्तित्व से आगे बढ़कर होता है। अधि-व्यक्तिगत संप्रेषण कला, संगीत या प्रकृति के माध्यम से भी अनुभव किया जा सकता है, जब लोग अपने आसपास की दुनिया के साथ एकता और जुड़ाव महसूस करते हैं। यह हमें अपने अस्तित्व से परे किसी बड़े उद्देश्य से जोड़ता है और हमारे जीवन को गहरी समझ और प्रेरणा से भर देता है। इसके अतिरिक्त, यदि कोई व्यक्ति किसी माध्यम की सहायता से आत्माओं से संपर्क करता है या काला जादू (black magic) के माध्यम से किसी शक्ति से जुड़ने का प्रयास करता है, तो वह भी अधि-व्यक्तिगत संप्रेषण की श्रेणी में आएगा।

सिनेमैटिक कनेक्शन

आइए फिल्म *बजरंगी भाईजान* (2015) का उदाहरण लें। इस फिल्म में पवन कुमार चतुर्वेदी (सलमान खान द्वारा निभाया गया किरदार) एक खोई हुई पाकिस्तानी बच्ची को उसके परिवार से मिलाने के लिए एक साहसिक यात्रा पर निकलता है। पूरी फिल्म के दौरान, पवन, जो भगवान हनुमान के प्रति अपनी गहरी भक्ति के लिए जाना जाता है, कई कठिनाइयों और चुनौतियों का सामना करता है।

एक महत्वपूर्ण दृश्य में, जब सभी उम्मीदें खत्म होती हुई लगती हैं और लड़की को उसके परिवार से मिलाने की राह असंभव प्रतीत होती है, तब पवन स्वयं को एक हनुमान मंदिर में पाता है। भावनाओं से भरा और निराशा में डूबा हुआ, वह घुटनों के बल गिर जाता है और पूरी श्रद्धा के साथ भगवान से मार्गदर्शन की प्रार्थना करता है।

अपनी इस प्रार्थना के माध्यम से, पवन ईश्वरीय शक्ति और चमत्कारों में अपनी अटूट आस्था को दर्शाता है। यह प्रार्थना आत्मसमर्पण और आध्यात्मिक जुड़ाव का एक गहरा क्षण बन जाती है, जहां वह एक उच्च शक्ति से मार्गदर्शन और बल प्राप्त करने की प्रार्थना करता है, ताकि अपने मार्ग में आने वाली कठिनाइयों को पार कर सके। उनकी प्रार्थना का कार्य एक मार्मिक क्षण के रूप में कार्य करता है, जो आध्यात्मिक संबंध और समर्पण का प्रतीक है, क्योंकि वह अपनी राह की बाधाओं को पार करने के लिए एक उच्च शक्ति से शक्ति और मार्गदर्शन की तलाश करते हैं।

13.5 अन्य प्रकार के संप्रेषण (Other Types of Communication)

शिक्षाप्रद संप्रेषण (Didactic Communication)

शिक्षाप्रद संप्रेषण का उद्देश्य दूसरों को स्पष्ट और सूचनात्मक तरीके से शिक्षित या मार्गदर्शन देना होता है। यह ज्ञान, कौशल या नैतिक पाठों को साझा करने की प्रक्रिया है, जिसका उद्देश्य उन्हें शिक्षित या मार्गदर्शन करना होता है। शिक्षाप्रद संप्रेषण कई रूपों में हो सकता है, जैसे कि भाषण, पाठ्यपुस्तकें, शैक्षिक वीडियो, या कार्यशालाएँ। यह आमतौर पर शैक्षिक संस्थानों में उपयोग किया जाता है, लेकिन रोजमर्रा की जिंदगी में भी जब कोई व्यक्ति दूसरों को किसी विशेष विषय पर शिक्षित या जानकारी प्रदान करता है, तब भी यह संप्रेषण मौजूद रहता है। समग्र रूप से, शिक्षाप्रद संप्रेषण ज्ञान के प्रसार और अधिगम की प्रक्रिया को बढ़ावा देने में सहायक होता है।

उदाहरण के लिए कल्पना करें कि आपकी माँ यूट्यूब पर एक वीडियो ट्यूटोरियल देखकर व्हाइट सॉस पास्ता बनाना सीख रही हैं। स्टेप-बाय-स्टेप निर्देशों का पालन करके, वह प्रभावी रूप से रेसिपी सीख पाती हैं, जिससे यह स्पष्ट होता है कि शिक्षाप्रद संप्रेषण नए कौशल अधिगम में कैसे मदद करता है। एक और उदाहरण तब है जब आपका दोस्त फोन पर आपको अपने घर तक पहुँचने का रास्ता समझाता है। इन दोनों ही स्थितियों में मुख्य उद्देश्य जानकारी को स्पष्ट रूप से संप्रेषित करना और श्रोता को कुछ नया समझने या अधिगम में सहायता करना होता है (चित्र 13.26)।

चित्र 13.26 शिक्षात्मक संप्रेषण

सन्निकट संप्रेषण (Contiguous Communication)

सन्निकट संप्रेषण उन संदेशों के आदान-प्रदान को दर्शाता है, जो एक ही स्थान पर या आसपास उपस्थित व्यक्तियों के बीच होते हैं। इसमें किसी भी प्रकार की तकनीक या मीडिया का उपयोग किए बिना सीधा संवाद शामिल होता है।

उदाहरण के लिए, जब लोग आमने-सामने बातचीत करते हैं, समूह चर्चा में भाग लेते हैं या व्यक्तिगत रूप से किसी बैठक में शामिल होते हैं, तो वे सन्निकट संप्रेषण में संलग्न होते हैं। यह संप्रेषण वास्तविक समय में होने वाला संवाद है, जिसमें चेहरे के भाव, इशारे और शारीरिक भाषा जैसी गैर-मौखिक संकेतों को देखना संभव होता है। ये संकेत वार्तालाप को अधिक अर्थपूर्ण और स्पष्ट बनाते हैं। सन्निकट संप्रेषण निकटता और आत्मीयता की भावना को विकसित करता है, जिससे आपसी संबंधों को प्रभावी ढंग से मजबूत करने और बातचीत को अधिक प्रभावी बनाने में मदद मिलती है।

गैर-सन्निकट संप्रेषण (Non-Contiguous Communication)

गैर-सन्निकट संप्रेषण उन संदेशों के आदान-प्रदान को संदर्भित करता है, जो उन व्यक्तियों के बीच होते हैं जो शारीरिक रूप से एक ही स्थान पर या आस-पास उपस्थित नहीं होते हैं। इसके बजाय, यह संप्रेषण तकनीक और मीडिया जैसे माध्यमों के माध्यम से होता है। गैर-सन्निकट संप्रेषण के उदाहरणों में ईमेल, टेक्स्ट संदेश, फोन कॉल, वीडियो कॉन्फ्रेंस, सोशल मीडिया पर बातचीत और पत्र शामिल हैं।

सन्निकट संप्रेषण के विपरीत, गैर-सन्निकट संप्रेषण में आमने-सामने बातचीत की आवश्यकता नहीं होती। इसके बजाय, लोग अपने संदेशों को दूरस्थ स्थानों और विभिन्न समय क्षेत्रों में पहुँचाने के लिए तकनीकी उपकरणों पर निर्भर रहते हैं। हालाँकि गैर-सन्निकट संप्रेषण सुविधाजनक और लचीला होता है, लेकिन इसमें आमने-सामने बातचीत की तात्कालिकता और गहराई की कमी हो सकती है। इसमें चेहरे के हाव-भाव, इशारे और आवाज का लहजा जैसे गैर-मौखिक संकेत सीमित या अनुपस्थित हो सकते हैं, जिससे संभावित गलतफहमियाँ हो सकती हैं।

प्रत्यक्ष संप्रेषण (Direct Communication)

प्रत्यक्ष संप्रेषण तब होता है जब व्यक्ति आमने-सामने या तात्कालिक माध्यमों (जैसे फोन कॉल या व्यक्तिगत बातचीत) के माध्यम से एक-दूसरे से बातचीत करते हैं। इसमें वास्तविक समय में संदेशों का आदान-प्रदान शामिल होता है, जिससे त्वरित प्रतिक्रिया और स्पष्टता प्राप्त की जा सकती है। उदाहरण के लिए, जब दो दोस्त फोन पर बातचीत करते हैं या जब सहकर्मी किसी कार्य की योजना पर बैठक में चर्चा करते हैं, तो वे प्रत्यक्ष संप्रेषण में शामिल होते हैं (चित्र 13.27)।

चित्र 13.27 प्रत्यक्ष संप्रेषण

मध्यस्थ संप्रेषण (Mediated Communication)

मध्यस्थ संप्रेषण में संदेशों को प्रसारित करने के लिए किसी मध्यस्थ या तकनीकी माध्यमों का उपयोग किया जाता है, जब दो व्यक्ति शारीरिक रूप से उपस्थित नहीं होते या वास्तविक समय में संवाद नहीं कर सकते। इसमें टीवी, रेडियो, सोशल मीडिया प्लेटफॉर्म या वीडियो कॉल के माध्यम से किया गया संप्रेषण शामिल होता है। उदाहरण के लिए, समाचार चैनल सैटेलाइट टीवी पर समाचार प्रसारित करते हैं। इस प्रकार के संप्रेषण को जनसंप्रेषण भी कहा जाता है (चित्र 13.28)।

चित्र 13.28 मध्यस्थ संप्रेषण

मध्यस्थ संप्रेषण को मिलने वाली नकारात्मक प्रतिक्रिया को फ्लैक (Flak) कहा जाता है। फ्लैक का अर्थ मीडिया संगठनों, पत्रकारों या व्यक्तियों के प्रति की गई आलोचना या नकारात्मक प्रतिक्रिया है, जो उनके संप्रेषण प्रयासों के विरुद्ध व्यक्त की जाती है। फ्लैक विभिन्न रूपों में हो सकता है,

जैसे - शिकायतें (Complaints), बहिष्कार (Boycotts), विरोध प्रदर्शन (Protests), सार्वजनिक असहमति (Public Outcry)। यह प्रतिक्रिया आमतौर पर विषयवस्तु से असहमति, पूर्वाग्रह, गलतियाँ या नैतिक चिंताओं के कारण उत्पन्न हो सकती है।

फ्लैक जनमत को प्रभावित कर सकता है, मीडिया प्रवचन को आकार दे सकता है और मीडिया संगठनों की विश्वसनीयता और प्रतिष्ठा पर प्रभाव डाल सकता है। इसलिए, मीडिया पेशेवरों और संगठनों के लिए फ्लैक को समझना और प्रबंधित करना आवश्यक है, ताकि वे अपने दर्शकों के साथ विश्वास और विश्वसनीयता बनाए रख सकें।

क्विज स्टेशन *विगत UGC NET परीक्षाओं के प्रश्न*

प्र 1. कथन I: अंतर्वैयक्तिक संप्रेषण व्यवहित या अव्यवहित हो सकता है।
कथन II: प्रायः इसके भाग पर जन संप्रेषण का व्यवहित हो ना आवश्यक नहीं होता है।

(3 मार्च 2023 - शिफ्ट 1)

(a) कथन I और कथन II दोनों सत्य हैं।
(b) कथन I और कथन II दोनों असत्य हैं।
(c) कथन I सत्य है लेकिन कथन II असत्य है।
(d) कथन I असत्य है लेकिन कथन II सत्य है।

प्र 2. वह प्रक्रिया जिसके द्वारा किसी संदेश को किसी माध्यम से प्रसारित किया जाता है, उसे ______ संचार के रूप में पहचाना जाता है:

(13 दिसंबर 2023 - शिफ्ट 1)

(a) रचनात्मक (b) अंतर-संयोजक
(c) मध्यस्थता (d) औपचारिक

प्र 3. मध्यस्थ संप्रेषण (Mediated Communication) की नकारात्मक प्रतिक्रिया को क्या कहा जाता है?

(a) फ्लैक (Flak)
(b) खंडित प्रतिक्रिया (Fragmented Feedback)
(c) निष्क्रिय प्रतिक्रिया (Passive Response)
(d) गैर-अनुरूपता (Non-Conformity)

उत्तर 1. (c) 2. (c) 3. (a)

जनसंपर्क संप्रेषण (Mass line Communication)

जनसंपर्क संप्रेषण एक रणनीतिक दृष्टिकोण है, जिसका उपयोग राजनीतिक और सामाजिक आंदोलनों में बड़े समूहों को एक साझा उद्देश्य की ओर संगठित और प्रेरित करने के लिए किया जाता है। यह संप्रेषण विधि जनता की भागीदारी और नीतिगत निर्णयों में उनकी चिंताओं को शामिल करने पर जोर देती है, जिससे लोगों में सामूहिक स्वामित्व और सशक्तिकरण की भावना उत्पन्न होती है।

चित्र 13.29 मासलाइन संप्रेषण

उदाहरण के लिए, संयुक्त राज्य अमेरिका के सिविल राइट्स मूवमेंट (Civil Rights Movement) के दौरान, मार्टिन लूथर किंग जूनियर जैसे नेताओं ने जनसंपर्क संप्रेषण तकनीकों का उपयोग किया। उन्होंने जनता का समर्थन प्राप्त करने, प्रदर्शनकारियों को संगठित करने और नस्लीय अन्याय के बारे में जागरूकता बढ़ाने के लिए प्रभावी संप्रेषण साधनों का सहारा लिया। किंग ने अपने भाषणों, रैलियों और मीडिया कवरेज के माध्यम से आंदोलन के उद्देश्यों, मूल्यों और रणनीतियों को जनता तक पहुँचाया। इससे विभिन्न समुदायों के लोग एकजुट हुए और उन्होंने बड़े पैमाने पर इस आंदोलन में भाग लिया।

आज भी, जनसंपर्क संप्रेषण एक प्रभावशाली उपकरण बना हुआ है, जो आवाजों को सशक्त बनाने, सामाजिक परिवर्तन को बढ़ावा देने और समावेशी आंदोलनों को विकसित करने में सहायक है। यह समाज के व्यापक वर्ग की जरूरतों और आकांक्षाओं को प्राथमिकता देने का कार्य करता है।

सिनेमैटिक कनेक्शन

जनसंपर्क संप्रेषण (Mass line Communication) का एक उल्लेखनीय उदाहरण बॉलीवुड फिल्म *नायक: द रियल हीरो* (2001) में देखा जा सकता है। इस फिल्म की कहानी शिवाजी राव (अनिल कपूर द्वारा निभाया गया किरदार) के इर्द-गिर्द घूमती है, जो एक रियलिटी टीवी शो के हिस्से के रूप में एक दिन के लिए महाराष्ट्र का मुख्यमंत्री बन जाता है।

फिल्म में, शिवाजी राव जनसंपर्क संप्रेषण तकनीकों का उपयोग करके सामाजिक समस्याओं को संबोधित करता है और जनता से जुड़ने का प्रयास करता है। एक महत्वपूर्ण दृश्य तब आता है जब वह एक दूरदराज के गाँव का दौरा करने का फैसला करता है, ताकि वहाँ के लोगों की समस्याओं को प्रत्यक्ष रूप से समझ सके।

गाँव में पहुँचकर, शिवाजी राव स्थानीय निवासियों से बातचीत करता है, उनकी शिकायतें सुनता है और उन्हें समाधान का आश्वासन देता है। उसकी ये गतिविधियाँ टीवी पर सीधा प्रसारित होती हैं, जिससे पूरे राज्य के लोग इन मुद्दों के बारे में जागरूक होते हैं। टेलीविजन और सोशल मीडिया जैसे जनसंपर्क संप्रेषण माध्यमों का उपयोग करके, शिवाजी राव प्रभावी रूप से अपनी जनता के प्रति प्रतिबद्धता व्यक्त करता है और हाशिए पर मौजूद समुदायों की समस्याओं को उजागर करता है। यह फिल्म इस बात का उदाहरण देती है कि किस तरह जनसंपर्क संप्रेषण का उपयोग व्यापक सामाजिक परिवर्तन लाने और लोगों को एकजुट करने के लिए किया जा सकता है।

क्विज स्टेशन *विगत UGC NET परीक्षाओं के प्रश्न*

प्र 1. चीनी सांस्कृतिक क्रांति के नेता माओ जेडॉन्ग ने जनता से संवाद करने के लिए जिस प्रकार के संप्रेषण का उपयोग किया, उसे कहा जाता है:

(a) जनसंपर्क संप्रेषण (Mass line communication)

(b) समूह संप्रेषण (Group Communication)

(c) सहभागिता संप्रेषण (Participatory communication)

(d) संवादात्मक संप्रेषण (Dialogue communication)

उत्तर 1. (a)

सार्थक संप्रेषण (Semantic Communication)

सार्थक संप्रेषण वह प्रक्रिया है जिसमें प्रतीकों, संकेतों और भाषा के माध्यम से अर्थ का आदान-प्रदान किया जाता है। इसका मुख्य उद्देश्य संदेशों को सटीक रूप से संप्रेषित और समझने पर केंद्रित होता है, ताकि संप्रेषण करने वाले दोनों पक्षों के बीच आपसी समझ सुनिश्चित हो सके। उदाहरण के लिए, जब दो व्यक्ति संकेत भाषा (Sign Language) के माध्यम से बातचीत करते हैं, तो वे अपने विचारों, भावनाओं और भावनाओं को प्रभावी ढंग से व्यक्त करने के लिए सार्थक संप्रेषण पर निर्भर करते हैं।

शब्दों, इशारों और संदर्भों का उपयोग करके, व्यक्ति प्रतीकों को विशिष्ट अर्थ प्रदान करते हैं और उन्हें उसी तरह समझते हैं। सार्थक संप्रेषण में गैर-मौखिक तत्व भी शामिल होते हैं, जैसे आवाज का लहजा, चेहरे के भाव और शारीरिक भाषा, जो संप्रेषण के समग्र अर्थ को स्पष्ट करने में मदद करते हैं। स्पष्टता, सटीकता और आपसी व्याख्या पर जोर देकर, सार्थक संप्रेषण प्रभावी संवाद स्थापित करने में सहायक होता है और गलतफहमियों की संभावना को कम करता है।

सिनेमैटिक कनेक्शन

बॉलीवुड फिल्म बर्फी! (2012) अपनी रचनात्मक कहानी और सीमित संवादों के लिए जानी जाती है। इस फिल्म में सार्थक संप्रेषण को बहुत सुंदरता से दर्शाया गया है, जहाँ संवाद सीमित होने के बावजूद प्रतीकों और भावों के माध्यम से गहरे अर्थ व्यक्त किए गए हैं।

फिल्म में मुख्य पात्र बर्फी (रणबीर कपूर) एक मूक-बधिर व्यक्ति है, और उसकी प्रेमिका झिलमिल (प्रियंका चोपड़ा) को ऑटिज़्म है। उनकी ये विशेषताएँ उन्हें आम संवाद करने की क्षमता से वंचित कर देती हैं, लेकिन इसके बावजूद वे एक गहरी भावनात्मक समझ विकसित करते हैं। बर्फी और झिलमिल के बीच की बातचीत गैर-मौखिक संकेतों, इशारों और चेहरे के भावों के माध्यम से होती है।

उदाहरण के लिए, बर्फी संकेत भाषा और हाव-भाव के माध्यम से झिलमिल के प्रति अपना स्नेह प्रकट करता है। झिलमिल भी अपनी क्रियाओं और भावनात्मक प्रतिक्रियाओं से अपनी भावनाएँ व्यक्त करती है। इन सूक्ष्म संवादों के माध्यम से, वे एक-दूसरे की भावनाओं और इच्छाओं को समझते हैं और ऐसा रिश्ता बनाते हैं जो शब्दों से परे जाकर भावनाओं से जुड़ता है। इस प्रकार, बर्फी! फिल्म यह दर्शाती है कि सार्थक संप्रेषण न केवल शब्दों के माध्यम से, बल्कि संकेतों, भावनाओं और प्रतीकों के माध्यम से भी संभव है, जो लोगों के बीच एक अनोखा और गहरा संबंध स्थापित कर सकता है।

★★★ परीक्षोपयोगी

संकेतात्मक संप्रेषण (Semiotic Communication)

संकेतात्मक संकेतों और प्रतीकों का अध्ययन है और यह बताता है कि अर्थ को संप्रेषित करने के लिए उनका उपयोग कैसे किया जाता है। शब्द 'सेमिओटिक्स' को सबसे पहले जॉन लॉक ने 1690 में पेश किया था, जिसका अर्थ है 'संकेतों का सिद्धांत।' सरल शब्दों में, यह देखता है कि हम अपने आस-पास की चीजों को संकेतों के माध्यम से कैसे समझते हैं, जो कुछ भी हो सकते हैं - शब्द, चित्र, ध्वनियाँ या वस्तुएँ - जो किसी और चीज का प्रतिनिधित्व करती हैं।

उदाहरण के लिए, लाल ट्रैफिक लाइट एक संकेत है जो वाहन चालकों को रुकने का संकेत है। मुस्कान, खुशी या मित्रता का संकेत हो सकती है। सांकेतिकी हमें यह समझने में मदद करती है कि हम दैनिक जीवन में संदेशों को व्यक्त करने के लिए इन संकेतों का उपयोग कैसे करते हैं, चाहे वह भाषा, छवियों या इशारों के माध्यम से हो। सांकेतिकी में तीन महत्वपूर्ण विचारक - फर्डिनेंड डी सौसुरे, चार्ल्स सैंडर्स पीयर्स और रोलांड बार्थेस - प्रत्येक ने अद्वितीय विचारों का योगदान दिया जो हमें यह समझने में मदद करते हैं कि हम संप्रेषण में संकेतों की व्याख्या कैसे करते हैं और उनका उपयोग कैसे करते हैं। आइए उनके सिद्धांतों को देखें कि हमारे दैनिक जीवन में संकेत कैसे काम करते हैं।

क्लैरिटी कॉर्नर

अभी भी सार्थक संप्रेषण और संकेतात्मक संप्रेषण के बीच अंतर को लेकर भ्रमित हैं? चलिए इसे स्पष्ट करते हैं! आइए ट्रैफिक सिग्नल का उदाहरण लें:

- **सार्थक संप्रेषण (Semantic Communication):** सार्थक संप्रेषण प्रत्यक्ष या शाब्दिक अर्थ को दर्शाता है। उदाहरण के लिए, ट्रैफिक लाइट में 'लाल' का अर्थ 'रुकना' और 'हरा' का अर्थ 'चलना' होता है।
- **संकेतात्मक संप्रेषण (Semiotics Communication):** संकेतात्मक संप्रेषण सीधे अर्थ से आगे बढ़कर किसी संकेत या प्रतीक के व्यापक सांस्कृतिक और सामाजिक महत्व को दर्शाता है। उदाहरण के लिए 'लाल' रंग सिर्फ रुकने का संकेत नहीं देता, बल्कि यह खतरे, तात्कालिकता या महत्वपूर्ण चेतावनी जैसी भावनाएँ भी उत्पन्न कर सकता है। 'हरा' रंग सिर्फ चलने का संकेत नहीं देता, बल्कि यह सुरक्षा, प्रगति और अनुमति का प्रतीक भी हो सकता है।

फर्डिनेंड डी सौसुरे: संकेत का सिद्धांत (Ferdinand De Saussure: Theory of Sign)

संकेत: संकेत वह चीज है जो अर्थ रखती है। यह कोई शब्द, कोई चित्र, कोई ध्वनि या कोई भी चीज हो सकती है जो किसी विचार या अवधारणा का प्रतिनिधित्व कर सकती है। संकेत दो घटकों से बना होता है: संकेतकर्ता और संकेतित।

संकेत = संकेतकर्ता + संकेतित

संकेतकर्ता: संकेतकर्ता संकेत का भौतिक रूप है – यह वह चीज है जिसे आप देख सकते हैं, सुन सकते हैं या स्पर्श करें। यदि आप 'कुत्ता' (D-O-G) शब्द सुनते हैं, या 'कुत्ता' अक्षर देखते हैं, या कुत्ते की तस्वीर देखते हैं, तो वे संकेतक हैं। वे ऐसे रूप हैं जो आपको कुत्ते के विचार के बारे में सोचने पर मजबूर करते हैं। संकेतक के उदाहरण होंगे:

- बोला गया शब्द 'कुत्ता' जब कोई कहता है।
- कागज या स्क्रीन पर लिखा हुआ शब्द 'कुत्ता'।
- किसी पुस्तक, वेबसाइट या पत्रिका में कुत्ते का चित्र।

संकेतित: संकेतित वह मानसिक छवि या विचार है जो श्कुत्ताश शब्द आपके दिमाग में लाता है। जब आप 'कुत्ता' शब्द सुनते या देखते हैं, तो आपके दिमाग में कुत्ते का ख्याल आता है, लेकिन यह छवि हर किसी के लिए अलग-अलग हो सकती है। उदाहरण के लिए:

- एक व्यक्ति एक बड़े, रोएँदार लैब्राडोर को बाहर खेलते हुए चित्रित कर सकता है।
- किसी की गोद में बैठे छोटे, प्यारे चिहुआहुआ के बारे में सोच सकता है।
- कोई व्यक्ति एक पुलिस कुत्ते की कल्पना कर सकता है, जो अपनी जैकेट पर बैज लगाए हुए, किसी अधिकारी के साथ काम कर रहा है।
- कोई अन्य व्यक्ति अपने परिवार के पालतू कुत्ते के बारे में सोच सकता है जिसके साथ वे बड़े हुए हैं, तथा साथ खेलने की यादें ताजा कर सकता है।

इसलिए, जबकि हर कोई एक ही शब्द 'कुत्ता' (संकेतित) सुनता है, उनके दिमाग में जो आता है (संकेतित) वह उनके अनुभवों, भावनाओं या उन्होंने पहले जो देखा है उसके आधार पर अलग-अलग हो सकता है। इससे पता चलता है कि संकेतित (मानसिक छवि या विचार) प्रत्येक व्यक्ति के लिए व्यक्तिगत है!

संकेत = संकेतकर्ता + संकेतित

सामान्य शर्तों में,

- इसका सूचक शब्द या छवि है (जैसे 'कुत्ता')।
- संकेतित विचार या मानसिक है आपके मन में एक कुत्ते की छवि उभरती है।
- जब वे एक साथ आते हैं, तो हम पूरा चिन्ह बनाते हैं, जिससे हमें यह समझने में मदद मिलती है कि 'कुत्ते' का क्या मतलब है।

सम्प्रेषण इस प्रकार कार्य करता है - शब्द या छवि (संकेतित) हमारे मन में एक विचार या अवधारणा (संकेतित) लाता है, जिससे हम अर्थ समझ पाते हैं और साझा कर पाते हैं।

चार्ल्स सैंडर्स पीयर्स: संकेतों के प्रकार (Charles Sanders Peirce: Types of Signs)

चार्ल्स सैंडर्स पीयर्स, एक महत्वपूर्ण विचारक, ने एक सिद्धांत विकसित किया कि हम संकेतों के माध्यम से अपने आस-पास की चीजों को कैसे समझते हैं। पीयर्स के अनुसार, संकेत वह सब कुछ है जो हमें संदेश या अर्थ दे सकता है। उन्होंने संकेतों को तीन प्रकारों में विभाजित किया: चिह्न, सूचकांक और प्रतीक।

1. **चिह्न:** चिह्न वे चिह्न होते हैं जो उस चीज से भौतिक समानता रखते हैं जिसका वे प्रतिनिधित्व करते हैं। सरल शब्दों में, चिह्न उस चीज की तरह दिखते हैं जिसका वे प्रतिनिधित्व करते हैं। उदाहरण के लिए, कुत्ते की तस्वीर एक चिह्न है क्योंकि यह कुत्ते की तरह दिखता है।
2. **सूचकांक:** सूचकांक (सूचकांक के लिए बहुवचन) संकेत और उसके अर्थ के बीच एक सीधा संबंध या कारण-और-प्रभाव संबंध दिखाते हैं। सरल शब्दों में, सूचकांक उस चीज से एक सीधा संबंध या संबंध दिखाते हैं जिसका वे प्रतिनिधित्व करते हैं। उदाहरण के लिए, कुत्ते के पंजे के निशान सूचकांक हैं क्योंकि वे सीधे आपको बताते हैं कि वहाँ एक कुत्ता था।
3. **प्रतीक:** प्रतीक वे संकेत होते हैं जिनका एक निश्चित अर्थ होता है, भले ही वे जिस चीज का प्रतिनिधित्व करते हैं उससे मिलते-जुलते या सीधे जुड़े न हों। उदाहरण के लिए, 'कुत्ता' शब्द एक प्रतीक है क्योंकि ऐसा कोई कारण नहीं है कि 'D-O-G' अक्षरों का अर्थ कुत्ता होना चाहिए, सिवाय इसके कि हम सभी सहमत हैं कि इसका अर्थ कुत्ता है। एक अन्य उदाहरण शांति चिह्न (☮) है। यह एक प्रतीक है क्योंकि यह शांति जैसा नहीं दिखता है, लेकिन हम सभी सांस्कृतिक सहमति के कारण इसे शांति का प्रतिनिधित्व करने वाला समझते हैं।

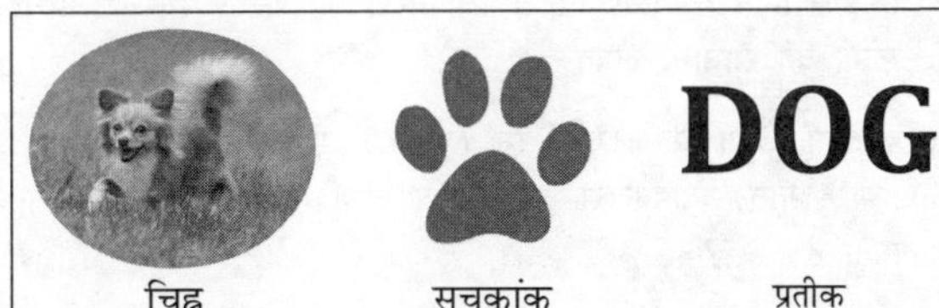

चिह्न, सूचकांक और प्रतीक

रोलाण्ड बार्थेस: सार्थकता के स्तर (Roland Barthes: Levels of Signification)

प्रसिद्ध सांकेतिकतावादी (semiotician) रोलांड बार्थेस ने बताया कि अर्थ अलग-अलग परतों में निर्मित होता है। ये परतें हमें सरल, शाब्दिक अर्थों से लेकर गहरी, अधिक सांस्कृतिक समझ तक ले जाने में मदद करती हैं। इन परतों का सरल विवरण इस प्रकार है:

1. **अर्थ (अर्थ का पहला स्तर):** अर्थ किसी चीज का सबसे बुनियादी, सीधा अर्थ है - जैसे कि जब आप कुछ देखते या सुनते हैं तो सबसे पहले जो बात दिमाग में आती है। यह एक सरल, स्पष्ट परिभाषा है जिस पर हर कोई सहमत होगा। उदाहरण के लिए, सफेद रंग बस एक रंग है, सबसे हल्का रंग, जो सभी प्रकाश को परावर्तित करने पर बनता है। यह सिर्फ 'सफेद' क्या है, इसका मूल विचार है।
2. **अर्थ (अर्थ का दूसरा स्तर):** एक बार जब हम मूल परिभाषा से आगे बढ़ जाते हैं, तो हम व्यक्तिगत, सांस्कृतिक या भावनात्मक अनुभवों के आधार पर अतिरिक्त अर्थ जोड़ना शुरू कर देते हैं। इसे अर्थ कहते हैं। उदाहरण के लिए, अलग-अलग संस्कृतियों में सफेद रंग के अलग-अलग अर्थ होते हैं:
   - कई पश्चिमी संस्कृतियों में, सफेद रंग को पवित्रता और नई शुरुआत से जोड़ा जाता है। यही कारण है कि दुल्हनें अक्सर सफेद शादी के कपड़े पहनती हैं, जो मासूमियत और उनकी शादी में एक नई शुरुआत का प्रतीक है।
   - इसके विपरीत, उत्तर भारत में विधवाएँ शोक और दु:ख के प्रतीक के रूप में सफेद रंग पहनती हैं। शादी जैसे किसी खुशी के अवसर का प्रतिनिधित्व करने के बजाय, यह नुकसान और दु:ख का प्रतीक है।

इसलिए, जबकि पश्चिम में सफेद रंग उत्सव और पवित्रता से जुड़ा है (जैसा कि शादियों में देखा जाता है), भारत में यह उदासी और शोक से जुड़ा है, जो इस बात पर प्रकाश डालता है कि सांस्कृतिक संदर्भ के आधार पर सफेद रंग का अर्थ नाटकीय रूप से कैसे बदल सकता है।

3. **मिथक (अर्थ का तीसरा स्तर):** मिथक स्तर सबसे जटिल है। यह इस बारे में है कि कैसे कुछ अर्थ या विचार किसी संस्कृति में इतने गहरे समा जाते हैं कि वे 'स्वाभाविक' या 'स्पष्ट' लगने लगते हैं। ये अर्थ संस्कृति, इतिहास और समाज द्वारा आकार लेते हैं। उदाहरण के लिए, पश्चिमी संस्कृतियों में, सफेद रंग को अक्सर अच्छाई और पवित्रता के प्रतीक के रूप में देखा जाता है। आप इसे धार्मिक छवियों में देख सकते हैं, जैसे कि सफेद कपड़े पहने हुए देवदूत, या यहां तक कि सांता क्लॉज की छवि में, जो एक सफेद और लाल सूट पहनता है। सफेद रंग के बारे में ये विचार समय के साथ आगे बढ़े हैं और इतने व्यापक रूप से स्वीकार किए जाते हैं कि वे अधिकांश लोगों को सामान्य लगते हैं।

इस तरह, सफेद रंग महज एक रंग (संकेत) से आगे बढ़कर गहरे अर्थ (अर्थ) और अंतत: व्यापक सांस्कृतिक विश्वासों (मिथक) का प्रतिनिधित्व करने लगता है।

सांकेतिकी से संबंधित महत्वपूर्ण शब्द (Important Terms Related to Semiotics)

1. **प्रतिमान (Paradigms):** प्रतिमान संकेतों (शब्द, छवियाँ, ध्वनियाँ, आदि) के एक समूह को संदर्भित करता है जो एक ही श्रेणी से संबंधित हैं या समान अर्थ साझा करते हैं। यह विकल्पों के एक सेट की तरह है जिसे आप चुन सकते हैं। भाषा में, ये वे विकल्प हैं जिनका उपयोग हम किसी संकेत को बदलने के लिए कर सकते हैं, यह इस बात पर निर्भर करता है कि हम क्या संप्रेषित करना चाहते हैं।

   उदाहरण के लिए, वाक्य 'कुत्ता खुश है' में, 'कुत्ते' शब्द को 'बिल्ली', 'खरगोश', 'पक्षी' या किसी अन्य जानवर से बदला जा सकता है। ये अलग-अलग जानवर एक ही प्रतिमान का हिस्सा हैं क्योंकि वे सभी जीवित प्राणियों का प्रतिनिधित्व करते हैं और एक ही वाक्य में इस्तेमाल किए जा सकते हैं। यही बात भाषण के अन्य भागों, जैसे क्रिया या विशेषण के साथ भी होती है। आप जिस अर्थ को व्यक्त करना चाहते हैं, उसके आधार पर आप 'खुश' शब्द को 'उत्साहित', 'आनंदित' या 'दुखी' से बदल सकते हैं।
2. **सिंटैग्म (Syntagms):** सिंटैग्म किसी वाक्य या संरचना में संकेतों की वास्तविक व्यवस्था को संदर्भित करता है। यह वह तरीका है जिससे अर्थ बनाने के लिए संकेतों को एक विशिष्ट क्रम में एक साथ जोड़ा जाता है।

   उदाहरण के लिए, वाक्य 'कुत्ता खुश है' में, शब्दों को एक विशिष्ट क्रम (विषय, क्रिया, विशेषण) में व्यवस्थित किया गया है। यह क्रम महत्वपूर्ण है क्योंकि यह वाक्य को अर्थपूर्ण बनाने में मदद करता है। यदि आप क्रम बदलते हैं, तो अर्थ बदल सकता है या भ्रमित हो सकता है। उदाहरण के लिए, यदि आप कहते हैं 'कुत्ता खुश है', तो इसका अब कोई अर्थ नहीं रह जाता क्योंकि संकेत सही वाक्यविन्यास क्रम में नहीं हैं।

क्विज स्टेशन *विगत UGC NET परीक्षाओं के प्रश्न*

प्र 1. सूची 1: साइन श्रेणी   सूची 2: उदाहरण

शब्द	विवरण
(a) प्रतिष्ठित	1. भाषा
(b) अनुक्रमिक	2. तस्वीरें
(c) प्रतीकात्मक	3. धुआँ
(d) चिह्नों की प्रचुरता	4. वर्णमाला के अक्षर

विकल्प

(a) (a)-2, (b)-3, (c)-4, (d)-1

(b) (a)-3, (b)-4, (c)-1, (d)-2

(c) (a)-2, (b)-4, (c)-3, (d)-1

(d) (a)-1, (b)-2, (c)-4, (d)-3

प्र 2. सम्प्रेषण में अर्थ के क्रम निम्नलिखित में से कौन से हैं?

(A) संकेत   (B) अर्थ

(C) मिथक   (D) विश्वसनीयता

(E) एट्रिब्यूशन

नीचे दिए गए विकल्पों में से सही उत्तर चुनें:

(a) केवल (A), (B) और (C)

(b) केवल (B), (C) और (D)

(c) केवल (C), (D) और (E)

(d) केवल (A), (C) और (E)

प्र 3. फर्डिनेंड डी सौसुरे के अनुसार, भाषा है:

A. एक इंटरलॉकिंग संरचना

B. निरंतर परिवर्तन की प्रणाली

C. संकेतों की एक प्रणाली

D. एक स्व-स्थायी संरचना

नीचे दिए गए विकल्पों में से सही उत्तर चुनें:

(a) केवल A और B

(b) केवल A और C

(c) केवल B और D

(d) केवल C और D

प्र 4. निम्नलिखित में से किसे सम्प्रेषण के एक भाग के रूप में संकेतविज्ञान को स्थापित करने वाले अग्रणी लेखकों में से एक माना जाता है?

(a) आइरीन एबर (b) वाल्टर लिपमैन

(c) जोसेफ पुलित्जर (d) जॉन लोके

प्र 5. चार्ल्स पियर्स का लाक्षणिक अध्ययन अपने दृष्टिकोण में है: *(27 अगस्त 2024 - शिफ्ट 2)*

(a) प्रायोगिक (b) ऐतिहासिक

(c) अर्ध-कानूनी (d) अर्ध-वैज्ञानिक

उत्तर 1. (a) 2. (a) 3. (b) 4. (d) 5. (d)

मेटाकम्युनिकेशन (Metacommunication)

मेटाकम्युनिकेशन का मतलब सम्प्रेषण के बारे में सम्प्रेषण से है। मेटाकम्युनिकेशन उन संदेशों के बारे में है जो हम गैर-मौखिक संकेतों जैसे कि शरीर की भाषा, आवाज की टोन, चेहरे के भाव या संदर्भ के माध्यम से भेजते हैं, इसके अलावा हम जो वास्तविक शब्द बोलते हैं, वे श्रोता को शब्दों के पीछे का पूरा अर्थ समझने और संदेश की व्याख्या कैसे की जानी चाहिए, यह समझने में मदद करते हैं।

उदाहरण के लिए, अगर कोई कहता है 'मैं ठीक हूँ' लेकिन उसका चेहरा उदास दिखता है, उसका लहजा सपाट है, और वह आँख से संपर्क करने से बचता है, तो संदेश हमें बता रहा है कि वह वास्तव में ठीक नहीं है, भले ही शब्दों से ऐसा लगे कि वह ठीक है। एक और उदाहरण तब हो सकता है जब कोई मजाकिया लहजे में बोलता है या आँख मारता है - यह श्रोता को बताता है कि संदेश को गंभीरता से लेने के बजाय हल्के या मजाकिया ढंग से लिया जाना चाहिए। इसके अतिरिक्त, 'मैं गंभीर हूँ' या 'बस स्पष्ट करने के लिए' जैसे वाक्यांश मेटाकम्युनिकेशन के रूप हैं क्योंकि वे मुख्य संदेश की व्याख्या करने का मार्गदर्शन करते हैं।

मेटाकम्युनिकेशन जानबूझकर किया जा सकता है, जैसे कि जब हम अपने संदेश को स्पष्ट करने के लिए जानबूझकर कुछ संकेतों का उपयोग करते हैं, जैसे कि पलक झपकाना या इशारा करना। या यह हमारे बिना सोचे-समझे भी हो सकता है, जैसे कि जब हम किसी बात को लेकर अनिश्चित होते हैं तो अपने कंधे उचकाते हैं। कभी-कभी, बातचीत के आगे बढ़ने के साथ-साथ हमारे संवाद करने का तरीका बदल सकता है या विकसित हो सकता है। उदाहरण के लिए, अगर कोई व्यक्ति गुस्से में शुरू करता है लेकिन बात करते समय उसका लहजा नरम हो जाता है, तो उसके लहजे में बदलाव भेजे जा रहे संदेश को नया अर्थ देता है।

सरल शब्दों में, मेटाकम्युनिकेशन हमें अपने संदेश की विषय-वस्तु से कहीं अधिक व्यक्त करने में मदद करता है - यह हमें यह व्यक्त करने में मदद करता है कि हम संदेश के बारे में कैसा महसूस करते हैं या हम चाहते हैं कि दूसरा व्यक्ति इसे कैसे समझे। मेटाकम्युनिकेशन हमें अपने शब्दों को पूरक बनाकर और अधिक पूर्ण अर्थ व्यक्त करके बेहतर सम्प्रेषण करने में मदद करता है।

क्विज स्टेशन *विगत UGC NET परीक्षाओं के प्रश्न*

प्र 1. कथन (I): प्रत्येक सम्प्रेषण में विषय-वस्तु और संबंध दोनों के तत्व शामिल होते हैं।
कथन (II): आंखों का व्यवहार मेटाकम्यूनिकेटिव संकेत प्रदान नहीं करता है।

(a) कथन (I) और कथन (II) दोनों सही हैं।

(b) कथन (I) और कथन (II) दोनों गलत हैं।

(c) कथन (I) सही है लेकिन कथन (II) गलत है।

(d) कथन (I) गलत है लेकिन कथन (II) सही है।

प्र 2. जब लोग मेटाकम्युनिकेशन का उपयोग करते हैं, तो वे निम्नलिखित के बारे में संदेश भेजते हैं:

(a) प्रेषक (b) रिसीवर

(c) चैनल (d) संदेश

प्र 3. मेटाकम्युनिकेशन के मामले में निम्नलिखित में से कौन-सा कथन सत्य है?

(A) यह जानबूझकर किया गया है।

(B) यह हमेशा जानबूझकर नहीं होता।

(C) यह प्रायः स्वतः घटित होता है।

(D) यह स्वयं को संशोधित कर सकता है।

(E) यह स्वयं को संदर्भ से परे कर देता है।

(a) केवल (A), (B) एवं (C)

(b) केवल (C), (C) और (D)

(c) केवल (C), (D) एवं (E)

(d) केवल (A), (D) एवं (E)

प्र 4. सम्प्रेषण के बारे में सम्प्रेषण को कहा जाता है -

(a) सम्प्रेषण आख्यान (b) सम्प्रेषण कथा

(c) मेटाकॉग्निशन (d) मेटाकम्युनिकेशन

उत्तर 1. (c) 2. (d) 3. (b) 4. (d)

★★★ परीक्षोपयोगी

अंतर-सांस्कृतिक संप्रेषण (Intercultural Communication)

अंतर-सांस्कृतिक संप्रेषण उन व्यक्तियों के बीच जानकारी, विचार और अर्थ के आदान-प्रदान को संदर्भित करता है, जो अलग-अलग सांस्कृतिक पृष्ठभूमियों से आते हैं (चित्र 13.30)। यह विभिन्न संस्कृतियों की संवाद शैलियों, मानदंडों, मूल्यों और धारणाओं को समझने और उनके अनुरूप बातचीत करने की प्रक्रिया को शामिल करता है, ताकि प्रभावी रूप से संवाद स्थापित किया जा सके और एक-दूसरे को बेहतर तरीके से समझा जा सके। अंतर-सांस्कृतिक संप्रेषण विभिन्न परिस्थितियों में होता है, जैसे कि अंतरराष्ट्रीय व्यापार वार्ताएँ, बहुसांस्कृतिक कार्यस्थल और विभिन्न संस्कृतियों के बीच संबंध।

उदाहरण के लिए, जब विभिन्न देशों के लोग किसी परियोजना पर साथ काम करते हैं, तो उन्हें संवाद रणनीतियों को इस तरह अनुकूलित करना पड़ता है कि भाषा, गैर-मौखिक संकेतों और संवाद प्राथमिकताओं में सांस्कृतिक अंतर को समायोजित किया जा सके। अंतर-सांस्कृतिक संप्रेषण में संवेदनशीलता, सहानुभूति और खुले विचारों का होना आवश्यक है, ताकि सांस्कृतिक अंतर को दूर किया जा सके और आपसी सम्मान व समझ को बढ़ावा दिया जा सके।

चित्र 13.30 अंतरसांस्कृतिक संप्रेषण

सिनेमैटिक कनेक्शन

अंतर-सांस्कृतिक संप्रेषण का एक बेहतरीन उदाहरण बॉलीवुड फिल्म नमस्ते लंदन (2007) में देखने को मिलता है। फिल्म की कहानी जसमीत (कैटरीना कैफ) के इर्द-गिर्द घूमती है, जो ब्रिटिश-भारतीय पृष्ठभूमि से आती है। उसके पारंपरिक पिता उसकी शादी एक पंजाबी युवक अर्जुन (अक्षय कुमार) से जबरदस्ती करवा देते हैं।

जसमीत ब्रिटिश संस्कृति में पली-बढ़ी होती है, जिससे उसे अपने पति की पंजाबी पारिवारिक परंपराओं और मूल्यों के साथ सामंजस्य बिठाने में कठिनाई होती है। उसे पारंपरिक भारतीय बहू के रूप में निभाई जाने वाली अपेक्षाओं को अपनाने में संघर्ष करना पड़ता है, क्योंकि उसका पालन-पोषण पश्चिमी सोच के साथ हुआ होता है। पूरी फिल्म में जसमीत और अर्जुन अपनी-अपनी संस्कृतियों के बीच संतुलन बनाने का प्रयास करते हैं। वे एक-दूसरे के मूल्यों, विश्वासों और परंपराओं को समझने और अपनाने की कोशिश करते हैं।

इस प्रकार, नमस्ते लंदन फिल्म यह दर्शाती है कि अंतर-सांस्कृतिक संप्रेषण आपसी समझ, धैर्य और सामंजस्य की भावना विकसित करने में महत्वपूर्ण भूमिका निभाता है।

महत्वपूर्ण शब्दावली (Important Terms)

1. **संस्कृतिकरण (Enculturation):** संस्कृतिकरण वह प्रक्रिया है जिसके माध्यम से बच्चे और युवा अपने समाज की पारंपरिक रीति-रिवाजों और मूल्यों को सीखते हैं। उदाहरण के लिए, भारत में बच्चों को शुरू से ही बड़ों का सम्मान करना और सामाजिक सद्भाव का महत्व समझाया जाता है। वे इसे केवल स्कूलों में ही नहीं, बल्कि अपने परिवार और समुदाय के व्यवहार को देखकर और अपनाकर भी सीखते हैं।
2. **संस्कृति ग्रहण (Acculturation):** जब कोई व्यक्ति या समूह किसी दूसरी संस्कृति के कुछ तत्वों को अपनाता है लेकिन अपनी मूल पहचान बनाए रखता है, तो इसे संस्कृति ग्रहण कहा जाता है। उदाहरण के लिए, योग की उत्पत्ति भारत में हुई थी, लेकिन यह अब पूरी दुनिया में लोकप्रिय हो गया है। पश्चिमी देशों में लोग योग को व्यायाम और आध्यात्मिक लाभ के लिए अपनाते हैं, लेकिन वे इसकी भारतीय जड़ों का सम्मान भी करते हैं।
3. **जातीय केंद्रवाद (Ethnocentrism):** जातीय केंद्रवाद वह सोच होती है जिसमें कोई व्यक्ति अपनी संस्कृति को दूसरों की तुलना में श्रेष्ठ मानता है। उदाहरण के लिए, यदि कोई पश्चिमी व्यक्ति किसी अन्य संस्कृति के पहनावे या खान-पान की आलोचना इस आधार पर करे कि पश्चिमी तरीके बेहतर हैं, तो यह जातीय केंद्रवाद कहलाएगा।
4. **सांस्कृतिक सापेक्षवाद (Cultural Relativism):** सांस्कृतिक सापेक्षवाद यह मानता है कि सभी संस्कृतियाँ समान रूप से महत्वपूर्ण और मान्य होती हैं। इसका अर्थ यह है कि किसी अन्य संस्कृति के रीति-रिवाजों को अजीब मानने की बजाय, यह समझने की कोशिश की जाए कि वे उस समाज के लिए क्यों आवश्यक हैं। उदाहरण के लिए, किसी पारंपरिक समारोह को अनुपयोगी बताने के बजाय, एक सांस्कृतिक सापेक्षवादी यह जानने का प्रयास करेगा कि वह समारोह उस समुदाय के लिए क्यों महत्वपूर्ण है।

   राजनीतिक सोच भी इन दृष्टिकोणों को प्रभावित कर सकती है। आमतौर पर, रूढ़िवादी (Conservative) लोग जातीय केंद्रवाद की ओर झुकाव रखते हैं और अपनी परंपराओं व मान्यताओं को अधिक महत्व देते हैं। दूसरी ओर, उदारवादी (Liberal) लोग सांस्कृतिक सापेक्षवाद को प्राथमिकता देते हैं और विभिन्न संस्कृतियों की विविधता का सम्मान करते हैं। हालाँकि, कई लोग इन दोनों दृष्टिकोणों के बीच संतुलन बनाकर चलते हैं, ताकि सांस्कृतिक विविधता को महत्व दिया जा सके और आपसी समझ और सहयोग को बढ़ावा मिले।
5. **सांस्कृतिक भिन्नताएँ (Cultural Contrasts):** विभिन्न संस्कृतियों के मूल्यों, विश्वासों, व्यवहारों और नियमों में जो अंतर होते हैं, उन्हें सांस्कृतिक भिन्नताएँ कहते हैं। ये भिन्नताएँ इस बात को प्रभावित करती हैं कि लोग समस्याओं को किस प्रकार समझते और हल करते हैं। यदि हम इन अंतर को समझें और सम्मान करें, तो इससे न केवल विभिन्न संस्कृतियों के बीच संपर्क बेहतर होता है, बल्कि

बहुसांस्कृतिक समाज में होने वाली गलतफहमियों को भी कम किया जा सकता है।

अंतर-सांस्कृतिक संप्रेषण में अंतर (Differences in Intercultural Communication)

आज के वैश्विक युग में, विभिन्न संस्कृतियों के बीच बातचीत आम हो गई है। इन सांस्कृतिक अंतरों को समझना आवश्यक है ताकि लोग एक-दूसरे के साथ प्रभावी ढंग से संवाद कर सकें। यहाँ चार प्रमुख अंतर दिए गए हैं जो सोचने और संवाद करने के तरीके को प्रभावित करते हैं:

1. **विश्लेषणात्मक बनाम समग्र सोच (Analytical Thinking vs. Holistic Thinking)**
   - **विश्लेषणात्मक सोच (Analytical Thinking):** यह दृष्टिकोण समस्याओं को छोटे भागों में बाँटकर कारण और प्रभाव के संबंध को समझने पर जोर देता है। उदाहरण के लिए, पश्चिमी देशों में यदि कोई छात्र परीक्षा में अच्छा अंक प्राप्त करता है, तो इसे उसकी व्यक्तिगत मेहनत और पढ़ाई की आदतों का परिणाम माना जाता है।
   - **समग्र सोच (Holistic Thinking):** इसके विपरीत, समग्र सोच व्यापक संदर्भ और परस्पर जुड़ी हुई चीजों को ध्यान में रखती है। जैसे, भारत जैसी पूर्वी संस्कृतियों में परीक्षा में अच्छे अंक लाने को सिर्फ व्यक्तिगत प्रयास का परिणाम नहीं माना जाता, बल्कि इसमें परिवार का सहयोग और पढ़ाई के लिए अनुकूल वातावरण भी महत्वपूर्ण भूमिका निभाते हैं।
2. **उच्च-संदर्भ बनाम निम्न-संदर्भ संस्कृति (High-Context vs. Low-Context Culture)**
   - **उच्च-संदर्भ संस्कृति (High-Content Culture):** जापान और भारत जैसी संस्कृतियों में संप्रेषण अक्सर अप्रत्यक्ष होता है और इसमें सांस्कृतिक संदर्भ और गैर-मौखिक संकेतों का बहुत महत्व होता है। उदाहरण के लिए, किसी बातचीत के दौरान एक साधारण इशारा या मौन रहना भी बिना कुछ कहे बहुत कुछ व्यक्त कर सकता है।
   - **निम्न-संदर्भ संस्कृति (Low-Content Culture):** पश्चिमी देशों, जैसे अमेरिका और जर्मनी में, संप्रेषण अधिक स्पष्ट और सीधा होता है। यहाँ शब्दों का प्राथमिक महत्व होता है और संदर्भ या इशारों की अपेक्षा सीधे संदेश को अधिक महत्व दिया जाता है।
3. **आत्म-प्रचार बनाम आत्म-नम्रता (Self-Enhancement vs. Self-Effacement)**
   - **आत्म-प्रचार (Self-Enhancement):** अमेरिका जैसी व्यक्तिगत स्वतंत्रता को प्राथमिकता देने वाली संस्कृतियाँ लोगों को अपनी उपलब्धियों और क्षमताओं को खुलकर व्यक्त करने के लिए प्रेरित करती हैं। यहाँ सफलता और आत्म-विश्वास को खुलकर दिखाना सामान्य माना जाता है।
   - **आत्म-नम्रता (Self-Effacement):** जापान और भारत जैसी सामूहिकतावादी संस्कृतियाँ विनम्रता को अधिक महत्व देती हैं। यहाँ लोग अपनी उपलब्धियों को कम करके बोलते हैं ताकि समूह में सामंजस्य बना रहे और कोई व्यक्ति खुद को दूसरों से अलग महसूस न करे।
4. **विस्तृत संप्रेषण बनाम संक्षिप्त संप्रेषण (Elaboration vs. Understating)**
   - **विस्तृत संप्रेषण (Elaboration):** लैटिन अमेरिका और अरब देशों जैसी संस्कृतियाँ भावनाओं और विचारों को व्यक्त करने के लिए अलंकृत भाषा और अतिशयोक्ति (exaggeration) का उपयोग करती हैं। यहाँ बातचीत में भावनात्मक गहराई और उत्साह स्पष्ट रूप से दिखाई देता है।
   - **संक्षिप्त संप्रेषण (Understating):** चीन जैसी संस्कृतियाँ संक्षिप्त और संयमित संप्रेषण को प्राथमिकता देती हैं। यहाँ बातचीत में अतिरेक से बचा जाता है, और मौन या कम शब्दों का उपयोग विनम्रता बनाए रखने, टकराव टालने और सोच-समझकर उत्तर देने के लिए किया जाता है।

समूह संप्रेषण (Group Communication)

समूह संप्रेषण में किसी समूह के सदस्यों के बीच सूचनाओं, विचारों और मतों का आदान-प्रदान होता है। यह विभिन्न संदर्भों में देखा जाता है, जैसे बैठकों, चर्चाओं और सहयोगी कार्यों में, जहाँ कई व्यक्ति एक साथ मिलकर सामान्य लक्ष्यों को प्राप्त करने या सामूहिक रूप से निर्णय लेने का प्रयास करते हैं।

उदाहरण के लिए, जब कोई टीम नए परियोजना (project) के लिए विचारों पर मंथन करती है या किसी उत्पाद या सेवा पर ग्राहकों की राय जानने के लिए फोकस समूह चर्चा आयोजित करती है, तो यह समूह संप्रेषण का उदाहरण होता है (चित्र 13.31)। समूह संप्रेषण में प्रतिभागी अपने दृष्टिकोण साझा करते हैं, सहयोग करते हैं और आपसी समझौते तक पहुँचने के लिए विचार-विमर्श करते हैं ताकि लक्ष्यों को प्रभावी ढंग से प्राप्त किया जा सके।

चित्र 13.31 समूह संप्रेषण

नेतृत्व की भूमिका (Leadership Dynamics)

समूह संप्रेषण में नेतृत्व का अर्थ होता है दूसरों का मार्गदर्शन करना ताकि वे साझा लक्ष्यों को प्राप्त कर सकें। यह नेतृत्व विभिन्न भूमिकाओं और शैलियों में देखने को मिलता है।

1. **नेतृत्व भूमिकाओं के प्रकार (Types of Leadership Roles)**
   - **कार्य-केंद्रित भूमिकाएँ (Task-Oriented Roles):** इन भूमिकाओं का मुख्य उद्देश्य कार्य को सुचारू रूप से पूरा करना होता है। उदाहरण: चर्चाओं की शुरुआत करना, जानकारी साझा

करना, विचारों को स्पष्ट रूप से समझाना, चर्चाओं को संक्षेप में प्रस्तुत करना, सुनिश्चित करना कि सभी सदस्य सहमत हों।

- **संबंध-संरक्षण भूमिकाएँ (Maintenance Roles):** इन भूमिकाओं का उद्देश्य समूह को एकजुट रखना और सभी सदस्यों को सहयोग देना होता है। इन भूमिकाओं में शामिल कार्य हैं: विवादों का समाधान करना, सभी को प्रोत्साहित करना, यह सुनिश्चित करना कि सभी नियमों का पालन हो रहा है, विचारों की समीक्षा करना।

2. **नेतृत्व शैलियों के प्रकार (Types of Leadership Styles)**
   - **लोकतांत्रिक नेतृत्व (Democratic Leadership):** इस शैली में नेता समूह के सभी सदस्यों से राय लेने के बाद निर्णय लेते हैं। यह तरीका टीमवर्क को बढ़ावा देता है और सभी को निर्णय प्रक्रिया में शामिल करता है। उदाहरण: किसी कक्षा में शिक्षक परियोजना विषय चुनने से पहले छात्रों से चर्चा करवाते हैं और मतदान के आधार पर अंतिम निर्णय लेते हैं।
   - **नियंत्रणवादी नेतृत्व (Authoritarian Leadership):** इस शैली में नेता बिना समूह से सलाह लिए स्वयं निर्णय लेते हैं। यह शैली उन परिस्थितियों में कारगर होती है जहाँ त्वरित निर्णय लेने की आवश्यकता होती है, लेकिन यदि इसे अधिक इस्तेमाल किया जाए तो यह टीम के सदस्यों को उपेक्षित या निराश महसूस करा सकती है। उदाहरण: किसी आपात स्थिति में टीम लीडर बिना किसी चर्चा के तुरंत सुरक्षा उपाय तय करता है।
   - **निष्क्रिय नेतृत्व (Laissez-Faire Leadership):** फ्रांसीसी भाषा में 'लेसेज-फेयर' (Laissez-Faire) शब्द का अर्थ है 'करने की अनुमति देना' या 'लोगों को उनकी पसंद के अनुसार कार्य करने देना', यह एक नेतृत्व शैली का वर्णन करता है, जहां नेता न्यूनतम मार्गदर्शन प्रदान करते हैं और टीम के सदस्यों को अपने निर्णय स्वयं लेने देते हैं। यह कुशल और आत्म-प्रेरित टीमों के लिए उपयुक्त होता है, लेकिन यदि इसे सही ढंग से प्रबंधित न किया जाए तो यह भ्रम और दिशाहीनता पैदा कर सकता है। उदाहरण: किसी शोध समूह में प्रोफेसर छात्रों को अपने शोध विषय और कार्य विधि स्वयं तय करने की स्वतंत्रता देते हैं, केवल आवश्यकतानुसार मार्गदर्शन प्रदान करते हैं। इन नेतृत्व भूमिकाओं और शैलियों को समझने से समूहों को अधिक प्रभावी ढंग से कार्य करने में सहायता मिलती है। प्रत्येक शैली की अपनी विशेषता होती है, और स्थिति तथा समूह की आवश्यकताओं के अनुसार सही नेतृत्व शैली अपनाने से लक्ष्यों की प्राप्ति सुचारू रूप से हो सकती है।

महत्वपूर्ण शब्दावली (Important Terms)

1. **समूह गतिकी (Group Dynamics):** यह दर्शाता है कि समूह के सदस्य आपस में कैसे बातचीत और सहयोग करते हैं। उम्र, लिंग, शिक्षा और सांस्कृतिक भिन्नताएँ इस पर प्रभाव डालती हैं। उदाहरण के लिए, किसी विद्यालय की परियोजना समूह में, सदस्यों की उम्र और सांस्कृतिक पृष्ठभूमि विचार-विमर्श और निर्णय लेने की प्रक्रिया को प्रभावित कर सकती है।
2. **समूह का आकार और प्रभावशीलता (Group Size and Efficiency):** आदर्श रूप से, समूह का आकार 5 से 7 सदस्यों के बीच होना चाहिए। यह संख्या प्रभावी संवाद, जानकारी साझा करने और सुचारू निर्णय लेने में मदद करती है। उदाहरण के लिए, छह छात्रों का एक अध्ययन समूह एक साथ बेहतर तरीके से अध्ययन कर सकता है और विषयों को आसानी से समझ सकता है।
3. **समितियाँ और सम्मेलन (Committees and Conferences):** समूह विशिष्ट कार्यों के लिए समितियों के माध्यम से या अधिक औपचारिक बैठकों के लिए सम्मेलनों के रूप में कार्य कर सकते हैं। उदाहरण के लिए, शिक्षक किसी विद्यालय कार्यक्रम की योजना बनाने के लिए समिति बना सकते हैं, जबकि विभिन्न विद्यालयों के शिक्षक एक सम्मेलन में नई शिक्षण विधियों पर चर्चा कर सकते हैं।
4. **प्रभावी संप्रेषण (Effective Communication):** अच्छे समूह संप्रेषण का अर्थ है कि सदस्य अपने विचारों को स्पष्ट रूप से साझा कर सकें और एक-दूसरे की राय को समझ सकें। यह निर्णय लेने में सहायक होता है और सोचने के तरीके को भी प्रभावित कर सकता है। उदाहरण के लिए, किसी समूह परियोजना में, स्पष्ट संप्रेषण यह सुनिश्चित करता है कि सभी को अपनी जिम्मेदारियों का पता हो और कोई भ्रम न हो।
5. **प्राथमिक और द्वितीयक समूह (Primary and Secondary Groups):** समूहों को दो भागों में बाँटा जाता है-प्राथमिक समूह, जहाँ घनिष्ठ संबंध होते हैं, और द्वितीयक समूह, जहाँ संबंध अधिक औपचारिक होते हैं। उदाहरण के लिए, प्राथमिक समूह में मित्र शामिल हो सकते हैं, जो एक-दूसरे का समर्थन करते हैं, जबकि द्वितीयक समूह सहकर्मियों का हो सकता है, जो किसी परियोजना पर कार्य कर रहे होते हैं।
6. **समूह एकता (Group Cohesion):** यह दर्शाता है कि समूह के सदस्य कितने जुड़े हुए और संगठित महसूस करते हैं। मजबूत एकता वाले समूह अधिक प्रभावी ढंग से कार्य करते हैं और एक-दूसरे का सहयोग करते हैं। उदाहरण के लिए, एक खेल टीम जिसमें आपसी विश्वास और सहयोग हो, वह बेहतर प्रदर्शन करती है।
7. **समूह की भूमिकाएँ (Group Roles):** किसी समूह के भीतर विभिन्न भूमिकाएँ, जैसे नेता, आयोजक या लेखा-लेखक (note-taker), कार्यों और जिम्मेदारियों को व्यवस्थित करने में मदद करती हैं। उदाहरण के लिए, वाद-विवाद बलब में, नेता चर्चा का मार्गदर्शन करता है, आयोजक कार्यक्रम की योजना बनाता है और लेखा-लेखक चर्चाओं का रिकॉर्ड रखता है।
8. **समूह गतिकी (Group Dynamics):** समूह के भीतर होने वाली पारस्परिक क्रियाएँ और प्रक्रियाएँ, जो निर्णय लेने और समूह की सफलता को प्रभावित करती हैं। उदाहरण के लिए, यदि किसी छात्र परिषद में समूह गतिकी अच्छी है, तो वे प्रभावी ढंग से कार्यक्रम आयोजित कर सकते हैं, लेकिन यदि असहमति अधिक हो, तो वे समस्याओं का सामना कर सकते हैं।
9. **समूह सोच (Groupthink):** जब कोई समूह अन्य विचारों पर विचार किए बिना ही निर्णय लेता है, तो इसे समूह सोच कहते हैं। इससे गलतियाँ हो सकती हैं। उदाहरण के लिए, यदि किसी विचार-मंथन सत्र में सभी सदस्य बिना विचार-विमर्श किए सहमत हो जाते हैं, तो यह समूह सोच का उदाहरण होगा।
10. **सामाजिक आलस्य (Social Loafing):** जब कोई व्यक्ति समूह में अन्य सदस्यों की तुलना में कम मेहनत करता है, तो इसे सामाजिक आलस्य कहते हैं। इससे समूह की सफलता प्रभावित हो सकती है।

उदाहरण के लिए, किसी समूह परियोजना में, यदि एक सदस्य अपनी पूरी मेहनत नहीं करता जबकि बाकी सदस्य पूरा प्रयास करते हैं, तो यह सामाजिक आलस्य कहलाएगा।

समूह संप्रेषण पर सांस्कृतिक प्रभाव (Cultural Influence on Group Communication)

समूह संप्रेषण में विभिन्न सांस्कृतिक विचार महत्वपूर्ण भूमिका निभाते हैं। अलग-अलग संस्कृतियों से आने वाले लोग संप्रेषण और बातचीत के विभिन्न तरीकों को अपनाते हैं। यहाँ कुछ मुख्य बिंदु दिए गए हैं:

1. **समानता और विविधता (Commonality and Diversity):** लोग कई समूहों, जैसे स्कूल या कार्यस्थल, का हिस्सा होते हैं और हर समूह की अपनी संप्रेषण शैली होती है। उदाहरण के लिए, विभिन्न संस्कृतियों के समूहों में बोलने और एक-दूसरे को समझने के तरीके अलग हो सकते हैं।
2. **समूह अंत:क्रिया और नेतृत्व पर सांस्कृतिक मूल्यों का प्रभाव (Impact of Cultural Values on Group Interaction and Leadership):** समूहों में कार्य करने और नेतृत्व करने के तरीके संस्कृति के अनुसार भिन्न होते हैं। कुछ संस्कृतियाँ व्यक्तिगत अभिव्यक्ति (individual expression) को अधिक महत्व देती हैं, जबकि कुछ संस्कृतियाँ सामूहिक सद्भाव (group harmony) को प्राथमिकता देती हैं। यदि लोग एक-दूसरे के मूल्यों का सम्मान नहीं करते, तो इससे कभी-कभी असहमति उत्पन्न हो सकती है।

सांस्कृतिक भिन्नताओं के कारण समूहों में संप्रेषण बाधाएँ (Cross-Cultural Communication Barriers in Groups)

जब विभिन्न संस्कृतियों के लोग आपस में बातचीत करते हैं, तो कुछ संप्रेषण बाधाएँ उत्पन्न हो सकती हैं। यहाँ कुछ सामान्य बाधाएँ दी गई हैं:

1. **रूढ़िवादिता (Stereotyping):** जब लोग किसी विशेष समूह के बारे में सामान्य मान्यताएँ बना लेते हैं और यह मान लेते हैं कि उस समूह का हर व्यक्ति वैसा ही होगा, तो इसे पूर्वधारणा कहते हैं। उदाहरण के लिए यह मान लेना कि सभी एशियाई लोग गणित में अच्छे होते हैं या सभी किशोर आलसी होते हैं। यह धारणा वास्तविकता को सरल बनाकर प्रस्तुत करती है और यह नहीं मानती कि हर व्यक्ति अलग हो सकता है।
2. **पूर्वाग्रह (Prejudice):** जब लोग किसी व्यक्ति के प्रति उसकी जाति, लिंग, धर्म या अन्य विशेषताओं के आधार पर नकारात्मक भावनाएँ रखते हैं, तो इसे पूर्वाग्रह कहा जाता है। इसमें बिना सही तरीके से जाने-समझे किसी के बारे में गलत धारणा बना लेना शामिल होता है। उदाहरण के लिए किसी व्यक्ति को उसकी त्वचा के रंग के आधार पर कम बुद्धिमान मान लेना या यह सोचना कि महिलाएँ कुछ नौकरियों में पुरुषों जितनी सक्षम नहीं हो सकतीं।
3. **भेदभाव (Discrimination):** जब लोग अपने पूर्वाग्रहों के आधार पर दूसरों के साथ अनुचित व्यवहार करते हैं, तो इसे भेदभाव कहते हैं। यह किसी व्यक्ति को समान अवसर न देने या उसके साथ असमान व्यवहार करने के रूप में देखा जाता है। उदाहरण: किसी व्यक्ति को उसकी जातीयता के कारण नौकरी पर न रखना, किसी से उसकी धार्मिक पहचान के कारण मित्रता न करना, या किसी व्यक्ति के लिंग के आधार पर उसे कमतर समझना। भेदभाव समाज के लिए हानिकारक होता है क्योंकि यह लोगों को समान अवसर प्राप्त करने और सम्मानपूर्वक जीवन जीने से रोक सकता है।

अंतर-सांस्कृतिक संप्रेषण बाधाओं को दूर करने की रणनीतियाँ (Strategies to Overcome Cross-Cultural Communi cation Barriers)

जब विभिन्न संस्कृतियों के लोग आपस में बातचीत करते हैं, तो संप्रेषण में कुछ चुनौतियाँ आ सकती हैं। इन बाधाओं को दूर करने के लिए निम्नलिखित प्रभावी रणनीतियाँ अपनाई जा सकती हैं:

1. **आत्मसात करना (Assimilation):** आत्मसात करने की रणनीति में व्यक्ति प्रमुख संस्कृति की मान्यताओं और रीति-रिवाजों को अपनाकर उसमें घुलने-मिलने का प्रयास करता है। उदाहरण के लिए, यदि कोई छात्र विदेश में पढ़ाई कर रहा है, तो वह वहाँ की भाषा और परंपराओं को सीखकर अपने सहपाठियों के साथ बेहतर संबंध बना सकता है। हालाँकि, पूरी तरह से नई संस्कृति में समाहित हो जाना कभी-कभी व्यक्ति की अपनी सांस्कृतिक पहचान को कमजोर कर सकता है।
2. **समायोजन (Accommodation):** समायोजन का अर्थ है अपनी संवाद शैली और व्यवहार को दूसरे की संस्कृति के अनुसार समायोजित करना ताकि आपसी सम्मान और समझ बनी रहे। उदाहरण के लिए, किसी बहुराष्ट्रीय व्यापारिक बैठक में, प्रतिभागी अपनी बोलने की गति और स्वर को इस तरह समायोजित कर सकते हैं कि संप्रेषण स्पष्ट हो और विभिन्न संस्कृतियों के नियमों का सम्मान किया जाए। यह रणनीति विभिन्न सांस्कृतिक पृष्ठभूमियों के बीच बेहतर संप्रेषण को बढ़ावा देती है, लेकिन इसके लिए लचीलापन और प्रयास की आवश्यकता होती है।
3. **पृथक्करण (Separation):** पृथक्करण एक ऐसी रणनीति है जिसमें व्यक्ति अपनी सांस्कृतिक पहचान बनाए रखते हुए प्रमुख संस्कृति से सीमित संपर्क रखता है। उदाहरण के लिए, किसी नए देश में रहने वाले प्रवासी अपनी पारंपरिक छुट्टियाँ और रीति-रिवाज अपनी समुदाय में मनाते हैं, लेकिन मुख्यधारा की संस्कृति के साथ पूरी तरह से घुलते-मिलते नहीं हैं। यह रणनीति सांस्कृतिक विरासत को संरक्षित रखने में मदद कर सकती है, लेकिन इससे व्यक्ति मुख्यधारा की सामाजिक गतिविधियों से कट सकता है और अलगाव महसूस कर सकता है।

क्विज स्टेशन *विगत UGC NET परीक्षाओं के प्रश्न*

प्र 1. कॉलम का मिलान करें: *(23 अगस्त 2024 - शिफ्ट 1)*

शब्द	विवरण
A. साक्षात्कार	(I) समूह संचार
B. समाचार पत्र	(II) इंट्रा पर्सनल कम्युनिकेशन
C. कक्षा	(III) पारस्परिक संचार
D. ध्यान	(IV) जनसंचार

(a) A-I B-III C-II D-IV
(b) A-II B-IV C-III D-I
(c) A-IV B-I C-II D-III
(d) A-III B-IV C-I D-II

प्र 2. जब संचार किसी समूह की अपने लक्ष्यों की प्राप्ति में सहायक होता है तो उसे निम्न में से किस रूप में जाना जाता है? *(18 जून **2024** - शिफ्ट 1)*

(a) विघटनकारी भूमिका
(b) संवर्धक भूमिका
(c) प्रतिक्रियात्मक भूमिका
(d) उपास्य भूमिका

प्र 3. लोग सम्प्रेषित संदेशों को निम्निलिखित में से किसके अनुसार देखते हैं ? *(2 मार्च **2023** - शिफ्ट 2)*

(a) आधिकारिक स्थिति
(b) सांस्कृतिक मूल्य
(c) कल्पित प्रभाव (इमेजिन्ड इनफ्लुएंस)
(d) शब्दार्थ अंतर (सेमान्टिक गैप्स)

प्र 4. भिन्न संस्कृतियों के लोगों के साथ संप्रेषण के लिए सुझाव हो सकते हैं: *(30 सितंबर **2022** - शिफ्ट 1)*

A. अपनी व्याख्या पर बल देना
B. अपनी स्वयं की सांस्कृतिक पहचान को भूलना
C. पारस्परिक सम्मान की एक पारिस्थितिकीय प्रणाली को प्रोत्साहित करना
D. अन्य लोगों के सांस्कृतिक संदर्भ को जानना
E. सदैव तथ्य बताना

(a) केवल A, B और C
(b) केवल C, D और E
(c) केवल B, C और E
(d) केवल A, D और E

उत्तर 1. (d) 2. (b) 3. (b) 4. (b)

कॉन्सेप्ट कैप्सूल

म्नेमोनिक्स (स्मरण संकेत)

स्मरण संकेत एक ऐसी तकनीक है जो किसी भी जानकारी को आसानी से याद रखने में मदद करती है। यह एक युक्ति या रणनीति होती है जिसमें किसी जानकारी को परिचित पैटर्न, तुकबंदी, संक्षिप्ताक्षर (acronym) या चित्र के साथ जोड़ा जाता है। स्मरण संकेतों का उपयोग विभिन्न क्षेत्रों में किया जाता है, जैसे कि शिक्षा, अध्ययन, याद रखने की तकनीक और रोजमर्रा के जीवन में।

हम जानते हैं कि अधिगम की प्रक्रिया में स्मरण संकेत कितने उपयोगी हो सकते हैं, इसलिए हमने इस पुस्तक के प्रत्येक अध्याय में इन्हें शामिल किया है। जब आप इस पुस्तक के विभिन्न अध्यायों को पढ़ेंगे, तो 'अधिगम के शॉर्टकट' अनुभाग में मजेदार और सरल तरीके मिलेंगे जो आपको महत्वपूर्ण विषयों को याद रखने में सहायता करेंगे। ये तकनीकें आपके अध्ययन को अधिक रोचक और प्रभावी बनाएंगी।

स्मरण संकेत कैसे बनाएँ?

स्मरण संकेत बनाने के लिए निम्नलिखित चरणों का पालन करें:

चरण 1: सबसे पहले, उस जानकारी को पहचानें जिसे आप याद रखना चाहते हैं।

उदाहरण: हमारे सौर मंडल के ग्रहों के क्रम को याद रखना–मर्क्युरी (Mercury), वीनस (Venus), अर्थ (Earth), मार्स (Mars), जुपिटर (Jupiter), सैटर्न (Saturn), यूरेनस (Uranus), नेप्च्यून (Neptune)।

चरण 2: एक स्मरण संकेत रणनीति चुनें।

उदाहरण: प्रत्येक ग्रह के नाम के पहले अक्षर का उपयोग करके एक संक्षिप्त वाक्य बनाना।

चरण 3: स्मरण संकेत बनाएँ।

उदाहरण: "My Very Educated Mother Just Served Us Noodles" (माई वेरी एजुकेटेड मदर जस्ट सर्व्ड अस नूडल्स) – यह वाक्य ग्रहों के नामों के पहले अक्षर को सही क्रम में रखता है।

चरण 4: जानकारी को स्मरण संकेत से जोड़ें।

उदाहरण: प्रत्येक शब्द को उसके संबंधित ग्रह से जोड़ें:

1. **My (Mercury)**
2. **Very (Venus)**
3. **Educated (Earth)**
4. **Mother (Mars)**
5. **Just (Jupiter)**
6. **Served (Saturn)**
7. **Us (Uranus)**
8. **Noodles (Neptune)**

चरण 5: अभ्यास करें और स्मरण संकेत को बार-बार दोहराएँ।

उदाहरण: "My Very Educated Mother Just Served Us Noodles" वाक्य को कई बार दोहराएँ ताकि ग्रहों का क्रम सहज रूप से याद हो जाए।

इस प्रकार, स्मरण संकेतों का उपयोग जानकारी को याद रखने को आसान और प्रभावी बनाता है। यह तरीका खासतौर पर अध्ययन और परीक्षा की तैयारी के लिए उपयोगी होता है।

अध्याय के मुख्य बिंदु

साकेंतिकी संचार
(संकेतों और अर्थ का अध्ययन)

- **प्रतिमान**
  (विनिमेय संकेतों का समूह)
- **वाक्यविन्यास**
  (संकेतों की क्रमबद्ध व्यवस्था)

रोलांड बार्थेस के अर्थ के स्तर
(भाषा संकेतों की एक प्रणाली है)

- **संकेत**
  (एक विचार या अवधारणा का प्रतिनिधित्व करता है)
- **संकेतकर्ता**
  (शब्द, छवि, ध्वनि जैसे भौतिक रूप)
- **संकेतित**
  (मानसिक छवि या विचार)

चैनलों के आधार पर

- मौखिक संप्रेषण
  - मौखिक संप्रेषण
  - लिखित संप्रेषण
- गैर-मौखिक संप्रेषण
  - प्रोक्सेमिक्स
  - पारलंग्विस्टिक्स
  - किनेसिक्स
  - हैप्टिक्स
  - ओकुलेसिक्स
  - फोनेमिक्स
  - ड्रेस और अपीयरेंस
  - क्रोमेटिक्स
  - आइकॉनिक
  - कोड

फर्डिनेंड डी सौसुरे का संकेत सिद्धांत
(अर्थ परतों में निर्मित होता है)

- संकेत
  (संकेत का शाब्दिक अर्थ)
- अर्थार्थ
  (सांस्कृतिक या भावनात्मक जुड़ाव)
- मिथक
  (गहरी जड़ें वाली सांस्कृतिक कथाएँ)

कोड के प्रकार

- मौखिक कोड
- गैर-मौखिक कोड
- प्रतीकात्मक कोड
- प्रतीकात्मक कोड
- सौंदर्य कोड
- सांस्कृतिक कोड
- अर्थ कोड
- बाइनरी कोड
- वैचारिक कोड
- मिथक

दिशा के आधार पर

- ऊर्ध्वाधर
  - ऊपर की ओर संप्रेषण
  - नीचे की ओर संप्रेषण
- पार्श्व या क्षैतिज संप्रेषण
- विकर्ण संप्रेषण

उद्देश्य और शैली के आधार पर

- औपचारिक संप्रेषण
- अनौपचारिक संप्रेषण
  - गपशप
  - सिंगल स्ट्रैंड
  - क्लस्टर चेन
  - प्रॉबेबिलिटी चेन

संप्रेषण के अन्य प्रकार

- उपदेशात्मक संप्रेषण
- सन्निहित संप्रेषण
- असन्निकट संप्रेषण
- प्रत्यक्ष संप्रेषण
- मध्यस्थ संप्रेषण
- मासलाइन संप्रेषण
- अर्थ संप्रेषण
- सांकेतिक संप्रेषण
- मेटाकम्युनिकेशन
- अंतरसांस्कृतिक संप्रेषण
- समूह संप्रेषण

रिश्ते के आधार पर

- अंतरवैयक्तिक संप्रेषण
- पारस्परिक संप्रेषण
- पारवैयक्तिक संप्रेषण

जनसंचार और समाज (Mass Media and Society)

14

इस अध्याय में

*परीक्षोपयोगी (Exam Essential): UGC NET परीक्षा में पूछे जाने की अत्यधिक संभावना, #CC का अर्थ है कॉन्सेप्ट कैप्सूल

14.1 जनसंचार माध्यमों का परिचय (Introduction to Mass Media)

कल्पना करें कि दुनिया में अखबार, टेलीविज़न और इंटरनेट न हों – यह वैसा ही होगा जैसे बिना आइसक्रीम और हॉट चॉकलेट के ब्राउनी खाना। संक्षेप में कहें तो, यह बहुत उबाऊ होगा! जनसंचार माध्यम (Mass Media) आपको नवीनतम राजनीतिक ख़बरों से अवगत कराते हैं, नए संगीत की खोज करने में मदद करते हैं, आपके पसंदीदा शो को देखने का अवसर देते हैं और दोस्तों के साथ मीम साझा करने की सुविधा प्रदान करते हैं। यह वह सेतु (bridge) है, जो आपको अपने शहर और पूरी दुनिया में होने वाली कहानियों से जोड़ता है।

मनोरंजन से आगे बढ़कर, जनसंचार माध्यम हमारे दृष्टिकोण को आकार देते हैं, हमारे निर्णयों को प्रभावित करते हैं और हमें सूचित रखते हैं। इन्हीं माध्यमों के द्वारा हम दुनिया के बारे में अपनी राय बनाते हैं, विभिन्न संस्कृतियों के बारे में सीखते हैं और अपने समुदायों से जुड़े रहते हैं। चाहे आप मौसम की भविष्यवाणी देख रहे हों या किसी बड़ी खबर को सुन रहे हों, जनसंचार माध्यम हमारे दैनिक जीवन को समृद्ध बनाने का कार्य करते हैं। इसके बिना, हम अंधकार में होते और अपने आसपास की व्यापक दुनिया की जानकारी से वंचित रहते।

14.2 जनसंचार माध्यमों के कार्य (Functions of Mass Media)

जनसंचार माध्यम समाज में कई महत्वपूर्ण कार्य करते हैं, जो हमारे दैनिक जीवन में महत्वपूर्ण योगदान देते हैं। यहाँ जनसंचार माध्यमों के कुछ प्रमुख कार्य दिए गए हैं:

1. **जानकारी प्रदान करना/सामग्री की आपूर्ति (Providing Information/Content Supply):** जनसंचार माध्यम का प्राथमिक कार्य लोगों को शिक्षा, सरकारी नीतियों, कार्यक्रमों और वैश्विक सम्मेलनों जैसी जीवन के विभिन्न पहलुओं की जानकारी देना है।

   इस विषय को सरल बनाने वाले वीडियो व्याख्यान को देखने के लिए इस QR कोड को स्कैन करें

   उदाहरण के लिए, समाचार पत्र, टेलीविजन समाचार और ऑनलाइन प्लेटफॉर्म वर्तमान घटनाओं पर अपडेट प्रदान करते हैं, जिससे नागरिक लोकतांत्रिक प्रक्रियाओं (democratic processes) **में सक्रिय रूप से भाग ले सकते हैं और सूचित निर्णय ले सकते हैं।**

2. **मनोरंजन प्रदान करना (Providing Entertainment):** जनसंचार माध्यम विभिन्न माध्यमों, जैसे फिल्में, टेलीविजन शो, संगीत, कहानियाँ और इंटरनेट सामग्री के माध्यम से दर्शकों का मनोरंजन करते हैं। ये मनोरंजन के साधन लोगों को मानसिक तनाव से राहत देते हैं और उनके अवकाश (leisure) के समय को समृद्ध बनाते हैं।

   कल्पना कीजिए कि आप शाहरुख़ ख़ान की नवीनतम फिल्म थिएटर में देख रहे हैं या अपने दोस्तों और परिवार के साथ आराम से घर पर मूवी नाइट का आनंद ले रहे हैं।

3. **लोगों को सामाजिक बनाना (Making People Socialise):** जनसंचार माध्यम लोगों को वैश्विक स्तर पर जोड़ते हैं और दुनिया को "वैश्विक गाँव (Global Village)" में बदल देते हैं।

   ट्विटर (Twitter), फ़ेसबुक (Facebook) और व्हाट्सएप (WhatsApp) जैसे सोशल नेटवर्किंग साइट्स विचारों, राय और भावनाओं के आदान-प्रदान को बढ़ावा देती हैं, जिससे विभिन्न देशों और संस्कृतियों के बीच सामुदायिक भावना और आपसी जुड़ाव (interconnectedness) को बढ़ावा मिलता है।

4. **एक जिम्मेदार स्रोत के रूप में कार्य करना (Serving as a Responsible Source):** जनसंचार माध्यम एक निगरानीकर्ता (watchdog) की भूमिका निभाते हैं, जो सरकारी कार्यों की निगरानी करते हैं और सत्ता में बैठे लोगों को जवाबदेह बनाते हैं।

   स्थानीय समाचार चौनल उन मुद्दों की जाँच करते हैं, जो जनता को प्रभावित करते हैं, जबकि खुलासे (exposés) भ्रष्टाचार और अन्य गलत कार्यों को उजागर करते हैं। इसके परिणामस्वरूप, सरकारी अधिकारी और सार्वजनिक हस्तियाँ यह समझते हैं कि उनके कार्यों की मीडिया कवरेज (media coverage) के माध्यम से जाँच की जाएगी, जिससे पारदर्शिता और जवाबदेही (transparency and accountability) सुनिश्चित होती है।

   आज की दुनिया में, जनसंचार माध्यम संचार और सूचना साझा करने में एक महत्वपूर्ण भूमिका निभाते हैं। इसे अक्सर "चौथा स्तंभ (Fourth Estate)" कहा जाता है, जो विधायी (Legislative), कार्यकारी (Executive) और न्यायपालिका (Judiciary) के साथ सरकार के अन्य तीन स्तंभों के समान महत्वपूर्ण भूमिका निभाता है।

5. **राजनीतिक मंच प्रदान करना (Providing Political Forum):** मीडिया राजनीतिक नेताओं के लिए एक मंच प्रदान करता है, जहाँ वे विभिन्न दलों और विचारधाराओं के माध्यम से जनता से संवाद कर सकते हैं, विशेष रूप से चुनाव अभियानों (election campaigns) के दौरान।

   टेलीविजन पर प्रसारित बहसें (televised debates) और राजनीतिक विज्ञापन (advertisements) मतदाताओं को उम्मीदवारों और उनके मुद्दों के बारे में जानकारी देते हैं, जिससे चुनाव के समय सूचित निर्णय लेने (informed decision-making) में मदद मिलती है।

6. **धारणाओं का निर्माण (Cultivation of Perceptions):** जनसंचार माध्यम यह प्रभावित करते हैं कि हम दुनिया को कैसे देखते हैं। वे निश्चित विचारों या छवियों को बार-बार प्रस्तुत करके हमारी धारणाओं (perceptions) और विश्वासों (beliefs) को आकार देते हैं।

   उदाहरण के लिए, यदि टेलीविजन शो बार-बार किसी विशेष पेशे (profession) या जीवनशैली को एक निश्चित तरीके से चित्रित करते हैं, तो यह हमारे विचारों को प्रभावित कर सकता है और हम उस पेशे या जीवनशैली के बारे में एक निश्चित धारणा बना सकते हैं।

7. **एजेंडा सेट करना (Agenda Setting):** जनसंचार माध्यम यह निर्धारित करने में भूमिका निभाते हैं कि जनता और नीति निर्माता किन मुद्दों को महत्वपूर्ण मानें। उदाहरण के लिए, यदि समाचार चौनल किसी विशेष विषय, जैसे स्वास्थ्य सेवाएँ (healthcare) या प्रवासन (immigration), पर व्यापक रूप से ध्यान केंद्रित करते हैं, तो यह इस बात को प्रभावित कर सकता है कि लोग किन मुद्दों पर चर्चा करें और राजनीति में कौन-से विषय प्राथमिकता प्राप्त करें।

8. **सरकार और जनता के बीच कड़ी (Link between Government and People):** जनसंचार माध्यम सरकार और जनता के बीच सेतु (bridge) का कार्य करते हैं। यह जानकारी प्रदान करके, संवाद को सुगम बनाकर और नेताओं को जवाबदेह बनाकर सरकार और आम नागरिकों के बीच संबंध स्थापित करता है। उदाहरण के लिए, समाचार रिपोर्ट और सरकारी अधिकारियों के साक्षात्कार नागरिकों को नीतियों और निर्णयों को समझने में मदद करते हैं, जो उनके जीवन को प्रभावित कर सकते हैं।

9. **ज्ञान की खाई को पाटना (Filling Knowledge Gaps):** जनसंचार माध्यम जानकारी तक पहुँच की असमानता को कम करने में सहायक होते हैं। ये विस्तृत दर्शक वर्ग को ज्ञान प्रदान करके, उन्हें शिक्षित करने और सशक्त बनाने का कार्य करते हैं। उदाहरण के लिए, 'सेसमी स्ट्रीट' (Sesame Street) (हिंदी रूपांतरण 'गली गली सिम सिम' के नाम से जाना जाता है) जैसे शैक्षिक टेलीविजन कार्यक्रम और खान अकादमी (Khan Academy) जैसे ऑनलाइन प्लेटफॉर्म ऐसे लोगों को अधिगम के अवसर प्रदान करते हैं, जिन्हें औपचारिक शिक्षा (formal education) या विस्तृत संसाधनों तक पहुँच नहीं मिल पाती।

   इन कार्यक्रमों के माध्यम से लोग ज्ञान और कौशल प्राप्त कर सकते हैं, जिससे शैक्षिक असमानता (educational inequalities) कम होती है और विभिन्न क्षेत्रों व सामाजिक पृष्ठभूमि के व्यक्तियों को सशक्त बनाया जाता है।

हेरोल्ड लैसवेल द्वारा जनसंचार माध्यमों के कार्य (Mass Media Functions by Harold Lasswell)

हेरोल्ड लैसवेल (Harold Lasswell), जो एक अमेरिकी राजनीतिक वैज्ञानिक (American Political Scientist) और राजनीतिक मनोविज्ञान (Political Psychology) के संस्थापक थे, ने जनसंचार माध्यमों के तीन प्रमुख कार्य बताए:

1. **निगरानी (Surveillance):** जनसंचार माध्यम समाज पर नजर रखने वाले चौकीदार (watchman) की तरह कार्य करते हैं और हमें वर्तमान घटनाओं की जानकारी देते हैं। उदाहरण के लिए, जब आप टीवी या ऑनलाइन विज्ञापनों को देखते हैं, तो वे आपको बाजार में उपलब्ध नए उत्पादों या सेवाओं के बारे में बताते हैं। इससे आपको अपडेटेड रहने और सही निर्णय लेने में मदद मिलती है।

2. **सहसंबंध (Correlation):** जनसंचार माध्यम सार्वजनिक राय (public opinion) को आकार देने और लोगों को समान विचारों के इर्द-गिर्द जोड़ने में मदद करते हैं। उदाहरण के लिए, जब आप समाचार कवरेज देखते हैं या किसी महत्वपूर्ण मुद्दे (जैसे जलवायु परिवर्तन या स्वास्थ्य देखभाल) पर लेख पढ़ते हैं, तो आप उस विषय पर एक राय बनाना शुरू करते हैं। समय के साथ, जब अधिक लोग इसी तरह की राय साझा करते हैं, तो समाज में सहमति (consensus) का निर्माण होता है।

3. **सामाजिक विरासत का अंतरण (Transmission of Social Inheritance):** जनसंचार माध्यम संस्कृतिक मूल्यों, ज्ञान और परंपराओं को आगे बढ़ाने का कार्य करते हैं, जो पहले परिवार और सामुदायिक बुजुर्गों के माध्यम से हस्तांतरित किए जाते थे। टेलीविजन शो, फिल्में और साहित्य (literature) के माध्यम से सांस्कृतिक मानदंड (cultural norms), परंपराएँ (traditions) और रीति-रिवाज (customs) संरक्षित और प्रसारित किए जाते हैं, जिससे ये पीढ़ी-दर-पीढ़ी जारी रहते हैं।

   उदाहरण के लिए, आपने 'अतुल्य भारत (Incredible India)' अभियान के विज्ञापन देखे होंगे, जिनमें आकर्षक नारे होते हैं, जैसे: 'मध्य प्रदेश: जाने क्या दिख जाए', 'राजस्थान: पधारो म्हारे देश'। यह भारत सरकार द्वारा शुरू किया गया राष्ट्रीय पर्यटन अभियान (national tourism campaign) है, जो केवल यात्रा स्थलों को बढ़ावा देने तक सीमित नहीं है, बल्कि विभिन्न क्षेत्रों की समृद्ध सांस्कृतिक विरासत (cultural heritage) को भी उजागर करता है।

   'अतुल्य भारत' अभियान में अमिताभ बच्चन और आमिर ख़ान जैसे प्रसिद्ध भारतीय सेलिब्रिटीज को शामिल किया गया, जिससे इसकी पहुँच और प्रभाव बढ़ाया जा सके। ये विज्ञापन परंपराएँ, त्योहार और ऐतिहासिक स्थल दिखाकर संस्कृतिक पहचान (cultural identity) को संरक्षित और बढ़ावा देने में महत्वपूर्ण भूमिका निभाते हैं, विशेष रूप से एक वैश्वीकरण (globalisation) से प्रभावित दुनिया में।

क्विज स्टेशन *विगत UGC NET परीक्षाओं के प्रश्न*

प्र 1. जनसंचार के मुख्य कार्य निम्नलिखित में से कौन से हैं? **(2 सितंबर 2024 - शिफ्ट 1)**

A. व्यक्ति का समाज से अलगाव

B. नैतिक परिणामों की चिंता किए बिना संदेश निर्माण में संलग्न रहें

C. पर्यावरण की निगरानी

D. सामाजिक विरासत का प्रसारण

E. पर्यावरण की प्रतिक्रिया में समाज के हिस्सों को सहसंबंधित करना

(a) A, B, C (b) C, D, E

(c) A, B, D (d) A, D, E

प्र 2. मीडिया को किस नाम से जाना जाता है?

(a) प्रथम स्तंभ (First Estate)

(b) द्वितीय स्तंभ (Second Estate)

(c) तृतीय स्तंभ (Third Estate)

(d) चतुर्थ स्तंभ (Fourth Estate)

उत्तर 1. (b) 2. (d)

★★★ परीक्षोपयोगी

14.3 जनसंचार माध्यमों के सिद्धांत (Theories of Mass Media)

इस खंड में हम उन प्रमुख सिद्धांतों (theories) का अध्ययन करेंगे, जो हमें यह समझने में मदद करते हैं कि जनसंचार माध्यम (mass media) कैसे दृष्टिकोण (attitudes), व्यवहार (behaviours) और सांस्कृतिक मानदंडों (cultural norms) को आकार देते हैं। इन सिद्धांतों को समझना आवश्यक है क्योंकि ये हमें यह सक्षम बनाते हैं कि हम मीडिया संदेशों (media messages) का आलोचनात्मक मूल्यांकन (critical evaluation) कर सकें, मीडिया के प्रभाव को बेहतर ढंग से नेविगेट कर सकें और डिजिटल युग में इसके व्यापक सामाजिक प्रभाव को समझ सकें।

मनोवैज्ञानिक या व्यक्तिगत अंतर सिद्धांत (Psychological or Individual Difference Theory)

इस सिद्धांत के अनुसार, व्यक्तियों की मनोवैज्ञानिक विशेषताएँ (psychological traits) और व्यक्तिगत अंतर (individual differences) यह निर्धारित करते हैं कि वे मीडिया संदेशों का जवाब कैसे देते हैं। इसका अर्थ यह है कि हर व्यक्ति अपने व्यक्तित्व (personality), दृष्टिकोण (attitudes), विश्वास (beliefs) और अनुभवों (experiences) के आधार पर मीडिया सामग्री की अलग-अलग व्याख्या करता है और उस पर अलग-अलग प्रतिक्रिया देता है।

उदाहरण के लिए मान लीजिए कि दो लोग एक ही राजनीतिक समाचार रिपोर्ट (political news report) देखते हैं। एक व्यक्ति को गुस्सा आ सकता है और वह सक्रिय रूप से कोई कदम उठाने के लिए प्रेरित हो सकता है, क्योंकि वह उस राजनीतिक मुद्दे से गहराई से जुड़ा हुआ है। वहीं दूसरा व्यक्ति इस समाचार को अनदेखा (indifferent) कर सकता है या उस पर संदेह (sceptical) जता सकता है, क्योंकि उसके राजनीतिक विचार या प्राथमिकताएँ भिन्न हो सकती हैं।

इसी तरह, सोशल मीडिया प्लेटफॉर्म (social media platforms) पर भी विभिन्न व्यक्तित्व वाले लोग अलग-अलग व्यवहार कर सकते हैं - एक बहिर्मुखी (extroverted) व्यक्ति अपने जीवन के अपडेट साझा करना और ऑनलाइन दूसरों के साथ बातचीत करना पसंद कर सकता है। जबकि एक अंतर्मुखी (introverted) व्यक्ति सिर्फ चुपचाप दूसरों की पोस्ट देखना पसंद कर सकता है या सोशल मीडिया के उपयोग को सीमित कर सकता है। इस सिद्धांत के दो प्रमुख अवधारणाएँ (Two Key Concepts of This Theory) हैं:

1. **चयनात्मक एक्सपोजर (Selective Exposure):** इस अवधारणा के अनुसार, लोग ऐसी मीडिया सामग्री को चुनकर देखते या पढ़ते हैं, जो उनके मौजूदा विश्वासों (existing beliefs), दृष्टिकोण (attitudes) और पसंद (preferences) के अनुरूप होती है, और वे उस जानकारी से बचते हैं, जो उनके विचारों का खंडन करती हो।

   उदाहरण के लिए नितिन बॉलीवुड अभिनेता सलमान ख़ान (Salman Khan) का बहुत बड़ा प्रशंसक है। वह सलमान की हर फिल्म को बार-बार देखता है और उनके करियर को करीब से फॉलो करता है। जब भी सलमान ख़ान की कोई नई फिल्म रिलीज होती है, नितिन पहले दिन ही उसे देखने का प्लान बनाता है। वह मानता है कि कोई भी अभिनेता सलमान की करिश्माई (charismatic) और एक्शन-भरी परफॉर्मेंस से मेल नहीं खा सकता। यदि उसके दोस्त किसी अन्य अभिनेता की नई फिल्म देखने का सुझाव देते हैं, तो नितिन अक्सर उसे ठुकरा देता है, यह कहते हुए कि वह रुचि नहीं रखता। नितिन का यह व्यवहार "चयनात्मक **एक्सपोजर** (Selective Exposure)" का स्पष्ट उदाहरण है। वह केवल वही मीडिया सामग्री देखता है, जो उसकी पसंद (preference) से मेल खाती है और अन्य विकल्पों को अनदेखा कर देता है।

2. **चयनात्मक धारणा (Selective Perception):** इस अवधारणा के अनुसार, व्यक्ति मीडिया सामग्री की व्याख्या इस तरह करते हैं कि यह उनके मौजूदा विश्वासों और दृष्टिकोणों को मजबूत करे, जबकि वे उन सूचनाओं को नजरअंदाज या तोड़-मरोड़ कर प्रस्तुत करते हैं, जो उनके विचारों का खंडन करती हैं।

   उदाहरण के लिए मान लीजिए कि नितिन एक सलमान ख़ान की फिल्म देखता है, जिसे आलोचकों से मिली-जुली समीक्षा (mixed reviews) मिली है। आलोचकों ने कहानी और अभिनय पर कुछ नकारात्मक टिप्पणियाँ की हैं। लेकिन नितिन को यह फिल्म बेहद पसंद आती है, और वह सलमान ख़ान की अदाकारी की जमकर तारीफ करता है। वह फिल्म के सकारात्मक पहलुओं पर ही ध्यान केंद्रित करता है, जैसे सलमान की करिश्माई उपस्थिति (charisma) और शानदार एक्शन सीक्वेंस। वहीं, नकारात्मक समीक्षाओं को वह या तो अनदेखा कर देता है या उनका महत्व कम कर देता है। यह चयनात्मक धारणा (Selective Perception) का एक स्पष्ट उदाहरण है। नितिन ने फिल्म को इस तरह समझा, जिससे उसका सलमान ख़ान के प्रति प्रशंसा का दृष्टिकोण और मजबूत हो, जबकि उसने किसी भी नकारात्मक प्रतिक्रिया को कम करके आँका।

जनसंचार माध्यम का मॉडल (Mass Media Model)

जनसंचार माध्यम मॉडल यह खोजता है कि संचार किस प्रकार से दर्शकों का ध्यान आकर्षित और बनाए रख सकता है। यह विभिन्न सूचना साझा करने की विधियों को शामिल करता है, जिनमें से प्रत्येक की अपनी अनूठी शैली और उद्देश्य होती है। ये मॉडल यह निर्धारित करते हैं कि हम मीडिया को कैसे ग्रहण करते हैं, सामग्री से कैसे जुड़ते हैं और आपस में किस प्रकार संवाद करते हैं। अब हम कुछ महत्वपूर्ण मॉडल को विस्तार से समझते हैं:

1. **प्रसारण मॉडल (Transmission Model):** इस मॉडल को एक "एकतरफा सड़क (one-way street)" की तरह समझा जा सकता है। इसमें सूचना एक स्रोत से कई प्राप्तकर्ताओं तक भेजी जाती है, लेकिन इसमें प्रतिक्रिया या सहभागिता बहुत कम होती है। उदाहरण के लिए कल्पना करें कि एक शिक्षक कक्षा में व्याख्यान दे रहा है, और छात्र बस सुन रहे हैं। इसमें छात्रों को सीमित प्रतिक्रिया देने का अवसर मिलता है। यह संचार सूचना के प्रसारण पर केंद्रित होता है, न कि उसमें सहभागिता पर।
2. **अनुष्ठान मॉडल (Ritual Model):** यह मॉडल इस पर ध्यान केंद्रित करता है कि संदेश को किस प्रकार समझा और सराहा जाता है तथा वह साझा अनुभव कैसे बनता है। उदाहरण के लिए जब आप और आपके दोस्त एक फिल्म साथ में देखते हैं, तो आप केवल सामग्री का उपभोग नहीं कर रहे होते, बल्कि एक अनुभव साझा कर रहे होते हैं। फिल्म देखने के बाद, आप उस पर चर्चा करते हैं, अपने विचार और व्याख्याएँ साझा करते हैं। प्रत्येक व्यक्ति की फिल्म को देखने और समझने की दृष्टि अलग हो सकती है, लेकिन आपसी संवाद के माध्यम से एक सामूहिक समझ बनती है।
3. **ध्यान आकर्षण मॉडल (Attention&Gaining Model):** यह मॉडल जनसंचार माध्यमों के लिए सबसे महत्वपूर्ण होता है, क्योंकि इसका उद्देश्य दर्शकों का ध्यान आकर्षित और बनाए रखना (retaining attention) है। उदाहरण के लिए जब आप सोशल मीडिया स्क्रॉल कर रहे होते हैं, तो अचानक कोई पोस्ट या वीडियो आपकी नजर पकड़ लेता है, जिससे आप रुककर उसे देखते हैं। यही इस मॉडल का उद्देश्य है - दर्शकों को रोकना और उनका ध्यान बनाए रखना। उदाहरण के लिए, जब आप इंस्टाग्राम खोलते हैं सिर्फ एक नोटिफिकेशन चेक करने के लिए, लेकिन फिर आप घंटों तक रील्स (reels) और स्टोरीज (stories) स्क्रॉल करने लगते हैं। मीडिया प्लेटफॉर्म और सामग्री निर्माता इस रणनीति का उपयोग करते हैं ताकि आप जितना अधिक समय बिताएँ, उतना अधिक लाभ उन्हें विज्ञापनदाताओं से मिल सके। यही कारण है कि यूट्यूबर्स (YouTubers) अपने वीडियो को रोमांचक और तेज-तर्रार बनाते हैं।

संज्ञानात्मक असंगति सिद्धांत (Cognitive Dissonance Theory)

संज्ञानात्मक असंगति सिद्धांत यह दर्शाता है कि लोग अपने विश्वासों, दृष्टिकोणों और व्यवहारों में स्थिरता बनाए रखने का प्रयास करते हैं और जब वे असंगति का सामना करते हैं, तो मानसिक तनाव या असहजता अनुभव करते हैं। इस सिद्धांत के अनुसार, जब किसी व्यक्ति के विश्वास या मूल्यों के बीच टकराव होता है, तो वह संज्ञानात्मक असंगति की स्थिति में आ जाता है। यह मानसिक तनाव या असुविधा का कारण बनता है।

इस असंगति को कम करने के लिए, लोग अपने विश्वास, दृष्टिकोण या व्यवहार को बदल सकते हैं ताकि वे उनके मौजूदा विश्वासों से मेल खाएँ या वे अपने चुनावों को उचित ठहराने के प्रयास कर सकते हैं। यह सिद्धांत हमें यह समझने में मदद करता है कि लोग अपने निर्णयों को तर्कसंगत कैसे बनाते हैं और परस्पर विरोधी जानकारी या अनुभवों के बावजूद मनोवैज्ञानिक संतुलन कैसे बनाए रखते हैं।

मान लीजिए कि एक समाचार लेख एक प्रसिद्ध ऑर्गेनिक फूड कंपनी के अनैतिक व्यापारिक व्यवहारों को उजागर करता है, जबकि इस कंपनी के बहुत सारे निष्ठावान ग्राहक हैं। माया, जो वर्षों से इस कंपनी की ग्राहक रही है, यह मानती थी कि यह कंपनी उच्च नैतिक मानकों के साथ कार्य करती है। लेकिन जब वह इस लेख को पढ़ती है, तो उसे पता चलता है कि इस कंपनी की गतिविधियों से श्रम शोषण और पर्यावरणीय क्षति जैसी समस्याएँ जुड़ी हुई हैं। यह जानकारी माया की कंपनी के प्रति सकारात्मक धारणा से मेल नहीं खाती, जिससे उसमें संज्ञानात्मक असंगति उत्पन्न होती है। इस असंगति को कम करने के लिए, माया कई तरह से प्रतिक्रिया कर सकती है:

1. **स्रोत को नकारना या उसकी विश्वसनीयता पर सवाल उठाना (Deny or Discredit the Source):** माया यह मान सकती है कि यह समाचार लेख पक्षपाती या भ्रामक है, और इस तरह वह कंपनी के प्रति अपनी सकारात्मक धारणा को बनाए रख सकती है।
2. **कंपनी के प्रति अपने दृष्टिकोण को बदलना (Change Her Attitude towards the Company):** वह इस जानकारी को सच मान सकती है, जिससे उसे निराशा होगी और उसका कंपनी के प्रति दृष्टिकोण नकारात्मक रूप से बदल सकता है। यह बदलाव इतना गहरा हो सकता है कि वह इस कंपनी के उत्पादों का बहिष्कार करने का निर्णय भी ले सकती है।
3. **परिस्थिति को तर्कसंगत बनाना (Rationalise the Situation):** माया इन अनैतिक गतिविधियों को स्वीकार कर सकती है, लेकिन वह यह तर्क दे सकती है कि कंपनी की सकारात्मक उपलब्धियाँ इन नकारात्मक पहलुओं से अधिक महत्वपूर्ण हैं। इससे वह नई जानकारी को स्वीकार करते हुए भी कंपनी के प्रति अपनी सकारात्मक राय को बनाए रख सकती है।

मार्शल मैक्लुहान का मीडिया प्रभाव सिद्धांत (Marshall McLuhan's Impact of Media Theory)

मार्शल मैक्लुहान का मीडिया प्रभाव सिद्धांत यह दर्शाता है कि विभिन्न प्रकार के मीडिया समाज को कैसे प्रभावित करते हैं और मानव व्यवहार एवं धारणा को किस प्रकार आकार देते हैं। मैक्लुहान ने प्रसिद्ध कथन "माध्यम ही संदेश है" प्रस्तुत किया, जिसमें उन्होंने यह तर्क दिया कि जिस माध्यम से जानकारी प्रसारित की जाती है, वह इस बात को निर्धारित करता है कि वह जानकारी कैसे प्राप्त और समझी जाएगी।

मैक्लुहान के अनुसार, मुद्रण, टेलीविजन और इंटरनेट जैसे विभिन्न प्रकार के मीडिया हमारी संस्कृति, संचार के तरीके और सामाजिक संबंधों को अनूठे तरीकों से प्रभावित करते हैं। यह सिद्धांत हमें केवल मीडिया संदेशों की सामग्री पर ध्यान केंद्रित करने के बजाय स्वयं माध्यम की विशेषताओं पर विचार करने के लिए प्रेरित करता है। इसमें गति, संवादात्मकता और उपलब्धता जैसी विशेषताएँ शामिल हैं। मैक्लुहान के सिद्धांत को समझकर, हम मीडिया परिदृश्य में हो रहे परिवर्तनों को समझ सकते हैं और समाज को आकार देने में मीडिया की भूमिका का आलोचनात्मक विश्लेषण कर सकते हैं।

इस सिद्धांत को एक उदाहरण से समझा जा सकता है: पारंपरिक मुद्रित समाचार पत्रों से ऑनलाइन समाचार वेबसाइटों की ओर बदलाव। पहले, लोग मुद्रित समाचार पत्रों पर निर्भर रहते थे। ये समाचार पत्र स्पर्शनीय और स्थिर होते थे। पाठक उन्हें आराम से पढ़ सकते थे, लेखों के बीच रुक सकते थे और समाचारों

को रेखीय क्रम में समझ सकते थे। अब, इंटरनेट के उदय के साथ, समाचार डिजिटल, संवादात्मक और कहीं भी, कभी भी उपलब्ध हो गए हैं। ऑनलाइन समाचार वेबसाइटें वास्तविक समय में अपडेट होती हैं। पाठक सुर्खियों को देख सकते हैं, लिंक पर क्लिक करके विस्तृत जानकारी प्राप्त कर सकते हैं और वीडियो व ग्राफिक्स के माध्यम से समाचार का अनुभव कर सकते हैं।

मैक्लुहान के सिद्धांत के अनुसार, मुद्रित समाचार पत्रों से ऑनलाइन समाचार वेबसाइटों तक का यह बदलाव केवल समाचार की सामग्री को ही नहीं, बल्कि उस माध्यम को भी बदलता है, जिससे समाचार वितरित किया जाता है। मुद्रित समाचार पत्रों का माध्यम गहराई, चिंतनशीलता और संपादकीय चयन को प्राथमिकता देता है, जबकि ऑनलाइन समाचार का माध्यम गति, त्वरित प्रतिक्रिया और उपयोगकर्ता सहभागिता को बढ़ावा देता है।

माध्यम में बदलाव के कई प्रभाव होते हैं। संवादात्मकता बढ़ने से उपयोगकर्ता टिप्पणी अनुभाग, सोशल मीडिया साझा और व्यक्तिगत सामग्री अनुशंसाओं के माध्यम से समाचार में भाग ले सकते हैं। समाचार किसी भी समय और कहीं भी तत्काल उपलब्ध हो सकते हैं। हालाँकि, यह बदलाव कुछ चुनौतियाँ भी प्रस्तुत करता है। जानकारी की अधिकता के कारण सूचनाओं का भार हो सकता है, जिससे पाठकों के लिए प्रासंगिक समाचारों को छाँटना मुश्किल हो सकता है। फिल्टर बबल का प्रभाव यह हो सकता है कि उपयोगकर्ता केवल उन्हीं विचारों को देख पाते हैं, जो उनके मौजूदा दृष्टिकोण से मेल खाते हैं, जिससे एकांगी दृष्टिकोण बन सकता है। डिजिटल मीडिया के माध्यम से असत्य या भ्रामक समाचार अधिक तेजी से फैल सकते हैं, जिससे गलत सूचना का प्रसार बढ़ सकता है।

क्विज स्टेशन *विगत UGC NET परीक्षाओं के प्रश्न*

प्र 1. मार्शल मैक्लुहान का नाम किस कथन से जुड़ा है:

(a) संदेश ही माध्यम है

(b) माध्यम ही संदेश है

(c) संदेश सटीक रूप से माध्यम को निर्धारित करता है

(d) एक संदेश, एक संदेश होता है

उत्तर 1. (b)

हॉट मीडिया और कूल मीडिया (Hot Media and Cool Media)

हॉट मीडिया की अवधारणाएँ और कूल मीडिया की शुरुआत संचार सिद्धांतकार मार्शल मैक्लुहान ने की थी (पिछले पृष्ठों में चर्चा की गई) यह समझाने के लिए कि मीडिया के विभिन्न रूपों के लिए दर्शकों की भागीदारी और संलग्नता के विभिन्न स्तरों की आवश्यकता होती है।

1. **हॉट मीडिया (Hot Media):** यह ऐसे मीडिया को संदर्भित करता है जो बहुत सारी जानकारी प्रदान करता है और संदेश को समझने के लिए दर्शकों से बहुत अधिक प्रयास की आवश्यकता नहीं होती है। दर्शकों को बिना अधिक सक्रिय सोच के बस जानकारी प्राप्त करनी होती है। हॉट मीडिया के कुछ उदाहरण हैं फिल्में, रेडियो, तस्वीरें और समाचार-पत्र। यहाँ बताया गया है कि उन्हें क्या खास बनाता है:
   - **हाई डेफिनेशन (High Definition):** हॉट मीडिया बहुत सारी जानकारी प्रदान करता है, इसलिए दर्शकों को कुछ भी जोड़ने की जरूरत नहीं होती है। उदाहरण के लिए, जब आप कोई फिल्म देखते हैं, तो आपको सभी दृश्य और ऑडियो विवरण मिलते हैं, इसलिए आपको यह अनुमान लगाने की जरूरत नहीं होती कि क्या हो रहा है।
   - **कम सक्रिय भागीदारी (Less Active Participation):** हॉट मीडिया में दर्शकों को देखने या सुनने के अलावा ज्यादा कुछ करने की जरूरत नहीं होती। उदाहरण के लिए, जब आप रेडियो सुनते हैं या पत्रिका पढ़ते हैं, तो आप बिना कुछ किए निष्क्रिय रूप से जानकारी प्राप्त करते हैं।
   - **एक इंद्रिय पर ध्यान केंद्रित करें (Focus on One Sense):** हॉट मीडिया अक्सर आपकी किसी एक इंद्रिय पर ध्यान केंद्रित करता है, जैसे कि देखना या सुनना। उदाहरण के लिए, एक पत्रिका चित्रों और पाठ के साथ आपकी दृष्टि की भावना पर निर्भर करती है, जबकि रेडियो आपकी सुनने की भावना का उपयोग करता है।
2. **कूल मीडिया (Cool Media):** यह हॉट मीडिया के विपरीत है। इस प्रकार के मीडिया में उतनी जानकारी नहीं मिलती और दर्शकों को सक्रिय रूप से भाग लेने और अंतराल को भरने की आवश्यकता होती है। कुछ उदाहरण हैं टीवी, फोन कॉल या इंटरैक्टिव वेबसाइट। कूल मीडिया अलग तरीके से क्यों काम करता है, यहाँ बताया गया है:
   - **कम परिभाषा या कम तीव्रता (Low Definition or Low Intensity):** कूल मीडिया कम विवरण प्रदान करता है, जिसका अर्थ है कि दर्शकों को अंतराल को भरने के लिए अधिक सोचना पड़ता है। उदाहरण के लिए, एक कॉमिक स्ट्रिप कुछ चित्र और संवाद देती है लेकिन सब कुछ नहीं दिखाती है, इसलिए पाठक को बाकी की कल्पना करनी पड़ती है।
   - **अत्यधिक इंटरैक्टिव (Highly Interactive):** कूल मीडिया को अक्सर दर्शकों को अधिक संलग्न करने की आवश्यकता होती है। यह शारीरिक गतिविधि या सोच के माध्यम से हो सकता है। एक उदाहरण एक वीडियो गेम है जहाँ खिलाड़ी ऐसे विकल्प चुनता है जो गेम को प्रभावित करते हैं। एक और उदाहरण इंटरैक्टिव वेबसाइट है, जहाँ उपयोगकर्ताओं को सामग्री के साथ बातचीत करने के विकल्प दिए जाते हैं। उदाहरण के लिए, Google मैप्स जैसी वेबसाइटें उपयोगकर्ताओं को जूम इन और आउट करने, विभिन्न स्थानों का पता लगाने और यहाँ तक कि मार्गों की योजना बनाने की अनुमति देती हैं। इसी तरह, डुओलिंगो जैसे ऑनलाइन शिक्षण प्लेटफॉर्म उपयोगकर्ताओं को प्रश्नों के उत्तर देने, विकल्प चुनने और उनकी प्रगति को ट्रैक करने के द्वारा पाठों में शामिल करते हैं। इन प्लेटफॉर्म पर उपयोगकर्ता को केवल निष्क्रिय रूप से जानकारी का उपभोग करने के बजाय आगे बढ़ने के लिए सक्रिय रूप से संलग्न होने की आवश्यकता होती है।
   - **कम जानकारी प्रदान करें (Provide Less Information):** कूल मीडिया कम जानकारी देता है, जिससे दर्शकों को व्याख्या करने और अपने विचार जोड़ने का मौका मिलता है। एक टेलीफोन वार्तालाप कूल मीडिया का एक बेहतरीन उदाहरण है। चूँकि इसमें कोई दृश्य संकेत (जैसे शरीर की भाषा या चेहरे के भाव) नहीं होते, इसलिए दूसरे छोर पर मौजूद व्यक्ति को टोन, आवाज के उतार-चढ़ाव और बातचीत के संदर्भ जैसी चीजों पर पूरा ध्यान देना चाहिए। श्रोता को पूरा संदेश समझने के लिए किसी भी छूटे हुए विवरण को सक्रिय रूप से भरना होगा।

क्विज स्टेशन *विगत UGC NET परीक्षाओं के प्रश्न*

प्र 1. एक हॉट माध्यम की विशेषताएं हैं: *(30 अगस्त 2024 - शिफ्ट 1)*

A. बातचीत की पूर्व-धारणा

B. बड़ी मात्रा में जानकारी प्रदान करना

C. व्याख्या के लिए कम प्रयास की आवश्यकता

D. भागीदारी के लिए कम गुंजाइश

E. तत्काल प्रतिक्रिया

(a) A, B, C (b) C, D, E

(c) A, C, D (d) B, C, D

प्र 2. कूल मीडिया की विशेषताएं हैं: *(अगस्त 2024)*

A. उच्च भागीदारी

B. कम परिभाषा

C. उच्च परिभाषा

D. सूचना की छोटी मात्रा

E. अधिक मात्रा में जानकारी

(a) A, B, C (b) B, C, D

(c) C, D, E (d) A, B, D

उत्तर 1. (d) 2. (d)

14.4 जनसंचार माध्यमों के प्रकार (Types of Mass Media)

दर्शकों की भागीदारी के आधार पर (On the Basis of Audience Engagement)

1. **स्थिर मीडिया (Static Media):** स्थिर मीडिया ऐसे जनसंचार माध्यमों को संदर्भित करता है जो एक निश्चित प्रारूप में सामग्री प्रदान करते हैं, जहाँ तत्काल बातचीत या संशोधन की सीमित या कोई संभावना नहीं होती। यह एकतरफा संचार मॉडल का पालन करता है, जहाँ सामग्री निर्माता इसे तैयार करते हैं और दर्शक इसे बिना किसी वास्तविक समय प्रतिक्रिया या सहभागिता के उपभोग करते हैं।

   इसका एक उदाहरण पारंपरिक मुद्रित मीडिया जैसे समाचार पत्र और पत्रिकाएँ हैं। यहाँ पाठकों को पूर्वनिर्धारित लेआउट में जानकारी प्राप्त होती है, लेकिन वे सामग्री के साथ सीधे संवाद नहीं कर सकते या उसमें बदलाव नहीं कर सकते।

   एक अन्य सामान्य उदाहरण आउटडोर विज्ञापन, जैसे सड़कों पर लगे बिलबोर्ड, हैं। कल्पना करें कि किसी लोकप्रिय खाद्य वितरण सेवा का विज्ञापन एक बड़े होर्डिंग पर प्रदर्शित किया गया है। एक बार जब यह विज्ञापन लग जाता है, तो यह स्थिर रूप से वही संदेश दर्शाता रहता है और इसमें गुजरने वाले लोगों के लिए कोई संवादात्मकता नहीं होती। हालाँकि, आकर्षक दृश्य और प्रभावशाली नारे दर्शकों का ध्यान आकर्षित करने और खाद्य वितरण सेवा के महत्व को व्यक्त करने में सहायक होते हैं।

चित्र 14.1 स्थिर मीडिया

2. **गतिशील मीडिया (Dynamic Media):** गतिशील मीडिया को एक सतत प्रवाहित होने वाली सूचना की धारा के रूप में देखा जा सकता है। यह ऐसी सामग्री प्रदान करता है जो वास्तविक समय में बदल सकती है और अपडेट हो सकती है, जिससे उपयोगकर्ता नवीनतम घटनाओं से जुड़े रहते हैं। ये माध्यम दर्शकों को सामग्री के साथ बातचीत करने और उस पर प्रतिक्रिया देने की सुविधा भी देते हैं।

   गतिशील मीडिया दर्शकों को अधिक संलग्न और जुड़ा हुआ महसूस कराता है, जिससे यह एक रोचक और आकर्षक अनुभव बन जाता है। इसे टेलीविजन देखने या रेडियो सुनने से समझा जा सकता है, जहाँ दर्शक तुरंत प्रतिक्रिया दे सकते हैं, जैसे अपनी पसंदीदा टीम के लिए उत्साहित होना या किसी रेडियो शो में कॉल करके अपनी राय साझा करना।

   एक प्रमुख उदाहरण भारत-पाकिस्तान क्रिकेट मैच का टेलीविजन प्रसारण है। खेल आयोजनों के टेलीविजन प्रसारण में लाइव अपडेट, विशेषज्ञ टिप्पणी और ऑन-स्क्रीन ग्राफिक्स शामिल होते हैं, जो मैच की प्रगति के अनुसार बदलते रहते हैं। दर्शक महत्वपूर्ण क्षणों पर तुरंत प्रतिक्रिया दे सकते हैं, जैसे कि किसी खिलाड़ी द्वारा लगाए गए छक्के या एक महत्वपूर्ण विकेट गिरने पर अपनी खुशी या निराशा व्यक्त करना। वे अपने परिवार के सदस्यों के साथ चर्चा कर सकते हैं या दोस्तों के साथ ग्रुप चैट में अपनी भावनाएँ साझा कर सकते हैं।

चित्र 14.2 गतिशील मीडिया

3. **नेटवर्क मीडिया (Network Media):** नेटवर्क मीडिया संचार के एक नए युग का प्रतिनिधित्व करता है, जिसमें डिजिटल प्लेटफॉर्म शामिल होते हैं जो उपयोगकर्ताओं को सूचना, विचारों और मीडिया सामग्री को निर्बाध रूप से साझा करने और आदान-प्रदान करने की सुविधा प्रदान करते हैं।

   इस प्रकार के मीडिया के कारण मीडिया का लोकतंत्रीकरण हुआ है, जहाँ कोई भी व्यक्ति जो इंटरनेट का उपयोग कर सकता है, वह सामग्री का निर्माण, सहभागिता और वैश्विक स्तर पर साझा कर सकता है।

   सोशल मीडिया मंच, जैसे Facebook (फेसबुक), X (पूर्व में Twitter) और Instagram (इंस्टाग्राम) नेटवर्क मीडिया के प्रमुख उदाहरण हैं। ये मंच उपयोगकर्ताओं को एक-दूसरे से जुड़ने, अपने विचार साझा करने, चित्र और वीडियो पोस्ट करने और विभिन्न विषयों पर चर्चाओं में भाग लेने की अनुमति देते हैं।

   नेटवर्क मीडिया ने सूचना और एक-दूसरे के साथ संवाद करने के तरीके को पूरी तरह से बदल दिया है। यह द्विपक्षीय संचार मॉडल प्रदान करता है, जहाँ उपयोगकर्ता न केवल मीडिया सामग्री का उपभोग कर सकते हैं, बल्कि स्वयं सामग्री भी बना सकते हैं, जिससे सामग्री निर्माता और उपभोक्ता के बीच की पारंपरिक रेखाएँ धुंधली हो जाती हैं।

चित्र 14.3 नेटवर्क मीडिया

अन्तरक्रियाशीलता के आधार पर (On the basis of Interactivity)

1. **रिच मीडिया (Rich Media):** रिच मीडिया वह सामग्री है जिसमें केवल मूल पाठ या चित्र ही नहीं होते। यह अनुभव को और अधिक आकर्षक बनाने के लिए वीडियो, ध्वनियाँ, एनिमेशन और इंटरैक्टिव सुविधाओं जैसी चीजों का उपयोग करता है। उदाहरण के लिए, Myntra जैसा ऑनलाइन शॉपिंग प्लेटफॉर्म आपको अलग-अलग पोशाक पहने हुए मॉडल का वीडियो देखने और प्रत्येक उत्पाद के 360-डिग्री दृश्य के साथ बातचीत करने की अनुमति देता है। एक अन्य उदाहरण एक पर्यटन वेबसाइट पर एक इंटरैक्टिव मानचित्र है, जहाँ आप फोटो, वीडियो और विस्तृत विवरण देखने के लिए विभिन्न स्थानों पर क्लिक कर सकते हैं।
2. **हाइपरमीडिया (Hypermedia):** हाइपरमीडिया तब होता है जब विभिन्न प्रकार के मीडिया- जैसे टेक्स्ट, चित्र, वीडियो और ध्वनियाँ- एक साथ जुड़े होते हैं, जिससे आप क्लिक करके एक मीडिया से दूसरे मीडिया पर जा सकते हैं। उदाहरण के लिए, एक यात्रा ब्लॉग में, आप किसी शहर के बारे में एक टेक्स्ट पोस्ट पढ़ सकते हैं, शहर का वीडियो टूर देखने के लिए एक लिंक पर क्लिक कर सकते हैं और फिर एक फोटो गैलरी देखने के लिए दूसरे लिंक का अनुसरण कर सकते हैं। एक अन्य उदाहरण एक इंटरैक्टिव ई-बुक है, जहाँ आप किसी हाइलाइट किए गए शब्द पर क्लिक करके उसका उच्चारण सुन सकते हैं या संबंधित टेक्स्ट पढ़ सकते हैं।

   वास्तव में, यह पुस्तक आपके अधिगम के अनुभव को बेहतर बनाने के लिए हाइपरमीडिया का उपयोग कर रही है। इस पुस्तक में दिए गए क्यूआर कोड पाठकों को मल्टीमीडिया संसाधनों तक पहुँचने की अनुमति देते हैं जो सामग्री का समर्थन करते हैं। ये क्यूआर कोड आपको पूरक संसाधनों, जैसे वीडियो व्याख्यान, पीडीएफ और ऑनलाइन मॉक टेस्ट से जोड़ते हैं। यह अधिगम को अधिक आकर्षक और सुलभ बनाता है, पारंपरिक पढ़ने और डिजिटल इंटरएक्टिविटी के बीच की खाई को पाटता है।

प्रौद्योगिकी विकास के आधार पर (On the Basis of Technological Evolution)

1. **पारंपरिक मीडिया (Traditional Media):** पारंपरिक मीडिया उन जनसंचार माध्यमों को दर्शाता है जो इंटरनेट और डिजिटल तकनीकों के आने से पहले मौजूद थे। ये माध्यम आमतौर पर पारंपरिक वितरण पद्धतियों पर निर्भर करते हैं, जैसे भौतिक वितरण (physical delivery) और प्रसारण (broadcast transmission), ताकि बड़े पैमाने पर दर्शकों तक पहुँचा जा सके।

   इस विषय को सरल बनाने वाले वीडियो व्याख्यान को देखने के लिए इस QR कोड को स्कैन करें

   पारंपरिक मीडिया की विशेषता इसका एक-से-अनेक (one-to-many communication model) संचार मॉडल है, जिसमें सामग्री कुछ चुने हुए निर्माता तैयार करते हैं और उसे व्यापक दर्शकों तक पहुँचाया जाता है।

   इसके उदाहरणों में मुद्रित समाचार पत्र (print newspapers), पत्रिकाएँ (magazines), प्रसारित टेलीविजन (broadcast television) और रेडियो (radio) शामिल हैं, जो ऐतिहासिक रूप से जनता के लिए समाचार, मनोरंजन और जानकारी के प्राथमिक स्रोत रहे हैं।
2. **आधुनिक मीडिया (Modern Media):** आधुनिक मीडिया उन डिजिटल और ऑनलाइन मंचों को दर्शाता है, जिन्होंने सूचना के निर्माण, वितरण और उपभोग के तरीके को बदल दिया है। 1990 के दशक की शुरुआत में भारत में इंटरनेट के आगमन के साथ, इन माध्यमों ने नई तकनीकों का उपयोग करते हुए इंटरनेट और अन्य डिजिटल चैनलों के माध्यम से सामग्री प्रदान करने की प्रक्रिया को विकसित किया।

   इसके उदाहरणों में डिजिटल समाचार वेबसाइट (digital news websites), स्ट्रीमिंग सेवाएँ (streaming services) जैसे Netflix (नेटफ्लिक्स) और Amazon Prime (अमेजन प्राइम), ब्लॉग (blogs), पॉडकास्ट (podcasts) और सोशल मीडिया प्लेटफॉर्म (social media platforms) शामिल हैं। ये उपयोगकर्ताओं को अधिक लचीलापन, चयन और नियंत्रण प्रदान करते हैं, जिससे वे अपनी सुविधा के अनुसार सामग्री का उपभोग कर सकते हैं।

समय या वास्तविक समय की सहभागिता के आधार पर (On the Basis of Timing or Real-Time Interaction)

1. **समकालिक मीडिया (Synchronous Media):** समकालिक मीडिया वे संचार माध्यम हैं, जिनमें संचार वास्तविक समय में होता है और इसमें दर्शकों की उपस्थिति उसी समय आवश्यक होती है, जब सामग्री प्रसारित या प्रस्तुत की जा रही हो। इस श्रेणी में लाइव टेलीविजन प्रसारण, रेडियो शो और इंटरनेट पर लाइव स्ट्रीमिंग इवेंट जैसे YouTube Live (यूट्यूब लाइव) शामिल हैं। इस प्रकार के मीडिया की प्रमुख विशेषता इसकी तात्कालिकता है, जहाँ दर्शकों को निर्धारित समय पर मौजूद रहना होता है ताकि वे सामग्री के साथ सहभागिता कर सकें। इसमें लाइव पोल (live polls), वास्तविक समय में टिप्पणियाँ (real-time comments) और तत्काल प्रतिक्रिया जैसी सुविधाएँ शामिल होती हैं, जिससे दर्शक और प्रसारक के बीच सीधा संवाद संभव होता है।
2. **असमकालिक मीडिया (Asynchronous Media):** इसके विपरीत, असमकालिक मीडिया में दर्शकों को किसी विशिष्ट समय पर एकत्र होने या सामग्री को देखने की आवश्यकता नहीं होती। इसमें ऐसी सामग्री शामिल होती है, जिसे कोई भी व्यक्ति अपने समयानुसार देख या सुन सकता है। इस प्रकार के मीडिया के उदाहरणों में मुद्रित सामग्री जैसे पुस्तकें और समाचार पत्र, रिकॉर्ड की गई ऑडियो सामग्री और वीडियो सामग्री शामिल हैं। इसमें पॉडकास्ट , YouTube वीडियो (यूट्यूब वीडियो) और मांग पर उपलब्ध टेलीविजन सीरीज (on-demand television series) भी आते हैं।

   असमकालिक मीडिया का मुख्य लाभ इसकी सुविधा है। उपयोगकर्ता अपनी सुविधा और समयानुसार सामग्री को देख और ग्रहण कर सकते हैं। यह लचीलापन उन्हें इस बात की स्वतंत्रता देता है कि वे मीडिया उपभोग को अपनी दिनचर्या के अनुसार समायोजित कर सकें, बजाय इसके कि वे अपने कार्यक्रम को किसी लाइव प्रसारण के समय के अनुसार व्यवस्थित करें।

क्विज स्टेशन *विगत UGC NET परीक्षाओं के प्रश्न*

प्र 1. अतुल्यकालिक माध्यम का एक उदाहरण है:

(a) रेडियो (b) टेलीविजन
(c) फिल्म (d) समाचार पत्र

प्र 2. कॉलम का मिलान करें:

A. सिंक्रोनस मीडिया	I. मल्टी-मीडिया का अनुप्रयोग
B. एसिंक्रोनस मीडिया	II. इंटरएक्टिव मल्टी-मीडिया
C. रिच मीडिया	III. ई-मेल
D. हाइपर मीडिया	IV. टेलीफोन

(a) A-I, B-II, C-III, D-IV
(b) A-IV, B-III, C-II, D-I
(c) A-II, B-IV, C-I, D-III
(d) A-III, B-I, C-IV, D-II

उत्तर 1. (b) 2. (d)

14.5 दर्शकों के प्रकार (Types of Audience)

मीडिया उपभोग के इस व्यापक परिदृश्य में दो अलग-अलग प्रकार के दर्शक होते हैं: सक्रिय दर्शक और निष्क्रिय दर्शक।

1. **सक्रिय दर्शक (Active Audience):** सक्रिय दर्शक मीडिया सामग्री के साथ आलोचनात्मक रूप से जुड़ते हैं, संदेशों पर सवाल उठाते हैं, उनका विश्लेषण करते हैं और उनकी व्याख्या करते हैं। वे जानकारियों को सक्रिय रूप से खोजते हैं और प्रतिक्रिया या सामाजिक साझा करने के माध्यम से मीडिया कथाओं को आकार देने में योगदान भी कर सकते हैं।

   उदाहरण के लिए, किसी प्रमुख खेल आयोजन जैसे ओलंपिक्स के दौरान, एक सक्रिय दर्शक कार्यक्रमों को बारीकी से फॉलो कर सकता है, खिलाड़ियों की पृष्ठभूमि की कहानियाँ पढ़ सकता है, ऑनलाइन मंचों में भाग लेकर परिणामों पर चर्चा कर सकता है और सोशल मीडिया के माध्यम से अपने विचार साझा कर सकता है। वे प्रदर्शन का विश्लेषण कर सकते हैं या अपनी पसंदीदा टीमों और खिलाड़ियों के प्रति समर्थन व्यक्त कर सकते हैं। इस स्तर की सहभागिता दर्शाती है कि दर्शक केवल देखने तक सीमित नहीं रहते, बल्कि वे सामग्री बनाने और साझा करने की प्रक्रिया में सक्रिय रूप से शामिल होते हैं।
2. **निष्क्रिय दर्शक (Passive Audience):** निष्क्रिय दर्शक मीडिया सामग्री का उपभोग बिना किसी आलोचनात्मक जुड़ाव के करते हैं। वे प्रस्तुत किए गए संदेशों को बिना किसी प्रश्न के स्वीकार कर सकते हैं या केवल मनोरंजन के लिए मीडिया का उपयोग कर सकते हैं, बिना इस पर विचार किए कि प्रस्तुत सामग्री के क्या निहितार्थ हो सकते हैं। एक सामान्य उदाहरण यह है कि कोई व्यक्ति टेलीविजन को केवल आराम के लिए देखता है, बिना यह सोचे कि विज्ञापनों या समाचार प्रसारणों के माध्यम से क्या संदेश दिए जा रहे हैं। ऐसे दर्शक मीडिया की सामग्री का आनंद लेते हैं, लेकिन वे उसकी गहरी व्याख्या या विश्लेषण नहीं करते।

   जनसंचार माध्यमों और समाज के बीच गतिशील संबंध को समझने के लिए इन दो प्रकार के दर्शकों को समझना महत्वपूर्ण है।

क्विज स्टेशन *विगत UGC NET परीक्षाओं के प्रश्न*

प्र 1. जो उपयोगकर्ता अपने उद्देश्यों के लिए मीडिया का उपयोग करते हैं, उन्हें किस रूप में पहचाना जाता है?

(a) निष्क्रिय दर्शक
(b) सक्रिय दर्शक
(c) सकारात्मक दर्शक
(d) नकारात्मक दर्शक

उत्तर 1. (b)

14.6 जनसंचार में महत्वपूर्ण चरण (Important Stages in Mass Communication)

मीडिया उत्पादन के चरण (Stages in Media Production)

1. **योजना बनाना (Planning):** यह वह चरण है जहाँ मीडिया टीम विचार लेकर आती है, लक्ष्य निर्धारित करती है, और तय करती है कि सामग्री किसके लिए है। वे तय करते हैं कि उन्हें क्या चाहिए और अंतिम सामग्री को कैसे साझा करना है। उदाहरण: एक नए कुकिंग शो के लिए, टीम तय करती है कि कौन सी रेसिपी दिखानी है, होस्ट कौन होगा, और कौन से उपकरण की आवश्यकता है।
2. **सामग्री की तैयारी (Content Preparation):** इस चरण में, उत्पादन के लिए आवश्यक सामग्री तैयार की जाती है। इसमें स्क्रिप्ट लिखना, दृश्य डिजाइन करना या शूट के लिए आवश्यक कुछ भी इकट्ठा करना शामिल हो सकता है। उदाहरण: कुकिंग शो की टीम सामग्री की सूची बनाती है, रसोई तैयार करती है और शूटिंग से पहले कैमरे के कोणों का परीक्षण करती है।
3. **उत्पादन (Production):** यह वह हिस्सा है जहाँ सब कुछ बनाया या फिल्माया जाता है। उदाहरण: कुकिंग शो का होस्ट रेसिपी को चरण-दर-चरण प्रदर्शित करके एपिसोड को फिल्माता है।
4. **प्रसारण (Transmission):** एक बार जब सामग्री तैयार हो जाती है, तो इसे टीवी, रेडियो, वेबसाइट या सोशल मीडिया जैसे विभिन्न प्लेटफार्मों के माध्यम से दर्शकों के साथ साझा किया जाता है। उदाहरण: कुकिंग शो को एक वीडियो प्लेटफॉर्म पर अपलोड किया जाता है जहाँ दर्शक इसे कभी भी देख सकते हैं।
5. **फीडबैक विश्लेषण (Feedback Analysis):** सामग्री साझा किए जाने के बाद, दर्शकों से फीडबैक एकत्र किया जाता है ताकि यह देखा जा सके कि उन्हें यह पसंद आया या नहीं। इससे क्रिएटर्स को भविष्य की सामग्री को बेहतर बनाने में मदद मिलती है। उदाहरण: कुकिंग शो की टीम समीक्षाएँ पढ़ती है और भविष्य के एपिसोड को बेहतर बनाने के लिए फीडबैक का उपयोग करती है।

दर्शकों की सहभागिता के चरण (Stages In Audience Engagement)

1. **एक्सपोजर (Exposure):** दर्शक मीडिया सामग्री के संपर्क में तब आते हैं जब वे इसे देखना, पढ़ना या सुनना चुनते हैं। उदाहरण: समाचार प्रसारण देखने के लिए टेलीविजन चालू करना।
2. **ध्यान (Attention):** उपलब्ध सभी सामग्री में से, दर्शक उन खास हिस्सों पर ध्यान केंद्रित करते हैं जो उनकी रुचि को आकर्षित करते हैं। उदाहरण: विज्ञापनों को अनदेखा करते हुए ब्रेकिंग न्यूज सेगमेंट पर पूरा ध्यान देना।
3. **धारणा (Perception):** दर्शक अपने व्यक्तिगत अनुभव और ज्ञान के आधार पर विषय-वस्तु की व्याख्या और समझ करते हैं। उदाहरण: टीवी पर किसी राजनीतिक बहस को समझना और उम्मीदवारों के बारे में राय बनाना।
4. **स्मरण (Retention):** महत्वपूर्ण या यादगार मानी जाने वाली जानकारी दर्शकों की स्मृति में संग्रहीत होती है। उदाहरण: किसी डॉक्यूमेंट्री से महत्वपूर्ण आँकड़े या शक्तिशाली दृश्य याद रखना।
5. **व्यवहार परिवर्तन (Attitudinal Change):** विषय-वस्तु विश्वासों, विचारों या व्यवहार में परिवर्तन को प्रभावित कर सकती है। उदाहरण: पर्यावरण अभियान देखने के बाद पर्यावरण-अनुकूल प्रथाओं को अपनाने का निर्णय लेना।

14.7 जनसंचार माध्यमों से जुड़े महत्वपूर्ण शब्द (Important Terms Related to Mass Media)

1. **प्रभामंडल प्रभाव (Halo Effect):** यह वह स्थिति होती है, जब किसी व्यक्ति की एक सकारात्मक विशेषता हमारे मन में उसकी अन्य असंबंधित विशेषताओं के प्रति धारणा को भी प्रभावित करती है। उदाहरण के लिए, यदि कोई अभिनेता अपने अभिनय में उत्कृष्ट माना जाता है, तो लोग यह मान सकते हैं कि वह दयालु और भरोसेमंद भी होगा, भले ही इसके समर्थन में कोई ठोस प्रमाण न हो।

   इस विषय को सरल बनाने वाले वीडियो व्याख्यान को देखने के लिए इस QR कोड को स्कैन करें

   इस प्रकार, किसी एक विशेषता (अभिनय प्रतिभा) के आधार पर अन्य विशेषताओं (दयालुता और विश्वसनीयता) को जोड़कर देखना प्रभामंडल प्रभाव का उदाहरण है।
2. **वैकल्पिक मीडिया (Alternative Media):** वैकल्पिक मीडिया वे संचार माध्यम हैं, जो मुख्यधारा मीडिया (mainstream media) से अलग हटकर जानकारी साझा करते हैं। इनमें स्वतंत्र फिल्में, ब्लॉग और पॉडकास्ट शामिल हो सकते हैं, जो मुख्यधारा मीडिया द्वारा अनदेखी की गई कहानियों या विभिन्न दृष्टिकोणों को प्रस्तुत कर सकते हैं।

   भारत में Youth Ki Awaaz (यूथ की आवाज) और The Filter Koffee Podcast (द फिल्टर कॉफी पॉडकास्ट) जैसे प्लेटफॉर्म इस श्रेणी में आते हैं, जो उन विषयों और चर्चाओं को सामने लाने का प्रयास करते हैं, जिन्हें पारंपरिक मीडिया उतनी प्रमुखता नहीं देता।
3. **पूर्वानुमानित उत्साह (Anticipatory Excitement):** यह किसी प्रमुख मीडिया कार्यक्रम, फिल्म रिलीज या टेलीविजन शो के समापन से पहले पैदा होने वाला उत्साह है। उदाहरण के लिए, जब किसी नई Marvel (मार्वल) सुपरहीरो फिल्म के रिलीज की तारीख नजदीक आती है, तो प्रशंसक दिन गिनना शुरू कर देते हैं और सोशल मीडिया पर चर्चाएँ तेज हो जाती हैं।

   इस विषय को सरल बनाने वाले वीडियो व्याख्यान को देखने के लिए इस QR कोड को स्कैन करें
4. **संयोजक मीडिया (Connective Media):** संयोजक मीडिया (Connective Media) उन मीडिया प्रकारों को संदर्भित करता है, जो उपयोगकर्ताओं के बीच संपर्क और बातचीत को सुगम बनाते हैं, विशेष रूप से डिजिटल प्लेटफॉर्म के माध्यम से। यह मीडिया आपस में जुड़े संचार तंत्र का हिस्सा होता है, जहाँ उपयोगकर्ता आपसी संवाद और सहयोग कर सकते हैं।

   उदाहरण के लिए, X (पूर्व में Twitter) जैसे प्लेटफॉर्म वास्तविक समय संचार (real-time communication) और सहयोग की सुविधा प्रदान करते हैं, विशेष रूप से प्राकृतिक आपदाओं जैसे संकटपूर्ण परिस्थितियों में। उदाहरण के लिए, चक्रवात (hurricane) के दौरान, लोग X (Twitter) का उपयोग करके अपडेट साझा कर

सकते हैं, राहत कार्यों का समन्वय कर सकते हैं और विशिष्ट हैशटैग के माध्यम से सहायक समुदाय बना सकते हैं।

यह प्लेटफॉर्म न केवल महत्वपूर्ण जानकारी के आदान-प्रदान को सक्षम बनाता है, बल्कि संसाधनों को जुटाने और भावनात्मक सहयोग प्रदान करने में भी मदद करता है। इस प्रकार, डिजिटल नेटवर्क संकट के समय जीवनरेखा के रूप में कार्य कर सकते हैं।

5. **संमिलन (Convergence):** जब विभिन्न प्रकार के मीडिया एक ही मंच पर एकीकृत हो जाते हैं, तो इसे संमिलन कहा जाता है। उदाहरण के लिए, स्मार्टफोन (Smartphones) जो इंटरनेट ब्राउजिंग, फोटोग्राफी, संगीत सुनना और वीडियो देखने जैसी कई सुविधाएँ प्रदान करते हैं।

6. **साइबरनेटिक्स (Cybernetics):** यह क्षेत्र उन प्रणालियों का अध्ययन करता है, चाहे वे जैविक हों या तकनीकी, जो संचार और आत्म-नियमन के माध्यम से कार्य करती हैं। उदाहरण के लिए, एक थर्मोस्टेट (thermostat) जो कमरे के तापमान की निगरानी करता है और अपने सेटिंग्स को समायोजित कर कमरे को वांछित तापमान पर बनाए रखता है।

7. **प्रचार (Propaganda):** प्रचार एक प्रकार का जनसंचार है जिसका उद्देश्य विशेष रूप से किसी तर्क के केवल एक पक्ष को प्रस्तुत करके या भावनात्मक रूप से आवेशित भाषा का उपयोग करके किसी कारण या स्थिति के प्रति लोगों की राय को प्रभावित करना होता है। प्रचार का उपयोग विभिन्न संदर्भों में किया जा सकता है, जैसे राजनीति, विज्ञापन या सामाजिक आंदोलन, जनता की धारणा को आकार देने के लिए। आइए प्रचार के विभिन्न रूपों पर नजर डालें:

   - **ब्लैक प्रोपेगैंडा (Black Propaganda):** ब्लैक प्रोपेगैंडा तब होता है जब किसी व्यक्ति को बदनाम करने के लिए गलत जानकारी फैलाई जाती है। अगर कोई राजनीतिक दल किसी विरोधी उम्मीदवार के किसी घोटाले में शामिल होने की झूठी कहानी फैलाता है, भले ही वह सच न हो, तो यह ब्लैक प्रोपेगैंडा है।

   - **श्वेत प्रचार (White propaganda):** श्वेत प्रचार तब होता है जब किसी विशेष कारण या व्यक्ति का समर्थन करने के लिए सत्य जानकारी का उपयोग किया जाता है। इसका उद्देश्य अक्सर धोखे या हेरफेर के बिना एक सकारात्मक छवि को बढ़ावा देना होता है। एक राजनीतिक दल पोस्टर या विज्ञापन बना सकता है जिसमें दिखाया जाता है कि उसका उम्मीदवार समुदाय में अच्छा काम कर रहा है, जैसे किसी चैरिटी में मदद करना या सार्वजनिक सेवाओं का समर्थन करना।

   - **ग्रे प्रचार (Gray propaganda):** इसमें ऐसी जानकारी शामिल होती है जो अस्पष्ट होती है - यह आंशिक रूप से सत्य या आंशिक रूप से असत्य हो सकती है। यह लोगों को इस बारे में अनिश्चित बनाता है कि जानकारी सत्य है या नहीं, जिससे भ्रम या संदेह पैदा होता है। एक उदाहरण यह है कि जब कोई कंपनी कह सकती है, 'कई ग्राहक दावा करते हैं कि हमारा उत्पाद बाजार में दूसरों की तुलना में बेहतर है'। इससे लोगों को इस बारे में अनिश्चितता होती है कि क्या दावे सत्य हैं, और वे स्रोत की पुष्टि नहीं कर सकते, जिससे उत्पाद की गुणवत्ता के बारे में संदेह पैदा होता है।

8. **हाफ-डुप्लेक्स संचार (Half-duplex Communication):** इस प्रकार के संचार में, डेटा एक समय में केवल एक दिशा में प्रवाहित हो सकता है, जिसका अर्थ है कि एक डिवाइस या तो डेटा भेज या प्राप्त कर सकता है, लेकिन दोनों एक साथ नहीं। इसका एक अच्छा उदाहरण वॉकी-टॉकी हैं, जहाँ एक व्यक्ति बोलता है जबकि दूसरा सुनता है, और वे बारी-बारी से संवाद करते हैं। यह तरीका सरल और सस्ता है, लेकिन वास्तविक समय के संचार के लिए आदर्श नहीं है।

9. **पूर्ण-द्वैध संचार (Full-duplex communication):** इस प्रकार का संचार डेटा को एक ही समय में दोनों दिशाओं में प्रवाहित करने की अनुमति देता है, जिसका अर्थ है कि दोनों डिवाइस एक साथ सूचना भेज और प्राप्त कर सकते हैं। यह आमतौर पर टेलीफोन में देखा जाता है, जहाँ दोनों लोग एक ही समय में बात कर सकते हैं और सुन सकते हैं, जिससे एक सहज, निरंतर बातचीत संभव हो पाती है। पूर्ण-द्वैध प्रणालियाँ अधिक कुशल होती हैं और वास्तविक समय के संचार के लिए उपयुक्त होती हैं, लेकिन इन्हें स्थापित करना अधिक महंगा और जटिल होता है।

10. **फ्रेमिंग (Framing):** फ्रेमिंग का मतलब है कि जानकारी को कैसे आकार दिया जाता है और दूसरों के सामने पेश किया जाता है। किसी चीज को जिस तरह से शब्दों में व्यक्त किया जाता है, उससे लोगों की भावनाएँ बदल सकती हैं या वे उसके प्रति कैसे प्रतिक्रिया करते हैं। उदाहरण के लिए, अगर 20 रुपये का कोई उत्पाद 15 रुपये में बेचा जा रहा है, तो '25% छूट' मूल कीमत पर 5 रुपये की छूट की तुलना में बहुत बढ़िया सौदा लगता है। पहला कथन छूट को बड़ी बचत के रूप में पेश करता है, जबकि दूसरा इसे कम आकर्षक बना सकता है। यह दर्शाता है कि संदर्भ और शब्दों का चयन लोगों की धारणाओं और निर्णयों को कैसे प्रभावित कर सकता है।

11. **रीफ्रेमिंग (Reframing):** रीफ्रैमिंग का मतलब है किसी चीज को नए तरीके से पेश करके लोगों के देखने के तरीके को बदलना। इसमें लोगों को बेहतर तरीके से समझने या चीजों को अलग नजरिए से देखने में मदद करने के लिए अलग-अलग शब्दों या उदाहरणों का इस्तेमाल किया जा सकता है। उदाहरण के लिए, 'आपने गलती की हैश कहने के बजाय, आप कह सकते हैं, 'यह अधिगम का मौका है।' यह लोगों को स्थितियों के बारे में ज्यादा सकारात्मक या नए नजरिए से सोचने में मदद करता है।

    हालाँकि फ्रैमिंग और रीफ्रैमिंग एक जैसे लग सकते हैं, लेकिन उनके अलग-अलग अर्थ हैं। फ्रैमिंग का मतलब है जानकारी को एक निश्चित तरीके से प्रस्तुत करना ताकि यह प्रभावित हो कि इसे कैसे समझा या माना जाता है। यह वह प्रारंभिक तरीका है जिससे किसी संदेश या स्थिति को तैयार या स्थापित किया जाता है। दूसरी ओर, रीफ्रैमिंग किसी चीज को प्रस्तुत करने या देखने के तरीके को बदलने की प्रक्रिया है, अक्सर एक नया दृष्टिकोण पेश करके। इसमें स्थिति को एक अलग कोण से देखना या धारणा को बदलने के लिए अलग भाषा का उपयोग करना शामिल है।

12. **प्राइमिंग (Priming):** प्राइमिंग तब होती है जब पिछली जानकारी किसी व्यक्ति द्वारा नई जानकारी की व्याख्या करने के तरीके को प्रभावित करती है। उदाहरण के लिए, यदि कोई व्यक्ति किसी विज्ञापन को देखता है जिसमें लोगों को किसी उत्पाद का आनंद लेते हुए

और उसे खुशी से जोड़ते हुए दिखाया गया है, तो बाद में उनके द्वारा उत्पाद खरीदने की संभावना अधिक हो सकती है क्योंकि उन्हें इसे सकारात्मक भावनाओं से जोड़ने के लिए 'प्राइम' किया गया है। विज्ञापन उनकी मानसिकता को आकार देता है, जिससे वे उत्पाद खरीदने के विचार के प्रति अधिक ग्रहणशील हो जाते हैं।

13. **तात्कालिकता (Immediacy):** तात्कालिकता से तात्पर्य है कि कोई संदेश किसी व्यक्ति को कितना जरूरी या प्रासंगिक लगता है। उदाहरण के लिए, यदि कोई मौसम ऐप यह कहते हुए सूचना भेजता है, '30 मिनट में आपके क्षेत्र में एक भयंकर तूफान आने वाला है,' तो यह उस संदेश से ज्यादा जरूरी और महत्वपूर्ण लगता है, जिसमें लिखा होता है, 'अगले कुछ घंटों में तूफान आने वाला है।' पहला संदेश ज्यादा तात्कालिक होता है क्योंकि यह व्यक्ति को कम समय में सीधे प्रभावित करता है, जिससे उसे कार्रवाई करने के लिए प्रेरित किया जाता है, जैसे कि तूफान के लिए तैयारी करना। तात्कालिकता की भावना वाले संदेश ध्यान आकर्षित करते हैं और त्वरित प्रतिक्रिया को प्रोत्साहित करते हैं।

14. **नैरोकास्टिंग (Narrowcasting) :** नैरोकास्टिंग प्रसारण के विपरीत है, जहाँ सूचना को व्यापक आम जनता के बजाय छोटे, विशिष्ट दर्शकों को लक्षित किया जाता है। यह किसी विशेष समूह की जरूरतों और रुचियों को पूरा करने के लिए सामग्री को तैयार करने के बारे में है। उदाहरण के लिए, FM रेडियो स्टेशन अक्सर स्थानीय समुदायों या विशेष रुचि समूहों के लिए संगीत की विशिष्ट शैलियों (जैसे जैज, रॉक या पॉप) का प्रसारण करते हैं। संचार के इस रूप का उद्देश्य अधिक व्यक्तिगत संबंध बनाना है, ऐसी सामग्री पर ध्यान केंद्रित करना जो सभी तक पहुँचने की कोशिश करने के बजाय दर्शकों के साथ गहराई से जुड़ जाए।

15. **ध्यान अर्थव्यवस्था (Attention Economy) :** ध्यान अर्थव्यवस्था एक अवधारणा है जो इस विचार से उत्पन्न होती है कि डिजिटल युग में मानव ध्यान एक सीमित संसाधन है, और विभिन्न व्यवसाय और सामग्री निर्माता इसे प्राप्त करने के लिए प्रतिस्पर्धा कर रहे हैं। इस अर्थव्यवस्था में, ध्यान को एक ऐसी वस्तु की तरह माना जाता है जिसे खरीदा और बेचा जा सकता है, क्योंकि कंपनियों के लिए सफल होने के लिए लोगों का ध्यान आकर्षित करना आवश्यक है। इंटरनेट, सोशल मीडिया और डिजिटल सामग्री के उदय के साथ, व्यवसाय और निर्माता अब विज्ञापनों, वायरल सामग्री, सोशल मीडिया पोस्ट या वीडियो प्लेटफॉर्म के माध्यम से अपने दर्शकों का ध्यान आकर्षित करने के लिए संघर्ष करते हैं। वे जितना अधिक ध्यान आकर्षित करते हैं, वे बिक्री, अनुयायियों या विज्ञापन राजस्व के मामले में उतना ही अधिक मूल्य उत्पन्न कर सकते हैं। उदाहरण के लिए, जब आप सोशल मीडिया पर स्क्रॉल करते हैं या ऑनलाइन वीडियो देखते हैं, तो आप देख सकते हैं कि विज्ञापन, सामग्री निर्माता और ब्रांड आपका ध्यान खींचने के लिए कैसे आकर्षक शीर्षक, दृश्य या सूचनाओं का उपयोग करते हैं।

16. **बहुअर्थकता (Polysemy) :** यह एक ऐसे शब्द या वाक्यांश को संदर्भित करता है जिसके कई अर्थ होते हैं, यह उस संदर्भ पर निर्भर करता है जिसमें इसका उपयोग किया जाता है। ऐसा तब होता है जब एक ही शब्द को अलग-अलग तरीकों से समझा जा सकता है, भले ही उसकी वर्तनी या ध्वनि एक जैसी हो। उदाहरण के लिए 'बैंक' शब्द का अर्थ ऐसी जगह हो सकता है जहाँ आप पैसे रखते हैं (एक वित्तीय संस्थान), या इसका मतलब नदी का किनारा (नदी का किनारा) हो सकता है। इसी तरह, 'बैट' शब्द का अर्थ उड़ने वाला स्तनपायी या बेसबॉल जैसे खेलों में इस्तेमाल होने वाला उपकरण हो सकता है।

भाषा में बहुअर्थता आम बात है क्योंकि कई शब्द समय के साथ कई अर्थ विकसित करते हैं जो इस बात पर निर्भर करता है कि उनका उपयोग कैसे किया जाता है। बहुअर्थक शब्द का अर्थ आमतौर पर उस संदर्भ के माध्यम से समझा जा सकता है जिसमें वह दिखाई देता है।

17. **एंट्रॉपी (Entropy):** जनसंचार माध्यमों में एंट्रॉपी उस अनिश्चितता या अप्रत्याशितता को दर्शाता है, जो संचारित संदेश में मौजूद हो सकती है। यह तब उत्पन्न होती है जब सूचना अस्पष्ट, जटिल या कई तरह से व्याख्यायित की जा सकती हो।

उदाहरण के लिए, मान लीजिए कि एक समाचार लेख राजनीतिक घटनाओं पर केंद्रित है, जैसे यूक्रेन और फिलिस्तीन (Ukraine vs. Palestine) के बीच का विवाद। यदि यह लेख अत्यधिक तकनीकी भाषा का उपयोग करता है और यह मानता है कि पाठक को पहले से राजनीतिक और ऐतिहासिक पृष्ठभूमि की जानकारी है, तो जिन पाठकों को इस विषय की समझ नहीं है, वे इसे स्पष्ट रूप से नहीं समझ पाएँगे। इस स्थिति में, संदेश की एंट्रॉपी अधिक होगी, क्योंकि यह सीधा और स्पष्ट नहीं है।

18. **गेटकीपर (Gatekeeper):** गेटकीपर वह व्यक्ति या संगठन होता है, जो सूचना के प्रवाह को नियंत्रित या फिल्टर करता है, यह तय करता है कि कौन-सा समाचार या सामग्री जनता को प्रस्तुत की जाएगी और कौन-सी सामग्री हटा दी जाएगी या सीमित कर दी जाएगी।

समाचार और मीडिया के संदर्भ में, गेटकीपर आमतौर पर समाचार संपादक (news editor) या निर्माता (producer) होते हैं, जो यह तय करते हैं कि कौन-सी ख़बरें प्रकाशित या प्रसारित की जाएँगी।

गेटकीपिंग की प्रक्रिया समाचार कक्षों (newsrooms) से आगे बढ़कर सोशल मीडिया मंचों तक पहुँच गई है। Facebook (फेसबुक), X (पूर्व में Twitter) और Instagram (इंस्टाग्राम) जैसे मंचों में एल्गोरिदम और सामग्री मॉडरेटर (content moderators) होते हैं, जो यह निर्धारित करते हैं कि कौन-से पोस्ट, वीडियो या फोटो उपयोगकर्ताओं की फीड में दिखेंगे। ये प्लेटफॉर्म सामुदायिक दिशानिर्देशों या सेवा शर्तों का उल्लंघन करने वाली सामग्री को सीमित या हटा भी सकते हैं। इस प्रकार, सोशल मीडिया मंच भी गेटकीपर की भूमिका निभाते हैं, जो कुछ विषयों को बढ़ावा देते हैं और कुछ को दबा देते हैं।

19. **पठन/संचार के स्तर (Levels of Reading/Communicating):**
   - **पाठ (Text):** जो वास्तव में लिखा या कहा गया है।
   - **प्रसंग (Context):** वे परिस्थितियाँ या तथ्य जो किसी विशेष घटना, स्थिति या सूचना के इर्द-गिर्द मौजूद होते हैं।
   - **अंतर्निहित भाव (Subtext):** वह गूढ़ या छिपा हुआ अर्थ जो किसी कथन या लेखन के पीछे होता है।

इसे एक काल्पनिक वार्तालाप के उदाहरण से समझा जा सकता है।

- **पाठ (Text):** एक बातचीत के दौरान, जब प्रिय जहन पूछती है कि रोहन हाल ही में कैसा रहा है, तो वह संक्षिप्त उत्तर देता है - "मैं ठीक हूँ।"
- **प्रसंग (Context):** रोहन कार्यस्थल पर अत्यधिक दबाव का सामना कर रहा है, जहाँ उसे निकट आते समय-सीमाओं और एक सख़्त बॉस से जूझना पड़ रहा है। साथ ही, वह अपने परिवार में वित्तीय समस्याओं और स्वास्थ्य संबंधी चिंताओं से भी गुजर रहा है।
- **अंतर्निहित भाव (Subtext):** हालाँकि रोहन का उत्तर "मैं ठीक हूँ" सामान्य और सीधा प्रतीत होता है, लेकिन इसके पीछे का भाव उसके भीतर के तनाव और संघर्ष की ओर संकेत करता है। वह खुलकर अपनी समस्याओं पर चर्चा करने में सहज महसूस नहीं कर रहा हो सकता या प्रिय जहन को अपनी परेशानियों से बोझिल नहीं करना चाहता, इसलिए वह सामाजिक रूप से स्वीकार्य एक सरल उत्तर चुनता है।

यह बहुस्तरीय दृष्टिकोण किसी भी संवाद को अधिक गहराई प्रदान करता है और इसे अधिक अर्थपूर्ण बनाता है। यह केवल दैनिक जीवन में ही नहीं, बल्कि साहित्य, सिनेमा और रंगमंच में भी संवाद को समृद्ध बनाता है। पाठ हमें बताता है कि स्पष्ट रूप से क्या कहा जा रहा है, प्रसंग उस स्थिति की पृष्ठभूमि प्रदान करता है और अंतर्निहित भाव पात्रों की वास्तविक भावनाओं और उनके उद्देश्यों को प्रकट करता है, जो अक्सर मानवीय प्रवृत्तियों और संबंधों की व्यापक थीम को प्रतिबिंबित करता है।

20. **न्यू वेव (New Wave):** यह शब्द आमतौर पर सिनेमा, संगीत और कला में उन नए शैलियों या आंदोलनों को दर्शाने के लिए प्रयुक्त होता है, जो पारंपरिक रूपों से हटकर कुछ नवीन प्रस्तुत करते हैं। उदाहरण के लिए, फ्रेंच न्यू वेव (French New Wave) 1950 के दशक में शुरू हुई एक फिल्म निर्माण शैली थी, जिसमें अधिक प्रयोगधर्मी और व्यक्तिगत दृष्टिकोण अपनाया गया था।

    भारतीय संगीत में, न्यू वेव पारंपरिक और समकालीन तत्वों के संलयन को व्यक्त कर सकता है। उदाहरण के लिए, ए.आर. रहमान (A.R. Rahman) ने भारतीय फिल्म संगीत में इलेक्ट्रॉनिक और वैश्विक संगीत तत्वों को शामिल करके बॉलीवुड के ध्वनि परिदृश्य को क्रांतिकारी रूप दिया। उनकी रचनाएँ आधुनिक ध्वनियों और पारंपरिक भारतीय संगीत का मिश्रण थीं, जिसने संगीत में एक नए युग की शुरुआत की।

    उदाहरण के लिए, भारतीय संगीत में, 'नई लहर' शब्द पारंपरिक और समकालीन तत्वों के संलयन का वर्णन कर सकता है। ए.आर. रहमान जैसे कलाकारों ने भारतीय फिल्म संगीत में इलेक्ट्रॉनिक और वैश्विक संगीत तत्वों को पेश किया, जिससे बॉलीवुड के ध्वनि परिदृश्य में क्रांति आई।

21. **सहभागी मीडिया (Participatory Media):** वह मीडिया जिसमें दर्शक केवल देखने या सुनने तक सीमित नहीं रहते, बल्कि उसमें सक्रिय रूप से भाग भी ले सकते हैं। उदाहरण के लिए, सोशल मीडिया (social media) जहाँ लोग टिप्पणी कर सकते हैं, सामग्री साझा कर सकते हैं और स्वयं भी सामग्री बना सकते हैं।

22. **जनसंपर्क (Public Relations - PR):** जनसंपर्क वह प्रक्रिया है, जिसके माध्यम से कोई संगठन, व्यक्ति या कंपनी जनता के सामने अपनी छवि को नियंत्रित और सुधारने का प्रयास करता है। इसका उपयोग यह सुनिश्चित करने के लिए किया जाता है कि लोग उनके बारे में सकारात्मक धारणा बनाए रखें। कंपनियाँ अपनी प्रतिष्ठा बनाए रखने के लिए जनसंपर्क का सहारा लेती हैं, विशेष रूप से तब जब किसी घोटाले या खराब उत्पाद समीक्षा जैसी समस्या सामने आती है। प्रसिद्ध हस्तियाँ भी जनसंपर्क टीमों को नियुक्त करती हैं, जो उनके सार्वजनिक छवि को सँभालने, मीडिया से जुड़े मामलों को प्रबंधित करने और उनके व्यक्तिगत व व्यावसायिक जीवन से संबंधित विषयों की सही व्याख्या करने में मदद करते हैं।

23. **पुनरावृत्ति (Redundancy):** यह संचार में सूचना को दोहराने या अतिरिक्त जानकारी जोड़ने की प्रक्रिया है, ताकि यह सुनिश्चित किया जा सके कि संदेश स्पष्ट रूप से समझा जाए, भले ही कोई व्यवधान या शोर मौजूद हो।

    उदाहरण के लिए, हवाई अड्डे (airport) पर सुरक्षा घोषणाएँ आमतौर पर ध्वनि प्रसारण (overhead speaker system) के माध्यम से सुनाई जाती हैं और साथ ही इलेक्ट्रॉनिक स्क्रीन (electronic screens) पर प्रदर्शित की जाती हैं। ऐसा इसलिए किया जाता है ताकि यदि यात्री किसी कारणवश एक माध्यम से जानकारी प्राप्त न कर सके, तो उसे दूसरे माध्यम से जानकारी मिल सके।

    इसी तरह, किसी टीवी प्रसारण (TV broadcast) में कैप्शन या सबटाइटल (captions or subtitles) का उपयोग किया जाता है, ताकि यदि ऑडियो स्पष्ट न हो या पृष्ठभूमि में अधिक शोर हो, तो भी दर्शक जानकारी प्राप्त कर सकें।

24. **सूवेलेंस (Sousveillance):** यह व्यक्तिगत तकनीकों जैसे स्मार्टफोन (smartphones) का उपयोग कर गतिविधियों को रिकॉर्ड या निगरानी करने की प्रक्रिया को संदर्भित करता है।

    उदाहरण के लिए, विरोध प्रदर्शन के दौरान, भाग लेने वाले लोग स्मार्टफोन से वीडियो रिकॉर्ड कर सकते हैं, जिससे वे सामाजिक मुद्दों को उजागर करने और पारदर्शिता सुनिश्चित करने में मदद कर सकते हैं।

25. **निगरानी (Surveillance):** यह किसी व्यक्ति या स्थान पर नजर रखने की प्रक्रिया होती है, जो आमतौर पर सुरक्षा कारणों (security reasons) के लिए की जाती है। उदाहरण के लिए, सार्वजनिक स्थलों पर CCTV कैमरे (CCTV cameras) का उपयोग निगरानी के लिए किया जाता है, ताकि सुरक्षा सुनिश्चित की जा सके।

26. **पीत पत्रकारिता (Yellow Journalism):** पीत पत्रकारिता समाचार रिपोर्टिंग की एक शैली है, जिसमें सनसनीखेज और अतिशयोक्तिपूर्ण प्रस्तुति पर अधिक ध्यान दिया जाता है, ताकि पाठकों का ध्यान आकर्षित किया जा सके और समाचार पत्रों, पत्रिकाओं या वेबसाइटों की बिक्री और क्लिक बढ़ाई जा सकें। निष्पक्ष और संतुलित रिपोर्टिंग पर ध्यान देने के बजाय, पीत पत्रकारिता अक्सर नाटकीय सुर्खियाँ और विवादास्पद कहानियों का उपयोग करती है, जिससे पाठकों की रुचि बढ़ाई जा सके। इस शैली में तथ्यात्मक सटीकता से अधिक भावनात्मक प्रभाव और आकर्षण को प्राथमिकता दी जाती है, जिससे कई बार गलत या भ्रामक जानकारी भी प्रसारित हो सकती है।

    इसमें तथ्यों को तोड़-मरोड़ कर प्रस्तुत किया जा सकता है या ऐसी सुर्खियाँ बनाई जाती हैं, जो सनसनीखेज और भ्रामक होती हैं। उदाहरण के लिए, "एलियंस साउथ दिल्ली में उतरे: जानने के लिए क्लिक करें!" या "क्या आप जानते हैं कि इन अभिनेत्रियों में से कौन अपने पति को धोखा दे रही है?" जैसी सुर्खियाँ पीत पत्रकारिता का हिस्सा हो सकती हैं।

    हालाँकि इस तरह की पत्रकारिता अल्पकालिक रूप से अधिक पाठकों को आकर्षित कर सकती है, लेकिन यह पत्रकारिता की साख को

नुकसान पहुँचा सकती है और गलत सूचना के प्रसार में योगदान कर सकती है। जब पत्रकार सनसनीखेज़ सामग्री को प्राथमिकता देते हैं, तो इससे मीडिया की विश्वसनीयता प्रभावित होती है और लोग जिस समाचार को पढ़ते हैं, उस पर विश्वास करना कठिन हो जाता है।

निष्कर्षत:, पीत पत्रकारिता अल्पकालिक रूप से ध्यान आकर्षित कर सकती है, लेकिन यह पत्रकारिता की निष्पक्षता और सार्वजनिक समझ को प्रभावित कर सकती है।

स्कोर बूस्टर

पूरक पठन सिफारिश

QR कोड काम नहीं कर रहा है? QR कोड के साथ दिए गए संसाधनों तक पहुँचने के लिए आंतरिक फ्रन्ट कवर पर दिए गए निर्देशों का पालन करें

नीचे आधिकारिक UGC NET पेपर I पाठ्यक्रम में उल्लिखित विषय दिए गए हैं जो हाल ही में UGC NET परीक्षा में नहीं थे।

यदि आप उन्हें एक्सप्लोर करना चाहते हैं, तो विस्तृत स्पष्टीकरण के साथ एक **विशेष पीडीएफ** तक पहुंचने के लिए QR कोड को स्कैन करें:

संचार के तरीके:

1. प्रिंट मीडिया
2. रेडियो
3. टेलीविजन
4. वीडियो और फिल्में
5. तस्वीरें
6. वायरलेस संचार
7. जनसंचार के नए तरीके

क्विज स्टेशन

विगत UGC NET परीक्षाओं के प्रश्न

प्र 1. 'पीत पत्रकारिता' शब्द का अर्थ है:

(a) आतंकवाद और हिंसा से जुड़ी सनसनीखेज़ खबरें
(b) पाठकों/दर्शकों को आकर्षित करने के लिए सनसनीखेज़ और अतिशयोक्तिपूर्ण प्रस्तुति
(c) कला और संस्कृति से जुड़ी सनसनीखेज़ खबरें
(d) पीले कागज पर छपी सनसनीखेज़ खबरें

प्र 2. कॉलम का मिलान करें: (27 अगस्त **2024** - शिफ्ट 2)

A. दुष्प्रचार	I. विरोधाभासी विचारों का अंतर्राष्ट्रीय दमन
B. काला प्रचार	II. सूचना का प्रसारण गलत भी हो सकता है और गलत भी
C. श्वेत प्रचार	III. विपक्ष के बारे में गलत जानकारी
D. ग्रे प्रचार	IV. झूठ का रणनीतिक प्रसारण

(a) A-I, B-II, C-III, D-IV
(b) A-II, B-III, C-IV, D-I
(c) A-III, B-IV, C-I, D-II
(d) A-IV, B-I, C-II, D-III

प्र 3. संचार में निम्नलिखित में से कौन से कारक महत्वपूर्ण हैं?

A. स्लैंग
B. सनकी रवैया
C. फरेमिंग
D. प्राइमिंग
E. तात्कालिकता

(a) A, B, C
(b) B, C, D
(c) A, D, E
(d) C, D, E

प्र 4. स्तंभ का मिलान करें: (21 अगस्त **2024** - शिफ्ट 2)

A. ध्यान अर्थव्यवस्था	I. सार्वजनिक भाषण
B. संकीर्ण कास्टिंग	II. टेलीविजन
C. समकालिक दर्शक	III. इंटरनेट
D. वर्तमानता का अजीब रूप	IV. FM रेडियो

(a) A-I, B-II, C-III, D-IV
(b) A-II, B-III, C-IV, D-I
(c) A-III, B-IV, C-I, D-II
(d) A-IV, B-I, C-II, D-III

प्र 5. कॉलम का मिलान (14 जून 2023 - शिफ्ट 1)

A. सिम्प्लेक्स	I. डेटा एक ही समय में भेजा और प्राप्त किया जा सकता है
B. डुप्लेक्स	II. डेटा केवल भेजा या प्राप्त किया जा सकता है
C. अर्ध-द्वैध	III. डेटा भेजा और प्राप्त किया जा सकता है लेकिन एक ही समय में नहीं

(a) A-III, B-I, C-II
(b) A-I, B-III, C-II
(c) A-II, B-III, C-I
(d) A-II, B-I, C-III

उत्तर 1. (b) 2. (c) 3. (d) 4. (c)

कॉन्सेप्ट कैप्सूल

भाषण क्रियात्मकता सिद्धांत (Speech Act Theory)

भाषण क्रियात्मकता सिद्धांत यह बताता है कि भाषा का उपयोग केवल सूचना संप्रेषित करने के लिए ही नहीं, बल्कि कर्म करने के लिए भी किया जाता है। जब कोई व्यक्ति कहता है, "मैं वादा करता हूँ कि मैं 8 बजे वहाँ पहुँचूँगा," तो वह केवल सूचना नहीं दे रहा, बल्कि एक प्रतिबद्धता व्यक्त कर रहा है। इस सिद्धांत के अनुसार, जब भी हम कुछ कहते हैं, तो हम केवल शब्दों का उच्चारण नहीं कर रहे होते, बल्कि अपने शब्दों के माध्यम से कुछ कर भी रहे होते हैं।

भाषा की प्रकृति को समझने के लिए भाषण क्रियात्मकता सिद्धांत तीन प्रमुख घटकों में विभाजित किया जाता है:

1. **लोक्यूशनरी क्रिया (Locutionary Act):** यह भाषण की मूल इकाई होती है। इसमें वह शब्द और वाक्य शामिल होते हैं, जो हम बोलते हैं। उदाहरण के लिए, यदि कोई कहता है "कृपया नमक पास कर दो," तो इसमें केवल नमक माँगने के लिए प्रयुक्त शब्दों का उल्लेख किया जाता है।
2. **इलोक्यूशनरी क्रिया (Illocutionary Act):** यह वह क्रिया होती है, जो शब्दों के पीछे की भावना, उद्देश्य या कार्य को दर्शाती है। उदाहरण के लिए, जब कोई कहता है, "मैं वादा करता हूँ कि मैं तुम्हारी पढ़ाई में मदद करूँगा," तो यह केवल एक कथन नहीं है, बल्कि वास्तव में वादा करने की क्रिया को भी दर्शाता है। इस प्रकार, इलोक्यूशनरी क्रिया यह दर्शाती है कि वक्ता क्या करने का प्रयास कर रहा है–चाहे वह अनुरोध हो, आदेश हो, वादा हो या सलाह हो।
3. **परलोक्यूशनरी क्रिया (Perlocutionary Act):** यह दर्शाता है कि श्रोता पर वक्ता के शब्दों का क्या प्रभाव पड़ता है। यह प्रभाव भावनात्मक, मानसिक या व्यवहारिक हो सकता है। उदाहरण के लिए, यदि कोई कहता है, "तुम्हारे उपहार के लिए धन्यवाद," तो श्रोता को यह सुनकर खुशी हो सकती है, जिससे उसे यह महसूस हो कि उसका उपहार सराहा गया। इसी तरह, अगर कोई कहता है, "क्या तुम मुझे नमक पास कर सकते हो?", और श्रोता वास्तव में नमक पास कर देता है, तो यह परलोक्यूशनरी क्रिया होगी।

   यदि हम इन तीनों घटकों को साथ रखकर देखें - लोक्यूशनरी (जो कहा गया), इलोक्यूशनरी (जो करने का इरादा है) और परलोक्यूशनरी (जो प्रभाव पड़ता है) - तो हम समझ सकते हैं कि भाषा कितनी शक्तिशाली और अर्थपूर्ण होती है। यह केवल बोलने तक सीमित नहीं है, बल्कि यह संचार, प्रभाव उत्पन्न करने और अपने शब्दों के माध्यम से वास्तविक क्रियाएँ करने का एक माध्यम भी है।

विनम्रता सिद्धांत (Politeness Theory)

विनम्रता सिद्धांत यह समझाने का प्रयास करता है कि हम भाषा का उपयोग दूसरों के प्रति सम्मान और सौहार्द्र व्यक्त करने के लिए कैसे करते हैं। जब हम किसी से बातचीत करते हैं, तो यह सुनिश्चित करना चाहते हैं कि वे सहज और सम्मानित महसूस करें। इसे प्राप्त करने के लिए, हम विभिन्न विनम्रता रणनीतियों का उपयोग करते हैं।

सकारात्मक विनम्रता में हम मधुर शब्दों और अभिव्यक्तियों का प्रयोग करते हैं, जैसे "कृपया" और "धन्यवाद" ताकि हमारा व्यवहार मैत्रीपूर्ण और प्रशंसात्मक लगे। उदाहरण के लिए, "क्या आप कृपया नमक पास कर सकते हैं?" एक विनम्र अनुरोध करने का तरीका है।

इसके विपरीत, नकारात्मक विनम्रता तब होती है जब हम दूसरों पर कोई दबाव डाले बिना सम्मान व्यक्त करते हैं। इसमें हम कोमल भाषा का उपयोग करते हैं और विनम्रतापूर्वक अनुमति माँगते हैं। उदाहरण के लिए, "क्या आपको बुरा लगेगा यदि मैं आपकी किताब उधार लूँ?" यह दर्शाता है कि हम किसी पर अपनी इच्छा थोपे बिना अनुरोध कर रहे हैं।

हेजिंग (Hedging): हेजिंग इस सिद्धांत का एक केंद्रीय तत्व है, जिसमें वक्ता अपने कथनों को कोमल बनाने के लिए विशेष शब्दों या वाक्यांशों का प्रयोग करता है ताकि वे अधिक विनम्र और संतुलित लगें। हेजिंग का उपयोग करके हम अपने विचारों को कम कठोर, अधिक संवेदनशील और दूसरों की भावनाओं का सम्मान करने वाला बना सकते हैं।
उदाहरण के लिए, यदि कोई कहता है, "मुझे पूरा विश्वास है कि मैं खेल जीतूँगा," तो यह बहुत दृढ़ लगता है। लेकिन यदि वह इसे "मुझे लगता है कि मेरे जीतने की अच्छी संभावना है," कहे, तो यह कम निश्चित और अधिक विनम्र प्रतीत होता है।

हेजिंग हमें न केवल विनम्र और विचारशील बनाता है बल्कि यह दर्शाता है कि हम अलग-अलग विचारों और संभावनाओं के प्रति खुले हैं। उदाहरण के लिए, यदि कोई कहता है "मुझे यकीन है कि यह सबसे अच्छा विकल्प है," तो यह बहुत निश्चित लगता है। लेकिन यदि वह कहे "मुझे लगता है कि यह सबसे अच्छा विकल्प हो सकता है," तो यह दर्शाता है कि वह अन्य संभावनाओं को भी स्वीकार कर सकता है।

संक्षेप में, विनम्रता सिद्धांत हमें यह सिखाता है कि हम भाषा का उपयोग दूसरों के प्रति दयालु और सम्मानजनक तरीके से कैसे कर सकते हैं। हेजिंग एक महत्वपूर्ण रणनीति है जो हमारे शब्दों को अधिक सौहार्द्रपूर्ण और सकारात्मक बनाती है। ये कौशल सकारात्मक संबंध बनाने और बातचीत को सभी के लिए अधिक आनंददायक बनाने में मदद करते हैं।

क्विज स्टेशन *विगत UGC NET परीक्षाओं के प्रश्न*

प्र 1. निम्नलिखित में से कौन सा वाक्य हेजिंग को दर्शाता है?

(a) "यह निश्चित रूप से सबसे अच्छा समाधान है।"

(b) "मुझे 100% यकीन है कि यह काम करेगा।"

(c) "मुझे लगता है कि यह एक अच्छा समाधान हो सकता है।"

(d) "यह निश्चित रूप से समस्या का समाधान करेगा।"

उत्तर 1. (c)

अध्याय के मुख्य बिंदु

दर्शकों की सहभागिता के चरण
(दर्शक मीडिया के साथ कैसे बातचीत करते हैं)

- **एक्सपोजर** (देखने या सुनने का चुनाव करना)
- **ध्यान** (मुख्य सामग्री पर ध्यान केंद्रित करना)
- **धारणा** (अनुभव के आधार पर व्याख्या करना)
- **अवधारणा** (महत्वपूर्ण जानकारी संग्रहीत करना)
- **मनोवृत्ति परिवर्तन** (विश्वासों या व्यवहार को प्रभावित करना)

मीडिया उत्पादन में चरण
(सामग्री बनाने और साझा करने के चरण)

- **योजना बनाना** (विचारों, लक्ष्यों, दर्शकों को परिभाषित करना)
- **सामग्री तैयार करना** (सामग्री इकट्ठा करना, स्क्रिप्ट लिखना)
- **उत्पादन** (फिल्मांकन, रिकॉर्डिंग, या सामग्री बनाना)
- **प्रसारण** (मीडिया प्लेटफॉर्म के माध्यम से साझा करना)।
- **प्रतिक्रिया विश्लेषण** (दर्शकों की प्रतिक्रियाओं की समीक्षा करना)

हेरोल्ड लैसवेल द्वारा मास मीडिया फंक्शन

- निगरानी
- सहसंबंध
- सामाजिक विरासत की स्वीकृति

संचार के तरीके
(पूरक पीडीएफ में शामिल)

- प्रिंट मीडिया
- रेडियो
- टेलीविजन
- वीडियो और फिल्में
- तस्वीरें
- वायरलेस संचार
  - सेलुलर नेटवर्क
  - वाई-फाई तकनीक
  - ब्लूटूथ तकनीक
  - सैटेलाइट संचार
  - वीडियो कॉन्फ्रेंसिंग
- जनसंचार के नए तरीके
  - सोशल मीडिया
  - ब्लॉग
  - पॉडकास्ट
  - स्ट्रीमिंग ऐप्स

मास मीडिया के कार्य
(पूरक PDF में विस्तार से दिया गया है)

- सूचना/सामग्री आपूर्ति प्रदान करना
- मनोरंजन प्रदान करना
- लोगों को सामाजिक बनाना
- एक जिम्मेदार स्रोत के रूप में सेवा करना
- राजनीतिक मंच प्रदान करना
- धरणाओं का निर्माण
- एजेंडा सेटिंग
- सरकार और लोगों के बीच संबंध
- ज्ञान अंतराल को भरना

मैक्लुहान का मीडिया जुड़ाव का सिद्धांत
(मीडिया दर्शकों की भागीदारी में भिन्न होता है)

- **हॉट मीडिया**
  - उच्च परिभाषा या विवरण
  - कम सक्रिय भागीदारी
  - एक भावना पर ध्यान केंद्रित करना
- **कूल मीडिया**
  - कम परिभाषा या तीव्रता
  - उच्च सहभागिता
  - कम जानकारी

मास मीडिया के प्रकार

- दर्शकों की सहभागिता के आधार पर
  - स्थैतिक मीडिया
  - गतिशील मीडिया
  - नेटवर्क मीडिया
- तकनीकी विकास के आधार पर
  - पारंपरिक मीडिया
  - आधुनिक मीडिया
- समय या वास्तविक समय की बातचीत के आधार पर
  - समकालिक मीडिया
  - अतुल्यकालिक मीडिया

मास मीडिया के सिद्धांत

- मनोवैज्ञानिक या व्यक्तिगत अंतर सिद्धांत
  - चयनात्मक जोखिम
  - चयनात्मक धारणा
- मास मीडिया मॉडल
  - संचरण मॉडल
  - अनुष्ठान मॉडल
  - ध्यान आकर्षित करने वाला मॉडल
- संज्ञानात्मक असंगति सिद्धांत
  - स्रोत को नकारना या बदनाम करना
  - दृष्टिकोण में परिवर्तन
  - युक्तिकरण
- मीडिया सिद्धांत पर मार्शल मैक्लुहान का प्रभाव

मूल्यांकन ज़ोन (EVALUATION ZONE)

1. पारस्परिक संचार है। *(21 जनवरी **2025** - शिफ्ट 1)*

(A) प्रत्यक्ष आमने-सामने
(B) लोगों के समूह के साथ
(C) बड़ी संख्या में अज्ञात व्यक्तियों के साथ
(D) दो व्यक्तियों के बीच
(E) अपने भीतर या आत्म-संचार

नीचे दिए गए विकल्पों में से सही विकल्प का चयन कीजिए:

(a) केवल (A) और (D) (b) केवल (A) और C
(c) केवल (C) और (A) (d) केवल (D) और (E)

2. सूची-I का सूची-II से मिलान करें: *(21 जनवरी **2025** - शिफ्ट 1)*

सूची-I (संचार बाधाओं के प्रकार)	सूची-II (अर्थ)
A. अर्थ संबंधी बाधा	I. शब्दों या वाक्यांशों में गलतफहमी
B. शारीरिक बाधा	II. शोर या दूरी
C. मनोवैज्ञानिक बाधा	III. भावना या दृष्टिकोण
D. सांस्कृतिक बाधा	IV. सामाजिक मानदंडों में अंतर

नीचे दिए गए विकल्पों में से सही विकल्प का चयन कीजिए:

(a) (A)-(II), (B)-(I), (C)-(III), (D)-(IV)
(b) (A)-(I), (B)-(II), (C)-(III), (D)-(IV)
(c) (A)-(I), (B)-(II), (C)-(IV), (D)-(III)
(d) (A)-(III), (B)-(II), (C)-(I), (D)-(IV)

3. चार्ल्स सैंडर्स पीयर्स ने निम्नलिखित में से किस श्रेणी में 'संकेतों' को वर्गीकृत किया? *(9 जनवरी **2025** - शिफ्ट 2)*

(A) वस्तु (B) सूचकांक
(C) चिन्ह (D) व्याख्याकार
(E) प्रतीक

नीचे दिए गए विकल्पों में से सही विकल्प का चयन कीजिए:

(a) केवल (A), (B) और (C)
(b) केवल (B), (C) और (E)
(c) केवल (C), (D) और (E)
(d) केवल (A), (D) और (E)

4. भाषा के मुख्य घटक कौन-से हैं? *(8 जनवरी **2025** - शिफ्ट 2)*

(A) ध्वनिविज्ञान
(B) वाक्यविन्यास
(C) प्रवचन
(D) शब्दार्थ विज्ञान
(E) व्यावहारिक विज्ञान

नीचे दिए गए विकल्पों में से सही विकल्प का चयन कीजिए:

(a) केवल (A), (B), (C) और (D)
(b) केवल (B), (C), (D) और (E)
(c) केवल (A), (B), (D) और (E)
(d) केवल (C) और (E)

5. निम्नलिखित में से क्या किसी सामूहिक संवाद के प्रभावी होने के लिए अनिवार्य हैं? *(8 जनवरी **2025** - शिफ्ट 2)*

(a) प्रतिपुष्टि (फीडबैक) की अवहेलना
(b) तेजी से निर्णय लेना
(c) कठोर पदानुक्रमता
(d) समान भागीदारी

6. संचार के संबोध (फटीक) प्रकार्य का उपयोग निम्न के लिए किया जाता है: *(8 जनवरी **2025** - शिफ्ट 1)*

(A) संवाद का मार्ग (चैनल) खोलने के लिए
(B) संवाद के सौन्दर्यबोधक मूल्य के लिए
(C) तथ्यगत सूचना पहुँचाने के लिए
(D) आदेश देने के लिए
(E) 'हेलो' की तरह वार्तालाप आरम्भ करने के लिए

नीचे दिए गए विकल्पों में से सही विकल्प का चयन कीजिए:

(a) केवल (A) और (E)
(b) केवल (A), (D) और (E)
(c) केवल (C), (D) और (E)
(d) केवल (A) और (B)

7. कक्षा में शिक्षक को निम्नलिखित में से किन पर ध्यान केंद्रित करना चाहिए? *(8 जनवरी **2025** - शिफ्ट 1)*

(A) एक-तरफा संवाद
(B) अन्तर-सांस्कृतिक सौहार्द
(C) विद्यार्थियों की प्रतिपुष्टि
(D) सुनम्य वातावरण का निर्माण
(E) परामर्श देने से परहेज करना

नीचे दिए गए विकल्पों में से सही विकल्प का चयन कीजिए:

(a) केवल (A), (B) और (C)
(b) केवल (B), (C) और (D)
(c) केवल (A), (D) और (E)
(d) केवल (C), (D) और (E)

8. बर्लो के S-M-C-R मॉडल में, 'C' किसका प्रतिनिधित्व करता है? *(8 जनवरी **2025** - शिफ्ट 1)*

(a) चैनल (मार्ग)
(b) कम्यूनिकेटर
(c) संदर्भ
(d) विषय वस्तु

9. किसी पाठ का सांस्कृतिक अर्थ इस प्रकार जाना जाता है: *(7 जनवरी **2025** - शिफ्ट 1)*

(a) अधिसूचना
(b) संकेतन
(c) अर्थ
(d) बंद पाठ

10. सूची-I का सूची-II से मिलान करें:

*(7 जनवरी **2025** - शिफ्ट 1)*

सूची-I	सूची-II
A. काइरोग्राफिक संस्कृति	I. प्रिंट
B. टाइपोग्राफिक संस्कृति	II. शब्द का अनुभव करने के लिए बोलना
C. मौखिक संस्कृति	III. छवियों के माध्यम से स्थानिक समझ
D. दृश्य संस्कृति	IV. लिखना

नीचे दिए गए विकल्पों में से सही विकल्प का चयन कीजिए:
(a) (A)-(I), (B)-(II), (C)-(III), (D)-(IV)
(b) (A)-(II), (B)-(III), (C)-(IV), (D)-(I)
(c) (A)-(III), (B)-(I), (C)-(IV), (D)-(II)
(d) (A)-(IV), (B)-(I), (C)-(II), (D)-(III)

11. किसी विशेष संस्कृति के भीतर दृश्य और भाषाई संकेतों के उपयोग को नियंत्रित करने वाले नियमों के समूह को कहा जाता है:

*(7 जनवरी **2025** - शिफ्ट 1)*

(a) मीडिया नियम (b) टेक्स्ट फ्रेम
(c) तकनीकी मानदंड (d) कोड

12. Laissez-Faire संबंध में, छात्र अधिक हैं

*(3 जनवरी **2025** - शिफ्ट 1)*

(a) सहकारी (b) प्रतिस्पर्धी
(c) आधिकारिक (d) निष्क्रिय

13. निम्नलिखित में से कौन-से इंटरैक्टिव प्रौद्योगिकी-उन्मुख मीडिया के लाभ हैं?

*(3 जनवरी **2025** - शिफ्ट 1)*

(A) मास्टरस्लेब आर्किटेक्चर
(B) निष्क्रिय दर्शक
(C) व्यक्तिवाद की वृद्धि
(D) लोकतांत्रिक विकेंद्रीकरण
(E) रचनात्मकता की अनुमति देता है

नीचे दिए गए विकल्पों में से सही विकल्प का चयन कीजिए:
(a) केवल (A), (B) और (C)
(b) केवल (B), (C) और (D)
(c) केवल (A), (D) और (E)
(d) केवल (C), (D) और (E)

14. निम्नलिखित का सही कालानुक्रमिक अनुक्रम पहचानें:

*(3 जनवरी **2025** - शिफ्ट 1)*

(A) कोडेक्स (B) टेलीविजन
(C) रेडियो (D) समाचार पत्र
(E) टेक्नीकलर सिनेमा

नीचे दिए गए विकल्पों में से सही विकल्प का चयन कीजिए:
(a) (C), (D), (E), (A), (B)
(b) (A), (D), (C), (B), (E)
(c) (B), (E), (A), (D), (C)
(d) (D), (C), (B), (E), (A)

15. एक कार्टून है: *(4 सितम्बर **2024** - शिफ्ट 2)*

(a) उच्च परिभाषा
(b) निम्न परिभाषा
(c) तटस्थ परिभाषा
(d) नकारात्मक परिभाषा

16. सूची-I का सूची-II से मिलान करें: *(4 सितम्बर **2024** - शिफ्ट 1)*

सूची-I	सूची-II
A. रोलैंड बार्थेस	I. डोक्सा
B. पियरे बॉर्डियू	II. आधिपत्य
C. एंटोनियो ग्राम्शी	III. अनुकरण
D. जीन बौड्रिलार्ड	IV. मिथक

(a) (A)-(I), (B)-(II), (C)-(III), (D)-(IV)
(b) (A)-(II), (B)-(III), (C)-(IV), (D)-(I)
(c) (A)-(III), (B)-(IV), (C)-(I), (D)-(II)
(d) (A)-(IV), (B)-(I), (C)-(II), (D)-(III)

17. मार्शल मैकलुहान के अनुसार, हाई डेफिनिशन मीडिया के उदाहरण हैं:

*(4 सितम्बर **2024** - शिफ्ट 1)*

(A) भाषण (B) फोटोग्राफ
(C) रेडियो (D) सिनेमा
(E) कार्टून

(a) (A), (B), (C) (b) (B), (C), (D)
(c) (C), (D), (E) (d) (A), (D), (E)

18. संकेतों के अध्ययन के लिए फर्डिनेंड डी सॉसर के दृष्टिकोण का वर्णन इस प्रकार किया गया है: *(4 सितम्बर **2024** - शिफ्ट 1)*

(a) सेमियोलॉजी (b) शब्दार्थ
(c) संकेत (d) संकेत प्रणाली

19. कई आधुनिक विद्वान निम्नलिखित को संचार के सकारात्मक पहलू मानते हैं, इनमें से कौन-सा सत्य है?

*(3 सितम्बर **2024** - शिफ्ट 2)*

(A) संचार ज्ञान बनाने में मदद करता है
(B) यह मानव लक्ष्यों को परिभाषित करता है
(C) यह सामाजिक प्रथाओं को बदलने के प्रयासों का समर्थन करता है
(D) यह सरल कार्यों को जटिल बना देता है
(E) यह हर समय प्रचार तकनीकों को बढ़ावा देता है

(a) (A), (B), (C) (b) (B), (C), (D)
(c) (D), (E) (d) (A), (C), (E)

20. सूची-I का सूची-II से मिलान करें: *(30 अगस्त **2024** - शिफ्ट 1)*

सूची-I	सूची-II
A. रेडियो	I. अतुल्यकालिक
B. प्रिंट	II. सूचना की उच्च तीव्रता
C. गर्म माध्यम	III. अन्तरक्रियाशीलता
D. इंटरनेट	IV. केवल ध्वनिक माध्यम

(a) (A)-(I), (B)-(II), (C)-(III), (D)-(IV)
(b) (A)-(II), (B)-(III), (C)-(IV), (D)-(I)
(c) (A)-(III), (B)-(IV), (C)-(I), (D)-(II)
(d) (A)-(IV), (B)-(I), (C)-(II), (D)-(III)

21. इंटरनेट पर सांकेतिक संचार के लिए एक विकल्प का उपयोग है: 2*(28 अगस्त **2024** - शिफ्ट 1)*

(a) इमोटिकॉन्स (b) इन्फोग्राफिक्स
(c) तस्वीरें (d) अज्ञात अनुलग्नक

22. सूची-I का सूची-II से मिलान करें:*(27 अगस्त **2024** - शिफ्ट 2)*

सूची-I	सूची-II
A. दुष्प्रचार	I. विरोधाभासी विचारों का अंतर्राष्ट्रीय दमन
B. काला प्रचार	II. सूचना का प्रसारण गलत हो भी सकता है और नहीं भी
C. श्वेत प्रचार	III. विपक्ष के बारे में गलत जानकारी
D. ग्रे प्रचार	IV. झूठ का रणनीतिक प्रसारण

(a) (A)-(I), (B)-(II), (C)-(III), (D)-(IV)
(b) (A)-(II), (B)-(III), (C)-(IV), (D)-(I)
(c) (A)-(III), (B)-(IV), (C)-(I), (D)-(II)
(d) (A)-(IV), (B)-(I), (C)-(II), (D)-(III)

23. कूल मीडिया की विशेषताएं हैं: *(27 अगस्त **2024** - शिफ्ट 1)*

(A) उच्च भागीदारी
(B) निम्न परिभाषा
(C) उच्च परिभाषा
(D) जानकारी की छोटी मात्रा
(E) जानकारी की उच्च मात्रा

(a) (A), (B), (C) (b) (B), (C), (D)
(c) (C), (D), (E) (d) (A), (B), (D)

24. भारत में पहला प्रिंटिंग प्रेस कहाँ स्थापित किया गया था: *(23 अगस्त **2024** - शिफ्ट 2)*

(a) गोवा (b) केरल
(c) तमिलनाडु (d) बंगाल

25. आधुनिक समय में भारत में प्रकाशित होने वाला पहला समाचार पत्र कौन-सा है? *(23 अगस्त **2024** - शिफ्ट 1)*

(a) हिक्की का बंगाल गजट (b) भारत राजपत्र
(c) संवाद कौमुदी (d) उदन्त मार्तण्ड

26. सूची-I का सूची-II से मिलान करें:*(22 अगस्त **2024** - शिफ्ट 2)*

सूची-I	सूची-II
A. औपचारिक संचार	I. धार्मिक प्रवचन
B. सूचना संचार	II. गलती करने के बाद खुद से सवाल करना
C. समूह संचार	III. बैठक में भाग ले रहे हैं
D. अंतर-वैयक्तिक संचार	IV. कैंटीन में संरक्षण

(a) (A)-(I), (B)-(II), (C)-(III), (D)-(IV)
(b) (A)-(II), (B)-(III), (C)-(I), (D)-(IV)
(c) (A)-(III), (B)-(IV), (C)-(I), (D)-(II)
(d) (A)-(IV), (B)-(I), (C)-(II), (D)-(III)

27. देवर्षि नारद को प्रथम संचारक माना जाता है, क्योंकि: *(22 अगस्त **2024** - शिफ्ट 1)*

(a) वह हमेशा दूसरों के खिलाफ बोलता है।
(b) वह मौके से रिपोर्ट करता है, पार्टियों के बीच मध्यस्थता करता है और समाज की भलाई के लिए सोचता है।
(c) वह हर समय हर जगह नहीं होता है।
(d) वह अपने स्वामी के प्रति वफादार है।

28. मुद्रण प्रक्रिया का आविष्कार किसने किया? *(22 अगस्त **2024** - शिफ्ट 1)*

(a) जी. मार्कोनी (b) तांग राजवंश
(c) विलियम कैक्सटन (d) जोहान्स गुटेनबर्ग

29. निम्न में से जनसंचार की कौन-कौन सी विशिष्टताएँ है? *(18 जून **2024** - शिफ्ट 2)*

(A) सजातीय श्रोता
(B) स्रोत के रूप में पेशेवर संचार
(C) तत्काल प्रतिपुष्टि
(D) माध्यम का उपयोग

नीचे दिए गए विकल्पों में से सबसे उपयुक्त उत्तर का चयन कीजिए:

(a) (A), (B), (C) (b) (B), (C), (D)
(c) (C), (D), (E) (d) (B), (D), (E)

30. किस तकनीक को सबसे पहले परिवहन और संचार के बीच अलगाव के रूप में चिह्नित किया गया था? *(18 जून **2024** - शिफ्ट 1)*

(a) टेलीग्राफ (b) प्रक्षेपण
(c) मुद्रण (d) फोटोग्राफी

31. मीडिया गुणवत्ता में सुधार के लिए मीडिया जवाबदेही प्रणाली निम्नलिखित पर केंद्रित है: *(18 जून **2024** - शिफ्ट 1)*

(A) मूल्यांकन
(B) दर्शकों पर नियंत्रण
(C) निगरानी
(D) शिक्षा
(E) प्रतिक्रिया

नीचे दिए गए विकल्पों में से सही उत्तर चुनें -

(a) (A), (B), (C) (b) (B), (C), (D)
(c) (B), (D), (E) (d) (A), (C), (D), E

32. "मस्तिष्क से मस्तिष्क" संचार में निम्न में से किन के माध्यम से संचार अंतर्गत, होता है? *(18 जून **2024** - शिफ्ट 1)*

(A) भौतिक विन्यास (B) साझी धारणायें
(C) मूल्य (D) शोर का हेर-फेर
(E) संदर्भ

नीचे दिए गए विकल्पों में से सही उत्तर का चयन कीजिए:

(a) (A), (B), (D) (b) (B), (C), (D)
(c) (A), (B), (C), (E) (d) (C), (D), (E)

33. जब छात्र, जिन्होंने टाइपराइटर पर टाइप करना सीख लिया है, इस कौशल को कंप्यूटर की बोर्ड पर टाइपिंग में स्थानांतरित करते हैं, तो यह .... अधिगम का एक उदाहरण है? *(14 दिसम्बर **2024** - शिफ्ट 1)*

(a) सुदूर स्थानान्तरण
(b) हाई-रोड ट्रांसफर
(c) स्थानांतरण के निकट
(d) कम सड़क स्थानांतरण

34. एनालॉग मीडिया में, सामग्री हैं: *(13 दिसम्बर **2024** - शिफ्ट 1)*

(a) अरैखिक (b) रेखीय
(c) इंटरैक्टिव (d) अनुकूलित

35. निम्नलिखित में से किसे सांकेतिकता को संचार के भाग के रूप में स्थापित करने वाले अग्रणी लेखकों में से एक के रूप में पहचाना जाता है? *(12 दिसम्बर **2024** - शिफ्ट 2)*

(a) आइरीन एबर (b) वाल्टर लिपमैन
(c) जोसेफ पुलित्जर (d) जॉन लोके

36. **कथन I:** मीडिया दर्शक एक-दूसरे के साथ संचार में तेजी से सक्रिय हो रहे हैं।

कथन II: मीडिया दर्शक जनसंचार सामग्री के रचनाकारों के साथ संचार में भी सक्रिय हैं। *(11 दिसम्बर **2024** - शिफ्ट 2)*

(a) कथन I और कथन II दोनों सत्य हैं
(b) कथन I और कथन II दोनों असत्य हैं
(c) कथन I सत्य है लेकिन कथन II असत्य है
(d) कथन I असत्य है लेकिन कथन II सत्य है

37. निम्नलिखित में से कौन-सी सामाजिक भावनाएँ अंतर-वैयक्तिक संचार के दौरान प्रदर्शित होती हैं? *(8 दिसम्बर **2024** - शिफ्ट 1)*

(A) शर्मिंदगी
(B) अपराध बोध
(C) शर्म की बात है
(D) गौरव
(B) ईर्ष्या

(a) (A), (B), (C)
(b) (A), (C), (D)
(c) (B), (C), (D)
(d) (A), (B), (C), (D), (E)

38. संचार के शैनन और वीवर मॉडल में निम्नलिखित में से कौन-सी विशेषताएँ हैं? *(6 दिसम्बर **2024** - शिफ्ट 2)*

(A) यह रैखिक है
(B) यह सूचना के प्रसारण पर ध्यान केंद्रित करता है
(C) इसका संबंध एक बिंदु से दूसरे बिंदु तक संदेशों के पुनरुत्पादन से है।
(D) यह संचार का एक मेटा मॉडल प्रस्तुत करता है
(E) फीडबैक घटक गोलाकार है।

(a) केवल (A), (B) और (C)
(b) केवल (B), (C) और (D)
(c) केवल (C), (D) और (E)
(d) केवल (A), (D) और (E)

39. सूची-I का सूची-II से मिलान करें: *(19 जून **2023** - शिफ्ट 1)*

सूची-I	सूची-II
A. ऑक्सूलसिक्स	I. कहानी बताने के लिए पूरे शरीर की गति और स्थिति
B. नकल करता है	II. केवल कुछ बताने के लिए हथियारों और हाथों की हरकत
C. मूकाभिनय	III. आँखों की हरकत
D. इशारा	IV. केवल किसी को परेशान करने के लिए चेहरे का हिलना

(a) (A)-(I), (B)-(II), (C)-(IV), (D)-(III)
(b) (A)-(III), (B)-(IV), (C)-(I), (D)-(II)
(c) (A)-(II), (B)-(III), (C)-(IV), (D)-(I)
(d) (A)-(IV), (B)-(I), (C)-(II), (D)-(III)

40. निम्मलिखित में कौन-से गैर मौखिक संप्रेषण के एक प्रकार के रूप में अंगविक्षेपगत विज्ञान के बारे में सही है? *(19 जून **2023** - शिफ्ट 1)*

(A) अंगविक्षेपगत विज्ञान कोई अर्थ संप्रेषित नहीं करता है
(B) अंगविक्षेपगत विज्ञान किसी व्यक्ति की सामाजिक व्यवस्था को प्रतिबिंबित नहीं करता है
(C) किसी व्यक्ति की आंगिक चेष्टाओं क्रियाओं में सारगर्भित अर्थ निहित होते हैं
(D) अंगविक्षेपगत विज्ञान प्रणालीबद्ध विश्लेषण का विषय हो सकता है
(E) एक व्यक्ति के शारीरिक हावभाव की शरीर भाषा दूसरे के साथ साझा की गई उसकी सामाजिक व्यवस्था का भाग है

(a) (A), (B), (C) (b) (B), (C), (D)
(c) (C), (D), (E) (d) (A), (D), (E)

41. **कथन I:** अधिसंजान (मेटाकॉग्निशन) अपने ही भाषा-प्रयोग की समझ है।

कथन II: स्मृति विज्ञान अपनी ही सोचने की प्रक्रिया का ज्ञान है। *(17 जून **2023** - शिफ्ट 1)*

(a) कथन I और कथन II दोनों सत्य हैं
(b) कथन I और कथन II दोनों असत्य हैं
(c) कथन I सत्य है लेकिन कथन II असत्य है
(d) कथन I असत्य है लेकिन कथन II सत्य है

42. संचार के बारे में संचार कहलाता है-

(a) संचार कथा (b) संचार आख्यान
(c) मेटाकॉग्निशन (d) मेटाकम्युनिकेशन

43. **कथन I:** बौद्ध धर्मावलबियों का तर्क है कि यथार्थ को भाषायी निर्मिति के रूप में समझा जाना चाहिए।

कथन II: आज के संदर्भ में हम कह सकते हैं कि यथार्थ मीडिया की निर्मिति है।

(a) कथन I और कथन II दोनों सत्य हैं
(b) कथन I और कथन II दोनों असत्य हैं
(c) कथन I सत्य है लेकिन कथन II असत्य है
(d) कथन I असत्य है लेकिन कथन II सत्य है

44. एक राजनीतिक दल का प्रसारण माना जाता है: *(16 जून **2023** - शिफ्ट 1)*

(a) पाठ खोलें (b) बंद पाठ
(c) लंबा पाठ (d) उदार पाठ

45. मीडिया साक्षरता को इस प्रकार माना जाता है: *(15 जून **2023** - शिफ्ट 2)*

(a) कॉर्पोरेट अभियान (b) सीमित उद्देश्य
(c) अस्थायी सनक (d) सतत प्रक्रिया

46. डिजिटल वातावरण में परिकलन (कंप्यूटिंग), दूरसंचार और मीडिया के एक साथ आने को तकनीकी रूप से क्या कहा जाता है? *(14 जून **2023** - शिफ्ट 2)*

(a) एकीकरण (b) समामेलन
(c) विलय (d) अभिसरण

47. व्लादिमीर ज्वोरकिन किसके आविष्कार से जुड़े थे? *(14 जून **2023** - शिफ्ट 1)*

(a) रंग मुद्रण (b) रेडियो
(c) टेलीविजन (d) इंटरनेट

48. निम्नलिखित में से कौन समावेशी अधिगम वातावरण का एक उदाहरण है? *(13 जून **2023** - शिफ्ट 2)*

(a) एक कक्षा जहां छात्रों से सख्त नियमों और विनियमों के अनुरूप होने की अपेक्षा की जाती है।
(b) एक कक्षा जहां केवल एक निश्चित जातीयता के छात्रों को कक्षा चर्चा में भाग लेने की अनुमति है।
(c) एक कक्षा जहां छात्रों को प्रश्न पूछने या शिक्षक के अधिकार को चुनौती देने से हतोत्साहित किया जाता है।
(d) एक कक्षा जहां सभी छात्रों को अपने अनूठे अनुभव और दृष्टिकोण साझा करने के लिए प्रोत्साहित किया जाता है।

49. मास मीडिया के मुख्य कार्य हैं: *(13 जून **2023** - शिफ्ट 2)*

(A) समाज को स्थिर बनाएं (B) सूचित करें
(C) शिक्षित करें (D) राजी करना
(E) मनोरंजन

(a) केवल (A), (B), (C)
(b) केवल (A), (C), (E)
(c) केवल (B), (C), (D), (E)
(d) केवल (A), (B), (D)

50. निम्नलिखित में से कौन-सी एक संप्रेषण-बाधा है? *(14 मार्च **2023** - शिफ्ट 2)*

(a) संप्रेषणग्राही का ध्यान
(b) अर्थगत विरूपण
(c) प्रवर्धित छवि (एम्पलिफाइड इमेज)
(d) ग्राफिक प्रारूप में सूचना (इन्फोग्राफिक)

51. सूची-I का सूची-II से मिलान करें: *(6 मार्च **2023** - शिफ्ट 1)*

सूची-I	सूची-II
A. ऊँची भौंह	I. जो लोग दैनिक दिनचर्या से बचना चाहते हैं
B. मध्य भौंह	II. बहुत परिष्कृत और माध्यम की गहरी समझ रखते हैं
C. नीची भौंह	III. बौद्धिक संतुष्टि उन्मुख
D. पोस्ट भौंह	IV. अच्छी और बुरी फिल्मों के बीच अंतर कर सकते हैं

(a) (A)-(I), (B)-(II), (C)-(III), (D)-(IV)
(b) (A)-(II), (B)-(III), (C)-(IV), (D)-(I)
(c) (A)-(III), (B)-(IV), (C)-(I), (D)-(II)
(d) (A)-(IV), (B)-(I), (C)-(II), (D)-(III)

52. चार्ल्स पियर्स द्वारा पहचाने गए चिह्नों के तीन विभाजन कौन-से हैं? *(6 मार्च **2023** - शिफ्ट 1)*

(A) मॉड्यूलर
(B) अनुदेशात्मक
(C) आयोनिक
(D) इंडेक्सिकल
(E) प्रतीकात्मक

(a) (A), (B), (C) (b) (B), (C), (D)
(c) (C), (D), (E) (d) (A), (B), (E)

53. असहकालिक माध्यम का एक उदाहरण है- *(5 मार्च **2023** - शिफ्ट 2)*

(a) टेलीविजन (b) रेडियो
(c) सिनेमा (d) समाचार पत्र

54. एक संदेश के नीचे एक संदेश को किस रूप में संदर्भित किया जाता है? *(5 मार्च **2023** - शिफ्ट 1)*

(a) निम्नतर पाठ
(b) आलोचनात्मक पाठ (क्रिटिकल टेक्स्ट)
(c) सलंग्र पाठ
(d) उप-पाठ

55. संप्रेषण बाधाओं की सूची में निम्नलिखित क्या शामिल नहीं है? *(3 मार्च **2023** - शिफ्ट 1)*

(a) शारीरिक (b) अर्थगत
(c) दार्शनिक (d) मनोवैज्ञानिक

56. **कथन I:** जनसंचार माध्यम (मास मीडिया) तथ्यों और अभिमतों की आपूर्ति कर आग्राहकों (ऑडियंस) को निर्णय लेने में सक्षम बनाते हैं।
कथन II: मास मीडिया द्वारा सरकारी निर्णयों को प्रभावित करने के लिए तथ्यों और अभिमतों को दबाया छिपाया (सप्रेस) जाना चाहिए। *(2 मार्च **2023** - शिफ्ट 2)*

(a) कथन I और कथन II दोनों सत्य हैं
(b) कथन I और कथन II दोनों असत्य हैं
(c) कथन I सत्य है लेकिन कथन II असत्य है
(d) कथन I असत्य है लेकिन कथन II सत्य है

57. मार्शल मैक्लुहान जैसे कुछ विशेषज्ञों के अनुसार, निम्नलिखित में से किसको हॉट मीडिया माना जाता है? *(1 मार्च **2023** - शिफ्ट 1)*

(A) टेलीफोन (B) दूरदर्शन (टेलीविजन)
(C) रेडियो (D) सिनेमा
(E) मुद्रण

(a) (A), (B), (C)
(b) (B), (C), (D)
(c) (C), (D), (E)
(d) (A), (C), (E)

58. डी सौसुरे ने भाषा को इस रूप में चिन्हित किया है: *(1 मार्च **2023** - शिफ्ट 1)*

(a) तकनीकी कूट
(b) संकेतों का आधिक्य
(c) शब्दाडम्बर
(d) बृहत् सामान्यीकरणकर्ता

59. मानव, पशु, और मशीन में प्रतिपुष्टि प्रणाली के अध्ययन करने वाले विज्ञान का इस रूप में वर्णन किया जाता है: *(1 मार्च **2023** - शिफ्ट 1)*

(a) प्रतिपुष्टि विज्ञान
(b) अनुभव अध्ययन
(c) संदेश शास्त्रार्थ मीमांसा
(d) संत्रातिकी (सायबरनेटिक्स)

60. सूची-I का सूची-II से मिलान करें: *(28 फरवरी **2023** - शिफ्ट 2)*

सूची-I	सूची-II
A. निगरानी	I. जनमत को प्रभावित करना
B. सहसंबंध	II. आनंद प्रदान करें
C. प्रचार	III. सूचना की आपूर्ति
D. सांस्कृतिक प्रसारण	IV. व्याख्या

(a) (A)-(I), (B)-(II), (C)-(III), (D)-(IV)
(b) (A)-(I), (B)-(II), (C)-(IV), (D)-(III)
(c) (A)-(III), (B)-(IV), (C)-(I), (D)-(II)
(d) (A)-(IV), (B)-(I), (C)-(III), (D)-(II)

61. संप्रेषण की प्रतीकात्मक विधि है: *(28 फरवरी **2023** - शिफ्ट 1)*

(a) यंत्रीय (इन्स्टमेन्टल)
(b) गैर-आनुष्ठानिक
(c) सामाजिक-सांस्कृतिक
(d) यांत्रिक (मैकेनिकल)

62. सूची-I का सूची-II से मिलान करें: *(13 अक्टूबर **2022** - शिफ्ट 2)*

सूची-I	सूची-II
A. फटिक	I. डिकोडर एनकोडर बन जाता है
B. प्रतिक्रिया	II. संचार के बारे में संचार
C. मेटा संदेश	III. बराबर के बीच
D. पार्श्व संचार	IV. अभिवादन करना

(a) (A)-(I), (B)-(II), (C)-(IV), (D)-(III)
(b) (A)-(II), (B)-(III), (C)-(IV), (D)-(I)
(c) (A)-(III), (B)-(IV), (C)-(I), (D)-(II)
(d) (A)-(IV), (B)-(I), (C)-(II), (D)-(III)

63. **कथन I:** संप्रेषण में कूट उनके अभिग्रहण में कभी भी तटस्थ (निरपेक्ष) नहीं रहे हैं।

कथन II: कूट सदैव अभिप्राय को निरूपित करते हैं जिनमें पक्षपात परिलक्षित होता है। *(11 अक्टूबर **2022** - शिफ्ट 2)*

(a) कथन I और कथन II दोनों सत्य हैं
(b) कथन I और कथन II दोनों असत्य हैं
(c) कथन I सत्य है लेकिन कथन II असत्य है
(d) कथन I असत्य है लेकिन कथन II सत्य है

64. संप्रेषण के अन्तःक्रियात्मक निदर्श की मुख्य विशेषताएं हैं: *(11 अक्टूबर **2022** - शिफ्ट 2)*

(A) यह उभयदिशीय प्रक्रिया है।
(B) संप्रेषण का भौतिक संदर्भ महत्वपूर्ण नहीं है।
(C) संप्रेषण के मनोवैज्ञानिक संदर्भ पर सदैव विचार किया जाता है।
(D) प्रतिपुष्टि प्राप्त संदेश का प्रत्युत्तर नहीं है।
(E) यह अपेक्षाकृत न्यून संदेश-केन्द्रित होता है।

(a) केवल (A), (B) और (C)
(b) केवल (B), (C) और (D)
(c) केवल (A), (C) और (E)
(d) केवल (C), (D) और (E)

65. **कथन I:** गैर-शाब्दिक संकेतक (सिग्नल) शाब्दिक संप्रेषण पर बल देने और उसके समर्थन हेतु प्रयुक्त होते हैं।

कथन II: गैर-शाब्दिक संकेतक शाब्दिक संप्रेषण हेतु कोई प्रतिस्थानिक नहीं है। *(10 अक्टूबर **2022** - शिफ्ट 2)*

(a) कथन I और कथन II दोनों सत्य हैं
(b) कथन I और कथन II दोनों असत्य हैं
(c) कथन I सत्य है लेकिन कथन II असत्य है
(d) कथन I असत्य है लेकिन कथन II सत्य है

66. निम्नलिखित में से कौन-सी संप्रेषण के रेखीय मॉडल की मुख्य विशेषताएं हैं? *(10 अक्टूबर **2022** - शिफ्ट 2)*

(A) एक-मार्गी संप्रेषण
(B) छलं-योजित प्रतिपुष्टि
(C) शोर की अनुपस्थिति
(D) जन-संप्रेषण हेतु प्रयुक्त होने वाला
(E) प्रेषक-केंद्रित संप्रेषण

(a) केवल (A), (B) और (C)
(b) केवल (B), (C) और (D)
(c) केवल (D), (C) और (E)
(d) केवल (A), (D) और (E)

67. अंगविक्षेप विज्ञान का उपयोग किसी व्यक्ति को यह संप्रेषित करेगा: *(8 अक्टूबर **2022** - शिफ्ट 2)*

(A) सामाजिक प्रतिष्ठा
(B) सम्मिलित होने वाला स्तर
(C) भावात्मक लब्धि
(D) राजनीतिक गतिशीलता
(E) भाषायी अनेकार्थकता

(a) (A), (B), (C)
(b) (B), (C), (D)
(c) (D), (C), (E)
(d) (A), (D), (E)

68. 'जन-प्रवाद (grapevine) संप्रेषण, प्राय: इससे संचालित होता है
*(8 अक्टूबर **2022** - शिफ्ट 1)*

(a) बाह्य व्यावसायिक ऐजेंसियों से
(b) प्रतिस्पर्धी संगठनों से
(c) किसी संगठन के उच्च प्रबंधन से
(d) कर्मचारियों के सामाजिक नेटवर्क से

69. आमने-सामने संप्रेषण में प्रापक द्वारा प्रदान किए गए अमौखिक संकेतों को किस रूप में माना जा सकता है?
*(30 सितम्बर **2022** - शिफ्ट 1)*

(a) प्रतिपुष्टि (फीडबैक)
(b) विसंकेतीकरण
(c) भौतिक शोरगुल
(d) प्रतीकात्मक प्रतिनिधित्व

70. **अभिकथन A:** संप्रेषण में विश्वास उत्पन्न करने, सूचित करने और गलत सूचना देने की शक्ति होती है।
कारण R: अधिप्रचार (प्रोपेगेंडा) की प्रक्रिया विभेद की सीमा-रेखा को उसके विश्वासोत्पादक तत्वों के बीच पारदर्शी बनाती है।
*(29 सितम्बर **2022** - शिफ्ट 2)*

(a) A और R दोनों सत्य हैं और R, A की सही व्याख्या है
(b) A और R दोनों सत्य हैं लेकिन R, A की सही व्याख्या नहीं है
(c) A सत्य है परन्तु R असत्य है
(d) A असत्य है परन्तु R सत्य है

71. सक्रिय श्रवण के चरणों का क्रम है:
*(5 जनवरी **2022** - शिफ्ट 1)*

(A) समझ
(B) याद रखना
(C) प्रतिक्रिया
(D) प्राप्त करना
(E) मूल्यांकन

(a) (A), (B), (C), (E), (D)
(b) (C), (A), (D), (B), (E)
(c) (D), (A), (E), (B), (C)
(d) (B), (C), (E), (D), (A)

72. विशेषज्ञों द्वारा सूचीबद्ध संचार में सांस्कृतिक बाधाओं के अनुक्रम की पहचान करें:
*(26 दिसम्बर **2021** - शिफ्ट 2)*

(A) संघर्ष समाधान के तरीके
(B) संघर्षों की सहनशीलता में अंतर
(C) अर्थपूर्ण
(D) स्वर अंतर
(E) शब्द अर्थ

(a) (C), (E), (D), (B), (A)
(b) (D), (B), (C), (A), (E)
(c) (E), (A), (B), (C), (D)
(d) (A), (C), (E), (D), (B)

73. **अभिकथन A:** जब संदेश गंभीर हों तो मुस्कान और हँसी से बचना चाहिए।
कारण R: गैर-मौखिक संकेत हमेशा मौखिक संचार की तरह प्रासंगिक होते हैं।
*(26 दिसम्बर **2021** - शिफ्ट 1)*

(a) A और R दोनों सत्य हैं और R, A की सत्य व्याख्या है
(b) A और R दोनों सत्य हैं लेकिन R, A की सत्य व्याख्या नहीं है
(c) A सत्य है परन्तु R असत्य है
(d) A असत्य है परन्तु R सत्य है

74. गैर-मौखिक संचार का उपयोग करता है-
*(25 दिसम्बर **2021** - शिफ्ट 2)*

(A) अर्थ उत्पन्न करने के लिए व्यवहार
(B) भावनात्मक अर्थ
(C) नियमों की एक गैर-स्पष्ट प्रणाली
(D) मौखिक चालाकी
(E) अमूर्तता में स्पष्टता

(a) केवल (A) और (C)
(b) केवल (B), (C) और (D)
(c) केवल (C), (D) और (E)
(d) केवल (A), (B) और (E)

75. संरप्रक्रिया के चरणों का क्रम है: *(3 दिसम्बर **2021** - शिफ्ट 2)*

(A) स्वीकृति का स्तर
(B) संज्ञानात्मक डेटा का संचरण
(C) संदेश स्वागत
(D) समझ
(E) प्रतिक्रिया

(a) (A), (B), (C), (D), (E)
(b) (B), (C), (D), (E), (A)
(c) (C), (E), (D), (A), (B)
(d) (B), (C), (D), (A), (E)

76. कक्षा में भाषिक (वर्बल) संकेत तथा अभाषिक (नान-वर्बल) संकेतों का संदेश में रूपांतरण कहलाता है-
*(3 दिसम्बर **2021** - शिफ्ट 2)*

(a) प्रतिपुष्टि (फीडबैक)
(b) संकेतन (इनकोडिंग)
(c) विसंकेतन (डिकोडिंग)
(d) विपरीत संप्रेषण (रिवर्स कम्यूनिकेशन)

77. संचार के तत्वों का वर्णन करने में, एक व्यक्ति या एक घटना जो मौखिक या गैर-मौखिक संकेत प्रदान करती है जिसका कोई जवाब दे सकता है, के रूप में जाना जाता है-
*(3 दिसम्बर **2021** - शिफ्ट 1)*

(a) संदेश
(b) स्रोत
(c) चैनल
(d) संचार संदर्भ

78. सूची-I का सूची-II से मिलान करें:
*(1 दिसम्बर **2021** - शिफ्ट 1)*

सूची-I	सूची-II
A. मध्यम	I. तथ्य
B. चैनल	II. मौखिक और गैर-मौखिक संकेत
C. कोड	III. वह मार्ग जिसके माध्यम से संदेश प्रसारित होता है
D. सामग्री की जानकारी	IV. संदेश प्रसारित करने का भौतिक साधन

(a) (A)-(I), (B)-(II), (C)-(III), (D)-(IV)
(b) (A)-(II), (B)-(III), (C)-(IV), (D)-(I)
(c) (A)-(III), (B)-(IV), (C)-(I), (D)-(II)
(d) (A)-(IV), (B)-(III), (C)-(II), (D)-(I)

79. संचार के साधन के रूप में रंग का अर्थ है कि ज्यादातर किसी के अपने से निकलते हैं *(1 दिसम्बर **2021** - शिफ्ट 2)*
(a) विकल्प (b) शैक्षिक पृष्ठभूमि
(c) सामाजिक स्थिति (d) संस्कृति

80. सूची-I का सूची-II से मिलान करें:
*(1 दिसम्बर **2021** - शिफ्ट 1)*

सूची-I	सूची-II
A. द्वारपाल	I. समय-बाध्यकारी क्षमता
B. अनुनय	II. समाचार
C. एन्ट्रापी	III. विज्ञापन देना
D. स्मृति	IV. संचार में अराजकता

(a) (A)-(II), (B)-(III), (C)-(IV), (D)-(I)
(b) (A)-(III), (B)-(IV), (C)-(I), (D)-(II)
(c) (A)-(IV), (B)-(I), (C)-(II), (D)-(III)
(d) (A)-(I), (B)-(II), (C)-(III), (D)-(IV)

81. लैटिन शब्द "कम्युनिस" या "कम्युनिकेयर" जिससे "संचार" शब्द व्युत्पन्न हुआ है, का अर्थ है: *(30 नवम्बर **2021** - शिफ्ट 1)*
(a) विशिष्ट जानकारी प्रदान करें
(b) कुछ असामान्य करें
(c) सामान्य बनाएं, जानकारी उपलब्ध कराएं
(d) जानकारी तैयार करें

82. मार्शल मेक्लुडन का नाम निम्नलिखित में से किस अभिकथन के साथ संबद्ध हैं? *(26 नवम्बर **2021** - शिफ्ट 1)*
(a) सन्देश माध्यम हैं
(b) माध्यम सन्देश है
(c) सन्देश माध्यम को ठीक-ठीक निर्धारित करता है
(d) संदेश तो संदेश ही है

83. भिन्न स्तरों पर कार्यरत ऐसे व्यक्तियों के बीच संप्रेषण को क्या कहा जाता हैं जिनके प्रत्यक्ष रिपोर्ट करने के संबंध न हों?
*(26 नवम्बर **2021** - शिफ्ट 1)*
(a) अंत: वैयक्तिक (b) उर्ध्व संप्रेषण
(c) समस्तरीय संप्रेषण (d) विकर्ण संप्रेषण

84. संप्रेषण में निम्नलिखित में से कौन-सा एक प्रौद्योगिकीय अवरोध का उदाहरण हैं? *(26 नवम्बर **2021** - शिफ्ट 1)*
(a) संप्रेषकों की भौतिक अवस्थिति
(b) इंटरनेट के निम्न बैंड-विस्तार
(c) प्रौद्योगिकी के प्रति वैयक्तिक अभिवृत्ति
(d) विचारों की जटिलता

85. सूची-I का सूची-II से मिलान करें:
*(22 नवम्बर **2021** - शिफ्ट 1)*

सूची-I (संचार के प्रकार)	सूची-II (कृत प्रकार्य)
A. जनसंचार	I. गलियारा चर्चा
B. अंत:वैयक्तिक संचार	II. कक्षा शिक्षण
C. समूह संचार	III. स्वयं के साथ संचार हेतु
D. अंतर्वैयक्तिक संचार	IV. मशीनी संदेश संप्रेषण हेतु

86. निम्नलिखित में से कौन संचार के लिए भौतिक बाधा का एक उदाहरण है? *(22 नवम्बर **2021** - शिफ्ट 1)*
(a) सांस्कृतिक असमानता (b) असावधानी
(c) मौखिकता (d) बीमार स्वास्थ्य

87. संदेश प्रक्रिया के चरणों के क्रम की पहचान कीजिए-
*(11 नवम्बर **2020** - शिफ्ट 1)*
(A) क्रिया
(B) आध्यंतरीकरण
(C) चयन
(D) समझना
(E) अवबोधन

(a) (A), (B), (D), (E), (C)
(b) (B), (C), (A), (D), (E)
(c) (D), (E), (B), (A), (C)
(d) (E), (D), (C), (B), (A)

88. सूची-I का सूची-II से मिलान करें:
*(5 नवम्बर **2020** - शिफ्ट 2)*

सूची-I	सूची-II
A. समकालिक माध्यम	I. मल्टी-मीडिया का अनुप्रयोग
B. असमकालिक माध्यम	II. अंतक्रियात्मक मल्टीमीडिया
C. धनीभूत मीडिया	III. ईमेल
D. अनुप्रयोगी मीडिया	IV. टेलीफोन

(a) (A)-(I), (B)-(II), (C)-(III), (D)-(IV)
(b) (A)-(IV), (B)-(III), (C)-(II), (D)-(I)
(c) (A)-(II), (B)-(IV), (C)-(I), (D)-(III)
(d) (A)-(III), (B)-(I), (C)-(IV), (D)-(II)

89. संप्रेषण विकास के चरण में के सही क्रम की पहचान करें:
*(5 नवम्बर **2020** - शिफ्ट 1)*

(A) शाही रोजगमचा
(B) गुफा चित्र
(C) प्रद्रण के लिए काष्ठ ब्लॉक्स
(D) भाषाओं का विकास
(E) धातु मुद्रण

(a) (A), (B), (D), (C), (E)
(b) (B), (D), (C), (A), (E)
(c) (C), (D), (E), (A), (B)
(d) (D), (E), (A), (B), (C)

90. सूची-I का सूची-II से मिलान करें:
*(4 नवम्बर **2020** - शिफ्ट 1)*

सूची-I	सूची-II
A. प्रचार	I. प्रतिष्ठा प्रबंधन
B. प्रसार	II. भुगतान संदेश
C. विज्ञापन	III. गैर-व्यावसायिक पदोन्नति
D. जनसंपर्क	IV. उद्देश्यों के साथ संचार

(a) (A)-(I), (B)-(II), (C)-(III), (D)-(IV)
(b) (A)-(II), (B)-(III), (C)-(IV), (D)-(I)
(c) (A)-(IV), (B)-(I), (C)-(III), (D)-(II)
(d) (A)-(III), (B)-(IV), (C)-(II), (D)-I

91. निम्नलिखित में से कौन-से कारक कक्षा में प्रभावी संप्रेषण में योगदान करते हैं? *(17 अक्टूबर **2020** - शिफ्ट 2)*

(A) सूचना की अधिकता
(B) अपरिचित शब्दों का उपयोग
(C) शब्दों का संतुलित प्रवाह
(D) संदेशों का चक्रीय प्रवाह
(E) प्रतिपुष्टि (फीडबैक) के आकलन के लिए तंत्र

(a) (A), (B), (C) (b) (B), (C), (D)
(c) (A), (D), (E) (d) (C), (D), (E)

92. मीडिया प्रोडक्शन प्रक्रिया के सही क्रम की पहचान कीजिए:
*(17 अक्टूबर **2020** - शिफ्ट 1)*

(A) विषय वस्तु की तैयारी (B) योजना
(C) प्रस्तुति (प्रोडक्शन) (D) प्रसारण
(E) प्रतिपुष्टि विश्लेषण

(a) (A), (B), (C), (D), (E) (b) (B), (C), (D), (A), (E)
(c) (D), (C), (B), (E), (A) (d) (B), (A), (C), (D), (E)

93. सूची-I का सूची-II से मिलान करें:
*(9 अक्टूबर **2020** - शिफ्ट 1)*

सूची-I	सूची-II
A. अरस्तू	I. SMCR-प्रेषक, संदेश, चैनल रिसीवर-मॉडल
B. शैनन और वीवर	II. परिपत्र संचार
C. विल्बर श्राम	III. वक्ता-केन्द्रित संचार
D. डेविड बर्लो	IV. ऊपर से नीचे, रैखिक संचार

(a) (A)-(I), (B)-(II), (C)-(III), (D)-(IV)
(b) (A)-(II), (B)-(III), (C)-(IV), (D)-(I)
(c) (A)-(III), (B)-(IV), (C-II), (D)-(I)
(d) (A)-(IV), (B)-(I), (C)-(III), (D)-(II)

94. संप्रेषण मीडिया के अभ्युदय का कालक्रम है:
*(1 अक्टूबर **2020** - शिफ्ट 2)*

(A) रेडियो (B) समाचार-पत्र
(C) फिल्म (D) टेलीविजन
(E) इंटरनेट

(a) (A), (C), (D), (E), (B)
(b) (B), (C), (A), (D), (E)
(c) (C), (D), (E), (A), (B)
(d) (D), (E), (C), (B), (A)

95. सूची-I का सूची-II से मिलान करें:
*(30 सितम्बर **2020** - शिफ्ट 1)*

सूची-I	सूची-II
A. डायडिक संचार	I. संदेश अंतर-निर्भर संबंधों के नेटवर्क के माध्यम से प्रवाहित होते हैं
B. सार्वजनिक संचार	II. बड़े गुमनाम दर्शकों तक पहुँचने के लिए एक माध्यम का उपयोग करता है
C. संगठनात्मक संचार	III. संवाद करने का समान अवसर प्रदान करता है
D. जनसंचार	IV. एक औपचारिक और संरचित सेटिंग के भीतर होता है

96. कोई शिक्षक अपनी कक्षा में वांछित अधिगम परिणाम सुनिश्चित करने के लिए प्रश्न-उत्तर सत्र का प्रयोग करता है। इस प्रक्रिया में वह किसी विद्यार्थी द्वारा दिए गए कुछ उत्तरों के लिए निम्नलिखित प्रकार की टिप्पणी करता है:
"हाँ, आप सही हैं, उत्तम"
इसे निम्नांकित में से किसका उदाहरण माना जाएगा?
*(29 सितम्बर **2020** - शिफ्ट 1)*

(a) सकारात्मक फीडबैक (b) नकारात्मक फीडबैक
(c) संपुष्टिपरक फीडबैक (d) सुधारात्मक फीडबैक

97. निम्नलिखित संप्रेषण की प्रभाविता इन पर आधारित है-
*(25 सितम्बर **2020** - शिफ्ट 1)*

(A) बहुत लंबा प्रस्तुतीकरण
(B) पेचीदा वाक्य विन्यास
(C) लिखने के बाद संपादन
(D) वाक्यों में सूक्ष्मता
(E) कठिन शब्दों का प्रयोग

(a) (A), (B), (C)   (b) (B), (C), (D)
(c) (C), (D), (F)   (d) (D), (E), (F)

98. निम्नलिखित में से किस प्रौद्योगिकी के माध्यम से असमकालिक संप्रेषण घटित होता है? *(24 सितम्बर **2020** - शिफ्ट 1)*

(A) टेलीकांफ्रेंसिंग   (B) वर्चुअल क्लासरूम
(C) वीडियो चेट   (D) ब्लॉग
(E) डिस्कशन बोर्ड   (F) वीलॉग

(a) (A), (B), (C)   (b) (B), (C), (D)
(c) (D), (E), (F)   (d) (C), (D), (E)

99. सूची-I का सूची-II से मिलान करें: *(24 सितम्बर **2020** - शिफ्ट 1)*

सूची-I	सूची-II
A. शारीरिक	I. अलग समझ
B. मनोवैज्ञानिक	II. लकीर के फकीर
C. भाषा	III. पूर्व-निर्धारित धारणाएँ
D. सांस्कृतिक	IV. अश्रव्य आवाज

(a) (A)-(IV), (B)-(III), (C)-(I), (D-II)
(b) (A)-(III), (B)-(II), (C)-(IV), (D)-(I)
(c) (A)-(II), (B)-(I), (C)-(III), (D)-(IV)
(d) (A)-(I), (B)-(II), (C)-(III), (D)-(IV)

100. संप्रेषण की प्रक्रिया में, जब प्रदाता और आदाता सन्देश भेजने और प्राप्त करने के संदर्भ में अपनी भूमिकाओं की अदला-बदली करते हैं, तो यह कहलाता है: *(24 सितम्बर **2020** - शिफ्ट 1)*

(a) सार्वभौम प्रतिरूप
(b) संव्यवहारात्मक प्रतिरूप
(c) एकल-प्रवाह प्रतिरूप
(d) बहुलवादी प्रतिरूप

उत्तर

1. (a)	**2.** (b)	**3.** (b)	**4.** (c)	**5.** (d)	**6.** (a)	**7.** (b)	**8.** (a)	**9.** (c)	**10.** (d)
11. (d)	**12.** (a)	**13.** (c)	**14.** (b)	**15.** (b)	**16.** (d)	**17.** (b)	**18.** (a)	**19.** (a)	**20.** (d)
21. (a)	**22.** (c)	**23.** (d)	**24.** (a)	**25.** (a)	**26.** (c)	**27.** (b)	**28.** (d)	**29.** (d)	**30.** (a)
31. (d)	**32.** (c)	**33.** (c)	**34.** (b)	**35.** (d)	**36.** (a)	**37.** (d)	**38.** (a)	**39.** (b)	**40.** (c)
41. (b)	**42.** (d)	**43.** (a)	**44.** (b)	**45.** (d)	**46.** (d)	**47.** (c)	**48.** (d)	**49.** (c)	**50.** (b)
51. (c)	**52.** (c)	**53.** (d)	**54.** (d)	**55.** (c)	**56.** (c)	**57.** (c)	**58.** (b)	**59.** (d)	**60.** (c)
61. (c)	**62.** (d)	**63.** (a)	**64.** (c)	**65.** (c)	**66.** (d)	**67.** (a)	**68.** (d)	**69.** (a)	**70.** (c)
71. (c)	**72.** (a)	**73.** (a)	**74.** (a)	**75.** (d)	**76.** (c)	**77.** (b)	**78.** (d)	**79.** (d)	**80.** (a)
81. (c)	**82.** (b)	**83.** (d)	**84.** (b)	**85.** (a)	**86.** (d)	**87.** (d)	**88.** (b)	**89.** (b)	**90.** (d)
91. (d)	**92.** (d)	**93.** (c)	**94.** (b)	**95.** (b)	**96.** (a)	**97.** (c)	**98.** (c)	**99.** (a)	**100.** (b)

विस्तृत समाधान और संकेत

क्या आप किसी कठिन प्रश्न को हल करने में संघर्ष कर रहे हैं या संशय में हैं?

चिंता न करें! ऊपर दिए गए प्रश्नों के विस्तृत समाधान और उपयोगी संकेत प्राप्त करने के लिए इस QR कोड को स्कैन करें।

क्या आप जानते हैं? इस खंड में दिए गए प्रश्न पिछली UGC NET परीक्षाओं (2020-2025) से हैं और अक्सर परीक्षा में दोहराए जाते हैं। उन्हें समझने से आपका स्कोर काफी बढ़ सकता है। इसलिए, उत्तर कुंजी को सिर्फ सरसरी तौर पर न पढ़ें - विस्तृत व्याख्याओं को देखने और प्रत्येक प्रश्न की पूरी समझ हासिल करने के लिए इस QR कोड को स्कैन करें।

QR कोड काम नहीं कर रहा है? QR कोड के साथ दिए गए संसाधनों तक पहुँचने के लिए आंतरिक फ्रन्ट कवर पर दिए गए निर्देशों का पालन करें

क्या आप और अधिक अभ्यास करना चाहते हैं? इस इकाई से **अतिरिक्त 200+ अभ्यास प्रश्नों** तक पहुँचने के लिए इस QR कोड को स्कैन करें। McGraw Hill EDGE प्लेटफॉर्म UGC NET परीक्षा इंटरफेस की नकल करता है, जो आपको एक यथार्थवादी परीक्षा अनुभव प्रदान करता है और आपको वास्तविक परीक्षा प्रारूप से परिचित होने में मदद करता है। यह आपको समय का बेहतर प्रबंधन करने में मदद करता है और आपको परीक्षा के दबाव में MCQ को सटीक रूप से हल करने के लिए तैयार करता है।

गणितीय तर्क (Mathematical Reasoning)

15

इस अध्याय में

**परीक्षोपयोगी (Exam Essential): UGC NET परीक्षा में पूछे जाने की अत्यधिक संभावना, "CC का अर्थ है कॉन्सेप्ट कैप्सूल*

परिचय (Introduction)

कल्पना करें कि आप एक पारिवारिक मिलन समारोह (family reunion) की योजना बना रहे हैं। आपको निमंत्रण भेजने, बैठने की व्यवस्था करने, भोजन मेनू तय करने और यह सुनिश्चित करने की जरूरत है कि सभी को स्थान आसानी से मिल जाए। उदाहरण के लिए, आप मेहमानों को आश्चर्यचकित करने के लिए कोडित संदेशों (coded messages) के साथ निमंत्रण भेजते हैं, जहाँ प्रत्येक संदेश को डिकोड (decode) करके कार्यक्रम का समय और स्थान पता करना होता है। जब मेहमानों की पुष्टि (RSVPs) मिल जाती है, तो आपको बैठने की एक ऐसी व्यवस्था बनानी होगी जो सभी के लिए आरामदायक हो। इसमें पारिवारिक संबंधों का विश्लेषण करना शामिल है ताकि विवादों से बचा जा सके और कुछ सदस्यों को साथ बैठाया जा सके। इसके अलावा, आपको एक मानचित्र (map) देना होगा जिसमें स्थान तक पहुँचने के स्पष्ट निर्देश हों। गतिविधियों की योजना बनाते समय उपस्थित लोगों की आयु और रुचियों को समझना आवश्यक होता है ताकि उनके लिए उपयुक्त खेल और मनोरंजन आयोजित किए जा सकें। इन सभी तत्वों को व्यवस्थित करके, आप गणितीय तर्क (mathematical reasoning) का उपयोग कर रहे होते हैं ताकि कार्यक्रम सुचारू रूप से संचालित हो सके।

गणितीय तर्क में तर्कसंगत सोच (logical thinking) और विश्लेषणात्मक कौशल (analytical skills) का उपयोग करके समस्याओं को हल करना, पैटर्न की पहचान करना और निर्णय लेना शामिल है। इस अध्याय में, हम गणितीय तर्क में प्रयुक्त विभिन्न तकनीकों को सीखेंगे।

15.1 तर्क के प्रकार (Types of Reasoning)

तर्क (reasoning) का अर्थ है किसी समस्या को तर्कसंगत तरीके से हल करना। यह हमें समस्या की पहचान करने और उसे तार्किक रूप से हल करने की क्षमता प्रदान करता है। कार्यों की प्रकृति के आधार पर तर्क को विभिन्न प्रकारों में विभाजित किया जाता है। आइए हम तर्क के विभिन्न प्रकारों को समझते हैं।

शाब्दिक तर्क (Verbal Reasoning)

शाब्दिक तर्क में शब्दों के माध्यम से व्यक्त किए गए अवधारणाओं का उपयोग करके समस्याओं को हल करना और प्रश्नों का उत्तर देना शामिल होता है। इसमें निम्नलिखित प्रकार शामिल होते हैं:

- **समानता (Analogy):** शब्दों के जोड़ों (pairs of words) के बीच संबंधों की पहचान करना।
- **रक्त संबंध (Blood Relations):** पारिवारिक रिश्तों से संबंधित समस्याओं को दिए गए विवरण के आधार पर हल करना।

गैर-शाब्दिक तर्क (Non-Verbal Reasoning)

गैर-शाब्दिक तर्क में दृश्य सूचना (visual information) का विश्लेषण और व्याख्या करके समस्याओं का समाधान किया जाता है। इसमें निम्नलिखित तत्व शामिल होते हैं:

- विभिन्न आकृतियों या चित्रों के बीच संबंध समझना।
- किसी दिए गए शृंखला (series) में अगली आकृति का निर्धारण करना।
- चित्रों का विश्लेषण और व्याख्या करके तार्किक संबंधों की पहचान करना।

★★★ परीक्षोपयोगी

15.2 कोडिंग-डिकोडिंग (Coding-Decoding)

अक्षर कोडिंग (Letter Coding)

अक्षर या वर्णमाला कोडिंग (letter or alphabet coding) तार्किक तर्क (logical reasoning) और पहेलियों में उपयोग की जाने वाली एक तकनीक है, जहाँ प्रत्येक अक्षर को एक निश्चित पैटर्न या नियम के आधार पर एक विशिष्ट कोड सौंपा जाता है। इन प्रश्नों का उद्देश्य कोडिंग पैटर्न को समझने और उन्हें लागू करने की क्षमता की जाँच करना है। अक्षर कोडिंग में महारत हासिल करने से विश्लेषणात्मक कौशल (analytical skills) और तार्किक सोच (logical thinking) में सुधार होता है।

अक्षर कोडिंग के निम्नलिखित प्रकार होते हैं:

- सरल कोडिंग (Simple Coding)
- स्थानांतरित वर्णमाला कोडिंग (Shifted Alphabet Coding)
- उल्टे क्रम की कोडिंग (Reverse Order Coding)
- विभिन्न क्रम की कोडिंग (Different Order Coding)

प्रकार 1: सरल कोडिंग (Type 1: Simple Coding)

इस प्रकार की कोडिंग में, उत्तर प्रश्न में ही छिपा होता है। आपको एक शब्द और उसका कोड दिया जाता है और आपको दूसरे शब्द के लिए कोड निकालने के लिए कहा जाता है। दिए गए शब्द में सभी आवश्यक अक्षर होते हैं जिनकी मदद से नए शब्द के लिए कोड प्राप्त किया जा सकता है। इसे एक उदाहरण से समझते हैं:

उदाहरण 1: यदि 'SILVER' को 'ZXYBDQ' के रूप में कोड किया जाता है और 'KAMAL' को 'LNCNY' के रूप में कोड किया जाता है, तो 'VIKAS' के लिए कोड क्या होगा?

समाधान: सही उत्तर BXLNZ है।

S	I	L	V	E	R	और	K	A	M	A	L
↓	↓	↓	↓	↓	↓		↓	↓	↓	↓	↓
Z	X	Y	B	D	Q		L	N	C	N	Y

इसी तरह,

V	I	K	A	S
↓	↓	↓	↓	↓
B	X	L	N	Z

ऊपर दिए गए उदाहरण में, शब्द SILVER और KAMAL पहले से ही नए शब्द VIKAS का कोड ढूँढने का संकेत देते हैं।

उदाहरण 2: यदि 'BELONGINGS' को 'TABLESTESF' के रूप में कोड किया जाता है, तो 'LINEN' को कैसे कोड किया जाएगा?

(a) BTEAE (b) BTAEA

(c) BATEA (d) इनमें से कोई नहीं

समाधान: सही उत्तर (a) है।

B	E	L	O	N	G	I	N	G	S
↓	↓	↓	↓	↓	↓	↓	↓	↓	↓
T	A	B	L	E	S	T	E	S	F

L	I	N	E	N
B	T	E	A	E

प्रकार 2: स्थानांतरित वर्णमाला कोडिंग (Type 2: Shifted Alphabet Coding)

इस कोडिंग में, प्रत्येक अक्षर को वर्णमाला में उसके सापेक्ष एक निश्चित स्थान पर स्थित दूसरे अक्षर से बदला जाता है। आइए निम्नलिखित उदाहरणों को देखें:

उदाहरण 3: यदि 'CRANE' को एक निश्चित कोड में 'DSBOF' के रूप में लिखा जाता है, तो 'TRAIN' को कैसे लिखा जाएगा?

(a) USBJO (b) USBOJ

(c) USCOJ (d) VSBJO

समाधान: प्रत्येक अक्षर को वर्णमाला में एक स्थान आगे बढ़ाकर कोड बनाया जाता है।

C	R	A	N	E		T	R	A	I	N
+1	+1	+1	+1	+1		+1	+1	+1	+1	+1
D	S	B	O	F		U	S	B	J	O

उदाहरण 4: यदि 'MOHAN' कोड में 'KMFYL' के रूप में प्रदर्शित किया जाता है, तो 'COUNT' को कैसे प्रदर्शित किया जाएगा?

(a) AMSLR (b) MSLAR

(c) MASRL (d) SAMLR

समाधान: सही उत्तर (a) है।

M	O	H	A	N
↓-2	↓-2	↓-2	↓-2	↓-2
K	M	F	Y	L

C	O	U	N	T
↓-2	↓-2	↓-2	↓-2	↓-2
A	M	S	L	R

प्रकार 3: उल्टे क्रम की कोडिंग (Type 3: Reverse Order Coding)

इस कोडिंग विधि में, प्रत्येक अक्षर को उसकी उल्टी वर्णमाला (reverse alphabet) में स्थित समकक्ष अक्षर से बदला जाता है। उदाहरण के लिए, A → Z, B → Y, C → X और इसी प्रकार अन्य अक्षरों के लिए यह पैटर्न लागू होता है।

उदाहरण 5: यदि 'TABLE' कोड में 'GZYOV' के रूप में लिखा जाता है, तो 'CHAIR' को कैसे लिखा जाएगा?

(a) XSRZI (b) XSZRI
(c) XIRZI (d) XSIRZ

समाधान: सही उत्तर (a) है। प्रत्येक अक्षर को उसकी उल्टी वर्णमाला समकक्ष (reverse order counterpart) से बदला जाता है। इस विधि में अक्षरों का कुल योग हमेशा 27 होता है (अगले पृष्ठ पर दिए गए आवश्यक टिप्स और ट्रिक्स बॉक्स में उल्लिखित विपरीत युग्मों का संदर्भ लें।)।

उदाहरण 6: यदि 'GIVE' को 'TREV' के रूप में कोड किया जाता है, तो 'SOUR' को कैसे लिखा जाएगा?

(a) HKGI (b) IKGJ
(c) HLFI (d) GFLI

समाधान: सही उत्तर (c) है। ध्यान दें कि इस प्रश्न में, कोड वर्णमाला के विपरीत क्रम की स्थिति है-

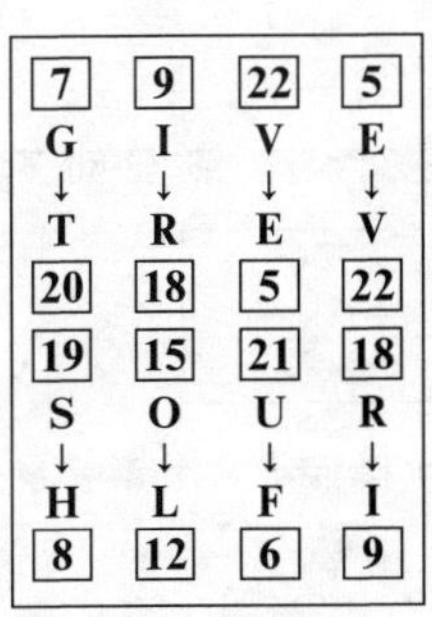

प्रकार 4: विभिन्न क्रम की कोडिंग (Type 4: Different Order Coding)

इस प्रकार की कोडिंग में, शब्द के अक्षरों को पुनः व्यवस्थित (rearrange) करके कोड प्राप्त किया जाता है।

उदाहरण 7: यदि 'MIGHT' को 'GHMTI' के रूप में कोड किया जाता है, तो 'EARTH' को कैसे कोड किया जाएगा?

(a) RTEHA (b) RTEAM
(c) RTAEH (d) RETHA

समाधान: सही उत्तर (a) है। यहाँ दिए गए शब्द के अक्षरों को पुनः व्यवस्थित (re-order) करके कोड बनाया जाता है। इसे चित्र की सहायता से समझा जा सकता है।

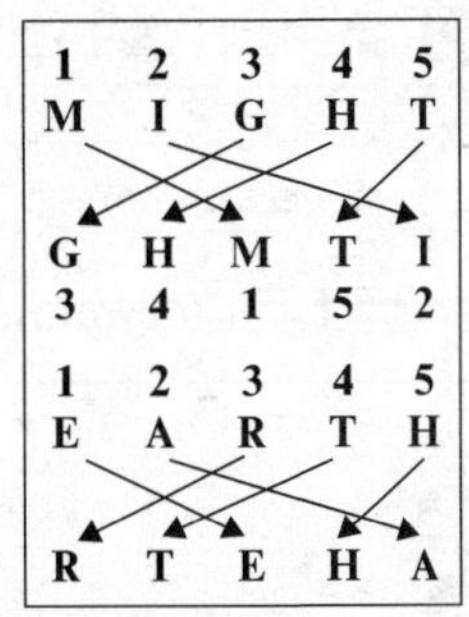

उदाहरण 8: यदि एक निश्चित कोड भाषा में 'MOUSE' को 'FTVPN' के रूप में लिखा जाता है, तो 'RABBITS' को कैसे लिखा जाएगा?

(a) TUJCSBSJ (b) TUJCCBS
(c) BTJKAPS (d) CJBSPWT

समाधान: सही उत्तर (b) है।

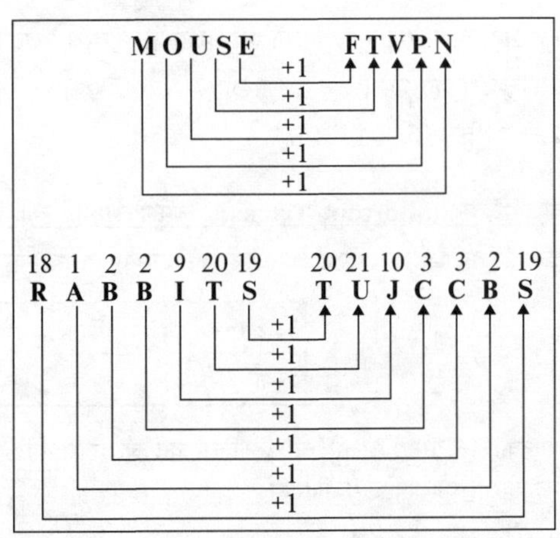

आवश्यक टिप्स और ट्रिक्स

अक्षर कोडिंग (LETTER CODING)

क्रमानुसार स्थिति और विपरीत युग्म (Order of Positions and Pair of Opposites)

वर्णमाला के प्रत्यक्ष क्रम की स्थिति (Direct Order Position - DOP)

A	B	C	D	E	F	G	H	I	J	K	L	M	N	O	P	Q	R	S	T	U	V	W	X	Y	Z
1	2	3	4	5	6	7	8	9	10	11	12	13	14	15	16	17	18	19	20	21	22	23	24	25	26

वर्णमाला के प्रत्यक्ष क्रम की स्थिति (DOP): यह वर्णमाला में प्रत्येक अक्षर की मानक स्थिति होती है, जो A = 1 से Z = 26 तक होती है।

वर्णमाला के उल्टे क्रम की स्थिति (Reverse Order Position - ROP)

Z	Y	X	W	V	U	T	S	R	Q	P	O	N	M	L	K	J	I	H	G	F	E	D	C	B	A
1	2	3	4	5	6	7	8	9	10	11	12	13	14	15	16	17	18	19	20	21	22	23	24	25	26

वर्णमाला के उल्टे क्रम की स्थिति (ROP): यह वर्णमाला में प्रत्येक अक्षर की उल्टी स्थिति होती है, जो Z = 1 से A = 26 तक होती है।

वर्णमाला के संयुक्त क्रम स्थिति (Combined Order Positions of Alphabets)

A	B	C	D	E	F	G	H	I	J	K	L	M	N	O	P	Q	R	S	T	U	V	W	X	Y	Z
1	2	3	4	5	6	7	8	9	10	11	12	13	14	15	16	17	18	19	20	21	22	23	24	25	26
26	25	24	23	22	21	20	19	18	17	16	15	14	13	12	11	10	9	8	7	6	5	4	3	2	1

DOP और ROP का उपयोग करके प्रश्न हल करने की विधि

1. किसी भी दिए गए अक्षर के लिए:
   - प्रत्यक्ष क्रम स्थिति (DOP) को n मानें।
   - उल्टे क्रम स्थिति (ROP) = 27 − n

   उदाहरण: J का प्रत्यक्ष क्रम स्थान (DOP) = 10। अब ROP = 27 − 10 = 17

2. एक महत्वपूर्ण विशेषता: किसी भी अक्षर के प्रत्यक्ष क्रम स्थिति (DOP) और उसके उल्टे क्रम स्थिति (ROP) का योग हमेशा 27 होता है।

   उदाहरण: J का DOP = 10, ROP = 17

   ध्यान दें कि, 10 + 17 = 27

शॉर्टकट ट्रिक्स (Shortcut Tricks) जिससे अक्षरों की स्थिति को याद रखना आसान होगा

शॉर्टकट ट्रिक 1: 'EJOTY' तकनीक का उपयोग करके कुछ महत्वपूर्ण अक्षरों की स्थिति जल्दी से याद रखी जा सकती है:

अक्षर	E	J	O	T	Y
स्थान	5	10	15	20	25

यह तालिका इन प्रमुख अक्षरों की स्थितियों को जल्दी से याद करने में मदद कर सकती है, जिससे इन स्थितियों से संबंधित अक्षर शृंखला समस्याओं को हल करना आसान हो जाता है।

शॉर्टकट ट्रिक 2: आप वर्णमाला में किसी अक्षर को दो भागों में विभाजित करके उसकी संख्यात्मक स्थिति को शीघ्रता से पहचान सकते हैं: A - M, जो संख्या 1 - 13 के अनुरूप है, तथा N - Z, जो संख्या 14 - 26 के अनुरूप है।

- पहला आधा भाग: A − M → 1 − 13
- दूसरा आधा भाग: N − Z → 14 − 26

शॉर्टकट ट्रिक 3: विपरीत अक्षरों के युग्म (Pair of Opposites)

A	B	C	D	E	F	G	H	I	J	K	L	M
Z	Y	X	W	V	U	T	S	R	Q	P	O	N

शॉर्टकट ट्रिक 4: विपरीत युग्मों को याद रखने के लिए स्मरणीय वाक्य (Mnemonic to Remember Pair of Opposites) (तालिका 15.1)

तालिका 15.1 विपरीत युग्म

विपरीत युग्म (Pair of Opposites)	स्मरणीय वाक्य (Mnemonic)
MN	MAN (M और N को **MAN** शब्द से याद करें)
LO	**L**ights **O**ut
KP	**K**evin **P**eterson (इंग्लैंड क्रिकेटर)
JQ	**J**ack और **Q**ueen (ताश के पत्तों में)
IR	**I**ndian **R**ailway (I और R से याद करें)
HS	**H**igher **S**econdary (**H** और **S** से याद करें)
GT	**GT** Road (शेरशाह सूरी द्वारा बनाई गई सड़क)
FU	**F**air **U**nfair
EV	**E**lectric **V**ehicle
DW	**D**oor **W**indow
CX	**C**hrist **X**-mas
BY	शब्द '**BY**' से याद करें
AZ	इसे ऐसे ही याद रखें

संख्या कोडिंग (Number Coding)

संख्या कोडिंग तार्किक तर्क (logical reasoning) का एक प्रकार है जिसमें अक्षरों या शब्दों को विशिष्ट नियम या पैटर्न के अनुसार संख्याओं द्वारा दर्शाया जाता है। इस विधि का उपयोग जटिल जानकारी को सरल बनाने के लिए किया जाता है और यह पहेलियों (puzzles) और प्रतियोगी परीक्षाओं में विश्लेषणात्मक और समस्या-समाधान कौशल (problem-solving skills) की परीक्षा लेने के लिए उपयोग होती है।

संख्या कोडिंग के निम्नलिखित प्रकार होते हैं:

1. सरल संख्या कोडिंग (Simple Number Coding)
2. वर्णमाला स्थितियों पर आधारित संख्या कोडिंग (Number Coding Based on Alphabet Positions)
3. जटिल वर्णमाला स्थितियाँ (Complex Alphabet Positions)

प्रकार 1: सरल संख्या कोडिंग (Type 1: Simple Number Coding)

इस प्रकार की कोडिंग में, उत्तर प्रश्न में ही छिपा होता है। आपको एक शब्द और उसका संख्यात्मक कोड (numerical code) दिया जाता है और आपको दूसरे शब्द के लिए कोड निकालने के लिए कहा जाता है। दिए गए शब्द में सभी आवश्यक अक्षर होते हैं जिनकी मदद से नए शब्द के लिए कोड प्राप्त किया जा सकता है।

उदाहरण 9: यदि 'REASON' को '621754' और 'TRUTH' को '86983' के रूप में कोड किया जाता है, तो 'TREASON' के लिए कोड क्या होगा?

(a) 7548261 (b) 8621754
(c) 7452861 (d) 2865614

समाधान: सही उत्तर (b) है।

R	E	A	S	O	N		T	R	U	T	H
6	2	1	7	5	4		8	6	9	8	3

T	R	E	A	S	O	N
8	6	2	1	7	5	4

उदाहरण 10: यदि 'SELDOM' को '124365' के रूप में कोड किया जाता है, तो 'MODE' को कैसे कोड किया जाएगा?

(a) 3621 (b) 6231
(c) 5632 (d) 6213

समाधानः सही उत्तर (c) है।

S	E	L	D	O	M
↓	↓	↓	↓	↓	↓
1	2	4	3	6	5

M	O	D	E
↓	↓	↓	↓
5	6	3	2

प्रकार 2: वर्णमाला स्थितियों पर आधारित संख्या कोडिंग (Type 2: Number Coding Based on Alphabet Positions)

इस कोडिंग विधि में, प्रत्येक अक्षर को उसके वर्णमाला में स्थित क्रमांक संख्या (alphabetical position number) द्वारा प्रतिस्थापित किया जाता है।

उदाहरण 11: यदि एक निश्चित कोड भाषा में, 'TRUE' को '20182105' के रूप में लिखा जाता है, तो 'RIGHT' को कैसे लिखा जाएगा?

(a) 1505090120 (b) 1812030415
(c) 0918201907 (d) 1809070820

समाधानः सही उत्तर (d) है।

प्रत्यक्ष आदेश क्रम	T	R	U	E	R	I	G	H	T
	20	18	21	05	18	09	07	08	20

उदाहरण 12: यदि एक निश्चित कोड में, 'WORD' को '2315184' के रूप में कोड किया जाता है, तो 'SIMPLE' को कैसे कोड किया जाएगा?

(a) 1991316125 (b) 9131912165
(c) 1319161259 (d) इनमें से कोई नहीं

समाधानः सही उत्तर (a) है।

W	O	R	D
23	15	18	4

S	I	M	P	L	E
19	9	13	16	12	5

उदाहरण 13: यदि 'GREAT' को 20-9-22-26-7 के रूप में कोड किया जाता है, तो 'GATE' को कैसे कोड किया जाएगा?

(a) 20-26-7-22 (b) 20-26-6-22
(c) 26-20-7-22 (d) 26-20-22-7

समाधानः सही उत्तर (a) है।

मूल स्थिति

7	18	5	1	20	7	1	20	5
G	R	E	A	T	G	A	T	E
20	9	22	26	7	20	26	7	22

विपरीत क्रम की स्थिति

प्रकार 3: जटिल वर्णमाला स्थितियाँ (Type 3: Complex Alphabet Positions)

इस प्रकार की कोडिंग में, प्रत्येक अक्षर को वर्णमाला में उसकी स्थिति के आधार पर संख्यात्मक मान (numerical value) सौंपा जाता है। इन मूल्यों को फिर एक विशिष्ट नियम के अनुसार जोड़ा या बदला जाता है जिससे अंतिम कोड प्राप्त किया जाता है।

उदाहरण 14: यदि HPU = 9, JNU = 9, तो DU = ?

(a) 5 (b) 6
(c) 1 (d) 7

समाधानः वर्णमाला श्रृंखला में,

H = 8, P = 16, U = 21
8 + 16 + 21 = 45
45 ÷ 5 = 9

J = 10, N = 14, U = 21
10 + 14 + 21 = 45
45 ÷ 5 = 9

इसी प्रकार, D = 4, U = 21
4 + 21 = 25
25 ÷ 5 = 5

इसलिए, विकल्प (a) सही है।

उदाहरण 15: यदि एक निश्चित कोड भाषा में 'CAB' को '75' के रूप में लिखा जाता है, तो 'TAXI' को कैसे लिखा जाएगा?

(a) 23 (b) 54
(c) 60 (d) 44

समाधानः सही उत्तर (b) है।

पदों का मूल क्रम

3	1	2	
C	A	B	
24	26	25	→ 24 + 26 + 25 = 75

पदों का उलटा क्रम

20	1	24	9	
T	A	X	I	
7	26	3	18	→ 7 + 26 + 3 + 18 = 54

प्रतीक कोडिंग (Symbol Coding)

प्रतीक कोडिंग गणितीय तर्क (mathematical reasoning) का एक रूप है जिसमें अक्षरों, शब्दों या संख्याओं को प्रतीकों (symbols) द्वारा दर्शाया जाता है जो किसी विशिष्ट नियम या पैटर्न का पालन करते हैं। यह कोडिंग विधि सूचनाओं को एक ऐसे तरीके से एन्कोड (encode) करने में मदद करती है जिसे हल करने के लिए प्रतीकों और उनके संकेतों के बीच संबंधों को समझना आवश्यक होता है।

उदाहरण 16: यदि 'MISSION' को '!??!φ$' और 'LENS' को '@#$?' के रूप में कोड किया जाता है, तो 'LION' को कैसे कोड किया जाएगा?

(a) @!φ$ (b) @!$#

(c) ??## (d) उपरोक्त में से कोई नहीं

समाधान: सही उत्तर (a) है।

M	I	S	S	I	O	N	L	E	N	S
	!	?	?	!	ϕ	$	@	#	$	?

L	I	O	N
@	!	ϕ	$

उदाहरण 17: यदि एक निश्चित कोड भाषा में, 'GONE' को '5%2#' और 'MEDAL' को '4#3$@' के रूप में लिखा जाता है, तो 'GOLD' को कैसे लिखा जाएगा?

(a) 5@%3 (b) 5%@3

(c) 5#@3 (d) 5%#3

समाधान: सही उत्तर (b) है।

G	O	N	E	M	E	D	A	L
5	%	2	#	4	#	3	$	@

G	O	L	D
5	%	@	3

मिश्रित कोडिंग (Mixed Coding)

मिश्रित कोडिंग वह विधि है जिसमें अक्षर, संख्याएँ और प्रतीक को एक साथ उपयोग किया जाता है ताकि सूचना को एक विशेष पैटर्न या नियम के अनुसार दर्शाया जा सके। इस प्रकार की कोडिंग में कई स्तरों की एन्कोडिंग हो सकती है।

उदाहरण 18: यदि 'A3T15R' का अर्थ 'ACTOR' और 'D1T5' का अर्थ 'DATE' है, तो 'ROTATE' को कैसे कोड किया जाएगा?

(a) R15T1T5 (b) R16T1T

(c) R15T1T6 (d) L15C1T7

समाधान: सही उत्तर (a) है। इस उदाहरण में, प्रत्येक वैकल्पिक अक्षर को वर्णमाला में उसकी स्थिति से बदल दिया गया है।

A	C	T	O	R
	↓		↓	
A	3	T	15	R

D	A	T	E
	↓		↓
D	1	T	5

R	O	T	A	T	E
	↓		↓		↓
R	15	T	1	T	5

प्रतिस्थापन कोडिंग (Substitution Coding)

प्रतिस्थापन कोडिंग (substitution coding) में, प्रत्येक शब्द को एक विशिष्ट नियम के अनुसार दूसरे शब्द से प्रतिस्थापित किया जाता है। परीक्षार्थी को इस पैटर्न या नियम को समझकर उत्तर देना होता है।

उदाहरण 19: यदि 'white' को 'blue', 'blue' को 'red', 'red' को 'yellow', 'yellow' को 'green', 'green' को 'black', 'black' को 'violet', और 'violet' को 'orange' कहा जाता है, तो मानव रक्त का रंग क्या होगा?

(a) Green (हरा) (b) Red (लाल)

(c) Violet (बैंगनी) (d) Yellow (पीला)

समाधान:

चरण 1: दिए गए क्रम को पहचानें: हमें एक शृंखला दी गई है जिसमें प्रत्येक रंग को किसी अन्य रंग से प्रतिस्थापित किया गया है।

- White → Blue
- Blue → Red
- Red → Yellow
- Yellow → Green
- Green → Black
- Black → Violet
- Violet → Orange

चरण 2: मानव रक्त का रंग निर्धारित करने के लिए: हमें इस अनुक्रम का पालन करना होगा जो रंग 'Red' से शुरू होता है क्योंकि मानव रक्त सामान्यत: Red होता है।

चरण 3: शृंखला का अनुसरण करें:

- Red → Yellow

अत: दिए गए अनुक्रम के अनुसार मानव रक्त का रंग विकल्प (d) Yellow (पीला) होगा।

उदाहरण 20: यदि 'earth' को 'air', 'air' को 'water', 'water' को 'sky', 'sky' को 'light', और 'light' को 'dust' कहा जाता है, तो आप क्या पिएंगे?

(a) Earth (पृथ्वी) (b) Sky (आकाश)

(c) Water (जल) (d) Air (वायु)

समाधान:

चरण 1: दिए गए क्रम को पहचानें:

- Earth → Air
- Air → Water
- Water → Sky
- Sky → Light
- Light → Dust

चरण 2: तर्कानुसार, हम सामान्य रूप से 'Water' (जल) पीते हैं।

चरण 3: श्रृंखला का अनुसरण करें:

- Water → Sky

इसलिए, सही उत्तर (b) Sky है।

सांकेतिक कथन (Coded Statement)

सांकेतिक कथनों (Coded Statements) में जानकारी को एक विशेष पैटर्न, नियमों या प्रतीकों का उपयोग करके कोडित रूप में व्यक्त किया जाता है। चुनौती यह होती है कि दिए गए कथनों को डिकोड (decode) करके मूल संदेश को पहचाना जाए। यह कोडिंग तकनीक विश्लेषणात्मक सोच (analytical thinking), पैटर्न पहचानने (pattern recognition) और तार्किक तर्क (logical reasoning) कौशल की परीक्षा लेती है। आइए कुछ उदाहरण देखें:

उदाहरण 21: यदि एक निश्चित कोड भाषा में, 'it is raining' को 'pit nit git' और 'raining heavily' को 'pit na' के रूप में लिखा जाता है, तो 'raining' के लिए कोड क्या होगा?

(a) pit (b) nit

(c) git (d) इनमें से कोई नहीं

समाधान: 'Raining' दोनों वाक्यों में मौजूद है। दोनों वाक्यों में साझा (common) कोड 'pit' है।

it is (raining)	(pit) nit git
(raining) heavily	(pit) na
raining	pit

इसलिए, सही उत्तर (a) pit है।

उदाहरण 22: एक कोड भाषा में, '645' का अर्थ 'day is warm', '42' का अर्थ 'warm spring', '632' का अर्थ 'spring is sunny' है। तो 'sunny' के लिए कौन-सा अंक प्रयुक्त हुआ है?

(a) 3 (b) 2

(c) 4 (d) 5

समाधान:

6 4 5 day is warm
4 2 warm spring
∴ 4 = warm
6 3 2 spring is sunny
∴ 6 = is
2 = spring
'sunny' केवल तीसरे कथन में दिखाई देता है, इसलिए 3 = sunny

645 - day is warm - I
42 - warm spring - II

(I) और (II) में साझा संख्या '4' है → 'warm' के लिए 4

(I) और (III) में साझा संख्या '6' है → 'is' के लिए 6

(II) और (III) में साझा संख्या '2' है → 'spring' के लिए 2

अब, III से हम देख सकते हैं कि विकल्प (a) का अर्थ 'sunny' है।

उदाहरण 23: एक निश्चित कोड में, '247' का अर्थ 'spread red carpet', '256' का अर्थ 'dust one carpet', '236' का अर्थ 'one red carpet' है। तो 'dust' के लिए कौन-सा अंक प्रयुक्त हुआ है?

(a) 2 (b) 3

(c) 5 (d) 6

समाधान:

2 4 7 speed red carpet
2 5 6 dust one carpet
∴ 2 = carpet
2 3 6 one red carpet
∴ 6 = one

अब,अब (256) में बचा हुआ अंक '5', जो 'dust' के लिए है। इसलिए, सही उत्तर (c) 5 है।

नोट: *'Coding-Decoding' की समझ की जाँच के लिए, कृपया पृष्ठ संख्या 347 पर दिए गए अभ्यास प्रश्नों को हल करें।*

★★★ परीक्षोपयोगी

15.3 श्रृंखला (Series)

श्रृंखला संख्याओं या पदों (terms) का एक क्रम (sequence) होता है, जो एक विशिष्ट पैटर्न या नियम का पालन करता है। विभिन्न प्रकार की श्रृंखलाओं को समझना पैटर्न को पहचानने (pattern recognition) और समस्याओं को कुशलतापूर्वक हल करने के लिए आवश्यक है। श्रृंखलाओं को उनके तत्वों की प्रकृति और उनके द्वारा अनुसरण किए गए पैटर्न के आधार पर वर्गीकृत किया जा सकता है।

संख्या श्रृंखला (Number Series)

इस विषय को सरल बनाने वाले वीडियो व्याख्यान को देखने के लिए इस QR कोड को स्कैन करें

संख्या श्रृंखला निम्नलिखित प्रकारों में विभाजित की जाती है:

1. अभाज्य संख्या श्रृंखला (Prime Number Series)
2. सम संख्या श्रृंखला (Even Number Series)
3. विषम संख्या श्रृंखला (Odd Number Series)
4. वर्ग संख्या श्रृंखला (Square Series)
5. घन संख्या श्रृंखला (Cube Series)
6. योग संख्या श्रृंखला (Addition Series)
7. घटाव संख्या श्रृंखला (Subtraction Series)
8. गुणा संख्या श्रृंखला (Multiplication Series)
9. विभाजन संख्या श्रृंखला (Division Series)
10. मिश्रित संख्या श्रृंखला (Mixed Series)
11. अंकगणितीय-ज्यामितीय श्रृंखला (Arithmetic-Geometric Series)

12. वैकल्पिक श्रृंखला (Alternative Series)
13. द्वितीयक पैटर्न श्रृंखला (Secondary Pattern Series)

प्रकार 1: अभाज्य संख्या श्रृंखला (Type 1: Prime Number Series)

अभाज्य संख्या श्रृंखला में अभाज्य संख्याएँ (prime numbers) होती हैं, जो 1 से बड़ी पूर्णांक संख्याएँ होती हैं और केवल 1 और स्वयं से विभाजित होती हैं।

उदाहरण 24: 2, 3, 5, 7, 11, 13, 17, ?

समाधान: 17 के बाद अगली अभाज्य संख्या 19 है। सही उत्तर 19 है।

0 से 100 तक अभाज्य संख्याएँ
2, 3, 5, 7, 11, 13, 17, 19, 23, 29, 31, 37, 41, 43, 47, 53, 59, 61, 67, 71, 73, 79, 83, 89, 97

प्रकार 2: सम संख्या श्रृंखला (Type 2: Even Number Series)

सम संख्या श्रृंखला में केवल सम संख्याएँ (even numbers) होती हैं, जो 2 से विभाजित की जा सकती हैं।

उदाहरण 25: 2, 4, 6, 8, 10, ?

समाधान: 10 के बाद अगली सम संख्या 12 है। सही उत्तर: 12

0 से 50 तक सम संख्याएँ
2, 4, 6, 8, 10, 12, 14, 16, 18, 20, 22, 24, 26, 28, 30, 32, 34, 36, 38, 40, 42, 44, 46, 48, 50

प्रकार 3: विषम संख्या श्रृंखला (Type 3: Odd Number Series)

विषम संख्या श्रृंखला में केवल विषम संख्याएँ (odd numbers) होती हैं, जो 2 से विभाजित नहीं हो सकतीं।

उदाहरण 26: 1, 3, 5, 7, 9, ?

समाधान: 9 के बाद अगली विषम संख्या 11 है। सही उत्तर 11 है।

0 से 50 तक विषम संख्याएँ
1, 3, 5, 7, 9, 11, 13, 15, 17, 19, 21, 23, 25, 27, 29, 31, 33, 35, 37, 39, 41, 43, 45, 47, 49

प्रकार 4: वर्ग संख्या श्रृंखला (Type 4: Square Number Series)

वर्ग संख्या श्रृंखला में वे संख्याएँ होती हैं, जो पूर्णांकों (integers) के वर्ग (square) होते हैं।

उदाहरण 27: 1, 4, 9, 16, 25, 36, 49, [?]

समाधान:

$$\begin{bmatrix} 1^2, & 2^2, & 3^2, & 4^2, & 5^2, & 6^2, & 7^2, & 8^2 \ldots\ldots \\ \downarrow & \downarrow & \downarrow & \downarrow & \downarrow & \downarrow & \downarrow & \downarrow \\ 1, & 4, & 9, & 16, & 25, & 36, & 49, & \boxed{64}\ldots\ldots \end{bmatrix}$$

प्रकार 5: घन संख्या श्रृंखला (Type 5: Cube Number Series)

घन संख्या श्रृंखला में वे संख्याएँ होती हैं, जो पूर्णांकों के घन (cube) होते हैं।

उदाहरण 28: 1, 8, 27, 64, 125, 216, [?]

समाधान:

$$\begin{bmatrix} 1^3, & 2^3, & 3^3, & 4^3, & 5^3, & 6^3, & 7^3\ldots\ldots \\ \downarrow & \downarrow & \downarrow & \downarrow & \downarrow & \downarrow & \downarrow \\ 1, & 8, & 27, & 64, & 125, & 216, & \boxed{343}\ldots\ldots \end{bmatrix}$$

तालिका 15.2 1 से 30 तक की संख्याओं का वर्ग

$1^2 = 1$	$16^2 = 256$
$2^2 = 4$	$17^2 = 289$
$3^2 = 9$	$18^2 = 324$
$4^2 = 16$	$19^2 = 361$
$5^2 = 25$	$20^2 = 400$
$6^2 = 36$	$21^2 = 441$
$7^2 = 49$	$22^2 = 484$
$8^2 = 64$	$23^2 = 529$
$9^2 = 81$	$24^2 = 576$
$10^2 = 100$	$25^2 = 625$
$11^2 = 121$	$26^2 = 676$
$12^2 = 144$	$27^2 = 729$
$13^2 = 169$	$28^2 = 784$
$14^2 = 196$	$29^2 = 841$
$15^2 = 225$	$30^2 = 900$

तालिका 15.3 1 से 30 तक की संख्याओं का घन

$1^3 = 1$	$9^3 = 729$
$2^3 = 8$	$10^3 = 1000$
$3^3 = 27$	$11^3 = 1331$
$4^3 = 64$	$12^3 = 1728$
$5^3 = 125$	$13^3 = 2197$
$6^3 = 216$	$14^3 = 2744$
$7^3 = 343$	$15^3 = 3375$
$8^3 = 512$	$16^3 = 4096$

तालिका 15.3 *जारी....*

$17^3 = 4913$	$24^3 = 13824$
$18^3 = 5832$	$25^3 = 15625$
$19^3 = 6859$	$26^3 = 17576$
$20^3 = 8000$	$27^3 = 19683$
$21^3 = 9261$	$28^3 = 21952$
$22^3 = 10648$	$29^3 = 24389$
$23^3 = 12167$	$30^3 = 27000$

प्रकार 6: योग संख्या शृंखला (Type 6: Addition Series)

योग संख्या शृंखला में, प्रत्येक पद (term) को पिछले पद में एक निश्चित मान जोड़कर प्राप्त किया जाता है।

उदाहरण 29: 5, 8, 11, 14, 17, [?]

समाधान:

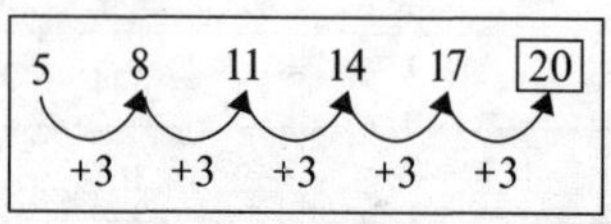

प्रकार 7: घटाव संख्या शृंखला (Type 7: Subtraction Series)

घटाव संख्या शृंखला में, प्रत्येक पद को पिछले पद से एक निश्चित मान घटाकर प्राप्त किया जाता है।

उदाहरण 30: 20, 16, 12, 8, [?]

समाधान:

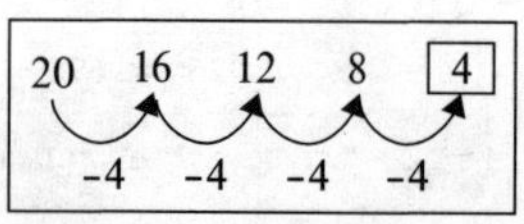

प्रकार 8: गुणा संख्या शृंखला (Type 8: Multiplication Series)

गुणा संख्या शृंखला में, प्रत्येक पद को पिछले पद को एक निश्चित मान से गुणा करके प्राप्त किया जाता है।

उदाहरण 31: 2, 4, 8, 16, [?]

समाधान:

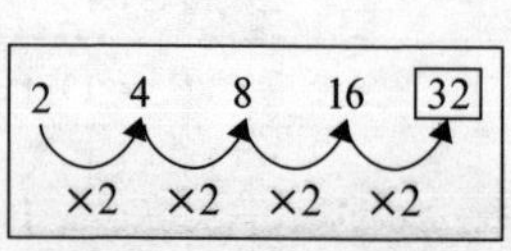

प्रकार 9: विभाजन संख्या शृंखला (Type 9: Division Series)

विभाजन संख्या शृंखला में, प्रत्येक पद को पिछले पद को एक निश्चित मान से विभाजित करके प्राप्त किया जाता है।

उदाहरण 32: 81, 27, 9, [?]

समाधान:

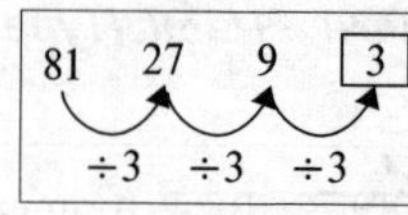

प्रकार 10: मिश्रित संख्या शृंखला (Type 10: Mixed Series)

इस प्रकार की शृंखला में, पहले गुणा/भाग किया जाता है, और फिर जोड़ा/घटाया जाता है ताकि अगला पद प्राप्त हो।

उदाहरण 33: 3, 7, 15, 31, 63, 127, [?]

समाधान:

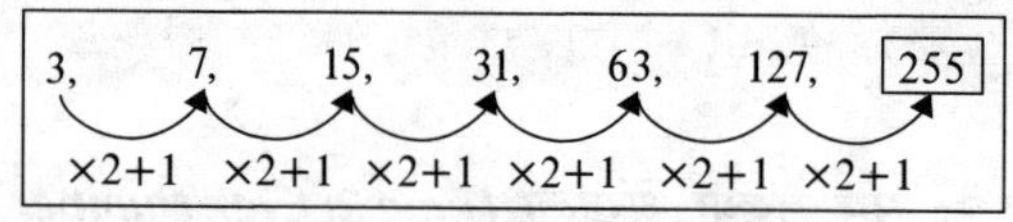

प्रकार 11: अंकगणितीय-ज्यामितीय शृंखला (Type 11: Arithmetic-Geometric Series)

इस शृंखला में, संख्याएँ अंकगणितीय (addition/subtraction) और ज्यामितीय (multiplication/division) प्रगति का संयोजन होती हैं।

उदाहरण 34: 1, 4, 8, 11, 22, 25, [?]

समाधान:

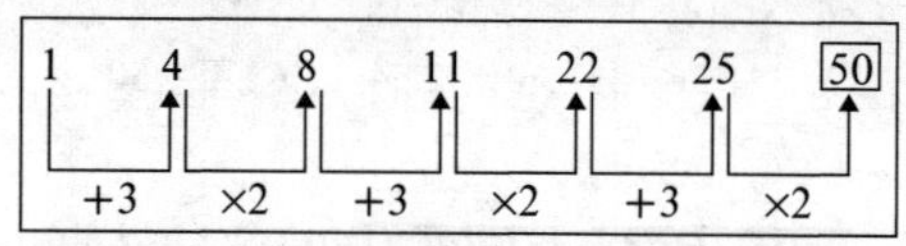

प्रकार 12: वैकल्पिक शृंखला (Type 12: Alternative Series)

वैकल्पिक या जुड़वां शृंखला में दो मिश्रित अनुक्रम होते हैं, जिनमें से प्रत्येक एक अलग पैटर्न का अनुसरण करता है।

उदाहरण 35: 3, 4, 8, 10, 13, 16, [?], [?]

समाधान:

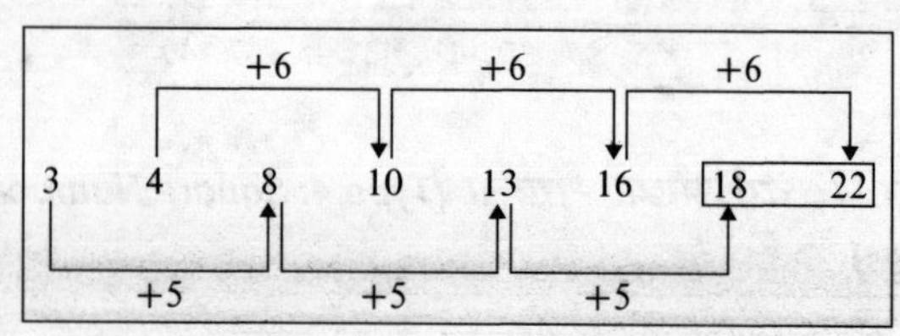

प्रकार 13: द्वितीयक पैटर्न शृंखला (Type 13: Secondary Pattern Series)

उदाहरण 36: निम्नलिखित अनुक्रम में अगली संख्या कौन-सी होगी?

2, 6, 12, 20, 30, 42, 56, ?

(a) 60 (b) 64

(c) 72 (d) 70

समाधान: सही उत्तर (c) है।

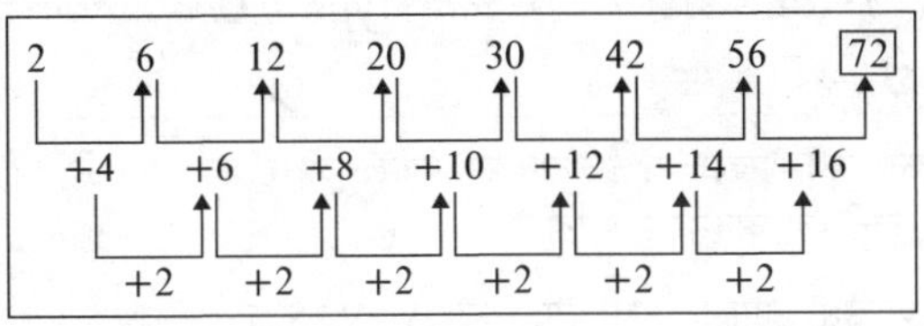

उदाहरण 37: निम्नलिखित शृंखला में 'X' का मान ज्ञात करें: 2, 9, 20, 35, 54, 77, X

(a) 102 (b) 104

(c) 96 (d) 88

समाधान: सही उत्तर (b) है।

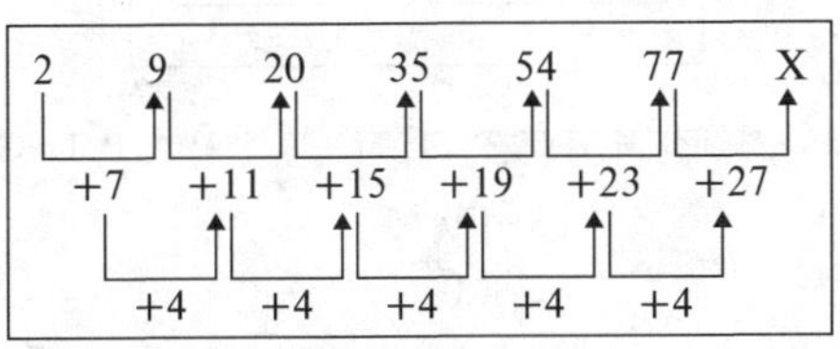

X = 77 + 27 = 104

आवश्यक टिप्स और ट्रिक्स

संख्या शृंखला (NUMBER SERIES)

संख्यात्मक प्राथमिकता अनुक्रम (Numerical Priority Sequence)

संख्यात्मक प्राथमिकता अनुक्रम एक प्रणालीबद्ध तरीका बताता है, जिससे किसी संख्या शृंखला में छिपे हुए तर्क या पैटर्न को पहचाना जा सकता है:

1. **वर्ग/घन (जोड़ना/घटाना) [Square/Cube (Add/Subtract)]:** सबसे पहले, जाँच करें कि शृंखला में दिए गए संख्याएँ किसी संख्या के वर्ग (x^2) या घन (x^3) के समान हैं या नहीं। यह देखने के लिए कि क्या प्रत्येक संख्या को किसी वर्ग या घन संख्या को जोड़कर या घटाकर प्राप्त किया गया है।
2. **अभाज्य संख्या (Prime Number):** यदि वर्ग या घन से कोई स्पष्ट पैटर्न नहीं बनता है, तो जाँच करें कि क्या शृंखला की संख्याएँ अभाज्य (Prime) संख्याएँ हैं।
3. **गणितीय क्रिया (+, −, ×) [Mathematical Operation (+, −, ×)]:** यदि शृंखला में वर्ग या घन का कोई पैटर्न नहीं दिखता, तो यह देखें कि क्या कोई मूलभूत गणितीय क्रिया (जैसे जोड़, घटाव, गुणा) इन संख्याओं को आपस में जोड़ रही है।
4. **भाग्यता (Divisibility):** यदि ऊपर दिए गए किसी भी तरीके से पैटर्न स्पष्ट नहीं होता, तो जाँच करें कि क्या कोई निरंतर भाग देने योग्य पैटर्न है (जैसे सभी संख्याएँ 3, 5 आदि से विभाजित हो रही हैं)।
5. **मिश्रित, वैकल्पिक और द्वितीयक पैटर्न शृंखला (Mixed] Alternate and Secondary Pattern Series):** यदि ऊपर दिए गए किसी भी तरीके से पैटर्न नहीं बनता, तो जाँच करें कि क्या यह शृंखला अलग-अलग गणितीय क्रियाओं का मिश्रण (Mixed Series) है, संख्याएँ क्रमशः बढ़ और घट रही हैं (Alternate Series) या संख्या के बजाय उनके बीच के अंतर में कोई पैटर्न छिपा हुआ है (Secondary Pattern Series)।

यह अनुक्रम यह दर्शाता है कि किसी संख्या शृंखला के पैटर्न को पहचानने के लिए किन विधियों को प्राथमिकता दी जानी चाहिए। सबसे पहले वर्ग/घन और जोड़/घटाव जैसी उच्च प्राथमिकता वाली विधियों से शुरू करें और फिर नीचे दिए गए अन्य तरीकों की ओर बढ़ें। यह तरीका संख्या शृंखला के प्रश्नों को तेजी और सटीकता से हल करने में मदद करता है, क्योंकि यह पहले सबसे संभावित पैटर्न पर ध्यान केंद्रित करने की सलाह देता है।

शृंखला के प्रकार की पहचान करें (Identify the Series Type)

परीक्षाओं में, संख्या शृंखला के पैटर्न को पहचानने के लिए आपके पास अक्सर 30 सेकंड से भी कम समय होता है। इन प्रश्नों को जल्दी और प्रभावी ढंग से हल करने में मदद करने के लिए, नीचे विभिन्न प्रकार की संख्या शृंखलाओं की सूची दी गई है, साथ ही उन्हें पहचानने के कुछ त्वरित सुझाव भी दिए गए हैं। इस तालिका से आप व्यवस्थित रूप से संख्या शृंखला के प्रश्नों को हल कर सकते हैं, जिससे आपकी सटीकता और गति दोनों में सुधार होगा।

तालिका 15.4 संख्या शृंखला के लिए त्वरित तरकीबें

संख्या शृंखला का प्रकार (Number Series Type)	त्वरित सुझाव और तरकीबें (Quick Tips and Tricks)	उदाहरण (Example)
अभाज्य संख्या शृंखला (Prime Number Series)	शृंखला में अभाज्य संख्याओं की पहचान करें	2, 3, 5, 7, 11, 13, 17, 19, 23, 29, ...
सम संख्या शृंखला (Even Number Series)	ऐसी संख्याएँ खोजें जो 2 से विभाज्य हों	2, 4, 6, 8, 10, 12, 14, 16, 18, 20, ...

(Continued)

तालिका 15.4 *जारी....*

संख्या शृंखला का प्रकार (Number Series Type)	त्वरित सुझाव और तरकीबें (Quick Tips and Tricks)	उदाहरण (Example)
विषम संख्या शृंखला (Odd Number Series)	ऐसी संख्याएँ खोजें जो 2 से विभाज्य न हों	1, 3, 5, 7, 9, 11, 13, 15, 17, 19, ...
योग शृंखला (Addition Series)	यदि वृद्धि धीमी हो, तो यह योग शृंखला हो सकती है	3, 6, 9, 12, 15, 18, 21, 24, 27, ...
गुणन शृंखला (Multiplication Series)	यदि वृद्धि तेज हो, तो यह गुणन शृंखला हो सकती है	2, 6, 18, 54, 162, 486, 1458, ...
घटाव शृंखला (Subtraction Series)	यदि कमी धीमी हो, तो यह घटाव शृंखला हो सकती है	20, 18, 16, 14, 12, 10, 8, 6, 4, ...
विभाजन शृंखला (Division Series)	यदि कमी तेज हो, तो यह भाग शृंखला हो सकती है	100, 50, 25, 12.5, 6.25, 3.125, ...
वर्ग शृंखला (Square Series)	यदि संख्याएँ वर्ग संख्याओं के समान लगती हैं, तो यह वर्ग शृंखला हो सकती है	1, 4, 9, 16, 25, 36, 49, 64, 81, ...
घन शृंखला (Cube Series)	यदि संख्याएँ घन संख्याओं के समान लगती हैं, तो यह घन शृंखला हो सकती है	1, 8, 27, 64, 125, 216, 343, 512, ...
मिश्रित शृंखला (Mixed Series)	ऐसे पैटर्न खोजें जहाँ अगले पद गुणा/भाग और जोड़/घटाव के संयोजन से प्राप्त होते हैं	2, 5, 10, 18, 29, 43, 60, 80, ...
अंकगणितीय-ज्यामितीय शृंखला (Arithmetic-Geometric Series)	ऐसे पैटर्न पहचानें जहाँ अंकगणितीय और ज्यामितीय श्रेणियाँ मिलती हैं	2, 5, 11, 23, 47, 95, 191, 383, ...
वैकल्पिक शृंखला (Alternative Series)	यदि संख्याएँ क्रमशः बढ़ और घट रही हैं, तो यह वैकल्पिक शृंखला हो सकती है	1, 3, 2, 6, 3, 9, 4, 12, 5, ...
द्वितीयक पैटर्न श्रृंखला (Secondary Pattern Series)	कुछ श्रृंखलाओं में पैटर्न सीधे संख्याओं में नहीं, बल्कि उनके बीच के अंतर में छिपा होता है। नंबरों के बीच के अंतर में पैटर्न खोजें	3, 10, 12, 20, 21, 30, 30, 40, ...

अक्षर शृंखला (Letter Series)

अक्षर शृंखला के प्रश्नों में अंग्रेजी वर्णमाला के अक्षरों की एक अनुक्रमिक शृंखला होती है, जो किसी विशेष नियम या पैटर्न का अनुसरण करती है। इन प्रश्नों में अक्सर कुछ अक्षरों को छोड़ना या अक्षरों के बीच एक निश्चित स्थानिक संबंध का उपयोग किया जाता है। इन प्रश्नों को हल करने के लिए, अंग्रेजी वर्णमाला के अक्षरों को 1 से 26 तक क्रमांकित करना उपयोगी होता है। कुछ मामलों में, संख्याओं को विपरीत क्रम में रखना भी मददगार हो सकता है। (पृष्ठ संख्या 312 पर 'Essential Tips and Tricks' बॉक्स देखें।)

प्रकार 1: एक-अक्षरीय शृंखला (Type 1: One-Letter Series)

इस प्रकार की शृंखला में प्रत्येक पद एकल अक्षर का होता है, जो किसी विशेष पैटर्न का अनुसरण करता है।

उदाहरण 38: अगला अक्षर ज्ञात करें: Y, V, S, P, ?

(a) N (b) M

(c) O (d) L

समाधान: सही उत्तर (b) है।

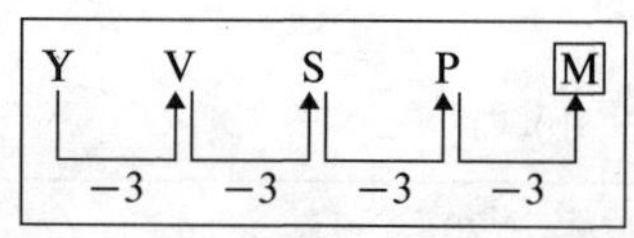

उदाहरण 39: शृंखला में रिक्त स्थान की पूर्ति करें: A, B, D, G, ?, P

(a) K (b) M

(c) L (d) N

समाधान: सही उत्तर (a) है।

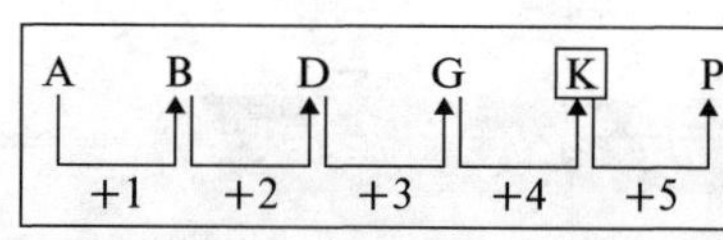

प्रकार 2: दो-अक्षरीय शृंखला (Type 2: Two-Letter Series)

इस प्रकार की शृंखला में प्रत्येक शब्द दो अक्षरों का होता है, जहाँ पहले अक्षर एक पैटर्न का और दूसरे अक्षर दूसरे पैटर्न का अनुसरण करते हैं। ये अक्षर मिलकर शृंखला का निर्माण करते हैं।

उदाहरण 40: शृंखला में रिक्त स्थान की पूर्ति करें:
AB, DE, GH, ?, MN

(a) HI (b) KL

(c) JK (d) इनमें से कोई नहीं

समाधान: सही उत्तर (c) है।

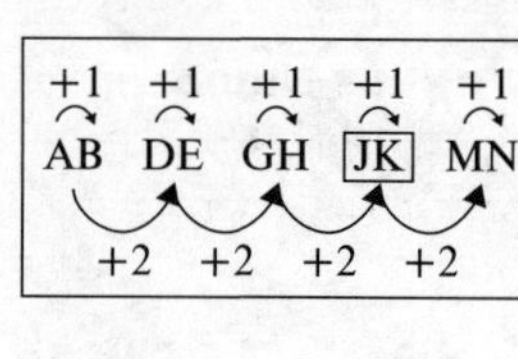

प्रकार 3: तीन-अक्षरीय शृंखला (Type 3: Three-Letter Series)

तीन-अक्षरीय शृंखला में प्रत्येक पद तीन अक्षरों से बना होता है, जहाँ पहला अक्षर एक पैटर्न का अनुसरण करता है, दूसरा अक्षर किसी अन्य पैटर्न का और तीसरा अक्षर फिर किसी अन्य पैटर्न का अनुसरण करता है। ये पैटर्न प्रत्येक अक्षर के लिए समान या अलग-अलग हो सकते हैं।

उदाहरण 41: DKY, FJW, HIU, JHS, [?]

(a) LFQ (b) LGQ

(c) KFR (d) KGR

समाधान: सही उत्तर (b) है।

$$D \xrightarrow{+2} F \xrightarrow{+2} H \xrightarrow{+2} J \xrightarrow{+2} \boxed{L}$$
$$K \xrightarrow{-1} J \xrightarrow{-1} I \xrightarrow{-1} H \xrightarrow{-1} \boxed{G}$$
$$Y \xrightarrow{-2} W \xrightarrow{-2} U \xrightarrow{-2} S \xrightarrow{-2} \boxed{Q}$$

नोट: अपनी 'अक्षर और संख्या शृंखला' समझने की क्षमता को परखने के लिए, पृष्ठ संख्या 347 पर दिए गए अभ्यास प्रश्नों को हल करने का प्रयास करें।

15.4 वर्गीकरण (Classification)

वर्गीकरण पर आधारित प्रश्नों में, उम्मीदवार को दिए गए समूह से उन वस्तुओं की पहचान करनी होती है जो समान विशेषताएँ साझा करती हैं और उस एक वस्तु को चिह्नित करना होता है जो समूह से मेल नहीं खाती। किसी वस्तु को अलग पहचानने की क्षमता उम्मीदवार के ज्ञान और विश्लेषणात्मक कौशल पर निर्भर करती है। वर्गीकरण के प्रश्नों के विभिन्न प्रारूप होते हैं:

1. **असंगत जोड़ी पर आधारित (Based on Odd Pair):** छात्र को उस वस्तु की पहचान करनी होती है, जो समान विशेषताओं वाले अन्य तत्वों से अलग होती है।
2. **असंगत संख्यात्मक जोड़ी पर आधारित (Based on Odd Numeral Pair):** छात्रों को वह संख्या या संख्या जोड़ी ढूँढनी होती है, जो अन्य संख्याओं से मेल नहीं खाती।
3. **असंगत अक्षर पर आधारित (Based on Odd Letter):** उम्मीदवार को वह अक्षर या अक्षरों का समूह पहचानना होता है जो अन्य से अलग है।

प्रकार 1: असंगत जोड़ी पर आधारित (Type 1: Based on Odd Pair)

इस प्रकार के प्रश्नों में, छात्रों को उस वस्तु को पहचानना होता है, जो समान विशेषताओं वाले अन्य तत्वों से भिन्न होती है। उदाहरण के लिए, यदि शब्दों के समूह में सभी शब्द एक सामान्य श्रेणी से संबंधित हैं, लेकिन एक शब्द भिन्न है, तो उसे पहचानना होगा।

उदाहरण 42: उस शब्द की पहचान करें जो सबसे अलग है:

(a) Cotton (b) Wheat

(c) Rice (d) Bajra

समाधान: विकल्प (a) Cotton, क्योंकि अन्य सभी खाद्य अनाज (Food Grains) हैं।

उदाहरण 43: उस शब्द की पहचान करें जो सबसे अलग है:

(a) Ludo (b) Carom

(c) Hockey (d) Chess

समाधान: विकल्प (c) Hockey, क्योंकि यह एक बाहरी खेल (Outdoor Game) है, जबकि अन्य तीन इनडोर खेल (Indoor Games) हैं।

प्रकार 2: असंगत संख्यात्मक जोड़ी पर आधारित (Type 2: Based on Odd Numeral Pair)

इस प्रकार के प्रश्नों में, छात्र को उस संख्या या संख्याओं की जोड़ी को पहचानना होता है, जो अन्य से अलग होती है।

उदाहरण 44: उस संख्या की पहचान करें जो सबसे अलग है:

(a) 12 (b) 25

(c) 37 (d) 49

समाधान: विकल्प (c) 37, क्योंकि यह एक अभाज्य (Prime) संख्या है।

उदाहरण 45: उस संख्या की पहचान करें जो सबसे अलग है:

(a) 144 (b) 158

(c) 169 (d) 256

समाधान: विकल्प (b) 158, क्योंकि 144, 169 और 256 पूर्ण वर्ग (Perfect Squares) हैं।

प्रकार 3: असंगत अक्षर पर आधारित (Type 3: Based on Odd Letter)

उदाहरण 46: उस अक्षर जोड़ी की पहचान करें जो सबसे अलग है:

(a) CE (b) IK

(c) SQ (d) WY

समाधान: विकल्प (c) SQ, क्योंकि अन्य सभी जोड़ी इस प्रकार हैं: C(D)E, I(J)K, W(X)Y। इन सभी में बीच का अक्षर छोड़ा गया है।

उदाहरण 47: उस अक्षर जोड़ी की पहचान करें जो सबसे अलग है:

(a) ASU (b) DJY

(c) BTI (d) MEW

समाधान: विकल्प (b) DJY, क्योंकि इसमें कोई भी स्वर (Vowel) नहीं है, जबकि अन्य सभी जोड़ों में कम से कम एक स्वर मौजूद है।

15.5 रक्त संबंध (Blood Relations)

इस विषय को सरल बनाने वाले वीडियो व्याख्यान को देखने के लिए इस QR कोड को स्कैन करें

रक्त संबंध से जुड़े प्रश्न आपकी पारिवारिक संबंधों की समझ और विभिन्न परिवार के सदस्यों के आपसी रिश्तों को पहचानने की क्षमता की जाँच करने के लिए बनाए जाते हैं। इन प्रश्नों में आमतौर पर कुछ कथनों या संकेतों के आधार पर आपको व्यक्तियों के बीच पारिवारिक संबंधों का विश्लेषण और निर्धारण करना होता है। इनका उद्देश्य यह परखना होता है कि आप तार्किक रूप से माता-पिता और संतान, भाई-बहन, दादा-दादी और पोते-पोतियों, तथा अन्य विस्तृत पारिवारिक संबंधों को कैसे पहचानते हैं।

रक्त संबंधों पर आधारित प्रश्नों को हल करने के लिए आपको निम्नलिखित अवधारणाओं की मजबूत समझ होनी चाहिए:

1. प्रमुख पारिवारिक संबंध (Key Family Relationships)
2. पारिवारिक संबंध वृक्ष (Family Relationship Tree)

सिनेमैटिक कनेक्शन

रक्त संबंधों की जटिलताओं को समझने के लिए, आइए लोकप्रिय शृंखला Game of Thrones (2011-2019) में पारिवारिक संबंधों के जटिल जाल की खोज करें। यह काल्पनिक महाकाव्य अपनी जटिल और अक्सर उथल-पुथल भरी पारिवारिक गतिशीलता के लिए प्रसिद्ध है। यहाँ कुछ प्रमुख पारिवारिक संबंधों का विश्लेषण दिया गया है, जो इसकी जटिलता को दर्शाते हैं:

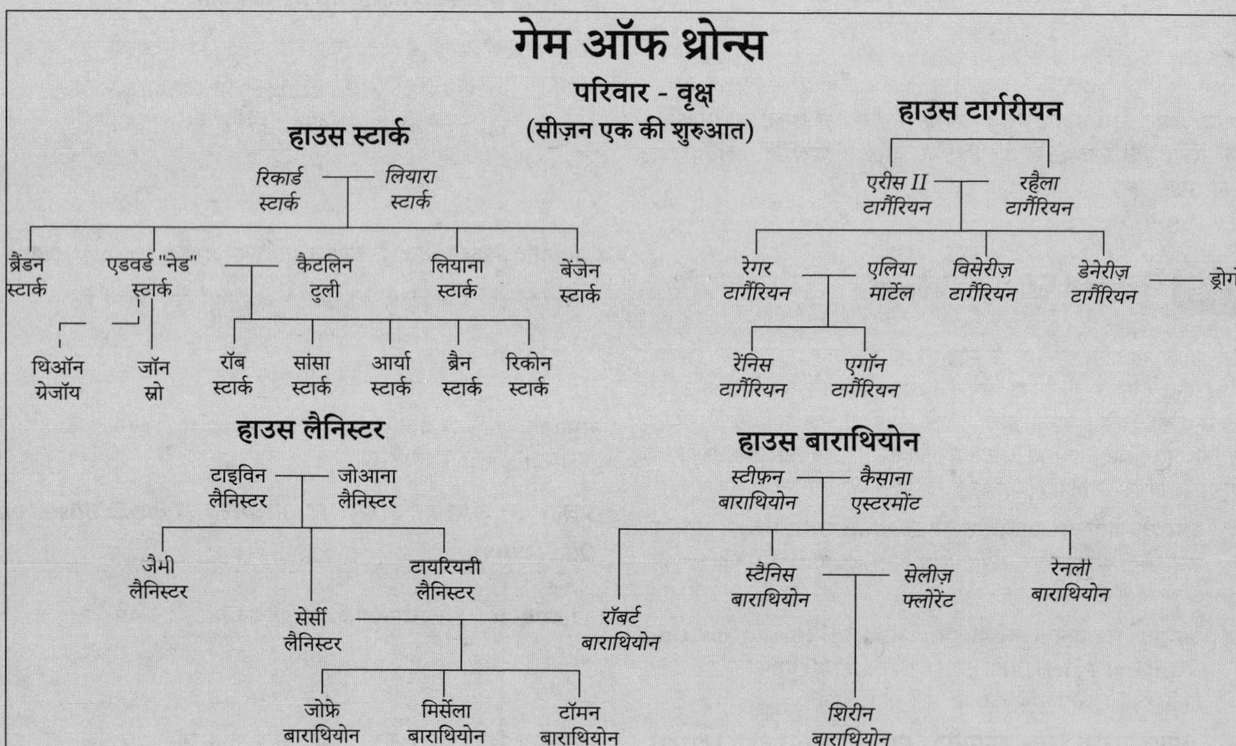

ये संबंध दर्शाते हैं:

- **पीढ़ीगत संबंध (Generational Bonds):** विरासत और संघर्ष, जो एक पीढ़ी से दूसरी पीढ़ी तक चलते हैं।
- **विस्तारित पारिवारिक संबंध (Extended Family Ties):** घरानों और परिवारों के बीच जटिल रिश्ते, जैसे विवाह, गठबंधन और प्रतिद्वंद्विता।
- **जटिल पारिवारिक गतिशीलता (Complex Dynamics):** विभिन्न परिवार के सदस्यों के बीच की बातचीत और संघर्ष।

प्रमुख पारिवारिक संबंध (Key Family Relationships)

नीचे कुछ सामान्य संबंधों को बताने वाली तालिकाएँ दी गई हैं।

तालिका 15.5 पैतृक पक्ष के संबंध

पिता के पिता	दादा (Grandfather)
पिता की माता	दादी (Grandmother)
पिता का भाई	चाचा (Uncle)
दादा का बेटा	पिता या चाचा (Father or Uncle)
दादा का इकलौता बेटा	पिता (Father)
पिता की बहन	बुआ (Aunt)
चाचा के बच्चे	चचेरे भाई-बहन (Cousins)
चाचा की पत्नी	चाची (Aunt)
बुआ के बच्चे	मौसेरे भाई-बहन (Cousins)
बुआ का पति	फूफा (Uncle)
बहन का पति	बहनोई (Brother-in-law)
पत्नी का भाई	साला (Brother-in-law)
भाई का बेटा	भतीजा (Nephew)
भाई की पत्नी	भाभी (Sister-in-law)
भाई की बेटी	भतीजी (Niece)
पोते या पोती की बेटी	परपोती (Great Granddaughter)
माता या पिता का बेटा/बेटी	भाई/बहन (Brother-Sister)
बेटे की पत्नी	बहू (Daughter-in-law)
दादा की बहू (माँ के अलावा)	चाची (Aunt other than Mother)

तालिका 15.6 मातृ पक्ष के संबंध

माँ के पिता	नाना (Maternal Grandfather)
माँ की माता	नानी (Maternal Grandmother)
माँ का भाई	मामा (Maternal Uncle)
माँ की बहन	मौसी (Aunt)
मामा के बच्चे	मौसेरे भाई-बहन (Cousins)
मामा की पत्नी	मामी (Maternal Aunt)

तालिका 15.7 अन्य संबंध

समान माता-पिता की संतानें	भाई-बहन (Siblings)
पति और पत्नी के लिए सामान्य शब्द	जीवनसाथी (Spouse)

पारिवारिक संबंध वृक्ष (Family Relationship Tree)

पारिवारिक संबंध वृक्ष एक दृश्य आरेख (Visual Representation) होता है, जो यह दर्शाता है कि परिवार के विभिन्न सदस्य एक-दूसरे से कैसे जुड़े हुए हैं। यह वंशावली (Lineage) को समझने और विभिन्न पीढ़ियों के बीच संबंधों को स्पष्ट करने में सहायक होता है। पारिवारिक संबंध वृक्ष विकसित करने के लिए, हमें परिवार के सदस्यों की पहचान करनी होती है और उन्हें एक संगठित संरचना में व्यवस्थित करना होता है। पारिवारिक संबंध वृक्ष बनाने के लिए प्रतीक (Notations or Symbols):

तालिका 15.8 पारिवारिक वृक्ष बनाते समय उपयोग किए जाने वाले मानक प्रतीक

शर्त	संकेतन
M पुरुष है	M (आयत में)
N महिला है	N (वृत्त में)
M और N एक दूसरे से विवाहित हैं	M = N
P और Q भाई-बहन हैं	P ←→ Q
B, A का बच्चा है	A ↓ B
A के दो बच्चे हैं B (लड़का) और C (लड़की)	A ↓ ↓ B (आयत में) C (वृत्त में)

पारिवारिक संबंध वृक्ष बनाने की प्रक्रिया को समझें। नीचे दिए गए पारिवारिक संबंधों के आधार पर, एक पारिवारिक संबंध वृक्ष तैयार करें:

- John का विवाह Mary से हुआ है।
- उनके दो बच्चे हैं: Jack और Jill।
- Jack का विवाह Anna से हुआ है और उनके एक बेटा है, जिसका नाम Sam है।
- Jill का विवाह Mike से हुआ है और उनकी एक बेटी है, जिसका नाम Emma है।

आइए उपरोक्त जानकारी का उपयोग करके पारिवारिक वृक्ष बनाएं-

चरण 1: लिंग और पीढ़ी की पहचान करें (Step 1: Identify Gender and Generation)

- सबसे पहले, परिवार में पुरुषों और महिलाओं की पहचान करें। पुरुष सदस्यों को आयतों (□) में और महिला सदस्यों को वृत्तों (○) में रखें। (यहाँ, जॉन (John), मैरी (Mary), जैक (Jack), जिल (Jill), अन्ना (Anna) और माइक (Mike) का लिंग परिभाषित नहीं है। यह पुरुष और महिला नामों की धारणा पर आधारित है।)

उदाहरण:

- सबसे पहले, John और Mary से शुरुआत करें।
- John: □ (आयत – पुरुष)
- Mary: ○ (वृत्त – महिला)

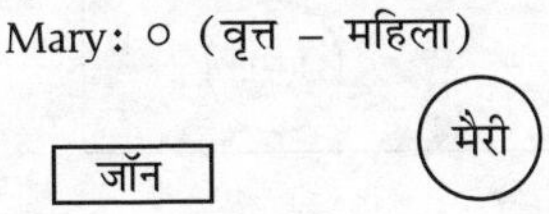

चरण 2: आरेख बनाना (Step 2: Draw the Diagram)

पारिवारिक सदस्यों के रिश्तों को दर्शाने के लिए मानक प्रतीकों (Standard Symbols) का उपयोग करें। (तालिका 15.8 देखें)

प्रत्येक सदस्य को उनकी पीढ़ी के अनुसार व्यवस्थित करें। पुरानी पीढ़ी को ऊपर रखें और नई पीढ़ी को नीचे दर्शाएँ।

उदाहरण:

- जॉन (John) और मैरी (Mary) के बीच '=' चिह्न जोड़ें, जो विवाह को दर्शाता है।
- उनके बच्चे जैक (Jack) और जिल (Jill) को परिवार वृक्ष में जोड़ें।
- जॉन और मैरी से नीचे एक सीधी रेखा खींचें और इसे जैक (आयत में) और जिल (वृत्त में) से जोड़ें।
- जैक और जिल के बीच दोनों छोर पर तीर वाली सीधी रेखा जोड़ें ताकि यह दर्शाए कि वे भाई-बहन हैं।

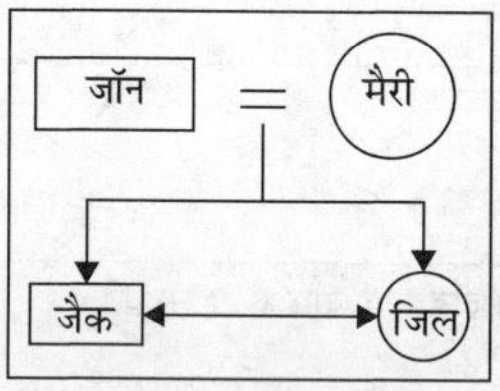

- एना (Anna) को वृत्त में लिखें और जैक के साथ '=' चिह्न लगाएँ ताकि विवाह दर्शाया जा सके।
- नीचे एक सीधी रेखा खींचें और सैम (Sam) को आयत में लिखें ताकि यह दिखाया जा सके कि वह उनका बेटा है।

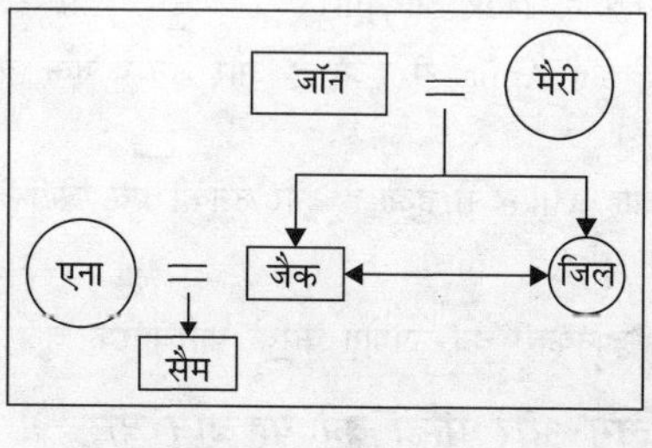

- माइक (Mike) को आयत में लिखें और जिल (Jill) के साथ '=' चिह्न लगाएँ ताकि विवाह दर्शाया जा सके।
- नीचे एक सीधी रेखा खींचें और एम्मा (Emma) को वृत्त में लिखें ताकि यह दिखाया जा सके कि वह उनकी बेटी है।

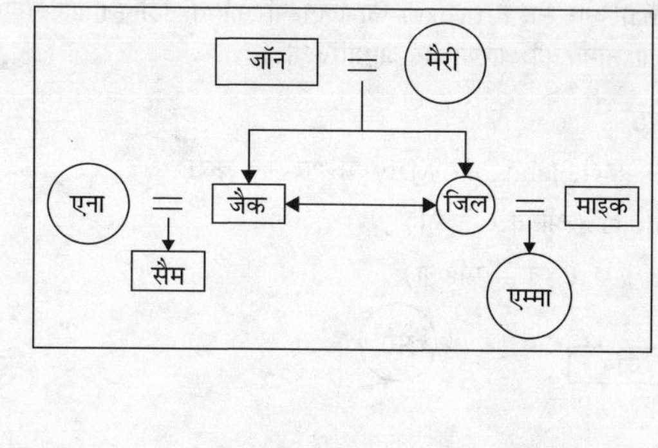

प्रश्नों के प्रकार (Types of Questions)

अब हम उन विभिन्न प्रकार के प्रश्नों को देखेंगे जो परीक्षा में आ सकते हैं:

प्रकार 1: वार्तालाप/कथन आधारित (Type 1: Conversation/Statement Based)

इस प्रकार के प्रश्नों में, कोई व्यक्ति किसी अन्य व्यक्ति के साथ अपने रिश्ते की जानकारी देता है, जो या तो उनके सामने मौजूद हो सकता है या किसी तस्वीर में दिखाया गया हो। दिया गया कथन अक्सर परिवार के रिश्तों के बारे में जानकारी प्रदान करता है, जैसे: वह मेरे पिता का भाई है, अथवा वह मेरी माँ की इकलौती बेटी है। इन प्रश्नों को हल करने के लिए दी गई जानकारी का विश्लेषण करना और संबंधित व्यक्तियों के बीच सही संबंध को पहचानना आवश्यक होता है।

उदाहरण 48: गोपाल ने गोविंद की ओर इशारा करते हुए कहा, "इसके पिता मेरे पिता के इकलौते पुत्र हैं।" तो गोपाल, गोविंद से कैसे संबंधित है?

(a) दादा (Grandfather) (b) पोता (Grandson)
(c) पुत्र (Son) (d) पिता (Father)

समाधान: मेरे पिता का इकलौता पुत्र → मैं खुद। इसका मतलब है कि गोपाल अपने बारे में बात कर रहा है। अत: गोपाल, गोविंद का पिता है।

सही उत्तर: (d) पिता (Father)

उदाहरण 49: एक तस्वीर की ओर इशारा करते हुए एक व्यक्ति ने कहा, "मेरे न तो कोई भाई हैं और न कोई बहन, लेकिन उस व्यक्ति के पिता मेरे पिता का पुत्र है।" वह किसकी तस्वीर थी?

(a) उसकी स्वयं की (His own)
(b) उसके पुत्र की (His son)
(c) उसके पिता की (His father)
(d) उसके भतीजे की (His nephew)

समाधान: कथन में कहा गया है कि "मेरे न तो कोई भाई हैं और न कोई बहन," यानी कि वह व्यक्ति अपने पिता का इकलौता पुत्र है।

इसका मतलब यह हुआ कि "मेरे पिता का पुत्र → मैं स्वयं।"

तो, "उस व्यक्ति का पिता मेरा पिता का पुत्र है," यानी कि वह व्यक्ति स्वयं का बेटा है।

सही उत्तर: (b) उसका पुत्र (His son)

प्रकार 2: संबंध आधारित पहेली (Type 2: Relation Based Puzzle)

इस प्रकार के प्रश्नों में जानकारी एक पहेली के रूप में दी जाती है, जिसमें कई रिश्ते और पीढ़ियाँ शामिल हो सकती हैं। ऐसे प्रश्नों को हल करने के लिए परिवार वृक्ष (Family Tree) बनाना सबसे अच्छा तरीका होता है।

उदाहरण 50: यदि A, B की बहन है, C, B की माँ है, D, C का पिता है, और E, D की माँ है, तो A, D से कैसे संबंधित है?

(a) पोती (Granddaughter) (b) पुत्री (Daughter)
(c) बुआ (Aunt) (d) पिता (Father)

समाधानः

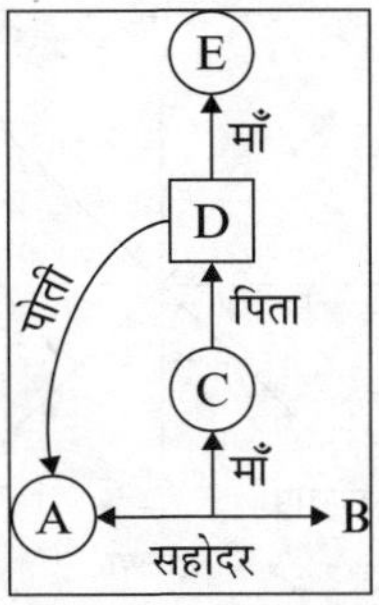

सही उत्तर: (a) पोती (Granddaughter)

उदाहरण 51: P, R का पिता है और S, Q का पुत्र है। T, P का भाई है। यदि R, S की बहन है, तो Q, T से कैसे संबंधित है?

(a) पत्नी (Wife)

(b) भाभी (Sister-in-law)

(c) साला/बहनोई (Brother-in-law)

(d) बहू (Daughter-in-law)

समाधानः

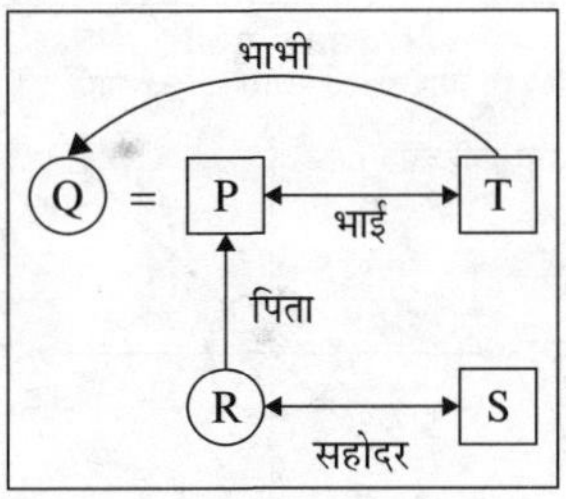

इसलिए, (b) भाभी (Sister-in-law) सही विकल्प है।

प्रकार 3: सांकेतिक रक्त संबंध (Type 3: Coded Blood Relationships)

सांकेतिक संबंधों पर आधारित प्रश्नों में विशिष्ट प्रतीकों (Symbols) का उपयोग किया जाता है, जो पारिवारिक या अन्य प्रकार के रिश्तों का प्रतिनिधित्व करते हैं। उम्मीदवार को इन संकेतों को डिकोड करना और प्रश्न में उल्लिखित व्यक्तियों के बीच सही संबंध की पहचान करनी होती है।

उदाहरण 52: नीचे दी गई जानकारी पढ़ें और उसके आधार पर प्रश्न का उत्तर दें:

- 'A + B' का अर्थ है "A, B की पुत्री (Daughter) है।"
- 'A × B' का अर्थ है "A, B का पुत्र (Son) है।"
- 'A – B' का अर्थ है "A, B की पत्नी (Wife) है।"

यदि P × Q – S, तो निम्नलिखित में से कौन-सा कथन सत्य है?

(a) S, Q की पत्नी है (S is the wife of Q)

(b) S, P का पिता है (S is the father of P)

(c) P, Q की पुत्री है (P is the daughter of Q)

(d) Q, P का पिता है (Q is the father of P)

समाधानः उदाहरण में दी गई जानकारी के आधार पर एक पारिवारिक वृक्ष बनाएं– Q = S

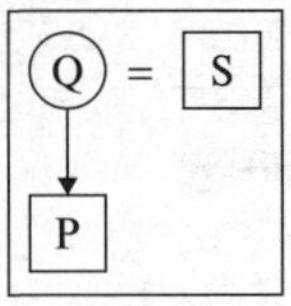

परिवार वृक्ष के अनुसार,

- Q, P की माँ है
- P एक पुरुष है
- S एक पुरुष है
- S, P का पिता है

इसलिए, (b) S, P का पिता है सही विकल्प है।

नोटः *अपनी 'रक्त संबंध' की समझ को परखने के लिए, पृष्ठ संख्या 348 पर दिए गए अभ्यास प्रश्नों को हल करने का प्रयास करें।*

आवश्यक टिप्स और ट्रिक्स

रक्त संबंध - सामान्य गलतियाँ (Blood Relations & Common Mistakes)

- नाम के आधार पर लिंग निर्धारित न करें। यदि कथन में कहा गया है कि "शक्ति, माया का बच्चा है," तो शक्ति का लिंग स्पष्ट नहीं होता जब तक कि प्रश्न में विशेष रूप से उल्लेख न किया गया हो।
- पहेली-आधारित प्रश्नों को जल्दबाजी में हल न करें। ऐसे प्रश्न स्कोरिंग होते हैं और हल करने में आसान होते हैं। अगर प्रश्न लंबा लगे, तो घबराएँ नहीं।
- **केवल रिश्तों की भाषा (Language of Only Relations):**
  - दादा/नाना के इकलौते पुत्र → पिता (Father)
  - नाना का इकलौती बेटी → माँ (Mother)
  - दादा/दादी की इकलौती बहू → माँ (Mother)
- **संबंधों में भ्रमित करने वाले शब्द/वाक्य (Confusing Words/Sentences in Relations):**
  - *उदाहरण:* "न भाई और न बहन" → इसका अर्थ होता है कि व्यक्ति स्वयं के बारे में बात कर रहा है (स्वयं - himself/herself)।

रक्त संबंध प्रश्नों को तेजी से हल करने की तरकीबें (Tricks to Solve Relationship Questions Faster)

- प्रश्न को स्वयं पर लागू करें। रक्त संबंध के प्रश्नों को हल करने का सबसे आसान तरीका यह है कि दिए गए नाम को अपनी जगह मान लें और फिर रिश्तों को समझें।

- प्रश्न को स्वयं पर लागू करें। रक्त संबंध के प्रश्नों को हल करने का सबसे अच्छा तरीका यह है कि दिए गए नाम को अपनी जगह मान लें और फिर रिश्तों को समझें। इस प्रक्रिया में, कथन में दिया गया पहला नाम आपका नाम माना जा सकता है।
- प्रश्न को छोटे भागों में विभाजित करें।
- सांकेतिक रक्त संबंधों के लिए हमेशा एक परिवार वृक्ष बनाएँ। इससे प्रतीकों और रिश्तों को स्पष्ट रूप से समझने में सहायता मिलती है। परिवार वृक्ष आरेख को स्पष्ट रूप से बनाएँ। इन प्रश्नों को 100% सटीकता के साथ हल करने की एक सरल तरकीब यह है कि एक परिवार वृक्ष बनाया जाए, जहाँ एक ही पीढ़ी के लोग एक ही स्तर (Level) पर हों, और पूरा आरेख एक श्रेणीबद्ध (Hierarchical) रूप में हो।
- यदि कोई विशिष्ट संबंध नहीं दिया गया है, तो दिए गए विकल्पों को देखकर समस्या का समाधान करने का प्रयास करें। प्रत्येक व्यक्ति के लिंग पर ध्यान दें। इससे अक्सर चार विकल्पों में से अधिकांश गलत उत्तरों को हटाने में सहायता मिलती है।

15.6 दिशाएँ (Directions)

इस विषय को सरल बनाने वाले वीडियो व्याख्यान को देखने के लिए इस QR कोड को स्कैन करें

दिशाओं को समझना रोजमर्रा की जिंदगी में नेविगेशन, नक्शा पढ़ने, और निर्देशों को देने या पालन करने के लिए बहुत महत्वपूर्ण है। दिशाएँ हमें अपने स्थान को पहचानने और वस्तुओं या स्थानों को अपनी वर्तमान स्थिति के सापेक्ष खोजने में मदद करती हैं।

रक्त संबंधों पर आधारित प्रश्नों को हल करने के लिए निम्नलिखित अवधारणाओं की मजबूत समझ आवश्यक है:

1. दिशाओं की श्रेणियाँ
2. दिशा अभिविन्यास की अवधारणा
3. सूर्य की गति के संबंध में छाया की अवधारणा
4. पाइथागोरस प्रमेय (दो बिंदुओं के बीच की न्यूनतम दूरी जानने के लिए उपयोग की जाती है)

दिशाओं की श्रेणियाँ (Categories of Directions)

1. **मुख्य दिशाएँ (Cardinal Directions):** चार प्रमुख दिशाएँ होती हैं- उत्तर (North), दक्षिण (South), पूर्व (East) और पश्चिम (West)।
2. **आंतरवर्ती दिशाएँ (Subsidiary Directions):** इनमें उत्तर-पूर्व (North-East), दक्षिण-पूर्व (South-East), उत्तर-पश्चिम (North-West) और दक्षिण-पश्चिम (South-West) शामिल होती हैं।

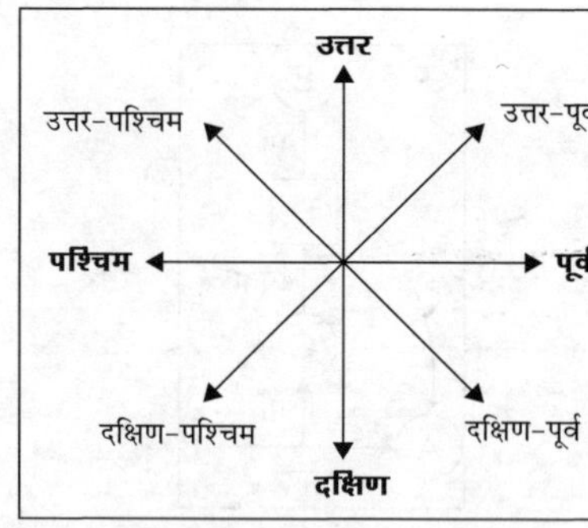

दिशाएँ

दिशा अभिविन्यास की अवधारणा (Concept of Orientation)

एक व्यक्ति आठ दिशाओं में से किसी भी दिशा में मुख कर सकता है। इन दिशाओं को समझना महत्वपूर्ण होता है क्योंकि यह प्रश्नों को हल करने के दौरान कथनों को चित्रों में बदलने में मदद करता है। नीचे दिया गया चित्र दिशाओं को समझने में सहायता करेगा।

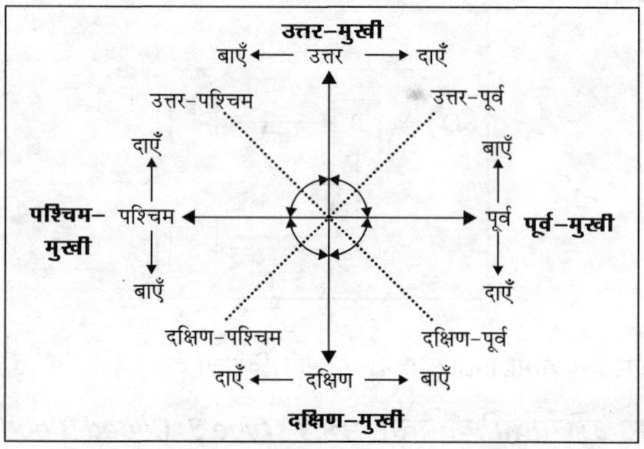

- **उत्तर (North) की ओर मुख करना:** यदि आप चारों दिशाओं के मिलन बिंदु (Origin) पर खड़े हैं और उत्तर की ओर देख रहे हैं, तो आपकी पीठ दक्षिण की ओर होगी, आपका बायाँ हाथ पश्चिम की ओर और दायाँ हाथ पूर्व की ओर होगा।
- **दक्षिण (South) की ओर मुख करना:** यदि आप दक्षिण की ओर देख रहे हैं, तो आपकी पीठ उत्तर की ओर होगी, आपका बायाँ हाथ पूर्व की ओर और दायाँ हाथ पश्चिम की ओर होगा।
- **पश्चिम (West) की ओर मुख करना:** यदि आप पश्चिम की ओर देख रहे हैं, तो आपकी पीठ पूर्व की ओर होगी, आपका दायाँ हाथ उत्तर की ओर और बायाँ हाथ दक्षिण की ओर होगा।
- **पूर्व (East) की ओर मुख करना:** यदि आप पूर्व की ओर देख रहे हैं, तो आपकी पीठ पश्चिम की ओर होगी, आपका बायाँ हाथ उत्तर की ओर और दायाँ हाथ दक्षिण की ओर होगा।
- **अन्य चार आंतरवर्ती दिशाएँ (North-East, South-East, North-West, South-West)** भी इसी प्रकार कल्पना की जा सकती हैं।

सूर्य की गति के संबंध में छाया की अवधारणा (Concept of Shadows in Relation to Sun Movement)

1. सुबह जब सूर्योदय होता है, तो किसी व्यक्ति या वस्तु की छाया पश्चिम दिशा में पड़ती है क्योंकि सूर्य पूर्व से उगता है।

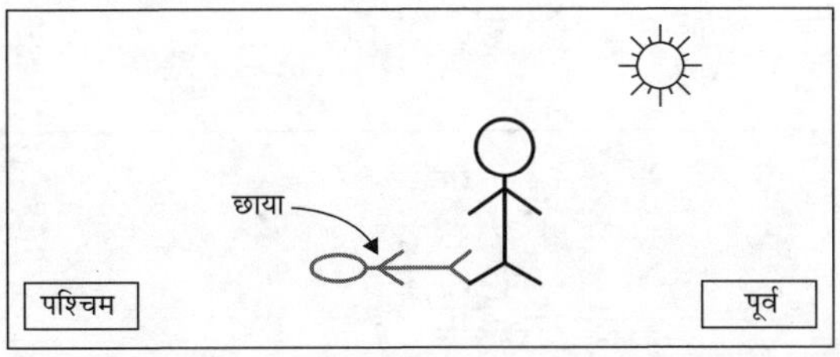

2. शाम को जब सूर्य पश्चिम में होता है, तो किसी व्यक्ति या वस्तु की छाया पूर्व दिशा में पड़ती है।

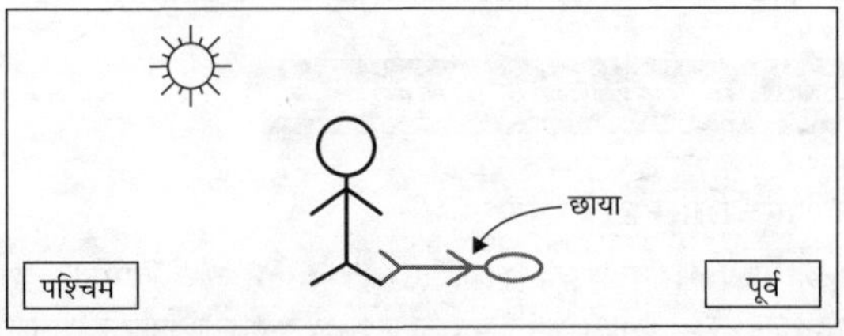

3. यदि कोई व्यक्ति सूर्योदय के समय उत्तर की ओर मुख करके खड़ा होता है, तो उसकी छाया बाई ओर (पश्चिम दिशा में) पड़ेगी।

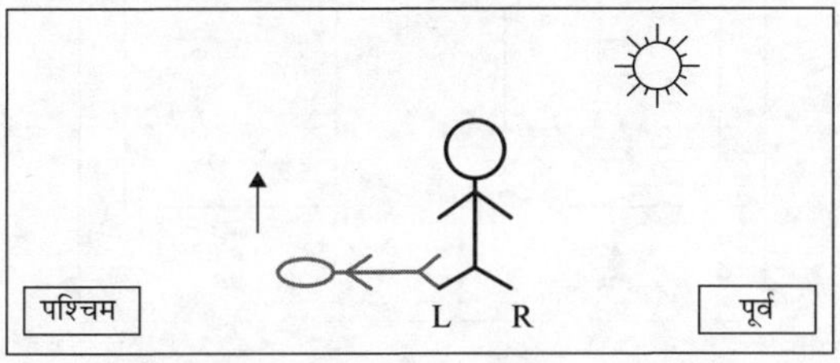

4. यदि कोई व्यक्ति सूर्यास्त के समय उत्तर की ओर मुख करके खड़ा होता है, तो उसकी छाया दाई ओर (पूर्व दिशा में) पड़ेगी।

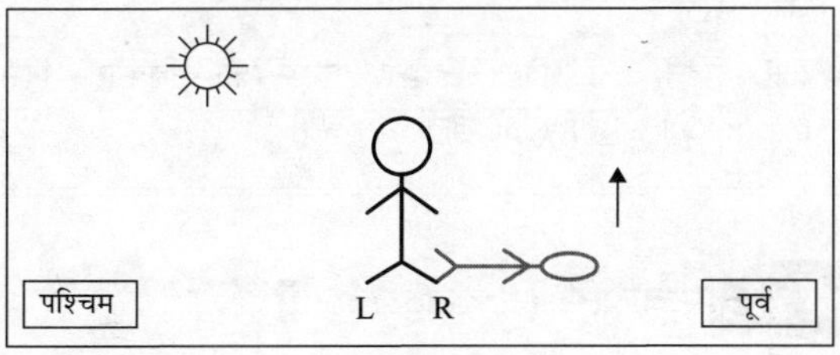

5. दोपहर 12:00 बजे कोई छाया नहीं होती।

पाइथागोरस प्रमेय (Pythagoras Theorem)

पाइथागोरस प्रमेय ज्यामिति का एक मौलिक सिद्धांत है, विशेष रूप से समकोण त्रिभुजों (Right-Angled Triangles) के संदर्भ में। इसका नाम प्राचीन ग्रीक गणितज्ञ पाइथागोरस के नाम पर रखा गया है। यह दिशा-आधारित प्रश्नों में दो बिंदुओं के बीच न्यूनतम दूरी (Shortest Distance) ज्ञात करने के लिए प्रयोग किया जाता है।

यह कहता है कि किसी समकोण त्रिभुज में कर्ण (Hypotenuse) का वर्ग, आधार (Base) और लंबवत (Perpendicular) के वर्गों के योग के बराबर होता है।

गणितीय रूप में इसे इस प्रकार व्यक्त किया जाता है:

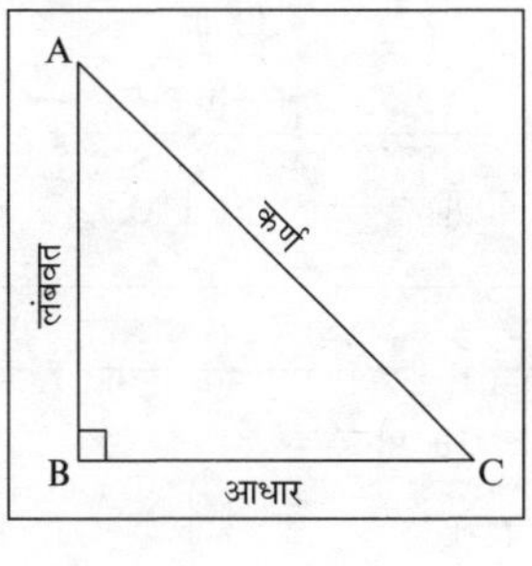

जहाँ:
h = कर्ण (Hypotenuse)
b = आधार (Base)
p = लम्बवत (Perpendicular)

हल किए गए उदाहरण (Solved Examples)

नोट: *'दिशा' के बारे में आपकी समझ का परीक्षण करने के लिए, हम आपको पृष्ठ संख्या 349 पर दिए गए अभ्यास प्रश्नों को हल करने के लिए प्रोत्साहित करते हैं।*

उदाहरण 53: सार्थक पूर्व दिशा में 3 किमी चलता है, फिर बाएँ मुड़कर 3 किमी चलता है। इसके बाद, वह फिर से बाएँ मुड़कर 3 किमी चलता है। अब वह अपने प्रारंभिक बिंदु से किस दिशा में है?

(a) उत्तर (North) (b) पूर्व (East)
(c) पश्चिम (West) (d) दक्षिण (South)

समाधान:

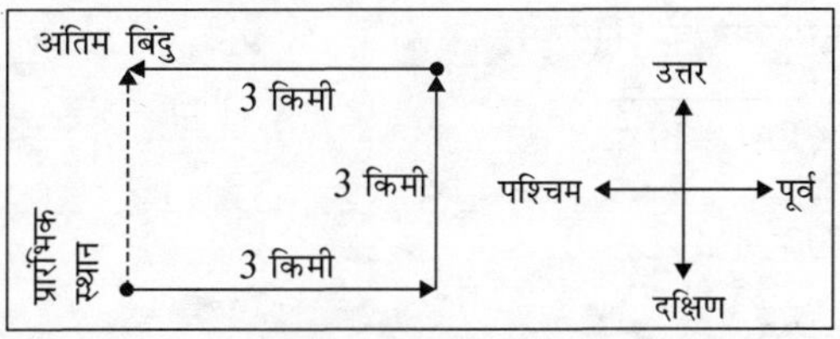

इस प्रकार, सार्थक अपने प्रारंभिक बिंदु से उत्तर दिशा में है। सही उत्तर: (a) उत्तर (North)।

उदाहरण 54: प्रशांत उत्तर की ओर चलना शुरू करता है। 30 मीटर चलने के बाद, वह बाएँ मुड़ता है और 40 मीटर चलता है। फिर वह बाएँ मुड़कर 30 मीटर चलता है। इसके बाद, वह फिर से बाएँ मुड़ता है और 50 मीटर चलता है। अब वह अपनी प्रारंभिक स्थिति से कितनी दूरी पर है?

(a) 10 मीटर (b) 40 मीटर
(c) 30 मीटर (d) इनमें से कोई नहीं

समाधानः

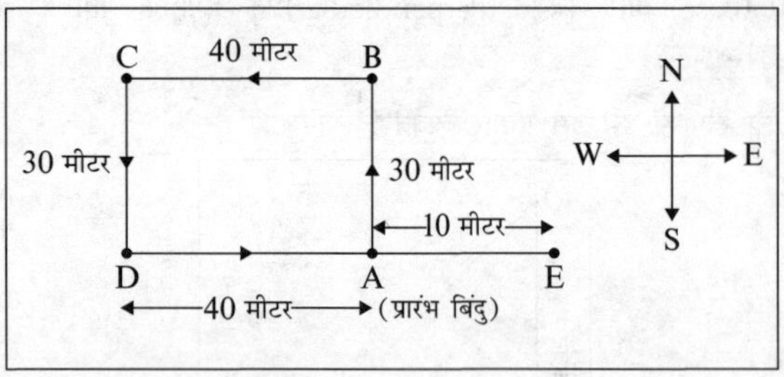

प्रशांत की अंतिम स्थिति E है और प्रारंभिक स्थिति A है। इसलिए, वह अपने प्रारंभिक बिंदु से केवल 10 मीटर दूर है।

सही उत्तरः (a) 10 मीटर।

उदाहरण 55: प्रत्यक्ष 15 किमी पश्चिम की ओर चलता है। फिर, वह दक्षिण की ओर मुड़कर 4 किमी चलता है। इसके बाद, वह फिर से पूर्व दिशा की ओर मुड़कर 12 किमी चलता है। अब वह अपने प्रारंभिक स्थान से कितनी दूरी पर है?

(a) 3 किमी (b) 4 किमी
(c) 5 किमी (d) 6 किमी

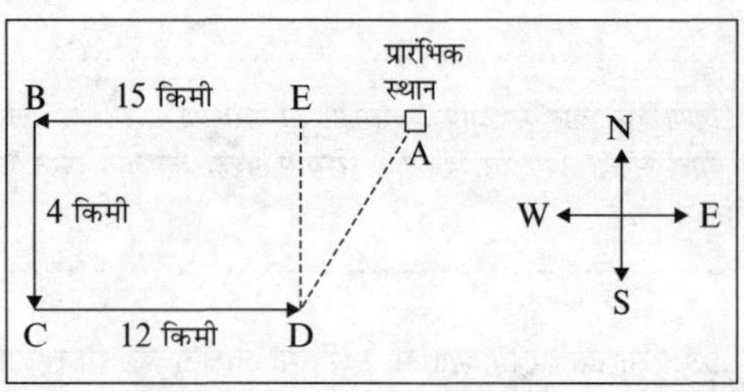

उपरोक्त चित्र के अनुसार,

AB = 15 किमी, CD = 12 किमी, BC = 4 किमी

ED = BC = 4 किमी

EA = AB − CD = 15 किमी − 12 किमी = 3 किमी

पाइथागोरस प्रमेय के अनुसार,

$$AD = \sqrt{EA^2 + ED^2}$$

$$AD = \sqrt{3^2 + 4^2}$$

$$AD = \sqrt{25}$$

$$AD = 5 \text{ किमी}$$

इसलिए, प्रत्यक्ष अपनी मूल स्थिति से 5 किमी दूर है। इसलिए, उत्तर विकल्प (c) 5 किमी है।

उदाहरण 56: सुबह 10 बजे का समय है और सुनील इस प्रकार खड़ा है कि उसकी छाया बाईं ओर गिर रही है। तो सुनील किस दिशा में मुख करके खड़ा है?

समाधानः सुबह 10 बजे, सूर्य पूर्व (East) दिशा में होता है। यदि सुनील की छाया बाईं ओर पड़ रही है, तो वह उत्तर (North) दिशा की ओर मुख करके खड़ा होगा। सही उत्तरः उत्तर (North)।

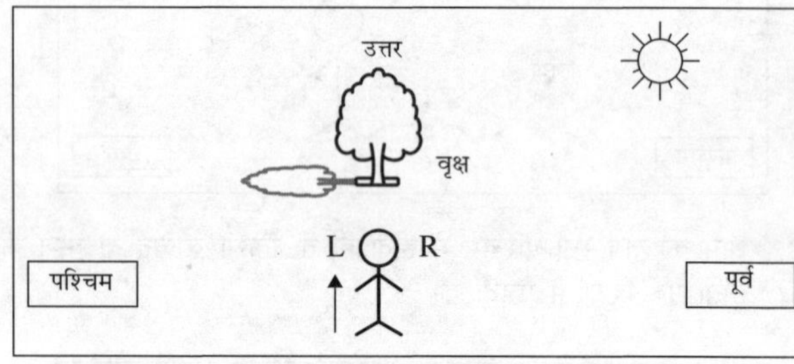

आवश्यक टिप्स और ट्रिक्स

दिशाएँ (DIRECTIONS)

कुछ प्रश्नों में घड़ी की दिशा (Clockwise) और विपरीत दिशा (Anticlockwise) में घूमने का उल्लेख किया जाता है। इन्हें समझने के लिए नीचे दिए गए चित्रों को देखें:

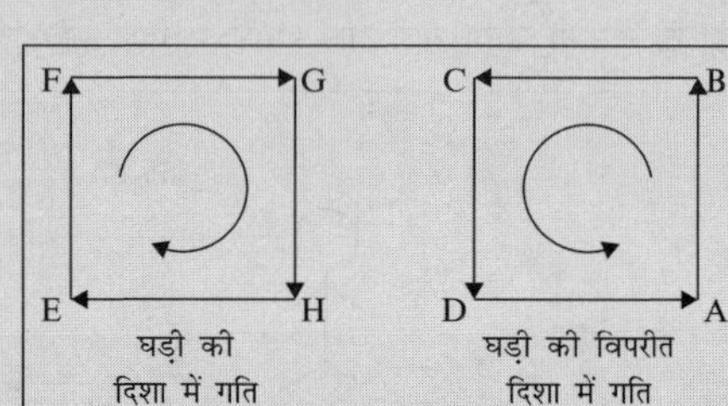

महत्वपूर्ण नोटः

- दाएँ मुड़ने की दिशा हमेशा घड़ी की दिशा (Clockwise) मानी जाती है।
- बाएँ मुड़ने की दिशा हमेशा घड़ी की विपरीत दिशा (Anticlockwise) मानी जाती है।

15.7 क्रमविन्यास (Arrangement)

जब एक या अधिक व्यक्तियों या वस्तुओं को उनकी आपसी तुलना के आधार पर किसी विशेष क्रम या अनुक्रम में व्यवस्थित किया जाता है, तो उसे क्रमविन्यास (Arrangement) कहा जाता है। यह लोगों या वस्तुओं को विशिष्ट मानदंडों के अनुसार क्रमबद्ध करने की प्रक्रिया होती है। इस प्रकार के प्रश्नों में विभिन्न प्रकार की व्यवस्थाओं को समझना आवश्यक होता है।

प्रकार 1: क्रम और रैंकिंग आधारित (Type 1: Based on Order and Ranking)

क्रम और रैंकिंग से जुड़े प्रश्नों में विभिन्न विशेषताएँ दी जाती हैं, जैसे आयु, अंक, आकार या ऊँचाई। कभी-कभी किसी पंक्ति में व्यक्तियों की स्थिति बाएँ या दाएँ से दी जाती है। उम्मीदवार को इन आंकड़ों को आरोही (Ascending) या अवरोही (Descending) क्रम में व्यवस्थित करके प्रश्नों का उत्तर देना होता है।

उदाहरण 57: राम, मोहन और सोहन से लंबा है, जबकि सोहन, श्याम से लंबा है। साथ ही, मोहन, सोहन से लंबा है। तो निम्नलिखित में से कौन सबसे छोटा है?

(a) श्याम (b) मोहन
(c) राम (d) सोहन

समाधानः (a) श्याम सही विकल्प है। प्रश्न के अनुसार,

- राम > मोहन और राम > सोहन
- सोहन > श्याम
- मोहन > सोहन

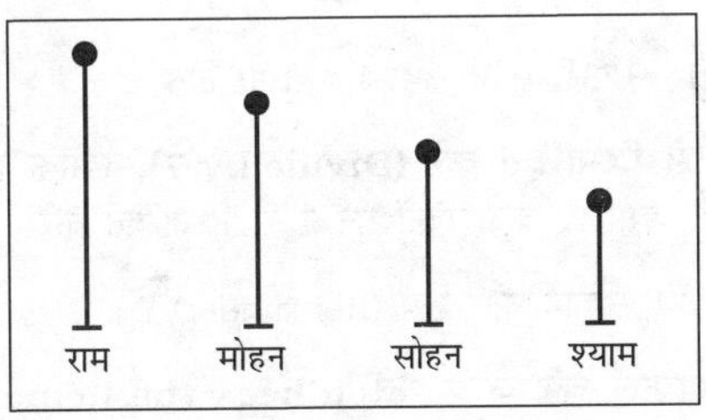

उपरोक्त डेटा को व्यवस्थित करते हुए, हमें मिलता है-

- राम > मोहन > सोहन > श्याम
- स्पष्ट रूप से, श्याम सबसे छोटा है।

उदाहरण 58: एक पंक्ति में, संदीप की स्थिति बाएँ से 10वें स्थान पर और दाएँ से 16वें स्थान पर है। इस पंक्ति में कुल कितने लोग हैं?

(a) 30 (b) 26
(c) 25 (d) 16

समाधानः (c) 25 सही विकल्प है।
बाएँ से संदीप की स्थिति (L) = 10
दाएँ से संदीप की स्थिति (R) = 16
कुल व्यक्तियों की संख्या निकालने का सूत्र:

$$= (L + R) - 1$$
$$= 10 + 16 - 1 = 25$$

प्रकार 2: बैठक व्यवस्था पर आधारित (Type 2: Based on Seating Arrangement)

बैठक व्यवस्था से जुड़े प्रश्नों में कुछ निश्चित शर्तों के आधार पर व्यक्तियों को पंक्ति (Row) या वृत्त (Circle) में व्यवस्थित करना होता है। प्रश्न में दी गई जानकारी अक्सर बिखरे हुए और भ्रमित करने वाले रूप में दी जाती है, ताकि उम्मीदवार को क्रमबद्ध रूप से डेटा व्यवस्थित करना पड़े और सही उत्तर तक पहुँचा जा सके।

उदाहरण 59: छह व्यक्ति A, B, C, D, E और F एक पंक्ति में उत्तर की ओर मुख करके बैठे हैं। C, D के पास नहीं बैठा है और D सबसे दाएँ छोर पर बैठा है। E, A और C के बीच बैठा है। A, F और D के पास नहीं बैठा है। B, F और D के बीच बैठा है। A के तुरंत दाएँ कौन बैठा है?

(a) B (b) C
(c) D (d) E

समाधानः दी गई जानकारी के आधार पर बैठक व्यवस्था इस प्रकार होगी:

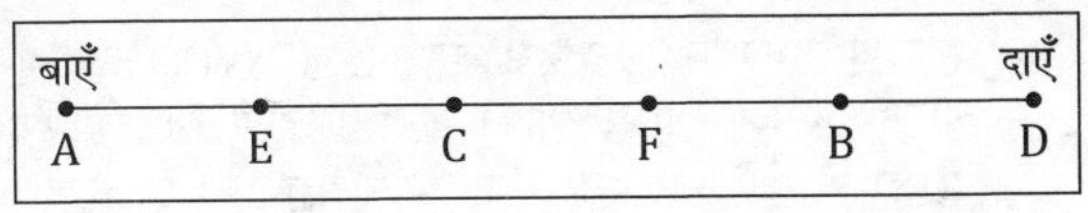

A के तुरंत दाएँ E बैठा है।

सही उत्तर: (d) E

उदाहरण 60: A, B, C और D ताश खेल रहे हैं। A और C तथा B और क जोड़ीदार (Partners) हैं। D, C के दाएँ बैठा है। C का मुख पश्चिम दिशा (West) की ओर है। D किस दिशा में मुख करके बैठा है?

(a) पश्चिम (West) (b) पूर्व (East)
(c) दक्षिण (South) (d) उत्तर (North)

समाधानः (c) दक्षिण सही विकल्प है।

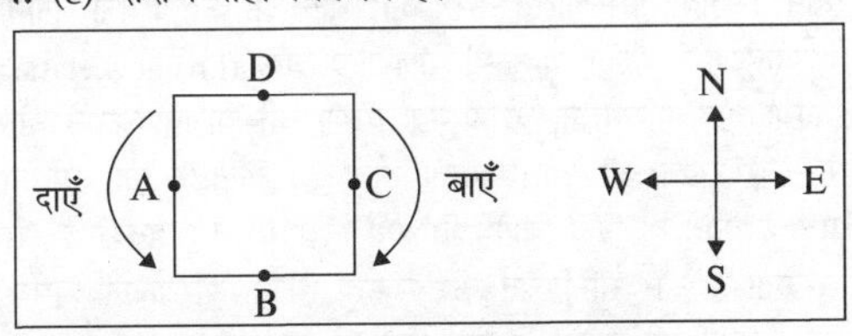

आवश्यक टिप्स और ट्रिक्स

व्यवस्था (ARRANGEMENT)

1. **पंक्ति में कुल व्यक्तियों की संख्या (Total Number of Persons in a Row):** (बाएँ छोर/ऊपर से व्यक्ति की रैंक + दाएँ छोर/नीचे से व्यक्ति की रैंक) − 1
2. **दाएँ छोर/नीचे से व्यक्ति की रैंक (Rank of a Person from Right End/Bottom):** (पंक्ति में कुल व्यक्तियों की संख्या) − (बाएँ छोर/ऊपर से व्यक्ति की रैंक) + 1
3. **ऊपर/बाएँ छोर से व्यक्ति की रैंक (Rank of a Person from Top/Left End):** (पंक्ति में कुल व्यक्तियों की संख्या) − (दाएँ छोर/नीचे से व्यक्ति की रैंक) + 1
4. **स्थिति परिवर्तन (Interchanging Positions):** जब दो व्यक्तियों की स्थिति बदली जाती है, तो निम्नलिखित सूत्रों का उपयोग करें:

कुल व्यक्तियों की संख्या = [पहले व्यक्ति की प्रारंभिक स्थिति + दूसरे व्यक्ति की बदली गई स्थिति] – 1

दूसरे व्यक्ति की नई स्थिति = [पहले व्यक्ति की दो स्थितियों के बीच का अंतर] + [दूसरे व्यक्ति की प्रारंभिक स्थिति]

5. यदि दो कथन "AND" से जुड़े हों, तो 'nd' के बाद दी गई जानकारी पहले व्यक्ति के लिए होती है। उदाहरण के लिए B, E के बाएँ ओर तीसरे स्थान पर बैठा है और A के ठीक दाएँ ओर बैठा है। यहाँ दोनों स्थितियाँ B की हैं।
6. यदि दो कथन "WHO" से जुड़े हों, तो 'WHO' के बाद दी गई जानकारी दूसरे व्यक्ति के लिए होती है। उदाहरण: B, D के बाएँ ओर दूसरे स्थान पर बैठा है, जो C के ठीक दाएँ ओर बैठा है। यहाँ 'C के ठीक दाएँ ओर' D की स्थिति को दर्शाता है।
7. सन्निकट (Adjacent): दो व्यक्ति यदि एक साथ बैठे हैं, तो उन्हें 'Adjacent' कहा जाएगा।

15.8 कैलेंडर (Calendar)

कैलेंडर हमारे दैनिक जीवन में एक महत्वपूर्ण उपकरण है, जो हमें तिथियों का हिसाब रखने, नियुक्तियाँ निर्धारित करने और घटनाओं की योजना बनाने में मदद करता है। उदाहरण के लिए, एक परियोजना प्रबंधक (Project Manager) को विभिन्न कार्यों और परियोजना के प्रमुख चरणों की योजना बनाने और उनकी प्रगति पर नजर रखने की आवश्यकता होती है। कैलेंडर का उपयोग करके, प्रबंधक प्रत्येक कार्य के लिए विशेष तिथियाँ निर्धारित कर सकता है, समयसीमा तय कर सकता है और सुनिश्चित कर सकता है कि परियोजना समय पर पूरी हो। कैलेंडर बैठकों की योजना बनाने, टीम के सदस्यों के साथ समन्वय करने और योजनाओं में टकराव से बचने में भी मदद करता है।

कैलेंडर से संबंधित प्रश्न हल करने के लिए निम्नलिखित अवधारणाओं की मजबूत समझ होनी चाहिए:

1. कैलेंडर के प्रकार (Types of Calendar)
2. विषम दिनों की अवधारणा (Concept of Odd Days)
3. विशेष तिथि का दिन निकालने की विधि (How to Find Day for a Particular Date)

कैलेंडर के प्रकार (Types of Calendars)

1. **सामान्य वर्ष (Ordinary Year):** एक सामान्य वर्ष वह होता है जिसमें 365 दिन होते हैं। ऐसे वर्ष 4 से विभाजित नहीं होते, जैसे 2001, 2002, 2003 आदि। शताब्दी वर्षों (Century Years) में सामान्य वर्ष वे होते हैं जो 400 से पूरी तरह विभाजित नहीं होते, जैसे 900, 1800, 2100 आदि।
2. **अधिवर्ष (Leap Year):** एक अधिवर्ष वह होता है जिसमें 366 दिन होते हैं। ऐसे वर्ष 4 से पूरी तरह विभाजित होते हैं, जैसे 2004, 2008, 2012 आदि। शताब्दी वर्षों में अधिवर्ष वे होते हैं जो 400 से पूरी तरह विभाजित होते हैं, जैसे 2000, 2400, 2800 आदि।

विषम दिन (Odd Days)

विषम दिनों का अर्थ उन विषम दिनों की संख्या से है जो कुल दिनों की संख्या को 7 से भाग देने के बाद जो विषम दिन बचते हैं, वे विषम दिन कहलाते हैं।

विषम दिनों की गणना की विधि (Steps to Calculate Odd Days)

आइए एक उदाहरण की मदद से विषम दिनों (Odd Days) की गणना करना समझें। 15 अप्रैल 2024 से 24 जुलाई 2024 के बीच विषम दिनों की संख्या निकालें।

चरण 1: कुल दिनों की गणना (Count the Total Days): पहले, दी गई अवधि के कुल दिनों की संख्या निकालें।

15 अप्रैल 2024 – 30 अप्रैल 2024 = 15 दिन (ध्यान दें कि 15 अप्रैल को गणना में नहीं लिया जाएगा)

1 मई – 31 मई 2024 = 31 दिन

1 जून – 30 जून 2024 = 30 दिन

1 जुलाई – 24 जुलाई 2024 = 24 दिन (24 जुलाई को गणना में लिया जाएगा)

कुल दिन = 15 + 31 + 30 + 24 = 100 दिन

चरण 2: 7 से विभाजित करें (Divide by 7): क्योंकि एक सप्ताह में 7 दिन होते हैं, इसलिए कुल दिनों को 7 से विभाजित करें।

100 ÷ 7 = 14 सप्ताह और शेष (Remainder) 2

चरण 3: शेषफल की जाँच करें (Check the Remainder): इस विभाजन का शेषफल ही विषम दिनों की संख्या होगी।

उदाहरण: उपर्युक्त चरण में, 100 ÷ 7 से शेषफल 2 प्राप्त होता है। अतः, 15 अप्रैल, 2024 और 24 जुलाई, 2024 के बीच 2 विषम दिन हैं

किसी विशेष तिथि के लिए दिन कैसे खोजें? (How to Find Day for a Particular Date?)

यदि हमें यह पता लगाना हो कि कोई विशेष तिथि किस दिन पड़ी, तो निम्नलिखित चरणों का पालन करें।

उदाहरण: यदि 27 मार्च 2011 रविवार था, तो 27 जून 2012 कौन-सा दिन होगा?

चरण 1: संदर्भ दिन की पहचान करें (Identify the Reference Day)

इस उदाहरण में, 27 मार्च 2011 = रविवार दिया गया है।

चरण 2: लक्ष्य तिथि तक के दिनों की गणना करें (Calculate Number of Days to the Target Date)

संदर्भ दिन से लक्ष्य तिथि तक सभी दिनों की गिनती करें, जिसमें लक्ष्य तिथि शामिल होगी लेकिन संदर्भ दिन नहीं।

नोट: दिनों की संख्या की गणना के लिए:

- संदर्भ तिथि शामिल नहीं है
- लक्ष्य तिथि शामिल है

हमारे उदाहरण में, आइए 27 मार्च, 2011 से 27 जून, 2011 तक के दिनों की संख्या की गणना करें। चिंता न करें, हम बाद में 27 जून, 2012 पर वापस आएंगे!

27 मार्च – 31 मार्च 2011 = 4 दिन

1 अप्रैल – 30 अप्रैल 2011 = 30 दिन

1 मई – 31 मई 2011 = 31 दिन

1 जून – 27 जून 2011 = 27 दिन

कुल दिन = 4 + 30 + 31 + 27 = 92 दिन

चरण 3: विषम दिनों की गणना करें (Calculate Odd Days)

27 मार्च - 27 जून 2011 के बीच विषम दिनों की संख्या

$= \frac{\text{दिनों की संख्या}}{7} = \frac{92}{7}$

= 13 शेषफल 1 के साथ

चरण 4: विशेष तिथि के दिन की गणना करें (Find the Day on Particular Date)

27 जून 2012 का दिन निकालें:

संदर्भ दिन (27 मार्च 2012) = रविवार

27 जून 2011 = रविवार + 1 विषम दिन = सोमवार

अब, 27 जून 2012 का दिन निकालें:

चूँकि 2012 अधिवर्ष है, इसमें 52 सप्ताह + 2 विषम दिन होंगे।

27 जून 2012 का दिन = 27 जून 2011 का दिन + 2 विषम दिन

27 जून 2012 = सोमवार + 2 = बुधवार

इस प्रकार, 27 जून 2012 = बुधवार होगा।

आवश्यक टिप्स और ट्रिक्स

कैलेंडर (CALENDAR)

- कैलेंडर वर्ष के सभी दिनों का रिकॉर्ड होता है।
- कैलेंडर की सबसे छोटी इकाई एक दिन होती है।
- एक सप्ताह 7 दिनों का समूह होता है।
- एक माह (Month) वर्ष का 12वां भाग होता है।
- एक वर्ष वह समय होता है, जिसमें पृथ्वी सूर्य के चारों ओर एक पूरी परिक्रमा पूरी करती है।
- 1 सामान्य वर्ष (Ordinary Year) = 365 दिन = (52 सप्ताह + 1 दिन)
- 1 अधिवर्ष (Leap Year) = 366 दिन = (52 सप्ताह + 2 दिन)
- 100 वर्षों की अवधि को शताब्दी (Century) कहा जाता है।
- शताब्दी का पहला दिन बुधवार, शुक्रवार या रविवार नहीं हो सकता।
- शताब्दी का अंतिम दिन मंगलवार, बृहस्पतिवार या शनिवार नहीं हो सकता।

शताब्दी वर्षों में विषम दिनों की संख्या (Odd Days in Century Years)

- **100 वर्षों में विषम दिनों की संख्या:**
  100 वर्ष = 76 सामान्य वर्ष + 24 अधिवर्ष
  = (76 × 1 + 24 × 2) विषम दिन
  = 76 + 48 = 124 विषम दिन
  = 17 सप्ताह + 5 दिन
  अतः 100 वर्षों में विषम दिनों की संख्या = 5।
- **200 वर्षों में विषम दिनों की संख्या:**
  = (5 × 2) = 10 दिन
  = 1 सप्ताह + 3 दिन
  अतः 200 वर्षों में विषम दिनों की संख्या = 3।
- **300 वर्षों में विषम दिनों की संख्या:**
  = (5 × 3) = 15 दिन
  = 2 सप्ताह + 1 दिन
  = 1 विषम दिन
  अतः 300 वर्षों में विषम दिनों की संख्या = 1।
- **400 वर्षों में विषम दिनों की संख्या:**
  = (5 × 4) + 1 (अधिवर्ष के लिए 1 जोड़ा गया)
  = 21 दिन
  = 3 सप्ताह
  = 0 विषम दिन
  अतः 400 वर्षों में विषम दिनों की संख्या = 0।

विशेष तिथि के दिन की गणना के लिए त्वरित युक्तियाँ

- यदि संदर्भ तिथि गई तिथि के बाद आती है:
  दिन = संदर्भ तिथि का दिन – विषम दिनों की संख्या
- यदि संदर्भ तिथि दी गई तिथि से पहले आती है:
  दिन = संदर्भ तिथि का दिन + विषम दिनों की संख्या
- यदि संदर्भ तिथि नहीं दी गई है, तो विशेष तिथि का दिन निकालने के लिए उस तिथि तक के कुल विषम दिनों की गणना करनी होगी।
  आवश्यक दिन निम्नलिखित तालिका के अनुसार निर्धारित किया जाएगा।

तालिका 15.9 संदर्भ रहित दिन तिथि

दिनों की संख्या	दिन
0	रविवार
1	सोमवार
2	मंगलवार
3	बुधवार
4	गुरुवार
5	शुक्रवार
6	शनिवार

हल किए गए उदाहरण (Solved Examples)

उदाहरण 61: मेरे पास वर्ष 1997 का कैलेंडर है। मैं इसे फिर से कब उपयोग कर सकता हूँ?

(a) 2001 (b) 2003
(c) 2005 (d) 2007

समाधान: (b) 2003

वर्ष 1997 में 365 दिन होते हैं, जिसका अर्थ है 1 विषम दिन (odd day)।

वर्ष 1998 में भी 365 दिन होते हैं, यानी 1 विषम दिन। इसी तरह, वर्ष 1999, 2001 और 2002 में भी 1-1 विषम दिन होते हैं, जबकि वर्ष 2000 में 366 दिन होते हैं, यानी 2 विषम दिन।

इस प्रकार, वर्ष 1997 से 2002 तक कुल विषम दिनों की संख्या:

1 + 1 + 1 + 2 + 1 + 1 = 7 दिन = 0 विषम दिन (odd days)

इसलिए, वर्ष 2003 का कैलेंडर वर्ष 1997 के समान होगा।

स्कोर बूस्टर

पूरक पठन अनुशंसा

QR कोड काम नहीं कर रहा है? QR कोड के साथ दिए गए संसाधनों तक पहुँचने के लिए आंतरिक फ्रन्ट कवर पर दिए गए निर्देशों का पालन करें

गणितीय योग्यता से संबंधित परीक्षाओं में मूर्खतापूर्ण गलतियाँ करने से बचने के लिए बहुमूल्य सुझाव देने वाले हमारे विशेष वीडियो को देखने के लिए इस QR कोड को स्कैन करें।

विशेषज्ञ सलाह तक पहुँचने के लिए अभी स्कैन करें जो आपकी गणितीय योग्यता को बढ़ाएगा और आपके परीक्षा प्रदर्शन को बेहतर बनाएगा।

16 गणितीय अभिक्षमता (Mathematical Aptitude)

इस अध्याय में

परीक्षोपयोगी (Exam Essential): UGC NET परीक्षा में पूछे जाने की अत्यधिक संभावना

परिचय (Introduction)

कल्पना कीजिए कि आप किराने का सामान खरीद रहे हैं। आप विभिन्न ब्रांडों की कीमतों की तुलना करते हैं, थोक खरीद पर छूट की गणना करते हैं और कुल लागत का अनुमान लगाते हैं ताकि आपका बजट न बिगड़े। यह दैनिक गतिविधि गणितीय अवधारणाओं के उपयोग को दर्शाती है, जैसे प्रतिशत की गणना करना, लाभ और हानि को समझना और खर्चों को प्रभावी रूप से प्रबंधित करना। गणितीय अभिक्षमता का अर्थ है संख्याओं और गणितीय अवधारणाओं को समझने और उन पर कार्य करने की क्षमता। इसमें लाभ-हानि, ब्याज की गणना और छूट से संबंधित समस्याओं को हल करना शामिल है, जो सही वित्तीय निर्णय लेने के लिए आवश्यक हैं।

UGC NET पेपर 1 के अभ्यर्थियों के लिए गणितीय अभिक्षमता में दक्षता हासिल करना बहुत महत्वपूर्ण है। यह न केवल समस्या समाधान क्षमता को बढ़ाती है, बल्कि उन प्रतियोगी परीक्षाओं में भी सहायक होती है जहाँ मात्रात्मक अभिक्षमता का मूल्यांकन किया जाता है। इन अवधारणाओं को समझने से प्रभावी निर्णय लेने की क्षमता विकसित होती है, जो अकादमिक और व्यावसायिक दोनों क्षेत्रों में उपयोगी होती है। इस अध्याय में हम इन विषयों में उत्कृष्टता प्राप्त करने के लिए आवश्यक मौलिक ज्ञान और तकनीकों को समझेंगे।

16.1 भिन्न (Fraction)

भिन्न एक संपूर्ण का भाग होता है और यह दो संख्याओं से मिलकर बना होता है–अंश (Numerator) और हर (Denominator)। अंश (ऊपरी संख्या) यह दर्शाता है कि संपूर्ण के कितने भाग लिए जा रहे हैं। हर (निचली संख्या) यह दर्शाता है कि संपूर्ण को कितने बराबर भागों में विभाजित किया गया है।

भिन्न को निम्न रूप में व्यक्त किया जाता है: $\frac{\text{भाग}}{\text{सम्पूर्ण}}$ या $\frac{\text{अंश}}{\text{हर}}$

आइए इसे एक रोचक उदाहरण से समझते हैं। मान लीजिए कि एक पिज्जा को आठ बराबर टुकड़ों में काटा गया है। यदि आप तीन टुकड़े खा लेते हैं, तो आपने $\frac{3}{8}$ पिज्जा खा लिया। यहाँ, 3 (अंश) इंगित करता है कि आपने कितने टुकड़े खाए। 8 (हर) इंगित करता है कि कुल कितने टुकड़े थे। (चित्र 16.1)।

इस प्रकार, भिन्न एक परिमेय संख्या (Rational Number) होती है, जिसे निम्न रूप में लिखा जाता है: $\frac{p}{q}$ के, जहाँ $q \neq 0$ है। अब, हम भिन्न के विभिन्न प्रकारों को समझेंगे।

चित्र 16.1 भिन्न

भिन्नों के प्रकार (Types of Fractions)

1. **साधारण भिन्न (Proper Fraction):** जब किसी भिन्न में अंश (ऊपरी संख्या) हर (निचली संख्या) से छोटा होता है, तो उसे साधारण भिन्न कहते हैं। इसका मान हमेशा 1 से कम होता है। उदाहरण: $\frac{3}{8}$ में, 3 अंश है और 8 हर है। चूँकि 3, 8 से छोटा है, इसलिए $\frac{3}{8}$ एक साधारण भिन्न है।
2. **अपूर्ण भिन्न (Improper Fraction):** जब किसी भिन्न में अंश (ऊपरी संख्या) हर (निचली संख्या) से बड़ा या उसके बराबर होता है, तो उसे अपूर्ण भिन्न कहते हैं। इसका मान हमेशा 1 के बराबर या उससे अधिक होता है। उदाहरण: $\frac{9}{4}$ में, 9 अंश है और 4 हर है। चूँकि 9, 4 से बड़ा है, इसलिए $\frac{9}{4}$ एक अपूर्ण भिन्न है।
3. **संयुक्त भिन्न (Compound Fraction):** जब किसी भिन्न के अंश, हर, या दोनों में ही भिन्न होते हैं, तो उसे संयुक्त भिन्न या जटिल भिन्न कहा जाता है। इसे भिन्न का भिन्न भी कहा जाता है। उदाहरण: $\frac{\frac{1}{2}}{\frac{3}{4}}$ में, अंश $\frac{1}{2}$ है और हर $\frac{3}{4}$ है। अन्य उदाहरण: $\frac{\frac{1}{2}}{4}$ और $\frac{1}{1/4}$ आदि।
4. **व्युत्क्रम भिन्न (Inverse Fraction):** जब किसी भिन्न के अंश और हर को आपस में बदल दिया जाता है, तो उसे व्युत्क्रम भिन्न या प्रतिलोम (Reciprocal) कहा जाता है। यदि किसी भिन्न $\frac{a}{b}$ का व्युत्क्रम लिया जाए, तो यह $\frac{b}{a}$ होगा। किसी भिन्न और उसके व्युत्क्रम का गुणनफल हमेशा 1 होता है। $\frac{2}{3}$ का व्युत्क्रम $\frac{3}{2}$ होगा। यदि आप इन दो भिन्नों को गुणा करते हैं, तो आपको मिलता है:
$$=\frac{2}{3}\times\frac{3}{2}=\frac{2\times 3}{3\times 2}=\frac{6}{6}=1$$
5. **मिश्रित भिन्न (Mixed Fraction):** जब किसी भिन्न में एक पूर्ण संख्या और एक साधारण भिन्न का संयोजन होता है, तो उसे मिश्रित भिन्न कहते हैं। इसका मान 1 से अधिक होता है, लेकिन यह पूर्ण संख्या नहीं होता। उदाहरण: $2\frac{3}{4}$ में, 2 पूर्ण संख्या है और $\frac{3}{4}$ भिन्न का भाग है। इसे 2 संपूर्ण पिज्जा और एक अतिरिक्त तीन-चौथाई पिज्जा के रूप में समझा जा सकता है।
6. **दशमलव भिन्न (Decimal Fraction):** जब किसी भिन्न का हर 10, 100, 1000 आदि की घात में होता है, तो उसे दशमलव भिन्न कहते हैं। उदाहरण: $\frac{3}{10}$ को दशमलव रूप में 0.3 लिखा जाता है। $\frac{45}{100}$ को दशमलव रूप में 0.45 लिखा जाता है।
7. **सरल भिन्न (Simple Fraction):** जब किसी भिन्न का हर 10, 100, 1000 आदि की घात में नहीं होता, तो उसे सरल भिन्न कहते हैं। उदाहरण: $\frac{3}{7}, \frac{5}{13}, \frac{245}{1198}$, आदि।
8. **आवर्ती भिन्न (Recurring Fraction):** जब किसी भिन्न का दशमलव रूप अनंत रूप से दोहराने वाले अंकों में बदल जाता है, तो इसे आवर्ती भिन्न या पुनरावृत्ति भिन्न कहते हैं। उदाहरण: $\frac{1}{3}$ का दशमलव रूप 0.3333... होता है, जहाँ 3 अनंत बार दोहराता रहता है। इसे $0.\overline{3}$ के रूप में लिखा जाता है, जिससे पता चलता है कि 3 बार-बार दोहर रहा है।

भिन्नों पर गणितीय संक्रियाएँ (Operations on Fractions)

जोड़ और घटाव (Addition and Subtraction)

भिन्नों के जोड़ और घटाव को निम्नलिखित चरणों और एक सरल उदाहरण की सहायता से समझते हैं।

उदाहरण 1: $\frac{1}{4}+\frac{2}{3}$

इस जोड़ की गणना निम्नलिखित चरणों में की जाएगी:

1. **चरण 1: लघुत्तम समापवर्त्य (LCM) ज्ञात करें :** दिए गए भिन्नों के हर (नीचे की संख्या) का लघुत्तम समापवर्तक (LCM) निकालें। हमारे उदाहरण में,
   - यहाँ, हर 4 और 3 हैं
   - 4 और 3 का LCM = 12
2. **चरण 2: भिन्नों को परिवर्तित करें (Convert the Fractions) :** प्रत्येक भिन्न को समान हर वाली समतुल्य भिन्न में बदलें।
   - $\frac{1}{4}$ को 12 हर में बदलने के लिए अंश और हर को 3 से गुणा करें:
   $$=\frac{1}{4}\times\frac{3}{3}=\frac{3}{12}$$
   - $\frac{2}{3}$ को 12 हर में बदलने के लिए अंश और हर को 4 से गुणा करें।
   $$=\frac{2}{3}\times\frac{4}{4}=\frac{8}{12}$$
3. **चरण 3: अंशों का जोड़ करें :** जब भिन्नों के हर समान हो जाते हैं, तो केवल अंशों को जोड़ा जाता है, और हर वही रहता है।
$$\frac{3}{12}+\frac{8}{12}=\frac{3+8}{12}=\frac{11}{12}$$
इसलिए, $$\frac{1}{4}+\frac{2}{3}=\frac{11}{12}$$
4. **चरण 4: सरलीकरण (यदि आवश्यक हो) :** $\frac{11}{12}$ पहले से ही अपने सबसे सरल रूप में है, इसलिए इसे ऐसे ही रखा जाएगा।

गुणा (Multiplication)

दो या अधिक भिन्नों के गुणा के लिए, उनके अंशों को अंश से और हरों को हर से गुणा किया जाता है। नीचे दिए गए उदाहरण से इसे समझें:

उदाहरण 2: $\frac{2}{3}$ को $\frac{3}{4}$ से गुणा करें :

1. **चरण 1: अंशों का गुणा करें :** $2 \times 3 = 6$
2. **चरण 2: हर का गुणा करें :** $3 \times 4 = 12$

$$\frac{2}{3} \times \frac{3}{4} = \frac{2 \times 3}{3 \times 4} = \frac{6}{12}$$

3. **चरण 3: परिणाम को सरल करें:** $\frac{6}{12} = \frac{1}{2}$

(चूँकि 6 और 12 दोनों ही 6 से विभाज्य हैं।)

भाग (Division)

आइए निम्नलिखित चरणों और एक सरल उदाहरण की मदद से भाग को समझें:

उदाहरण 3: $\frac{3}{4}$ को $\frac{2}{5}$ से विभाजित करें

1. **चरण 1: भाजक या दूसरी भिन्न का व्युत्क्रम लें :** भिन्न $\frac{a}{b}$ का व्युत्क्रम $\frac{b}{a}$ है। हमारे उदाहरण में,
   - $\frac{2}{5}$ का व्युत्क्रम $\frac{5}{2}$ है।
2. **चरण 2: पहले भिन्न को दूसरे भिन्न के व्युत्क्रम से गुणा करें :** भिन्नों को गुणा करने के लिए चरणों का पालन करें: अंशों को गुणा करें और हरों को गुणा करें।

$$\frac{3}{4} \times \frac{5}{2} = \frac{3 \times 5}{4 \times 2} = \frac{15}{8}$$

3. **परिणामी भिन्न को सरल बनाएँ:** यदि संभव हो तो परिणामी भिन्न को सरल बनाएँ।

$\frac{15}{8}$ पहले से ही अपने सरलतम रूप में है

इसलिए, $\frac{3}{4} \div \frac{2}{5} = \frac{15}{8}$

हल किए गए उदाहरण (Solved Examples)

नोट: *'भिन्नों' की अपनी समझ का परीक्षण करने के लिए, हम आपको पृष्ठ संख्या 350 पर अभ्यास प्रश्नों को आजमाने के लिए प्रोत्साहित करते हैं।*

उदाहरण 4: 578 में से $\frac{9}{30}$ खोजें

हल: 578 में से $\frac{9}{30}$ खोजने के लिए, 578 को $\frac{9}{30}$ से गुणा करें :

$$= \frac{9}{30} \times 578 = \frac{9 \times 578}{30} = \frac{1734}{10} = \frac{867}{5} \text{ या } 173.4$$

उदाहरण 5: कौन-सा बड़ा है: $\frac{25}{378}$ या $\frac{13}{276}$?

हल: दोनों भिन्नों को क्रॉस गुणा करके, हम प्राप्त करते हैं:

बायाँ पक्ष = $25 \times 276 = 6900$

दायाँ पक्ष = $13 \times 378 = 4914$

और, $6900 > 4914$

इसलिए, $\frac{25}{378} > \frac{13}{276}$

उदाहरण 6: एक कक्षा में, $\frac{3}{4}$वें छात्र न तो अंग्रेजी जानते हैं और न ही हिंदी। लेकिन $\frac{1}{6}$वें छात्र अंग्रेजी जानते हैं। यदि हिंदी जानने वाले छात्र कक्षा में कुल छात्रों के $\frac{1}{8}$वें हैं, तो कितने छात्र अंग्रेजी और हिंदी दोनों जानते हैं?

(a) $\frac{1}{24}$ (b) $\frac{100}{24}$

(c) $\frac{10}{12}$ (d) $\frac{1}{4}$

हल: $\frac{3}{4}$वें छात्र अंग्रेजी या हिंदी नहीं जानते।

इसलिए, $\frac{1}{4}$वें छात्र अंग्रेजी या हिंदी या दोनों जानते हैं।

$\frac{1}{6}$वें को अंग्रेजी और $\frac{1}{8}$वें को हिंदी आती है।

अब, $\frac{1}{6} + \frac{1}{8} - \frac{1}{4} = \frac{1}{24}$

इस प्रकार, सही उत्तर (a) है।

आवश्यक टिप्स और ट्रिक्स

भिन्न

1. यदि $p = q$, तो $\frac{p}{q} = 1$
2. यदि $p = 0$, तो $\frac{p}{q} = 0$
3. यदि $q = 0$, तो $\frac{p}{q} = \infty$
4. यदि $p = q = 0$, तो $\frac{p}{q}$ = परिभाषित नहीं है।
5. यदि p और q को एक ही संख्या से गुणा या भाग किया जाए, तो $\frac{p\times 4}{q\times 4} = \frac{p}{q}$
6. भिन्न को निम्नतम रूप में तब कहा जाता है जब अंश और हर के बीच 1 के अलावा कोई अन्य सामान्य कारक न हो। उदाहरण के लिए, $\frac{3}{9}$ निम्नतम रूप में नहीं है, क्योंकि अंश और हर के बीच 3 सामान्य कारक है। हम इसे $\frac{1}{3}$ के रूप में फिर से लिख सकते हैं। अब भिन्न $\frac{5}{11}$ पर विचार करें। अंश और हर के बीच कोई सामान्य कारक नहीं है, जिससे यह निम्नतम रूप में भिन्न है।
7. यदि भिन्नों के हर समान हैं, तो सबसे बड़े अंश वाली भिन्न सबसे बड़ी होगी। निम्नलिखित भिन्नों पर विचार करें: $\frac{2}{7}, \frac{3}{7}, \frac{5}{7}, \frac{6}{7}$। इनमें से $\frac{6}{7}$ का अंश सबसे बड़ा है, जिससे यह दी गई भिन्नों में सबसे बड़ी भिन्न बन जाती है।
8. गदि भिन्न भिन्नों के अंश और हर में समान अंतर हो, तो सबसे छोटे अंश वाली भिन्न सबसे छोटी होगी और सबसे बड़े अंश वाली भिन्न सबसे बड़ी होगी। $\frac{3}{7}$ और $\frac{5}{9}$ पर विचार करें। इन दोनों भिन्नों में अंश और हर के बीच का अंतर 4 (7 – 3 और 9 – 5) है। अतः $\frac{3}{7} < \frac{5}{9}$।
9. यदि किसी भिन्न में अंश और हर एक निश्चित मान से बढ़ रहे हैं और हर में वृद्धि अंश में वृद्धि से अधिक है, तो सबसे बड़े अंश वाली भिन्न सबसे छोटी होगी। उदाहरण के लिए, निम्नलिखित भिन्नों में से:
$$\frac{15}{31}, \frac{19}{41}, \frac{23}{51}, \frac{27}{61}, \frac{31}{71}, \frac{35}{81}$$
$\frac{35}{81}$ सबसे छोटी होगी।
10. दो भिन्नों की तुलना करने के लिए, उन्हें क्रॉस-गुणा करें जैसा कि नीचे दर्शाया गया है:
    - यदि $ps > rq$, तो $\frac{p}{q} > \frac{r}{s}$
    - यदि $ps < rq$, तो $\frac{p}{q} < \frac{r}{s}$
    - यदि $ps = rq$, तो $\frac{p}{q} = \frac{r}{s}$

16.2 अनुपात और समानुपात (Ratios and Proportions)

1. **अनुपात (Ratio):** अनुपात दो या दो से अधिक समान प्रकार की मात्राओं की तुलना करने का एक तरीका है। यह दो मात्राओं के बीच के संबंध को दर्शाता है। अनुपात को व्यक्त करने के तीन तरीके होते हैं:
    - A:B
    - $\frac{a}{b}$
    - a से b

   आइए इसे एक वास्तविक उदाहरण से समझते हैं। मान लीजिए कि आप एक पार्टी के लिए फ्रूट पंच बना रहे हैं। नुस्खे के अनुसार, हर 3 लीटर फलों के रस के लिए 1 लीटर पानी मिलाना है। इसका अनुपात होगा: 3:1 या $\frac{3}{1}$ या 3 से 1 है।
2. **समानुपात (Proportion):** समानुपात एक समीकरण होता है, जो यह दर्शाता है कि दो अनुपात बराबर हैं। इसका अर्थ है कि दो अनुपात या भिन्न समान होते हैं।

   यदि $\frac{a}{b} = \frac{c}{d}$

   या $a{:}b = c{:}d$, तो हम कह सकते हैं कि a, b, c और d समानुपात में हैं।
    - इसे $a{:}b :: c{:}d$ के रूप में लिखा जा सकता है, जहाँ प्रतीक '::' अनुपात को दर्शाता है।

   इसे बेहतर ढंग से समझने के लिए आइए एक सरल उदाहरण लेते हैं। यदि सेब और संतरे का अनुपात 2:3 है, और सेब चार हैं, तो अनुपात समानुपातिक होने के लिए छह संतरे होने चाहिए, यानी $\frac{2}{3} = \frac{4}{6}$।

आवश्यक टिप्स और ट्रिक्स

अनुपात और समानुपात

1. **समतुल्य अनुपात (Equivalent Ratios)**
   दो अनुपात $\frac{a}{b}$ और $\frac{c}{d}$ समतुल्य हैं
   यदि $a \times d = b \times c$
2. **अनुपात में गुम तत्व निकालना (Finding the Missing Term in a Ratio):**
   यदि $\frac{a}{b} = \frac{c}{d}$ और एक पद लुप्त है, तो लुप्त पद ज्ञात करने के लिए क्रॉस-गुणन का उपयोग करें।
   $\frac{a}{b} = \frac{c}{d}$
   $\Rightarrow b \times c = a \times d$
   $\Rightarrow d = \frac{b \times c}{a}$
   इसी तरह, हम क्रॉस-गुणन विधि का उपयोग करके कोई भी लुप्त पद ज्ञात कर सकते हैं।
3. **यदि x को $a:b:c$ में विभाजित किया जाता है, तो,**
   - पहला भाग = $\frac{ax}{a+b+c}$
   - दूसरा भाग = $\frac{bx}{a+b+c}$
   - तीसरा भाग = $\frac{cx}{a+b+c}$

हल किए गए उदाहरण (Solved Examples)

नोट: *'अनुपात और समानुपात' की समझ को परखने के लिए, हम आपको पृष्ठ संख्या 351 पर दिए गए अभ्यास प्रश्नों को हल करने के लिए प्रोत्साहित करते हैं।*

उदाहरण 5: एक कक्षा में लड़कों और लड़कियों का अनुपात 3:2 है। यदि कक्षा में 18 लड़के हैं, तो लड़कियों की संख्या कितनी होगी?

समाधान:

दिया गया अनुपात: लड़के:लड़कियाँ = 3:2

लड़कों की संख्या = 18

अब, अनुपात के अनुसार:

$$\frac{3 \text{ लड़के}}{2 \text{ लड़कियाँ}} = \frac{18 \text{ लड़के}}{x \text{ लड़कियाँ}}$$

क्रॉस-मल्टिप्लिकेशन द्वारा लड़कियों की संख्या (x) ज्ञात करें:

$$x = \frac{18 \times 2}{3} = 12$$

अत: कक्षा में 12 लड़कियाँ हैं।

उदाहरण 6: क्या अनुपात 3:4 और 6:8 समतुल्य हैं?

समाधान: आइए क्रॉस-मल्टिप्लिकेशन के नियम का उपयोग करके इसका मूल्यांकन करें जो बताता है कि:

$\frac{a}{b}$ और $\frac{c}{d}$ बराबर हैं यदि $a \times d = b \times c$

3:4 और 6:8 बराबर हैं यदि, $3 \times 8 = 4 \times 6$

आइए उदाहरण में दिए गए मानों को क्रॉस-मल्टिप्लिकेशन करें:

$$3 \times 8 = 24$$
$$4 \times 6 = 24$$

चूँकि $3 \times 8 = 4 \times 6$, अनुपात बराबर हैं।

16.3 गति, दूरी और समय (Speed, Distance and Time)

गति, दूरी और समय के बीच का संबंध समझना कई वास्तविक जीवन की समस्याओं को हल करने के लिए आवश्यक है। चाहे यात्रा की योजना बनानी हो, यात्रा का समय निकालना हो, या किसी गतिशील वस्तु के प्रदर्शन का विश्लेषण करना हो, यह विषय गणितीय तर्कशक्ति का एक महत्वपूर्ण हिस्सा है। यह भौतिकी, अभियांत्रिकी (इंजीनियरिंग) और दैनिक जीवन में व्यापक रूप से उपयोग किया जाता है।

फॉर्मूला फ्लैशकार्ड्स

गति, दूरी और समय

1. गति (Speed, S) = $\frac{\text{दूरी}}{\text{समय}}$
2. दूरी (Distance, D) = गति × समय
3. समय (Time, T) = $\frac{\text{दूरी}}{\text{गति}}$
4. औसत गति (Average Speed) = $\frac{2xy}{x+y}$, जहाँ x और y दो गति हैं तथा x और y गति से तय की गई दूरियाँ बराबर हैं।

आवश्यक टिप्स और ट्रिक्स

1. किलोमीटर प्रति घंटा (km/hr) को मीटर प्रति सेकंड (mps) में बदलने के लिए, इसे $\frac{5}{18}$ से गुणा करें।
   यदि Y km/hr को mps में बदलना हो:
   $$Y \times \frac{5}{18} \text{ mps}$$
2. मीटर प्रति सेकंड (mps) को किलोमीटर प्रति घंटा (km/hr) में बदलने के लिए, इसे $\frac{18}{5}$ से गुणा करें।
   यदि Y mps को km/hr में बदलना हो:
   $$Y \times \frac{18}{5} \text{ किमी/घंटा}$$
3. यदि दो व्यक्तियों की गति का अनुपात **a:b** हो, तो समान दूरी तय करने में उनके द्वारा लिए गए समय का अनुपात **b:a** होगा क्योंकि गति और समय व्युत्क्रमानुपाती होते हैं।

हल किए गए उदाहरण (Solved Examples)

नोट: *'गति, दूरी और समय' की समझ को परखने के लिए, हम आपको पृष्ठ संख्या 352 पर दिए गए अभ्यास प्रश्नों को हल करने के लिए प्रोत्साहित करते हैं।*

उदाहरण 7: एक साइकिल चालक की गति 15 किमी/घंटा है। उसे 45 किमी की दूरी तय करने में कितना समय लगेगा?

समाधान: समय ज्ञात करने के लिए सूत्र:

$$T = \frac{\text{दूरी}}{\text{गति}}$$

$$T = \frac{45}{15} = 3 \text{ घंटे}$$

उदाहरण 8: एक कार 240 किमी की दूरी 4 घंटे में तय करती है। कार की गति कितनी होगी?

समाधान: गति के लिए सूत्र का उपयोग करें:

$$S = \frac{\text{दूरी}}{\text{समय}}$$

$$S = \frac{240}{4} = 6 \text{ किमी/घंटा}$$

उदाहरण 9: दो ट्रेनें स्टेशन A और B से एक दूसरे की ओर बढ़ रही हैं, जो 300 किलोमीटर दूर हैं। ट्रेन A 40 किलोमीटर प्रति घंटे की गति से यात्रा करती है, जबकि ट्रेन B 50 किलोमीटर प्रति घंटे की गति से यात्रा करती है। ट्रेनों को मिलने में कितना समय लगेगा?

समाधान: सबसे पहले, दोनों ट्रेनों की संयुक्त गति ज्ञात करें:

$$S_{\text{संयुक्त}} = 40 \text{ किमी/घंटा} + 50 \text{ किमी/घंटा} = 90 \text{ किमी/घंटा}$$

अब, $T = \frac{\text{दूरी}}{\text{गति}}$

$$T = \frac{300}{90} = 3.33 \text{ घंटे}$$

उदाहरण 10: शहर A से शहर B तक यात्रा करने में 6 घंटे लगे। यात्रा के पहले आधे भाग में गति 60 किमी/घंटा थी, और दूसरे आधे भाग में, यह 80 किमी/घंटा थी। शहर A और शहर B के बीच औसत गति और कुल दूरी ज्ञात करें।

समाधान: हमारे पास 60 किमी/घंटा और 80 किमी/घंटा की दो गतियाँ हैं

$$\text{औसत गति} = \frac{2xy}{x+y} = \frac{2\times60\times80}{60+80} = \frac{9600}{140}$$

$$= 68.57 \text{ किमी/घंटा}$$

शहर A और शहर B के बीच की दूरी = गति × समय

$$= 68.57 \times 6$$

$$= 411.42 \text{ किमी}$$

16.4 प्रतिशत (Percentage)

इस विषय को सरल बनाने वाले वीडियो व्याख्यान को देखने के लिए इस QR कोड को स्कैन करें

प्रतिशत एक भिन्न होता है जिसका हर 100 होता है। 'Percent' का अर्थ है 'सौ में से', और इसे % चिह्न द्वारा दर्शाया जाता है। प्रतिशत का उपयोग वित्त, बिक्री, और दैनिक गणनाओं में व्यापक रूप से किया जाता है।

फॉर्मूला फ्लैशकार्ड

प्रतिशत

1. प्रतिशत वृद्धि (Percentage Increase) =
$$\left(\frac{\text{नई संख्या} - \text{मूल संख्या}}{\text{मूल संख्या}}\right) \times 100$$
2. प्रतिशत कमी (Percentage Decrease) =
$$\left(\frac{\text{मूल संख्या} - \text{नई संख्या}}{\text{मूल संख्या}}\right) \times 100$$
3. प्रतिशत को भिन्न में बदलना (Conversion of Percentage into Fraction)
$$x\% = \frac{x}{100}$$
4. भिन्न को प्रतिशत में बदलना (Conversion of Fraction into Percentage)
$$\frac{x}{y}\% = \frac{x}{y} \times 100$$
5. यदि A, B से R% अधिक है, तो B, A से इतना कम होगा
$$\left[\frac{R}{R+100} \times 100\right]\%$$
6. यदि A, B से R% कम है, तो B, A से इतना अधिक होगा
$$\left[\frac{R}{100-R} \times 100\right]\%$$
7. प्रतिशत और संपूर्ण ज्ञात होने पर भाग ज्ञात करना = $\frac{\text{प्रतिशत} \times \text{संपूर्ण}}{100}$

महत्वपूर्ण युक्तियाँ और ट्रिक्स

1. **किसी संख्या का 10% ज्ञात करना:** दशमलव बिंदु को एक स्थान बाईं ओर ले जाएँ।

   250 का 10% = 25
2. **किसी संख्या का 5% ज्ञात करना:** 10% की गणना करें और फिर उसे आधा करें।

$$250 \text{ का } 5\% = \frac{25}{2} = 12.50$$

3. **किसी संख्या का 1% ज्ञात करना:** दशमलव बिंदु को दो स्थान बाई ओर ले जाएँ।

$$250 \text{ का } 1\% = 2.50$$

4. **रिवर्स प्रतिशत (Reverse Percentage) के लिए शॉर्टकट:** किसी संख्या में दिए गए प्रतिशत वृद्धि या कमी से मूल संख्या निकालने का त्वरित तरीका।

उदाहरण: यदि किसी वस्तु की कीमत 25% बढ़ने के बाद 125 हो गई है, तो मूल कीमत क्या होगी?

$$125 = X \times 1.25$$
$$X = \frac{125}{1.25} = 100$$

हल किए गए उदाहरण (Solved Examples)

नोट: *'प्रतिशत' की आपकी समझ का परीक्षण करने के लिए, हम आपको पृष्ठ संख्या 352 पर अभ्यास प्रश्न हल करने के लिए प्रोत्साहित करते हैं।*

उदाहरण 11: यदि A की तनख्वाह B की तनख्वाह से 20% कम है, तो B की तनख्वाह A से कितने प्रतिशत अधिक है?

समाधान:

$$\text{आवश्यक अनुपात} = \left[\frac{R}{100-R} \times 100\right]\%$$
$$= \left[\frac{20}{100-20} \times 100\right]\%$$
$$= 25\%$$

उदाहरण 12: एक फल विक्रेता ने अपने सेब बेच दिए। उसने अपने 40% सेब बेच दिए, लेकिन उसके पास अभी भी 420 सेब बचे हैं। पहले उसके पास कितने सेब थे?

(a) 400 सेब (b) 700 सेब
(c) 450 सेब (d) 800 सेब

समाधान: मान लेते हैं कि उसके पास शुरू में x सेब थे।

बेचे गए 40% सेब के बाद उसके पास 60% सेब बचे हैं।

$$(100 - 40)\%\, x = 420$$
$$60\% \times x = 420$$
$$x = \frac{420}{60} \times 100$$
$$x = 700$$

अत: पहले उसके पास 700 सेब थे। इसलिए, सही उत्तर है (b) 700 सेब।

उदाहरण 13: यदि पेट्रोल की कीमत 25% बढ़ जाती है, तो ग्राहक को उपयोग कितने प्रतिशत घटाना होगा ताकि कुल खर्च पहले जितना ही रहे?

(a) 20% (b) 25%
(c) 30% (d) 33.33%

समाधान: उपभोग में कमी का प्रतिशत

$$= \left[\frac{R}{R+100} \times 100\right]\%$$
$$= \left[\frac{25}{25+100} \times 100\right]\%$$
$$= \left[\frac{25}{125} \times 100\right]\%$$
$$= 20\%$$

इसलिए, सही उत्तर (a) 20% है।

सिनेमैटिक कनेक्शन

आइए थोड़ा बदलाव करें और प्रतिशत को एक रोचक उदाहरण के माध्यम से समझें। कल्पना कीजिए कि भारत सरकार का कुल बजट 2024 में ₹100 लाख करोड़ है। नीचे कुछ प्रमुख क्षेत्रों के लिए बजट आवंटन दिए गए हैं। हम प्रतिशत का उपयोग करके इन्हें बेहतर समझेंगे।

1. रक्षा क्षेत्र के लिए बजट आवंटन: ₹5 लाख करोड़

$$\% \text{ आवंटन} = \frac{₹5 \text{ लाख करोड़}}{₹100 \text{ लाख करोड़}} \times 100 = 5\%$$

2. स्वास्थ्य क्षेत्र के लिए बजट आवंटन: ₹3 लाख करोड़

$$\% \text{ आवंटन} = \frac{₹3 \text{ लाख करोड़}}{₹100 \text{ लाख करोड़}} \times 100 = 3\%$$

3. शिक्षा क्षेत्र के लिए बजट आवंटन: ₹2.5 लाख करोड़

$$\% \text{ आवंटन} = \frac{₹2.5 \text{ लाख करोड़}}{₹100 \text{ लाख करोड़}} \times 100 = 2.5\%$$

4. विकास कार्यों के लिए बजट आवंटन: ₹10 लाख करोड़

$$\% \text{ आवंटन} = \frac{₹10 \text{ लाख करोड़}}{₹100 \text{ लाख करोड़}} \times 100 = 10\%$$

प्रतिशत का उपयोग करके भारतीय बजट 2024 का विश्लेषण करने से हमें यह आसानी से समझ में आता है कि विभिन्न क्षेत्रों को कुल बजट का कितना भाग प्राप्त हो रहा है। इससे हम विभिन्न क्षेत्रों में सरकारी खर्च की तुलना भी कर सकते हैं।

★★★ परीक्षोपयोगी

16.5 लाभ और हानि (Profit and Loss)

लाभ और हानि वाणिज्य (Commerce) और अर्थशास्त्र (Economics) की मूलभूत अवधारणाएँ हैं। ये किसी भी व्यवसाय और व्यक्तिगत वित्तीय प्रबंधन में महत्वपूर्ण भूमिका निभाते हैं। इस अवधारणा से संबंधित कुछ महत्वपूर्ण शब्द हैं:

इस विषय को सरल बनाने वाले वीडियो व्याख्यान को देखने के लिए इस QR कोड को स्कैन करें

- **विक्रय मूल्य (Selling Price):** जिस मूल्य पर कोई वस्तु बेची जाती है उसे विक्रय मूल्य कहते हैं और इसे SP से दर्शाया जाता है।
- **लागत मूल्य (Cost Price):** जिस मूल्य पर कोई वस्तु खरीदी जाती है उसे लागत मूल्य कहते हैं और इसे CP से दर्शाया जाता है।
- **लाभ (Profit):** यदि SP, CP से अधिक है, तो विक्रेता को लाभ हुआ कहा जाता है।
- **हानि (Loss):** यदि CP, SP से अधिक है, तो विक्रेता को हानि हुई कहा जाता है।
- **लाभ मार्जिन (Profit Margin):** लाभ मार्जिन लाभप्रदता का एक माप है जो विक्रय मूल्य या लागत मूल्य पर अर्जित लाभ का प्रतिशत दर्शाता है।

फॉर्मूला फ्लैशकार्ड्स

लाभ और हानि (Profit and Loss)

1. लाभ = विक्रय मूल्य – क्रय मूल्य
2. $\text{लाभ (\%)} = \frac{\text{लाभ}}{\text{लागत मूल्य}} \times 100$
3. $\text{लाभ (\%)} = \frac{\text{विक्रय मूल्य} - \text{लागत मूल्य}}{\text{लागत मूल्य}} \times 100$
4. हानि = लागत मूल्य – विक्रय मूल्य
5. $\text{हानि (\%)} = \frac{\text{हानि}}{\text{लागत मूल्य}} \times 100$
6. $\text{हानि (\%)} = \frac{\text{लागत मूल्य} - \text{विक्रय मूल्य}}{\text{लागत मूल्य}} \times 100$
7. $\text{लागत मूल्य} = \frac{100}{100 + \text{लाभ\%}} \times \text{विक्रय मूल्य}$
8. $\text{लागत मूल्य} = \frac{100}{100 - \text{हानि\%}} \times \text{विक्रय मूल्य}$
9. $\text{विक्रय मूल्य} = \frac{100 + \text{लाभ\%}}{100} \times \text{लागत मूल्य}$
10. $\text{विक्रय मूल्य} = \frac{100 - \text{हानि\%}}{100} \times \text{लागत मूल्य}$

आवश्यक टिप्स और ट्रिक्स

1. यदि किसी उत्पाद की 2 इकाइयाँ बेची जाती हैं, जिनमें से एक A% के लाभ पर और दूसरी A% की हानि पर बेची जाती है, तो कुल हानि होगी $\left[\frac{A}{10}\right]^2\%$

हल किए गए उदाहरण (Solved Examples)

नोट: 'लाभ और हानि' की समझ को परखने के लिए, हम आपको पृष्ठ संख्या 353 पर दिए गए अभ्यास प्रश्नों को हल करने के लिए प्रोत्साहित करते हैं।

उदाहरण 14: एक व्यापारी ने ₹1,50,000 में स्मार्टफोन खरीदे (लागत मूल्य – CP) लेकिन उन्हें ₹1,35,000 में बेचा (विक्रय मूल्य – SP)। हानि और हानि प्रतिशत की गणना करें।

समाधान:

1. **हानि की गणना:**

   हानि = लागत मूल्य – विक्रय मूल्य

   हानि = 1,50,000 – 1,35,000 = 15,000
2. **हानि प्रतिशत की गणना:**

   $\text{हानि (\%)} = \frac{\text{हानि}}{\text{लागत मूल्य}} \times 100$

   $\text{हानि (\%)} = \frac{15{,}000}{1{,}50{,}000} \times 100 = 10\%$

इसलिए, व्यापारी को ₹15,000 की हानि हुई और हानि प्रतिशत 10% है।

उदाहरण 15: एक दुकानदार 25% लाभ के साथ एक खिलौना बेचना चाहता है। यदि खिलौने की क्रय कीमत ₹200 है, तो विक्रय मूल्य क्या होगा?

समाधान:

$\text{विक्रय मूल्य} = \frac{100 + \text{लाभ\%}}{100} \times \text{लागत मूल्य}$

$\text{विक्रय मूल्य} = \frac{100+25}{100} \times 200 = ₹250$

इसलिए, विक्रय मूल्य ₹250 होना चाहिए।

उदाहरण 16: रोमित ने अपना पुराना टीवी 10% लाभ पर बेचा। यदि वह इसे ₹8100 अधिक में बेचता, तो लाभ 37% हो जाता। वह कीमत ज्ञात कीजिए जिस पर उसने टीवी खरीदा।

(a) ₹30,000 (b) ₹41,000
(c) ₹44,500 (d) ₹55,000

समाधान: पहले लाभ 10% था।

यदि रोमित टीवी को ₹8100 अधिक में बेचता है, तो लाभ = 37%

विक्रय मूल्य = लागत मूल्य का (100 + लाभ%)%

विक्रय मूल्य 1 + 8100 = विक्रय मूल्य 2

लागत मूल्य का (110)% + 8100 = लागत मूल्य का (137)%

लागत मूल्य का 27% = 8100

$\text{लागत मूल्य} = \frac{8100 \times 100}{27}$

= ₹30,000

अतः, (a) सही उत्तर है।

सिनेमैटिक कनेक्शन

आइए लाभ और हानि (Profit and Loss) की अवधारणा को एक लोकप्रिय फिल्म निर्माण के उदाहरण से समझते हैं। हम हॉलीवुड सुपरहीरो फिल्म *Avengers: Endgame* (2019) को लेते हैं।

1. **लागत और राजस्व को समझना (Understanding Costs and Revenue)**
   - **लागत मूल्य (Cost Price):** यह फिल्म बनाने में आने वाली कुल लागत को दर्शाता है, जिसमें निम्नलिखित खर्च शामिल होते हैं:
     - अभिनेताओं और फिल्म क्रू की सैलरी
     - स्पेशल इफेक्ट्स और CGI की लागत
     - मार्केटिंग और प्रमोशन खर्च
     - डिस्ट्रीब्यूशन (वितरण) लागत

मान लीजिए, *Avengers: Endgame* की कुल उत्पादन लागत (CP) = \$210 मिलियन

   - **विक्रय मूल्य (Selling Price & SP):** यह फिल्म से होने वाली कुल कमाई (Revenue) को दर्शाता है, जो निम्नलिखित स्रोतों से आती है:
     - बॉक्स ऑफिस कलेक्शन
     - मर्चेंडाइज बिक्री
     - Netflix, Amazon Prime, आदि जैसे स्ट्रीमिंग प्लेटफॉर्म से कमाई।
     - DVD और Blu-ray की बिक्री

मान लीजिए, *Avengers: Endgame* की कुल राजस्व (SP) = \$997 मिलियन

2. **लाभ की गणना (Calculating Profit)**

   लाभ: लाभ वह राशि है जिससे राजस्व (एसपी) लागत (सीपी) से अधिक है।

   लाभ = एसपी − सीपी

   लाभ = \$997 − \$210 मिलियन

   लाभ = \$760 मिलियन

16.6 छूट (Discounts)

छूट वह रियायत होती है, जो विक्रेता ग्राहक को वस्तु बेचते समय प्रदान करता है। छूट हमेशा बाजार मूल्य (Market Price) पर दी जाती है। इसे निश्चित धनराशि में या प्रतिशत के रूप में व्यक्त किया जा सकता है। छूट का उपयोग आमतौर पर बिक्री और प्रचार (Sales & Promotions) के लिए किया जाता है ताकि अधिक ग्राहक आकर्षित किए जा सकें और बिक्री बढ़ाई जा सके। हमारे दैनिक जीवन में यह बहुत उपयोगी होती है, क्योंकि इससे हम यह समझ सकते हैं कि डिस्काउंटेड वस्तु खरीदने पर कितनी बचत हो रही है।

मुख्य शब्द:

- **बाजार मूल्य (MP) या सूची मूल्य (LP):** जिस कीमत पर कोई उत्पाद बिक्री के लिए सूचीबद्ध होता है।
- **विक्रय मूल्य (SP):** वह कीमत, जिस पर उत्पाद छूट के बाद बेचा जाता है।
- **छूट (D):** बाजार मूल्य से घटाई गई राशि।
- **छूट प्रतिशत (D%):** छूट को बाजार मूल्य के प्रतिशत के रूप में दर्शाया जाता है।

फॉर्मूला फ्लैशकार्ड्स

1. **छूट (Discount)** = बाजार मूल्य − विक्रय मूल्य
2. **छूट (%) या छूट की दर (Discount (%) or Rate of Discount)**

$$= \frac{\text{बाजार मूल्य} - \text{विक्रय मूल्य}}{\text{बाजार मूल्य}} \times 100$$

$$= \frac{\text{छूट}}{\text{बाजार मूल्य}} \times 100$$

3. **विक्रय मूल्य (Selling Price)** = बाजार मूल्य − छूट
4. **विक्रय मूल्य (Selling Price)** = बाजार मूल्य $\left(\frac{1 - \text{छूट}}{100}\right)$
5. **दो लगातार छूट के बराबर छूट (Discount Equivalent of Two Successive Discounts)**

$$\text{कुल छूट} = \left(D_1 + D_2 - \frac{D_1 \times D_2}{100}\right)\%$$

6. तीन लगातार छूट के बराबर छूट **(Discount Equivalent of Three Successive Discounts)**

$$= \left[1 - \left(1 - \frac{D_1}{100}\right)\left(1 - \frac{D_2}{100}\right)\left(1 - \frac{D_3}{100}\right)\right] \times 100$$

हल किए गए उदाहरण (Solved Examples)

उदाहरण 17: एक टेलीविजन ₹40,000 की सूचीबद्ध कीमत पर है और 15% छूट दी जा रही है। छूट राशि और विक्रय मूल्य की गणना करें।

समाधान:

छूट की राशि की गणना करें:

$$\text{छूट} = \text{बाजार मूल्य} \times \frac{\text{छूट \%}}{100}$$

$$\text{छूट} = ₹40{,}000 \times \frac{15}{100} = ₹6000$$

विक्रय मूल्य की गणना करें:

विक्रय मूल्य = बाजार मूल्य − छूट

विक्रय मूल्य = ₹40,000 − ₹6000 = ₹34,000

उदाहरण 18: एक जूते की जोड़ी ₹2,000 में सूचीबद्ध है। यदि 10% और 5% की क्रमागत छूटें दी जाती हैं, तो अंतिम विक्रय मूल्य क्या होगा?

समाधान:

- पहली छूट और विक्रय मूल्य

  पहली छूट = बाजार मूल्य $\times \frac{\text{छूट \%}}{100}$

  पहली छूट = ₹2,000 $\times \frac{10}{100}$ = ₹200

  पहली विक्रय मूल्य = बाजार मूल्य – छूट

  पहली विक्रय मूल्य = ₹2,000 – ₹200 = ₹1,800

- घटी हुई कीमत पर दूसरी छूट

  दूसरी छूट = ₹1,800 $\times \frac{5}{100}$ = ₹90

  दूसरा विक्रय मूल्य = ₹1,800 – ₹90 = ₹1,710

उदाहरण 19: एक दुकानदार ₹250 मूल्य का उत्पाद 10% की छूट पर बेचना चाहता है। विक्रय मूल्य ज्ञात करें।

समाधान:

बाजार मूल्य = ₹250

छूट = 10%

⇒ छूट = 250 का 10%

⇒ छूट = ₹25

विक्रय मूल्य = बाजार मूल्य – छूट

⇒ विक्रय मूल्य = 250 – 25

⇒ विक्रय मूल्य = ₹225

उदाहरण 20: एक दुकानदार ने '50% छूट + 50% छूट' की पेशकश की, वह वास्तव में कितनी छूट दे रहा है?

समाधान:

$$\text{छूट} = \left(D_1 + D_2 - \frac{D_1 \times D_2}{100}\right)\%$$

$$= \left(50 + 50 - \frac{50 \times 50}{100}\right)\%$$

$$= \left(100 - \frac{2,500}{100}\right)\%$$

$$= (100 - 25)\%$$

$$= 75\%$$

16.7 ब्याज (Interest)

ब्याज धन उधार लेने की लागत या निवेश पर प्राप्त लाभ होता है। यह वित्त (Finance) का एक महत्वपूर्ण सिद्धांत है, जो विभिन्न वित्तीय लेन-देन में महत्वपूर्ण भूमिका निभाता है, जैसे कि ऋण (Loans), बचत (Savings), निवेश (Investments)। ब्याज को समझना सही वित्तीय निर्णय लेने के लिए आवश्यक है, चाहे आप धन उधार ले रहे हों, भविष्य के लिए बचत कर रहे हों, या किसी संपत्ति में निवेश कर रहे हों।

साधारण ब्याज (Simple Interest)

साधारण ब्याज किसी मूल राशि पर किसी निश्चित अवधि में अर्जित या भुगतान किए गए ब्याज की गणना करने का एक सीधा तरीका है। मूल राशि का अर्थ है उधार ली गई या उधार दी गई राशि की प्रारंभिक राशि। इसे 'साधारण' इसलिए कहा जाता है क्योंकि इसकी गणना निवेश या ऋण अवधि के दौरान केवल मूल मूल राशि पर की जाती है।

फॉर्मूला फ्लैशकार्ड्स

साधारण ब्याज (SI): $SI = \frac{P \times R \times T}{100}$

- P = मूलधन (उधार ली गई राशि)
- R = वार्षिक ब्याज दर (प्रतिशत में)
- T = समय अवधि (वर्षों में)

कुल राशि (A): A = P + S

- A = कुल राशि (मूलधन + ब्याज)
- P = मूलधन
- S = साधारण ब्याज

उदाहरण 21: एक व्यक्ति 3 वर्षों के लिए 5% की वार्षिक ब्याज दर पर ₹10,000 का निवेश करता है। अर्जित साधारण ब्याज की गणना करें।

समाधान:

P = ₹10,000

R = 5%

T = 3 वर्ष

$$SI = \frac{P \times R \times T}{100}$$

$$SI = \frac{10,000 \times 5 \times 3}{100}$$

SI = ₹1,500

3 वर्ष के अंत में राशि:

A = P + S

A = ₹10,000 + ₹1,500 = ₹11,500

चक्रवृद्धि ब्याज (Compound Interest)

चक्रवृद्धि ब्याज वह ब्याज होता है, जो मूलधन और पहले के ब्याज पर भी लागू होता है। इसका अर्थ यह है कि हर अवधि में ब्याज जुड़ता जाता है, जिससे ब्याज की गणना केवल मूलधन पर नहीं, बल्कि संचित ब्याज पर भी की जाती है। इसीलिए इसे 'Compounded' (चक्रवृद्धि) ब्याज कहा जाता है। आइए इसे एक उदाहरण की सहायता से समझते हैं:

कल्पना कीजिए कि आप ₹1,000 को 10% वार्षिक ब्याज की दर से 3 वर्षों के लिए निवेश करते हैं। साधारण ब्याज (Simple Interest) में हर साल ब्याज ₹1,000 के मूलधन पर ही लगेगा। चक्रवृद्धि ब्याज (Compound Interest) में पहले वर्ष का ब्याज अगले वर्ष के मूलधन में जुड़ जाएगा।

- **वर्ष 1:** ब्याज = ₹1,000 × 10% = ₹100
- **वर्ष 2:** ब्याज = ₹1,000 × 10% = ₹100
- **वर्ष 3:** ब्याज = ₹1,000 × 10% = ₹100

  3 वर्षों के बाद कुल ब्याज = ₹100 + ₹100 + ₹100 = ₹300

  3 वर्षों के बाद कुल राशि = ₹1,000 + ₹300 = ₹1,300

अब, कल्पना कीजिए कि आप 3 वर्षों के लिए 10% प्रति वर्ष की ब्याज दर पर ₹1,000 का निवेश करते हैं, लेकिन चक्रवृद्धि ब्याज के साथ।

यहाँ, प्रत्येक वर्ष के लिए ब्याज की गणना प्रारंभिक मूलधन और पिछले वर्षों में जमा किए गए किसी भी ब्याज पर की जाती है।

- **वर्ष 1:** ब्याज = ₹1,000 × 10% = ₹100

  वर्ष 1 के अंत में राशि = ₹1,000 + ₹100 = ₹1,100
- **वर्ष 2:** ब्याज = ₹1,100 × 10% = ₹110

  वर्ष 2 के अंत में राशि = ₹1,100 + ₹110 = ₹1,210
- **वर्ष 3:** ब्याज = ₹1,210 × 10% = ₹121

  वर्ष 3 के अंत में राशि = ₹1,210 + ₹121 = ₹1,331

  3 वर्षों के बाद कुल ब्याज = ₹331

  3 वर्षों के बाद कुल राशि = ₹1,331

उदाहरण 22: एक कंपनी ₹20,000 किसी परियोजना में निवेश करती है, जिसमें चक्रवृद्धि ब्याज की वार्षिक दर 8% है। ब्याज तिमाही आधार पर जोड़ा जाता है। 3 वर्षों के बाद कुल राशि और चक्रवृद्धि ब्याज की गणना करें।

फॉर्मूला फ्लैशकार्ड

चक्रवृद्धि ब्याज (CI): CI = A – P, जहाँ:

- A = कुल राशि (मूलधन + ब्याज)
- P = मूलधन

कुल राशि (A): $A = P\left(1+\frac{R}{100}\right)^{T}$, जहाँ:

- P = मूल राशि
- R = वार्षिक ब्याज दर (प्रतिशत में)
- T = समय अवधि (वर्षों में)

कुल राशि जब चक्रवृद्धि ब्याज वर्ष में एक से अधिक बार हो रहा हो (A) = P $\left(1+\frac{R}{n\times100}\right)^{n\times T}$

जहाँ:

- P = मूल राशि
- R = वार्षिक ब्याज दर (प्रतिशत में)
- T = समय अवधि (वर्षों में)
- n = एक वर्ष में चक्रवृद्धि ब्याज की संख्या

केस 1: चक्रवृद्धि ब्याज अर्धवार्षिक रूप से किया जाता है, अर्थात्, वर्ष में दो बार। इस मामले में n = 2। तदनुसार

$$P\left(1+\frac{R}{2\times100}\right)^{2\times T}$$

$$P\left(1+\frac{R}{200}\right)^{2T}$$

केस 2: चक्रवृद्धि ब्याज तिमाही आधार पर अर्थात् वर्ष में 4 बार लगाया जाता है। इस मामले में n = 4 है। तदनुसार

$$P\left(1+\frac{R}{4\times100}\right)^{4\times T}$$

$$P\left(1+\frac{R}{400}\right)^{4T}$$

केस 3: चक्रवृद्धि ब्याज मासिक आधार पर लगाया जाता है, अर्थात् वर्ष में 12 बार। इस मामले में n = 12। तदनुसार

$$P\left(1+\frac{R}{12\times100}\right)^{12\times T}$$

$$P\left(1+\frac{R}{1200}\right)^{12T}$$

त्वरित टिप्स और ट्रिक्स (Quick Tips and Tricks)

- **दर रूपांतरण (Rate Conversion):** ब्याज दर (R) हमेशा प्रतिशत (%) में होनी चाहिए। यदि ब्याज दर दशमलव (Decimal) में दी गई हो, तो उसे 100 से गुणा करके प्रतिशत में बदलें।
- **सही समय अवधि (Correct Time Period):** समय (T) हमेशा वर्षों (Years) में होना चाहिए। यदि समय महीनों (Months) में दिया गया हो, तो इसे 12 से विभाजित करके वर्षों में बदलें।

समाधान:

दिया गया डेटा:

- मूल राशि (P) = ₹20,000
- वार्षिक ब्याज दर (R) = 8%
- प्रति वर्ष चक्रवृद्धि ब्याज की संख्या (n) = 4 (तिमाही)
- समय अवधि (T) = 3 वर्ष

अब,

$$A = P\left(1+\frac{R}{n\times100}\right)^{n\times T}$$

$$A = ₹20{,}000\left(1+\frac{8}{4\times100}\right)^{3\times4}$$

$$A = ₹20{,}000\left(1+\frac{8}{400}\right)^{12}$$

$$A = ₹20{,}000\left(1+0.02\right)^{12}$$

$$A = ₹25{,}364$$

अब,

$CI = A - P$

$CI = ₹25{,}364 - ₹20{,}000$

$CI = 5{,}364$

नोट: *'सरल और चक्रवृद्धि ब्याज' की समझ को जांचने के लिए, हम आपको पृष्ठ संख्या 355 पर दिए गए अभ्यास प्रश्नों को हल करने के लिए प्रोत्साहित करते हैं।*

16.8 आयु से संबंधित समस्याएँ (Age-Related Problems)

इस प्रकार की समस्याओं में दिए गए शर्तों और संबंधों के आधार पर व्यक्तियों की आयु का निर्धारण करना होता है। आमतौर पर, इन प्रश्नों को हल करने के लिए सरल बीजगणित और तार्किक तर्क का उपयोग किया जाता है।

इस विषय को सरल बनाने वाले वीडियो व्याख्यान को देखने के लिए इस QR कोड को स्कैन करें

उदाहरण 23: A की आयु B की आयु से दोगुनी है। तीन वर्ष पहले, A की आयु B की आयु की तिगुनी थी। A की वर्तमान आयु कितनी है?

(a) 12 वर्ष (b) 15 वर्ष
(c) 10 वर्ष (d) 8 वर्ष

समाधान: (a) 12 वर्ष सही उत्तर है।

मान लें कि B की वर्तमान आयु x वर्ष है, तो A की आयु $2x$ वर्ष होगी।

तीन वर्ष पहले,

B की आयु = $x - 3$

A की आयु = $2x - 3$

उदाहरण में दिए गए संबंध के अनुसार, तीन वर्ष पहले A की आयु B की आयु की तिगुनी थी:

$2x - 3 = 3(x - 3)$

$2x - 3 = 3x - 9$

$-3 + 9 = 3x - 2x$

$6 = x$

इसलिए A की वर्तमान आयु

$= 2x$

$= 2 - 6$

$= 12$ वर्ष

उदाहरण 24: मोहन अपने पुत्र से 24 वर्ष बड़ा है। दो वर्षों के बाद, उसकी आयु अपने पुत्र की आयु से दोगुनी होगी। उसकी वर्तमान आयु कितनी है?

(a) 50 वर्ष (b) 48 वर्ष
(c) 46 वर्ष (d) निर्धारित नहीं की जा सकती

समाधान: (c) 46 वर्ष सही उत्तर है।

मान लें कि पुत्र की वर्तमान आयु x वर्ष है, तो मोहन की वर्तमान आयु होगी: $x + 24$

2 वर्ष बाद:

पुत्र की आयु = $x + 2$

मोहन की आयु = $(x + 24) + 2$

उदाहरण में दिए गए संबंध के अनुसार, दो वर्ष बाद मोहन की आयु अपने पुत्र की आयु की दोगुनी होगी:

$\Rightarrow (x + 24) + 2 = 2(x + 2)$

$\Rightarrow x + 26 = 2x + 4$

$\Rightarrow 26 - 4 = 2x - x$

$x = 22$

अत:,

पुत्र की वर्तमान आयु 22 वर्ष होगी।

मोहन की वर्तमान आयु 22 + 24 = 46 वर्ष होगी।

नोट: *'आयु से संबंधित समस्याएँ' की समझ को जांचने के लिए, हम आपको पृष्ठ संख्या 356 पर दिए गए अभ्यास प्रश्नों को हल करने के लिए प्रोत्साहित करते हैं।*

★★★ परीक्षोपयोगी

16.9 औसत (Averages)

इस विषय को सरल बनाने वाले वीडियो व्याख्यान को देखने के लिए इस QR कोड को स्कैन करें

औसत का अर्थ है संख्याओं के कुल योग को उनकी कुल संख्या से विभाजित करना। उदाहरण के लिए, यदि पाँच मित्रों के पास क्रमश: 5, 7, 4, 6 और 8 टॉफियाँ हैं, तो कुल टॉफियाँ 30 होंगी। इसका अर्थ है कि प्रत्येक मित्र के पास औसतन 6 टॉफियाँ हैं। यह दर्शाता है कि प्रत्येक व्यक्ति के पास औसतन कितनी मात्रा उपलब्ध है।

फॉर्मूला फ्लैशकार्ड

माध्य/औसत $= \dfrac{\text{सभी मानों का योग}}{\text{मानों की संख्या}}$

भारित औसत (Weighted Averages)

- भारित औसत की गणना करने के लिए प्रत्येक मान को उसके भार (weight) से गुणा किया जाता है, फिर इन सभी गुणनों के योग को कुल भार से विभाजित किया जाता है।
- सूत्र:

$$= \frac{(\text{मूल्य} \times \text{भार})\ \text{का योग}}{\text{भार का योग}}$$

$$= \frac{\sum \text{मूल्य} \times \text{भार}}{\sum \text{भार}}$$

जहाँ,

$\sum$ का अर्थ योग (sum) होता है।

समूहों को मिलाना (Combining Groups)

- जब दो समूहों का औसत अलग-अलग हो, और उन्हें मिलाया जाए, तो सम्मिलित औसत निकालने के लिए यह सूत्र उपयोग किया जाता है:
- संयुक्त माध्य = $\frac{(n_1 \times m_1)+(n_2 \times m_2)}{n_1+n_2}$

  जहाँ n_1 और n_2 दो समूहों के आकार हैं।

हल किए गए उदाहरण (Solved Examples)

नोट: *'औसत' की समझ को परखने के लिए, हम आपको पृष्ठ संख्या 356 पर दिए गए अभ्यास प्रश्नों को हल करने के लिए प्रोत्साहित करते हैं।*

उदाहरण 25: 5 लड़कों का औसत वजन 60 किग्रा है और 7 लड़कियों का औसत वजन 55 किग्रा है। सभी 12 बच्चों का औसत वजन ज्ञात करें।

समाधान:

लड़कों के कुल वजन की गणना करें: $60 \times 5 = 300$

लड़कियों के कुल वजन की गणना करें: $55 \times 7 = 385$

कुल वजन जोड़ें: 300 + 385 = 685

कुल बच्चों की संख्या से विभाजित करें:

औसत वजन = $\frac{685}{12}$ = 57.08 किलोग्राम

उदाहरण 26: एक छात्र ने पाँच विषयों में क्रमश: 89, 95, 99, 80 और 85 अंक प्राप्त किए। उसके औसत अंक ज्ञात करें।

समाधान:

$$\text{औसत अंक} = \frac{\text{सभी विषयों के अंकों का योग}}{\text{विषयों की संख्या}}$$

$$= \frac{89+95+99+80+85}{5}$$

$$= \frac{448}{5} = 89.6$$

तो, उसके द्वारा प्राप्त औसत अंक = 89.6

उदाहरण 27: बाद में पता चला कि अंकों को गलती से 80 के बजाय 88 माना गया था। सही औसत ज्ञात करें।

समाधान:

गलत औसत = 89.6

गलत कुल अंक = $89.6 \times$ विषयों की संख्या

= 89.6×5 = 448

सही कुल अंक = 448 − 80 + 88 = 456

सही औसत = $\frac{456}{5}$ = 91.2

इसलिए, नया सही औसत 91.2 है।

सिनेमैटिक कनेक्शन

औसत एक मौलिक गणितीय अवधारणा है, जिसका व्यापक उपयोग क्रिकेट में किया जाता है, विशेष रूप से इंडियन प्रीमियर लीग (IPL) में। औसत का उपयोग खिलाड़ियों और टीमों के प्रदर्शन को मापने के लिए किया जाता है। आइए, इसे IPL के उदाहरण से समझें।

उदाहरण: IPL में बल्लेबाजी औसत (Batting Average in IPL)

क्रिकेट में किसी खिलाड़ी का बल्लेबाजी औसत उसकी कुल रन संख्या को उसके आउट होने की कुल बार संख्या से विभाजित करके निकाला जाता है। यह खिलाड़ी की स्थिरता और रन बनाने की क्षमता को दर्शाता है।

मान लीजिए कि विराट कोहली ने एक IPL सीजन में कई मैच खेले हैं। उनके पाँच मैचों में बनाए गए रन निम्नलिखित हैं:

- मैच 1: 45 रन
- मैच 2: 30 रन
- मैच 3: 70 रन
- मैच 4: 20 रन
- मैच 5: 85 रन

विराट का बल्लेबाजी औसत निकालने के चरण:

1. **कुल रन की गणना करें:**

   कुल रन = 45 + 30 + 70 + 20 + 85 = 250
2. कुल आउट होने की संख्या गिनें (मान लें कि वे प्रत्येक मैच में आउट हुए):

   मैचों की संख्या = 5
3. औसत की गणना करें:

$$\text{बल्लेबाजी औसत} = \frac{\text{कुल रन स्कोर}}{\text{वह कितनी बार आउट हुआ}}$$

$$= \frac{250}{5}$$

= 50 रन

इस प्रकार, विराट कोहली का बल्लेबाजी औसत 50 रन प्रति मैच होगा। इसी तरह, हम गेंदबाजों का औसत भी निकाल सकते हैं।

अध्याय के मुख्य बिंदु

भिन्न

- इस प्रकार प्रस्तुतः $\frac{\text{अंश}}{\text{हर}}$
- जोड़/घटावः $\frac{a}{b}+\frac{c}{d}$ or $\frac{a}{b}-\frac{c}{d}$

हर का LCM ज्ञात करें और फिर हल करें।
- गुणनः $\frac{a}{b}\times\frac{c}{d}=\frac{a\times c}{b\times d}$
- विभाजनः $\frac{a}{b}\div\frac{c}{d}=\frac{a}{b}\times\frac{d}{c}$

गति, दूरी और समय

- गति (S) = $\frac{\text{दूरी}}{\text{समय}}$
- दूरी (D) = गति $\times$ समय
- समय (T) = $\frac{\text{दूरी}}{\text{गति}}$

अनुपात और समानुपात

- समतुल्य अनुपात

दो अनुपात $\frac{a}{b}$ और $\frac{c}{d}$ समतुल्य हैं यदि $a\times d=b\times c$

लाभ और हानि

- लाभ = विक्रय मूल्य – लागत मूल्य
- लाभ (%) = $\frac{\text{लाभ}}{\text{लागत मूल्य}}\times 100$
- लाभ (%) = $\frac{\text{विक्रय मूल्य} - \text{लागत मूल्य}}{\text{लागत मूल्य}}\times 100$
- हानि = लागत मूल्य – विक्रय मूल्य
- हानि (%) = $\frac{\text{हानि}}{\text{लागत मूल्य}}\times 100$
- हानि (%) = $\frac{\text{लागत मूल्य} - \text{विक्रय मूल्य}}{\text{लागत मूल्य}}\times 100$

प्रतिशत

- प्रतिशत वृद्धि (Percentage Increase) = $\left(\frac{\text{नई संख्या} - \text{मूल संख्या}}{\text{मूल संख्या}}\right)\times 100$
- प्रतिशत कमी (Percentage Decrease) = $\left(\frac{\text{मूल संख्या} - \text{नई संख्या}}{\text{मूल संख्या}}\right)\times 100$

छूट

- **छूट** = बाजार मूल्य – विक्रय मूल्य
- **छूट (%) या छूट की दर**

$= \left(\frac{\text{बाजार मूल्य} - \text{विक्रय मूल्य}}{\text{बाजार मूल्य}}\right)\times 100$

ब्याज

साधारण ब्याज

- **साधारण ब्याज (SI):** $SI = \frac{P\times R\times T}{100}$
- **कुल राशि (A):** $A = P + S$

चक्रवृद्धि ब्याज

- **चक्रवृद्धि ब्याज (CI)** = $A - P$
- **कुल राशि (A) = P** $\left(1+\frac{R}{n\times 100}\right)^{n\times T}$

औसत

- **सूत्र** = $\frac{\text{सभी मानों का योग}}{\text{मानों की संख्या}}$

मूल्यांकन ज़ोन (EVALUATION ZONE)

कोडिंग डिकोडिंग (Coding Decoding)

1. एक निश्चित कोडिंग योजना में, 'CLASS' और 'CABIN' को क्रमशः 'XOZHH' और 'XZYRM' के रूप में कूटबद्ध किया गया है। इस योजना में, 'TABLE' का कोड क्या होगा? *(9 जनवरी **2025** - शिफ्ट 1)*

(a) GYZOV (b) FZYOV
(c) HZYPV (d) GZYOV

2. एक निश्चित कोड में, निम्नलिखित वाक्यों को नीचे उल्लिखित अनुसार कूटबद्ध किया गया है: *(8 जनवरी **2025** - शिफ्ट 2)*
'Arjun is walking to school' को 'NA', 'SI', 'AG', 'DR', 'VI' के रूप में कूटबद्ध किया गया है
'Krishna is speaking to Arjun' को 'KA', 'TK', 'DR', 'SI', 'NA' के रूप में कूटबद्ध किया गया है
'School is within walking distance of Krishna' को 'VI', 'SI', 'NIH', 'AG', 'LE', 'KA', 'OP' के रूप में कूटबद्ध किया गया है।
'walking' के लिए कोड क्या है?

(a) TK (b) VI
(c) AG (d) SI

3. यदि एक निश्चित कोडिंग योजना में, "DELHI" को 5613910 के रूप में कूटबद्ध किया जाता है, तो इस योजना में "MUMBAI" को कैसे कूटबद्ध किया जाएगा? *(6 जनवरी **2025** - शिफ्ट 1)*

(a) 1422143210 (b) 132113219
(c) 122012108 (d) 1523154311

4. एक निश्चित कोडिंग भाषा में, यदि शब्द "TREND" को 'QUBQA' के रूप में कूटबद्ध किया जाता है, तो शब्द 'STRAY' को इस प्रकार कूटबद्ध किया जाएगा। *(4 सितम्बर **2024** - शिफ्ट 2)*

(a) PVPDV (b) PWPDW
(c) PWODV (d) QWPEW

5. एक निश्चित कोड भाषा में A को Z के रूप में कोड किया जाता है, B को Y के रूप में कोड किया जाता है, C को X के रूप में कोड किया जाता है, इत्यादि। उस भाषा में 'PERFECT' को किस प्रकार कूटबद्ध किया जाएगा? *(2 सितम्बर **2024** - शिफ्ट 1)*

(a) KVIUVXG (b) KVIVUXG
(c) KVIUVGX (d) KVUIVXG

6. कुछ निश्चित भाषाओं में:
"Sun rises in the East" को "ST SR SI SH SS" के रूप में कूटबद्ध किया गया है
"Sun sets in the West" को "ST SE SI SH SU" के रूप में कूटबद्ध किया गया है
"Your house faces East" को "SN SM SA SS" के रूप में कूटबद्ध किया गया है
"His house faces West" को "SC SM SA SU" के रूप में कूटबद्ध किया गया है
इस भाषा में "East" और "West" शब्दों को क्रमशः कैसे कूटबद्ध किया गया है? *(30 अगस्त **2024** - शिफ्ट 2)*

(a) SR, SE (b) SS, SN
(c) SS, SU (d) SN, SC

7. संख्या श्रृंखला 2A11, 4D13, 12G17, 48123] .... में अगला पद ज्ञात कीजिए। *(21 अगस्त **2024** - शिफ्ट 2)*

(a) 245N32
(b) 228L30
(c) 240M31
(d) 230M29

8. एक निश्चित कोडिंग भाषा में:
(A) 'MANGO' को 4 के रूप में कूटबद्ध किया गया है
(B) 'BANANA' को 5 के रूप कूटबद्ध किया गया है
(C) 'PEAR' को 3 के रूप में कूटबद्ध किया गया है
उस भाषा में 'MUSKMELON' को किस प्रकार कूटबद्ध किया जाएगा? *(16 जून **2023** - शिफ्ट 2)*

(a) 9 (b) 8
(c) 7 (d) 6

9. एक निश्चित कूटबद्ध भाषा में:
(A) 'Best way to win' को 'bau mau shausa' लिखा जाता है
(B) 'The way to hell' को 'tau mau sa hav' लिखा जाता है
(C) 'Win of the day' को 'shou fau tau dau' लिखा जाता है
इस भाषा में 'hell' का कोड क्या है? *(14 जून **2023** - शिफ्ट 1)*

(a) 'hav' (b) mav'
(c) 'shau' (d) 'tau'

10. यह एक निश्चित कोडिंग भाषा है। PAINT को 93546 के रूप में कूटबद्ध किया गया है और EXCEL को 78271 के रूप में कूटबद्ध किया गया है, तो ACCEPT को कैसे कूटबद्ध किया जाएगा? *(13 जून **2023** - शिफ्ट 2)*

(a) 322769 (b) 322076
(c) 232796 (d) 322796

श्रृंखला (Series)

11. श्रृंखला का अगला पद ज्ञात कीजिए 16, 125, 25, 64, 36, 27, 49, *(21 जनवरी **2025** - शिफ्ट 1)*

(a) 64 (b) 81
(c) 216 (d) 8

12. निम्नलिखित अक्षर श्रृंखला में अगला पद ज्ञात कीजिए। BFD, ELG, HRJ ______? *(9 जनवरी **2025** - शिफ्ट 2)*

(a) KUM (b) JXM
(c) KTM (d) KXM

13. एक निश्चित कोडिंग योजना में, 'AC' को 8 और 'PQ' को 33 के रूप में कूटबद्ध किया गया है। 'XZ' का कोड क्या है? *(9 जनवरी **2025** - शिफ्ट 2)*

(a) 100 (b) 51
(c) 71 (d) 87

14. निम्नलिखित अक्षर शृंखला में अगला पद ज्ञात कीजिए: ALY, CJW, EHU, ______ *(8 जनवरी **2025** - शिफ्ट 2)*
(a) GFS (b) GES
(c) FDT (d) GJS

15. निम्नलिखित अक्षर अनुक्रम में दसवां अक्षर कौन-सा है? *(8 जनवरी **2025** - शिफ्ट 1)*
B, B, C, D, F, I, N, V
(a) D (b) G
(c) W (d) Z

16. शृंखला में अगला पद खोजें... *(4 सितम्बर **2024** - शिफ्ट 2)*
275, 7Y7, 14X9, 23W11, 34V13, (?)
(a) 27U24 (b) 45U15
(c) 47U15 (d) 47U14

17. नीचे दी गई शृंखला में लुप्त पद ज्ञात कीजिए: *(30 अगस्त **2024** - शिफ्ट 2)*
1, 7, 25, 61, 121,?, 337
(a) 205 (b) 211
(c) 209 (d) 208

18. संख्या शृंखला में एक पद गलत है। गलत पद को खोजिए? *(27 अगस्त **2024** - शिफ्ट 2)*
325, 259, 202, 160, 127, 105, 94
(a) 94 (b) 127
(c) 202 (d) 259

19. दी गई शृंखला में आने वाली संख्याओं को पहचानें:- 0, 3, 10, 21, 36 .... *(23 अगस्त **2024** - शिफ्ट 2)*
(A) 55 (B) 78
(C) 99 (D) 105
(E) 136
(a) केवल (A), (B), (C), और (D)
(b) केवल (B), (C), और (E)
(c) केवल (C), (D), और (A)
(d) केवल (D), (E) और (B)

20. वह संख्या ज्ञात कीजिए जो नीचे दी गई शृंखला से प्रश्नवाचक चिह्न (?) को प्रतिस्थापित कर सकती है: *(15 जून **2023** - शिफ्ट 1)*
20, 62, 189, 571, 1718, ?
(a) 5160 (b) 2160
(c) 3160 (d) 4660

21. नीचे दी गई शृंखला में कौन-सी संख्या प्रश्नवाचक चिन्ह (?) को प्रतिस्थापित करेगी? *(14 मार्च **2023** - शिफ्ट 2)*
1, 4, 7, 13, 22, 37, 61, 100, ?
(a) 163 (b) 161
(c) 171 (d) 173

22. नीचे दी गई श्रंखला में, प्रश्नवाचक चिन्ह (?) की स्थानात्मक संख्या कौन-सी होनी चाहिए? *(2 मार्च **2023** - शिफ्ट 2)*
15, 15, 22.5, 45, 112.5, 337.5, ?
(a) 1181.25 (b) 1350
(c) 1518.75 (d) 562.5

23. निम्नलिखित शृंखला में किस संख्या को प्रश्नवाचक चिन्ह (?) को प्रतिस्थापित करना चाहिए? *(28 फरवरी **2023** - शिफ्ट 2)*
51,153, 76.5, 229.5, 114.75, 344.25, ?
(a) 172.125
(b) 1032.75
(c) 516.375
(d) 258.1875

24. दी गई शृंखला में गलत पद ज्ञात कीजिए: 6, 11, 18, 27, 34, 51, 66, 83 *(8 अक्टूबर **2022** - शिफ्ट 2)*
(a) 34 (b) 51
(c) 83 (d) 11

25. इस क्रम में आगे कौन-सी संख्या आती है? *(26 दिसम्बर **2021** - शिफ्ट 2)*
19648, 1728, 112, ?
(a) 2 (b) 12
(c) 22 (d) 62

रक्त संबंध (Blood Relations)

26. A. B. C. D. E और F नामक छह व्यक्ति एक कमरे में हैं। A और E भाई हैं, B और D, C के पिता के भाई की बेटियाँ हैं। F, E की बहन है और C, A के चाचा का इकलौता बेटा है। कमरे में क्रमश: कितने पुरुष और कितने महिला सदस्य हैं? *(15 जून **2023** - शिफ्ट 2)*
(a) 3 & 3 (b) 4 & 2
(c) 2 & 4 (d) 5 & 1

27. एक लड़के का परिचय कराते हुए एक लड़की ने कहा, "वह मेरे अंकल के पिता की पुत्री का पुत्र है।' उस लड़के का लड़की के साथ क्या संबंध है? *(11 मार्च **2023** - शिफ्ट 2)*
(a) अंकल (b) नेफ्यू
(c) कजिन (d) ब्रदर-इन-लॉ

28. एक चित्र (P) की ओर इशारा करते हुए, एक आदमी 'Q' कहता है कि "वह मेरे फादर-इन-लॉ की इकलौती बेटी का बेटा है"। चित्र (P) में व्यक्ति 'Q' व्यक्ति से किस प्रकार संबंधित है? *(6 मार्च **2023** - शिफ्ट 1)*
(a) ब्रदर-इन-लॉ (b) भाई
(c) बेटा (d) पिता

29. A, B का पुत्र है परंतु B, A का पिता नहीं है। B का A से कैसा संबंध है? *(5 मार्च **2023** - शिफ्ट 1)*
(a) ग्रेंडमदर (b) ग्रेंडफादर
(c) माता (d) अंकल

30. A, B, C और D सभी अलग-अलग व्यक्ति हैं। उनके रिश्तों का विवरण इस प्रकार दिया गया है:
(A) A, B की बेटी है
(B) B, C का पुत्र है
(C) C, D का पिता है
निम्नलिखित कथनों में से कौन-सा सत्य है? *(2 मार्च **2023** - शिफ्ट 2)*

(a) C, A का अंकल है
(b) D और B कजिन हैं
(c) A, D की बेटी है
(d) यदि P, B की बेटी है, तो A और P बहनें हैं।

31. रमन ने अमन से कहा -"वह लड़का जो वहां फुटबॉल खेल रहा है, वह मेरे पिता की पत्नी की बेटी के दो भाइयों में छोटा है"। फुटबॉल खेल रहे लड़के का रमन से कैसा संबंध है? *(2 मार्च **2023** - शिफ्ट 1)*

(a) कजिन (b) ब्रदर-इन-लॉ
(c) पुत्र (d) भाई

32. एक आदमी व्यक्ति X के चित्र पर देखता है और कहता है कि "वह मेरे ब्रदर-इन-लॉ (पत्नी के भाई) के पिता की एकमात्र पुत्री के पति की पुत्री है"। व्यक्ति X, उस आदमी से किस प्रकार संबंधित है? *(1 मार्च **2023** - शिफ्ट 2)*

(a) बेटी (b) बहन
(c) पत्नी (d) माँ

33. सेंथिल ने कहा, "यह महिला मेरी मां के ग्रेंडसन की पत्नी है।" सेंथिल अपनी माँ का इकलौता पुत्र है और उसकी कोई बहन नहीं है। महिला के लिए सेंथिल कौन है? *(26 दिसम्बर **2021** - शिफ्ट 2)*

(a) पति (b) फादर-इन-लॉ
(c) डॉटर-इन-लॉ (d) भाई

34. एक आदमी की फोटो देखकर रवि ने कहा, 'उसकी मां मैं मेरे पिता के बेटे की पत्नी हूं। मेरा कोई भाई-बहन नहीं हैं।' रवि किसकी तस्वीर देख रहा था? *(3 दिसम्बर **2021** - शिफ्ट 2)*

(a) उसके कजिन (b) उसके बेटे
(c) उनके अंकल (d) उनके नेफ्यू

35. 'A' व्यक्ति 'B' की इकलौती बहन है और 'lh' B के पिता का नवासा है। 'A', 'C' से किस प्रकार संबंधित है? *(13 नवम्बर **2020** - शिफ्ट 2)*

(a) बहन (b) नीस
(c) ग्रेंडमदर (d) माँ

दिशाएं (Directions)

36. एक महिला उत्तर की ओर 100 मीटर चलती है। फिर वह अपनी बायीं ओर मुड़ती है और 50 मीटर चलती है। फिर बायीं ओर मुड़ती है और 120 मीटर चलती है। अंत में वह 45 डिग्री के कोण पर अपनी दाईं ओर मुड़ती है और चलना शुरु करती है। महिला अब किस दिशा में चल रही है? *(7 जनवरी **2025** - शिफ्ट 1)*

(a) उत्तर (b) दक्षिण-पश्चिम
(c) दक्षिण-पश्चिम (d) उत्तर-पश्चिम

37. अमन दक्षिण की ओर 12 किमी चलता है और फिर उत्तर की ओर 7 किमी चलता है। यहाँ से वह अपने बाएँ ओर 5 किमी चलता है। अपने आरंभिक बिंदु के संदर्भ में वह व्यक्ति कितनी दूर और किस दिशा में है? *(6 जनवरी **2025** - शिफ्ट 1)*

(a) 5 किमी, उत्तर-पश्चिम
(b) 5 किमी, दक्षिण-पश्चिम
(c) $5\sqrt{2}$ किमी, दक्षिण-पश्चिम
(d) $5\sqrt{2}$ किमी, दक्षिण-पूर्व

38. एक छात्र ढलान की दिशा में 1 किमी चलता है, फिर दक्षिण की ओर मुड़ता है और 5 किमी चलता है। इसके बाद, वह पूर्व की ओर मुड़ता है और 2 किमी चलता है और फिर उत्तर की ओर मुड़ता है और 9 किमी चलता है। छात्र अपने प्रारंभिक बिंदु से कितनी दूर है? *(14 जून **2023** - शिफ्ट 2)*

(a) 5 किमी (b) 7 किमी
(c) 6 किमी (d) 6.5 किमी

39. एक व्यक्ति के घर का मुँह दक्षिण की ओर है। घर के सामने वाले दरवाजे से व्यक्ति चलना प्रारंभ करता है और 20 मीटर सीधे चलने के बाद वह अपने बायीं ओर मुड़ता है और 50 मीटर चलता है। इसके बाद व्यक्ति अपने दाहिनी ओर मुड़ता है और 80 मीटर चलता है और वहीं रुक जाता है। उस व्यक्ति के रुकने के स्थान से लेकर उसके घर के सामने वाले दरवाजे के बीच की दूरी ज्ञात कीजिए। *(16 जून **2023** - शिफ्ट 1)*

(a) $25\sqrt{5}$ मी (b) $50\sqrt{5}$ मी
(c) 50 मी (d) 111100 मी

40. एक आदमी पूर्व की ओर 20 मीटर दौड़ता है और दाएं मुड़ता है, 15 मीटर तक दौड़ता है और फिर दाएं मुड़ जाता है। अब वह आदमी 10 मीटर तक दौड़ता है और फिर से अपनी बायीं ओर मुड़ जाता है। अब वह फिर से 10 मीटर दौड़ता है और अपनी बायीं ओर मुड़ जाता है। यहां से आदमी 20 मीटर तक दौड़ता है और एक बार फिर अपनी बाई ओर मुड़ता है और 12 मीटर तक दौड़ता है। अब आदमी का मुख किस दिशा में है? *(15 जून **2023** - शिफ्ट 2)*

(a) उत्तर (b) दक्षिण
(c) पूर्व (d) पश्चिम

41. यदि दक्षिण-पूर्व दिशा पूर्व हो जाती है तथा उत्तर-पश्चिम दिशा पश्चिम हो जाती है और अन्य सभी दिशाएँ इसी प्रकार से परिवर्तित हो जाती हैं, तो उत्तर के लिए दिशा कौन-सी होगी? *(14 जून **2023** - शिफ्ट 2)*

(a) दक्षिण-पश्चिम (b) उत्तर-पश्चिम
(c) दक्षिण-पूर्व (d) उत्तर-पूर्व

42. एक व्यक्ति दक्षिण की ओर 40 मीटर चलता हैं। फिर वह अपनी दाहिनी ओर मुड़कर पुन: 40 मीटर चलता है। फिर वह अपने बाएं मुडकर 20 मीटर चलता है। वह पुन: अपने बाएं मुड़कर 40 मीटर चलता है। अब वह व्यक्ति अपने आरंभिक बिंदु से कितनी दूरी पर है? *(11 मार्च **2023** - शिफ्ट 2)*

(a) 60 मीटर (b) 40 मीटर
(c) 100 मीटर (d) 80 मीटर

43. कोई बालिका अपने घर के बाहर उत्तर दिशा की ओर मुख करके खड़ी है। वह अपने दायें मुड़कर 50 मीटर चलती है। उसके बाद वह अपने बायें मुड़कर 60 मीटर चलती है। पुन: वह अपनी दायीं दिशा में मुड़कर 50 मीटर चलती है। फिर वह अपने दायें मुड़कर 80 मीटर

चलती है। अन्ततः एकबार फिर वह अपने दायें मुड़कर 80 मीटर चलती है। अब वह बालिका अपने आरंभिक स्थल से किस दिशा में है? *(3 मार्च 2023 - शिफ्ट 2)*

(a) उत्तर-पश्चिम (b) दक्षिण-पूर्व
(c) उत्तर-पूर्व (d) दक्षिण-पश्चिम

44. एक बालिका बिंदु P से चलना आरंभ करती है, और उत्तर-पश्चिम दिशा में 10 मीटर चलती है और Q बिंदु पर पहुंचती है। इसके बाद वह अपने बायीं ओर मुड़ती है और 10 मीटर चलकर बिंदु R तक जाती है जो सीधे तौर पर P बिंदु का पश्चिम भिमुख है।
वह पुन: दक्षिण-पूर्व की दिशा की ओर चलती है 10 मीटर चलकर S बिंदु पर पहुंचती है जो सीधे बिंदु Q का दक्षिणा भिमुख है।
वह S बिंदु से बिंदु P की ओर मुड़ती है और 10 मीटर चलती है। ज्यामितीय आरेख PQRS का आकार कौन-सा है? *(2 मार्च 2023 - शिफ्ट 1)*

(a) समचतुर्भुज (b) आयताकार
(c) वर्गाकार (d) समांतर चतुर्भुज

45. एक आदमी आगे से 15 मीटर चलता है और फिर 15 मीटर दायें चलता है। फिर हर बार अपनी बाई ओर मुड़कर वह व्यक्ति क्रमश: 5 मीटर, 20 मीटर और 20 मीटर चलता है। आदमी शुरुआती बिंदु से कितनी दूर है? *(10 अक्टूबर 2022 - शिफ्ट 1)*

(a) 15 मीटर (b) 5 मीटर
(c) 20 मीटर (d) 10 मीटर

बैठक व्यवस्था (Seating Arrangement)

46. दो लड़कियाँ मीना और रीना 41 छात्रों की एक कक्षा में ऊपर से क्रमश: 7वें और 11वें स्थान पर हैं। कक्षा में नीचे से उनकी क्रमश: रैंक क्या है? *(3 जनवरी 2025 - शिफ्ट 1)*

(a) 36, 32 (b) 35, 33
(c) 33, 35 (d) 35, 51

47. पार्क में A, B, C, D, E और F बैठे हैं। C, D के पति का भाई और A का बेटा है। F, D की बेटी और E की बहन है। *(11 नवम्बर 2020 - शिफ्ट 2)*

(A) E, A का ग्रैंडसन है
(B) F, C की बेटी है
(C) B, F का पिता है
(D) समूह में एक बेटा और एक बेटी हैं
(E) C, E का अंकल है

(a) (A), (B), (C) (b) (A), (C), (E)
(c) (B), (D), (E) (d) (B), (C), (D)

48. छह लड़कियाँ A, B, C, D, E और F एक पंक्ति में खड़ी हैं। D और F के बीच केवल B खड़ा है। A, F या D के बगल में नहीं खड़ा है। C, D के बगल में नहीं खड़ा है। A और C के बीच केवल E खड़ा है। *(11 नवम्बर 2020 - शिफ्ट 1)*

(A) B और C के बीच केवल F खड़ा है
(B) A और F के बीच केवल C खड़ा है
(C) D और A अंतिम छोर पर हैं
(D) केवल E, F और A के बीच खड़ा है
(E) केवल (B), (D) और F के बीच खड़ा है

(a) (A), (B), (C), (D) (b) (A), (C), (E)
(c) (B), (C), (D) (d) (B), (D), (E)

49. **कथन I:** यदि A, B और C एक वृत्त में खड़े हो कर केंद्र की ओर देख रहे हैं और B, A के ठीक बायीं ओर है, तो C, B के ठीक दायीं ओर है
कथन II: यदि X, Y और Z एक वृत्त S में खड़े होकर केंद्र की ओर देख रहे हैं और X, Y के ठीक दायीं ओर है, तो Z, X के ठीक दायीं ओर है *(1 अक्टूबर 2020 - शिफ्ट 2)*

(a) कथन I और कथन II दोनों सत्य हैं
(b) कथन I और कथन II दोनों असत्य हैं
(c) कथन I सत्य है लेकिन कथन II असत्य है
(d) कथन I असत्य है लेकिन कथन II सत्य है

50. A, B, C, D, E और F एक वृत्त में खड़े हैं और केंद्र की ओर देख रहे हैं। A और B के बीच केवल D है। A और C के बीच केवल Fi है। E, B के ठीक बाई ओर है। E और F के बीच एकमात्र कौन खड़ा है? *(1 अक्टूबर 2022 - शिफ्ट 1)*

(a) केवल (A) (b) केवल (B)
(c) केवल (D) (d) केवल (C)

भिन्न (Fractions)

51. मान लीजिए एक भिन्न है जिसका अंश और हर दोनों धनात्मक पूर्णांक हैं। यदि अंश में 20% की वृद्धि की जाए और हर में 20% की कमी की जाए तो इसका मान 6/9 हो जाता है। भिन्न ज्ञात कीजिए। *(8 जनवरी 2025 - शिफ्ट 1)*

(a) 1/9 (b) 2/9
(c) 1/3 (d) 4/9

52. किसी भिन्न का अंश उसके हर से 4 कम है। यदि अंश में 2 घटा दिया जाए और हर में 1 बढ़ा दिया जाए, तो हर अंश से 8 गुना हो जाता है, भिन्न ज्ञात कीजिए। *(30 अगस्त 2024 - शिफ्ट 2)*

(a) 3/7 (b) 3/9
(c) 3/8 (d) 2/7

53. यदि किसी भिन्न को स्वयं से गुणा किया जाए और फिर उसी भिन्न के व्युत्क्रम से विभाजित किया जाए, तो प्राप्त परिणाम 49 8/27 होता है। भिन्न ज्ञात कीजिए। *(30 अगस्त 2024 - शिफ्ट 1)*

(a) $3\frac{2}{3}$ (b) $1\frac{1}{3}$
(c) $2\frac{2}{3}$ (d) $4\frac{1}{3}$

54. निम्नलिखित भिन्नों को बढ़ते क्रम में व्यवस्थित करें- *(23 अगस्त 2024 - शिफ्ट 2)*

(A) 7/11 (B) 11/17
(C) 9/13 (D) 13/21

(a) (A), (B), (C), (D) (b) (A), (D), (B), (C)
(c) (D), (A), (B), (C) (d) (B), (D), (C), (A)

55. निम्नलिखित भिन्नों को घटते क्रम में व्यवस्थित करें?

*(22 अगस्त **2024** - शिफ्ट 2)*

(A) 17/21 (B) 15/19
(C) 13/16 (D) 14/17

(a) (D, (C), (B), (A) (b) (A), (B), (C), (D)
(c) (C), (D), (B), (A) (d) (D), (C), (A), (B)

56. 2040 रुपये की राशि को तीन दोस्तों x, y और z के बीच बांटा जाना है। y और z मित्र को y का 2/3 दिया जाना है और y को x का 1/4 दिया जाना है। आपको कितना पैसा मिलेगा?

*(13 जून **2023** - शिफ्ट 2)*

(a) 360 (b) 1440
(c) 240 (d) 600

57. सूची-I का सूची-II से मिलान करें: *(5 जनवरी **2022** - शिफ्ट 1)*

सूची-I	सूची-II
A. 128.7% के समतुल्य अंश (निकटतम) है	I. 9/7
B. यदि किसी भिन्न का अंश 20% बढ़ा दिया जाए और उसका हर 10% कम कर दिया जाए तो भिन्न 16/21 हो जाती है। मूल अंश है	II. 8/7
C. 11/7 के बराबर है	III. 10/7
D. 2/7 + 64/56 के बराबर है	IV. 4/7

(a) (A)-(IV), (B)-(I), (C)-(II), (D)-(III)
(b) (A)-(IV), (B)-(III), (C)-(II), (D)-(I)
(c) (A)-(III), (B)-II, (C)-(IV), (D)-(I)
(d) (A)-(I), (B)-(IV), (C)-(II), (D)-(III)

58. निम्नलिखित में से कौन-सी भिन्न सबसे छोटी है?

*(26 नवम्बर **2021** - शिफ्ट 1)*

(a) 65/80 (b) 11/16
(c) 5/8 (d) 29/40

59. 1/12 का कौन-सा भाग 3/8 है?

*(9 अक्टूबर **2020** - शिफ्ट 1)*

(a) 3/7 (b) 4/7
(c) 1/12 (d) 9/2

60. एक परिमेय संख्या का हर फुट अंशांक से 6 अधिक है। यदि अंश में 4 की वृद्धि की जाती है और हर में 8 की कमी की जाती है, तो संख्या 5/3 हो जाती है। मूल परिमेय संख्या क्या है?

*(24 सितम्बर **2020** - शिफ्ट 2)*

(a) 11/17 (b) 5/11
(c) 7/13 (d) 13/19

अनुपात (Ratio)

61. तरल पदार्थ A और B कंटेनर 1 में 5:1 के अनुपात में हैं और कंटेनर 2 में 1: 3 के अनुपात में हैं। दोनों कंटेनरों की सामग्री को किस अनुपात में मिलाया जाना चाहिए ताकि A और B का मिश्रण 1:1 के अनुपात में प्राप्त हो? *(21 जनवरी **2025** - शिफ्ट 1)*

(a) 2:3 (b) 3:2
(c) 4:3 (d) 3:4

62. एक आदमी को सालाना 9.0 लाख रुपये वेतन मिलता है। उसका खर्च और बचत का अनुपात 5:1 है। उसकी प्रतिमाह औसत बचत क्या है? *(9 जनवरी **2025** - शिफ्ट 2)*

(a) ₹15,000 (b) ₹12,500
(c) ₹16,000 (d) ₹18,000

63. यदि 7:x 17.5: 22.5, तो x का मान ज्ञात कीजिए।

*(6 जनवरी **2025** - शिफ्ट 1)*

(a) 9 (b) 12
(c) 15 (d) 8

64. तीन धनात्मक संख्याएँ 2:3:4 के अनुपात में हैं। यदि उनके वर्गों का योग 2349 है, तो क्रमशः संख्याएँ हैं

*(3 सितम्बर **2024** - शिफ्ट 1)*

(a) 14, 21 और 28
(b) 18, 27 और 36
(c) 16, 24 और 32
(d) 12, 18 और 24

65. एक स्कूल में 1582 छात्र थे और वहां लड़के और लड़कियों की संख्या का अनुपात 4:3 था। कुछ दिनों के बाद, 30 लड़कियाँ स्कूल में शामिल हो गई लेकिन कुछ लड़कों ने स्कूल छोड़ दिया और परिणामस्वरूप, लड़के और लड़कियों का अनुपात 7:6 हो गया। स्कूल छोड़ने वाले लड़कों की संख्या कितनी है?

*(2 सितम्बर **2024** - शिफ्ट 2)*

(a) 84 (b) 74
(c) 86 (d) 78

66. 27 लीटर मिश्रण में पानी और दूध का अनुपात 5: 4 है। पानी और दूध का अनुपात 3:1 करने के लिए मिश्रण में मिलाए जाने वाले पानी की मात्रा ज्ञात कीजिए। *(12 दिसम्बर **2023** - शिफ्ट 1)*

(a) 12 लीटर (b) 15 लीटर
(c) 21 लीटर (d) 36 लीटर

67. तीन संख्याएँ 2:5:6 के अनुपात में हैं और उनका योग 663 है। तीन संख्याएँ ज्ञात कीजिए: *(13 अक्टूबर **2022** - शिफ्ट 2)*

(a) 107, 250, 306 (b) 102, 250, 311
(c) 102, 255, 306 (d) 112, 250, 301

68. **कथन I:** किसी संख्या के साठ प्रतिशत का एक चौथाई किसी अन्य संख्या के बीस प्रतिशत के दो बटा पांचवें भाग के बराबर है। तब पहली संख्या और दूसरी संख्या का अनुपात क्रमंश 8:5 है।

कथन II: कोई विद्यार्थी किसी परीक्षा के लिए सप्ताह के अन्य दिन 11 बजे प्रातः से 08 बजे रात्रि तथा शनिवार को उक्त समय के एक तिहाई होते पढ़ाई करता है। रविवार को वह छुट्टी करता है और मूवी देखने जाता है। पूरे सप्ताह विद्यार्थी द्वारा की जाने वाली पढ़ाई का आंशिक भाग 3/7 है। *(13 अक्टूबर **2022** - शिफ्ट 1)*

(a) कथन I और कथन II दोनों सत्य हैं
(b) कथन I और कथन II दोनों असत्य हैं

(c) कथन I सत्य है लेकिन कथन II असत्य है
(d) कथन I असत्य है लेकिन कथन II सत्य है

69. वह संख्या ज्ञात कीजिए जिसे अनुपात 13:25 के पदों में जोड़ने पर यह 7:10 के बराबर हो जाए। *(8 अक्टूबर 2022 - शिफ्ट 2)*
(a) 8 (b) 11
(c) 15 (d) 13

70. दो प्रकार के तेलों A और B के मिश्रण में A:B का अनुपात 3:2 है। यदि तेल A का मूल्य रु. 60 प्रति लीटर और तेल B का रु. 120 प्रति लीटर है, तो परिणामी मिश्रण की प्रति लीटर लागत ज्ञात कीजिए। *(30 सितम्बर 2022 - शिफ्ट 2)*
(a) 92 (b) 90
(c) 96 (d) 84

गति, दूरी और समय (Speed, Distance & Time)

71. एक आदमी AB दूरी का 3/5 भाग 3a की गति से और शेष 2b की गति से तय करता है। यदि वह B से A तक जाता है और उसी समय में 5c की गति से वापस आता है, तो: *(21 जनवरी 2025 - शिफ्ट 1)*
(a) $\frac{1}{a}+\frac{1}{b}=\frac{1}{c}$ (b) $a+b=c$
(c) $\frac{1}{a}+\frac{1}{b}=\frac{2}{c}$ (d) $\frac{1}{a}+\frac{1}{b}=\frac{1}{2c}$

72. एक आदमी स्थिर पानी में एक निश्चित गति V (किमी/घंटा) से नाव चलाता है। उसे धारा के प्रतिकूल 2 किमी की दूरी तय करने में उतना ही समय लगता है जितना उसे धारा के अनुकूल 3 किमी की दूरी तय करने में लगता है। यदि धारा की गति 2 (किमी/घंटा) है, तो V का मान क्या है? *(9 जनवरी 2025 - शिफ्ट 1)*
(a) 10 किमी/घंटा (b) 8 किमी/घंटा
(c) 6 किमी/घंटा (d) 5 किमी/घंटा

73. मान लीजिए एक आदमी 4 घंटे में नदी में 12 किमी धारा के प्रतिकूल और 20 किमी धारा के अनुकूल तैरता है। यदि वह 4 घंटे में 18 किमी धारा के प्रतिकूल और 10 किमी धारा के अनुकूल तैरता है, तो वह जिस गति से स्थिर पानी में तैरता है वह है। *(7 जनवरी 2025 - शिफ्ट 2)*
(a) 4 किमी/घंटा (b) 6 किमी/घंटा
(c) 8 किमी/घंटा (d) 10 किमी/घंटा

74. स्थिर जल में एक नाव की गति 10 किमी/घंटा है, यदि वह समान समय में 26 किमी धारा के अनुकूल और 14 किमी धारा के प्रतिकूल यात्रा कर सकती है, तो धारा की गति क्या है? *(7 जनवरी 2025 - शिफ्ट 1)*
(a) 4.5 किमी/घंटा (b) 10 किमी/घंटा
(c) 3 किमी/घंटा (d) 4 किमी/घंटा

75. ट्रेन में यात्रा करते समय, एक आदमी दो मिनट में 13 टेलीफोन खंभों को देखता है। यदि दो क्रमिक टेलीफोन खंभों को 125 मीटर का भाग माना जाता है, तो ट्रेन की गति से यात्रा कर रही है: *(3 सितम्बर 2024 - शिफ्ट 2)*
(a) 40 किमी/घंटा (b) 42 किमी/घंटा
(c) 45 किमी/घंटा (d) 48 किमी/घंटा

76. एक स्कूली लड़का 3 किमी /घंटा की गति से यात्रा करते हुए, 28 मिनट देरी से अपने स्कूल पहुंचता है, लेकिन जब वह 5 किमी/घंटा की गति से यात्रा करता है, तो वह 28 मिनट पहले अपने स्कूल पहुंचता है। स्कूल पहुँचने के लिए वह प्रति दिन कितनी दूरी तय करता है? *(2 सितम्बर 2024 - शिफ्ट 2)*
(a) 6 किमी (b) 8 किमी
(c) 7 किमी (d) 9 किमी

77. 500 मीटर की दौड़ में A, B को 20 मीटर से और C को 80 मीटर से हरा देता है। यदि B और C 100 मीटर की एक और दौड़ बिल्कुल पहले जैसी ही गति से दौड़ रहे हैं, तो B, C को कितने मीटर से हरा देगा? *(23 अगस्त 2024 - शिफ्ट 1)*
(a) 10.0 मी (b) 8.5 मी
(c) 15.0 मी (d) 12.5 मी

78. दो मित्र A और B 140 किमी की दूरी पर रहते हैं। वे दोनों मिलने के लिए एक दूसरे की ओर सीधी रेखा में चलते हैं। यदि A 80 किमी/घंटा की गति से गाड़ी चलाता है और B 40 किमी/घंटा की गति से गाड़ी चलाता है, तो मिलने से ठीक 45 मिनट पहले वे कितने किलोमीटर दूर होंगे? *(12 दिसम्बर 2023 - शिफ्ट 1)*
(a) 70 किमी (b) 90 किमी
(c) 100 किमी (d) 80 किमी

79. **कथन I:** m/s में दी गई गति को km/h में गति में बदलने के लिए, हम 5/18 से गुणा करते हैं।
कथन II: km/h में दी गई गति को m/s में गति में बदलने के लिए, हम 18/5 से गुणा करते हैं। *(5 जनवरी 2022 - शिफ्ट 2)*
(a) कथन I और कथन II दोनों सत्य हैं
(b) कथन I और कथन II दोनों असत्य हैं
(c) कथन I सत्य है लेकिन कथन II असत्य है
(d) कथन I असत्य है लेकिन कथन II सत्य है

80. दो व्यक्ति एक ही दिशा में 3 किमी/घंटा और 6 किमी/घंटा की गति से चल रहे हैं। एक ट्रेन पीछे से दौड़ती हुई आती है और उन्हें क्रमशः 9 और 10 सेकंड में पार करती है। ट्रेन की गति है। *(26 दिसम्बर 2021 - शिफ्ट 1)*
(a) 33 किमी /घंटा (b) 22 किमी /घंटा
(c) 44 किमी /घंटा (d) 35 किमी /घंटा

प्रतिशत (Percentage)

81. निम्नलिखित परिवारों (A, B, C और D) को उनकी आय (I) के व्यय (E) के बढ़ते प्रतिशत के संदर्भ में व्यवस्थित करें। *(9 जनवरी 2025 - शिफ्ट 1)*
(A) I-5.0 लाख, E- 4.0 लाख
(B) I= 6.0 लाख, E= 4.5 लाख
(C) I= 8.0 लाख, E= 5.0 लाख
(D) I-4.8 लाख, E= 3.2 लाख

नीचे दिए गए विकल्पों में से सही विकल्प का चयन कीजिए:
(a) (D), (A), (B), (C)
(b) (D), (B), (C), (A)
(c) (C), (D), (B), (A)
(d) (D), (A), (C), (B)

82. एक आदमी और एक लड़के ने 10 दिनों में एक काम पूरा किया और उन्हें 10,000 रुपये का भुगतान किया गया। आदमी लड़के से 50% अधिक कुशल था। आदमी और लड़के की दैनिक मजदूरी में क्या अंतर है? *(8 जनवरी **2025** - शिफ्ट 2)*
(a) ₹100
(b) ₹500
(c) ₹400
(d) ₹200

83. एक व्यक्ति ने कुछ शेयरों में रु. 20,000/- की राशि 2:3:5 के अनुपात में निवेश की जिससे उसे उस वर्ष के निवेश पर क्रमश: 10%, 30% और 20% के लाभांश का भुगतान होता है। उस व्यक्ति की कुल लाभांश आय ज्ञात कीजिए। *(14 जून **2023** - शिफ्ट 1)*
(a) 4200
(b) 4500
(c) 4800
(d) 5000

84. किसी व्यक्ति का वेतन प्रत्येक वर्ष 0% घटता है और उसका बोनस प्रत्येक वर्ष 24% बढ़ता है। यदि मार्च 2020 के अंत में उसका वेतन और बोनस क्रमश: रु. 8000 और रु. 2500 थे तो मार्च, 2020 और मार्च 2022 में उसकी कुल आय के बीच अंतर ज्ञात कीजिए। *(13 जून **2023** - शिफ्ट 1)*
(a) 165, वृद्धि
(b) 176, वृद्धि
(c) 180, कमी
(d) 176, कमी

85. किसी गाँव की जनसंख्या 11000 है। यदि बच्चों की संख्या में 11% की वृद्धि होती है और वयस्कों की संख्या में 20% की वृद्धि होती है, तो जनसंख्या 12660 हो जाती है। उस गाँव में बच्चों और वयस्कों की अलग अलग जनसंख्या ज्ञात कीजिए। *(13 जून **2023** - शिफ्ट 1)*
(a) 7000, 4000
(b) 4500, 6500
(c) 6000, 5000
(d) 5500, 5500

86. एक व्यक्ति अपनी धनराशि का 20% भाग वस्त्रों पर व्यय करता हैं। 10% धन पुस्तकों पर व्यय करता है और 9% परिवार व मित्रों के लिए उपहार क्रय करने पर व्यय करता है और 7% कुछ अन्य मदों पर। अन्त में उसके पास रु. 5400 शेष बचे। उस व्यक्ति के पास आरंभ में कितनी धनराशि थी? *(11 मार्च **2023** - शिफ्ट 2)*
(a) 8,000
(b) 9,000
(c) 12,000
(d) 10,000

87. वर्ष 2000 में आयोजित एक प्रतियोगी परीक्षा में कुल 6,00,000 (6.0 लाख) विद्यार्थी सम्मिलित हुए तथा 40% विद्यार्थियों ने परीक्षा उत्तीर्ण (पास) की। कुल विद्यार्थियों का चालीस प्रतिशत (40%) महिलाएँ थीं और बाकी पुरुष थे। पुरुषों के पास होने का प्रतिशत 50% था। महिलाओं के पास होने का प्रतिशत ज्ञात कीजिए। *(4 मार्च **2023** - शिफ्ट 1)*
(a) 25%
(b) 30%
(c) 35%
(d) 40%

88. वर्ष 2020 में एक व्यक्ति की मासिक आय 65,000 रुपये थी और उसका मासिक खर्च 45,000 रुपये था। वर्ष 2021 में उनकी मासिक आय 15% और मासिक खर्च 7% बढ़ गया। उसकी बचत में प्रतिशत वृद्धि क्या है? *(1 मार्च **2023** - शिफ्ट 1)*
(a) 33%
(b) 31%
(c) 35%
(d) 28%

89. किसी फल विक्रेता के पास तीन दिन तक बेचे जा सकने के लिए फल-भंडार उपलब्ध है। उपलब्ध फलों का 50% वह प्रतिदिन बेच देता है और बाकी-बचे फलों का 10% फल प्रत्येक रात में बर्बाद हो जाते हैं। यदि तीन दिनों में बेकार हो जाने वाले फलों की कुल संख्या 1983 है, तब ज्ञात कीजिए कि फल विक्रेता के पास शुरुआत में कितने फल थे? *(28 फरवरी **2023** - शिफ्ट 1)*
(a) 22,000
(b) 21,000
(c) 19,000
(d) 24,000

90. 1 अंक वाले 150 प्रश्नों वाली एक परीक्षा में, ऋषभ ने पहले 75 प्रश्नों में से 80% का सही उत्तर दिया। कुल मिला कर 60% अंक प्राप्त करने के लिए उसे अन्य 75 प्रश्नों में से कितने प्रतिशत प्रश्नों के सही उत्तर देने होंगे? *(13 अक्टूबर **2022** - शिफ्ट 1)*
(a) 20
(b) 40
(c) 50
(d) 60

लाभ और हानि (Profit & Loss)

91. निम्नलिखित में से कौन-सा/से सत्य है/हैं? *(29 अगस्त **2024** - शिफ्ट 1)*
(A) यदि किसी वस्तु का विक्रय मूल्य (एसपी) 40 है और लाभ 15% है, तो वस्तु का लागत मूल्य (सीपी) 32 है।
(B) एक आदमी ने 150 में एक खिलौना खरीदा और उसे 8% के लाभ पर बेच दिया। उसने खिलौना 162 रुपये में बेच दिया।
(C) एक आदमी 500 में एक साइकिल खरीदता है, लेकिन कुछ समस्या के कारण, वह इसे 400 में बेचता है। इस प्रकार उसे 22% की हानि होती है।
(D) एक वस्तु का क्रय मूल्य, यदि उसका एसपी 210 है और हानि 30% है, 300 है।
(a) केवल (A)
(b) केवल (A) और (D)
(c) केवल (B) और (D)
(d) केवल (B) और (C)

92. दो वस्तुओं का लागत मूल्य समान है, उनमें से एक को 13% के लाभ पर बेचा जाता है जबकि दूसरे को 19% के लाभ पर बेचा जाता है। यदि उनके विक्रय मूल्य के बीच का अंतर 126 रुपये है, तो प्रत्येक वस्तु का क्रय मूल्य है। *(23 अगस्त **2024** - शिफ्ट 2)*
(a) ₹1800
(b) ₹1900
(c) ₹2000
(d) ₹2100

93. एक व्यक्ति ने एक वस्तु 7% की हानि पर बेची। यदि उसने वस्तु को 7.5% के लाभ पर बेचा होता, तो उसे अपनी विक्रय कीमत से रु. 87 अधिक प्राप्त होते। *(23 अगस्त **2023** - शिफ्ट 1)*
(a) ₹500
(b) ₹550
(c) ₹600
(d) ₹650

94. 30 रुपये में 35 अंडे बेचने पर एक आदमी को 25% का नुकसान होता है। 20% लाभ प्राप्त करने के लिए उसे 144 रुपये में कितने अंडे बेचने चाहिए? *(21 अगस्त 2024 - शिफ्ट 2)*

(a) 85 (b) 95
(c) 105 (d) 115

95. एक वस्तु को किसी मूल्य पर बेचा जाता है। उस वस्तु को उस मूल्य के 2/3 (दो तिहाई) पर बेचने से 10% की हानि होती हैं। तो उसके मूल मूल्य पर लाभ प्रतिशत ज्ञात कीजिए। *(14 जून 2023 - शिफ्ट 2)*

(a) 35% (b) 25%
(c) 33% (d) 30%

96. विभिन्न मॉडलों की दो कारों A और B का कुल लागत मूल्य (C.P.) 5.0 लाख रुपये है। कार A को 20% के लाभ पर और कार B को 20% की हानि पर बेचा जाता है। हालाँकि, दो कारों A और B का विक्रय मूल्य समान है। दोनों कारों A और B का लागत मूल्य (C.P.) क्रमश: लाखों में ज्ञात कीजिए- *(5 मार्च 2023 - शिफ्ट 1)*

(a) 2.5 लाख रुपये और 2.5 लाख रुपये
(b) 2.4 लाख रुपये और 2.6 लाख रुपये
(c) 2.0 लाख रुपये और 3.0 लाख रुपये
(d) 2.6 लाख रुपये और 2.4 लाख रुपये

97. किसी वस्तु के मूल्य में 25% की वृद्धि करने के पश्चात् वस्तु का नवीन मूल्य 250 रुपया हो जाता है। इस नए मूल्य पर 25% की छूट दी जाती है। इसके पहले (मूल) के मूल्य पर कितने प्रतिशत की लाभ अथवा हानि होगी? *(3 मार्च 2023 - शिफ्ट 1)*

(a) 6.25% का लाभ (b) 6.25% की हानि
(c) 12.5% की हानि (d) 12.5% का लाभ

98. एक दुकानदार लागत मूल्य पर अपना सामान बेचने का दावा करता है लेकिन 1 किलो के बजाय 750 ग्राम का उपयोग करता है, प्रतिशत में उसका लाभ क्या है? *(13 अक्टूबर 2022 - शिफ्ट 2)*

(a) 33 (b) 35.3
(c) 30.3 (d) 33.33

99. **कथन I:** एक पेड़ की लंबाई पिछले वर्ष की लंबाई की तुलना में प्रति वर्ष 5% की दर से बढ़ती है। अगर अभी 2.0 फीट है तो तीन वर्ष में 0.31525 फीट बढ़ जाएगी।

कथन II: एक विक्रेता 40% का लाभ कमाते हुए एक वस्तु को 56 रुपये में बेचता है। वस्तु का क्रय मूल्य 40 है। *(12 अक्टूबर 2022 - शिफ्ट 2)*

(a) कथन I और कथन II दोनों सत्य हैं
(b) कथन I और कथन II दोनों असत्य हैं
(c) कथन I सत्य है लेकिन कथन II असत्य है
(d) कथन I असत्य है लेकिन कथन II सत्य है

100. 30 पंखों का बिक्री मूल्य 25 पंखों के खरीद मूल्य के बराबर है। लाभ अथवा हानि प्रतिशत में कितनी है? *(29 सितम्बर 2022 - शिफ्ट 1)*

(a) $16\frac{2}{3}\%$ का लाभ (b) 15% की हानि
(c) $16\frac{2}{3}\%$ का नुकसान (d) न लाभ न हानि

छूट (Discount)

101. 10% और 15% की दो क्रमिक छूट एकल छूट के बराबर हैं *(29 जनवरी 2025 - शिफ्ट 2)*

(a) 23.5% (b) 25%
(c) 18.5% (d) 22.5%

102. किसी वस्तु के अंकित मूल्य पर 15%, 20% और 40% की तीन क्रमिक छूट एक एकल छूट के बराबर हैं। *(4 सितम्बर 2024 - शिफ्ट 2)*

(a) 75% (b) 40.8%
(c) 59.2% (d) 67.5%

103. विक्रय मूल्य रु. 623 के परिणामस्वरूप किसी वस्तु के बाजार मूल्य पर 11% की छूट मिलती है, 19% की छूट देने के लिए वस्तु को किस कीमत पर बेचा जाना चाहिए? *(3 सितम्बर 2024 - शिफ्ट 2)*

(a) ₹557 (b) ₹567
(c) ₹577 (d) ₹587

104. निम्न में से कौन से कथन सत्य हैं? *(29 अगस्त 2024 - शिफ्ट 2)*

(A) 20%, 10% एवं 5% की क्रमागत छूटों के समतुल्य एकल छूट 35% हैं
(B) यदि 12% एवं 5% के दो क्रमिक छूटों के बाद एक वस्तु को रु. 209/- में बेचा गया, तब वस्तु का मूल मूल्य रु. 250/- है
(C) यदि एक दुकानदार हैं 80/- के अंकित मूल्य पर दो बार 5% की क्रमिक छूट देता है, वस्तु का बिक्री मूल्य रु. 75/- है
(D) एक कतिपय बिल पर 35% की एकल छूट और 20% की दो क्रमिक छूटों के मध्य अन्तर रु. 22/- है, तब बिल की कुल राशि रु. 2200/- है

(a) (A), (B), (C)
(b) (A), (C)
(c) (B), (D)
(d) (C), (D)

105. यदि किसी मद की अंकित कीमत पर 6% की छूट देने के परिणामस्वरुप उसकी बिक्री कीमत 235 रुपये है, तो 15% की छूट देने के लिए उस मद को कितनी कीमत पर बेचा जाना चाहिए? *(27 अगस्त 2024 - शिफ्ट 2)*

(a) ₹199.5 (b) ₹206.5
(c) ₹212.5 (d) ₹215

106. एक दुकानदार ने पहले किसी वस्तु की कीमत में 12% की वृद्धि की और फिर 20% की छूट की घोषणा की। मूल कीमत पर वास्तविक छूट है: *(27 अगस्त 2024 - शिफ्ट 2)*

(a) 12.6% (b) 10.4%
(c) 14.2% (d) 12%

107. किसी वस्तु के अंकित मूल्य पर 10% 20% और 30% की तीन क्रमिक छूट एक एकल छूट के बराबर हैं। *(22 अगस्त 2024 - शिफ्ट 2)*

(a) 60% (b) 50.4%
(c) 54.6% (d) 49.6%

108. किसी मद पर 2%, 4%, 6%, 8% की श्रृंखला में पंद्रह क्रमागत प्रतिशत छूटें दी जाती है। ऐसी कितनी क्रमागत प्रतिशत छूटों के पश्चात् प्रभावी छूट 50% से अधिक हो जाएगी? *(21 अगस्त **2024** - शिफ्ट 2)*
(a) 7वां (b) 10वां
(c) आठवां (d) छठा

109. दो दुकानदार 'A' और 'B' एक ही सूची मूल्य पर कुछ प्रकार की मशीनें बेचते हैं। हालांकि, दुकानदार 'A' 20% और 15% की दो क्रमिक छूट देता है, और दुकानदार 'B' 10% और 25% की दो क्रमिक छूट देता है। निम्नलिखित में से कौन-सा कथन सही है? *(13 जून **2023** - शिफ्ट 1)*
(a) (A) अधिक छूट प्रदान करता है
(b) (B) अधिक छूट प्रदान करता है
(c) (A) और (B) दोनों समान छूट प्रदान करते हैं
(d) 35% छूट प्रदान करता है और 'A' 30% छूट प्रदान करता है

110. **कथन I**: 10%, 30% और 50% की श्रृंखला छूट के बराबर एकल छूट 68.5% है
कथन II: 10%, 20% और 40% की श्रृंखला छूट के बराबर एकल छूट 43.2% है *(8 अक्टूबर **2022** - शिफ्ट 1)*
(a) कथन I और कथन II दोनों सत्य हैं
(b) कथन I और कथन II दोनों असत्य हैं
(c) कथन I सत्य है लेकिन कथन II असत्य है
(d) कथन I असत्य है लेकिन कथन II सत्य है

ब्याज (Interest)

111. 1.0 लाख रुपए की राशि 1 वर्ष के लिए 10% प्रति वर्ष की दर से अर्धवार्षिक चक्रवृद्धि ब्याज पर निवेश की जाती है। चक्रवृद्धि ब्याज है- *(8 जनवरी **2025** - शिफ्ट 2)*
(a) ₹6150 (b) ₹10250
(c) ₹10500 (d) ₹11000

112. एक व्यक्ति 50% प्रति वर्ष की ब्याज दर पर 1024 रुपये उधार लेता है, लेकिन 2 साल के लिए अर्धवार्षिक रूप से भुगतान करना होता है। यदि ब्याज चक्रवृद्धि ब्याज था, तो ऋण अवधि के अंत में उसे कितनी राशि चुकानी होगी? *(8 जनवरी **2025** - शिफ्ट 1)*
(a) ₹2048 (b) ₹2500
(c) ₹5344 (d) ₹5184

113. वह धनराशि ज्ञात कीजिए जो 8% प्रति वर्ष की दर से 6 महीने में रु. 26010 हो जाएगी, जब ब्याज तिमाही आधार पर संयोजित किया जाएगा। *(3 जनवरी **2025** - शिफ्ट 1)*
(a) ₹24500 (b) ₹25000
(c) ₹25600 (d) ₹26000

114. कितने समय में कोई धनराशि 12.5% वार्षिक साधारण ब्याज की दर से दो गुनी हो जाएगी? *(3 सितम्बर **2024** - शिफ्ट 1)*
(a) 10 वर्ष (b) 8 वर्ष
(c) 6 वर्ष (d) 12 वर्ष

115. एक धनराशि प्रतिवर्ष साधारण ब्याज पर 2 वर्ष में 34800 तथा 5 वर्ष में 42,000 हो जाती है। क्रमश: ब्याज दर और धनराशि ज्ञात कीजिए। *(2 सितम्बर **2024** - शिफ्ट 1)*
(a) 6%, 40,000 (b) 7%, 30,000
(c) 8%, 30,000 (d) 5%, 35,000

116. एक आदमी 1550 रुपये को दो भागों में निवेश करता है, एक भाग 8% ब्याज की दर से और दूसरा भाग 6% की दर से निवेश करता है। यदि एक वर्ष में अर्जित कुल ब्याज 106 रुपये है, तो प्रत्येक ब्याज दर पर क्रमश: निवेश की गई राशि ज्ञात कीजिए। *(29 अगस्त **2024** - शिफ्ट 1)*
(a) ₹650 और ₹900
(b) ₹700 और ₹850
(c) ₹750 और ₹800
(d) ₹800 और ₹750

117. एक धनराशि 14 वर्ष में दो गुनी हो जाती है। यदि ब्याज दर को सरल माना जाए तो कितने वर्षों में यह तीन गुना हो जाएगी? *(13 जून **2023** - शिफ्ट 2)*
(a) 25 वर्ष (b) 28 वर्ष
(c) 18 वर्ष (d) 23 वर्ष

118. यदि किसी निश्चित मूलधन पर 5% वार्षिक की दर से 5 वर्ष का साधारण ब्याज उतने ही मूलधन पर 4 वर्ष के लिये 4% वार्षिक दर की साधारण ब्याज से रु. 900 अधिक है, तो मूलधन ज्ञात कीजिए। *(6 मार्च **2023** - शिफ्ट 1)*
(a) ₹9,000
(b) ₹10,500
(c) ₹10,000
(d) ₹12,000

119. एक निश्चित मूल राशि 2 वर्षों में कुछ साधारण ब्याज पर 10,000 रुपये हो जाती है और वही मूल राशि समान साधारण ब्याज दर पर 3 वर्षों में 11,000 रुपये हो जाती है। मूलधन और ब्याज दर ज्ञात कीजिए। *(2 मार्च **2023** - शिफ्ट 1)*
(a) ₹9200 और 14%
(b) ₹8500 और 13.5%
(c) ₹9000 और 13%
(d) ₹8000 और 12.5%

120. किसी धनराशि पर साधारण ब्याज मूलधन का 4/9 है। ब्याज की वार्षिक दर और समय (वर्षों में) क्या होगा, यदि ये दोनों संख्यात्मक रूप से समान हैं? *(13 अक्टूबर **2022** - शिफ्ट 2)*
(a) 6% और 6 वर्ष (b) 6.8% और 6.8 वर्ष
(c) $6\frac{1}{2}$% और $6\frac{1}{2}$ वर्ष (d) $6\frac{2}{3}$% और $6\frac{2}{3}$ वर्ष

121. कितने वर्षों में रुपये 10,000 पर 10% की दर से चक्रवृद्धि ब्याज 2,100 रुपये हो जायेगा? *(30 सितम्बर **2022** - शिफ्ट 2)*
(a) 4 वर्ष (b) 2.5 वर्ष
(c) 2 वर्ष (d) 3 वर्ष

आयु संबंधी (Age Related)

122. पिता की आयु बड़े बेटे की आयु से दोगुनी है। दस साल बाद पिता की आयु छोटे बेटे की आयु से तीन गुना हो जाएगी। यदि दोनों बेटों की आयु में 15 वर्ष का अंतर है, तो पिता की आयु क्या है? *(7 जनवरी **2025** - शिफ्ट 1)*

(a) 50 वर्ष (b) 45 वर्ष
(c) 43 वर्ष (d) 40 वर्ष

123. एक लड़के के पिता की वर्तमान आयु लड़के की आयु से दो गुनी है। छह वर्ष बाद उनकी आयु का अनुपात 11:6 होगा। लड़के की वर्तमान आयु ज्ञात कीजिए? *(13 जून **2023** - शिफ्ट 2)*

(a) 30 वर्ष (b) 28 वर्ष
(c) 25 वर्ष (d) 23 वर्ष

124. A और B दो बहनों की आयु 7:6 के अनुपात में है। 12 वर्ष पश्चात् उनकी आयु का अनुपात 9:8 होगा। उनकी आयु के मध्य अंतर ज्ञात कीजिए? *(14 मार्च **2023** - शिफ्ट 2)*

(a) 5 वर्ष (b) 4 वर्ष
(c) 6 वर्ष (d) 8 वर्ष

125. किसी परिवार के छह सदस्यों की औसत आयु 30 वर्ष है। इस परिवार के सबसे छोटे 10 वर्षीय सदस्य जुड़वाँ हैं तो जुड़वाँ सदस्यों के जन्म से ठीक पूर्व परिवार के सदस्यों की औसत आयु ज्ञात करें– *(3 मार्च **2023** - शिफ्ट 2)*

(a) 28 वर्ष (b) 25 वर्ष
(c) 30 वर्ष (d) 32 वर्ष

126. करन का जन्म उसके माता-पिता के विवाह के 3 वर्ष पश्चात् हुआ था। उसके पिता उसकी माता से 6 वर्ष बड़े हैं परन्तु वे करन से, 26 वर्ष बड़े हैं, जो आज की तारीख में 12 वर्ष की आयु का है। उसकी माता का विवाह किस आयु में हुआ था? *(2 मार्च **2023** - शिफ्ट 2)*

(a) 20 वर्ष (b) 19 वर्ष
(c) 17 वर्ष (d) 18 वर्ष

127. कविता की उम्र उसके दो जुड़वाँ ग्रेंडसन की उम्र के योग के तीन गुने से आठ वर्ष अधिक हैं। नौ वर्ष बाद, कविता की उम्र उसके ग्रेंडसन की उम्र के योग के दुगुने से एक वर्ष अधिक है। कविता की उस समय क्या उम्र थी जब उसके जुड़वाँ ग्रेंडसन का जन्म हुआ था? *(12 अक्टूबर **2022** - शिफ्ट 1)*

(a) 58 वर्ष (b) 68 वर्ष
(c) 65 वर्ष (d) 28 वर्ष

128. पांच वर्ष पहले, A और B की औसत आयु 23 वर्ष थी। यदि आज A, B और C की औसत आयु 27 वर्ष है, तो 5 वर्ष बाद C की आयु क्या होगी? *(10 अक्टूबर **2022** - शिफ्ट 1)*

(a) 30 (b) 28
(c) 29 (d) 32

129. छह वर्ष पहले, रवि और लक्ष्मी की आयु का अनुपात 6:5 था। चार वर्ष बाद, अनुपात 11:10 होगा। रवि की वर्तमान आयु है– *(1 दिसम्बर **2021** - शिफ्ट 2)*

(a) 10 वर्ष (b) 18 वर्ष
(c) 12 वर्ष (d) 16 वर्ष

130. सगुण और सृष्टि की आयु का गुणनफल 240 है। यदि सृष्टि की आयु का दो गुना, सगुण की आयु से 4 वर्ष अधिक है, तो सृष्टि की आयु क्या है? *(1 अक्टूबर **2020** - शिफ्ट 1)*

(a) 15 (b) 12
(c) 10 (d) 20

131. दो पुरुषों की उम्र के बीच का अंतर 10 वर्ष है। 15 वर्ष पहले, बड़े की उम्र छोटे से दोगुनी थी। बड़े आदमी की वर्तमान उम्र है। *(29 सितम्बर **2020** - शिफ्ट 2)*

(a) 25 वर्ष (b) 35 वर्ष
(c) 45 वर्ष (d) 40 वर्ष

औसत (Averages)

132. तीन व्यक्तियों A, B और C की आयु का औसत 45 वर्ष है तथा A, C और D की औसत आयु 51 वर्ष है। यदि D की आयु 56 वर्ष है, तो B की आयु क्या है? *(7 जनवरी **2025** - शिफ्ट 2)*

(a) 35 वर्ष (b) 38 वर्ष
(c) 36 वर्ष (d) 36.5 वर्ष

133. मान लीजिए L और M क्रमश: चार लगातार विषम संख्याओं (a, b, c और d) का योग और औसत हैं और, P और Q क्रमश: तीन लगातार सम संख्याओं (x, y और z) का योग और औसत हैं। यदि M=Q-6 और P=L-16, तो M= *(3 सितम्बर **2024** - शिफ्ट 1)*

(a) 32 (b) 34
(c) 36 (d) 30

134. तीन सकारात्मक संख्याएँ हैं। तीनों संख्याओं के औसत का एक तिहाई उच्चतम संख्या के मान से 8 कम है। यदि सबसे छोटी और दूसरी सबसे छोटी संख्या का औसत 8 है, तो सबसे बड़ी संख्या क्या है? *(2 सितम्बर **2024** - शिफ्ट 2)*

(a) 9 (b) 10
(c) 11 (d) 12

135. एक परीक्षा में, छह छात्रों के औसत अंक 50 हैं। कागजात की क्रॉस चेकिंग के दौरान, यह पाया गया कि एक छात्र के अंक 84 के बजाय 48 के रूप में असत्य तरीके से पढ़े गए हैं। छात्रों के सही औसत अंक ज्ञात कीजिए। *(2 सितम्बर **2024** - शिफ्ट 1)*

(a) 52 (b) 54
(c) 56 (d) 58

136. सूची-I का सूची-II से मिलान करें: *(30 अगस्त **2024** - शिफ्ट 1)*

सूची-I	सूची-II
A. प्रथम 10 प्राकृत संख्याओं के वर्गों का औसत	I. 13
B. पहले 5 का औसत 5 से गुणा होता है	II. 45
C. प्रथम 25 प्राकृतिक संख्याओं का औसत	III. 38.5
D. प्रथम 5 प्राकृतिक संख्याओं के घनों का औसत	IV. 15

(a) (A)-(I), (B)-(II), (C)-(III), (D)-(IV)
(b) (A)-(II), (B)-(III), (C)-(IV), (D)-(I)
(c) (A)-(IV), (B)-(I), (C)-(II), (D)-(III)
(d) (A)-(III), (B)-(IV), (C)-(I), (D)-(II)

137. चार व्यक्तियों A, B, C और D की औसत आयु पाँच वर्ष पूर्व 45 वर्ष थी। यदि समूह में एक दूसरा व्यक्ति है शामिल किया जाता है, तो सभी पाँच व्यक्तियों की वर्तमान आयु का औसत 49 वर्ष हो जाता है। E की वर्तमान आयु कितनी है? *(16 जून **2023** - शिफ्ट 2)*

(a) 45 वर्ष (b) 50 वर्ष
(c) 43 वर्ष (d) 48 वर्ष

138. एक परिवार के छह सदस्यों का औसत वजन 30 किलोग्राम है। यदि परिवार के मुखिया पर विचार नहीं किया जाता है, तो परिवार के बाकी सदस्यों का औसत वजन पहले के औसत से 5 किलोग्राम कम है। परिवार के मुखिया का वजन ज्ञात कीजिए।

*(12 मार्च **2023** - शिफ्ट 2)*

(a) 55 कि.ग्रा (b) 53 कि.ग्रा
(c) 60 कि.ग्रा (d) 57 कि.ग्रा

139. (A) 180 किमी /घंटा की गति से चलने वाली एक ट्रेन को एक स्थिर व्यक्ति को पार करने में 5.4 सेकंड का समय लगता है। ट्रेन की लंबाई 250 मीटर है।

(B) यदि एक बस 4 घंटे में 172 किमी की दूरी तय करती है। बस की गति 154.8 मीटर/सेकंड है।

(C) यदि 25 X + 25 Y = 110, X और Y का औसत 2.2 है।

उपरोक्त कथनों में से कौन-सा/से सही है/हैं?

*(12 अक्टूबर **2022** - शिफ्ट 2)*

(a) (B), (C) (b) (A), (B)
(c) (C) (d) (A), (C)

140. 1 और 20 के बीच अभाज्य संख्याओं का औसत है:

*(10 अक्टूबर **2022** - शिफ्ट 2)*

(a) 9.525 (b) 8.625
(c) 9.625 (d) 8.525

141. 1 से 21 तक की क्रमागत विषम संख्याओं के वर्गों का औसत ज्ञात कीजिए। *(8 अक्टूबर **2022** - शिफ्ट 1)*

(a) 162 (b) 159
(c) 161 (d) 160

उत्तर

1. (d)	**2.** (c)	**3.** (a)	**4.** (c)	**5.** (a)	**6.** (c)	**7.** (c)	**8.** (b)	**9.** (a)	**10.** (d)
11. (d)	**12.** (d)	**13.** (a)	**14.** (a)	**15.** (a)	**16.** (c)	**17.** (b)	**18.** (c)	**19.** (d)	**20.** (a)
21. (a)	**22.** (a)	**23.** (a)	**24.** (a)	**25.** (a)	**26.** (a)	**27.** (c)	**28.** (d)	**29.** (c)	**30.** (d)
31. (d)	**32.** (a)	**33.** (b)	**34.** (b)	**35.** (d)	**36.** (b)	**37.** (c)	**38.** (a)	**39.** (b)	**40.** (a)
41. (b)	**42.** (a)	**43.** (b)	**44.** (c)	**45.** (b)	**46.** (d)	**47.** (b)	**48.** (b)	**49.** (d)	**50.** (d)
51. (d)	**52.** (a)	**53.** (a)	**54.** (c)	**55.** (d)	**56.** (a)	**57.** (d)	**58.** (c)	**59.** (d)	**60.** (a)
61. (d)	**62.** (b)	**63.** (a)	**64.** (b)	**65.** (d)	**66.** (c)	**67.** (c)	**68.** (c)	**69.** (c)	**70.** (d)
71. (c)	**72.** (a)	**73.** (c)	**74.** (c)	**75.** (c)	**76.** (c)	**77.** (d)	**78.** (b)	**79.** (b)	**80.** (a)
81. (c)	**82.** (d)	**83.** (a)	**84.** (d)	**85.** (c)	**86.** (d)	**87.** (a)	**88.** (a)	**89.** (d)	**90.** (b)
91. (c)	**92.** (d)	**93.** (c)	**94.** (c)	**95.** (a)	**96.** (c)	**97.** (b)	**98.** (d)	**99.** (a)	**100.** (c)
101. (a)	**102.** (c)	**103.** (b)	**104.** (c)	**105.** (c)	**106.** (b)	**107.** (d)	**108.** (c)	**109.** (b)	**110.** (c)
111. (b)	**112.** (b)	**113.** (b)	**114.** (b)	**115.** (c)	**116.** (a)	**117.** (b)	**118.** (c)	**119.** (d)	**120.** (d)
121. (c)	**122.** (a)	**123.** (a)	**124.** (c)	**125.** (c)	**126.** (c)	**127.** (a)	**128.** (a)	**129.** (b)	**130.** (b)
131. (b)	**132.** (b)	**133.** (b)	**134.** (c)	**135.** (c)	**136.** (d)	**137.** (a)	**138.** (a)	**139.** (c)	**140.** (c)
141. (c)									

विस्तृत समाधान और संकेत

क्या आप किसी कठिन प्रश्न को हल करने में संघर्ष कर रहे हैं या संशय में हैं?

चिंता न करें! ऊपर दिए गए प्रश्नों के विस्तृत समाधान और उपयोगी संकेत प्राप्त करने के लिए इस QR कोड को स्कैन करें।

क्या आप जानते हैं? इस खंड में दिए गए प्रश्न पिछली UGC NET परीक्षाओं (2020-2025) से हैं और अक्सर परीक्षा में दोहराए जाते हैं। उन्हें समझने से आपका स्कोर काफी बढ़ सकता है। इसलिए, उत्तर कुंजी को सिर्फ सरसरी तौर पर न पढ़ें - विस्तृत व्याख्याओं को देखने और प्रत्येक प्रश्न की पूरी समझ हासिल करने के लिए इस QR कोड को स्कैन करें।

QR कोड काम नहीं कर रहा है? QR कोड के साथ दिए गए संसाधनों तक पहुँचने के लिए आंतरिक फ्रन्ट कवर पर दिए गए निर्देशों का पालन करें

क्या आप और अधिक अभ्यास करना चाहते हैं? इस इकाई से **अतिरिक्त 200+ अभ्यास प्रश्नों** तक पहुँचने के लिए इस QR कोड को स्कैन करें। McGraw Hill EDGE प्लेटफॉर्म UGC NET परीक्षा इंटरफेस की नकल करता है, जो आपको एक यथार्थवादी परीक्षा अनुभव प्रदान करता है और आपको वास्तविक परीक्षा प्रारूप से परिचित होने में मदद करता है। यह आपको समय का बेहतर प्रबंधन करने में मदद करता है और आपको परीक्षा के दबाव में MCQ को सटीक रूप से हल करने के लिए तैयार करता है।

तार्किक तर्क का परिचय (Introduction to Logical Reasoning)

17

इस अध्याय में

**परीक्षोपयोगी (Exam Essential): UGC NET परीक्षा में पूछे जाने की अत्यधिक संभावना, #CC का अर्थ है कॉन्सेप्ट कैप्सूल*

परिचय (Introduction)

कल्पना करें कि आप यह तय कर रहे हैं कि कार्यालय जाने के लिए कौन सा मार्ग अपनाना है। आप ट्रैफिक रिपोर्ट, अपने पास उपलब्ध समय और मौसम की स्थिति पर विचार करते हैं। आप तर्कसंगत रूप से यह निष्कर्ष निकालते हैं कि आज हाईवे से जाना तेज होगा, क्योंकि वहाँ कोई ट्रैफिक जाम की सूचना नहीं है और मौसम भी साफ है। यह दैनिक निर्णय लेने की प्रक्रिया तार्किक तर्क (Logical Reasoning) का एक उदाहरण है। इसमें जानकारी का विश्लेषण करना, विभिन्न विकल्पों का मूल्यांकन करना और साक्ष्यों तथा तर्क के आधार पर निष्कर्ष निकालना शामिल होता है।

तर्क अपने मूल में सही ढंग से सोचने का विज्ञान है। तार्किक तर्क एक ऐसी प्रक्रिया है जिसमें ध्वनिपूर्ण गणितीय प्रक्रियाओं और दिए गए कथनों के आधार पर विवेकपूर्ण और प्रणालीबद्ध चरणों का उपयोग करके किसी निष्कर्ष पर पहुँचा जाता है। यह तर्कों को समझने और निर्माण करने की नींव है। तर्क और तार्किक तर्क को समझने में पैटर्न को पहचानना, तर्कों का निर्माण करना और समस्याओं को व्यवस्थित रूप से हल करना शामिल होता है। यह कौशल न केवल शैक्षणिक प्रयासों में बल्कि दैनिक निर्णय लेने की प्रक्रियाओं में भी अनिवार्य होता है, जिससे किसी व्यक्ति की जटिल परिस्थितियों के माध्यम से प्रभावी रूप से तर्क करने की क्षमता बढ़ती है।

★★★ परीक्षोपयोगी

17.1 तर्क और उसकी संरचना (Argument and its Structure)

इस विषय को सरल बनाने वाले वीडियो व्याख्यान को देखने के लिए इस QR कोड को स्कैन करें

तर्क: जब आप किसी को अपनी बात से सहमत कराने या कोई काम करवाने के लिए कारण देते हैं, तो उसे तर्क कहा जाता है। औपचारिक रूप में, तर्क को एक ऐसी संरचित बातों की शृंखला के रूप में समझा जा सकता है, जिसका उद्देश्य किसी को किसी विशेष दृष्टिकोण से सहमत कराना होता है।

तर्क की संरचना (Structure of an Argument)

आइए तर्क की संरचना या उसके घटकों को समझें (चित्र 17.1):

- **आधार वाक्य (Premises):** ये वे कारण या तथ्य होते हैं जिनके माध्यम से आप अपने तर्क को समर्थन देते हैं। ये तर्क की नींव की तरह होते हैं।
- **निष्कर्ष (Conclusion):** यह आपकी मुख्य बात होती है, जिसे आप उन कारणों के आधार पर साबित करना चाहते हैं। यह आपके तर्क का अंतिम और मुख्य निष्कर्ष होता है, जिसे आप चाहते हैं कि सामने वाला व्यक्ति माने।

उदाहरण:

संकल्प अवश्य ही पुलिस अधिकारी होगा।	क्योंकि वह खाकी वर्दी पहने हुए था और बंदूक लिए हुए था।
निष्कर्ष	*आधार*

वाक्य (Propositions): तार्किक तर्क में आधार वाक्यों को वाक्य या कथन भी कहा जाता है। ये वाक्य तर्क में आरंभिक बिंदु होते हैं और निष्कर्ष को समर्थन या प्रमाण प्रदान करते हैं। सरल शब्दों में, वाक्य एक ऐसा वाक्य होता है जो कुछ कहता है और जिसे सही या गलत ठहराया जा सकता है।

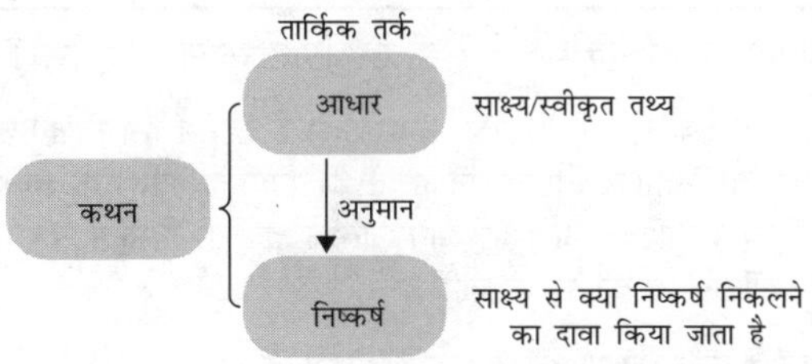

चित्र 17.1 तर्क के घटक

क्लैरिटी कॉर्नर

कल्पना कीजिए कि आप अपने माता-पिता को यह मनवाना चाहते हैं कि वे आपको एक पालतू कुत्ता लेने दें। इसके लिए आप तर्क का उपयोग इस तरह कर सकते हैं:

तर्क: "हमें एक पालतू कुत्ता लेना चाहिए।"

आधार वाक्य 1 (कारण): एक पालतू कुत्ता सुरक्षा को बढ़ा सकता है और हमारे घर की रक्षा कर सकता है, क्योंकि कुत्ते घुसपैठियों या किसी असामान्य गतिविधि के बारे में हमें सचेत कर सकते हैं। इससे सुरक्षा की भावना मिलती है।

आधार वाक्य 2 (कारण): कुत्ते तनाव को कम करने में सहायक होते हैं। शोध से पता चला है कि कुत्तों के साथ बातचीत करने से कोर्टिसोल (तनाव हार्मोन) का स्तर घटता है और व्यक्ति को आराम महसूस होता है, जिससे पूरे परिवार को लाभ हो सकता है।

आधार वाक्य 3 (कारण): कुत्ते अकेलेपन की भावना को दूर करने में मदद करते हैं क्योंकि वे साथ और बिना शर्त प्रेम प्रदान करते हैं। उनके साथ समय बिताने से व्यक्ति खुश और सामाजिक रूप से जुड़ा हुआ महसूस करता है।

निष्कर्ष: इसलिए, एक पालतू कुत्ता लेना हमारे परिवार के लिए लाभकारी होगा क्योंकि यह सुरक्षा बढ़ाएगा, तनाव को कम करेगा और अकेलेपन की भावना को घटाएगा, जिससे हमारा परिवार अधिक सुखी और संतुष्ट रहेगा।

यह निष्कर्ष उन सभी कारणों (आधार वाक्यों) को जोड़कर दिखाता है कि एक कुत्ता परिवार के लिए अच्छा क्यों रहेगा। इस तरह, जब आप किसी को कोई बात मनवाना चाहते हैं, जैसे कि अपने माता-. पिता को, तो आप तर्क का उपयोग करते हैं - अपने मुख्य बिंदु (निष्कर्ष) को समर्थन देने के लिए कारण (आधार वाक्य) देते हैं।

इस तर्क में:

- आप बताते हैं कि कुत्ता रखना क्यों अच्छा रहेगा (आधार वाक्य)।
- आप अपने माता-पिता से सहमति माँगते हैं कि वे आपको कुत्ता रखने दें (निष्कर्ष)।

क्विज स्टेशन

विगत UGC NET परीक्षाओं के प्रश्न

प्र 1. वे वाक्य जो तर्क के निष्कर्ष का समर्थन करते हैं, कहलाते हैं:

(a) निष्कर्ष
(b) आधार वाक्य
(c) संकल्पनाएँ
(d) उपरोक्त में से कोई नहीं

प्र 2. वह वाक्य जिसे आधार वाक्यों के आधार पर स्वीकार किया जाता है, कहलाता है:

(a) मुख पद
(b) संकल्पना
(c) निष्कर्ष
(d) न्याय

प्र 3. निम्नलिखित में से किसे एक ऐसे वाक्य समूह के रूप में परिभाषित किया जा सकता है जिसका एक सामान्य निष्कर्ष होता है?

(a) वाक्य
(b) तर्क
(c) संकल्पना
(d) भ्रम (त्रुटि)

प्र 4. जब किसी वाक्य समूह के बारे में यह दावा किया जाता है कि वे अन्य वाक्यों से निष्कर्ष के रूप में निकले हैं, तो उस वाक्य समूह को क्या कहा जाता है?

(a) एक तर्क
(b) एक वैध तर्क
(c) एक व्याख्या
(d) एक अवैध तर्क

उत्तर 1. (b) 2. (c) 3. (b) 4. (a)

17.2 तर्क करने के प्रकार (Types of Reasoning)

इस विषय को सरल बनाने वाले वीडियो व्याख्यान को देखने के लिए इस QR कोड को स्कैन करें

तर्क (Reasoning) का अर्थ है सोच-समझकर कारण खोजना, निर्णय लेना और तथ्यों या विचारों के आधार पर निष्कर्ष निकालना। अरस्तू जैसे दार्शनिक, जिन्हें तर्कशास्त्र का जनक कहा जाता है, उन्होंने तर्क को समझने में महत्वपूर्ण योगदान दिया। तर्क समस्या-समाधान, निर्णय-निर्माण और हमारे चारों ओर की दुनिया को समझने के लिए आवश्यक होता है। यह व्यक्ति को जानकारी को व्यवस्थित रूप से सोचने और तार्किक निष्कर्ष पर पहुँचने में मदद करता है। आइए कुछ सामान्य प्रकार के तर्कों को समझें:

निगमनात्मक तर्क (Deductive Reasoning)

(इस विषय की विस्तृत जानकारी के लिए पृष्ठ संख्या 112 देखें।)

निगमनात्मक तर्क एक ऐसा सोचने का तरीका है जो एक सामान्य विचार से शुरू होकर विशेष मामलों पर लागू होता है। यह ऊपर से नीचे की ओर जाने वाले तरीके की तरह होता है। यदि आरंभिक विचार (आधार वाक्य) सत्य हैं, तो निष्कर्ष भी अवश्य ही सत्य होगा। उदाहरण के लिए:

- **आधार वाक्य 1:** सभी मनुष्य नश्वर हैं। (सामान्य तथ्य)
- **आधार वाक्य 2:** मोहन सिंह एक मनुष्य है। (विशिष्ट उदाहरण)
- **निष्कर्ष:** अत: मोहन सिंह नश्वर है। (निश्चित रूप से सत्य)

इस उदाहरण में तर्क निगमनात्मक है क्योंकि यह एक सामान्य वाक्य से शुरू होता है और एक विशेष उदाहरण पर आता है। यदि दोनों आधार वाक्य सत्य हैं, तो निष्कर्ष भी सत्य ही होगा।

सिनेमैटिक कनेक्शन

चलो निगमनात्मक तर्क को एक रोचक उदाहरण से समझते हैं। भारतीय वेब सीरीज "CID" में एसीपी प्रद्युमन और उनकी टीम (इंस्पेक्टर दया और अभिजीत) अक्सर निगमनात्मक तर्क का उपयोग करके जटिल मामलों को सुलझाते हैं। जैसे कि एक मामले में एक व्यक्ति बंद कमरे में मृत पाया जाता है। सामान्य विचार यह है कि केवल वही व्यक्ति जो कमरे की चाबी रखता है, बिना ताला तोड़े अंदर आ-जा सकता है। जांच में पता चलता है कि केवल तीन लोगों के पास चाबी है: मृतक, उसकी पत्नी और नौकरानी। इसे इस प्रकार समझा जा सकता है:

- **सामान्य आधार वाक्य:** केवल वही व्यक्ति जो चाबी रखता है, कमरे में बिना ताला तोड़े आ-जा सकता है।
- **विशिष्ट आधार वाक्य:** मृतक, उसकी पत्नी और नौकरानी के पास ही चाबी है।
- **निष्कर्ष:** जब पत्नी और नौकरानी को जाँच कर निर्दोष पाया गया, तो यह निष्कर्ष निकाला गया कि या तो मृतक ने खुद को बंद किया (आत्महत्या), या फिर हत्यारा कमरे में ही था।

इस तरह, सामान्य बात से शुरू करके विशिष्ट निष्कर्ष तक पहुँचना निगमनात्मक तर्क का उदाहरण है।

निगमनात्मक तर्क की प्रमुख विशेषताएँ (Key Characteristics of a Deductive Argument)

(पृष्ठ संख्या 362 पर विस्तार से चर्चा की गई है)

- **वैधता (Validity):** निगमनात्मक तर्क वैध या अवैध हो सकता है। वैधता का अर्थ है कि निष्कर्ष आधार वाक्यों से तार्किक रूप से निकलता हो।
- **सद्वाक्यता (Soundness):** तर्क तभी सद्वाक्य होता है जब उसकी सभी आधार वाक्य सत्य हों। यदि कोई एक भी आधार वाक्य असत्य हो, तो तर्क असफल हो जाता है, चाहे उसकी तार्किक संरचना सही हो।

आगमनात्मक तर्क (Inductive Reasoning)

(इस विषय की विस्तृत जानकारी के लिए पृष्ठ संख्या 113 देखें।)

आगमनात्मक तर्क एक ऐसा सोचने का तरीका है जिसमें हम विशेष उदाहरणों के आधार पर सामान्य निष्कर्ष निकालते हैं। निगमनात्मक तर्क के विपरीत, जिसमें निष्कर्ष निश्चित होता है, आगमनात्मक तर्क में निष्कर्ष संभवत: सत्य होता है, लेकिन उसकी गारंटी नहीं होती।

आइए इसे एक उदाहरण की मदद से समझते हैं:

- **आधार वाक्य 1:** श्याम सुंदर एक मनुष्य है और वह नश्वर है। (विशिष्ट उदाहरण)
- **आधार वाक्य 2:** मोहन सिंह एक मनुष्य है और वह नश्वर है। (विशिष्ट उदाहरण)
- **निष्कर्ष:** इसलिए, सभी मनुष्य नश्वर होते हैं। (पिछले अनुभवों पर आधारित संभावित सामान्य निष्कर्ष)

आइए आगमनात्मक तर्क को समझाने के लिए एक और उदाहरण लें:

- **अवलोकन 1:** राहुल एक डांसर है और वह अंग्रेजी में अच्छा है।
- **अवलोकन 2:** विनय एक डांसर है और वह अंग्रेजी में अच्छा है।
- **अवलोकन 3:** प्रीति एक डांसर है और वह अंग्रेजी में अच्छी है।
- **निष्कर्ष:** इसलिए, डांसर आम तौर पर अंग्रेजी में अच्छे होते हैं।

इस उदाहरण में निष्कर्ष कई विशेष उदाहरणों पर आधारित है, जहाँ यह देखा गया कि डांसर अंग्रेजी में अच्छे हैं। यह एक संभावित संबंध को दर्शाता है कि डांसर होना और अंग्रेजी में अच्छा होना आपस में जुड़ा हो सकता है, लेकिन यह साबित नहीं करता कि सभी डांसर अंग्रेजी में अच्छे ही होंगे। आगमनात्मक तर्क (Inductive Reasoning) हमें विशेष उदाहरणों में देखे गए पैटर्न के आधार पर अनुमान, सिद्धांत या सामान्यीकरण बनाने में मदद करता है।

आगमनात्मक तर्क की प्रमुख विशेषताएँ (Key Characteristics of an Inductive Argument)

(पृष्ठ संख्या 364 पर विस्तार से चर्चा की गई है)

- **मजबूती (Strength):** आगमनात्मक तर्क को इसकी मजबूती या कमजोरी के आधार पर आँका जाता है। मजबूती का अर्थ है कि आधार वाक्य निष्कर्ष को कितनी अच्छी तरह समर्थन देती हैं। एक

मजबूत आगमनात्मक तर्क निष्कर्ष के लिए मजबूत समर्थन देता है, जबकि एक कमजोर तर्क कमजोर समर्थन देता है।

- **प्रभावशीलता (Cogency):** आगमनात्मक तर्क प्रभावशाली (cogent) या अप्रभावशाली (incogent) हो सकता है। किसी आगमनात्मक तर्क को प्रभावशाली कहने के लिए, उसकी सभी आधार वाक्य तथ्यात्मक रूप से सही होनी चाहिए और तर्क को निष्कर्ष के लिए मजबूत समर्थन देना चाहिए।

आगमनात्मक तर्क को मजबूत बनाने के उपाय (Methods to Strengthen Inductive Reasoning)

1. **अवलोकनों की संख्या बढ़ाना:** जितने अधिक अवलोकन होंगे, आगमनात्मक निष्कर्ष उतना ही अधिक विश्वसनीय होगा। यदि हम कई डांसरों को देखते हैं जो सभी अंग्रेजी में अच्छे हैं, तो निष्कर्ष अधिक प्रभावशाली लगेगा।
2. **विविध अवलोकन करना:** यदि विभिन्न पृष्ठभूमियों और क्षेत्रों से आए डांसर सभी अंग्रेजी में अच्छे हैं, तो यह सामान्य निष्कर्ष अधिक सटीक माना जा सकता है।
3. **अपवादों को हटाना:** यदि हम ऐसे डांसर पाते हैं जो अंग्रेजी में अच्छे नहीं हैं, तो यह समझना जरूरी है कि क्यों, और उसी अनुसार अपने निष्कर्ष में सुधार करना चाहिए।

निगमनात्मक और आगमनात्मक तर्क में अंतर (Differences between Deductive and Inductive Reasoning)

तालिका 17.1 में निगमनात्मक और आगमनात्मक तर्क के बीच अंतर को दर्शाया गया है।

तालिका 17.1 निगमनात्मक बनाम आगमनात्मक तर्क

पहलू (Aspect)	निगमनात्मक तर्क (Deductive Reasoning)	आगमनात्मक तर्क (Inductive Reasoning)
तर्क की दिशा	सामान्य से विशेष	विशिष्ट से सामान्य की ओर
निष्कर्ष की निश्चितता	यदि आधार वाक्य सत्य हों, तो निष्कर्ष निश्चित होता है	निष्कर्ष संभावित होता है, निश्चित नहीं
अन्य नाम	शीर्ष से आधार की ओर दृष्टिकोण (Top-Down Approach)	आधार से शीर्ष की ओर दृष्टिकोण (Bottom-Up Approach)
अनुरूप आकार	जलप्रपात	पहाड़ी चढ़ाई
उदाहरण	**आधार वाक्य 1:** सभी मनुष्य नश्वर हैं। (*सामान्य तथ्य*) **आधार वाक्य 2:** मोहन सिंह एक मनुष्य है। (*विशेष उदाहरण*) **निष्कर्ष:** अतः मोहन सिंह नश्वर है।	**आधार वाक्य 1:** श्याम सुंदर एक नश्वर मनुष्य है। (*विशेष उदाहरण*) **आधार वाक्य 2:** मोहन सिंह एक नश्वर मनुष्य है। (*विशेष उदाहरण*) **निष्कर्ष:** इसलिए, सभी मनुष्य नश्वर होते हैं। (*पिछले अनुभवों पर आधारित संभावित सामान्य निष्कर्ष*)

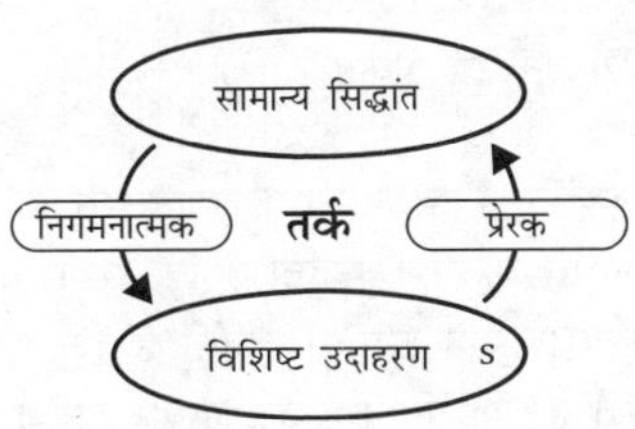

चित्र 17.2 आगमनात्मक बनाम निगमनात्मक तर्क

क्विज स्टेशन *विगत UGC NET परीक्षाओं के प्रश्न*

प्र 1. निगमनात्मक तर्क किस दिशा में बढ़ता है?

(a) विशेष से सामान्य (b) सामान्य से विशेष
(c) विशेष से विशेष (d) सामान्य से सामान्य

प्र 2. वह तर्क जो विश्व के तथ्यों के बारे में नया ज्ञान प्राप्त करने में सहायक होता है:

(a) अनुमानात्मक (b) निगमनात्मक
(c) सादृश्यात्मक (d) आगमनात्मक

प्र 3. निम्नलिखित में से क्या निगमनात्मक तर्क का सही दावा किया जा सकता है? *(22 अगस्त 2024 - शिफ्ट 1)*

A. यदि परिसर सत्य है, तो निष्कर्ष संभवतः सत्य है।
B. यदि परिसर सत्य है, तो निष्कर्ष सत्य होना चाहिए।
C. यह संभावना नहीं है कि परिसर सत्य हो और निष्कर्ष असत्य हो।
D. निष्कर्ष आवश्यक रूप से परिसर से निकलता है।
E. सभी परिसरों का सत्य होना और निष्कर्ष का असत्य होना असंभव है।

(a) ABC (b) AC
(c) BDE (d) ADE

प्र 4. एक निगमन तर्क में निष्कर्ष होता है:

(a) आधार वाक्यों का सारांश
(b) आधार वाक्यों पर आधारित नहीं होता
(c) आधार वाक्यों से अवश्य निकलता है
(d) आधार वाक्यों के अतिरिक्त होता है

उत्तर 1. (b) 2. (d) 3. (c) 4. (c)

परीक्षोपयोगी

17.3 निगमन तर्क की विशेषताएँ (Attributes of Deductive Argument)

वैधता (Validity)

इस विषय को सरल बनाने वाले वीडियो व्याख्यान को देखने के लिए इस QR कोड को स्कैन करें

मुख्य बात (Focus): निष्कर्ष को आधार वाक्यों से तार्किक रूप से निकलना चाहिए (तार्किक सत्य)

वैधता निगमन तर्क की एक महत्वपूर्ण विशेषता है, जो यह तय करती है कि निष्कर्ष आधार वाक्यों से तार्किक रूप से निकलता है या नहीं। एक वैध तर्क यह सुनिश्चित करता है कि यदि सभी आधार वाक्य सत्य हों, तो निष्कर्ष भी अवश्य सत्य होगा। वैधता तर्क की तार्किक संरचना पर केंद्रित होती है, न कि आधार वाक्यों की वास्तविक सत्यता पर। गहराई में जाने से पहले आइए 'सत्य' और 'असत्य' की अवधारणाओं को समझें:

- **सत्य (Truth):** कोई कथन तब सत्य होता है जब वह तथ्यात्मक रूप से सही होता है। इसे अवलोकन या अनुभव से परखा जा सकता है। उदाहरण के लिए "समुद्र तल पर पानी 100°C पर उबलता है" - यह कथन सत्य है क्योंकि इसे देखा और परखा जा सकता है।
- असत्य **(Falsity):** कोई कथन तब असत्य होता है जब वह वास्तविकता से मेल नहीं खाता। उदाहरण के लिए "अमिताभ बच्चन अभिनेता नहीं हैं" - यह कथन असत्य है क्योंकि यह उनके वास्तविक योगदान के विरुद्ध है।

वैध तर्क क्या है? (What is a Valid Argument?)

एक तर्क तब वैध होता है जब निष्कर्ष आधार वाक्यों से तार्किक रूप से निकलता है, चाहे आधार वाक्य वास्तव में सत्य हों या नहीं। वैधता का अर्थ है कि तर्क की संरचना इस प्रकार हो कि यदि सभी आधार वाक्य मान ली जाएँ, तो निष्कर्ष आवश्यक रूप से सत्य होगा। उदाहरण से समझते हैं:

प्रकरण 1	प्रकरण 2
आधार वाक्य 1: सभी पक्षियों के पंख होते हैं। **आधार वाक्य 2:** पेंगुइन के पंख होते हैं। **निष्कर्ष:** अतः पेंगुइन पक्षी हैं।	**आधार वाक्य 1:** सभी पक्षियों के पंख होते हैं। **आधार वाक्य 2:** कुत्तों के पंख होते हैं। **निष्कर्ष:** अतः कुत्ते पक्षी हैं।

- **प्रकरण 1:** यह तर्क 'वैध' है क्योंकि यह आधार वाक्यों से तार्किक रूप से निकलता है। यदि सभी पक्षियों के पंख होते हैं (आधार वाक्य 1) और पेंगुइन के पंख होते हैं (आधार वाक्य 2), तो यह तार्किक रूप से निकलता है कि पेंगुइन पक्षी हैं (निष्कर्ष)।
- **प्रकरण 2:** यह तर्क भी 'वैध' है क्योंकि निष्कर्ष आधार वाक्यों से तार्किक रूप से निकलता है। भले ही दूसरी आधार वाक्य (आधार वाक्य 2) असत्य है (कुत्तों के पंख नहीं होते), तर्क फिर भी वैध है क्योंकि यदि हम मान लें कि कुत्तों के पंख होते हैं (हालाँकि यह वास्तविकता में सत्य नहीं है), और सभी पक्षियों के पंख होते हैं (आधार वाक्य 1), तो तार्किक रूप से यह निकलता है कि कुत्ते पक्षी होंगे (निष्कर्ष)।

दोनों ही मामलों में तर्क वैध हैं क्योंकि निष्कर्ष आधार वाक्यों से तार्किक रूप से निकलते हैं, भले ही प्रकरण 2 में दूसरी आधार वाक्य सत्य न हो। तर्क में वैधता का अर्थ है कि आधार वाक्य यदि सत्य हों, तो निष्कर्ष भी आवश्यक रूप से सत्य होगा।

अवैध तर्क क्या है? (What is an Invalid Argument?)

एक अवैध तर्क वह होता है जहाँ निष्कर्ष आधार वाक्यों से तार्किक रूप से नहीं निकलता। भले ही सभी आधार वाक्य सत्य हों, निष्कर्ष फिर भी असत्य हो सकता है क्योंकि तर्क की तार्किक संरचना दोषपूर्ण होती है। एक अवैध तर्क में आधार वाक्यों और निष्कर्ष के बीच संबंध नहीं होता, अर्थात् निष्कर्ष आधार वाक्यों द्वारा समर्थित नहीं होता।

- **आधार वाक्य 1:** सभी पक्षियों के पंख होते हैं।
- **आधार वाक्य 2:** पेंगुइन के पंख होते हैं।
- **निष्कर्ष:** अतः पेंगुइन उड़ सकते हैं।

यह तर्क अवैध है क्योंकि निष्कर्ष आधार वाक्यों से तार्किक रूप से नहीं निकलता। जबकि आधार वाक्य 1 कहती है कि सभी पक्षियों के पंख होते हैं, और आधार वाक्य 2 सही रूप से कहती है कि पेंगुइन के पंख होते हैं, 'पेंगुइन उड़ सकते हैं' यह निष्कर्ष इन आधार वाक्यों द्वारा समर्थित नहीं है। उड़ने की क्षमता का पंखों से जरूरी संबंध नहीं है; कई पक्षियों के पंख होते हैं लेकिन वे उड़ नहीं सकते (जैसे शुतुरमुर्ग या पेंगुइन)। इसलिए यह तर्क आधार वाक्यों और निष्कर्ष के बीच वैध तार्किक संबंध नहीं दिखाता।

वैध और अवैध तर्क के बीच का अंतर तालिका 17.2 में दिया गया है।

तालिका 17.2 वैध और अवैध तर्क के बीच अंतर

आधार	वैध तर्क	अमान्य तर्क
तार्किक संरचना	निष्कर्ष परिसर से तार्किक रूप से निकलता है।	निष्कर्ष आधार वाक्यों से तार्किक रूप से नहीं निकलता।
वास्तविकता की जाँच	आधार वाक्य और निष्कर्ष वास्तविकता में सत्य या असत्य हो सकते हैं।	आधार वाक्य और निष्कर्ष वास्तविकता में सत्य या असत्य हो सकते हैं।
परिभाषा	निगमन तर्क, निगमन रूप से वैध तर्क या वैध निगमन तर्क के नाम से भी जाना जाता है।	अवैध निगमन तर्क या निगमन रूप से अवैध तर्क के नाम से भी जाना जाता है।

सद्वाक्यता (Soundness)

मुख्य बात: निष्कर्ष आधार वाक्यों से तार्किक रूप से निकलता है (तार्किक सत्य) + आधार वाक्यों की तथ्यात्मक सत्यता (वस्तुगत सत्य)

सद्वाक्यता निगमन तर्क की एक महत्वपूर्ण विशेषता है, जो तर्क की समग्र विश्वसनीयता को दर्शाती है। कोई तर्क तब सद्वाक्य (sound) कहलाता है जब वह दो शर्तों को पूरा करता है: वह वैध हो, और उसकी आधार वाक्य वास्तव में सत्य हों। दूसरे शब्दों में, एक सद्वाक्य तर्क तार्किक रूप से भी सही होता है और तथ्यात्मक रूप से भी सटीक होता है।

सद्वाक्यता के मापदंड (Criteria for Soundness)

- **वैधता:** निष्कर्ष को आधार वाक्यों से तार्किक रूप से निकलना चाहिए।
- **सत्य आधार वाक्य:** आधार वाक्य वास्तव में सत्य होनी चाहिए।

उदाहरण से समझें:

प्रकरण 1 (सद्वाक्य)	**आधार वाक्य 1:** सभी मनुष्यों को जीवित रहने के लिए ऑक्सीजन की आवश्यकता होती है। **आधार वाक्य 2:** मैरी एक मनुष्य है। **निष्कर्ष:** अत: मैरी को जीवित रहने के लिए ऑक्सीजन की आवश्यकता है।
प्रकरण 2 (असद्वाक्य - अवैध)	**आधार वाक्य 1:** सभी मनुष्यों को जीवित रहने के लिए ऑक्सीजन की आवश्यकता होती है। **आधार वाक्य 2:** मैरी एक बिल्ली है। **निष्कर्ष:** अत: मैरी को जीवित रहने के लिए ऑक्सीजन की आवश्यकता है।
प्रकरण 3 (असद्वाक्य - असत्य आधार वाक्य)	**आधार वाक्य 1:** सभी मनुष्यों को जीवित रहने के लिए ऑक्सीजन की आवश्यकता होती है। **आधार वाक्य 2:** मैरी एक बिल्ली है। **निष्कर्ष:** अत: मैरी को जीवित रहने के लिए ऑक्सीजन की आवश्यकता है।

- **प्रकरण 1 (सद्वाक्य - Sound):** यह तर्क सद्वाक्य है क्योंकि दोनों आधार वाक्य सत्य हैं, और निष्कर्ष तार्किक रूप से उनसे निकलता है। आधार वाक्य 1 एक तथ्यात्मक सत्य को दर्शाती है कि सभी मनुष्यों को जीवित रहने के लिए ऑक्सीजन की आवश्यकता होती है। आधार वाक्य 2 सही रूप से मैरी को एक मनुष्य के रूप में पहचानती है। इसलिए, इन सत्य आधार वाक्यों के आधार पर, निष्कर्ष तार्किक रूप से निकलता है कि मैरी, एक मनुष्य होने के नाते, जीवित रहने के लिए ऑक्सीजन की आवश्यकता रखती है।
- **प्रकरण 2 (असद्वाक्य - Unsound):** यह तर्क असद्वाक्य और अवैध है क्योंकि आधार वाक्य 2 असत्य है (मैरी मनुष्य नहीं है; वह एक बिल्ली है)। यद्यपि आधार वाक्य 1 सत्य है (सभी मनुष्यों को जीवित रहने के लिए ऑक्सीजन की आवश्यकता होती है), असत्य आधार वाक्य 2 एक अवैध निष्कर्ष की ओर ले जाती है। चूंकि मैरी एक मनुष्य नहीं है, इसलिए यह निष्कर्ष निकालना कि उसे जीवित रहने के लिए ऑक्सीजन चाहिए, इन आधार वाक्यों के आधार पर सही नहीं है।
- **प्रकरण 3 (असद्वाक्य - Unsound):** यह तर्क असद्वाक्य है क्योंकि आधार वाक्य 1 असत्य है (मनुष्यों को जीवित रहने के लिए कार्बन डाइऑक्साइड की आवश्यकता नहीं होती; उन्हें ऑक्सीजन की आवश्यकता होती है)। यद्यपि आधार वाक्य 2 सत्य है (मैरी वास्तव में एक मनुष्य है), असत्य आधार वाक्य 1 एक अवैध निष्कर्ष की ओर ले जाती है। चूंकि आधार वाक्य 1 तथ्यात्मक रूप से गलत है, यह तार्किक रूप से उस निष्कर्ष का समर्थन नहीं करती कि मैरी को जीवित रहने के लिए कार्बन डाइऑक्साइड चाहिए। इसलिए, यह तर्क असत्य आधार वाक्य के कारण असद्वाक्य है।

तर्क की वैधता और सद्वाक्यता की जाँच कैसे करें? (How to Check Validity and Soundness of an Argument?)

ऊपर के दो अनुभागों में हमने वैध और सद्वाक्य तर्क के मापदंडों के बारे में जाना। इस अनुभाग में हम इन दोनों को एक साथ लागू करके अपनी समझ को परखेंगे। लेकिन उससे पहले, आइए संक्षेप में याद करें:

- **वैधता (Validity):** निष्कर्ष का आधार वाक्यों से तार्किक रूप से निकलना
- **सद्वाक्यता (Soundness):** वैधता + आधार वाक्यों की तथ्यात्मक सत्यता

आइये कुछ उदाहरण देखें:

उदाहरण 1:
- **आधार वाक्य 1:** सभी स्तनधारियों के हृदय होते हैं।
- **आधार वाक्य 2:** व्हेल एक स्तनधारी है।
- **निष्कर्ष:** अत: व्हेल का हृदय होता है।

इस उदाहरण में:

- **वैधता:** ✓
  (क्योंकि निष्कर्ष आधार वाक्यों से तार्किक रूप से निकलता है)
- **सद्वाक्यता:** ✓
  (क्योंकि दोनों आधार वाक्य सत्य हैं; इसलिए निष्कर्ष भी सत्य है)

उदाहरण 2:
- **आधार वाक्य 1:** सभी फल मीठे होते हैं।
- **आधार वाक्य 2:** नींबू एक फल है।
- **निष्कर्ष:** नींबू मीठा होता है।

इस उदाहरण में:

- **वैधता:** ✓
  (निष्कर्ष तार्किक रूप से आधार वाक्यों से निकलता है)
- **सद्वाक्यता:** ✗
  (पहली आधार वाक्य असत्य है; सभी फल मीठे नहीं होते - नींबू खट्टा होता है, अत: यह तर्क सही नहीं है।)

उदाहरण 3:
- **आधार वाक्य 1:** सभी उड़ने वाले जानवर पक्षी होते हैं।
- **आधार वाक्य 2:** चमगादड़ उड़ सकते हैं।
- **निष्कर्ष:** अत: चमगादड़ सरीसृप हैं।

इस उदाहरण में:

- **वैधता: ✘**
(निष्कर्ष आधार वाक्यों से तार्किक रूप से नहीं निकलता क्योंकि आधार वाक्य सरीसृपों के बारे में कुछ नहीं कहतीं)
- **सद्वाक्यता: ✘**
(क्योंकि तर्क वैध नहीं है, इसलिए यह सद्वाक्य भी नहीं हो सकता)

क्विज स्टेशन *विगत UGC NET परीक्षाओं के प्रश्न*

प्र 1. सभी भारतीय परिश्रमी हैं। सभी पंजाबी भारतीय हैं। अतः सभी पंजाबी परिश्रमी हैं। उपरोक्त तर्क है:

(a) अवैध (b) असत्य
(c) वैध (d) सत्य

प्र 2. यदि निगमन तर्क की आधार वाक्य सत्य हों और उसका निष्कर्ष असत्य हो, तो वह तर्क:

(a) वैध
(b) अवैध
(c) वर्णन से परे
(d) सद्वाक्य

प्र 3. निम्नलिखित बयानों में से कौन सा सही हैं?
(30 अगस्त 2024 - शिफ्ट 1)

A. एक वैध तर्क में गलत आधार और सही निष्कर्ष हो सकता है
B. एक अमान्य तर्क में गलत आधार और सही निष्कर्ष हो सकता है
C. एक अमान्य तर्क में सही आधार और गलत निष्कर्ष हो सकता है
D. एक वैध तर्क में सही आधार और गलत निष्कर्ष हो सकता है

(a) ABCD
(b) BC
(c) AD
(d) ABC

प्र 4. एक निगमन तर्क तभी और केवल तभी सद्वाक्य होता है जब:

(a) वह वैध हो और उसकी सभी आधार वाक्य सत्य हों
(b) वह अवैध हो और उसकी सभी आधार वाक्य सत्य हों
(c) वह वैध हो और उसकी एक आधार वाक्य असत्य हो
(d) वह वैध हो और उसका निष्कर्ष असत्य हो

उत्तर 1.(c) 2.(b) 3.(d) 4.(a)

17.4 आगमन तर्क की विशेषताएँ (Attributes of Inductive Argument)

मजबूती (Strength)

इस विषय को सरल बनाने वाले वीडियो व्याख्यान को देखने के लिए इस QR कोड को स्कैन करें

मजबूती उस सीमा को दर्शाती है जहाँ तक आगमन तर्क की आधार वाक्य निष्कर्ष को समर्थन देती हैं। निगमन तर्क जहाँ वैधता और सद्वाक्यता के आधार पर आँके जाते हैं, वहीं आगमन तर्क उनकी मजबूती के आधार पर आँके जाते हैं। एक मजबूत आगमन तर्क का अर्थ है कि यदि आधार वाक्य सत्य हैं, तो निष्कर्ष भी संभवतः सत्य होगा। वहीं, एक कमजोर आगमन तर्क का अर्थ है कि निष्कर्ष को आधार वाक्यों से पर्याप्त समर्थन नहीं मिलता।

मजबूत तर्क क्या होता है?

मजबूत तर्क वह होता है जिसमें दी गई आधार वाक्य (कारण) निष्कर्ष का अच्छा और ठोस समर्थन करती हैं, जिससे निष्कर्ष की संभावना बहुत अधिक हो जाती है।

प्रकरण 1:

- **आधार वाक्य 1:** अधिकांश पक्षी उड़ सकते हैं।
- **आधार वाक्य 2:** गौरैया एक पक्षी है।
- **निष्कर्ष:** इसलिए, गौरैया शायद उड़ सकती है।

इस उदाहरण में, दी गई आधार वाक्य निष्कर्ष का मजबूती से समर्थन करती हैं क्योंकि यह बहुत संभावित है कि एक पक्षी होने के नाते गौरैया उड़ सकती है।

कमजोर तर्क क्या होता है?

कमजोर तर्क वह होता है जिसमें दी गई आधार वाक्य निष्कर्ष का थोड़ा या बहुत कम समर्थन करती हैं, जिससे निष्कर्ष की संभावना कम हो जाती है।

प्रकरण 2:

- **आधार वाक्य 1:** कुछ पक्षी बोल सकते हैं।
- **आधार वाक्य 2:** कौवा एक पक्षी है।
- **निष्कर्ष:** इसलिए, कौवा शायद बोल सकता है।

इस मामले में, दी गई आधार वाक्य निष्कर्ष का कमजोर समर्थन करती हैं क्योंकि बहुत कम पक्षी बोल सकते हैं और कौवे आमतौर पर उन पक्षियों में नहीं आते। आइए हम मजबूत और कमजोर तर्कों की एक तुलना पर नजर डालें (तालिका 17.3)।

तालिका 17.3 मजबूत और कमजोर तर्कों की तुलना

प्रकरण 1 (मजबूत तर्क)	**आधार वाक्य 1:** अधिकांश पक्षी उड़ सकते हैं। **आधार वाक्य 2:** गौरैया एक पक्षी है। **निष्कर्ष:** इसलिए, गौरैया शायद उड़ सकती है। **मूल्यांकन:** मजबूत तर्क (निष्कर्ष की संभावना बहुत अधिक है।)

तालिका 17.3 *(जारी)*

प्रकरण 2 (कमजोर तर्क)	**आधार वाक्य 1:** कुछ पक्षी बोल सकते हैं। **आधार वाक्य 2:** कौवा एक पक्षी है। **निष्कर्ष:** इसलिए, कौवा शायद बोल सकता है। **मूल्यांकन:** कमजोर तर्क (निष्कर्ष का समर्थन अच्छा नहीं है।)

युक्ति (Cogency)

युक्ति एक ऐसा तर्क होता है जो न केवल मजबूत होता है, बल्कि जिसकी आधार वाक्य भी वास्तव में सही होती हैं। युक्ति किसी आगमनात्मक तर्क (inductive argument) की समग्र प्रभावशीलता को दर्शाती है। जब तर्क मजबूत हो और उसकी आधार वाक्य सही हों, तब उसे युक्तिसंगत (Cogent) कहा जाता है। यदि तर्क कमजोर हो या उसकी कोई आधार वाक्य झूठी हो, तो वह अयुक्तिसंगत (Uncogent) कहलाता है।

युक्तिसंगत तर्क के लिए मापदंड (Criteria for Cogency)

- **मजबूती:** आधार वाक्य निष्कर्ष को मजबूती से समर्थन करें, जिससे निष्कर्ष की संभावना बहुत अधिक हो।
- **सही आधार वाक्य:** आधार वाक्य वास्तविकता में सही हों।

प्रकरण 1 (युक्तिसंगत तर्क)	**आधार वाक्य 1:** जो छात्र नियमित रूप से पढ़ाई करते हैं, वे परीक्षाओं में अच्छे अंक लाते हैं। **आधार वाक्य 2:** राहुल नियमित रूप से पढ़ाई करता है। **निष्कर्ष:** इसलिए, राहुल संभवतः परीक्षा में अच्छे अंक लाएगा
प्रकरण 2 (अयुक्तिसंगत और कमजोर तर्क)	**आधार वाक्य 1:** कुछ छात्र जो नियमित रूप से पढ़ाई करते हैं, वे परीक्षाओं में अच्छे अंक लाते हैं। **आधार वाक्य 2:** राहुल नियमित रूप से पढ़ाई करता है। **निष्कर्ष:** इसलिए, राहुल संभवतः परीक्षा में अच्छे अंक लाएगा।
प्रकरण 3 (अयुक्तिसंगत और झूठी आधार वाक्य)	**आधार वाक्य 1:** अधिकांश छात्र जो अनियमित रूप से पढ़ाई करते हैं, वे परीक्षाओं में अच्छे अंक लाते हैं। **आधार वाक्य 1:** राहुल अनियमित रूप से पढ़ाई करता है। **निष्कर्ष:** इसलिए, राहुल संभवतः परीक्षा में अच्छे अंक लाएगा।

- **प्रकरण 1 (युक्तिसंगत):** यह तर्क युक्तिसंगत है क्योंकि इसकी दोनों आधार वाक्य सत्य हैं और निष्कर्ष का मजबूती से समर्थन करती हैं। पहली आधार वाक्य एक सांख्यिकीय प्रवृत्ति को दर्शाती है कि जो छात्र नियमित रूप से पढ़ाई करते हैं, वे आमतौर पर परीक्षाओं में अच्छे अंक लाते हैं। दूसरी आधार वाक्य बताती है कि राहुल नियमित रूप से पढ़ाई करता है, जो कि सत्य है। इसलिए, इन सत्य आधार वाक्यों के आधार पर यह अत्यधिक संभावित है कि राहुल परीक्षा में अच्छे अंक लाएगा। यह तर्क युक्तिसंगतता की शर्तों को पूरा करता है क्योंकि इसकी आधार वाक्य सत्य हैं और निष्कर्ष को मजबूती से समर्थन देती हैं।
- **प्रकरण 2 (अयुक्तिसंगत - कमजोर):** यह तर्क अयुक्तिसंगत है क्योंकि इसकी पहली आधार वाक्य कमजोर है और निष्कर्ष का मजबूती से समर्थन नहीं करती। पहली आधार वाक्य केवल यह कहती है कि कुछ छात्र (अधिकांश या सभी नहीं) जो नियमित रूप से पढ़ाई करते हैं, वे अच्छे अंक लाते हैं - यह प्रकरण 1 की तुलना में कमजोर दावा है। भले ही दूसरी आधार वाक्य सत्य हो (राहुल नियमित रूप से पढ़ाई करता है), लेकिन कमजोर पहली आधार वाक्य इस निष्कर्ष को पर्याप्त समर्थन नहीं देती कि राहुल अच्छे अंक लाएगा। इसलिए, यह तर्क कमजोर आधार वाक्य के कारण अयुक्तिसंगत है।
- **प्रकरण 3 (अयुक्तिसंगत - झूठी आधार वाक्य):** यह तर्क अयुक्तिसंगत है क्योंकि इसकी पहली आधार वाक्य झूठी है, जिससे निष्कर्ष से तर्कपूर्ण संबंध टूट जाता है। पहली आधार वाक्य यह कहती है कि जो छात्र अनियमित रूप से पढ़ाई करते हैं, वे आमतौर पर अच्छे अंक लाते हैं - जो कि वास्तविकता में सत्य नहीं है। भले ही दूसरी आधार वाक्य सत्य हो (राहुल अनियमित रूप से पढ़ाई करता है), लेकिन झूठी पहली आधार वाक्य यह तर्क नहीं देती कि राहुल संभवतः अच्छे अंक लाएगा। इसलिए, यह तर्क झूठी आधार वाक्य के कारण अयुक्तिसंगत है।

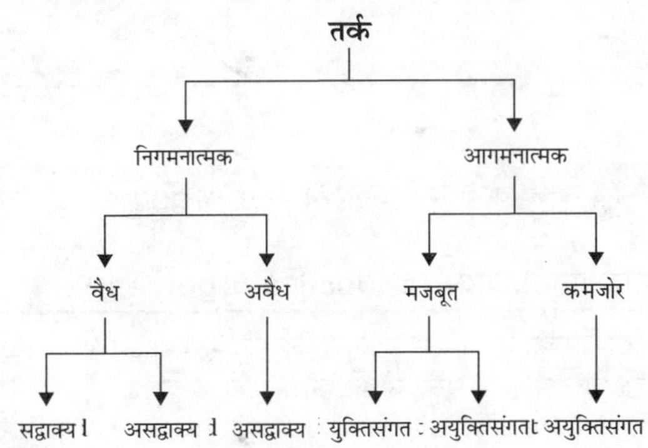

चित्र 17.3 तर्कों के गुण

क्विज स्टेशन *विगत UGC NET परीक्षाओं के प्रश्न*

प्र 1. निम्नलिखित में से कौन-कौन से कथन असत्य हैं?

1. आगमनात्मक (Inductive) तर्क हमेशा विशेष से सामान्य की ओर बढ़ते हैं।
2. एक युक्तिसंगत (Cogent) तर्क का आगमनात्मक रूप से मजबूत होना आवश्यक है।
3. एक वैध (Valid) तर्क में झूठी आधार वाक्य और असत्य निष्कर्ष हो सकता है।
4. किसी तर्क को वैध रूप से सत्य या असत्य कहा जा सकता है।

कोड:

(a) 2, 3 और 4

(b) 1 और 3

(c) 2 और 4

(d) 1 और 2

प्र 2. निम्नलिखित में से कौन-कौन से कथन सत्य हैं?

1. कुछ तर्क पूरी तरह वैध नहीं होते, लेकिन लगभग वैध होते हैं।
2. एक सत्य (Sound) तर्क अवैध हो सकता है।
3. एक युक्तिसंगत तर्क का निष्कर्ष संभवतः असत्य हो सकता है।
4. एक वाक्य सत्य या असत्य हो सकता है।

कोड:

(a) 1 और 2

(b) 1, 3 और 4

(c) केवल 4

(d) 3 और 4

उत्तर 1. (c) 2. (d)

17.5 तर्क के प्रकार (Types of Arguments)

अपहर्त्तात्मक तर्क (Abductive Argument)

अपहर्त्तात्मक तर्क, जिसे अपहर्त्तात्मक अनुमान (Abductive Reasoning) भी कहा जाता है, एक ऐसी सोचने की प्रक्रिया है जो हमें किसी देखी गई स्थिति का सबसे उचित और संभावित कारण समझने में मदद करती है, भले ही हमारे पास सारी जानकारी न हो। जब जानकारी अधूरी होती है और हमें एक समझदारी भरा अनुमान लगाना होता है, तब अपहर्त्तात्मक तर्क का उपयोग किया जाता है। उदाहरण से समझें:

- **अवलोकन 1:** सुबह घास गीली है।
- **अवलोकन 2:** रात में बारिश नहीं हुई।
- **अवलोकन 3:** स्प्रिंकलर (घास में पानी देने वाला यंत्र) सुबह जल्दी चालू होने के लिए सेट है।
- **निष्कर्ष:** इसलिए, घास गीली है क्योंकि सुबह स्प्रिंकलर चला था।

इस उदाहरण में हम यह निष्कर्ष निकालते हैं कि स्प्रिंकलर के चलने से घास गीली हुई। हो सकता है ओस या कोई और कारण भी हो, लेकिन जो जानकारी हमारे पास है, उसके आधार पर स्प्रिंकलर सबसे संभावित कारण लगता है। यही अपहर्त्तात्मक तर्क है।

अब आइए एक दिलचस्प वास्तविक जीवन का उदाहरण देखें। कल्पना कीजिए आप घर आते हैं और देखते हैं कि बैठक का कमरा बिखरा हुआ है। गद्दियाँ जमीन पर पड़ी हैं, सोफे पर टुकड़े बिखरे हुए हैं, और मेज के नीचे एक खिलौना कार है। आप सोचते हैं कि यह सब क्यों हुआ।

- **अवलोकन 1:** बैठक का कमरा बिखरा हुआ है।
- **अवलोकन 2:** गद्दियाँ जमीन पर हैं।
- **अवलोकन 3:** सोफे पर खाने के टुकड़े हैं।
- **अवलोकन 4:** मेज के नीचे एक खिलौना कार है।
- **निष्कर्ष:** इसलिए, सबसे संभावित कारण यह है कि बच्चे बैठक में खेल रहे थे और कुछ खा भी रहे थे।

यहाँ, अपहर्त्तात्मक तर्क हमें यह सोचने में मदद करता है कि कमरा शायद इसलिए बिखरा है क्योंकि बच्चे वहाँ खेल रहे थे और नाश्ता कर रहे थे। हो सकता है कोई और कारण भी हो - जैसे कोई पालतू जानवर कमरे को बिखेर गया हो - लेकिन जो प्रमाण हमारे पास है, उसके आधार पर बच्चों द्वारा खेलना और खाना सबसे उचित और संभावित कारण लगता है।

समानता पर आधारित तर्क (Analogical Argument)

समानता पर आधारित तर्क एक ऐसा तर्क होता है जिसमें दो वस्तुओं या स्थितियों के बीच समानताओं की तुलना की जाती है, और यह अनुमान लगाया जाता है कि यदि वे कुछ मामलों में समान हैं, तो शायद अन्य मामलों में भी समान होंगी। उदाहरण से समझें:

इस विषय को सरल बनाने वाले वीडियो व्याख्यान को देखने के लिए इस QR कोड को स्कैन करें

- **आधार वाक्य 1:** हाथी स्तनधारी हैं।
- **आधार वाक्य 2:** डॉल्फिन भी स्तनधारी हैं।
- **आधार वाक्य 3:** हाथियों के पास फेफड़े होते हैं।
- **निष्कर्ष:** इसलिए, डॉल्फिन के पास भी फेफड़े होने चाहिए।

यह एक समानता पर आधारित तर्क है। यहाँ हाथियों और डॉल्फिन की तुलना इस आधार पर की गई है कि दोनों स्तनधारी हैं। चूँकि हाथियों के पास फेफड़े होते हैं, इसलिए तर्क यह निष्कर्ष निकालता है कि डॉल्फिन के पास भी फेफड़े होने चाहिए, क्योंकि वे भी स्तनधारी हैं। दोनों का एक ही वर्ग (स्तनधारी) में होना इस निष्कर्ष को समर्थन देता है।

समानता पर आधारित तर्कों की विशेषताएँ:

- **समानताएँ (Similarities):** दो वस्तुओं या स्थितियों के बीच समानताओं की खोज की जाती है।
- **निष्कर्ष (Conclusion):** यह मान लिया जाता है कि यदि वे कुछ मामलों में समान हैं, तो अन्य मामलों में भी समान हो सकती हैं।
- **मजबूती (Strength):** तर्क की मजबूती इस बात पर निर्भर करती है कि पाई गई समानताएँ कितनी महत्वपूर्ण और प्रासंगिक हैं।

समानता पर आधारित तर्क हमें भविष्यवाणी करने या अनुमान लगाने में मदद करते हैं, जब हमारे पास किसी स्थिति के बारे में सीमित जानकारी होती है। हालाँकि, ये तर्क हमेशा पूरी तरह सही नहीं होते क्योंकि दो वस्तुएँ कुछ मामलों में समान हो सकती हैं, लेकिन बाकी मामलों में अलग भी हो सकती हैं। इसलिए, ऐसे तर्कों से निष्कर्ष निकालते समय समानताओं की उपयोगिता और प्रासंगिकता का ध्यानपूर्वक मूल्यांकन करना जरूरी होता है।

क्विज स्टेशन *विगत UGC NET परीक्षाओं के प्रश्न*

प्र 1. निम्नलिखित में से कौन-सा एक समानता पर आधारित (analogous) कथन है?

(a) मनुष्य ईश्वर के समान है।

(b) ईश्वर महान है।

(c) गांधी राष्ट्रपिता हैं।

(d) मनुष्य एक तार्किक प्राणी है।

उत्तर 1. (a)

चक्राकार तर्क (Circular Argument)

चक्राकार तर्क, जिसे वृत्ताकार तर्क या प्रश्न को पहले ही मान लेना भी कहा जाता है, तब होता है जब तर्क का निष्कर्ष उसकी किसी आधार वाक्य के समान ही होता है। आसान शब्दों में कहें तो यह ऐसा है जैसे कोई कहे – "यह बात सही है क्योंकि यह सही है।" कल्पना कीजिए कोई कहे: "मुझे प्रतियोगिता जीतनी चाहिए क्योंकि मैं सबसे योग्य प्रतियोगी हूँ।" यह कथन कोई नया कारण या प्रमाण नहीं देता; यह बस उसी बात को थोड़ा अलग ढंग से दोहराता है।

चक्राकार तर्क किसी बात को वास्तव में सिद्ध नहीं करता क्योंकि यह पहले से ही यह मान लेता है कि जो बात साबित करनी है, वह पहले से सच है। इस प्रकार के तर्क में कोई नया प्रमाण या तर्क नहीं दिया जाता, बल्कि शुरुआत से ही यह मान लिया जाता है कि निष्कर्ष सत्य है। ऐसे तर्क भ्रामक हो सकते हैं क्योंकि यह दिखाते हैं कि कोई तर्क दिया गया है, जबकि वास्तव में कोई चीज सिद्ध नहीं की जाती।

क्विज स्टेशन *विगत UGC NET परीक्षाओं के प्रश्न*

प्र 1. 'A सत्य है क्योंकि B सत्य है; B सत्य है क्योंकि A सत्य है।' इस प्रकार का तर्क क्या कहलाता है?

(a) आगमनात्मक तर्क

(b) निगमनात्मक तर्क

(c) चक्राकार तर्क

(d) उपरोक्त में से कोई नहीं

प्र 2. निम्नलिखित में से कौन-सा एक चक्राकार तर्क का उदाहरण है?

(a) ईश्वर ने मनुष्य को अपनी छवि में बनाया, और मनुष्य ने ईश्वर को अपनी छवि में।

(b) ईश्वर शास्त्र का स्रोत है और शास्त्र ईश्वर के ज्ञान का स्रोत है।

(c) कुछ भारतीय महान हैं क्योंकि भारत महान है।

(d) राम महान हैं क्योंकि वे राम हैं।

उत्तर 1. (c) 2. (b)

संचालक तर्क (Conductive Argument)

संचालक तर्क वह तर्क होता है जिसमें कई आधार वाक्य (premises) किसी एक निष्कर्ष (conclusion) को समर्थन देने के लिए प्रस्तुत की जाती हैं। इन सभी आधार वाक्यों का योगदान स्वतंत्र रूप से होता है – यानि वे एक-दूसरे पर निर्भर नहीं होतीं, लेकिन मिलकर तर्क को मजबूत बनाती हैं। इसका उद्देश्य यह दिखाना होता है कि सभी कारणों को एक साथ देखने पर निष्कर्ष संभवत: सत्य है। उदाहरण:

- **आधार वाक्य 1:** इस रेस्टोरेंट को उसके खाने के लिए सकारात्मक समीक्षाएँ मिली हैं।
- **आधार वाक्य 2:** रेस्टोरेंट का वातावरण साफ-सुथरा और सुखद है।
- **आधार वाक्य 3:** यहाँ की कीमतें किफायती हैं।
- **निष्कर्ष:** इसलिए, यह रेस्टोरेंट भोजन के लिए एक अच्छा स्थान है।

यह एक संचालक तर्क है क्योंकि प्रत्येक कारण – अच्छी समीक्षाएँ, साफ वातावरण, और किफायती दरें – स्वतंत्र रूप से इस निष्कर्ष का समर्थन करते हैं कि यह रेस्टोरेंट भोजन के लिए उपयुक्त है। जब इन सभी कारणों को एक साथ देखा जाए, तो निष्कर्ष की सच्चाई की संभावना बढ़ जाती है।

सिनेमैटिक कनेक्शन

फिल्म *Inception* (2010) में, कोब (Cobb), जिसे लियोनर्डो डिकैप्रियो ने निभाया है, सपने और वास्तविकता में अंतर करने के लिए तर्कपूर्ण तर्क का उपयोग करता है। वह लगातार अपने आसपास के वातावरण का मूल्यांकन करता है और एक स्पिनिंग टॉप (उसका टोटेम) का उपयोग करता है यह जानने के लिए कि वह सपना देख रहा है या असल दुनिया में है। यदि टॉप लगातार घूमता रहता है, तो वह जानता है कि वह सपने में है। लेकिन अगर वह गिर जाता है, तो वह असलियत में है। टॉप के व्यवहार का विश्लेषण करके निष्कर्ष निकालने की यह प्रक्रिया जटिल परिस्थिति में तर्कशील तर्क का उदाहरण है। कोब की यह तर्कशक्ति उसे सपनों की परतों से बाहर निकलने और अपने लक्ष्य को पूरा करने में मदद करती है।

17.5 समानता (Analogy)

समानता एक बौद्धिक प्रक्रिया है जिसमें दो चीजों या अवधारणाओं के जोड़े के बीच समान संबंध पहचाने जाते हैं। ऐसे प्रश्नों में एक विशेष संबंध प्रस्तुत किया जाता है, और उम्मीदवार से यह पूछा जाता है कि निम्न विकल्पों में से कौन-सा जोड़ा उसी प्रकार का संबंध दर्शाता है। समानता आधारित प्रश्न किसी व्यक्ति की सामान्य ज्ञान, तर्कशक्ति और स्पष्ट एवं सटीक सोचने की क्षमता को परखने के लिए बनाए जाते हैं।

वर्णमाला समानता (Alphabet Analogy)

(वर्णमाला समानता का विषय कोडिंग-डिकोडिंग (Coding-Decoding) से घनिष्ठ रूप से जुड़ा हुआ है, जो अध्याय 15 – गणितीय तर्क (Mathematical Reasoning) का भाग है। संख्यात्मक समानता (Number Analogy) वाले

प्रश्नों को हल करते समय अक्सर कोडिंग-डिकोडिंग के विभिन्न नियमों और सिद्धांतों का प्रयोग करना पड़ता है। इस विषय की विस्तृत व्याख्या के लिए कृपया पृष्ठ संख्या 310 देखें।)

अक्षर या वर्णमाला कोडिंग एक ऐसी तकनीक है जो तर्कशक्ति और पहेली आधारित प्रश्नों में उपयोग की जाती है, जहाँ वर्णमाला के प्रत्येक अक्षर को किसी निश्चित नियम या पैटर्न के अनुसार एक विशेष कोड दिया जाता है। ऐसे प्रश्न यह जाँचते हैं कि कोई व्यक्ति दिए गए पैटर्न को किस तरह से समझकर संदेशों को एन्कोड या डिकोड कर सकता है। वर्णमाला कोडिंग में निपुणता विश्लेषणात्मक कौशल और तार्किक सोच को बेहतर बनाती है।

उदाहरण 1:

LMOI : OHRD : : EUTX : ?

(a) HPVS (b) IQWS

(c) IPVS (d) HPWS

समाधान: इस प्रश्न में अक्षरों को विशेष नियमों के अनुसार बदला गया है – हर अक्षर को वैकल्पिक रूप से तीन अक्षर आगे और पाँच अक्षर पीछे खिसकाया गया है। अक्षरों को वैकल्पिक रूप से तीन कदम आगे और पांच कदम पीछे ले जाया जाता है, जैसा कि नीचे दिखाया गया है:

As,
L M O I
+3 –5 +3 –5
↓ ↓ ↓ ↓
O H R D
Similarly,
E U T X
+3 –5 +3 –5
↓ ↓ ↓ ↓
H P W S

इस प्रकार, (d) HPWS सही विकल्प है।

उदाहरण 2: BEGK का संबंध ADFJ से है, उसी प्रकार PSVM का संबंध किससे है?

(a) LOQT (b) ROUX

(c) OTUZ (d) ORUL

समाधान:

B E G K
–1 –1 –1 –1
A D F J

P S V M
–1 –1 –1 –1
O R U L

सही विकल्प (d) ORUL है।

संख्यात्मक समानता (Number Analogy)

(संख्यात्मक समानता अध्याय 15 – गणितीय तर्क (Mathematical Reasoning) के संख्या श्रेणी (Number Series) विषय से घनिष्ठ रूप से जुड़ी हुई है। ऐसे प्रश्नों को हल करने में प्राय: Number Series के नियमों और सिद्धांतों का प्रयोग किया जाता है। इस विषय की विस्तृत व्याख्या के लिए कृपया पृष्ठ संख्या 316 देखें।)

संख्यात्मक समानता के प्रश्न यह परखते हैं कि आप संख्याओं के बीच संबंध को पहचान कर उसी प्रकार का संबंध अन्य संख्याओं के बीच लागू कर सकते हैं या नहीं। इसमें आपको दिए गए संख्याओं के एक समूह में कोई विशेष पैटर्न पहचानकर उसी तर्क से किसी अन्य समूह में गायब संख्या को ढूँढना होता है।

उदाहरण 3: 6 : 36 :: 9 : ?

(a) 54 (b) 72

(c) 81 (d) 99

समाधान:

6 → 36 (6^2) 9 → **81** (9^2)

उदाहरण 4: 4 : 18 :: 5 : 27 :: 6 : ?

(a) 24 (b) 30

(c) 38 (d) 42

समाधान:

4 → 18 ((4×4)+2) 5 → 27 ((5×5)+2) 6 → **38** ((6×6)+2)

अत: सही विकल्प (c) 38 है।

उदाहरण 5: WORD : 23 15 18 4 :: TREE : ?

(a) 20 18 5 5 (b) 21 17 6 6

(c) 22 16 7 7 (d) 19 14 8 8

समाधान: इस उदाहरण में, प्रत्येक अक्षर वर्णमाला श्रृंखला में अपनी वास्तविक स्थिति के अनुरूप है।

W	O	R	D	T	R	E	E
↓	↓	↓	↓	↓	↓	↓	↓
23	15	18	4	20	18	5	5

शब्द सादृश्य (Word Analogy)

शब्द समानता आधारित प्रश्न यह परखते हैं कि आप दो शब्दों के जोड़े के बीच संबंध को कितनी अच्छी तरह पहचान सकते हैं और उसी प्रकार का संबंध अन्य विकल्पों में खोज सकते हैं। ऐसे प्रश्न आपकी

तर्कशक्ति, शब्दावली ज्ञान और तार्किक व सटीक सोचने की क्षमता का मूल्यांकन करते हैं। आइए, हम शब्द समानताओं के प्रकारों को विस्तार से समझें:

प्रकार 1: पर्यायवाची सादृश्य (Synonym Analogies)

समान अर्थ वाले शब्द का चयन करना

उदाहरण 6: खुश : हर्षित :: उदास : ?

(a) क्रोधित

(b) अप्रसन्न

(c) उत्साहित

(d) नर्वस

समाधान: (b) अप्रसन्न

'खुश' और 'हर्षित' समानार्थी शब्द हैं। इसी तरह, 'उदास' और 'अप्रसन्न' समानार्थी शब्द हैं।

प्रकार 2: विलोम शब्द (Antonym Analogies)

विपरीत अर्थ वाले शब्द का चयन करना।

उदाहरण 7: गर्म : ठंडा :: ऊपर : ?

(a) नीचे (b) ऊँचा

(c) लंबा (d) गहरा

समाधान: (a) नीचे

'गर्म' और 'ठंडा' विपरीतार्थक शब्द हैं। इसी तरह, 'ऊपर' और 'नीचे' विपरीतार्थक शब्द हैं।

प्रकार 3: भाग और संपूर्ण (Part to Whole Analogies)

एक भाग और संपूर्ण जिससे वह संबंधित है।

उदाहरण 8: पंखुड़ी : फूल :: पहिया : ?

(a) कार (b) इंजन

(c) सड़क (d) टायर

समाधान: (a) कार

'पंखुड़ी' 'फूल' का हिस्सा है। इसी तरह, 'पहिया' 'कार' का हिस्सा है।

प्रकार 4: कारण और परिणाम (Cause and Effect Analogies)

कारण और उसका परिणामी प्रभाव।

उदाहरण 9: आग : जलना :: अध्ययन : ?

(a) सोना (b) सीखना

(c) खाना (d) खेलना

समाधान: (b) सीखना

'आग' किसी चीज को 'जलाने' का कारण बनती है। इसी तरह, 'अध्ययन' किसी को 'सीखने' का कारण बनता है।

प्रकार 5: कार्य (Function Analogies)

एक वस्तु और उसका कार्य या उपयोग।

उदाहरण 10: चाकू: काटना :: कलम: ?

(a) मिटाना

(b) लिखना

(c) चित्र बनाना

(d) स्याही

समाधान: (b) लिखना

'चाकू' का कार्य 'काटना' है। इसी तरह, 'कलम' का कार्य 'लिखना' है।

प्रकार 6: श्रेणी (Category Analogies)

एक वस्तु और वह श्रेणी जिससे वह संबंधित है।

उदाहरण 11: कुत्ता: स्तनपायी :: गुलाब: ?

(a) पेड़ (b) पौधा

(c) फूल (d) झाड़ी

समाधान: (c) फूल

'कुत्ता' एक प्रकार का 'स्तनपायी' है। इसी तरह, 'गुलाब' एक प्रकार का 'फूल' है।

प्रकार 7: डिग्री (Degree Analogies)

शब्द जो किसी अवधारणा की विभिन्न डिग्री दिखाते हैं।

उदाहरण 12: उष्ण गरम :: ठंडा: ?

(a) ठंडक

(b) जमने वाला

(c) गुनगुना

(d) हल्का

समाधान: (a) ठंडा

'ठंडक' 'गर्म' का कम अंश है। इसी तरह, 'ठंडा' 'ठंडक' का कम अंश है।

प्रकार 8: विशेषता (Characteristic Analogies)

किसी वस्तु या अवधारणा से संबंधित विशेषता या गुण।

उदाहरण 13: पंख : हल्का :: लोहा : ?

(a) कठोर (b) भारी

(c) नरम (d) भंगुर

समाधान: (b) भारी

'पंख' की एक विशेषता 'हल्का' होना है। इसी तरह, 'लोहे' की एक विशेषता 'भारी' होना है।

कॉन्सेप्ट कैप्सूल

शब्द सादृश्य में आमतौर पर इस्तेमाल किए जाने वाले जोड़े

व्यक्तिगतः समूह

व्यक्तिगत		समूह
कलाकार	:	मंडली
मधुमक्खियाँ	:	झुंड
मवेशी	:	झुंड
मुर्गियाँ	:	टोली
दराज	:	संदूक
मछलियाँ	:	झुंड
फूल	:	गुच्छा
हंस	:	झुंड
सामान	:	भंडार
अंगूर	:	गुच्छा
पुरुष	:	भीड़
मंत्री	:	परिषद
संगीतकार	:	बैंड
घुमंतू	:	झुंड
तीर्थयात्री	:	कारवां
खिलाड़ी	:	टीम
विद्यार्थी	:	कक्षा
सवार	:	जुलूस
उपद्रवी	:	भीड़
डाकू	:	गिरोह
नाविक	:	दल
भेड़	:	झुंड
गायक	:	कोरस
सैनिक	:	सेना
दीमक	:	बस्ती
भेड़िए	:	झुंड
सन्यासी	:	भ्रातृ-संघ
वकील	:	फर्म

नरः मादा

नर		मादा
कुंवारा	:	कुंवारी
भाई	:	बहन
बैल	:	बछिया
मुर्गा	:	मुर्गी
घोड़ा	:	घोड़ी
कुत्ता	:	कुतिया
नर बतख	:	मादा बतख
नर मधुमक्खी	:	मधुमक्खी
लोमड़ी	:	मादा लोमड़ी
नर हंस	:	मादा हंस
घोड़ा	:	घोड़ी
स्वामी	:	महिला
स्वामी	:	स्वामिनी
साधु	:	साध्वी
बेटा	:	बेटी
शिक्षक	:	शिक्षिका
जादूगर	:	जादूगरनी
अभिनेता	:	अभिनेत्री
नायक	:	नायिका
पति	:	पत्नी

पशुः उनके बच्चे

पशु		उनके बच्चे
रीछ	:	शावक
तितली	:	इल्ली
बिल्ली	:	बिलौटा
तिलचट्टा	:	अपूर्ण विकसित रूप
गाय	:	बछड़ा
हिरन	:	हिरन का बच्चा
कुत्ता	:	पिल्ला
बतख	:	बतख का बच्चा
मेंढक	:	टैडपोल
मुर्गी	:	चूजा
घोड़ा	:	घोड़े का बच्चा
कीट	:	लार्वा
शेर/बाघ	:	शावक
पुरुष	:	बच्चा
भेड़	:	मेमना
हंस	:	हंस का बच्चा
सूअर	:	सूअर का बच्चा
हाथी	:	हाथी का बच्चा
बकरी	:	बकरी का बच्चा

व्यक्तिः रहने का स्थान

व्यक्ति		रहने का स्थान
पक्षी	:	घोंसला
कैदी	:	जेल
गाय	:	गोशाला
कुत्ता	:	कुत्ते का घर
गरुड़	:	ऊँचा घोंसला
एस्किमो	:	बर्फ का घर
बंजारा	:	कारवां
खरगोश	:	बिल
घोड़ा	:	अस्तबल
राजा	:	महल
शेर	:	मांद
पागल	:	पागलखाना
सन्यासी	:	मठ
साध्वी	:	नन का निवास
उल्लू	:	खलिहान
सूअर	:	सूअर का बाड़ा
सैनिक	:	बैरक
मकड़ी	:	जाला
मधुमक्खी	:	छत्ता
चींटी	:	चींटी का बिल

देशः मुद्रा

देश		मुद्रा
बांग्लादेश	:	टका
बर्मा	:	क्यात
चीन	:	युआन
यूनान	:	द्राक्मा
भारत	:	रुपया
ईरान	:	रियाल
ईराक	:	दिनार
जापान	:	येन
कोरिया	:	वॉन
कुवैत	:	दिनार
ब्रिटेन	:	पाउंड
अमेरिका	:	डॉलर
थाईलैंड	:	बात
संयुक्त अरब अमीरात	:	दिरहम

पशु/वस्तुएँ: ध्वनि

पशु/वस्तुएँ		ध्वनि
घंटी	:	टनटनाहट
ऊँट	:	घुरघुराना
बिल्ली	:	म्याऊँ
सिक्के	:	खनखनाहट
कौवा	:	काँव-काँव
गधा	:	रेंकना
ढोल	:	थाप
हाथी	:	चिंघाड़
मेंढक	:	टर्राना
बकरी	:	मिमियाना
मुर्गी	:	कुकड़ाना
घोड़ा	:	हिनहिनाना
सियार	:	हुआँकना
पत्तियाँ	:	सरसराहट
चूहे	:	चीं-चीं

मात्राः इकाई

मात्रा		इकाई
क्षेत्रफल	:	हेक्टेयर
चालकता	:	म्हो
विद्युत धारा	:	ऐंपियर
घनत्व	:	ग्राम प्रति घन सेंटीमीटर
ऊर्जा	:	जूल
बल	:	न्यूटन
लंबाई	:	मीटर
प्रभा	:	कैंडेला
चुंबकीय क्षेत्र	:	ओयर्स्टेड
द्रव्यमान	:	किलोग्राम
विधुत विभव	:	वोल्ट
शक्ति	:	वाट
दाब	:	पास्कल
प्रतिरोध	:	ओम
तापमान	:	डिग्री

देशः मुद्रा	
तुर्की	लीरा
रूस	रूबल
ब्राजील	रियाल
दक्षिण अफ्रीका	रैंड

पशु/वस्तुएँ: ध्वनि	
बंदर	किलकारी
उल्लू	हूट करना
बारिश	टपकना
गौरैया	चहचहाना
कुत्ता	भौंकना
मधुमक्खी	भनभनाना

मात्राः इकाई	
समय	सेकंड
आयतन	लीटर
कार्य	जूल
कोण	डिग्री
आवृत्ति	हट्र्ज

पशुः गति	
रीछ	भारी कदमों से चलना
पक्षी	उड़ना
मुर्गा	अकड़ कर चलना
गधा	धीरे दौड़ना
बतख	डगमगाना
गरुड़	झपटना
हाथी	धीरे-धीरे चलना
घोड़ा	सरपट दौड़ना
भेड़ का बच्चा	कुलाँचे भरना
शेर	दबे पाँव घूमना
चूहा	फुर्ती से दौड़ना
उल्लू	फुर्ती से उड़ना
खरगोश	कूदना
साँप	लहराकर रेंगना
व्हेल	तैरना

उपकरणः माप	
एनेमोमीटर	पवन
बैरोमीटर	दाब
तराजू	द्रव्यमान
हाइग्रोमीटर	आर्द्रता
ओडोमीटर	गति
रिक्टर स्केल	भूकंप
स्क्रू-गेज	मोटाई
पैमाना	लंबाई
सीस्मोग्राफ	भूकंप
स्फिग्मोमैनोमीटर	रक्तचाप
टेसियोमीटर	खिंचाव
थर्मामीटर	तापमान
वोल्टमीटर	वोल्टता
ऐमीटर	विद्युत धारा
कैलिपर	व्यास

व्यक्ति/वस्तुएँ: कक्षा	
तितली	कीट
कुर्सी	फर्नीचर
कप	क्रॉकरी
परदा	परिधान
मेंढक	उभयचर
गिरगिट	सरीसृप
मनुष्य	स्तनपायी
शुतुरमुर्ग	पक्षी
कलम	स्टेशनरी
चूहा	कृंतक
कमीज	परिधान
साँप	सरीसृप
व्हेल	स्तनपायी
पेड़	पौधा
गुलाब	फूल

अध्याय के मुख्य बिंदु

तर्क की संरचना

- आधार
  (आपके तर्क को समर्थन देने वाले तथ्य)
- निष्कर्ष
  (कथन जो आधार को सिद्ध या उचित ठहराता है)

आगमनात्मक तर्क की विशेषताएँ

- ताकत और कमजोरी
  (प्रेरणात्मक तर्क के आधार किस हद तक निष्कर्ष का समर्थन करते हैं)
- तार्किकता
  (मजबूत + सत्य आधार)

तर्क करने के प्रकार

- निगमनात्मक
  (सामान्य से विशिष्ट)
- आगमनात्मक
  (विशिष्ट से सामान्य)

सादृश्य

- वर्णमाला सादृश्य
- संख्या सादृश्य
- शब्द सादृश्य

निगमनात्मक तर्क की विशेषताएँ

- वैधता
  (निष्कर्ष तार्किक रूप से आधार से प्रवाहित होना चाहिए)
- सुदृढ़ता
  (निष्कर्ष तार्किक रूप से आधार से प्रवाहित होना चाहिए + आधार की तथ्यात्मक सटीकता)

तर्क के प्रकार

- अपवर्तनीय तर्क
  (साक्ष्य से शुरू होता है और सर्वोत्तम संभव स्पष्टीकरण प्रस्तावित करता है)
- अनुरूप तर्क
  (निष्कर्ष निकालने के लिए दो समान मामलों के बीच तुलना करता है)
- वृत्ताकार तर्क
  (निष्कर्ष को आधार के रूप में पुनः प्रस्तुत करता है, जिससे यह तार्किक रूप से निरर्थक हो जाता है)
- प्रवाहकीय तर्क
  (दावे का समर्थन करने के लिए कई स्वतंत्र कारण प्रस्तुत करता है)

न्यायवाक्य (Syllogism)

18

इकाई VI तार्किक तर्क

इस अध्याय में

**परीक्षोपयोगी (Exam Essential): UGC NET परीक्षा में पूछे जाने की अत्यधिक संभावना, #CC का अर्थ है कॉन्सेप्ट कैप्सूल*

परिचय (Introduction)

तर्कशक्ति (लॉजिक) स्पष्ट और विवेकपूर्ण सोच की रीढ़ है। यह हमें सही निर्णय लेने में मदद करती है। तर्कशक्ति हमारे सोचने की प्रक्रिया को एकरूप और सुसंगत बनाए रखने के लिए नियम और सिद्धांत प्रदान करती है।

न्यायवाक्य (Syllogism), जो कि एक प्रकार की निगमनात्मक (deductive) तर्क प्रणाली है, तर्कशक्ति का एक महत्वपूर्ण हिस्सा है। यह तर्कों को समझने और उनका मूल्यांकन करने में सहायता करता है। न्यायवाक्य केवल एक सैद्धांतिक विषय नहीं है, बल्कि यह एक व्यावहारिक उपकरण है जिसका उपयोग गणित से लेकर कानून जैसे कई क्षेत्रों में किया जाता है। इसका उद्देश्य तर्क की वैधता को परखना और सोचने की प्रक्रिया को मजबूत बनाना है।

एक वास्तविक उदाहरण पर विचार करें: कल्पना कीजिए एक लाइब्रेरियन को यह तय करना है कि कोई किताब फिक्शन सेक्शन में रखी जानी चाहिए या नहीं। वह न्यायवाक्य का प्रयोग कुछ इस तरह कर सकता है–

- सभी नॉवेल फिक्शन होती हैं।
- The Great Gatsby एक नॉवेल है।
- इसलिए, The Great Gatsby फिक्शन है।

इस उदाहरण में, लाइब्रेरियन ने यह निष्कर्ष निकालने के लिए न्यायवाक्य का प्रयोग किया कि The Great Gatsby को फिक्शन सेक्शन में रखा जाना चाहिए, क्योंकि यह तर्क क्रम में जुड़ा हुआ है।

न्यायवाक्य, NTA UGC NET पेपर 1 के इच्छुक उम्मीदवारों के लिए बहुत जरूरी है क्योंकि यह उनकी तर्कशक्ति, आलोचनात्मक सोच और विश्लेषणात्मक क्षमता को मजबूत करता है। इसके अध्ययन से परीक्षाओं में अच्छे अंक प्राप्त करने, तर्कों का सही मूल्यांकन करने और उपयुक्त निष्कर्ष निकालने में मदद मिलती है। यह शैक्षणिक शोध और शिक्षण जैसे उच्च शिक्षा से जुड़े करियर में सफलता के लिए भी आवश्यक है।

18.1 न्यायवाक्य क्या है? (What is Syllogism?)

न्यायवाक्य को समझने से पहले हम पिछली अध्याय में पढ़े तीन प्रमुख अवधारणाओं को संक्षेप में दोहराते हैं (इन विषयों का विस्तार से वर्णन पृष्ठ संख्या 358 पर है):

- **आधारवाक्य (Premise):** ये वे कारण या तथ्य होते हैं जो आपके तर्क का आधार होते हैं। इन्हें आप अपनी दलील की नींव मान सकते हैं।

- **निष्कर्ष (Conclusion):** यह वह मुख्य बात होती है जिसे आप अपने श्रोताओं को मनवाना चाहते हैं। यह आपके द्वारा प्रस्तुत आधारवाक्यों पर आधारित अंतिम निर्णय होता है।

उदाहरण	
संकल्प अवश्य ही पुलिस अधिकारी होगा।	क्योंकि वह खाकी वर्दी पहने हुए था और बंदूक लिए हुए था।
निष्कर्ष	आधारवाक्य

- **निगमनात्मक तर्क (Deductive Reasoning):** यह वह प्रक्रिया है जिसमें हम सामान्य बातों से एक विशिष्ट निष्कर्ष निकालते हैं।

इन बातों को ध्यान में रखते हुए, अब न्यायवाक्य को समझते हैं।

न्यायवाक्य (Syllogism): यह निगमनात्मक तर्क का एक विशेष प्रकार है जिसमें दो आधारवाक्यों से एक निष्कर्ष निकाला जाता है-एक प्रमुख आधारवाक्य और एक गौण आधारवाक्य।

एक उदाहरण से समझते हैं:

- **प्रमुख आधारवाक्य (Major Premise):** सभी पक्षियों के पंख होते हैं।
- **गौण आधारवाक्य (Minor Premise):** गौरैया एक पक्षी है।
- **निष्कर्ष (Conclusion):** इसलिए, गौरैया के पंख होते हैं।
- **प्रमुख आधारवाक्य (Major Premise):** यह एक व्यापक कथन होता है जो किसी पूरे समूह पर लागू होता है। उदाहरण के लिए, 'सभी पक्षियों के पंख होते हैं।' यह एक सामान्य नियम है जो हर पक्षी पर लागू होता है।
- **गौण आधारवाक्य (Minor Premise):** यह कथन विशिष्ट होता है और प्रमुख आधारवाक्य में दिए गए समूह से संबंधित होता है। जैसे– 'गौरैया एक पक्षी है।' यह किसी विशेष पक्षी (गौरैया) को सामान्य वर्ग (पक्षी) से जोड़ता है।
- **निष्कर्ष (Conclusion):** निष्कर्ष दोनों आधारवाक्यों से तार्किक रूप से निकलता है। यह गौण आधारवाक्य में दी गई विशेष बात को प्रमुख आधारवाक्य के सामान्य नियम से जोड़ता है। उदाहरण के लिए, 'इसलिए, गौरैया के पंख होते हैं।' यह निष्कर्ष यह दर्शाता है कि चूंकि सभी पक्षियों के पंख होते हैं (प्रमुख आधारवाक्य) और गौरैया एक पक्षी है (गौण आधारवाक्य), इसलिए उसके पंख होने ही चाहिए।

न्यायवाक्य (Syllogisms) निगमनात्मक तर्क का एक आवश्यक हिस्सा हैं, जो यह सुनिश्चित करते हैं कि आधारवाक्यों के आधार पर निकाले गए निष्कर्ष तार्किक रूप से सही हों।

मध्य पद, प्रमुख पद और गौण पद (Middle Term, Major Term and Minor Term)

न्यायवाक्य (Syllogism) में जब हम दो आधारवाक्यों (premises) के आधार पर एक निष्कर्ष निकालते हैं, तो मध्य पद (Middle Term) वह शब्द होता है जो इन दोनों आधारवाक्यों को आपस में जोड़ने का कार्य करता है। इसे आप एक पुल की तरह समझ सकते हैं, जो दोनों वाक्यों को जोड़कर हमें निष्कर्ष तक पहुँचने में मदद करता है।

अब हम उदाहरणों की सहायता से यह समझेंगे कि मध्य पद, प्रमुख पद और गौण पद की पहचान कैसे करें:

उदाहरण 1:

- **प्रथम वाक्य (प्रमुख आधारवाक्य/Major Premise):** सभी स्तनधारियों के शरीर पर रोयें होते हैं।
- **द्वितीय वाक्य (गौण आधारवाक्य/Minor Premise):** सभी कुत्ते स्तनधारी होते हैं।
- **निष्कर्ष (Conclusion):** इसलिए, सभी कुत्तों के शरीर पर रोयें होते हैं।

इन वाक्यों में:

- ***मध्य पद (Middle Term)*** है 'स्तनधारी' (mammals), क्योंकि यह दोनों वाक्यों (प्रथम और द्वितीय) में सामान्य रूप से आया है।
- ***प्रमुख पद (Major Term)*** है 'रोयें होते हैं' (have fur), क्योंकि यह पहले वाक्य और निष्कर्ष – दोनों में आया है।
- ***गौण पद (Minor Term)*** है 'कुत्ते' (dogs), क्योंकि यह दूसरे वाक्य और निष्कर्ष – दोनों में आया है।

यह कार्य कैसे करता है? (How Does it Work?)

- पहला वाक्य हमें यह जानकारी देता है कि सभी स्तनधारियों के शरीर पर रोयें होते हैं।
- दूसरा वाक्य हमें बताता है कि कुत्ते इसी स्तनधारी समूह का हिस्सा हैं।
- अब क्योंकि कुत्ते स्तनधारी हैं और सभी स्तनधारियों के शरीर पर रोयें होते हैं, इसलिए हम यह निष्कर्ष निकाल सकते हैं कि कुत्तों के शरीर पर भी रोयें होते हैं।

इस प्रकार, 'स्तनधारी' (mammals) – जो कि मध्य पद है – दोनों विचारों को जोड़ता है और हमें कुत्तों के बारे में निष्कर्ष तक पहुँचने में मदद करता है।

उदाहरण 2: जब तर्क एक वाक्य के रूप में दिया गया हो:

तर्क वाक्य (Argument Statement): 'सभी पक्षी उड़ सकते हैं क्योंकि उनके पंख होते हैं' (All birds can fly because they havewings)।

मध्य पद की पहचान (Identifying the Middle Term):

- **प्रमुख पद (Major Term):** 'उड़ सकते हैं' (can fly)
- **मध्य पद (Middle Term):** 'पंख होते हैं' (have wings)
- **गौण पद (Minor Term):** 'पक्षी' (birds)

यहाँ 'पंख होते हैं' मध्य पद है, क्योंकि यह कारण के रूप में बताया गया है कि पक्षी उड़ सकते हैं। यह आधारवाक्य (पक्षियों के पंख होते हैं) को निष्कर्ष (पक्षी उड़ सकते हैं) से जोड़ता है।

18.2 कथन क्या होते हैं? (What are Propositions?)

कथन (Propositions) न्यायवाक्य (Syllogism) की बुनियादी इकाइयाँ होते हैं। पिछले भाग में हमने समझा कि न्यायवाक्य आधारवाक्यों (premises) और निष्कर्ष (Conclusion) के मेल से बनता है। ये आधारवाक्य, जिन्हें हम कथन या वाक्य भी कहते हैं, न्यायवाक्य के मूल घटक होते हैं।

सरल शब्दों में कहें तो, कथन ऐसा वाक्य होता है जो कोई बात कहता है और जिसका मूल्य सत्य या असत्य हो सकता है। निष्कर्ष, इन्हीं आधारवाक्यों या कथनों से निकाले जाते हैं। तार्किक तर्क (logical reasoning) में, एक कथन ऐसा वाक्य होता है जो कोई एक वक्तव्य बनाता है और दो या अधिक

पदों के बीच संबंध स्थापित करता है। महत्वपूर्ण बात यह है कि किसी तर्क में कथन को तर्क के उद्देश्य से सत्य माना जाता है, भले ही वह वास्तविकता को न दर्शाता हो।

उदाहरण के रूप में देखें: वाक्य – *'सभी माताएँ गृहिणी होती हैं' (all mothers are housewives)*– एक कथन है। इसे तर्क के उद्देश्य से सत्य माना जाता है, जबकि वास्तविकता में सभी माताएँ गृहिणी नहीं होतीं।

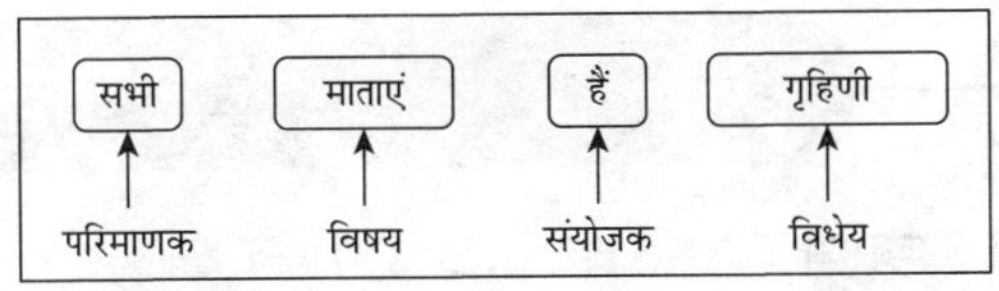

कथन के घटक (Components of a Proposition)

एक कथन या आधारवाक्य एक व्याकरणिक वाक्य होता है, जिसमें निम्नलिखित घटक होते हैं:

- **परिमापक (Quantifier):** यह बताता है कि कितनी मात्रा में कोई बात लागू होती है। सामान्य परिमापक हैं: 'सभी', 'कोई नहीं' और 'कुछ'। 'सभी' और 'कोई नहीं' को सार्वत्रिक परिमापक कहा जाता है, जबकि 'कुछ' को विशिष्ट परिमापक माना जाता है।
- **विषय (Subject - S):** यह वह वस्तु या व्यक्ति है जिसके बारे में कुछ कहा जा रहा है।
- **विधेय (Predicate - P):** यह वह भाग होता है जो विषय के बारे में कुछ कहता है – या तो पुष्टि करता है या इंकार करता है।
- **संयोजक (Copula - C):** यह वह शब्द या शब्द समूह होता है जो विषय और विधेय को जोड़ता है, और उनके बीच के संबंध को दर्शाता है।

क्विज स्टेशन विगत *UGC NET* परीक्षाओं के प्रश्न

प्र 1. निम्नलिखित में से कौन-सा दो पदों के बीच संबंध को दर्शाता है?

(a) विषय

(b) विधेय

(c) कर्म

(d) संयोजक

उत्तर 1. (d)

कथनों के प्रकार (Types of Propositions)

विभिन्न प्रकार के कथन नीचे तालिका 18.1 में दिए गए हैं:

तालिका 18.1 विभिन्न प्रकार के कथनों के बीच का अंतर

पहलू	श्रेणीगत कथन (विस्तार से चर्चा की गई है पृष्ठ संख्या 377 पर)	परिकल्पनात्मक/ शर्तसापेक्ष कथन	विकल्पसूचक कथन	संबंधवाचक कथन
परिभाषा	किसी श्रेणी या उपश्रेणी के बारे में कुछ कहता है या इंकार करता है	दो वाक्यों के बीच शर्तसापेक्ष संबंध को दर्शाता है	दो या अधिक विकल्प प्रस्तुत करता है	दो या अधिक इकाइयों के बीच संबंध दर्शाता है
उदाहरण	सभी पक्षी उड़ सकते हैं।	'यदि बारिश होगी, तो जमीन गीली हो जाएगी।'	'लाइट या तो जल रही है या बुझी हुई है।'	'जॉन मैरी से लंबा है।'
प्रपत्र	परिमापक (सभी) + विषय (पक्षी) + संयोजक (उड़ सकते हैं) + विधेय (उड़ना)	यदि P (बारिश), तो Q (जमीन गीली)	P (लाइट जल रही है) या Q (लाइट बुझी है)	विषय (जॉन) + संबंध (से लंबा) + विधेय (मैरी)
उपयोग	श्रेणियों के बारे में सामान्य कथन देने के लिए उपयोग किया जाता है	शर्त और उसके परिणाम व्यक्त करने के लिए उपयोग किया जाता है	विकल्प या संभावनाएँ व्यक्त करने के लिए उपयोग किया जाता है	स्थानिक, कालिक, कारणात्मक या तुलनात्मक संबंध बताने के लिए उपयोग किया जाता है

कथन	शब्द का उपयोग	उदाहरण
संयोजन	और	बारिश हो रही है और मेरे पास छाता है।
विच्छेदन	या	मैं दोपहर के भोजन में या तो बिरयानी खाऊँगा या डोसा।
शर्तसापेक्ष	यदि-तो	यदि बारिश हो रही है, तो राम छाता लाएगा।

कॉन्सेप्ट कैप्सूल

वेन डायग्राम (Venn Diagram)

वर्गवाचक कथनों का दृश्य रूप (Visual Representation of Categorical Propositions)

वर्गवाचक कथनों को समझने से पहले वेन डायग्राम बनाना सीखना जरूरी है। वेन डायग्राम की समझ आपको विभिन्न प्रकार के वर्गवाचक कथनों को बेहतर ढंग से समझने में मदद करेगी।

कल्पना कीजिए एक कक्षा की, जहाँ एक अध्यापिका यह जानना चाहती हैं कि कौन-कौन से छात्र किस-किस अतिरिक्त गतिविधि में भाग लेते हैं। कुछ छात्र डिबेट क्लब में हैं, कुछ म्यूजिक बैंड में और कुछ खेलों में हिस्सा लेते हैं। यह समझने के लिए कि ये समूह आपस में कैसे जुड़े हुए हैं, वह एक ऐसा तरीका अपनाती हैं, जो इन समूहों के बीच के मेल को दर्शाता है। जहाँ तीनों समूह एक-दूसरे से मिलते हैं, वह स्थान उन छात्रों का होता है जो डिबेट, म्यूजिक और स्पोर्ट्स तीनों में भाग लेते हैं।

इस चित्र को देखकर अध्यापिका तुरंत समझ सकती हैं कि कौन-कौन सी गतिविधियों में कितने छात्र भाग ले रहे हैं, किन छात्रों की रुचियाँ विविध हैं और किन्हें थोड़ी प्रोत्साहन की जरूरत है। इस दृश्य माध्यम से समूहों के बीच के संबंधों और मेल-जोल को आसानी से समझा जा सकता है, जिससे बेहतर निर्णय लेने में मदद मिलती है।

वेन डायग्राम (Venn Diagram) एक ऐसा तरीका है जिससे हम जटिल संबंधों और तर्क संरचनाओं को देख सकते हैं, विश्लेषण कर सकते हैं और समझ सकते हैं। यह ब्रिटिश तर्कशास्त्री जॉन वेन के नाम पर आधारित है। इस डायग्राम में अक्सर गोल आकृतियाँ (सर्किल) होती हैं, जो यह दिखाती हैं कि विभिन्न समूह (सेट) आपस में कैसे मिलते हैं, अलग होते हैं या एक साथ आते हैं। यह कठिन जानकारी को छोटे और आसान हिस्सों में बाँट देता है जिससे विश्लेषण और समस्या समाधान आसान हो जाता है।

वेन डायग्राम कैसे बनाएं? (How to Draw a Venn Diagram?)

चलिए एक उदाहरण से इसे समझते हैं: *'कुछ छात्र जो खेल खेलते हैं, वे म्यूजिक भी बजाते हैं।'*

चरण 1: समूहों की पहचान करें (Step 1: Identify the sets)

सबसे पहले यह तय करें कि किन-किन समूहों की तुलना या विश्लेषण करना है।

उदाहरण: हम ऐसे छात्रों की तुलना कर रहे हैं जो खेलों में भाग लेते हैं और जो म्यूजिक में भाग लेते हैं। ये दो हमारे समूह होंगे।

चरण 2: सर्किल बनाएं और नाम दें (Step 2: Draw and Name the circle)

हर समूह के लिए एक सर्किल बनाएं। अगर दो समूहों में कोई समान सदस्य हैं, तो दोनों सर्किल को थोड़ा ओवरलैप (एक-दूसरे से मिलते हुए) बनाएं। हर सर्किल पर उस समूह का नाम लिखें जिसे वह दर्शाता है।

अगर दो समूह हैं, तो दो ओवरलैपिंग सर्किल बनाएं। अगर तीन समूह हैं, तो तीन ओवरलैपिंग सर्किल बनाएं जिससे एक केंद्र बिंदु बने जहाँ तीनों मिलते हों।

उदाहरण: चूँकि कुछ छात्र खेल और म्यूजिक दोनों करते हैं, इसलिए दो ओवरलैपिंग सर्किल बनाए जाते हैं।

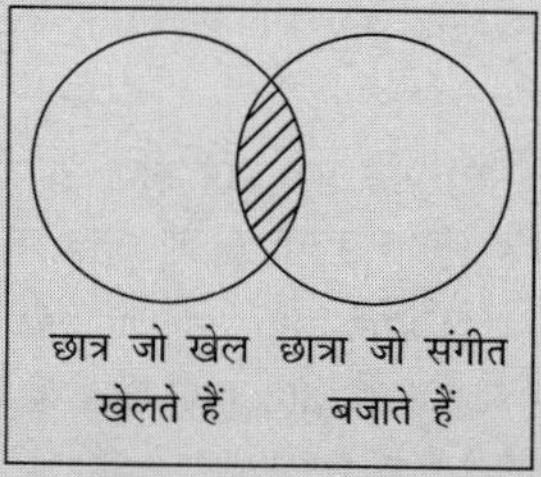

चरण 3: तत्वों को भरें (Step 3: Fill in the elements)

हर तत्व को उस हिस्से में रखें जहाँ वह सही रूप से आता है।

अगर कोई तत्व केवल एक समूह से संबंधित है, तो उसे उस सर्किल के ऐसे हिस्से में रखें जो ओवरलैप नहीं करता। अगर कोई तत्व एक से अधिक समूह से संबंधित है, तो उसे ओवरलैपिंग हिस्से में रखें।

उदाहरण: मान लीजिए सुनीता केवल खेल खेलती है, मयंक केवल म्यूजिक करता है और करण दोनों करता है। हम इसे नीचे के चित्र में दर्शा सकते हैं:

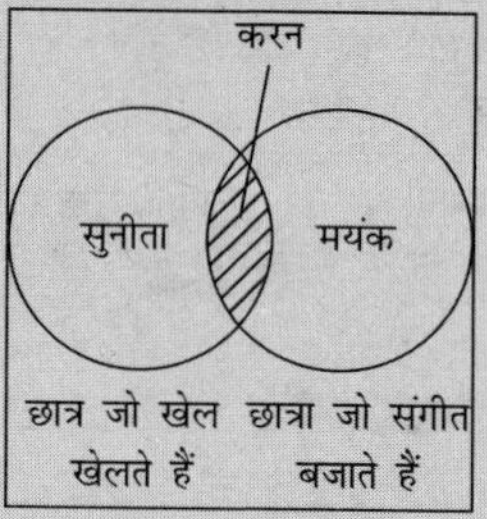

क्विज स्टेशन *विगत UGC NET परीक्षाओं के प्रश्न*

प्र 1. प्रमुख पद होता है-
(a) निष्कर्ष का कर्ता
(b) संयोजक
(c) निष्कर्ष का विधेय
(d) गौण आधारवाक्य का विधेय

प्र 2. वह पद प्रिमाइसों (आधारवाक्यों) में आता है लेकिन निष्कर्ष में नहीं आता, कहलाता है -
(a) प्रमुख पद (b) गौण पद
(c) मध्य पद (d) उपर्युक्त में से कोई नहीं

प्र 3. गौण पद होता है -
(a) निष्कर्ष का कर्ता
(b) निष्कर्ष का विधेय
(c) प्रमुख आधारवाक्य का कर्ता
(d) प्रमुख आधारवाक्य का विधेय

प्र 4. 'अगर तुम मेहनत करोगे तो सफल हो जाओगे' यह कथन एक उदाहरण है -
(a) वर्गवाचक कथन
(b) शर्तसापेक्ष कथन
(c) नकारात्मक कथन
(d) पूर्व-निवारक कथन

प्र 5. कथनों के दो प्रकार होते हैं –
(a) कोनोटेटिव-डिनोटेटिव
(b) वर्गवाचक-शर्तसापेक्ष
(c) (a) और (b) दोनों
(d) उपर्युक्त में से कोई नहीं

प्र 6. निम्नलिखित में से कौन-सा एक तर्क (argument) नहीं है?
(a) यदि आज मंगलवार है, तो कल बुधवार होगा।
(b) चूँकि आज मंगलवार है, इसलिए कल बुधवार होगा।
(c) राम ने मुझे अपमानित किया, इसलिए मैंने उसकी नाक पर मुक्का मारा।
(d) राम घर पर नहीं है, इसलिए वह जरूर शहर गया होगा।

उत्तर 1. (c) 2. (c) 3. (a) 4. (b) 5. (b) 6. (a)

18.3 वर्गवाचक कथन (Categorical Propositions)

वर्गवाचक कथनों के प्रकार (Types of Categorical Propositions)

वर्गवाचक कथन ऐसे वाक्य होते हैं जो यह स्वीकार या अस्वीकार करते हैं कि किसी एक श्रेणी (या वर्ग) के सभी या कुछ सदस्य किसी दूसरी श्रेणी में आते हैं या नहीं। तर्कशास्त्र में इनका उपयोग विभिन्न वस्तु-समूहों के बीच संबंध दर्शाने के लिए किया जाता है।

इस विषय को सरल बनाने वाले वीडियो व्याख्यान को देखने के लिए इस QR कोड को स्कैन करें

वर्गवाचक कथनों को उनकी मात्रा (सार्वत्रिक या आंशिक) और गुणवत्ता (सकारात्मक या नकारात्मक) के आधार पर चार प्रकारों में बाँटा गया है, जिन्हें A, E, I और O कथन कहा जाता है। अब आइए वेन डायग्राम की सहायता से विभिन्न प्रकार के वर्गवाचक कथनों को समझने की कोशिश करें:

सार्वत्रिक सकारात्मक या पुष्टि वाले कथन (A) (Universal Positive or Affirmative Propositions - A)

रूप: इस प्रकार के कथन का सामान्य रूप है 'सभी S, P हैं।'

उदाहरण: सभी सेब लाल होते हैं।

अर्थ: इसका अर्थ है कि हर एक सेब लाल होता है।

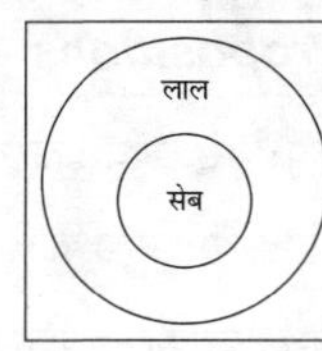

वेन डायग्राम से संभावित निष्कर्ष:
- **कुछ S, P हैं:** कुछ सेब लाल हैं (चूँकि सभी सेब लाल हैं, हम निश्चित रूप से कह सकते हैं कि कुछ सेब निश्चित रूप से लाल हैं)।
- **कुछ P, S हैं:** कुछ लाल चीजें सेब हैं।

सार्वत्रिक सकारात्मक या पुष्टि वाले कथनों (A) के अन्य उदाहरण:
- सभी वर्गों की चार भुजाएँ होती हैं।
- सभी पुरुष ईमानदार होते हैं।
- सभी गेंदें नीली होती हैं।

सार्वत्रिक नकारात्मक कथन (E) (Universal Negative Propositions - E)

रूप: इस प्रकार के कथन का सामान्य रूप है 'कोई भी S, P नहीं है।'

उदाहरण: कोई भी मनुष्य पक्षी नहीं है।

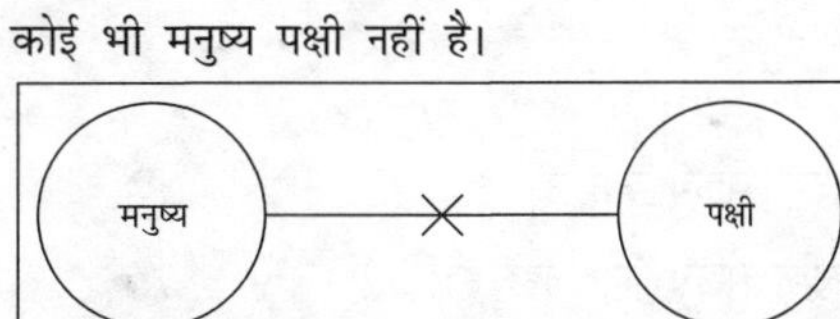

वेन डायग्राम से संभावित निष्कर्ष:
- **कोई P, S नहीं है:** कोई पक्षी मनुष्य नहीं है।
- **कुछ S, P नहीं हैं:** कुछ मनुष्य पक्षी नहीं हैं।
- **कुछ P, S नहीं है:** कुछ पक्षी मनुष्य नहीं हैं।

सार्वत्रिक नकारात्मक कथनों (E) के अन्य उदाहरण:

- कोई कार साइकिल नहीं है।
- कोई कौआ जानवर नहीं है।
- कोई टी-शर्ट बैंगनी नहीं है।

आंशिक सकारात्मक कथन (I) (Particular Affirmative Propositions - I)

रूप: इस प्रकार के कथन का सामान्य रूप है 'कुछ S, P हैं।'

उदाहरण: कुछ कारें इलेक्ट्रिक होती हैं।

अर्थ: इसका अर्थ है कि कुछ कारें इलेक्ट्रिक होती हैं, लेकिन जरूरी नहीं कि सभी कारें हों।

वेन डायग्राम से संभावित निष्कर्ष:

- कुछ इलेक्ट्रिक चीजें कारें हैं।

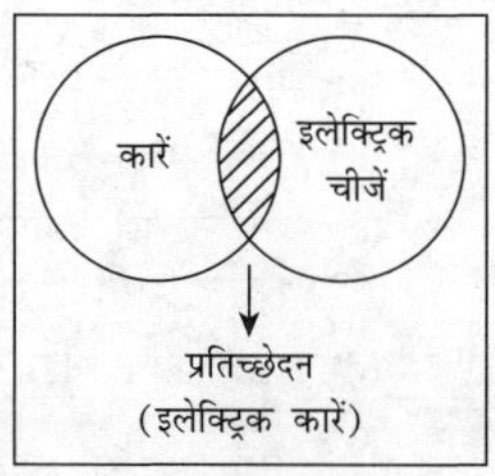

आंशिक सकारात्मक कथनों (I) के अन्य उदाहरण:

- कुछ पक्षी सफेद होते हैं।
- कुछ फल खट्टे होते हैं।
- कुछ छात्र आक्रामक होते हैं।

आंशिक नकारात्मक कथन (O) (Particular Negative Propositions – O)

रूप: इस प्रकार के कथन का सामान्य रूप है 'कुछ S, P नहीं हैं।'

उदाहरण: कुछ कारें इलेक्ट्रिक नहीं होतीं।

अर्थ: इसका अर्थ है कि कुछ कारें इलेक्ट्रिक नहीं होतीं।

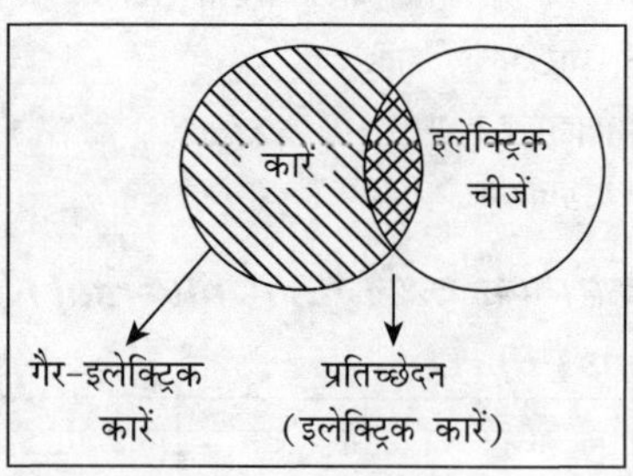

वेन डायग्राम से संभावित निष्कर्ष:

- कुछ इलेक्ट्रिक वाहन कारें हैं।
- कुछ इलेक्ट्रिक वाहन कारें नहीं हैं।

आंशिक नकारात्मक कथनों (O) के अन्य उदाहरण:

- कुछ छात्र बुद्धिमान नहीं होते।
- कुछ टेलीविजन HD नहीं होते।
- कुछ शर्टें ग्रे नहीं होतीं।

तालिका 18.2 श्रेणीबद्ध कथन

	सार्वत्रिक (Universal)	**आंशिक** (Particular)
सकारात्मक (Positive)	A सभी S, P हैं	I कुछ S, P हैं
नकारात्मक (Negative)	E कोई S, P नहीं है	O कुछ S, P नहीं हैं

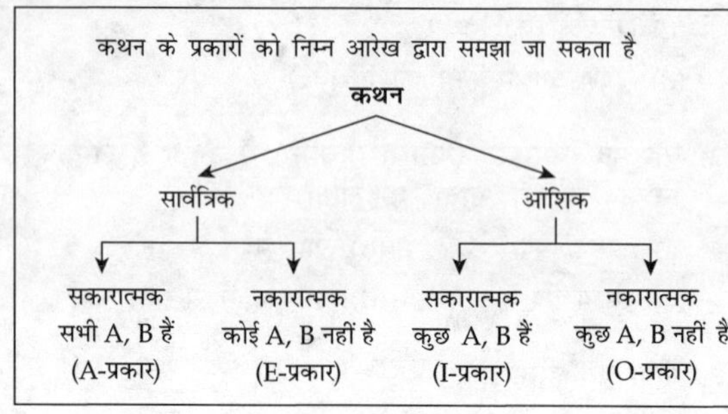

चित्र 18.1 कथन का प्रकार

वर्गवाचक कथनों का वितरण (Distribution of Categorical Propositions)

वर्गवाचक कथनों में जब हम 'वितरण' की बात करते हैं, तो हम यह पता लगाते हैं कि कोई कथन किसी समूह के सभी सदस्यों के बारे में बात कर रहा है या केवल कुछ के बारे में।

- **वितरित (Distributed)** का अर्थ है कि कथन समूह के हर एक सदस्य की बात कर रहा है।
- **अवितरित (Undistributed)** का अर्थ है कि कथन केवल कुछ सदस्यों की बात कर रहा है।

वर्गवाचक कथनों में जो पद (कर्ता और विधेय) होते हैं, वे कथन के प्रकार के अनुसार वितरित या अवितरित हो सकते हैं। नीचे दिए गए सरल तरीके से हम समझ सकते हैं कि किस प्रकार के कथन में वितरण कैसे होता है:

1. **A-प्रकार के कथन (All S are P):**
   उदाहरण: सभी पक्षी जानवर होते हैं।
   पक्षी (S): वितरित (हर एक पक्षी की बात की जा रही है)।
   जानवर (P): अवितरित (यह नहीं कहा जा रहा कि सभी जानवर पक्षी हैं, बल्कि यह कि हर पक्षी जानवर है)।
2. **E-प्रकार के कथन (No S are P):**
   उदाहरण: कोई पक्षी मछली नहीं है।
   पक्षी (S): वितरित (हर एक पक्षी की बात की जा रही है)।
   मछली (P): वितरित (सभी मछलियों को पक्षियों से बाहर रखा गया है)।
3. **I-प्रकार के कथन (Some S are P):**
   उदाहरण: कुछ पक्षी पालतू होते हैं।
   पक्षी (S): अवितरित (सिर्फ कुछ पक्षियों की बात की जा रही है)।
   पालतू (P): अवितरित (सिर्फ कुछ पालतू जानवरों की बात हो रही है)।
4. **O-प्रकार के कथन (Some S are not P):**
   उदाहरण: कुछ पक्षी पालतू नहीं होते।
   पक्षी (S): अवितरित (सिर्फ कुछ पक्षियों की बात की जा रही है)।
   पालतू (P): वितरित (पूरे पालतू जानवरों के समूह की तुलना में कहा गया है कि कुछ पक्षी उसमें शामिल नहीं हैं)।

तालिका 18.3 कर्ता और विधेय का वितरण

कथन के प्रकार	पक्षी (कर्ता)	जानवर (विधेय)
सभी पक्षी जानवर हैं। (A)	वितरित (Distributed)	अवितरित (Undistributed)
कोई पक्षी मछली नहीं है। (E)	वितरित (Distributed)	वितरित (Distributed)
कुछ पक्षी पालतू होते हैं। (I)	अवितरित (Undistributed)	अवितरित (Undistributed)
कुछ पक्षी पालतू नहीं होते। (O)	अवितरित (Undistributed)	वितरित (Distributed)

क्विज स्टेशन
विगत *UGC NET* परीक्षाओं के प्रश्न

प्र 1. 'सभी बाघ जानवर होते हैं' यह किस प्रकार के कथन का उदाहरण है?

(a) आंशिक नकारात्मक
(b) आंशिक सकारात्मक
(c) सार्वत्रिक नकारात्मक
(d) सार्वत्रिक सकारात्मक

प्र 2. न्यायवाक्य के संदर्भ में निम्नलिखित में से कौन-सा सही है? *(21 अगस्त 2024 - शिफ्ट 1)*

A. दो नकारात्मक आधारों के साथ; सकारात्मक निष्कर्ष निकाला जा सकता है।
B. निष्कर्ष का विधेय गौण पद है।
C. मध्य पद को आधारवाक्यों में कम से कम एक बार वितरित किया जाना चाहिए।
D. दो सार्वभौमिक आधारों के साथ, विशेष निष्कर्ष निकाला जा सकता है।
E. निष्कर्ष में वितरित शब्द को आधारवाक्यों में वितरित किया जाना चाहिए।

(a) BC (b) AC
(c) DE (d) CE

प्र 3. सार्वत्रिक सकारात्मक कथन किसे वितरित करता है?

(a) कर्ता
(b) विधेय
(c) दोनों कर्ता और विधेय
(d) न तो कर्ता, न ही विधेय

प्र 4. निम्नलिखित में से कौन-से पद कथन 'कोई भी कुत्ता सरीसृप नहीं है' में वितरित हैं?

(a) केवल कर्ता पद
(b) केवल विधेय पद
(c) दोनों कर्ता और विधेय पद
(d) न तो कर्ता, न ही विधेय पद

उत्तर 1. (d) 2. (d) 3. (a) 4. (c)

गुप्त कथनों का वर्गवाचक कथनों में रूपांतरण (Conversion of Hidden Proposition into Categorical Proposition)

गुप्त कथन, जिन्हें एन्थाइम (enthymemes) भी कहा जाता है, ऐसे तर्कों के भाग होते हैं जो स्पष्ट रूप से नहीं कहे गए होते, बल्कि संदर्भ या सामान्य ज्ञान के आधार पर समझे जाते हैं। इन कथनों से निष्कर्ष निकालने के लिए तर्क के नियमों को लागू करने से पहले इन्हें मानक तर्क रूप (जिसे वर्गवाचक कथन कहा जाता है) में बदलना आवश्यक होता है।

गुप्त कथनों को मानक तर्क रूप में बदलने के लिए हम इस संरचना का उपयोग करते हैं:

परिमापक (Quantifier) + कर्ता (Subject) + संयोजक (Copula) + विधेय (Predicate)

यह प्रक्रिया हमें ऐसे कथनों पर तर्क के नियमों को सही रूप से लागू करने में मदद करती है। आइए विभिन्न प्रकार के गुप्त कथनों को देखें:

1. **A-प्रकार के कथन (A-type Propositions):** वे सकारात्मक कथन जो 'प्रत्येक', 'हर', 'कोई भी' 'केवल' जैसे शब्दों से शुरू होते हैं, A-प्रकार के कथन होते हैं।

तालिका 18.4 गुप्त कथन (A-प्रकार)

मूल वाक्य	तार्किक रूप
हर एथलीट समर्पित होता है।	सभी एथलीट समर्पित होते हैं।
प्रत्येक पुस्तक ज्ञानवर्धक होती है।	सभी पुस्तकें ज्ञानवर्धक होती हैं।
बच्चों में से कोई भी चंचल होता है।	सभी बच्चे चंचल होते हैं।
केवल भारतीय ही इस कॉलेज के छात्र हैं।	इस कॉलेज के सभी छात्र भारतीय हैं।
केवल ईमानदार ही सफल होते हैं।	सभी सफल व्यक्ति ईमानदार होते हैं।

नोट: जिन वाक्यों में कोई एकवचन नाम या निश्चित एकवचन नाम हो और उसमें नकार नहीं हो, वे भी A-प्रकार के कथन होते हैं।

उदाहरण: मोहन नश्वर है। सभी मोहन जैसे व्यक्ति नश्वर हैं।

2. **E-प्रकार के कथन (E-type Propositions):** वे कथन जो 'कोई नहीं', 'कभी नहीं', 'किसी भी नहीं' जैसे शब्दों से शुरू होते हैं, E-प्रकार के कथन होते हैं। जिन वाक्यों में एकवचन नाम के साथ नकार (जैसे 'नहीं') होता है, वे भी E-प्रकार के कथन होते हैं।

तालिका 18.5 गुप्त कथन (E-प्रकार)

मूल वाक्य	तार्किक रूप
कोई भी कार इलेक्ट्रिक नहीं है।	कोई कार इलेक्ट्रिक वाहन नहीं है।
किसी झूठे पर कभी भरोसा मत करो।	कोई झूठा व्यक्ति भरोसे के योग्य नहीं है।
कोई भी व्यक्ति इंग्लिश चौनल पार नहीं कर सकता।	कोई व्यक्ति इंग्लिश चौनल पार नहीं कर सकता।

3. **I-प्रकार के कथन (I-type Propositions):** वे सकारात्मक वाक्य जो 'कुछ', 'कुछ विशेष', 'अधिकांश', 'कई' जैसे शब्दों से शुरू होते हैं और नकारात्मक वाक्य जो 'बहुत कम', 'कभी-कभार', 'शायद ही' जैसे शब्दों से आते हैं – I-प्रकार के कथन माने जाते हैं।

तालिका 18.6 गुप्त कथन (I-प्रकार)

मूल वाक्य	तार्किक रूप
कुछ शिक्षक उपस्थित हैं।	कुछ शिक्षक उपस्थित हैं।
अधिकांश कर्मचारी मेहनती हैं।	कुछ कर्मचारी मेहनती हैं।
कुछ महिलाएँ दयालु नहीं हैं।	कुछ महिलाएँ दयालु हैं।
कुछ विशेष फिल्में मनोरंजक हैं।	कुछ फिल्में मनोरंजक हैं।
कई छात्र मेहनती हैं।	कुछ छात्र मेहनती हैं।
टीम के सभी खिलाड़ी, कुछ को छोड़कर, कुशल हैं।	कुछ खिलाड़ी कुशल हैं।
बुजुर्ग संतुष्ट हो सकते हैं।	कुछ बुजुर्ग संतुष्ट हैं।

4. **O-प्रकार के कथन (O-type Propositions):** वे नकारात्मक वाक्य जो 'हर', 'कोई भी', 'प्रत्येक', 'सभी' जैसे शब्दों से शुरू होते हैं और सकारात्मक वाक्य जो 'कुछ', 'बहुत कम', 'थोड़ा', 'शायद ही' आदि शब्दों से आते हैं – O-प्रकार के कथन माने जाते हैं।

तालिका 18.7 गुप्त कथन (O-प्रकार)

मूल वाक्य	तार्किक रूप
हर छात्र समयनिष्ठ नहीं है।	कुछ छात्र समयनिष्ठ नहीं हैं।
कोई भी शिक्षक उपलब्ध नहीं है।	कुछ शिक्षक उपलब्ध नहीं हैं।
प्रत्येक पुस्तक रोचक नहीं है।	कुछ पुस्तकें रोचक नहीं हैं।
सभी कर्मचारी संतुष्ट नहीं हैं।	कुछ कर्मचारी संतुष्ट नहीं हैं।
हर सदस्य उपस्थित नहीं है।	कुछ सदस्य उपस्थित नहीं हैं।
कोई भी उम्मीदवार योग्य नहीं है।	कुछ उम्मीदवार योग्य नहीं हैं।
प्रत्येक दिन धूप वाला नहीं होता।	कुछ दिन धूप वाले नहीं होते।

18.4 निष्कर्ष क्या है? (What is Inference?)

निष्कर्ष वह प्रक्रिया है जिसके द्वारा हम किसी प्रमाण और तर्क के आधार पर कोई नतीजा निकालते हैं। इसमें दी गई जानकारी का परीक्षण करना, उनमें पैटर्न या संबंधों की पहचान करना, और तार्किक कदमों के माध्यम से किसी निष्कर्ष तक पहुँचना शामिल होता है। निष्कर्ष तर्कशील विचार और समालोचनात्मक सोच की बुनियाद है, क्योंकि यह हमें आँकड़ों को समझने, परिणामों का अनुमान लगाने और समस्याओं को हल करने की क्षमता देता है। रोजमर्रा के जीवन में हम निष्कर्ष का उपयोग निर्णय लेने, परिस्थितियों को समझने और उपलब्ध जानकारी के आधार पर विश्वास बनाने के लिए करते हैं। आइए अब निष्कर्ष के प्रकारों को देखें:

तत्क्षण निष्कर्ष (Immediate Inference)

तत्क्षण निष्कर्ष तर्कशास्त्र की एक ऐसी विधि है जिसमें हम केवल एक कथन से ही सीधे निष्कर्ष निकालते हैं, और किसी अन्य सहायक कथन की आवश्यकता नहीं होती। इसका अर्थ है कि किसी एक दिए गए प्रस्थान कथन से हम तुरंत उससे संबंधित कोई और तथ्य निकाल सकते हैं। यह विधि निष्कर्ष निकालने की प्रक्रिया को सरल बनाती है क्योंकि यह केवल एक कथन में निहित जानकारी पर आधारित होती है। आइए एक उदाहरण देखें:

- कथन: सभी कुत्ते स्तनधारी होते हैं।
- निष्कर्ष: कुछ स्तनधारी कुत्ते होते हैं।

यह उदाहरण तत्क्षण निष्कर्ष को दर्शाता है जहाँ निष्कर्ष सीधे प्रस्थान कथन से निकाला गया है। चूँकि सभी कुत्ते स्तनधारी हैं, इसलिए तार्किक रूप से यह निष्कर्ष निकलता है कि कुछ स्तनधारी कुत्ते होते हैं। यह निष्कर्ष इस तथ्य पर आधारित है कि 'कुत्तों' की श्रेणी पूरी तरह 'स्तनधारियों' की श्रेणी के भीतर आती है।(तत्क्षण निष्कर्ष निकालने की विधियाँ विस्तार से पृष्ठ संख्या 381 पर दी गई हैं।)

मध्यस्थ निष्कर्ष (Mediate Inference)

मध्यस्थ निष्कर्ष में, दो दिए गए कथनों (आधारवाक्यों) से निष्कर्ष निकाला जाता है। इस प्रकार के अनुमान में तार्किक निष्कर्ष पर पहुँचने के लिए दोनों आधारवाक्यों से जानकारी को संयोजित करना शामिल है। उदाहरण के लिए:

कथन:

- सभी पक्षी जानवर होते हैं।
- सभी जानवर जीवित प्राणी होते हैं।

निष्कर्ष: सभी पक्षी जीवित प्राणी होते हैं।

मध्यस्थ निष्कर्ष निकालने का मानक रूप:

आधारवाक्य
A ⟶ B
B ⟶ C
निष्कर्ष
A ⟶ C

उपरोक्त उदाहरण में, निष्कर्ष दो कथनों से निकाला गया है। दोनों कथनों की आवश्यकता होती है ताकि निष्कर्ष निकाला जा सके। अत:, उपरोक्त निष्कर्ष को मध्यस्थ निष्कर्ष (Mediate Inference) कहा जाता है। (मध्यस्थ निष्कर्ष निकालने की विधियाँ विस्तार से पृष्ठ संख्या 385 पर दी गई हैं।)

सिनेमैटिक कनेक्शन

टीवी शो The Mentalist (2008-2015) में पैट्रिक जेन (Patrick Jane) अपनी असाधारण निष्कर्ष क्षमता के लिए जाना जाता है, जिससे वह जटिल अपराधों को सुलझाता है। एक एपिसोड में वह एक अमीर आदमी के घर में हुई हत्या की जाँच करता है। जेन एक ऐशट्रे में एक विशेष ब्रांड की सिगार का टुकड़ा देखता है। चूँकि पीड़ित को धूम्रपान से नफरत थी और वह बेहद साफ-सुथरा रहता था, जेन यह निष्कर्ष निकालता है कि यह सिगार किसी और की है – शायद उसी हत्यारे की, जो अपराध के समय वहाँ मौजूद था।

पैट्रिक जेन की यह क्षमता कि वह छोटे-छोटे विवरणों से गहरे और अर्थपूर्ण निष्कर्ष निकाल सकता है, उसकी निष्कर्ष-कलाओं में निपुणता को दर्शाती है। इन छोटे लेकिन महत्वपूर्ण सुरागों पर ध्यान केंद्रित कर वह संदेहियों की सूची सीमित करता है और अंतत: जाँच को पीड़ित के व्यवसायिक साझेदार की ओर मोड़ता है, जो उस विशेष ब्रांड की सिगार पीने के लिए जाना जाता है। यह मामला दर्शाता है कि कैसे पैट्रिक जेन छोटे सुरागों को जोड़कर गहरी सच्चाइयाँ उजागर करता है और जटिल अपराधों को सुलझाने में निष्कर्ष का उपयोग एक निर्णायक भूमिका निभाता है।

★★★ परीक्षोपयोगी

18.5 तत्क्षण निष्कर्ष निकालने की विधियाँ (Methods to Draw Immediate Inference)

विधि 1: विरोध का वर्ग (Square of Opposition)

विरोध का वर्ग एक चित्र (चित्र 18.2) है जो कुछ प्रकार के वर्गवाचक कथनों के बीच तार्किक संबंधों को दर्शाता है। ये संबंध यह समझने के लिए महत्त्वपूर्ण हैं कि अलग-अलग प्रकार के कथन आपस में कैसे तार्किक रूप से जुड़े होते हैं। इस वर्ग में चार प्रकार के कथन होते हैं:

इस विषय को सरल बनाने वाले वीडियो व्याख्यान को देखने के लिए इस QR कोड को स्कैन करें

- **A-प्रकार (सार्वत्रिक सकारात्मक):** सभी S, P हैं।
- **E-प्रकार (सार्वत्रिक नकारात्मक):** कोई S, P नहीं है।
- **I-प्रकार (आंशिक सकारात्मक):** कुछ S, P हैं।
- **O-प्रकार (आंशिक नकारात्मक):** कुछ S, P नहीं हैं।

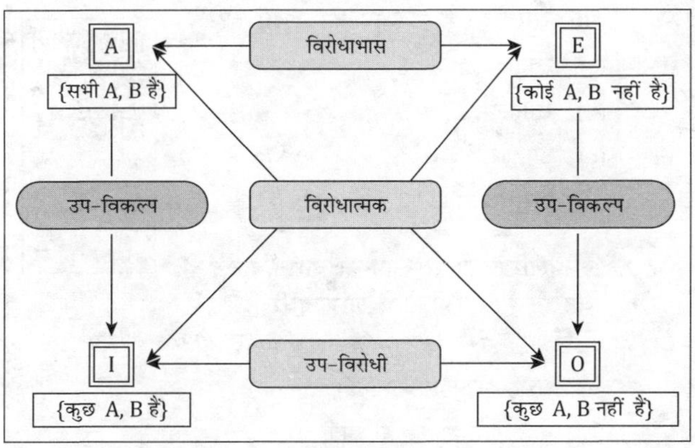

चित्र 18.2 विरोधाभासों का वर्ग

विरोधाभास (Contraries)

जोड़ी: A और E (Pair: A and E)

वर्गवाचक कथनों की विरोधी जोड़ी विरोध के वर्ग (Square of Opposition) के शीर्ष पर स्थित होती है।

जब दो कथन विरोधी (Contrary) होते हैं, तो इसका अर्थ होता है कि दोनों एक साथ सत्य नहीं हो सकते, लेकिन दोनों एक साथ असत्य हो सकते हैं। दूसरे शब्दों में, यदि एक कथन सत्य है, तो दूसरा अवश्य असत्य होगा; परंतु यदि एक कथन असत्य है, तो दूसरा सत्य भी हो सकता है या असत्य भी।

उदाहरण:

- **A:** सभी बिल्लियाँ स्तनधारी होती हैं। (सार्वत्रिक सकारात्मक – Universal Positive)
- **E:** कोई भी बिल्ली स्तनधारी नहीं होती। (सार्वत्रिक नकारात्मक – Universal Negative)
- **व्याख्या:** यदि 'सभी बिल्लियाँ स्तनधारी होती हैं' (A) कथन सत्य है, तो 'कोई भी बिल्ली स्तनधारी नहीं होती' (E) अवश्य असत्य होगा। यदि A कथन असत्य है, तो E कथन फिर भी असत्य हो सकता है।

उप-विरोधी (Sub-Contraries)

जोड़ी: I और O

वर्गवाचक कथनों की उप-विरोधी जोड़ी विरोध के वर्ग के निचले भाग में स्थित होती है।

जब दो कथन उप-विरोधी (Sub-contrary) होते हैं, तो इसका अर्थ होता है कि दोनों एक साथ असत्य नहीं हो सकते, लेकिन दोनों एक साथ सत्य हो सकते हैं। दूसरे शब्दों में, यदि एक कथन असत्य है, तो दूसरा अवश्य सत्य होगा; परंतु यदि एक कथन सत्य है, तो दूसरा सत्य भी हो सकता है या असत्य भी।

उदाहरण:

- **I:** कुछ बिल्लियाँ स्तनधारी होती हैं। (आंशिक सकारात्मक – Particular Positive)
- **O:** कुछ बिल्लियाँ स्तनधारी नहीं होतीं। (आंशिक नकारात्मक – Particular Negative)
- **व्याख्या:** यदि 'कुछ बिल्लियाँ स्तनधारी होती हैं' (I) सत्य है, तो 'कुछ बिल्लियाँ स्तनधारी नहीं होती' (O) भी सत्य हो सकता है। लेकिन यदि I कथन असत्य है, तो O कथन अवश्य सत्य होगा।

विरोधात्मक (Contradictories)

जोड़ी 1: A और O (Pair 1: A and O)

जोड़ी 2: E और I (Pair 2: E and I)

वर्गवाचक कथनों की विरोधाभासी जोड़ियाँ विरोध के वर्ग (Square of Opposition) के विपरीत कोनों में स्थित होती हैं।

जब दो कथन विरोधाभासी (Contradictory) होते हैं, तो इसका अर्थ होता है कि यदि एक सत्य है, तो दूसरा अवश्य असत्य होगा, और इसका उल्टा भी सत्य होगा।

जोड़ी 1: A और O

- **A:** सभी पक्षी उड़ सकते हैं। (सार्वत्रिक सकारात्मक – Universal Affirmative)
- **O:** कुछ पक्षी उड़ नहीं सकते। (आंशिक नकारात्मक – Particular Negative)
- **व्याख्या:** यदि 'सभी पक्षी उड़ सकते हैं' सत्य है, तो 'कुछ पक्षी उड़ नहीं सकते' सत्य नहीं हो सकता, और इसका उल्टा भी सही है।

जोड़ी 2: E और I

- **E:** कोई भी छात्र आलसी नहीं है। (सार्वत्रिक नकारात्मक – Universal Negative)
- **I:** कुछ छात्र आलसी हैं। (आंशिक सकारात्मक – Particular Affirmative)
- **व्याख्या:** यदि 'कोई भी छात्र आलसी नहीं है' सत्य है, तो 'कुछ छात्र आलसी हैं' असत्य होगा, और इसका उल्टा भी सही है।

उप-परिवर्तन (Sub-Alternation)

जोड़ी 1: A और I (Pair 1: A and I)

जोड़ी 2: E और O (Pair 2: E and O)

उप-परिवर्तन वर्गवाचक कथनों की वे जोड़ियाँ हैं जो विरोध के वर्ग में ऊर्ध्व रूप में (ऊपर-नीचे) जुड़ी होती हैं। इनमें एक कथन शक्तिशाली (सार्वत्रिक)

होता है और दूसरा कमजोर (आंशिक)। यदि सार्वत्रिक कथन सत्य है, तो उसका आंशिक रूप भी सत्य होगा। लेकिन यदि आंशिक कथन सत्य है, तो हम यह निश्चित रूप से नहीं कह सकते कि सार्वत्रिक कथन भी सत्य होगा।

जोड़ी 1: A और I

- **A:** सभी बिल्लियाँ स्तनधारी होती हैं। (सार्वत्रिक सकारात्मक – Universal Affirmative)
- **I:** कुछ बिल्लियाँ स्तनधारी होती हैं। (आंशिक सकारात्मक – Particular Affirmative)
- **व्याख्या:** यदि 'सभी बिल्लियाँ स्तनधारी होती हैं' (A) सत्य है, तो 'कुछ बिल्लियाँ स्तनधारी होती हैं' (I) भी अवश्य सत्य होगा। लेकिन यदि I कथन असत्य है, तो A कथन भी असत्य होगा।

जोड़ी 2: E और O

- **E:** कोई भी बिल्ली स्तनधारी नहीं है। (सार्वत्रिक नकारात्मक – Universal Negative)
- **O:** कुछ बिल्लियाँ स्तनधारी नहीं होतीं। (आंशिक नकारात्मक – Particular Negative)
- **व्याख्या:** यदि 'कोई भी बिल्ली स्तनधारी नहीं है' (E) सत्य है, तो 'कुछ बिल्लियाँ स्तनधारी नहीं होतीं' (O) भी सत्य होगी।लेकिन यदि O कथन असत्य है, तो E कथन भी असत्य होगा।

सिनेमैटिक कनेक्शन

चाणक्य, सम्राट चंद्रगुप्त मौर्य के बुद्धिमान सलाहकार, अपनी तीव्र बुद्धि और तार्किक तर्कशक्ति के लिए प्रसिद्ध थे। एक उल्लेखनीय घटना भूमि स्वामित्व को लेकर दो पड़ोसी गाँवों के बीच हुए विवाद से जुड़ी है।

एक गंभीर सूखे के दौरान, दो पड़ोसी गाँव एक उपजाऊ भूमि के टुकड़े को लेकर तीखी बहस में उलझ गए, जो खेती के लिए अत्यंत आवश्यक थी। दोनों गाँवों ने इस भूमि पर अपना स्वामित्व जताया और पुराने दस्तावेजों तथा गवाहों के माध्यम से अपने-अपने दावे को सिद्ध करने की कोशिश की।

चाणक्य, जो अपनी तीक्ष्ण बुद्धि और निष्पक्षता के लिए विख्यात थे, को इस विवाद का न्यायपूर्ण समाधान निकालने का दायित्व सौंपा गया। स्वामित्व तय करने के लिए उन्होंने एक बुद्धिमत्तापूर्ण योजना बनाई। चाणक्य ने दोनों गाँवों के प्रमुखों को राजदरबार में बुलाया और हर गाँव की कृषि-पद्धति के अनुसार बीजों की अलग-अलग थैलियाँ वितरित कीं। उन्होंने निर्देश दिया कि ये बीज विवादित भूमि पर बोए जाएँ, और यह पूरा कार्य सभी उपस्थित लोगों की निगरानी में हो।

अगले कुछ हफ्तों तक चाणक्य ने फसलों की वृद्धि पर बारीकी से नजर रखी। उन्होंने देखा कि एक गाँव के बीज तेजी से उगे और अच्छी फसल दी, जबकि दूसरे गाँव के बीज मिट्टी के अनुकूल न होने के कारण ठीक से नहीं उग सके।

अपने सूक्ष्म निरीक्षण और तार्किक निष्कर्ष के आधार पर चाणक्य ने निर्णय दिया कि वह गाँव, जिसकी फसल उस भूमि पर अच्छी हुई, वही उसका वास्तविक स्वामी है। उन्होंने तर्क दिया कि उस गाँव के लोगों की मिट्टी की गुणवत्ता की समझ और सफल कृषि पद्धतियाँ इस बात का प्रमाण हैं कि वे ऐतिहासिक रूप से इस भूमि से जुड़े रहे हैं। सम्राट चंद्रगुप्त मौर्य, चाणक्य के न्यायपूर्ण निर्णय और तार्किक दृष्टिकोण से अत्यंत प्रभावित हुए और उन्होंने इस निर्णय को स्वीकार किया। दोनों गाँवों ने चाणक्य की बुद्धिमत्ता और न्याय के प्रति प्रतिबद्धता को मान्यता देते हुए शांति से निर्णय को स्वीकार कर लिया।

यह कथा दर्शाती है कि चाणक्य ने अपने समय में कैसे तार्किक तर्क, विशेष रूप से निष्कर्ष निकालने की क्षमता (inference) का प्रयोग करके विवादों को सुलझाया और न्याय को बनाए रखा। उनके द्वारा देखे गए व्यवहार और उससे निकाले गए निष्कर्षों पर आधारित निर्णय आज भी शासन और समस्या-समाधान में प्रेरणा देते हैं।

क्विज स्टेशन विगत UGC NET परीक्षाओं के प्रश्न

प्र 1. यदि P सत्य है, तो Q भी सत्य है। यदि P असत्य है, तो Q भी असत्य है। इस कथन का संबंध है -

(a) स्वतंत्र

(b) समतुल्य

(c) उप-विरोध

(d) विरोधाभासी

इस विषय को सरल बनाने वाले वीडियो व्याख्यान को देखने के लिए इस QR कोड को स्कैन करें

प्र 2. निम्नलिखित में से कौन-सा कथन कथन के विपरीत है। 'सभी गायें शाकाहारी हैं'?

(4 सितंबर 2024 - शिफ्ट 2)

(a) सभी शाकाहारी गायें हैं।

(b) कुछ गायें शाकाहारी होती हैं।

(c) कुछ गायें शाकाहारी नहीं होती हैं।

(d) कोई भी गाय शाकाहारी नहीं होती।

प्र 3. निम्न में से कौन-से विकल्प उन दो कथनों के बीच संबंध को दर्शाते हैं जिनका कर्ता एक ही है, लेकिन गुण और मात्रा दोनों में भिन्नता है?

(a) विपरीत विरोध

(b) विरोधाभासी

(c) उप-उत्पन्न

(d) उप-विरोध

प्र 4. निम्न में से कौन-सा विकल्प उन दो सार्वत्रिक कथनों के बीच का संबंध दर्शाता है जिनका कर्ता एक ही है, लेकिन गुण में भिन्नता है?

(a) विपरीत विरोध

(b) विरोधाभासी

(c) उप-उत्पन्न

(d) उप-विरोध

प्र 5. दो आंशिक कथनों के बीच का संबंध, जिनमें कर्ता और विधेय एक ही है लेकिन गुण अलग है, वह है-

(a) विरोध
(b) विरोधाभासी
(c) उप-उत्पन्न
(d) उप-विरोध

प्र 6. यदि विरोधाभासी जोड़ी में से एक कथन सत्य है, तो दूसरा अवश्य -

(a) सत्य होगा (b) असत्य होगा
(c) संदिग्ध होगा (d) न सत्य होगा न असत्य

प्र 7. उप-उत्पन्न कथनों में, यदि सार्वत्रिक कथन सत्य है, तो आंशिक कथन -

(a) सत्य होगा (b) असत्य होगा
(c) संदिग्ध होगा (d) दोनों सत्य और असत्य होंगे

प्र 8. विरोध के पारंपरिक वर्ग के अनुसार निम्नलिखित में से कौन सा कथन निम्न है? *(2 सितंबर 2024 - शिफ्ट 1)*

A. सभी पौधे हरे जीव हैं
B. कोई भी पौधा हरा जीव नहीं है
C. कुछ पौधे हरे जीव नहीं हैं
D. कुछ पौधे हरे जीव हैं

(a) AD (b) BD
(c) AC (d) AB

प्र 9. विपरीत कथनों के संबंध में निम्नलिखित में से कौन सा कथन सत्य है? *(4 सितंबर 2024 - शिफ्ट 1)*

A. वे दोनों सत्य नहीं हो सकते
B. वे दोनों असत्य नहीं हो सकते
C. वे दोनों असत्य हो सकते हैं
D. यदि एक सत्य है तो दूसरा अवश्य असत्य होगा

(a) BC (b) ABC
(c) ACD (d) D

प्र 10. निम्न में से कौन-से कथन परस्पर विरोधाभासी हैं?

1. सभी फूल सुगंधित नहीं होते।
2. अधिकांश फूल सुगंधित नहीं होते।
3. कोई भी फूल सुगंधित नहीं होता।
4. अधिकांश फूल सुगंधित होते हैं।

कूट:

(a) 1 और 2 (b) 1 और 3
(c) 2 और 3 (d) 3 और 4

उत्तर 1. (b) 2. (d) 3. (b) 4. (a) 5. (d) 6. (b) 7. (a) 8. (a) 9. (c) 10. (d)

विधि 2: निष्कर्षगमन (Implication)

तत्क्षण निष्कर्ष निकालने की एक विधि निष्कर्षगमन (Implication) के माध्यम से होती है। निष्कर्षगमन में हम एक ऐसा निष्कर्ष निकालते हैं जो दिए गए कथन से तार्किक रूप से निकलता है। यह विधि औपचारिक तर्क और दैनिक जीवन दोनों में प्राय: प्रयोग होती है ताकि किसी कथन के सीधे परिणाम को समझा जा सके। जब हम निष्कर्षगमन के माध्यम से निष्कर्ष निकालते हैं, तो कर्ता (Subject) कर्ता बना रहता है और विधेय (Predicate) विधेय बना रहता है। आइए दो प्रकार के कथनों को देखें:

A-प्रकार (A-Type)

A-प्रकार के कथन का निष्कर्षगमन I-प्रकार में होता है। यदि कोई A-प्रकार का कथन दिया गया हो, तो उसी कर्ता और विधेय के साथ I-प्रकार का निष्कर्ष भी सत्य होगा।

A-प्रकार: All S are P

कर्ता और विधेय समान रहते हैं।

I-प्रकार: Some S are P

आइये एक उदाहरण की मदद से समझते हैं:

A-प्रकार: All dogs are animals

कर्ता और विधेय समान रहते हैं।

I-प्रकार: Some dogs are animals

व्याख्या: जब हम कहते हैं कि 'सभी कुत्ते जानवर होते हैं', तो इसका तात्पर्य है कि 'कुछ कुत्ते जानवर होते हैं।' क्योंकि यदि किसी श्रेणी (कुत्ते) के सभी सदस्य किसी अन्य श्रेणी (जानवर) में शामिल हैं, तो तार्किक रूप से यह अवश्य ही सत्य होगा कि उस पहली श्रेणी के कुछ सदस्य उस दूसरी श्रेणी में आते हैं।

E-प्रकार (E-Type)

E-प्रकार के कथन का निष्कर्ष O-प्रकार में होता है। यदि कोई E-प्रकार का कथन दिया गया हो, तो उसी कर्ता और विधेय के साथ O-प्रकार का निष्कर्ष भी सत्य होगा।

E-प्रकार: No S are P.

कर्ता और विधेय समान रहते हैं।

O-प्रकार: Some S are not P.

आइये एक उदाहरण की मदद से समझते हैं:

E-प्रकार: No Cats are Birds.

कर्ता और विधेय समान रहते हैं।

O-प्रकार: Some Cats are not Birds.

व्याख्या: जब हम कहते हैं 'कोई भी बिल्ली पक्षी नहीं होती,' तो इसका तात्पर्य है 'कुछ बिल्लियाँ पक्षी नहीं होतीं।' क्योंकि यदि किसी श्रेणी (बिल्लियाँ) का कोई भी सदस्य किसी अन्य श्रेणी (पक्षी) में शामिल नहीं है, तो यह तार्किक रूप से निष्कर्ष निकलता है कि उस पहली श्रेणी के कुछ सदस्य उस दूसरी श्रेणी से बाहर हैं।

नोट: I-प्रकार और O-प्रकार के कथनों से कोई निष्कर्षगमन (Implication) संभव नहीं है

तालिका 18.8 निष्कर्षगमन द्वारा निष्कर्ष

मूल कथन	निष्कर्षगमन
A	I
E	O
I	लागू नहीं
O	लागू नहीं

***निष्कर्षगमन के लिए सुझाव* (Tips for Implication)**

- सकारात्मक कथन से सकारात्मक निष्कर्ष निकलता है।
- नकारात्मक कथन से नकारात्मक निष्कर्ष निकलता है।
- यदि दो कथनों को मिलाना हो, तो:
  - यदि दोनों कथन सकारात्मक हैं, तो निष्कर्ष भी सकारात्मक होगा।
  - यदि कोई एक कथन नकारात्मक है, तो निष्कर्ष भी नकारात्मक होगा।
  - यदि दोनों कथन नकारात्मक हैं, तो कोई निष्कर्ष नहीं निकलेगा।

क्विज स्टेशन विगत *UGC NET* परीक्षाओं के प्रश्न

प्र 1. निम्न में से कौन-सा कथन 'कोई पक्षी सरीसृप नहीं है' कथन का तार्किक समतुल्य है?

(a) सभी सरीसृप पक्षी होते हैं।

(b) कुछ सरीसृप पक्षी नहीं होते।

(c) सभी पक्षी सरीसृप होते हैं।

(d) कुछ पक्षी सरीसृप होते हैं।

उत्तर 1. (d)

विधि 3: रूपांतरण (Conversion)

रूपांतरण एक ऐसी विधि है जिसमें तत्क्षण निष्कर्ष निकालने के लिए मूल कथन से एक नया कथन तैयार किया जाता है, जिसमें कर्ता (Subject) और विधेय (Predicate) को आपस में बदल दिया जाता है।

A-प्रकार (A-Type)

A-प्रकार के कथन का रूपांतरण I-प्रकार में होता है। यदि कोई A-प्रकार का कथन दिया गया हो, तो I-प्रकार का निष्कर्ष, जिसमें कर्ता और विधेय आपस में बदले गए हों, सत्य होगा।

A-प्रकार: All S are P.

कर्ता और विधेय परस्पर बदल जाते हैं

I-प्रकार: Some P are S.

आइये एक उदाहरण की मदद से समझते हैं:

A-प्रकार: All apples are fruits.

कर्ता और विधेय परस्पर बदल जाते हैं

I-प्रकार: Some fruits are Apples.

E-प्रकार (E-Type)

E-प्रकार के कथन का रूपांतरण E-प्रकार में ही होता है। यदि कोई E-प्रकार का कथन दिया गया हो, तो वही E-प्रकार का निष्कर्ष, जिसमें कर्ता और विधेय आपस में बदले गए हों, सत्य होगा।

E-प्रकार: No S are P.

कर्ता और विधेय परस्पर बदल जाते हैं

E-प्रकार: No P are S.

आइये एक उदाहरण की मदद से समझते हैं:

E-प्रकार: No apples are Green.

कर्ता और विधेय परस्पर बदल जाते हैं

E-प्रकार: No green objects are Apples.

I-प्रकार (I-Type)

I-प्रकार के कथन का रूपांतरण I-प्रकार में ही होता है। यदि कोई I-प्रकार का कथन दिया गया हो, तो वही I-प्रकार का निष्कर्ष, जिसमें कर्ता और विधेय आपस में बदले गए हों, सत्य होगा।

I-प्रकार: Some S are P.

कर्ता और विधेय परस्पर बदल जाते हैं

I-प्रकार: Some P are S.

आइये एक उदाहरण की मदद से समझते हैं:

I-प्रकार: Some women are wise.

कर्ता और विधेय परस्पर बदल जाते हैं

I-प्रकार: Some wise people are women.

नोट: O-प्रकार के कथनों का कोई रूपांतरण संभव नहीं है।

तालिका 18.9 रूपांतरण निष्कर्ष

मूल कथन	निष्कर्षगमन
A	I
E	E
I	I
O	लागू नहीं

क्विज स्टेशन

विगत UGC NET परीक्षाओं के प्रश्न

प्र 1. निम्नलिखित में से कौन-सा कथन 'कुछ S, P है' का रूपांतर है?

(a) कुछ S, P नहीं है। (b) कुछ P, S नहीं है।
(c) कुछ P, S है। (d) कोई P, S नहीं है।

प्र 2. दिए गए कथन 'कुछ पुरुष ईमानदार हैं' से क्या निष्कर्ष निकाला जा सकता है? निम्नलिखित में से कौन-सा कथन सत्य है?

(a) कुछ ईमानदार व्यक्ति पुरुष नहीं हैं।
(b) सभी ईमानदार व्यक्ति पुरुष नहीं हैं।
(c) कुछ ईमानदार व्यक्ति पुरुष हैं।
(d) उपरोक्त में से कोई नहीं

प्र 3. यदि सभी पुरुष नश्वर हैं, और यदि राम एक पुरुष है, तो राम भी नश्वर है। निम्नलिखित में से कौन-सा विकल्प सत्य है?

(a) आधारवाक्य सत्य है और निष्कर्ष सत्य है।
(b) आधारवाक्य असत्य है और निष्कर्ष असत्य है।
(c) आधारवाक्य असत्य है और निष्कर्ष सत्य है।
(d) आधारवाक्य सत्य है और निष्कर्ष असत्य है।

प्र 4. कथन: 'यदि सभी पक्षियों के पंख होते हैं और सुकरात एक पक्षी है, तो सुकरात के भी पंख होंगे।'
निम्नलिखित में से कौन-सा कथन मूल कथन के तार्किक रूप से समतुल्य (logically equivalent) है?

(a) कुछ पक्षियों के पंख होते हैं, और सुकरात उनमें से एक है।
(b) सभी पक्षियों के पंख होते हैं, और सुकरात के भी पंख हैं।
(c) किसी पक्षी के पंख नहीं होते, या सुकरात पक्षी नहीं है।
(d) कुछ गैर-पक्षियों के पंख नहीं होते, और सुकरात एक गैर-पक्षी है।

प्र 5. निम्नलिखित में से कौन-से कथन परस्पर असंगत हैं?

1. अधिकांश कवि अभिमानी नहीं होते।
2. अधिकांश कवि विनम्र होते हैं।
3. कुछ कवि अभिमानी होते हैं।
4. कुछ कवि गैर-अभिमानी नहीं होते।

कूट:

(a) 1 और 4 (b) 2 और 3
(c) 1 और 3 (d) 3 और 4

प्र 6. 'सभी बिल्लियाँ स्तनधारी होती हैं' कथन का उपपदवाचक रूप क्या है?

(a) कोई भी बिल्ली स्तनधारी नहीं होती।
(b) कुछ बिल्लियाँ स्तनधारी नहीं होतीं।
(c) सभी स्तनधारी बिल्लियाँ होती हैं।
(d) कोई भी स्तनधारी बिल्ली नहीं होता।

प्र 7. यदि कथन 'सभी शेर मांसाहारी जानवर हैं' को सत्य माना जाता है, तो निम्नलिखित में से कौन सा कथन तुरंत असत्य माना जा सकता है?

(2 सितंबर 2024 - शिफ्ट 1)

A. कोई भी शेर मांसाहारी जानवर नहीं है
B. कुछ शेर मांसाहारी जानवर हैं
C. कुछ शेर मांसाहारी जानवर नहीं हैं
D. कुछ मांसाहारी जानवर शेर हैं

(a) CD (b) AC
(c) AB (d) BC

प्र 8. निम्नलिखित में से कौन सा कथन तार्किक रूप से समतुल्य है? *(6 दिसंबर 2023 - शिफ्ट 1)*

A. कोई तरल पदार्थ पेय पदार्थ नहीं हैं।
B. कोई भी पेय पदार्थ तरल नहीं है।
C. सभी गैर-पेय पदार्थ गैर-तरल पदार्थ हैं।
D. सभी गैर-तरल पदार्थ गैर-पेय पदार्थ हैं।

(a) (A) और (B) केवल (b) (A) और (C) केवल
(c) (B) और (D) केवल (d) (C) और (D) केवल

उत्तर 1. (b) 2. (c) 3. (a) 4. (d) 5. (c) 6. (a) 7. (b) 8. (a)

18.6 मध्यस्थ निष्कर्ष निकालने की विधियाँ (Methods to Draw Mediate Inference)

विधि 1: वेन डायग्राम (Venn Diagram)

हम पहले ही पृष्ठ संख्या 376 पर वेन डायग्राम कैसे बनाते हैं, यह देख चुके हैं। अब आइए कुछ उदाहरणों को देखें और उनसे निष्कर्ष निकालने की कोशिश करें:

1. कुछ A, B हैं। कुछ B, C हैं।

उदाहरण: कुछ संगीतकार गायक होते हैं। कुछ गायक अभिनेता होते हैं।

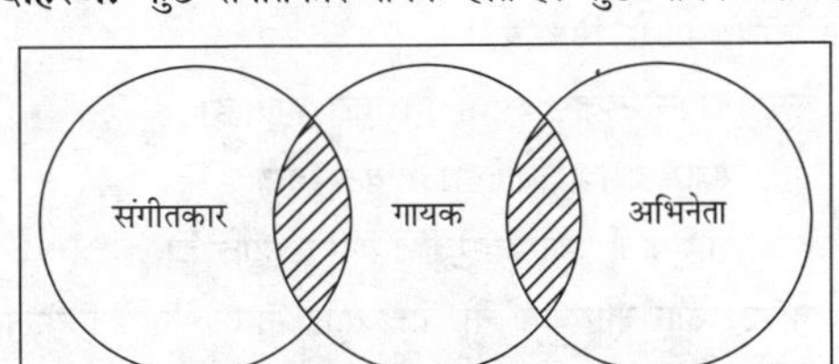

वेन डायग्राम से निष्कर्ष:

- कुछ गायक संगीतकार हैं।
- कुछ अभिनेता गायक हैं।
- संगीतकार और अभिनेता के बीच कोई निष्कर्ष नहीं निकलता क्योंकि कोई संबंध नहीं दिया गया है।

2. सभी A, B हैं। सभी B, C हैं।

उदाहरण: सभी बिल्लियाँ स्तनधारी होती हैं। सभी स्तनधारी जानवर होते हैं।

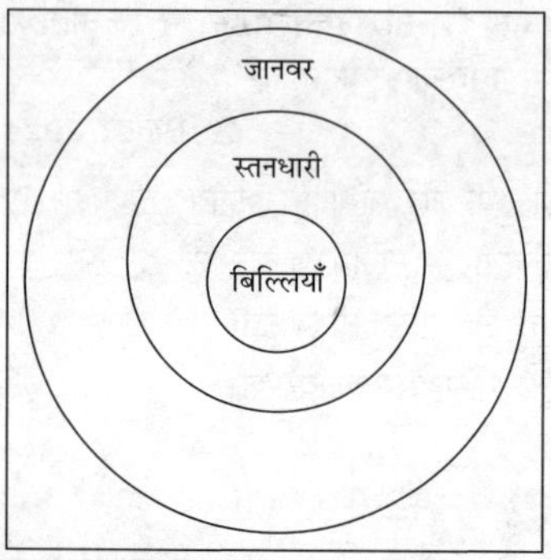

वेन डायग्राम से निष्कर्ष:

- कुछ बिल्लियाँ स्तनधारी होती हैं।
- कुछ स्तनधारी बिल्लियाँ होती हैं।
- कुछ स्तनधारी जानवर होते हैं।
- कुछ जानवर स्तनधारी होते हैं।
- कुछ बिल्लियाँ जानवर होती हैं।
- कुछ जानवर बिल्लियाँ होते हैं।
- सभी बिल्लियाँ जानवर होती हैं।

3. सभी A, B हैं। कुछ B, C हैं।

उदाहरण: सभी डॉक्टर स्वास्थ्यसेवा विशेषज्ञ होते हैं। कुछ स्वास्थ्यसेवा विशेषज्ञ शोधकर्ता होते हैं।

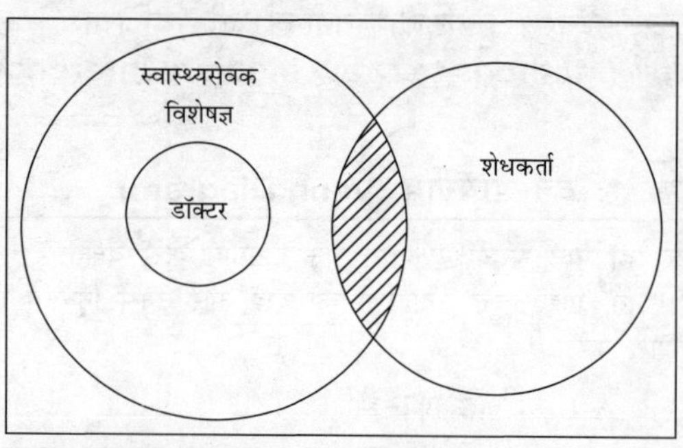

वेन डायग्राम से निष्कर्ष:

- कुछ डॉक्टर स्वास्थ्यसेवा विशेषज्ञ होते हैं।
- कुछ स्वास्थ्यसेवा विशेषज्ञ डॉक्टर होते हैं।
- कुछ शोधकर्ता स्वास्थ्यसेवा विशेषज्ञ होते हैं।
- डॉक्टर और शोधकर्ता के बीच कोई निष्कर्ष नहीं निकलता क्योंकि कोई सीधा संबंध नहीं दिया गया है।

4. कुछ A, B हैं। सभी B, C हैं।

उदाहरण: कुछ छात्र खिलाड़ी होते हैं। सभी खिलाड़ी जिम सदस्य होते हैं।

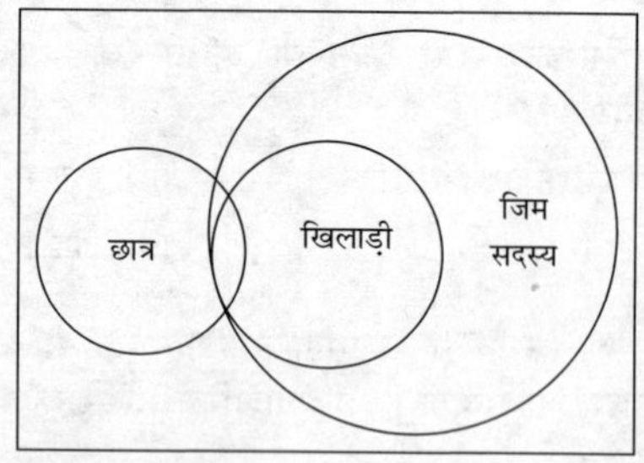

वेन डायग्राम से निष्कर्ष:

- कुछ खिलाड़ी छात्र होते हैं।
- कुछ खिलाड़ी जिम सदस्य होते हैं।
- कुछ जिम सदस्य खिलाड़ी होते हैं।
- कुछ छात्र जिम सदस्य होते हैं।
- कुछ जिम सदस्य छात्र होते हैं।

5. सभी A, B हैं। सभी C, B हैं।

उदाहरण: सभी बिल्लियाँ जानवर होती हैं। सभी कुत्ते जानवर होते हैं।

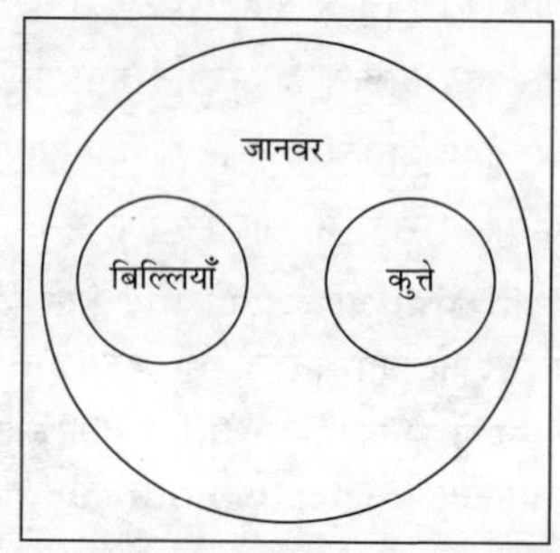

वेन डायग्राम से निष्कर्ष-

- कुछ बिल्लियाँ जानवर होती हैं।
- कुछ जानवर बिल्लियाँ होते हैं।
- कुछ कुत्ते जानवर होते हैं।
- कुछ जानवर कुत्ते होते हैं।
- बिल्लियों और कुत्तों के बीच कोई निष्कर्ष नहीं क्योंकि कोई सीधा संबंध नहीं दिया गया है।

6. सभी A, B हैं। कोई भी B, C नहीं है।

उदाहरण: सभी पुरुष मानव होते हैं। कोई भी मानव सरीसृप नहीं होता।

वेन डायग्राम से निष्कर्ष-

- कुछ पुरुष मानव होते हैं।
- कुछ मानव पुरुष होते हैं।
- कोई भी सरीसृप मानव नहीं होता।
- कुछ मानव सरीसृप नहीं होते।
- कुछ सरीसृप मानव नहीं होते।
- कोई पुरुष सरीसृप नहीं होता।
- कोई सरीसृप पुरुष नहीं होता।
- कुछ सरीसृप पुरुष नहीं होते।
- कुछ पुरुष सरीसृप नहीं होते।

7. कुछ A, B हैं। कोई B, C नहीं है।

उदाहरण: कुछ छात्र बुद्धिमान होते हैं। कोई भी बुद्धिमान व्यक्ति आलसी नहीं होता।

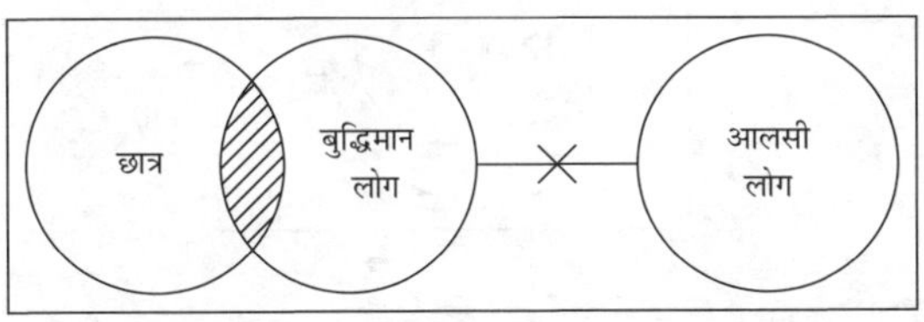

वेन डायग्राम से निष्कर्ष-

- कुछ बुद्धिमान लोग छात्र होते हैं।
- कोई भी आलसी व्यक्ति बुद्धिमान नहीं होता।
- कुछ बुद्धिमान लोग आलसी नहीं होते।
- कुछ आलसी लोग बुद्धिमान नहीं होते।
- कुछ छात्र आलसी नहीं होते।

क्विज स्टेशन विगत *UGC NET* परीक्षाओं के प्रश्न

प्र 1. वेन डायग्राम एक ऐसा चित्र है जो -

(a) वर्गों के बुलियन बीजगणित (Boolean Algebra of classes) की सहायता से प्राथमिक निष्कर्षों की सत्यता को प्रस्तुत और मूल्यांकित करता है।

(b) वर्गों के बुलियन बीजगणित की सहायता से प्राथमिक निष्कर्षों की वैधता को प्रस्तुत और मूल्यांकित करता है।

(c) वर्गों के बुलियन बीजगणित की सहायता से प्राथमिक निष्कर्षों को केवल प्रस्तुत करता है, लेकिन उनकी वैधता का मूल्यांकन नहीं करता।

(d) वर्गों के बुलियन बीजगणित की सहायता से प्राथमिक निष्कर्षों की वैधता का केवल मूल्यांकन करता है, लेकिन उन्हें प्रस्तुत नहीं करता।

प्र 2. वह प्रक्रिया जिसके द्वारा अन्य कथनों के आधार पर निष्कर्ष पर पहुँचा जाता है, कहलाती है -

(a) संकल्पना (b) निष्कर्ष

(c) संकेतार्थ (d) सम्मेलन

उत्तर 1. (b) 2. (b)

विधि 2: विश्लेषणात्मक दृष्टिकोण (Analytical Approach)

चरण I: कथनों की जोड़ी को ठीक से सरेखित करें (Properly Align Pairs of Propositions)

मध्यस्थ निष्कर्ष (Mediate Inference) में यह अत्यंत आवश्यक है कि दिए गए कथनों को ठीक से सरेखित (align) किया जाए, ताकि कोई गलत निष्कर्ष न निकले।

यह जांचने के लिए कि दो कथन सरेखित हैं या नहीं, हमें साझा पद (common term) को देखना चाहिए।

सरेखित कथन (Aligned Statement): कथनों को सरेखित होने के लिए, साझा पद पहले कथन में विधेय (Predicate) और दूसरे कथन में कर्ता (Subject) होना चाहिए। उदाहरण के लिए:

All A are (B.) → Common Term

All B are C.

यहां, 'B' सामान्य शब्द है। यह पहले कथन में विधेय के रूप में और दूसरे कथन में विषय के रूप में कार्य करता है।

असरेखित कथन- यदि कथन प्रारंभ में सरेखित नहीं हैं, तो दो परिदृश्य हैं जिन्हें विचार करना चाहिए:

केस I. विषय और विधेय को स्विच करना (Switching Subject and Predicate)

यदि सामान्य शब्द पहले कथन में विषय है और दूसरे कथन में विधेय है, तो सरेखित करने के लिए, बस कथनों के क्रम को स्विच करें।

सभी A, B हैं।

सभी C, A हैं।

यहां, सामान्य शब्द A है और यह पहले कथन में विषय और दूसरे कथन में विधेय है, इसलिए सरेखित करने के लिए, क्रम बदलें और यह हो जाएगा-

सभी C, A हैं।

सभी A, B हैं।

केस II: सरेखण के लिए रूपांतरण (Conversion for Alignment)

यदि साझा पद दोनों कथनों में या तो कर्ता है या दोनों में विधेय है, जैसे:

सभी A, B हैं; और

सभी C, B हैं;

या

सभी A, B हैं; और

सभी A, C हैं

यहाँ सरेखण (alignment) के लिए हमें एक कथन का रूपांतरण (conversion) करना होता है, जो तत्क्षण निष्कर्ष (immediate inference) के नियमों पर आधारित होता है। रूपांतरण करते समय हमेशा IEA नियम का पालन करना चाहिए। इसका अर्थ है कि यदि रूपांतरण की आवश्यकता हो, तो सबसे पहले I-प्रकार के कथन को रूपांतरित करना चाहिए। यदि I-प्रकार का कथन उपलब्ध नहीं है, तो E-प्रकार के कथन को रूपांतरित किया जाए, और यदि E-प्रकार का कथन भी उपलब्ध नहीं हो (जैसे कि इस उदाहरण में), तो अंत में A-प्रकार के कथन को रूपांतरित किया जाता है। चूँकि A-प्रकार का कथन I-प्रकार में रूपांतरित किया जाता है, इसलिए ऊपर दिए गए उदाहरणों में कथन इस प्रकार बदलेंगे:

सभी A, B हैं; और

कुछ B, C हैं;

या

कुछ B, A हैं; और

सभी A, C हैं।

IEA नियम

नियम के अनुसार रूपांतरण की प्राथमिकता इस प्रकार होनी चाहिए:

$$I \rightarrow E \rightarrow A$$

यानी यदि I-प्रकार का कथन हो तो पहले उसी को रूपांतरित करें। यदि I नहीं है, तो E-प्रकार का कथन रूपांतरित करें, और यदि वह भी नहीं हो, तब A-प्रकार के कथन को रूपांतरित करें।

चरण II: निष्कर्ष निकालना (Drawing the Inference)

कथनों को सरेखित करने के बाद, निम्न तालिका (तालिका 18.10) के अनुसार निष्कर्ष निकाला जा सकता है:

तालिका 18.10 मध्यस्थ निष्कर्ष द्वारा कथनों के संयोजन

कथन प्रकार का वक्तव्य 1		कथन प्रकार का वक्तव्य 2		निष्कर्ष वक्तव्य का कथन प्रकार
A	+	A	=	A-प्रकार
A	+	E	=	E-प्रकार
E	+	A	=	O-प्रकार
E	+	I	=	O-प्रकार
I	+	A	=	I-प्रकार
I	+	E	=	O-प्रकार

प्रकार 1: A + A = A

यदि हम दो A-प्रकार के कथनों को जोड़ते हैं, तो निष्कर्ष भी A-प्रकार का होगा।

कथन:

A-प्रकार: सभी S, P हैं।

A-प्रकार: सभी P, T हैं।

निष्कर्ष:

A-प्रकार: सभी S, T हैं।

एक उदाहरण लेते हैं:

कथन:

- सभी पक्षी जानवर होते हैं।
- सभी जानवर जीवित प्राणी होते हैं।

निष्कर्ष:

- सभी पक्षी जीवित प्राणी होते हैं। (A-प्रकार)

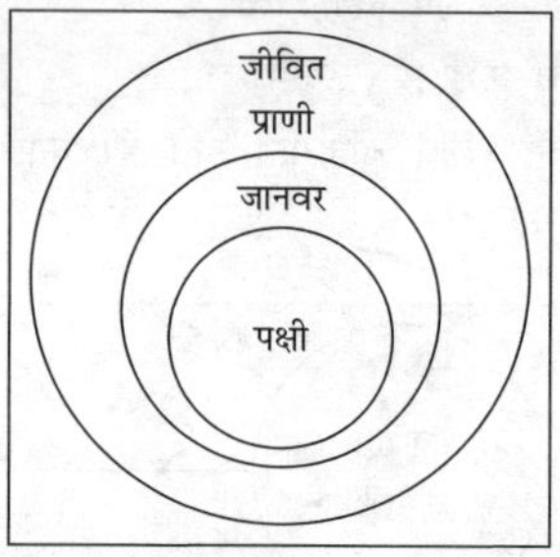

प्रकार 2: A + E = E

यदि हम एक A-प्रकार और एक E-प्रकार के कथन को जोड़ते हैं, तो निष्कर्ष E-प्रकार का होगा।

कथन:

A-प्रकार: सभी S, P हैं।

E-प्रकार: कोई P, T नहीं है।

निष्कर्ष:

E-प्रकार: कोई S, T नहीं है।

एक उदाहरण लेते हैं:

कथन:

- सभी कुत्ते स्तनधारी होते हैं।
- कोई स्तनधारी सरीसृप नहीं होता।

निष्कर्ष:

- E-प्रकार: कोई कुत्ता सरीसृप नहीं होता। (E-प्रकार)

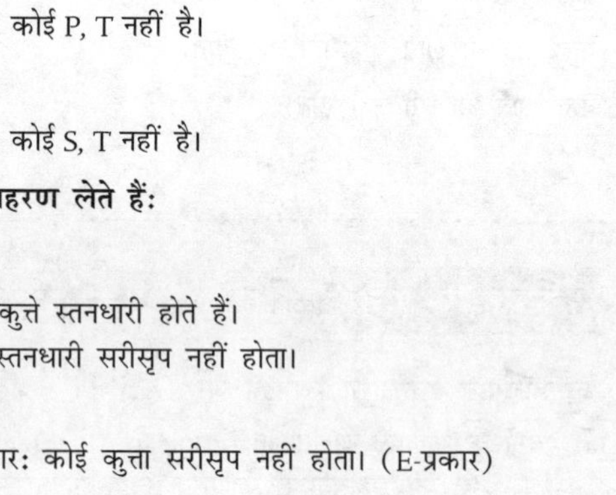

*प्रकार 3: E + A = O**

यदि हम E-प्रकार के कथन को A-प्रकार के कथन के साथ जोड़ते हैं, तो निष्कर्ष O'-प्रकार का होता है। इसका अर्थ यह है कि निष्कर्ष में कर्ता और विधेय की स्थिति आपस में बदल जाती है।

कथन:

E-प्रकार: कोई भी S, P नहीं है।

A-प्रकार: सभी P, T हैं।

निष्कर्ष:

O*-प्रकार: कुछ T, S नहीं हैं।

एक उदाहरण लेते हैं:

E-प्रकार: कोई भी बिल्ली पक्षी नहीं है।

A-प्रकार: सभी पक्षी जानवर होते हैं।

निष्कर्ष: O*-प्रकार: कुछ जानवर बिल्लियाँ नहीं होते।

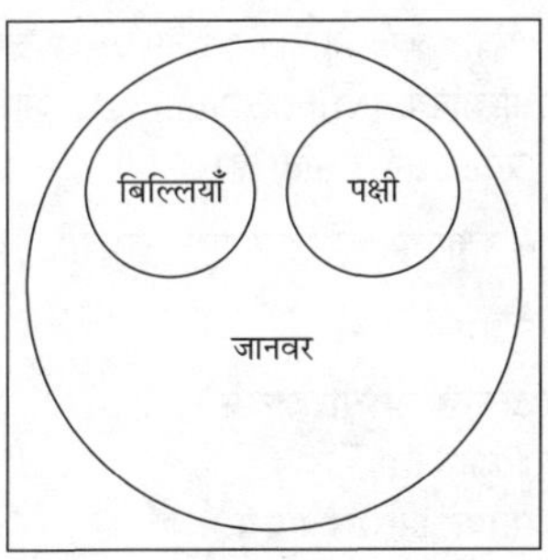

*प्रकार 4: E + I = O**

यदि हम E-प्रकार के कथन को I-प्रकार के कथन के साथ जोड़ते हैं, तो निष्कर्ष O*-प्रकार का होता है। इसका अर्थ है कि निष्कर्ष में कर्ता और विधेय की स्थिति बदल जाती है।

कथन:
E-प्रकार: कोई भी S, P नहीं है।
I-प्रकार: कुछ P, T हैं।

निष्कर्ष:
O*-प्रकार: कुछ T, S नहीं हैं।

एक उदाहरण लेते हैं:
E-प्रकार: कोई भी मछली स्तनधारी नहीं है।
I-प्रकार: कुछ स्तनधारी पालतू होते हैं।

निष्कर्ष: O*-प्रकार: कुछ पालतू मछलियाँ नहीं होतीं।

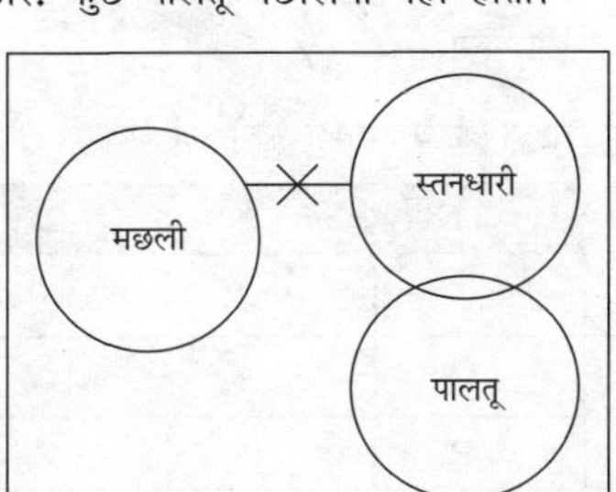

O* प्रकार का कथन:

O' कथन: इस मामले में, निष्कर्ष विपरीत पैटर्न का पालन करेगा। इसका मतलब है कि पहले कथन का कर्ता अनुमान का विधेय बन जाएगा और दूसरे कथन का विधेय अनुमान का कर्ता बन जाएगा।

O-प्रकार: कुछ S, T नहीं हैं।

O*-प्रकार: कुछ T, S नहीं हैं.

विषय और विधेय का परस्पर संबंध है

प्रकार 5: I + A = I

यदि हम I-प्रकार के कथन को A-प्रकार के कथन के साथ जोड़ते हैं, तो निष्कर्ष I-प्रकार का होता है।

कथन:
I-प्रकार: कुछ S, P हैं।
A-प्रकार: सभी P, T हैं।

निष्कर्ष:
I-प्रकार: कुछ S, T हैं।

एक उदाहरण लेते हैं:
I-प्रकार: कुछ फल सेब होते हैं।
A-प्रकार: सभी सेब स्वास्थ्यवर्धक होते हैं।

निष्कर्ष:
I-प्रकार: कुछ फल स्वास्थ्यवर्धक होते हैं।

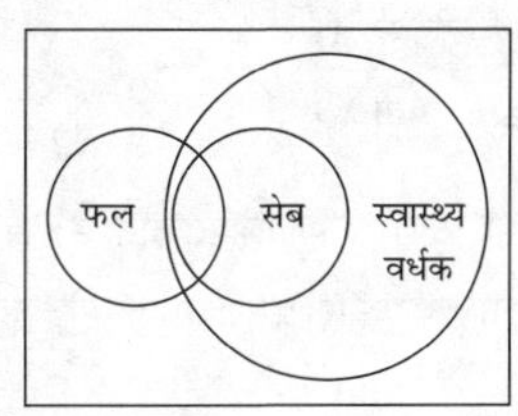

प्रकार 6: I + E = O

यदि हम I-प्रकार के कथन को E-प्रकार के कथन के साथ जोड़ते हैं, तो निष्कर्ष O-प्रकार का होता है।

कथन:

I-प्रकार: कुछ S, P हैं।

E-प्रकार: कोई भी P, T नहीं है।

निष्कर्ष:

O-प्रकार: कुछ S, T नहीं हैं।

एक उदाहरण लेते हैं:

I-प्रकार: कुछ कारें इलेक्ट्रिक होती हैं।

E-प्रकार: कोई भी इलेक्ट्रिक वाहन शोरगुल वाला नहीं होता।

निष्कर्ष: O-प्रकार: कुछ कारें शोरगुल वाली नहीं होतीं।

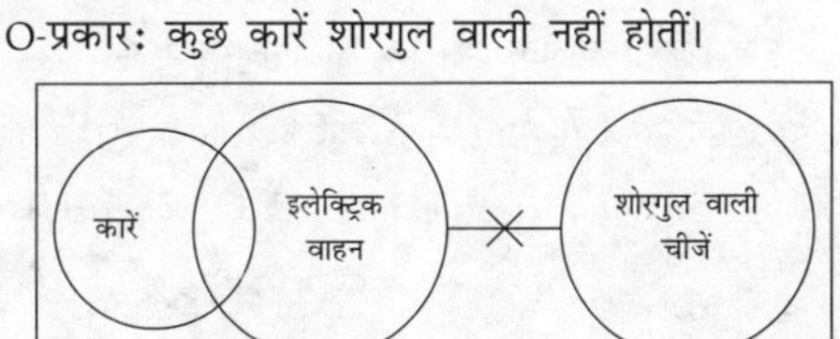

क्विज स्टेशन *विगत UGC NET परीक्षाओं के प्रश्न*

निर्देश (प्रश्न 1-5): प्रत्येक प्रश्न में दो कथन दिए गए हैं, जिनके बाद दो निष्कर्ष (I और II) दिए गए हैं।

दिए गए कथनों को सत्य मानते हुए, भले ही वे सामान्यत: ज्ञात तथ्यों से भिन्न हों, सही उत्तर चुनें:

(a) यदि केवल निष्कर्ष I अनुसरण करता है।

(b) यदि केवल निष्कर्ष II अनुसरण करता है।

(c) यदि दोनों I और II अनुसरण करते हैं।

(d) यदि न तो I और न ही II अनुसरण करता है।

प्र 1. कथन: कुछ मेजें सुनहरी हैं।
सभी सागौन मेज हैं।

निष्कर्ष:

I. कुछ सागौन सुनहरी हैं।

II. कुछ सुनहरी सागौन हैं।

प्र 2. कथन: सभी लड़के पुरुष हैं।
सभी पुरुष पिता हैं।

निष्कर्ष:

I. कुछ पुरुष लड़के हैं।

II. सभी लड़के पिता हैं।

प्र 3. कथन: सभी कवि प्रेरणादायक होते हैं।
सभी कलाकार प्रेरणादायक होते हैं।

निष्कर्ष:

I. सभी कलाकार कवि हैं।

II. कुछ प्रेरणादायक व्यक्ति कलाकार नहीं हैं।

प्र 4. कथन: कुछ शिक्षक महिलाएँ हैं।
कोई शिक्षक अनुपस्थित नहीं है।

निष्कर्ष:

I. कोई पुरुष शिक्षक नहीं है।

II. सभी महिला शिक्षक उपस्थित हैं।

प्र 5. कथन: केवल स्नातक इस पद के लिए पात्र हैं।
अधिकांश रिक्शा चालक स्नातक हैं।

निष्कर्ष:

I. कुछ रिक्शा चालक इस पद के लिए पात्र हैं।

II. इस पद के लिए पात्र सभी व्यक्ति स्नातक हैं।

उत्तर 1. (d) 2. (c) 3. (d) 4. (d) 5. (c)

18.7 वर्गवाचक कथन के भाग (Parts of Categorical Proposition)

तर्कशास्त्र में मूड (Mood) और फिगर्स (Figures) को समझने के लिए, निम्नलिखित शब्दों की मूल समझ आवश्यक है:

न्यायवाक्य (Syllogism): इसमें ऐसे तत्व शामिल होते हैं जैसे – आधारवाक्य (Premise), निष्कर्ष (Conclusion), प्रमुख पद (Major Term), गौण पद (Minor Term) और मध्य पद (Middle Term)।

कथन के घटक (Components of a Proposition): इसमें कर्ता (Subject) और विधेय (Predicate) शामिल होते हैं।

आगे बढ़ने से पहले कृपया पृष्ठ संख्या 358 और 360 पर इन विषयों को देख लें ताकि यह अनुभाग बेहतर ढंग से समझ में आ सके।

मूड (Mood)

मूड तीन अक्षरों की एक श्रेणी होती है, जो प्रमुख आधारवाक्य (Major Premise), गौण आधारवाक्य (Minor Premise), और निष्कर्ष में प्रयुक्त वर्गवाचक कथनों के प्रकार को दर्शाती है।

(इन शब्दों की विस्तृत व्याख्या के लिए पृष्ठ संख्या 374 देखें।)

आइए एक उदाहरण देखें:

- **आधारवाक्य 1 (प्रमुख आधारवाक्य):**
  कोई भी सेब संतरा नहीं है।
- **आधारवाक्य 2 (गौण आधारवाक्य):**
  कुछ फल संतरे होते हैं।
- **निष्कर्ष:** कुछ फल सेब नहीं होते।

अब, इन आधारवाक्यों और निष्कर्ष का रूप निम्नलिखित है:

- कोई भी S, P नहीं है (E या सार्वत्रिक नकारात्मक – Universal Negative)
- कुछ M, P हैं (I आंशिक सकारात्मक – Particular Affirmative)
- कुछ M, P नहीं हैं (O या आंशिक नकारात्मक – Particular Negative)

अत: इस तर्क की मूड है: 'EIO'

फिगर्स (Figures)

तार्किक तर्क (Logical Reasoning), विशेष रूप से न्यायसिद्ध तर्क (Syllogistic Logic) में, 'फिगर्स' से तात्पर्य है-कर्ता (Subject - S), विधेय (Predicate - P) और मध्य पद (Middle Term - M) की दोनों आधारवाक्यों में भिन्न-भिन्न व्यवस्था। न्यायवाक्य में चार प्रकार के फिगर्स होते हैं, जिन्हें निम्न तालिका में दर्शाया गया है:

तालिका 18.11 न्यायवाक्य के वर्गवाचक रूपों की व्यवस्था

	चित्र 1	चित्र 2	चित्र 1	चित्र 4
प्रमुख आधारवाक्य	M P	P M	M P	P M
गौण आधारवाक्य	S M	S M	M S	M S
निष्कर्ष	S P	S P	S P	S P

जहाँ,

M = मध्य पद (Middle Term)

P = विधेय (Predicate)

S = कर्ता (Subject)

लर्निंग शॉर्टकट्स

याद नहीं हो रहा कि आपने अभी क्या पढ़ा? चिंता मत कीजिए! फिगर्स के प्रकार (Types of Figures) को याद रखने के लिए एक आसान ट्रिक यहाँ दी गई है:

फिगर्स याद रखने की सरल युक्ति

पहला फिगर	दूसरा फिगर	तीसरा फिगर	चौथा फिगर
My **P**urple **S**hoes **M**atch **S**illy **P**ajamas	**P**enguins **M**ake **S**now **M**onkeys **S**lide **P**layfully	**M**onkeys **P**ick **M**angoes **S**quirrels **S**tore **P**eanuts	**P**aul **M**eets **M**ary **S**am **S**ees **P**aul

फिगर 1: M-P, S-M ⇒ S-P

फिगर 2: P-M, S-M ⇒ S-P

फिगर 3: M-P, M-S ⇒ S-P

फिगर 4: P-M, M-S ⇒ S-P

फिगर 1 से न्यायवाक्य का एक उदाहरण होगा:

प्रमुख आधारवाक्य: कुछ M, P हैं (सभी स्तनधारी आकर्षक हैं)

गौण आधारवाक्य: कुछ S, M हैं (सभी कुत्ते स्तनधारी हैं)

निष्कर्ष: कुछ S, P हैं (सभी कुत्ते स्तनधारी हैं)

फिगर्स के प्रकार (Types of Figures)

- **पहला फिगर (मूड-बारबरा/Mood-Barbara):** इस फिगर में, मध्य पद (M) प्रमुख आधारवाक्य का कर्ता है और गौण आधारवाक्य का विधेय है। मानक रूप इस प्रकार है:
  प्रमुख आधारवाक्य: सभी M, P हैं।
  गौण आधारवाक्य: सभी S, M हैं।
- **दूसरा फिगर (मूड-सेलारेंट/Mood-Celarent):** इस फिगर में, मध्य पद (M) दोनों आधारवाक्य का कर्ता है। मानक रूप इस प्रकार है:
  प्रमुख आधारवाक्य: कोई P, M नहीं है।
  गौण आधारवाक्य: सभी S, M हैं।
- **तीसरा फिगर (मूड-दारि/Mood-Darii):** इस फिगर में, मध्य पद (M) दोनों आधारवाक्य का विधेय है। मानक रूप:
  प्रमुख आधारवाक्य: सभी M, P हैं।
  गौण आधारवाक्य: कुछ S, M हैं।
- **चौथा फिगर (मूड-फेरियो/Mood - Ferio):** इस फिगर में, मध्य पद (M) प्रमुख आधारवाक्य का विधेय और गौण आधारवाक्य का कर्ता है। मानक रूप:

  प्रमुख आधारवाक्य: कोई M, P नहीं है।

  गौण आधारवाक्य: कुछ S, M हैं।

व्यवस्था को 'कॉलर प्रकार आरेख' (चित्र 18.3) की सहायता से समझा जा सकता है:

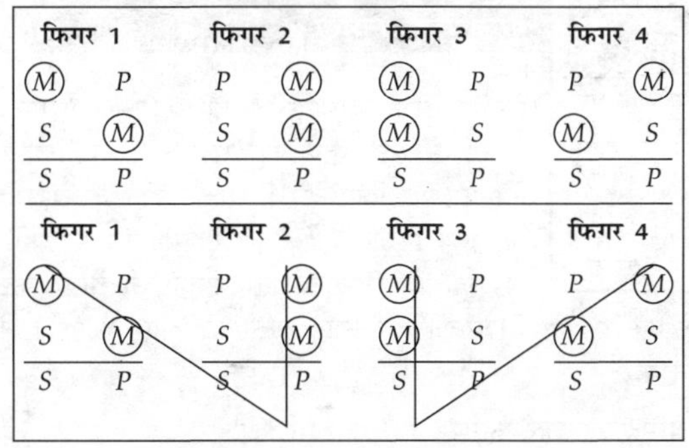

चित्र 18.3 कॉलर प्रकार आरेख

मान्य मूड और फिगर्स (Valid Mood and Figures)

हालाँकि मूड और फिगर्स के 256 संभावित संयोजन हो सकते हैं, किंतु यूनानी दार्शनिक अरस्तु (Aristotle) के अनुसार केवल 15 संयोजन ही तर्क की दृष्टि से मान्य (valid) पाए गए।

तालिका 18.12 मूड्स के मान्य संयोजन

पहला फिगर	AAA, EAE, AII, EIO
दूसरा फिगर	EAE, AEE, EIO, AOO
तीसरा फिगर	IAI, AII, OAO, EIO
चौथा फिगर	AEE, IAI, EIO

लर्निंग शॉर्टकट्स

उपरोक्त उल्लिखित आंकड़ों को कैसे याद रखें, यह सुनिश्चित नहीं है? चिंता मत करो! 13वीं शताब्दी में पोप जॉन ने आंकड़ों के प्रकारों को याद रखने के लिए एक सरल तरकीब दी थी–

फिगर	मूड	
पहला फिगर	AAA EAE AII EIO	BARBARA CELARENT DARII FERIO
दूसरा फिगर	EAE AEE EIO AOO	CESARE CAMESTRES FESTINO BAROCO
तीसरा फीगर	IAI AII OAO EIO	DISAMIS DATISI BOCARDO FERISON
चौथा फीगर	AEE IAI EIO	CAMENES DIMARIS FRESISON

स्कोर बूस्टर

पूरक पठन अनुशंसा

QR कोड काम नहीं कर रहा है? QR कोड के साथ दिए गए संसाधनों तक पहुँचने के लिए आंतरिक फ्रन्ट कवर पर दिए गए निर्देशों का पालन करें

ऐसे अतिरिक्त विषय खोजें जो UGC NET पेपर 1 में आपके स्कोर को बढ़ा सकते हैं। आधिकारिक तौर पर पाठ्यक्रम का हिस्सा न होने के बावजूद, ये विषय पिछली UGC NET परीक्षाओं में शामिल हो चुके हैं। निम्नलिखित विषयों को कवर करने वाले एक **विशेष PDF** को डाउनलोड करने के लिए QR कोड को स्कैन करें:

- अभिकथन और कारण
- कथन और धारणाएँ
- कथन और निष्कर्ष
- कथन और तर्क
- कथन और कार्रवाई का तरीका

इसके अतिरिक्त, विभिन्न प्रकार के सिलोजिस्टिक रूपों के लिए मूड और फिगर्स के विस्तृत उदाहरण देखने के लिए QR कोड को स्कैन करें।

क्विज स्टेशन *विगत UGC NET परीक्षाओं के प्रश्न*

प्र 1. 'मूड्स (Moods)' की कुल संख्या कितनी होती है?

(a) 4 (b) 16
(c) 64 (d) 256

प्र 2. 'मूड्स और फिगर्स' के संदर्भ में निम्नलिखित कथनों पर विचार कीजिए:

1. किसी न्यायवाक्य (Syllogism) का 'मूड' तीनों कथनों की 'मात्रा' और 'गुण' द्वारा निर्धारित होता है।
2. वर्गवाचक न्यायवाक्य (categorical syllogism) की 'फिगर' मध्य पद (Middle Term) द्वारा निर्धारित होती है।
3. फिगर और मूड मिलकर न्यायवाक्य की संरचना तय करते हैं।

कूट:

(a) केवल 1 और 2 सही हैं।
(b) केवल 2 और 3 सही हैं।
(c) केवल 1 और 3 सही हैं।
(d) 1, 2 और 3 सभी सही हैं।

प्र 3. तार्किक तर्क (logical reasoning) में किसी न्यायवाक्य (Syllogism) का मूड पहचानने का मुख्य लाभ क्या है?

(a) यह न्यायवाक्य की फिगर निर्धारित करता है।
(b) यह पदों के वितरण की जानकारी देता है।
(c) यह न्यायवाक्य की वैधता का मूल्यांकन करने में सहायता करता है।
(d) यह मध्य पद की व्यवस्था को स्पष्ट करता है।

प्र 4. न्यायवाक्य (Syllogism) में फिगर्स मुख्य रूप से क्या दर्शाते हैं?

(a) न्यायवाक्य का मूड।
(b) न्यायवाक्य की वैधता।
(c) मध्य पद और प्रमुख/गौण पदों की व्यवस्था।
(d) निष्कर्ष में पदों का वितरण।

प्र 5. निम्नलिखित न्यायवाक्य पर विचार करें:

सभी लाल सेब हैं। कुछ सेब हरे हैं। अत: कुछ हरे लाल हैं। इस न्यायवाक्य का मूड और फिगर निम्नलिखित में से कौन-सा है?

(a) मूड–AII, फिगर 4
(b) मूड–AAL, फिगर 3
(c) मूड–EAE, फिगर 2
(d) मूड–OAO, फिगर 1

प्र 6. चौथे फिगर में EIO (मूड) से निम्नलिखित में से क्या सही रूप से निष्कर्ष निकाला जा सकता है? *(21 जनवरी 2025 - शिफ्ट 1)*

A. अवितरित मध्य पद
B. मध्य पद दोनों आधारवाक्यों में कर्ता के रूप में प्रकट होता है
C. निष्कर्ष का विधेय वितरित किया जाता है
D. मध्य पद प्रमुख आधारवाक्य में एक विधेय के रूप में प्रकट होता है
E. निष्कर्ष अपने किसी भी पद को वितरित नहीं करता है

नीचे दिए गए विकल्पों में से सही उत्तर चुनें:

(a) केवल (A) और (B)
(b) केवल (B) और (C)
(c) केवल (C) और (D)
(d) केवल (D) और (E)

प्र 7. निम्नलिखित के फिगर और मूड को पहचानें: 'सभी सोडियम लवण जल-विलेय पदार्थ हैं। सभी साबुन सोडियम लवण हैं। इसलिए, सभी साबुन पानी में जल-विलेय पदार्थ हैं।' *(7 जनवरी 2025 - शिफ्ट 1)*

कूट:

(a) AEI; दूसरा फिगर
(b) AAA; तीसरा फिगर
(c) IIA; चौथा फिगर
(d) AAA; पहला फिगर

उत्तर 1.(c) 2.(d) 3.(c) 4.(c) 5.(a) 6.(c) 7.(d)

तालिका 18.13 मूड और फिगर का उदाहरण

<table>
<tr><th>पहला फिगर</th><th>दूसरा फिगर</th></tr>
<tr><td>

EAE
• प्रमुख आधारवाक्य **(M - P)**: सभी मनुष्य **(M)** नश्वर **(P)** हैं।
• गौण आधारवाक्य **(S - M)**: सभी दार्शनिक **(S)** मानव **(M)** हैं।
• निष्कर्ष **(S - P)**: अतः, सभी दार्शनिक **(S)** नश्वर **(P)** हैं।
EAE
• प्रमुख आधारवाक्य **(M - P)**: कोई भी सरीसृप **(M)** गर्म रक्त वाले जानवर **(P)** नहीं हैं।
• गौण आधारवाक्य **(S - M)**: सभी साँप **(S)** सरीसृप **(M)** हैं।
• निष्कर्ष **(S - P)**: अतः, कोई भी साँप **(S)** गर्म रक्त वाले जानवर **(P)** नहीं हैं।
AII
• प्रमुख आधारवाक्य **(M - P)**: सभी स्तनधारी **(M)** जानवर **(P)** हैं।
• गौण आधारवाक्य **(S - M)**: कुछ पालतू जानवर **(S)** स्तनधारी **(M)** हैं।
• निष्कर्ष **(S - P)**: अतः, कुछ पालतू जानवर **(S)** जानवर **(P)** हैं।
EIO
• प्रमुख आधारवाक्य **(M - P)**: कोई बिल्ली **(M)** पक्षी **(P)** नहीं हैं।
• गौण आधारवाक्य **(S - M)**: कुछ पालतू जानवर **(S)** बिल्लियाँ **(M)** हैं।
• निष्कर्ष **(S - P)**: अतः, कुछ पालतू जानवर **(S)** पक्षी **(P)** नहीं हैं।

</td><td>

EAE
• प्रमुख आधारवाक्य **(P - M)**: कोई कार **(P)** साइकिल **(M)** नहीं है।
• गौण आधारवाक्य **(S - M)**: सभी मोटर साइकिल **(S)** साइकिल **(M)** हैं।
• निष्कर्ष **(S - P)**: अतः, कोई भी मोटर साइकिल **(S)** कार **(P)** नहीं है।
AEE
• प्रमुख आधारवाक्य **(P - M)**: सभी डॉक्टर **(P)** मानव **(M)** हैं।
• गौण आधारवाक्य **(S - M)**: कोई भी एलियन **(S)** मानव **(M)** नहीं है।
• निष्कर्ष **(S - P)**: अतः, कोई भी एलियन **(S)** डॉक्टर **(P)** नहीं हैं।
EIO
• प्रमुख आधारवाक्य **(P - M)**: कोई सेब **(P)** संतरे **(M)** नहीं हैं।
• गौण आधारवाक्य **(S - M)**: कुछ फल **(S)** संतरे **(M)** हैं
• निष्कर्ष **(S - P)**: अतः, कुछ फल **(S)** सेब **(P)** नहीं हैं
AOO
• प्रमुख आधारवाक्य **(P - M)**: सभी कुत्ते **(P)** स्तनधारी **(M)** हैं।
• गौण आधारवाक्य **(S - M)**: कुछ सरीसृप **(S)** स्तनधारी **(M)** नहीं हैं।
• निष्कर्ष **(S - P)**: अतः, कुछ सरीसृप **(S)** कुत्ते **(P)** नहीं हैं।

</td></tr>
<tr><th>तीसरा फिगर</th><th>चौथा फिगर</th></tr>
<tr><td>

IAI
• प्रमुख आधारवाक्य **(M - P)**: कुछ छात्र **(M)** मेहनती **(P)** हैं।
• गौण आधारवाक्य **(M - S)**: सभी छात्र **(M)** शिक्षार्थी **(S)** हैं।
• निष्कर्ष **(S - P)**: अतः, कुछ शिक्षार्थी **(S)** परिश्रमी **(P)** होते हैं।
AII
• प्रमुख आधारवाक्य **(M - P)**: सभी सेब **(M)** फल **(P)** हैं
• गौण आधारवाक्य **(M - S)**: कुछ सेब **(M)** हरे **(S)** हैं।
• निष्कर्ष **(S - P)**: अतः, कुछ हरे रंग की वस्तुएं **(S)** फल **(P)** हैं।
OAO
• प्रमुख आधारवाक्य **(M - P)**: कुछ वाहन **(M)** कार **(P)** नहीं हैं।
• गौण आधारवाक्य **(M - S)**: सभी वाहन **(M)** शोर करते हैं **(S)**।
• निष्कर्ष **(S - P)**: अतः, कुछ शोर करने वाली चीजें **(S)** कार **(P)** नहीं हैं।
EIO
• प्रमुख आधारवाक्य **(M - P)**: कोई भी पुस्तक **(M)** काल्पनिक **(P)** नहीं है।
• गौण आधारवाक्य **(M - S)**: कुछ पुस्तकें **(M)** शैक्षिक **(S)** हैं।
• निष्कर्ष **(S - P)**: अतः, कुछ शैक्षिक सामग्री **(S)** काल्पनिक **(P)** नही है।

</td><td>

AEE
• प्रमुख आधारवाक्य **(P - M)**: सभी सेब **(P)** फल **(M)** हैं।
• गौण आधारवाक्य **(M - S)**: कोई भी फल **(M)** कड़वा **(S)** नहीं है।
• निष्कर्ष **(S - P)**: अतः, कोई भी कड़वी चीज **(S)** सेब **(P)** नहीं है।
IAI
• प्रमुख आधारवाक्य **(P - M)**: कुछ फूल **(P)** ट्यूलिप **(M)** हैं।
• गौण आधारवाक्य **(M - S)**: सभी ट्यूलिप **(M)** लाल **(S)** हैं।
• निष्कर्ष **(S - P)**: अतः, कुछ लाल चीजें **(S)** फूल **(P)** हैं।
EIO
• प्रमुख आधारवाक्य **(P - M)**: कोई भी पक्षी **(P)** जानवर **(M)** नहीं हैं।
• गौण आधारवाक्य **(M - S)**: कुछ जानवर **(M)** कुत्ते **(S)** हैं।
• निष्कर्ष **(S - P)**: अतः, कुछ कुत्ते **(S)** पक्षी **(P)** नहीं हैं।

</td></tr>
</table>

अध्याय के मुख्य बिंदु

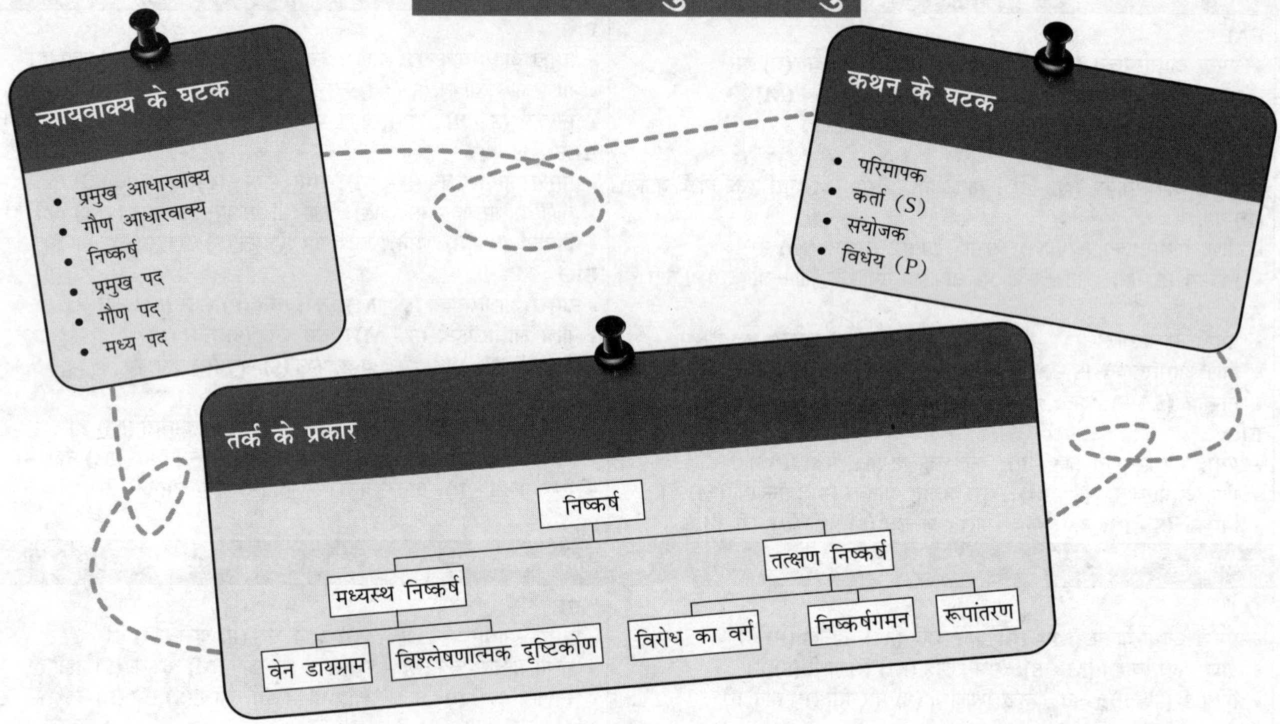

संकेत	कथन प्रपत्र	उदाहरण	मात्रा	गुणवत्ता	वितरित
A	सभी S, P हैं।	सभी इंसान ईमानदार हैं।	सार्वत्रिक	सकारात्मक	केवल कर्ता
E	कोई S, P नहीं है।	कोई इंसान ईमानदार नहीं है।	सार्वत्रिक	नकारात्मक	कर्ता और विधेय दोनों
I	कुछ S, P हैं।	कुछ इंसान ईमानदार हैं।	आंशिक	सकारात्मक	न तो कर्ता और न ही विधेय
O	कुछ S, P नहीं हैं।	कुछ इंसान ईगानदार नहीं हैं।	आंशिक	नकारात्मक	केवल विधेय

भाषा और तार्किक भ्रांतियों को समझना (Understanding Language and Logical Fallacies)

19

इस अध्याय में

**परीक्षोपयोगी (Exam Essential): UGC NET परीक्षा में पूछे जाने की अत्यधिक संभावना, #CC का अर्थ है कॉन्सेप्ट कैप्सूल*

परिचय (Introduction)

कल्पना कीजिए कि आप टेलीविजन पर एक नए टूथपेस्ट ब्रांड का विज्ञापन देख रहे हैं। विज्ञापन में एक प्रसिद्ध सेलिब्रिटी दावा करता है कि इस टूथपेस्ट ने उसकी मुस्कान को पूरी तरह बदल दिया है और दाँतों की सेहत को बहुत बेहतर बना दिया है। जैसे ही वह सेलिब्रिटी अपने चमचमाते सफेद दाँत दिखाता है, स्क्रीन पर कुछ वैज्ञानिक दिखने वाले चार्ट और आँकड़े दिखाए जाते हैं, जिससे यह आभास होता है कि यह टूथपेस्ट बाजार में मौजूद अन्य टूथपेस्टों से कहीं बेहतर है। विज्ञापन इस वाक्य से समाप्त होता है – 'अगर आप अपने दाँतों की सेहत को लेकर गंभीर हैं, तो आज ही इस टूथपेस्ट को अपनाइए।'

इस पूरे दृश्य में भाषा और तर्क दोष (logical fallacies) के कई तत्व शामिल हैं। सेलिब्रिटी की बात को प्रमाण मानकर प्रस्तुत करना 'प्रामाणिकता की अपील' (appeal to authority) कहलाता है, जिसमें यह माना जाता है कि अगर कोई प्रसिद्ध व्यक्ति किसी वस्तु का उपयोग करता है, तो वह निश्चित रूप से अच्छी ही होगी। वैज्ञानिक आकृतियों और आँकड़ों का उपयोग, चाहे वे सही हों या नहीं, एक प्रकार की विश्वसनीयता का भ्रम पैदा करता है। अंतिम वाक्य एक 'झूठा विकल्प' (false contrast) प्रस्तुत करता है, जिसमें यह कहा गया है कि केवल दो ही रास्ते हैं: या तो इस टूथपेस्ट को अपनाएँ या फिर अपनी दंत-स्वास्थ्य की अनदेखी करें।

इस उदाहरण के माध्यम से हम यह समझ सकते हैं कि भाषा और तर्क दोष किस प्रकार कार्य करते हैं। भाषा एक शक्तिशाली साधन है, जिससे हम अपने विचार व्यक्त करते हैं, दूसरों को समझाते हैं और जानकारी साझा करते हैं। लेकिन, इसी भाषा का उपयोग कभी-कभी लोगों को भ्रमित करने या गुमराह करने के लिए भी किया जाता है। 'Fallacy' का शाब्दिक अर्थ है – गलत धारणा या तर्क में त्रुटि। अगर हम इन तर्क दोषों को पहचानना सीख जाएँ, तो हम यह समझ सकेंगे कि कोई व्यक्ति कब गलत तर्कों से हमें प्रभावित करने की कोशिश कर रहा है और हम अपने निर्णय अधिक सोच-समझकर ले पाएँगे।

19.1 भाषा का उपयोग (Use of Language)

भाषा एक प्रभावशाली साधन है, जो हमारे जीवन में अनेक प्रकार से काम आता है। यह केवल विचारों को प्रकट करने का माध्यम नहीं है, बल्कि इससे हम भावनाएँ व्यक्त करते हैं, निर्देश देते हैं, जानकारी माँगते हैं और परिस्थितियों का मूल्यांकन करते हैं। भाषा के विभिन्न उपयोगों को समझने से हम प्रभावी ढंग से संवाद कर सकते हैं और दूसरों के संदेशों को सही रूप से समझ सकते हैं। इस खंड में हम भाषा के कुछ प्रमुख उपयोगों को उदाहरणों सहित समझेंगे।

1. **सूचनात्मक (Informative):** जब भाषा का उपयोग केवल जानकारी देने, ज्ञान साझा करने या तथ्यों को बताने के लिए किया जाता है, तब वह सूचनात्मक होती है। इसमें वक्ता अपनी कोई व्यक्तिगत राय या भावना व्यक्त नहीं करता। यह भाषा आमतौर पर शैक्षणिक लेखन, समाचार, निर्देश पुस्तिकाओं और वैज्ञानिक वर्णनों में उपयोग होती है। उदाहरण: एक रिपोर्टर कहता है, 'भूकंप की तीव्रता

रिक्टर पैमाने पर 6.5 थी और शहर के मुख्य इलाके में कई इमारतों को नुकसान पहुँचा।'

2. **भावनात्मक (Expressive):** भावनात्मक भाषा का उपयोग अपनी भावनाएँ, अनुभूतियाँ या मनोभाव व्यक्त करने के लिए किया जाता है। इससे वक्ता की आंतरिक स्थिति प्रकट होती है जैसे खुशी, दुःख, गुस्सा, उत्साह आदि। यह भाषा व्यक्तिगत बातचीत, साहित्य और कला में अधिक दिखाई देती है। उदाहरण: कोई व्यक्ति कहता है, 'मुझे अपने प्रमोशन की बहुत खुशी हो रही है!'
3. **निर्देशक (Directive):** निर्देशक भाषा का प्रयोग तब किया जाता है जब हम किसी को आदेश देते हैं, निर्देश देते हैं या कोई निवेदन करते हैं। इसका उद्देश्य सामने वाले के व्यवहार या क्रिया को प्रभावित करना होता है। यह स्कूल, कार्यस्थल या परिवार में अक्सर प्रयुक्त होती है। उदाहरण: एक शिक्षक कहता है, 'कृपया पाठ्यपुस्तक का पृष्ठ संख्या 47 खोलिए और अगला अध्याय पढ़ना शुरू कीजिए।'
4. **प्रश्न पूछने हेतु (To Ask):** इस प्रकार की भाषा जानकारी प्राप्त करने, स्पष्टीकरण माँगने या सहायता के लिए प्रयोग की जाती है। यह संवाद का एक आवश्यक हिस्सा है, जिससे सीखने और जानकारी साझा करने की प्रक्रिया शुरू होती है। उदाहरण: कोई पूछता है, 'क्या आप बता सकते हैं कि सबसे नजदीकी एटीएम कहाँ है?'
5. **मूल्यांकन हेतु (To Evaluate):** जब हम किसी व्यक्ति, वस्तु, विचार या स्थिति के बारे में कोई मूल्यांकन या निर्णय व्यक्त करते हैं, तब हम मूल्यांकनात्मक भाषा का उपयोग करते हैं। यह अक्सर वक्ता की निजी राय पर आधारित होती है और समीक्षा या प्रतिक्रिया के रूप में सामने आती है। उदाहरण: एक फूड क्रिटिक लिखता है – 'पास्ता जरूरत से ज़्यादा पक गया था और सॉस में कोई स्वाद नहीं था, जिससे यह व्यंजन निराशाजनक बन गया।'
6. **अन्य सामाजिक उपयोग (Others):** भाषा के कुछ अन्य सामाजिक उपयोग भी होते हैं जो हमारे संबंधों को बनाए रखने और संवाद को सहज बनाने में मदद करते हैं, जैसे – बधाई देना, माफी माँगना, पुष्टि करना या वादा करना आदि। उदाहरण:
   - **बधाई देना (To Congratulate):** 'आपकी स्नातक डिग्री पूरी करने पर बहुत-बहुत बधाई! आपने इसके लिए कड़ी मेहनत की है।'
   - **माफी माँगना (To Apologise):** 'माफ कीजिए कि मैं मीटिंग में देर से पहुँचा। आगे से ऐसा नहीं होगा।'
   - **पुष्टि करना (To Affirm Action):** 'मैं पुष्टि करता हूँ कि मैंने पैकेट प्राप्त कर लिया है।'
   - **वादा करना (To Make a Promise):** 'मैं वादा करता हूँ कि सप्ताहांत में मैं आपकी परियोजना में मदद करूँगा'।

19.2 शब्दों के अभिधार्थ और संकेतार्थ (Denotation and Connotation of Terms)

अभिधार्थ (Denotations)

अभिधार्थ का तात्पर्य किसी शब्द के शाब्दिक या शब्दकोश में दिए गए अर्थ से होता है। यह उस शब्द का स्पष्ट, सीधा और विशेष अर्थ होता है जिसे अधिकांश लोग समझते हैं। ऐसे अर्थ वस्तुनिष्ठ होते हैं और प्राय: शब्दकोशों में पाए जाते हैं। उदाहरण के लिए, 'तवेम' शब्द का अभिधार्थ है – एक प्रकार का फूल जिसके पंखुड़ी होते हैं।

संकेतार्थ (Connotations)

संकेतार्थ वह अतिरिक्त अर्थ, भाव या संबंध होते हैं जो किसी शब्द के शाब्दिक अर्थ से परे होते हैं। संकेतात्मक अर्थ व्यक्तिपरक होते हैं और वे व्यक्ति के व्यक्तिगत अनुभव, सांस्कृतिक पृष्ठभूमि या उस संदर्भ पर निर्भर करते हैं जिसमें वह शब्द उपयोग किया गया है। उदाहरण के लिए, 'गुलाब' शब्द का अभिधार्थ तो एक पंखुड़ी वाला फूल है, लेकिन इसका संकेतार्थ प्रेम, रोमांस और सुंदरता से जुड़ा होता है। जब कोई किसी को 'गुलाब' देता है, तो वह सामान्यत: स्नेह या प्रशंसा का संकेत होता है। साहित्य, कला और सामान्य जीवन में सदियों से 'गुलाब' प्रेम और भावना का प्रतीक रहा है। तालिका 19.1 में कुछ शब्दों के अभिधार्थ और संकेतार्थ को एक साथ दिखाया गया है।

टेबल 19.1 अभिधार्थ और संकेतार्थ

शब्द	अभिधार्थ	संकेतार्थ
साँप	एक बिना पैर वाला मांसाहारी सरीसृप, जिसका शरीर लंबा और पतला होता है	बुराई, खतरा, धोखा, छुपा हुआ, अविश्वसनीय
कबूतर	एक छोटा, सफेद पक्षी, जो अक्सर कबूतर की जाति से जुड़ा होता है	शांति, पवित्रता, मासूमियत
घर	वह स्थान जहाँ कोई व्यक्ति रहता है; एक निवास स्थान	आराम, सुरक्षा, परिवार, गर्मजोशी
सस्ता	जिसकी कीमत कम हो	घटिया गुणवत्ता, हीनता, कम मूल्य

संकेतार्थ को अलग-अलग दृष्टिकोणों से समझा जा सकता है, जिनमें से प्रत्येक किसी शब्द के निहित अर्थ को समझने का अपना अलग तरीका प्रस्तुत करता है। ये दृष्टिकोण हैं – वस्तुनिष्ठ दृष्टिकोण, व्यक्तिनिष्ठ दृष्टिकोण और तर्कसंगत या परंपरागत दृष्टिकोण। आइए इन्हें 'घर' शब्द के उदाहरण से समझते हैं।

1. **वस्तुनिष्ठ दृष्टिकोण (Objective View):** वस्तुनिष्ठ दृष्टिकोण यह मानता है कि संकेतार्थ सभी लोगों द्वारा समान रूप से पहचाने और समझे जाते हैं। इनका अर्थ विभिन्न संदर्भों और संस्कृतियों में स्थिर और सामान्यत: एक जैसा होता है।
   - **शब्द:** घर
   - **वस्तुनिष्ठ संकेतार्थ (Objective Connotation):** आराम, सुरक्षा, परिवार
   - **स्पष्टीकरण:** वस्तुनिष्ठ दृष्टिकोण में 'home' शब्द आमतौर पर आराम, सुरक्षा और पारिवारिक भावना को दर्शाता है। ये भावनाएँ अधिकांश लोगों द्वारा बिना व्यक्तिगत अनुभव के भी समान रूप से समझी जाती हैं।
2. **व्यक्तिनिष्ठ दृष्टिकोण (Subjective View):** व्यक्तिनिष्ठ दृष्टिकोण यह मानता है कि संकेतार्थ व्यक्ति के अपने अनुभवों,

भावनाओं और निजी संबंधों पर निर्भर करते हैं। ऐसे अर्थ एक व्यक्ति से दूसरे व्यक्ति के लिए बहुत अलग हो सकते हैं।

- **शब्द:** घर
- **व्यक्तिनिष्ठ संकेतार्थ (Subjective Connotation):** स्मृतियाँ, गर्मजोशी, अकेलापन
- **स्पष्टीकरण:** इस दृष्टिकोण में 'home' शब्द अलग-अलग लोगों के लिए अलग भावनाएँ जगा सकता है। किसी के लिए यह अतीत की मधुर यादों और अपनापन का भाव ला सकता है, जबकि किसी और के लिए यह अकेलेपन की अनुभूति भी ला सकता है, यह सब उनके व्यक्तिगत अनुभवों और भावनात्मक जुड़ाव पर निर्भर करता है।

3. **तर्कसंगत या पारंपरिक दृष्टिकोण (Logical or Conventional View):** तर्कसंगत या पारंपरिक दृष्टिकोण यह कहता है कि संकेतार्थ समाज और संस्कृति की परंपराओं तथा मान्यताओं पर आधारित होते हैं। ऐसे अर्थ सामाजिक और सांस्कृतिक संदर्भ में सीखे जाते हैं और साझा किए जाते हैं।
   - **शब्द:** घर
   - **तर्कसंगत/पारंपरिक संकेतार्थ (Logical/Conventional Connotation):** स्थिरता, सामाजिक मानदंड, परंपरा
   - **स्पष्टीकरण:** इस दृष्टिकोण में 'घर' शब्द स्थिरता, सामाजिक मानदंडों का पालन और परंपराओं का प्रतिनिधित्व करता है। ये अर्थ सांस्कृतिक और सामाजिक अभ्यासों के माध्यम से सीखे और मजबूत किए जाते हैं, और विशेष समाज या संस्कृति में सामान्यत: पहचाने जाते हैं।

क्विज स्टेशन *विगत UGC NET परीक्षाओं के प्रश्न*

प्र 1. _______ संदेशों का अर्थ श्रोताओं के लिए अधिकतर समान होता है।

(a) अमूर्त

(b) जटिल

(c) संकेतार्थयुक्त

(d) अभिधार्थयुक्त

उत्तर 1. (d)

★★★ परीक्षोपयोगी

19.3 परिभाषाओं के प्रकार (Types of Definitions)

शब्दों के अर्थ को समझना स्पष्ट संप्रेषण (communication) और प्रभावी तर्क (reasoning) के लिए अत्यंत आवश्यक होता है। इस प्रक्रिया में परिभाषाएँ एक महत्वपूर्ण भूमिका निभाती हैं, क्योंकि वे किसी शब्द या धारणा का सटीक अर्थ प्रदान करती हैं। परिभाषा किसी अवधारणा का एक ऐसा समग्र वर्णन है, जिसे ज्ञात विचारों के माध्यम से, मुख्यत: शब्दों द्वारा, समझाया जाता है।

परिभाषाएँ निम्नलिखित प्रमुख उद्देश्यों की पूर्ति करती हैं:

- **किसी अवधारणा का एक निश्चित स्तर पर वर्णन करना (To Describe a Concept at a Given Level of Abstraction):** परिभाषाएँ किसी धारणा को स्पष्ट करती हैं और उसे एक निश्चित विस्तार के स्तर पर समझने योग्य बनाती हैं।
- **संबंधित अवधारणाओं से किसी विशेष अवधारणा को अलग करना (To Distinguish a Concept from Related Concepts):** परिभाषाएँ एक अवधारणा को दूसरी मिलती-जुलती अवधारणाओं से अलग करने में मदद करती हैं, जिससे भ्रम की स्थिति नहीं बनती।
- **विचाराधीन अवधारणा और अन्य अवधारणाओं के बीच संबंध स्थापित करना (To Establish a Relationship between the Concept in Question and Other Concepts):** परिभाषाएँ किसी अवधारणा को एक व्यापक विचार प्रणाली के अंतर्गत रखती हैं और बताती हैं कि वह अन्य अवधारणाओं से किस प्रकार जुड़ी है।

किसी धारणा की स्पष्ट परिभाषा उस शब्द को चुनने और विश्लेषण करने की पहली जरूरी कड़ी होनी चाहिए। जब हम किसी उपयुक्त शब्द की तलाश करते हैं, तो सबसे पहले उस धारणा की अच्छी तरह से परिभाषित समझ होना चाहिए। इस खंड में हम परिभाषाओं के विभिन्न प्रकारों और उनके विशेष प्रयोगों को समझेंगे, जिससे हमारी संप्रेषण की क्षमता और जटिल विचारों को समझने की योग्यता बेहतर होगी।

कोशगत (Lexical)

कोशगत परिभाषा किसी शब्द का मानक शब्दकोश में दिया गया अर्थ बताती है। यह एक सीधा और स्पष्ट तरीका होता है, जिससे यह समझाया जाता है कि कोई शब्द क्या दर्शाता है। इसमें उस शब्द की सबसे महत्त्वपूर्ण विशेषताओं का उल्लेख होता है। यह परिभाषा आम बोलचाल और लेखन में शब्द के प्रयोग पर आधारित होती है। उदाहरण:

- **शब्द:** सेब
- **कोशगत परिभाषा:** एक गोल फल, जिसकी त्वचा लाल या हरे रंग की होती है और अंदर सफेद गूदा होता है; यह सामान्यत: मीठा होता है और पेड़ पर उगता है।

क्रियात्मक (Functional)

क्रियात्मक परिभाषा किसी शब्द का अर्थ उसके कार्य या उद्देश्य के आधार पर बताती है। यह परिभाषा इस बात पर जोर देती है कि वह वस्तु क्या करती है या कैसे काम करती है, बजाय इसके कि वह कैसी दिखती है या उसमें कौन-कौन से गुण हैं। तकनीकी, वैज्ञानिक और व्यावहारिक क्षेत्रों में यह प्रकार अधिक उपयोगी होता है, जहाँ किसी वस्तु का उद्देश्य या कार्य समझना जरूरी होता है। उदाहरण:

- **शब्द:** हृदय
- **क्रियात्मक परिभाषा:** हृदय एक ऐसा अंग है जो पूरे शरीर में रक्त को पंप करता है, जिससे ऊतकों तक ऑक्सीजन और पोषक तत्व पहुँचते हैं और कार्बन डाइऑक्साइड तथा अन्य अपशिष्ट बाहर निकलते हैं। यह परिभाषा हृदय के कार्य (रक्त पंप करना) और उसके शरीर में महत्व (ऑक्सीजन और पोषक तत्वों की आपूर्ति तथा अपशिष्टों का निष्कासन) को स्पष्ट करती है।

सिनेमैटिक कनेक्शन

आइए हम कोशगत परिभाषा (lexical definition) को एक दिलचस्प उदाहरण के माध्यम से समझें। वर्ष 2009 की फिल्म *3 Idiots* में एक दृश्य आता है जहाँ प्रोफेसर छात्रों से 'Machines' (मशीनों) की परिभाषा पूछते हैं। चतुर रामलिंगम इस प्रश्न के उत्तर में शब्दकोश से ली गई एक परिभाषा सुनाता है। वह कहता है:

"Machines are any combination of bodies so connected that their relative motions are constrained, and by which means force and motion may be transmitted and modified, as a screw and its nut, or a lever arranged to turn about a fulcrum or a pulley about its pivot, et cetera; especially, a construction, more or less complex, consisting of a combination of moving parts or simple mechanical elements, as wheels, levers, cams et cetera." (मशीनें ऐसे पिंडों का कोई भी संयोजन होती हैं, जो इस प्रकार आपस में जुड़े होते हैं कि उनके आपसी गति पर नियंत्रण होता है, और जिनके माध्यम से बल और गति को स्थानांतरित या परिवर्तित किया जा सकता है, जैसे - एक पेंच और उसकी नट, या एक ऐसा लीवर जो आधार बिंदु (fulcrum) के चारों ओर घूमता है, या धुरी (pivot) पर घूमने वाली चरखी (pulley) आदि। विशेष रूप से, मशीन एक ऐसा निर्माण होता है जो अधिक या कम जटिल हो सकता है, और जिसमें घूमने वाले हिस्सों या सरल यांत्रिक घटकों - जैसे पहिए, लीवर, कैम आदि का संयोजन होता है।)

चतुर का उत्तर कोशगत परिभाषा का उदाहरण है, जिसमें पारंपरिक और शब्दकोशीय अर्थ दिया गया है, लेकिन इसमें किसी व्यावहारिक समझ या संदर्भ की झलक नहीं मिलती।

इसके विपरीत, रणछोड़दास (Rancho), जिसे आमिर खान ने निभाया है, एक अधिक सरल और व्यावहारिक परिभाषा देता है। वह कहता है -

'A machine is anything that reduces human effort. Anything that simplifies work, or saves time, is a machine.' (मशीन वह होती है जो इंसान की मेहनत कम कर दे। कोई भी चीज जो काम को आसान बनाए या समय बचाए, वही मशीन है।)

रणछोड़ का उत्तर क्रियात्मक परिभाषा (functional definition) का उत्तम उदाहरण है, जो मशीनों के उपयोग और उद्देश्य पर केंद्रित है। यह परिभाषा आम जीवन में मशीन की अवधारणा को आसानी से समझने में मदद करती है।

स्थितिक (Stipulative)

स्थितिक परिभाषा किसी विशेष चर्चा या संदर्भ के लिए किसी शब्द को एक निश्चित अर्थ देने के लिए बनाई जाती है। यह परिभाषा सामान्य या शब्दकोशीय अर्थ पर आधारित नहीं होती, बल्कि बातचीत में शामिल लोगों द्वारा आपसी सहमति से तय की जाती है। इस प्रकार की परिभाषा का उपयोग तब किया जाता है जब किसी नए शब्द को पेश किया जाता है या किसी अस्पष्ट शब्द को स्पष्ट किया जाता है। स्थितिक परिभाषाएँ अक्सर स्लैंग (बोलचाल की भाषा) और मुहावरों में पाई जाती हैं।

आइए कुछ उदाहरण देखें:

1. **शब्द/स्लैंग: Ghosting (अनदेखा करना/संवाद तोड़ देना)**
   - **स्थितिक परिभाषा (Stipulative Definition):** यह उस व्यवहार को दर्शाता है जिसमें कोई व्यक्ति जानबूझकर बिना किसी स्पष्टीकरण के एक सप्ताह या उससे अधिक समय तक किसी व्यक्ति के संदेशों या कॉल्स की अनदेखी करता है।
2. **मुहावरा: Break the ice (चुप्पी तोड़ना/बातचीत की शुरुआत करना)**
   - **स्थितिक परिभाषा (Stipulative Definition):** इस टीम-बिल्डिंग कार्यशाला में 'break the ice' का अर्थ होगा - समूह के सदस्यों के बीच पहली बातचीत की शुरुआत करना ताकि आपसी संवाद को प्रोत्साहन मिले।

प्रेरणात्मक (Persuasive)

प्रेरणात्मक परिभाषा का उद्देश्य यह होता है कि वह श्रोता के मन में किसी शब्द को लेकर एक विशेष दृष्टिकोण या भावना उत्पन्न करे। इसमें सकारात्मक या नकारात्मक संकेतार्थों का उपयोग कर भावनात्मक प्रतिक्रिया जगाई जाती है। इस प्रकार की परिभाषा का उपयोग अक्सर विज्ञापनों और राजनीतिक भाषणों में किया जाता है, ताकि लोगों की राय और दृष्टिकोण को प्रभावित किया जा सके। कुछ उदाहरण देखें:

1. **शब्द-समूह:** Golden opportunity (सुनहरा अवसर)
   - **प्रेरणात्मक परिभाषा (Persuasive Definition):** 'सुनहरा अवसर' जीवन में मिलने वाला वह एकमात्र मौका है, जिसे अवश्य ही अपनाना चाहिए ताकि आपके भविष्य की सफलता और खुशी सुनिश्चित हो सके। (यह परिभाषा श्रोताओं को ऐसे अवसरों को अत्यंत मूल्यवान मानने के लिए प्रेरित करती है।)
2. **शब्द-समूह (Phrase):** Silver lining (उम्मीद की किरण)
   - **प्रेरणात्मक परिभाषा (Persuasive Definition):** 'उम्मीद की किरण' वह संकेत है जो यह याद दिलाता है कि सबसे अंधेरे बादलों में भी कोई सकारात्मक पक्ष होता है, जो आगे चलकर सफलता की ओर ले जा सकता है। (यह परिभाषा श्रोताओं को आशावादी दृष्टिकोण अपनाने और कठिन समय में भी आशा बनाए रखने के लिए प्रेरित करती है।)

औपचारिक (Formal)

औपचारिक परिभाषा किसी शब्द का सटीक, मानकीकृत और क्षेत्र-विशेष में सर्वमान्य अर्थ प्रदान करती है। यह अकादमिक, वैज्ञानिक या तकनीकी संदर्भों में प्रयुक्त होती है और अस्पष्टता से मुक्त होती है। ऐसी परिभाषाएँ आमतौर पर पाठ्यपुस्तकों, शोध पत्रों, विधिक दस्तावेजों और तकनीकी पुस्तिकाओं में मिलती हैं। उदाहरण:

शब्द: Photosynthesis (प्रकाश-संश्लेषण)

औपचारिक परिभाषा (Formal Definition): 'प्रकाश-संश्लेषण वह प्रक्रिया है जिसके माध्यम से हरे पौधे, शैवाल और कुछ बैक्टीरिया सूर्य के प्रकाश की ऊर्जा को रासायनिक ऊर्जा में बदलते हैं, जो ग्लूकोज या अन्य जैविक अणुओं में संचित होती है। यह प्रक्रिया क्लोरोप्लास्ट में होती है, जहाँ क्लोरोफिल प्रकाश ऊर्जा को अवशोषित करता है, जिससे जल अणु विभाजित होते हैं (फोटोलाइसिस) और ऑक्सीजन मुक्त होती है।

मुक्त इलेक्ट्रॉन ATP और NADPH के निर्माण में उपयोग होते हैं, जो आगे कैल्विन चक्र या C4 पथ के माध्यम से ग्लूकोज जैसे जैविक अणुओं के निर्माण में सहायक होते हैं।' यह परिभाषा वैज्ञानिक दृष्टिकोण से सटीक और पूरी प्रक्रिया को स्पष्ट रूप से समझाने वाली है।

अनौपचारिक (Informal)

अनौपचारिक परिभाषा किसी शब्द की सामान्य या सरल व्याख्या होती है, जो रोजमर्रा की बातचीत या गैर-तकनीकी लेखन में प्रयुक्त होती है। इसका उद्देश्य यह होता है कि बिना किसी विशेष ज्ञान की आवश्यकता के, सामान्य व्यक्ति भी अर्थ को आसानी से समझ सके। ऐसी परिभाषाएँ सामान्य भाषा और उदाहरणों का उपयोग करती हैं। उदाहरण:

- **शब्द:** Photosynthesis (प्रकाश-संश्लेषण)
- **अनौपचारिक परिभाषा (Informal Definition):** प्रकाश-संश्लेषण वह प्रक्रिया है जिससे पौधे सूर्य की रोशनी की मदद से अपना भोजन बनाते हैं। वे कार्बन डाइऑक्साइड और पानी को लेकर उसे ग्लूकोज और ऑक्सीजन में बदलते हैं। यह परिभाषा सरल है और किसी भी आम व्यक्ति के लिए समझना आसान बनाती है, बिना किसी तकनीकी शब्दावली के प्रयोग के।

प्रसारी (Extensional)

प्रसारी परिभाषा किसी शब्द का अर्थ उन सभी उदाहरणों या इकाइयों की सूची देकर समझाती है, जो उस शब्द की श्रेणी में आती हैं। इसे 'गणनात्मक परिभाषा' (enumerative definition) भी कहा जाता है। यह परिभाषा ठोस उदाहरणों के माध्यम से अर्थ को स्पष्ट करती है। उदाहरण:

- **शब्द:** Days of the Week (सप्ताह के दिन)
- **प्रसारी परिभाषा (Extensional Definition):** सप्ताह के दिन हैं - Sunday (रविवार), Monday (सोमवार), Tuesday (मंगलवार), Wednesday (बुधवार), Thursday (गुरुवार), Friday (शुक्रवार), और Saturday (शनिवार)। इस परिभाषा में सभी दिनों की सूची देकर 'सप्ताह के दिन' का अर्थ स्पष्ट रूप से बताया गया है।

स्पष्टकारी (Precising)

स्पष्टकारी परिभाषा का उद्देश्य किसी शब्द की अस्पष्टता को कम करके उसे अधिक सटीक बनाना होता है। इसका उपयोग प्रायः कानूनी, शैक्षणिक या तकनीकी संदर्भों में किया जाता है जहाँ स्पष्टता और विशिष्टता अत्यंत आवश्यक होती है। यह परिभाषा किसी सामान्य शब्द को एक विशेष प्रयोजन के अनुसार सीमित और परिभाषित करती है। उदाहरण:

1. **शब्द:** Poverty (गरीबी)
    - **स्पष्टकारी परिभाषा:** 'गरीबी' उस स्थिति को कहा जाता है जब कोई व्यक्ति प्रतिदिन \$1.90 से कम आय पर जीवन यापन करता है, जैसा कि विश्व बैंक की अंतरराष्ट्रीय निर्धनता रेखा द्वारा निर्धारित है।
2. **शब्द:** Child (बालक/बालिका)
    - **स्पष्टकारी परिभाषा:** एक कानूनी दस्तावेज के संदर्भ में, 'बालक' वह व्यक्ति है जिसकी आयु 18 वर्ष से कम है। यह परिभाषा यह स्पष्ट करने के लिए एक विशिष्ट आयु सीमा प्रदान करती है कि कानूनी उद्देश्यों के लिए किसे बच्चा माना जाता है।

प्रचालनात्मक (Operational)

प्रचालनात्मक परिभाषा किसी शब्द का अर्थ उस प्रक्रिया या विधि के माध्यम से बताती है, जिससे उस अवधारणा को मापा या पहचाना जाता है। यह परिभाषा वैज्ञानिक अनुसंधान और प्रयोगों में प्रयुक्त होती है ताकि अर्थ स्पष्ट रहे और परिणामों को दोहराया जा सके। ऐसी परिभाषाएँ विशेष मानदंड प्रदान करती हैं जिन्हें बार-बार एक जैसी विधि से लागू किया जा सके। आइए कुछ उदाहरण देखें:

1. **शब्द:** Intelligence (बुद्धिमत्ता)
    - **परिचालन परिभाषा:** बुद्धिमत्ता को 'Wechsler Adult Intelligence Scale (WAIS)' टेस्ट में प्राप्त स्कोर के रूप में परिभाषित किया जाता है। यह परिभाषा स्पष्ट करती है कि बुद्धिमत्ता को किस तरह मापा जाएगा (WAIS टेस्ट के माध्यम से)।
2. **शब्द:** Academic Performance (शैक्षणिक प्रदर्शन)
    - **परिचालन परिभाषा:** शैक्षणिक प्रदर्शन को एक निश्चित शैक्षणिक अवधि में छात्र के प्राप्त कुल ग्रेड प्वाइंट एवरेज (GPA) के रूप में परिभाषित किया जाता है। यह परिभाषा प्रदर्शन को मापने का स्पष्ट और स्थिर तरीका प्रस्तुत करती है।
3. **शब्द:** Anxiety (चिंता)
    - **परिचालन परिभाषा:** चिंता को 'State-Trait Anxiety Inventory (STAI)' में 40 या उससे अधिक स्कोर के रूप में परिभाषित किया जाता है।

सांकेतिक (Ostensive)

सांकेतिक परिभाषा का अर्थ है - किसी शब्द या अवधारणा को समझाने के लिए उसे उदाहरण या किसी वस्तु की ओर इशारा करके समझाना, न कि केवल शब्दों द्वारा वर्णन करना। इस प्रकार की परिभाषा तब उपयोगी होती है जब कोई नया शब्द या धारणा सिखाई जा रही हो, विशेषकर बच्चों को या तब जब मौखिक व्याख्या पर्याप्त न हो। सांकेतिक परिभाषाएँ "बताने" के बजाय "दिखाने" पर आधारित होती हैं। मान लीजिए एक नृत्य शिक्षिका अपने छात्रों को सालसा डांस सिखाना चाहती हैं। इस नृत्य शैली को शब्दों में समझाना कठिन है, इसलिए वह स्वयं नृत्य का प्रदर्शन करती हैं। यह प्रदर्शन छात्रों को सालसा डांस की विशेषताओं और शैली को समझने में मदद करता है।

सादृश्यात्मक (Analogous)

सादृश्यात्मक परिभाषा किसी शब्द का अर्थ एक ऐसी चीज से तुलना करके समझाती है जिसमें समान गुण पाए जाते हैं। यह परिभाषा किसी अपरिचित या जटिल धारणा को किसी अधिक परिचित या सरल चीज से जोड़कर उसे अधिक स्पष्ट और समझने योग्य बना देती है। ऐसी परिभाषाएँ शिक्षण, विज्ञान और साहित्य में अक्सर प्रयोग की जाती हैं, ताकि अमूर्त या कठिन विचारों को सहज रूप में समझाया जा सके। आइए कुछ उदाहरण देखें:

1. **शब्द:** Photosynthesis (प्रकाश-संश्लेषण)
    - **सादृश्यात्मक परिभाषा:** पौधों में प्रकाश-संश्लेषण वैसा ही है जैसे रसोई में खाना पकाना। जैसे एक रसोइया सब्जियाँ, पानी और गर्मी

का उपयोग करके भोजन बनाता है, वैसे ही एक पौधा सूर्य की रोशनी, पानी और कार्बन डाइऑक्साइड का उपयोग करके अपना भोजन तैयार करता है। यह तुलना इस प्रक्रिया को आम जीवन की गतिविधि से जोड़कर उसे अधिक समझने योग्य बनाती है।

2. **शब्द:** Brain (मस्तिष्क)
   - सादृश्यात्मक परिभाषा: मस्तिष्क एक कंप्यूटर के 'सेंट्रल प्रोसेसिंग यूनिट' (CPU) की तरह है। जैसे CPU जानकारी को संसाधित करता है और कंप्यूटर की सभी गतिविधियों को नियंत्रित करता है, वैसे ही मस्तिष्क शरीर की जानकारी को संसाधित करता है और सभी कार्यों का नियंत्रण करता है। यह तुलना मस्तिष्क की भूमिका को समझने में मदद करती है।

क्विज स्टेशन *विगत UGC NET परीक्षाओं के प्रश्न*

प्र 1. "ग्रह एक खगोलीय पिंड है, जो सौर मंडल के भीतर सूर्य के चारों ओर परिक्रमा करता है और इसमें इतना द्रव्यमान होता है कि इसका आत्म-गुरुत्वाकर्षण कठोर पिंड बलों पर काबू पा लेता है, जिससे यह हाइड्रोस्टेटिक संतुलन ग्रहण कर लेता है"

(8 जनवरी 2025 - शिफ्ट 1)

(a) प्रेरक परिभाषा (b) शर्तपूर्ण परिभाषा
(c) भावनात्मक परिभाषा (d) सैद्धांतिक परिभाषा

प्र 2. निम्नलिखित परिभाषा की प्रकृति निर्धारित कीजिए: 'गर्भपात का अर्थ है निर्दोष जीवों की बेरहम हत्या।'

(a) कोशगत (Lexical)
(b) प्रेरणात्मक (Persuasive)
(c) स्थितिक (Stipulative)
(d) सैद्धांतिक (Theoretical)

प्र 3. जब किसी परिभाषा का उद्देश्य किसी शब्द के स्थापित प्रयोग को समझाना होता है, तो वह परिभाषा कहलाती है:

(a) स्थितिक (Stipulative)
(b) कोशगत (Lexical)
(c) प्रेरणात्मक (Persuasive)
(d) सैद्धांतिक (Theoretical)

प्र 4. स्तंभ का मिलान करें: *(6 जनवरी 2025 - शिफ्ट 1)*

सूची-I (परिभाषा)	सूची-II (विशेषता)
A. निर्धारित	I. इनका उपयोग अस्पष्टता को दूर करने के लिए किया जाता है
B. शाब्दिक	II. ये सिद्धांत की व्यापक समझ को समाहित करते हैं
C. सटीक	III. यह न तो सटीक है और न ही गलत
D. सैद्धांतिक	IV. यह परिभाषा के अर्थ की रिपोर्ट करता है

(a) A-II, B-IV, C-III, D-I,
(b) A-I, B-III, C-IV, D-II,
(c) A-IV, B-II, C-III, D-I,
(d) A-III, B-IV, C-I, D-II,

प्र 5. जब किसी परिभाषा का उद्देश्य किसी विवाद को सुलझाने के लिए लोगों की भावना या दृष्टिकोण को प्रभावित करना होता है, तो वह कहलाती है:

(a) कोशगत (Lexical)
(b) प्रेरणात्मक (Persuasive)
(c) स्थितिक (Stipulative)
(d) स्पष्टकारी (Precising)

उत्तर 1. (d) 2. (b) 3. (b) 4. (d) 5. (b)

★★★ परीक्षोपयोगी

19.4 भ्रांतियाँ (Fallacies)

भ्रांति का अर्थ है सोचने या तर्क करने में की गई एक गलती। यह तब होता है जब कोई ऐसा तर्क दिया जाता है जो सुनने में तो ठीक लगता है, लेकिन असल में उसमें कोई बुनियादी कमी होती है। उदाहरण के लिए, यदि कोई कहे, 'मैंने सुना है कि सभी अभिनेता अमीर होते हैं, इसलिए टॉम अमीर होगा क्योंकि वह एक अभिनेता है,' तो यह एक भ्रांति है। केवल इसलिए कि कुछ अभिनेता अमीर हैं, इसका मतलब यह नहीं कि सभी अभिनेता अमीर ही होते हैं। भ्रांतियाँ तर्क को ऐसा बना सकते हैं कि वह बहुत मजबूत या सच्चा लगे, जबकि वह अच्छी तर्कशक्ति पर आधारित नहीं होता। भ्रांतियों को पहचानना हमें अधिक स्पष्ट रूप से सोचने में और बेहतर निर्णय लेने में मदद करता है, जिससे हम ऐसे तर्कों के झाँसे में नहीं आते जो असल में कमजोर या गलत होते हैं।

औपचारिक भ्रांतियाँ (Formal Fallacies)

औपचारिक भ्रांतियाँ वे गलतियाँ होती हैं जो तर्क के ढाँचे या संरचना में होती हैं। इन तर्क दोषों में निष्कर्ष तर्क की प्रारंभिक बातों (premises) से तार्किक रूप से नहीं निकलता, चाहे वे बातें सच हों या झूठ। आइए एक उदाहरण से समझते हैं:

- **आधार वाक्य 1:** सभी काले पक्षी उड़ सकते हैं।
- **आधार वाक्य 2:** सभी कौवे उड़ सकते हैं।
- **निष्कर्ष:** सभी कौवे काले पक्षी हैं।

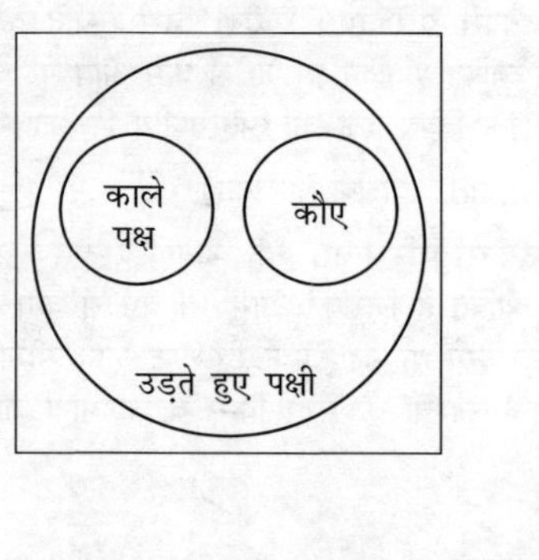

यहाँ 'काले पक्षी' उड़ने वाले पक्षियों का एक समूह हैं, और 'कौए' भी उड़ने वाले पक्षियों का एक अलग समूह हैं। लेकिन ये दोनों समूह पूरी तरह एक-दूसरे से मेल नहीं खाते। इसलिए निष्कर्ष गलत है। इस तर्क में गड़बड़ी इसलिए है क्योंकि पहले दिए गए वाक्यों के आधार पर ऐसा निष्कर्ष निकालना तर्कसंगत नहीं है।

अनौपचारिक भ्रांतियाँ (Informal Fallacies)

इन्हें 'अनुमान की भ्रांतियाँ' या 'गैर-तार्किक भ्रांतियाँ' भी कहा जाता है।

ये तर्क दोष सामान्यतः बातचीत, बहस या चर्चाओं में देखने को मिलते हैं। औपचारिक भ्रांतियाँ जहाँ तर्क की संरचना में गलती होती है, वहीं अनौपचारिक भ्रांतियाँ तर्क की विषयवस्तु या संदर्भ में गड़बड़ी के कारण होते हैं। ये भ्रांतियाँ शुरू में प्रभावशाली या तार्किक लग सकते हैं, लेकिन असल में ये सोचने की प्रक्रिया को गलत दिशा में मोड़ते हैं।

पेटिटियो प्रिंसिपी (प्रश्न को मान लेना) [(Petitio Principii (Begging the Question)]

पेटिटियो प्रिंसिपी, या 'प्रश्न को मान लेना' एक ऐसा भ्रांति है जिसमें तर्क का निष्कर्ष पहले से ही उसी के आधार में मान लिया जाता है। इसमें कोई नया प्रमाण या तर्क दिए बिना ही वही बात दोहराई जाती है जिसे सिद्ध करना है। आइए एक उदाहरण लेते हैं:

- **आधार वाक्यः** धूम्रपान हानिकारक है क्योंकि यह आपकी सेहत को नुकसान पहुँचाता है।
- **निष्कर्षः** इसलिए, धूम्रपान आपकी सेहत के लिए हानिकारक है।
- **निष्कर्षः** निष्कर्ष वही बात दोहराता है जो पहले ही कही गई थी। यह ऐसा तर्क है जिसमें कुछ नया सिद्ध नहीं होता, केवल एक ही बात को अलग ढंग से दोहराया जाता है।

इस प्रकार, पेटिटियो प्रिंसिपी एक अवर्तक तर्क (circular reasoning) होता है, जिसमें तर्क एक घेरे में घूमता है और कोई नया प्रमाण नहीं देता। यह केवल एक ही विचार को अलग शब्दों में दोहराता है, बिना ठोस आधार या नए तर्क के। ('अवर्तक तर्क' विषय के लिए पृष्ठ संख्या 367 देखें।)

ऐक्सिडेंट (व्यापक सामान्यीकरण) (Sweeping Generalisation)

Accident, जिसे व्यापक सामान्यीकरण भी कहा जाता है, एक ऐसा भ्रांति है जिसमें किसी सामान्य नियम को ऐसे विशेष मामले में लागू कर दिया जाता है जहाँ वह उचित रूप से लागू नहीं होता। इस प्रकार की भ्रांतियाँ तब होती हैं जब सामान्य बातों को अंधाधुंध लागू कर दिया जाता है और सामान्य व विशेष परिस्थितियों के बीच का अंतर नहीं पहचाना जाता।

ऐक्सिडेंट भ्रांति के दो प्रकार होते हैं:

1. **प्रत्यक्ष भ्रांति (Direct Fallacy):** इस प्रकार के भ्रांति में कोई सामान्य नियम किसी विशेष परिस्थिति पर गलत ढंग से लागू कर दिया जाता है। उदाहरण:
   - **आधार वाक्य 1:** 'जो लोग तेज गति से गाड़ी चलाते हैं, उन्हें जुर्माना देना चाहिए।'
   - **अधारवाक्य 2:** 'एक एंबुलेंस ड्राइवर अस्पताल जाने के लिए तेज चला रहा है।'
   - **निष्कर्षः** 'इसलिए, एंबुलेंस ड्राइवर को भी जुर्माना देना चाहिए।'
   - **स्पष्टीकरणः** यहाँ तेज गाड़ी चलाने का सामान्य नियम (प्रारंभिक वाक्य 1) एक आपात स्थिति में एंबुलेंस ड्राइवर (प्रारंभिक वाक्य 2) पर लागू कर दिया गया है, जबकि यह एक विशेष परिस्थिति है जिसमें तेजी उचित और जरूरी है।
2. **विपरीत भ्रांति (Converse Fallacy):** इस प्रकार के भ्रांति में किसी विशेष घटना के आधार पर एक सामान्य नियम बना दिया जाता है, जो सभी स्थितियों पर लागू नहीं होता। उदाहरण:
   - **आधार वाक्यः** 'एक डॉक्टर ने रोगी की गलत पहचान की।'
   - **निष्कर्षः** 'इसलिए, सभी डॉक्टर अयोग्य हैं।'
   - **स्पष्टीकरणः** यहाँ एक डॉक्टर की गलती को सभी डॉक्टरों पर लागू कर दिया गया है, जबकि अधिकांश डॉक्टर कुशल होते हैं और ऐसी गलतियाँ अपवाद होती हैं, नियम नहीं।

जल्दबाजी में सामान्यीकरण (Hasty Generalisation)

जल्दबाजी में सामान्यीकरण एक तर्क दोष है जिसमें किसी व्यक्ति या समूह के बारे में बहुत कम या अधूरी जानकारी के आधार पर एक बड़ा निष्कर्ष निकाल लिया जाता है। यह तब होता है जब कोई व्यक्ति कुछ उदाहरणों को देखकर पूरी आबादी या समूह के बारे में निष्कर्ष निकाल देता है। उदाहरणः

- **आधार वाक्यः** 'कृष पहली बार दिल्ली गया और वहाँ उसे एक व्यक्ति ने रूखा व्यवहार किया।'
- **निष्कर्षः** 'इसलिए, दिल्ली के सभी लोग रूखे होते हैं।'
- **स्पष्टीकरणः** इस उदाहरण में केवल एक व्यक्ति के व्यवहार के आधार पर पूरे शहर के लोगों को रूखा कहना जल्दबाजी है। सभी लोग एक जैसे नहीं होते। यह बहुत कम जानकारी के आधार पर एक बड़ा और गलत निष्कर्ष निकालने जैसा है, जिससे गलतफहमी और पक्षपात फैल सकता है।

आर्ग्युमेंटम एड पॉपुलम (जन-अपील तर्क) [Argumentum ad Populum (Appeal to the People)]

आर्ग्युमेंटम एड पॉपुलम जिसे जन-अपील तर्क कहा जाता है, वह भ्रांति है जिसमें कोई व्यक्ति दूसरों को प्रभावित करने के लिए तर्क या प्रमाण के स्थान पर लोगों की आम मान्यताओं या भावनाओं का सहारा लेता है। इसमें यह दिखाने की कोशिश की जाती है कि कोई बात सिर्फ इसलिए सही है क्योंकि बहुत से लोग उस पर विश्वास करते हैं या वह लोकप्रिय विचार है।

यह भ्रांति अक्सर लोगों की भावनाओं - जैसे प्रेम, डर, घृणा या गर्व - को उकसाकर उन्हें प्रभावित करता है। यह राजनीतिक भाषणों और विज्ञापनों में बहुत देखा जाता है। उदाहरणः

- **प्रारंभिक वाक्यः** 'हमारे देश को एक ऐसे मजबूत नेता की जरूरत है जो हमें फिर से सुरक्षित और गर्वित महसूस करा सके। Candidate X को वोट दीजिए!'
- **निष्कर्षः** 'इसलिए, Candidate X हमारे देश के भविष्य के लिए सबसे अच्छा विकल्प है।'
- **स्पष्टीकरणः** इस तर्क में Candidate X की योग्यताओं या नीतियों का कोई ठोस प्रमाण नहीं दिया गया है। बल्कि, यह लोगों की सुरक्षा और

गौरव की भावना को उकसाकर उन्हें Candidate X को चुनने के लिए प्रेरित करता है।

सिनेमैटिक कनेक्शन

सिनेमैटिक कनेक्शन आइए हम बॉलीवुड फिल्म *लगान* (2001) का एक उदाहरण लें ताकि Argumentum ad Populum (जन-अपील तर्क) को बेहतर ढंग से समझा जा सके। इस फिल्म में नायक भुवन (जिसे आमिर ख़ान ने निभाया है) गाँववालों से अपील करता है कि वे ब्रिटिश अधिकारियों को क्रिकेट मैच की चुनौती देने में उसका साथ दें। भुवन गाँववालों को संबोधित करते हुए उनसे आग्रह करता है कि वे ब्रिटिश शासकों के अत्याचार के ख़िलाफ एकजुट होकर क्रिकेट मैच में भाग लें।

- **आधार वाक्य:** 'अगर हम क्रिकेट मैच जीतते हैं, तो हम ब्रिटिशों द्वारा लगाए गए जुल्मी करों से मुक्त हो जाएँगे।'
- **निष्कर्ष:** 'इसलिए, हमें सबको एक साथ आकर अपनी आजादी के लिए लड़ना चाहिए।'
- **स्पष्टीकरण:** भुवन गाँववालों की देशभक्ति, गर्व और स्वतंत्रता की भावना को जगाता है। वह उनके भीतर एकता और विरोध की भावना को प्रेरित करता है और इन्हीं भावनाओं का सहारा लेकर क्रिकेट मैच के लिए समर्थन जुटाता है। यद्यपि उसका उद्देश्य न्यायपूर्ण है, लेकिन यह तर्क मुख्यत: भावनात्मक अपील पर आधारित है, न कि मैच जीतने की तार्किक संभावना या योजना की व्यवहारिकता पर।

आर्गुमेंटम एड वेरेकुंडियम (प्राधिकरण से अपील) *[Argumentum ad Verecundiam (Appeal to Authority)]*

जिसे प्रामाणिकता की अपील कहा जाता है, एक ऐसा भ्रांति है जिसमें कोई व्यक्ति अपने तर्क को मजबूत करने के लिए किसी प्रसिद्ध या सम्मानित व्यक्ति की राय का सहारा लेता है, जबकि वह व्यक्ति संबंधित विषय का विशेषज्ञ नहीं होता। यह भ्रांति इसलिए उत्पन्न होता है क्योंकि आधार वाक्य (प्रसिद्ध व्यक्ति की राय) निष्कर्ष का वैध समर्थन नहीं करता, खासकर तब जब वह व्यक्ति उस क्षेत्र का जानकार नहीं होता। उदाहरण:

- **आधार वाक्य:** एक प्रसिद्ध अभिनेत्री टूथपेस्ट ब्रांड X का समर्थन करती है।
- **निष्कर्ष:** इसलिए, X दाँतों की सेहत के लिए सबसे अच्छा टूथपेस्ट है।
- **स्पष्टीकरण:** अभिनेत्री की राय अप्रासंगिक है क्योंकि वह दंत-स्वास्थ्य की विशेषज्ञ नहीं है। केवल उसकी प्रसिद्धि के आधार पर यह मान लेना कि वह टूथपेस्ट सबसे अच्छा है, एक गलत तर्क है।

आर्गुमेंटम एड मिसेरिकोर्डियम (दया की अपील) *[Argumentum ad Misericordiam (Appeal to Pity)]*

आर्गुमेंटम एड मिसेरिकोर्डियम, जिसे दया की अपील कहा जाता है, एक ऐसा भ्रांति है जिसमें कोई व्यक्ति भावनात्मक करुणा या दया की भावना को उभार कर समर्थन पाने की कोशिश करता है, बजाय इसके कि वह तर्कपूर्ण कारण दे। इस प्रकार का तर्क दोष भावनात्मक प्रभाव का उपयोग करके वास्तविक मुद्दे से ध्यान भटकाने की कोशिश करता है।

प्राचीन यूनान में अपराधी अक्सर इस तर्क का सहारा लेकर सजा से बचने की कोशिश करते थे। वे न्यायाधीशों या जनता की दया पर अपील करते थे ताकि अपने अपराध की सजा से बच सकें। उदाहरण:

- **आधार वाक्य:** 'मान्यवर, मैं जानता हूँ कि मैंने अपराध किया है, लेकिन मेरे घर पर एक बीमार बच्चा है जो मुझ पर निर्भर है। अगर मैं जेल चला गया, तो मेरा बच्चा मेरी देखभाल के बिना पीड़ित होगा।'
- **निष्कर्ष:** 'इसलिए, मुझे जेल की सजा नहीं दी जानी चाहिए।'
- **स्पष्टीकरण:** यह तर्क अपराधी की व्यक्तिगत स्थिति को देखकर न्यायाधीश की भावनाओं को प्रभावित करने की कोशिश करता है, जबकि यह सच्चाई नहीं बदलती कि अपराध हुआ है और कानून के अनुसार सजा मिलनी चाहिए।

आर्गुमेंटम एड बैकुलम (बल की अपील) *[Argumentum ad Baculum (Appeal to Force)]*

जिसे बल की अपील या डंडे की धमकी कहा जाता है, एक ऐसा भ्रांति है जिसमें कोई व्यक्ति तर्क देने के बजाय धमकी या डर का सहारा लेकर अपनी बात मनवाने की कोशिश करता है। आसान शब्दों में कहें, तो जब कोई व्यक्ति दूसरों को डराकर या नुकसान की धमकी देकर अपनी बात मनवाता है, तो यह तर्क दोष होता है। उदाहरण:

- **आधार वाक्य:** 'अगर आप हमारी माँगों से सहमत नहीं हुए, तो हम हड़ताल पर चले जाएँगे और पूरी फैक्ट्री को बंद कर देंगे।'
- **निष्कर्ष:** 'इसलिए, आपको हमारी माँगों से सहमत हो जाना चाहिए।'
- **स्पष्टीकरण:** इस तर्क में माँगों को सही साबित करने के लिए कोई तर्क नहीं दिया गया है, बल्कि फैक्ट्री बंद होने की धमकी देकर सहमति ली जा रही है। डर के कारण लोग बिना माँगों की असलियत को परखे ही मान जाते हैं।

अर्गुमेंटम एड इग्नोरेंटियम (अज्ञान की अपील) *[(Argumentum ad Ignorantiam (Appeal to Ignorance)]*

अर्गुमेंटम एड इग्नोरेंटियम जिसे अज्ञान की अपील कहा जाता है, एक ऐसा भ्रांति है जिसमें कोई व्यक्ति यह दावा करता है कि कोई बात केवल इसलिए सही है क्योंकि उसे गलत साबित नहीं किया गया है, या इसके उलट - कोई बात इसलिए गलत है क्योंकि उसे सही साबित नहीं किया गया है। यह भ्रांति प्रमाण के अभाव पर आधारित होता है, न कि किसी ठोस प्रमाण पर।

इसमें यह माना जाता है कि अगर कोई बात झूठी साबित नहीं हुई है, तो वह सही ही होगी। लेकिन यह सोच तर्कसंगत नहीं है। किसी बात को सही मानने के लिए केवल यह पर्याप्त नहीं है कि वह झूठी साबित न हुई हो, उसके समर्थन में ठोस प्रमाण होना चाहिए। उदाहरण:

- **आधार वाक्य:** 'किसी भी वैज्ञानिक ने यह सिद्ध नहीं किया है कि टाइम ट्रैवल असंभव है।'
- **निष्कर्ष:** 'इसलिए, टाइम ट्रैवल संभव जरूर होगा।'
- **स्पष्टीकरण:** इस तर्क में यह मान लिया गया है कि टाइम ट्रैवल संभव है केवल इसलिए क्योंकि इसे असंभव सिद्ध नहीं किया गया है। लेकिन इसमें ऐसा कोई प्रमाण नहीं दिया गया है जिससे यह साबित हो सके कि टाइम ट्रैवल वास्तव में संभव है।

इग्नोरेशियो एलेन्ची (अप्रासंगिक निष्कर्ष) [Ignoratio Elenchi (Irrelevant Conclusion)]

इग्नोरेशियो एलेन्ची, जिसे अप्रासंगिक निष्कर्ष कहा जाता है, वह भ्रांति है जिसमें दिया गया तर्क देखने में ठीक लगता है, लेकिन वह चर्चा में उठाए गए मुख्य मुद्दे से संबंधित नहीं होता। इस प्रकार का तर्क असल मुद्दे से भटककर किसी अन्य बात को साबित करने में लग जाता है, जिससे चर्चा का मूल उद्देश्य खो जाता है। उदाहरण:

- **आधार वाक्य:** 'शहर में अपराध दर बढ़ रही है।'
- **निष्कर्ष:** 'इसलिए, हमें कला और संस्कृति कार्यक्रमों के लिए बजट बढ़ाना चाहिए।'
- **स्पष्टीकरण:** इस तर्क में निष्कर्ष कला और संस्कृति के लिए फंड बढ़ाने की बात करता है, जो अपराध दर की समस्या का सीधा समाधान नहीं है। भले ही कला और संस्कृति कार्यक्रम समाज के लिए लाभकारी हों, लेकिन यह तर्क अपराध की समस्या को सीधा संबोधित नहीं करता।

रेड हेरिंग (अप्रासंगिक थीसिस) [Red Herring (Irrelevant Thesis)]

रेड हेरिंग भ्रांति तब होता है जब किसी चर्चा में एक अप्रासंगिक विषय या तर्क को इस उद्देश्य से लाया जाता है कि लोगों का ध्यान मूल मुद्दे से भटका दिया जाए। यह एक प्रकार की भटकाने की रणनीति होती है, जो श्रोताओं या पाठकों को असली विषय से दूर ले जाती है और उन्हें गलत निष्कर्ष तक पहुँचा देती है। रेड हेरिंग भ्रांति अक्सर जासूसी या रहस्य उपन्यासों में देखा जाता है, जहाँ पाठकों को गुमराह करने के लिए इस तकनीक का उपयोग किया जाता है। यह भ्रांति इसलिए समस्या पैदा करता है क्योंकि यह चर्चा को असली मुद्दे से हटा देता है और किसी गैर-संबंधित विषय की ओर ले जाता है। इससे तार्किक, केंद्रित और सच्चाई पर आधारित विचार-विमर्श में बाधा आती है। उदाहरण:

- **परिस्थिति:** 'एक राजनेता से जलवायु परिवर्तन पर उनके रुख के बारे में पूछा गया।'
- **राजनेता का उत्तर:** 'हमें पहले अर्थव्यवस्था पर ध्यान देना चाहिए। बेरोजगारी दर बहुत ज़्यादा है।'
- **स्पष्टीकरण:** राजनेता ने जलवायु परिवर्तन पर उत्तर देने के बजाय अर्थव्यवस्था की बात शुरू कर दी, जिससे लोगों का ध्यान असली मुद्दे से हट गया। अब लोग पर्यावरण के बजाय रोजगार के बारे में सोचने लगते हैं, जबकि मूल प्रश्न पर्यावरण से जुड़ा था।

आर्ग्युमेंटम एड होमिनम (व्यक्तिगत हमला) [Argumentum ad Hominem (Personal Attack)]

आर्ग्युमेंटम एड होमिनम, जिसे व्यक्तिगत हमला भी कहा जाता है, वह भ्रांति है जिसमें तर्क देने वाले व्यक्ति की बातों पर चर्चा करने के बजाय, उस व्यक्ति की निजी जिंदगी या व्यक्तित्व पर हमला किया जाता है। इसमें मुद्दे से हटकर उस व्यक्ति की आलोचना की जाती है जो तर्क प्रस्तुत कर रहा है। यह भ्रांति इसलिए गलत है क्योंकि यह असली तर्क को संबोधित ही नहीं करता, बल्कि अप्रासंगिक व्यक्तिगत बातें उठाकर चर्चा को भटकाता है। उदाहरण:

- **आधार वाक्य:** 'जेन को पहले एक प्रदर्शन के लिए गिरफ्तार किया गया था।'
- **निष्कर्ष:** 'इसलिए, जेन का जलवायु परिवर्तन पर दिया गया तर्क मान्य नहीं है।'
- **स्पष्टीकरण:** यहाँ तर्क जेन की जलवायु परिवर्तन से जुड़ी बात को इसलिए ख़ारिज कर रहा है क्योंकि उसने अतीत में प्रदर्शन किया था। लेकिन उसका अतीत इस तर्क के वैज्ञानिक या तर्कसंगत पहलुओं से कोई संबंध नहीं रखता। यह एक भटकाने वाला और अनुचित व्यक्तिगत हमला है।

सिनेमैटिक कनेक्शन

आइए हम टीवी सीरीज Suits (2011-19) के एक प्रकरण में झाँकते हैं। यह शो न्यूयॉर्क सिटी की कॉर्पोरेट कानून की दुनिया पर आधारित है। इसमें Argumentum ad Hominem (व्यक्तिगत हमला) तर्क दोष का एक प्रभावशाली उदाहरण देखने को मिलता है, जब तेज-तर्रार वकील हार्वी स्पेक्टर का सामना होता है ट्रैविस टैनर से, जो एक आक्रामक और प्रतिस्पर्धी वकील के रूप में बार-बार सामने आता है।

इस विशेष मुक़दमे में दो कॉर्पोरेट कंपनियों के बीच बौद्धिक संपदा अधिकार (intellectual property rights) को लेकर विवाद होता है। हार्वी स्पेक्टर एक पक्ष का प्रतिनिधित्व करते हैं, जबकि ट्रैविस टैनर विपक्षी पक्ष के वकील होते हैं।

मुक़दमे की कार्यवाही के दौरान, हार्वी टैनर के पिछले क़ानूनी विवादों का जिक्र करते हैं और उनके पहले के मामलों में किए गए अनैतिक व्यवहार की ओर इशारा करते हैं। ऐसा करके हार्वी यह साबित करने की कोशिश नहीं कर रहे कि उनके पक्ष की बात सही है, बल्कि वे न्यायाधीश और जूरी की नजरों में टैनर को अविश्वसनीय और बेईमान दिखाना चाहते हैं। यह रणनीति इस बात पर आधारित नहीं है कि तर्क या साक्ष्य किसके पक्ष में हैं, बल्कि इसका उद्देश्य ट्रैविस टैनर के चरित्र को निशाना बनाकर उनके पक्ष की साख को कमजोर करना है। इस प्रकार का उदाहरण दिखाता है कि कानूनी लड़ाइयों में केवल तथ्यों पर तर्क देने से ही नहीं, बल्कि सामने वाले व्यक्ति की प्रतिष्ठा और चरित्र पर हमला करके भी जीतने की कोशिश की जाती है।

जटिल प्रश्न (Complex Question)

जटिल प्रश्न एक प्रकार की चाल होती है जिसमें प्रश्न इस तरह पूछा जाता है कि उसमें पहले से ही एक असिद्ध धारणा छिपी होती है। इसका उद्देश्य उत्तर देने वाले व्यक्ति को दो ऐसे विकल्पों में फँसाना होता है, जिनमें से कोई भी उत्तर देने पर वह दोषी या संदिग्ध प्रतीत हो सकता है। उदाहरणः

- **प्रश्नः** 'क्या तुमने परीक्षा में नकल करना बंद कर दिया है?'
- **अधिकारण (Assumption):** यह प्रश्न मानकर चल रहा है कि उस व्यक्ति ने पहले कभी परीक्षा में नकल की है।
- **स्पष्टीकरणः** यदि व्यक्ति 'हाँ' या 'नहीं' कहता है, तो वह यह मान लेता है कि वह पहले नकल करता था, भले ही यह सच न हो। ऐसे प्रश्नों का उत्तर देना कठिन होता है क्योंकि बिना किसी गलती के भी व्यक्ति दोषी प्रतीत हो सकता है।

स्ट्रॉमैन तर्क (Strawman Argument)

वह भ्रांति है जिसमें कोई व्यक्ति अपने विरोधी के तर्क को तोड़-मरोड़ कर या बदलकर ऐसा बना देता है जिससे उसे आसानी से खंडित किया जा सके। इसका नाम strawman (पुआल का पुतला) इसीलिए है क्योंकि इसे गिराना आसान होता है। इस भ्रांति में असली मुद्दे का सामना करने के बजाय, एक कमजोर या विकृत संस्करण को सामने लाकर उस पर हमला किया जाता है। यह एक अनुचित तरीका है क्योंकि यह असल तर्क को गलत तरीके से प्रस्तुत करता है।

उदाहरण 1:

- **मूल तर्कः** 'हमें पर्यावरण प्रदूषण को कम करने के लिए हाइब्रिड कारों का उपयोग करने पर विचार करना चाहिए।'
- **स्ट्रॉमैन तर्कः** 'मेरे विरोधी का मानना है कि सिर्फ हाइब्रिड कारें चला कर हम सभी पारिस्थितिकीय समस्याओं को हल कर सकते हैं।'
- **स्पष्टीकरणः** मूल तर्क यह कहता है कि हाइब्रिड कारें समाधान का एक हिस्सा हो सकती हैं, लेकिन Strawman तर्क इसे बढ़ा-चढ़ाकर ऐसा दर्शाता है मानो वक्ता ने कहा हो कि यह अकेला उपाय है।

उदाहरण 2:

- **मूल तर्कः** 'हमें ट्रैफिक और प्रदूषण कम करने के लिए सार्वजनिक परिवहन को बेहतर बनाना चाहिए।'
- **स्ट्रॉमैन तर्कः** 'मेरे विरोधी सभी कारों पर प्रतिबंध लगाना चाहते हैं और सबको बस में चढ़ने के लिए मजबूर करना चाहते हैं।'
- **स्पष्टीकरणः** मूल विचार में सिर्फ सार्वजनिक परिवहन में सुधार की बात थी, लेकिन Strawman तर्क उसे अतिशयोक्ति से पेश करता है, जिससे वह अस्वीकार्य लगे।

फिसलन भरा ढलान तर्क (Slippery Slope)

फिसलन भरा ढलान भ्रांति तब होता है जब यह मान लिया जाता है कि अगर एक चीज हो गई, तो उसके बाद एक पूरी श्रृंखला में बुरी घटनाएँ निश्चित रूप से घटेंगी - बिना यह सोचे कि बीच में और भी कई विकल्प या स्थितियाँ हो सकती हैं। यह तर्क दोष इसलिए समस्यापूर्ण होता है क्योंकि यह सोच की जटिलता को नजरअंदाज करता है और उदाहरणः

- **आधार वाक्यः** 'अगर सरकार सार्वजनिक स्थानों पर धूम्रपान पर प्रतिबंध लगाती है, तो अगली बार वे निजी घरों में भी धूम्रपान पर प्रतिबंध लगा देंगे।'
- **निष्कर्षः** 'आखिरकार, वे हर जगह धूम्रपान पर पूरी तरह से प्रतिबंध लगा देंगे।'
- **स्पष्टीकरणः** इस तर्क में मान लिया गया है कि एक बार सार्वजनिक स्थानों में प्रतिबंध लगने के बाद आगे और भी प्रतिबंध स्वतः ही लगेंगे। लेकिन यह मान लेना गलत है क्योंकि अलग-अलग जगहों के लिए अलग-अलग नियम हो सकते हैं।

द्वैर्थी शब्द प्रयोग (Equivocation)

द्वैर्थी शब्द प्रयोग भ्रांति तब होता है जब किसी शब्द या वाक्यांश का एक ही तर्क के भीतर अलग-अलग अर्थों में उपयोग किया जाता है, जिससे एक भ्रामक निष्कर्ष निकलता है। यह जान-बूझकर या अनजाने में तब होता है जब किसी बहुअर्थी शब्द के अर्थ बदलते जाते हैं, लेकिन इस बदलाव को पहचाना नहीं जाता।

- **वाक्यः** *'हाथ में एक पक्षी झाड़ी में दो के बराबर है।'*
- **निष्कर्षः** *'इसलिए, एक पालतू पक्षी होना दो जंगली पक्षियों की तुलना में बेहतर है।'*
- **स्पष्टीकरणः** वाक्यांश 'हाथ में एक पक्षी झाड़ी में दो के बराबर है' का मूल अर्थ यह है कि अब कुछ निश्चित होना भविष्य में कुछ बेहतर पाने के जोखिम से बेहतर है। हालांकि, व्यक्ति 'पक्षी' के अर्थ को रूपक (एक निश्चित अवसर का प्रतिनिधित्व) से वास्तविक (पालतू पक्षियों बनाम जंगली पक्षियों का उल्लेख) में बदल देता है। इस अर्थ में बदलाव श्रोता को यह स्वीकार करने के लिए गुमराह करता है कि एक पालतू पक्षी होना दो जंगली पक्षियों की तुलना में बेहतर है, शब्दों के एक धोखेबाज खेल के आधार पर।

यहाँ कुछ लोकप्रिय मुहावरे दिए गए हैं जो द्वैर्थी शब्द प्रयोग भ्रांति का कारण बन सकते हैं, जब तर्क में इनका अर्थ शाब्दिक और रूपक दोनों रूपों में उलझ जाता है:

मुहावरा	मूल अर्थ
अब पछताए क्या होत जब चिड़िया चुग गई खेत	बीती गलती या दुर्घटना पर पछतावा न करें; जो हो गया, उसे बदला नहीं जा सकता
दिल पर पत्थर रखना	किसी कठिन या दर्दनाक स्थिति को सहन करना
मत जवाब देना/घबराहट में पीछे हट जाना	किसी काम को लेकर अचानक घबराहट या संकोच महसूस करना
राज खोल देना/पोल खोल देना	कोई राज या गुप्त बात उजागर कर देना
तबियत ढीली होना	अस्वस्थ या बीमार महसूस करना

क्विज स्टेशन *विगत UGC NET परीक्षाओं के प्रश्न*

प्र 1. "आज कुछ समाचारपत्रों के अनुसार न्यूयॉर्क में गत दिनों में अपराध दर में थोड़ी वृद्धि हुई है। न्यूयॉर्क वासी अपराधियों के एक समूह के अतिरिक्त कुछ नहीं हैं।" उपर्युक्त कथन में कौन सा भ्रांति किया गया है?
*(29 अगस्त **2024** - शिफ्ट 2)*

(a) फिसलनयुक्त ढलान
(b) अनुपयुक्त प्राधिकारी को आग्रह
(c) अविचारित सामान्यीकरण
(d) घास का पुतला (स्ट्रॉमैन)

प्र 2. कोई भी यह साबित नहीं कर पाया है कि मानसिक शक्तियाँ अस्तित्व में नहीं हैं। अतः यह सिद्ध है कि अतीन्द्रिय शक्तियाँ विद्यमान हैं। उपरोक्त तर्कों में भ्रांति को पहचानें। *(27 अगस्त **2024** - शिफ्ट 2)*

(a) अज्ञानता की अपील
(b) जल्दबाजी में सामान्यीकरण
(c) फिसलन भरी ढलान
(d) द्वंद्व

प्र 3. निम्नलिखित कथन में कौन सा तर्क दोष निहित हैं "तरुण हत्या का दोषी नहीं हो सकता है क्यों कि ऐसा हो ही नहीं सकता कि तरुण किसीको मार सके।"
*(18 जून **2024** - शिफ्ट 2)*

(a) अविचारित सामान्यीकरण
(b) फिसलन युक्त ढलान
(c) आत्माश्रय दोष
(d) अनुपयुक्त प्राधिकार

प्र 4. निम्नलिखित तर्क में कौन-सा अनौपचारिक भ्रांति किया गया है: "किसी ने यह सिद्ध नहीं किया है कि वास्तव में ग्लोबल वार्मिंग हो रही है, इसलिए इस पर विश्वास करने का कोई कारण नहीं है।"

(a) बेगिंग द क्वेश्चन (b) इक्विवोकेशन
(c) अपील टू इग्नोरेंस (d) हेस्ती जनरलाइजेशन

प्र 5. निम्न में से कौन-सा ambiguity (अर्थ की अस्पष्टता) से संबंधित भ्रांति है?

(a) इक्विवोकेशन (b) रेड हेरिंग
(c) हेस्ती जनरलाइजेशन (d) स्ट्रॉमैन

प्र 6. "एक चूहा एक जानवर है। इसलिए, एक बड़ा चूहा एक बड़ा जानवर है।" यह निष्कर्ष निम्नलिखित में से किस भ्रांति को दर्शाता है?

(a) स्ट्रॉमैन फॉलसी
(b) स्लिपरी स्लोप फॉलसी
(c) इक्विवोकेशन फॉलसी
(d) फॉलसी ऑफ कॉम्पोजिशन

प्र 7. 'यदि बारिश हुई, तो सूखा समाप्त हो जाएगा। सूखा समाप्त हो गया है। इसलिए, बारिश हुई।' यह किस प्रकार का भ्रांति है?

(a) डिडक्टिव फॉलसी (b) इंडक्टिव फॉलसी
(c) एब्डक्टिव फॉलसी (d) इनफॉर्मल फॉलसी

प्र 8. कॉलम का मिलान करें: *(22 अगस्त **2024** - शिफ्ट 2)*

सूची-I (परिभाषा)	**सूची-II (विशेषता)**
A. स्ट्रॉमैन	I. जब कोई तर्ककर्ता किसी अप्रासंगिक मुद्दे को उठा कर अपने श्रोताओं को दरकिनार करने की कोशिश करता है मुद्दा और दावा है कि मूलमुद्दा सुलझ गया है।
B. रेड हेरिंग	II. जब कोई तर्ककर्ता किसी आधार के रूप में कहता या मानता है तो वह उसी चीज को निष्कर्ष के रूप में सिद्ध करने का प्रयास कर रहा होता है।
C. इक्विवोकेशन	III. जब तर्ककर्ता विकृत करता है तो विरोधी हमला करना आसान बनाने का दावा करते हैं
D. बेगिंग द क्वेश्चन	IV. जब एक कुंजी शब्द का प्रयोग एक ही तर्क में दो या दो से अधिक अर्थों में किया जाता है

(a) A-IV, B-I, C-III, D-II
(b) A-II, B-III, C-IV, D-I
(c) A-I, B-II, C-IV, D-III
(d) A-III, B-I, C-IV, D-II

प्र 9. नीचे दिए गए कथन में की गई भ्रांति को पहचानें: "जिन लोगों में अहंकार की कमी होती है वे बुद्धिमान होते हैं क्योंकि बुद्धिमान लोगों में अहंकार नहीं होता"
*(4 सितंबर **2024** - शिफ्ट 2)*

(a) द्वंद्व
(b) विभाजन का भ्रम
(c) प्रश्न पूछना
(d) रचना की भ्रान्ति

<u>उत्तर</u> 1. (c) 2. (a) 3. (c) 4. (c) 5. (a)
6. (c) 7. (a) 8. (d) 9. (c)

कॉन्सेप्ट कैप्सूल

तथ्य, राय, विश्वास, पूर्वाग्रह (Fact, Opinion, Belief, Prejudice)

1. **तथ्य (Fact):** तथ्य वह कथन होता है जिसे जाँचा या प्रमाणित किया जा सकता है कि वह सत्य है या असत्य। यह वस्तुनिष्ठ प्रमाणों पर आधारित होता है। तथ्य ठोस होते हैं और उन्हें अवलोकन, मापन या शोध के माध्यम से प्रमाणित किया जा सकता है। ये उन बातों का वर्णन करते हैं जिनके होने, सत्य होने या अस्तित्व में होने की निश्चित जानकारी होती है।

   विशेषताएँ:
   - आधारित होता है: तथ्य या प्रमाण पर
   - शोध के द्वारा प्रमाणित किया जा सकता है
   - यह निश्चित रूप से घटित हुआ है, मौजूद है या सत्य है

   उदाहरण: 'पृथ्वी सूर्य के चारों ओर घूमती है।'

   यह कथन एक तथ्य है क्योंकि इसे वैज्ञानिक प्रमाण और अवलोकन के माध्यम से सत्यापित किया जा सकता है। यह एक स्थापित सत्य है जिसे अनुभवजन्य शोध से जाना गया है।

2. **राय (Opinion):** राय वह होती है जो कोई व्यक्ति सोचता या मानता है। यह व्यक्तिगत भावनाओं या विचारों पर आधारित होती है, न कि आवश्यक रूप से तथ्यों पर।

   विशेषताएँ:
   - आधारित होती है: व्याख्या (interpretation) पर
   - यह माना जाता है कि घटित हुआ है, मौजूद है या सत्य है
   - इस पर बहस की जा सकती है
   - यह दृष्टिकोण को व्यक्त करती है
   - यह समय और व्यक्ति के अनुसार बदल सकती है

   उदाहरण: 'यह पिज़्ज़ा बहुत स्वादिष्ट है।'

   यह एक राय है क्योंकि यह व्यक्तिगत स्वाद पर निर्भर करती है और सभी लोग इससे सहमत नहीं हो सकते।

3. **विश्वास (Belief):** विश्वास वह होता है जिसे कोई व्यक्ति सत्य मानता है, भले ही उसे प्रमाणित न किया गया हो। यह प्राय: आस्था, परंपरा या व्यक्तिगत अनुभवों पर आधारित होता है। विश्वास व्यक्ति के गहरे विचार होते हैं और सामान्यत: इनके विपरीत प्रमाण मिलने पर भी ये आसानी से नहीं बदलते। राय की तुलना में विश्वास तर्क या प्रमाण पर आधारित चर्चा के लिए कम खुले होते हैं।

   विशेषताएँ:
   - आधारित होता है: संस्कृति, आस्था और मूल्यों पर
   - इन पर बहस नहीं की जाती
   - इन्हें खारिज नहीं किया जा सकता
   - ये संस्कृति के अनुसार भिन्न होते हैं

   उदाहरण: 'मैं कर्म में विश्वास करता हूँ, कि अच्छे कार्यों का फल जरूर मिलता है।'

   यह कथन एक विश्वास है क्योंकि यह वैज्ञानिक प्रमाण के बजाय एक दार्शनिक या आध्यात्मिक दृष्टिकोण पर आधारित है।

4. **पूर्वाग्रह (Prejudice):** पूर्वाग्रह किसी व्यक्ति, समूह या विचार के बारे में पक्षपातपूर्ण राय या निर्णय होता है, जो तर्क या वास्तविक अनुभव पर आधारित नहीं होता। पूर्वाग्रह अक्सर रूढ़ियों पर आधारित होते हैं और इनके कारण अनुचित या भेदभावपूर्ण व्यवहार हो सकता है। ये सामान्यत: अधूरी या बिना जाँची जानकारी पर आधारित होते हैं और नए तथ्यों के सामने आने पर भी आसानी से नहीं बदलते।

   विशेषताएँ:
   - आधारित होता है: पक्षपात और सीमित प्रमाण पर
   - यह तर्क के अनुसार प्रमाणित किया जा सकता है
   - यह संकीर्ण सोच को दर्शाता है
   - इसे तथ्यों के आधार पर खारिज किया जा सकता है

   उदाहरण: 'महिलाएँ गणित में अच्छी नहीं होतीं।'

   यह कथन पूर्वाग्रह है क्योंकि यह एक रूढ़िवादिता पर आधारित है, न कि किसी तथ्य पर। इसे महिलाओं की गणित में उपलब्धियों और क्षमताओं को देखकर झूठा सिद्ध किया जा सकता है।

आइए अभ्यास करें (Let us Practice)

प्रश्न 1: कथन: 'चीन की दीवार 13,000 मील से अधिक लंबी है।'

(a) तथ्य (b) सलाह
(c) राय (d) पूर्वाग्रह

उत्तर: (a) तथ्य

यह कथन एक तथ्य है क्योंकि यह चीन की दीवार की माप से जुड़ी जानकारी देता है जिसे शोध के माध्यम से प्रमाणित किया जा सकता है।

प्रश्न 2: कथन: 'बिल्लियाँ कुत्तों से बेहतर पालतू जानवर होती हैं।'

(a) तथ्य (b) सलाह
(c) राय (d) पूर्वाग्रह

उत्तर: (c) राय

यह कथन एक राय है क्योंकि यह व्यक्तिगत पसंद को दर्शाता है जो व्यक्तिपरक होती है और जिस पर बहस की जा सकती है। यह कोई प्रमाणित तथ्य नहीं है।

प्रश्न 3: कथन: 'दिल्ली के लोग हमेशा रूखे होते हैं।'

(a) तथ्य (b) सलाह
(c) राय (d) पूर्वाग्रह

उत्तर: (d) पूर्वाग्रह

यह कथन पूर्वाग्रह है क्योंकि यह दिल्ली के लोगों के बारे में एक सामान्यीकृत और नकारात्मक राय व्यक्त करता है, जो किसी प्रमाण पर आधारित नहीं है। यह एक रूढ़िवादी सोच है।

क्विज स्टेशन *विगत UGC NET परीक्षाओं के प्रश्न*

प्र 1. निम्नलिखित कथनों पर विचार कीजिए:

1. सूर्यास्त सुंदर होता है।
2. महात्मा गांधी अहिंसा में विश्वास करते थे।
3. दुनिया को मत बताओ कि तुम क्या कर सकते हो, बस कर दिखाओ।
4. जिनके पास कार होती है, वे अमीर होते हैं।

निम्नलिखित में से कौन-सा विकल्प सही है?

	तथ्य	राय	सलाह	अनुमान
(a)	1	4	3	2
(b)	2	3	4	1
(c)	4	2	1	3
(d)	2	1	3	4

प्र 2. नीचे दिए गए कथनों का मूल्यांकन कीजिए कि वे तथ्य, राय, पूर्वाग्रह या सलाह में से क्या हैं:

1. महिलाएँ पुलिस सेवा के लिए उपयुक्त नहीं होतीं।
2. लोकतंत्र में किसी भी पार्टी को बहुत लंबे समय तक सत्ता में नहीं रहना चाहिए।
3. परीक्षा के समय भी उचित आराम जरूरी है।
4. मोटापा कोरोनरी हृदय रोग का एक जोखिम कारक है।

निम्नलिखित में से कौन-सा विकल्प सही है?

	राय	पूर्वाग्रह	तथ्य	सलाह
(a)	2	3	4	1
(b)	2	1	4	3
(c)	3	1	4	2
(d)	2	4	3	1

उत्तर 1. (d) 2. (b)

अध्याय के मुख्य बिंदु

भाषा का प्रयोग

शाब्दिक
(मानक शब्दकोश में दी गई सामान्य परिभाषा)
नवनिर्मित
(किसी विशेष संदर्भ या विषय के लिए नई बनाई गई परिभाषा)
प्रभावकारी
(ऐसी परिभाषा जिसका उद्देश्य लोगों की सोच या विश्वास को प्रभावित करना हो)
औपचारिक
(नियमों और संरचना पर आधारित व्यवस्थित परिभाषा)
अनौपचारिक
(आम बोलचाल की भाषा में दी गई सरल और सहज परिभाषा)
उदाहरणात्मक
(विशेष उदाहरणों की सूची देकर दी गई परिभाषा)
स्पष्टकारी
(किसी परिभाषा को अधिक स्पष्ट और कम अस्पष्ट बनाने के लिए दी गई परिभाषा)
क्रियात्मक
(किसी चीज के उपयोग या कार्य को बताकर दी गई परिभाषा)
परिचालनात्मक
(जिसे मापने योग्य मापदंडों या प्रक्रियाओं के माध्यम से समझाया जाए)
संकेतात्मक
(किसी वस्तु को दिखाकर या इशारा करके दी गई परिभाषा)
सादृश्यात्मक
(किसी अन्य वस्तु से तुलना या समानता के आधार पर दी गई परिभाषा)

भाषा का प्रयोग

- सूचनात्मक
- भावनात्मक
- निर्देशक
- प्रश्न पूछने हेतु
- मूल्यांकन हेतु
- बधाई देना
- माफी माँगना
- कार्य की पुष्टि करना
- वादा करना

भ्रांतियाँ

- औपचारिक भ्रांतियाँ
  (तार्किक त्रुटियाँ जो किसी तर्क की संरचना या रूप में होती हैं)
- अनौपचारिक भ्रांतियाँ
  (तर्क या तर्क में सामान्य त्रुटियाँ)
- पेटिटियो प्रिंसिपी
  (प्रश्न पूछना)
- दुर्घटना
  (व्यापक सामान्यीकरण)
- जल्दबाजी में सामान्यीकरण
- तर्क विज्ञापन वेरेकुंडियम
  (अधिकार से अपील)
- तर्क विज्ञापन पॉपुलम
  (लोगों से अपील)
- तर्क विज्ञापन मिसेरिकोर्डियम
  (दया की अपील)
- तर्क विज्ञापन बैकुलम
  (बल की अपील)
- तर्क विज्ञापन इग्नोरेंटियम
  (अज्ञान की अपील)
- इग्नोरेशियो एलेन्ची
  (अप्रासंगिक निष्कर्ष)
- रेड हेरिंग
  (अप्रासंगिक थीसिस)
- तर्क एड होमिनम
  (व्यक्तिगत हमला)
- जटिल प्रश्न
- स्ट्रॉमैन तर्क
- फिसलन ढलान
- समविचलन

शब्दों के अभिधर्थ और संकेतार्थ

- अभिधर्थ
  (शब्दों का शब्दकोश में दिया गया सामान्य या प्रत्यक्ष अर्थ)
- संकेतार्थ
  (वह अतिरिक्त अर्थ, भावना या संबंध जो कोई शब्द अपने साथ लिए होता है)
  - वस्तुनिष्ठ दृष्टिकोण
  - व्यक्तिपरक दृष्टिकोण
  - तार्किक या पारंपरिक दृष्टिकोण

भारतीय तर्क (Indian Logic)

20

इस अध्याय में

**परीक्षोपयोगी (Exam Essential): UGC NET परीक्षा में पूछे जाने की अत्यधिक संभावना*

परिचय (Introduction)

कल्पना कीजिए कि दो दोस्तों के बीच इस बात पर बहस हो रही है कि ऑफिस जाने के लिए सबसे अच्छा यातायात का तरीका क्या है। एक कहता है कि कार चलाना सबसे अच्छा है क्योंकि यह सुविधा और आराम देता है। दूसरा कहता है कि सार्वजनिक परिवहन का उपयोग पर्यावरण के लिए बेहतर है और ट्रैफिक की भीड़ को कम करता है। अपने-अपने तर्कों को सही ठहराने के लिए वे कारण, उदाहरण और प्रतितर्क (counterarguments) प्रस्तुत करते हैं। यह प्रक्रिया, जिसमें हम तर्क देते हैं और प्रमाण के आधार पर निष्कर्ष निकालते हैं, हमारे रोजमर्रा के जीवन में तर्क (logic) का व्यावहारिक उदाहरण है।

पिछले अध्यायों में हमने तार्किक तर्क (logical reasoning) के बारे में पढ़ा। भारत में भी तर्क का एक प्राचीन और महत्वपूर्ण दर्शन-प्रणाली (System of philosophy) है, जिसे ध्यान से समझना चाहिए। भारतीय तर्कशास्त्र एक ऐसा प्राचीन दर्शन है जो तर्क और विचार-विमर्श प्रक्रिया पर केंद्रित है। यह लगभग दूसरी शताब्दी ईसा पूर्व में विकसित हुआ और सही ज्ञान (valid knowledge) को पहचानने के लिए व्यवस्थित तरीकों (systematic methods) पर बल देता है। भारतीय तर्क कई महत्वपूर्ण घटकों से मिलकर बना है, जो सही और गलत तर्कों में अंतर करने में मदद करते हैं। यह दर्शन, विज्ञान और न्याय जैसे कई क्षेत्रों में महत्वपूर्ण भूमिका निभाता है।

20.1 न्याय दर्शन का परिचय (Introduction to Nyāya School)

क्या आप जानते हैं? न्याय दर्शन दर्शनशास्त्र में सूचीबद्ध भारतीय दर्शन के छह शास्त्रीय दर्शनशास्त्रों में से एक है। हम दृढ़ता से अनुशंसा करते हैं कि आप इस अध्याय में जाने से पहले अध्याय 30, पृष्ठ संख्या 690 में दर्शनशास्त्र के छह दर्शनशास्त्रों की समीक्षा करें।

न्याय दर्शन के घटक (Components of Nyāya School)

भारतीय तर्क को समझने के लिए न्याय दर्शन या न्याय प्रणाली के मुख्य तत्वों को समझना जरूरी है। न्याय दर्शन में दो मूलभूत विचार-ज्ञान और तर्क-बहुत महत्वपूर्ण माने जाते हैं।

1. **ज्ञान (Knowledge):** न्याय दर्शन में ज्ञान को उस चीज के रूप में देखा जाता है जो हमें रोशनी या स्पष्टता प्रदान करता है और सत्य को उजागर करता है। यह सीधे तौर पर सत्य से जुड़ा होता है। जब हम पूछते हैं, 'क्या मैं किसी चीज को जान सकता हूँ?' तो आगे यह सवाल उठता है – 'मैं कैसे जानता हूँ?' और 'हम ज्ञान कैसे प्राप्त करते हैं?' इस अध्ययन की शाखा को ज्ञानमीमांसा (epistemology) कहा जाता है, जो मानव ज्ञान की उत्पत्ति, प्रकृति और सीमाओं का अध्ययन करती है।
2. **तर्क (Logic):** न्याय दर्शन में तर्क का संबंध अनुमान और तर्क-वितर्क (argument) से होता है। यह यह जांचता है कि हम किस प्रकार सोचते हैं और निष्कर्ष तक कैसे पहुँचते हैं।

कुल मिलाकर, न्याय दर्शन ज्ञान के अध्ययन (epistemology) को तर्क और विचार के अध्ययन (logic) से जोड़ता है और इसका उद्देश्य हमारे अस्तित्व और उसमें हमारी भूमिका के बारे में सत्य को स्पष्ट करना होता है।

ज्ञान के प्रकार (Types of Knowledge)

1. **मान्य ज्ञान (Valid Knowledge or प्रमा):** इसे प्रत्यक्ष ज्ञान (presentative knowledge) भी कहा जाता है। यह तब होता है जब जानने वाला व्यक्ति यानी प्रमाता (Pramata) किसी वस्तु को सीधे देखता है या अनुभव करता है और उसे सही रूप में पहचानता है। सरल शब्दों में, जब आप किसी चीज को देखकर या अनुभव करके उसे समझते हैं, तब वह सही ज्ञान होता है। प्रमा के कुछ उदाहरण इस प्रकार हैं:
   - सामने एक पेड़ को देखकर यह जानना कि वह पेड़ है।
   - धुआं देखकर यह अनुमान लगाना कि वहाँ आग है।
   - किसी जानवर को देखकर यह जानना कि वह हिरण है, क्योंकि आपने पहले भी हिरण देखा है।
   - किसी ऐतिहासिक घटना के बारे में विश्वसनीय ग्रंथों या विशेषज्ञों से जानकारी प्राप्त करना।
2. **अमान्य ज्ञान (Invalid Knowledge or अप्रमा):** जब हम किसी चीज को गलत तरीके से समझते हैं या भ्रमित हो जाते हैं, तो वह गलत ज्ञान कहलाता है। वास्तविक जीवन में गलत ज्ञान के कुछ उदाहरण हैं:
   - यह याद करना कि आपने अपनी चाबियाँ कार में छोड़ी थीं, जबकि आपने वास्तव में उन्हें घर पर छोड़ा था।
   - दूर से किसी आकृति को देखकर यह न पहचान पाना कि वह पुरुष है या महिला।
   - कम रोशनी में किसी रस्सी को सांप समझ लेना।
   - बिना पर्याप्त प्रमाण के यह सोचना कि बारिश हो सकती है क्योंकि आसमान कुछ-कुछ बादलों से ढका है।

संक्षेप में, प्रमा (प्रमा) वह है जब आप किसी चीज को सही तरीके से समझते हैं, और अप्रमा (अप्रमा) तब होती है जब आपकी समझ में कोई गलती या भ्रम होता है। ये दोनों विचार यह समझने में मदद करते हैं कि हम रोजमर्रा की जिंदगी में सही और गलत ज्ञान में कैसे अंतर करते हैं।

ज्ञान के आवश्यक तत्व (Essential Factors in Knowledge)

1. **जानने वाला (The Knower or प्रमाता):** वह व्यक्ति या इकाई जो किसी चीज को समझना या जानना चाहता है। यह आप हो सकते हैं या कोई भी जो किसी विषय के बारे में सीख रहा है।
2. **ज्ञान का विषय (The Object of Knowledge or प्रमेय):** वह चीज जिसे जानने या समझने की कोशिश की जा रही है। यह कोई वस्तु, विचार, घटना या कुछ भी हो सकता है जिसके बारे में जानकारी प्राप्त की जा रही है।
3. **सही ज्ञान के साधन (The Means of Valid Knowledge or प्रमाण):** वे भरोसेमंद तरीके या साधन जिनसे हम सही समझ प्राप्त करते हैं। उदाहरण के लिए ख्र प्रत्यक्ष अनुभव (जैसे आंखों से देखना), तर्क का उपयोग करना, या किसी ज्ञानी व्यक्ति से सीखना।
4. **सही ज्ञान का परिणाम (The Result of Valid Knowledge or प्रमा):** जब प्रमेय (ज्ञान का विषय) को प्रमाण (सही साधनों) के द्वारा समझा जाता है, तब जो ज्ञान प्राप्त होता है, वही प्रमा कहलाता है। यह सही समझ या उत्तर को दर्शाता है।

उदाहरण: ताजमहल के बारे में सीखना (चित्र 20.1)

चित्र 20.1 ताज महल

1. **प्रमाता (The Knower):** आप, जो ताजमहल के बारे में जानने का प्रयास कर रहे हैं।
2. **प्रमेय (The Object of Knowledge):** ताजमहल-एक प्रसिद्ध स्मारक, जो अपनी सुंदरता और ऐतिहासिक महत्त्व के लिए जाना जाता है।
3. **प्रमाण (The Means of Valid Knowledge):**
   - **प्रत्यक्ष प्रमाण (Perception or प्रत्यक्ष प्रमाण):** ताजमहल की यात्रा करना, उसकी वास्तुकला और डिजाइन को देखना।
   - **शब्द प्रमाण (Testimony or शब्द प्रमाण):** किसी जानकार गाइड से ताजमहल के इतिहास और सांस्कृतिक महत्व के बारे में सुनना।
4. **प्रमा (The Result of Valid Knowledge):** ताजमहल के बारे में आपकी समझ और जानकारी-उसका ऐतिहासिक पृष्ठभूमि, वास्तुशिल्प विशेषताएँ और सांस्कृतिक महत्व। इस उदाहरण में ज्ञान के चारों तत्व एक साथ मिलकर आपको ताजमहल के बारे में सही

जानकारी प्राप्त करने में मदद करते हैं: आप प्रमाता (प्रमाता) हैं, ताजमहल प्रमेय (प्रमेय) है, प्रमाण (प्रमाण) द्वारा ज्ञान प्राप्त होता है, और उसका परिणाम है प्रमा (प्रमा)।

न्याय एपिस्टेमोलॉजी

- प्रमा (Valid)
  - प्रत्यक्ष (Perception)
  - शब्द (Verbal Testimony)
  - उपमान (Comparison)
  - अर्थपत्ति (Presumption)
  - अनुपलब्धि (Non-Apprehension)
  - अनुमान (Inference)
- अप्रमा (Invalid)
  - स्मृति (Memory)
  - संशय (Doubt)
  - विपर्यय (Error)
  - तर्क (Hypothetical Argument)

चित्र 20.2 ज्ञान के प्रकार

20.2 अमान्य तर्क (Invalid Logic or अप्रमा)

भारतीय दर्शन में अप्रमा (Apram) का अर्थ है ऐसा तर्क या ज्ञान जो अविश्वसनीय या गलत माना जाता है। यह तर्क हमें असत्य निष्कर्षों या वास्तविकता के बारे में गलतफहमियों की ओर ले जा सकता है। उदाहरण के लिए, मान लीजिए आप एक अंधेरे कमरे में एक धुँधली आकृति देखते हैं और सोचते हैं कि वह कोई व्यक्ति है। लेकिन जब आप लाइट जलाते हैं तो पता चलता है कि वह तो दरवाजे पर टँगी हुई एक जैकेट थी। यह अप्रमा है, क्योंकि आपकी पहली धारणा गलत थी। आइए हम अप्रमा के चार प्रकारों को देखें:

स्मृति (Memory)

स्मृति शब्द संस्कृत की धातु 'स्मर (Smar)' से बना है, जिसका अर्थ है 'याद करना'। इसका मतलब है – बीते हुए अनुभवों, तथ्यों और सीखी हुई बातों को याद करना। स्मृति की मदद से हम पुराने ज्ञान को फिर से याद कर सकते हैं जब हमें उसकी जरूरत होती है। स्मृति हमारे जीवन में निर्णय लेने, सीखने और रोजमर्रा के कार्यों में सहायक होती है। जैसे, साइकिल चलाना याद रखना या किसी मित्र का फोन नंबर याद करना।

लेकिन भारतीय तर्कशास्त्र में स्मृति को अप्रमा माना गया है, क्योंकि यह कोई नया ज्ञान नहीं देती, बल्कि पहले से जानी-पहचानी बातों को ही दोहराती है। **उदाहरण:** अपने मित्र का जन्मदिन याद आना क्योंकि आपने पिछले साल उसका जन्मदिन साथ में मनाया था–यह स्मृति है। इसमें कोई नया ज्ञान नहीं आता, बल्कि पुराना अनुभव ही याद आता है।

संशय (Doubt)

संशय शब्द दो संस्कृत शब्दों से मिलकर बना है– 'सम (Sam)' जिसका अर्थ है 'साथ' और 'शय (Shaya)' जिसका अर्थ है 'सोना या ठहराव'। इनका संयुक्त अर्थ होता है–अनिश्चितता की स्थिति। संशय का मतलब होता है किसी बात को लेकर असमंजस या उलझन में होना–यह समझ में न आना कि कोई बात सही है या गलत।

संशय मानव मस्तिष्क की स्वाभाविक प्रक्रिया है और यह हमें अधिक जानकारी और स्पष्टता की खोज के लिए प्रेरित करता है। जैसे–यदि आप किसी मॉक टेस्ट के उत्तर को लेकर निश्चित नहीं हैं, तो वह संशय आपको उस विषय को और अच्छे से पढ़ने के लिए प्रेरित कर सकता है।

भारतीय तर्कशास्त्र में संशय को अप्रमा माना गया है क्योंकि यह स्पष्ट या सही ज्ञान नहीं देता, बल्कि भ्रम की स्थिति को दर्शाता है।

उदाहरण: अगर आपको किसी अनजान नंबर से कॉल आता है और आप यह तय नहीं कर पाते कि उसे उठाएँ या नहीं, तो आप संशय की स्थिति में हैं। यह अनिश्चितता ज्ञान नहीं देती, बल्कि असमंजस पैदा करती है।

विपर्यय (Error)

विपर्यय शब्द 'वि (Vi)' और 'पर्यय (Paryaya)' से मिलकर बना है, जिसका अर्थ होता है–सत्य से विपरीत दिशा में जाना। विपर्यय का अर्थ है – गलत समझ या भ्रम के कारण प्राप्त हुआ झूठा ज्ञान। यह तब होता है जब हमारा मन इंद्रियों से मिली जानकारी को गलत तरीके से समझता है या किसी असत्य बात को सही मान लेता है।

विपर्यय का अर्थ है गलत धारणा या गलत ज्ञान। यह तब होता है जब दिमाग संवेदी जानकारी की गलत व्याख्या करता है या ऐसी धारणा रखता है जो सच्चाई के विपरीत है। यह तब होता है जब आप अपनी इंद्रियों द्वारा बताई गई बातों को गलत समझते हैं या ऐसी किसी बात पर विश्वास कर लेते हैं जो सत्य नहीं है।

विपर्यय आमतौर पर भ्रम, गलतफहमी या गलत अनुमान के कारण होता है और यह हमें असत्य निष्कर्षों तक ले जाता है। उदाहरण के लिए, अंधेरे में किसी छाया को चोर समझ लेना – यह एक भ्रम है जो गलत निष्कर्ष तक ले जाता है।

भारतीय तर्कशास्त्र में विपर्यय (Viparyaya) को अप्रमा (Aprama) माना जाता है, क्योंकि यह झूठे या गलत ज्ञान को स्वीकार करता है। विपर्यय में जो ज्ञान उत्पन्न होता है, वह वास्तविकता का सही प्रतिबिंब नहीं होता, बल्कि वह हमारी समझ को भ्रमित करता है और उसे विकृत कर देता है। इसी कारण से इसे गलत या अवैध ज्ञान का साधन माना गया है।

उदाहरण: अंधेरे में एक रस्सी को सांप समझ लेना विपर्यय का उदाहरण है। आपकी आंखें कुछ ऐसा देखती हैं जो सांप जैसा दिखता है, लेकिन वास्तव में वह सिर्फ एक रस्सी होती है। यह गलत धारणा वस्तु की प्रकृति के बारे में एक झूठे निष्कर्ष तक पहुँचाती है, जिससे स्पष्ट होता है कि विपर्यय (विपर्यय) गलत ज्ञान देता है।

तर्क (Hypothetical Argument)

तर्क (Tarka) शब्द संस्कृत की धातु 'तर (Tar)' से बना है, जिसका अर्थ होता है 'पार करना'–अर्थात विचारों को आगे बढ़ाना या जांच करना। अंग्रेजी में इसे hypothetical argument या speculation कहा जाता है।

तर्क का अर्थ है किसी विषय पर अनुमान या कल्पना के आधार पर सोच-विचार करना। यह संभावनाओं की खोज करने और किसी कथन की वैधता की जांच करने का एक माध्यम है। जब हम किसी बात पर विचार करते हैं और अलग-अलग विचारों की कल्पना करके समझने की कोशिश करते हैं, तब हम तर्क का उपयोग कर रहे होते हैं।

तर्क का उपयोग अक्सर यह देखने के लिए किया जाता है कि किसी विचार में कोई विरोधाभास तो नहीं है और क्या वह तर्कसंगत है। यह कल्पना के माध्यम से सोचने की एक प्रक्रिया है, जहाँ हम यह जांचते हैं कि कौन-सा अनुमान सही हो सकता है।

भारतीय तर्कशास्त्र में तर्क (Tarka) को भी अप्रमा (Aprama) माना गया है, क्योंकि यह निश्चित या प्रत्यक्ष ज्ञान नहीं देता। तर्क ज्ञान प्राप्त करने का पक्का या भरोसेमंद साधन नहीं है, बल्कि यह विचारों की जांच और परीक्षण का माध्यम है। यह गहराई से सोचने के लिए उपयोगी है, लेकिन यह ठोस उत्तर नहीं देता।

उदाहरण के लिए अगर आप आकाश की ओर देखते हैं और यह अनुमान लगाते हैं कि शायद बारिश होगी क्योंकि बादल हैं, तो यह तर्क है। आप निश्चित नहीं हैं कि बारिश होगी, लेकिन आप जो देख रहे हैं, उसके आधार पर सोच रहे हैं।

क्विज स्टेशन *विगत UGC NET परीक्षाओं के प्रश्न*

प्र 1. तर्क मूल रूप से क्या है?

(a) अनुमान (b) निष्कर्ष

(c) कल्पनात्मक तर्क (d) पराजय के आधार

उत्तर 1. (c)

परीक्षोपयोगी

20.3 मान्य तर्क (Valid Logic or प्रमाण)

प्रमाण (Pramana) का अर्थ है–ऐसे तर्क या ज्ञान के स्रोत जो विश्वसनीय और सही माने जाते हैं। ये तरीके इसलिए भरोसेमंद माने जाते हैं क्योंकि ये हमें सच्ची समझ प्रदान करते हैं और वास्तविकता को सही रूप में देखने में मदद करते हैं। अप्रमा (Aprama) के विपरीत, जो गलतफहमी या झूठे निष्कर्षों की ओर ले जा सकता है, प्रमाण (Pramana) के तरीके प्रमाणिक सिद्धांतों पर आधारित होते हैं जो यह सुनिश्चित करते हैं कि जो जानकारी हम प्राप्त कर रहे हैं वह संभवत: सत्य है। आइए हम प्रमाण के छह प्रकारों को समझें।

प्रत्यक्ष (Perception)

प्रत्यक्ष (Pratyaksha) शब्द 'प्रति (Prati)' और 'अक्ष (Aksha)' से बना है, जिसका शाब्दिक अर्थ होता है–'जो आंखों या इंद्रियों के सामने हो।' यह ज्ञान प्राप्त करने का सीधा और तत्काल तरीका है, जिसमें इंद्रियों की सहायता से किसी वस्तु का अनुभव किया जाता है। भारतीय तर्कशास्त्र में इसे सबसे मूल और विश्वसनीय ज्ञान का साधन माना गया है। प्रत्यक्ष को समझने के लिए इसके विभिन्न प्रकारों को जानना आवश्यक है, जो यह स्पष्ट करते हैं कि हम संसार को कैसे अनुभव करते हैं।

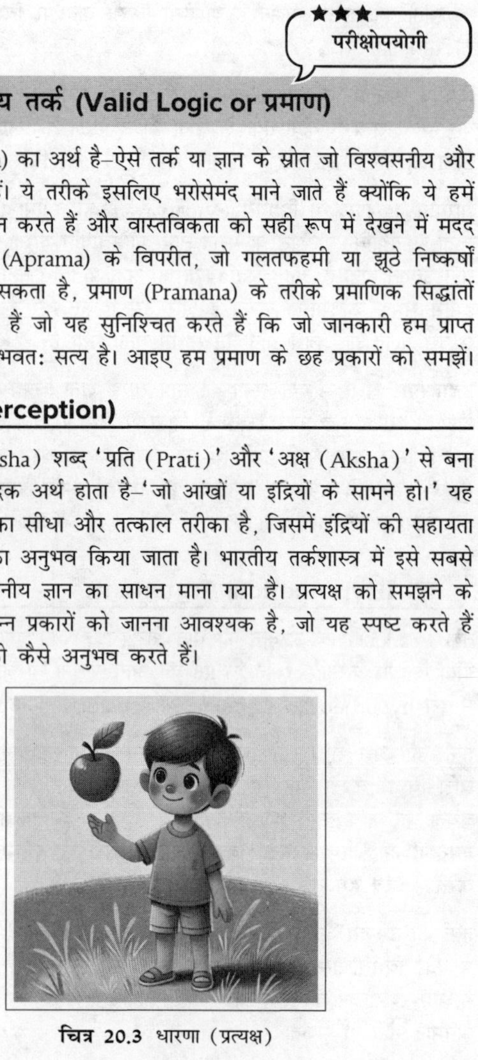

चित्र 20.3 धारणा (प्रत्यक्ष)

आइए प्रत्यक्ष के प्रकारों पर नजर डालें:

1. **प्रत्यक्ष अनुभव (Direct Perception):** अनुभव (Anubhava) वह ज्ञान है जो हम अपनी इंद्रियों के माध्यम से वर्तमान क्षण में किसी वस्तु का सीधा अनुभव करके प्राप्त करते हैं।

   उदाहरण: मेज पर रखे लाल सेब को देखकर यह जानना कि वह सेब है–यह प्रत्यक्ष अनुभव है। आप उसे छू सकते हैं, उसका रंग देख सकते हैं, और उसकी खुशबू सूंघ सकते हैं, जिससे आपको तुरंत यह ज्ञान होता है कि वह सेब है।

2. **परोक्ष अनुभव (Indirect Perception):** स्मृति (Smriti) या परोक्ष अनुभव का अर्थ है किसी पुराने अनुभव को याद करना। यह प्रत्यक्ष अनुभव जैसा तुरंत नहीं होता, बल्कि यह मन की स्मरण शक्ति पर निर्भर करता है।

   उदाहरण: पिछली गर्मियों में खाए गए आम के स्वाद को याद करना–यह परोक्ष अनुभव है। आप अभी आम नहीं खा रहे हैं, लेकिन आपकी स्मृति उस अनुभव को जीवंत रूप से सामने लाती है।

3. **निर्विकल्पक प्रत्यक्ष (Indiscriminate Perception):** निर्विकल्पक (Nirvikalpaka) प्रत्यक्ष वह होता है जब आप किसी वस्तु को उसकी कोई विशेषता या गुण पहचाने बिना अनुभव करते हैं। यह अनुभव कच्चा और अपरिष्कृत होता है, जिसमें वस्तु की स्पष्ट पहचान नहीं होती।

   उदाहरण: जब आप किसी दूर की वस्तु पर पहली बार नजर डालते हैं, तो आप केवल एक आकृति देखते हैं लेकिन यह नहीं जान पाते कि वह वस्तु क्या है। यह अस्पष्ट और आरंभिक अनुभव निर्विकल्पक प्रत्यक्ष कहलाता है।

4. **सविकल्पक प्रत्यक्ष (Discriminate Perception):** सविकल्पक (Savikalpaka) प्रत्यक्ष वह होता है जब आप किसी वस्तु को उसके सभी गुणों और विशेषताओं के साथ पहचानते हैं। यह अनुभव परिष्कृत होता है, जिसमें वस्तु के रूप, रंग, आकार आदि को स्पष्ट रूप से जाना जाता है।

   उदाहरण: किसी पक्षी को देखकर यह पहचानना कि वह गौरैया (sparrow) है, क्योंकि आपने उसके आकार, रंग और रूप-रचना को देखा – यह सविकल्पक प्रत्यक्ष है।

5. **लौकिक प्रत्यक्ष (Ordinary Perception):** लौकिक (Laukika) प्रत्यक्ष वह होता है जो हम रोजमर्रा की जिंदगी में इंद्रियों के माध्यम से सामान्य रूप से अनुभव करते हैं। इसमें कोई विशेष या असाधारण परिस्थिति नहीं होती।

   उदाहरण: ऑफिस जाते समय सड़क पर कारों को देखना लौकिक प्रत्यक्ष का उदाहरण है। यह हमारे परिवेश के साथ सामान्य और नियमित संपर्क को दर्शाता है।

6. **अलौकिक प्रत्यक्ष (Extraordinary Perception):** अलौकिक (Alaukika) प्रत्यक्ष सामान्य अनुभव से परे होता है। इसमें हम उन चीजों को अनुभव करते हैं जो इंद्रियों से सीधे दिखाई नहीं देतीं, और यह विशेष परिस्थितियों या माध्यमों के द्वारा संभव होता है। अलौकिक प्रत्यक्ष के तीन उप-प्रकार होते हैं:

   a. **सामान्य-लक्षण प्रत्यक्ष (General Perception):** इसमें एक समान गुण को अलग-अलग वस्तुओं में पहचाना जाता है।

उदाहरण: एक लाल सेब, लाल कार और लाल फूल में 'लालिमा' को पहचानना। वस्तुएँ अलग हैं, लेकिन उनमें समान गुण (लाल रंग) को देखना सामान्य-लक्षण प्रत्यक्ष कहलाता है।

b. **ज्ञानलक्षण प्रत्यक्ष (Perception through Knowledge):** यह ऐसा अनुभव होता है जो इंद्रियबोध और पूर्व ज्ञान के मेल से प्राप्त होता है।

उदाहरण: किसी व्यक्ति की तस्वीर देखकर उसे पहचानना–भले ही वह व्यक्ति आपके सामने न हो, लेकिन आपके पूर्व ज्ञान के कारण आप उसे तस्वीर में पहचान पाते हैं। यह ज्ञानलक्षण प्रत्यक्ष है।

c. **योगज प्रत्यक्ष (Yogic Perception):** यह प्रत्यक्ष योग या ध्यान साधना के माध्यम से प्राप्त होता है।

उदाहरण: कोई योगी गहरे ध्यान में जाकर किसी विषय पर गहरी अंतर्दृष्टि या सहज ज्ञान प्राप्त करता है। यह सामान्य इंद्रिय अनुभवों से परे होता है, इसलिए इसे अलौकिक माना जाता है।

सिनेमैटिक कनेक्शन

भारतीय तर्क में प्रत्यक्ष (Pratyaksha) को ज्ञान प्राप्त करने के प्रमुख साधनों यानी प्रमाण (Pramana) में से एक माना जाता है। इसका अर्थ है–इंद्रियों के माध्यम से किसी वस्तु का सीधा और तात्कालिक अनुभव प्राप्त करना। इसका एक रोचक उदाहरण तेनालीरामन से जुड़ा हुआ है। एक दिन तेनालीरामन ने एक आदमी को देखा जो अंधा होने का नाटक करके भीख मांग रहा था। जहाँ बाकी लोग उसे एक अंधा भिखारी समझकर उसे दान दे रहे थे, वहीं तेनालीरामन ने कुछ बारीक संकेतों को देखा जो इस धारणा के विरुद्ध थे। उन्होंने देखा कि वह आदमी बिना किसी सहायता के बहुत आसानी से रास्ते की रुकावटों से बचता हुआ चल रहा था, जो कि एक सच्चे अंधे व्यक्ति के लिए मुश्किल होता। अपनी तीव्र दृष्टि और सूझबूझ से तेनालीरामन ने उस आदमी को धोखेबाज साबित कर दिया। यह कहानी दिखाती है कि प्रत्यक्ष ज्ञान यानी इंद्रियों के माध्यम से मिली सटीक जानकारी, सत्य को पहचानने में कितनी महत्वपूर्ण होती है। यह उदाहरण इस बात को स्पष्ट करता है कि प्रत्यक्ष हमारे अनुभव और समझ को सही दिशा में ले जाने में एक अहम भूमिका निभाता है।

शब्द प्रमाण (Verbal Testimony (Shabda or शब्द)

शब्द (Shabda) या शाब्दिक प्रमाण भारतीय तर्कशास्त्र में ज्ञान प्राप्त करने का एक महत्वपूर्ण साधन है। इसका अर्थ है–शब्दों के माध्यम से ज्ञान प्राप्त करना, विशेषकर तब जब ये शब्द किसी विश्वसनीय और प्रामाणिक व्यक्ति द्वारा कहे गए हों। इस संदर्भ में, जब वक्ता सच्चा, ज्ञानी और विश्वसनीय होता है, तब शब्द (Shabda) को एक सत्य और मान्य प्रमाण (Pramana) माना जाता है।

शब्द प्रमाण के दो मुख्य प्रकार होते हैं:

1. **वैदिक प्रमाण (Scriptural Testimony or वैदिक):** यह ऐसा ज्ञान है जो पवित्र ग्रंथों से प्राप्त होता है, जैसे–वेद, उपनिषद और अन्य धार्मिक शास्त्र। इन ग्रंथों को दिव्य और शाश्वत माना गया है, इसलिए इनसे प्राप्त ज्ञान को अत्यंत सम्मान और महत्त्व दिया जाता है।

   उदाहरण: भगवद्गीता की शिक्षाएँ नैतिक और आध्यात्मिक मार्गदर्शन प्रदान करती हैं, और यह वैदिक प्रमाण का उदाहरण है।

चित्र 20.4 मौखिक गवाही (शब्द या Shabda)

2. **लौकिक प्रमाण (Secular or Ordinary Testimony or लौकिक):** यह ऐसा ज्ञान है जो दैनिक जीवन में विश्वसनीय और ज्ञानी व्यक्तियों से संवाद के माध्यम से प्राप्त होता है।

   उदाहरण: किसी प्रतिष्ठित इतिहासकार से ऐतिहासिक घटनाओं के बारे में जानना, किसी प्रसिद्ध वैज्ञानिक से वैज्ञानिक सिद्धांतों को समझना या किसी योग्य डॉक्टर से चिकित्सा संबंधी सलाह लेना – ये सभी लौकिक प्रमाण के उदाहरण हैं।

अर्थपत्ति (Presumption or अर्थपत्ति)

अर्थपत्ति (Arthapatti) शब्द संस्कृत के दो शब्दों से मिलकर बना है – 'अर्थ (Artha)' जिसका अर्थ है 'भाव या वस्तु' और 'आपत्ति (Apatti)' जिसका अर्थ है 'पहुँचना या प्राप्त होना'। इस प्रकार अर्थपत्ति का अर्थ हुआ– 'अर्थ तक पहुँचना' या 'अनुमान लगाना'। जब कोई बात प्रत्यक्ष ज्ञान या तर्क के माध्यम से पूरी तरह नहीं समझी जा सकती, तब उस समझ के अंतर को भरने के लिए एक तार्किक अनुमान लगाया जाता है–इसी को अर्थापत्ति कहा जाता है। इस पद्धति का प्रयोग तब किया जाता है जब किसी तार्किक धारणा के आधार पर हमारी समझ में आए अंतर को पाटने की आवश्यकता होती है, जो संतोषजनक स्पष्टीकरण प्रदान करती है।

अर्थपत्ति को दो प्रमुख प्रकारों में बाँटा गया है:

1. **कथनों पर आधारित अर्तापत्ति (Presumption Based on Statements or श्रुतार्थापत्ति):** यह प्रकार किसी कथन या वक्तव्य पर आधारित होता है।

   उदाहरण: अगर कोई कहता है - 'रमेश दिन में हमेशा घर के अंदर रहता है', और आप जानते हैं कि रमेश रात की शिफ्ट में काम करता है, तो आप यह अनुमान लगा सकते हैं कि वह दिन में सोता है। यह अनुमान रमेश के कार्य समय को ध्यान में रखते हुए उस कथन को समझने में मदद करता है।

2. **अवलोकन पर आधारित अर्तापत्ति (Presumption Based on Observation or दृष्टार्थापत्ति):** यह प्रकार प्रत्यक्ष अवलोकन पर आधारित होता है।

   उदाहरण: यदि आप देखते हैं कि कोई व्यक्ति बहुत खाता है लेकिन उसका वजन नहीं बढ़ता, तो आप यह अनुमान लगा सकते हैं कि उसका पाचन तंत्र तेज है या वह खूब व्यायाम करता है।

अनुपलब्धि (Non-Apprehension or अनुपलब्धि)

अनुपलब्धि (Anupalabdhi) शब्द 'अनु (Anu)' जिसका अर्थ है 'नहीं' और 'उपलब्धि (Upalabdhi)' जिसका अर्थ है 'प्राप्ति' से मिलकर बना है। इसका अर्थ है – 'प्राप्ति न होना' या 'अनुभूति न होना'। यह ज्ञान का वह रूप है जो किसी चीज के अभाव या अनुपस्थिति को उसके न दिखने या न अनुभव होने के आधार पर समझता है। सरल शब्दों में, जब कोई चीज वहाँ नहीं है जहाँ वह होनी चाहिए, और हमें उसका अनुभव नहीं होता, तो हम यह निष्कर्ष निकालते हैं कि वह चीज वास्तव में वहाँ नहीं है।

उदाहरण: मान लीजिए आप रेडियो चालू करते हैं और उम्मीद करते हैं कि उसमें से संगीत बजेगा। लेकिन चालू करने और वॉल्यूम बढ़ाने के बावजूद कोई आवाज नहीं आती (चित्र 20.5)। इस स्थिति में आप यह अनुमान लगाते हैं कि या तो रेडियो खराब है या प्रसारण नहीं हो रहा है। यह ज्ञान अनुपलब्धि के माध्यम से प्राप्त होता है।

चित्र 20.5 अ-आशंका (अनुपलब्धि या अनुपलब्धि)

उपमान (Comparison)

उपमान (Upamana) शब्द संस्कृत के 'उप (Upa)' जिसका अर्थ है 'पास' या 'समान', और 'मान (Mana)' जिसका अर्थ है 'माप' या 'तुलना' से मिलकर बना है (चित्र 20.6)। उपमान ज्ञान प्राप्त करने का वह तरीका है जिसमें किसी नई चीज को समझने के लिए उसे किसी जानी-पहचानी चीज से तुलना करके समझा जाता है। जब प्रत्यक्ष ज्ञान या तर्क संभव नहीं होता, तब उपमान के माध्यम से हम किसी अनजान वस्तु की प्रकृति, विशेषताओं या गुणों को एक जानी-पहचानी वस्तु के आधार पर समझ सकते हैं।

चित्र 20.6 उपमान (Comparison)

उपमान के दो प्रकार होते हैं:

1. **प्रत्यक्ष उपमान (Direct Comparison):** इसमें दो वस्तुओं की सीधी तुलना करके अनजानी वस्तु को समझा जाता है।

   उदाहरण: अगर आपने कभी चीता नहीं देखा लेकिन तेंदुआ देखा है, और कोई कहे कि चीता तेंदुए जैसा होता है लेकिन वह अधिक तेज दौड़ता है और उसके धब्बे अलग होते हैं–तो आप चीते की कल्पना तेंदुए से तुलना करके कर सकते हैं।

2. **परोक्ष उपमान (Indirect Comparison):** इसमें किसी जानी-पहचानी वस्तु को आधार बनाकर किसी अनजानी वस्तु की समानता के माध्यम से जानकारी दी जाती है।

   उदाहरण: यदि आप ड्रैगन फ्रूट के बारे में पहली बार सुन रहे हैं और कोई कहे कि इसका स्वाद कीवी और नाशपाती के मिश्रण जैसा है, तो आप कीवी और नाशपाती के अपने अनुभव के आधार पर ड्रैगन फ्रूट के स्वाद की कल्पना कर सकते हैं।

सिनेमैटिक कनेक्शन

आइए उपमान (Comparison) की धारणा को अकबर और बीरबल की एक प्रसिद्ध कहानी के माध्यम से समझते हैं।

एक ठंडी सर्दियों की सुबह, अकबर और बीरबल एक झील के किनारे टहल रहे थे। अकबर ने अपनी उंगली ठंडे पानी में डुबोई और तुरंत निकालते हुए कहा, "कोई भी व्यक्ति इस ठंडे पानी में पूरी रात नहीं बिता सकता।" बीरबल ने यह बात स्वीकार की और एक गरीब व्यक्ति को खोजा, जो 1000 स्वर्ण मुद्राओं के इनाम के लिए पूरी रात झील के ठंडे पानी में खड़ा रहने को तैयार हो गया।

गरीब व्यक्ति ने पूरी रात झील में खड़े होकर बिताई और अगले दिन इनाम पाने के लिए दरबार में पेश हुआ। जब उससे पूछा गया कि उसने यह कठिन कार्य कैसे किया, तो उसने कहा, "महाराज, मैंने दूर जलती हुई एक दीपक की ओर देखा और पूरी रात उसे ही देखता रहा।" यह सुनकर अकबर ने कहा, "यह व्यक्ति इनाम के योग्य नहीं है, क्योंकि वह दीपक की गर्मी से अपने आपको गर्म रख पा रहा था।" बेचारा गरीब व्यक्ति निराश और दुखी हो गया। उसने बीरबल से मदद मांगी। अगले दिन बीरबल दरबार नहीं आया। अकबर उसे देखने उसके घर पहुँचे। उन्होंने देखा कि बीरबल आग के पास बैठा है और उसके ऊपर एक बर्तन लगभग छह फीट की ऊँचाई पर टँगा हुआ है। अकबर ने हँसते हुए पूछा, "यह क्या कर रहे हो?" बीरबल ने कहा, "खिचड़ी पका रहा हूँ, महाराज।"

अकबर बोले, "इतनी दूर आग से तो खिचड़ी नहीं पक सकती।" बीरबल मुस्कराते हुए बोले, "ठीक वैसे ही जैसे एक गरीब आदमी केवल दूर से दीपक देखकर गर्म नहीं रह सकता। अगर खिचड़ी इस आग से पक सकती है, तो वह भी इनाम का हकदार है।" अकबर बीरबल की बात समझ गए और उस गरीब व्यक्ति को इनाम दे दिया।

यह कहानी उपमान (Upamana) की अवधारणा को बहुत सुंदर ढंग से स्पष्ट करती है। उपमान का अर्थ है किसी अनजानी बात को किसी जानी-पहचानी बात से तुलना करके समझाना। इस कहानी में

बीरबल ने भोजन पकाने की जानी-पहचानी स्थिति को उदाहरण के रूप में प्रयोग करके यह स्पष्ट किया कि दूर से केवल देखने भर से गर्मी नहीं मिल सकती – जिस प्रकार दूर की आग से खिचड़ी नहीं पक सकती। यह तर्क, उपमान के माध्यम से, अकबर की बात को असंगत सिद्ध करता है।

अनुमान (Inference)

अनुमान (Anumana) भारतीय तर्कशास्त्र में ज्ञान प्राप्त करने का एक प्रमुख साधन है, जो तर्क के माध्यम से ज्ञान प्राप्त करने की प्रक्रिया को दर्शाता है। इसमें हम किसी ज्ञात तथ्य और तर्क-संबंधों के आधार पर अप्रत्यक्ष ज्ञान तक पहुँचते हैं। सरल शब्दों में, जब हम किसी ऐसी बात को समझते हैं जो हमें सीधे दिखाई नहीं देती, लेकिन हमारे पास उपलब्ध संकेतों के आधार पर हम उसका निष्कर्ष निकालते हैं, तो वह अनुमान कहलाता है।

उदाहरण: मान लीजिए आप आकाश में काले बादल देखते हैं और अचानक मौसम ठंडा हो जाता है। इन संकेतों के आधार पर आप यह अनुमान लगाते हैं कि जल्दी ही बारिश होगी। आपने अभी तक बारिश को देखा नहीं है, लेकिन बादल और ठंडी हवा के आधार पर यह निष्कर्ष निकाला है कि बारिश की संभावना है।

हम इस विषय को अगले खंड में और विस्तार से समझेंगे, जहाँ हम अनुमान की संरचना और अनुमान के प्रकारों का अध्ययन करेंगे।

★★★ अभी ट्रेंड कर रहा है

क्विज स्टेशन *विगत UGC NET परीक्षाओं के प्रश्न*

प्र 1. न्याय दर्शन (भारतीय पारंपरिक तर्कशास्त्र) के अनुसार निम्नलिखित तर्क में किस प्रकार का प्रमाण (Pramana) प्रयोग किया गया है– "यह संसार एक कार्य है, और जैसे घड़ा, कपड़ा आदि कार्यों के लिए एक कर्ता होता है, वैसे ही इसका भी कोई कारण होना चाहिए। वह कारण ईश्वर है।"

(a) अर्थापत्ति (b) अनुमान
(c) उपमान (d) शब्द

प्र 2. क्लासिकल इंडियन स्कूल ऑफ लॉजिक (न्याय) के अनुसार, मौखिक गवाही (शब्द प्रमाण) में शामिल हैं:

(28 अगस्त 2024 - शिफ्ट 1)

(A) केवल निषेधज्ञा वाक्य
(B) एक धर्मग्रंथ के शब्द
(C) किसी शिक्षक के शब्द
(D) किसी भरोसेमंद व्यक्ति के शब्द

(a) AC (b) BD
(c) AB (d) ABCD

प्र 3. "दिन के समय के दौरान कभी भी खानपान न करते देखी गयी सोमदत्ता का भार निरंतर बढ़ रहा है। इसलिए, वह रात्रि के समय खानपान कर रही होगी।" शास्त्रीय भारतीय दर्शन के अनुसार उपर्युक्त कथन में ज्ञान के किससा धन को प्रयुक्त किया गया है?

(29 अगस्त 2024 - शिफ्ट 1)

(a) प्रत्यक्ष बोध (b) उपमान
(c) शब्द प्रमाण (d) अर्थापत्ति

प्र 4. निम्नलिखित कथनों पर विचार करें:

1. एक भैंस कुछ हद तक गाय की तरह दिखती है, और ऐसी भैंसें ग्रामीण इलाकों में एक निश्चित स्थान पर मौजूद होती हैं।
2. जब वह ग्रामीण इलाकों में होता है, तो वह पहचानता है कि वह जो देख रहा है वह गाय के समान है और इसलिए वह एक जल भैंस है।

ये दोनों कथन किस अवधारणा का समर्थन करते हैं

(a) अनुमान (b) उपमान
(c) शब्द (c) प्रतिमा

प्र 5. उपमान मूलतः क्या है?

(a) अनुमान (b) शब्द
(c) तुलना (d) प्रमेय

प्र 6. अर्थापत्ति (Presumption) के संदर्भ में निम्नलिखित में से कौन-से कथन सत्य हैं?

(a) यह ज्ञान का स्वतंत्र स्रोत है।
(b) यह एक अलग प्रमाण के रूप में स्वीकार किया गया है, जिसे अनुमान या शब्द के अंतर्गत नहीं रखा जा सकता।
(c) (a) और (b) दोनों
(d) न (a) न (b)

प्र 7. भारतीय तर्कशास्त्र की निम्नलिखित में से कौन-सी धारणा परिस्थितिजन्य अनुमान (circumstantial implication) को दर्शाती है?

(a) उपमान (b) अर्थापत्ति
(c) अनुपलब्धि (d) प्रत्यक्ष

प्र 8. 'योगज' (सहज या अंतर्ज्ञानजन्य) शब्द निम्न में से किस प्रमाण से संबंधित है?

(a) प्रत्यक्ष (b) अनुमान
(c) शब्द (d) उपमान

प्र 9. "देवदत्त मोटा है, और वह दिन में भोजन नहीं करता। इसलिए, वह रात में भोजन करता है।" भारतीय पारंपरिक तर्कशास्त्र में यह उदाहरण किस प्रकार का है?

(a) उपमान (b) व्यंजना
(c) प्रत्यक्ष (d) शब्द

प्र 11. हमारे तर्कशास्त्र में प्रमाण को प्रमा (सत्य और निश्चित ज्ञान) प्राप्त करने का साधन माना गया है। निम्नलिखित में से कौन-से सही छह प्रमाणों के रूप नहीं माने जाते?

1. प्रत्यक्ष - इंद्रिय अनुभव
2. अनुमान - तर्क
3. उपमान - तुलना और उपमा
4. अर्थापत्ति - व्यंजना
5. अनुपलब्धि - उपलब्धि
6. शब्द - मौखिक साक्ष्य

कूट:
(a) 1 और 3 (b) 2, 3 और 4
(c) 5 और 6 (d) 2, 4 और 6

प्र 11. न्याय दर्शन चार प्रमाणों को मानता है – प्रत्यक्ष, अनुमान, उपमान और वेदवाक्य (शब्द)। न्याय के अनुसार, बाह्य जगत का ज्ञान हमें किसके माध्यम से होता है?

(a) इंद्रियाँ (b) मन
(c) (a) और (b) दोनों (d) इनमें से कोई नहीं

प्र 12. 'लौकिक' और 'अलौकिक' का भेद निम्न में से किस प्रमाण के संदर्भ में किया गया है?

(a) अनुमान (b) उपमान
(c) प्रत्यक्ष (d) शब्द

प्र 13. पारंपरिक भारतीय शिक्षा पद्धति की एक विशिष्ट विशेषता निम्न में से कौन-सी है?

(a) सत्य का प्रत्यक्ष अनुभव - साधन और लक्ष्य दोनों के रूप में
(b) हर बात को आँख बंद करके मान लेना
(c) अपनी शैली में सीखने के तरीके विकसित करना
(d) न्याय दर्शन के अनुसार निगमनात्मक और आगमनात्मक तर्क का पालन करना

प्र 14. न्याय दर्शन के अनुसार ईश्वर के अस्तित्व को सिद्ध करने के लिए निम्नलिखित में से कौन-सा प्रमाण प्रयुक्त होता है?

(a) अर्थापत्ति (b) उपमान
(c) प्रत्यक्ष (d) अनुमान

उत्तर 1.(b) 2.(b) 3.(d) 4.(b) 5.(c)
6.(c) 7.(b) 8.(a) 9.(d) 10.(c) 11.(c)
12.(c) 13.(a) 14.(d)

20.4 अनुमान (Inference)

अनुमान की संरचना (Structure of Inference)

जैसा कि हम पिछले खंड में पढ़ चुके हैं, अनुमान (Anumana) तर्क के माध्यम से ज्ञान प्राप्त करने की एक विधि है। प्रत्यक्ष ज्ञान (Direct Perception) के विपरीत, जहाँ ज्ञान इंद्रियों के द्वारा तुरंत प्राप्त होता है, अनुमान तर्क और विवेक पर आधारित होता है। यह एक ऐसी प्रक्रिया है जिसमें किसी बात को पूर्व में देखे गए तथ्यों या आधारों के आधार पर समझा या निष्कर्ष निकाला जाता है। दूसरे शब्दों में, अनुमान वह तरीका है जिससे हम किसी अज्ञात बात तक पहुँचते हैं, लेकिन उस तक पहुँचने का आधार हमारे पास पहले से मौजूद कुछ निश्चित जानकारियाँ होती हैं।

अनुमान में, हम दो आधारों (कथनों या टिप्पणियों) से शुरू करते हैं और उनका उपयोग तीसरा कथन निकालने के लिए करते हैं, जो निष्कर्ष है। यह प्रक्रिया तार्किक तर्क में तत्काल अनुमान निकालने के समान है, जहाँ आधारों के बीच संबंध तार्किक रूप से निष्कर्ष की ओर ले जाता है (अध्याय 18 (न्यायवाक्य), पृष्ठ संख्या 380 में विस्तार से चर्चा की गई है)। अनुमान को समझने के लिए, दो महत्वपूर्ण पहलुओं को समझना महत्वपूर्ण है–

अनुमान के घटक (Components of Anumana)

तर्कशास्त्र में जब हम दो कथनों (जिन्हें पूर्वकथन या premises कहा जाता है) के आधार पर किसी निष्कर्ष पर पहुँचते हैं, तो उसमें तीन मुख्य पद (terms) पहचाने जाते हैं। आइए इसे उदाहरणों के माध्यम से समझें।

उदाहरण 1:

- **पहला कथन:** 'सभी स्तनधारी प्राणियों के शरीर पर रोयें होते हैं।'
- **दूसरा कथन:** 'सभी कुत्ते स्तनधारी होते हैं।'
- **निष्कर्ष:** 'इसलिए, सभी कुत्तों के शरीर पर रोयें होते हैं।'

तीन प्रमुख पदों की पहचान:

- **मुख्य पद (Major Term)** - 'रोयें होना', क्योंकि यह पहले कथन और निष्कर्ष दोनों में आता है।
- **मध्य पद (Middle Term)** - 'स्तनधारी', क्योंकि यह पहले और दूसरे दोनों कथनों में आता है।
- **लघु पद (Minor Term)** - 'कुत्ते', क्योंकि यह दूसरे कथन और निष्कर्ष में आता है।

उदाहरण 2: जब तर्क कथन के रूप में दिया जाता है।

- **तर्क कथन:** 'सभी पक्षी उड़ सकते हैं क्योंकि उनके पंख होते हैं।'

मध्य पद की पहचान:

- **साध्य (Major Term)** - 'उड़ सकते हैं'
- **हेतु (Middle Term)** - 'पंख होते हैं'
- **पक्ष (Minor Term)** - 'पक्षी'

यहाँ पंख मध्य पद है, क्योंकि यह कारण है जिससे पक्षियों के उड़ने की व्याख्या की गई है। यह मध्य पद ही दो कथनों को जोड़ता है और निष्कर्ष की ओर ले जाता है।

मध्य पद का महत्व: मध्य पद वह सेतु (bridge) है जो दो कथनों को जोड़कर निष्कर्ष तक पहुँचने में मदद करता है।

जैसे उदाहरण में -

- पहला कथन सभी स्तनधारियों के बारे में कुछ बताता है।
- दूसरा कथन यह बताता है कि कुत्ते इस समूह का हिस्सा हैं।
- इसलिए निष्कर्ष निकाला गया कि कुत्तों में भी वही गुण होंगे।

यह निष्कर्ष मध्य पद 'स्तनधारी' के माध्यम से ही संभव हुआ।

(मध्य पद की यह धारणा अध्याय 18: न्यायवाक्य (Syllogism) में भी विस्तार से समझाई गई है। अधिक जानकारी के लिए देखें: पृष्ठ संख्या 373)

व्याप्ति (Pervasion/Invariable Relation)

व्याप्ति (Vyapti) का अर्थ है मध्य पद (Hetu) और साध्य (Sadhya) के बीच सार्वभौमिक और निश्चित संबंध। इसका तात्पर्य है कि जहाँ भी मध्य पद मौजूद हो, वहाँ साध्य भी अवश्य होगा।

उदाहरण:

- **पहला कथन:** 'जहाँ भी धुआँ होता है, वहाँ आग होती है।'
- **दूसरा कथन:** 'पहाड़ी पर धुआँ है।'
- **निष्कर्ष:** 'इसलिए, पहाड़ी पर आग है।'

इस तर्क में:

- **साध्य (Major Term)** - आग
- **हेतु (Middle Term)** - धुआँ
- **पक्ष (Minor Term)** - पहाड़ी

पहला कथन एक सार्वभौमिक संबंध स्थापित करता है – 'जहाँ भी धुआँ होता है, वहाँ आग होती है।' इसका अर्थ यह है कि धुआँ (मध्य पद)

चित्र 20.7 पहाड़ी पर आग

हमेशा आग (साध्य) के साथ होता है। यही संबंध व्याप्ति (Vyapti) का मूल तत्व है। इस उदाहरण में, धुएँ की उपस्थिति अनिवार्य रूप से आग की उपस्थिति को दर्शाती है, और इसी प्रकार धुआँ और आग के बीच एक व्याप्ति स्थापित होती है।

दूसरे शब्दों में, यदि हम किसी पहाड़ी पर धुआँ देखते हैं, तो हम तुरंत यह समझते हैं कि वहाँ आग भी अवश्य होगी। लेकिन यह अनुमान तभी संभव है जब हमें पहले से यह ज्ञात हो कि धुएँ और आग के बीच एक निश्चित संबंध होता है। इस निश्चित संबंध को ही व्याप्ति (Vyapti) कहा जाता है। इसलिए, जब हम पहाड़ी पर धुआँ देखते हैं, तो हम अपने पूर्व अनुभव के आधार पर यह अनुमान लगाते हैं कि वहाँ आग है, क्योंकि हमने पहले यह देखा है कि जहाँ भी धुआँ होता है, वहाँ आग भी होती है। यह संबंध हमारे पूर्व अनुभवों और ज्ञान से सीखा गया होता है।

व्याप्ति (Vyapti) ही आपके अनुमान को विश्वसनीय बनाता है। यह आपको देखे गए प्रमाण (जैसे–धुआँ) के आधार पर निष्कर्ष निकालने की अनुमति देता है, इस भरोसे के साथ कि यह प्रमाण किसी स्थिर और जानी-पहचानी संगति (जैसे–धुआँ और आग का संबंध) पर आधारित है।

अनुमान के प्रकार (Types of Inference)

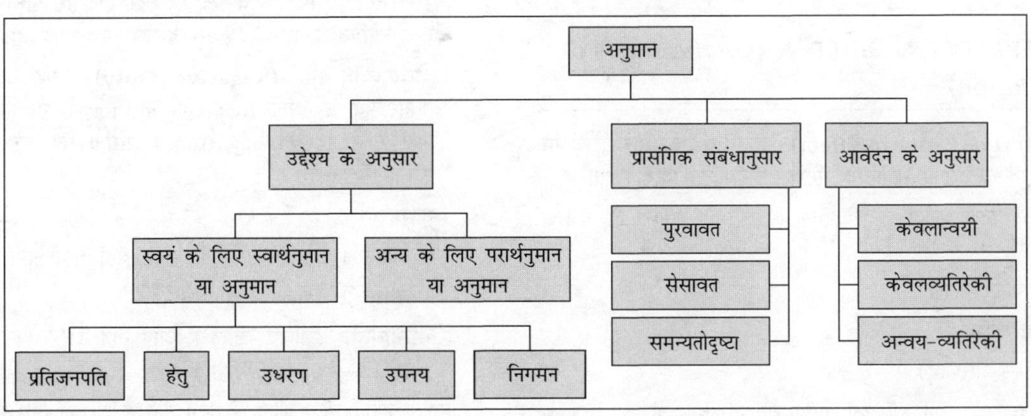

उद्देश्य के आधार पर (On the Basis of Purpose)

1. **स्वार्थानुमान (Inference for Oneself):** स्वार्थानुमान वह अनुमान होता है जिसे कोई व्यक्ति अपने व्यक्तिगत ज्ञान के लिए करता है। इसमें पाँच चरण होते हैं:
   a. **प्रतिज्ञप्ति (Proposition):** यह वह प्रारंभिक कथन होता है जिसे सिद्ध करना होता है।

      उदाहरण: 'पहाड़ी पर आग है।'

   b. **हेतु (Reason):** वह कारण या प्रमाण जो दावे का समर्थन करता है।

      उदाहरण: 'क्योंकि पहाड़ी पर धुआँ है।'

   c. **उदाहरण (Example):** यह एक सामान्य उदाहरण होता है जो कारण और दावे के बीच सार्वभौमिक संबंध या व्याप्ति को दर्शाता है।

      उदाहरण: 'जहाँ भी धुआँ होता है, वहाँ आग होती है, जैसे रसोई में।'

   d. **उपनय (Application):** इस चरण में सामान्य नियम को विशेष स्थिति पर लागू किया जाता है।

      उदाहरण: 'पहाड़ी पर धुआँ है।'

   e. **निगमन (Conclusion):** यह वह निष्कर्ष होता है जो तर्क से निकाला जाता है।

      उदाहरण: 'इसलिए, पहाड़ी पर आग है।'

2. **परार्थानुमान (Inference for Others):** परार्थानुमान वह अनुमान होता है जिसे दूसरों को समझाने के लिए प्रस्तुत किया जाता है। यह भी स्वार्थानुमान की तरह ही पाँच चरणों में चलता है, लेकिन इसे स्पष्ट रूप से दूसरों के सामने रखा जाता है।

   उदाहरण के लिए, किसी को यह समझाना कि पहाड़ी पर आग है क्योंकि वहाँ धुआँ है–इसमें प्रतिज्ञप्ति, हेतु, उदाहरण, उपनय और निगमन का प्रयोग किया जाता है।

   संक्षेप में, दोनों प्रकार के अनुमान तर्क की एक प्रणाली का पालन करते हैं, लेकिन स्वार्थानुमान व्यक्तिगत समझ के लिए होता है, जबकि परार्थानुमान दूसरों को समझाने के लिए प्रयोग किया जाता है।

कारण-परिणाम संबंध के आधार पर (On the Basis of Causal Relation)

1. **पूर्ववत् (From Cause to Effect):** पूर्ववत् वह अनुमान है जिसमें कारण देखकर उसका संभावित परिणाम अनुमानित किया जाता है।

   उदाहरण: काले बादलों को देखकर यह अनुमान लगाना कि बारिश होगी। यहाँ,

   कारण: काले बादल

   परिणाम: बारिश

   (कारण $\rightarrow$ परिणाम)

   काले बादलों की उपस्थिति को बारिश के पूर्वसूचक के रूप में देखा जाता है क्योंकि सामान्यत: काले बादलों के कारण बारिश होती है।

2. **शेषवत् (From Effect to Cause):** शेषवत् वह अनुमान है जिसमें परिणाम को देखकर उसके कारण का अनुमान लगाया जाता है।

   उदाहरण: सड़कों को गीला देखकर यह अनुमान लगाना कि अभी-अभी बारिश हुई है। यहाँ,

   परिणाम: गीली सड़क

   कारण: बारिश

   (परिणाम $\rightarrow$ कारण)

   गीली सड़कों को देखकर निष्कर्ष निकाला जाता है कि बारिश हुई होगी, क्योंकि सामान्यत: सड़कों के गीले होने का कारण बारिश होती है।

3. **सामान्यतोदृष्ट (From Common Experience):** सामान्यतोदृष्ट वह अनुमान है जो सामान्य अनुभव या नियमित पर्यवेक्षण पर आधारित होता है।

   उदाहरण: यह अनुमान लगाना कि कल सूरज निकलेगा, क्योंकि वह हर दिन निकलता है। यह अनुमान एक लगातार देखे गए पैटर्न पर आधारित होता है कि सूरज प्रतिदिन उगता है, जिससे यह निष्कर्ष निकलता है कि वह भविष्य में भी ऐसा करता रहेगा। यह प्रकार सामान्य अनुभव और नियमितता पर आधारित होता है।

प्रयोग के आधार पर (On the Basis of Application)

1. **केवलान्वयी (Positive Only):** यह अनुमान केवल सकारात्मक उदाहरणों (positive instances) पर आधारित होता है, जहाँ मध्य पद (middle term) और मुख्य पद (major term) दोनों का लगातार साथ पाया जाता है।

   उदाहरण:
   - **कथन 1:** 'सभी जीवित प्राणियों में श्वास होता है।'
   - **कथन 2:** 'बिल्ली एक जीवित प्राणी है।'
   - **निष्कर्ष:** 'इसलिए, बिल्ली में श्वास होता है।'

   व्याख्या: यहाँ आप देखते हैं कि जीवित प्राणियों में हमेशा श्वास होता है। चूँकि बिल्ली एक जीवित प्राणी है, इसलिए उसमें भी श्वास होना चाहिए। यह तर्क केवल उन उदाहरणों पर आधारित है जहाँ दोनों तत्व–जीवित प्राणी और श्वास–हमेशा साथ-साथ होते हैं।

2. **केवलव्यतिरेकी (Negative Only):** यह अनुमान केवल नकारात्मक उदाहरणों (negative instances) पर आधारित होता है, जहाँ मध्य पद की अनुपस्थिति से प्रमुख पद की अनुपस्थिति का संकेत मिलता है।

   उदाहरण:
   - **कथन 1:** 'जहाँ आग नहीं होती, वहाँ धुआँ नहीं होता।'
   - **कथन 2:** 'झील में धुआँ नहीं है।'
   - **निष्कर्ष:** 'इसलिए, झील में आग नहीं है।'

   व्याख्या: यहाँ यह देखा गया है कि जहाँ आग नहीं होती, वहाँ धुआँ भी नहीं होता। चूँकि झील में धुआँ नहीं है, इसका अर्थ है कि वहाँ आग भी नहीं है। यह तर्क केवल नकारात्मक उदाहरणों पर आधारित है।

3. **अन्वय-व्यतिरेकी (Positive and Negative):** यह अनुमान सकारात्मक और नकारात्मक दोनों प्रकार के उदाहरणों पर आधारित होता है, जिसमें मध्य और प्रमुख पद की उपस्थिति और अनुपस्थिति दोनों को शामिल किया जाता है।

उदाहरण:

- **कथन 1:** 'जहाँ धुआँ होता है, वहाँ आग होती है (सकारात्मक उदाहरण)।'
- **कथन 2:** 'जहाँ आग नहीं होती, वहाँ धुआँ नहीं होता (नकारात्मक उदाहरण)।'
- **कथन 3:** 'पहाड़ी पर धुआँ है।'
- **निष्कर्ष:** 'इसलिए, पहाड़ी पर आग है।'

व्याख्या: यहाँ तर्क में यह दोनों बातों का उपयोग किया गया है कि धुआँ होने पर आग होती है (सकारात्मक) और आग न होने पर धुआँ नहीं होता (नकारात्मक)। चूँकि पहाड़ी पर धुआँ दिखाई दे रहा है, इसलिए यह निष्कर्ष निकाला गया कि वहाँ आग है। यह विधि सकारात्मक और नकारात्मक दोनों उदाहरणों को जोड़कर अधिक सशक्त निष्कर्ष देती है।

क्विज स्टेशन *विगत UGC NET परीक्षाओं के प्रश्न*

प्र 1. निम्नलिखित में से किसे उस अनुमान का अर्थ माना जाता है जिसमें किसी वस्तु का लक्षण अन्य संभावनाओं को क्रमशः नकारते हुए शेष बचा हो?

(a) पक्ष
(b) पूर्ववत् अनुमान
(c) सामान्यतोदृष्ट
(d) शेषवत् अनुमान

प्र 2. इनमें से कौन सा तर्क भ्रामक है क्योंकि मध्य पद प्रमुख पद की उपस्थिति के बजाय उसकी अनुपस्थिति से व्याप्त है:

(a) पहाड़ी में आग है क्योंकि यह जानने योग्य है
(b) ध्वनि शाश्वत है क्योंकि यह उत्पन्न होती है
(c) ध्वनि शाश्वत है क्योंकि वह श्रव्य है
(d) ध्वनि गुणवत्ता पूर्ण है क्योंकि वह दृश्यमान है

प्र 3. जब कोई अनुमान ऐसे मध्य पद पर आधारित होता है जो तर्क द्वारा खंडन योग्य नहीं होता, तब मध्य पद (Hetu) की पाँच आवश्यक विशेषताओं में से कौन-सी का उल्लंघन होता है?

(a) मध्य पद उन सभी नकारात्मक उदाहरणों में अनुपस्थित होना चाहिए जहाँ प्रमुख पद अनुपस्थित हो।
(b) मध्य पद पक्ष (minor term) से असंगत नहीं होना चाहिए।
(c) मध्य पद पक्ष में विद्यमान होना चाहिए।
(d) मध्य पद उन सभी सकारात्मक उदाहरणों में विद्यमान होना चाहिए जहाँ प्रमुख पद विद्यमान हो।

प्र 4. भारतीय तर्क में अनुमान किस पर आधारित होता है?

(a) पक्ष और मुख्य पद के बीच परिवर्तनशील संबंध पर
(b) मध्य पद और पक्ष के बीच अपरिवर्तनीय संबंध पर
(c) मध्य पद और मुख्य पद के बीच परिवर्तनशील व्याप्ति पर
(d) मध्य पद और मुख्य पद के बीच अपरिवर्तनीय व्याप्ति पर

प्र 5. निम्नलिखित में से किन दो को अनुमान के लिए मौलिक आवश्यकताएँ माना जाना चाहिए?

1. पक्षधर्मता की चेतना–जहाँ अनुमान का लक्षण उस वस्तु में विद्यमान हो जिसमें अनुमान किया गया है
2. व्याप्ति–जहाँ लक्षण और साध्य के बीच अपरिवर्तनीय संबंध हो
3. हेत्वाभास

कूट:

(a) 1 और 2 (b) 2 और 3
(c) 1 और 3 (d) उपरोक्त में से कोई नहीं

प्र 6. 'अनुमान' के संदर्भ में निम्नलिखित में से कौन-कौन से कथन सत्य हैं?

1. न्याय दर्शन के अनुसार यह ज्ञान का परोक्ष साधन है।
2. अनुमान में तीन पद होते हैं–हेतु, साध्य और पक्ष
3. अनुमान में पाँच अवयव होते हैं

कूट:

(a) 1 और 2 (b) 2 और 3
(c) 1 और 3 (d) 1, 2 और 3

प्र 7. भारतीय तर्क में अनुमान के 'उदाहरण' से क्या तात्पर्य है?

(a) कारण का कथन
(b) सिद्ध करने योग्य प्रतिज्ञा
(c) सिद्ध किया गया निष्कर्ष
(d) एक सामान्य नियम के साथ उसका उदाहरण

प्र 7. 'व्याप्ति' के संदर्भ में निम्नलिखित में से कौन-कौन से कथन सत्य हैं?

1. व्याप्ति हेतु और साध्य के बीच संबंध है।
2. व्याप्ति का अर्थ है–हेतु और साध्य की सह-अस्तित्व, सह-अनुपस्थिति और सह-अस्तित्व-अनुपस्थिति।
3. व्याप्ति (मध्य और मुख्य पदों का अपरिवर्तनीय संबंध) न्याय पद्धति के आधार के रूप में कार्य करता है।

कूट:

(a) 1 और 2 (b) 2 और 3

(c) 1 और 3 (d) 1, 2 और 3

प्र 9. निम्नलिखित में से किस शब्द का प्रयोग 'प्रमेय' (probandum) के लिए किया जाता है?

(a) साध्य (b) व्याप्ति

(c) हेतु (d) अनुमान

प्र 10. निम्न कथन को देखें:

'पहाड़ी की सतह से जुड़े हुए धुएँ को देखकर आग के अस्तित्व का अनुमान किया जाता है।'

इस कथन से 'अनुमान' की कौन-कौन सी विशेषताएँ स्पष्ट होती हैं?

1. यह परोक्ष ज्ञान है।
2. यह किसी चिन्ह (लक्षण) के माध्यम से होता है, जिसे 'हेतु' कहा जाता है।
3. यह प्रमुख पद (साध्य) से अपरिवर्तनीय रूप से जुड़ा होता है।
4. यह ऐसा ज्ञान है जो किसी अन्य ज्ञान पर आधारित होता है।
5. अनुमान एक द्वितीयक प्रमाण है।

कूट:

(a) 1, 2, 3 और 4 (b) 2, 3 और 4

(c) 1, 2, 3 और 5 (d) 1, 2, 3, 4 और 5

प्र 11. 'अनुमान' की आवश्यक विशेषताओं में से किन्हें माना जाना चाहिए?

1. जिस पहाड़ी पर धुआँ देखा गया, वहाँ आग का अनुमान किया गया; इसे पक्षधर्मता कहते हैं।
2. जब आग और धुएँ के बीच सार्वभौमिक संबंध ज्ञात हो जाता है, तो उसे व्याप्ति कहते हैं।
3. अनुमान बिना हेतु और साध्य के सह-अस्तित्व के उत्पन्न होता है।

कूट:

(a) केवल 1 (b) केवल 2

(c) 1 और 2 दोनों (d) उपरोक्त सभी

प्र 12. निम्नलिखित में से कौन-सा कथन अनुमान के संदर्भ में लागू नहीं होता?

(a) अनुमान वह है जिसमें ज्ञान इंद्रिय और वस्तु के प्रत्यक्ष संपर्क से नहीं होता

(b) अनुमान अवलोकन (observation) पर आधारित नहीं है

(c) अनुमान किसी लक्षण (sign) के माध्यम से नहीं होता

(d) अनुमान अपने लिए या दूसरों के लिए किया जा सकता है

उत्तर 1. (d) 2. (b) 3. (b) 4. (d) 5. (a) 6. (d) 7. (d) 8. (d) 9. (a) 10. (d) 11. (c) 12. (c)

★★★ परीक्षोपयोगी

20.5 अनुमान में भ्रम (Fallacies of Inference or हेत्वाभास)

'हेत्वाभास' शब्द संस्कृत के दो शब्दों – 'हेतु' (अर्थात् कारण) और 'आभास' (अर्थात् प्रतीति या झूठा रूप) – से मिलकर बना है। इस प्रकार, हेत्वाभास का अर्थ होता है – "तर्क में भ्रम" या "झूठे कारण का आभास"। हेत्वाभास वे तर्कजन्य त्रुटियाँ हैं जिनके कारण कोई तर्क या अनुमान सही प्रतीत होता है, जबकि वास्तव में वह गलत होता है। जब कोई हेतु (मध्य पद) ऐसा प्रतीत होता है मानो वह तर्क के लिए उचित कारण हो, परंतु वास्तव में वह वैध कारण नहीं होता–तब हेत्वाभास उत्पन्न होता है। यदि हम इन तर्कों के भ्रमों को पहचान सकें, तो हम अपने तर्क और व्याख्या को अधिक स्पष्ट, उपयुक्त और तार्किक बना सकते हैं। (यह विषय अध्याय 19, पृष्ठ संख्या 400 में दिए गए 'Fallacies' विषय के समान है।) अब आइए, हेत्वाभास के प्रकारों को समझते हैं:

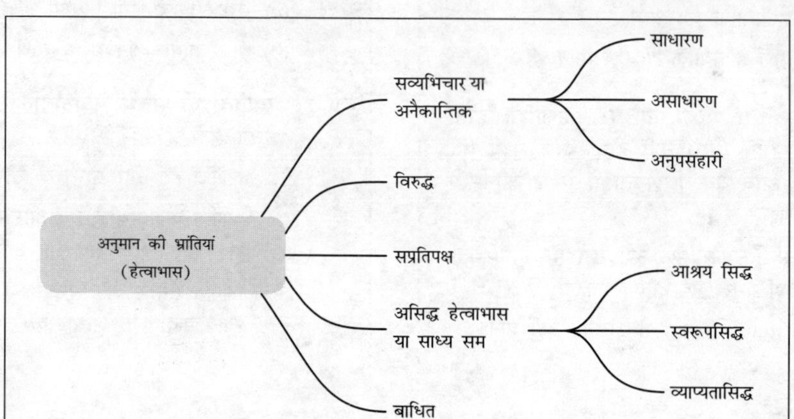

अप्रासंगिक कारण का मिथ्यात्व (Fallacy of Irrelevant Reason or सव्यभिचार हेत्वाभास/ अनैकान्तिक हेत्वाभास)

सव्यभिचार (Savyabhichara), जिसे अनैकान्तिक (Anaikantika) भी कहा जाता है, वह मिथ्यात्व (fallacy) है जो तब उत्पन्न होता है जब तर्क में प्रयुक्त हेतु (मध्य पद) अनिश्चित होता है। अर्थात, दिया गया कारण हर बार निष्कर्ष तक नहीं पहुँचाता, जिससे तर्क भ्रमपूर्ण हो जाता है।

1. **साधारण (Sadharana):** जब मध्य पद बहुत सामान्य होता है और उससे अस्पष्टता उत्पन्न होती है, तब यह साधारण मिथ्यात्व कहलाता है।

   उदाहरण:

   - **कथन:** 'जहाँ धुआँ होता है, वहाँ आग होती है। पहाड़ी पर धुआँ है, इसलिए वहाँ आग है।'
   - **मध्य पद:** धुआँ
   - **स्पष्टीकरण:** धुआँ आग के अलावा अन्य कारणों से भी हो सकता है, जैसे कि फैक्ट्री या रसोई की धुआँ। इस कारण से यह संबंध निश्चित नहीं है।

2. **असाधारण (Asadharana):** जब मध्य पद बहुत विशेष होता है और प्रमुख पद पर सामान्य रूप से लागू नहीं होता, तब असाधारण मिथ्यात्व उत्पन्न होता है।

   उदाहरण:

   - **कथन:** 'सभी पेड़ पौधे होते हैं। यह गुलाब पेड़ है। इसलिए, यह गुलाब पौधा है।'
   - **मध्य पद:** पेड़
   - **स्पष्टीकरण:** गुलाब वास्तव में पेड़ नहीं है। यहाँ पेड़ एक बहुत विशेष मध्य पद है जो गुलाब पर सही ढंग से लागू नहीं होता, इसलिए निष्कर्ष गलत है।

3. **अनुपसंहारी (Anupasamhari):** जब मध्य पद केवल एक ही उदाहरण पर आधारित होता है और किसी अन्य वस्तु पर लागू नहीं होता, तब यह अनुपसंहारी मिथ्यात्व होता है।

   उदाहरण:

   - **कथन:** 'जिनका नाम जॉरफ्लैक्स है, वे जादुई होते हैं। इस वस्तु का नाम जॉरफ्लैक्स है। इसलिए, यह वस्तु जादुई है।'
   - **मध्य पद:** जॉरफ्लैक्स
   - **स्पष्टीकरण:** जॉरफ्लैक्स नाम की कोई वास्तविक वस्तु नहीं है, इसलिए तर्क का कोई आधार नहीं है और यह मिथ्या है।

विरोधाभासी कारण का मिथ्यात्व (Fallacy of Contradictory Reason or विरुद्ध हेत्वाभास)

विरुद्ध (Virudhha) हेत्वाभास तब होता है जब मध्य पद सीधे तौर पर निष्कर्ष का खंडन करता है। अर्थात्, जो कारण दिया गया है, वह निष्कर्ष के विपरीत है।

उदाहरण:

- **कथन:** 'आसमान नीला है क्योंकि रात है।'
- **मध्य पद:** रात
- **निष्कर्ष:** आसमान नीला है
- **स्पष्टीकरण:** रात में आमतौर पर आसमान काला या गहरा होता है, न कि नीला। इसलिए 'रात' एक ऐसा कारण है जो 'आसमान नीला है' इस निष्कर्ष के विरोध में है। यह विरुद्ध हेत्वाभास है।

प्रतितर्क युक्त मिथ्यात्व (Counterbalanced Fallacy or सत्प्रतिपक्ष हेत्वाभास)

सत्प्रतिपक्ष (Satpratipaksha) हेत्वाभास तब उत्पन्न होता है जब दिए गए अनुमान के विरुद्ध एक वैध और मजबूत प्रतितर्क (counterargument) मौजूद होता है।

उदाहरण:

- **कथन:** 'यह पौधा औषधीय है क्योंकि यह हरा है।'
- **मध्य पद:** हरा
- **निष्कर्ष:** यह पौधा औषधीय है
- **प्रतितर्क:** सभी हरे पौधे औषधीय नहीं होते, कुछ विषैले भी हो सकते हैं।
- **स्पष्टीकरण:** यहाँ 'हरा' होना औषधीयता का प्रमाण नहीं है। चूँकि एक मजबूत प्रतितर्क मौजूद है कि हरे पौधे भी विषैले हो सकते हैं, इसलिए यह सत्प्रतिपक्ष हेत्वाभास है। है कि पौधा है औषधीय क्योंकि यह हरा है। हालाँकि, प्रतिवाद दर्शाता है कि सभी हरे पौधों में औषधीय गुण नहीं होते गुण; कुछ हानिकारक या विषाक्त हो सकते हैं। इसलिए, मध्य पद के रूप में 'हरा' जरूरी नहीं है इस निष्कर्ष पर प्रकाश डाला गया कि 'पौधा औषधीय है।'

गलत कथन या अप्रमाणित मध्य की भ्रांति (असिद्ध हेत्वाभास या साध्य सम) [Fallacy of wrong assertion or unproven middle (Asiddha Hetvabhasa or Sadhya Sama)]

एक असिद्ध हेत्वाभास (असिद्ध हेत्वाभास) तब होता है जब मध्य पद स्थापित नहीं है या अप्रमाणित है। आइए असिद्ध हेत्वाभास के प्रकारों पर नजर डालें:

1. **आश्रय सिद्ध:** आश्रय सिद्ध भ्रांति तब होती है जब विषय स्वयं अस्तित्वहीन या अप्रमाणित हो।

   उदाहरण:

   - **कथन:** 'यूनिकॉर्न जादुई शक्तियाँ होती हैं क्योंकि उनके पास सींग होते हैं।'
   - **मध्य पद:** 'उनके पास सींग होते हैं'
   - **निष्कर्ष:** 'यूनिकॉर्न में जादुई शक्तियाँ होती हैं।'
   - **स्पष्टीकरण:** विषय 'यूनिकॉर्न' स्वयं अस्तित्वहीन है, जिससे तर्क निराधार हो जाता है। चूँकि यूनिकॉर्न में सींग होते हैं अस्तित्व में नहीं है, इसलिए जादुई शक्तियों जैसी उनकी विशेषताओं के बारे में कोई भी कथन तार्किक रूप से समर्थित नहीं हो सकता।

2. **स्वरूपसिद्ध:** स्वरूपसिद्ध भ्रांति तब होती है जब मध्य पद की प्रकृति अनिर्धारित या गलत तरीके से मान ली जाती है। उदाहरण के लिए, 'ध्वनि दृश्यमान है क्योंकि यह संगीत वाद्ययंत्रों द्वारा उत्पन्न होती है।'

उदाहरण:

- **कथन:** 'ध्वनि दृश्यमान है क्योंकि यह संगीत वाद्ययंत्रों द्वारा उत्पन्न होती है।'
- **मध्य पद:** 'संगीत वाद्ययंत्रों द्वारा उत्पन्न'
- **निष्कर्ष:** 'ध्वनि दृश्यमान है'
- **स्पष्टीकरण:** मध्य पद 'संगीत वाद्ययंत्रों द्वारा उत्पादित' की प्रकृति गलत तरीके से मान ली गई है। तर्क गलत तरीके से मानता है कि चूंकि ध्वनि संगीत वाद्ययंत्रों द्वारा उत्पन्न होती है, इसलिए यह दृश्यमान होनी चाहिए। हालाँकि, ध्वनि की प्रकृति ऐसी है कि यह सुना जा सकता है लेकिन देखा नहीं जा सकता। मध्य पद की प्रकृति के बारे में यह गलत धारणा एक त्रुटिपूर्ण निष्कर्ष की ओर ले जाती है।

3. **व्यापकत्वसिद्ध:** भारतीय तर्कशास्त्र में व्यापकत्वसिद्ध एक भ्रांति को संदर्भित करता है, जहां व्याप्ति या मध्य पद हेतु और मुख्य पद या साध्य के बीच का संबंध स्थापित नहीं है।

उदाहरण:

- **कथन:** 'सभी जानवर तर्कसंगत हैं क्योंकि मनुष्य तर्कसंगत हैं।'
- **मध्य अवधि:** 'मनुष्य तर्कसंगत हैं'
- **निष्कर्ष:** 'सभी जानवर तर्कसंगत हैं।'
- **स्पष्टीकरण:** तर्क का दावा है कि सभी जानवर तर्कसंगत हैं क्योंकि मनुष्य तर्कसंगत हैं। इस तर्क के वैध होने के लिए, तर्कसंगत होने का गुण (मध्य पद) सभी जानवरों (मुख्य पद) में सार्वभौमिक रूप से मौजूद होना चाहिए। हालाँकि, यह सच नहीं है कि सभी जानवर तर्कसंगत हैं; जानवरों में केवल मनुष्य ही तर्कसंगतता रखते हैं। चूँकि यह सार्वभौमिक व्यापकता या व्याप्ति कि 'सभी जानवर तर्कसंगत हैं' स्थापित या सार्वभौमिक रूप से सत्य नहीं है, इसलिए यह तर्क व्याप्यत्वसिद्ध के कारण विफल हो जाता है।

विपरीत भ्रांति (बाधिता या बाधित) [Fallacy of Contrary (Badhita)]

एक बाधिता भ्रांति तब होती है जब मध्य पद प्रत्यक्ष धारणा या विश्वसनीय साक्ष्य द्वारा विरोधाभासी है।

उदाहरण:

- **कथन:** 'आग ठंडी है क्योंकि यह ऊर्जा का एक रूप है।'
- **मध्य पद:** 'ऊर्जा का एक रूप'
- **निष्कर्ष:** 'आग ठंडी है।'
- **स्पष्टीकरण:** तर्क का दावा है कि आग ठंडी है क्योंकि यह ऊर्जा का एक रूप है। हालाँकि, यह दावा प्रत्यक्ष धारणा और वैज्ञानिक समझ का खंडन करता है, जो हमें बताता है कि आग वास्तव में गर्म है, ठंडी नहीं। आग गर्मी उत्सर्जित करती है, जो एक विशेषता है जिसे सीधे संवेदी के माध्यम से माना जाता है अनुभव और वैज्ञानिक ज्ञान द्वारा समर्थित। इसलिए, मध्य शब्द 'ऊर्जा का रूप' प्रत्यक्ष धारणा और विश्वसनीय वैज्ञानिक साक्ष्य द्वारा खंडन किया जाता है, जिससे यह तर्क बाधिता के कारण भ्रामक हो जाता है।

अध्याय के मुख्य बिंदु

अमान्य तर्क (अप्रमा)

- स्मृति (स्मृति)
  (अतीत की घटनाओं और सूचनाओं को याद करता है)
- संदेह (संशय)
  (सत्य या तथ्यों के बारे में अनिश्चितता)
- त्रुटि (विपर्यय)
  (गलत धारणा या गलत ज्ञान)
- काल्पनिक तर्क (तर्क)
  (अनुमानों या अटकलों के माध्यम से तर्क करना शामिल है)

मान्य तर्क (प्रमाण)

- अनुभव (प्रत्यक्ष)
  (ज्ञान प्रदान करने वाला प्रत्यक्ष संवेदी अनुभव)
- मौखिक गवाही (शब्द)
  (विश्वसनीय शब्दों से प्राप्त ज्ञान)
- अनुमान (अर्थपत्ति)
  (ज्ञान अंतराल को पाटने वाला तार्किक अनुमान)
- गैर-अनुमान (अनुपलब्धि)
  (गैर-बोध के माध्यम से अनुपस्थिति का ज्ञान)
- तुलना (उपमान)
  (सादृश्य या समानता के माध्यम से समझना)
- अनुमान (अनुमान)
  (देखे गए साक्ष्य से निकाला गया निष्कर्ष)

ज्ञान के आवश्यक कारक

- ज्ञाता (प्रमाता)
- ज्ञान की वस्तु (प्रमेय)
- मान्य ज्ञान के साधन (प्रमाण)
- मान्य ज्ञान का परिणाम (प्रमा)

न्याय दर्शन के घटक

भ्रांति विवरण
- ज्ञान (ज्ञान)
  - मान्य ज्ञान (प्रमा)
  - अमान्य ज्ञान (अप्रमा)
- तर्क (तर्क)

अनुमान की संरचना (अनुमान)

- घटक
  - मुख्य पद या साध्य
  - मध्य पद या हेतु
  - लघु पद या पक्ष
- व्याप्ति
  (उपर्युक्त पदों के बीच तार्किक संबंध)

अनुमान की भ्रांतियों का स्नैपशॉट (हेत्वाभास)

भ्रांति	विवरण
1. सव्यभिचार (सव्यभिचार) या अनैकान्तिक (अनैकान्तिक)	
1.1 साधारण (साधारण)	जब मध्य पद बहुत सामान्य हो जिससे अस्पष्टता हो
1.2 असाधारण (असाधारण)	जब मध्य पद बहुत विशिष्ट हो और मुख्य पद पर व्यापक रूप से लागू न हो
1.3 अनुपसंहारी (अनुपसंहारी)	जब मध्य पद अद्वितीय हो और किसी अन्य चीज पर लागू न हो
2. विरुद्ध (विरुद्ध)	जब मध्य पद निष्कर्ष का खंडन करता हो
3. सत्प्रतिपक्ष (सत्प्रतिपक्ष)	जब कोई मान्य प्रतिवाद प्रस्तावित अनुमान का खंडन करता हो
4. असिद्ध हेत्वाभास (असिद्ध हेत्वाभास) या साध्य समा (समा)	
4.1 आश्रय सिद्ध (आश्रय सिद्ध)	जब कर्ता स्वयं अस्तित्वहीन या अप्रमाणित हो
4.2 स्वरूपसिद्ध (स्वरूपसिद्ध)	जब मध्य पद की प्रकृति स्थापित न हो या गलत तरीके से ग्रहण की गई हो
4.3 व्याप्यत्वसिद्ध (व्याप्यत्वसिद्ध)	जब मध्य पद या हेतु और मुख्य पद या साध्य के बीच संबंध स्थापित न हो)
5. बाधित (बाधित)	जब मध्य पद का प्रत्यक्ष बोध या विश्वसनीय साक्ष्य द्वारा खंडन किया जाता हो

मूल्यांकन ज़ोन (EVALUATION ZONE)

1. वेन आरेख निरूपण के संदर्भ में निम्नलिखित में क्या सही है? "सभी महान वैज्ञानिक कॉलेज स्नातक हैं। कुछ पेशेवक्र एथलीट कॉलेज स्नातक हैं। इसलिए, कुछ पेशेवर एथलीट महान वैज्ञानिक हैं।" *(21 जनवरी **2025** - शिफ्ट 1)*
   (a) ओवरलैपिंग भाग में SPM का केवल एक क्षेत्र होता है
   (b) ओवरलैपिंग भाग में SPM का केवल दो क्षेत्र होता है
   (c) केवल SPM क्षेत्र को छायांकित करें
   (d) SPM और SPM के दो क्षेत्रों के बीच की रेखा पर 'x' रखें

2. जब विरोधी पक्ष की स्थिति को जानबूझकर गलत तरीके से प्रस्तुत करके सही तर्क को कमजोर किया जाता है तो इसे भ्रांति कहा जाता है। *(21 जनवरी **2025** - शिफ्ट 1)*
   (a) ad populum (b) ad hominem
   (c) ad baculum (d) The Red Herring

3. अनुमान-अधिगम की विधि के लिए निम्नलिखित चरणों को व्यवस्थित करें: *(9 जनवरी **2025** - शिफ्ट 2)*
   (A) निष्कर्ष (B) कारण
   (C) प्रस्ताव (D) उदाहरण
   (E) अनुप्रयोग
   नीचे दिए गए विकल्पों में से सही उत्तर चुनें:
   (a) (E), (D), (B), (C), (A)
   (b) (C), (B), (D), (E), (A)
   (c) (B), (C), (D), (E), (A)
   (d) (E), (C), (D), (B), (A)

4. द्वितीय चित्र में मूड OAO से क्या सही अनुमान लगाया जा सकता है। *(9 जनवरी **2025** - शिफ्ट 2)*
   (A) मध्य पद प्रमुख आधार में वितरित है
   (B) अवैध लघु भ्रांति करता है
   (C) मध्य पद लघु आधार में विधेय के रूप में प्रकट होता है
   (D) मध्य पद लघु आधार में वितरित है
   (E) निष्कर्ष का विधेय वितरित है
   नीचे दिए गए विकल्पों में से सही उत्तर चुनें:
   (a) केवल (B) और (C) (b) केवल (A) और (D)
   (c) केवल (B) और (D) (d) केवल (A), (C) और (E)

5. सूची-I का सूची-II से मिलान करें: *(9 जनवरी **2025** - शिफ्ट 1)*

सूची-I (विपक्ष का वर्ग)	सूची-II (परिणाम)
A. यदि 'I' सत्य है	I. 'E' और 'I' अनिर्धारित हैं
B. यदि 'I' असत्य है	II. 'E' असत्य है. 'A' अनिर्धारित है
C. यदि 'O' सत्य है	III. 'A' असत्य है. 'E' सत्य है
D. यदि 'O' असत्य है	IV. 'E' सत्य है

   नीचे दिए गए विकल्पों में से सही उत्तर चुनें:
   (a) (A)-(III), (B)-(IV), (C)-(I), (D)-(II)
   (b) (A)-(II), (B)-(III), (C)-(I), (D)-(IV)
   (c) (A)-(I), (B)-(IV), (C)-(II), (D)-(III)
   (d) (A)-(IV), (B)-(I), (C)-(III), (D)-(II)

6. सही दावों का पता लगाएं: *(8 जनवरी **2025** - शिफ्ट 2)*
   (A) अनुमान को तत्काल कहा जाता है जब निष्कर्ष के लिए एक से अधिक आधारों पर भरोसा किया जाता है
   (B) दो प्रस्ताव विरोधाभासी हैं, यदि एक दूसरे का खंडन करता है
   (C) उप-विपरीत, यदि वे दोनों सत्य नहीं हो सकते हैं, हालांकि वे दोनों झूठे हो सकते हैं
   (D) नकारात्मक प्रस्ताव अपने विधेय पदों को वितरित करते हैं
   (E) किसी भी श्रेणीबद्ध प्रस्ताव की गुणवत्ता यह निर्धारित करती है कि उसका विषय पद वितरित है या नहीं
   नीचे दिए गए विकल्पों में से सही उत्तर चुनें:
   (a) केवल (A) और (C) (b) केवल (B) और (E)
   (c) केवल (B) और (D) (d) केवल (B), (C) और (D)

7. प्रथम चित्र में AEE के आलोक में क्या सही ढंग से दावा किया जा सकता है? *(8 जनवरी **2025** - शिफ्ट 2)*
   (A) मध्य पद मुख्य आधार में वितरित है
   (B) यह अवैध-लघु की भ्रांति करता है
   (C) यह अवैध-प्रमुख की भ्रांति करता है
   (D) मध्य पद लघु आधार में वितरित है
   (E) निष्कर्ष दोनों में से किसी भी पद को वितरित नहीं करता है
   नीचे दिए गए विकल्पों में से सही उत्तर चुनें:
   (a) केवल (A), (C) और (D)
   (b) केवल (C) और (E)
   (c) केवल (A), (C) और (D)
   (d) केवल (B), (C), (D) और (E)

8. नैयायिकों के अनुसार, 'परार्थनुमान में उपनयन' से तात्पर्य है *(8 जनवरी **2025** - शिफ्ट 2)*
   (a) प्रश्नगत मामले में 'चिह्न' की उपस्थिति का कथन
   (b) उदाहरण के साथ सार्वभौमिक प्रस्ताव का कथन
   (c) सिद्ध किए जाने वाले प्रस्ताव का कथन
   (d) कारण का कथन

9. वैज्ञानिक पद्धति के संबंध में निम्नलिखित में से कौन एक बुनियादी पोस्ट नहीं है? *(7 जनवरी **2025** - शिफ्ट 2)*
   (a) इसकी कार्यप्रणाली को महत्वपूर्ण जांच के लिए संबंधित सभी के लिए जाना जाता है।
   (b) यह प्रासंगिक अवधारणाओं का उपयोग करता है।
   (c) यह केवल उद्देश्यपूर्ण विचारों के लिए प्रतिबद्ध नहीं है।
   (d) इसका उद्देश्य अधिकांश सामान्य स्वयंसिद्धों को तैयार करना है या जिन्हें वैज्ञानिक सिद्धांत कहा जा सकता है।

10. निम्नलिखित तर्क पर विचार करें और सही उत्तर चुनें: "सभी चार पैर वाले जीवों में पंख होते हैं सभी मकड़ियों के ठीक चार पैर हैं इसलिए, सभी मकड़ियों के पंख होते हैं" *(7 जनवरी **2025** - शिफ्ट 2)*
   (a) मान्य तर्क; सत्य आधार, सत्य निष्कर्ष
   (b) मान्य तर्क: असत्य आधार, असत्य निष्कर्ष

(c) अमानय तर्क: सत्य आधार, सत्य निष्कर्ष
(d) अमानय तर्क; सत्य आधार, असत्य निष्कर्ष

11. निम्नलिखित में से कौन-सा सही दावे हैं जो कि स्टाइप्युलेटिव परिभाषाओं के प्रकाश में हैं? *(7 जनवरी 2025 - शिफ्ट 2)*
(A) एक स्टाइप्युलेटिव परिभाषा हमेशा या तो सत्य है या असत्य है
(B) एक स्टाइप्युलेटिव परिभाषा एक प्रस्ताव या एक अनुरोध या एक संकल्प है जो निश्चितता का मतलब है कि निश्चित रूप से क्या है
(C) एक स्टाइप्युलेटिव परिभाषा जानकारीपूर्ण है और निर्देश नहीं है
(D) संख्या को "googol" नाम देना एक स्टाइपुलेशन है

(a) केवल (A) और (C)
(b) केवल (B) और (C)
(c) केवल (C) और (D)
(d) केवल (B) और (D)

12. एक भ्रांति जिसमें किसी प्रतिद्वंद्वी की स्थिति को वास्तव में जो दावा किया गया था उससे अधिक चरम या अनुचित होने के रूप में दर्शाया गया है, वह भ्रांति है- *(7 जनवरी 2025 - शिफ्ट 1)*
(a) दया की अपील (b) स्ट्रॉमैन
(c) रेड हेरिंग (d) जनता से अपील

13. तर्कशास्त्री मुख्य रूप से निम्नलिखित में रुचि रखते हैं: *(3 जनवरी 2025 - शिफ्ट 1)*
(a) भावात्मक भाषा
(b) काव्यात्मक भाषा
(c) सूचनात्मक भाषा
(d) निर्देशात्मक भाषा

14. निम्नलिखित में आकृति को पहचानें: *(3 जनवरी 2025 - शिफ्ट 1)*
"सभी कलाकार अहंकारी होते हैं कुछ कलाकार दरिद्र होते हैं इसलिए, कुछ दरिद्र अहंकारी होते हैं"।
कोड:
(a) पहली आकृति (b) दूसरी आकृति
(c) तीसरी आकृति (d) चौथी आकृति

15. शास्त्रीय भारतीय दर्शन के अनुसार किसी वस्तु के संज्ञान पर आधारित ज्ञान का स्रोत, जो किसी अन्य वस्तु के समान होता है जो जानने वाले को पहले से ही ज्ञात होता है, उसे कहा जाता है: *(4 सितम्बर 2024 - शिफ्ट 2)*
(a) सबदा (b) प्रत्यक्ष
(c) अनुमान (d) उपमाना

16. निम्नलिखित में से कौन-सा प्रस्ताव "सभी बिल्लियाँ मांसाहारी हैं" के विरोधाभासी है? *(3 सितम्बर 2024 - शिफ्ट 2)*
(a) कुछ बिल्लियाँ मांसाहारी नहीं हैं
(b) कुछ बिल्लियाँ मांसाहारी हैं
(c) कोई बिल्लियाँ मांसाहारी नहीं हैं
(d) कोई मांसाहारी बिल्लियाँ नहीं हैं

17. "बेशक, गर्भपात कानूनी होना चाहिए। आखिरकार, एक महिला को अपने शरीर के साथ जो चाहे करने की आजादी होनी चाहिए।" इस कथन में की गई भ्रांति को पहचानें: *(3 सितम्बर 2024 - शिफ्ट 2)*
(a) रचना की भ्रान्ति
(b) जटिल प्रश्न
(c) प्रश्न पूछना
(d) जल्दबाजी में सामान्यीकरण

18. निम्नलिखित शब्दों को बढ़ते अमूर्तता के क्रम में व्यवस्थित करें: *(2 सितम्बर 2024 - शिफ्ट 2)*
(A) मिश्र धातु (B) धातु
(C) स्टील (D) खनिज
(a) (C), (B), (D), (A)
(b) (C), (A), (B), (D)
(c) (C), (A), (D), (B)
(d) (D), (B), (A), (C)

19. निम्नलिखित कथन में कौन-सी अनौपचारिक भ्रांति की गई है "प्रसिद्ध अभिनेता जिमी पेकर ने एक साक्षात्कार में कहा है कि ज्योतिष एक वास्तविक विज्ञान है, इसलिए वैज्ञानिकों को अब यह स्वीकार करना होगा कि ज्योतिष वास्तव में एक विज्ञान है।" *(2 सितम्बर 2024 - शिफ्ट 1)*
(a) अनुपयुक्त प्राधिकारी से अपील
(b) रेड हेरिंग
(c) स्ट्रॉमैन
(d) अज्ञानता से अपील

20. निम्नलिखित कथनों में से कौन-सा सत्य हैं? *(30 अगस्त 2024 - शिफ्ट 2)*
(A) प्रस्ताव या कथन सत्य या असत्य हो सकते हैं।
(B) प्रस्ताव मान्य या अमान्य हो सकते हैं।
(C) एक मान्य तर्क में केवल सत्य आधार होना चाहिए।
(D) एक मान्य तर्क का निष्कर्ष सत्य होना चाहिए।
(E) एक मान्य तर्क में, यदि इसका आधार सत्य है, तो निष्कर्ष असत्य नहीं हो सकता।
(a) (A), (E) (b) (C), (D), (E)
(c) (D), (E) (d) (A), (B), (C), (D)

21. कॉलम का मिलान कीजिए: *(30 अगस्त 2024 - शिफ्ट 2)*

सूची-I	सूची-II
A. उपनय	I. जो भी मनुष्य है वह पाइथागोरस के समान नश्वर है
B. निगमन	II. सुकरात नश्वर है
C. उदाहरण	III. सुकरात एक व्यक्ति है जो निरपवाद रूप से नश्वर है
D. प्रतिज्ञा	IV. इसलिए सुकरात नश्वर है

(a) (A)-(II), (B)-(IV), (C)-(I), (D)-(III)
(b) (A)-(III), (B)-(IV), (C)-(I), (D)-(II)
(c) (A)-(III), (B)-(I), (C)-(IV), (D)-(II)
(d) (A)-(III), (B)-(II), (C)-(IV), (D)-(I)

22. निम्नलिखित में से कौन-से कथन सत्य हैं? *(29 अगस्त **2024** - शिफ्ट 2)*

(A) एक युक्ति ठोस है जब यह मान्य हो और केवल दो आधारिकाएं रखती हो।
(B) किसी युक्ति में उसके निष्कर्ष का सत्य स्वयं इसकी वैधता निर्धारित करता है।
(C) कुछ वैध युक्तियों की आधारिकाएं असत्य और निष्कर्ष सत्य होते हैं।
(D) कुछ अवैध युक्तियों की आधारिकाएं असत्य और निष्कर्ष सत्य होते हैं।

(a) (A), (C), (D) (b) (A), (B), (C)
(c) (B), (C) (d) (A), (B), (D)

23. न्याय तर्कशास्त्र के अनुसार निम्नलिखित में से कौन-सा कथन तर्क भ्रांति हैं क्योंकि इसमें गैर-आनुमानिक व्याघाती मध्य पद है: *(29 अगस्त **2024** - शिफ्ट 2)*

(a) पहाड़ी पर आग है क्योंकि यह ज्ञेय है।
(b) आग शीतल है क्योंकि यह एक पदार्थ है।
(c) सभी वस्तुएं गैर-शाश्वत हैं क्योंकि वे ज्ञेय हैं।
(d) ध्वनि शाश्वत है क्योंकि यह श्रव्य है।

24. न्यायदर्शन के अनुसार धुएँ के प्रत्यक्षबोध से आग का अर्थ लगाने के लिए आनुमानिक प्रक्रिया में निम्नलिखित किन कथनों को शामिल किया जाता हैं? *(28 अगस्त **2024** - शिफ्ट 2)*

(A) पहाड़ी पर आग है (प्रतिज्ञा वाक्य)
(B) क्योंकि इसमें धुआँ है (हेतु)
(C) जहाँ कहीं भी आग होती है, धुआँ होता है जैसे कि रसोईघर में (उदाहरण)
(D) वह पहाड़ी जो धुआँ युक्त हैं, इस अवश्य आग भी होनी चाहिए (उपनय)
(E) इसलिए पहाड़ी पर आग है (निगमन)

(a) (A), (B), (C) (b) (A), (B), (D), (E)
(c) (C), (D), (E) (d) (A), (B)

25. निम्नलिखित से क्या सही अनुमान लगाया जा सकता है? "कोई भी संगीतकार यूनानी नहीं हैं। सभी व्यापारी संगीतकार हैं। इसलिए, कोई भी व्यापारी यूनानी नहीं हैं" *(23 अगस्त **2024** - शिफ्ट 1)*

(A) यह सिलोजिस्टिक तर्क के चित्र II का प्रतिनिधित्व करता है
(B) यह एक ईएई मूड है
(C) 'ग्रीक' शब्द प्रमुख शब्द है
(D) निष्कर्ष का लघु पद वितरित है
(E) मध्य पद अवितरित है

(a) (A), (B), (C) (b) (B), (C), (D)
(c) (D), (E) (d) (A), (C), (E)

26. न्याय के न्यायशास्त्र के आलोक में निम्नलिखित में से कौन-सा सही है? *(22 अगस्त **2024** - शिफ्ट 2)*

(A) 'साध्य' प्रमुख शब्द है (B) 'लिंग' लघु शब्द है
(C) 'हेतु' मध्य पद है
(D) 'पक्ष' लघु शब्द है
(E) 'अनुमान' अनुमानात्मकज्ञान है

(a) (A), (B), (C) (b) (A), (C), (D), (E)
(c) (B), (D) (d) (B), (D), (E)

27. सूची-I का सूची-II से मिलान करें: *(22 अगस्त **2024** - शिफ्ट 1)*

सूची-I	सूची-II
A. कथन	I. किसी तर्क में एक कथन जिसे साबित करने का परिसर द्वारा समर्थित
B. आधार	II. एक वाक्य जिसे सत्य या असत्य के रूप में देखा जा सकता है
C. निष्कर्ष	III. किसी अन्य को साबित करने या समर्थन करने के उद्देश्य से कथनों का समूह कथन
D. तर्क	IV. कारण कि हमें दूसरे कथन या निष्कर्ष को क्यों स्वीकार करना चाहिए

(a) (A)-(III), (B)-(I), (C)-(II), (D)-(IV)
(b) (A)-(II), (B)-(IV), (C)-(I), (D)-(III)
(c) (A)-(IV), (B)-(I), (C)-(II), (D)-(III)
(d) (A)-(II), (B)-(III), (C)-(IV), (D)-(I)

28. निम्नलिखित से क्या अनुमान लगाया जा सकता है? *(22 अगस्त **2024** - शिफ्ट 1)*

"क्योंकि $x = 3$ और $y = 5$, तो $x + y = 8$"
यह एक है:

(a) विलोपन पर आधारित निगमनात्मक तर्क
(b) गणित पर आधारित निगमनात्मक तर्क
(c) प्राधिकरण से आगमनात्मक तर्क
(d) दान के सिद्धांत से आगमनात्मक तर्क

29. निम्नलिखित में से कौन-सा तर्क भ्रामक है क्योंकि प्रमुख पद सर्वव्यापी है और मध्य पद सर्वसमावेशी है? *(21 अगस्त **2024** - शिफ्ट 2)*

(a) आकाश-कमल सुगंधित है क्योंकि वह कमल है।
(b) सुकरात अमर हैं क्योंकि उनकी मृत्यु बहुत पहले हो गई थी।
(c) ध्वनि शाश्वत है क्योंकि वह श्रव्य है।
(d) हर चीज नाम देने योग्य है क्योंकि वह जानने योग्य है।

30. क्लासिकल इंडियन स्कूल ऑफ लॉजिक (न्याय) के अनुसार कौन सी भ्रांति निम्नलिखित तर्क में की गई है "जो कुछ भी सोचने योग्य है वह नाम देने योग्य है क्योंकि वह सोचने योग्य है।" *(21 अगस्त **2024** - शिफ्ट 1)*

(a) असाधारण (b) साधारण
(c) आश्रयसिद्ध (d) स्वरूपसिद्ध

31. निम्नलिखित को बढ़ते गुणार्थ के क्रम में व्यवस्थित कीजिए: *(18 जून **2024** - शिफ्ट 2)*

(A) घरेलू पशु (B) पशु
(C) घोड़ा (D) भार ढोने वाला पशु

नीचे दिए गए विकल्पों में से सही उत्तर का चयन कीजिए:
(a) (C), (D), (B), (A)
(b) B, (A), (C), (D)
(c) (B), (A), (D), (C)
(d) (C), (D), (A), (B)

32. निम्नलिखित कथन में कौन-सा भ्रांति निहित है? "कि फ्लू से पीड़ित लोगों को क्वारंटाइन में रखना चाहिए, क्योंकि इसे कभी भी रोग को फैलने से रोकने वाले साधन के रूप में असिद्ध नहीं किया गया है।" *(18 जून **2024** - शिफ्ट 1)*
(a) पराज्ञानमुलक युक्ति
(b) अविचारित सामान्यीकरण
(c) फिसलन युक्त ढलान
(d) मिथ्या कारण

33. निम्नलिखित में से कौन-सा कथन तार्किक रूप से इस कथन के समतुल्य है - "सभी आयत बहुभुज हैं"? *(14 दिसम्बर **2023** - शिफ्ट 1)*
(a) कुछ आयत बहुभुज हैं।
(b) कोई भी आयत गैर-बहुभुज नहीं है।
(c) कोई भी गैर-आयत गैर-बहुभुज नहीं है।
(d) सभी गैर-बहुभुज आयताकार हैं।

34. **कथन I:** आगमनात्मक तर्क केवल मजबूत या कमजोर हो सकते हैं।
कथन II: निगमनात्मक तर्क या तो अमान्य हैं या मान्य हैं। *(13 दिसम्बर **2023** - शिफ्ट 2)*
(a) कथन I और कथन II दोनों सत्य हैं।
(b) कथन I और कथन II दोनों असत्य हैं।
(c) कथन I सत्य है लेकिन कथन II असत्य है
(d) कथन I असत्य है लेकिन कथन II सत्य है

35. आगमनात्मक तर्क के आलोक में निम्नलिखित में से कौन-सा गलत है? *(11 दिसम्बर **2023** - शिफ्ट 2)*
(A) यदि आधार सत्य है तो निष्कर्ष संभवत: सत्य है।
(B) निष्कर्ष संभवत: आधार से आता है।
(C) यह संभावना नहीं है कि आधार सत्य हो और निष्कर्ष असत्य हो।
(D) सभी आधार का सत्य होना और निष्कर्ष का असत्य होना असंभव है।

(a) केवल (A) और (B)
(b) केवल (B) और (C)
(c) केवल (C) और (D)
(d) केवल (D)

36. "कोई भी यह साबित नहीं कर पाया है कि आर्कटिक क्षेत्र में ग्लेशियर ग्लोबल वार्मिंग के कारण पिघल रहे हैं। इसलिए, आर्कटिक क्षेत्र में ग्लेशियर अपने आप पिघल रहे होंगे।" उपरोक्त कथन में कौन-सी भ्रांति की गई है? *(11 दिसम्बर **2023** - शिफ्ट 1)*
(a) दुर्घटना का भ्रम
(b) फिसलनदार ढलान
(c) जल्दबाजी में सामान्यीकरण
(d) अज्ञानता से अपील

37. निम्नलिखित में से किसे घटते अर्थ के क्रम में व्यवस्थित किया गया है? *(8 दिसम्बर **2023** - शिफ्ट 2)*
(a) वाद्ययंत्र, संगीत वाद्ययंत्र, तार वाद्ययंत्र, वायलिन
(b) वायलिन, संगीत वाद्य, तार वाद्य, वाद्य यंत्र
(c) वायलिन, तार वाद्य, वाद्य यंत्र, वाद्य यंत्र
(d) वाद्ययंत्र, तार वाद्ययंत्र, संगीत वाद्ययंत्र, वायलिन

38. विपक्ष के वर्ग के अनुसार, यदि कथन - "सभी वानर स्तनधारी हैं" को सत्य माना जाता है, तो निम्नलिखित में से कौन-सा कथन तुरंत सही हो सकता है असत्य होने का अनुमान लगाया गया? *(6 दिसम्बर **2023** - शिफ्ट 2)*
(A) कोई भी वानर स्तनधारी नहीं है।
(B) कुछ वानर स्तनधारी हैं।
(C) कुछ स्तनधारी वानर हैं।
(D) कुछ वानर स्तनधारी नहीं हैं।

(a) केवल (A) (b) केवल (D)
(c) केवल (A) और (D) (d) केवल (A), (C) और (D)

39. निम्न में से किन युक्तियों में अनियमित मध्य पद का तर्कदोष है? *(20 जून **2023** - शिफ्ट 1)*
(A) ध्वनि गुण है क्योंकि वह दृश्य है।
(B) ध्वनि शाश्वत है क्योंकि वह श्रव्य है।
(C) ध्वनि शाश्वत है क्योंकि वह उत्पादित होती है।
(D) सभी वस्तुएँ गैर-शाश्वत हैं क्योंकि वे ज्ञेय होती है।

40. निम्नलिखित शब्द-समहों को वस्त्वर्थ के अवरोही क्रम में व्यवस्थित कीजिए: *(19 जून **2023** - शिफ्ट 2)*
(A) स्तनपायी (B) बनबिलाव
(C) विडाल (D) कमेरकी
(E) कशेरुक

(a) (A), (B), (C) (b) (B), (D)
(c) (B), (C) (d) (A), (B), (D)

41. निम्नलिखित कथन में कौन-सा भ्रांति दर्शाया गया है: "ऐसे ज्ञान जैसी कोई वस्तु नहीं होती है जिसे व्यवहार में नहीं लाया जा सकता है क्योंकि ऐसा ज्ञान वास्तव में ज्ञान ही नहीं होता"? *(19 जून **2023** - शिफ्ट 2)*
(a) प्रश्न पूछना
(b) जल्दबाजी में सामान्यीकरण
(c) रेड हेरिंग
(d) फिसलन ढलान

42. **अभिकथन A:** पहाड़ी पर आग है क्योंकि यह ज्ञेय हैं, यह युक्ति भारतीय शास्त्रीय न्यायमत के अनुसार दोषपूर्ण है।
कारण R: पहाड़ी पर आग है क्योंकि यह शेय हैं, इस युक्ति में मध्य पद अतिव्याप्त है और इस नियम का उल्लंघन करता है कि निषेधात्मक दृष्टांतों में मध्य पद नहीं उपस्थित होना चाहिए। *(17 जून **2023** - शिफ्ट 2)*
(a) A और R दोनों सत्य हैं और R, A की सही व्याख्या है
(b) A और R दोनों सत्य हैं और R, A का सही स्पष्टीकरण नहीं है

(c) A सत्य है लेकिन R सत्य नहीं है

(d) A सत्य नहीं है लेकिन R सत्य है

43. निम्नलिखित में से कौन कौन-से कथन आपस में इस प्रकार संबंधित हैं कि यदि एक सत्य हो तो दूसरा अवश्य असत्य होगा यद्यपि दोनों असत्य हो सकते हैं? *(16 जून 2023 - शिफ्ट 2)*

(a) कुछ वयस्क दूर-दर्शी होते हैं।
(B) कोई भी वयस्क दूर-दर्शी नहीं होते हैं।
(C) सभी वयस्क दूर-दर्शी होते हैं।
(D) कुछ वयस्क दूर-दर्शी नहीं होते हैं।

(a) केवल (A) और (D)
(b) केवल (C) और (D)
(c) केवल (A) और (B)
(d) केवल (B) और (C)

44. यदि कथन "कुछ ट्रक प्रदूषण करने वाले वाहन होते है" सत्य है तो निम्नलिखित में से किन कथनों के असत्य होने का तुरंत अनुमान लगाया जा सकता है। *(16 जून 2023 - शिफ्ट 2)*

(A) सभी ट्रक प्रदूषणकारी वाहन होते हैं।
(B) कुछ ट्रक गैर-प्रदूषणकारी वाहन होते हैं।
(C) कुछ ट्रक प्रदूषणकारी वाहन नहीं होते हैं।
(D) कोई भी ट्रक प्रदूषणकारी वाहन नहीं होते हैं।

(a) केवल (C), (D) (b) केवल (B), (C)
(c) केवल (D) (d) केवल (B), (C), (D)

45. निम्नलिखित में से कौन-से कथन एक दूसरे के विपरीत हैं? *(16 जून 2023 - शिफ्ट 1)*

(A) सभी फिल्में थ्रिलर हैं
(B) कुछ फिल्में थ्रिलर नहीं हैं
(C) कोई भी फिल्म थ्रिलर नहीं है।
(D) कुछ फिल्में थ्रिलर हैं।

(a) केवल (A), (C) (b) केवल (B), (C)
(c) केवल (A), (D) (d) केवल (C), (D)

46. शास्त्रीय (क्लासिकी) भारतीय तर्कमत के अनुसार निम्नलिखित कथन में कौन-सी भ्रांति है? - "अग्नि शाश्वत है, क्योंकि यह उत्पन्न की जाती है" *(15 जून 2023 - शिफ्ट 2)*

(a) विरुद्ध (b) साधारण
(c) बाधित (d) अनुपसम्हारी

47. निम्नलिखित में से कौन-से कथन इस प्रकार संबंधित हैं कि वे दोनों असत्य नहीं हो सकते, यद्यपि वे दोनों सत्य हो सकते हैं? *(15 जून 2023 - शिफ्ट 1)*

(A) कुछ संत भौतिकतावादी हैं।
(B) सभी संत भौतिकतावादी हैं।
(C) कोई भी संत भौतिकतावादी नहीं है।
(D) कुछ संत भौतिकतावादी नहीं हैं।

(a) केवल (A) और (C) (b) केवल (A) और (D)
(c) केवल (C) और (D) (d) केवल (B) और (D)

48. सूची-I का सूची-II से मिलान करें: *(13 जून 2023 - शिफ्ट 2)*

सूची-I	सूची-II
A. आश्रयसिद्ध	I. ध्वनि शाश्वत है क्योंकि यह श्रव्य है
B. व्याप्तत्वसिद्ध	II. आकाश कमल सुंगधित है क्योंकि यह झील के कमल के समान कमल है
C. स्वरूपसिद्ध	III. जहां आग है वहां धुआं है
D. असाधारण सव्यभिचार:	IV. सूद एक गुण है क्योंकि यह दृश्यमान है

(a) (A)-(IV), (B)-(I), (C)-(II), (D)-(III)
(b) (A)-(I), (B)-(II), (C)-(III), (D)-(IV)
(c) (A)-(III), (B)-(II), (C)-(I), (D)-(IV)
(d) (A)-(II), (B)-(III), (C)-(IV), (D)-(I)

49. भारतीय शास्त्रीय तर्क मत के अनुसार निम्नलिखित में से किस अनुमान में मध्य पद सकारात्मक एवं नकारात्मक दोनों प्रकार से मुख्यपद से संबंधित है? *(14 मार्च 2023 - शिफ्ट 2)*

(a) केवलव्यतिरेकी (b) केवलान्वयी
(c) अन्वयव्यतिरेकी (d) सतप्रति पक्ष

50. निम्नलिखित कथन में कौन-सा अनाकारिक भ्रांति है - "प्रसिद्ध गायक श्री शांतानु ने कहा कि A, B, C दंतमंजन हमारी प्रतिरक्षा को बढ़ाता है, इसलिए हमें A, B, C दंतमंजन खरीदना चाहिए।"? *(14 मार्च 2023 - शिफ्ट 2)*

(a) पराज्ञानमूलक युक्ति
(b) रेड हेरिंग
(c) स्ट्रामैन (घास का पुतला)
(d) अनुपयुक्त प्राधिकार आग्रह

51. भारतीय शास्त्रीय तर्कमत के अनुसार वह ज्ञान जो तुलना से व्युत्पन्न होता है और जो लगभग सादृश्यानुमान के अनुरूप होता है, वह कहलाता है: *(11 मार्च 2023 - शिफ्ट 2)*

(a) अर्थापत्ति (b) अनुमान
(c) उपमान (d) अनुपलब्धि

52. भारतीय शास्त्रीय (न्याय) तर्क मत के अनुसार अनुमान के किस चरण में मुख्य पद (साध्य), मध्य पद (हेतु और लघुपद (पक्ष) का संश्लेषण सम्मिलित होता है? *(5 मार्च 2023 - शिफ्ट 2)*

(a) हेरा क्लिटस नश्वर है।
(b) क्योंकि वह एक मनुष्य है।
(c) जो भी मनुष्य है, वह नश्वर है, जैसे पर्मानिडीस।
(d) हेरा क्लिटस एक मनुष्य है जो कि निरपवाद रूप से नश्वर है।

53. यदि कथन 'कुछ क्रिकेट खिलाड़ी गेंदबाज नहीं हैं' को असत्य दिया गया है, तो निम्नलिखित में कौन-से कथन के तात्कालिक रूप से असत्य होने का अनुमान किया जा सकता है? *(5 मार्च 2023 - शिफ्ट 2)*

(a) कुछ गेंदबाज क्रिकेट खिलाड़ी हैं।
(b) कुछ क्रिकेट खिलाड़ी गेंदबाज हैं।
(c) सभी क्रिकेट खिलाड़ी गेंदबाज हैं।
(d) कोई भी क्रिकेट खिलाड़ी गेंदबाज नहीं है।

54. "मैरी कॉम के प्रशिक्षकों का कहना है कि उसके पास मुक्केबाजी की वास्तविक प्रतिभा है क्योंकि उसका कौशल ईश्वरीय देन है, अत: वह इसके हेतु किसी भी श्रेय की पात्र नहीं है।" उपरोक्त कथन में कौन-सा अनाकारिक तार्किक दोष है?

(5 मार्च 2023 - शिफ्ट 2)

(a) प्राधिकार आग्रह (b) रेड हेरिंग
(c) अनेकार्थकता (d) आत्माश्रयता

55. निम्नलिखित में कौन-सी प्रतिज्ञप्ति "सभी मेढक उभयचर हैं" प्रतिज्ञप्ति तर्कवाक्य से तार्किक रुप में समतुल्य है?

(5 मार्च 2023 - शिफ्ट 1)

(a) कोई भी उभयचर गैर-मेढक नहीं होते हैं।
(b) कोई भी मेढक गैर-उभयचर नहीं होते है।
(c) कुछ उभयचर मेढक होते हैं।
(d) कुछ उभयचर मेढक नहीं होते हैं।

56. संख्या 3 एक अभाज्य संख्या है, इसी प्रकार संख्या 5 और 7 भी अभाज्य संख्या है। अत: यह स्पष्ट है किसकी विषम संख्याएं अभाज्य संख्या है। उपर्युक्त तर्क में कौन-सी भ्रांति है?

(4 मार्च 2023 - शिफ्ट 2)

(a) बिंदु से भटक जाना (अर्थान्तर भ्रांति)
(b) प्रतिज्ञानान्तर सिद्धि दोष निष्कर्ष
(c) अविचारित सामान्यीकरण
(d) फिसलन युक्त ढलान

57. "मैं जब कुछ मिनट पहले कार्यालय से गया था, तब मेरी मेज पर कोई कॉफी नहीं थी, लेकिन मैं अब लौटा हूँ, तो मेरी मेज पर एक कप कॉफी पड़ी हुई है। इसलिए, मैं निष्कर्ष निकाल सकता हूं कि कोई व्यक्ति कार्यालय में मेरी अनुपस्थिति के दौरान मेरे लिये एक कप कॉफी लाया होगा।" उपर्युक्त उदाहरण में निम्नलिखित में से ज्ञान के किस साधन का उपयोग किया गया है?

(3 मार्च 2023 - शिफ्ट 2)

(a) धारणा (प्रत्यक्ष)
(b) अभिधारणा (अर्थपत्ति)
(c) समानता (उपमान)
(d) अनुपलब्धि

58. निम्नलिखित में से कौनसी युक्ति स्वरूपसिद्ध भ्रांति का एक उदाहरण है? *(1 मार्च 2023 - शिफ्ट 2)*

(a) आकाश-कमल सुगंधित है क्योंकि यह झील के एक कमल के समान एक कमल है।
(b) ध्वनि शाश्वत है क्योंकि यह उत्पन्न की जाती है।
(c) ध्वनि गुण है क्योंकि यह दृश्यमान है।
(d) अग्नि शीत है क्योंकि यह एक द्रव्य (substance) है।

59. निम्नलिखित युक्ति में कौन-सा भ्रांति किया गया है? "मैंने जब आपको बुलाया तो आप न तो अपनी कक्षा में थे, न ही आप प्रयोगशाला में थे। आप मुझसे क्यों बच रहे हैं?

(1 मार्च 2023 - शिफ्ट 1)

(a) चक्रकार युक्ति-दोष (b) रेड हेरिंग
(c) छल प्रश्न तर्क-दोष (d) फिसलनयुक्त ढलान

60. निम्नलिखित कथन किस प्रकार के भ्रांति का एक उदाहरण है- "हाथी उष्णकटिबंधीय जलवायु में पाए जाते हैं क्योंकि वहां वनस्पति (पेड़-पौधों) की प्रचुरता है। संभवत: इसलिए हम शिकागो चिड़ियाघर में कोई भी हाथी नहीं देख पाएंगे।"

(28 फरवरी 2023 - शिफ्ट 2)

(a) रेड हेरिंग (b) अविचारी सामान्यीकरण
(c) उपलक्षण भ्रांति (d) प्राधिकार आग्रह

61. सूची-I का सूची-II से मिलान करें:

(28 फरवरी 2023 - शिफ्ट 1)

सूची-I (वक्तव्य)	सूची-II (तार्किक समतुल्य)
A. कोई भी मछलियाँ स्तनधारी नहीं हैं।	I. कोई भी मछली गैर-स्तनधारी नहीं हैं।
B. सभी मछलियाँ स्तनधारी हैं	II. कोई स्तनधारी मछलियाँ नहीं है।
C. कुछ मछलियाँ स्तनधारी हैं।	III. कुछ स्तनधारी मछलियाँ नहीं है।
D. कुछ स्तनधारी मछलियाँ नहीं है।	IV. कुछ स्तनधारी मछलियाँ है।

(a) (A)-(IV), (B)-(I), (C)-(III), (D)-(II)
(b) (A)-(III), (B)-(II), (C)-(IV), (D)-(I)
(c) (A)-(II), (B)-(I), (C)-(IV), (D)-(III)
(d) (A)-(III), (B)-(II), (C)-(IV), (D)-(I)

62. सूची-I का सूची-II से मिलान करें:

(12 अक्टूबर 2022 - शिफ्ट 1)

सूची-I	सूची-II
A. भ्रम जो डराने-धमकाने के गैर-तर्कसंगत तरीकों की अपील के कारण होता है	I. आर्गुमेंटम एड होमिनेम
B. भ्रम जो तब होता है जब एक तर्क व्यक्ति के चरित्र के लिए अपील करता है	II. दुर्घटना भ्रम
C. भ्रम जो तब होता है जब एक तर्क भावनात्मक "गैलरी के लिए अपील" के रूप में होता है	III. आर्गुमेंटम एड पॉपुलम
D. भ्रम जो तब होता है जब एक सामान्य नियम उस मामले में लागू होता है जिसमें नियम लागू नहीं होता है	IV. आर्गुमेंटम एड बकुलम (बल)

(a) (A)-(I), (B)-(II), (C)-(III), (D)-(IV)
(b) (A)-(III), (B)-(II), (C)-(I), (D)-(IV)
(c) (A)-(II), (B)-(IV), (C)-(I), (D)-(III)
(d) (A)-(IV), (B)-(I), (C)-(III), (D)-(II)

63. निम्नांकित में से कौन-से कथन तार्किक दृष्टि से समतुल्य हैं?
*(11 अक्टूबर **2022** - शिफ्ट 2)*

(a) कोई S, P नहीं होता है।
(B) कोई P, S नहीं होता है।
(C) सभी S, गैर-P होतें हैं।
(D) सभी गैर-P, गैर-S होते हैं।
(E) कोई भी S, गैर-P नहीं होता हैं।

(a) केवल (A), (C) और (D)
(b) केवल (A), (B) और (C)
(c) केवल (B), (C) और (D)
(d) केवल (A), (B), (C) और (D)

64. निम्नांकित में से कौन-से कथन उप-विपरीतार्थक हैं?
*(11 अक्टूबर **2022** - शिफ्ट 2)*

(A) सभी नर्स देख-रेख करने वाली मानव होती हैं।
(B) कोई भी नर्स देख-रेख करने वाली मानव नहीं होती है।
(C) कुछ नर्स देख-रेख करने वाली मानव होती हैं।
(D) कुछ नर्स देख-रेख करने वाली मानव नहीं होती हैं।

(a) केवल (A) और (B) (b) केवल (A) और (D)
(c) केवल (B) और (C) (d) केवल (C) और (D)

65. निम्नलिखित युक्ति में कौन-सा अनाकारिक भ्रांति किया गया हैं : "गणित के शिक्षक ने कहा कि परीक्षा के दौरान कोई बातचीत नहीं की जाएगी। इसलिए यह उचित हैं कि बीमार महसूस करने पर चांदनी द्वारा शौचालय जाने के लिए पूछने पर उसके अंक घटा दिए गए।"
*(10 अक्टूबर **2022** - शिफ्ट 2)*

(a) बल आग्रह (b) मनोभाव आग्रह
(c) प्राधिकार आग्रह (d) उपाधि भ्रम

66. **कथन I:** यदि निगमनात्मक तर्क वैध है और उसके आधार-वाक्य सत्य हैं, हम कहतें हैं कि तर्क ध्वनि हैं।
कथन II: यदि प्रेरित तर्क संगत है और उसके आधार-वाक्य सत्य हैं, हम कहतें हैं कि यह अकाट्य है।
*(10 अक्टूबर **2022** - शिफ्ट 1)*

(a) कथन I और कथन II दोनों सत्य हैं।
(b) कथन I और कथन II दोनों असत्य हैं।
(c) कथन I सत्य है लेकिन कथन II असत्य है
(d) कथन I असत्य है लेकिन कथन II सत्य है

67. न्याय न्यायवाक्य में सभी तीन पद अनुमान प्रक्रिया के निम्नलिखित में से किस चरण में संश्लेषित हैं? *(8 अक्टूबर **2022** - शिफ्ट 1)*

(a) उदाहरण (उदाहरणा) (b) निष्कर्ष (निगमना)
(c) आवेदन (उपनय) (d) कारण (हेतु)

68. यदि कथन 'सभी महिलाएं ईमानदार हैं' को सत्य मान लिया जाता है, तो निम्नलिखित में से कौन-सा कथन इससे निकाला जा सकता है?
*(8 अक्टूबर **2022** - शिफ्ट 1)*

(A) कोई महिला ईमानदार नहीं है असत्य है।
(B) कुछ महिलाएं ईमानदार हैं सत्य है।
(C) कोई महिला ईमानदार नहीं है यह निर्धारित नहीं है।
(D) कुछ महिलाएं ईमानदार नहीं हैं असत्य हैं।

(a) केवल (A), (B), (D)
(b) केवल (B), (D)
(c) केवल (B), (C), (D)
(d) केवल (C), (D)

69. "जब मैंने अपनी आंखें मूंद ली तो बिछी मेज पर बैठी थीं। जब मैंने आखें खोली तो मैंने पाया कि बिछी कुर्सी पर बैठी है। अत: मैं इस निष्कर्ष पर पहुच सकता हूँ कि जब मैंनें अपनी आंखें बंद की थीं तो उस समय में बिछी मेज से चलकर कुर्सी पर बैठ गई होगी। शास्त्रीय भारतीय दर्शन के अनुसार उपर्यक्त तर्क में ज्ञान के किस साधन का प्रयोग किया गया है? *(30 सितम्बर **2022** - शिफ्ट 2)*

(a) प्रत्यक्ष (b) उपमान
(c) अनुपलब्धि (d) अर्थापत्ति

70. एक बुद्धिमान संत का कथन है: "ज्ञान की भूख को दर करना भोजन की भूख को दूर करने से अधिक कठिन है इसलिए व्यक्ति को भोजन पर अधिक ध्यान देना चाहिए" इस तर्क में कौन-सी भ्रांति है?
*(30 सितम्बर **2022** - शिफ्ट 1)*

(a) प्रश्न का अनुरोध करना
(b) असत्य दन्द
(c) इग्नोरेशियो एलेन्ची (असंगत निष्कर्ष)
(d) आवेग आग्रह

71. निम्नलिखित में से किस प्रकार के श्रेणी बद्ध प्रस्तावों के लिए रूपांतरण मान्य है? *(29 सितम्बर **2022** - शिफ्ट 2)*

(A) कुछ S, P है (B) कुछ S, P नहीं है
(C) कोई S, P नहीं है (D) सभी S, P है

(a) केवल (A), (B), (C), (D)
(b) केवल (A), (C) और (D)
(c) केवल (B), (C) और (D)
(d) केवल (A), (B) और (D)

72. एक अमेरीकी को उसके मित्र द्वारा बताया गया कि एक एशियाई भैंस इन सन्दर्भ में बाइसन (BISON) की तरह होता हैं। जब इस अमेरीकी ने एशिया की यात्रा की और वह भैंस के सम्मुख आया तो उसे यह पता चला कि उसने जिस प्राणी को देखा, वह भैंस है। निम्नलिखित में से किस ज्ञान माध्यम (प्रमाण) का इस्तेमाल उसके द्वारा उस समय किया गया?
*(29 सितम्बर **2022** - शिफ्ट 1)*

(a) अर्थपित्ती (b) उपमान
(c) प्रत्यक्ष (d) शब्द

73. कोई भ्रांति जिसमें निष्कर्ष को एक आधार वाक्य के रूप के अंतर्गत रेखांकित किया गया हो अथवा माना गया हो उसे विभिन्न प्रकारों से क्या कहा जाता है। *(29 सितम्बर **2022** - शिफ्ट 1)*

(A) पिटिशियों प्रिंसिपी (B) अप्रासंगिक निष्कर्ष
(C) आत्माश्रय निष्कर्ष (D) संयोजन की भ्रांति
(E) चक्रकार तर्क

(a) केवल (A), (D) और E
(b) केवल (D)
(c) केवल (B), (C) और E
(d) केवल (A)

74. "बेशक आप एक गोल्डन पीयर ब्रांड का फोन खरीदना चाहते हैं। गोल्डन पीयर फोन किसी के हाथ में अच्छे से बंद हो जाते हैं और बॉलीवुड के सभी सितारे इन दिनों उन्हें ले जाते हुए देखे जा सकते हैं":
उपरोक्त तर्क में कौन-सी भ्रांति है? *(5 जनवरी **2022** - शिफ्ट 1)*
(a) रेड हेरिंग
(b) दुर्घटना का भ्रम
(c) जबरदस्ती करने की अपील
(d) लोगों से अपील (Argumentum ad Populam)

75. **कथन I:** व्याप्ति (सार्वभौमिक संयोग का संबंध) केवल दो अलग-अलग वस्तुओं के बीच के संबंध को व्यक्त करता है।
कथन II: व्यप्ति व्यक्तियों के वर्गों के बीच संबंध को व्यक्त करता है। *(5 जनवरी **2022** - शिफ्ट 1)*
(a) कथन I और कथन II दोनों सत्य हैं।
(b) कथन I और कथन II दोनों असत्य हैं।
(c) कथन I सत्य है लेकिन कथन II असत्य है
(d) कथन I असत्य है लेकिन कथन II सत्य है

76. निम्नलिखित में से कौन अस्पष्टता की भ्रांति से संबंधित है? *(26 जनवरी **2021** - शिफ्ट 2)*
(a) इक्विवोकेशन
(b) स्ट्रॉमैन
(c) जल्दबाजी में सामान्यीकरण
(d) रेड हेरिंग

77. अनुमान के एक उदाहरण में कि 'सूर्य चलता है, अन्य चलती वस्तुओं की तरह उसकी स्थिति बदलती है' दर्शाता है- *(26 दिसम्बर **2021** - शिफ्ट 1)*
(a) पूर्ववत अनुमानः (b) सेसावत अनुमानः
(c) समन्यतोदृष्टाः (d) पक्षः

78. नीचे दिए गए विकल्पों में से, अनुमान के घटक भागों के संदर्भ में सही अनुक्रम चुनें- *(25 दिसम्बर **2021** - शिफ्ट 2)*
(a) हेतु, उदाहरण, निगमन, उपनय, प्रतिजना
(b) निगमन, हेतु, उदाहरण, उपनय, प्रतिजा
(c) प्रतिजी, हेतु, उपनय, उदाहरण, निगमन
(d) प्रतिजफिया, हेतु, उदाहरण, उपनय, निगमन

79. सूची-I का सूची-II से मिलान करें: *(25 दिसम्बर **2021** - शिफ्ट 2)*

सूची-I (प्रस्ताव)	सूची-II (विरोध का चौक)
A. यदि 'A' असत्य है	I. 'A' और 'I' असत्य हैं।
B. यदि 'E' सत्य है	II. 'E' असत्य है और 'I' असत्य हैं।
C. यदि 'I' असत्य है	III. 'E' और 'O' सत्य हैं।
D. यदि 'O' सत्य है	IV. 'E' और 'I' अनिश्चित हैं।

(a) (A)-(I), (B)-(II), (C)-(III), (D)-(IV)
(b) (A)-(II), (B)-(III), (C)-(IV), (D)-(I)
(c) (A)-(III), (B)-(I), (C)-(II), (D)-(IV)
(d) (A)-(IV), (B)-(I), (C)-(III), (D)-(II)

80. निम्नलिखित में से कौन भारतीय न्यायशास्त्रीय तर्क का घटक-सदस्य नहीं है? *(25 दिसम्बर **2021** - शिफ्ट 1)*
(a) उपनय (b) उदाहरणः
(c) संशय (d) हेतु

81. प्रस्ताव के विरोध के वर्ग में 'E' प्रस्ताव को सत्य और I को असत्य मानें और नीचे दिए गए विकल्पों में से सही उत्तर चुनें- *(25 दिसम्बर **2021** - शिफ्ट 1)*
(a) 'A' सत्य है; 'A' सत्य है
(b) '0' असत्य है; 'E' असत्य है
(c) 'I' असत्य है; 'E' सत्य है
(d) '0' अनिर्धारित है; '0' अनिश्चित है

82. सामाजिक दवा की सिफारिश नहीं की जाती है क्योंकि इससे चिकित्सा देखभाल की समग्र गुणवत्ता में कमी आएगी। इसके अलावा, यह संघीय खजाने को अच्छी तरह से दिवालिया कर सकता है। यह पूरा मामला सोशलाइज्ड मेडिसिन के खिलाफ है। उपरोक्त तर्क में निष्कर्ष क्या है? *(3 दिसम्बर **2021** - शिफ्ट 2)*
(a) सामाजिक दवा की सिफारिश नहीं की जाती है।
(b) सामाजिक चिकित्सा के परिणामस्वरूप चिकित्सा देखभाल की समग्र गुणवत्ता में कमी आएगी ।
(c) सामाजिक दवा संघीय खजाने को दिवालिया कर सकती है।
(d) सामाजिक चिकित्सा के खिलाफ भारी तर्क हैं।

83. **अभिकथन (A):** नैयायिकों के लिए तर्क औपचारिक नहीं है और अस्तित्व से अलग है।
कारण (R): तर्क में नैयायिका की दिलचस्पी मौजूदा दुनिया के बारे में सच्चाई का पता लगाने के लिए है, न कि केवल अपने लिए विचार के साधन को खोजने के लिए। *(3 दिसम्बर **2021** - शिफ्ट 2)*
(a) (A) और (R) दोनों सही हैं और (R) (A) की सही व्याख्या है
(b) (A) और (R) दोनों सही हैं और (R) (A) की सही व्याख्या नहीं है
(c) (A) सही है लेकिन (R) सही नहीं है
(d) (A) सही नहीं है लेकिन (R) सही है

84. न्याय प्रणाली के अनुसार अनुमान के सही क्रम को शुरू से अंत तक पहचानें। *(1 दिसम्बर **2021** - शिफ्ट 1)*
(A) उदाहरण (B) हेतु
(C) प्रतिज्ञा (D) निगमन
(E) उपनय
(a) (C), (A), (B), (D), (E) (b) (B), (A), (D), (C), (E)
(c) (B), (A), (C), (D), (E) (d) (C), (B), (A), (D), (E)

85. **कथन I:** समान विस्तार के दो पदों के बीच की व्याप्ति को सामव्याप्ति कहा जाता है।
कथन II: आग और धुएं के बीच का संबंध सामव्याप्ति का है। *(29 नवम्बर **2021** - शिफ्ट 1)*
(a) कथन I और कथन II दोनों सत्य हैं।
(b) कथन I और कथन II दोनों असत्य हैं।
(c) कथन I सत्य है लेकिन कथन II असत्य है
(d) कथन I असत्य है लेकिन कथन II सत्य है

86. .... सन्देश श्रोताओं के लिए प्राय: एक ही अर्थ रखते हैं- *(26 नवम्बर 2021 - शिफ्ट 1)*

(a) वस्तु अर्थक (b) जटिल

(c) गुणार्थक (d) अमूर्त

87. दिए गए तर्क का प्रतिनिधित्व करने के लिए सही विकल्प चुनें: *(24 नवम्बर 2021 - शिफ्ट 1)*

सभी कलाकार अहंकारी होते हैं। कुछ कलाकार दरिद्र होते हैं। इसलिए, कुछ दरिद्र अहंकारी होते हैं।

(a) चित्र I (b) चित्र II

(c) चित्र III (d) चित्र IV

88. सूची-I का सूची-II से मिलान करें: *(24 नवम्बर 2021 - शिफ्ट 1)*

सूची-I	सूची-II
A. आश्रयसिद्ध	I. ध्वनि शाश्वत है क्योंकि वह दृश्यमान है
B. स्वरूपसिद्ध	II. सभी वास्तविक क्षणिक हैं; ध्वनि वास्तविक है; ध्वनि क्षणिक है
C. व्याप्यत्वसिद्ध	III. सभी वस्तुएँ शाश्वत हैं क्योंकि वे जानने योग्य हैं
D. अनुपासमहरि	IV. आकाश कमल सुगंधित होता है क्योंकि यह कमल की श्रेणी का है

(a) (A)-(III), (B)-(II), (C)-(IV), (D)-(I)
(b) (A)-(II), (B)-(IV), (C)-(I), (D)-(III)
(c) (A)-(IV), (B)-(I), (C)-(II), (D)-(III)
(d) (A)-(I), (B)-(III), (C)-(II), (D)-(IV)

89. "जो कोई भी दूसरे व्यक्ति पर चाकू घोंपता है, उसे गिरफ्तार किया जाना चाहिए। ऑपरेशन करते समय सर्जन दूसरे व्यक्ति पर चाकू मारते हैं। इसलिए सर्जनों को गिरफ्तार किया जाना चाहिए"।
निम्नलिखित तर्क में कौन-सी भ्रांति है? *(22 नवम्बर 2021 - शिफ्ट 1)*

(a) जल्दबाजी में सामान्यीकरण
(b) दुर्घटना का भ्रम
(c) रेड हेरिंग
(d) अयोग्य प्राधिकारी से अपील

90. **कथन I:** न्यायदर्शन के अनुसार एक तर्क केवल उन मुद्दों पर आगे बढ़ता है जो पूरी तरह से अज्ञात हैं।
कथन II: न्यायदर्शन के अनुसार उन मुद्दों पर तर्क आगे नहीं बढ़ता है जो अच्छी तरह से स्थापित हैं। *(22 नवम्बर 2021 - शिफ्ट 1)*

(a) कथन I और कथन II दोनों सत्य हैं।
(b) कथन I और कथन II दोनों असत्य हैं।
(c) कथन I सत्य है लेकिन कथन II असत्य है
(d) कथन I असत्य है लेकिन कथन II सत्य है

91. कौन-सा वाक्य AEIO ढाँचा में उपयुक्त नहीं हो सकता है *(12 नवम्बर 2021 - शिफ्ट 1)*

(a) किसी नमक में आयोडिन नहीं होता है
(b) मेज पर रखे नमक में आयोडिन है
(c) सभी नमक में आयोडिन है
(d) कुछ नमक में आयोडिन है

92. "ईश्वर महान है क्योंकि वह महान कार्य करता है"। इस अनुमान में किस प्रकार की भ्रांति है? *(12 नवम्बर 2021 - शिफ्ट 1)*

(a) ऐड पॉपुलम
(b) संग्रह/संहति दोष
(c) विग्ह - दोष
(d) आत्माश्रय दोष

93. सार्वभौमिक नकारात्मक प्रतिज्ञाप्ति में, पदों को कैसे वितरित किया जाता है? निम्नलिखित में से सही विकल्प चुनिए, *(11 नवम्बर 2021 - शिफ्ट 1)*

(a) उद्देश्य पद वितरित होता है, विधेय पद अवितरित रहता है।
(b) उद्देश्य पद अवितरिति होता है, विधेय पद वितरित होता है।
(c) दोनों पद वितरित होते हैं।
(d) उद्देश्य और विधेय कोई भी पद वितरित नहीं होते।

94. नीचे दो प्रतिज्ञप्तियां दी गई हैं
सभी दार्शनिक दोषक्षम हैं।
हेगेल दोषक्षम नहीं है।
विरोध के कलासिकी वर्ग में इसके लिए, निम्नलिखित में से कौन-सा विकल्प सही है? *(5 नवम्बर 2021 - शिफ्ट 2)*

(a) विपरीत
(b) उपविपरीत
(c) व्याघाती
(d) उपाश्रयी (सबाल्टर्न)

95. सूची-I का सूची-II से मिलान करें: *(4 नवम्बर 2020 - शिफ्ट 1)*

सूची-I	सूची-II
A. असिधा	I. यहां मध्य पद का खंडन किया गया है
B. सव्यभिचार	II. यहां मध्य पद का खंडन किसी अन्य प्रमाण द्वारा किया गया है, अनुमान द्वारा नहीं
C. सतप्रतिपक्ष	III. यह अनियमित मध्य की भ्रान्ति है
D. बधिता	IV. यह अप्रमाणित मध्य की भ्रान्ति है

(a) (A)-(II), (B)-(I), (C)-(III), (D)-(IV)
(b) (A)-(III), (B)-(IV), (C)-(II), (D)-(I)
(c) (A)-(I), (B)-(II), (C)-(IV), (D)-(III)
(d) (A)-(IV), (B)-(III), (C)-(I), (D)-(II)

96. निम्नलिखित में से उन लोगों की पहचान करें जो अप्रमाणित मध्य की भ्रांति को दर्शाते हैं? *(17 अक्टूबर 2020 - शिफ्ट 1)*

(A) आश्रयसिद्ध (B) स्वरूपसिद्धि
(C) व्याप्यत्व सिद्ध (D) विरुद्ध
(E) बधिता

(a) (A), (B), (C) (b) (B), (C), (D)
(c) (A), (D), (E) (d) (A), (C), (D)

97. सूची-I का सूची-II से मिलान करें:

(9 अक्टूबर 2020 - शिफ्ट 1)

सूची-I	सूची-II
A. छिपकली : सरीसृप	I. स्केटिंग : रिंक
B. टेनिस : कोर्ट	II. रुधिर विज्ञान : रक्त
C. बैल : गाय	III. चील : पक्षी
D. वनस्पति विज्ञान : पौधा	IV. जादूगर : डायन

(a) (A)-(I), (B)-(III), (C)-(IV), (D)-(II)
(b) (A)-(II), (B)-(IV), (C)-(I), (D)-(III)
(c) (A)-(III), (B)-(I), (C)-(IV), (D)-(II)
(d) (A)-(IV), (B)-(III), (C)-(II), (D)-(I)

98. "मोटा कृष्णदत्त या तो दिन में खाता है अथवा रात में, मोटा कृष्णदत्त दिन में नहीं खाता, अत: मोटा कृष्णदत्त रात्रि में खाता है।" उपरोक्त उदाहरण किस प्रकार का निष्कर्ष है?

(9 अक्टूबर 2020 - शिफ्ट 1)

(a) तुलना (उपमना) (b) मौखिक गवाही (शब्द)
(c) निषेध (अनुपलब्धि) (d) निहितार्थ (अर्थपत्ति)

99. किसी तर्कवाक्य जिसमें विशेष विधेयात्मकता होती है, वह है -

(25 सितम्बर 2020 - शिफ्ट 2)

(a) उद्देश्य पद वितरित होता है परन्तु विधेय वितरित नहीं होता है।
(b) उद्देश्य और विधेय में कोई भी वितरित नहीं होता है।
(c) उद्देश्य और विधेय दोनों वितरित होते हैं।
(d) उद्देश्य वितरित नहीं होता है परन्तु विधेय वितरित होता है।

100. 'स्वर्ण पर्वत अग्निमय है क्योंकि यह धूम्रवान है':- इस अनुमान में कौन-सी भ्रांति है? *(25 सितम्बर 2020 - शिफ्ट 2)*

(a) आश्रया सिद्धि (b) स्वरूपा सिद्धि
(c) व्याप्त्वा सिद्धि (d) सव्यभिचार

उत्तर

1. (d)	**2.** (b)	**3.** (b)	**4.** (d)	**5.** (b)	**6.** (c)	**7.** (a)	**8.** (a)	**9.** (c)	**10.** (b)
11. (d)	**12.** (b)	**13.** (c)	**14.** (c)	**15.** (d)	**16.** (a)	**17.** (c)	**18.** (b)	**19.** (a)	**20.** (a)
21. (b)	**22.** (a)	**23.** (b)	**24.** (b)	**25.** (b)	**26.** (b)	**27.** (b)	**28.** (b)	**29.** (d)	**30.** (a)
31. (c)	**32.** (a)	**33.** (b)	**34.** (a)	**35.** (d)	**36.** (d)	**37.** (c)	**38.** (c)	**39.** (b)	**40.** (d)
41. (a)	**42.** (a)	**43.** (d)	**44.** (c)	**45.** (a)	**46.** (a)	**47.** (b)	**48.** (d)	**49.** (c)	**50.** (d)
51. (c)	**52.** (d)	**53.** (d)	**54.** (c)	**55.** (b)	**56.** (c)	**57.** (b)	**58.** (c)	**59.** (b)	**60.** (c)
61. (c)	**62.** (d)	**63.** (b)	**64.** (d)	**65.** (d)	**66.** (a)	**67.** (c)	**68.** (a)	**69.** (d)	**70.** (c)
71. (b)	**72.** (b)	**73.** (d)	**74.** (d)	**75.** (c)	**76.** (a)	**77.** (c)	**78.** (d)	**79.** (d)	**80.** (c)
81. (c)	**82.** (a)	**83.** (a)	**84.** (d)	**85.** (c)	**86.** (a)	**87.** (c)	**88.** (c)	**89.** (b)	**90.** (d)
91. (b)	**92.** (d)	**93.** (c)	**94.** (c)	**95.** (d)	**96.** (a)	**97.** (c)	**98.** (d)	**99.** (b)	**100.** (a)

विस्तृत समाधान और संकेत

क्या आप किसी कठिन प्रश्न को हल करने में संघर्ष कर रहे हैं या संशय में हैं?

चिंता न करें! ऊपर दिए गए प्रश्नों के विस्तृत समाधान और उपयोगी संकेत प्राप्त करने के लिए इस QR कोड को स्कैन करें।

क्या आप जानते हैं? इस खंड में दिए गए प्रश्न पिछली UGC NET परीक्षाओं (2020-2025) से हैं और अक्सर परीक्षा में दोहराए जाते हैं। उन्हें समझने से आपका स्कोर काफी बढ़ सकता है। इसलिए, उत्तर कुंजी को सिर्फ सरसरी तौर पर न पढ़ें - विस्तृत व्याख्याओं को देखने और प्रत्येक प्रश्न की पूरी समझ हासिल करने के लिए इस QR कोड को स्कैन करें।

QR कोड काम नहीं कर रहा है? QR कोड के साथ दिए गए संसाधनों तक पहुँचने के लिए आंतरिक फ्रन्ट कवर पर दिए गए निर्देशों का पालन करें

क्या आप और अधिक अभ्यास करना चाहते हैं? इस इकाई से **अतिरिक्त 200+ अभ्यास प्रश्नों** तक पहुँचने के लिए इस QR कोड को स्कैन करें। McGraw Hill EDGE प्लेटफॉर्म UGC NET परीक्षा इंटरफेस की नकल करता है, जो आपको एक यथार्थवादी परीक्षा अनुभव प्रदान करता है और आपको वास्तविक परीक्षा प्रारूप से परिचित होने में मदद करता है। यह आपको समय का बेहतर प्रबंधन करने में मदद करता है और आपको परीक्षा के दबाव में MCQ को सटीक रूप से हल करने के लिए तैयार करता है।

आँकड़ों की व्याख्या (Data Interpretation)

21

इस अध्याय में

*परीक्षोपयोगी *(Exam Essential): UGC NET* परीक्षा में पूछे जाने की अत्यधिक संभावना, #*CC* का अर्थ है कॉन्सेप्ट कैप्सूल

परिचय (Introduction)

कल्पना कीजिए कि आप एक रिटेल स्टोर में व्यापार प्रबंधक हैं। हर दिन आप कई प्रकार की जानकारियाँ इकट्ठा करते हैं- जैसे कितने ग्राहक आए, उन्होंने क्या खरीदा, वे स्टोर में कितना समय बिताए और उन्होंने क्या फीडबैक दिया। आप देखते हैं कि सप्ताहांत में स्टोर ज्यादा व्यस्त होता है और कुछ खास उत्पाद, जैसे- स्नैक्स और पेय पदार्थ, जल्दी बिक जाते हैं। इन प्रवृत्तियों को ध्यान से देखने और दर्ज करने के बाद आप समझदारी भरे निर्णय ले सकते हैं- जैसे सप्ताहांत से पहले लोकप्रिय वस्तुओं का स्टॉक बढ़ाना, व्यस्त समय में अधिक स्टाफ रखना, और ग्राहकों के अनुभव को बेहतर बनाने के लिए स्टोर का लेआउट सुधारना। यह पूरी प्रक्रिया-जानकारी इकट्ठा करना, उसका विश्लेषण करना और निष्कर्ष निकालना-व्यापार के लिए रणनीतिक निर्णय लेने में बहुत मददगार होती है।

आँकड़ों की व्याख्या (Data Interpretation या DI) दो शब्दों से मिलकर बनी है- 'data' यानी कच्ची जानकारी या तथ्य, और 'interpretation' यानी उसकी समझ और अर्थ निकालना। अतः DI का अर्थ है जानकारी का विश्लेषण करके उसके आधार पर निर्णय लेना। इसमें कच्चे आँकड़ों का विश्लेषण, उसमें छिपे पैटर्न, प्रवृत्तियों और असामान्यताओं की पहचान करना और उन्हें एक आसान रूप में प्रस्तुत करना शामिल होता है। यह प्रक्रिया ग्राफ, चार्ट और टेबल जैसे साधनों के माध्यम से जटिल आँकड़ों को सरल और समझने योग्य बनाती है, ताकि मुख्य बिंदु स्पष्ट रूप से सामने आएं और उन पर कार्रवाई की जा सके।

21.1 आँकड़ों का ग्राफीय रूप में प्रस्तुतीकरण (Graphical Representation of Data)

आँकड़ों के विश्लेषण के लिए ग्राफीय प्रस्तुतीकरण एक महत्वपूर्ण तरीका है। इसमें चार्ट और ग्राफ का प्रयोग करके आँकड़ों को दृष्टिगत रूप से प्रस्तुत किया जाता है, जिससे जटिल जानकारी को समझना आसान और रोचक हो जाता है।

तालिकाएँ (Tables)

तालिका आँकड़ों के ग्राफीय रूप में प्रस्तुतीकरण का एक सबसे बुनियादी तरीका है। यह जानकारी को पंक्तियों और स्तंभों में व्यवस्थित करती है, जिससे जानकारी को साफ-साफ और संक्षेप में दिखाया और तुलना की जा सकती है। तालिकाएँ विशेष रूप से श्रेणीय (categorical) आँकड़ों को दिखाने के लिए उपयोगी होती हैं, और इनमें मात्रात्मक (quantitative) तथा गुणात्मक (qualitative) दोनों तरह की जानकारी रखी जा सकती है। उदाहरण के लिए, विभिन्न महीनों में उत्पादों की बिक्री को दिखाने वाली एक तालिका सीधे तुलना और विश्लेषण की सुविधा देती है। अपने सुव्यवस्थित ढांचे के कारण, तालिकाएँ आँकड़ों के विश्लेषण और प्रस्तुतीकरण के लिए एक महत्त्वपूर्ण साधन होती हैं।

एक तालिका के पाँच मुख्य घटक होते हैं:

1. **तालिका शीर्षक (Table Title):** तालिका शीर्षक उस तालिका की विषयवस्तु और उद्देश्य का संक्षिप्त विवरण देता है। इससे पाठक को तुरंत यह समझ में आ जाता है कि तालिका में किस प्रकार की जानकारी

प्रस्तुत की गई है। उदाहरण के लिए, तालिका 21.1 का शीर्षक है: वर्ष 2023 के लिए उत्पाद A, B और C की मासिक बिक्री के आँकड़े।

2. **स्टब (Stub):** स्टब तालिका का सबसे बायाँ स्तंभ होता है, जिसमें उन श्रेणियों या वस्तुओं के नाम होते हैं जिनकी तुलना की जा रही है। यह तालिका की पंक्तियों को संदर्भ प्रदान करता है। उदाहरण में स्टब में महीने (जनवरी, फरवरी और मार्च) दिए गए हैं।

3. **स्तंभ शीर्षक (Column Headings):** यह प्रत्येक स्तंभ के शीर्ष पर दिए गए लेबल होते हैं, जो उस स्तंभ में प्रस्तुत जानकारी के प्रकार को दर्शाते हैं। ये विभिन्न आँकड़ों को पहचानने और अलग-अलग करने में मदद करते हैं। हमारे उदाहरण में स्तंभ शीर्षक हैं-महीने, उत्पाद A, उत्पाद B और उत्पाद C।

4. **मुख्य भाग (Body):** तालिका का मुख्य भाग वह होता है जिसमें वास्तविक आँकड़े होते हैं। यह जानकारी पंक्तियों और स्तंभों में व्यवस्थित होती है, और हर कोशिका (cell) में किसी विशेष पंक्ति और स्तंभ से संबंधित एक निश्चित आँकड़ा होता है।

5. **पादटिप्पणियाँ (Footnotes):** पादटिप्पणियाँ तालिका में दी गई जानकारी से संबंधित अतिरिक्त संदर्भ, व्याख्या या विवरण प्रदान करती हैं। ये तालिका के नीचे दी जाती हैं और किसी भी महत्वपूर्ण बिंदु को स्पष्ट करने में सहायक होती हैं।

तालिका शीर्षक

तालिका 21.1 मासिक बिक्री के आंकड़े उत्पाद A, B और C के लिए Q1'2023

		उत्पाद A	उत्पाद B	उत्पाद C
महीने	जनवरी	150	200	180
	फरवरी	250	340	190
	मार्च	200	310	300

स्तंभ शीर्षक

मुख्य भाग

स्टब

- बिक्री के आंकड़े बेची गई इकाइयों में रिपोर्ट किए जाते हैं
- 2023 की पहली तिमाही के लिए कंपनी के बिक्री रिकॉर्ड से डेटा एकत्र किया गया।

पादटिप्पणियाँ

ग्राफ (Graph)

ग्राफ आँकड़ों को रेखाओं या वक्रों (curves) के रूप में दर्शाने का एक तरीका होता है, जो सतह पर चिन्हित बिंदुओं (points) को जोड़कर बनाए जाते हैं। ये विभिन्न आँकड़ों के समूहों की तुलना को सरल बनाते हैं और जानकारी का एक दृष्टिगत सार (visual summary) प्रस्तुत करके सार्थक निष्कर्ष निकालने में मदद करते हैं। कुल मिलाकर, ग्राफीय प्रस्तुतीकरण आँकड़ा विश्लेषण को अधिक सहज और सुलभ बनाते हैं, जिससे बेहतर निर्णय लिया जा सकता है। उदाहरण के लिए, एक रेखा ग्राफ (line graph) यह दिखा सकता है कि समय के साथ मार्केटिंग खर्च के अनुसार बिक्री में कैसे बदलाव आता है।

अब हम ग्राफ के मुख्य घटकों को देखें:

1. **निर्देशांक अक्ष (Coordinate Axes):** ग्राफीय प्रस्तुतीकरण में दो मुख्य रेखाओं का प्रयोग होता है जिन्हें निर्देशांक अक्ष कहते हैं। ऊर्ध्वाधर रेखा Y-अक्ष (Y-axis) कहलाती है और क्षैतिज रेखा X-अक्ष (X-axis) कहलाती है। ये अक्ष आँकड़ों के बिंदुओं को चिन्हित करने के लिए आधार प्रदान करते हैं।

2. **लंबवत प्रतिछेदन (Perpendicular Intersection):** X-अक्ष और Y-अक्ष एक-दूसरे को समकोण (90 डिग्री) पर काटते हैं। जहाँ ये दोनों रेखाएँ मिलती हैं, उसे उद्गम बिंदु (Origin) कहते हैं और इसे बिंदु 'O' से दर्शाया जाता है। यह बिंदु दोनों अक्षों पर दूरी मापने की शुरुआत का स्थान होता है।

3. धनात्मक और ऋणात्मक मान (Positive and Negative Values):
   - **X-अक्ष पर:** उद्गम बिंदु से दाएँ की ओर दूरी को धनात्मक (positive) माना जाता है, जबकि बाएँ की ओर दूरी को ऋणात्मक (negative)।
   - **Y-अक्ष पर:** उद्गम बिंदु से ऊपर की ओर दूरी धनात्मक होती है और नीचे की ओर दूरी ऋणात्मक।

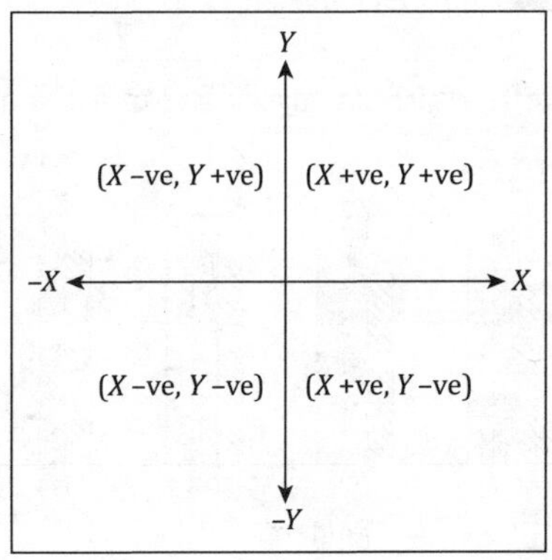

X **और** Y **निर्देशांक**

बार चार्ट (Bar Chart)

बार चार्ट आँकड़ों का ग्राफीय रूप से प्रस्तुतीकरण है, जिसमें आयताकार पट्टियों (rectangular bars) का प्रयोग होता है। प्रत्येक पट्टी की लंबाई उस मान के अनुपात में होती है जिसे वह दर्शाती है। बार चार्ट का उपयोग विभिन्न श्रेणियों या समूहों की तुलना करने के लिए किया जाता है। बार चार्ट को क्षैतिज (horizontal) या ऊर्ध्वाधर (vertical) दोनों रूपों में बनाया जा सकता है। बार चार्ट के दो प्रकार होते हैं:

1. **सरल बार चार्ट (Simple Bar Chart):** सरल बार चार्ट एक ही आँकड़ों के समूह को दर्शाता है। यह सीधे और आसानी से समझ में आता है, इसलिए विभिन्न श्रेणियों के बीच तुलना दिखाने के लिए आदर्श होता है। उदाहरण के लिए किसी विश्वविद्यालय में विभिन्न पाठ्यक्रमों में नामांकित छात्रों की संख्या को दर्शाने वाला एक सरल बार चार्ट। हर पाठ्यक्रम के लिए एक पट्टी होगी, और उसकी लंबाई उस पाठ्यक्रम में नामांकित छात्रों की संख्या को दर्शाएगी। यह प्रस्तुतीकरण विभिन्न पाठ्यक्रमों में नामांकन की त्वरित तुलना करना संभव बनाता है।

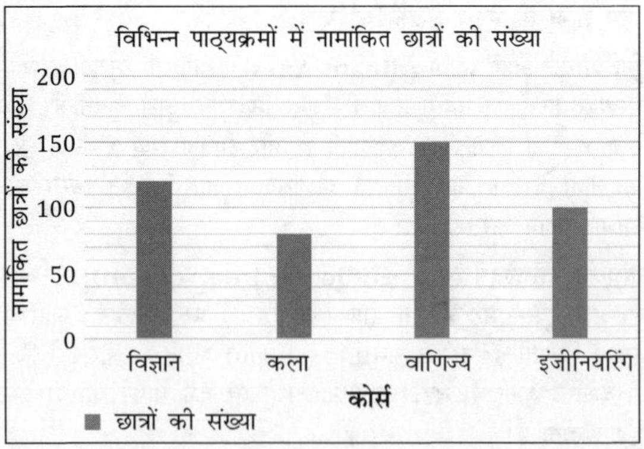

सरल बार चार्ट

2. **बहु बार चार्ट (Multiple Bar Chart):** बहु बार चार्ट, जिसे ग्रुप्ड बार चार्ट भी कहा जाता है, एक ही चार्ट पर कई आँकड़ा समूहों को दर्शाता है। यह प्रकार तब उपयोगी होता है जब एक से अधिक समूहों की विभिन्न श्रेणियों में तुलना करनी हो। उदाहरण के लिए एक बहु बार चार्ट जिसमें वर्ष भर के दौरान उत्तर, दक्षिण और पश्चिम क्षेत्रों की त्रैमासिक बिक्री को दर्शाया गया हो।

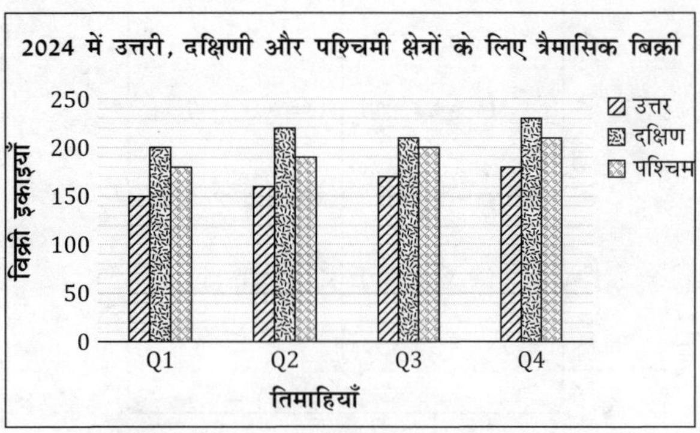

बहु बार चार्ट

हिस्टोग्राम (Histogram)

हिस्टोग्राम किसी आँकड़ा समूह के आवृत्ति वितरण (frequency distribution) को दर्शाता है। इसमें प्रत्येक पट्टी (bar) उस आवृत्ति को दर्शाती है जो किसी निश्चित सीमा (interval या bin) के भीतर आती है। ध्यान देने योग्य बात यह है कि हिस्टोग्राम में पट्टियों के बीच कोई स्थान नहीं होता। उदाहरण के लिए एक कक्षा के 50 छात्रों के गणित परीक्षा के अंकों का समूह, जिनके अंक 0 से 100 तक हैं। इस डेटा को हिस्टोग्राम में दिखाने के लिए अंक श्रेणियों को 10-10 के अंतराल में विभाजित किया जाता है: 0-10, 11-20, 21-30 आदि। इन श्रेणियों में जितने छात्र आते हैं, उनके अनुसार पट्टियों की ऊँचाई तय होती है। इस डेटा का एक तालिकात्मक रूप तालिका 21.2 में दिखाया जा सकता है

तालिका 21.2 कक्षा X के गणित परीक्षा के अंक तालिका

स्कोर रेंज	आवृत्ति
0-10	2
11-20	5
21-30	8
31-40	10
41-50	12
51-60	7
61-70	3
71-80	2
81-90	1
91-100	0

आइए हम उपरोक्त डेटा सेट से एक हिस्टोग्राम बनाएं

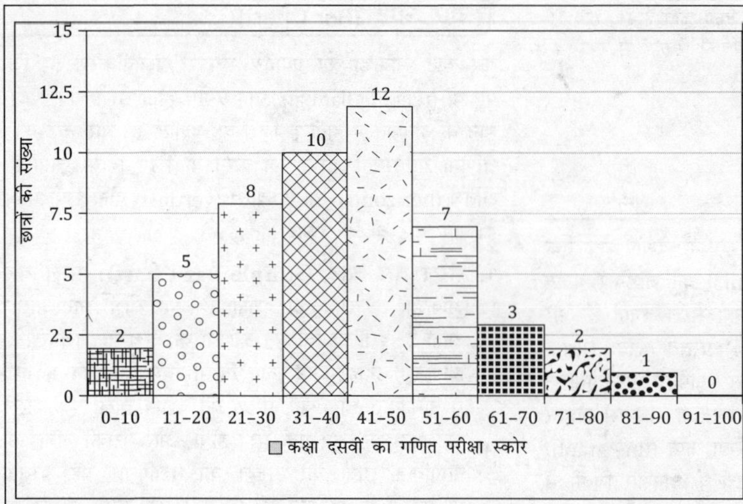

हिस्टोग्राम (Histogram) में, X-अक्ष स्कोर की श्रेणियों (बिन्स या score ranges) को दर्शाता है, और Y-अक्ष प्रत्येक श्रेणी में आने वाले छात्रों की संख्या (frequency) को दिखाता है। प्रत्येक पट्टी (bar) की ऊँचाई यह बताती है कि उस विशेष स्कोर सीमा में कितने छात्रों ने अंक प्राप्त किए। उदाहरण के लिए, 41-50 की श्रेणी वाली पट्टी सबसे ऊँची है, जो यह संकेत देती है कि अधिकांश छात्रों के अंक 41 से 50 के बीच आए हैं।

हिस्टोग्राम

रेखा चार्ट (Line Chart)

रेखा चार्ट एक प्रकार का ग्राफ होता है जिसमें आँकड़ों के बिंदुओं को सीधी रेखाओं द्वारा जोड़ा जाता है। इसका उपयोग समय के साथ होने वाले परिवर्तनों या दो चरों (variables) के बीच संबंधों को दिखाने के लिए किया जाता है। चार्ट पर प्रत्येक बिंदु किसी विशेष आँकड़े को दर्शाता है, और बिंदुओं को जोड़ने वाली रेखाएँ समग्र प्रवृत्ति (trend) को स्पष्ट करती हैं। रेखा चार्ट का प्रयोग वित्त, अर्थशास्त्र और पर्यावरण विज्ञान जैसे विभिन्न क्षेत्रों में व्यापक रूप से किया जाता है ताकि प्रवृत्तियों का विश्लेषण किया जा सके, भविष्यवाणी की जा सके, और आँकड़ों के आधार पर समझदारी भरे निर्णय लिए जा सकें। ये चार्ट यह दिखाने का सरल और स्पष्ट तरीका प्रदान करते हैं कि किसी जानकारी में समय के साथ या विभिन्न श्रेणियों में कैसे बदलाव आता है।

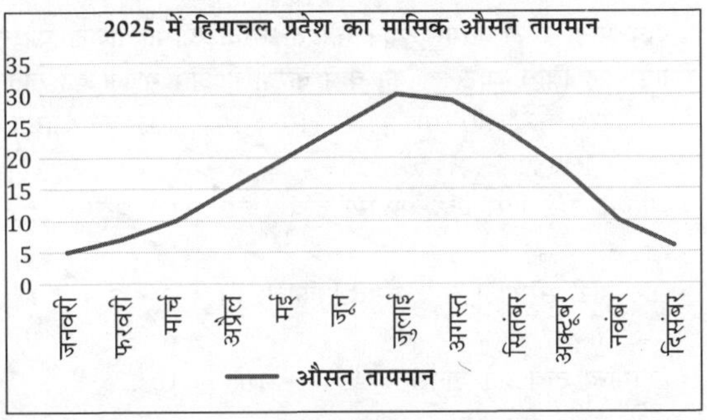

रेखा चार्ट

इस उदाहरण में रेखा चार्ट जनवरी से जुलाई तक तापमान में वृद्धि दिखाता है, जो जुलाई में चरम पर पहुँचता है और फिर दिसंबर की ओर धीरे-धीरे कम होता है। यह दृष्टिगत रूप से वर्ष भर में तापमान परिवर्तन की प्रवृत्तियों और पैटर्न को शीघ्र पहचानने में मदद करता है।

पाई चार्ट (Pie Chart)

पाई चार्ट एक वृत्ताकार ग्राफ होता है जिसे टुकड़ों (slices) में बाँटा जाता है, ताकि यह दिखाया जा सके कि विभिन्न भाग किसी संपूर्ण (whole) का कितना हिस्सा हैं। प्रत्येक टुकड़ा किसी श्रेणी के हिस्से को दर्शाता है, और टुकड़े का आकार उस हिस्से की तुलना में कितना बड़ा है, यह बताता है। पाई चार्ट का प्रयोग प्रतिशतों को दिखाने और सीमित संख्या वाली श्रेणियों की तुलना करने के लिए किया जाता है। सरल शब्दों में, पाई चार्ट उन आँकड़ों के लिए सबसे उपयुक्त होते हैं जिनमें श्रेणियों की संख्या बहुत अधिक न हो, क्योंकि बहुत सारे टुकड़े ग्राफ को समझना कठिन बना सकते हैं। आइए एक उदाहरण की मदद से पाई चार्ट को समझें। मान लीजिए कि हमारे पास भारत में 2024 के दौरान विभिन्न स्मार्टफोन ब्रांडों की बाजार हिस्सेदारी का एक डेटा सेट है। इसे हम पाई चार्ट के माध्यम से इस प्रकार दिखा सकते हैं।

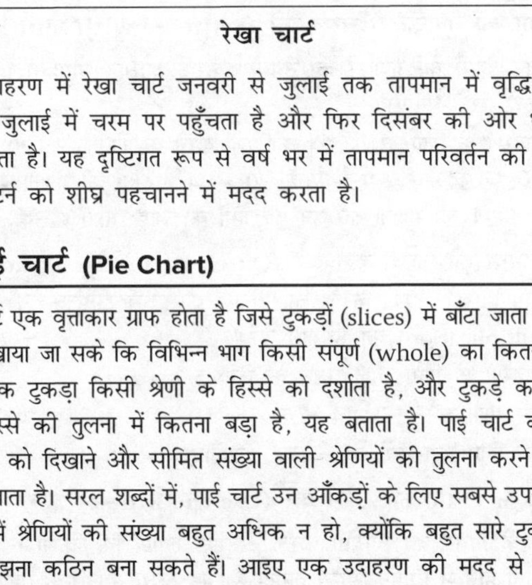

पाई चार्ट

पाई चार्ट में:

- Apple का टुकड़ा चार्ट का 40% भाग घेरे हुए है, जिससे पता चलता है कि उसकी बाजार हिस्सेदारी सबसे अधिक है।
- Samsung का टुकड़ा 25% है, जो दूसरी सबसे बड़ी हिस्सेदारी को दर्शाता है।
- One Plus का टुकड़ा 20% है।
- Realme का टुकड़ा 10% है।
- Xiaomi का टुकड़ा सबसे छोटा है, जो 5% हिस्सेदारी को दर्शाता है।

★★★ परीक्षोपयोगी

21.2 आँकड़ों की व्याख्या से संबंधित सिद्धांत (Principles Used in Solving Data Interpretation Questions)

आँकड़ों की व्याख्या (Data Interpretation या DI) मुख्य रूप से तीन सिद्धांतों पर आधारित होती है: अनुपात (ratios), प्रतिशत (percentages), और औसत (averages)। इन अवधारणाओं पर अध्याय 16: गणितीय अभिक्षमता (Mathematical Aptitude) में विस्तार से चर्चा की गई है, इसलिए यहाँ दोहराव से बचने के लिए उन्हें पुन: समझाया नहीं गया है।

DI की सफलता केवल इन सिद्धांतों की समझ में ही नहीं बल्कि उन्हें उपयुक्त रूप से प्रश्नों पर लागू करने की क्षमता में भी निहित होती है, खासकर तब जब आँकड़े तालिका के रूप में प्रस्तुत हों। आपकी सहायता के लिए हमने कुछ विशेष वीडियो शामिल किए हैं जो विभिन्न प्रकार के DI प्रश्नों को हल करने की प्रक्रिया को सरलता से समझाते हैं। नीचे दिए गए QR कोड स्कैन करके आप इन वीडियो तक पहुँच सकते हैं

अनुपात

इस विषय को सरल बनाने वाले वीडियो व्याख्यान को देखने के लिए इस QR कोड को स्कैन करे

प्रतिशत

इस विषय को सरल बनाने वाले वीडियो व्याख्यान को देखने के लिए इस QR कोड को स्कैन करे

औसत

इस विषय को सरल बनाने वाले वीडियो व्याख्यान को देखने के लिए इस QR कोड को स्कैन करे

तालिका में छूटे हुए डेटा को भरने पर विशेष DI प्रश्न

इस विषय को सरल बनाने वाले वीडियो व्याख्यान को देखने के लिए इस QR कोड को स्कैन करे

विशेष ध्यान दें:

यदि आपको DI कठिन लगता है और इस प्रकार के प्रश्नों को हल करना चुनौतीपूर्ण लगता है, तो हम अत्यधिक अनुशंसा करते हैं कि आप इन वीडियो को अवश्य देखें। ये वीडियो DI में दक्षता हासिल करने और आँकड़ों की व्याख्या व विश्लेषण करने की आपकी क्षमता को निखारने के लिए अमूल्य संसाधन हैं। इन्हें विशेष खासतौर पर शुरुआती विद्यार्थियों के लिए तैयार किया गया है और ये मूल अवधारणाओं से शुरुआत करते हुए क्रमबद्ध तरीके से आगे बढ़ते हैं।

इन वीडियो को देखकर आप:

1. **संरचित अध्ययन (Structured Learning):** आप एक व्यवस्थित दृष्टिकोण से सीख सकेंगे जो मूल बातों से शुरू होकर धीरे-धीरे जटिलता तक पहुँचता है और DI के सिद्धांतों को अच्छी तरह से समझाता है।
2. **चरण-दर-चरण मार्गदर्शन (Step-by-Step Guidance):** इन वीडियो में कठिन DI समस्याओं को आसान चरणों में समझाया गया है, जिससे उन्हें समझना और हल करना सरल हो जाता है।
4. **व्यावहारिक अनुप्रयोग (Practical Application):** आप सीखेंगे कि तालिकात्मक आँकड़ों पर DI के सिद्धांतों को प्रभावी ढंग से कैसे लागू किया जाए, जिससे आपकी विश्लेषण क्षमता और सटीकता बढ़ेगी।
5. **आत्मविश्वास में वृद्धि (Confidence Building):** इन अवधारणाओं में प्रवीणता प्राप्त करके आप विभिन्न प्रकार के DI प्रश्नों को हल करने में अधिक आत्मविश्वास महसूस करेंगे-चाहे वे परीक्षा में आए हों या वास्तविक जीवन की परिस्थितियों में।

★★★ परीक्षोपयोगी

21.3 अपनी गणना को तेज करने के उपाय (Tips to Fasten Your Calculations)

यहाँ कुछ व्यावहारिक सुझाव दिए गए हैं जिनकी मदद से आप DI (Data Interpretation) के प्रश्नों को जल्दी और प्रभावी ढंग से हल कर सकते हैं। इनमें आसान ट्रिक्स के साथ उदाहरण और स्पष्टीकरण भी दिए गए हैं:

1. **अंकों के इकाई स्थान का उपयोग करें (Use Unit Places for Quick Calculations):**

   संख्याओं के अंतिम अंकों (unit digits) पर ध्यान देकर आप बिना पूरी गणना किए ही गलत विकल्पों को जल्दी बाहर कर सकते हैं। यह ट्रिक जोड़, घटाव, गुणा और भाग सभी में उपयोगी होती है।

   उदाहरण: 24687 + 36919 का योग ज्ञात करें:

   विकल्प: (a) 61606 (b) 62038 (c) 61503 (d) 61614

   समाधान: यदि आपको 24687 और 36919 को जोड़ना है और (a), (b), (c) और (d) जैसे विकल्पों में से सही उत्तर चुनना है, तो आप बस अंतिम अंक जोड़ सकते हैं: 7 + 9 = 16. इसलिए, सही उत्तर 6 पर समाप्त होना चाहिए।

2. **दृश्य अनुमान का प्रयोग करें (Use Visual Approximation):**

   समय बचाने के लिए, विशेष रूप से ग्राफिकल डेटा के साथ, अनुमानित मानों को दृश्य रूप से देखें। यह सटीक गणनाओं के बिना रुझानों या महत्वपूर्ण डेटा बिंदुओं को जल्दी से पहचानने में मदद करता है।

   उदाहरण के लिए: यदि आपके पास 2015 से 2019 तक का बिक्री डेटा है और यह लगातार वृद्धि दर्शाता है, तो आप सटीक गणना किए बिना बार की ऊँचाई की तुलना करके सबसे अधिक वृद्धि के वर्ष को जल्दी से पहचान सकते हैं।

3. **प्रतिशत की गणना को सरल बनाएँ (Simplify Percentages):**

   जटिल प्रतिशत गणनाओं को सरल बनाने के लिए उन्हें आसान चरणों में विभाजित करें।

   उदाहरण के लिए: यदि आपको 4500 का 8% ज्ञात करना है तो सबसे पहले 4500 का 10% = 450 की गणना करें। फिर, 4500 का 2% = 90 (क्योंकि 2% 10% का पाँचवाँ भाग है)। अंत में, 10% में से 2% घटाएँ: 450 - 90 = 360।

4. **प्रतिशत के मानक प्रयोग करें (Use Percentage Benchmarks):**

   गणनाओं को तेज करने के लिए जाने-माने प्रतिशत मानों का उपयोग करें। इन मानदंडों को जानने से जटिल गणित कार्य सरल हो सकते हैं।

   उदाहरण के लिए: किसी संख्या का 33.33% (या एक तिहाई) ज्ञात करने के लिए; बस उस संख्या को 3 से विभाजित करें।

   उदाहरण के लिए, 6000 का 33.33% निकालने के लिए, 6000 को 3 से विभाजित करें: 6000 का 33.33% = 6000 ÷ 3 = 2000।

5. **औसत को जल्दी निकालें (Calculate Averages Efficiently):**

   केंद्रीय मान से अंतर पर ध्यान केंद्रित करके औसत गणना को सरल बनाएँ। यह विधि जटिलता को कम करती है और गणना को गति देती है। उदाहरण के लिए: 101, 102, 103, 104, 105 का औसत ज्ञात करने के लिए:

   - प्रत्येक संख्या से एक सामान्य तत्व (जैसे 100) घटाएँ: 1, 2, 3, 3, 5.
   - इन छोटी संख्याओं का औसत निकालें: (1 + 2 + 3 + 4 + 5)/5 = 3.
   - सामान्य तत्व को वापस जोड़ें: 3 + 100 = 103.

6. **गुणा को गुणकों से सरल करें (Estimate with Multiples):**

   गुणन कार्यों को गुणकों का उपयोग करके आसान भागों में विभाजित करके सरल बनाएँ।

   उदाहरण के लिए: 21 × 34 को गुणा करने के लिए, इसे (20 × 34) + (1 × 34) के रूप में सोचें: 20 × 34 = 680 की गणना करें 1 × 34 = 34 की गणना करें इन परिणामों को जोड़ें: 680 + 34 = 714

7. **अनुपात को जल्दी हल करें (Quick Ratio Calculations):**

   अनुपात को हल करने के लिए क्रॉस मल्टीप्लिकेशन (cross multiplication) का उपयोग करें।

   उदाहरण के लिए: हल करने के लिए 5/7 = y/14

   क्रॉस गुणा करें: 5 × 14 = 7 × y

   y के लिए हल करें: 70 = 7y, इसलिए y = 10.

8. **72 के नियम का प्रयोग करें (Use the Rule of 72):**

   72 के नियम का उपयोग करके अनुमान लगाएं कि किसी निवेश को दोगुना होने में कितना समय लगता है। यह त्वरित मानसिक गणित ट्रिक सरल और चक्रवृद्धि ब्याज से संबंधित प्रश्नों के लिए उपयोगी है।

   उदाहरण के लिए: 9% ब्याज पर पैसे को दोगुना करना। 72 को ब्याज दर से विभाजित करें: 72 ÷ 9 = 8 वर्ष

9. **वर्ग की गणना को सरल बनाएँ (Simplify Square Calculations):**

   संख्याओं के वर्गों से जुड़ी गणनाओं को सरल और तेज बनाने के लिए वर्गों के अंतर के सूत्र का उपयोग करें।

   उदाहरण के लिए: $62^2 - 58^2$ की गणना करें

   सूत्र का उपयोग करें: $(a^2 - b^2) = (a + b)(a - b)$

   संख्याओं को प्रतिस्थापित करें:

   $(62 + 58)(62 - 58) = 120 \times 4 = 480$

10. सामान्य गुणज का प्रयोग करें (Leverage Common Multiples):

LCM (Least Common Multiple) को जल्दी निकालने के लिए संबंधित संख्याओं के गुणज लिखें और जो सबसे छोटा समान गुणज हो, उसे चुनें।

उदाहरण: 8 और 12 का LCM निकालना हो:

- 8 के गुणज: 8, 16, 24, 32
- 12 के गुणज: 12, 24, 36
- सबसे छोटा समान गुणज: 24

11. अंत में प्रयास करें (Attempt at the End):

कुछ प्रश्न जैसे औसत वृद्धि दर (average growth rate) या औसत प्रतिशत वृद्धि (average percentage increases) से जुड़े होते हैं, जिनके लिए कोई त्वरित शॉर्टकट नहीं होता। इन प्रश्नों में अक्सर कई प्रतिशत वृद्धि की गणना करनी होती है, जो समय लेने वाला कार्य है।

इसलिए सलाह दी जाती है कि इस प्रकार के प्रश्नों को परीक्षा के प्रारंभ में हल करने के बजाय अंत में तब ही करें जब पर्याप्त समय बचा हो।

12. अनुमान और विकल्प विलोपन (Estimation and Option Elimination):

आइये इसे दो उदाहरणों की सहायता से समझें:

उदाहरण 1

तालिका 21.3 भारत में पंजीकृत वाहनों की संख्या और जनसंख्या

वर्ष	कुल वाहन (लाख)	दो पहिया वाहन (लाख)	कारें, जीपें, टैक्सियाँ (लाखों में)	बसें (लाख)	सामान्य वाहन (लाख)	अन्य वाहन (लाख)	जनसंख्या (भारत) (मिलियन में)
1961	6.65	0.88	3.10	0.57	1.68	0.42	439.23
1971	18.65	5.76	6.82	0.94	3.43	1.70	548.15
1981	53.91	26.18	11.60	1.62	5.54	8.97	683.32
1991	213.74	142.00	29.54	3.31	13.56	25.33	846.42
2001	549.91	385.56	70.58	6.34	29.48	57.95	1028.73
2011	1417.58	1018.65	191.23	16.04	70.64	121.02	1210.19

प्रश्न 1. वर्ष 2001 में कुल वाहनों में से कार, जीप और टैक्सी की अनुमानित प्रतिशत हिस्सेदारी क्या थी

(a) 43% (b) 12%
(c) 24% (d) 31%

हल:

- 2001 में कारों, जीपों और टैक्सियों की कुल संख्या- 70.58 लाख।
- 2001 में वाहनों की कुल संख्या- 549.91 लाख।

अब, (70.58/549.91) × 100 की गणना करने के बजाय, हम अनुमान नामक विधि का उपयोग कर सकते हैं:

- 549 का 10% 54.9 है
- 549 का 20% (549 का 10%) * 2 = 54.9 × 2 = 110 है।

इसलिए, 549.91 के प्रतिशत के रूप में 70.58, 10% और 20% के बीच का उत्तर देना चाहिए। प्रश्न में इस सीमा के भीतर एकमात्र विकल्प 12% है। इसलिए, विकल्प (b) सही है।

नोट- यदि 13% या 15% जैसे अन्य विकल्प होते, तो आपको मैन्युअल गणना करने की आवश्यकता होती।

उदाहरण 2

तालिका 21.4 बिक्री राजस्व (₹ लाख में)

वर्ष	पत्रिकाएँ	पत्रिकाएँ	पुस्तकें
2012	46	31	73
2013	47	39	77
2014	45	46	78
2015	44	51	78

प्रश्न 1. वर्ष 2015 में कुल राजस्व का कितना प्रतिशत पुस्तकों से आया?

(a) 45% (b) 35%
(c) 22% (d) 50%

हल:

2015 में पुस्तकों से राजस्व = ₹78 लाख

2015 के लिए कुल राजस्व = ₹44 लाख + ₹51 लाख + ₹78 लाख

= ₹173 लाख

2015 में पुस्तकों से राजस्व का प्रतिशत ज्ञात करने के लिए-

प्रतिशत = (78/173) × 100

इस विस्तृत गणना से बचने के लिए, आइए अनुमान लगाते हैं-

- 173 का 10% लगभग 17 है
- 173 का 20% (173 का 10%) × 2 = 34 है
- 173 का 30% (173 का 10%) × 3 = 51 है
- 173 का 40% (173 का 10%) × 4 = 68
- 173 का 50% = (173 का 10%) × 5 = 85

अब, 173 के प्रतिशत के रूप में 78, 40% और 50% के बीच आना चाहिए। इस सीमा के भीतर एकमात्र विकल्प विकल्प (a) 45% है।

कॉन्सेप्ट कैप्सूल

DI प्रश्नों को हल करने के लिए गोल्डन टिप्स (Golden Tips for Solving DI Questions)

DI (Data Interpretation) के प्रश्न चुनौतीपूर्ण हो सकते हैं, लेकिन सही रणनीति अपनाकर आप अपनी गति और सटीकता दोनों में सुधार कर सकते हैं। नीचे कुछ महत्वपूर्ण सुझाव दिए गए हैं, जो आपको DI में दक्ष बनाने में मदद करेंगे:

1. **जानकारी को समझें (Understand the Information):** DI प्रश्न को हल करने से पहले दिए गए आँकड़ों को पूरी तरह से समझना आवश्यक है। चाहे वे तालिका, ग्राफ, चार्ट या किसी अन्य रूप में हों, आपको डेटा का संदर्भ और विवरण स्पष्ट रूप से समझना चाहिए ताकि सही समाधान निकाला जा सके।
2. **प्रश्न को ध्यान से पढ़ें (Read the Question Carefully):** प्रश्न में पूछा गया मुख्य बिंदु क्या है, यह समझना अत्यंत जरूरी है। इससे आप केवल प्रासंगिक जानकारी पर ध्यान केंद्रित कर पाएँगे और अनावश्यक गणनाओं से बच सकेंगे।
3. **विकल्पों को जाँचें (Check the Options):** गणना शुरू करने से पहले एक बार उत्तर विकल्पों पर नजर डालें। कभी-कभी तर्क के आधार पर या गलत विकल्पों को हटाकर सही उत्तर तक पहुँचना संभव होता है, जिससे समय की बचत होती है।
4. **इकाइयों पर ध्यान दें (Pay Attention to Units):** मीटर (m), ग्राम (g), इंच (in), किलोमीटर प्रति घंटे (km/h) जैसी इकाइयाँ DI में सामान्य रूप से दी जाती हैं। यदि आप इकाइयों को नजरअंदाज करते हैं या गलत इकाइयों का प्रयोग करते हैं तो उत्तर गलत हो सकता है। इसलिए यह सुनिश्चित करें कि आपके द्वारा उपयोग की जा रही इकाइयाँ डेटा और विकल्पों से मेल खा रही हों।
5. **अनावश्यक चरणों को हटाएँ (Eliminate Unnecessary Steps):** समय बचाने के लिए उन गणनाओं को छोड़ दें जो उत्तर निकालने में कोई विशेष भूमिका नहीं निभातीं। वस्तुनिष्ठ परीक्षाओं का उद्देश्य है- कम से कम समय में सही उत्तर तक पहुँचना।
6. **गणना की गति बढ़ाएँ (Improve Calculation Speed):** मैन्युअल गणनाओं का अभ्यास करें और कैलकुलेटर पर निर्भर न रहें, क्योंकि परीक्षाओं में उनका प्रयोग वर्जित होता है। मानसिक गणना (mental math) का अभ्यास करने से आप समय की पाबंदी के तहत बेहतर प्रदर्शन कर पाएँगे।
7. **प्राथमिकता तय करें (Prioritise Questions):** यदि एक साथ कई DI प्रश्न दिए गए हैं, तो सबसे पहले आसान या परिचित प्रश्न हल करें। इससे जल्दी अंक मिल जाते हैं और कठिन प्रश्नों के लिए समय बचता है।
8. **निरंतर अभ्यास करें (Keep Practicing):** लगातार अभ्यास DI में सफलता की कुंजी है। विभिन्न प्रकार के DI प्रश्नों से परिचय बढ़ने से आप विभिन्न फॉर्मेट और व्याख्या की तकनीकों में निपुण हो जाते हैं। यह आत्मविश्वास और समझ दोनों को बढ़ाता है।
9. **शॉर्टकट का उपयोग करें (Make Use of Shortcuts):** प्रतिशत निकालना, विभाजन को सरल बनाना, या अनुमान लगाना जैसी गणितीय ट्रिक्स का अभ्यास करें। इससे समय कम लगेगा और सटीकता भी बनी रहेगी।
10. **अपना उत्तर जाँचें (Double-Check Your Work):** यदि समय हो, तो अंत में अपनी गणनाओं और उत्तरों की समीक्षा करें। यह अंतिम जाँच किसी भी त्रुटि या चूक को पकड़ने में मदद करती है।
11. **शांत और केंद्रित रहें (Stay Calm and Focused):** परीक्षा के दौरान मन की शांति बनाए रखें। तनावमुक्त होकर सोचने से आपकी स्पष्टता बनी रहती है और गलतियाँ कम होती हैं।

इन सुझावों को अपनाकर और नियमित अभ्यास के माध्यम से आप DI में अपनी दक्षता बढ़ा सकते हैं और परीक्षा में बेहतर प्रदर्शन कर सकते हैं। याद रखें - निरंतर अभ्यास और रणनीतिक दृष्टिकोण ही सफलता की कुंजी हैं।

21.4 तालिकाओं पर आधारित हल किए गए उदाहरण (Solved Examples on Table)

प्रश्न 1 से 5 के लिए निर्देश (Direction for Q1–Q5)

नीचे दी गई तालिका पाँच अलग-अलग देशों A से E के पुरुष (M) और महिला (F) खिलाड़ियों की संख्या को दर्शाती है जिन्होंने वर्ष 2016 से 2021 तक एक वार्षिक खेल आयोजन (Annual Sports Event) में भाग लिया तालिका में दिए गए डेटा के आधार पर प्रश्नों के उत्तर दीजिए।

देश →	A		B		C		D		E	
साल ↓	M	F	M	F	M	F	M	F	M	F
2016	220	165	315	210	225	155	280	205	235	105
2017	330	210	420	310	345	165	420	315	390	260
2018	230	90	370	240	240	140	465	365	435	325
2019	480	245	570	420	330	210	630	470	445	290
2020	590	320	530	260	390	315	720	510	590	460
2021	410	260	320	360	540	345	780	605	680	490

प्रश्न 1. देश C से पुरुष और महिला खिलाड़ियों की संख्या में अंतर किस वर्ष में दूसरा सबसे अधिक था?

(a) 2016 (b) 2017

(c) 2019 (d) 2021

हल:

देश C के लिए प्रत्येक वर्ष पुरुष और महिला खिलाड़ियों के बीच अंतर की गणना करें

- 2016: 225 − 155 = 70
- 2017: 345 − 165 = 180
- 2018: 240 − 140 = 100
- 2019: 330 − 210 = 120
- 2020: 390 − 315 = 75
- 2021: 540 − 345 = 195

घटते क्रम में अंतर: 195, 180, 120, 100, 75, 70

दूसरा सबसे बड़ा अंतर: 180 (2017)

सही उत्तर है: (b) 2017

प्रश्न 2. देश B से सभी वर्षों में भाग लेने वाली महिला खिलाड़ियों की औसत संख्या क्या थी?

(a) 300 (b) 310

(c) 275 (d) 280

हल:

विभिन्न वर्षों में देश B की महिला खिलाड़ियों की कुल संख्या की गणना करें और फिर औसत ज्ञात करें।

कुल: 210 + 310 + 240 + 420 + 260 + 360 = 1800

औसत = 1800/6 = 300

सही उत्तर है: (a) 300

प्रश्न 3. वर्ष 2018 में देश C से भाग लेने वाले पुरुष खिलाड़ियों की संख्या में वर्ष 2017 की तुलना में लगभग कितनी प्रतिशत कमी हुई?

(a) 21% (b) 25%

(c) 30% (d) 35%

हल:

- 2017: 345
- 2018: 240

प्रतिशत में कमी = $\left(\frac{345-240}{345}\right)\times 100$

$= \frac{105}{345}\times 100 = 30.43\%$

सही उत्तर है: (c) 30%

प्रश्न 4. वर्ष 2020 में देश E की महिला खिलाड़ियों की संख्या, वर्ष 2019 में देश B के कुल खिलाड़ियों की कितने प्रतिशत थी?

(a) 60 (b) 56

(c) 50 (d) 46

हल:

- 2020 में देश E से महिला खिलाड़ी की संख्या = 460
- 2019 में देश B से कुल खिलाड़ी की संख्या = 570 + 420 = 990

प्रतिशत = $\frac{460}{990}\times 100 = 46.66\%$ या ~ 47

सही उत्तर है: (d) 47

प्रश्न 5. वर्ष 2017 में कुल खिलाड़ियों की संख्या देश D में सबसे अधिक थी। दूसरा सबसे अधिक कुल किस देश में था?

(a) A (b) B (c) D (d) E.

हल:

2017 में प्रत्येक देश के खिलाड़ी की कुल संख्या:

- देश A: 330 + 210 = 540
- देश B: 420 + 310 = 730
- देश C: 345 + 165 = 510
- देश D: 420 + 315 = 735
- देश E: 390 + 260 = 650

सबसे अधिक संख्या देश D (735) से है, और दूसरी सबसे अधिक संख्या देश B (730) से है।

सही उत्तर है: (b) B

प्रश्न 6 - प्रश्न 10 के लिए दिशा-निर्देश

नीचे दी गई तालिका को ध्यानपूर्वक पढ़ें। इस तालिका के आधार पर प्रश्नों के उत्तर दें।

किसी देश में विभिन्न स्रोतों द्वारा सिंचित शुद्ध क्षेत्रफल (हजार हेक्टेयर में):

वर्ष	सरकारी नहरें	निजी नहरें	टैंक	नलकूप और अन्य कुएँ	अन्य स्त्रोत	कुल
1997-98	17,117	211	2,593	32,090	3,102	55,173
1998-99	17,093	212	2,792	33,988	3,326	57,411
1999-00	16,842	194	2,535	34,623	2,915	57,109
2000-01	15,748	203	2,449	33,796	2,880	55,076
2001-02	15,031	209	2,179	34,906	4,347	56,672
2002-03	13,863	206	1,802	34,250	3,657	53,778
2003-04	14,444	206	1,908	35,779	4,281	56,618
2004-05	14,696	206	1727	34,785	7,453	58,867
2005-06	15,268	207	2,034	35,372	7,314	60,196

प्रश्न 6. निम्नलिखित में से किस सिंचाई स्रोत के अंतर्गत 1997-98 और 2005-06 के बीच शुद्ध सिंचित क्षेत्र में प्रतिशत की दृष्टि से सबसे अधिक गिरावट दर्ज की गई है?

(a) सरकारी नहरें (Government canals)
(b) निजी नहरें (Private canals)
(c) टैंक (Tanks)
(d) अन्य स्रोत (Other sources)

हल:

वर्ष	सरकारी नहरें	निजी नहरें	टैंक	नलकूप और अन्य कुएं	अन्य स्रोत	कुल
1997-98	17,117	211	2,593	32,090	3,102	55,173
2005-06	15,268	207	2,034	35,372	7,314	60,196

⇒ शुद्ध क्षेत्र में कमी =

$$\frac{(1997 \text{ से } 98 \text{ तक का क्षेत्र } 2005 \text{ से } 06 \text{ तक का क्षेत्र})}{1997 \text{ से } 98 \text{ तक का क्षेत्र}}$$

अत:,

⇒ सरकारी नहरों के शुद्ध क्षेत्र में कमी

$$\frac{(17117-15268)}{17117} = \text{लगभग } 10.80\%$$

⇒ निजी नहरों के शुद्ध क्षेत्र में कमी $= \frac{(211-207)}{211}$

= लगभग 1.90%

⇒ टैंकों के शुद्ध क्षेत्र में कमी $= \frac{(2593-2034)}{2593}$

= लगभग 21.56%

⇒ नलकूपों के शुद्ध क्षेत्र में कमी $= \frac{32090-35373}{32090}$

= लगभग 10.23%

अन्य के शुद्ध क्षेत्र में कमी $= \frac{(3102-7314)}{3102}$

= लगभग 135.78%

उपर्युक्त गणना के अनुसार, नलकूपों और अन्य स्रोतों का शुद्ध क्षेत्र बढ़ रहा है, न कि घट रहा है।

सही उत्तर है (c) टैंक (अर्थात् लगभग 21.56% कमी)।

प्रश्न 7. सिंचाई के उस स्रोत का पता लगाएं जिसने 2002-03 और 2003-04 के दौरान शुद्ध सिंचित क्षेत्र के प्रतिशत के संदर्भ में अधिकतम सुधार दर्ज किया है।

(a) सरकारी नहरें
(b) टैंक
(c) नलकूप और अन्य कुएं
(d) अन्य स्रोत

हलः

वर्ष	सरकारी नहरें	निजी नहरें	टैंक	ट्यूबवेल और अन्य कुएं	अन्य स्रोत	कुल
2002-03	13,863	206	1,802	34,250	3,657	53,778
2003-04	14,444	206	1,908	35,779	4,281	56,618

सुधार = $\frac{(2003 \text{ से } 04 \text{ में क्षेत्रफल} - 2002 \text{ से } 03 \text{ में क्षेत्रफल}}{2002 \text{ से } 03 \text{ में क्षेत्र}}$

सरकारी नहरों के शुद्ध क्षेत्रफल में सुधार = $\frac{(14444-13863)}{14444} = 4\%$

निजी नहरों के शुद्ध क्षेत्रफल में सुधार = $\frac{(206-206)}{206} = 0\%$

टैंकों के शुद्ध क्षेत्रफल में सुधार = $\frac{(1908-1802)}{1802} = 6\%$

नलकूपों के शुद्ध क्षेत्रफल में सुधार = $\frac{(35779-34250)}{34250} = 4\%$

अन्य के शुद्ध क्षेत्रफल में सुधार = $\frac{(4281-3657)}{3657} = 17\%$

अतः शुद्ध क्षेत्रफल में सर्वाधिक सुधार अन्य स्रोत। इसलिए, (d) अन्य स्रोत सही विकल्प है।

प्रश्न 8. निम्नलिखित में से किस वर्ष में टैंकों द्वारा शुद्ध सिंचाई में सबसे अधिक दर से वृद्धि हुई?

(a) 1998-99 (b) 2000-01
(c) 2003-04 (d) 2005-06

हलः

वर्ष	टैंक	सूत्र वृद्धि %	वृद्धि
1999-00	2,535	= (1999 से 00 तक का क्षेत्रफल - 1998 से 99 तक का क्षेत्रफल)/1999 से 99 तक का क्षेत्रफल	-9.2%
2000-01	2,449	(2000 से 01 तक का क्षेत्रफल - 1999 से 00 तक का क्षेत्रफल)/ 1999 से 00 तक का क्षेत्रफल	-3.3%
2001-02	2,179	= (2001 से 02 तक का क्षेत्रफल - 2000 से 01 तक का क्षेत्रफल)/2000 से 01 तक का क्षेत्रफल	-11%
2002-03	1,802	= (2002 से 03 तक का क्षेत्रफल - 2001 से 02 तक का क्षेत्रफल)/2001 से 02 तक का क्षेत्रफल	-17%
2003-04	1,908	= (2003 से 04 तक का क्षेत्रफल - 2002 से 03 तक का क्षेत्रफल)/2002 से 03 तक का क्षेत्रफल	6%
2004-05	1727	= (2004 से 05 तक का क्षेत्रफल - 2003 से 04 तक का क्षेत्रफल)/2003 से 04 तक का क्षेत्रफल	-9%
2005-06	2,034	= (2005 से 06 में क्षेत्रफल - 2004 से 05 में क्षेत्रफल)/2004 से 05 में क्षेत्रफल	17.7%

अतः, जल टैंक के शुद्ध क्षेत्र में सबसे अधिक वृद्धि वर्ष 2005-06 में हुई है (अर्थात, 17.7%)। अतः, सही विकल्प (d) 2005-06 है।

प्रश्न 9. सिंचाई के उस स्रोत की पहचान करें जिसने तालिका में दिए गए वर्षों के दौरान शुद्ध सिंचित क्षेत्र के संदर्भ में नकारात्मक वृद्धि की अधिकतम घटना दर्ज की है।

(a) सरकारी नहरें (b) निजी नहरें
(c) नलकूप और अन्य कुएँ (d) अन्य स्रोत

हलः नलकूपों में वृद्धि की प्रवृत्ति देखी गई है, अन्य स्रोतों और निजी नहरों में उतार-चढ़ाव हो रहा है, इसलिए अधिकतम नकारात्मक कमी सरकारी नहरों की है।

प्रश्न 10. निम्नलिखित में से किस वर्ष में कुल शुद्ध सिंचित क्षेत्र में नलकूपों और अन्य कुओं का हिस्सा सबसे अधिक था?

(a) 1998-99 (b) 2000-01
(c) 2002-03 (d) 2004-05

हल

वर्ष	ट्यूबवेल और अन्य कुएँ (ए)	कुल (B)	प्रतिशत हिस्सा (A/B) × 10
1997-98	32,090	55,173	58%
1998-99	33,988	57,411	59%
1999-00	34,623	57,109	61%

2000-01	33,796	55,076	61%
2001-02	34,906	56,672	62%
2002-03	34,250	53,778	64%
2003-04	35,779	56,618	63%
2004-05	34,785	58,867	59%
2005-06	35,372	60,196	59%

अत:, सही विकल्प (c) 2002-03 (अर्थात 64%) है।

21.5 बार ग्राफ पर हल किए गए उदाहरण (Solved Examples on Bar Graph)

प्रश्न 1-प्रश्न 4 के लिए दिशा निर्देश

2009-2016 की अवधि में एक फर्म द्वारा किए गए व्यय का अनुमान नीचे दिया गया है। ग्राफ में उपलब्ध डेटा का उपयोग करके निम्नलिखित प्रश्नों के उत्तर दें।

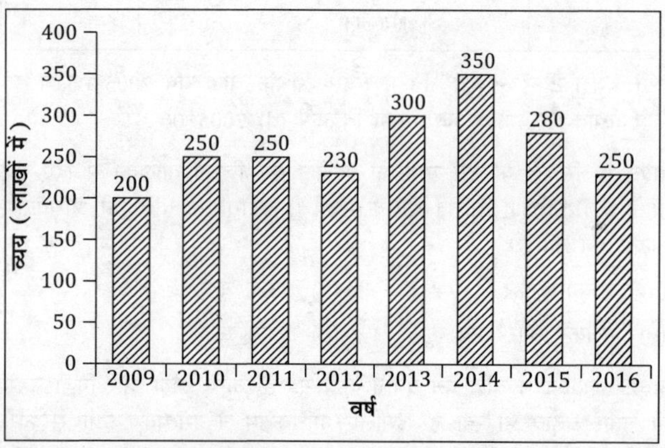

प्रश्न 1. 2012 में व्यय क्या था?

(a) ₹23000 (b) ₹230000000

(c) ₹23000000 (d) ₹2300000000

हल: 2012 में व्यय ₹230 लाख था। इसलिए, सही विकल्प (b) ₹230 है।

प्रश्न 2. 2010 से 2015 तक व्यय में वृद्धि (%) क्या थी?

(a) 20% (b) 12%

(c) 10% (d) 30%

हल: 2010 में व्यय = 250 लाख

2015 में व्यय = 280 लाख

$$\text{व्यय में वृद्धि} = \frac{\text{2010 से 2015 तक व्यय में परिवर्तन}}{\text{2010 में व्यय}} \times 100\%$$

$$\text{वृद्धि दर} = \frac{(280-250)}{250}\times 100 = \frac{30}{250}\times 100$$

इसलिए, सही विकल्प (b) 12% है।

प्रश्न 3. किस वर्ष व्यय अधिकतम था?

(a) 2010 (b) 2013

(c) 2014 (d) 2015

हल: व्यय 2014 में अधिकतम है। इसलिए, सही विकल्प (c) 2014 है।

प्रश्न 4. किस वर्ष में वृद्धि दर पिछले वर्ष की तुलना में सबसे अधिक थी?

(a) 2010 (b) 2013

(c) 2014 (d) 2011

हल: वृद्धि दर की गणना इस प्रकार की जाती है-

$$\text{विकास दर} = \frac{\text{नया व्यय - पुराना व्यय}}{\text{पुराना व्यय}} \times 100$$

वर्ष	व्यय	वृद्धि दर
2009	200	-
2010	250	25%
2011	250	0%
2012	230	-8%
2013	300	30%
2014	350	17%
2015	280	-20%
2016	250	-11%

2013 में वृद्धि दर सबसे अधिक थी। इसलिए, सही विकल्प (b) 2013 है।

21.6 हिस्टोग्राम पर हल किए गए उदाहरण (Solved Examples on Histogram)

प्रश्न 1-प्रश्न 3 के लिए दिशा-निर्देश

दिए गए ग्राफ का अध्ययन करें और प्रश्नों को हल करें-

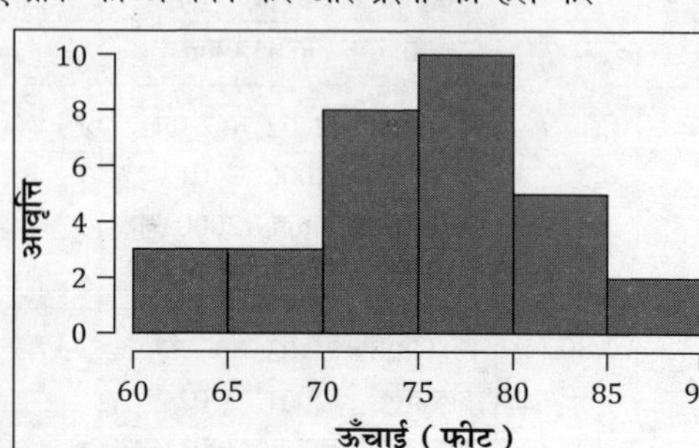

प्रश्न 1. कुल व्यक्तियों की संख्या है

(a) 31 (b) 310
(c) 29 (d) 290

हल: कुल व्यक्तियों की संख्या = 3 + 3 + 8 + 10 + 5 + 2 = 31.

इसलिए, सही विकल्प (a) है।

प्रश्न 2. कुल व्यक्तियों में से 70 से 80 फीट की ऊंचाई वाले व्यक्तियों का प्रतिशत कितना है?

(a) 62.12% (b) 58.05%
(c) 45.16% (d) 55.01%

हल: 70–80 फीट की ऊंचाई वाले व्यक्तियों की संख्या: 8 + 10 = 18 कुल व्यक्ति = 31

70–80 फीट की ऊंचाई वाले लोगों का प्रतिशत:

$$\frac{18}{31}\times 100 = 58.06\%$$

इसलिए, सही विकल्प (b) है।

प्रश्न 3. औसत ऊँचाई ज्ञात कीजिए।

(a) 75.24 (b) 81.75
(c) 73.24 (d) 72.10

हल: औसत ऊँचाई ज्ञात करने के लिए, पहले मध्य मान ज्ञात कीजिए–

वर्ग	मध्य मान (X)	आवृत्ति (f)	Xf
60–65	62.5	3	187.5
65–70	67.5	3	202.5
70–75	72.5	8	580
75–80	77.5	10	775
80–85	82.5	5	412.5
85–90	87.5	2	175
कुल		31	2332.5

$$\text{औसत} = \frac{2332.5}{31} = 75.24$$

अत:, सही विकल्प (a) है।

21.7 लाइन चार्ट पर हल किए गए उदाहरण (Solved Examples on Line Chart)

प्रश्न 1–प्रश्न 4 के लिए दिशा-निर्देश

जुलाई से दिसंबर तक YouTube चैनलों पर देखे जाने की संख्या ग्राफ में दर्शाई गई है। ग्राफ का अध्ययन करें और नीचे दिए गए प्रश्नों के उत्तर दें:

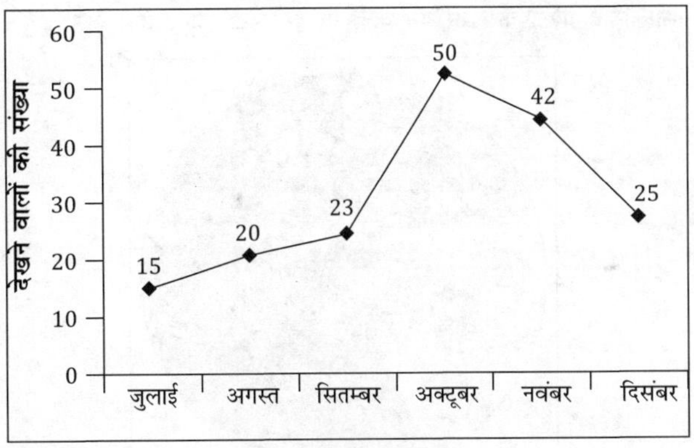

प्रश्न 1. पिछले महीने की तुलना में कितने वर्षों में दृश्य बढ़े हैं?

(a) 3 (b) 4
(c) 2 (d) 5

हल: यह स्पष्ट है कि अगस्त, सितंबर और अक्टूबर के महीनों में दृश्य बढ़े हैं। इसलिए, सही विकल्प (a) 3 है।

प्रश्न 2. अगस्त से नवंबर तक कितने दृश्य दर्ज किए गए?

(a) 105 (b) 135
(c) 150 (d) इनमें से कोई नहीं

हल: अगस्त से नवंबर के महीनों में दृश्य हैं:

20 (अगस्त) + 23 (सितंबर) + 50 (अक्टूबर) + 42 (नवंबर) = 135

इसलिए, सही विकल्प (b) 135 है।

प्रश्न 3. सबसे अधिक प्रतिशत वृद्धि थी

(a) 117.4% (b) 100%
(c) 75% (d) 150%

हल: उच्चतम प्रतिशत वृद्धि 117.4% थी [23 (सितंबर) से 50 (अक्टूबर) तक]। इसलिए, सही विकल्प (a) 117.4% है।

प्रश्न 4. दृश्य की औसत संख्या क्या है?

(a) 29.17 (b) 3021
(c) 297.1 (d) 2917

हल: दृश्य की औसत संख्या– $\dfrac{\text{सभी महीनों के दृश्य का औसत योग}}{\text{महीनों की कुल संख्या}}$

$$= \frac{15+20+23+50+42+25}{6} = \frac{75}{6}$$

= 29.17

इसलिए, सही विकल्प (a) 29.17 है।

21.8 पाई चार्ट पर हल किए गए उदाहरण (Solved Examples on Pie Chart)

प्रश्न 1–प्रश्न 4 के लिए निर्देश

UGC NET परीक्षा के लिए एक कोचिंग संस्थान में 500 छात्रों का डेटा पाई चार्ट के रूप में नीचे दिया गया है।

निम्नलिखित प्रश्नों के उत्तर देने के लिए इस डेटा का उपयोग करें:

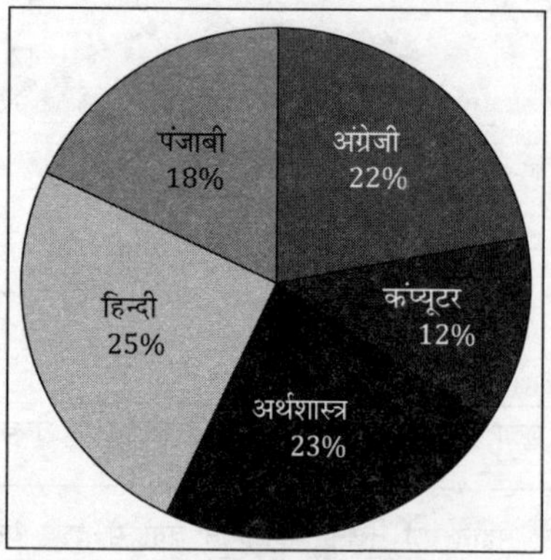

प्रश्न 1. अंग्रेजी के छात्रों की संख्या है-

(a) 125 (b) 150

(c) 110 (d) 100

हलः कुल छात्र = 500

अंग्रेजी के छात्रों की संख्या = 500 का 22%

$$= \frac{22}{100} \times 500 = 110$$

इसलिए, अंग्रेजी के छात्रों की संख्या 110 है। सही विकल्प (c) है।

प्रश्न 2. यदि यह पाया जाता है कि छात्रों के डेटा को रिकॉर्ड करने में कुछ गलती हुई थी और अर्थशास्त्र के 2/5 छात्र वाणिज्य के थे, तो किस विषय में उम्मीदवारों की संख्या सबसे कम होगी?

(a) कंप्यूटर (b) पंजाबी

(c) अर्थशास्त्र (d) वाणिज्य

हलः अर्थशास्त्र में छात्र = 500 का 23%

$$\frac{23}{100} \times 500 = 115$$

वाणिज्य में छात्र = $\frac{2}{5}$ × अर्थशास्त्र में छात्र

$$= \frac{2}{5} \times 115 = 46$$

इसलिए, अर्थशास्त्र में शेष छात्र = 115 - 46 = 69

विषय	छात्रों की संख्या
अंग्रेजी	110
कंप्यूटर	60
अर्थशास्त्र	69
हिंदी	125
पंजाबी	90
वाणिज्य	46

इसलिए, वाणिज्य में छात्रों की संख्या सबसे कम है। इसलिए, सही विकल्प (d) है।

प्रश्न 3. एक शर्त है कि वैकल्पिक कक्षा आयोजित की जाएगी, यदि कम से कम 50 छात्र हैं, तो कक्षाएं आयोजित की जाएंगी-

(a) पंजाबी, अर्थशास्त्र, हिंदी

(b) अंग्रेजी, हिंदी, अर्थशास्त्र

(c) अंग्रेजी, हिंदी, अर्थशास्त्र, वाणिज्य

(d) अंग्रेजी, हिंदी, अर्थशास्त्र, पंजाबी, कंप्यूटर

हलः वाणिज्य को छोड़कर सभी विषयों में छात्रों की संख्या 50 से अधिक है। इसलिए, सही विकल्प (d) है।

प्रश्न 4. कंप्यूटर छात्रों की संख्या के अनुरूप कोण क्या है?

(a) 43.2° (b) 35.7°

(c) 82.3° (d) निर्धारित नहीं किया जा सकता

हलः कंप्यूटर के अनुरूप कोण

= कंप्यूटर छात्रों का प्रतिशत × 360°

$$= \frac{12}{100} \times 360° = 43.2°$$

इसलिए, सही विकल्प (a) है।

21.9 डेटा मैपिंग (Data Mapping)

डेटा मैपिंग का अर्थ है-विभिन्न प्रकार की जानकारियों के बीच संबंध स्थापित करना, जैसे बिंदुओं को जोड़ना। कल्पना कीजिए कि आपके पास एक स्थान (जैसे कोई फाइल) में डेटा है और आप उसे किसी दूसरे स्थान (जैसे डाटाबेस) में व्यवस्थित करना चाहते हैं। डेटा मैपिंग यह सुनिश्चित करती है कि सही जानकारी सही जगह पर पहुँचे और आपस में ठीक से मेल खाए।

उदाहरण: कोई रिटेल स्टोर अलग-अलग दुकानों से बिक्री के आँकड़ों को एक साथ जोड़ने के लिए डेटा मैपिंग का उपयोग कर सकता है ताकि यह देखा जा सके कि कौन-से उत्पाद सबसे ज्यादा बिक रहे हैं। व्यवसायिक संगठन अपने डेटा की तुलना प्रतिस्पर्धियों के डेटा से करके नए विकास के अवसर भी खोज सकते हैं। आइए डेटा मैपिंग के लाभ को बारे में चर्चा करते हैं:

1. **डेटा एकीकरण (Data Integration):** मान लीजिए किसी कंपनी को बिक्री और विपणन विभागों से ग्राहक की जानकारी एक साथ जोड़नी है। डेटा मैपिंग यह सुनिश्चित करती है कि Customer ID और Email Address जैसी जानकारियाँ सभी विभागों में सही ढंग से मेल खाएँ।
2. **डेटा माइग्रेशन (Data Migration):** जब कोई कंपनी नया सिस्टम अपनाती है-जैसे पुरानी HR प्रणाली से नई प्रणाली में कर्मचारी का डेटा स्थानांतरित करना-तो डेटा मैपिंग यह सुनिश्चित करती है कि Employee Name, Employee ID, Position, और Salary जैसी सारी जरूरी जानकारियाँ सही तरीके से स्थानांतरित हो जाएँ।
3. **डेटा रूपांतरण (Data Transformation):** कई बार हमें डेटा के स्वरूप को बदलना पड़ता है, जैसे दिनांक (date) को एक फॉर्मेट से दूसरे फॉर्मेट में बदलना। उदाहरण: DD/MM/YYYY से YYYY-MM-DDA डेटा मैपिंग यह सुनिश्चित करती है कि यह रूपांतरण सटीक ढंग से हो और जानकारी का अर्थ बना रहे।

21.10 डेटा और गवर्नेंस (Data and Governance)

आज की प्रतिस्पर्धात्मक दुनिया में कंपनियाँ तरह-तरह का डेटा इकट्ठा करती हैं। इस डेटा का सही उपयोग करने, जोखिम कम करने और लागत बचाने के लिए वे डेटा गवर्नेंस का पालन करती हैं। आसान शब्दों में, डेटा गवर्नेंस का अर्थ है- किसी संगठन में महत्वपूर्ण जानकारी को सँभालने और सुरक्षित रखने के लिए नियम बनाना और उनका पालन करना।

परिभाषा: डेटा गवर्नेंस में वे सभी प्रक्रियाएँ, भूमिकाएँ, नीतियाँ, मानक और मापदंड (metrics) शामिल होते हैं जो यह सुनिश्चित करते हैं कि डेटा का उपयोग प्रभावी और कुशलतापूर्वक हो, ताकि संगठन अपने लक्ष्यों को प्राप्त कर सके। यह यह तय करता है कि कौन डेटा तक पहुँच सकता है, कब और कैसे उसका उपयोग कर सकता है। नीचे डेटा गवर्नेंस के कुछ प्रमुख कारण दिए गए हैं:

1. **डेटा का कुशल प्रबंधन (Managing Data Effectively):** यह सुनिश्चित करता है कि डेटा सटीक, पूर्ण और एकसमान हो। उदाहरण: अगर कोई कंपनी आधार कार्ड की जानकारी इकट्ठा करती है, तो डेटा प्रबंधन में यह तय किया जाता है कि वह जानकारी कैसे इकट्ठा की जाए, कैसे संग्रहित की जाए और कैसे उपयोग में लाई जाए।
2. **अनुपालन और सुरक्षा (Compliance and Security):** डेटा गवर्नेंस यह सुनिश्चित करता है कि डेटा कानूनी और नियामक आवश्यकताओं को पूरा करे। यह संवेदनशील जानकारी की सुरक्षा और गोपनीयता बनाए रखने के लिए नियम बनाता है।
3. **निर्णय लेने में सुधार (Improving Decision-Making):** डेटा के उपयोग के स्पष्ट नियमों से संगठनों को अपने डेटा पर अधिक भरोसा होता है, जिससे वे बेहतर निर्णय ले पाते हैं।

डेटा गवर्नेंस में तकनीक का उपयोग (Using Technology for Data Governance): ओपन सोर्स प्लेटफॉर्म, क्लाउड तकनीक और iPaaS (Integration Platform as a Service) जैसे तकनीकी उपकरणों का उपयोग डेटा गवर्नेंस को लागू करने के लिए किया जाता है। ये तकनीकें डेटा को कैप्चर करने, समझने, सुधारने और सुरक्षित रखने में मदद करती हैं, जिससे डेटा प्रबंधन अधिक प्रभावशाली और कुशल हो जाता है।

डेटा गवर्नेंस सिर्फ डेटा को सँभालने की बात नहीं है; यह उस डेटा का समझदारी से उपयोग करने की प्रक्रिया है जिससे संगठन को लाभ हो सके। यह सुनिश्चित करता है कि डेटा जिम्मेदारीपूर्वक और प्रभावी ढंग से प्रबंधित हो, जिससे बेहतर निर्णय लिए जा सकें और सभी नियमों का अनुपालन बना रहे।

क्विज स्टेशन *विगत UGC NET परीक्षाओं में पूछे गए आँकड़ों की व्याख्या (Data Interpretation) से सैद्धांतिक प्रश्न*

प्र.1. डेटा के ग्राफिकल प्रतिनिधित्व की निम्नलिखित में से कौन सी विधि अनुपात को दर्शाने के लिए उपयोगी होगी?

(28 अगस्त 2024 - शिफ्ट 1)

(a) लाइन चार्ट (b) हिस्टोग्राम

(c) पाई चार्ट (d) प्रकीर्णन प्लॉट

प्र.2. काल श्रृंखला डाटा में विचरणों को किसके द्वारा सर्वोत्तम रूप में निरूपित किया जाएगा ?

(16 जून 2023 - शिफ्ट 1)

(a) आरेख चार्ट (b) पाई चार्ट

(c) बार चार्ट (d) प्रकीर्णन आरेख

प्र.3. डाटा में माध्यिका मान को प्रदर्शित करने में निम्नलिखित में से कौन-सा आरेख (डायग्राम) उपयोगी है ?

(15 जून 2023 - शिफ्ट 1)

(a) बार चार्ट (b) बाक्स प्लॉट

(c) पाई चार्ट (d) प्रकीर्णित प्लॉट

प्र.4. आवृत्ति वितरण के ग्राफिकीय निरूपण को कहा जाता है:

(14 जून 2023 - शिफ्ट 2)

(a) बार चार्ट (b) रेखा चार्ट

(c) हिस्टोग्राम (d) पाई चार्ट

प्र.5. कथन I: फोटोग्राफ, ग्राफ, फिल्में और अन्य कलाकृतियाँ लिखित संदेशों के दृश्य मूल्य को अधिक स्पष्ट और बढ़ाती नहीं हैं।
कथन II: बार ग्राफ, पाई चार्ट और अन्य इन्फोग्राफिक डिवाइस प्रिंट में संख्याओं के ढेर की जगह नहीं ले सकते।

(4 मार्च 2023 - शिफ्ट 2)

(a) कथन I और कथन II दोनों सही हैं।
(b) कथन I और कथन II दोनों गलत हैं।
(c) कथन I सही है लेकिन कथन II गलत है।
(d) कथन I गलत है लेकिन कथन II सही है।

उत्तर. 1. c, 2. a, 3. b, 4. c, 5. b

मूल्यांकन जोन (EVALUATION ZONE)

निम्न तालिका छह अलग-अलग शहरों (A-F) कार्यरत कमचारियों की संख्या और महिला कर्मचारियों की संख्या और महिला कर्मचारियों की संख्या का प्रतिशत (%) वितरण दिखाती है, साथ ही उनमें से स्नातक पुरुष और महिला कर्मचारियों का प्रतिशत भी दर्शाती है। सभी छह शहरों में कुल कर्मचारियों की संख्या 80000 है और पुरुष और महिला कर्मचारियों का अनुपात 9:7 है। तालिका में दिए गए डेटा के आधार पर, निम्नलिखित प्रश्नों के उत्तर दें?*(9 जनवरी 2025 - शिफ्ट 1)*

कर्मचारियों का शहरवार विवरण

शहर	प्रतिशत वितरण		प्रतिशत	
	कर्मचारी	महिला कर्मचारी	पुरुष स्नातक	महिला स्नातक
A	24%	15%	26%	42%
B	15%	18%	33%	37%
C	20%	16%	41%	38%
D	6%	10%	36%	46%
E	9%	14%	47%	51%
F	26%	27%	48%	56%

1. सभी छः शहरों को मिलाकर स्नातक पुरुष कर्मचारियों की कुल संख्या के बीच कितना अंतर है?

(a) 701 (b) 702
(c) 703 (d) 704

2. शहर B के पुरुष कर्मचारियों की संख्या सभी छः शहरों के कुल कर्म. चारियों की संख्या का ....% है?

(a) 5.25 (b) 7.125
(c) 11.375 (d) 13.725

3. शहर D से स्नातक पुरुष कर्मचारियों की संख्या शहर B से स्नातक पुरुष कर्मचारियों की संख्या का लगभग .... % है।

(a) 23.2 (b) 24.88
(c) 27.28 (d) 32.52

4. शहर A की स्नातक महिला कर्मचारियों की कुल संख्या का शहर D की गैर-स्नातक महिला कर्मचारियों की कुल संख्या से अनुपात क्या है?

(a) 7:6 (b) 8:7
(c) 6:5 (d) 5:4

5. शहर C के पुरुष कर्मचारियों की संख्या शहर F की महिला कर्मचारियों की संख्या से लगभग .... % अधिक है।

(a) 6 (b) 8
(c) 10 (d) 14

निम्न तालिका एक परीक्षा में 6 छात्रों द्वारा 4 अलग-अलग विषयों में प्राप्त अंकों का प्रतिशत दर्शाती है। तालिका का अध्ययन करें और निम्नलिखित प्रश्नों के उत्तर दें: *(7 जनवरी 2025 - शिफ्ट 2)*

विषय (अधिकतम अंक)

छात्र	भौतिक (100)	रसायन (100)	गणित (100)	अंग्रेजी (100)
राधिका	90	85	95	98
करण	92	90	90	93
नीरज	86	82	75	77
प्रियंका	63	48	55	75
सुजाता	77	62	80	85
प्रीति	50	52	40	59

6. भौतिकी में चार उच्चतम स्कोर वाले छात्रों द्वारा प्राप्त अंकों का औसत क्या हैं?

(a) 86.5 (b) 88.5
(c) 78 (d) 86.25

7. निम्नलिखित में से किस जोड़ी के छात्रों का भौतिक विज्ञान में प्राप्त अंकों के बीच सबसे छोटा अनुपात है?

(a) राधिका : करण (b) नीरज : करण
(c) सुजाता : नीरज (d) प्रियंका : सुजाता

8. प्राप्त अंकों के अनुसार, सर्वश्रेष्ठ तीन विषयों में नीरज का प्रतिशत क्या है?

(a) 80% (b) 81.66%
(c) 81.33% (d) 80.66%

9. सभी चार विषयों में निम्नलिखित में से किसने उच्चतम कुल अंक प्राप्त किए?

(a) राधिका (b) करण
(c) नीरज (d) सुजाता

10. करण का समग्र प्रतिशत क्या है?

(a) 92.25% (b) 90.75%
(c) 91.5% (d) 91.25%

निम्नलिखित तालिका-I 2018 से 2023 तक छह वर्षा के दौरान भारत में आइसक्रीम की ब्रिक्री ('करोड़ में) दर्शाती है और तालिका-II वर्ष 2020 में आइसक्रीम की बिक्री में विभिन्न कम्पनियों की प्रतिशत बाजार हिस्सेदारी दर्शाती है। तालिकाओं में डेटा के आधार पर, निम्नलिखित प्रश्नों के उत्तर दें। *(4 सितम्बर 2024 - शिफ्ट 2)*

तालिका-I: आइसक्रीम का वर्षवार विक्रय विवरण (करोड़ रुपयें में)

वर्ष	आइसक्रीम बिक्री (करोड़ में)
2018	7500
2019	8200
2020	8500
2021	8000
2022	8500
2023	9500

तालिका-II: 2020 में आइसक्रीम बिक्री में कम्पनीवार प्रतिशत बाजार हिस्सेदारी

कम्पनी	अमूल	वाडीलाल	बास्किन रॉबिन्स	वार्ना	क्वालिटी	अन्य
Percent Share	28%	13%	10%	6%	35%	8%

11. 2020 में अमूल और वार्ना की बिक्री में क्या अंतर है? (करोड़ रुपये में)

(a) 1804 (b) 2380
(c) 1870 (d) 1760

12. 2023 में कम्पनियों की बाजार हिस्सेदारी 2020 जितनी ही है। 2024 में आइसक्रीम की बिक्री 10% बढ़ जाती है लेकिन अमूल की बाजार हिस्सेदारी गिरकर 23% हो जाती है। 2023 से 2024 तक अमूल के कारोबार में कितने प्रतिशत परिवर्तन हुआ?

(a) 9.64% की वृद्धि
(b) 9.64% की कमी
(c) 17.86% की वृद्धि
(d) 17.86% की कमी

13. वर्ष 2018 की तुलना में 2023 में आइसक्रीम की बिक्री में वृद्धि की औसत वार्षिक दर क्या है?

(a) 5.33% (b) 26.67%
(c) 6.67% (d) 10%

14. यदि 2020 से 2023 तक वाडीलाल की बिक्री 38% बढ़ जाती है, और तदनुसार अन्य कंपनियों की बिक्री का प्रतिशत कम हो जाता है, तो 2023 में वाडीलाल की बाजार हिस्सेदारी कितनी होगी?

(a) 17.5% (b) 18%
(c) 16.94% (d) 16.05%

15. यदि 2021 में कंपनियों की प्रतिशत बाजार हिस्सेदारी 2020 के समान ही रहती है, तो 2020 से 2021 तक अमूल के कारोबार में कितनी वृद्धि/कमी हुई है

(a) 175 करोड़ की वृद्धि
(b) 140 करोड़ की कमी
(c) 175 करोड़ की कमी
(d) 140 करोड़ की वृद्धि

निम्न तालिका पाँच अलग-अलग शहरों A-E में रहने वाले लोगों (लाखों में) की संख्या और उनके बीच तीन अलग-अलग आयु समूहों I, II और III में लोगों की संख्या का अनुपात दर्शाती है। लोगों को तीन आयु समूहों में वर्गीकृत किया गया है जैसे समूह-I: 0 से 21 वर्ष से कम; समूह-II: 21 ls 41 वर्ष से कम और समूह-III: 41 वर्ष और उससे अधिक। तालिका में दिए गए डेटा के आधार पर, निम्नलिखित प्रश्नों के उत्तर दें।

(3 सितम्बर 2024 - शिफ्ट 1)

शहरवार लोगों की संख्या		
शहर	लोगों की संख्या (लाखों में)	आयु समूह-I: II: III: में लोगों की संख्या का अनुपात
A	14.4	1:3:2
B	16	2:3:3
C	19.2	1:1:2
D	12.8	3:1:4
E	12	1:3:1

16. शहर A और B के आयु वर्ग II के लोगों की कुल संख्या और शहर C और E के आयु वर्ग III के लोगों की कुल संख्या के बीच का अंतर है।

(a) 2 लाख (b) 1.2 लाख
(c) 2.4 लाख (d) 0.8 लाख

17. शहर D के आयु वर्ग III के लोगों की संख्या शहर B के आयु वर्ग II के लोगों की संख्या से ______% अधिक है।

(a) 7% (b) $6\frac{1}{4}$%
(c) $6\frac{2}{3}$% (d) 6%

18. शहर C के लिए यदि अगले वर्ष 21 वर्ष की आयु प्राप्त करने वाले व्यक्तियों की संख्या 16000 है: नवजात शिशुओं की संख्या 32000 होगी, तथा आयु वर्ग III में व्यक्तियों की संख्या समान रहेगी, तो विभिन्न आयु वर्ग के व्यक्तियों का नया अनुपात क्या होगा?

(a) 31:31:60
(b) 31:32:60
(c) 31:32:56
(d) 21:23:35

19. शहर A और D में मिलाकर आयु वर्ग-I के लोगों की संख्या का शहर C और E में मिलाकर आयु वर्ग-I के लोगों की संख्या से अनुपात क्या है?

(a) 1:2 (b) 1:1
(c) 2:1 (d) 3:2

20. ठीक __________ शहर/शहरों में आयु वर्ग के लोगों की संख्या 4 लाख से अधिक है।

(a) एक (b) दो
(c) तीन (d) चार

निम्न तालिका पाँच अलग-अलग शहरों A-E के लिए पाँच अलग-अलग आयु समूहों में जनसंख्या का प्रतिशत (%) वितरण दर्शाती है। तालिका में दिए गए डेआ के आधार पर, निम्नलिखित प्रश्नों के उत्तर दें।

(23 अगस्त 2024 - शिफ्ट 2)

शहरवार जनसंख्या का विवरण

आयु समूहों में जनसंख्या का प्रतिशत वितरण					
	0 < आयु ≤ 13	13 < आयु ≤ 19	19 < आयु ≤ 35	35< आयु ≤ 60	आयु > 60
A	18%	12%	24%	30%	16%
B	16%	18%	22%	29%	15%
C	20%	20%	20%	25%	15%
D	15%	18%	21%	26%	20%
E	18%	15%	25%	24%	18%

नोट: $a < Age \le b$ का अर्थ है आयु समूह (a,b) से संबंधित है

21. यदि शहर-A में (19-35) वर्ष आयु वर्ग के लोगों की संख्या 31680 है, तो 60 वर्ष से अधिक आयु वर्ग में कितने लोग हैं?

(a) 21120 (b) 24280

(c) 23680 (d) 19350

22. यदि शहर-B और शहर-E की कुल जनसंख्या क्रमश: 96000 और 130000 है, तो (0, 13) वर्ष के आयु वर्ग में शहर-E की जनसंख्या समान आयु वर्ग। शहर-B की जनसंख्या से लगभग ________ प्रतिशत अधिक है।

(a) 47.24 (b) 49.67

(c) 52.34 (d) 57.5

23. यदि (19, 35) वर्ष के आयु वर्ग में शहर-A और शहर-B की जनसंख्या क्रमश: 17280 और 21120 है, तो शहर-A की कुल जनसंख्या का शहर-B से अनुपात क्या है?

(a) 2:3 (b) 3:4

(c) 4:5 (d) 5:6

24. यदि शहर-E की (0, 13) आयु वर्ग की जनसंख्या 16200 है, तो शहर-E की (0, 13) वर्ष की आयु वर्ग की जनसंख्या शहर-E की (13, 19) वर्ष आयु वर्ग की जनसंख्या का .... % है।

(a) 60 (b) 75

(c) 90 (d) 120

25. यदि 60 वर्ष से अधिक आयु वर्ग में शहर-C और शहर-D की जनसंख्या 24000 प्रत्येक के बराबर है, तो शहर-C और शहर-D की कुल जनसंख्या का योग क्या है?

(a) 2.4 लाख

(b) 2.8 लाख

(c) 3.2 लाख

(d) 4.8 लाख

निम्न तालिका में छ: अलग-अलग पुरुष व्यक्तियों A-F द्वारा एक निश्चित अवधि के लिए एक निश्चित ब्याज दर पर बैंक में निवेश किए गए धन (मूलधन) के बारे में विवरण दिखाया गया है, साथ ही प्राप्त राशि (' में) भी। तालिका में कुछ मान गायब हैं (जिन्हें " - " के रूप में दर्शाया गया है।) जिनकी आपको आवश्यकता पड़ने पर गणना करने की उम्मीद है। तालिका में दिए गए डेटा के आधार पर, निम्नलिखित प्रश्नों के उत्तर दें।

(13 दिसम्बर 2023 - शिफ्ट 2)

व्यक्ति	ब्याज दर (%)	समय (वर्षों में)	प्रिंसिपल (₹ में)	प्राप्त राशि (₹ में)
A	6%	-	18000	-
B	6%	-	30000	-
C	-	5	-	29000
D	-	3	45000	-
E	8%	-	20000	-
F	-	2	60000	-

नोट: जब तक निर्दिष्ट न हो, साधारण ब्याज की गणना करें

26. यदि E और B द्वारा प्राप्त ब्याज के बीच का अंतर 4200 रुपये है और E ने अपना पैसा B द्वारा निवेश की गई समयावधि से दोगुनी अवधि के लिए निवेश किया है, तो E द्वारा प्राप्त राशि है।

(a) 30,000 रुपये (b) 28,600 रुपये

(c) 29,600 रुपये (d) 35,400 रुपये

27. यदि C द्वारा प्राप्त राशि उसके द्वारा निवेश किए गए धन से दोगुनी है, तो यदि वह उसी राशि को 2 वर्षों के लिए अर्धवार्षिक रूप से संयोजित चक्रवृद्धि ब्याज में निवेश करता है, तो 2 वर्षों के बाद उसे कितनी राशि प्राप्त होगी?

(a) 21,229.45 रुपये (b) 21,929.45 रुपये

(c) 21,202.45 रुपये (d) 21,992.45 रुपये

28. यदि A और C द्वारा प्राप्त ब्याज दर 2:3 के अनुपात में है, तो C द्वारा निवेश किया गया धन __________ वर्षों में दोगुना हो जाएगा।

(a) $12\frac{1}{7}$ (b) $15\frac{1}{2}$

(c) $13\frac{1}{3}$ (d) $11\frac{1}{9}$

29. यदि F द्वारा प्राप्त ब्याज उसके द्वारा निवेश की गई राशि का 20% है, तो यदि उसने चक्रवृद्धि ब्याज में पैसा निवेश किया होता तो उसे ब्याज के रूप में कितनी अधिक धनराशि प्राप्त होती?

(a) 700 रुपये (b) 600 रुपये

(c) 300 रुपये (d) 400 रुपये

30. यदि F द्वारा प्राप्त ब्याज, D द्वारा प्राप्त ब्याज 7,575 रुपये अधिक है और F द्वारा प्राप्त ब्याज की दर A द्वारा प्राप्त ब्याज दर से, 2% अधिक है, तो D द्वारा प्राप्त ब्याज दर है।
(a) 8%
(b) 13%
(c) 14%
(d) 15%

निम्नलिखित तालिका में किसी वर्ष चार विभिन्न महाविद्यालयों A-D में कार्यरत कर्मचारियों की संख्या और पुरुष, महिला, पुरुष शिक्षक, महिला शिक्षक, गैर-शिक्षक पुरुष और गैर-शिक्षक महिलाओं की संख्या दर्शायी गई है। इस तालिका में कुछ मान (के रूप में चिन्हित) नहीं दिए गए हैं जिनका परिकलन, यदि आवश्यक हो, किया जाना अपेक्षित है। इस तालिका के आँकड़ों के आधार पर नीचे दिए गए प्रश्नों के उत्तर दीजिए।

(19 जून 2023 - शिफ्ट 1)

कर्मचारियों का कॉलेजवार विवरण

कॉलेज	संख्या						
	कर्मचारी	पुरुषकर्मचारी	महिलाकर्मचारी	शिक्षणपुरुष	गैर-शिक्षणपुरुष	गैर-शिक्षणमहिलाएं	गैर-शिक्षण
A	756	526	-	325	-	-	-
B	-	-	-	215	-	254	-
C	-	159	-	-	-	-	-
D	224	142	82	-	-	-	-

31. महाविद्यालय D में शिक्षक पुरुषों की संख्या 46 है। यदि महाविद्यालय A से 124 पुरुषों जिनमें से 62 गैर-शिक्षक हैं को महाविद्यालय D में स्थानांतरित कर दिया जाता है तो महाविद्यालय D में गैर-शिक्षक पुरुषों की नई संख्या कितनी होगी?
(a) 124 (b) 62
(c) 158 (d) 166

32. यदि महाविद्यालय C में महिलाओं की संख्या महाविद्यालय A में महिलाओं की संख्या से 147 अधिक है और महाविद्यालय C में शिक्षक पुरुषों और शिक्षक महिलाओं की संख्या का योग 115 है, तो महाविद्यालय C में गैर-शिक्षक पुरुष और गैर-शिक्षक महिलाओं की संख्या का योग कितना है-
(a) 421 (b) 415
(c) 467 (d) 435

33. यदि महाविद्यालय A में गैर-शिक्षक महिलाओं की संख्या शिक्षक महिलाओं की संख्या के आधे से 2 अधिक है, तो गैर-शिक्षक पुरुषों और गैर शिक्षक महिलाओं के बीच का अंतर कितना हैं?
(a) 130 (b) 123
(c) 120 (d) 118

34. यदि महाविद्यालय D में शिक्षक महिलाओं और गैर-शिक्षक महिलाओं की संख्या समान है और शिक्षक पुरुषों की संख्या शिक्षक महिलाओं की संख्या से 5 अधिक है, तो गैर-शिक्षक पुरुषों और गैर-शिक्षक महिलाअें के बीच का अंतर कितना है?
(a) 224 (b) 102
(c) 55 (d) 79

35. यदि महाविद्यालय B में गैर-शिक्षक पुरुषों की संख्या शिक्षक पुरुषों की संख्या से 26 अधिक है और गैर-शिक्षक पुरुषों और गैर-शिक्षक महिलाओं की संख्या के बीच का अंतर 122 है और पुरुषों के संख्या महिलाओं की संख्या से अधिक है, तो कर्मचारियों की संख्या कितनी हैं:
(a) 768 (b) 867
(c) 748 (d) 829

निम्नलिखित तालिका में वर्ष 2020 और 2021 में किसी कंपनी द्वारा उत्पादित छः भिन्न-भिन्न मदों A-F के प्रकार के प्रतिशता वितरण को दर्शाया गया है। वर्ष 2020 और 2021 में उस कंपनी द्वारा उत्पादित मदों की कुछ संख्या 48600 और 62500 है। तालिका में दिए गए आंकड़ों के आधार पर सम्बंधित पाँच प्रश्नों के उत्तर दीजिए। *(4 मार्च 2023 - शिफ्ट 2)*

उत्पादन का मदवार वितरण

मद के प्रकार	उत्पादित मदों का वितरण (%)	
	2020	2021
A	17%	18%
B	18%	15%
C	17%	8%
D	20%	17%
E	16%	18%
F	12%	24%

36. वर्ष 2020 और 2021 में एक साथ मिलाकर उत्पादित प्रकार (टाइप) C के मदों की कुल संख्या कितनी है?
(a) 12482 (b) 13262
(c) 14786 (d) 15200

37. वर्ष 2020 और 2021 में उत्पादित प्रकार B के मदों की संख्या वर्ष 2021 में उत्पादित प्रकार B के मदों की संख्या का लगभग _______ % है।
(a) 84 (b) 87
(c) 90 (d) 93

38. वर्ष 2020 में उत्पादित प्रकार D के मदों की संख्या और वर्ष 2021 में प्रकार F के मदों की संख्या का अनुपात क्या है?
(a) 13:17 (b) 83:116
(c) 81:125 (d) 103:147

39. 2020 और 2021 में कम्पनी द्वारा उत्पादित A, B और C प्रकार की वस्तुओं की कुल संख्या कितनी है?
(a) 50897 (b) 51164
(c) 52324 (d) 48542

40. वर्ष 2021 में उत्पादित प्रकार E की वस्तुओं की संख्या, 2021 में उत्पादित प्रकार C की वस्तुओं की संख्या से ________% अधिक है।
(a) 105 (b) 75
(c) 60 (d) 125

निम्नलिखित तालिका वर्ष 2020 की अवधि में पांच अलग-अलग कॉलेजों (A-E) में तीन भिन्न-भिन्न अकादमिक प्रोग्रामों B.A., B.C.A., और B.B.A. है, इनमें नामांकित विद्यार्थियों की संख्या के बारे में विवरण प्रस्तुत करती है। तालिका में दिए गए पर आधारित, 1-5 प्रश्नों के उत्तर दीजिए: *(12 अक्टूबर 2022 - शिफ्ट 2)*

कॉलेजवार विद्यार्थियों का नामांकन

कॉलेज	शैक्षणिक कार्यक्रम		
	B.A.	B.C.A.	B.B.A.
A	275	350	425
B	300	325	475
C	325	300	325
D	450	375	425
E	325	425	225

41. सभी पाँच कॉलेजों में B.C.A. की पढ़ाई करने वाले छात्रों की औसत संख्या क्या है?
(a) 365 (b) 395
(c) 330 (d) 355

42. कॉलेज C और E में मिलाकर B.C.A. में पढ़ रहे विद्यार्थियों की कुल संख्या का कॉलेज A और B में मिलाकर B.A. में पढ़ रहे विद्यार्थियों की कुल संख्या से अनुपात क्या है?
(a) 24:28 (b) 25:27
(c) 29:23 (d) 29:27

43. सभी कॉलेजों में B.C.A., B.A. और B.B.A. में पढ़ने वाले कुल विद्यार्थियों की संख्या का क्रमश: अनुपात क्या है?
(a) 71:67:75 (b) 67:71:75
(c) 71:68:75 (d) 75:71:68

44. कॉलेज C में B.B.A. में पढ़ने वाले छात्रों की संख्या सभी पाँच कॉलेजों में B.B.A. में पढ़ने वाले कुल छात्रों की संख्या का लगभग कितना प्रतिशत है?
(a) 21% (b) 39%
(c) 33% (d) 17%

45. कॉलेज B में B.A. में पढ़ने वाले छात्रों की संख्या उसी कॉलेज में सभी कार्यक्रमों में पढ़ने वाले कुल छात्रों की संख्या का कितना प्रतिशत है? (दशमलव के बाद दो अंकों तक पूर्णांकित)
(a) 26.86% (b) 27.27%
(c) 29.84% (d) 32.51%

बैटरियों की वर्षवार बिक्री *(29 सितम्बर 2022 - शिफ्ट 1)*

वर्ष	बेची गई बैटरियों के प्रकार (हजारों में)				
	4AH	7AH	32AH	35AH	55AH
2015	75	144	114	102	108
2016	90	126	102	84	126
2017	96	114	75	105	135
2018	105	90	150	90	75
2019	90	75	135	75	90
2020	105	60	165	45	120
2021	115	85	160	100	145

46. 2015 की तुलना में 2021 में 55एएच बैटरी की ब्रिक्री में अनुमानित प्रतिशत वृद्धि कितनी थी?
(a) 28%
(b) 31%
(c) 33%
(d) 34%

47. 2016 और 2020 में बेची गई 35एएच बैटरियों की संख्या में कितना अंतर है?
(a) 24000 (b) 28000
(c) 35000 (d) 39000

48. किसी दिए गए वर्ष में बेची गई 4एएच बैटरियों की संख्या का उस वर्ष में बेची गई बैटरियों की संख्या से प्रतिशत प्रतिशत अधिकतम था?
(a) 2017 (b) 2018
(c) 2019 (d) 2020

49. किस प्रकार की बैटरी के लिए सभी सात वर्षों की कुल बिक्री अधिकतम है?
(a) 4एएच (b) 7एएच
(c) 32एएच (d) 35एएच

50. किस प्रकार की बैटरी के मामले में 2015 से 2020 तक बिक्री में लगातार कमी रही?
(a) 4एएच (b) 7एएच
(c) 32एएच (d) 35एएच

निम्नलिखित तालिका पर विचार कीजिए जिसमें प्रत्येक अस्पताल में किए गए कोरोना जांच को कोष्ठक के भीतर और किसी विशेष दिन में शहर में पोजीटिव पाए गए व्यक्तियों की संख्या को दर्शाया गया है। तालिका में अन्तर्विष्ट प्रदत्त के आधार पर प्रश्न के उत्तर दीजिए:

(5 जनवरी 2022 - शिफ्ट 1)

अस्पताल / शहर	अस्पताल A (100)	अस्पताल B (50)	अस्पताल C (100)	अस्पताल D (50)
शहर 1	30	15	35	10
शहर 2	35	10	30	10
शहर 3	15	5	15	5
शहर 4	10	5	5	15

51. किस शहर ने सबसे अधिक सकारात्मक मामले दर्ज किए?
(a) शहर 2 (b) शहर 1
(c) शहर 4 (d) शहर 3

52. नकारात्मक मामलों का प्रतिशत क्या है?
(a) 16.90 (b) 16.10
(c) 15.66 (d) 16.67

53. शहर 1 और शहर 3 में सकारात्मक मामलों का अनुपात क्या है?
(a) 9 : 4 (b) 6 : 5
(c) 9 : 5 (d) 11 : 4

54. किस अस्पताल ने सबसे अधिक सकारात्मक मामले दर्ज किए?
(a) अस्पताल A
(b) अस्पताल D
(c) अस्पताल B
(d) अस्पताल C

उत्तर

1. (d)	**2.** (b)	**3.** (b)	**4.** (a)	**5.** (c)	**6.** (d)	**7.** (d)	**8.** (b)	**9.** (a)	**10.** (d)
11. (c)	**12.** (b)	**13.** (a)	**14.** (d)	**15.** (b)	**16.** (b)	**17.** (c)	**18.** (a)	**19.** (b)	**20.** (b)
21. (a)	**22.** (c)	**23.** (b)	**24.** (d)	**25.** (b)	**26.** (c)	**27.** (a)	**28.** (d)	**29.** (b)	**30.** (d)
31. (c)	**32.** (a)	**33.** (b)	**34.** (c)	**35.** (d)	**36.** (b)	**37.** (d)	**38.** (c)	**39.** (a)	**40.** (d)
41. (d)	**42.** (c)	**43.** (a)	**44.** (d)	**45.** (b)	**46.** (d)	**47.** (d)	**48.** (d)	**49.** (c)	**50.** (b)
51. (b)	**52.** (d)	**53.** (a)	**54.** (a)						

विस्तृत समाधान और संकेत

क्या आप किसी कठिन प्रश्न को हल करने में संघर्ष कर रहे हैं या संशय में हैं?

चिंता न करें! ऊपर दिए गए प्रश्नों के विस्तृत समाधान और उपयोगी संकेत प्राप्त करने के लिए इस QR कोड को स्कैन करें।

क्या आप जानते हैं? इस खंड में दिए गए प्रश्न पिछली UGC NET परीक्षाओं (2020–2025) से हैं और अक्सर परीक्षा में दोहराए जाते हैं। उन्हें समझने से आपका स्कोर काफी बढ़ सकता है। इसलिए, उत्तर कुंजी को सिर्फ सरसरी तौर पर न पढ़ें – विस्तृत व्याख्याओं को देखने और प्रत्येक प्रश्न की पूरी समझ हासिल करने के लिए इस QR कोड को स्कैन करें।

QR कोड काम नहीं कर रहा है? QR कोड के साथ दिए गए संसाधनों तक पहुँचने के लिए आंतरिक फ्रन्ट कवर पर दिए गए निर्देशों का पालन करें

क्या आप और अधिक अभ्यास करना चाहते हैं? इस इकाई से **अतिरिक्त 200+ अभ्यास प्रश्नों** तक पहुँचने के लिए इस QR कोड को स्कैन करें। McGraw Hill EDGE प्लेटफॉर्म UGC NET परीक्षा इंटरफेस की नकल करता है, जो आपको एक यथार्थवादी परीक्षा अनुभव प्रदान करता है और आपको वास्तविक परीक्षा प्रारूप से परिचित होने में मदद करता है। यह आपको समय का बेहतर प्रबंधन करने में मदद करता है और आपको परीक्षा के दबाव में MCQ को सटीक रूप से हल करने के लिए तैयार करता है।

आईसीटी का परिचय (Introduction to ICT)

22

इस अध्याय में

**परीक्षोपयोगी (Exam Essential): UGC NET परीक्षा में पूछे जाने की अत्यधिक संभावना, #CC का अर्थ है कॉन्सेप्ट कैप्सूल*

परिचय (Introduction)

एक पल के लिए अपनी आँखें बंद करें और एक ऐसी दुनिया की कल्पना करने की कोशिश करें जिसमें इंटरनेट न हो, आपका स्मार्टफोन, लैपटॉप, या कोई भी डिजिटल उपकरण न हो जिस पर आप हर दिन निर्भर रहते हैं। यह अध्याय सूचना और संचार प्रौद्योगिकी, या ICT, से संबंधित है, जो कनेक्टिविटी के पीछे की अदृश्य शक्ति है जिसे हम अक्सर हल्के में लेते हैं। हम यह जानेंगे कि ये प्रौद्योगिकियाँ हमारे जीवन के ताने-बाने में कैसे बुनी गई हैं, जिससे हम सीखने, काम करने और दुनिया भर के अन्य लोगों से जुड़ने के तरीके को आकार दे रहे हैं।

इंटरनेट की जड़ों से लेकर मोबाइल प्रौद्योगिकी में नवीनतम प्रगति तक, यह अध्याय आपको हमारे डिजिटल दुनिया के आवश्यक घटकों के माध्यम से मार्गदर्शन करेगा। हम ICT के विकास, हमारे दैनिक संचार में इसकी भूमिका, और शिक्षा, व्यवसाय, स्वास्थ्य सेवा, और सरकार जैसे क्षेत्रों पर इसके गहरे प्रभाव को देखेंगे। इसके अतिरिक्त, हम ICT के भविष्य पर विचार करेंगे, उभरते रुझानों और प्रौद्योगिकियों की जांच करेंगे जो हमारे जीवन को और अधिक बदलने के लिए तैयार हैं।

UGC NET पेपर 1 के दृष्टिकोण से, ICT को समझना आवश्यक है क्योंकि यह न केवल यह बढ़ाता है कि विभिन्न प्रौद्योगिकियाँ शैक्षिक सेटिंग्स में संचार और सूचना प्रसार को कैसे प्रभावित करती हैं, बल्कि यह आपको आधुनिक उपकरणों और तकनीकों से भी लैस करता है जो आज की शिक्षा और अनुसंधान क्षेत्रों में महत्वपूर्ण हैं। ICT की ठोस समझ आपको नवीन शिक्षण रणनीतियों को विकसित करने, कुशल अनुसंधान करने, और नवीनतम शैक्षिक प्रौद्योगिकियों के साथ अद्यतित रहने में मदद कर सकती है, जिससे यह आपकी तैयारी का एक महत्वपूर्ण हिस्सा बन जाता है।

22.1 आईसीटी क्या है? (What is ICT?)

आईसीटी का मतलब सूचना और संचार प्रौद्योगिकी है। इसमें 'प्रौद्योगिकी' शामिल है, यानी सिस्टम और उपकरण जो 'सूचना' को संभालते हैं और लोगों को एक-दूसरे के साथ 'संचार' करने में मदद करते हैं। आइए आईसीटी के तीन घटकों को समझें-

इस विषय को सरल बनाने वाले वीडियो व्याख्यान को देखने के लिए इस QR कोड को स्कैन करें

- **सूचना (Information):** यह तथ्यों, डेटा, या निर्देशों को संदर्भित करता है जिन्हें संग्रहीत किया जा सकता है और बाद में उपयोग किया जा सकता है। उदाहरण के लिए, आपके कंप्यूटर पर सहेजा गया एक दस्तावेज या आपके फोन पर सहेजा गया एक वीडियो।
- **संचार (communication):** यह इस बारे में है कि लोग एक-दूसरे के साथ जानकारी कैसे साझा करते हैं। यह ईमेल के माध्यम से, इंटरनेट पर चैटिंग के माध्यम से, या यहां तक कि वीडियो कॉल के माध्यम से आमने-सामने बात करने के माध्यम से हो सकता है।

- **प्रौद्योगिकी (Technology):** ये वे उपकरण हैं जो जानकारी को संग्रहीत और साझा करना संभव बनाते हैं। इसमें कंप्यूटर, स्मार्टफोन, इंटरनेट, और सभी प्रोग्राम (जैसे ऐप्स) शामिल हैं जो आपको इन उपकरणों के साथ इंटरैक्ट करने में मदद करते हैं।

यूनेस्को सूचना और संचार प्रौद्योगिकी (आईसीटी) को वैज्ञानिक, तकनीकी, और इंजीनियरिंग विषयों के साथ प्रबंधन तकनीकों के उपयोग के रूप में परिभाषित करता है ताकि मनुष्यों और मशीनों के बीच जानकारी को संभाला और प्रसारित किया जा सके। आईसीटी पारंपरिक और आधुनिक दोनों उपकरणों को शामिल करता है। पारंपरिक आईसीटी उपकरणों में रेडियो, टीवी, और टेलीफोन शामिल हैं, जबकि आधुनिक आईसीटी उपकरणों में कंप्यूटर, उपग्रह प्रौद्योगिकी, और वायरलेस सिस्टम शामिल हैं। ये उपकरण तेजी से एकीकृत हो रहे हैं, जिससे एक दूसरे से जुड़ा नेटवर्क तैयार हो रहा है, जिस पर आज हम निर्भर हैं।

स्कोर बूस्टर
पूरक पठन अनुशंसा

QR कोड काम नहीं कर रहा है? QR कोड के साथ दिए गए संसाधनों तक पहुँचने के लिए आंतरिक फ्रन्ट कवर पर दिए गए निर्देशों का पालन करें

अतिरिक्त विषयों की खोज करें जो आपके UGC NET पेपर 1 में स्कोर को बढ़ा सकते हैं। जबकि ये विषय आधिकारिक तौर पर पाठ्यक्रम का हिस्सा नहीं हैं, ये पिछले UGC NET परीक्षाओं में आए हैं। निम्नलिखित विषयों को कवर करने वाली एक **विशेष *PDF*** डाउनलोड करने के लिए QR कोड स्कैन करें-

1. ICT के लाभ और ताकतें
2. ICT के नुकसान और कमजोरियाँ

22.2 कंप्यूटर की पीढ़ियाँ (Generations of Computer)

एक कंप्यूटर एक इलेक्ट्रॉनिक उपकरण है जो जटिल गणनाओं और कार्यों को करने में सक्षम है जो मनुष्यों के लिए काफी अधिक कठिन और समय लेने वाले होंगे (चित्र 22.1)। चाहे आपको एक निबंध लिखना हो या एक फोटो या वीडियो संपादित करना हो, या जटिल गणना करना हो–कंप्यूटर उस स्कूल के ऑल-राउंडर छात्र की तरह है जो सब कुछ कर सकता है। एक अधिक औपचारिक भाषा में, एक कंप्यूटर को एक इलेक्ट्रॉनिक उपकरण के रूप में परिभाषित किया जाता है जो डेटा को संसाधित करता है और कार्यक्रमों के रूप में ज्ञात निर्देशों के एक सेट के अनुसार कार्य करता है। यह जानकारी को संग्रहीत, पुन: प्राप्त और संसाधित कर सकता है, जिससे यह शिक्षा, व्यवसाय, स्वास्थ्य देखभाल और मनोरंजन जैसे विभिन्न क्षेत्रों में एक आवश्यक उपकरण बन जाता है।

इस विषय को सरल बनाने वाले वीडियो व्याख्यान को देखने के लिए इस QR कोड को स्कैन करें

कंप्यूटर कई पीढ़ियों के माध्यम से विकसित हुए हैं, प्रत्येक को महत्वपूर्ण तकनीकी प्रगति द्वारा चिह्नित किया गया है। कंप्यूटरों के संदर्भ में 'पीढ़ी' शब्द उन विशिष्ट चरणों को संदर्भित करता है जिनमें तकनीकी प्रगति ने समय के साथ उनके डिजाइन, कार्यक्षमता और प्रदर्शन में महत्वपूर्ण सुधार किया है। जैसे-जैसे वर्षों के दौरान तकनीक में प्रगति हुई है, वैसे-वैसे कंप्यूटर भी विभिन्न पीढ़ियों के माध्यम से विकसित हुए हैं। कंप्यूटर की प्रत्येक पीढ़ी को प्रौद्योगिकी में प्रमुख प्रगति द्वारा परिभाषित किया गया है जिसने उनके संरचना और क्षमताओं को नाटकीय रूप से बदल दिया है। कंप्यूटर की पाँच पीढ़ियाँ हैं। आइए देखें कि इन पीढ़ीगत परिवर्तनों ने आज हम जो कंप्यूटर उपयोग करते हैं उन्हें कैसे आकार दिया है।

चित्र 22.1 कंप्यूटर

पहली पीढ़ी (1940 से 1956) (First Generation (1940 to 1956)

1. **मुख्य इलेक्ट्रॉनिक घटक (Main Electronic Component):** वैक्यूम ट्यूब
2. **प्रयुक्त हार्डवेयर (Hardware Used):** इस युग में कंप्यूटर डेटा प्रोसेसिंग और इलेक्ट्रॉनिक्स को नियंत्रित करने के लिए बड़ी वैक्यूम ट्यूब का उपयोग करते थे। ये ट्यूब एक कमरे जितनी बड़ी होती थीं!
3. **प्रयुक्त प्रोग्रामिंग भाषा (Programming Language Used):** इस युग के दौरान मशीन भाषा प्रोग्रामिंग आदर्श थी। प्रोग्रामर को सीधे मशीन कोड में निर्देश लिखने होते थे, जो जटिल और समय लेने वाला था।
4. **विशेषताएँ (Characteristics):** इस पीढ़ी के कंप्यूटर बड़े, महंगे और अविश्वसनीय थे। वे विशाल मशीनें थीं जिनके लिए बहुत अधिक जगह की आवश्यकता होती थी, उन्हें बनाना और बनाए रखना महंगा था और अक्सर हार्डवेयर विफलता का अनुभव करते थे। इन कंप्यूटरों में बहुत कम मेमोरी थी और वे आज के मानकों की तुलना में धीरे-धीरे काम करते थे।
5. **उदाहरण (Examples):** EDVAC, ENIAC (इलेक्ट्रॉनिक न्यूमेरिकल इंटीग्रेटर और कंप्यूटर), और IBM 701.

दूसरी पीढ़ी (1956 से 1963) (Second Generation (1956 to 1963)

1. **मुख्य इलेक्ट्रॉनिक घटक (Main Electronic Component):** ट्रांजिस्टर
2. **प्रयुक्त हार्डवेयर (Hardware Used):** ट्रांजिस्टर ने कंप्यूटर में मुख्य इलेक्ट्रॉनिक घटक के रूप में वैक्यूम ट्यूबों की जगह ले ली। इन छोटे और अधिक विश्वसनीय ट्रांजिस्टर ने कंप्यूटिंग दक्षता में काफी सुधार किया।
3. **प्रयुक्त प्रोग्रामिंग भाषा (Programming Language Used):** असेंबली भाषा प्रोग्रामिंग अधिक प्रचलित हो गई। प्रोग्रामर के लिए

मशीन कोड की तुलना में इसे समझना आसान था, हालांकि अभी भी निम्न-स्तरीय था।

4. **विशेषताएँ (Characteristics):** ट्रांजिस्टर के साथ, कंप्यूटर छोटे और उत्पादन में सस्ते हो गए, जिससे वे अधिक सुलभ हो गए। इस उन्नति ने कंप्यूटिंग को भविष्य के लिए और अधिक सुलभ बना दिया।
5. **उदाहरण (Examples):** हनीवेल 400, आईबीएम 1401 और यूनीवैक 1107।

तीसरी पीढ़ी (1963 से 1971) (Third Generation (1963 to 1971)

1. **मुख्य इलेक्ट्रॉनिक घटक (Main Electronic Component):** इंटीग्रेटेड सर्किट (आईसी)
2. **प्रयुक्त हार्डवेयर (Hardware used):** इंटीग्रेटेड सर्किट (आईसी), या माइक्रोचिप्स, पेश किए गए, जिन्होंने एक चिप पर कई इलेक्ट्रॉनिक घटकों को पैक करके कंप्यूटिंग में क्रांति ला दी।
3. **प्रयुक्त प्रोग्रामिंग भाषा (Programming Language Used):** प्रोग्रामर अब FORTRAN और COBOL जैसी अधिक उन्नत भाषाओं का उपयोग कर सकते थे। इन भाषाओं ने सॉफ्टवेयर विकास को आसान और अधिक सुलभ बना दिया।
4. **विशेषताएँ (Characteristics):** कंप्यूटर आकार में लगातार छोटे होते गए, जबकि वे अधिक शक्तिशाली और लागत प्रभावी होते गए। कंप्यूटर अब एक साथ कई उपयोगकर्ताओं को संभाल सकते थे, और ऑपरेटिंग सिस्टम ने कंप्यूटर को प्रबंधित करने के तरीके को सरल बना दिया।
5. **उदाहरण (Examples):** IBM 360/370, CDC 6600, और PDP-8/11।

चौथी पीढ़ी (1972 से 2010) (Fourth Generation (1972 to 2010)

1. **मुख्य इलेक्ट्रॉनिक घटक (Main Electronic Component):** वेरी लार्ज-स्केल इंटीग्रेशन (VLSI) चिप्स
2. **प्रयुक्त हार्डवेयर (Hardware Used):** माइक्रोप्रोसेसर और वेरी लार्ज-स्केल इंटीग्रेशन (VLSI) तकनीक ने इस पीढ़ी को परिभाषित किया। माइक्रोप्रोसेसरों की शुरूआत ने व्यक्तिगत कंप्यूटरों के निर्माण की अनुमति दी, जिससे कंप्यूटिंग व्यक्तियों के लिए सुलभ हो गई।
3. **प्रयुक्त प्रोग्रामिंग भाषा (Programming Language Used):** जैसे-जैसे कंप्यूटर विकसित हुए, प्रोग्रामिंग भाषाओं में विविधता आई। ग्राफिकल यूजर इंटरफेस (GUI) ने कंप्यूटर को अधिक उपयोगकर्ता-अनुकूल बना दिया। GUI ने कंप्यूटर को केवल टेक्स्ट के बजाय आइकन, विंडो और मेनू के साथ उपयोग करना आसान बना दिया।
4. **विशेषताएँ (Characteristics):** कंप्यूटर छोटे और अधिक पोर्टेबल होते गए, जिससे लैपटॉप और हैंडहेल्ड डिवाइस का चलन बढ़ा। नेटवर्किंग और इंटरनेट के जन्म ने वैश्विक संचार और सूचना पहुँच को बदल दिया।
5. **उदाहरण (Examples):** IBM PC, Apple Macintosh, CRAY 1 सुपरकंप्यूटर और Intel 4004 माइक्रोप्रोसेसर।

पाँचवीं पीढ़ी (2010 और उसके बाद) (Fifth Generation (2010 and Beyond)

1. **मुख्य इलेक्ट्रॉनिक घटक (Main Electronic Component):** अल्ट्रा लार्ज-स्केल इंटीग्रेशन (ULSI) चिप्स
2. **प्रयुक्त हार्डवेयर (Hardware Used):** शोधकर्ता तेज और अधिक कुशल इलेक्ट्रॉनिक घटक बनाने के लिए नैनोट्यूब और ग्राफीन जैसी नई सामग्रियों की खोज कर रहे हैं। वर्तमान कंप्यूटिंग हार्डवेयर मुख्य रूप से सिलिकॉन-आधारित तकनीक का उपयोग करता है।
3. **प्रयुक्त प्रोग्रामिंग भाषा (Programming Language Used):** कंप्यूटिंग सिस्टम में आर्टिफिशियल इंटेलिजेंस (AI) और मशीन लर्निंग (ML) तकनीकों को एकीकृत करने पर ध्यान केंद्रित किया जाता है, जिससे मशीनें सीख सकें और निर्णय ले सकें।
4. **विशेषताएँ (Characteristics):** इस पीढ़ी की विशेषता यह है कि इसमें क्वांटम यांत्रिकी के सिद्धांतों का लाभ उठाते हुए, पारंपरिक कंप्यूटरों की तुलना में जटिल समस्याओं को तेजी से हल करने की क्वांटम कंप्यूटिंग की क्षमता है।
5. **उदाहरण (Examples):** AI, क्वांटम कंप्यूटिंग अनुसंधान और जावा, NET और पायथन जैसी भाषाओं का उपयोग करने वाले अनुप्रयोगों में IBM की प्रगति।

तालिका 22.1 कंप्यूटर की विभिन्न पीढ़ियों की प्रमुख विशेषताओं पर प्रकाश डालती है।

तालिका 22.1 कंप्यूटर की पीढ़ियाँ

पीढ़ी	मुख्य इलेक्ट्रॉनिक घटक	प्रोग्रामिंग भाषा	मुख्य मेमोरी	इनपुट/आउटपुट डिवाइस	विशेषताएँ	उदाहरण
पहली पीढ़ी (1942-1952)	वैक्यूम ट्यूब	मशीन भाषा	चुंबकीय टेप और चुंबकीय ड्रम	पेपर टेप और पंच कार्ड	विशाल आकार, अत्यधिक महंगा, बिजली की उच्च खपत, बैच ओएस	ENIAC UNIVAC EDVAC EDSAC IBM-701
दूसरी पीढ़ी (1952-1964)	ट्रांजिस्टर	असेंबली भाषा, फोरट्रान, कोबोल	चुंबकीय कोर	चुंबकीय टेप और पंच कार्ड	मल्टीप्रोग्रामिंग ओएस, तेज प्रोसेसिंग, कम लागत और आकार	IBM 7000 Honeywell 400 IBM 1401

पीढ़ी	मुख्य इलेक्ट्रॉनिक घटक	प्रोग्रामिंग भाषा	मुख्य मेमोरी	इनपुट/आउटपुट डिवाइस	विशेषताएँ	उदाहरण
तीसरी पीढ़ी (1964–1974)	इंटीग्रेटेड सर्किट (IC)	उच्च स्तरीय भाषा (BASIC, ALGOL, PASCAL)	चुंबकीय कोर, चुंबकीय टेप/डिस्क	मॉनिटर, कीबोर्ड, प्रिंटर	रिमोट प्रोसेसिंग, टाइम-शेयरिंग - तेज और सस्ता	PDP IBM 360· CDC 6600
चौथी पीढ़ी (1974–1990)	वेरी लार्ज-स्केल इंटीग्रेशन (VLSI)	उच्च-स्तरीय भाषाएँ (पायथन, सीरु, जावा, जावास्क्रिप्ट, रस्ट, कोटलिन)	सेमीकंडक्टर मेमोरी (जैसे रैम, रोम)	पॉइंटिंग डिवाइस, ऑप्टिकल स्कैनिंग, कीबोर्ड, मॉनिटर, प्रिंटर	माइक्रोप्रोसेसरों का युग, नेटवर्क, वितरित ऑपरेटिंग सिस्टम, पहली बार पीसी में इंटरनेट का उपयोग	CRAY-I/II Apple II
पाँचवीं पीढ़ी (1990–अब तक)	अल्ट्रा लार्ज-स्केल इंटीग्रेशन (यूएलएसआई)	Java, .NET, Python	उन्नत अर्धचालक मेमोरी	टचपैड, लाइट स्कैनर, प्रिंटर, कीबोर्ड, मॉनिटर, माउस	एआई का युग, समानांतर प्रसंस्करण	IBM Q System Pentium Param AI Robots etc-

कॉन्सेप्ट कैप्सूल

कंप्यूटर इतिहास में प्रमुख मील के पत्थर

तालिका 22.2 कंप्यूटर प्रौद्योगिकी के ऐतिहासिक मुख्य बिंदु

नवोन्मेष	नाम	वर्ष	आविष्कारक
पहला एनालॉग कंप्यूटर	डिफरेंशियल एनालाइजर	1930	वन्नेवर बुश
पहला कार्यशील प्रोग्रामेबल कंप्यूटर	Z3	1941	कोनराड जूस
पहला इलेक्ट्रॉनिक कंप्यूटर	ABC	1942	जॉन विंसेंट अटानासॉफ और क्लिफोर्ड ई. बेरी
पहला प्रोग्रामेबल कंप्यूटर	कोलोसस	1943	टॉमी फ्लावर्स
पहला सामान्य प्रयोजन प्रोग्रामेबल इलेक्ट्रॉनिक कंप्यूटर	ENIAC	1946	जॉन मौचली और जे. प्रेस्पर एकर्ट
पहला संग्रहित-प्रोग्राम कंप्यूटर	SSEM (मैनचेस्टर स्मॉल-स्केल एक्सपेरीमेंटल मशीन)	1948	फ्रेडरिक सी. विलियम्स, टॉम किलबर्न और ज्योफ टुटिल
पहला पर्सनल कंप्यूटर	साइमन	1950	एडमंड बर्कले
पहला सुपर कंप्यूटर	CDC 6600	1964	सेमोर क्रे
पहला वाणिज्यिक पर्सनल कंप्यूटर	प्रोग्राममा 101	1965	पियर जियोर्जियो पेरोटो

क्या आप जानते हैं?

भारत का पहला कंप्यूटर भारतीय सांख्यिकी संस्थान (ISI) में कोलकाता में वर्ष 1955 में स्थापित किया गया था। यह भारत की तकनीकी प्रगति में एक महत्वपूर्ण मील का पत्थर था, जिसने सांख्यिकी और अनुसंधान सहित विभिन्न क्षेत्रों में कंप्यूटिंग क्षमताओं का परिचय दिया।

कंप्यूटर इतिहास में प्रारंभिक नवाचार

1. **अबेकस** – यह सबसे प्रारंभिक ज्ञात यांत्रिक गणना उपकरणों में से एक है। इसका उपयोग सरल अंकगणितीय क्रियाओं जैसे जोड़ और घटाव को करने के लिए किया जाता था, जिसमें मोतियों को छड़ों पर स्लाइड किया जाता था।
2. **पैस्कलाइन (ब्लेज पास्कल)** – ब्लेज पास्कल द्वारा आविष्कृत, पास्कलाइन पहले यांत्रिक कैलकुलेटरों में से एक था। यह गियर और पहियों की एक श्रृंखला के माध्यम से जोड़ और घटाव कर सकता था।
3. **इंजन (चार्ल्स बैबेज):** प्रोप्राइटरी सॉफ्टवेयर एनालिटिकल इंजन, पहला मैकेनिकल कंप्यूटर, चार्ल्स बैबेज द्वारा डिजाइन किया गया था, जिन्हें 'कंप्यूटर के जनक' के रूप में जाना जाता है। उन्होंने डिफरेंस इंजन भी बनाया, जो एक और प्रारंभिक कंप्यूटिंग डिवाइस था।

22.3 कंप्यूटरों का वर्गीकरण (Classification of Computers)

कार्य के आधार पर (On the Basis of Functions)

कंप्यूटरों को उनके उद्देश्य के आधार पर भी वर्गीकृत किया जा सकता है, जो यह निर्धारित करता है कि वे जानकारी को कैसे संसाधित करते हैं। इससे तीन मुख्य प्रकार होते हैं - एनालॉग, डिजिटल और हाइब्रिड कंप्यूटर। प्रत्येक श्रेणी डेटा को संभालने के लिए विभिन्न तरीकों का उपयोग करती है, जो वैज्ञानिक अनुसंधान से लेकर रोजमर्रा के व्यावसायिक उपयोग तक के विशिष्ट आवश्यकताओं और अनुप्रयोगों को पूरा करती है। आइए जानें कि ये विभिन्न कंप्यूटर कैसे काम करते हैं और उन्हें क्या अनोखा बनाता है।

एनालॉग कंप्यूटर (Analogue Computers)

विवरण (Description): एनालॉग कंप्यूटर निरंतर डेटा के साथ काम करते हैं जो धीरे-धीरे बदलता है, जैसे तापमान रीडिंग या ध्वनि की मात्रा। एनालॉग कंप्यूटर का कार्य करने का तरीका थर्मामीटर के तापमान मापने के तरीके के समान है। जैसे थर्मामीटर का पारा स्तर तापमान में बदलाव के साथ ऊपर और नीचे होता है, एनालॉग कंप्यूटर विभिन्न मात्रा में डेटा का प्रतिनिधित्व करने के लिए बदलते संकेतों का उपयोग करते हैं। ये कंप्यूटर भौतिक घटनाओं का उपयोग करके गणना करते हैं, जैसे विद्युत वोल्टेज या यांत्रिक गति, ताकि हल की जा रही समस्या का मॉडल तैयार किया जा सके।

अनुप्रयोग (Application): एनालॉग कंप्यूटरों का सबसे सामान्य उपयोग एयरोस्पेस और इंजीनियरिंग के क्षेत्र में हुआ है। शक्तिशाली डिजिटल सिस्टम के आगमन से पहले, एनालॉग कंप्यूटर विमान की उड़ान और विभिन्न अन्य प्रणालियों की गतिशीलता का अनुकरण करने में आवश्यक थे। उदाहरण के लिए, उन्होंने नासा के प्रारंभिक अंतरिक्ष मिशनों में महत्वपूर्ण भूमिका निभाई, अंतरिक्ष यान की प्रक्षेपवक्रों को मॉडलिंग और भविष्यवाणी करने में मदद की।

एनालॉग कंप्यूटरों का उपयोग अन्य वैज्ञानिक अनुप्रयोगों में भी व्यापक रूप से किया गया, जैसे मौसम विज्ञान में मौसम की भविष्यवाणी के लिए और चिकित्सा में हृदय गति और अन्य शारीरिक कार्यों की निगरानी के लिए। उनकी वास्तविक समय सिमुलेशन प्रदान करने की क्षमता उन्हें उन वातावरणों में अमूल्य बनाती है जहां त्वरित निर्णय लेना महत्वपूर्ण होता है।

सीमाएँ (Limitation): उनकी उपयोगिता के बावजूद, डिजिटल कंप्यूटरों के उदय, जो अधिक बहुमुखी और प्रोग्राम करने में आसान हैं, ने एनालॉग कंप्यूटरों के उपयोग में गिरावट का कारण बना। हालांकि, एनालॉग कंप्यूटरों की सटीकता और वास्तविक समय प्रसंस्करण क्षमताएं उन्हें कुछ विशेष क्षेत्रों में अभी भी मूल्यवान बनाती हैं, विशेष रूप से जहां निरंतर प्रक्रियाओं का अनुकरण आवश्यक है।

उदाहरण (Examples): थर्मामीटर, विंटेज रेडियो, और स्टीरियो सिस्टम।

डिजिटल कंप्यूटर (Digital Computers)

विवरण (Description): डिजिटल कंप्यूटर वे उपकरण हैं जो बाइनरी कोड का उपयोग करके जानकारी को संसाधित करते हैं, जो केवल दो अवस्थाओं- 0 और 1 का उपयोग करके डेटा का प्रतिनिधित्व करने की एक प्रणाली है। यह बाइनरी दृष्टिकोण उन्हें जटिल गणनाओं को तेजी से और सटीक रूप से करने की अनुमति देता है, जिससे वे आज उपयोग में सबसे सामान्य प्रकार के कंप्यूटर बन गए हैं।

अनुप्रयोग (Applications): डिजिटल कंप्यूटर विभिन्न क्षेत्रों में कई उद्देश्यों की सेवा करते हैं। व्यवसाय में, वे वित्तीय लेनदेन का प्रबंधन और प्रसंस्करण करते हैं, विनिर्माण प्रक्रियाओं को स्वचालित करते हैं, और संचार की सुविधा प्रदान करते हैं। घरों में, वे मनोरंजन प्रदान करते हैं, शैक्षिक सीखने में सहायता करते हैं, और स्मार्ट उपकरणों के माध्यम से दैनिक गतिविधियों का प्रबंधन करने में मदद करते हैं जो इंटरनेट के माध्यम से जुड़े होते हैं।

इसके अलावा, डिजिटल कंप्यूटर इंटरनेट और नेटवर्क प्रणालियों के विकास और संचालन के लिए केंद्रीय हैं, वैश्विक कनेक्टिविटी, ई-कॉमर्स, और जानकारी तक पहुंच को सक्षम करते हैं। विभिन्न कार्यों के लिए प्रोग्राम किए जाने की उनकी क्षमता उन्हें अविश्वसनीय रूप से बहुमुखी बनाती है और उन्नत प्रौद्योगिकी विकास और रोजमर्रा के उपकरणों दोनों का एक अभिन्न हिस्सा बनाती है।

उदाहरण (Examples): पर्सनल कंप्यूटर (पीसी), लैपटॉप, टैबलेट, और स्मार्टफोन।

डिजिटल कंप्यूटरों के प्रकार (Types of Digital Computers)

1. **सामान्य-उद्देश्य कंप्यूटर (General-purpose Computers):** ये विभिन्न कार्यों को संभालने के लिए डिजाइन किए गए हैं क्योंकि इन्हें विभिन्न चीजें करने के लिए प्रोग्राम किया जा सकता है। वे लचीले होते हैं और दस्तावेज लिखने, इंटरनेट ब्राउज करने, या गेम खेलने जैसे कार्यों के लिए विभिन्न सॉफ्टवेयर चला सकते हैं। पर्सनल कंप्यूटर (पीसी), लैपटॉप, टैबलेट, और स्मार्टफोन सभी सामान्य-उद्देश्य कंप्यूटर हैं। इन्हें घरों, कार्यालयों, या चलते-फिरते रोजमर्रा के कार्यों के लिए उपयोग किया जा सकता है।
2. **विशेष-उद्देश्य कंप्यूटर (Special-purpose Computers):** ये विशिष्ट कार्यों के लिए बनाए गए हैं और बड़े उपकरणों में निर्मित होते हैं। इन्हें एक कार्य को बहुत अच्छी तरह से करने के लिए डिजाइन किया गया है, अक्सर उनकी कार्यक्षमता को आसानी से बदलने की क्षमता के बिना। उदाहरणों में फील्ड-प्रोग्रामेबल गेट एरे (एफपीजीए), एप्लिकेशन-स्पेसिफिक इंटीग्रेटेड सर्किट (एएसआईसी) शामिल हैं। विशेष-उद्देश्य कंप्यूटर का एक और लोकप्रिय उदाहरण माइक्रोकंट्रोलर है। ये छोटे कंप्यूटर होते हैं जो उपकरणों (जैसे वाशिंग मशीन, माइक्रोवेव) और कारों में एम्बेडेड होते हैं। इन्हें विशिष्ट कार्यों को नियंत्रित करने के लिए प्रोग्राम किया जाता है, जैसे ओवन में तापमान का प्रबंधन करना या कारों में इंजन कार्यों को नियंत्रित करना।

हाइब्रिड कंप्यूटर (Hybrid Computers)

विवरण (Description): हाइब्रिड कंप्यूटर एनालॉग और डिजिटल कंप्यूटरों दोनों की विशेषताओं को जोड़ते हैं, विशिष्ट कार्यों को अधिक कुशलता से संभालने के लिए दोनों दुनियाओं के सर्वश्रेष्ठ को पकड़ते हैं। यह एनालॉग कंप्यूटरों की गति और डिजिटल कंप्यूटरों की सटीकता को जोड़ता है।

अनुप्रयोग (Applications): हाइब्रिड कंप्यूटरों का सबसे सामान्य उपयोग चिकित्सा अनुप्रयोगों में होता है। इन्हें रोगी निगरानी प्रणालियों के लिए व्यापक रूप से उपयोग किया जाता है, जहां वास्तविक समय डेटा (जैसे हृदय गति, रक्तचाप, और अन्य शारीरिक मापदंड) एनालॉग घटक द्वारा संसाधित किए जाते हैं, और डिजिटल प्रणाली डेटा लॉगिंग, रोगी रिकॉर्ड, और विस्तृत

निदान का प्रबंधन करती है। यह संयोजन चिकित्सा डेटा के लिए तात्कालिक प्रतिक्रियाओं के साथ-साथ गहन विश्लेषण और रिकॉर्ड-कीपिंग करने की क्षमता की अनुमति देता है।

हाइब्रिड कंप्यूटरों का उपयोग विशेष औद्योगिक प्रक्रियाओं और एयरोस्पेस उद्योग में भी किया जाता है, जहां वे उड़ान प्रणालियों और सिमुलेशन को संभालते हैं जिन्हें वास्तविक समय संवेदन और प्रसंस्करण के साथ-साथ जटिल गणनात्मक आवश्यकताओं की आवश्यकता होती है। दोनों प्रकार के डेटा को सहजता और कुशलता से संसाधित करने की उनकी क्षमता उन्हें उन स्थितियों में अमूल्य बनाती है जहां दोनों प्रकार के डेटा को एक साथ संसाधित करने की आवश्यकता होती है।

उदाहरण (Examples): चिकित्सा निदान कंप्यूटर और फ्लाइट सिम्युलेटर।

सिनेमैटिक कनेक्शन

आइए देखें कि क्या हम इन कंप्यूटरों के उपयोग के मामले को हमारे प्रसिद्ध बॉलीवुड फिल्मों में पा सकते हैं! फिल्म "*मुझसे दोस्ती करोगे?*" (2002) में, ऋतिक रोशन और करीना कपूर के किरदार एक डिजिटल कंप्यूटर का उपयोग करके एक-दूसरे को ईमेल भेजते हैं। फिल्म "कोई... मिल गया" (2003) में, रोहित (ऋतिक रोशन द्वारा निभाया गया किरदार) एक एनालॉग कंप्यूटर का उपयोग करके एलियंस (जादू) के साथ संवाद करता है। याद है वह सिग्नल, 'ओम ओम ओम ओम (Aum aum aum aum)'? इसके अलावा, फिल्म "*कल हो ना हो*" (2003) में, जब अमन माथुर (शाहरुख खान द्वारा निभाया गया किरदार) अस्पताल में होता है, तो उसकी हृदय गति और नाड़ी को एक हाइब्रिड कंप्यूटर द्वारा मॉनिटर किया जाता है।

★★★ परीक्षोपयोगी

आकार और विन्यास के आधार पर (On the Basis of Size and Configuration)

कंप्यूटर हर जगह हैं! हमारी जेब में मौजूद छोटे-छोटे उपकरणों से लेकर वैज्ञानिकों की बड़ी-बड़ी समस्याओं को सुलझाने में मदद करने वाली विशालकाय मशीनों तक, कंप्यूटर हर आकृति और आकार में आते हैं। तकनीक के निरंतर विकसित होते परिदृश्य में, कंप्यूटर ने विभिन्न अनुप्रयोगों और कार्यात्मकताओं के अनुरूप विविधता ला दी है, जिससे एक जटिल वर्गीकरण प्रणाली बन गई है। आकार और विन्यास के आधार पर कंप्यूटरों का वर्गीकरण विभिन्न उपयोगकर्ता आवश्यकताओं और परिचालन पैमानों के अनुरूप तकनीक के विविध परिदृश्य को प्रकट करता है। आइए इस विभाजन के अंतर्गत विभिन्न प्रकार के कंप्यूटरों का पता लगाएं।

क्विज स्टेशन *विगत UGC NET परीक्षाओं के प्रश्न*

प्र 1. एक हाइब्रिड कंप्यूटर

(a) एक डिजिटल कंप्यूटर जैसा दिखता है

(b) एक एनालॉग कंप्यूटर जैसा दिखता है

(c) एक डिजिटल और एक एनालॉग कंप्यूटर दोनों जैसा दिखता है

(d) उपरोक्त में से कोई नहीं

उत्तर 1. (c)

सुपरकंप्यूटर (Supercomputers)

विवरण: सुपरकंप्यूटर अविश्वसनीय रूप से शक्तिशाली कंप्यूटर हैं जिनका उपयोग मुख्य रूप से जटिल वैज्ञानिक अनुसंधान और इंजीनियरिंग कार्यों के लिए किया जाता है। वे नियमित कंप्यूटरों की तुलना में बहुत तेज और अधिक सक्षम होते हैं क्योंकि वे प्रति सेकंड अरबों या खरबों गणनाएँ कर सकते हैं। यह गति उन्हें बड़ी मात्रा में डेटा और जटिल गणितीय गणनाओं से निपटने की अनुमति देती है जिसे सामान्य कंप्यूटर संभाल नहीं सकते।

अनुप्रयोग: उदाहरण के लिए, सुपरकंप्यूटर शेयर बाजार में ट्रेडिंग में महत्वपूर्ण भूमिका निभाते हैं। वे वास्तविक समय में बड़ी मात्रा में शेयर बाजार लेनदेन की प्रक्रिया कर सकते हैं, जिससे निवेशकों और वित्तीय संस्थानों को तेजी से निर्णय लेने और उच्च आवृत्ति व्यापार करने में मदद मिलती है।

कॉन्सेप्ट कैप्सूल

सुपरकंप्यूटर के बारे में मुख्य तथ्य

1. **सुपरकंप्यूटर के जनक:** सीमोर क्रे (Seymour Cray)
2. **FLOPS:** FLOPS मतलब है फ्लोटिंग पॉइंट ऑपरेशन पर सेकंड। यह सुपर कंप्यूटर के प्रदर्शन का माप है, विशेष रूप से यह कि यह एक सेकंड में कितनी फ्लोटिंग-पॉइंट गणनाएँ कर सकता है। फ्लोटिंग-पॉइंट ऑपरेशन में उन संख्याओं पर अंकगणितीय संक्रियाएँ (जोड़, घटाव, गुणा, भाग) शामिल होते हैं, जिनके अंश भिन्नात्मक होते हैं (जैसे 3.14 या 0.001)। सरल शब्दों में, यह मापने का एक तरीका है कि कोई कंप्यूटर या प्रोसेसर 3.14 या 0.001 जैसे दशमलव बिंदुओं वाली संख्याओं के साथ कितनी तेजी से गणित कर सकता है। FLOPS हमें बताता है कि कंप्यूटर एक सेकंड में इनमें से कितनी गणनाएँ कर सकता है। यह पता लगाने का एक सामान्य तरीका है कि जटिल गणितीय कार्यों को तेजी से निपटाने के मामले में कंप्यूटर वास्तव में कितना शक्तिशाली है।
3. **सुपरकंप्यूटर में ऑपरेटिंग सिस्टम:** लिनक्स दुनिया के शीर्ष 500 सुपरकंप्यूटर में सबसे अधिक इस्तेमाल किया जाने वाला ऑपरेटिंग सिस्टम है। यह लोकप्रिय है क्योंकि यह बहुत स्थिर है और इसे विभिन्न प्रकार के जटिल कार्यों के लिए वास्तव

में अच्छी तरह से काम करने के लिए अनुकूलित किया जा सकता है।

4. **सुपरकंप्यूटिंग में अग्रणी:** सुपरकंप्यूटर की दुनिया में, यूएसए, चीन और भारत जैसे देश अग्रणी हैं-
   - **यूएसए:** फ्रंटियर नामक यूएसए का सुपरकंप्यूटर सबसे तेज में से एक है, जो प्रति सेकंड 1.1 क्विंटिलियन से अधिक गणना करने में सक्षम है।
   - **चीन:** चीन का सनवे ताइहुलाइट 93 पेटाफ्लॉप पर प्रदर्शन करते हुए, इसके ठीक पीछे है, जो अविश्वसनीय रूप से तेज है।
   - **भारत:** भारत में, पहला सुपरकंप्यूटर PARAM था, जो देश की तकनीकी प्रगति में एक महत्वपूर्ण उपलब्धि है।
5. **PARAM:** संस्कृत में 'PARAM' का अर्थ 'supreme' है और इसका अर्थ है 'PARAllel Machine,' जो समानांतर प्रसंस्करण कार्यों को कुशलतापूर्वक संभालने की उनकी क्षमता को दर्शाता है।
   - **भारतीय सुपरकंप्यूटर के जनक:** विजय पांडुरंग भटकर को व्यापक रूप से 'भारतीय सुपरकंप्यूटर के जनक' के रूप में जाना जाता है। उन्होंने भारत में सुपरकंप्यूटरों की PARAM शृंखला के विकास में महत्वपूर्ण भूमिका निभाई।
   - **इतिहास:** यह शृंखला भारत के पहले सुपरकंप्यूटर PARAM 8000 से शुरु हुई थी और यह लगातार विकसित हो रही है, जिसमें नवीनतम मॉडल परम रुद्र भी शामिल है, जिसे भारत के प्रधानमंत्री नरेंद्र मोदी ने 26 सितंबर, 2024 को स्थापित किया। उन्होंने तीन परम रुद्र सुपर कंप्यूटिंग सिस्टम और मौसम और जलवायु अनुसंधान के लिए एक हाई-परफॉरमेंस कंप्यूटिंग (HPC) प्रणाली लॉन्च की। नए HPC सिस्टम का नाम 'अर्का' और 'अरुणिका' है। नवंबर 2024 तक, AIRAWAT सुपरकंप्यूटर भारत का सबसे तेज सुपरकंप्यूटर है।
   - **संगठन:** PARAM सुपरकंप्यूटर इलेक्ट्रॉनिक्स और सूचना प्रौद्योगिकी मंत्रालय (MeITY) के तहत सेंटर फॉर डेवलपमेंट ऑफ एडवांस्ड कंप्यूटिंग (C-DAC) द्वारा विकसित और असेंबल की गई एक शृंखला है। C-DAC का मुख्यालय पुणे में है।

क्विज स्टेशन *विगत UGC NET परीक्षाओं के प्रश्न*

प्र 1. निम्नलिखित में से किसे भारत का पहला सुपर कंप्यूटर कहा जा सकता है?

(a) PARAM 8000 (b) PARAM युवा
(c) PARAM पद्म (d) PARAM ब्रह्मा

प्र 2. पहला सुपरकंप्यूटर बनाया गया था:

(a) 1964 (b) 1976
(c) 1796 (d) 1989

प्र 3. सुपरकंप्यूटर की गति मापी जाती है:

(a) किलोबाइट्स (b) निर्देश प्रति सेकंड
(c) FLOPS (d) डॉट्स प्रति इंच

प्र 4. निम्नलिखित में से कौन सा कंप्यूटर ऑपरेटिंग सिस्टम दुनिया के शीर्ष-500 सुपरकंप्यूटरों में सबसे अधिक उपयोग किया जाता है?

(a) लिनक्स ओएस (b) लिसा ओएस
(c) मैक ओएस (d) यूनिक्स ओएस

उत्तर 1. (a) 2. (a) 3. (c) 4. (a)

मेनफ्रेम कंप्यूटर (Mainframe Computers)

विवरण (Description): मेनफ्रेम कंप्यूटर विशाल और अत्यंत शक्तिशाली मशीनें होती हैं जो बड़ी मात्रा में डेटा को आसानी से प्रोसेस करने की क्षमता के लिए जानी जाती हैं। ये अविश्वसनीय रूप से उच्च गति पर काम करती हैं, जिसे प्रति सेकंड लाखों निर्देशों (MIPS) में मापा जाता है। ये कंप्यूटर उच्च विश्वसनीयता, मापनीयता और सुरक्षा के लिए जाने जाते हैं, जिससे वे विशाल मात्रा में डेटा को संभालने और हजारों उपयोगकर्ताओं को एक साथ समर्थन देने के लिए आदर्श होते हैं।

अनुप्रयोग (Application): मेनफ्रेम के अनुप्रयोग का एक उदाहरण बैंकिंग क्षेत्र में है, जहां वे हर दिन लाखों लेनदेन करते हैं, वित्तीय डेटा को प्रोसेस करने में गति और सटीकता सुनिश्चित करते हैं। मेनफ्रेम का व्यापक रूप से एयरलाइन आरक्षण प्रणालियों में भी उपयोग किया जाता है, जहां वे हजारों उड़ानों और यात्री बुकिंग के डेटा का प्रबंधन करते हैं, वैश्विक स्तर पर निर्बाध संचालन बनाए रखते हैं।

उदाहरण: अपने आकार और जटिलता के बावजूद, मेनफ्रेम आधुनिक कंप्यूटिंग आवश्यकताओं के अनुकूल हो गए हैं, जिसमें कई ऑपरेटिंग सिस्टम चलाने और जटिल वेब सेवाओं को शामिल करने की क्षमता है। IBM, Fujitsu, और Hitachi जैसी कंपनियां मेनफ्रेम कंप्यूटरों के प्रमुख निर्माता हैं, जो इन आवश्यक व्यावसायिक मशीनों की क्षमताओं को नवाचार और विस्तार करना जारी रखती हैं। मेनफ्रेम कंप्यूटरों के उदाहरणों में IBM z16, Fujitsu Server GS21, और Unisys ClearPath Libra/Dorado शामिल हैं, जो आज उपलब्ध सबसे उन्नत और शक्तिशाली मेनफ्रेम में से हैं।

मेनफ्रेम कंप्यूटरों से संबंधित महत्वपूर्ण शब्द-

1. **टाइम शेयरिंग (Time Sharing):** मेनफ्रेम एक तकनीक का उपयोग करते हैं जिसे 'टाइम शेयरिंग' कहा जाता है, जो कई उपयोगकर्ताओं को प्रदर्शन से समझौता किए बिना कंप्यूटर का एक साथ उपयोग करने की अनुमति देता है। यह कंप्यूटर के संसाधनों के उपयोग को अधिकतम करके उत्पादकता को बढ़ाता है।
2. **एक्सटेंडेड बाइनरी कोडेड डेसिमल इंटरचेंज कोड (EBCDIC) [Extended Binary Coded Decimal Interchange Code (EBCDIC)]:** EBCDIC एक कैरेक्टर एन्कोडिंग है जिसका उपयोग मेनफ्रेम कंप्यूटरों में टेक्स्ट को प्रदर्शित करने के लिए किया

जाता है। यह प्रत्येक कैरेक्टर, जिसमें अक्षर, संख्या और प्रतीक शामिल हैं, को एक अद्वितीय बाइनरी कोड असाइन करता है। उदाहरण के लिए, प्ठड मेनफ्रेम सिस्टम डेटा स्टोरेज और संचार के लिए EBCDIC एन्कोडिंग का उपयोग करते हैं।

मिनीकंप्यूटर (Minicomputers)

विवरण (Description): मिनीकंप्यूटर, जिन्हें मिड-रेंज कंप्यूटर भी कहा जाता है, बड़े मेनफ्रेम सिस्टम और छोटे व्यक्तिगत कंप्यूटरों के बीच की खाई को भरते हैं। ये मशीनें मेनफ्रेम की तुलना में छोटी, कम महंगी होती हैं, फिर भी व्यक्तिगत कंप्यूटरों की तुलना में अधिक शक्तिशाली होती हैं, जिससे वे मध्यम आकार के व्यवसायों के लिए आदर्श होती हैं।

अनुप्रयोग (Application): मेनफ्रेम की तुलना में मिनीकंप्यूटर की गति और भंडारण क्षमता कम होती है, जिसका अर्थ है कि उनका प्रदर्शन बड़े सिस्टम के बराबर नहीं होता। इसके बावजूद, वे प्रभावी मल्टीप्रोसेसिंग कंप्यूटर होते हैं, जो कई कार्यों को एक साथ करने में सक्षम होते हैं और एक समय में 4 से 200 उपयोगकर्ताओं का समर्थन कर सकते हैं। उनका उपयोग विभिन्न कार्यों जैसे लेखांकन, इन्वेंटरी प्रबंधन, ग्राहक संबंध प्रबंधन (CRM), और शिक्षण और अनुसंधान वातावरण में किया जाता है जहां मध्यम कंप्यूटिंग शक्ति पर्याप्त होती है।

उदाहरण: मिनीकंप्यूटर के उदाहरणों में DEC PDP-11, IBM System/36, HP 3000, Data General Eclipse, और Tandem NonStop शामिल हैं।

वर्कस्टेशन (Workstations)

विवरण (Description): वर्कस्टेशन उच्च-शक्ति वाले कंप्यूटर होते हैं जो जटिल कार्यों और बड़ी मात्रा में डेटा को संभालने के लिए डिजाइन किए गए होते हैं, आमतौर पर एकल उपयोगकर्ता द्वारा उपयोग किए जाते हैं। वे व्यक्तिगत कंप्यूटरों की तुलना में अधिक शक्तिशाली होते हैं लेकिन मेनफ्रेम जितने शक्तिशाली नहीं होते। वर्कस्टेशन उन कार्यों में उत्कृष्ट होते हैं जिनके लिए मजबूत ग्राफिक्स क्षमताओं और उच्च प्रोसेसिंग शक्ति की आवश्यकता होती है।

अनुप्रयोग (Application): वर्कस्टेशन का एक सामान्य उपयोग वीडियो संपादकों द्वारा किया जाता है, जो फिल्मों, फिल्मों और वृत्तचित्रों को संपादित करने के लिए इन शक्तिशाली कंप्यूटरों पर निर्भर करते हैं। वर्कस्टेशन उच्च गति वाले प्रोसेसर, प्रचुर मात्रा में RAM, और उन्नत ग्राफिक्स कार्ड के साथ डिजाइन किए गए होते हैं जो बड़े वीडियो फाइलों और जटिल संपादन कार्यों को संभालने के लिए आवश्यक होते हैं। इसके अतिरिक्त, वर्कस्टेशन अक्सर उच्च गुणवत्ता वाले मॉनिटर के साथ आते हैं जो सटीक रंग ग्रेडिंग के लिए होते हैं और बड़े भंडारण क्षमता प्रदान करते हैं ताकि व्यापक वीडियो परियोजनाओं को समायोजित किया जा सके।

माइक्रोकंप्यूटर (Microcomputers)

माइक्रोकंप्यूटर, जिन्हें आमतौर पर व्यक्तिगत कंप्यूटर (PC) कहा जाता है, कॉम्पैक्ट और अपेक्षाकृत सस्ते सिस्टम होते हैं जो व्यक्तिगत उपयोगकर्ताओं के लिए डिजाइन किए गए होते हैं। माइक्रोकंप्यूटर बहुमुखी होते हैं और व्यक्तिगत और पेशेवर दोनों सेटिंग्स में व्यापक रूप से उपयोग किए जाते हैं। माइक्रोप्रोसेसर के आगमन ने PCs को सस्ती और व्यापक रूप से सुलभ बनाने में महत्वपूर्ण भूमिका निभाई। इस तकनीकी छलांग ने छोटे उपकरणों में शक्तिशाली कंप्यूटिंग क्षमताओं की अनुमति दी। आइए कुछ सामान्य प्रकार के माइक्रोकंप्यूटरों पर नजर डालें-

1. **डेस्कटॉप कंप्यूटर (Desktop computers):** माइक्रोकंप्यूटर की एक श्रेणी, जो कार्यालय के वातावरण और घरों में दस्तावेज निर्माण से लेकर वीडियो कॉन्फ्रेंसिंग तक के कार्यों के लिए उपयोग की जाती है।
2. **लैपटॉप कंप्यूटर (Laptop computers):** डेस्कटॉप के पोर्टेबल संस्करण, समान कार्यक्षमताएं प्रदान करते हैं लेकिन गतिशीलता के अतिरिक्त लाभ के साथ, जिससे वे पेशेवरों और छात्रों के लिए आदर्श होते हैं।
3. **हैंडहेल्ड कंप्यूटर (Handheld computers):** जिन्हें व्यक्तिगत डिजिटल सहायक (PDAs) भी कहा जाता है, कॉम्पैक्ट कंप्यूटिंग क्षमताएं प्रदान करते हैं और व्यक्तिगत जानकारी का प्रबंधन करने और चलते-फिरते कार्यों को करने के लिए उपयोगी होते हैं, हालांकि हाल के वर्षों में स्मार्टफोन द्वारा इन्हें काफी हद तक प्रतिस्थापित कर दिया गया है।

माइक्रोकंप्यूटर की व्यापक अनुकूलता और सुलभता ने उन्हें आधुनिक जीवन का अभिन्न अंग बना दिया है, जो बुनियादी शैक्षिक आवश्यकताओं से लेकर विभिन्न उद्योगों में उन्नत कम्प्यूटेशनल कार्यों तक सब कुछ समर्थन करते हैं।

क्लैरिटी कॉर्नर

आइए वर्कस्टेशन कंप्यूटर और माइक्रो कंप्यूटर के बीच भ्रम को दूर करें- वर्कस्टेशन कंप्यूटर और माइक्रो कंप्यूटर के बीच मुख्य अंतर उनके उपयोग और प्रदर्शन क्षमताओं में निहित है।

वर्कस्टेशन उच्च-प्रदर्शन कंप्यूटर होते हैं जिन्हें पेशेवर उपयोग के लिए डिजाइन किया गया है, अक्सर ऐसे कार्यों में शामिल होते हैं जिनके लिए महत्वपूर्ण कंप्यूटिंग शक्ति की आवश्यकता होती है, जैसे कि ग्राफिक डिजाइन, वीडियो संपादन, सॉफ्टवेयर विकास, और जटिल डेटा विश्लेषण। उदाहरण के लिए, एक वास्तुकार उन्नत 3D मॉडलिंग सॉफ्टवेयर चलाने के लिए वर्कस्टेशन का उपयोग कर सकता है, जिसके लिए व्यापक ग्राफिक्स प्रोसेसिंग और मेमोरी क्षमता की आवश्यकता होती है।

दूसरी ओर, माइक्रो कंप्यूटर, जिन्हें आमतौर पर पर्सनल कंप्यूटर (पीसी) के रूप में जाना जाता है, आमतौर पर सामान्य कंप्यूटिंग कार्यों के लिए उपयोग किए जाते हैं। इनमें इंटरनेट ब्राउजिंग, दस्तावेज बनाना और संपादित करना, और बुनियादी मल्टीमीडिया कार्य शामिल हैं। एक सामान्य उदाहरण एक परिवार होगा जो होमवर्क, घरेलू कार्यों का प्रबंधन, या मनोरंजन गतिविधियों के लिए घर पर एक डेस्कटॉप पीसी का उपयोग कर रहा है।

हालांकि दोनों का उपयोग पेशेवर वातावरण में किया जा सकता है, वर्कस्टेशन अधिक मांग वाले कार्यों को संभालने के लिए अधिक मजबूत हार्डवेयर से लैस होते हैं, जबकि माइक्रो कंप्यूटर अधिक बहुमुखी होते हैं लेकिन उच्च-स्तरीय प्रदर्शन में सीमाएं होती हैं।

क्विज स्टेशन *विगत UGC NET परीक्षाओं के प्रश्न*

प्र 1. आमतौर पर, इन कंप्यूटरों का उपयोग बैंकिंग, एयरलाइंस, रेलवे आदि में उनके अनुप्रयोगों के लिए किया जाता है। वे एक साथ 1000 से अधिक वर्कस्टेशन को समायोजित कर सकते हैं और बहुत तेज गति से डेटा प्रोसेस कर सकते हैं और समवर्ती कार्यक्रमों का समर्थन कर सकते हैं। ये हैं:

(a) मेनफ्रेम कंप्यूटर (b) माइक्रो कंप्यूटर

(c) वर्कस्टेशन (d) सुपर कंप्यूटर

उत्तर 1. (a)

22.4 कंप्यूटर के घटक (Components of Computers)

कंप्यूटर अद्भुत मशीनें हैं जो कई आवश्यक घटकों से बनी होती हैं जो डेटा को संसाधित करने और विभिन्न कार्यों को कुशलतापूर्वक करने के लिए एक साथ काम करती हैं। यहाँ हम जिन आवश्यक भागों पर चर्चा करेंगे उनका एक अवलोकन है–

इस विषय को सरल बनाने वाले वीडियो व्याख्यान को देखने के लिए इस QR कोड को स्कैन करें

1. **हार्डवेयर (Hardware):** हार्डवेयर कंप्यूटर सिस्टम के भौतिक घटकों को संदर्भित करता है जिन्हें आप छू सकते हैं और महसूस कर सकते हैं। अपने कंप्यूटर को एक कार जैसी मशीन के रूप में कल्पना करें। कार का हार्डवेयर इंजन, पहिए, सीटें और स्टीयरिंग व्हील जैसी चीजों को शामिल करता है। एक कंप्यूटर में, हार्डवेयर सभी भौतिक भागों को संदर्भित करता है जैसे कि कीबोर्ड, मॉनिटर, सीपीयू, मेमोरी और स्टोरेज डिवाइस (जहां यह जानकारी को एक कार के ट्रंक की तरह संग्रहीत करता है)। इस अध्याय में, हम कंप्यूटर के चार मुख्य हार्डवेयर घटकों का पता लगाएंगे, जो इसके संचालन के लिए महत्वपूर्ण हैं–
   - इनपुट डिवाइस
   - आउटपुट डिवाइस
   - सेंट्रल प्रोसेसिंग यूनिट (सीपीयू)
   - मेमोरी
2. **सॉफ्टवेयर (Software):** सॉफ्टवेयर को उन प्रोग्रामों और निर्देशों के रूप में सोचें जो कंप्यूटर को चीजें कैसे करनी हैं, यह बताते हैं, जैसे कि एक ड्राइवर कार को कहाँ जाना है, यह बताता है। सॉफ्टवेयर कुछ ऐसा नहीं है जिसे आप छू सकते हैं-यह इलेक्ट्रॉनिक निर्देशों का एक सेट है जो कंप्यूटर की मेमोरी में संग्रहीत होता है।

मूल रूप से, हार्डवेयर कंप्यूटर के भौतिक शरीर की तरह है, और सॉफ्टवेयर इसके मस्तिष्क की तरह है, जो इसे कैसे सोचना है और क्या करना है, यह बताता है। तालिका 22.3 हार्डवेयर और सॉफ्टवेयर की विशेषताओं की तुलना करती है।

तालिका 22.3 हार्डवेयर बनाम सॉफ्टवेयर

विशिष्ट	हार्डवेयर	सॉफ्टवेयर
परिभाषा	सॉफ्टवेयर चलाने के लिए आवश्यक भौतिक उपकरण	हार्डवेयर के साथ बातचीत करने के लिए निर्देशों का संग्रह
प्रकृति	मूर्त	अमूर्त
कार्य	मशीन स्तर पर कार्यों को निष्पादित करता है	हार्डवेयर को निर्देश देता है कि उसे क्या करना चाहिए
उत्पादन	हार्डवेयर का निर्माण किया जाता है	सॉफ्टवेयर विकसित और प्रोग्राम किया जाता है
स्थायित्व	हार्डवेयर समय के साथ खराब हो जाता है	सॉफ्टवेयर टिकाऊ होता है और समय के साथ खराब नहीं होता

22.5 इनपुट डिवाइस (Input Devices)

इनपुट डिवाइस (चित्र 22.2) कंप्यूटर सिस्टम के आवश्यक घटक हैं जो उपयोगकर्ताओं को कंप्यूटर के साथ बातचीत करने और डेटा इनपुट करने की अनुमति देते हैं। ये डिवाइस उपयोगकर्ताओं को कंप्यूटर को निर्देश, आदेश और जानकारी संप्रेषित करने में सक्षम बनाते हैं, जिससे विभिन्न कार्य और संचालन सुगम होते हैं। आइए विभिन्न प्रकार के इनपुट डिवाइस के बारे में जानें।

चित्र 22.2 इनपुट डिवाइस

पॉइंटिंग डिवाइस (Pointing Device): एक पॉइंटिंग डिवाइस एक उपकरण है जो आपको स्क्रीन पर कर्सर या पॉइंटर को स्थानांतरित करके कंप्यूटर के साथ बातचीत करने देता है। यह आपको स्थानिक तरीके से डेटा इनपुट करने की अनुमति देता है, जिसका अर्थ है कि आप इसे विभिन्न दिशाओं और आयामों में स्थानांतरित कर सकते हैं। उदाहरणों में माउस, ट्रैकपैड, जॉयस्टिक, ट्रैकबॉल और लाइट पेन शामिल हैं, जो आपको अपने कंप्यूटर के इंटरफेस को आसानी से नियंत्रित और नेविगेट करने में सक्षम बनाते हैं।

1. **माउस (Mouse):** माउस कंप्यूटर स्क्रीन पर कर्सर की गति को नियंत्रित करता है। माउस को एक सपाट सतह पर घुमाकर, उपयोगकर्ता कर्सर को एक संबंधित तरीके से स्थानांतरित कर सकते हैं।
2. **ट्रैकबॉल (Trackball):** पारंपरिक माउस के विपरीत, जो एक सपाट सतह पर चलता है, ट्रैकबॉल में इसकी शीर्ष सतह पर एक

स्थिर गेंद होती है। उपयोगकर्ता कर्सर को स्थानांतरित करने के लिए अपनी उंगलियों या अंगूठे से गेंद को घुमाते हैं, जबकि डिवाइस का बाकी हिस्सा स्थिर रहता है। चूंकि गेंद स्थिर रहती है, उपयोगकर्ता न्यूनतम प्रयास के साथ सटीक कर्सर आंदोलनों को प्राप्त कर सकते हैं। यह ट्रैकबॉल को ग्राफिक डिजाइन, वीडियो संपादन, या सीएडी (कंप्यूटर-एडेड डिजाइन) कार्य जैसे कार्यों के लिए विशेष रूप से उपयोगी बनाता है।

3. **जॉयस्टिक (Joystick):** जॉयस्टिक एक नियंत्रण उपकरण है जिसमें एक हैंडहेल्ड स्टिक होती है जिसे विभिन्न दिशाओं में झुकाया या स्थानांतरित किया जा सकता है। जॉयस्टिक आमतौर पर गेमिंग

कॉन्सेप्ट कैप्सूल

कीबोर्ड में कुंजियों के प्रकार

कीबोर्ड में विभिन्न प्रकार की कुंजियाँ होती हैं (चित्र 22.3) जो टाइपिंग और कंप्यूटर के साथ बातचीत को सुविधाजनक बनाने के लिए अलग-अलग कार्य करती हैं। यहाँ कीबोर्ड पर आमतौर पर पाई जाने वाली कुंजियों के प्रकारों का विवरण दिया गया है:

1. **अक्षरांकीय कुंजियाँ: इन कुंजियों में अक्षर (A-Z)** और संख्याएँ (0-9) शामिल हैं। इनका उपयोग दस्तावेज, ईमेल लिखने या डेटा दर्ज करने जैसे रोजमर्रा के कार्यों में टेक्स्ट, संख्याएँ और प्रतीक टाइप करने के लिए किया जाता है।
2. **संख्यात्मक कुंजियाँ: पूर्ण आकार के कीबोर्ड के दाईं ओर स्थित, संख्यात्मक कीपैड में संख्याएँ, अंकगणितीय ऑपरेटर (-, -, *, /)** और एंटर कुंजी शामिल हैं। इसका उपयोग मुख्य रूप से संख्यात्मक इनपुट और गणनाओं के लिए किया जाता है।
3. **फंक्शन कुंजियाँ (F1-F12):** कीबोर्ड के शीर्ष पर एक पंक्ति में स्थित, फंक्शन कुंजियों को F1 से F12 तक नामित किया गया है। वे प्रोग्राम करने योग्य हैं और उपयोग किए जा रहे सॉफ्टवेयर के आधार पर अलग-अलग उद्देश्यों की पूर्ति करते हैं। सामान्य उपयोगों में सहायता मेनू खोलना (F1), वेबपेज को रिफ्रेश करना (F5) या दस्तावेज को सहेजना (F12) शामिल है।
4. **संशोधक कुंजियाँ:** ये कुंजियाँ एक साथ दबाने पर किसी अन्य कुंजी की सामान्य क्रिया को संशोधित/परिवर्तित करती हैं। सामान्य संशोधक कुंजियाँ शामिल हैं:
   - Shift
   - Ctrl (कंट्रोल)
   - Alt (अल्टरनेट)
   - Windows/Command
5. **नेविगेशन कुंजियाँ:** ये कुंजियाँ दस्तावेजों या वेब पेजों के भीतर आवागमन को सुगम बनाती हैं:
   - तीर कुंजियाँ (ऊपर, नीचे, बाएँ, दाएँ): पाठ या ऑब्जेक्ट के माध्यम से नेविगेट करना।
   - होम: कर्सर को किसी पंक्ति या दस्तावेज की शुरुआत में ले जाता है।
   - अंत: कर्सर को किसी पंक्ति या दस्तावेज के अंत में ले जाता है।
   - पेज अप/पेज डाउन: एक बार में किसी पेज को ऊपर या नीचे स्क्रॉल करता है।
6. **विशेष कुंजियाँ:** ये कुंजियाँ कीबोर्ड के प्रकार और निर्माता के आधार पर विशिष्ट कार्य करती हैं:
   - Esc (एस्केप): वर्तमान ऑपरेशन को रद्द करता है या संवाद बॉक्स बंद करता है।
   - टैब: कर्सर को अगले फील्ड या टैब स्टॉप पर ले जाता है।
   - बैकस्पेस/डिलीट: कर्सर के बाईं ओर (बैकस्पेस) या दाईं ओर (डिलीट) वर्णों को हटाता है।
   - कैप्स लॉक: अक्षरों के कैपिटलाइजेशन को टॉगल करता है।
   - प्रिंट स्क्रीन/SysRq: वर्तमान स्क्रीन का स्क्रीनशॉट कैप्चर करता है (प्रिंट स्क्रीन) या सिस्टम अनुरोध करता है (SysRq)।

कीबोर्ड के प्रकार

1. **QWERTY:** यह सबसे व्यापक रूप से उपयोग किया जाने वाला कीबोर्ड लेआउट है, जिसका नाम ऊपरी बाएँ पंक्ति में पहले छह अक्षरों की व्यवस्था के नाम पर रखा गया है।
2. **AZERTY:** मुख्य रूप से फ्रेंच-भाषी देशों में उपयोग किया जाता है, AZERTY लेआउट QWERTY के समान है, लेकिन फ्रेंच भाषा को समायोजित करने के लिए इसमें अक्षरों की एक अलग व्यवस्था है।
3. **Dvorak (ड्वोरक):** ड्वोरक सरलीकृत कीबोर्ड को अंग्रेजी भाषा में सबसे अधिक उपयोग की जाने वाली कुंजियों को आपकी उंगलियों की प्राकृतिक स्थिति के करीब रखकर टाइपिंग को तेज और अधिक आरामदायक बनाने के लिए डिजाइन किया गया है। इस लेआउट का उद्देश्य हाथ की गति और तनाव को कम करना है, जो एक बार जब आप इसके अभ्यस्त हो जाते हैं तो टाइपिंग को और अधिक कुशल बना सकता है।

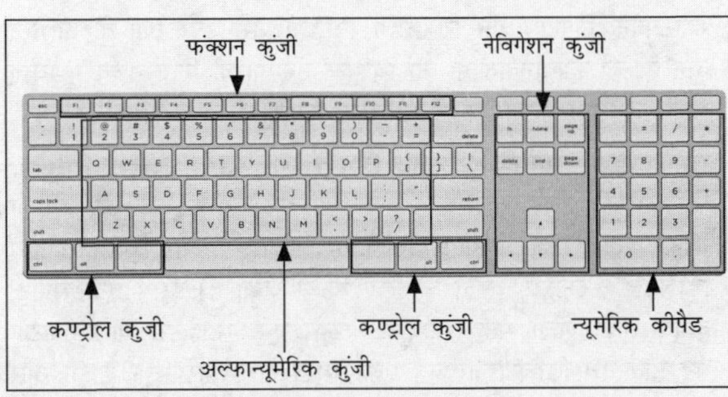

चित्र 22.3 कुंजियों के प्रकार

कंसोल, फ्लाइट सिमुलेटर और औद्योगिक नियंत्रण प्रणालियों में उपयोग किए जाते हैं। वे दो या अधिक आयामों में आंदोलन पर सटीक नियंत्रण प्रदान करते हैं, जिससे वे ऐसे कार्यों के लिए आदर्श बनते हैं जिनमें सूक्ष्म समायोजन की आवश्यकता होती है, जैसे विमान उड़ाना या वीडियो गेम में पात्रों को नियंत्रित करना।

4. **टचपैड (Keyboard):** टचपैड, जिसे ट्रैकपैड के रूप में भी जाना जाता है, लैपटॉप और कुछ डेस्कटॉप कीबोर्ड पर पाया जाने वाला एक सामान्य इनपुट डिवाइस है। इसमें एक सपाट सतह होती है जो उपयोगकर्ता की उंगलियों की गति और इशारों का पता लगाती है।

5. **टचस्क्रीन (Touchpad):** टचस्क्रीन एक डिस्प्ले स्क्रीन है जो स्पर्श के प्रति संवेदनशील होती है, जिससे उपयोगकर्ता अपनी उंगलियों या स्टाइलस (डिजिटल पेन) का उपयोग करके स्क्रीन पर प्रदर्शित सामग्री के साथ सीधे बातचीत कर सकते हैं। एक लाइट पेन/डिजिटल पेन एक प्रकार का पॉइंटिंग डिवाइस है जो एक पेन की तरह दिखता है। इसका उपयोग मेनू आइटम का चयन करने या मॉनिटर स्क्रीन पर ड्राइंग करने के लिए किया जा सकता है। टचस्क्रीन आमतौर पर स्मार्टफोन, टैबलेट और कई आधुनिक कंप्यूटर मॉनिटर में उपयोग किए जाते हैं।

6. **कीबोर्ड (Touchscreen):** कीबोर्ड कंप्यूटर के साथ उपयोग किए जाने वाले प्राथमिक इनपुट डिवाइसों में से एक है, जो उपयोगकर्ताओं को अक्षर, संख्याएँ और प्रतीक टाइप करने की अनुमति देता है। सबसे आम कीबोर्ड लेआउट को QWERTY के रूप में जाना जाता है, जिसका नाम शीर्ष पंक्ति की पहली छह कुंजियों के नाम पर रखा गया है। यह लेआउट अंग्रेजी बोलने वाले देशों और दुनिया भर के कई अन्य देशों में प्रचलित है।

   कीबोर्ड में आमतौर पर लगभग 101 से 104 कुंजियाँ होती हैं। कीबोर्ड पर प्रत्येक कुंजी एक विशिष्ट ASCII (अमेरिकन स्टैंडर्ड कोड फॉर इंफॉर्मेशन इंटरचेंज) मान से मेल खाती है। यह ASCII मान कंप्यूटर को कीबोर्ड से प्राप्त इनपुट को सटीक रूप से समझने और संसाधित करने की अनुमति देता है।

7. **स्कैनर (Scanner):** स्कैनर एक उपकरण है जो भौतिक दस्तावेजों, फोटोग्राफों या अन्य छवियों को डिजिटल रूप में परिवर्तित करता है। यह ऑप्टिकल सेंसर का उपयोग करके दस्तावेज की छवि को कैप्चर करके और फिर इसे एक डिजिटल फाइल में परिवर्तित करके काम करता है जिसे संग्रहीत, संपादित या मुद्रित किया जा सकता है।

8. **माइक्रोफोन (Microphone):** माइक्रोफोन एक उपकरण है जो ध्वनि तरंगों को विद्युत संकेतों में परिवर्तित करता है, जिन्हें फिर प्रवर्धित, रिकॉर्ड या प्रसारित किया जा सकता है। माइक्रोफोन स्मार्टफोन, लैपटॉप और रिकॉर्डिंग स्टूडियो जैसे उपकरणों के अभिन्न अंग हैं, जो उपयोगकर्ताओं को विभिन्न उद्देश्यों के लिए उच्च गुणवत्ता वाली ऑडियो कैप्चर करने में सक्षम बनाते हैं।

9. **डिजिटाइजर/ग्राफिक टैबलेट (Digitiser/Graphic Tablet):** डिजिटाइजर, जिसे ग्राफिक टैबलेट या पेन टैबलेट के रूप में भी जाना जाता है, का उपयोग कलाकारों, डिजाइनरों और चित्रकारों द्वारा डिजिटल कलाकृति बनाने के लिए किया जाता है। इसमें एक सपाट, दबाव-संवेदनशील सतह (टैबलेट) और एक स्टाइलस या डिजिटल पेन होता है। डिजिटाइजर का एक प्रमुख लाभ पारंपरिक ड्राइंग और लेखन उपकरणों, जैसे पेन, पेंसिल और ब्रश की प्राकृतिक भावना को दोहराने की उनकी क्षमता है। यह उन्हें उन कलाकारों के लिए आदर्श बनाता है जो पारंपरिक मीडिया की स्पर्श प्रतिक्रिया और सटीकता को पसंद करते हैं लेकिन डिजिटल उपकरणों की बहुमुखी प्रतिभा और सुविधा की आवश्यकता होती है।

क्विज स्टेशन *विगत UGC NET परीक्षाओं के प्रश्न*

प्र 1. मानक कीबोर्ड पर कौन सी कुंजी आमतौर पर संशोधक कुंजी के रूप में उपयोग की जाती है?

(a) स्पेसबार (b) एंटर

(c) शिफ्ट (d) टैब

प्र 2. कंप्यूटर का कीबोर्ड इनकोड किया जाता है:

(a) बॉडॉट कोड (b) ASCII कोड

(c) BCDIC कोड (d) EBCDIC कोड

उत्तर 1. (c) 1. (b)

तालिका 22.4 इनपुट डिवाइस के क्षेत्र में प्रमुख नवाचारों और उनके आविष्कारकों को उजागर करती है।

तालिका 22.4 प्रमुख नवोन्मेष और उनके आविष्कारक

नवोन्मेष	नाम	वर्ष	आविष्कारक
पहला ट्रैकबॉल	ट्रैकबॉल	1941	राल्फ बेंजामिन
पहला कंप्यूटर माउस	कंप्यूटर माउस	1964	डगलस एंगेलबार्ट
पहला टचस्क्रीन	टचस्क्रीन	1965	ई.ए. जॉनसन

22.6 आउटपुट डिवाइस (Output Devices)

आउटपुट डिवाइस (चित्र 22.4) कंप्यूटर सिस्टम के महत्वपूर्ण घटक हैं जो कंप्यूटर द्वारा संसाधित जानकारी को मानव-पठनीय रूप में उपयोगकर्ता को प्रदर्शित या प्रस्तुत करते हैं। ये डिवाइस इलेक्ट्रॉनिक डेटा को मूर्त आउटपुट में परिवर्तित करते हैं जिन्हें उपयोगकर्ता देख या सुन सकते हैं। आइए विभिन्न प्रकार के आउटपुट डिवाइस के बारे में जानें।

इस विषय को सरल बनाने वाले वीडियो व्याख्यान को देखने के लिए इस QR कोड को स्कैन करें

चित्र 22.4 आउटपुट डिवाइस

1. **प्रोजेक्टर (Projectors):** प्रोजेक्टर आउटपुट डिवाइस होते हैं जिनका उपयोग छवियों या वीडियो को स्क्रीन या दीवार जैसी बड़ी सतह पर प्रदर्शित करने के लिए किया जाता है। प्रोजेक्टर आमतौर पर कक्षाओं, कांफ्रेंस रूम, थिएटर और होम एंटरटेनमेंट सिस्टम में प्रस्तुतियों, मूवी, गेमिंग और अन्य विजुअल अनुप्रयोगों के लिए उपयोग किए जाते हैं।

कॉन्सेप्ट कैप्सूल

प्रिंटर के प्रकार

इम्पैक्ट प्रिंटर

इम्पैक्ट प्रिंटर कागज पर स्याही लगी रिबन को शारीरिक रूप से मारकर प्रिंट बनाते हैं। वे छोटे पिन या हथौड़ों जैसे तंत्र का उपयोग करते हैं जो कागज पर अक्षर और चित्र बनाने के लिए रिबन पर प्रहार करते हैं। इन प्रिंटर को 'इम्पैक्ट' इसलिए कहा जाता है क्योंकि वे कागज पर छाप बनाने के लिए बल का उपयोग करते हैं। आइए इम्पैक्ट प्रिंटर के कुछ महत्वपूर्ण प्रकारों पर नजर डालें:

1. **कैरेक्टर प्रिंटर:** ये एक बार में एक कैरेक्टर प्रिंट करते हैं, जबकि आधुनिक प्रिंटर अक्सर एक बार में पूरे पेज प्रिंट करते हैं। इन प्रिंटर का इस्तेमाल कंप्यूटिंग और ऑफिस के शुरुआती दिनों में व्यापक रूप से किया जाता था। आइए कैरेक्टर प्रिंटर के कुछ प्रकारों पर नजर डालें:
   - **डॉट मैट्रिक्स प्रिंटर:** डॉट मैट्रिक्स प्रिंटर अपने प्रिंट हेड पर छोटे पिन का उपयोग करके काम करते हैं, जो छोटी सुइयों के समान होते हैं। ये पिन उनके और कागज के बीच रखे गए स्याही रिबन पर प्रहार करते हैं, जिससे डॉट्स बनते हैं जो अक्षर और चित्र बनाते हैं। इन्हें 'डॉट मैट्रिक्स' इसलिए कहा जाता है क्योंकि ये डॉट्स के पैटर्न को व्यवस्थित करके प्रिंट करते हैं। डॉट मैट्रिक्स प्रिंटर किफायती होते हैं और 100 से 600 कैरेक्टर प्रति सेकंड की गति से प्रिंट कर सकते हैं।
   - **डेजी व्हील प्रिंटर:** डेजी व्हील प्रिंटर को उनका नाम उनके प्रिंट मैकेनिज्म से मिलता है जो डेजी फूल जैसा दिखता है। वे डेजी की पंखुड़ियों जैसे धातु के कैरेक्टर के साथ एक गोल व्हील या डिस्क का उपयोग करते हैं। ये प्रिंटर टाइप किए गए दस्तावेजों जैसा टेक्स्ट प्रिंट करने में बेहतरीन हैं। वे इमेज या तस्वीरें प्रिंट करने के लिए डिजाइन नहीं किए गए हैं और आमतौर पर लगभग 30 से 60 कैरेक्टर प्रति सेकंड की गति से प्रिंट करते हैं।
2. **लाइन प्रिंटर:** लाइन प्रिंटर का नाम इसलिए रखा गया है क्योंकि वे टेक्स्ट की पूरी लाइन को एक बार में प्रिंट करते हैं। वे अलग-अलग प्रिंट हेड वाले कई हथौड़ों का उपयोग करते हैं जो एक ही ऑपरेशन में पूरी लाइन को प्रिंट करने के लिए एक साथ कागज पर वार करते हैं। लाइन प्रिंटर अन्य प्रकारों की तुलना में बेहद तेज हैं, जो प्रति मिनट 6,000 लाइन तक प्रिंट करने में सक्षम हैं। डेजी व्हील प्रिंटर की तरह, वे टेक्स्ट प्रिंट करने के लिए सबसे उपयुक्त हैं और इमेज या ग्राफिक्स प्रिंट करने के लिए उपयुक्त नहीं हैं। आइए लाइन प्रिंटर के कुछ प्रकारों पर नजर डालें:
   - **ड्रम प्रिंटर:** ड्रम प्रिंटर एक बेलनाकार ड्रम का उपयोग करते हैं जिसकी सतह पर उभरे हुए अक्षर होते हैं। वे सभी अक्षर जो वे प्रिंट कर सकते हैं, उनकी मेमोरी में संग्रहीत होते हैं। जब आप कुछ प्रिंट करना चाहते हैं, तो प्रिंटर ड्रम को अक्षर की जानकारी भेजता है। ड्रम घूमता है, और जब सही अक्षर उस जगह पर संरेखित होता है जहाँ उसे प्रिंट करना होता है, तो एक छोटा हथौड़ा स्याही लगे रिबन और कागज पर मारता है, जिससे कागज पर अक्षर बन जाता है।
   - **चेन प्रिंटर:** चेन प्रिंटर ड्रम के बजाय चेन का उपयोग करते हैं।
   - **बैंड प्रिंटर:** बैंड प्रिंटर, जिन्हें बेल्ट प्रिंटर भी कहा जाता है, चेन प्रिंटर के समान होते हैं, लेकिन चेन के बजाय स्टील बैंड का उपयोग करते हैं।

नॉन-इम्पैक्ट प्रिंटर

नॉन-इम्पैक्ट प्रिंटर कागज पर टकराए बिना प्रिंट बनाते हैं। इसके बजाय, वे कागज पर स्याही की छोटी-छोटी बूँदें छिड़कने (जैसे इंकजेट प्रिंटर) या कागज पर टोनर पिघलाने के लिए गर्मी का उपयोग करने (जैसे लेजर प्रिंटर) जैसे तरीकों का उपयोग करते हैं। ये प्रिंटर इम्पैक्ट प्रिंटर की तुलना में शांत और तेज होते हैं और उच्च गुणवत्ता वाले ग्राफिक्स और फोटो प्रिंट करने के लिए बेहतर होते हैं। आइए नॉन-इम्पैक्ट प्रिंटर के सामान्य प्रकारों पर नजर डालें:

1. **इंकजेट प्रिंटर:** इंकजेट प्रिंटर कई घरों और दफ्तरों में पाए जाते हैं। वे छोटे नोजल के जरिए कागज पर स्याही की छोटी-छोटी बूँदें डालकर काम करते हैं। ये प्रिंटर स्याही से भरे कार्ट्रिज का उपयोग करते हैं, जिसमें काले, पीले, नीले और लाल जैसे रंग मिल सकते हैं। इन रंगों को मिलाकर, इंकजेट प्रिंटर कई अलग-अलग रंगों में प्रिंट कर सकते हैं, जिससे वे रंगीन फोटो और दस्तावेजों के लिए बेहतरीन बन जाते हैं।

   इंक टैंक प्रिंटर: इंक टैंक प्रिंटर, जिन्हें निरंतर इंकजेट प्रिंटर के रूप में भी जाना जाता है, नियमित इंक कार्ट्रिज के बजाय रिफिल करने योग्य इंक टैंक का उपयोग करते हैं। वे व्यवसायों और उन लोगों के लिए बहुत अच्छे हैं जो बहुत ज्यादा प्रिंटिंग करते हैं क्योंकि वे कम लागत पर ज्यादा मात्रा में काम कर सकते हैं। साथ ही, वे पर्यावरण के लिए भी अच्छे हैं क्योंकि वे खाली स्याही कारतूस को फेंकने से होने वाले कचरे को कम करते हैं।
2. **लेजर प्रिंटर:** लेजर प्रिंटर का आविष्कार सबसे पहले 1960 के दशक में जेरॉक्स ने किया था। वे पाउडर स्याही का उपयोग करते हैं जिसे विद्युत रूप से चार्ज किया जाता है और फिर कागज पर स्थानांतरित किया जाता है। लेजर प्रिंटर तेज होने, उच्च गुणवत्ता वाले प्रिंट देने और चलाने में कम खर्च करने के लिए जाने जाते हैं। वे दफ्तरों, स्कूलों और घरों में लोकप्रिय हैं जहाँ तेज और अच्छी गुणवत्ता वाली प्रिंटिंग महत्वपूर्ण है।

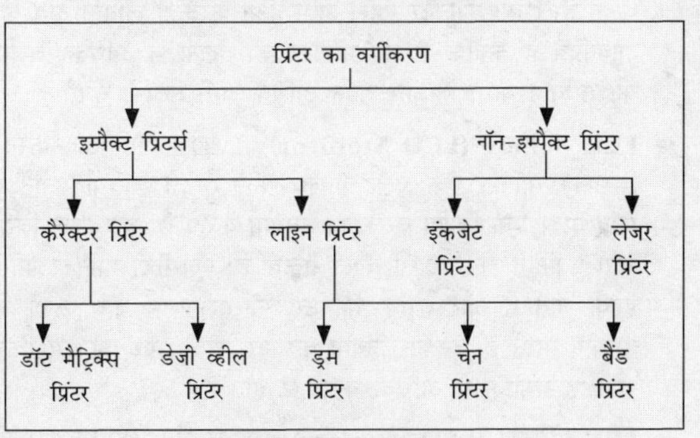

चित्र 22.5 प्रिंटर के प्रकार

2. **स्पीकर और हेडफोन (Speakers and Headphones):** स्पीकर और हेडफोन ऑडियो आउटपुट डिवाइस हैं जिनका उपयोग कंप्यूटर, म्यूजिक प्लेयर और अन्य ऑडियो स्रोतों से ध्वनि सुनने के लिए किया जाता है। स्पीकर और हेडफोन दोनों ही उच्च-गुणवत्ता वाले ऑडियो अनुभव प्रदान करने में महत्वपूर्ण भूमिका निभाते हैं, चाहे वह घर पर संगीत का आनंद लेना हो, गेमिंग या फिल्मों में खुद को डुबोना हो, या वॉयस कॉल या वीडियो कान्फ्रेंसिंग के जरिए दूसरों से संवाद करना हो।
3. **प्रिंटर (Printers):** प्रिंटर आउटपुट डिवाइस हैं जिनका उपयोग कागज पर डिजिटल दस्तावेजों या छवियों की भौतिक प्रतियाँ बनाने के लिए किया जाता है। वे विभिन्न प्रकार के होते हैं, जिनमें से प्रत्येक मुद्रण कार्यों को कुशलतापूर्वक पूरा करने के लिए अलग-अलग तकनीकों का उपयोग करता है।

   DPI (डॉट्स पर इंच): DPI छवियों के रिजॉल्यूशन या स्पष्टता को मापता है, विशेष रूप से मुद्रण या स्कैनिंग में। यह उन डॉट्स की संख्या को संदर्भित करता है जो प्रिंटर कागज पर प्रति इंच बना सकता है। उदाहरण के लिए, एक उच्च DPI प्रिंटर कम DPI प्रिंटर की तुलना में अधिक स्पष्ट और अधिक विस्तृत चित्र बना सकता है।
4. **प्लॉटर (Plotter):** प्लॉटर एक प्रकार का आउटपुट डिवाइस है जिसका उपयोग कागज या इसी तरह के भौतिक मीडिया पर उच्च-गुणवत्ता वाले ग्राफिकल आउटपुट बनाने के लिए किया जाता है। नियमित प्रिंटर के विपरीत जो टेक्स्ट और इमेज प्रिंट करते हैं, प्लॉटर विस्तृत चित्र और डिजाइन बनाने के लिए पेन या मार्कर का उपयोग करते हैं। इनका उपयोग इंजीनियरिंग और वास्तुकला जैसे क्षेत्रों में बड़े पैमाने पर नक्शे, ब्लूप्रिंट और सटीक माप और बारीक विवरण के साथ अन्य तकनीकी चित्र बनाने के लिए किया जाता है।
5. **मॉनिटर (Monitors):** मॉनिटर, जिन्हें डिस्प्ले स्क्रीन या वर्चुअल डिस्प्ले यूनिट (VDU) के रूप में भी जाना जाता है, प्राथमिक आउटपुट डिवाइस हैं जिनका उपयोग कंप्यूटर से दृश्य जानकारी प्रदर्शित करने के लिए किया जाता है। मॉनिटर विभिन्न प्रकार के होते हैं, जो छवि गुणवत्ता और ऊर्जा दक्षता के विभिन्न स्तर प्रदान करते हैं। आइए मॉनिटर के कुछ सामान्य प्रकारों पर नजर डालें:
   - **CRT मॉनिटर (CRT Monitor):** CRT (कैथोड-रे ट्यूब) मॉनिटर एक पुरानी प्रकार की डिस्प्ले तकनीक है। ब्ज मॉनिटर के अंदर एक विशेष वैक्यूम ट्यूब होती है जिसमें इलेक्ट्रॉन बीम द्वारा एक विशेष सतह पर शूट किए जाने पर छवियाँ बनती हैं जो हिट होने पर चमकती हैं। इससे वे छवियाँ बनती हैं जो आप स्क्रीन पर देखते हैं। CRT मॉनिटर पहले आम हुआ करते थे लेकिन अब कम लोकप्रिय हैं क्योंकि वे नए मॉनिटर की तुलना में अधिक बिजली का उपयोग करते हैं और बहुत अधिक गर्मी उत्पन्न करते हैं।
   - **LCD मॉनिटर (LCD Monitor):** LCD (लिक्विड क्रिस्टल डिस्प्ले) मॉनिटर एक फ्लैट पैनल स्क्रीन है जो छवियाँ बनाने के लिए अंदर एक विशेष तरल का उपयोग करता है। यह तरल विद्युत धारा प्रवाहित होने पर रंग बदल सकता है। एलसीडी मॉनिटर पतले, हल्के होते हैं और CRT मॉनिटर की तुलना में कम ऊर्जा का उपयोग करते हैं। इनका उपयोग कंप्यूटर, टीवी और फोन में किया जाता है क्योंकि ये अधिक कॉम्पैक्ट होते हैं।
   - **LED मॉनिटर (LED Monitor):** एक एलईडी (लाइट-एमिटिंग डायोड) मॉनिटर एक प्रकार का एलसीडी मॉनिटर है जो चित्र बनाने के लिए छोटे आरजीबी लाइट-एमिटिंग डायोड (एलईडी) का उपयोग करता है। एलईडी छोटे प्रकाश बल्ब की तरह होते हैं जो रंग बदल सकते हैं। एलईडी मॉनिटर बहुत ऊर्जा कुशल होते हैं और चमकदार, स्पष्ट चित्र बनाते हैं। इनका उपयोग आमतौर पर आधुनिक टीवी, कंप्यूटर मॉनिटर और मोबाइल डिवाइस स्क्रीन में किया जाता है क्योंकि वे कम बिजली का उपयोग करते हैं और बहुत पतले हो सकते हैं।

पहलू अनुपात (Aspect Ratio): मॉनिटर चुनते समय, पहलू अनुपात एक महत्वपूर्ण विचार है। यह स्क्रीन की चौड़ाई और ऊंचाई के बीच आनुपातिक संबंध को संदर्भित करता है। सामान्य पहलू अनुपातों में 16:9 शामिल है, जो वाइडस्क्रीन है और मूवी देखने और गेम खेलने के लिए आदर्श है, और 4:3, जो अधिक चौकोर आकार का है और सामान्य कंप्यूटिंग कार्यों के लिए उपयुक्त है। कुछ मॉनिटर 21:9 जैसे अल्ट्रावाइड पहलू अनुपात भी प्रदान करते हैं, जो मल्टीटास्किंग और इमर्सिव गेमिंग अनुभवों के लिए अतिरिक्त क्षैतिज स्क्रीन स्पेस प्रदान करते हैं। आस्पेक्ट अनुपात में ये भिन्नताएँ उपयोगकर्ता की जरूरतों और प्राथमिकताओं की एक विस्तृत शृंखला को पूरा करती हैं।

★★★ परीक्षोपयोगी

22.7 आधुनिक हार्डवेयर प्रौद्योगिकी (Modern Hardware Technology)

1. **बारकोड रीडर (Barcode Reader):** बारकोड रीडर (चित्र 22.6), जिसे बारकोड स्कैनर के रूप में भी जाना जाता है, एक उपकरण है जिसका उपयोग बारकोड प्रतीकों को पढ़ने और डिकोड करने के लिए किया जाता है। बारकोड समानांतर रेखाओं या वर्गों के मुद्रित पैटर्न होते हैं जिनमें किसी उत्पाद के बारे में जानकारी होती है, जैसे कि इसकी कीमत या इन्वेंट्री कोड। बारकोड रीडर आमतौर पर उत्पाद ट्रैकिंग और बिक्री के लिए खुदरा स्टोर में उपयोग किए जाते हैं।

चित्र 22.6 बारकोड रीडर

2. **क्यूआर कोड (QR Code):** क्यूआर कोड (चित्र 22.7) एक विशेष बारकोड की तरह होता है जिसे डिजिटल डिवाइस पढ़ सकते हैं। इसे 'क्विक रिस्पांस' कहा जाता है क्योंकि इसे स्मार्टफोन या टैबलेट द्वारा जल्दी से स्कैन किया जा सकता है। क्यूआर कोड काले और सफेद वर्गों से बने होते हैं जो जानकारी रखते हैं। स्कैन किए जाने पर, वे वेबसाइटों से जुड़ सकते हैं, उत्पाद विवरण दिखा सकते हैं या अन्य प्रकार की जानकारी संग्रहीत कर सकते हैं। इनका उपयोग विज्ञापन में, उत्पाद पैकेजिंग पर और ऑनलाइन सामग्री तक आसान पहुँच के लिए किया जाता है। आपने इस पुस्तक में कई क्यूआर कोड भी देखे होंगे जो आपको वीडियो और पूरक पठन सामग्री पर पुनर्निर्देशित करते हैं।

चित्र 22.7 क्यूआर कोड

3. **आरएफआईडी (RFID):** आरएफआईडी, या रेडियो फ्रीक्वेंसी आइडेंटिफिकेशन, एक ऐसी तकनीक है जो वस्तुओं को ट्रैक करने और पहचानने के लिए वायरलेस सिग्नल का उपयोग करती है। इसमें दो मुख्य भाग शामिल हैं: टैग और रीडर। टैग वस्तुओं से जुड़े छोटे उपकरण होते हैं, जैसे स्टोर में उत्पाद, और वे जानकारी संग्रहीत करते हैं। रीडर में एंटेना होते हैं जो इन टैग के साथ संचार करने के लिए रेडियो तरंगें भेजते हैं।

   कल्पना करें कि आप एक ऐसे स्टोर में खरीदारी कर रहे हैं जहाँ प्रत्येक आइटम पर एक छोटा आरएफआईडी टैग है। जब आप भुगतान करने जाते हैं, तो कैशियर एक विशेष मशीन का उपयोग करता है जो एक सिग्नल भेजता है। यह सिग्नल उन वस्तुओं पर टैग को जगाता है जिन्हें आप खरीदना चाहते हैं। फिर टैग जानकारी वापस भेजते हैं, जैसे कि आइटम क्या है और इसकी कीमत कितनी है। यह चेकआउट को तेज बनाने में मदद करता है क्योंकि कैशियर को प्रत्येक आइटम को अलग-अलग स्कैन नहीं करना पड़ता है।

   RFID को दूर से पढ़ा जा सकता है, जिससे सीधे संपर्क की आवश्यकता के बिना वस्तुओं को प्रबंधित करना और पहचानना आसान हो जाता है। RFID खुदरा व्यापार से परे विभिन्न उद्योगों में अधिक बहुमुखी है, क्योंकि यह वस्तुओं को दूर से ट्रैक और प्रबंधित करने की क्षमता रखता है।

   RFID का एक सामान्य उदाहरण FASTag (चित्र 22.8) है, जो भारत में राजमार्गों पर उपयोग की जाने वाली एक इलेक्ट्रॉनिक टोल संग्रह प्रणाली है। इसमें एक निष्क्रिय RFID टैग होता है जिसे वाहन की विंडस्क्रीन पर चिपकाया जाता है। जब वाहन FASTag रीडर से लैस टोल प्लाजा से गुजरता है, तो रीडर से रेडियो तरंगें टैग को सक्रिय करती हैं, जिससे यह रीडर को संग्रहीत जानकारी संचारित करने में सक्षम होता है। यह लिंक किए गए प्रीपेड या बचत खाते से टोल शुल्क की स्वचालित कटौती को सक्षम बनाता है, जिससे टोल भुगतान अधिक तेज और सुविधाजनक हो जाता है।

चित्र 22.8 फास्टैग (FASTag)

4. **OCR:** OCR, जिसका मतलब है ऑप्टिकल कैरेक्टर रिकॉग्निशन (चित्र 22.9), एक ऐसी तकनीक है जो चित्रों या स्कैन किए गए दस्तावेजों से टेक्स्ट को पढ़ और समझ सकती है। कल्पना करें कि आपके पास शब्दों और वाक्यों वाला एक मुद्रित पृष्ठ है। OCR सॉफ्टवेयर इस पृष्ठ को स्कैन कर सकता है और शब्दों को डिजिटल टेक्स्ट में बदल सकता है जिसे आप कंप्यूटर पर संपादित, कॉपी या खोज सकते हैं।

चित्र 22.9 OCR

5. **OMR:** OMR, या ऑप्टिकल मार्क रिकॉग्निशन (चित्र 22.10), एक ऐसी तकनीक है जो लोगों द्वारा विशेष रूप से डिजाइन किए गए कागज या फॉर्म पर बनाए गए निशानों का पता लगाती है और उनकी व्याख्या करती है। इसका उपयोग आमतौर पर सर्वेक्षणों, परीक्षाओं और इसी तरह के अनुप्रयोगों में किया जाता है जहाँ लोग बुलबुले या चेकबॉक्स भरते हैं। उदाहरण के लिए, NEET (मेडिकल प्रवेश परीक्षा) परीक्षा में, छात्र अपनी पसंद के अनुसार बुलबुले भरकर अपने उत्तरों को चिह्नित करने के लिए OMR शीट का उपयोग करते हैं। इन शीटों को मशीनों द्वारा स्कैन किया जाता है जो चिह्नित उत्तरों को डिजिटल रूप से पढ़ते और रिकॉर्ड करते हैं, जिससे परीक्षा की सटीक और कुशल ग्रेडिंग सुनिश्चित होती है।

चित्र 22.10 OMR शीट

6. **MICR:** MICR, या मैग्नेटिक इंक कैरेक्टर रिकॉग्निशन (चित्र 22.11), एक विशेष तकनीक है जिसका उपयोग चेक और महत्वपूर्ण दस्तावेजों को सत्यापित करने के लिए किया जाता है। यह विशेष स्याही से वर्णों को प्रिंट करके काम करता है जिन्हें चुंबकीय क्षेत्रों का उपयोग करने वाली मशीनों द्वारा पहचाना जा सकता है। इससे बैंकों और व्यवसायों को यह सुनिश्चित करने में मदद मिलती है कि चेक जैसे दस्तावेज प्रामाणिक हैं और उन्हें सही तरीके से संसाधित किया जा सकता है।

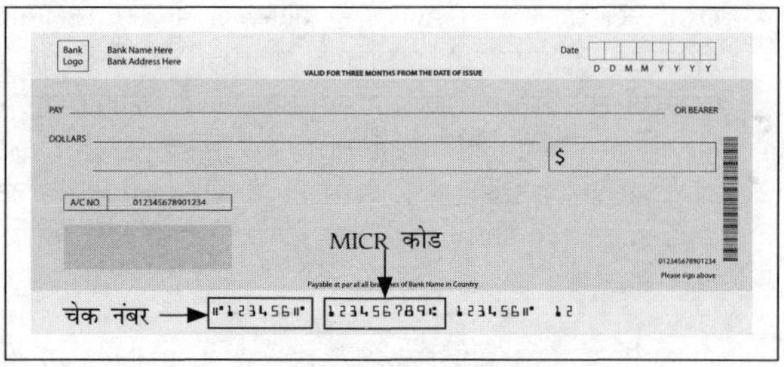

चित्र 22.11 MICR

7. **चिप रीडर (Chip Reader):** चिप रीडर (चित्र 22.12) एक ऐसा उपकरण है जिसका उपयोग स्टोर और व्यवसायों द्वारा क्रेडिट या डेबिट कार्ड से भुगतान संसाधित करने के लिए किया जाता है, जिसमें एक छोटा माइक्रोचिप लगा होता है। जब आप भुगतान करना चाहते हैं, तो आप अपना डेबिट/क्रेडिट कार्ड रीडर में डालते हैं, और यह चिप से जानकारी को तुरंत पढ़ लेता है। एक बार लेन-देन हो जाने के बाद, आप अपना कार्ड निकाल लेते हैं। चिप रीडर पुरानी स्वाइप मशीनों की तुलना में अधिक सुरक्षित हैं, क्योंकि वे एन्क्रिप्शन का उपयोग करते हैं और प्रत्येक भुगतान के लिए एक अद्वितीय लेनदेन कोड उत्पन्न करते हैं, जिससे किसी के लिए उन्हें चुराना कठिन हो जाता है।

चित्र 22.12 चिप रीडर

8. **बायोमेट्रिक (Biometric):** बायोमेट्रिक्स लोगों को उनकी अनूठी शारीरिक विशेषताओं या जैविक विशेषताओं के आधार पर पहचानने के तरीके हैं। कल्पना करें कि आप अपने फिंगरप्रिंट, चेहरे, आवाज, आँखों के पैटर्न या अपने हाथ या उंगली की नसों का उपयोग करके यह साबित करते हैं कि आप कौन हैं। ये विशेषताएँ प्रत्येक व्यक्ति के लिए विशेष होती हैं, जिससे बायोमेट्रिक्स फोन को अनलॉक करने या सुरक्षित क्षेत्र में प्रवेश करने जैसी चीजों के लिए पहचान सत्यापित करने का एक सुरक्षित तरीका बन जाता है। हालाँकि प्रमाणीकरण के लिए कई प्रकार के बायोमेट्रिक्स हैं, लेकिन पाँच सबसे आम प्रकार के बायोमेट्रिक पहचानकर्ता फिंगरप्रिंट, चेहरे, आवाज, आईरिस (आँख की पुतली) और हथेली या उंगली की नसों के पैटर्न हैं।

9. **FRT:** FRT का मतलब है फेशियल रिकॉग्निशन टेक्नोलॉजी (चित्र 22.13)। यह एक ऐसी तकनीक है जो किसी व्यक्ति की पहचान उसके चेहरे की विशेषताओं के आधार पर पहचानने और सत्यापित करने के लिए एल्गोरिदम का उपयोग करती है। कैमरे व्यक्ति के चेहरे को कैप्चर करते हैं, और सॉफ्टवेयर उनकी आँखों के बीच की दूरी या उनकी नाक के आकार जैसे अद्वितीय विवरणों का विश्लेषण करता है। इस तकनीक का इस्तेमाल सुरक्षा, डिवाइस अनलॉक करने या सोशल मीडिया पर लोगों को फोटो में टैग करने के लिए किया जाता है।

क्या आप जानते हैं?

हर बार जब आप अपने फिंगरप्रिंट या चेहरे का उपयोग करके अपना फोन अनलॉक करते हैं, तो आप बायोमेट्रिक और फेस रिकॉग्निशन टेक्नोलॉजी (FRT) नामक दो उन्नत सुरक्षा सुविधाओं का लाभ उठा रहे होते हैं:

- **बायोमेट्रिक:** यह सुविधा आपके फोन को अनलॉक करने के लिए आपके अद्वितीय फिंगरप्रिंट का उपयोग करती है। यह पिन कोड या पासवर्ड जैसे पारंपरिक तरीकों से ज्यादा सुरक्षित है क्योंकि हर व्यक्ति का फिंगरप्रिंट अलग होता है और इसे दोहराना मुश्किल होता है।
- **फेस रिकॉग्निशन टेक्नोलॉजी (FRT):** यह तकनीक आपके फोन को अनलॉक करने के लिए आपके चेहरे की पहचान करती है।

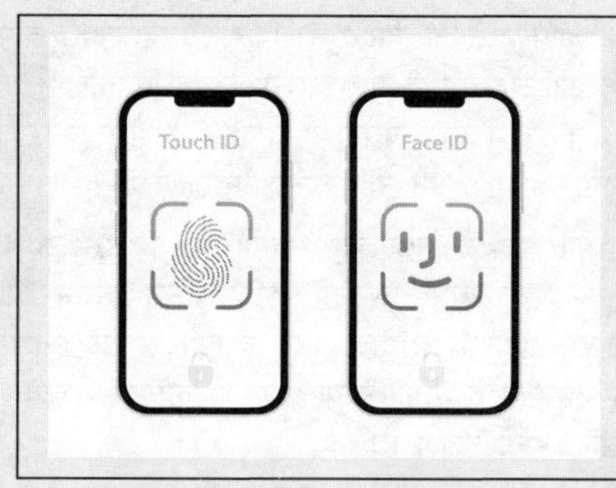

चित्र 22.13 FRT

क्विज स्टेशन *विगत UGC NET परीक्षाओं के प्रश्न*

प्र 1. बैंकों में चेक को स्कैन करने के लिए किस इनपुट डिवाइस का उपयोग किया जाता है?

(a) OCR (b) MICR
(c) OMR (d) उपरोक्त सभी

प्र 2. फास्टैग किस पर काम करता है:

(a) OMR
(b) OCR
(c) RFID
(d) उपरोक्त में से कोई नहीं

उत्तर 1. (b) 2. (c)

22.8 सेंट्रल प्रोसेसिंग यूनिट (सीपीयू) (Central Processing Unit (CPU))

सीपीयू के कार्य (Functions of CPU)

जिसे अक्सर कंप्यूटर का 'दिमाग' कहा जाता है, निर्देशों को निष्पादित करने और गणना करने के लिए जिम्मेदार प्राथमिक घटक है। सीपीयू कई प्रकार के कार्यों को निष्पादित करता है, जिनमें शामिल हैं:

1. **अंकगणितीय ऑपरेशन (Arithmetic Operations):** सीपीयू गणितीय कार्य कर सकता है, जैसे दो संख्याओं को एक साथ जोड़ना। उदाहरण के लिए, 5 + 3 = 8।
2. **तर्क संचालन (Logic Operations):** सीपीयू स्थितियों का मूल्यांकन कर सकता है और तार्किक नियमों के आधार पर निर्णय ले सकता है। उदाहरण के लिए, एक AND ऑपरेशन जाँचता है कि क्या दो कथन सत्य हैं: (3 > 2) AND (4 < 5) = सत्य।
3. **इनपुट/आउटपुट ऑपरेशन (Input/output Operations):** सीपीयू कंप्यूटर और बाहरी उपकरणों के बीच डेटा के प्रवाह का प्रबंधन करता है। एक उदाहरण कीबोर्ड से इनपुट प्राप्त करना और फिर प्रिंटर को आउटपुट भेजना होगा।
4. **डेटा हेरफेर (Data Manipulations):** सीपीयू डेटा को पुनर्व्यवस्थित, सॉर्ट या व्यवस्थित कर सकता है। उदाहरण के लिए, संख्याओं की सूची को सबसे छोटी से सबसे बड़ी तक क्रमबद्ध करना या सूची में आइटमों के क्रम को पुनर्व्यवस्थित करना।

सीपीयू के मुख्य घटक (Key Components of the CPU)

सेंट्रल प्रोसेसिंग यूनिट (सीपीयू) में तीन प्राथमिक घटक होते हैं, जिनमें से प्रत्येक डेटा और निर्देशों को संसाधित करने में एक विशिष्ट भूमिका निभाता है:

इस विषय को सरल बनाने वाले वीडियो व्याख्यान को देखने के लिए इस QR कोड को स्कैन करें

1. **अरिथमेटिक लॉजिक यूनिट (ALU) (Arithmetic Logic Unit (ALU):** यह घटक गणितीय संचालन और तार्किक तुलना को संभालता है। यह मानों को जोड़, घटा, गुणा, भाग और तुलना कर सकता है। आप ALU को कक्षा में सबसे बुद्धिमान छात्र के रूप में सोच सकते हैं, जो हमेशा जटिल गणितीय समस्याओं को हल करने और तार्किक नियमों के आधार पर त्वरित निर्णय लेने के लिए तैयार रहता है।
2. **कंट्रोल यूनिट (सीयू) (Control Unit (CU):** सीयू यह सुनिश्चित करने का प्रभारी है कि कंप्यूटर के सभी अलग-अलग हिस्से एक साथ सुचारू रूप से काम करें। स्कूल में क्लास मॉनिटर की तरह, यह सब कुछ व्यवस्थित और सुचारू रूप से चलाता रहता है। यह सूचना के प्रवाह को निर्देशित करता है, कंप्यूटर के अन्य हिस्सों को बताता है कि क्या करना है, और यह सुनिश्चित करता है कि कार्य सही ढंग से और सही क्रम में किए जाएं।
3. **मेमोरी यूनिट (मुख्य भंडारण) (Memory Unit (Main Storage):** मेमोरी यूनिट कंप्यूटर में एक बड़े भंडारण स्थान की तरह है जहाँ विभिन्न प्रकार की जानकारी रखी जाती है। यह घटक डेटा, निर्देश, मध्यवर्ती परिणाम और अंतिम परिणाम संग्रहीत करता है। कंट्रोल यूनिट मेमोरी और CPU के अन्य भागों के बीच डेटा और निर्देशों के हस्तांतरण को नियंत्रित करता है।

★★★ परीक्षोपयोगी

वॉन न्यूमैन आर्किटेक्चर (Von Neumann Architecture)

वॉन न्यूमैन आर्किटेक्चर, जिसका नाम गणितज्ञ और भौतिक विज्ञानी जॉन वॉन न्यूमैन के नाम पर रखा गया है, कंप्यूटर के लिए एक मौलिक डिजाइन अवधारणा है जिसे 1945 में विकसित किया गया था। इसने कंप्यूटर की संरचना और कार्य करने के तरीके में क्रांति ला दी। इसके विकास से पहले, शुरुआती कंप्यूटर दो प्राथमिक श्रेणियों में आते थे:

1. **फिक्स्ड प्रोग्राम कंप्यूटर (Fixed Program Computers):** ये कंप्यूटर विशिष्ट कार्यों के लिए डिजाइन किए गए हैं और इन्हें आसानी से फिर से प्रोग्राम नहीं किया जा सकता है। एक उदाहरण एक कैलकुलेटर है, जो गणितीय गणना करने के लिए बनाया गया है और कुछ नहीं।
2. **स्टोर्ड प्रोग्राम कंप्यूटर (Stored Program Computers):** ये कंप्यूटर बहुमुखी हैं और इन्हें कई तरह के कार्यों को करने के लिए प्रोग्राम किया जा सकता है। इन कंप्यूटरों को फिर से प्रोग्राम किया जा सकता था, लेकिन ये जटिल थे।

जॉन वॉन न्यूमैन और अन्य अग्रणी कंप्यूटर वैज्ञानिकों ने संग्रहीत प्रोग्राम अवधारणा की क्षमता को पहचाना और एक नया वास्तुशिल्प ढांचा तैयार किया। वॉन न्यूमैन आर्किटेक्चर के पीछे मुख्य विचार यह है कि प्रोग्राम और डेटा मेमोरी में एक साथ संग्रहीत होते हैं। यह लचीलापन प्रदान करता है, क्योंकि प्रोग्राम को आसानी से संशोधित किया जा सकता है और भौतिक हार्डवेयर को बदले बिना नए कार्यों को निष्पादित किया जा सकता है। यह आधुनिक कंप्यूटरों के निर्माण और सूचना को संसाधित करने के तरीके का आधार बनता है।

सिस्टम बस (System Bus)

इसके अतिरिक्त, वॉन न्यूमैन ने एकल केंद्रीय सिस्टम बस की अवधारणा पेश की। यह बस कंप्यूटर सिस्टम के मुख्य घटकों को आपस में जोड़ती है: सेंट्रल प्रोसेसिंग यूनिट (सीपीयू), मेमोरी और इनपुट-आउटपुट (आई/ओ) डिवाइस। आर्किटेक्चर में तीन प्राथमिक इकाइयाँ शामिल हैं:

1. **सेंट्रल प्रोसेसिंग यूनिट (सीपीयू) (Central Processing Unit (CPU)):** यह निर्देशों को संसाधित करता है और गणना करता है।
2. **मेमोरी (Memory):** यह वह जगह है जहाँ डेटा और प्रोग्राम संग्रहीत होते हैं जबकि कंप्यूटर उन पर काम कर रहा होता है।
3. **इनपुट/आउटपुट (आई/ओ) डिवाइस (Input/Output (I/O) Devices):** ये वे डिवाइस हैं जो आपको कंप्यूटर के साथ इंटरैक्ट करने की अनुमति देते हैं, जैसे कीबोर्ड, माउस, मॉनिटर और प्रिंटर।

तीन प्राथमिक इकाइयों के साथ, कंप्यूटर में सिस्टम बस भी शामिल थी, जो उपर्युक्त घटकों को जोड़ती थी, जिससे वे संचार करने और डेटा को

कुशलतापूर्वक स्थानांतरित करने में सक्षम होते थे। सिस्टम बस एक राजमार्ग की तरह है जो कंप्यूटर के सभी अलग-अलग हिस्सों को जोड़ती है। यह डेटा को CPU, मेमोरी और I/O डिवाइस के बीच ले जाने की अनुमति देता है। दूसरे शब्दों में, एक सिस्टम बस कंप्यूटर के विभिन्न घटकों को एक दूसरे से बात करने में मदद करती है। सिस्टम बस में तीन मुख्य घटक होते हैं: कंट्रोल बस, एड्रेस बस और डेटा बस।

1. **एड्रेस बस (एकदिशात्मक) (Address Bus (Uni-directional)):** केवल CPU से मेमोरी तक सूचना भेजती है।
2. **डेटा बस (द्वि-दिशात्मक) (Data Bus (Bi-directional)):** CPU, मेमोरी और बाह्य उपकरणों (जैसे प्रिंटर या कीबोर्ड) के बीच सूचना भेजती और प्राप्त करती है। उदाहरण के लिए, यदि आप कोई फाइल खोल रहे हैं, तो डेटा बस उस फाइल की सामग्री को आपकी हार्ड ड्राइव से CPU तक ले जाएगी।
3. **कंट्रोल बस (द्वि-दिशात्मक) (Control Bus (Bi-directional)):** कंप्यूटर के संचालन को प्रबंधित करने के लिए नियंत्रण संकेत भेजता और प्राप्त करता है (दो-तरफा)।

क्लैरिटी कॉर्नर

डेटा बस और कंट्रोल बस के बीच उलझन में हैं? आइए इस उलझन को दूर करें।

डेटा बस: सीपीयू, मेमोरी और कंप्यूटर के अन्य भागों के बीच वास्तविक जानकारी (जैसे टेक्स्ट, चित्र या संख्या) को स्थानांतरित करता है।

कंट्रोल बस: कंप्यूटर के विभिन्न भागों को यह बताने के लिए सिग्नल भेजता है कि क्या करना है (जैसे डेटा कब पढ़ना है, डेटा कब लिखना है या प्रक्रिया कब शुरू करनी है)।

सरल शब्दों में:

- **डेटा बस:** डेटा को स्थानांतरित करता है।
- **कंट्रोल बस:** डेटा के साथ क्या करना है, इस पर निर्देश स्थानांतरित करता है।

वॉन न्यूमैन आर्किटेक्चर के लाभ (Advantages of Von Neumann Architecture)

- **लचीलापन (Flexibility):** वॉन न्यूमैन आर्किटेक्चर पर आधारित संग्रहित प्रोग्राम कंप्यूटर अत्यधिक लचीले होते हैं क्योंकि उन्हें अलग-अलग कार्य करने के लिए पुनः प्रोग्राम किया जा सकता है।
- **दक्षता (Efficiency):** यह आर्किटेक्चर CPU, मेमोरी और I/O डिवाइस के बीच कुशल डेटा प्रवाह की अनुमति देता है, जिससे तेज प्रोसेसिंग और इंटरैक्शन संभव होता है।

वॉन न्यूमैन आर्किटेक्चर ने आधुनिक कंप्यूटरों की नींव रखी, जिससे वे अनुकूलनीय और जटिल सॉफ्टवेयर एप्लिकेशन चलाने में सक्षम हो गए, जिनका हम आज उपयोग करते हैं।

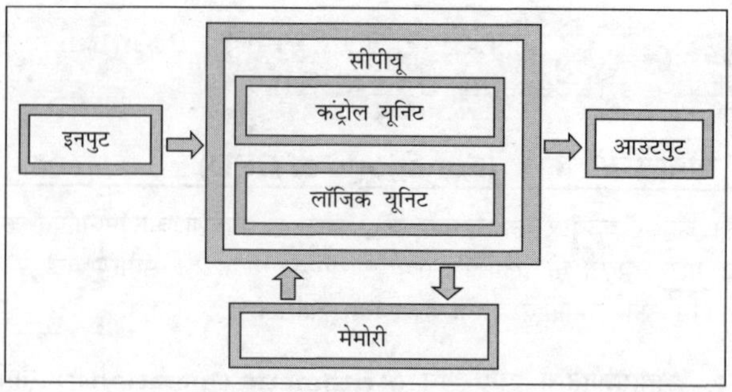

चित्र 22.14 वॉन न्यूमैन आर्किटेक्चर

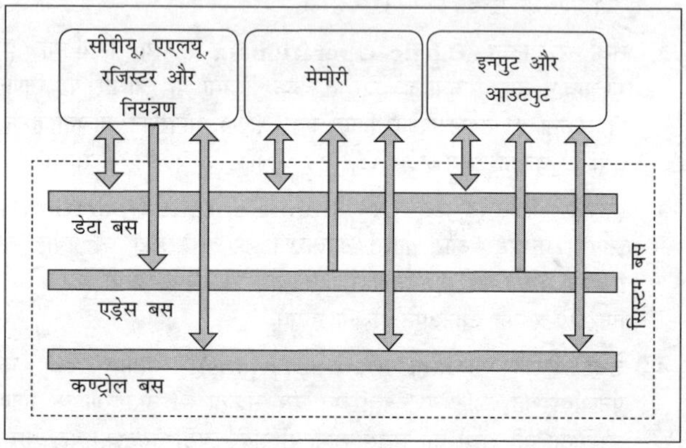

चित्र 22.15 सिस्टम बस के घटक

CPU से संबंधित शब्दावली (Terminology Related to CPU)

1. **मदरबोर्ड (Motherboard):** मदरबोर्ड कंप्यूटर के केंद्रीय तंत्रिका तंत्र की तरह होता है। यह एक बड़ा सर्किट बोर्ड होता है जो पूरे सिस्टम के मुख्य हब या रीढ़ की हड्डी के रूप में कार्य करता है। मदरबोर्ड पर, आपको स्लॉट और कनेक्टर मिलेंगे जहाँ CPU (सेंट्रल प्रोसेसिंग यूनिट), मेमोरी (RAM) और स्टोरेज ड्राइव जैसे आवश्यक घटक जुड़े होते हैं। यह कीबोर्ड, माउस, प्रिंटर और मॉनिटर जैसे बाह्य उगकरणों के लिए कनेक्शन भी प्रदान करता है। ग्राफिक्स कार्ड, साउंड कार्ड और USB पोर्ट जैसे अन्य डिवाइस भी मदरबोर्ड में प्लग किए जाते हैं।
2. **पेरिफेरल डिवाइस (Peripheral Devices):** पेरिफेरल डिवाइस अतिरिक्त हार्डवेयर होते हैं जिन्हें आप कंप्यूटर से जोड़कर उसे और अधिक उपयोगी बना सकते हैं। उदाहरणों में मॉनिटर, कीबोर्ड, माउस, वेबकैम, ड्राइंग पैड, जॉयस्टिक, मोडेम, प्रिंटर, स्कैनर और इंटरैक्टिव व्हाइटबोर्ड शामिल हैं।
3. **CPU क्लॉक (CPU Clock):** CPU क्लॉक आपके कंप्यूटर के लिए दिल की धड़कन की तरह है। यह एक छोटी, आंतरिक घड़ी है जो बिजली के नियमित स्पंदन भेजती है। ये स्पंदन आपके कंप्यूटर द्वारा सूचना को संसाधित करने की गति को नियंत्रित करते हैं। प्रति सेकंड स्पंदनों की संख्या हर्ट्ज (हर्ट्ज) में मापी जाती है। इसलिए, 3.0 गीगाहर्ट्ज (गीगाहर्ट्ज) की घड़ी की गति वाला सीपीयू हर सेकंड सूचना के 3 बिलियन स्पंदनों को संभाल सकता है। घड़ी की गति जितनी तेज होगी, आपका कंप्यूटर उतनी ही तेजी से कार्य निष्पादित कर सकता है और प्रोग्राम चला सकता है।

4. **इंटीग्रेटेड सर्किट (IC) (Integrated Circuit (IC)):** यह सिलिकॉन चिप को संदर्भित करता है जो CPU के मुख्य घटक के रूप में कार्य करता है। इस चिप में ट्रांजिस्टर, प्रतिरोधक और कैपेसिटर जैसे लाखों या अरबों छोटे इलेक्ट्रॉनिक घटक होते हैं। CPU की दक्षता और गति काफी हद तक इस बात पर निर्भर करती है कि IC के भीतर इन घटकों को कैसे डिजाइन और एकीकृत किया गया है।
5. **माइक्रोप्रोसेसर (Microprocessor):** यह एक विशिष्ट प्रकार का इंटीग्रेटेड सर्किट (IC) है जिसमें CPU के सभी आवश्यक घटक एक ही चिप पर होते हैं। यह अनिवार्य रूप से एक संपूर्ण CPU है जिसे एक छोटी, एकीकृत इकाई में पैक किया गया है। माइक्रोप्रोसेसर का इस्तेमाल आमतौर पर पर्सनल कंप्यूटर, स्मार्टफोन और अन्य डिवाइस में किया जाता है, जहाँ स्पेस और पावर एफिशिएंसी बहुत जरूरी होती है। उदाहरण के लिए, इंटेल कोर i7 प्रोसेसर एक लोकप्रिय माइक्रोप्रोसेसर है जो कई हाई-परफॉरमेंस डेस्कटॉप और लैपटॉप कंप्यूटर में पाया जाता है। इसमें कई कोर शामिल हैं और इसका इस्तेमाल गेमिंग और वीडियो एडिटिंग जैसे महत्वपूर्ण कम्प्यूटेशनल पावर की जरूरत वाले कामों के लिए किया जाता है।
6. **GPU:** एक ग्राफिक्स कार्ड, जिसे GPU (ग्राफिक्स प्रोसेसिंग यूनिट) के नाम से भी जाना जाता है, आपके कंप्यूटर का एक खास हिस्सा है जो आपकी स्क्रीन पर इमेज बनाने और दिखाने में मदद करता है। यह आपके मुख्य कंप्यूटर के अंदर एक छोटा, शक्तिशाली कंप्यूटर होने जैसा है, जिसे खासतौर पर आपके द्वारा देखे जाने वाले सभी दृश्यों को संभालने के लिए डिजाइन किया गया है। चाहे आप गेम खेल रहे हों, वीडियो देख रहे हों या फोटो और वीडियो के साथ काम कर रहे हों, ग्राफिक्स कार्ड आपके कंप्यूटर के मुख्य प्रोसेसर (CPU) के साथ मिलकर काम करता है ताकि सब कुछ सुचारू और विस्तृत दिखे।
7. **मल्टीटास्किंग (Multitasking):** यह कंप्यूटर के CPU (सेंट्रल प्रोसेसिंग यूनिट) की एक साथ कई कार्यों या प्रक्रियाओं को संभालने की क्षमता को संदर्भित करता है। यह CPU को विभिन्न कार्यों के बीच तेजी से स्विच करने की अनुमति देता है, ऐसा प्रतीत होता है जैसे कि वह एक साथ कई काम कर रहा है।
8. **स्पूल (SPOOL):** सिमल्टेनियस पेरिफेरल ऑपरेशन ऑन-लाइन (स्पूल) एक कंप्यूटर सिस्टम सुविधा है जो कई कार्यों या नौकरियों को एक साथ प्रबंधित करने की अनुमति देती है, खासकर ऐसे वातावरण में जहां प्रिंटर जैसे उपकरणों को अलग-अलग उपयोगकर्ताओं या अनुप्रयोगों से कई प्रिंट जॉब को संभालने की आवश्यकता होती है। कल्पना करें कि आप अपने कंप्यूटर से एक दस्तावेज प्रिंट करना चाहते हैं। दस्तावेज को सीधे प्रिंटर पर भेजने के बजाय, जो प्रिंटर के समाप्त होने की प्रतीक्षा करते समय आपके कंप्यूटर को धीमा कर सकता है, दस्तावेज को पहले स्पूल (कतार) में संग्रहीत किया जाता है। स्पूलिंग सिस्टम तब प्रिंटिंग प्रक्रिया का प्रबंधन करता है, जिससे आपका कंप्यूटर प्रिंटर की गति या उपलब्धता से विलंबित हुए बिना अन्य कार्यों पर काम करना जारी रख सकता है।

CPU शेड्यूलिंग (CPU Scheduling)

CPU शेड्यूलिंग उन तकनीकों और एल्गोरिदम को संदर्भित करता है जिनका उपयोग कंप्यूटर सिस्टम में प्रक्रियाओं के निष्पादन को प्रबंधित करने के लिए किया जाता है। इसका लक्ष्य यह सुनिश्चित करके CPU उपयोग को अनुकूलित करना है कि कार्यों को कुशलतापूर्वक और बिना अनावश्यक देरी के संसाधित किया जाए। लोकप्रिय शेड्यूलिंग विधियों में शामिल हैं:

1. **फर्स्ट इन फर्स्ट आउट (FIFO) (First In First Out (FIFO)):** यह शेड्यूलिंग एल्गोरिदम प्रक्रियाओं को उनके आने के क्रम में प्रस्तुत करता है, यह सुनिश्चित करते हुए कि आने वाली पहली प्रक्रिया सबसे पहले निष्पादित हो। उदाहरण के लिए, यदि आप उस क्रम में 'Microsoft Word', 'Chrome', और 'MS Paint' पर क्लिक करते हैं, तो FIFO शेड्यूलिंग में सबसे पहले 'Word' खुलेगा, उसके बाद 'Chrome' और फिर 'MS Paint'।
2. **लास्ट इन फर्स्ट आउट (LIFO) (Last In First Out (LIFO)):** यह एल्गोरिदम FIFO के विपरीत काम करता है, सबसे हाल की प्रक्रिया को सबसे पहले प्रस्तुत करता है। उदाहरण के लिए, यदि आप 'Microsoft Word', 'Chrome' और 'MS Paint' को उसी क्रम में खोलते हैं, तो LIFO MS Paintश से शुरू होगा, फिर 'Chrome' और अंत में 'Word' से।
3. **शॉर्टेस्ट जॉब फर्स्ट (SJF) (Shortest Job First (SJF)):** यह एल्गोरिथ्म सबसे कम निष्पादन समय वाले कार्यों को प्राथमिकता देता है। सबसे छोटे कार्यों को पहले पूरा करके, यह विधि सिस्टम दक्षता में सुधार कर सकती है।

   SJF का एक सरल उदाहरण है जब आप अलग-अलग पूर्णता समय वाले कार्यों को कतारबद्ध कर रहे होते हैं, जैसे 'त्वरित स्कैन' (5 मिनट), 'पूर्ण सिस्टम स्कैन' (15 मिनट), और 'सॉफ्टवेयर अपडेट' (10 मिनट)। SJF अपेक्षित अवधि के अनुसार कार्यों को प्राथमिकता देगा, पहले 'त्वरित स्कैन' निष्पादित करेगा, फिर 'सॉफ्टवेयर अपडेट' और अंत में 'पूर्ण सिस्टम स्कैन' निष्पादित करेगा।
4. **राउंड रॉबिन (Round Robin):** राउंड रॉबिन एक CPU शेड्यूलिंग एल्गोरिथ्म है जो सुनिश्चित करता है कि प्रत्येक कार्य को CPU समय का बराबर हिस्सा मिले। राउंड रॉबिन का एक उदाहरण एक ऐसी प्रणाली है जहाँ चार कार्य निष्पादन के लिए निर्धारित किए जाते हैं: 'कार्य ए', 'कार्य बी', 'कार्य सी' और 'कार्य डी'। CPU प्रत्येक कार्य को 5 सेकंड का एक निश्चित समय स्लॉट या क्वांटम आवंटित करता है। यह 5 सेकंड के लिए 'कार्य ए' को निष्पादित करके शुरू होता है, फिर 'कार्य बी', फिर 'कार्य सी' और अंत में 'कार्य डी' पर जाता है। सभी कार्यों की बारी आने के बाद, CPU चक्र को दोहराते हुए 'कार्य ए' पर वापस आता है।

★★★ परीक्षोपयोगी

22.9 मेमोरी (Memory)

इस विषय को सरल बनाने वाले वीडियो व्याख्यान को देखने के लिए इस QR कोड को स्कैन करें

कंप्यूटर मेमोरी कंप्यूटर के मस्तिष्क की तरह होती है। यह वह जगह है जहाँ सभी डेटा, सूचनाएँ और कार्यों के लिए आवश्यक निर्देश संग्रहीत और संसाधित किए जाते हैं। जिस तरह हमारे मस्तिष्क में यादें और ज्ञान होता है, उसी तरह कंप्यूटर मेमोरी में वह सब कुछ होता है जो कंप्यूटर को काम करने के लिए चाहिए। आइए कंप्यूटर मेमोरी के प्रकारों पर नजर डालें।

प्राथमिक मेमोरी (Primary Memory)

यह मेमोरी इकाई सीधे CPU से संचार करती है और इसे अक्सर मुख्य मेमोरी या आंतरिक मेमोरी के रूप में संदर्भित किया जाता है। यह कंप्यूटर की तत्काल मेमोरी है जहाँ डेटा और प्रोग्राम संग्रहीत किए जाते हैं जबकि कंप्यूटर उपयोग में होता है। प्राथमिक मेमोरी को आगे पाँच श्रेणियों में विभाजित किया गया है:

CPU रजिस्टर (CPU Registers)

CPU के अंदर, बहुत तेज, विशेष-उद्देश्य वाली मेमोरी इकाइयाँ होती हैं जिन्हें रजिस्टर कहा जाता है। वे प्रोग्राम चलाने और कम मात्रा में डेटा को तेजी से प्रबंधित करने के लिए आवश्यक महत्वपूर्ण जानकारी संग्रहीत करते हैं। रजिस्टर कंप्यूटर में सबसे तेज प्रकार की मेमोरी होती है।

रैंडम एक्सेस मेमोरी (Random Access Memory (RAM))

RAM वह जगह है जहाँ कंप्यूटर अस्थायी रूप से डेटा और निर्देश संग्रहीत करता है, जिसे इसे चलते समय जल्दी से एक्सेस करने की आवश्यकता होती है; जिसे अक्सर 'रीड/राइट मेमोरी' कहा जाता है। RAM को 'रैंडम एक्सेस' कहा जाता है क्योंकि डेटा के किसी भी हिस्से को सीधे और जल्दी से एक्सेस किया जा सकता है, स्टोरेज डिवाइस के विपरीत जहाँ डेटा क्रमिक रूप से एक्सेस किया जाता है। इसे 'वोलेटाइल मेमोरी' भी कहा जाता है क्योंकि कंप्यूटर बंद होने पर यह सब कुछ खो देता है। इसलिए अपने कंप्यूटर को बंद करने या फिर से चालू करने से पहले अपने काम को सहेजना जरूरी है; अन्यथा, कोई भी सहेजा नहीं गया डेटा खो जाएगा। RAM दो प्रकार की होती है:

1. **डायनेमिक RAM (DRAM) (Dynamic RAM (DRAM)):** DRAM का मतलब डायनेमिक रैंडम एक्सेस मेमोरी है। यह RAM का एक प्रकार है जिसका इस्तेमाल कंप्यूटर में व्यापक रूप से किया जाता है। SRAM की तुलना में DRAM सस्ता है और इसमें ज़्यादा डेटा स्टोर किया जा सकता है, लेकिन यह धीमा है। क्ताड की एक खामी यह है कि डेटा को बनाए रखने के लिए इसे समय-समय पर रिफ्रेश करने की आवश्यकता होती है, यही कारण है कि इसे 'डायनेमिक' कहा जाता है। यह रिफ्रेशिंग प्रक्रिया SRAM की तुलना में थोड़ी अधिक बिजली की खपत करती है।
2. **स्टैटिक RAM (SRAM) (Static RAM (SRAM)):** SRAM एक प्रकार की कंप्यूटर मेमोरी है जो DRAM की तुलना में तेज और अधिक महंगी है। इसका उपयोग कंप्यूटर और अन्य इलेक्ट्रॉनिक उपकरणों में उच्च गति वाले डेटा स्टोरेज के लिए किया जाता है। DRAM के विपरीत, SRAM 'स्थिर है, जिसका अर्थ है कि इसमें संग्रहीत डेटा को बनाए रखने के लिए इसे लगातार रिफ्रेश करने की आवश्यकता नहीं है। यह SRAM को तेज बनाता है, लेकिन DRAM की तुलना में अधिक महंगा और कम घना भी बनाता है।
   - **फ्लिप-फ्लॉप और बिस्टेबल सर्किट का उपयोग (Use of Flip-Flops and Bistable Circuits):** SRAM डेटा बिट्स को संग्रहीत करने के लिए फ्लिप-फ्लॉप का उपयोग करता है। फ्लिप-फ्लॉप मेमोरी के अंदर छोटे स्विच की तरह होते हैं जो दो स्थितियों में जानकारी रख सकते हैं: 0 (बंद) या 1 (चालू)। फ्लिप-फ्लॉप द्विस्थिर सर्किट होते हैं, जिसका अर्थ है कि वे दो स्थिर अवस्थाओं में से एक में अनिश्चित काल तक रह सकते हैं, बिना उन्हें रिफ्रेश किए जाने की आवश्यकता के। यह SRAM को DRAM से अलग बनाता है, जिसे डेटा संग्रहीत रखने के लिए समय-समय पर रिफ्रेश करने की आवश्यकता होती है।
   - **SRAM और कैश मेमोरी (SRAM and Cache Memory):** SRAM का उपयोग कैश मेमोरी में किया जाता है क्योंकि यह तेज है, इसे लगातार रिफ्रेश करने की आवश्यकता नहीं होती है, और डेटा को इस तरह से संग्रहीत करने के लिए फ्लिप-फ्लॉप का उपयोग करता है कि यह प्रोसेसर के लिए आसानी से सुलभ रहे।

वीआरएएम (VRAM): वीडियो मेमोरी, जिसे वीआरएएम (वीडियो रैंडम एक्सेस मेमोरी) के नाम से भी जाना जाता है, एक विशेष प्रकार की मेमोरी है जिसका उपयोग कंप्यूटर और अन्य उपकरणों द्वारा ग्राफिकल डेटा को स्टोर और एक्सेस करने के लिए किया जाता है। वीडियो मेमोरी कंप्यूटर की मुख्य मेमोरी (रैम) से अलग होती है और आमतौर पर ग्राफिक्स कार्ड पर स्थित होती है। यह एक विशेष भंडारण क्षेत्र की तरह है जिसे विशेष रूप से आपके स्क्रीन पर दिखाई देने वाले सभी ग्राफिक्स और छवियों को संभालने के लिए डिजाइन किया गया है। जब आपका कंप्यूटर आपको कुछ दृश्य दिखाने की आवश्यकता होती है – जैसे एक गेम, एक मूवी, या बस विंडोज को इधर-उधर करना, तो यह इस समर्पित मेमोरी का उपयोग सभी आवश्यक जानकारी को स्टोर करने के लिए करता है। यह सेटअप इसे नियमित मेमोरी (रैम) का उपयोग करने की तुलना में तेज और अधिक कुशल बनाता है जिसे आपका कंप्यूटर अन्य कार्यों के लिए उपयोग करता है।

तालिका 22.5 SRAM और DRAM के बीच मुख्य अंतर को उजागर करता है।

तालिका 22.5 SRAM और DRAM के बीच अंतर

विशेषता	SRAM	DRAM
अवधारण	जब तक बिजली उपलब्ध है तब तक जानकारी संग्रहीत करता है	जब तक बिजली उपलब्ध है, या बिना बिजली के कुछ मिलीसेकंड तक जानकारी संग्रहीत करता है (अस्थिर)
भंडारण प्रौद्योगिकी	ट्रांजिस्टर और फ्लिप-फ्लॉप का उपयोग करता है	कैपेसिटर का उपयोग करता है
रिफ्रेशिंग	किसी रिफ्रेशिंग की जरूरत नहीं	डेटा को बनाए रखने के लिए समय-समय पर रिफ्रेशिंग की आवश्यकता होती है
रफ्तार	तेज पहुँच गति	धीमी पहुँच गति
लागत	अधिक महंगा	सस्ता
भंडारण विधि	वोल्टेज के रूप में संग्रहित बिट्स	विद्युत आवेश के रूप में संग्रहित बिट्स (कैपेसिटर)
प्रयोग	कैश मेमोरी में उपयोग किया जाता है	मुख्य स्मृतियों में प्रयुक्त
बिजली की खपत	कम बिजली की खपत करता है और कम गर्मी पैदा करता है	अधिक बिजली का उपयोग करता है और अधिक गर्मी उत्पन्न करता है

रीड ओनली मेमोरी (Read-Only Memory (ROM))

रीड ओनली मेमोरी (ROM) एक प्रकार की कंप्यूटर मेमोरी है जो बिजली बंद होने पर भी अपनी सामग्री को बरकरार रखती है, यही कारण है कि इसे अक्सर 'नॉन-वोलेटाइल मेमोरी' या 'स्थायी भंडारण' कहा जाता है। ROM एक प्रकार की मेमोरी है जिसे विनिर्माण के दौरान कंप्यूटर या डिवाइस में बनाया जाता है। निर्माता ROM में आवश्यक निर्देश संग्रहीत करते हैं जो कंप्यूटर को शुरू करने और बुनियादी कार्यों को करने के लिए आवश्यक होते हैं। अन्य प्रकार की मेमोरी के विपरीत, ROM को एक बार निर्मित होने के बाद उपयोगकर्ताओं द्वारा संशोधित या लिखा नहीं जा सकता है, इसलिए इसका नाम 'रीड-ओनली' है। हर कंप्यूटर में थोड़ी मात्रा में ROM होता है जो महत्वपूर्ण स्टार्टअप निर्देश रखता है। ROM में चार मुख्य प्रकार शामिल हैं:

1. **मास्क्ड रीड-ओनली मेमोरी (MROM) (Masked Read-Only Memory (MROM)):** मास्क ROM (MROM) एक प्रकार की मेमोरी चिप है जिसे उत्पादन प्रक्रिया के दौरान निश्चित डेटा या निर्देशों के साथ निर्मित किया जाता है। 'मास्क' शब्द उस प्रक्रिया को संदर्भित करता है जिसमें सेमीकंडक्टर निर्माता निर्माण के दौरान सीधे चिप पर विशिष्ट पैटर्न और डेटा संरचनाएँ बनाने के लिए फोटोमास्क का उपयोग करता है। यह MROM को एक नॉन-वोलेटाइल मेमोरी बनाता है, जिसका अर्थ है कि यह बिजली बंद होने पर भी अपने संग्रहीत डेटा को बनाए रखता है।
2. **प्रोग्रामेबल रीड ओनली मेमोरी (PROM) (Programmable Read-Only Memory (PROM)):** PROM एक प्रकार की मेमोरी है जिसे निर्माण के दौरान डेटा के साथ प्रोग्राम किया जाता है और बाद में इसे बदला नहीं जा सकता। एक बार प्रोग्राम हो जाने के बाद, PROM में डेटा स्थायी होता है। इसे स्थायी मार्कर से लिखने जैसा समझें - आप किसी चीज पर एक बार लिख सकते हैं, लेकिन आप जो लिखा है उसे मिटा या बदल नहीं सकते।
3. **इरेजेबल प्रोग्रामेबल रीड ओनली मेमोरी (EPROM) (Erasable Programmable Read-Only Memory (EPROM)):** EPROM एक प्रकार की मेमोरी है जिसे मिटाया और फिर से प्रोग्राम किया जा सकता है। यह इसे पराबैंगनी (UV) प्रकाश के संपर्क में लाकर किया जाता है, जो मौजूदा डेटा को साफ कर देता है, जिससे नई जानकारी लिखी जा सकती है।
4. **इलेक्ट्रिकली इरेजेबल प्रोग्रामेबल रीड ओनली मेमोरी (EEPROM) (Electrically Erasable Programmable Read-Only Memory (EEPROM)):** EEPROM को UV लाइट का उपयोग किए बिना इलेक्ट्रॉनिक रूप से मिटाया और पुनः प्रोग्राम किया जा सकता है। यह EPROM की तुलना में अधिक लचीला है, जिससे विशेष उपकरणों के बिना भी बदलाव किए जा सकते हैं। यह EEPROM को उन अनुप्रयोगों के लिए उपयुक्त बनाता है जिनमें संग्रहीत डेटा के लगातार अपडेट और संशोधन की आवश्यकता होती है। इस प्रकार की मेमोरी को 'फ्लैश मेमोरी' के रूप में भी जाना जाता है, जिसका उपयोग आमतौर पर USB ड्राइव और मेमोरी कार्ड में किया जाता है।
5. **फ्लैश EEPROM (Flash EEPROM):** फ्लैश EEPROM, जिसे आमतौर पर फ्लैश मेमोरी के रूप में संदर्भित किया जाता है, एक प्रकार का नॉन-वोलेटाइल कंप्यूटर स्टोरेज है जिसे विद्युत रूप से मिटाया और पुनः प्रोग्राम किया जा सकता है। पारंपरिक EEPROM की तुलना में फ्लैश मेमोरी आम तौर पर कम लिखने/मिटाने के चक्रों का समर्थन करती है। हालाँकि फ्लैश मेमोरी अधिक टिकाऊ होती है, लेकिन पारंपरिक EEPROM लंबे समय तक चलती है क्योंकि यह अधिक लेखन/मिटाने के चक्रों को संभाल सकती है। सामान्य उदाहरणों में पेन ड्राइव, SSD (सॉलिड स्टेट ड्राइव) और माइक्रो SD कार्ड शामिल हैं। इन पर पृष्ठ संख्या 476 पर विस्तार से चर्चा की गई है।

महत्वपूर्ण शब्दावली

वोलेटाइल मेमोरी: इस प्रकार की मेमोरी बिजली बंद होने पर अपनी संग्रहीत जानकारी खो देती है। RAM (रैंडम एक्सेस मेमोरी) अस्थिर मेमोरी का एक सामान्य उदाहरण है जिसका उपयोग कंप्यूटर में सिस्टम चालू रहने के दौरान अस्थायी रूप से डेटा संग्रहीत करने के लिए किया जाता है।

नॉन-वोलेटाइल मेमोरी: इस प्रकार की मेमोरी बिजली बंद होने पर भी अपनी संग्रहीत जानकारी को बरकरार रखती है। उदाहरणों में त्व्ड (रीड-ओनली मेमोरी), फ्लैश ड्राइव/पेन ड्राइव और SSD (सॉलिड स्टेट ड्राइव) शामिल हैं, जो डेटा को तब तक स्थायी रूप से संग्रहीत कर सकते हैं जब तक कि इसे जानबूझकर बदला या मिटाया न जाए।

वर्चुअल मेमोरी: यह एक ऐसी तकनीक है जो ऑपरेटिंग सिस्टम (OS) को कंप्यूटर के स्टोरेज के एक हिस्से (आमतौर पर हार्ड डिस्क या SSD) का उपयोग करने की अनुमति देती है जैसे कि यह अतिरिक्त RAM हो। यह मददगार है क्योंकि यह कंप्यूटर को एक साथ अधिक प्रोग्राम चलाने या अकेले भौतिक RAM की तुलना में बड़े प्रोग्राम को संभालने में सक्षम बनाता है।

आइए इसे वास्तविक जीवन के उदाहरण का उपयोग करके समझते हैं। कल्पना करें कि आप एक डेस्क (RAM) पर काम कर रहे हैं जो एक समय में केवल कुछ ही पेपर रख सकता है। वर्चुअल मेमोरी पास में एक अतिरिक्त डेस्क (हार्ड ड्राइव) की तरह काम करती है जहाँ आप अस्थायी रूप से अधिक पेपर स्टोर कर सकते हैं। जब आपको किसी ऐसे पेपर की जरूरत होती है जो आपके मुख्य डेस्क पर नहीं है, तो आप उसे पास के डेस्क से दूसरे पेपर से बदल देते हैं। इस तरह, आप कुल मिलाकर अधिक पेपर (प्रोग्राम) संभाल सकते हैं, भले ही आपके मुख्य डेस्क पर जगह सीमित हो।

तालिका 22.6 ROM के प्रकार

मेमोरी का प्रकार	इरेजेबल	प्रोग्रामेबल	विशेषताएँ
MROM (मास्क्ड ROM)	नहीं	नहीं	निर्माण के दौरान पूर्व-प्रोग्राम किया गया, बदला या मिटाया नहीं जा सकता।
PROM (प्रोग्रामेबल ROM)	नहीं	हाँ (एक बार)	निर्माण के बाद एक बार प्रोग्राम किया जा सकता है, लेकिन मिटाया या फिर से प्रोग्राम नहीं किया जा सकता।

तालिका 22.6 ROM के प्रकार *(जारी)*

मेमोरी का प्रकार	इरेजेबल	प्रोग्रामेबल	विशेषताएँ
EPROM (इरेजेबल प्रोग्रामेबल ROM)	हाँ (UV लाइट)	हाँ	UV लाइट का उपयोग करके मिटाया जा सकता है और कई बार फिर से प्रोग्राम किया जा सकता है।
EEPROM (इलेक्ट्रिकली इरेजेबल प्रोग्रामेबल ROM)	हाँ (इलेक्ट्रिकली)	हाँ	इलेक्ट्रिकली कई बार मिटाया और फिर से प्रोग्राम किया जा सकता है।
फ्लैश EEPROM/फ्लैश मेमोरी	हाँ	हाँ	इलेक्ट्रिकली कई बार मिटाया और फिर से प्रोग्राम किया जा सकता है।

तालिका 22.7 RAM और ROM के बीच अंतर

विशेषता	RAM	ROM
प्रकार	रैंडम एक्सेस मेमोरी	रीड-ओनली मेमोरी
अस्थिरता	वोलेटाइल (पावर चालू रहने पर डेटा को बनाए रखता है)	नॉन-वोलेटाइल (बिजली जाने पर डेटा नहीं खोता)
डेटा संग्रहण	अस्थायी रूप से जानकारी संग्रहीत करता है	स्थायी रूप से जानकारी संग्रहीत करता है
डेटा प्रतिधारण	बिजली के प्रवाह की आवश्यकता होती है	बिजली के प्रवाह की आवश्यकता नहीं होती है
कार्यक्षमता	पढ़ने और लिखने दोनों के लिए उपयोग किया जाता है	केवल पढ़ने के लिए उपयोग किया जाता है
लागत	आमतौर पर ROM से महंगा	आमतौर पर RAM से सस्ता होता है
गति	बहुत तेज लेकिन अधिक बिजली की खपत करता है	तेज और बहुत कम बिजली की खपत करता है
सामान्य उपयोग	CPU कैश, प्राथमिक मेमोरी	फर्मवेयर, माइक्रोकंट्रोलर, एम्बेडेड सिस्टम

कैश मेमोरी (Cache Memory)

कैश मेमोरी कंप्यूटर में एक उच्च गति वाला भंडारण क्षेत्र है जो अस्थायी रूप से अक्सर उपयोग किए जाने वाले डेटा और निर्देशों को संग्रहीत करता है, जिससे सीपीयू को जानकारी को मुख्य मेमोरी से हर बार पुनः प्राप्त करने की तुलना में बहुत तेजी से एक्सेस करने की अनुमति मिलती है।

कैश मेमोरी को अपने घर की रसोई की तरह सोचें जहां आप उन आवश्यक चीजों को रखते हैं जिनका आप हमेशा उपयोग करते हैं, जैसे कि कॉफी, चीनी और अनाज। हर बार इन वस्तुओं की आवश्यकता होने पर किराने की दुकान (मुख्य मेमोरी) जाने के बजाय, आप उन्हें रसोई से जल्दी से प्राप्त कर सकते हैं, जिससे बहुत समय और प्रयास की बचत होती है। कैश मेमोरी का एक उदाहरण तब होता है जब आप अपने कंप्यूटर का उपयोग इंटरनेट ब्राउज करने के लिए कर रहे होते हैं। कैश अक्सर देखी जाने वाली वेबसाइटों के तत्वों को संग्रहीत करता है, जैसे कि छवियां, स्टाइल शीट और स्क्रिप्ट। जब आप उन साइटों पर पुनः जाते हैं, तो कंप्यूटर को सब कुछ फिर से डाउनलोड करने की आवश्यकता नहीं होती है, जिससे पृष्ठ बहुत तेजी से लोड होते हैं।

कैश मेमोरी यह सुनिश्चित करने में मदद करती है कि आपका कंप्यूटर सुचारू रूप से चलता है, चाहे आप सॉफ्टवेयर के बीच स्विच कर रहे हों, वेब पेज लोड कर रहे हों या वीडियो देख रहे हों। यह देरी को कम करता है और आपके आदेशों के प्रति कंप्यूटर को अधिक उत्तरदायी बनाता है।

1. **कैश के स्तर (Levels of Cache):** कैश मेमोरी को विभिन्न स्तरों में संगठित किया गया है–
   - **L1 कैश (L1 Cache):** यह सबसे छोटा और सबसे तेज कैश मेमोरी है, जो सीपीयू के सबसे करीब स्थित है। इसमें सबसे महत्वपूर्ण डेटा (कुछ किलोबाइट्स का) होता है जिसकी सीपीयू को तुरंत आवश्यकता होती है। यह आपके पास एक छोटा नोटपैड रखने जैसा है जिसमें आप जल्दी से महत्वपूर्ण जानकारी लिख सकते हैं।
   - **L2 कैश (L2 Cache):** L1 कैश और मुख्य मेमोरी (RAM) के बीच एक अलग चिप पर स्थित है। यह डेटा संग्रहीत करता है जिसका उपयोग कम बार किया जाता है लेकिन फिर भी RAM में मौजूद डेटा की तुलना में अधिक बार किया जाता है। यह L1 कैश से बड़ा होता है, आमतौर पर आकार में दसियों से सैकड़ों किलोबाइट्स तक होता है।
   - **L3 कैश (L3 Cache):** यह कैश स्तरों में सबसे बड़ा लेकिन सबसे धीमा होता है। यह आपके डेस्क से दूर एक बड़े फाइल कैबिनेट की तरह है, जिसमें ऐसा डेटा होता है जिसकी तुरंत आवश्यकता नहीं होती है लेकिन फिर भी उपयोगी होता है। L3 कैश सीपीयू को मुख्य मेमोरी से डेटा प्राप्त करने में लगने वाले समय को कम करने में मदद करता है। एक अन्य अलग चिप पर स्थित, L3 कैश बड़ा होता है, आमतौर पर मेगाबाइट्स में, लेकिन L1 और L2 कैश की तुलना में धीमा होता है।

   ये कैश स्तर डेटा एक्सेस को अनुकूलित करने के लिए एक पदानुक्रमित प्रणाली में एक साथ काम करते हैं। वे सीपीयू की धीमी मुख्य मेमोरी तक पहुंचने की आवश्यकता को कम करते हैं, इस प्रकार समग्र सिस्टम प्रदर्शन में सुधार करते हैं।
2. SRAM **के साथ लिंक (Link with SRAM):** कैश मेमोरी, विशेष रूप से छोटे और तेज प्रकार जैसे L1 और L2 कैश, अक्सर SRAM (स्टैटिक रैंडम एक्सेस मेमोरी) का उपयोग करते हैं।
3. **कैश से जुड़े महत्वपूर्ण शब्द (Important Terms Associated with Cache):**
   - **कैश कंट्रोलर (Cache Controller):** यह कैश मेमोरी में डेटा के अंदर और बाहर कैसे चलता है, इसे संभालता है, यह सुनिश्चित

करता है कि सीपीयू को जल्दी और कुशलता से वह मिल जाए जिसकी उसे आवश्यकता है।

- **कैश फ्लश (Cache Flush):** कभी-कभी, कैश मेमोरी को सटीकता बनाए रखने और त्रुटियों को रोकने के लिए साफ (फ्लश) करने की आवश्यकता होती है, विशेष रूप से सिस्टम पुनरारंभ या विशिष्ट संचालन के दौरान।

4. **कैश प्रदर्शन (Cache Performance):**
   - **कैश की जाँच (Checking the Cache):** जब प्रोसेसर मुख्य मेमोरी (RAM) से डेटा पढ़ना या लिखना चाहता है, तो वह पहले यह जांचता है कि क्या वह डेटा पहले से ही कैश में संग्रहीत है।
   - **कैश हिट (Cache Hit):** यदि प्रोसेसर को वह डेटा कैश में मिल जाता है जिसकी उसे आवश्यकता है, तो इसे श्कैश हिटश कहा जाता है। इसका मतलब है कि डेटा को तेज कैश मेमोरी से जल्दी से पुनः प्राप्त किया जाता है, जो धीमी मुख्य मेमोरी से डेटा प्राप्त करने की तुलना में बहुत तेज है।
   - **कैश मिस (Cache Miss):** यदि प्रोसेसर को कैश में डेटा नहीं मिलता है, तो इसे 'कैश मिस' कहा जाता है। ऐसा तब होता है जब डेटा कैश में संग्रहीत नहीं होता है और इसे मुख्य मेमोरी से प्राप्त करने की आवश्यकता होती है। कैश मिस प्रक्रिया को धीमा कर देती है क्योंकि कैश की तुलना में RAM से डेटा एक्सेस करने में अधिक समय लगता है।
   - **हिट अनुपात (Hit Ratio):** हिट अनुपात आमतौर पर प्रतिशत के रूप में व्यक्त किया जाता है और निम्नलिखित सूत्र का उपयोग करके गणना की जाती है-

     हिट अनुपात = (कैश हिट की संख्या/कुल मेमोरी एक्सेस) × 100% है, जहां

     कैश हिट की संख्या- यह वह कुल संख्या है जब प्रोसेसर को कैश मेमोरी में आवश्यक डेटा मिला।

     कुल मेमोरी एक्सेस- इसमें कैश हिट (जहां डेटा कैश में मिला) और कैश मिस (जहां डेटा को मुख्य मेमोरी से प्राप्त करना पड़ा) दोनों शामिल हैं।

उच्च हिट अनुपात (100% के करीब) इंगित करता है कि अधिकांश समय, प्रोसेसर को कैश मेमोरी में आवश्यक डेटा मिल रहा है। यह सुझाव देता है कि कैश मेमोरी औसत डेटा एक्सेस समय को प्रभावी ढंग से कम कर रही है। सारांश में, कैश मेमोरी का लक्ष्य कैश हिट की संख्या को अधिकतम करना और कैश मिस को कम करना है ताकि कंप्यूटर सिस्टम की समग्र गति और प्रदर्शन में सुधार हो सके।

माध्यमिक या सहायक मेमोरी (Secondary or Auxiliary Memory)

माध्यमिक मेमोरी, जिसे माध्यमिक भंडारण या बाहरी मेमोरी के रूप में भी जाना जाता है, उन भंडारण उपकरणों को संदर्भित करती है जो कंप्यूटर बंद होने पर भी डेटा को बनाए रखते हैं। प्राथमिक मेमोरी (जैसे RAM) के विपरीत, जो अस्थिर होती है और जब बिजली बंद हो जाती है तो डेटा खो देती है, माध्यमिक मेमोरी डेटा को स्थायी रूप से संग्रहीत करती है। इस प्रकार का भंडारण प्राथमिक मेमोरी की तुलना में धीमा और अधिक किफायती होता है। सीपीयू, जो कंप्यूटर का मस्तिष्क है, सीधे माध्यमिक मेमोरी तक पहुंच नहीं सकता है। इसके बजाय, डेटा और प्रोग्राम पहले माध्यमिक मेमोरी से प्राथमिक मेमोरी (RAM) में कॉपी किए जाते हैं। एक कंप्यूटर सिस्टम द्वितीयक मेमोरी के बिना भी चल सकता है, लेकिन इसकी कार्यक्षमता सीमित होगी।

हार्ड डिस्क या मैग्नेटिक डिस्क (Hard Disk or Magnetic Disc)

हार्ड डिस्क ड्राइव (HDDs) कंप्यूटर में पाए जाने वाले आवश्यक भंडारण उपकरण हैं। इनमें एल्यूमीनियम या कांच जैसी सामग्री से बने सपाट, गोल प्लेटें होती हैं, जो एक चुंबकीय सामग्री के साथ लेपित होती हैं। हार्ड डिस्क के अंदर, इन प्लेटों, जिन्हें मैग्नेटिक डिस्क के रूप में जाना जाता है, को एक विशेष सामग्री के साथ स्तरित किया जाता है जिसे चुंबकित किया जा सकता है। इन डिस्क के प्रत्येक छोटे हिस्से में जानकारी की एक इकाई, जिसे 'बिट' कहा जाता है, का प्रतिनिधित्व होता है। जब कोई हिस्सा चुंबकित होता है, तो यह बाइनरी कोड में '1' का प्रतिनिधित्व करता है; जब यह चुंबकित नहीं होता है, तो यह '0' का प्रतिनिधित्व करता है। HDDs संगीत, फिल्में, प्रोग्राम और फाइलें सहित बड़ी मात्रा में डेटा संग्रहीत करते हैं। घूमती हुई डिस्क पर चुंबकित खंड इस जानकारी को संग्रहीत करने और पुनः प्राप्त करने का एक स्थिर तरीका प्रदान करते हैं।

HDDs केवल डेटा संग्रहीत करने के लिए नहीं होते हैं - वे बूट ड्राइव के रूप में भी कार्य करते हैं। इसका मतलब है कि इनमें ऑपरेटिंग सिस्टम होता है जो आपके कंप्यूटर को चालू करने पर शुरू होता है। HDDs अपनी विश्वसनीयता और लागत-प्रभावशीलता के लिए जाने जाते हैं, जो अन्य भंडारण प्रकारों की तुलना में कम कीमतों पर बड़ी भंडारण क्षमताएं प्रदान करते हैं। वे बड़ी फाइलों और डेटा को संग्रहीत करने के लिए उपयुक्त हैं जिन्हें अत्यधिक तेज एक्सेस गति की आवश्यकता नहीं होती है। हालांकि, क्योंकि HDDs में चलने वाले हिस्से होते हैं और चुंबकीय क्षेत्रों पर निर्भर होते हैं, वे गिराए जाने या मोटे तौर पर संभाले जाने पर क्षतिग्रस्त हो सकते हैं। वे संचालन के दौरान शोर भी उत्पन्न कर सकते हैं।

अन्य चुंबकीय भंडारण उपकरण

1. **मैग्नेटिक टेप: मैग्नेटिक टेप (चित्र 22-16)** चुंबकीय कोटिंग वाली प्लास्टिक की एक लंबी, पतली पट्टी है जिसका उपयोग डेटा रिकॉर्ड करने के लिए किया जाता है। इसका उपयोग अक्सर बड़ी मात्रा में डेटा के दीर्घकालिक भंडारण के लिए किया जाता है, जैसे बैकअप। डेटा को टेप के साथ क्रमिक रूप से संग्रहीत किया जाता है, और इसे मैग्नेटिक हेड्स का उपयोग करके पढ़ा या लिखा जाता है। मैग्नेटिक टेप अन्य भंडारण प्रकारों की तुलना में धीमे होते हैं, लेकिन लंबी अवधि में बड़ी मात्रा में डेटा संग्रहीत करने के लिए बहुत लागत प्रभावी होते हैं। डेटा बैकअप और आपदा वसूली के लिए अक्सर एंटरप्राइज वातावरण में मैग्नेटिक टेप का उपयोग किया जाता है।

2. **फ्लॉपी डिस्क (डिस्केट):** ये द्वितीयक मेमोरी का एक अब अप्रचलित रूप है जिसका उपयोग कभी कम मात्रा में डेटा संग्रहीत करने के लिए व्यापक रूप से किया जाता था (चित्र 22.17)। वे एक सुरक्षात्मक आवरण में संलग्न पतली,

लचीली मैग्नेटिक डिस्क हैं। 20वीं सदी के अंत में फ्लॉपी डिस्क आम थीं, लेकिन अब उनकी जगह USB फ्लैश ड्राइव जैसे ज्यादा विश्वसनीय और ज्यादा क्षमता वाले स्टोरेज सॉल्यूशन ने ले ली है।

चित्र 22.16 मैग्नेटिक टेप

चित्र 22.17 फ्लॉपी डिस्क

सॉलिड स्टेट ड्राइव (Solid State Drive)

एक SSD एक स्टोरेज डिवाइस है जो डेटा को स्टोर करने के लिए फ्लैश मेमोरी (फ्लैश EEPROM) का उपयोग करता है। पारंपरिक हार्ड ड्राइव की तरह घूमने वाले डिस्क का उपयोग करने के बजाय, यह सिलिकॉन माइक्रोचिप्स से बना होता है। SSDs भी कम बिजली की खपत करते हैं और HDDs की तुलना में कम गर्मी उत्पन्न करते हैं, जिससे लैपटॉप और टैबलेट जैसे उपकरणों में बेहतर समग्र प्रदर्शन और लंबी बैटरी जीवन में योगदान मिलता है। यहाँ SSD के कुछ फायदे हैं-

1. **कोई मूविंग पार्ट्स नहीं (No Moving Parts):** सॉलिड-स्टेट स्टोरेज का एक मुख्य लाभ यह है कि इसमें कोई मूविंग पार्ट्स नहीं होते हैं। पारंपरिक हार्ड ड्राइव्स के विपरीत जिनमें घूमने वाले डिस्क होते हैं, सॉलिड स्टेट ड्राइव्स (SSDs) डेटा को स्टोर करने के लिए माइक्रोचिप्स का उपयोग करते हैं। इससे वे अधिक टिकाऊ, शांत और धक्कों या गिरने से होने वाले नुकसान के प्रति कम संवेदनशील होते हैं।
2. **तेज प्रदर्शन (Faster Performance):** सॉलिड स्टेट स्टोरेज पारंपरिक हार्ड डिस्क ड्राइव्स (HDDs) की तुलना में तेज होती है। इसका कारण यह है कि डेटा सिलिकॉन चिप्स जिन्हें सेल्स कहा जाता है, के भीतर इलेक्ट्रॉनिक रूप से स्टोर और एक्सेस किया जाता है। यह SSDs को उन कार्यों के लिए आदर्श बनाता है जिनमें त्वरित डेटा एक्सेस की आवश्यकता होती है, जैसे कि आपके कंप्यूटर को स्टार्ट करना या बड़े फाइल्स को खोलना।
3. **पोर्टेबिलिटी और दक्षता (Portability and Efficiency):** क्योंकि इसमें कोई मूविंग पार्ट्स नहीं होते और यह कम गर्मी उत्पन्न करते हैं, सॉलिड स्टेट ड्राइव्स अधिक पोर्टेबल और ऊर्जा दक्ष होते हैं। इन्हें आमतौर पर आधुनिक उपकरणों जैसे टैबलेट्स, स्मार्टफोन्स और डिजिटल कैमरों में उपयोग किया जाता है क्योंकि ये बार-बार मूवमेंट को संभाल सकते हैं और इनके ओवरहीट होने की संभावना कम होती है।

तालिका 22.8 SSD बनाम HDD

फीचर	SSD	HDD
स्पीड	तेज	धीमी
जीवनकाल	कम जीवनकाल	लंबा जीवनकाल
लागत	ज्यादा महंगा	सस्ता

तालिका 22.8 SSD बनाम HDD *(जारी)*

फीचर	SSD	HDD
तंत्र	गैर-यांत्रिक (फ्लैश)	यांत्रिक (मूविंग पार्ट्स)
स्थायित्व	आघात-प्रतिरोधी	कमजोर
सर्वश्रेष्ठ के लिए	ऑपरेटिंग सिस्टम, गेमिंग ऐप और अक्सर इस्तेमाल की जाने वाली फाइलों को स्टोर करना	अतिरिक्त डेटा संग्रहित करना, जैसे कि फिल्में, फोटो और दस्तावेज

अन्य स्टोरेज डिवाइस जो फ्लैश मेमोरी का उपयोग करते हैं

USB फ्लैश ड्राइव, माइक्रोएसडी कार्ड, और SSD सभी द्वितीयक स्टोरेज डिवाइस के प्रकार हैं जो फ्लैश मेमोरी (EEPROM) तकनीक का उपयोग करते हैं-

1. **माइक्रोएसडी:** माइक्रोएसडी (चित्र 22.18) को स्पेस-कंस्ट्रेन्ड डिवाइस के लिए डिजाइन किया गया है (आमतौर पर मोबाइल डिवाइस जैसे स्मार्टफोन, टैबलेट, और डिजिटल कैमरों में उपयोग किया जाता है)। यह अतिरिक्त स्टोरेज क्षमता प्रदान करता है ऐप्स, फोटो, वीडियो, और अन्य फाइलों को स्टोर करने के लिए। उदाहरण के लिए, आप अपने फोन में माइक्रोएसडी कार्ड डाल सकते हैं ताकि उसकी स्टोरेज बढ़ाई जा सके और अधिक ऐप्स और मीडिया स्टोर कर सकें।
2. **पेन ड्राइव/ USB फ्लैश ड्राइव:** एक USB फ्लैश ड्राइव, जिसे थंब ड्राइव, पेन ड्राइव (चित्र 22.19) या मेमोरी स्टिक के रूप में भी जाना जाता है, एक छोटा पोर्टेबल स्टोरेज डिवाइस है जो कंप्यूटर से कनेक्ट करने के लिए USB का उपयोग करता है। यह डेटा को इलेक्ट्रॉनिक रूप से स्टोर करता है फ्लैश मेमोरी का उपयोग करके, जो डेटा को बनाए रखता है भले ही यह कंप्यूटर में प्लग न हो। पेन ड्राइव छोटे, हल्के, और टिकाऊ होते हैं, जिससे वे कंप्यूटरों के बीच फाइल ट्रांसफर करने के लिए सुविधाजनक होते हैं। वे कंप्यूटर के USB पोर्ट से कनेक्ट होते हैं और विभिन्न स्टोरेज क्षमताओं में उपलब्ध होते हैं जो कुछ गीगाबाइट से लेकर कई टेराबाइट तक होती हैं। पेन ड्राइव का आमतौर पर उपयोग दस्तावेज, फोटो, संगीत, और अन्य व्यक्तिगत डेटा को स्टोर करने के लिए किया जाता है, साथ ही ऑपरेटिंग सिस्टम को बूट करने और पोर्टेबल ऐप्लिकेशन चलाने के लिए भी।

नोट: माइक्रो SSD और पेन ड्राइव, भले ही वे EEPROM के प्रकार हैं, मुख्य रूप से द्वितीयक स्टोरेज डिवाइस के रूप में वर्गीकृत किए जाते हैं। USB (यूनिवर्सल सीरियल बस)- USB एक सामान्य इंटरफेस है जो बाहरी डिवाइसों को कनेक्ट करने के लिए उपयोग किया जाता है, जैसे कीबोर्ड, माउस, प्रिंटर, स्टोरेज ड्राइव, और स्मार्टफोन, को कंप्यूटर से।

चित्र 22.18 माइक्रोएसडी कार्ड

चित्र 22.19 पेन ड्राइव

USB को प्लग-एंड-प्ले के रूप में डिजाइन किया गया है, जिसका मतलब है कि आप आसानी से डिवाइस को प्लग इन कर सकते हैं और उपयोग कर सकते हैं बिना अपने कंप्यूटर को पुनः आरंभ किए या जटिल ड्राइवर या सॉफ्टवेयर इंस्टॉल किए। उदाहरण के लिए, आप एक USB फ्लैश ड्राइव या पेन ड्राइव का उपयोग कर सकते हैं अपने कंप्यूटर और दोस्त के कंप्यूटर के बीच फाइल ट्रांसफर करने के लिए जल्दी और सुविधाजनक तरीके से।

क्विज स्टेशन *विगत UGC NET परीक्षाओं के प्रश्न*

प्र 1. निम्नलिखित में से कौन फ्लैश मेमोरी है?

(a) RAM (b) EEPROM
(c) PROM (d) EPROM

प्र 2. किस प्रकार की मेमोरी में, एक बार प्रोग्राम या डेटा लिखे जाने के बाद, इसे बदला नहीं जा सकता है?

(a) PROM (b) EPROM
(c) EEPROM (d) इनमें से कोई नहीं

प्र 3. कंप्यूटर के संदर्भ में, WORM का संक्षिप्त नाम है:

(a) WriteOnce, Read Many
(b) Word On, RAM Memory
(c) Word Optical, Recognition Malware
(d) Wireless Operating, Read Module

प्र 4. डेटा और प्रोग्राम के अस्थायी भंडारण के लिए उपयोग की जाने वाली कंप्यूटर मेमोरी को कहा जाता है

(a) ROM (b) RAM
(c) EROM (d) EPROM

उत्तर 1. (b) 2. (a) 3. (a) 4. (b)

ऑप्टिकल डिस्क (Optical Discs)

ऑप्टिकल डिस्क (चित्र 22.20) एक प्रकार का स्टोरेज माध्यम है जो डेटा को पढ़ने और लिखने के लिए लेजर तकनीक का उपयोग करता है। वे अपनी स्थायित्व और बड़ी मात्रा में डेटा संग्रहीत करने की क्षमता के लिए जाने जाते हैं। वे उचित मूल्य पर उपलब्ध हैं और उनका जीवनकाल लंबा है। ऑप्टिकल डिस्क मुख्य रूप से तीन प्रकार की होती हैं:

चित्र 22.20 ऑप्टिकल डिस्क

1. **कॉम्पैक्ट डिस्क (CD) (Compact Disc (CD)):** मूल रूप से संगीत के लिए उपयोग की जाने वाली, CD 700 MB तक डेटा संग्रहीत कर सकती हैं और सॉफ्टवेयर वितरण के लिए व्यापक रूप से उपयोग की जाती हैं। CD के मुख्य प्रकार इस प्रकार हैं:
   - CD-ROM (कॉम्पैक्ट डिस्क रीड-ओनली मेमोरी)
   - CD-R (कॉम्पैक्ट डिस्क रिकॉर्डेबल)
   - CD-RW (कॉम्पैक्ट डिस्क रीराइटेबल)
2. **डिजिटल वर्सेटाइल डिस्क (DVD) (Digital Versatile Disc (DVD)):** DVD 4.7 GB से 9 GB तक की क्षमता वाली CD से विकसित हुई हैं, जो फिल्मों और बड़े सॉफ्टवेयर अनुप्रयोगों के लिए आदर्श हैं। यहाँ डीवीडी के मुख्य प्रकार दिए गए हैं:
   - डीवीडी-रोम (डिजिटल वर्सेटाइल डिस्क रीड-ओनली मेमोरी)
   - डीवीडी-आर (डिजिटल वर्सेटाइल डिस्क रिकॉर्डेबल)
   - डीवीडी-आरडब्ल्यू (डिजिटल वर्सेटाइल डिस्क रीराइटेबल)
   - डीवीडी-रैम (डिजिटल वर्सेटाइल डिस्क रैंडम एक्सेस मेमोरी)
3. **ब्लू-रे डिस्क:** इनमें ब्लू-वायलेट लेजर तकनीक का उपयोग किया जाता है, जिससे डीवीडी और सीडी की तुलना में अधिक डेटा स्टोरेज घनत्व मिलता है। ब्लू-रे डिस्क की क्षमता 25 जीबी से 128 जीबी तक होती है और आमतौर पर हाई-डेफिनिशन मूवी और वीडियो गेम वितरित करने के लिए उपयोग की जाती है।

ऑप्टिकल डिस्क के प्रकार (Types of Optical Discs):

1. **रीड-ओनली (ROM) (Read-Only (ROM)):** मानक सीडी और कुछ डीवीडी की तरह त्व्ड डिस्क पहले से रिकॉर्ड की जाती हैं और उन्हें बदला या ओवरराइट नहीं किया जा सकता है। इनका उपयोग सॉफ्टवेयर, मूवी, म्यूजिक एल्बम और अन्य सामग्री वितरित करने के लिए किया जाता है जो केवल पढ़ने के लिए होती हैं।
2. **री-राइटेबल (R/RW) (Re-writable (R/RW)):** री-राइटेबल डिस्क, जैसे कि DVD-RAM, पर कई बार लिखा जा सकता है। वे USB फ्लैश ड्राइव के समान लचीलापन प्रदान करते हैं, जिससे उपयोगकर्ता आवश्यकतानुसार डेटा संग्रहीत और मिटा सकते हैं। DVD-RAM अपनी भौतिक संरचना में डेटा संग्रहीत करने के लिए चरण परिवर्तन तकनीक का उपयोग करता है, जिससे यह CD-RW या DVD-R जैसी अन्य रीराइटेबल डिस्क की तुलना में अधिक टिकाऊ और कम क्षतिग्रस्त होने वाला होता है।

ऑप्टिकल डिस्क से संबंधित शब्दावली

बर्न: डेटा को लिखने या रिकॉर्ड करने की प्रक्रिया को संदर्भित करता है एक लिखने योग्य सीडी (सीडी-आर या सीडी-आरडब्ल्यू) पर। जब आप सीडी को 'बर्न' करते हैं, तो आप डिस्क पर डिजिटल डेटा, जैसे संगीत, वीडियो या फाइलें लिखने के लिए सीडी बर्नर (एक उपकरण या सॉफ्टवेयर) का उपयोग कर रहे होते हैं। यह प्रक्रिया डेटा को स्थायी रूप से सीडी पर लिखती है, जिससे यह सीडी प्लेयर, कंप्यूटर और सीडी पढ़ने में सक्षम अन्य उपकरणों द्वारा पढ़ने योग्य हो जाता है।

बर्निंग प्रक्रिया पूरी होने के बाद, डेटा सीडी-आर (सीडी-रिकॉर्डेबल) पर स्थायी हो जाता है, जिसका अर्थ है कि इसे बदला या मिटाया नहीं जा सकता।

अपने बचपन के दिनों की फिल्मों की सीडी के बारे में सोचें- उन डिस्क में सामग्री का एक निश्चित सेट होता था जिसे उत्पादन के बाद फिर से लिखा या बदला नहीं जा सकता था।

सीडी-आरडब्ल्यू (सीडी-रीराइटेबल) पर, डेटा को कई बार मिटाया और फिर से लिखा जा सकता है। डिजिटल फाइलों को साझा करने और संग्रहीत करने के लिए क्लाउड स्टोरेज और यूएसबी ड्राइव के व्यापक रूप से अपनाए जाने से पहले सीडी बर्न करना विशेष रूप से लोकप्रिय था।

क्विज स्टेशन *विगत UGC NET परीक्षाओं के प्रश्न*

प्र 1. लचीली प्लास्टिक सामग्री से बने फ्लॉपी डिस्क को यह भी कहा जाता है:

(a) हार्ड डिस्क (b) हाई-डेंसिटी डिस्क

(c) डिस्केट (d) टेम्पलेट्स

उत्तर 1. (c)

स्टोरेज डिवाइस श्रेणियाँ (Storage Device Categories)

1. **आंतरिक मेमोरी डिवाइस (Internal Memory Devices):** आंतरिक मेमोरी, जिसे आंतरिक स्टोरेज या प्राथमिक स्टोरेज के रूप में भी जाना जाता है, वह स्टोरेज डिवाइस है जो कंप्यूटर सिस्टम में ही निर्मित होती है। ये डिवाइस सीधे कंप्यूटर के मदरबोर्ड से जुड़ी होती हैं और ऑपरेटिंग सिस्टम, एप्लिकेशन और उपयोगकर्ता डेटा को स्टोर करने के लिए जरूरी होती हैं। बाहरी मेमोरी डिवाइस की तुलना में डेटा एक्सेस के मामले में आंतरिक मेमोरी आमतौर पर तेज होती है। उदाहरणों में हार्ड डिस्क ड्राइव (HDD) और सॉलिड-स्टेट ड्राइव (SSD) शामिल हैं।
2. **बाहरी मेमोरी डिवाइस (External Memory Devices):** बाहरी मेमोरी, जिसे बाहरी स्टोरेज के रूप में भी जाना जाता है, वह स्टोरेज डिवाइस है जो बाहर से कंप्यूटर से जुड़ी होती है। ये डिवाइस पोर्टेबल होती हैं और जरूरत पड़ने पर इन्हें आसानी से कंप्यूटर से जोड़ा या हटाया जा सकता है। बाहरी मेमोरी का इस्तेमाल आमतौर पर बैकअप डेटा स्टोर करने, कंप्यूटर के बीच फाइलों को ट्रांसफर करने और आंतरिक रूप से उपलब्ध स्टोरेज क्षमता से ज्यादा स्टोरेज क्षमता का विस्तार करने के लिए किया जाता है। उदाहरणों में USB फ्लैश ड्राइव/ पेन ड्राइव, माइक्रोएसडी कार्ड, सीडी, डीवीडी और ब्लू-रे डिस्क शामिल हैं।

मेमोरी पदानुक्रम (Memory Hierarchy)

मेमोरी पदानुक्रम कंप्यूटर में एक प्रणाली है जो प्रदर्शन को बढ़ाने के लिए गति, लागत और आकार के आधार पर विभिन्न प्रकार की मेमोरी को व्यवस्थित करती है। पदानुक्रम के शीर्ष पर सबसे तेज और सबसे महंगी प्रकार की मेमोरी होती है, जैसे CPU रजिस्टर और कैश मेमोरी, जो त्वरित पुनर्प्राप्ति के लिए अक्सर एक्सेस किए जाने वाले डेटा की छोटी मात्रा को संग्रहीत करती है। सबसे नीचे USB ड्राइव जैसे बाहरी स्टोरेज डिवाइस होते हैं, जो सबसे ज्यादा स्टोरेज देते हैं लेकिन सबसे धीमे होते हैं। यह संरचना यह सुनिश्चित करने में मदद करती है कि कंप्यूटर जरूरत पड़ने पर डेटा को जल्दी से एक्सेस कर सके, साथ ही लागत-प्रभावी स्टोरेज समाधान भी प्रदान करता है।

मेमोरी पदानुक्रम के लाभ (Benefits of Memory Hierarchy)

1. **बेहतर प्रदर्शन (Improved Performance):** मेमोरी पदानुक्रम अक्सर उपयोग किए जाने वाले डेटा तक तेज पहुँच प्रदान करके सिस्टम के प्रदर्शन को महत्वपूर्ण रूप से बढ़ाता है। पदानुक्रम के उच्चतम स्तर, जैसे CPU रजिस्टर और कैश मेमोरी, बेहद तेज होते हैं, जिससे CPU द्वारा डेटा की प्रतीक्षा में बिताया जाने वाला समय कम हो जाता है।
2. **लागत दक्षता (Cost Efficiency):** मेमोरी को अलग-अलग स्तरों में व्यवस्थित करके, सिस्टम लागत और प्रदर्शन को संतुलित कर सकते हैं। उच्च स्तरों पर कम मात्रा में तेज, अधिक महंगी मेमोरी का उपयोग किया जाता है, जबकि निचले स्तरों पर बड़ी, सस्ती और धीमी मेमोरी प्रकारों का उपयोग किया जाता है।
3. **कुशल डेटा प्रबंधन (Efficient Data Management):** पदानुक्रम यह सुनिश्चित करके कुशल डेटा प्रबंधन की अनुमति देता है कि सबसे अधिक बार एक्सेस किया जाने वाला डेटा सबसे तेज मेमोरी में संग्रहीत किया जाता है। यह एक्सेस समय को कम करता है और समग्र सिस्टम प्रदर्शन को अनुकूलित करता है।

लागत प्रति बिट (Cost per Bit): जैसे ही आप मेमोरी पदानुक्रम के शीर्ष (रजिस्टर) से नीचे (बाहरी मेमोरी) की ओर बढ़ते हैं, बिट प्रति लागत घटती जाती है। इसका मतलब है कि बाहरी मेमोरी आंतरिक मेमोरी की तुलना में सस्ती होती है।

कचरा (Garbage): यह कंप्यूटर की मेमोरी में ऐसी जानकारी को संदर्भित करता है जो अब आवश्यक या वांछित नहीं है। कल्पना करें कि आप एक व्हाइटबोर्ड पर लिख रहे हैं और नए नोट्स लिखने से पहले पुराने नोट्स को मिटा नहीं रहे हैं। अंततः, बोर्ड अव्यवस्थित हो जाता है और उपयोग में कठिन हो जाता है। इसी तरह, जब कोई प्रोग्राम पुराना, अप्रयुक्त डेटा मेमोरी से साफ नहीं करता है, तो यह भर सकता है और कंप्यूटर को धीमा कर सकता है या यहां तक कि इसे स्पेस से बाहर कर सकता है।

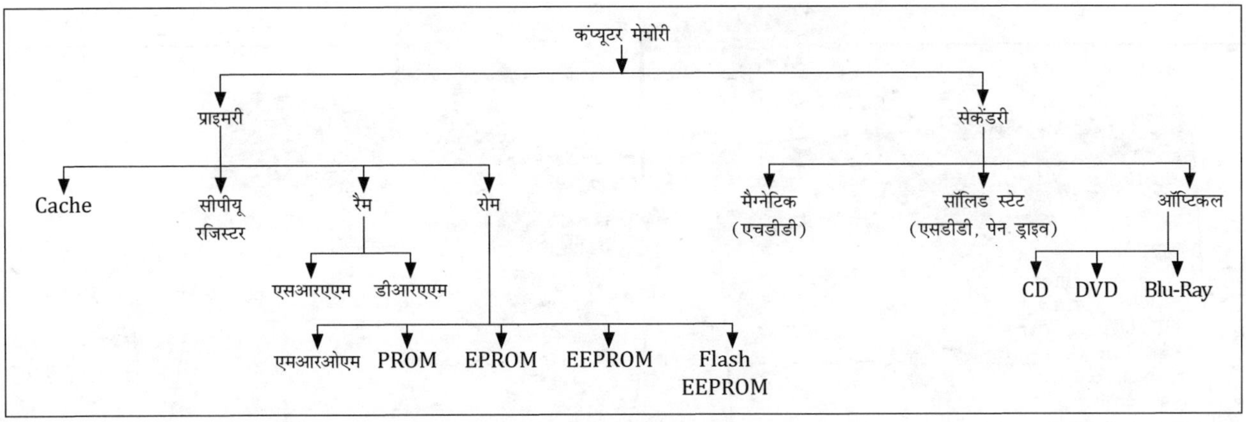

चित्र 22.21 कंप्यूटर मेमोरी

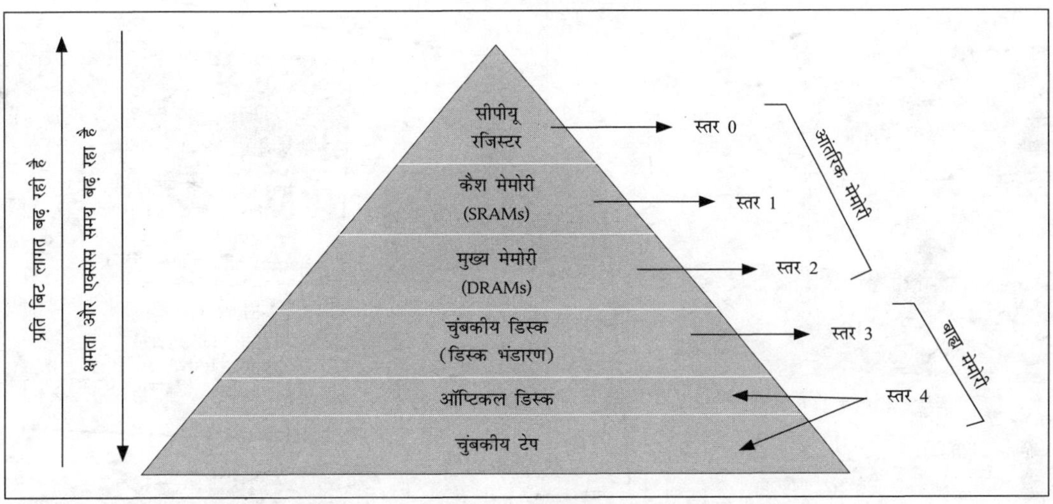

चित्र 22.22 मेमोरी पदानुक्रम

क्विज स्टेशन *विगत UGC NET परीक्षाओं के प्रश्न*

प्र 1. निम्न में से कौन उच्चतम से निम्नतम गति तक कंप्यूटर मेमोरी के प्रकारों को सही ढंग से सूचीबद्ध करता है?

(i) सेकेंडरी स्टोरेज
(ii) मेन मेमोरी (RAM)
(iii) कैश मेमोरी
(iv) CPU रजिस्टर

कोड:

(a) (i), (ii), (iii), (iv) (b) (iv), (iii), (i), (ii)
(c) (iv), (iii), (ii), (i) (d) (iii), (iv), (ii), (i)

प्र 2. कैश मेमोरी के संदर्भ में निम्न में से कौन से कथन सत्य हैं?

1. कैश मेमोरी का उपयोग मेन मेमोरी से डेटा एक्सेस करने के औसत समय को कम करने के लिए किया जाता है।
2. कैश मेमोरी मेन मेमोरी या डिस्क मेमोरी से महंगी होती है लेकिन CPU रजिस्टर से किफायती होती है।
3. कैश मेमोरी एक बहुत तेज मेमोरी प्रकार है जो RAM और CPU के बीच बफर के रूप में कार्य करती है।

विकल्प:

(a) 1, 2 और 3 (b) 2 और 3
(c) 1 और 2 (d) 1 और 3

प्र 3. मेमोरी में वह सूचना जो अब मान्य या वांछित नहीं है, उसे इस रूप में जाना जाता है:

(a) नॉन–वोलेटाइल (b) अधिशेष
(c) कचरा (d) उपरोक्त सभी

उत्तर 1. (c) 2. (a) 3. (c)

अध्याय के मुख्य बिंदु

कंप्यूटर की पीढ़ियाँ

पहली पीढ़ी
- **अवधि:** 1940 से 1956
- **प्रयुक्त:** वैक्यूम ट्यूब

दूसरी पीढ़ी
- **अवधि:** 1956 से 1963
- **प्रयुक्त:** इंटीग्रेटेड

तीसरी पीढ़ी
- **अवधि:** 1963 से 1971
- **प्रयुक्त:** इंटीग्रेटेड सर्किट (IC)

चौथी पीढ़ी
- **अवधि:** 1972 से 2010
- **प्रयुक्त:** वेरी लार्ज-स्केल इंटीग्रेशन (VLSI)

पांचवीं पीढ़ी
- **अवधि:** 2010 और उसके बाद
- **प्रयुक्त:** अल्ट्रा लार्ज-स्केल इंटीग्रेशन (ULSI) चिप्स

आधुनिक हार्डवेयर प्रौद्योगिकी

- बारकोड रीडर
- क्विक रिस्पांस कोड (QR कोड)
- रेडियो फ्रीक्वेंसी आइडेंटिफिकेशन (आरएफआईडी)
- ऑप्टिकल कैरेक्टर रिकॉग्निशन (OCR)
- ऑप्टिकल मार्क रिकॉग्निशन (OMR)
- मैग्नेटिक इंक कैरेक्टर रिकॉग्निशन (MICR)
- चिप रीडर
- बायोमेट्रिक
- फेशियल रिकॉग्निशन टेक्नोलॉजी (FRT)

सुपर कंप्यूटर

- **सुपरकंप्यूटर के जनक:** सेमोर क्रे
- **फ्लोटिंग पॉइंट ऑपरेशन पर सेकंड (FLOP):** सुपरकंप्यूटर के प्रदर्शन का माप
- **सबसे आम ओएस:** लिनक्स
- **सुपरकंप्यूटिंग में अग्रणी:**
  - **यूएसए:** फ्रंटियर
  - **चीन:** सनवे ताइहुलाइट
  - **भारत:** PARAM (*पहला भारतीय सुपरकंप्यूटर*)
  - **भारतीय सुपरकंप्यूटर के जनक:** विजय पांडुरंग भटकर

प्रिंटर के प्रकार

इम्पैक्ट प्रिंटर
- कैरेक्टर प्रिंटर
  - डॉट मैट्रिक्स प्रिंटर
  - डेजी व्हील प्रिंटर
- लाइन प्रिंटर
  - ड्रम प्रिंटर
  - चेन प्रिंटर
  - बैंड प्रिंटर

नॉन-इम्पैक्ट प्रिंटर
- इंकजेट प्रिंटर
- इंक टैंक प्रिंटर
- लेजर प्रिंटर

वॉन न्यूमैन आर्किटेक्चर (VNA)

(मुख्य विचार: प्रोग्राम और डेटा मेमोरी में एक साथ संग्रहीत होते हैं)

VNA की प्राथमिक इकाइयाँ:
- CPU (निर्देशों को संसाधित करता है और गणना करता है)
- मेमोरी (उपयोग में आने वाले डेटा और प्रोग्राम को संग्रहीत करता है)
- I/O डिवाइस (कंप्यूटर के साथ सहभागिता सक्षम करता है)

ये तीनों घटक 'बस' का उपयोग करके जुड़े हुए हैं

बस के प्रकार:
- **एड्रेस बस:** एक-दिशात्मक (सीपीयू से मेमोरी में जानकारी भेजता है)
- **डेटा बस:** द्वि-दिशात्मक (सीपीयू, मेमोरी और बाह्य उपकरणों के बीच डेटा भेजता और प्राप्त करता है)
- **कंट्रोल बस:** द्वि-दिशात्मक (कंप्यूटर संचालन के लिए नियंत्रण संकेत भेजता और प्राप्त करता है)

मेमोरी के प्रकार

प्राथमिक मेमोरी (सीधे सीपीयू से संचार करती है)
- सीपीयू रजिस्टर
- कैश मेमोरी
- रैंडम एक्सेस मेमोरी (रैम)
  - डायनेमिक रैम (DRAM)
  - स्टेटिक रैम (SRAM)
  - VRAM
- रीड ओनली मेमोरी (ROM)
  - मास्क्ड रीड-ओनली मेमोरी (MROM)
  - प्रोग्रामेबल रीड ओनली मेमोरी (PROM)
  - इरेजेबल प्रोग्रामेबल रीड ओनली मेमोरी (EPROM)
  - इलेक्ट्रिकली इरेजेबल प्रोग्रामेबल रीड ओनली मेमोरी (EEPROM)
  - फ्लेश EEPROM

माध्यमिक या सहायक मेमोरी
(स्टोरेज डिवाइस जो कंप्यूटर बंद होने पर भी डेटा को बनाए रखते हैं)
- मैग्नेटिक डिस्क या हार्ड डिस्क
- सॉलिड स्टेट ड्राइव
- मैग्नेटिक टेप
- फ्लॉपी डिस्क (डिस्केट)
- पेन ड्राइव/USB फ्लैश ड्राइव
- माइक्रो SD कार्ड
- ऑप्टिकल डिस्क

स्मृति पदानुक्रम
(सिस्टम जो प्रदर्शन को बढ़ाने के लिए गति, लागत और आकार के अनुसार मेमोरी को व्यवस्थित करता है)

- स्तर 0: CPU रजिस्टर
- स्तर 1: कैश मेमोरी (SRAM)
- स्तर 2: मुख्य मेमोरी (DRAM)
- स्तर 3: मैग्नेटिक डिस्क
- स्तर 4: ऑप्टिकल डिस्क और मैग्नेटिक टेप

कंप्यूटर सॉफ्टवेयर और प्रोग्रामिंग के मूल सिद्धांत (Fundamentals of Computer Software and Programming)

23

इस अध्याय में

*परीक्षोपयोगी (Exam Essential): UGC NET परीक्षा में पूछे जाने की अत्यधिक संभावना, #CC का अर्थ है कॉन्सेप्ट कैप्सूल

23.1 सॉफ्टवेयर (Software)

सॉफ्टवेयर निर्देशों या आदेशों का एक संग्रह है जो कंप्यूटर को बताता है कि क्या करना है। इसमें डिजिटल निर्देशों और डेटा की एक विस्तृत श्रृंखला शामिल है जो हार्डवेयर को बताती है कि कैसे काम करना है और क्या करना है। सॉफ्टवेयर आपके कंप्यूटर के लिए एक रेसिपी बुक की तरह है। जिस तरह एक रेसिपी बुक आपको बताती है कि किसी व्यंजन को चरण-दर-चरण कैसे पकाना है, उसी तरह सॉफ्टवेयर आपके कंप्यूटर को कार्य करने के निर्देश देता है। आइए हम विभिन्न प्रकार के कंप्यूटर सॉफ्टवेयर पर चर्चा करें।

सिस्टम सॉफ्टवेयर (System Software)

सिस्टम सॉफ्टवेयर कंप्यूटर का पर्दे के पीछे का प्रबंधक है। यह सुनिश्चित करने के लिए जिम्मेदार है कि सब कुछ सुचारू रूप से चले। यह कंप्यूटर सिस्टम की रीढ़ के रूप में कार्य करता है, यह सुनिश्चित करते हुए कि मेमोरी, सीपीयू, प्रिंटर और हार्ड डिस्क जैसे हार्डवेयर संसाधनों का प्रभावी ढंग से प्रबंधन किया जाए (चित्र 23.2)। सिस्टम सॉफ्टवेयर महत्वपूर्ण है क्योंकि यह सुनिश्चित करता है कि कंप्यूटर के सभी हिस्से सुचारू रूप से एक साथ काम करें, कंप्यूटर को चालू करने से लेकर जटिल अनुप्रयोगों को चलाने तक। सिस्टम सॉफ्टवेयर के चार मुख्य प्रकार हैं-

1. भाषा अनुवादक
2. ऑपरेटिंग सिस्टम
3. डिवाइस ड्राइवर
4. यूटिलिटी सॉफ्टवेयर

भाषा अनुवादक (Language Translators)

भाषा अनुवादकों में कंपाइलर और इंटरप्रेटर शामिल हैं। इन्हें कंप्यूटर के लिए अनुवादक के रूप में सोचें। ये प्रोग्राम उच्च-स्तरीय प्रोग्रामिंग भाषाओं (जैसे जावा, सी, सी++, पायथन) को मशीन-पठनीय कोड में अनुवादित करते हैं जिन्हें कंप्यूटर का सीपीयू निष्पादित कर सकता है। कंपाइलर स्रोत कोड (मानव-पठनीय) को ऑब्जेक्ट कोड (मशीन-पठनीय) में परिवर्तित करते हैं। ऑब्जेक्ट कोड वह है जिसे कंप्यूटर सीधे समझते और निष्पादित करते हैं। कंपाइलर यह सुनिश्चित करते हैं कि प्रोग्राम कंप्यूटर पर कुशलतापूर्वक चलें और विभिन्न प्रकार के कंप्यूटरों पर काम कर सकें। कंपाइलरों के उदाहरणों एएलजीओएल, बेसिक, सी++, और फोरट्रान जैसी भाषाओं के लिए कंपाइलर शामिल हैं।

ऑपरेटिंग सिस्टम (Operating System (OS))

यह मुख्य प्रोग्राम है जो कंप्यूटर पर सभी अन्य सॉफ्टवेयर और हार्डवेयर का प्रबंधन करता है। यह आपके कंप्यूटर के सभी हिस्सों का प्रबंधन करता है, जैसे मेमोरी (रैम), प्रोसेसर (सीपीयू), और स्टोरेज (हार्ड ड्राइव)। यह अनुप्रयोगों (जैसे गेम्स या वर्ड प्रोसेसर) को चलाने, फाइलों (जैसे दस्तावेज या फोटो) का प्रबंधन करने, और उपकरणों (जैसे प्रिंटर या वाई-फाई) से कनेक्ट करने जैसे कार्यों को भी संभालता है। ऑपरेटिंग सिस्टम के उदाहरणों में शामिल हैं-

1. **विंडोज (Windows)**- विंडोज माइक्रोसॉफ्ट कॉर्पोरेशन द्वारा विकसित और विपणन किए गए ग्राफिकल यूजर इंटरफेस (जीयूआई) ऑपरेटिंग सिस्टम की एक श्रृंखला है। इसे पहली बार 1985 में पेश

किया गया था और तब से यह दुनिया में सबसे व्यापक रूप से उपयोग किए जाने वाले ऑपरेटिंग सिस्टम में से एक बन गया है।

2. **यूनिक्स (Unix):** यूनिक्स एक ऑपरेटिंग सिस्टम है जो बड़े कंप्यूटर सिस्टम पर व्यापक रूप से उपयोग किया जाता है और यह लिनक्स के लिए आधार के रूप में भी कार्य करता है, जो व्यक्तिगत कंप्यूटरों के लिए एक लोकप्रिय संस्करण है।
3. **लिनक्स (Linux):** लिनक्स एक ऑपरेटिंग सिस्टम है, जैसे विंडोज या मैकओएस। यह विश्वसनीय, सुरक्षित और लचीला होने के लिए जाना जाता है। विंडोज या मैकओएस के विपरीत, लिनक्स कई संस्करणों में आता है जिन्हें वितरण या 'डिस्ट्रोस' कहा जाता है। लिनक्स को अनूठा बनाता है कि यह ओपन-सोर्स है, जिसका अर्थ है कि इसका कोड किसी के लिए भी उपयोग, संशोधित और वितरित करने के लिए स्वतंत्र रूप से उपलब्ध है।
4. **मैकओएस (macOS):** यह ऑपरेटिंग सिस्टम है जिसे एप्पल द्वारा बनाया और बेचा जाता है। मैकओएस का उपयोग एप्पल कंप्यूटरों जैसे मैकबुक, आईमैक और मैक मिनी पर किया जाता है। इसे अन्य एप्पल उपकरणों जैसे आईपैड और आईफोन के साथ सहजता से काम करने के लिए डिजाइन किया गया है, जो सभी एप्पल उत्पादों में एक सुसंगत और उपयोगकर्ता-अनुकूल अनुभव प्रदान करता है।

सिनेमैटिक कनेक्शन

जॉब्स (2013) और *स्टीव जॉब्स* (2015) दो आकर्षक जीवनीपरक फिल्में हैं जो एप्पल इंक के सह-संस्थापक स्टीव जॉब्स के जीवन और विरासत में गहराई से उतरती हैं। ये फिल्में न केवल स्टीव जॉब्स की व्यक्तिगत और पेशेवर चुनौतियों पर एक अंतरंग दृष्टिकोण प्रदान करती हैं बल्कि टेक उद्योग में ऑपरेटिंग सिस्टम के महत्व को भी रेखांकित करती हैं।

जॉब्स (2013) में, दर्शक एप्पल के शुरुआती दिनों को देखते हैं, जिसमें एप्पल I और II कंप्यूटरों के विकास को उजागर किया गया है। यह मैकिन्टोश के विकास को प्रदर्शित करता है, जो पहले व्यक्तिगत कंप्यूटरों में से एक था जिसमें ग्राफिकल यूजर इंटरफेस (GUI) था, जिसने उपयोगकर्ताओं के कंप्यूटरों के साथ बातचीत करने के तरीके में क्रांति ला दी।

स्टीव जॉब्स (2015), डैनी बॉयल द्वारा निर्देशित और आरोन सॉर्किन द्वारा लिखित, तीन प्रमुख उत्पाद लॉन्च के इर्द-गिर्द संरचित है- 1984 में मैकिन्टोश, 1988 में नेक्स्ट कंप्यूटर, और 1998 में आईमैक।

बूटिंग (Booting)- बूटिंग वह प्रक्रिया है जो तब होती है जब आप अपने कंप्यूटर को चालू करते हैं। बूटिंग के माध्यम से ऑपरेटिंग सिस्टम (OS) कंप्यूटर की मुख्य मेमोरी (RAM) में लोड होता है। यहाँ बूटिंग कैसे काम करती है इसका चरण-दर-चरण विवरण है-

1. **पावर ऑन (Power On)**- जब आप अपने कंप्यूटर पर पावर बटन दबाते हैं, तो बिजली सिस्टम के माध्यम से प्रवाहित होती है, हार्डवेयर घटकों को पावर देती है।
2. **BIOS (बेसिक इनपुट/आउटपुट सिस्टम) (BIOS (Basic Input/Output System))** - BIOS एक फर्मवेयर है जो मदरबोर्ड पर एक चिप पर संग्रहीत होता है। यह पावर-ऑन सेल्फ-टेस्ट (POST) करके बूटिंग प्रक्रिया शुरू करता है ताकि यह जांच सके कि सभी आवश्यक हार्डवेयर घटक जैसे RAM, CPU, और स्टोरेज डिवाइस सही ढंग से काम कर रहे हैं या नहीं।
3. **बूट लोडर (Boot Loader):** एक बार BIOS अपनी जांच पूरी कर लेता है, यह एक विशेष प्रोग्राम जिसे बूट लोडर कहा जाता है, लोड करता है। बूट लोडर बूटेबल डिवाइस (जैसे हार्ड ड्राइव या USB ड्राइव) पर संग्रहीत होता है और कंप्यूटर को बताता है कि ऑपरेटिंग सिस्टम को कैसे लोड करना है।
4. **ऑपरेटिंग सिस्टम (Operating System (OS)):** फिर बूट लोडर ऑपरेटिंग सिस्टम को कंप्यूटर की मेमोरी (RAM) में लोड करता है।
5. **यूजर इंटरफेस इनिशियलाइजेशन (User Interface Initialisation):** ऑपरेटिंग सिस्टम (जैसे विंडोज, मैकओएस, या लिनक्स) नियंत्रण लेता है और यूजर इंटरफेस (या तो ग्राफिकल यूजर इंटरफेस (GUI) या कमांड-लाइन इंटरफेस (CLI)) को इनिशियलाइज करता है जो आपको कंप्यूटर के साथ इंटरैक्ट करने की अनुमति देता है।
6. **यूजर लॉगिन और एप्लिकेशन लॉन्च (User Login and Application Launch):** अंत में, एक बार जब यूजर इंटरफेस पूरी तरह से इनिशियलाइज हो जाता है, तो आप अपने क्रेडेंशियल्स के साथ लॉगिन कर सकते हैं। लॉगिन करने के बाद, आप एप्लिकेशन का उपयोग कर सकते हैं, फाइलों को एक्सेस कर सकते हैं, और अपने कंप्यूटर पर विभिन्न कार्य कर सकते हैं।

संक्षेप में, बूटिंग आपके कंप्यूटर को जगाने और सभी आवश्यक प्रोग्राम और सेटिंग्स को लोड करके उपयोग के लिए तैयार करने जैसा है।

रीबूटिंग (Rebooting): बूटिंग से निकटता से जुड़ा एक और शब्द है रीबूटिंग। इसका मतलब है अपने कंप्यूटर को पुन: प्रारंभ करना। यह इसे बंद करने और फिर से चालू करने जैसा है ताकि सब कुछ ताजा हो सके। रीबूट करने के मुख्यत: दो तरीके हैं-

1. **हार्ड रीबूट (Hard Reboot)**- इसमें कंप्यूटर को पूरी तरह से बंद करना और फिर पावर बटन दबाकर इसे फिर से चालू करना शामिल है। यह सुनिश्चित करता है कि सभी प्रोग्राम और सेटिंग्स ताजा शुरू हों।
2. **सॉफ्ट रीबूट (Soft Reboot)** - जिसे पुन: प्रारंभ भी कहा जाता है, यह विधि कंप्यूटर को चालू रखती है जबकि यह बंद हो जाता है और फिर से शुरू हो जाता है। यह एक सुगम प्रक्रिया है क्योंकि यह पावर निरंतरता बनाए रखती है।

रीबूटिंग अक्सर सॉफ्टवेयर समस्याओं को ठीक करने, अपडेट लागू करने, या बस कंप्यूटर के प्रदर्शन को ताजा करने के लिए किया जाता है। जब कुछ अपेक्षित रूप से काम नहीं कर रहा होता है तो यह एक सामान्य समस्या निवारण कदम है।

कॉन्सेप्ट कैप्सूल

महत्वपूर्ण शर्तें ऑपरेटिंग सिस्टम से संबंधित

1. **फर्मवेयर** – यह एक प्रकार का सॉफ्टवेयर है जो स्थायी रूप से हार्डवेयर उपकरणों पर संग्रहीत होता है, जैसे कंप्यूटर, स्मार्टफोन और प्रिंटर। यह निर्देशों का एक सेट है जो हार्डवेयर को काम करने का तरीका बताता है। नियमित सॉफ्टवेयर के विपरीत जिसे आप आसानी से बदल या अपडेट कर सकते हैं, फर्मवेयर आमतौर पर एक बार स्थापित होने के बाद स्थायी रूप से वही रहता है। फर्मवेयर आमतौर पर रीड ओनली मेमोरी (ROM) चिप्स में संग्रहीत होता है, जिन्हें डेटा को स्थायी रूप से बनाए रखने के लिए डिजाइन किया गया है और इन्हें आसानी से बदला या मिटाया नहीं जा सकता।

   उदाहरण के लिए, आपके स्मार्टफोन में फर्मवेयर इसकी बुनियादी कार्यों को नियंत्रित करता है जैसे इसे चालू करना, बैटरी का प्रबंधन करना, और टचस्क्रीन के साथ संचार करना। इसी तरह, एक प्रिंटर में फर्मवेयर यह प्रबंधित करता है कि यह दस्तावेजों को कैसे प्रिंट करता है और आपके कंप्यूटर के साथ कैसे संचार करता है। यह डिवाइस के सही ढंग से काम करने के लिए आवश्यक है, और निर्माता कभी-कभी प्रदर्शन में सुधार या बग को ठीक करने के लिए अपडेट जारी करते हैं, जैसे नियमित सॉफ्टवेयर अपडेट।

   कंप्यूटर सिस्टम के मामले में, फर्मवेयर में BIOS, ROM चिप्स और मदरबोर्ड पर संग्रहीत अन्य निर्देश शामिल होते हैं। यह कंप्यूटर को स्टार्टअप के लिए आवश्यक बुनियादी संचालन आदेश प्रदान करता है।

2. **BIOS (बेसिक इनपुट/आउटपुट सिस्टम)**– BIOS आपके कंप्यूटर का देखभाल करने वाला है। जब आप अपने कंप्यूटर को चालू करते हैं, तो सबसे पहले BIOS जागता है। यह आपके कंप्यूटर के अंदर के सभी हिस्सों (जैसे मेमोरी, हार्ड ड्राइव, और कीबोर्ड) की जांच करता है ताकि यह सुनिश्चित हो सके कि वे काम कर रहे हैं। यह कंप्यूटर को स्टार्टअप करने और ऑपरेटिंग सिस्टम (जैसे विंडोज या मैकओएस) को इसकी मेमोरी में लोड करने के लिए जिम्मेदार है ताकि आप अपने कंप्यूटर का उपयोग शुरू कर सकें। BIOS को उस पहले प्रोग्राम के रूप में सोचें जो पावर बटन दबाने पर चलता है–यह आपके कंप्यूटर को काम करने के लिए सब कुछ तैयार करता है।

3. **CUI (कैरेक्टर यूजर इंटरफेस)** - एक CUI, जिसे कमांड-लाइन इंटरफेस के रूप में भी जाना जाता है, एक टेक्स्ट-आधारित इंटरफेस है जहां उपयोगकर्ता कंप्यूटर के साथ बातचीत करने के लिए कमांड टाइप करते हैं। आइकन या बटन पर क्लिक करने के लिए माउस का उपयोग करने के बजाय, आप सीधे टर्मिनल या कंसोल में कमांड दर्ज करते हैं। यह कंप्यूटर का उपयोग करने का पुराना तरीका है जहां आपको विशिष्ट कमांड और उनके सिंटैक्स को जानना आवश्यक है। CUI का उपयोग अक्सर कंप्यूटर विशेषज्ञों और प्रोग्रामरों द्वारा उन कार्यों के लिए किया जाता है जिनमें अधिक सटीकता या स्वचालन की आवश्यकता होती है। यह शक्तिशाली है क्योंकि आप जटिल कार्यों को जल्दी से करने के लिए स्क्रिप्ट (कमांड की श्रृंखला) लिख सकते हैं।

4. **GUI (ग्राफिकल यूजर इंटरफेस)** - एक GUI एक दृश्य तरीका है जिससे उपयोगकर्ता कंप्यूटर के साथ आइकन, मेनू और विंडो का उपयोग करके बातचीत करते हैं, बजाय कमांड टाइप करने के। यह एक उपयोगकर्ता-अनुकूल इंटरफेस है जो आपको आइकन, बटन, और मेनू पर क्लिक करके कार्य करने की अनुमति देता है जैसे प्रोग्राम खोलना, फाइलों का प्रबंधन करना, और सेटिंग्स को समायोजित करना। GUI कंप्यूटरों को उन उपयोगकर्ताओं के लिए अधिक सुलभ बनाते हैं जो टेक्स्ट-आधारित कमांड से परिचित नहीं हो सकते। वे ऑपरेटिंग सिस्टम और अन्य सॉफ्टवेयर अनुप्रयोगों का एक अभिन्न हिस्सा हैं, जो आपके कंप्यूटर को नेविगेट और नियंत्रित करने का एक सुविधाजनक और सहज तरीका प्रदान करते हैं।

   क्या आप जानते हैं– macOS पहला ऐसा ऑपरेटिंग सिस्टम था जिसने ग्राफिकल यूजर इंटरफेस (GUI) का इस्तेमाल किया था।

5. **सिस्टम कॉल्स**– ये आपके कंप्यूटर के 'प्रबंधक' (ऑपरेटिंग सिस्टम) से चीजें करवाने के लिए अनुरोध की तरह हैं। उदाहरण के लिए, जब आप अपने कंप्यूटर पर कोई क्रिया करते हैं, जैसे एक नई फाइल बनाना या एक दस्तावेज प्रिंट करना, तो एप्लिकेशन ऑपरेटिंग सिस्टम की सहायता का अनुरोध करने के लिए एक सिस्टम कॉल उत्पन्न करता है। इस अनुरोध को सिस्टम कॉल कहा जाता है।

क्विज स्टेशन *विगत UGC NET परीक्षाओं के प्रश्न*

प्र 1. निम्नलिखित में से कौन ऑपरेटिंग सिस्टम का उदाहरण है?

I. यूनिक्स/बीएसडी

II. जीएनयू/लिनक्स

III. विंडोज

IV. मैकओएस: मैकओएस एक्स

नीचे दिए गए विकल्पों में से सही उत्तर चुनें:

(a) I, II और III (b) II, III और IV

(c) I, III और IV (d) उपरोक्त सभी

उत्तर 1. (d)

डिवाइस ड्राइवर (Device Driver)

ये विशेष प्रोग्राम हैं जो हार्डवेयर डिवाइस (जैसे प्रिंटर, कीबोर्ड और ग्राफिक्स कार्ड) को कंप्यूटर के ऑपरेटिंग सिस्टम से संवाद करने की अनुमति देते हैं। वे हार्डवेयर और ऑपरेटिंग सिस्टम के बीच बातचीत को सुविधाजनक बनाते हैं। ड्राइवरों के बिना, आपका कंप्यूटर इन डिवाइस का सही तरीके से उपयोग करना नहीं जानता होगा।

यूटिलिटी सॉफ्टवेयर (Utility Software)

यूटिलिटी सॉफ्टवेयर सिस्टम सॉफ्टवेयर की एक श्रेणी है जिसे कंप्यूटर के प्रदर्शन, सुरक्षा और कार्यक्षमता को प्रबंधित करने, बनाए रखने और अनुकूलित करने में मदद करने के लिए डिजाइन किया गया है। ये उपकरण सीधे कंप्यूटर के हार्डवेयर के संचालन में शामिल नहीं होते हैं; इसके बजाय, वे सिस्टम संसाधनों को अनुकूलित करने और हार्डवेयर और सॉफ्टवेयर घटकों के सुचारू संचालन को सुनिश्चित करने पर ध्यान केंद्रित करते हैं। यूटिलिटी सॉफ्टवेयर के कुछ सामान्य उदाहरणों में शामिल हैं:

1. **डिस्क डिफ्रेगमेंटर (सिस्टम रखरखाव) (Disk Defragmenter (System Maintenance)):** ये प्रोग्राम आपके कंप्यूटर की हार्ड ड्राइव पर फाइलों को व्यवस्थित करते हैं ताकि वे अधिक व्यवस्थित तरीके से संग्रहीत हों। यह आपके कंप्यूटर को तेजी से चला सकता है क्योंकि यह फाइलों तक पहुँचने में लगने वाले समय को कम करता है।
2. **डिस्क क्लीनर (सिस्टम रखरखाव) (Disk Cleaner (System Maintenance)):** डिस्क क्लीनर यूटिलिटी एक ऐसा टूल है जिसे आपके कंप्यूटर की हार्ड ड्राइव को साफ-सुथरा रखने और अनावश्यक फाइलों को हटाकर सुचारू रूप से चलाने के लिए डिजाइन किया गया है। इन फाइलों में अस्थायी फाइलें, वेब ब्राउजर से कैश किए गए डेटा, पुराने लॉग और समय के साथ जमा होने वाले अन्य जंक शामिल हो सकते हैं। आपकी डिस्क को स्कैन करके, क्लीनर इन अनावश्यक फाइलों की पहचान करता है और आपको उन्हें सुरक्षित रूप से हटाने का विकल्प देता है।
3. **फाइल मैनेजमेंट यूटिलिटीज (File Management Utilities):** वे स्टोरेज डिवाइस पर फाइलों और फोल्डरों को व्यवस्थित और प्रबंधित करने के लिए उन्नत सुविधाएँ प्रदान करते हैं। वे फाइलों को खोजने, छाँटने और वर्गीकृत करने के लिए उपकरण प्रदान करते हैं, जिससे उपयोगकर्ताओं के लिए अपनी डिजिटल संपत्तियों को कुशलतापूर्वक ढूँढना और प्रबंधित करना आसान हो जाता है।
4. **डिस्क कम्प्रेशन (फाइल मैनेजमेंट यूटिलिटी) (Disk Compression (File Management Utility)):** यह प्रोग्राम फाइलों और प्रोग्रामों के आकार को छोटा करके आपके कंप्यूटर की हार्ड ड्राइव पर जगह बचाने में मदद करता है। जब फाइलें संपीड़ित होती हैं, तो वे हार्ड ड्राइव पर कम जगह लेती हैं, जिससे आपको अधिक डेटा संग्रहीत करने या अन्य अनुप्रयोगों के लिए स्थान खाली करने में मदद मिल सकती है।
5. **सिस्टम मॉनिटरिंग यूटिलिटीज (टास्क मैनेजर) (System Monitoring Utilities (Task Manager)):** यह टूल आपको आपके कंप्यूटर पर वर्तमान में चल रहे सभी प्रोग्राम और प्रोसेस दिखाता है। यह आपको यह देखने देता है कि आपके कंप्यूटर के संसाधनों (जैसे मेमोरी या CPU) का क्या उपयोग हो रहा है, और आप इसका उपयोग उन प्रोग्राम को बंद करने के लिए कर सकते हैं जो समस्याएँ पैदा कर रहे हैं या बहुत अधिक स्थान ले रहे हैं।
6. **सिक्योरिटी यूटिलिटीज (एंटीवायरस सॉफ्टवेयर) (Security Utilities (Antivirus Software)):** वे मैलवेयर, वायरस और अनधिकृत पहुँच से कंप्यूटर की सुरक्षा करते हैं। वे संभावित खतरों की लगातार निगरानी करते हैं और संवेदनशील डेटा की सुरक्षा और सिस्टम की अखंडता को बनाए रखने के लिए वास्तविक समय की सुरक्षा प्रदान करते हैं।
7. **बैकअप और रिकवरी यूटिलिटीज (Backup and Recovery Utilities):** वे आपकी महत्वपूर्ण फाइलों की प्रतियाँ बनाने और उन्हें सुरक्षित रूप से संग्रहीत करने में आपकी सहायता करते हैं। यदि आपके कंप्यूटर में कुछ गड़बड़ हो जाती है, जैसे हार्ड ड्राइव क्रैश या आकस्मिक विलोपन, तो आप बैकअप से अपनी फाइलों को पुनर्स्थापित कर सकते हैं। यह आपके महत्वपूर्ण सामान की एक अतिरिक्त प्रति रखने जैसा है।
8. **डेस्कटॉप विजेट (Desktop Widgets):** ये छोटे उपकरण या ऐप हैं जो आपके कंप्यूटर स्क्रीन पर होते हैं और सूचना या कार्यों तक त्वरित पहुँच प्रदान करते हैं (चित्र 23.1)। उदाहरण के लिए, एक मौसम विजेट आपको वर्तमान मौसम दिखाता है, एक घड़ी विजेट आपको समय बताता है, और एक शेयर बाजार विजेट आपको स्टॉक की कीमतों पर अपडेट देता है।

चित्र 23.1 iPhone पर विजेट्स

9. **मीडिया प्लेयर स्किन (Media Player Skins):** ये उपयोगकर्ताओं को अपने मीडिया प्लेयर एप्लिकेशन की उपस्थिति और इंटरफेस को अनुकूलित करने की अनुमति देते हैं। उदाहरण के लिए, यदि आप VLC मीडिया प्लेयर या Winamp जैसे मीडिया प्लेयर का उपयोग करते हैं, तो आप प्लेयर के नियंत्रण और डिस्प्ले को अपनी स्क्रीन पर कैसे प्रदर्शित करते हैं, इसे बदलने के लिए अलग-अलग स्किन डाउनलोड और लागू कर सकते हैं।
10. **एक डीवीडी बर्नर (A DVD Burner):** यह उपयोगिता सॉफ्टवेयर है जो उपयोगकर्ताओं को लिखने योग्य डीवीडी (डिजिटल वर्सेटाइल

डिस्क) पर डेटा, फाइलें या मीडिया लिखने (बर्न) में सक्षम बनाता है। इसका उपयोग आम तौर पर महत्वपूर्ण फाइलों का बैकअप बनाने, डिस्क की प्रतिलिपि बनाने या मूवी या संगीत के साथ डीवीडी जैसी मल्टीमीडिया डिस्क बनाने के लिए किया जाता है।

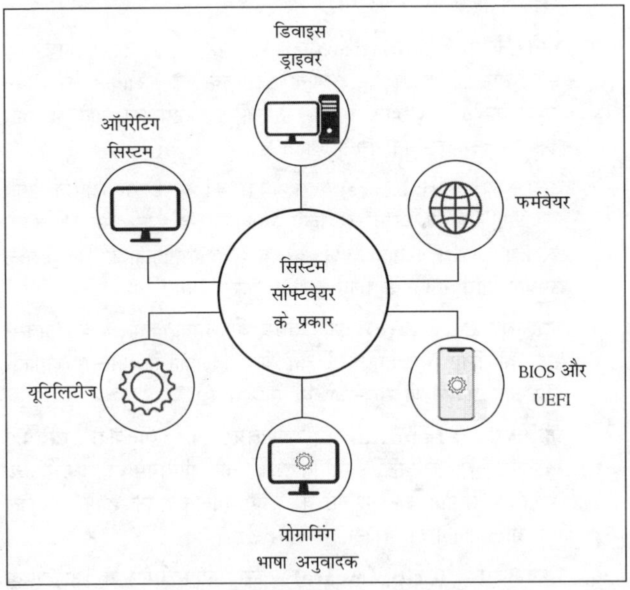

चित्र 23.2 सिस्टम सॉफ्टवेयर के प्रकार

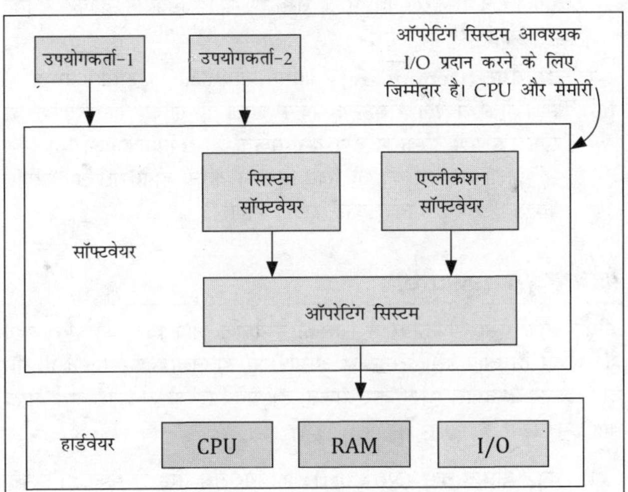

चित्र 23.3 सॉफ्टवेयर और हार्डवेयर

★★★ परीक्षोपयोगी

एप्लिकेशन सॉफ्टवेयर (Application Software)

एप्लीकेशन सॉफ्टवेयर उन प्रोग्राम को कहते हैं जो उपयोगकर्ताओं के लिए कंप्यूटर पर विशिष्ट कार्य करने के लिए डिजाइन किए गए हैं (चित्र 23.4 और 23.5)। सिस्टम सॉफ्टवेयर के विपरीत जो हार्डवेयर का प्रबंधन करता है और बुनियादी कार्य प्रदान करता है, एप्लीकेशन सॉफ्टवेयर सीधे उपयोगकर्ता की जरूरतों को पूरा करता है। संक्षेप में, एप्लीकेशन सॉफ्टवेयर वह है जो आपको अपने कंप्यूटर या डिवाइस के साथ बातचीत करने की अनुमति देता है ताकि विशिष्ट कार्य पूरे किए जा सकें, चाहे वह काम, शिक्षा, मनोरंजन या व्यक्तिगत संगठन के लिए हो। प्रत्येक प्रकार के एप्लीकेशन सॉफ्टवेयर को अलग-अलग जरूरतों को पूरा करने और उपयोगकर्ताओं के लिए कंप्यूटिंग को आसान और अधिक मनोरंजक बनाने के लिए डिजाइन किया गया है।

उदाहरण के लिए, जब आप Microsoft Word या Google Docs का उपयोग करके कोई दस्तावेज लिखते हैं, Excel या Google Sheets के साथ स्प्रेडशीट बनाते हैं, या PowerPoint या Google Slides का उपयोग करके कोई प्रेजेंटेशन बनाते हैं, तो आप एप्लीकेशन सॉफ्टवेयर का उपयोग कर रहे होते हैं। ये प्रोग्राम उपयोगकर्ता के अनुकूल होने के लिए डिजाइन किए गए हैं और ऐसे उपकरण प्रदान करते हैं जो आपको लिखने, गणना करने, ग्राफिक्स बनाने और जानकारी को कुशलतापूर्वक व्यवस्थित करने देते हैं।

इसी तरह, जब आप दोस्तों से चैट करने के लिए व्हाट्सएप जैसे ऐप का इस्तेमाल करते हैं, Google Chrome या Mozilla Firefox जैसे वेब ब्राउजर से इंटरनेट ब्राउज करते हैं, अपने फोन या कंप्यूटर पर Candy Crush Saga जैसे गेम खेलते हैं, या Netflix पर फिल्में देखते हैं या Spotify पर संगीत सुनते हैं, तो आप अलग-अलग तरह के एप्लीकेशन सॉफ्टवेयर का इस्तेमाल कर रहे होते हैं जो मनोरंजन, संचार और आराम के लिए होते हैं।

फ्री ओपन-सोर्स सॉफ्टवेयर (Free Open-Source Software (FOSS))

फ्री ओपन-सोर्स सॉफ्टवेयर (FOSS) ऐसे सॉफ्टवेयर को संदर्भित करता है जो अपने सोर्स कोड के साथ आता है जो सभी के लिए खुले तौर पर सुलभ होता है। इसका मतलब है कि उपयोगकर्ता देख सकते हैं कि सॉफ्टवेयर कैसे काम करता है, अपनी जरूरतों के हिसाब से इसे संशोधित कर सकते हैं और उन संशोधनों को दूसरों के साथ साझा कर सकते हैं।

जब सॉफ्टवेयर ओपन सोर्स होता है, तो यह अक्सर एक लाइसेंस के साथ आता है जो बताता है कि इसका उपयोग, संशोधन और वितरण कैसे किया जा सकता है। यह प्रोग्रामर को सॉफ्टवेयर को विशिष्ट आवश्यकताओं के अनुरूप बेहतर ढंग से अनुकूलित करने या उनके सामने आने वाली किसी भी समस्या को ठीक करने की स्वतंत्रता देता है।

इसके अलावा, ओपन-सोर्स सॉफ्टवेयर समुदाय-संचालित विकास को प्रोत्साहित करता है, जहाँ प्रोग्रामर, उत्साही और संगठनों सहित व्यक्तियों का एक विविध समूह सॉफ्टवेयर को बढ़ाने और बनाए रखने के लिए सहयोग करता है। यह सहयोगी मॉडल तेजी से नवाचार और निरंतर सुधार को बढ़ावा देता है, क्योंकि योगदानकर्ता बग को संबोधित करने, नई सुविधाएँ जोड़ने और प्रदर्शन को अनुकूलित करने के लिए ज्ञान, कौशल और संसाधन साझा करते हैं। FOSS को कभी-कभी फ्री/लिब्रे ओपन-सोर्स सॉफ्टवेयर (FLOSS) या केवल ओपन-सोर्स सॉफ्टवेयर (OSS) भी कहा जाता है। यह दृष्टिकोण डेवलपर्स के बीच सहयोग को प्रोत्साहित करता है और एक समुदाय-संचालित वातावरण को बढ़ावा देता है जहाँ सुधार और नवाचार उपयोगकर्ताओं के बीच स्वतंत्र रूप से साझा किए जा सकते हैं। उदाहरणों में शामिल हैं:

1. **GIMP:** छवि संपादन सॉफ्टवेयर
2. **मोजिला फायरफॉक्स (Mozilla Firefox):** ओपन-सोर्स वेब ब्राउजर
3. **VLC मीडिया प्लेयर (VLC Media Player):** ओपन-सोर्स मीडिया प्लेयर जो विभिन्न मीडिया प्रारूपों को चलाने में सक्षम है

4. **ऑडेसिटी (Audacity):** ओपन-सोर्स ऑडियो संपादन सॉफ्टवेयर
5. **वर्डप्रेस (WordPress):** वेबसाइटों के लिए ओपन-सोर्स सामग्री प्रबंधन प्रणाली (CMS)
6. **PHP:** वेब विकास के लिए सर्वर-साइड स्क्रिप्टिंग भाषा

प्रोप्राइटरी सॉफ्टवेयर (Proprietary Software)

प्रोप्राइटरी (मालिकाना) सॉफ्टवेयर उन कंप्यूटर प्रोग्रामों को संदर्भित करता है जो किसी विशिष्ट कंपनी या डेवलपर के स्वामित्व और नियंत्रण में होते हैं, और वे इस बात पर कुछ प्रतिबंध लगाते हैं कि उनका उपयोग कैसे किया जा सकता है। सॉफ्टवेयर लाइसेंस प्रोप्राइटरी सॉफ्टवेयर के लिए महत्वपूर्ण है क्योंकि यह उन कानूनी शर्तों को परिभाषित करता है जिनके तहत सॉफ्टवेयर का उपयोग किया जा सकता है। सॉफ्टवेयर लाइसेंस एक कानूनी समझौता है जो अनुमतियों और प्रतिबंधों सहित सॉफ्टवेयर का उपयोग कैसे किया जा सकता है, इसकी रूपरेखा तैयार करता है। प्रोप्राइटरी सॉफ्टवेयर लाइसेंस आमतौर पर सख्त प्रतिबंध लगाते हैं, जैसे:

1. **स्वामित्व (Ownership):** लाइसेंस यह सुनिश्चित करता है कि सॉफ्टवेयर निर्माता स्वामित्व और नियंत्रण बनाए रखता है, भले ही उपयोगकर्ताओं को इसका उपयोग करने की अनुमति दी गई हो। इसका मतलब है कि सॉफ्टवेयर का उपयोग, वितरण और संशोधन कैसे किया जाता है, इस पर उनका कानूनी नियंत्रण होता है।
2. **उपयोग प्रतिबंध (Usage Restrictions):** प्रोप्राइटरी सॉफ्टवेयर के उपयोगकर्ताओं को सॉफ्टवेयर के मालिक द्वारा निर्धारित विशिष्ट शर्तों से सहमत होना चाहिए। ये शर्तें अक्सर पुनर्वितरण (सॉफ्टवेयर को दूसरों के साथ साझा करना), पुनर्विक्रय (सॉफ्टवेयर बेचना) और संशोधन (सॉफ्टवेयर के कोड को बदलना) जैसी चीजों को प्रतिबंधित करती हैं।
3. **बंद स्रोत (Closed-Source):** प्रोप्राइटरी सॉफ्टवेयर को बंद स्रोत सॉफ्टवेयर के रूप में भी जाना जाता है क्योंकि इसका स्रोत कोड (सॉफ्टवेयर को काम करने के निर्देश) किसी के लिए भी देखने, संशोधित करने या वितरित करने के लिए खुले तौर पर उपलब्ध नहीं है।

शेयरवेयर (Shareware)

शेयरवेयर एक प्रकार का वाणिज्यिक सॉफ्टवेयर है जो शुरू में मुफ्त में वितरित किया जाता है, लेकिन एक निश्चित अवधि के बाद, यह उपयोगकर्ताओं को निरंतर उपयोग या पूर्ण सुविधाओं तक पहुँच के लिए भुगतान करने के लिए या तो आवश्यकता होती है या प्रोत्साहित करती है। शेयरवेयर अलग-अलग प्रकार के होते हैं, जिनमें से प्रत्येक उपयोगकर्ताओं को सॉफ्टवेयर के लिए भुगतान करने के लिए प्रोत्साहित करने का अपना तरीका होता है। शेयरवेयर के उदाहरणों में नेटफ्लिक्स और अमेज़ॅन प्राइम वीडियो जैसी मीडिया स्ट्रीमिंग सेवाएँ शामिल हैं, जो नए उपयोगकर्ताओं को सीमित परीक्षण अवधि प्रदान करती हैं। यहाँ शेयरवेयर के कुछ सामान्य प्रकार दिए गए हैं:

1. **एडवेयर (Adware):** एडवेयर, 'विज्ञापन-समर्थित सॉफ्टवेयर' का संक्षिप्त रूप है, जो ऐसे सॉफ्टवेयर को संदर्भित करता है जो शुरू में मुफ्त में वितरित किया जाता है, लेकिन डेवलपर के लिए राजस्व उत्पन्न करने के तरीके के रूप में विज्ञापन शामिल करता है। उपयोगकर्ता बिना किसी अग्रिम लागत का भुगतान किए एडवेयर डाउनलोड और उपयोग कर सकते हैं, लेकिन सॉफ्टवेयर का उपयोग करते समय उन्हें विज्ञापन दिखाई देंगे। इन विज्ञापनों से उत्पन्न राजस्व डेवलपर्स को उपयोगकर्ताओं को सॉफ्टवेयर मुफ्त या कम कीमत पर प्रदान करने की अनुमति देता है। एक सामान्य उदाहरण में गेमिंग सॉफ्टवेयर शामिल है जो ऑनलाइन गेम खेलते समय पॉप-अप विज्ञापन दिखाता है।
2. **डोनेशनवेयर (Donationware):** यह पूरी तरह कार्यात्मक सॉफ्टवेयर है जिसका उपयोग नि:शुल्क है, लेकिन यह उन उपयोगकर्ताओं से दान मांगता है जो इसे उपयोगी पाते हैं और डेवलपर्स का समर्थन करना चाहते हैं।
3. **ट्रायलवेयर (Trialware):** इस प्रकार का सॉफ्टवेयर सीमित समय के लिए उपयोग करने के लिए नि:शुल्क है, जैसे कि 30 दिन। परीक्षण अवधि समाप्त होने के बाद, उपयोगकर्ताओं को इसका उपयोग जारी रखने के लिए भुगतान करना होगा।
4. **नागवेयर (Nagware):** सॉफ्टवेयर जो उपयोगकर्ताओं को अक्सर सेवा के लिए भुगतान करने की याद दिलाता है, अक्सर लगातार पॉप-अप संदेशों या सूचनाओं के माध्यम से।
5. **फ्रीमियम (Freemium):** सॉफ्टवेयर की बुनियादी सुविधाएँ नि:शुल्क हैं, लेकिन उपयोगकर्ताओं को प्रीमियम सुविधाओं या अतिरिक्त सामग्री तक पहुँचने के लिए भुगतान करना होगा। मोबाइल ऐप और ऑनलाइन सेवाओं में आम है।
6. **क्रिपलवेयर (Crippleware):** इस सॉफ्टवेयर में आवश्यक सुविधाएँ अक्षम हैं जब तक कि उपयोगकर्ता पूर्ण संस्करण के लिए भुगतान नहीं करता है। मुफ्त संस्करण कार्यक्षमता में काफी सीमित हो सकता है।
7. **डेमोवेयर (Demoware):** सीमित सुविधाओं या उपयोग समय के साथ एक प्रदर्शन संस्करण प्रदान करता है ताकि यह दिखाया जा सके कि पूर्ण संस्करण क्या कर सकता है। उपयोगकर्ताओं को सभी सुविधाओं तक पहुँचने के लिए भुगतान करना होगा या डेमो अवधि के बाद इसका उपयोग जारी रखना होगा।

फ्रीवेयर (Freeware)

फ्रीवेयर एक ऐसा सॉफ्टवेयर है जिसका इस्तेमाल आप बिना कोई पैसा दिए कर सकते हैं। आप इसे इंटरनेट से आसानी से डाउनलोड कर सकते हैं और तुरंत इसका इस्तेमाल शुरू कर सकते हैं। फ्रीवेयर के बारे में कुछ मुख्य बातें इस प्रकार हैं:

1. **कोई कीमत नहीं (No Cost):** फ्रीवेयर पूरी तरह से मुफ्त है। इसका इस्तेमाल करने के लिए आपको कुछ भी भुगतान नहीं करना पड़ता।
2. **उपयोग के अधिकार (Usage Rights):** जबकि आप बिना किसी शुल्क के फ्रीवेयर का इस्तेमाल कर सकते हैं, आपको इसे संशोधित, पुनर्विक्रय या वितरित करने की अनुमति नहीं है। निर्माता सॉफ्टवेयर के सभी अधिकार अपने पास रखते हैं।

फ्रीवेयर के उदाहरण (Examples of Freeware):

1. **एडोब रीडर (Adobe Reader):** पीडीएफ फाइलों को देखने के लिए एक प्रोग्राम।
3. **इमेजबर्न (ImgBurn):** सीडी और डीवीडी बर्न करने के लिए सॉफ्टवेयर।

4. **स्काइप (Skype):** एक लोकप्रिय वीडियो कॉलिंग और मैसेजिंग ऐप।
5. **टीमव्यूअर (TeamViewer):** रिमोट कंट्रोल और डेस्कटॉप शेयरिंग के लिए सॉफ्टवेयर।
6. **याहू मैसेंजर (Yahoo Messenger):** एक इंस्टेंट मैसेजिंग क्लाइंट (ऐतिहासिक रूप से महत्वपूर्ण लेकिन अब सेवा में नहीं है)।
7. **टेलीग्राम (Telegram):** एक मैसेजिंग ऐप जो अपनी गति और सुरक्षा के लिए जाना जाता है।

तालिका 23.1 फ्रीवेयर और शेयरवेयर के बीच अंतर

लागत	निःशुल्क	परीक्षण अवधि के लिए निःशुल्क, उसके बाद भुगतान आवश्यक है
कार्यक्षमता और सुविधाएँ	सभी सुविधाएँ उपलब्ध होने के साथ पूरी तरह कार्यात्मक	परीक्षण अवधि के दौरान सीमित सुविधाएँ
वितरण	निःशुल्क	निःशुल्क वितरण के लिए निर्माता की अनुमति की आवश्यकता हो सकती है
समय सीमा	कोई समय सीमा नहीं	परीक्षण अवधि आमतौर पर 30 दिन होती है
उदाहरण	एमएसएन मैसेंजर, एडोब पीडीएफ, याहू मैसेंजर	विनजिप, अमेजॅन प्राइम, स्पॉटिफाई, आदि।

बेटावेअर (Betaware)

बेटावेअर उस सॉफ्टवेयर को संदर्भित करता है जो अभी भी आधिकारिक रूप से जनता के लिए जारी होने से पहले परीक्षण और विकास के चरण में है। यहाँ आपको बेटावेअर के बारे में जानने की आवश्यकता है:

1. **विकास चरण (Development Stage):** बेटावेअर वह सॉफ्टवेयर है जो अभी तक पूरी तरह से समाप्त नहीं हुआ है। डेवलपर्स अभी भी इसमें बग्स को ठीक करने, प्रदर्शन में सुधार करने और सुविधाएँ जोड़ने के लिए काम कर रहे हैं।
2. **सीमित रिलीज (Limited Release):** इसे आमतौर पर एक चयनित समूह के उपयोगकर्ताओं, जैसे कि बीटा परीक्षकों या एक बंद समूह को जारी किया जाता है, ताकि प्रतिक्रिया एकत्र की जा सके और वास्तविक दुनिया की स्थितियों में सॉफ्टवेयर का परीक्षण किया जा सके।
3. **उद्देश्य (Purpose):** बेटावेअर का मुख्य लक्ष्य किसी भी मुद्दों या समस्याओं की पहचान करना और उन्हें ठीक करना है, इससे पहले कि सॉफ्टवेयर को व्यापक जनता के लिए आधिकारिक रूप से लॉन्च किया जाए।
4. **प्रतिक्रिया (Feedback):** जो उपयोगकर्ता बेटावेअर का प्रयास करते हैं, वे सॉफ्टवेयर के साथ अपने अनुभव के बारे में डेवलपर्स को प्रतिक्रिया प्रदान करते हैं। यह प्रतिक्रिया डेवलपर्स को आवश्यक सुधार करने में मदद करती है।

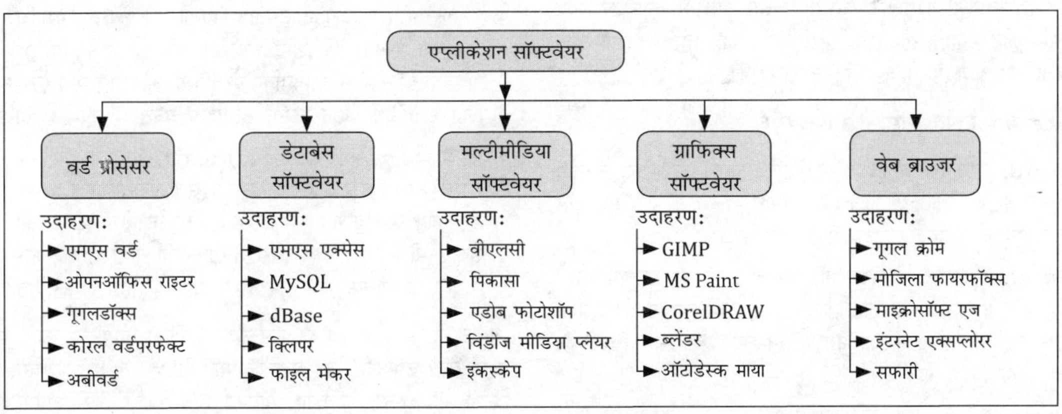

चित्र 23.4 एप्लीकेशन सॉफ्टवेयर

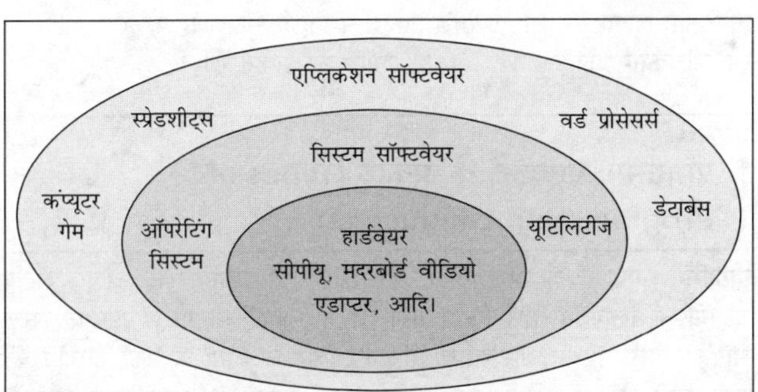

चित्र 23.5 एप्लीकेशन सॉफ्टवेयर

क्विज स्टेशन *विगत UGC NET परीक्षाओं के प्रश्न*

प्र 1. विशिष्ट कार्य करने के लिए डिजाइन किए गए प्रोग्राम को कहा जाता है:

(a) सिस्टम सॉफ्टवेयर
(b) एप्लीकेशन सॉफ्टवेयर
(c) यूटिलिटी प्रोग्राम
(d) ऑपरेटिंग सिस्टम

उत्तर 1. (b)

तालिका 23.2 सिस्टम सॉफ्टवेयर बनाम एप्लिकेशन सॉफ्टवेयर

पहलू	सिस्टम सॉफ्टवेयर	एप्लीकेशन सॉफ्टवेयर
उद्देश्य	सामान्य प्रयोजन सॉफ्टवेयर जो बुनियादी सिस्टम संसाधनों और प्रक्रियाओं का प्रबंधन करता है	सॉफ्टवेयर जो उपयोगकर्ता की जरूरतों को पूरा करने के लिए विशिष्ट कार्य करता है
प्रोग्रामिंग भाषा	निम्न-स्तरीय असेंबली भाषा या मशीन कोड में लिखा गया	उच्च-स्तरीय भाषाओं में लिखा गया, जैसे कि पायथन और जावास्क्रिप्ट
हार्डवेयर के साथ बातचीत	विशिष्ट हार्डवेयर जरूरतों को पूरा करना चाहिए; हार्डवेयर के साथ निकटता से बातचीत करता है	हार्डवेयर को ध्यान में नहीं रखता है और हार्डवेयर के साथ सीधे बातचीत नहीं करता है
स्थापना	ओएस के साथ एक ही समय में स्थापित, आमतौर पर निर्माता द्वारा	उपयोगकर्ता या व्यवस्थापक जब आवश्यक हो तो सॉफ्टवेयर स्थापित करता है
नियंत्रण	जब भी कंप्यूटर चालू होता है तब चलता है उपयोगकर्ता प्रोग्राम को ट्रिगर करता है और रोकता है	उपयोगकर्ता पहुँच पृष्ठभूमि में काम करता है और उपयोगकर्ता आमतौर पर इसे एक्सेस नहीं करते हैं
उपयोगकर्ता पहुँच	पृष्ठभूमि में काम करता है और उपयोगकर्ता आमतौर पर इसका उपयोग नहीं करते हैं	अग्रभूमि में चलता है और उपयोगकर्ता विशिष्ट कार्यों को करने के लिए सीधे सॉफ्टवेयर के साथ काम करते हैं
सिस्टम सॉफ्टवेयर पर निर्भरता	स्वतंत्र रूप से चलता है	इसे चलाने के लिए सिस्टम सॉफ्टवेयर की आवश्यकता होती है

कॉन्सेप्ट कैप्सूल

माइक्रोसॉफ्ट ऑफिस सुइट (Microsoft Office Suite)

माइक्रोसॉफ्ट ऑफिस सुइट, Microsoft कंपनी द्वारा बनाए गए सॉफ्टवेयर टूल्स का एक संग्रह है, जो आमतौर पर कार्यालयों और व्यवसायों में किए जाने वाले कार्यों के लिए उपयोग किया जाता है। इसमें कई प्रोग्राम शामिल हैं जो दस्तावेज, स्प्रेडशीट, प्रस्तुतियाँ और अधिक बनाने में मदद करते हैं। यह सुइट Microsoft Windows और Macintosh ऑपरेटिंग सिस्टम चलाने वाले कंप्यूटरों के लिए उपलब्ध है।

MS Office के अंतर्गत सामान्य सॉफ्टवेयर

- **MS Word:** दस्तावेज बनाने और संपादित करने के लिए उपयोग किया जाता है, जो Google Docs के समान है। यह रिपोर्ट, पत्र और निबंध लिखने के लिए बहुत अच्छा है।
- **MS Excel:** स्प्रेडशीट में संख्याओं और डेटा के साथ काम करने के लिए एक उपकरण, जो Google Sheets के समान है। इसका उपयोग बजट बनाने, खर्चों को ट्रैक करने और डेटा का विश्लेषण करने के लिए किया जाता है।
- **MS PowerPoint:** स्लाइड्स के साथ प्रस्तुतियाँ बनाने के लिए उपयोग किया जाता है जिसमें टेक्स्ट, चित्र और एनिमेशन शामिल हो सकते हैं, जो Google Slides के समान है। यह बैठकों या कक्षाओं में विचारों या जानकारी को प्रस्तुत करने के लिए उपयोगी है।

Microsoft Office के बारे में

- **इतिहास:** Microsoft Office को पहली बार 1990 में Microsoft के CEO, Bill Gates द्वारा लॉन्च किया गया था और तब से यह कार्यालय सॉफ्टवेयर में एक मानक बन गया है।
- **उत्पादकता:** यह सुइट उपयोगकर्ताओं को टेक्स्ट और चित्रों के साथ दस्तावेज बनाने, स्प्रेडशीट में डेटा को कुशलतापूर्वक प्रबंधित करने और दृश्य रूप से आकर्षक प्रस्तुतियाँ और पोस्टर डिजाइन करने के लिए उपकरण प्रदान करके उत्पादक बनने में मदद करता है।
- **पहुंच:** Microsoft Office Microsoft 365 के माध्यम से व्यापक रूप से सुलभ है, जो एक सदस्यता सेवा प्रदान करता है। इसमें न केवल डेस्कटॉप एप्लिकेशन शामिल हैं बल्कि क्लाउड स्टोरेज और ऑनलाइन सेवाएं भी शामिल हैं, जिससे उपयोगकर्ता कहीं से भी काम कर सकते हैं और वास्तविक समय में दस्तावेजों पर सहयोग कर सकते हैं।

सारांश में, माइक्रोसॉफ्ट ऑफिस सुइट विभिन्न कार्यालय कार्यों का समर्थन करने वाले उपकरणों का एक व्यापक सेट है, जो इसे पेशेवरों, छात्रों और किसी भी व्यक्ति के लिए आवश्यक बनाता है जिसे अपने कंप्यूटर पर दस्तावेजों, डेटा या प्रस्तुतियों के साथ काम करने की आवश्यकता होती है।

क्या आप जानते हैं- MS Word 2021 में किसी भी अक्षर के लिए आप जो अधिकतम फॉन्ट आकार 1638 लागू कर सकते हैं।

23.2 प्रोग्रामिंग भाषा (Programming Language)

इस विषय को सरल बनाने वाले वीडियो व्याख्यान को देखने के लिए इस QR कोड को स्कैन करें

कंप्यूटर भाषा, जिसे प्रोग्रामिंग भाषा के रूप में भी जाना जाता है, नियमों के एक सेट की तरह है जिसका उपयोग कंप्यूटर मनुष्यों द्वारा दिए गए आदेशों को समझने और निष्पादित करने के लिए करते हैं। जिस तरह हम लोगों के साथ संवाद करने के लिए अंग्रेजी या हिंदी जैसी भाषाओं का उपयोग करते हैं, उसी तरह हम कंप्यूटर के साथ संवाद करने के लिए प्रोग्रामिंग भाषाओं का उपयोग करते हैं।

प्रोग्रामिंग भाषाओं के प्रकार (Types of Programming Languages)

प्रोग्रामिंग भाषाओं के कई प्रकार हैं, जिनमें से प्रत्येक को अलग-अलग उद्देश्यों के लिए डिजाइन किया गया है। ये भाषाएँ सीखने में आसान सरल भाषाओं जैसे पायथन और स्क्रैच से लेकर विशिष्ट कार्यों के लिए उपयोग की जाने वाली अधिक जटिल भाषाओं जैसे C++, जावा और जावास्क्रिप्ट तक हैं। प्रत्येक भाषा के अपने विशेष नियम और उपयोग होते हैं, चाहे वह वेबसाइट बनाने, गेम बनाने, डेटा का विश्लेषण करने या रोबोट को नियंत्रित करने के लिए हो। आइए विभिन्न प्रकार की प्रोग्रामिंग भाषाओं के बारे में जानें।

निम्न-स्तरीय भाषा (Low-Level Language)

1. **मशीन भाषा (Machine language):** इसे मशीन कोड के रूप में भी जाना जाता है, यह निम्नतम-स्तरीय प्रोग्रामिंग भाषा है जिसे कंप्यूटर सीधे समझते हैं। इसमें बाइनरी अंक, 0 और 1 होते हैं। कल्पना करें कि आप कंप्यूटर को मशीन भाषा का उपयोग करके दो संख्याओं को जोड़ने के लिए कहना चाहते हैं। मशीन भाषा में (बाइनरी 0 और 1 में दर्शाया गया), निर्देश कुछ इस तरह दिख सकता है: 00101011 00001100 00000001।

   जबकि मशीन भाषा मनुष्यों के लिए पढ़ना और लिखना मुश्किल है, यह वह भाषा है जिसका उपयोग कंप्यूटर प्रोग्राम निष्पादित करने और गणना करने के लिए आंतरिक रूप से करते हैं। दूसरे शब्दों में, मशीन भाषा निर्देश कंप्यूटर के हार्डवेयर द्वारा बिना किसी अनुवाद की आवश्यकता के निष्पादित किए जाते हैं। मशीन भाषाओं के कुछ उदाहरणों में x86 मशीन भाषा, ARM मशीन भाषा और MIPS मशीन भाषा शामिल हैं।

2. **असेंबली भाषा (Assembly language):** यह बाइनरी संख्याओं के बजाय छोटे, प्रतीकात्मक कोड (स्मृति चिह्न) का उपयोग करती है, जिससे इसे पढ़ना थोड़ा आसान हो जाता है। मशीन भाषा के विपरीत, जो जटिल बाइनरी कोड (0 और 1) का उपयोग करती है, असेंबली भाषा में स्मृति सहायक का उपयोग किया जाता है - जैसे कि जोड़ने के लिए 'ADD' या डेटा को स्थानांतरित करने के लिए 'MOV' - जो समझने और याद रखने में आसान होते हैं।

   यह मशीन भाषा की तुलना में मानव-पठनीय रूप के एक कदम करीब है, जिससे प्रोग्रामर के लिए कोड को समझना और लिखना आसान हो जाता है। असेंबली भाषा में प्रत्येक निर्देश सीधे एक विशिष्ट मशीन भाषा निर्देश में अनुवाद करता है जिसे कंप्यूटर का प्रोसेसर निष्पादित कर सकता है।

   हालाँकि, C या Java जैसी उच्च-स्तरीय भाषाओं की तुलना में असेंबली भाषा के साथ काम करना चुनौतीपूर्ण हो सकता है। ये उच्च-स्तरीय भाषाएँ हमारे स्वाभाविक रूप से सोचने और संवाद करने के तरीके के करीब हैं, जिससे वे कई प्रोग्रामिंग कार्यों के लिए अधिक सुलभ हो जाती हैं। अपनी जटिलता के बावजूद, असेंबली भाषा अधिकतम दक्षता और प्रत्यक्ष हार्डवेयर नियंत्रण की आवश्यकता वाले कार्यों के लिए आवश्यक बनी हुई है।

उच्च-स्तरीय भाषा (High-Level Language)

उच्च-स्तरीय भाषा एक प्रकार की प्रोग्रामिंग भाषा है जिसे असेंबली या मशीन भाषा जैसी निम्न-स्तरीय भाषाओं की तुलना में मनुष्यों के लिए समझना और लिखना आसान बनाने के लिए डिजाइन किया गया है। वे ऐसे शब्दों और संरचनाओं का उपयोग करते हैं जो रोजमर्रा की भाषा के समान होते हैं, जिससे प्रोग्रामर के लिए कंप्यूटर के लिए निर्देश बनाना आसान हो जाता है। उदाहरण के लिए, पायथन में टेक्स्ट प्रिंट करने का कमांड 'प्रिंट' ('हैलो, वर्ल्ड!') है, जिसे समझना आसान है।

उच्च-स्तरीय भाषाएँ बहुत सारे टूल और पहले से लिखे गए कोड (लाइब्रेरी के रूप में जानी जाती हैं) के साथ आती हैं जो प्रोग्रामिंग को तेज और अधिक कुशल बनाती हैं। कुछ सामान्य उच्च-स्तरीय भाषाओं में पायथन, जावा, C++, जावास्क्रिप्ट और C# शामिल हैं। प्रत्येक की अपनी खूबियाँ हैं, जैसे पायथन की सरलता या C++ की शक्ति। इनका उपयोग वेब डेवलपमेंट (जावास्क्रिप्ट), डेटा विश्लेषण (पायथन) और गेमिंग (C++) जैसे विभिन्न क्षेत्रों में किया जाता है।

भाषा अनुवादक और प्रोसेसर के प्रकार (Types of Language Translator and Processor)

भाषा अनुवादक एक सॉफ्टवेयर टूल है जो एक प्रोग्रामिंग भाषा में लिखे गए प्रोग्राम को दूसरी प्रोग्रामिंग भाषा में परिवर्तित करता है। सॉफ्टवेयर डेवलपमेंट में भाषा अनुवादक बहुत जरूरी हैं क्योंकि वे प्रोग्रामर को उच्च-स्तरीय भाषाओं में कोड लिखने की अनुमति देते हैं जिन्हें समझना और काम करना आसान होता है। अनुवादक, फिर, इस कोड को मशीन कोड में परिवर्तित करते हैं जिसे कंप्यूटर कुशलतापूर्वक निष्पादित कर सकते हैं। मुख्य रूप से तीन प्रकार के भाषा अनुवादक हैं:

1. **असेंबलर (Assembler):** यह असेंबली भाषा कोड को पढ़ता है, जिसमें श्डव्श्, 'ADD' और 'JMP' जैसे स्मृतिचिह्न होते हैं, और इन्हें संबंधित मशीन भाषा निर्देशों में अनुवाद करता है। उदाहरण के लिए, एक असेंबली निर्देश 'MOV AX, 1' को 10111000 00000001 जैसे मशीन कोड निर्देश में अनुवादित किया जा सकता है। उदाहरण ों में x86 आर्किटेक्चर के लिए NASM (नेटवाइड असेंबलर) और विभिन्न आर्किटेक्चर के लिए GNU असेंबलर (GAS) शामिल हैं।
2. **कंपाइलर (Compiler):** यह एक उच्च-स्तरीय भाषा (जैसे C++ या Java) में लिखे गए पूरे प्रोग्राम को लेता है और प्रोग्राम चलाने से पहले इसे मशीन कोड या असेंबली भाषा में अनुवादित करता है। इसका मतलब है कि पूरा प्रोग्राम एक बार में ही परिवर्तित हो जाता है, जिससे एक निष्पादन योग्य फाइल बनती है जिसे कंप्यूटर चला सकता है। कंपाइलर के उदाहरणों में C/C++ के लिए GCC (GNU कंपाइलर कलेक्शन) और Java के लिए Java डेवलपमेंट किट (JDK) शामिल हैं।
3. **इंटरप्रेटर (Interpreter):** यह पूरे प्रोग्राम को एक बार में बदलने के बजाय स्रोत कोड को लाइन दर लाइन अनुवादित और निष्पादित करता है। यह कोड की प्रत्येक पंक्ति को पढ़ता है, उसे मशीन कोड में अनुवादित करता है और तुरंत निष्पादित करता है। इंटरप्रेटर के उदाहरणों में पायथन स्क्रिप्ट के लिए पायथन इंटरप्रेटर और जावास्क्रिप्ट कोड चलाने के लिए वेब ब्राउजर द्वारा उपयोग किया जाने वाला जावास्क्रिप्ट इंजन शामिल है।

क्विज स्टेशन *विगत UGC NET परीक्षाओं के प्रश्न*

प्र 1. एक कंप्यूटर प्रोग्राम जो एक समय में एक प्रोग्राम निर्देश को मशीन भाषा में अनुवाद करता है, उसे क्या कहा जाता है:

(a) इंटरप्रेटर (b) सीपीयू
(c) कंपाइलर (d) सिम्युलेटर

प्र 2. निम्नलिखित प्रोग्रामिंग भाषाओं को उनकी पीढ़ियों के अनुसार आरोही क्रम में व्यवस्थित करें:

(9 जनवरी 2025 - शिफ्ट 1)

A. मशीन भाषा B. उच्च स्तरीय भाषा
C. असेंबली भाषा D. बहुत उच्च स्तरीय भाषा

नीचे दिए गए विकल्पों में से सही उत्तर चुनें:

(a) D, B, A, C (b) B, D, C, A
(c) A, C, D, B (d) A, C, B, D

उत्तर 1. (a) 2. (d)

कंप्यूटर प्रोग्राम से संबंधित शब्दावली (Terminology Associated with Computer Program)

1. **प्रोग्राम (Program):** प्रोग्राम प्रोग्रामिंग भाषा में लिखे गए निर्देशों का एक सेट है जो कंप्यूटर को बताता है कि किसी खास काम या कार्यों की एक श्रृंखला को कैसे पूरा किया जाए। ये निर्देश पायथन या जावा जैसी प्रोग्रामिंग भाषा में लिखे जाते हैं, जिन्हें कंप्यूटर समझ सकता है और निष्पादित कर सकता है। प्रोग्राम कई काम कर सकते हैं, जैसे गणित की समस्याओं को हल करना, स्क्रीन पर जानकारी दिखाना या अन्य डिवाइस को नियंत्रित करना।
2. **बग/ग्लिच (Bug/Glitch):** बग कंप्यूटर प्रोग्राम में कोई गलती या दोष है जिसके कारण यह खराब हो जाता है या अप्रत्याशित रूप से काम करने लगता है। उदाहरण के लिए, कल्पना करें कि कोई वर्ड डॉक्यूमेंट टाइप करते समय प्रोग्राम अचानक रुक जाता है और जवाब देना बंद कर देता है या स्प्रेडशीट प्रोग्राम गलत योग की गणना करता है। ये समस्याएँ अक्सर बग के कारण होती हैं।
3. **डीबग (Debug):** डीबगिंग कंप्यूटर प्रोग्राम का परीक्षण करने की प्रक्रिया है ताकि किसी भी गलती या समस्या को खोजा और ठीक किया जा सके, जिसे बग या त्रुटि के रूप में जाना जाता है। यह सुनिश्चित करता है कि प्रोग्राम सुचारू रूप से और सही तरीके से चले।
4. **डिफॉल्ट (Default):** कंप्यूटर प्रोग्राम या डिवाइस को असाइन की गई एक प्रीसेट सेटिंग या मान जब कोई उपयोगकर्ता कोई विशिष्ट विकल्प नहीं चुनता है। कल्पना करें कि आप एक नया स्मार्टफोन खरीदते हैं और इसे सेट करना शुरू करते हैं। जब आप इसे पहली बार चालू करते हैं, तो यह जिस भाषा में सेट है, जो वॉलपेपर आप देखते हैं, और अन्य प्रारंभिक सेटिंग्स आपके लिए पहले से ही चुनी जाती हैं। ये फोन की डिफॉल्ट सेटिंग्स हैं। उदाहरण के लिए, यदि आप सेटअप के दौरान कोई अलग भाषा निर्दिष्ट नहीं करते हैं, तो डिफॉल्ट भाषा अंग्रेजी हो सकती है। इसी तरह, यदि आप कोई विशिष्ट वॉलपेपर नहीं चुनते हैं, तो फोन अपना डिफॉल्ट वॉलपेपर प्रदर्शित कर सकता है।
5. **एक्जीक्यूटेबल (Executable):** एक निष्पादन योग्य एक कंप्यूटर प्रोग्राम है जिसे बाइनरी मशीन कोड के रूप में परिवर्तित किया गया है जिसे कंप्यूटर सीधे समझ सकता है और चला सकता है। जब कोई प्रोग्राम निष्पादन योग्य में परिवर्तित हो जाता है, तो इसका मतलब है कि यह अतिरिक्त प्रसंस्करण या अनुवाद की आवश्यकता के बिना कंप्यूटर द्वारा उपयोग के लिए तैयार है। आप निष्पादन योग्य को उनके फाइल एक्सटेंशन जैसे .exe या .com से पहचान सकते हैं, जो इंगित करते हैं कि वे प्रोग्राम हैं जिन्हें आप अपने कंप्यूटर पर एक साधारण क्लिक से खोल सकते हैं और चला सकते हैं।
6. **मल्टीटास्किंग (Multitasking):** यह कंप्यूटर की एक साथ कई प्रोग्राम चलाने की क्षमता है। ऑपरेटिंग सिस्टम कार्यों के बीच तेजी से स्विच करके इसे प्रबंधित करता है, इसलिए ऐसा लगता है कि सभी प्रोग्राम सुचारू रूप से और समवर्ती रूप से चल रहे हैं। उदाहरण के लिए, आप एक साथ संगीत सुन सकते हैं, इंटरनेट ब्राउज कर सकते हैं और एक दस्तावेज पर काम कर सकते हैं क्योंकि कंप्यूटर अपनी प्रोसेसिंग पावर को इन कार्यों के बीच विभाजित करता है, जिससे ऐसा लगता है कि ये सभी एक साथ हो रहे हैं।

क्विज स्टेशन *विगत UGC NET परीक्षाओं के प्रश्न*

प्र 1. सॉफ्टवेयर या हार्डवेयर में त्रुटि को बग कहा जाता है। इसके लिए वैकल्पिक कंप्यूटर शब्दजाल क्या है?

(a) लीच (b) स्क्विड
(c) स्लग (d) ग्लिच

प्र 2. FORTRAN का संक्षिप्त नाम है:

(a) फाइल अनुवाद (b) प्रारूप अनुवाद
(c) सूत्र अनुवाद (d) फ्लॉपी अनुवाद

उत्तर 1. (d) 2. (c)

तालिका 23.3 प्रोग्रामिंग भाषा में प्रमुख उपलब्धियाँ

भाषाएँ	वर्ष	डेवलपर्स	आवेदन क्षेत्र
प्लांकल्कुल (पहली पूर्ण उच्च-स्तरीय भाषा)	1942-1945	कोनराड जूस	प्रारंभिक वैज्ञानिक
गणना फोरट्रान या सूत्र अनुवाद (पहली लोकप्रिय उच्च-स्तरीय भाषा)	1957	आईबीएम, जॉन बैकस के नेतृत्व वाली टीम	गणना, वैज्ञानिक उद्देश्य
एल्गोल (एल्गोरिदमिक भाषा)	1958	यूरोपीय और अमेरिकी कंप्यूटर वैज्ञानिकों की एक समिति	वैज्ञानिक उद्देश्य
कोबोल (सामान्य व्यावसायिक उन्मुखी भाषा)	1959	डेटा सिस्टम और भाषा समिति (CODASYL)	व्यवसाय प्रबंधन
बेसिक (शुरुआती भी उद्देश्य प्रतीकात्मक निर्देश कोड)	1964	जॉन जी. केमेनी और थॉमस ई. कर्ट्ज	शैक्षणिक उद्देश्यों के लिए प्रोग्रामिंग
सिमुला (पहली ऑब्जेक्ट- ओरिएंटेड प्रोग्रामिंग भाषा)	1967	ओले-जोहान डाहल और क्रिस्टन न्यागार्ड	सिमुलेशन, ऑब्जेक्ट- ओरिएंटेड प्रोग्रामिंग
पास्कल	1970	निकोलस विर्थ	एजुकेशन
C	1972	डेनिस रिची	सिस्टम प्रोग्रामिंग
C++	1985	बजेर्न स्ट्रॉस्ट्रप	सिस्टम ऑब्जेक्ट-ओरिएंटेड प्रोग्रामिंग
जावा	1995	जेम्स गोसलिंग	इंटरनेट-ओरिएंटेड प्रोग्रामिंग

तालिका 23.4 विभिन्न पीढ़ियों की प्रोग्रामिंग भाषाएँ

प्रोग्रामिंग भाषाओं की पीढ़ियाँ	विशेषताएँ	उदाहरण भाषाएँ
पहली पीढ़ी (मशीन भाषा)	• मशीन-निर्भर भाषा • बाइनरी कोड का उपयोग करती है (0 और 1) • त्रुटियाँ ढूँढ़ना और डीबग करना	बाइनरी कोड (0/1)
दूसरी पीढ़ी (असेंबली भाषा)	• मशीन पर निर्भर, अलग-अलग मशीनों के लिए अलग-अलग निर्देश सेट के साथ • स्मृति सहायक और प्रतीकात्मक निर्देशों का उपयोग करता है • असेंबलर का उपयोग मशीन कोड में अनुवाद करने के लिए किया जाता है	असेंबली भाषा
तीसरी पीढ़ी (उच्च-स्तरीय भाषा)	• अंग्रेजी जैसे शब्दों का उपयोग करता है • मशीन कोड में अनुवाद करने के लिए कंपाइलर या इंटरप्रेटर का उपयोग किया जाता है	C, C++, Java, Visual Basic, PASCAL, FORTRAN, COBOL
चौथी पीढ़ी (मानव जैसी भाषा)	• मुख्य रूप से डेटाबेस प्रोग्रामिंग और स्क्रिप्टिंग में उपयोग किया जाता है	पर्ल, पायथन, रूबी, एसक्यूएल, मैटलैब
पांचवीं पीढ़ी (प्राकृतिक भाषा)	• कृत्रिम बुद्धिमत्ता की अवधारणा पर आधारित • प्रोग्राम विकसित करने के लिए दृश्य उपकरणों का उपयोग करना • एल्गोरिदम के बजाय बाधाओं का उपयोग करके समस्याओं को हल करने के लिए डिजाइन किया गया	LISP, मर्करी, OPS5, प्रोलॉग

★★★ परीक्षोपयोगी

23.3 संख्या प्रणाली और रूपांतरण (Number System and Conversion)

संख्या प्रणाली परिभाषित करती है कि कंप्यूटर में संख्यात्मक मानों को कैसे एनकोड और प्रोसेस किया जाता है। कंप्यूटर मुख्य रूप से डेटा को कुशलतापूर्वक स्टोर और प्रोसेस करने के लिए अलग-अलग नंबरिंग सिस्टम का उपयोग करते हैं। संख्या प्रणाली और उनके प्रकारों पर नीचे चर्चा की गई है।

1. **बाइनरी नंबर सिस्टम (Binary Number System):** कंप्यूटर आंतरिक रूप से बाइनरी नंबर सिस्टम का उपयोग करते हैं, जिसमें केवल दो अंक होते हैं: 0 और 1 (आधार 2)। यह सिस्टम कंप्यूटर के लिए मौलिक है क्योंकि यह इलेक्ट्रॉनिक सर्किट के काम करने के तरीके को दर्शाता है, जहाँ 0 का मतलब 'बंद' और 1 का मतलब 'चालू' होता है। टेक्स्ट से लेकर इमेज तक सभी कंप्यूटर डेटा को इन बाइनरी अंकों का उपयोग करके संग्रहीत और संसाधित किया जाता है, जो कंप्यूटिंग की मुख्य भाषा बनाते हैं। यह सिस्टम कंप्यूटर के लिए बहुत कुशल है, लेकिन मनुष्यों के लिए इसे सीधे पढ़ना आसान नहीं है।
2. **डेसीमल नंबर सिस्टम (Decimal Number System):** मनुष्य आमतौर पर डेसीमल सिस्टम का उपयोग करते हैं, जिसमें 0 से 9 तक 10 अंकों का उपयोग किया जाता है (आधार 10)। इसका उपयोग रोजमर्रा की गणनाओं के लिए किया जाता है और यह हमारे लिए स्वाभाविक रूप से संख्यात्मक मानों का प्रतिनिधित्व करता है। उदाहरण के लिए, संख्या 1275 डेसीमल रूप में है। बाइनरी के विपरीत, जो मशीन संचालन के लिए इष्टतम है, डेसीमल मानव-केंद्रित कार्यों के लिए बेहतर है।
3. **ऑक्टल नंबर सिस्टम (Octal Number System):** यह सिस्टम 0 से 7 (आधार 8) तक 8 अंकों का उपयोग करती है। ऑक्टल संख्या में प्रत्येक स्थिति आठ की शक्ति का प्रतिनिधित्व करती है। ऑक्टल संख्याओं का उपयोग ऐतिहासिक रूप से बाइनरी अंकों का प्रतिनिधित्व करने में उनकी सरलता के लिए कंप्यूटिंग में किया जाता था।
4. **हेक्साडेसिमल नंबर सिस्टम (Hexadecimal Number System):** हेक्साडेसिमल 16 अंकों का उपयोग करता है: 0–9 और A–F (जहाँ A = 10, B = 11, ..., F = 15)। इसका उपयोग आमतौर पर बाइनरी संख्याओं के साथ काम करने के लिए किया जाता है क्योंकि प्रत्येक हेक्साडेसिमल अंक चार बाइनरी अंकों से मेल खाता है। हेक्साडेसिमल को आधार 16 के रूप में भी जाना जाता है और यह मेमोरी एड्रेसिंग और कलर कोडिंग जैसे कार्यों में उपयोगी है।

तालिका 23.5 अंकन प्रणाली

संख्या प्रणाली	आधार	अंक
बाइनरी	2	0, 1
ऑक्टल	8	0, 1, 2, 3, 4, 5, 6, 7
डेसीमल	10	0, 1, 2, 3, 4, 5, 6, 7, 8, 9
हेक्साडेसिमल	16	0, 1, 2, 3, 4, 5, 6, 7, 8, 9, A, B, C, D, E, F

क्विज स्टेशन *विगत UGC NET परीक्षाओं के प्रश्न*

प्र 1. A–F चिह्नों का उपयोग निम्नलिखित में से किसमें किया जाता है?

(a) डेसीमल नंबर सिस्टम
(b) डेसीमल नंबर सिस्टम
(c) हेक्साडेसिमल नंबर सिस्टम
(d) ऑक्टल नंबर सिस्टम

उत्तर 1. (c)

संख्या प्रणाली के बीच रूपांतरण (Conversion between the Number System)

बाइनरी से डेसीमल संख्या (Binary to Decimal Numbers)

बाइनरी संख्याएँ डिजिटल इलेक्ट्रॉनिक्स और कंप्यूटिंग में उपयोग की जाने वाली एक आधार-2 संख्या प्रणाली है। डेसीमल प्रणाली के विपरीत, जिसमें 10 अंक (0 से 9 तक) का उपयोग किया जाता है, बाइनरी संख्याएँ केवल दो अंकों का उपयोग करती हैं: 0 और 1। आइए जानें कि बाइनरी संख्या को डेसीमल संख्या में कैसे बदला जाए।

1. बाइनरी संख्या लिखें।
2. सबसे दाहिने अंक से शुरू करते हुए, प्रत्येक बाइनरी अंक को उसके स्थान की घात 2 से गुणा करें (सबसे दाहिने अंक के लिए 0 से गिनती करें)।
3. डेसीमल समतुल्य प्राप्त करने के लिए सभी उत्पादों को जोड़ें।

उदाहरण 1: बाइनरी संख्या 1011 को डेसीमल में बदलें।

1. बाइनरी संख्या लिखें: 1011.
2. सबसे दाहिने अंक से शुरू करते हुए, प्रत्येक अंक को उसकी स्थिति की घात 2 से गुणा करें:
   - 1×2^0 (सबसे दायाँ अंक) = 1
   - $1 \times 2^1 = 2$
   - $0 \times 2^2 = 0$
   - $1 \times 2^3 = 8$
3. गुणनफल जोड़ें: 1 + 2 + 0 + 8 = 11

तो, बाइनरी संख्या 1011 का डेसीमल समतुल्य 11 है।

डेसीमल से बाइनरी संख्या (Decimal to Binary Number)

डेसीमल संख्या को बाइनरी संख्या में बदलने के लिए डेसीमल संख्या को बार-बार 2 से भाग देना और शेष राशि का हिसाब रखना शामिल है। सरलीकृत रूप में चरण इस प्रकार हैं:

1. उस डेसीमल संख्या से शुरू करें जिसे आप बदलना चाहते हैं।
2. डेसीमल संख्या को 2 से विभाजित करें और भागफल तथा शेष लिखें।
3. पिछले चरण में प्राप्त भागफल के साथ चरण 2 को दोहराएँ।
4. भागफल 0 होने तक 2 से विभाजित करना जारी रखें।
5. बाइनरी समतुल्य प्राप्त करने के लिए प्राप्त शेष को उल्टे क्रम में लिखें।

उदाहरण 1: डेसीमल संख्या 13 को बाइनरी संख्या में बदलें।

1. डेसीमल संख्या 13 से शुरू करें।
   - 13 को 2 से भाग दें: भागफल = 6, शेष = 1।
   - 6 को 2 से भाग दें: भागफल = 3, शेष = 0।
   - 3 को 2 से भाग दें: भागफल = 1, शेष = 1।
   - 1 को 2 से भाग दें: भागफल = 0, शेष = 1।
2. अब, शेष को उल्टे क्रम में लिखें: 1101।

तो, डेसीमल संख्या 13 का बाइनरी समतुल्य 1101 है।

उदाहरण 2: डेसीमल संख्या 238 को बाइनरी संख्या में बदलें।

1. डेसीमल संख्या 238 से शुरू करें।
   - 238 को 2 से भाग दें: भागफल = 119, शेष = 0.
   - 119 को 2 से भाग दें: भागफल = 59, शेष = 1.
   - 59 को 2 से भाग दें: भागफल = 29, शेष = 1.
   - 29 को 2 से भाग दें: भागफल = 14, शेष = 1.
   - 14 को 2 से भाग दें: भागफल = 7, शेष = 0.
   - 7 को 2 से भाग दें: भागफल = 3, शेष = 1.
   - 3 को 2 से भाग दें: भागफल = 1, शेष = 1.
   - 1 को 2 से भाग दें: भागफल = 0, शेष = 1.
2. अब, शेष को उल्टे क्रम में लिखें क्रम: 11101110.

अतः, डेसीमल संख्या 238 का बाइनरी समतुल्य 11101110 है।

तालिका 23.6 डेसीमल, बाइनरी, ऑक्टल और हेक्साडेसिमल समकक्ष

डेसीमल	बाइनरी	ऑक्टल	हेक्साडेसिमल
0	0000	0	0
1	0001	1	1
2	0010	2	2
3	0011	3	3
4	0100	4	4
5	0101	5	5
6	0110	6	6
7	0111	7	7
8	1000	10	8
9	1001	11	9
10	1010	12	A
11	1011	13	B
12	1100	14	C
13	1101	15	D
14	1110	16	E
15	1111	17	F

क्विज स्टेशन *विगत UGC NET परीक्षाओं के प्रश्न*

प्र 1. यदि डेसीमल संख्या 53 का बाइनरी समकक्ष 110101 है, तो डेसीमल संख्या 50 का बाइनरी समकक्ष इस प्रकार दिया गया है

(a) 110011 (b) 110010
(c) 110001 (d) 110100

प्र 2. निम्नलिखित में से कौन डेसीमल संख्या 23 का बाइनरी समकक्ष दर्शाता है?

(a) 01011

(b) 10111

(c) 10011

(d) उपरोक्त में से कोई नहीं

उत्तर 1. (b) 2. (b)

23.4 डेटा प्रतिनिधित्व (Data Representation)

कंप्यूटरों में डेटा प्रतिनिधित्व से तात्पर्य उस तरीके से है जिससे जानकारी (जैसे कि संख्याएँ, पाठ, चित्र, और ध्वनि) संग्रहण या प्रसंस्करण के लिए एन्कोड की जाती है।

★★★ परीक्षोपयोगी

डेटा यूनिट्स (Data Units)

कल्पना करें कि एक कंप्यूटर की मेमोरी एक विशाल भंडारण कक्ष की तरह है जहाँ आप अपनी सभी चीजें रखते हैं। यह वह जगह है जहाँ कंप्यूटर जानकारी संग्रहीत करता है ताकि वह बाद में इसका उपयोग कर सके, जैसे आप अपने जूते या कपड़े घर में अलग-अलग जगहों पर रखते हैं। इस मेमोरी कक्ष में, विभिन्न आकार के भंडारण स्थान होते हैं, जैसे छोटे आइटम्स के लिए छोटे बॉक्स और बड़े आइटम्स के लिए बड़े शेल्फ। प्रत्येक आकार एक निश्चित मात्रा में जानकारी रख सकता है, चाहे वह एक छोटा डेटा टुकड़ा हो जैसे एक संख्या या एक बड़ा फाइल जैसे एक मूवी।

आधुनिक कंप्यूटरों में वास्तव में बड़े मेमोरी कक्ष होते हैं, जिन्हें मेगाबाइट्स (MB), गीगाबाइट्स (GB), या यहां तक कि टेराबाइट्स (TB) में मापा जाता है। उदाहरण के लिए, यदि एक कंप्यूटर में 64 मेगाबाइट्स की मेमोरी है, तो इसका मतलब है कि यह 64 मिलियन जानकारी के टुकड़े संग्रहीत कर सकता है। यह बड़ी मेमोरी कंप्यूटरों को बड़े कार्यों को संभालने में मदद करती है, जैसे जटिल प्रोग्राम चलाना या बहुत सारी तस्वीरें और वीडियो संग्रहीत करना।

डेटा यूनिट्स विभिन्न आकार के कंटेनरों की तरह होते हैं जिनका उपयोग हम यह मापने के लिए करते हैं कि कंप्यूटर कितनी डिजिटल जानकारी संभाल सकते हैं। कंप्यूटर डेटा संग्रहीत करने में बाइनरी बेस-2 सिस्टम का पालन करते हैं, जहाँ प्रत्येक यूनिट लगभग 1,024 गुना बड़ा होता है पिछले एक से, जो 2 की शक्तियों को दर्शाता है (किलोबाइट के लिए 210, मेगाबाइट के लिए 210, और इसी तरह)। यह डिजिटल डेटा क्षमताओं में समय के साथ होने वाली घातीय वृद्धि को दर्शाता है। यह प्रणाली कंप्यूटिंग में डिजिटल स्टोरेज और मेमोरी क्षमता के लिए मौलिक है। यहाँ कुछ सामान्य डेटा यूनिट्स हैं-

- **बाइनरी अंक (बिट) (Binary Digit (Bit)):** बिट बाइनरी संख्या प्रणाली के भीतर मूलभूत इकाई है, जो 0 या 1 को दर्शाता है। यह कंप्यूटर में डेटा भंडारण की सबसे छोटी इकाई है और डिजिटल जानकारी के लिए बिल्डिंग ब्लॉक बनाती है।
- **बाइट (Byte):** इसमें 8 बाइनरी अंक या बिट्स होते हैं (चित्र 23.6)। सरल शब्दों में, यह एक छोटे कंटेनर की तरह है जो एक अक्षर, संख्या या प्रतीक जैसे एकल वर्ण का प्रतिनिधित्व करने के लिए पर्याप्त डेटा रख सकता है। बाइट्स कंप्यूटर द्वारा डेटा को संग्रहीत और संसाधित करने के तरीके के लिए मौलिक हैं, जो किलोबाइट्स (KB), मेगाबाइट्स (MB) और उससे आगे की स्टोरेज की बड़ी इकाइयों के लिए आधार बनाते हैं।
- **निबल (Nibble):** निबल कंप्यूटिंग में डेटा की एक इकाई है जिसमें 4 बिट्स होते हैं। अनिवार्य रूप से, यह एक बाइट का आधा हिस्सा है (जिसमें 8 बिट्स होते हैं)। निबल्स का इस्तेमाल आमतौर पर बाइट्स की तरह नहीं किया जाता है, लेकिन कभी-कभी ऐसे संदर्भों में उपयोगी होते हैं, जहाँ डेटा को एक पूर्ण बाइट की तुलना में छोटे टुकड़ों में संसाधित या प्रेषित करने की आवश्यकता होती है।
- **किलोबाइट (KB) (Kilobyte (KB)):** लगभग 1,024 बाइट्स। अक्सर डेटा की छोटी मात्रा को मापने के लिए उपयोग किया जाता है, जैसे टेक्स्ट दस्तावेज या छोटी छवियाँ।
- **मेगाबाइट (MB) (Megabyte (MB)):** लगभग 1,024 किलोबाइट या 1,048,576 बाइट्स। फोटो, वीडियो या बड़े दस्तावेज जैसी बड़ी डेटा फाइलों के लिए उपयोग किया जाता है।
- **गीगाबाइट (GB) (Gigabyte (GB)):** लगभग 1,024 मेगाबाइट या 1,073,741,824 बाइट्स। आमतौर पर हार्ड ड्राइव, SSD और बड़े डेटा ट्रांसफर की स्टोरेज क्षमता के लिए उपयोग किया जाता है।

तालिका 23.7 डेटा इकाइयाँ

पूरा नाम	इकाइयाँ	बाइट्स
1 बिट	बाइनरी डिजिट (0/1)	2^0 बाइट्स
1 निबल	4 बिट्स	2^2 बाइट्स
1 बाइट	8 बिट्स	2^3 बाइट्स
1 किलोबाइट (KB)	1024 बाइट	2^{10} बाइट्स
1 मेगाबाइट (MB)	1024 KB	2^{20} बाइट्स
1 गीगाबाइट (GB)	1024 MB	2^{30} बाइट्स
1 टेराबाइट (TB)	1024 GB	2^{40} बाइट्स
1 पेटाबाइट (PB)	1024 TB	2^{50} बाइट्स
1 एक्साबाइट (EB)	1024 PB	2^{60} बाइट्स
1 जेटाबाइट (ZB)	1024 EB	2^{70} बाइट्स
1 योट्टाबाइट (YB)	1024 ZB	2^{80} बाइट्स
1 ब्रोंटोबाइट	1024 YB	2^{90} बाइट्स
1 जियोबाइट	1024 ब्रोंटोबाइट	2^{100} बाइट्स

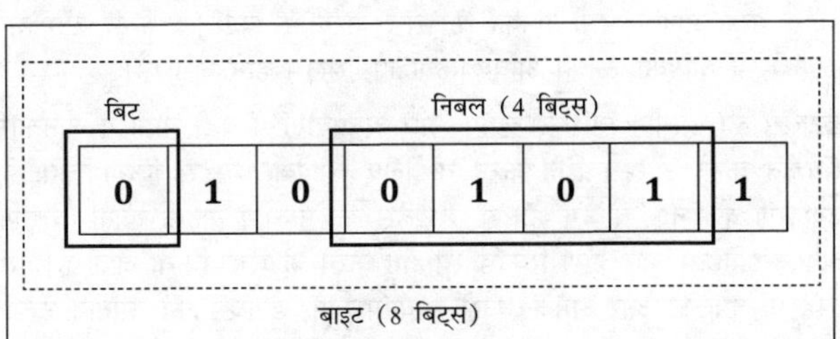

चित्र 23.6 बाइट

तालिका 23.8 डेसीमल और बाइनरी सिस्टम

डेसीमल सिस्टम			बाइनरी सिस्टम		
नाम	प्रतीक	डेसीमल यूनिट	नाम	प्रतीक	डेसीमल यूनिट
किलोबाइट	KB	10^3	किबिबाइट	KiB	2^{10}
मेगाबाइट	MB	10^6	मेबिबाइट	MiB	2^{20}
गीगाबाइट	GB	10^9	गीगाबाइट	GiB	2^{30}
टेराबाइट	TB	10^{12}	टेराबाइट	TiB	2^{40}
पेटाबाइट	PB	10^{15}	पेबिबाइट	PiB	2^{50}
एक्साबाइट	EB	10^{18}	एक्साबाइट	EiB	2^{60}
जेटाबाइट	ZB	10^{21}	जेबीबाइट	ZiB	2^{70}
योटाबाइट	YB	10^{24}	योबिबाइट	YiB	2^{80}

डेटा पदानुक्रम (Data Hierarchy)

डेटा पदानुक्रम कंप्यूटर को छोटे टुकड़ों से लेकर बड़े समूहों तक जानकारी को व्यवस्थित करने में मदद करता है, जिससे जरूरत पड़ने पर डेटा को प्रबंधित करना और जल्दी से ढूँढना आसान हो जाता है (चित्र 23.7)।

1. **बिट्स और बाइट्स (Bits and Bytes):** पदानुक्रम के सबसे निचले स्तर पर बिट्स और बाइट्स होते हैं, जो बाइनरी फॉर्म (0 और 1) में डिजिटल जानकारी की बुनियादी इकाइयों का प्रतिनिधित्व करते हैं। ये वो नींव बनाते हैं जिस पर सभी डिजिटल डेटा बनाए जाते हैं। इन्हें सबसे छोटे बिल्डिंग ब्लॉक के रूप में सोचें - छोटे टुकड़ों की तरह जिनका उपयोग कंप्यूटर बुनियादी शहाँश या श्नहींश जानकारी संग्रहीत करने के लिए करते हैं।
2. **फील्ड (Fields):** फील्ड लेबल वाले सेक्शन की तरह होते हैं जहाँ विशिष्ट प्रकार की जानकारी एक साथ रखी जाती है। उदाहरण के लिए, संपर्कों की सूची में, प्रत्येक फील्ड में किसी व्यक्ति का नाम, फोन नंबर या ईमेल पता हो सकता है।
3. **रिकॉर्ड (Records):** कल्पना करें कि एक व्यक्ति के बारे में सारी जानकारी एक ही समूह में इकट्ठा की जाए - यही रिकॉर्ड है। इसमें उन लेबल वाले फील्ड में संग्रहीत उनके सभी विवरण शामिल हैं, जैसे किसी पहेली के सभी टुकड़ों को एक साथ रखना।
4. **फाइल (Files):** अब, फाइल को इन रिकॉर्ड्स के संग्रह के रूप में सोचें। यह कई पृष्ठों वाले फोल्डर की तरह है, प्रत्येक पृष्ठ हमारी संपर्क सूची में एक अलग व्यक्ति का रिकॉर्ड है।
5. **डेटाबेस (Databases):** अंत में, डेटाबेस कई फाइलों वाली एक बड़ी लाइब्रेरी की तरह है। यह बहुत सारी संगठित जानकारी संग्रहीत करता है, जिससे इसे ढूंढना और उपयोग करना आसान हो जाता है। यह आपके सभी संपर्कों को बड़े करीने से क्रमबद्ध करने और जब भी आपको उनकी आवश्यकता हो, सुलभ होने जैसा है।

डेटाबेस का उपयोग विभिन्न उद्योगों और अनुप्रयोगों में बड़ी मात्रा में जानकारी संग्रहीत करने और प्रबंधित करने के लिए व्यापक रूप से किया जाता है। उदाहरण के लिए, बैंकिंग क्षेत्र में, डेटाबेस का उपयोग ग्राहक खाता विवरण, लेनदेन इतिहास और ऋण रिकॉर्ड संग्रहीत करने के लिए किया जाता है। इसी तरह, फ्लिपकार्ट और अमेजॅन जैसे ई-कॉमर्स में, डेटाबेस का उपयोग उत्पाद कैटलॉग, ग्राहक ऑर्डर और इन्वेंट्री स्तरों को प्रबंधित करने के लिए किया जाता है। एक अन्य उदाहरण स्वास्थ्य सेवा है, जहाँ डेटाबेस का उपयोग रोगी रिकॉर्ड, चिकित्सा इतिहास और उपचार योजनाओं को संग्रहीत करने के लिए किया जाता है।

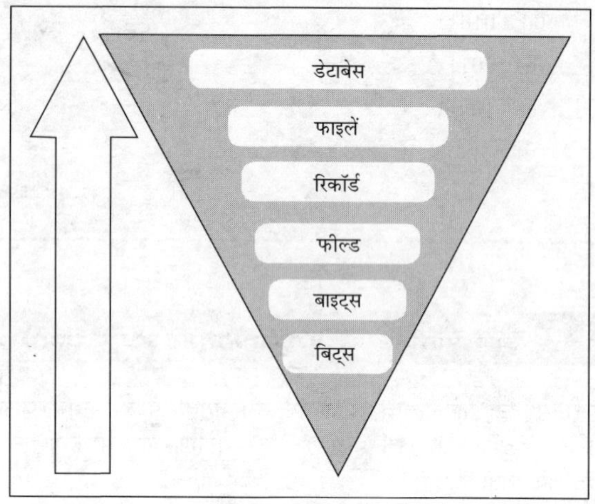

चित्र 23.7 डेटा पदानुक्रम

क्विज स्टेशन *विगत UGC NET परीक्षाओं के प्रश्न*

प्र 1. निम्नलिखित में से भंडारण की सबसे बड़ी इकाई कौन सी है?

(a) टेराबाइट (b) मेगाबाइट
(c) किलोबाइट (d) गीगाबाइट

प्र 2. डेटा भंडारण पदानुक्रम में शामिल हैं

(a) बाइट्स, बिट्स, फील्ड, रिकॉर्ड, फाइल और डेटाबेस।
(b) बिट्स, बाइट्स, फील्ड, रिकॉर्ड, फाइल और डेटाबेस।
(c) बिट्स, बाइट्स, रिकॉर्ड, फील्ड, फाइल और डेटाबेस।
(d) बिट्स, बाइट्स, फील्ड, फाइलें, फाइल और डेटाबेस।

उत्तर 1. (a) 2. (b)

कोडिंग योजनाएँ (Coding Schemes)

कंप्यूटर केवल बाइनरी संख्याओं (0 और 1) के साथ काम कर सकते हैं। एक कोडिंग सिस्टम मानव-पठनीय वर्णों (जैसे '।', '5', या '+') को इन बाइनरी संख्याओं में अनुवाद करता है ताकि कंप्यूटर उन्हें संसाधित कर सकें। कंप्यूटर के लिए मानव-पठनीय जानकारी जैसे पाठ, संख्याएँ और विशेष वर्णों को समझना और संसाधित करना महत्वपूर्ण है।

1. **अमेरिकन स्टैंडर्ड कोड फॉर इन्फॉर्मेशन इंटरचेंज (ASCII) (American Standard Code for Information Inter& change (ASCII)):** ASCII एक व्यापक रूप से उपयोग की जाने वाली कोडिंग प्रणाली है जो प्रत्येक वर्ण को एक अद्वितीय संख्यात्मक कोड प्रदान करती है, जैसे अक्षर, संख्याएँ, विराम चिह्न और नियंत्रण

वर्ण। उदाहरण के लिए, अक्षर 'A' को ASCII कोड 65 द्वारा दर्शाया जाता है, और अंक '7' को ASCII कोड 55 द्वारा दर्शाया जाता है। ये कोड मानकीकृत हैं और कंप्यूटर को लगातार टेक्स्ट डेटा का आदान-प्रदान और व्याख्या करने की अनुमति देते हैं।

ASCII का उपयोग कंप्यूटर और संचार प्रणालियों में टेक्स्ट का प्रतिनिधित्व करने के लिए किया जाता है। जब आप कीबोर्ड पर टाइप करते हैं, तो प्रत्येक कीप्रेस एक ASCII कोड से मेल खाती है जिसे कंप्यूटर प्रोसेस करता है। यहाँ ASCII के बारे में कुछ महत्वपूर्ण तथ्य दिए गए हैं।

- **शामिल वर्ण (Characters Covered):** ASCII में संख्याएँ, बड़े और छोटे अक्षर (जैसे A, a, B, b), विराम चिह्न (जैसे !, ?, #) और लेखन और संचार के लिए आवश्यक अन्य प्रतीक शामिल हैं।
- **वर्णों की संख्या (Number of Characters):**
    - **ASCII-7:** यह वर्णों को दर्शाने के लिए 7 बिट्स का उपयोग करता है, जिससे 128 अद्वितीय प्रतीकों की अनुमति मिलती है। ये प्रतीक अक्षरों (A-Z, a-z), संख्याओं (0-9), विराम चिह्नों और नियंत्रण वर्णों जैसी चीजों का प्रतिनिधित्व कर सकते हैं।
    - **ASCII-8 (विस्तारित ASCII):** यह 8 बिट्स का उपयोग करने वाला एक विस्तारित संस्करण है, जो 256 अद्वितीय प्रतीकों (0 से 255) की अनुमति देता है। इसमें ASCII-7 के सभी वर्ण शामिल हैं और विशेष प्रतीकों, उच्चारण वाले अक्षरों और अतिरिक्त नियंत्रण वर्णों जैसे और भी वर्ण जोड़े गए हैं। यह मानक कंप्यूटरों के लिए विभिन्न प्रणालियों और उपकरणों में लगातार पाठ का आदान-प्रदान और प्रदर्शन करना आसान बनाता है, यह सुनिश्चित करता है कि एक ही वर्ण की व्याख्या की जाए और हर जगह सही ढंग से दिखाया जाए।

2. **एक्सटेंडेड बाइनरी कोडेड डेसीमल इंटरचेंज कोड (EBCDIC) (Extended Binary Coded Decimal Interchange Code (EBCDIC)):** EBCDIC एक और वर्ण एन्कोडिंग प्रणाली है, जहाँ प्रत्येक वर्ण को 8 बिट्स (1 और 0) द्वारा दर्शाया जाता है। यह ASCII-8 के समान 256 अद्वितीय संयोजनों (0 से 255) की अनुमति देता है। EBCDIC का उपयोग मुख्य रूप से पुराने IBM मेनफ्रेम कंप्यूटर और सिस्टम में किया जाता था। यह आज कम आम है लेकिन अभी भी कुछ विरासत प्रणालियों में इसका उपयोग किया जाता है।
3. **बाइनरी कोडेड डेसीमल (BCD) (Binary Coded Decimal (BCD)):** BCD, या बाइनरी कोडेड डेसीमल, एक तरीका है जिससे कंप्यूटर बाइनरी अंकों (0 और 1) का उपयोग करके दशमलव संख्याओं (0-9) को दर्शाते हैं। यह इस प्रकार काम करता है:
    - **प्रतिनिधित्व (Representation):** प्रत्येक दशमलव अंक (0-9) को चार बाइनरी बिट्स के एक अद्वितीय संयोजन द्वारा दर्शाया जाता है। उदाहरण के लिए, ठब्क में संख्या 5 को 0101 के रूप में दर्शाया जाता है।
    - **उपयोग (Usage):** BCD का उपयोग दशमलव संख्याओं से जुड़ी सटीक गणनाओं के लिए किया जाता है, क्योंकि यह प्रत्येक अंक को बाइनरी में बदले बिना सीधे दर्शाता है।
4. **यूनिकोड (Unicode):** यूनिकोड एक वर्ण कोडिंग प्रणाली है जिसका उद्देश्य दुनिया भर में कई भाषाओं में लिखित पाठों के आदान-प्रदान, प्रसंस्करण और प्रदर्शन का समर्थन करना है। उदाहरण के लिए, यूनिकोड एक एकल प्रणाली को अंग्रेजी, चीनी, अरबी और कई अन्य भाषाओं के वर्णों के साथ-साथ कंप्यूटिंग में उपयोग किए जाने वाले प्रतीकों, इमोजी और विशेष वर्णों का प्रतिनिधित्व करने की अनुमति देता है। यह सार्वभौमिक मानक यह सुनिश्चित करता है कि पाठ को डिवाइस, ऑपरेटिंग सिस्टम या भाषा सेटिंग की परवाह किए बिना सही ढंग से प्रदर्शित और संसाधित किया जा सकता है, जिससे डिजिटल संचार और सॉफ्टवेयर अनुप्रयोगों में अंतर-संचालन और बहुभाषी समर्थन को बढ़ावा मिलता है। यह यूनिकोड को वैश्विक संचार के लिए आवश्यक बनाता है।

★★★ परीक्षोपयोगी

23.5 फाइल प्रारूप (File Format)

1. **फाइल (File):** फाइल डेटा या सूचना का संग्रह है जिसे कंप्यूटर या अन्य डिजिटल डिवाइस पर संग्रहीत किया जाता है। इसमें टेक्स्ट, संख्याएँ, चित्र, वीडियो, प्रोग्राम या कोई अन्य प्रकार की जानकारी हो सकती है जिसे डिजिटल रूप से संग्रहीत किया जा सकता है।
2. **फाइल नाम (File Name):** फाइल नाम उपयोगकर्ता द्वारा किसी विशिष्ट फाइल को दिया गया नाम है। यह लेबल या शीर्षक की तरह है जो फाइल की पहचान करता है। उदाहरण के लिए, यदि आप कोई दस्तावेज बनाते हैं, तो आप इसे 'Report.docx' या 'Budget.xlsx' नाम दे सकते हैं। फाइल नाम में अक्षर, संख्याएँ, रिक्त स्थान और हाइफन या अंडरस्कोर जैसे कुछ विशेष वर्ण शामिल हो सकते हैं।
3. **फाइल प्रारूप (File Format):** फाइल प्रारूप नियमों के एक सेट की तरह है जो कंप्यूटर को बताता है कि डिजिटल फाइल में जानकारी कैसे संग्रहीत और व्यवस्थित की जाए। यह परिभाषित करता है कि फाइल के भीतर डेटा के बिट्स को कैसे व्यवस्थित और व्याख्या किया जाता है (चित्र 23.8)। फाइल स्वरूपों को मोटे तौर पर दो श्रेणियों में वर्गीकृत किया जा सकता है:
    - **विशिष्ट प्रारूप (Specific Formats):** ये प्रारूप विशिष्ट प्रकार के डेटा के लिए तैयार किए जाते हैं। उदाहरण के लिए, PNG फाइलों का उपयोग बिटमैप की गई छवियों को संग्रहीत करने, स्पष्टता के साथ विस्तृत चित्र कैप्चर करने के लिए किया जाता है।
    - **बहुमुखी प्रारूप (Versatile Formats):** इस प्रकार के फाइल प्रारूप अधिक बहुमुखी हैं, जैसे MP4, जो विभिन्न प्रकार के मल्टीमीडिया डेटा को संग्रहीत कर सकता है। यह ऑडियो, वीडियो और यहां तक कि सबटाइटल को एक फाइल में रख सकता है।
    - **सामान्य फाइल प्रारूप (Generic File Format):** यह शब्द आम तौर पर एक फाइल प्रारूप को संदर्भित करता है जो किसी विशिष्ट प्रकार की सामग्री के लिए विशेष नहीं है। यह विभिन्न प्रकार के डेटा, जैसे टेक्स्ट, नंबर या छवियों को एक ऐसे प्रारूप में संग्रहीत कर सकता है जो सीधा और व्यापक रूप से संगत है। उदाहरणों में TXT (टेक्स्ट), CSV (अल्पविराम से अलग किए गए मान) और PDF (पोर्टेबल दस्तावेज प्रारूप) शामिल हैं।
4. **फाइल एक्सटेंशन (File Extension):** फाइल के प्रारूप को पहचानने का एक सामान्य तरीका इसके फाइल एक्सटेंशन को देखना

है, जो फाइल नाम में अंतिम बिंदु के बाद आने वाले अक्षर हैं। उदाहरण के लिए, .html या .htm में समाप्त होने वाली फाइलें आमतौर पर वेब पेजों के लिए उपयोग किए जाने वाले HTML दस्तावेज होते हैं, जबकि .gif फाइलें छवियाँ होती हैं। फाइल एक्सटेंशन महत्वपूर्ण हैं क्योंकि वे आपके कंप्यूटर को बताते हैं कि किस सॉफ्टवेयर प्रोग्राम को फाइल खोलनी चाहिए और इसकी सामग्री की व्याख्या कैसे करनी चाहिए।

5. **पाथनाम (Pathname):** पाथनाम कंप्यूटर के फाइल सिस्टम पर फाइल के स्थान का एक विनिर्देश है। इसमें कम से कम तीन भाग होते हैं:
   - **ड्राइव अक्षर (Drive Letter):** कुछ ऑपरेटिंग सिस्टम में, जैसे कि विंडोज, पाथनाम ड्राइव अक्षर से शुरू होता है (जैसे C: या D:) जो उस स्टोरेज डिवाइस को इंगित करता है जहाँ फाइल स्थित है।
   - **निर्देशिका पाथ (Directory Path):** सापेक्ष निर्देशिका पथ फोल्डर या निर्देशिका पदानुक्रम को निर्दिष्ट करता है जहाँ फाइल रूट या वर्तमान कार्यशील निर्देशिका के सापेक्ष स्थित है। उदाहरण के लिए, \Users\Username\Documents.
   - **फाइल नाम (Filename):** फाइल नाम फाइल का वास्तविक नाम है, जो इसे अपनी निर्देशिका में विशिष्ट रूप से पहचानता है।

साथ में, ये घटक कंप्यूटर के फाइल सिस्टम पर किसी विशिष्ट फाइल का पूरा पता या पथ बनाते हैं, जिससे उपयोगकर्ता और सॉफ्टवेयर कुशलतापूर्वक फाइलों का पता लगा सकते हैं और उन तक पहुँच सकते हैं।

मल्टीमीडिया (Multimedia)

मल्टीमीडिया मीडिया के विभिन्न रूपों जैसे टेक्स्ट, ग्राफिक्स, ऑडियो और वीडियो के संयोजन को संदर्भित करता है, जिसका डिजिटल संचार में एक साथ उपयोग किया जाता है।

मल्टीमीडिया के घटक (Components of Multimedia)

1. **टेक्स्ट (Text):** इसमें वे शब्द और अक्षर शामिल हैं जिन्हें आप स्क्रीन पर देखते हैं, जैसे किताबों या वेबसाइटों में। यह अलग-अलग फॉन्ट (शैलियों) और आकारों में हो सकता है ताकि चीजें स्पष्ट और पेशेवर दिखें।
2. **ग्राफिक्स (Graphics):** ये चित्र या छवियां हैं जिनका उपयोग चीजों को दृश्य रूप से दिखाने के लिए किया जाता है। वे विचारों को समझाने और मल्टीमीडिया को अधिक आकर्षक बनाने में मदद करते हैं।
3. **ऑडियो (Audio):** यह उन ध्वनियों को संदर्भित करता है जिन्हें आप सुनते हैं, जैसे संगीत, आवाजें (भाषण), या ध्वनि प्रभाव। ऑडियो मल्टीमीडिया में गहराई और माहौल जोड़ता है, जिससे यह अधिक जीवंत और इमर्सिव हो जाता है।
4. **वीडियो (Video):** वीडियो ध्वनि के साथ चलती हुई तस्वीरें दिखाता है, जो आप टीवी या ऑनलाइन पर देखते हैं। यह बहुत सारी जानकारी को जल्दी से दिखाने या दृश्य रूप से कहानी बताने के लिए बहुत बढ़िया है। मल्टीमीडिया इन विभिन्न तत्वों का एक साथ उपयोग करके शैक्षणिक कार्यक्रम, वेबसाइट, फिल्में और प्रस्तुतियाँ जैसी चीजें बनाता है। यह विचारों को व्यक्त करने और दर्शकों का मनोरंजन करने के लिए पाठ, चित्र, ध्वनि और वीडियो को मिलाकर संचार को अधिक गतिशील और आनंददायक बनाता है।

चित्र 23.8 फाइल प्रारूप

टेक्स्ट फाइल प्रारूप (Text File Formats)

1. **TXT (टेक्स्ट) (TXT (Text)):** TXT फाइल एक सरल टेक्स्ट दस्तावेज है जिसमें सादा टेक्स्ट होता है। इसमें बोल्ड या इटैलिक जैसी कोई फॉर्मेटिंग नहीं होती। एक टेक्स्ट फाइल में पूरी तरह से प्रिंट करने योग्य ASCII वर्ण होते हैं और इसमें सादा, बिना फॉर्मेट वाला टेक्स्ट होता है। इन फाइलों में आमतौर पर '.txt' फाइल एक्सटेंशन होता है और इन्हें Windows Notepad या macOS TextEdit जैसे सरल टेक्स्ट एडिटर का उपयोग करके खोला और देखा जा सकता है।
2. **PDF (पोर्टेबल डॉक्यूमेंट फॉर्मेट) (PDF (Portable Document Format)):** इसका उपयोग उन फाइलों के लिए किया जाता है जिन्हें आसानी से संशोधित किए बिना, ठीक उसी तरह साझा और प्रिंट करने की आवश्यकता होती है जैसे वे दिखाई देती हैं। यह फॉर्म, मैनुअल और ईबुक जैसे दस्तावेजों के लिए बहुत बढ़िया है।
3. **DOCX (डॉक्यूमेंट) (DOCX (Document)):** यह Microsoft Word दस्तावेज फॉर्मेट है जिसका उपयोग टेक्स्ट-आधारित दस्तावेजों के लिए किया जाता है। यह पुराने DOC फॉर्मेट की तुलना में नया और अधिक उन्नत है।
4. **RTF (रिच टेक्स्ट फॉर्मेट) (RTF (Rich Text Format)):** RTF एक फाइल फॉर्मेट है जो आपको फॉर्मेटिंग के साथ दस्तावेजों को सहेजने की अनुमति देता है, जिससे विभिन्न वर्ड प्रोसेसिंग प्रोग्राम के बीच फाइलों को साझा करना आसान हो जाता है। उदाहरण के लिए, यदि आप Microsoft Word में बोल्ड टेक्स्ट, विभिन्न फॉन्ट और रंगीन शीर्षकों के साथ कोई दस्तावेज बनाते हैं, तो आप इसे RTF फाइल के रूप में सहेज सकते हैं। जब आप इस RTF फाइल को LibreOffice Writer या Google क्वबे जैसे किसी अन्य वर्ड प्रोसेसर में खोलते हैं, तो दस्तावेज में अभी भी बोल्ड टेक्स्ट, फॉन्ट

और रंग बने रहेंगे, भले ही ये प्रोग्राम एक ही कंपनी के न हों या उनकी डिफॉल्ट सेटिंग समान न हों। यह RTF को आपके द्वारा लागू किए गए फॉर्मेटिंग को खोए बिना विभिन्न सॉफ्टवेयर प्लेटफॉर्म पर दस्तावेजों पर सहयोग करने के लिए उपयोगी बनाता है।

वेब पेज फाइल प्रारूप (Web Page File Formats)

1. **HTML (हाइपरटेक्स्ट मार्कअप लैंग्वेज) (HTML (HyperText Markup Language)):** यह इंटरनेट पर वेब पेज बनाने के लिए इस्तेमाल की जाने वाली मूल भाषा है। यह वेबपेज की संरचना और सामग्री को परिभाषित करता है।
2. **XML (एक्सटेंसिबल मार्कअप लैंग्वेज) (XML (Extensible Markup Language)):** यह संरचित जानकारी को व्यवस्थित करने और साझा करने के लिए उपयोग किया जाने वाला एक टेक्स्ट आधारित प्रारूप है।

छवि प्रारूप (Image Formats)

1. **GIF (ग्राफिक्स इंटरचेंज फॉर्मेट) (GIF (Graphics Interchange Format)):** इसका उपयोग छोटे एनिमेशन और कम रिजॉल्यूशन वाले वीडियो क्लिप के लिए किया जाता है। यह ऑनलाइन मैसेजिंग में एनिमेशन और पारदर्शी पृष्ठभूमि का समर्थन करने के लिए जाना जाता है। GIF फाइलें किसी भी छवि गुणवत्ता को खोए बिना डेटा को संपीड़ित करने के लिए लेम्पेल-जिव-वेल्च (LZW) एल्गोरिदम नामक एक विशेष विधि का उपयोग करती हैं। इस प्रकार के संपीड़न को श्दोषरहितश कहा जाता है, यह सुनिश्चित करता है कि स्थान बचाने के लिए छवि को छोटा करने के बाद भी वह उतनी ही अच्छी दिखे।
2. **JPEG (ज्वाइंट फोटोग्राफिक एक्सपर्ट्स ग्रुप) (JPEG (Joint Photographic Experts Group)):** इसे अच्छी गुणवत्ता बनाए रखते हुए फोटो और प्राकृतिक कलाकृति को संपीड़ित करने के लिए डिजाइन किया गया है। यह फोटो के लिए उपयुक्त है, लेकिन तीखी रेखाओं या टेक्स्ट वाली छवियों के लिए कम प्रभावी है।
3. **PNG (पोर्टेबल नेटवर्क ग्राफिक्स) (PNG (Portable Network Graphics)):** यह एक ग्राफिक्स प्रारूप है जिसे विशेष रूप से वर्ल्ड वाइड वेब (www) पर उपयोग के लिए डिजाइन किया गया है। इसका उपयोग छवियों को डिजिटल रूप से संग्रहीत करने के लिए किया जाता है, जो इसे उच्च-रिजॉल्यूशन वाले ग्राफिक्स और पारदर्शी पृष्ठभूमि वाली छवियों के लिए आदर्श बनाता है। PNG फाइलें 16 मिलियन रंगों को संभाल सकती हैं और गुणवत्ता खोए बिना संपीड़ित की जा सकती हैं। वे आमतौर पर वेब ग्राफिक्स, लोगो, चार्ट और चित्रण के लिए उपयोग किए जाते हैं।
4. **बिटमैप (BMP) (Bitmap (BMP)):** अक्सर BMP के रूप में संदर्भित, यह एक प्रकार का ग्राफिक या छवि प्रारूप है जहाँ प्रत्येक चित्र तत्व (पिक्सेल) एक संख्या के रूप में संग्रहीत होता है। BMP फाइल में, छवि (पिक्सेल) पर प्रत्येक बिंदु को एक विशिष्ट रंग और स्थिति दी जाती है, जिसे फाइल में संख्यात्मक मानों द्वारा दर्शाया जाता है। यह प्रारूप सीधा है और छवि डेटा को संपीड़ित नहीं करता है, जिसका अर्थ है कि BMP फाइलें अन्य छवि प्रारूपों की तुलना में आकार में बड़ी हो सकती हैं।
5. **TIFF या TIF (टैग इमेज फाइल प्रारूप) (TIFF or TIF (Tag Image File Format)):** यह एक फाइल प्रारूप है जिसे उच्च गुणवत्ता वाले ग्राफिक्स और छवियों को संग्रहीत करने के लिए डिजाइन किया गया है।

कंप्यूटर ग्राफिक्स: कंप्यूटर ग्राफिक्स डिजिटल छवियों और दृश्यों को संदर्भित करते हैं जिन्हें कंप्यूटर पर बनाया, हेरफेर किया और प्रदर्शित किया जाता है। इनका व्यापक रूप से डिजिटल फोटोग्राफी, वीडियो गेम और डिस्प्ले जैसे विभिन्न अनुप्रयोगों में उपयोग किया जाता है।

डिजिटल ऑडियो फाइल प्रारूप (Digital Audio File Formats)

1. **WAV (वेवफॉर्म ऑडियो फाइल फॉर्मेट) (WAV (Waveform Audio File Format)):** यह विंडोज में उपयोग किया जाने वाला एक लोकप्रिय ऑडियो फाइल प्रारूप है। यह ऑडियो फाइलों को बिना संपीड़ित किए संग्रहीत करता है, उच्च-गुणवत्ता वाली ध्वनि बनाए रखता है, लेकिन इसके परिणामस्वरूप फाइल का आकार बड़ा हो जाता है।
2. **MP3 (MPEG लेयर-3 फॉर्मेट) (MP3 (MPEG Layer-3 Format)):** इसका उपयोग संगीत फाइलों को संग्रहीत करने और डाउनलोड करने के लिए व्यापक रूप से किया जाता है। यह ऑडियो फाइलों को उनके मूल आकार के लगभग दसवें हिस्से तक संपीड़ित करता है, जिससे उन्हें अच्छी ध्वनि गुणवत्ता बनाए रखते हुए संग्रहीत और साझा करना आसान हो जाता है।
3. **OGG:** यह एक ओपन-सोर्स प्रारूप है जिसे उच्च गुणवत्ता वाले डिजिटल मल्टीमीडिया के लिए डिजाइन किया गया है, जो ध्वनि गुणवत्ता के मामले में MP3 के बराबर है। इसका उपयोग अक्सर इंटरनेट पर ऑडियो स्ट्रीमिंग के लिए किया जाता है।

पॉडकास्ट (Podcast): यह एक प्रकार का मीडिया प्रारूप है जो 'आईपॉड' और 'ब्रॉडकास्ट' शब्दों को जोड़ता है। यह डाउनलोड करने योग्य ऑडियो सामग्री को संदर्भित करता है जिसे आप स्मार्टफोन, टैबलेट या कंप्यूटर जैसे विभिन्न उपकरणों पर सुन सकते हैं। यह एक प्रकार की ऑडियो सामग्री है जिसे RSS फीड के माध्यम से साझा किया जाता है, जिससे इसे डाउनलोड करना और सुनना आसान हो जाता है। RSS (Really Simple Syndication) फीड एक विशेष लिंक है जिसमें पॉडकास्ट के अपडेट किए गए एपिसोड होते हैं। जब आप पॉडकास्ट ऐप का उपयोग करके पॉडकास्ट के RSS फीड की सदस्यता लेते हैं, तो नए एपिसोड आसानी से सुनने के लिए आपके डिवाइस पर अपने आप डाउनलोड हो जाते हैं।

डिजिटल वीडियो फाइल प्रारूप (Digital Video File Formats)

1. **AVI (ऑडियो वीडियो इंटरलीव) (AVI (Audio Video Interleave)):** यह Microsoft द्वारा ऑडियो और वीडियो दोनों जानकारी को एक साथ संग्रहीत करने के लिए बनाया गया एक प्रकार का फाइल प्रारूप है। इसका उपयोग आमतौर पर फिल्में, वीडियो

क्लिप या अन्य मल्टीमीडिया सामग्री को सहेजने के लिए किया जाता है।

2. **ASF (एडवांस्ड स्ट्रीमिंग फॉर्मेट) (ASF (Advanced Streaming Format)):** यह Microsoft द्वारा ऑडियो और वीडियो जानकारी संग्रहीत करने के लिए विकसित एक फाइल प्रारूप है, जिसे विशेष रूप से इंटरनेट पर स्ट्रीमिंग के लिए डिजाइन किया गया है। यह उच्च-गुणवत्ता वाले ऑडियो और वीडियो प्लेबैक का समर्थन करता है और कुशल स्ट्रीमिंग के लिए अनुकूलित है, जिससे उपयोगकर्ता पहले पूरी फाइल डाउनलोड किए बिना वास्तविक समय में सामग्री देख या सुन सकते हैं।
3. **MPEG या MPG (मूविंग पिक्चर एक्सपर्ट्स ग्रुप) (MPEG or MPG (Moving Picture Experts Group)):** यह डिजिटल वीडियो और ऑडियो संपीड़न के लिए एक मानक है। इसमें टब्क के लिए MPEG-1 और स्ट्रीमिंग और हाई-डेफिनेशन वीडियो के लिए MPEG-4 जैसे विभिन्न प्रारूप शामिल हैं। ये प्रारूप अच्छी वीडियो और ऑडियो गुणवत्ता बनाए रखते हुए फाइल आकार को कम करने में मदद करते हैं।
4. **MP4:** यह एक बहुमुखी वीडियो प्रारूप है जिसका उपयोग इंटरनेट से वीडियो डाउनलोड करने और स्ट्रीमिंग के लिए किया जाता है। इसमें ऑडियो के लिए MP4 एडवांस्ड ऑडियो कोडिंग (AAC) और वीडियो के लिए MP4 एडवांस्ड वीडियो कोडिंग (AVC) जैसे प्रारूप शामिल हैं। MP4 का उपयोग ऑनलाइन वीडियो डाउनलोड करने और स्ट्रीमिंग के लिए व्यापक रूप से किया जाता है क्योंकि यह फाइल आकार को छोटा करते हुए अच्छी गुणवत्ता बनाए रखता है। MP4 फाइलें कई डिवाइस और प्लेटफॉर्म के साथ संगत हैं, जिनमें स्मार्टफोन, टैबलेट और कंप्यूटर शामिल हैं।
5. **WMV (विंडोज मीडिया वीडियो) (WMV (Windows Media Video)):** यह डपबतवेवजि द्वारा विशेष रूप से विंडोज ऑपरेटिंग सिस्टम के लिए विकसित एक वीडियो प्रारूप है। WMV फाइलों का उपयोग आमतौर पर अच्छे संपीड़न के साथ वीडियो स्ट्रीमिंग और संग्रहीत करने के लिए किया जाता है, जो उन्हें विंडोज डिवाइस पर ऑनलाइन वितरण और प्लेबैक के लिए कुशल बनाता है।

PVP (पोर्टेबल वीडियो प्लेयर): यह एक ऐसा डिवाइस है जिसे विशेष रूप से चलते-फिरते वीडियो सामग्री चलाने के लिए डिजाइन किया गया है। यह उपयोगकर्ताओं को पोर्टेबल डिवाइस जैसे हैंडहेल्ड प्लेयर, टैबलेट या स्मार्टफोन पर सीधे फिल्में, टीवी शो या अन्य वीडियो सामग्री देखने की अनुमति देता है।

संपीड़ित फाइल प्रारूप (Compressed File Formats)

1. **ZIP:** यह एक प्रकार का फाइल प्रारूप है जिसका उपयोग एक या अधिक फाइलों को एक संग्रह में संपीड़ित (निचोड़ने) के लिए किया जाता है। जब फाइलों को शजिपश किया जाता है, तो उनका आकार कम हो जाता है, जो आपके कंप्यूटर पर स्थान बचाने में मदद करता है और उन्हें तेजी से डाउनलोड करने में मदद करता है। ZIP फाइलें कई अलग-अलग प्रकार के कंप्यूटरों पर समर्थित हैं, इसलिए उन्हें आसानी से खोला जा सकता है और Windows, macOS और Linux जैसे विभिन्न ऑपरेटिंग सिस्टम पर उपयोग किया जा सकता है।
2. **RAR (रोशल आर्काइव) (RAR (Roshal Archive)):** यह ZIP के समान एक अन्य प्रकार का संपीड़ित फाइल प्रारूप है। यह फाइलों को निचोड़ने के लिए अधिक उन्नत विकल्प प्रदान करता है, विशेष रूप से बड़ी फाइलों या एक साथ कई फाइलों को।

संपीड़ित फाइल प्रारूप स्थान बचाने, डाउनलोड समय को कम करने और बड़ी मात्रा में डेटा या कई फाइलों को संग्रहीत और साझा करना आसान बनाते हैं। वे कुशल डेटा प्रबंधन और स्थानांतरण के लिए आवश्यक हैं।

आर्काइव (Archive): आर्काइव उन दस्तावेजों या फाइलों को कहते हैं जिन्हें भविष्य के संदर्भ के लिए संग्रहीत किया जाता है और नियमित उपयोग के लिए तत्काल आवश्यकता नहीं होती है। WhatsApp में, आर्काइव सुविधा आपको चैट को हटाए बिना अपनी मुख्य चैट सूची से छिपाने की अनुमति देती है। यह उन वार्तालापों को संग्रहीत करने के लिए उपयोगी है जिन्हें आपको नियमित रूप से एक्सेस करने की आवश्यकता नहीं है लेकिन बाद में संदर्भित करना चाहते हैं।

तालिका 23.9 फाइल प्रारूप

श्रेणी	फाइल प्रारूप	फाइल एक्सटेंशन
टेक्स्ट दस्तावेज	Microsoft Word दस्तावेज	.doc, .docx
	टेक्स्ट डॉक्यूमेंट	.txt
	रिच टेक्स्ट फॉर्मेट	.rtf
	पोर्टेबल डॉक्यूमेंट फॉर्मेट	.pdf
	लॉग फाइल	.log
	वर्डपैड डॉक्यूमेंट	.rtf
	नोटपैड टेक्स्ट फाइल	.txt
	ई-मेल फाइल	.eml
स्प्रेडशीट	Microsoft Excel वर्कबुक	.xls, .xlsx
प्रस्तुतियाँ	Microsoft PowerPoint स्लाइड	.ppt, .pptx
	MS-PowerPoint प्रेजेंटेशन	.pptx
छवियाँ	बिटमैप	.bmp
	ग्राफिक्स इंटरचेंज फॉर्मेट	.gif
	JPEG इमेज	.jpg, .jpeg
	पोर्टेबल नेटवर्क ग्राफिक्स	.png
	Adobe Photoshop फाइल	.psd
	Corel Draw फाइल	.cdr
	बिटमैप	.bmp
	टैग्ड इमेज फाइल फॉर्मेट	.tiff, .tif
	स्केलेबल वेक्टर ग्राफिक्स	.svg
	एनकैप्सुलेटेड पोस्टस्क्रिप्ट	.eps

श्रेणी	फाइल प्रारूप	फाइल एक्सटेंशन
	रॉ इमेज फॉर्मेट	.raw
	एडोब इलस्ट्रेटर डॉक्यूमेंट	.ai
ऑडियो फाइलें	MP3 ऑडियो	.mp3
	वेवफॉर्म ऑडियो फाइल	.wav
	विंडोज मीडिया ऑडियो	.wma
	MPEG ऑडियो	.mpa
	एडवांस्ड ऑडियो कोडिंग	.aac
वीडियो फाइलें	MP4 वीडियो	.mp4
	MPEG वीडियो	.mpeg
	Matroska वीडियो	.mkv
	क्विकटाइम मूवी	.mov
	विंडोज मीडिया वीडियो	.wmv

श्रेणी	फाइल प्रारूप	फाइल एक्सटेंशन
ग्राफिक्स और एनिमेशन	ग्राफिक्स इंटरचेंज फॉर्मेट	.gif
	पोर्टेबल नेटवर्क ग्राफिक्स	.png
	बिटमैप	.bmp
निष्पादन योग्य फाइलें	एक्जीक्यूटेबल फाइल या एप्लिकेशन सेटअप	.exe
	एक्जीक्यूटेबल फाइल	.exe
वेब फाइलें	HTML फाइल (वेब पेज)	.htm, .html
संपीड़ित फाइलें	जिप आर्काइव	.zip
	RAR आर्काइव	.rar
फॉन्ट फाइलें	फॉन्ट फाइल	.fnt, .fon, .otf, .ttf

अध्याय के मुख्य बिंदु

सॉफ्टवेयर

- सिस्टम सॉफ्टवेयर
  - भाषा अनुवादक
  - ऑपरेटिंग सिस्टम
  - डिवाइस ड्राइवर
  - यूटिलिटी सॉफ्टवेयर
- एप्लीकेशन सॉफ्टवेयर
  - फ्री ओपन-सोर्स सॉफ्टवेयर (FOSS)
  - प्रोप्राइटरी सॉफ्टवेयर
  - शेयरवेयर
  - फ्रीवेयर
  - बीटावेयर

डेटा इकाइयाँ

पूर्ण रूप	इकाइयाँ	बाइट्स	बिट्स
1 बिट	बाइनरी अंक (0/1)	2^0 बाइट्स	-
1 निबल	4 बिट्स	2^2 बाइट्स	4 बिट्स
1 बाइट	8 बिट्स	2^3 बाइट्स	8 बिट्स
1 किलोबाइट (KB)	1024 बाइट	2^{10} बाइट्स	2^{13} बिट्स
1 मेगाबाइट (MB)	1024 KB	2^{20} बाइट्स	2^{23} बिट्स
1 गीगाबाइट (GB)	1024 MB	2^{30} बाइट्स	2^{33} बिट्स
1 टेराबाइट (TB)	1024 GB	2^{40} बाइट्स	2^{43} बिट्स
1 पेटाबाइट (PB)	1024 TB	2^{50} बाइट्स	2^{53} बिट्स
1 एक्साबाइट (EB)	1024 PB	2^{60} बाइट्स	2^{63} बिट्स
1 जेटाबाइट (ZB)	1024 EB	2^{70} बाइट्स	2^{73} बिट्स
1 योट्टाबाइट (YB)	1024 ZB	2^{80} बाइट्स	2^{83} बिट्स
1 ब्रोंटोबाइट	1024 YB	2^{90} बाइट्स	2^{93} बिट्स
1 जियोपबाइट	1024 ब्रोंटोबाइट	2^{100} बाइट्स	2^{103} बिट्स

संख्या प्रणाली

- बाइनरी नंबर सिस्टम *(0 और 1 का उपयोग करता है)*
- डेसीमल नंबर सिस्टम *(0 से 9 का उपयोग करता है; आधार: 10)*
- ऑक्टल नंबर सिस्टम *(0 से 7 का उपयोग करता है; आधार: 8)*
- हेक्साडेसिमल नंबर सिस्टम *(0-9 और A-F का उपयोग करता है; आधार: 16)*

कोडिंग सिस्टम के प्रकार

- अमेरिकन स्टैंडर्ड कोड फॉर इंफॉर्मेशन इंटरचेंज (ASCII)
- एक्सटेंडेड बाइनरी कोडेड डेसीमल इंटरचेंज कोड (EBCDIC)
- बाइनरी कोडेड डेसीमल (BCD)
- यूनिकोड

डेटा पदानुक्रम

- डेटाबेस
- फाइल
- रिकॉर्ड
- फील्ड
- बिट्स और बाइट्स

प्रोग्रामिंग भाषा

- निम्न-स्तरीय भाषा
- मशीन भाषा
- असेंबली भाषा
- उच्च-स्तरीय भाषा

भाषा अनुवादक या प्रोसेसर

- असेंबलर
- कंपाइलर
- इंटरप्रेटर

24 इंटरनेट का विकास और प्रभाव (Evolution and Impact of the Internet)

इस अध्याय में

*परीक्षोपयोगी (Exam Essential): UGC NET परीक्षा में पूछे जाने की अत्यधिक संभावना,

परिचय (Introduction)

अतीत में, लोगों की तीन बुनियादी जरूरतें थीं: भोजन (रोटी), कपड़ा (वस्त्र) और आश्रय (मकान)। आज, इंटरनेट चौथी जरूरी जरूरत बन गया है। इंटरनेट हमें वेबसाइट, ईमेल, सोशल मीडिया प्लेटफॉर्म, ऑनलाइन शॉपिंग, स्ट्रीमिंग सेवाएँ और बहुत कुछ सहित संसाधनों की एक विशाल श्रृंखला तक पहुँचने में सक्षम बनाता है।

अपनी बहुमुखी प्रतिभा के साथ, इंटरनेट रोजमर्रा की जिंदगी का एक अभिन्न अंग बन गया है, जो लोगों के संवाद करने, काम करने, सीखने और अपने आस-पास की दुनिया के साथ बातचीत करने के तरीके को प्रभावित करता है। आइए नेटवर्किंग और इंटरनेट की दुनिया में गोता लगाएँ और आधुनिक समाज पर उनके अपार प्रभाव का पता लगाएँ।

★★★ परीक्षोपयोगी

24.1 कंप्यूटर नेटवर्क (Compute Networks)

इस विषय को सरल बनाने वाले वीडियो व्याख्यान को देखने के लिए इस QR कोड को स्कैन करें

कंप्यूटर नेटवर्क एक ऐसी प्रणाली है जो सूचना संचारित करने और साझा करने के लिए दो या अधिक कंप्यूटिंग उपकरणों को जोड़ती है। आज की परस्पर जुड़ी दुनिया में सूचना कैसे संचारित और एक्सेस की जाती है, यह समझने के लिए कंप्यूटर नेटवर्क को समझना आवश्यक है।

नेटवर्क के प्रकार (Types of Network)

क्षेत्रफल के आधार पर (On the Basis of Area)

1. **PAN (पर्सनल एरिया नेटवर्क)(PAN (Personal Area Network)):** PAN एक ऐसा नेटवर्क है जो एक व्यक्ति के इर्द-गिर्द केंद्रित होता है, आमतौर पर कमरे या व्यक्तिगत कार्यक्षेत्र जैसे छोटे क्षेत्र में। इनमें अक्सर डिवाइस के बीच कनेक्शन स्थापित करने के लिए ब्लूटूथ या नियर फील्ड कम्युनिकेशन (NFC) जैसी तकनीकें शामिल होती हैं।

   उदाहरण के लिए, किसी व्यक्ति का स्मार्टफोन ब्लूटूथ के जरिए उसके वायरलेस हेडफोन से जुड़ा होता है, जिससे वह अपने फोन से हेडफोन पर वायरलेस तरीके से संगीत स्ट्रीम कर सकता है।

2. **लोकल एरिया नेटवर्क (LAN)(Local Area Networks (LANs)):** यह कंप्यूटर और डिवाइस को एक ही जगह, जैसे बिल्डिंग या कैंपस में जोड़ता है। डिवाइस को जोड़ने के लिए वे ईथरनेट केबल (तार) या वाई-फाई (वायरलेस) का इस्तेमाल करते हैं।

उदाहरण के लिए, एक छोटे से कार्यालय में, कंप्यूटर, प्रिंटर और अन्य डिवाइस सभी ईथरनेट केबल के साथ एक केंद्रीय राउटर से जुड़े होते हैं। यह सेटअप सभी को फाइलें साझा करने और एक साथ इंटरनेट का उपयोग करने की सुविधा देता है।

3. **वायरलेस लोकल एरिया नेटवर्क (WLAN) (Wireless Local Area Network (WLAN)):** WLANs सीमित क्षेत्र में डिवाइस को कनेक्ट करने के लिए वायरलेस तकनीक का उपयोग करते हैं, जिससे भौतिक केबल की आवश्यकता समाप्त हो जाती है। वे डिवाइस को वायरलेस कनेक्टिविटी प्रदान करने के लिए वाई-फाई एक्सेस पॉइंट पर निर्भर करते हैं, जिससे वे व्यापक इंटरनेट नेटवर्क तक पहुँच सकते हैं। उदाहरण के लिए, एक कॉफी शॉप में, ग्राहक अपने लैपटॉप या फोन का उपयोग शॉप के वाई-फाई नेटवर्क से कनेक्ट करने के लिए कर सकते हैं। इससे वे बिना किसी केबल को प्लग इन किए इंटरनेट ब्राउज कर सकते हैं और काम कर सकते हैं।
4. **मेट्रोपॉलिटन एरिया नेटवर्क (MAN) (Metropolitan Area Network (MAN)):** MAN एक प्रकार का कंप्यूटर नेटवर्क है जो डिवाइस को एक बड़े क्षेत्र में जोड़ता है, आमतौर पर एक शहर या महानगरीय क्षेत्र में। यह लोकल एरिया नेटवर्क (LAN) से बड़ा है, लेकिन वाइड एरिया नेटवर्क (WAN) से छोटा है।

   उदाहरण के लिए, MAN नेटवर्क का उपयोग अक्सर बैंकों जैसे संगठनों द्वारा शहर भर में अपनी शाखाओं को जोड़ने के लिए किया जाता है। इससे उन्हें डेटा को सुरक्षित और कुशलतापूर्वक साझा करने की अनुमति मिलती है, जैसे कि ATM पर लेनदेन को संसाधित करना या केंद्रीकृत डेटाबेस तक पहुँचना।
5. **वाइड एरिया नेटवर्क (WAN) (Wide Area Networks (WANs)):** WAN बड़ी भौगोलिक दूरियों को कवर करते हैं, शहरों, देशों या यहाँ तक कि महाद्वीपों में कंप्यूटर और नेटवर्क को जोड़ते हैं। इंटरनेट अपने आप में सबसे बड़ा WAN है, जो दुनियाभर में लाखों डिवाइस और नेटवर्क को जोड़ता है, जिससे उपयोगकर्ता दूरियों पर रहते हम भी संवाद कर सकते हैं, जानकारी तक पहुँच सकते हैं और व्यापार कर सकते हैं। WAN लोगों को दूरियों पर संवाद करने, जानकारी तक पहुँचने और व्यापार करने की अनुमति देता है। उदाहरण के लिए, वे दुनिया भर के कंप्यूटर और सर्वर को जोड़कर ऑनलाइन शॉपिंग, वीडियो कॉल और वैश्विक बैंकिंग सेवाएँ सक्षम करते हैं।
6. **वर्चुअल प्राइवेट नेटवर्क (VPN) (Virtual Private Network (VPN)):** VPN आपके डिवाइस (जैसे कंप्यूटर, स्मार्टफोन या टैबलेट) और इंटरनेट के बीच एक सुरक्षित और निजी कनेक्शन बनाता है। यह आपके डिवाइस से VPN सर्वर तक पहुँचने वाले आपके डेटा को एन्क्रिप्ट (या स्क्रैम्बल) करने के लिए विशेष तकनीक का उपयोग करता है।

   कल्पना करें कि आप किसी कॉफी शॉप में हैं और वहाँ का वाई-फाई इस्तेमाल कर रहे हैं। एक ही वाई-फाई नेटवर्क का उपयोग करने वाला कोई भी व्यक्ति संभावित रूप से देख सकता है कि आप कौन-सी वेबसाइट देख रहे हैं या यहाँ तक कि आपके लॉगिन विवरण भी चुरा सकता है। लेकिन अगर आप अपने फोन या लैपटॉप पर VPN चालू करते हैं, तो आपकी सभी इंटरनेट गतिविधियाँ एन्क्रिप्टेड और सुरक्षित हो जाती हैं। यह ऐसा है जैसे आप अपने निजी नेटवर्क से इंटरनेट ब्राउज कर रहे हैं, भले ही आप सार्वजनिक वाई-फाई पर हों।
7. **कैंपस एरिया नेटवर्क (CAN)(Campus Area Network (CAN)):** CAN एक सीमित भौगोलिक क्षेत्र, जैसे कि विश्वविद्यालय परिसर या कॉर्पोरेट परिसर में परस्पर जुड़े LAN के नेटवर्क हैं। वे परिसर के भीतर विभिन्न विभागों या इमारतों के बीच संचार और संसाधन साझा करने की सुविधा प्रदान करते हैं। उदाहरण के लिए, शैक्षणिक इमारतों, छात्रावासों और प्रशासनिक कार्यालयों को जोड़ने वाला विश्वविद्यालय परिसर नेटवर्क। यह नेटवर्क छात्रों, शिक्षकों और कर्मचारियों को परिसर में प्रिंटर, सर्वर और इंटरनेट सेवाओं जैसे साझा संसाधनों तक आसानी से पहुँचने की अनुमति देता है।
8. **स्टोरेज एरिया नेटवर्क (SAN)(Storage Area Network (SAN)):** SAN का उपयोग केंद्रीकृत और सुरक्षित तरीके से बड़ी मात्रा में डेटा को प्रबंधित और संग्रहीत करने के लिए किया जाता है। अलग-अलग कंप्यूटर या सर्वर पर डेटा स्टोर करने के बजाय, SAN इन सर्वरों को फाइबर ऑप्टिक केबल जैसे हाई-स्पीड कनेक्शन के जरिए सीधे स्टोरेज डिवाइस से जोड़ते हैं। वे केंद्रीकृत स्टोरेज प्रबंधन की अनुमति देते हैं और डेटा बैकअप, रिकवरी और संग्रह की सुविधा प्रदान करते हैं।

प्रवेश के आधार पर (On the Basis of Accessibility)

1. **इंटरनेट (Internet):** इंटरनेट, जिसे 'नेटवर्क का नेटवर्क' भी कहा जाता है, एक वैश्विक नेटवर्क है जो दुनिया भर में लाखों कंप्यूटरों और उपकरणों को जोड़ता है। यह लोगों को जानकारी साझा करने, संवाद करने और वेबसाइटों और सेवाओं जैसे संसाधनों तक पहुँचने की अनुमति देता है। इंटरनेट कनेक्शन वाला कोई भी व्यक्ति इसका उपयोग वेबसाइट ब्राउज करने, ईमेल भेजने, वीडियो देखने और बहुत कुछ करने के लिए कर सकता है।

   इस विषय को सरल बनाने वाले वीडियो व्याख्यान को देखने के लिए इस QR कोड को स्कैन करें
2. **इंट्रानेट (Intranet):** इंट्रानेट किसी विशिष्ट संगठन, जैसे कि कंपनी या स्कूल के लिए निजी इंटरनेट की तरह होता है। यह एक ऐसा नेटवर्क है जो केवल उस संगठन के लोगों के लिए ही सुलभ है। कंपनियाँ नीतियों, मानव संसाधन संसाधनों और परियोजना अपडेट जैसी आंतरिक जानकारी को कर्मचारियों के बीच सुरक्षित रूप से साझा करने के लिए इंट्रानेट का उपयोग करती हैं। यह टीमों को संगठन के भीतर सहयोग करने और जुड़े रहने में मदद करता है।
3. **एक्स्ट्रानेट (Extranet):** एक्स्ट्रानेट इंट्रानेट का एक विस्तार है जो अधिकृत बाहरी उपयोगकर्ताओं, जैसे कि क्लाइंट, आपूर्तिकर्ता या व्यावसायिक भागीदारों को संगठन के इंट्रानेट के कुछ हिस्सों तक सुरक्षित रूप से पहुँचने की अनुमति देता है।

तालिका 24.1 इंटरनेट, इंट्रानेट और एक्स्ट्रानेट के बीच अंतर को स्पष्ट करती है।

तालिका 24.1 इंटरनेट बनाम इंट्रानेट बनाम एक्स्ट्रानेट

पैरामीटर	इंटरनेट	इंट्रानेट	एक्स्ट्रानेट
नेटवर्क का प्रकार	**सार्वजनिक**	**निजी**	**निजी/वीपीएन**
आकार	कनेक्टेड डिवाइसों की बड़ी संख्या	कनेक्टेड डिवाइसों की सीमित संख्या	कनेक्टेड डिवाइसों की सीमित संख्या
सुरक्षा	नेटवर्क से जुड़े डिवाइस पर निर्भर करता है	फायरवॉल सुरक्षित	फायरवॉल इंटरनेट और एक्स्ट्रानेट को अलग करता है
पहुँच	कोई भी	अधिकृत लोग	अधिकृत लोग
सूचना साझा करना	सूचना को दुनियाभर में साझा किया जा सकता है	सूचना को संगठन के भीतर सुरक्षित रूप से साझा किया जा सकता है	सूचना को कर्मचारियों और अधिकृत बाहरी लोगों के बीच साझा किया जा सकता है
स्वामी	किसी के स्वामित्व में नहीं	किसी विशेज्ञ संगठन के स्वामित्व में	एक या अधिक संगठनों के स्वामित्व में
उदाहरण	WWW, ईमेल, चैट, सोशल मीडिया	किसी संगठन का आंतरिक संचालन नेटवर्क	निगमों के बीच सहयोग का नेटवर्क

नेटवर्क टोपोलॉजी (Network Topology)

नेटवर्क टोपोलॉजी वह तरीका है जिससे नेटवर्क के सभी हिस्से एक-दूसरे से जुड़े होते हैं (चित्र 24.2)। यह एक नक्शे या ब्लूप्रिंट की तरह है जो दिखाता है कि कंप्यूटर, डिवाइस और केबल कैसे जुड़े हुए हैं। इसके दो मुख्य प्रकार हैं-

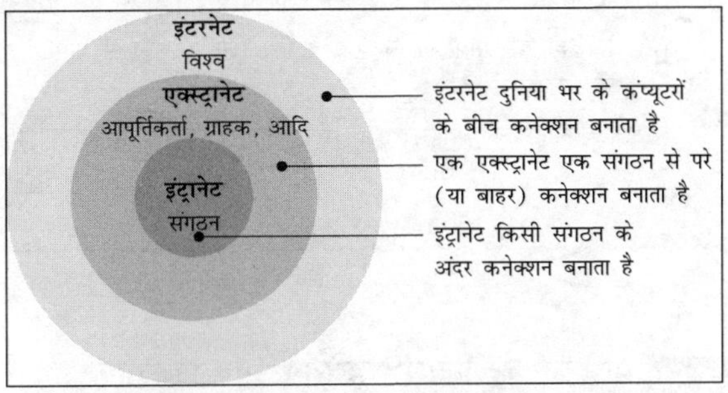

चित्र 24.1 इंटरनेट, एक्स्ट्रानेट और इंट्रानेट

1. **फिजिकल टोपोलॉजी (Physical Topology)**- यह केबलों और उपकरणों की वास्तविक लेआउट को दिखाता है। यह इस बारे में है कि चीजें कहाँ रखी गई हैं और वे भौतिक रूप से कैसे जुड़ी हुई हैं।
2. **लॉजिकल टोपोलॉजी (Logical Topology)**- यह दिखाता है कि डेटा नेटवर्क के माध्यम से कैसे चलता है, भौतिक लेआउट की परवाह किए बिना। यह उस पथ के बारे में है जो डेटा एक उपकरण से दूसरे उपकरण तक यात्रा करते समय लेता है।

नेटवर्क टोपोलॉजी को समझना कुशल नेटवर्क डिजाइन करने में मदद करता है जो विशिष्ट आवश्यकताओं को पूरा करते हैं और सभी जुड़े उपकरणों के बीच सुचारू संचार सुनिश्चित करते हैं। आइए विभिन्न प्रकार की नेटवर्क टोपोलॉजी पर नजर डालें-

1. **बस टोपोलॉजी (Bus Topology)**- यह एक नेटवर्क डिजाइन है जहाँ सभी कंप्यूटर और उपकरण एक मुख्य केबल से जुड़े होते हैं, जिसे बस कहा जाता है। प्रत्येक उपकरण या तो सीधे इस बस से जुड़ा होता है या एक छोटे कनेक्टिंग केबल के माध्यम से। एक उपकरण द्वारा प्रसारित डेटा बस के साथ यात्रा करता है और नेटवर्क पर सभी अन्य उपकरणों द्वारा प्राप्त किया जाता है। इस प्रकार की टोपोलॉजी आमतौर पर ईथरनेट नेटवर्क में उपयोग की जाती है।
2. **रिंग टोपोलॉजी (Ring Topology)**- एक रिंग टोपोलॉजी में, प्रत्येक उपकरण ठीक दो अन्य उपकरणों से जुड़ा होता है, जिससे एक बंद लूप या रिंग बनती है। डेटा एक दिशा में रिंग के चारों ओर घूमता है, प्रत्येक उपकरण से गुजरता है जब तक कि यह अपने गंतव्य तक नहीं पहुंच जाता। रिंग टोपोलॉजी सुनिश्चित करती है कि सभी उपकरणों को नेटवर्क संसाधनों तक समान पहुंच हो। लेकिन अगर कोई समस्या होती है जैसे केबल टूटना या उपकरण समस्या, तो यह पूरे नेटवर्क को तब तक बाधित कर सकता है जब तक कि इसे ठीक नहीं किया जाता क्योंकि डेटा समस्या बिंदु से आगे नहीं जा सकता।
3. **स्टार टोपोलॉजी (Star Topology)**- एक स्टार टोपोलॉजी में, सभी उपकरण एक केंद्रीय हब या स्विच से जुड़े होते हैं। एक उपकरण द्वारा प्रसारित डेटा हब या स्विच के माध्यम से यात्रा करता है और इच्छित प्राप्तकर्ता को अग्रेषित किया जाता है। प्रत्येक उपकरण का केंद्रीय हब से एक समर्पित कनेक्शन होता है, जो बस टोपोलॉजी की तुलना में बेहतर प्रदर्शन और आसान समस्या निवारण प्रदान करता है।

   उदाहरण के लिए, एक होम वाई-फाई नेटवर्क जहां सभी उपकरण, जैसे लैपटॉप, स्मार्टफोन और स्मार्ट टीवी, वायरलेस तरीके से एक केंद्रीय वाई-फाई राउटर से जुड़ते हैं। राउटर केंद्रीय हब के रूप में कार्य करता है, जिससे उपकरण एक-दूसरे के साथ संवाद कर सकते हैं और इंटरनेट का उपयोग कर सकते हैं।
4. **ट्री टोपोलॉजी (Tree Topology)**- ट्री टोपोलॉजी बस और स्टार टोपोलॉजी की विशेषताओं को जोड़ती है, जिससे कई स्तरों के इंटरकनेक्टेड उपकरणों के साथ एक पदानुक्रमित संरचना बनती है।

   उदाहरण के लिए, एक कंपनी नेटवर्क के बारे में सोचें जहां मुख्य कार्यालय (रूट नोड) शाखा कार्यालयों (चाइल्ड नोड्स) से जुड़ता है, और प्रत्येक शाखा कार्यालय व्यक्तिगत कंप्यूटरों (लीव्स) से जुड़ता है। यह सेटअप संगठन के भीतर कुशल संचार और संसाधन साझा करने की अनुमति देता है।
5. **मेष टोपोलॉजी (Mesh Topology)**- मेष टोपोलॉजी में, कंप्यूटर और उपकरणों को कई अतिरिक्त (बैकअप) कनेक्शनों के माध्यम से जोड़ा जाता है। प्रत्येक उपकरण के पास नेटवर्क में अन्य उपकरणों से जुड़ने

के लिए कई रास्ते होते हैं। अन्य टोपोलॉजी के विपरीत, संचार प्रबंधन के लिए कोई केंद्रीय हब या स्विच नहीं होता है। मेष टोपोलॉजी महत्वपूर्ण संचार स्थितियों में महत्वपूर्ण होती है, जैसे कि वाइड एरिया नेटवर्क (WAN) सेटअप। यह सुनिश्चित करता है कि यदि कुछ कनेक्शन विफल हो जाते हैं, तो भी नेटवर्क चालू रहता है, जिससे यह निर्बाध संचार सुनिश्चित करने के लिए आदर्श बनता है।

उदाहरण के लिए, इंटरनेट के बारे में सोचें, जहां लाखों उपकरण विभिन्न मार्गों के माध्यम से जुड़े होते हैं। यदि एक मार्ग अवरुद्ध हो जाता है या विफल हो जाता है, तो डेटा अभी भी अपने गंतव्य तक पहुंचने के लिए एक वैकल्पिक रास्ता खोज सकता है।

6. **हाइब्रिड टोपोलॉजी (Hybrid Topology)**- हाइब्रिड टोपोलॉजी विभिन्न नेटवर्क सेटअप का मिश्रण है जहां विभिन्न लिंक और नोड्स डेटा संचारित करने के लिए जुड़े होते हैं। उदाहरण के लिए, एक बैंक नेटवर्क की कल्पना करें जहां एक शाखा रिंग टोपोलॉजी (उपकरण एक सर्कल में जुड़े होते हैं) का उपयोग करती है और दूसरी शाखा बस टोपोलॉजी (उपकरण एकल केबल के साथ जुड़े होते हैं) का उपयोग करती है। इन दो शाखाओं को जोड़ने से एक हाइब्रिड टोपोलॉजी बनती है। यह दृष्टिकोण बैंक को प्रत्येक शाखा की विशिष्ट आवश्यकताओं के आधार पर अपने नेटवर्क को अनुकूलित करने की अनुमति देता है, जबकि समग्र कनेक्टिविटी और विश्वसनीयता बनाए रखता है।

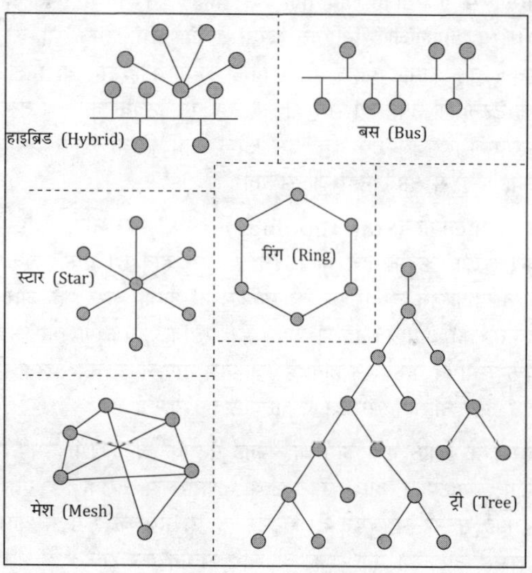

चित्र 24.2 नेटवर्क टोपोलॉजी

बैंडविड्थ (Bandwidth)- बैंडविड्थ उस डेटा की मात्रा को संदर्भित करता है जिसे एक नेटवर्क कनेक्शन के माध्यम से एक निश्चित समय में प्रसारित किया जा सकता है। यह एक पाइप की चौड़ाई की तरह है जो यह निर्धारित करती है कि एक बार में कितना पानी (डेटा) प्रवाहित हो सकता है। उदाहरण के लिए, यदि आपके पास एक उच्च बैंडविड्थ इंटरनेट कनेक्शन है, तो आप बड़ी फाइलें जैसे मूवीज को जल्दी डाउनलोड कर सकते हैं क्योंकि कनेक्शन बड़ी मात्रा में डेटा को आसानी से संभाल सकता है।

लेटनसी (Latency)- यह वह विलंब या समय है जो डेटा को एक नेटवर्क में एक बिंदु से दूसरे बिंदु तक यात्रा करने में लगता है। कल्पना करें कि आप इंटरनेट के माध्यम से अपने दोस्त को एक संदेश भेजते हैं। लेटनसी वह समय है जो आपके संदेश को आपके दोस्त तक पहुंचने और उनके उत्तर को वापस आपके पास आने में लगता है। कम लेटनसी का मतलब है कि संदेश जल्दी यात्रा करता है, जबकि उच्च लेटनसी का मतलब है कि एक ध्यान देने योग्य विलंब है।

क्या आप जानते हैं- अंतर्राष्ट्रीय इंटरनेट दिवस 29 अक्टूबर को मनाया जाता है।

क्विज स्टेशन *विगत UGC NET परीक्षाओं के प्रश्न*

प्र.1. कंप्यूटर नेटवर्क पर चर्चा करते समय, शब्द "लेटनसी" से तात्पर्य है:

(a) वह गति जिस पर डिवाइसों के बीच डेटा स्थानांतरित किया जाता है।

(b) डेटा पैकेट भेजने और प्राप्त करने के बीच का समय विलंब।

(c) डेटा की वह मात्रा जो नेटवर्क कनेक्शन के माध्यम से प्रेषित की जा सकती है।

(d) नेटवर्क ट्रैफिक की सुरक्षा के लिए लागू किए गए सुरक्षा उपाय।

उत्तर 1. (b)

24.2 इंटरनेट के लिए हार्डवेयर आवश्यकताएँ (Hardware Requirements for Internet)

इस विषय को सरल बनाने वाले वीडियो व्याख्यान को देखने के लिए इस QR कोड को स्कैन करें

इंटरनेट कनेक्शन स्थापित करना विभिन्न घटकों और उपकरणों को शामिल करता है जो आपके उपकरणों और इंटरनेट के बीच संचार को सुविधाजनक बनाने के लिए एक साथ काम करते हैं। प्रत्येक घटक एक सुचारू और विश्वसनीय ऑनलाइन अनुभव सुनिश्चित करने में एक अनूठी भूमिका निभाता है। आइए इंटरनेट कनेक्शन के विभिन्न घटकों के बारे में जानें-

1. **एनआईसी (NIC)**- एक नेटवर्क इंटरफेस कार्ड (एनआईसी) एक हार्डवेयर का टुकड़ा है जो कंप्यूटर के अंदर होता है और इसे नेटवर्क से कनेक्ट करने में सक्षम बनाता है। यह आपके कंप्यूटर और नेटवर्क के बीच पुल का काम करता है, चाहे वह केबल्स (वायर्ड) के माध्यम से हो या सिग्नल्स (वायरलेस) के माध्यम से। एनआईसी आपके कंप्यूटर से डेटा को सिग्नल्स में अनुवादित करता है जो नेटवर्क के पार यात्रा कर सकते हैं और इसके विपरीत, ताकि आप उसी नेटवर्क से जुड़े अन्य उपकरणों के साथ जानकारी भेज और प्राप्त कर सकें।

2. **मॉडेम (Modem):** मॉडेम मॉड्यूलेटर-डिमॉड्यूलेटर का संक्षिप्त रूप है। यह ऐसा उपकरण है जो आपके कंप्यूटर को इंटरनेट से कनेक्ट करने की अनुमति देता है। यह आपके कंप्यूटर से डिजिटल डेटा को एनालॉग सिग्नल में परिवर्तित करता है जो टेलीफोन लाइनों पर यात्रा कर सकता है और फिर आने वाले एनालॉग सिग्नल को वापस डिजिटल डेटा में परिवर्तित करता है जिसे आपका कंप्यूटर समझ सकता है।

3. **राउटर (Router):** राउटर एक ऐसा उपकरण है जो विभिन्न नेटवर्क के बीच डेटा को निर्देशित करने में मदद करता है। यह आपके इंटरनेट कनेक्शन के लिए ट्रैफिक मैनेजर की तरह काम करता है, आपके डेटा को यात्रा करने के लिए सबसे अच्छा मार्ग तय करता है ताकि यह अपने गंतव्य तक जल्दी और कुशलता से पहुँच सके।

   उदाहरण के लिए, जब आप किसी वेबसाइट तक पहुँचने के लिए अपने घर के वाई-फाई का उपयोग करते हैं, तो राउटर आपके अनुरोध को इंटरनेट पर भेजने में मदद करता है और फिर वेबसाइट डेटा को आपके डिवाइस पर वापस लाता है। राउटर आपके नेटवर्क को अनधिकृत पहुँच से बचाने के लिए फायरवॉल और नेटवर्क एड्रेस ट्रांसलेशन (NAT) जैसी सुरक्षा सुविधाएँ भी प्रदान करते हैं।

4. **हब (Hub):** हब एक सरल उपकरण है जिसका उपयोग स्थानीय क्षेत्र नेटवर्क (LAN) में कई कंप्यूटरों को जोड़ने के लिए किया जाता है। जब कोई कंप्यूटर डेटा भेजता है, तो हब उसे सभी कनेक्टेड डिवाइस पर प्रसारित करता है, भले ही केवल एक डिवाइस ही इच्छित प्राप्तकर्ता हो। यह नेटवर्क को कम कुशल बना सकता है क्योंकि हर डिवाइस डेटा प्राप्त करता है, न कि केवल वह जिसे इसकी आवश्यकता है। हब आज कम आम हैं और उन्हें बड़े पैमाने पर स्विच द्वारा प्रतिस्थापित किया गया है, जो नेटवर्क ट्रैफिक को प्रबंधित करने में अधिक कुशल हैं।

5. **स्विच (Switch):** स्विच एक डिवाइस है जिसका उपयोग स्थानीय क्षेत्र नेटवर्क (LAN) में कई डिवाइस जैसे कंप्यूटर और प्रिंटर को जोड़ने के लिए किया जाता है। हब के विपरीत, स्विच अधिक स्मार्ट होता है: यह इससे जुड़े डिवाइस के अद्वितीय पते (MAC पते) सीखता है और केवल उस डिवाइस को डेटा भेजता है जिसे इसकी आवश्यकता होती है। यह नेटवर्क को तेज और अधिक सुरक्षित बनाता है क्योंकि डेटा सभी डिवाइस पर प्रसारित नहीं होता है, केवल सही डिवाइस पर प्रसारित होता है।

6. **ब्रिज (Bridge):** ब्रिज एक ऐसा उपकरण है जो दो या अधिक स्थानीय क्षेत्र नेटवर्क (LAN) या नेटवर्क के खंडों को जोड़ता है। यह इन अलग-अलग नेटवर्क को एक साथ काम करने में मदद करता है जैसे कि वे एक बड़ा नेटवर्क हों। इससे अलग-अलग LAN पर मौजूद डिवाइस एक-दूसरे से आसानी से संवाद कर पाते हैं। उदाहरण के लिए, अगर आपके पास दो अलग-अलग ऑफिस नेटवर्क हैं, तो एक ब्रिज उन्हें जोड़ सकता है, जिससे ऑफिस के बीच संसाधन और डेटा शेयर करना आसान हो जाता है।

7. **गेटवे (Gateway):** गेटवे की कल्पना दो देशों की सीमा पर एक अनुवादक के रूप में करें, जहाँ लोग अलग-अलग भाषाएँ बोलते हैं। नेटवर्क की दुनिया में, गेटवे कुछ ऐसा ही करता है - यह अलग-अलग नेटवर्क को एक-दूसरे से संवाद करने में मदद करता है, भले ही वे अलग-अलग भाषाएँ (प्रोटोकॉल) इस्तेमाल करते हों। यह एक नेटवर्क से डेटा लेता है, उसे ऐसे फॉर्मेट में ट्रांसलेट करता है जिसे दूसरा नेटवर्क समझ सकता है और फिर उसे भेजता है। यह अलग-अलग सिस्टम या नेटवर्क को एक साथ आसानी से काम करने की अनुमति देता है, जैसे कि अंतर्राष्ट्रीय अनुवादक अलग-अलग देशों के लोगों को एक-दूसरे को समझने में मदद करते हैं।

स्कोर बूस्टर

पूरक पठन अनुशंसा

QR कोड काम नहीं कर रहा है? QR कोड के साथ दिए गए संसाधनों तक पहुँचने के लिए आंतरिक फ्रन्ट कवर पर दिए गए निर्देशों का पालन करें

ऐसे अतिरिक्त विषय खोजें जो UGC NET पेपर 1 में आपके स्कोर को बढ़ा सकते हैं। हालाँकि ये आधिकारिक तौर पर पाठ्यक्रम का हिस्सा नहीं हैं, लेकिन ये विषय पिछली UGC NET परीक्षाओं में आ चुके हैं। निम्नलिखित विषयों को कवर करने वाला विशेष PDF डाउनलोड करने के लिए QR कोड को स्कैन करें:

- नेटवर्किंग में इस्तेमाल होने वाले केबल के प्रकार
- इंटरनेट से जुड़े संगठन

क्विज स्टेशन *विगत UGC NET परीक्षाओं के प्रश्न*

प्र.1. निम्नलिखित में से कौन-सा कथन सही है?

(a) मॉडेम एक सॉफ्टवेयर है।

(b) मॉडेम वोल्टेज को स्थिर करने में मदद करता है।

(c) मॉडेम एक ऑपरेटिंग सिस्टम है।

(d) मॉडेम एनालॉग सिग्नल को डिजिटल में और इसके विपरीत परिवर्तित करता है।

उत्तर 1.(d)

24.3 इंटरनेट कनेक्शन के प्रकार (Types of Internet Connection)

इस विषय को सरल बनाने वाले वीडियो व्याख्यान को देखने के लिए इस QR कोड को स्कैन करें

इंटरनेट सेवा प्रदाता (आईएसपी) (Internet Service Provider (ISP)): आईएसपी एक ऐसी कंपनी है जो इंटरनेट तक पहुँच प्रदान करती है। यह आपके घर या व्यवसाय को विभिन्न तकनीकों जैसे कि डीएसएल, केबल, फाइबर ऑप्टिक या सैटेलाइट के माध्यम से इंटरनेट से जोड़ती है। आईएसपी अलग-अलग गति, डेटा सीमा और मूल्य निर्धारण विकल्पों के साथ अलग-अलग योजनाएँ प्रदान करते हैं।

भारत में आईएसपी के लोकप्रिय उदाहरण हैं जियो, एयरटेल, बीएसएनएल, टाटा, एक्साइटेल, आदि। ये कंपनियाँ आमतौर पर कई प्रकार के कनेक्शन प्रदान करती हैं, जिनमें से प्रत्येक की अपनी विशेषताएँ होती हैं जो अलग-अलग जरूरतों और स्थानों के अनुकूल होती हैं:

1. **डायल अप कनेक्शन (Dial-up Connection):** डायल-अप कनेक्शन इंटरनेट पर आने का एक पुराना और धीमा तरीका है। यह आपके घर की टेलीफोन लाइन का उपयोग करके आपके कंप्यूटर को मॉडेम नामक एक विशेष डिवाइस के माध्यम से इंटरनेट से जोड़ता है। जब आप ऑनलाइन जाना चाहते हैं, तो आपका कंप्यूटर मॉडेम का उपयोग करके आपके इंटरनेट प्रदाता को कॉल करता है। यह एक अस्थायी लिंक बनाता है जो आपको वेबसाइटों तक पहुँचने और ईमेल भेजने की सुविधा देता है।

   डायल-अप पहले लोकप्रिय हुआ करता था क्योंकि यह किफायती था और लगभग हर जगह उपलब्ध था। लेकिन अब इसका ज्यादा उपयोग नहीं किया जाता है क्योंकि यह नए इंटरनेट प्रकारों की तुलना में बहुत धीमा है। साथ ही, डायल-अप के साथ, आप एक ही समय में फोन और इंटरनेट का उपयोग नहीं कर सकते हैं।

2. **डिजिटल सब्सक्राइबर लाइन (DSL)(Digital Subscriber Line (DSL)):** DSL एक प्रकार का इंटरनेट कनेक्शन है जो डिजिटल डेटा संचारित करने के लिए मौजूदा टेलीफोन लाइनों का उपयोग करता है। यह वॉयस कॉल से अलग आवृत्ति पर काम करता है, जिसका अर्थ है कि आप एक ही समय में वॉयस कॉल करने के लिए एक ही फोन लाइन का उपयोग करते हुए इंटरनेट एक्सेस कर सकते हैं।

   DSL डायल-अप कनेक्शन की तुलना में तेज गति प्रदान करता है, जो इसे वेब ब्राउजिंग, ईमेल भेजने और ऑनलाइन शॉपिंग जैसी बुनियादी ऑनलाइन गतिविधियों के लिए उपयुक्त बनाता है। हालाँकि, DSL इंटरनेट की उपलब्धता आपके स्थान और टेलीफोन कंपनी के केंद्रीय कार्यालय से आपकी कितनी निकटता के आधार पर भिन्न हो सकती है।

3. **केबल टीवी कनेक्शन (Cable TV Connection):** एक केबल टीवी कनेक्शन एक ही समाक्षीय केबल लाइन का उपयोग करके टेलीविजन प्रोग्रामिंग और इंटरनेट एक्सेस दोनों प्रदान करता है। केबल इंटरनेट शहरी और उपनगरीय क्षेत्रों में व्यापक रूप से उपलब्ध है और अक्सर प्रदाताओं द्वारा केबल टीवी सेवाओं के साथ बंडल किया जाता है।

   उदाहरण के लिए, यदि आप अपनी स्थानीय केबल कंपनी से केबल टीवी और इंटरनेट पैकेज की सदस्यता लेते हैं, तो वे आपके घर में एक समाक्षीय केबल कनेक्शन स्थापित करेंगे। यह कनेक्शन टेलीविजन चैनलों और हाई-स्पीड इंटरनेट दोनों तक पहुँच प्रदान करता है। केबल इंटरनेट के साथ, आप अपने पसंदीदा टीवी शो और फिल्में ऑनलाइन स्ट्रीम कर सकते हैं, वेब ब्राउज कर सकते हैं और फाइलों को तेजी से और भरोसेमंद तरीके से डाउनलोड कर सकते हैं।

4. **सैटेलाइट कनेक्शन (Satellite Connection):** सैटेलाइट इंटरनेट कनेक्शन इंटरनेट एक्सेस प्रदान करने के लिए पृथ्वी की परिक्रमा करने वाले उपग्रहों का उपयोग करता है, खासकर दूरदराज या ग्रामीण क्षेत्रों में जहाँ केबल या कैस् जैसे पारंपरिक वायर्ड कनेक्शन उपलब्ध नहीं हैं। सैटेलाइट इंटरनेट एक्सेस करने के लिए, आपको अपने स्थान पर एक सैटेलाइट डिश स्थापित करने की आवश्यकता होती है, जो अंतरिक्ष में उपग्रहों के साथ संचार करती है। यह सेटअप डिश टीवी या टाटा स्काई सैटेलाइट टेलीविजन सेवाओं के समान है जो पहले लोकप्रिय थीं।

5. **ब्रॉडबैंड कनेक्शन (Broadband Connection):** ब्रॉडबैंड एक प्रकार का इंटरनेट कनेक्शन है जो डायल-अप जैसी पुरानी विधियों की तुलना में बहुत तेज है। यह उपयोगकर्ताओं को इंटरनेट एक्सेस देने के लिए कैस् (डिजिटल सब्सक्राइबर लाइन), केबल या फाइबर ऑप्टिक्स जैसी विभिन्न तकनीकों का उपयोग करता है। ब्रॉडबैंड के साथ, आप डेटा को बहुत तेजी से डाउनलोड और अपलोड कर सकते हैं। डायल-अप के विपरीत, ब्रॉडबैंड कनेक्शन फोन लाइन को नहीं बांधते हैं, जिससे उपयोगकर्ता फोन कॉल कर सकते हैं और साथ ही इंटरनेट का उपयोग कर सकते हैं।

6. **वायरलेस फिडेलिटी (वाई-फाई) (Wireless Fidelity (Wi-Fi)):** वायरलेस इंटरनेट कनेक्शन, जिसे वाई-फाई के रूप में भी जाना जाता है, भौतिक केबल की आवश्यकता के बिना इंटरनेट एक्सेस प्रदान करता है। इन दिनों, हममें से अधिकांश लोगों के घरों में वाई-फाई है। वाई-फाई वायरलेस राउटर या एक्सेस पॉइंट और लैपटॉप, स्मार्टफोन और टैबलेट जैसे संगत उपकरणों के बीच डेटा संचारित करने के लिए रेडियो तरंगों का उपयोग करता है।

   वायरलेस कनेक्शन लचीलापन और सुविधा प्रदान करते हैं, जिससे उपयोगकर्ता वाई-फाई सिग्नल की सीमा के भीतर कहीं से भी इंटरनेट एक्सेस कर सकते हैं। इनका उपयोग आमतौर पर घरों, कार्यालयों, कैफे, हवाई अड्डों और अन्य सार्वजनिक स्थानों पर किया जाता है।

7. **ब्लूटूथ (Bluetooth):** ब्लूटूथ एक वायरलेस तकनीक है जो उपकरणों को कम दूरी पर संचार करने और डेटा साझा करने देती है। यह स्मार्टफोन, टैबलेट, लैपटॉप और कीबोर्ड, माउस और हेडफोन जैसी वायरलेस गैजेट जैसी चीजों को जोड़ने के लिए बहुत बढ़िया है। यह 2.4 गीगाहर्ट्ज आवृत्ति पर काम करता है और आम तौर पर इसकी रेंज लगभग 30 फीट होती है, हालांकि यह पर्यावरण और इस्तेमाल किए जाने वाले उपकरणों के साथ अलग-अलग हो सकती है।

8. **लीज्ड लाइन (Leased Line):** लीज्ड लाइन दो स्थानों के बीच संचार के लिए एक निजी राजमार्ग की तरह है। दूसरों के साथ सड़क साझा करने के बजाय, आप एक दूरसंचार कंपनी से अपने संगठन के लिए यह विशेष लाइन किराए पर लेते हैं। लीज्ड लाइनें अन्य प्रकार के कनेक्शनों की तुलना में महंगी होती हैं, लेकिन अच्छी इंटरनेट स्पीड और सर्विस लेवल एग्रीमेंट (SLAs) की गारंटी देती हैं।

   उदाहरण के लिए, कल्पना करें कि एक बड़ी कंपनी इंदौर में अपने मुख्यालय को नई दिल्ली में एक डेटा सेंटर से जोड़ने के लिए एक दूरसंचार प्रदाता से एक समर्पित फाइबर ऑप्टिक लाइन किराए पर लेती है। यह लीज्ड लाइन विशेष रूप से उनके संगठन के लिए है, जो उच्च गति और विश्वसनीय इंटरनेट एक्सेस सुनिश्चित करती है।

माइक्रोवेव: यह रेडियो तरंगों का उपयोग करके अपेक्षाकृत कम दूरी पर सूचना को तेजी से और कुशलता से वायरलेस तरीके से स्थानांतरित करने का एक तरीका है। यह अदृश्य तरंगों का उपयोग करके हवा के माध्यम से संदेश भेजने के समान है। उदाहरण के लिए, शहरों में, माइक्रोवेव का उपयोग अक्सर विभिन्न इमारतों को जोड़ने के लिए किया जाता है।

वेरी-स्मॉल एपर्चर टर्मिनल (VSAT): VSAT एक उपग्रह संचार प्रणाली है जिसमें अपेक्षाकृत छोटा एंटीना (आमतौर पर 1.8-3.8 मीटर व्यास) होता है। इसका उपयोग उपग्रहों के माध्यम से दूरस्थ स्थानों को इंटरनेट से जोड़ने के लिए किया जाता है।

VSAT कॉलिंग: VSAT कॉलिंग UNHCR (शरणार्थियों के लिए संयुक्त राष्ट्र उच्चायुक्त) द्वारा बनाए रखा जाने वाला एक वैश्विक नेटवर्क है। यह VSAT तकनीक का उपयोग करके मुख्यालय और क्षेत्र स्थानों सहित UNHCR कार्यालयों के बीच लागत प्रभावी ध्वनि संचार को सक्षम बनाता है।

परीक्षोपयोगी

24.4 इंटरनेट प्रोटोकॉल (Internet Protocols)

इस विषय को सरल बनाने वाले वीडियो व्याख्यान को देखने के लिए इस QR कोड को स्कैन करें

नेटवर्किंग में प्रोटोकॉल नियमों (प्रोटोकॉल) और प्रक्रियाओं के एक सेट को संदर्भित करता है जो यह नियंत्रित करता है कि नेटवर्क पर डिवाइस के बीच डेटा कैसे प्रसारित और प्राप्त किया जाता है। ये नियम सुनिश्चित करते हैं कि डिवाइस प्रभावी ढंग से संवाद कर सकें और एक-दूसरे के संकेतों को समझ सकें।

उदाहरण के लिए, जब आप कोई ईमेल भेजते हैं या कोई वेबसाइट ब्राउज करते हैं, तो प्रोटोकॉल यह निर्धारित करते हैं कि आपका डेटा कैसे पैक किया जाता है, संबोधित किया जाता है, प्रसारित किया जाता है और प्राप्त किया जाता है। वे विश्वसनीय संचार सुनिश्चित करने के लिए त्रुटि प्रबंधन और सुरक्षा उपायों को भी परिभाषित करते हैं। आइए कुछ सामान्य इंटरनेट प्रोटोकॉल देखें:

1. **हाइपरटेक्स्ट ट्रांसफर प्रोटोकॉल (HTTP) (Hypertext Transfer Protocol (HTTP)):** HTTP वह प्रोटोकॉल है जिसका उपयोग इंटरनेट पर वेब पेजों को प्रसारित करने के लिए किया जाता है। जब आप अपने ब्राउजर में कोई वेब पता (जैसे www.example.com) टाइप करते हैं, तो ब्राउजर एक HTTP अनुरोध भेजता है और सर्वर वेब पेज को आपके ब्राउजर पर वापस भेजकर प्रतिक्रिया करता है। यह प्रक्रिया आपको वेबसाइटों तक पहुँचने और देखने, फाइलों को डाउनलोड करने और ऑनलाइन सामग्री के साथ सहजता से बातचीत करने में सक्षम बनाती है। HTTP क्लाइंट-सर्वर मॉडल पर काम करता है, जहाँ क्लाइंट (जैसे, वेब ब्राउजर) सर्वर (जैसे, वेब सर्वर) को अनुरोध भेजते हैं, जो अनुरोधित संसाधनों के साथ प्रतिक्रिया देते हैं।
2. **हाइपरटेक्स्ट ट्रांसफर प्रोटोकॉल सिक्योर (HTTPS) (Hypertext Transfer Protocol Secure (HTTPS)):** HTTPS HTTP का अधिक सुरक्षित संस्करण है। HTTPS का उपयोग करने वाली वेबसाइटें ऑनलाइन शॉपिंग या व्यक्तिगत जानकारी दर्ज करने जैसी गतिविधियों के लिए सुरक्षित मानी जाती हैं।
3. **वायरलेस एप्लिकेशन प्रोटोकॉल (WAP) (Wireless Application Protocol (WAP)):** WAP छोटे स्क्रीन के लिए डिजाइन किए गए विशेष ब्राउजर के माध्यम से मोबाइल उपकरणों पर इंटरनेट तक पहुँच को सक्षम बनाता है। यह मोबाइल उपयोगकर्ताओं को वेब पेज देखने और मोबाइल उपयोग के लिए अनुकूलित सेवाओं तक पहुँचने की अनुमति देता है।
4. **फाइल ट्रांसफर प्रोटोकॉल (FTP) (File Transfer Protocol (FTP)):** FTP एक प्रोटोकॉल है जिसका उपयोग क्लाइंट और सर्वर के बीच नेटवर्क पर फाइलों को स्थानांतरित करने के लिए किया जाता है। कल्पना करें कि आपको दुनिया भर में किसी को एक बड़ी फाइल भेजने की आवश्यकता है। FTP का उपयोग करके, आप अपने कंप्यूटर (क्लाइंट) को उस सर्वर से कनेक्ट कर सकते हैं जो फाइल संग्रहीत करता है। फिर, आप फाइल को अपने कंप्यूटर से सर्वर पर अपलोड कर सकते हैं या सर्वर से अपने कंप्यूटर पर डाउनलोड कर सकते हैं। FTP फाइलों को स्थानांतरित करने में शामिल सभी चरणों को संभालता है - जैसे अपलोड करना, डाउनलोड करना, हटाना या नाम बदलना - जिससे नेटवर्क पर फाइलों को दूरस्थ रूप से प्रबंधित करना आसान हो जाता है।
5. **ट्रिवियल फाइल ट्रांसफर प्रोटोकॉल (TFTP) (Trivial File Transfer Protocol (TFTP)):** TFTP फाइल ट्रांसफर प्रोटोकॉल (FTP) का एक सरलीकृत संस्करण है जिसका उपयोग नेटवर्क पर उपकरणों के बीच छोटी फाइलों को स्थानांतरित करने के लिए किया जाता है।
6. **टेलनेट (Telnet):** टेलनेट एक नेटवर्क प्रोटोकॉल है जिसका उपयोग नेटवर्क पर डिवाइस या कंप्यूटर को दूरस्थ रूप से एक्सेस करने और प्रबंधित करने के लिए किया जाता है। यह उपयोगकर्ता को दूरस्थ सिस्टम में लॉग इन करने और कमांड निष्पादित करने की अनुमति देता है जैसे कि वे स्थानीय रूप से उस सिस्टम पर सीधे काम कर रहे हों।
7. **सिक्योर सॉकेट लेयर/ट्रांसपोर्ट लेयर सिक्योरिटी (SSL/TLS) (Secure Sockets Layer/Transport Layer Security (SSL/TLS)):** SSL/TLS एक क्रिप्टोग्राफिक प्रोटोकॉल है जिसका उपयोग इंटरनेट पर संचार को सुरक्षित करने के लिए किया जाता है। जब आप किसी वेबसाइट पर संवेदनशील जानकारी दर्ज करते हैं, जैसे कि आपके क्रेडिट कार्ड का विवरण या लॉगिन पासवर्ड, तो SSL इसे हैकर्स से सुरक्षित रखने में मदद करता है। यह आपके वेब ब्राउजर (जैसे क्रोम या फायरफॉक्स) और वेबसाइट के सर्वर के बीच यात्रा करने से पहले जानकारी को एन्क्रिप्ट करके ऐसा करता है।
8. **वॉयस ओवर इंटरनेट प्रोटोकॉल (VoIP) (Voice over Internet Protocol (VoIP)):** यह एक ऐसी तकनीक है जो आपको नियमित फोन लाइन के बजाय ब्रॉडबैंड इंटरनेट कनेक्शन का उपयोग करके वॉयस कॉल करने की अनुमति देती है। VoIP के साथ, आपकी आवाज को डिजिटल डेटा में बदल दिया जाता है और इंटरनेट पर उस व्यक्ति को भेजा जाता है जिसे आप कॉल कर रहे हैं। यह तकनीक फोन बिल को काफी हद तक कम कर सकती है, खास तौर पर लंबी दूरी और अंतरराष्ट्रीय कॉल के लिए। वीओआईपी सेवाओं में स्काइप, जूम और व्हाट्सएप कॉल जैसे लोकप्रिय प्लेटफॉर्म शामिल हैं, जिनका इस्तेमाल कई लोग व्यक्तिगत और व्यावसायिक संचार दोनों के लिए करते हैं।

टीसीपी/आईपी प्रोटोकॉल (TCP/IP Protocol)

TCP/IP दो प्रोटोकॉल का एक सेट है जिसे कंप्यूटर इंटरनेट पर संचार करने के लिए उपयोग करते हैं। यह एक भाषा की तरह है जो विभिन्न उपकरणों को इंटरनेट पर एक-दूसरे के संदेशों को समझने की अनुमति देती है।

1. **ट्रांसमिशन कंट्रोल प्रोटोकॉल (TCP) (Transmission Control Protocol (TCP))-** TCP यह सुनिश्चित करता है कि एक कंप्यूटर से दूसरे कंप्यूटर तक भेजा गया डेटा सही तरीके से और बिना किसी त्रुटि के अपने गंतव्य तक पहुंचे। यह बड़े फाइलों को छोटे पैकेट्स में तोड़ने, उन्हें भेजने और फिर प्राप्त करने वाले छोर पर सही तरीके से पुनः संयोजित करने के लिए जिम्मेदार होता है। TCP यह भी सुनिश्चित करता है कि डेटा सही क्रम में भेजा जाए और कोई भी खोया हुआ पैकेट पुनः प्रेषित किया जाए।
2. **इंटरनेट प्रोटोकॉल (IP) (Internet Protocol (IP))-** IP इंटरनेट का पोस्टल सिस्टम जैसा है। यह नेटवर्क से जुड़े प्रत्येक डिवाइस को एक अद्वितीय पता (IP पता) असाइन करता है, जिससे वे एक-दूसरे को ढूंढ सकें और संचार कर सकें।

   यह एक डिजिटल पते की तरह कार्य करता है, जिससे डिवाइस इंटरनेट पर एक-दूसरे से संचार कर सकें। इसे पोस्टल सिस्टम के माध्यम से पत्र भेजने जैसा समझें- जैसे प्रत्येक पत्र को अपने गंतव्य तक पहुंचने के

लिए एक पते की आवश्यकता होती है, वैसे ही इंटरनेट पर डिवाइस IP पतों का उपयोग करते हैं।

इंटरनेट प्रोटोकॉल के विभिन्न संस्करण हैं, जिनमें IPv4 (इंटरनेट प्रोटोकॉल संस्करण 4) और IPv6 (इंटरनेट प्रोटोकॉल संस्करण 6) सबसे आम हैं। IPv4 32-बिट एड्रेस स्कीम का उपयोग करता है, जबकि IPv6 128-बिट एड्रेस स्कीम का उपयोग करता है, जो इंटरनेट से जुड़े डिवाइसों की बढ़ती संख्या को समायोजित करने के लिए अद्वितीय पतों का एक बड़ा पूल प्रदान करता है।

IPv12 एक काल्पनिक भविष्य का संस्करण है जो इंटरनेट प्रोटोकॉल का है और लेखन के समय मौजूद नहीं है। जबकि IPv12 वर्तमान में मानकीकृत या कार्यान्वित नहीं है, इसे नेटवर्किंग में संभावित भविष्य की चुनौतियों, उन्नत सुरक्षा सुविधाओं और इंटरनेट ऑफ थिंग्स (IoT) और 5G नेटवर्क जैसी उभरती प्रौद्योगिकियों के लिए बेहतर समर्थन को संबोधित करने के लिए कल्पना की जा सकती है।

सबसे सामान्य IP पता (IPv4) चार संख्याओं से बना होता है जो डॉट्स द्वारा अलग की जाती हैं, जैसे 192.168.1.1। ये संख्याएँ 0 से 255 तक होती हैं और इंटरनेट पर उपकरणों को एक-दूसरे को खोजने में मदद करती हैं। पूर्ण IP पता सीमा 0.0.0.0 से 255.255.255.255 तक जाती है।

क्विज स्टेशन *विगत UGC NET परीक्षाओं के प्रश्न*

प्र.1. निम्नलिखित में से कौन सा प्रोटोकॉल किसी संदेश या फाइल को छोटे पैकेट में इकट्ठा करने का प्रबंधन करता है, जिन्हें इंटरनेट पर प्रसारित किया जाता है और एक परत द्वारा प्राप्त किया जाता है जो पैकेट को मूल संदेश में फिर से जोड़ता है, और प्रत्येक पैकेट के पते वाले हिस्से को भी संभालता है ताकि वह सही गंतव्य तक पहुँच सके?

(a) HTTP (b) TCP/IP

(c) FTP (d) उपरोक्त सभी

प्र.2. कंप्यूटर नेटवर्किंग में, एक आईपी संस्करण-6, आईपी संस्करण-4 पते से — गुना बड़ा है।

(a) 2 (b) 4

(c) 6 (d) 8

उत्तर 1. (b) 2. (b)

24.5 इंटरनेट से संबंधित शब्दावली (Terminology associated with Internet)

1. **वर्ल्ड वाइड वेब (www) (World Wide Web (www)):** वर्ल्ड वाइड वेब (www), जिसे आमतौर पर वेब के रूप में जाना जाता है, एक ऐसी प्रणाली है जहाँ कई वेब पेज और जानकारी एक साथ जुड़ी होती हैं और उन्हें इंटरनेट पर एक्सेस किया जा सकता है। वेब लोगों को लिंक पर क्लिक करके आसानी से विभिन्न वेब पेजों को ब्राउज करने की अनुमति देता है, जिससे ऑनलाइन विस्तृत जानकारी को खोजना और एक्सेस करना आसान हो जाता है। www तीन मुख्य घटकों पर आधारित है: HTML] URL और HTTP। टिम बर्नर्स-ली द्वारा 1989 में CERN, यूरोपीय परमाणु अनुसंधान संगठन में www का निर्माण किया गया था।

इस विषय को सरल बनाने वाले वीडियो व्याख्यान को देखने के लिए इस QR कोड को स्कैन करें

2. **वेब एड्रेस/यूआरएल (Web Address/URL):** एक यूआरएल (यूनिफॉर्म रिसोर्स लोकेटर) एक वेब एड्रेस है जो ब्राउजर को इंटरनेट पर किसी वेबसाइट या संसाधनों तक ले जाता है। उदाहरण के लिए, https://www/amazon.com एक यूआरएल है। यूआरएल का आविष्कार टिम बर्नर्स-ली ने 1991 में वर्ल्ड वाइड वेब पर अलग-अलग पेजों के बीच लिंक और नेविगेट करना आसान बनाने के लिए किया था। एक यूआरएल कई घटकों से बना होता है, आइए उन पर विस्तार से नजर डालें:
   - **स्कीम/प्रोटोकॉल पहचानकर्ता (Scheme/Protocol Identifier):** स्कीम संसाधन तक पहुँचने के लिए उपयोग किए जाने वाले प्रोटोकॉल को इंगित करती है। सामान्य योजनाओं में HTTP, HTTPS और FTP शामिल हैं।
   - **वर्ल्ड वाइड वेब (www)(World Wide Web (www)):** यह इंगित करता है कि वेबपेज वर्ल्ड वाइड वेब पर है, जो इंटरनेट का वह हिस्सा है जिसका उपयोग अधिकांश लोग वेबसाइटों तक पहुँचने के लिए करते हैं।
   - **डोमेन नेम (Domain Name):** डोमेन नेम एक अद्वितीय अल्फान्यूमेरिक पहचानकर्ता है जिसका उपयोग इंटरनेट पर किसी वेबसाइट का प्रतिनिधित्व करने के लिए किया जाता है। हमारे उदाहरण में, 'amazon.com' डोमेन नाम है।
   - **डोमेन एक्सटेंशन (Domain Extension):** डोमेन एक्सटेंशन, जिसे शीर्ष-स्तरीय डोमेन (TLD) के रूप में भी जाना जाता है, डोमेन नाम का अनुसरण करता है और वेबसाइट के प्रकार या श्रेणी को इंगित करता है। उपरोक्त उदाहरण में, '.com' डोमेन एक्सटेंशन है। इसका मतलब कमर्शियल है, जो दर्शाता है कि Amazon एक वाणिज्यिक इकाई है।

तीन-अक्षर के संक्षिप्ताक्षर अक्सर संगठनों को इंगित करते हैं, जबकि दो-अक्षर के संक्षिप्ताक्षर आमतौर पर देश के नामों का प्रतिनिधित्व करते हैं। संगठनों के लिए कुछ सामान्य डोमेन संक्षिप्ताक्षर इस प्रकार हैं:

- **.com:** वाणिज्यिक व्यवसायों द्वारा उपयोग किया जाता है
- **.gov:** सरकारी एजेंसियों द्वारा उपयोग किया जाता है
- **.edu:** शैक्षणिक संस्थानों द्वारा उपयोग किया जाता है
- **.org:** गैर-लाभकारी संगठनों द्वारा उपयोग किया जाता है
- **.info:** सूचनात्मक संगठनों द्वारा उपयोग किया जाता है
- **.mil:** सैन्य संगठनों द्वारा उपयोग किया जाता है
- **.net:** गेटवे और प्रशासनिक होस्ट द्वारा उपयोग किया जाता है

यहाँ देशों के लिए कुछ डोमेन संक्षिप्ताक्षर दिए गए हैं:

- **.au:** ऑस्ट्रेलिया
- **.de:** जर्मनी
- **.fr:** फ्रांस
- **.jp:** जापान
- **.in:** भारत
- **.uk:** यूनाइटेड किंगडम
- **.cn:** चीन
- **.us:** संयुक्त राज्य अमेरिका

3. **डोमेन नेम सर्वर (DNS)(Domain Name Server (DNS))**- यह मानव-सुलभ डोमेन नामों (जैसे 'www.amazon.com') को संख्यात्मक IP पतों (जैसे '176-32-103-205') में अनुवादित करता है, जिनका उपयोग कंप्यूटर इंटरनेट पर एक-दूसरे की पहचान करने के लिए करते हैं। इस तरह, आपको हर बार किसी वेबसाइट पर जाने के लिए जटिल संख्याओं को याद रखने या टाइप करने की आवश्यकता नहीं होती है। DNS सर्वर इंटरनेट को सुचारू और कुशलता से काम करने के लिए महत्वपूर्ण हैं।

4. **वेबसाइट (Website)**- एक वेबसाइट वेब पृष्ठों का संग्रह है (हाइपरलिंक्स के साथ जुड़ा हुआ)। लोकप्रिय उदाहरणों में youtube.com, amazon.com, wikipedia.org, आदि शामिल हैं।

5. **वेब पेज (Web Page)**- वेबसाइट का प्रत्येक पृष्ठ एक वेब पेज के रूप में जाना जाता है। वेब पृष्ठों को URL (वेब पते) के माध्यम से एक्सेस किया जाता है और आमतौर पर हाइपरलिंक्स के माध्यम से आपस में जुड़े होते हैं, जिससे उपयोगकर्ता एक ही या विभिन्न वेबसाइटों पर विभिन्न पृष्ठों के बीच नेविगेट कर सकते हैं। उदाहरण के लिए, जब आप BBC News या CNN जैसी समाचार वेबसाइट पर जाते हैं, तो आप जो प्रत्येक लेख पढ़ते हैं वह एक अलग वेब पेज होता है। वेबसाइटों और वेब पृष्ठों को बनाने के लिए सामान्य प्रोग्रामिंग भाषाओं में शामिल हैं-

   a. **HTML (हाइपरटेक्स्ट मार्कअप लैंग्वेज) (HTML (Hypertext Markup Language))**: HTML वह भाषा है जिसका उपयोग वेब पेज बनाने और संरचना करने के लिए किया जाता है।

   b. **CSS (कैस्केडिंग स्टाइल शीट) (CSS (Cascading Style Sheets))**: CSS का उपयोग HTML के साथ वेब पेजों की उपस्थिति और लेआउट को नियंत्रित करने के लिए किया जाता है।

   c. **JS (जावास्क्रिप्ट) (JS (JavaScript))**: जावास्क्रिप्ट एक प्रोग्रामिंग भाषा है जिसका उपयोग वेबसाइटों को इंटरैक्टिव और गतिशील बनाने के लिए किया जाता है।

उदाहरण के लिए, https://abc.com एक वेबसाइट है और https://abc com/contact_us एक वेबपेज है।

6. **होम पेज (Home Page)**: होम पेज किसी वेबसाइट का मुख्य या आरंभिक पेज होता है जो आगंतुकों के लिए प्रवेश बिंदु के रूप में कार्य करता है। यह वह पहला पेज होता है जिसे आप किसी वेबसाइट पर जाते समय देखते हैं, और इसमें साइट के सभी अन्य पेजों के लिंक होते हैं।

7. **वेब व्हेकिंग (Web Whacking)**: संपूर्ण वेबसाइट को ऑफलाइन उपयोग के लिए सहेजने की प्रथा। यह किसी वेबसाइट की पूरी कॉपी डाउनलोड करने जैसा है ताकि आप इंटरनेट से कनेक्ट हुए बिना उसकी सामग्री तक पहुँच सकें।

8. **हाइपरलिंक (Hyperlink)**: हाइपरलिंक, जिसे आमतौर पर लिंक के रूप में संदर्भित किया जाता है, वेब पेज पर एक क्लिक करने योग्य तत्व होता है जो उपयोगकर्ताओं को किसी अन्य वेब पेज या संसाधन पर पुनर्निर्देशित करता है। यह आमतौर पर एक रंगीन या रेखांकित शब्द या वाक्यांश होता है जो बाकी पाठ से अलग दिखता है। विकिपीडिया हाइपरलिंक वाली वेबसाइट का एक लोकप्रिय उदाहरण है।

   जब आप विकिपीडिया पेज पर जाते हैं, जैसे कि 'इतिहास' के बारे में, तो आपको 'प्राचीन इतिहास', 'मध्य युग' या 'आधुनिक इतिहास' जैसे विषयों के हाइपरलिंक दिखाई दे सकते हैं। इन लिंक पर क्लिक करने से आप उन विशिष्ट विषयों के बारे में अधिक विस्तृत लेखों पर जल्दी से नेविगेट कर सकते हैं, जिससे आपको संबंधित जानकारी आसानी से तलाशने में मदद मिलती है।

9. **हाइपरटेक्स्ट (Hypertent)**: एक तकनीक जो दस्तावेज के एक हिस्से में मौजूद टेक्स्ट को दूसरे सेक्शन या दस्तावेजों में मौजूद संबंधित टेक्स्ट से जोड़ती है। यह उपयोगकर्ताओं को कीवर्ड या आइकन पर क्लिक करके संबंधित जानकारी को आसानी से खोजने और नेविगेट करने की अनुमति देता है। उदाहरण के लिए, जब आप ऑनलाइन कोई लेख पढ़ रहे होते हैं और संबंधित लेख पर जाने के लिए हाइलाइट किए गए शब्द पर क्लिक करते हैं, तो आप हाइपरटेक्स्ट का उपयोग कर रहे होते हैं।

10. **हाइपरमीडिया (Hypermedia)**: हाइपरटेक्स्ट का एक एक्सटेंशन जो टेक्स्ट, ऑडियो, वीडियो और ग्राफिक्स को मिलाकर एक इंटरैक्टिव अनुभव बनाता है। कल्पना करें कि आप एक ऑनलाइन लेख पढ़ रहे हैं जिसमें न केवल अन्य लेखों के लिंक शामिल हैं, बल्कि एम्बेडेड वीडियो, साउंड क्लिप और चित्र भी शामिल हैं, जिनसे आप बातचीत कर सकते हैं।

11. **सर्च इंजन (Search Engines)**: सर्च इंजन ऑनलाइन उपकरण हैं जो उपयोगकर्ताओं को कीवर्ड या वाक्यांश दर्ज करके वर्ल्ड वाइड वेब पर जानकारी खोजने की अनुमति देते हैं। जब आप ळववहसम या ठपदह जैसे सर्च इंजन में कोई प्रश्न या विषय टाइप करते हैं, तो यह अपने विशाल वेब पेजों के संग्रह को जल्दी से देखता है। फिर यह आपको उन पेजों के लिंक की सूची दिखाता है, जिनमें आपके द्वारा खोजे जा रहे उत्तर या जानकारी हो सकती है।

    इस विषय को सरल बनाने वाले वीडियो व्याख्यान को देखने के लिए इस QR कोड को स्कैन करें

    सर्च इंजन वेब पर नई जानकारी को लगातार स्कैन और व्यवस्थित करके काम करते हैं, जिससे आपको अपनी जरूरत की जानकारी आसानी से मिल जाती है। लोकप्रिय सर्च इंजन के उदाहरणों में Google, Bing, Yahoo और DuckDuckGo शामिल हैं।

12. **मेटासर्च इंजन (Metasearch Engines)**: मेटा सर्च इंजन सुपर-सर्चर्स की तरह होते हैं जो एक साथ कई अलग-अलग सर्च इंजन से परिणाम प्राप्त करते हैं। सिर्फ एक सर्च इंजन को खोजने के बजाय, वे कई स्रोतों से परिणाम एकत्र करते हैं और आपको एक संयुक्त सूची दिखाते हैं। इस तरह, आप इंटरनेट पर अलग-अलग जगहों से उत्तर या जानकारी की एक विस्तृत श्रृंखला देख सकते हैं, बिना प्रत्येक सर्च इंजन पर अलग-अलग जाने की जरूरत के। मेटासर्च इंजन के उदाहरणों में डॉगपाइल और मेटाक्रॉलर शामिल हैं।

13. **क्रॉलर (Crawler)**: क्रॉलर, जिसे स्पाइडर के नाम से भी जाना जाता है, एक स्वचालित प्रोग्राम है जो नए लिंक, ताजा सामग्री और अपडेट खोजने के लिए वेब को स्कैन करता है। ये क्रॉलर Google जैसे सर्च इंजन को नए वेब पेज खोजने और इंडेक्स करने में मदद करते हैं ताकि वे सर्च रिजल्ट में दिखाई दे सकें। हालाँकि, सभी क्रॉलर अच्छे उद्देश्यों के लिए उपयोग नहीं किए जाते हैं। कुछ के दुर्भावनापूर्ण इरादे हो सकते हैं, जैसे स्पैमर के लिए ईमेल पते एकत्र करना।

14. **वेब ब्राउजर (Web Browser)**: वेब ब्राउजर एक सॉफ्टवेयर एप्लिकेशन है जिसका उपयोग वर्ल्ड वाइड वेब पर वेबसाइटों तक पहुँचने और देखने के लिए किया जाता है। दो प्रकार के ब्राउजर हैं:

a. **टेक्स्ट वेब ब्राउजर (Teñt Web Browsers):** टेक्स्ट-आधारित ब्राउजर एक प्रकार का वेब ब्राउजर है जो वेब पेजों को मुख्य रूप से टेक्स्ट के रूप में प्रदर्शित करता है, बिना ग्राफिक्स या मल्टीमीडिया सामग्री के। लिंक्स और लिंक्स लोकप्रिय टेक्स्ट-आधारित ब्राउजर हैं।

b. **ग्राफिकल वेब ब्राउजर (Graphical Web Browsers):** एक वेब ब्राउजर जो टेक्स्ट और ग्राफिक जानकारी दोनों का समर्थन करता है उसे ग्राफिकल वेब ब्राउजर के रूप में जाना जाता है। सामान्य उदाहरणों में गूगल क्रोम, मोजिला फायरफॉक्स, माइक्रोसॉफ्ट एज या एप्पल सफारी शामिल हैं।

वेब ब्राउजर का इतिहास

- पहला ग्राफिकल वेब ब्राउजर, मोजेक, 1993 में मार्क एंड्रीसेन और नेशनल सेंटर फॉर सुपरकंप्यूटिंग एप्लीकेशन (NCSA) की उनकी टीम द्वारा विकसित किया गया था।
- नेटस्केप नेविगेटर, 1994 में लॉन्च किया गया, सबसे पहले व्यापक रूप से उपयोग किए जाने वाले वेब ब्राउजर में से एक था।

15. **क्रॉस-प्लेटफॉर्म ब्राउजर (Cross-platform Browsers):** क्रॉस-प्लेटफॉर्म ब्राउजर वेब ब्राउजर हैं जो विभिन्न प्रकार के डिवाइस और ऑपरेटिंग सिस्टम पर काम करते हैं। इसका मतलब है कि आप उन्हें विंडोज कंप्यूटर, मैक, लिनक्स मशीन या एंड्रॉइड या आईफोन जैसे स्मार्टफोन और टैबलेट पर भी इस्तेमाल कर सकते हैं।

    क्रॉस-प्लेटफॉर्म ब्राउजर के उदाहरणों में Google Chrome, Mozilla Firefoñ और Microsoft Edge शामिल हैं। वे आपको एक समान अनुभव देने के लिए डिजाइन किए गए हैं, चाहे आप किसी भी तरह के डिवाइस का उपयोग कर रहे हों, जिससे ब्राउजर को स्विच किए बिना आपके कंप्यूटर, फोन या टैबलेट पर इंटरनेट ब्राउज करना आसान हो जाता है।

16. **बुकमार्क/फेवरेट्स (Bookmark/Favourites):** वेब ब्राउजर में बुकमार्क एक वेब पेज के लिए एक डिजिटल शॉर्टकट की तरह है जिसे आप सहेजना चाहते हैं और बाद में आसानी से वापस लौटना चाहते हैं। जब आप किसी पेज को बुकमार्क करते हैं, तो वह आपके ब्राउजर की बुकमार्क सूची में सहेजा जाता है, इसलिए आप वेब पते को फिर से टाइप किए बिना जल्दी से उस पर वापस जा सकते हैं।

17. **कुकी (Cookie):** कुकी डेटा का एक छोटा सा हिस्सा होता है जिसे वेबसाइट आपके कंप्यूटर या डिवाइस पर तब स्टोर करती है जब आप उस पर जाते हैं। उदाहरण के लिए, ऑनलाइन शॉपिंग में, अगर आप अपने कार्ट में कोई आइटम जोड़ते हैं और फिर अपना ब्राउजर बंद कर देते हैं, तो जब आप उसे फिर से खोलते हैं, तो कुकीज के कारण आइटम अभी भी आपके कार्ट में होता है। कुकीज के बिना, आपका कार्ट खाली हो जाएगा।

    कुकीज आपके ब्राउजिंग आदतों जैसे व्यक्तिगत डेटा को इकट्ठा कर सकती हैं। इस डेटा का इस्तेमाल वेबसाइट द्वारा आपको व्यक्तिगत विज्ञापन दिखाने या आपकी रुचियों के आधार पर उत्पादों की सिफारिश करने के लिए किया जा सकता है। आप आमतौर पर अपने वेब ब्राउजर की सेटिंग में यह तय कर सकते हैं कि कुकीज को अनुमति देनी है या ब्लॉक करना है। अगर आप नहीं चाहते कि वेबसाइटें आपके ब्राउजिंग इतिहास या प्राथमिकताओं को याद रखें, तो आप कुकीज हटा भी सकते हैं। इससे आपको ऑनलाइन अपनी गोपनीयता पर ज्यादा नियंत्रण मिलता है।

18. **वेब सर्वर (Web Server):** वेब सर्वर एक सॉफ्टवेयर या हार्डवेयर है जो वेब ब्राउजर के जरिए उपयोगकर्ताओं के अनुरोधों के जवाब में उन्हें वेब पेज दिखाता है। जब आप क्रोम या फायरफॉक्स जैसे अपने ब्राउजर में कोई वेब पता टाइप करते हैं, तो ब्राउजर वेब सर्वर को एक अनुरोध भेजता है, जो फिर सही वेब पेज ढूँढता है और उसे आपके ब्राउजर पर वापस भेजता है ताकि आप उसे देख सकें। अपाचे (Apache) और नगनेक्स (Nginx) दुनिया का सबसे लोकप्रिय वेब सर्वर है।

19. **होस्ट (Host):** एक कंप्यूटर जो स्थानीय नेटवर्क या इंटरनेट पर अन्य कंप्यूटरों को सेवाएँ प्रदान करता है। उदाहरण के लिए, जब आप किसी वेबसाइट पर जाते हैं, तो आपका कंप्यूटर उस होस्ट सर्वर से जुड़ जाता है जहाँ वह वेबसाइट संग्रहीत होती है, जिससे आप सामग्री तक पहुँच सकते हैं और उसे देख सकते हैं।

20. **वेब क्लाइंट (Web Client):** एक वेब क्लाइंट कोई भी डिवाइस है, जैसे कंप्यूटर, स्मार्टफोन या टैबलेट, जिसका उपयोग आप इंटरनेट तक पहुँचने और वेब पेज देखने के लिए करते हैं। जब आप किसी वेबसाइट पर जाने के लिए अपने डिवाइस पर वेब ब्राउजर (जैसे क्रोम, फायरफॉक्स या सफारी) का उपयोग करते हैं, तो आपका डिवाइस वेब क्लाइंट के रूप में कार्य करता है। यह आपके द्वारा देखे जाने वाले वेब पेजों को प्राप्त करने के लिए वेब सर्वर को अनुरोध भेजता है और फिर उन्हें आपके लिए प्रदर्शित करता है।

21. **डेटा कम्प्रेशन (Data Compression):** अनावश्यक या अनावश्यक जानकारी को हटाकर डिजिटल फाइलों (जैसे दस्तावेज, चित्र या वीडियो) को छोटा करने की प्रक्रिया। यह संग्रहण स्थान को बचाने में मदद करता है और इंटरनेट या अन्य नेटवर्क पर फाइलों को भेजना और प्राप्त करना तेज बनाता है। उदाहरण के लिए, वीडियो फाइल को संपीड़ित करने से उसका आकार कम हो जाता है ताकि इसे तेजी से अपलोड या डाउनलोड किया जा सके।

22. **पब्लिक डोमेन (Public Domain):** यह उस सामग्री को संदर्भित करता है जिसका कोई भी व्यक्ति स्वतंत्र रूप से उपयोग कर सकता है क्योंकि यह कॉपीराइट द्वारा संरक्षित नहीं है। यह याद रखना महत्वपूर्ण है कि सिर्फ इसलिए कि कोई चीज ऑनलाइन है इसका मतलब यह नहीं है कि यह स्वचालित रूप से उपयोग करने के लिए स्वतंत्र है। सुनिश्चित करने के लिए, किसी कार्य को स्पष्ट रूप से यह कहना चाहिए कि यह सार्वजनिक डोमेन में है या कॉपीराइट प्रतिबंधों से मुक्त होने के लिए कानूनी रूप से निर्धारित है।

23. **रियली सिंपल सिंडिकेशन (RSS)(Really Simple Syndication (RSS)):** RSS एक इंटरनेट तकनीक है जो उपयोगकर्ताओं को ऐसी वेबसाइटों की सदस्यता लेने देती है जो अक्सर समाचार साइटों, ब्लॉग, पॉडकास्ट और विकी जैसी नई सामग्री को अपडेट या जोड़ती हैं। यह YouTube चैनलों की सदस्यता लेने या Instagram पर लोगों को फॉलो करने के समान काम करता है। RSS सॉफ्टवेयर या ऐप का उपयोग करके, उपयोगकर्ता इन साइटों से नए अपडेट देख सकते हैं, बिना प्रत्येक साइट पर अलग से जाने के। यह आपकी पसंदीदा वेबसाइट और विषयों पर अपडेट रहने का एक सुविधाजनक तरीका है।

24. **डिजिटल डिवाइड (Digital Divide):** यह उन लोगों के बीच अंतर को संदर्भित करता है जिनके पास आधुनिक सूचना और संचार प्रौद्योगिकियों (ICT) जैसे कि इंटरनेट और कंप्यूटर तक पहुंच है और जिनके पास नहीं है। उदाहरण के लिए, दो दोस्तों की कल्पना करें। एक शहर में रहता है जहाँ तेज इंटरनेट है और घर पर एक कंप्यूटर है। वे आसानी से ऑनलाइन स्कूल का काम कर सकते हैं और दोस्तों से जुड़ सकते हैं। दूसरा दोस्त ग्रामीण इलाके में रहता है जहाँ इंटरनेट नहीं है। वह ऑनलाइन नए कौशल सीखने से चूक जाता है।

    डिजिटल डिवाइड को पाटने का मतलब है यह सुनिश्चित करना कि हर कोई, चाहे वे कहीं भी रहते हों या उनके पास कितना भी पैसा हो, कंप्यूटर और इंटरनेट का उपयोग सीखने, काम करने और दूसरों से जुड़ने के लिए कर सकता है। यह आज की डिजिटल दुनिया से लाभ उठाने के लिए सभी को उचित अवसर देने के बारे में है।

25. **कैप्चा (CAPTCHA):** इसका मतलब है 'कंप्लीट्ली ऑटोमेटेड पब्लिक ट्यूरिंग टेस्ट टू टेल कम्प्यूटर्स एंड ह्यूमन्स अपार्ट'। यह वेबसाइटों पर इस्तेमाल किया जाने वाला एक उपकरण है, जो यह सुनिश्चित करता है कि कोई वास्तविक व्यक्ति, न कि कोई कंप्यूटर प्रोग्राम (बॉट), किसी सेवा तक पहुँचने का प्रयास कर रहा है।

    उदाहरण के लिए, जब आप किसी खाते के लिए साइन अप करते हैं या कोई टिप्पणी पोस्ट करते हैं, तो वेबसाइट आपको एक पहेली दिखा सकती है, जैसे ट्रैफिक लाइट से सभी छवियों की पहचान करना या कोई विकृत शब्द टाइप करना। आप सही छवियों पर क्लिक करके या शब्द टाइप करके पहेली को हल करते हैं। फिर वेबसाइट आपके उत्तर की जाँच करती है। यदि सही है, तो यह पुष्टि करता है कि आप मानव हैं और आपको आगे बढ़ने देता है। कैप्चा बॉट को नकली खाते बनाने या स्पैमिंग टिप्पणियाँ करने से रोकने में मदद करता है, जिससे इंटरनेट सुरक्षित और अधिक उपयोगकर्ता के अनुकूल हो जाता है।

तालिका 24.2 वेब ब्राउजर और सर्च इंजन के बीच अंतर को उजागर करती है।

तालिका 24.2 सर्च इंजन बनाम वेब ब्राउजर

फीचर	वेब ब्राउजर	सर्च इंजन
परिभाषा	www पर जानकारी एक्सेस करने के लिए एक सॉफ्टवेयर एप्लीकेशन	www पर जानकारी सर्च करने के लिए डिजाइन किया गया एक सॉफ्टवेयर सिस्टम
फंक्शन	वेबसाइट एक्सेस करने और दिखाने की अनुमति देता है	वेबसाइट सर्च करने और फिल्टर करने की अनुमति देता है
स्थान	उपयोगकर्ता के डिवाइस पर स्थानीय रूप से इंस्टॉल किया गया	एक सॉफ्टवेयर सिस्टम जो www पर चलता है
उदाहरण	क्रोम, फायरफॉक्स, इंटरनेट एक्सप्लोरर, सफारी	Google, बिंग, याहू, Ask.com

क्विज स्टेशन *विगत UGC NET परीक्षाओं के प्रश्न*

प्र.1. HTML का उपयोग मूल रूप से डिजाइन करने के लिए किया जाता है

(a) वेब पेज (b) वेबसाइट
(c) ग्राफिक्स (d) टेबल और फ्रेम

प्र.2. वेब पेज में एक शब्द जिसे क्लिक करने पर दूसरा दस्तावेज खुलता है

(a) एंकर (b) URL
(c) हाइपरलिंक (d) रेफरेंस

प्र.3. लोगों के एक समूह के पास कंप्यूटर और इंटरनेट तक पहुँच है, जबकि दूसरे समूह के पास पहुँच नहीं है। दो समूहों के बीच अंतर को इस प्रकार जाना जाता है:

(a) ई-इलिटरेसी (b) वेब डिवाइड
(c) इंटरनेट डिवाइड (d) डिजिटल डिवाइड

प्र.4. डोमेन मूल रूप से गैर-लाभकारी संगठनों के लिए क्या है?

(a) .gov (b) .org
(c) .net (d) .in

प्र.5. वर्ल्ड वाइड वेब का प्रस्ताव किसने दिया था

(a) बिल गेट्स (b) ARPANET
(c) टिम बर्नर्स-ली (d) बिल रोजर्स

उत्तर 1. (a) 2. (c) 3. (d) 4. (b) 5. (c)

24.6 इंटरनेट सेवाएं (Services of Internet)

ईमेल (Email)

इस विषय को सरल बनाने वाले वीडियो व्याख्यान को देखने के लिए इस QR कोड को स्कैन करें

ईमेल, इलेक्ट्रॉनिक मेल का संक्षिप्त रूप है, इंटरनेट पर डिजिटल संदेशों का आदान-प्रदान करने का एक व्यापक रूप से इस्तेमाल किया जाने वाला तरीका है। यह व्यक्तियों और व्यवसायों को भौगोलिक स्थान की परवाह किए बिना संदेशों को तेजी से और कुशलता से भेजने और प्राप्त करने की अनुमति देता है।

ईमेल का इतिहास 1960 और 1970 के दशक में कंप्यूटर नेटवर्किंग के शुरुआती दिनों से शुरू होता है। इलेक्ट्रॉनिक मैसेजिंग के लिए सबसे शुरुआती प्रणालियों में से एक को मैसाचुसेट्स इंस्टीट्यूट ऑफ टेक्नोलॉजी (MIT) के शोधकर्ताओं ने 1965 में विकसित किया था। मेलबॉक्स के रूप में जाना जाने वाला यह सिस्टम एक टाइम-शेयरिंग कंप्यूटर पर कई उपयोगकर्ताओं को व्यक्तिगत इलेक्ट्रॉनिक मेलबॉक्स में संग्रहीत संदेशों का आदान-प्रदान करने की अनुमति देता है।

ईमेल सिस्टम का कामकाज (Functioning of Email Systems)

1. **ईमेल क्लाइंट (Email Client):** ईमेल क्लाइंट एक ऐसा टूल है जिसका इस्तेमाल आप अपने ईमेल भेजने, प्राप्त करने और व्यवस्थित करने के लिए करते हैं। यह आपके कंप्यूटर पर इंस्टॉल किया जाने वाला

प्रोग्राम हो सकता है, जैसे कि Microsoft Outlook, या आपके ब्राउजर के जरिए इस्तेमाल की जाने वाली वेब-आधारित सेवा, जैसे कि Gmail। इसे एक पोस्ट ऑफिस की तरह समझें जो आपके सभी मेल को डिजिटल रूप से संभालने में आपकी मदद करता है। चाहे आप सॉफ्टवेयर का इस्तेमाल कर रहे हों या वेब एप्लिकेशन, ईमेल क्लाइंट का मुख्य काम आपके ईमेल को आसान और सुविधाजनक बनाना है।

2. **डिलीवरी एजेंट (Delivery Agent):** ईमेल की दुनिया में डिलीवरी एजेंट डिजिटल संदेशों के लिए पोस्टमैन की तरह होता है। जब कोई आपको ईमेल भेजता है, तो यह सबसे पहले एक सर्वर पर आता है जो आपके डिजिटल पोस्ट ऑफिस के रूप में काम करता है। डिलीवरी एजेंट का काम यहीं से शुरू होता है - यह इस सर्वर से ईमेल उठाता है और इसे आपके व्यक्तिगत मेलबॉक्स में डिलीवर करता है। ईमेल को सही तरीके से छांटने, अवांछित स्पैम को बाहर रखने और पूरे मेलबॉक्स को व्यवस्थित करने में इसकी भूमिका महत्वपूर्ण है। यह भूमिका विभिन्न प्रकार के सॉफ्टवेयर द्वारा निभाई जाती है, जैसे मेल ट्रांसफर एजेंट (एमटीए) और मेल डिलीवरी एजेंट (एमडीए)।
3. **प्रोटोकॉल (Protocols):** प्रोटोकॉल नियमों और मानकों का समूह है जो नेटवर्क पर कंप्यूटरों के बीच ईमेल संदेशों के आदान-प्रदान को नियंत्रित करते हैं। ये प्रोटोकॉल परिभाषित करते हैं कि ईमेल संदेशों को कैसे स्वरूपित, प्रेषित और प्राप्त किया जाता है (चित्र 24.3 देखें)।
   - **सिंपल मेल ट्रांसफर प्रोटोकॉल (SMTP)(Simple Mail Transfer Protocol (SMTP)):** SMTP इंटरनेट पर ईमेल भेजने के लिए इस्तेमाल किया जाने वाला मानक प्रोटोकॉल है। यह परिभाषित करता है कि ईमेल संदेश एक कंप्यूटर से दूसरे कंप्यूटर पर कैसे भेजे जाते हैं। जब आप कोई ईमेल लिखते और भेजते हैं, तो SMTP सुनिश्चित करता है कि यह प्राप्तकर्ता के ईमेल सर्वर तक पहुँचे।
   - **पोस्ट ऑफिस प्रोटोकॉल 3 (POP3)(Post Office Protocol 3 (POP3)):** POP का उपयोग एकल क्लाइंट के लिए ईमेल प्राप्त करने के लिए किया जाता है। यह ऑफलाइन मेल तक पहुँच की अनुमति देता है और इस प्रकार कम इंटरनेट समय की आवश्यकता होती है।
   - **इंटरनेट मैसेज एक्सेस प्रोटोकॉल (IMAP)(Internet Message Access Protocol (IMAP)):** IMAP का उपयोग कई क्लाइंट के लिए ईमेल प्राप्त करने के लिए किया जाता है। यह आपको ईमेल को डाउनलोड किए बिना एक्सेस करने की अनुमति देता है। POP3 के विपरीत, IMAP आपके ईमेल को सर्वर पर रखता है और कई डिवाइस में परिवर्तनों को सिंक करता है।
   - **मल्टीपर्पज इंटरनेट मेल एक्सटेंशन (MIME) (Multipurpose Internet Mail Extensions (MIME)):** यह ईमेल प्रोटोकॉल का एक एक्सटेंशन है जो ईमेल को अधिक बहुमुखी बनाता है और उन्हें केवल सादा पाठ ही नहीं, बल्कि कई तरह की सामग्री ले जाने की अनुमति देता है। MIME के साथ, आप ये भेज सकते हैं:
     - **अनुलग्नक (Attachments):** छवियाँ, दस्तावेज और वीडियो जैसी फाइलें।
     - **रिच टेक्स्ट (Rich Text):** विभिन्न फॉन्ट, रंग और फॉर्मेटिंग वाले ईमेल।
     - **गैर-अंग्रेजी वर्ण (Non-English Characters):** विभिन्न भाषाओं और विशेष वर्णों में पाठ।

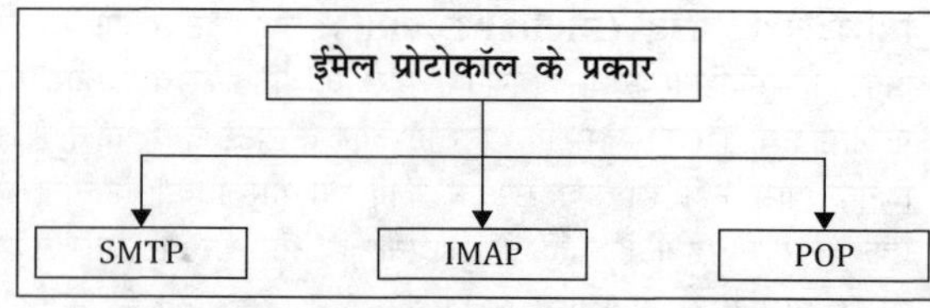

चित्र 24.3 ईमेल प्रोटोकॉल के प्रकार

ईमेल क्लाइंट के घटक (Components of Email Client)

1. **इनबॉक्स (Inbox):** यह वह जगह है जहाँ आप अपने द्वारा प्राप्त सभी ईमेल देख सकते हैं।
2. **आउटबॉक्स (Outbox):** आउटबॉक्स वह जगह है जहाँ ईमेल भेजे जाने से पहले प्रतीक्षा करते हैं। यदि कोई ईमेल अभी भी आपके आउटबॉक्स में है, तो इसका मतलब है कि इसे या तो भेजा जा रहा है या इसे भेजने में कोई समस्या थी।
3. **सेंट (Sent):** भेजे गए फोल्डर में ईमेल संदेशों की प्रतियाँ होती हैं जिन्हें आपने अन्य प्राप्तकर्ताओं को भेजा है।
4. **ड्राफ्ट (Drafts):** ड्राफ्ट फोल्डर उन ईमेल संदेशों को संग्रहीत करता है जिन्हें आपने लिखा है लेकिन अभी तक नहीं भेजा है। यह अधूरे या लंबित संदेशों के लिए एक अस्थायी भंडारण स्थान के रूप में कार्य करता है जिन्हें आप बाद में संशोधित या समाप्त करना चाह सकते हैं।
5. **स्पैम फोल्डर (Spam Folder):** यह वह जगह है जहाँ जंक या अवांछित माने जाने वाले ईमेल जाते हैं। ईमेल सेवा प्रदाता आपके मुख्य इनबॉक्स को साफ रखने के लिए उन्हें यहाँ रखते हैं। आप यह सुनिश्चित करने के लिए उनकी समीक्षा कर सकते हैं कि कोई भी महत्वपूर्ण चीज स्पैम के रूप में चिह्नित न हो।
6. **आर्काइव (Archive):** आर्काइव फोल्डर पुराने या निष्क्रिय ईमेल संदेशों को संग्रहीत करने के लिए एक स्टोरेज स्पेस प्रदान करता है जिन्हें आप भविष्य के संदर्भ के लिए रखना चाहते हैं लेकिन उन्हें अपने इनबॉक्स या अन्य फोल्डर में संग्रहीत करने की आवश्यकता नहीं है। ईमेल संग्रहित करने से आपके इनबॉक्स में अव्यवस्था दूर होती है और महत्वपूर्ण संदेश बाद में पुनर्प्राप्ति के लिए सुलभ रहते हैं।
7. **ट्रैश या डिलीटेड आइटम्स (Trash or Deleted Items):** ट्रैश या डिलीट किए गए आइटम फोल्डर में वे ईमेल संदेश होते हैं जिन्हें आपने अपने इनबॉक्स या अन्य फोल्डर से हटा दिया है।
8. **एड्रेस बुक (Address Book):** यह वह जगह है जहाँ आप उन लोगों के ईमेल पते सहेजते हैं जिनसे आप अक्सर संपर्क करते हैं। हर बार उनका ईमेल टाइप करने के बजाय, आप अपनी एड्रेस बुक से एक संपर्क चुन सकते हैं।

ईमेल पता (Email Address)

ईमेल पता एक अद्वितीय पहचानकर्ता है जिसका उपयोग इंटरनेट पर इलेक्ट्रॉनिक संदेश भेजने और प्राप्त करने के लिए किया जाता है। आइए अब ईमेल पते के घटकों पर नजर डालें:

1. **उपयोगकर्ता नाम (Username):** यह ईमेल पते का पहला भाग है। यह आपके लिए अद्वितीय है और इसमें अक्षर, संख्याएँ और डॉट्स या

अंडरस्कोर जैसे प्रतीक शामिल हो सकते हैं। उदाहरण के लिए, 'coolduderahul007@hotmail-com' में, उपयोगकर्ता नाम 'coolduderahul007' है।

2. **@ प्रतीक (@ Symbol):** 'at' उच्चारित, यह प्रतीक उपयोगकर्ता नाम को डोमेन से अलग करता है। यह ईमेल सिस्टम को बताता है कि उपयोगकर्ता नाम एक विशिष्ट डोमेन पर है।
3. **डोमेन नाम (Domain Name):** यह @ प्रतीक के बाद आता है और दिखाता है कि कौन सी ईमेल सेवा आपके खाते को होस्ट करती है, जैसे 'gmail.com' या 'hotmail.com'। यह आमतौर पर '.com' या '.org' जैसे एक्सटेंशन के साथ समाप्त होता है।

ईमेल सेवाओं के प्रकार (Types of Email Services)

ईमेल सेवाओं को तीन मुख्य प्रकारों में वर्गीकृत किया जा सकता है, जिनमें से प्रत्येक अलग-अलग जरूरतों को पूरा करती है:

1. **नि:शुल्क वेब -आधारित ईमेल सेवाएँ (Free Web-Based Email Services):** ये नि:शुल्क उपलब्ध हैं और विज्ञापनों द्वारा समर्थित हैं। वे ईमेल भेजने, प्राप्त करने और संग्रहीत करने जैसी बुनियादी सुविधाएँ प्रदान करते हैं। उदाहरणों में Gmail, Yahoo Mail और Outlook.com (जिसे पहले Hotmail के नाम से जाना जाता था) शामिल हैं।
2. **मूल्य वाली वेब-आधारित ईमेल सेवाएँ (Priced Web-Based Email Services):** ये सेवाएँ उन्नत सुविधाओं और अतिरिक्त संग्रहण के लिए शुल्क लेती हैं, जिसका अक्सर व्यवसायों द्वारा उपयोग किया जाता है। उदाहरण हैं Microsoft 365, Google Workspace (G Suite) और Zoho Mail।
3. **निजी ईमेल सेवाएँ (Private Email Services):** गोपनीयता और सुरक्षा पर ध्यान केंद्रित करती हैं एंड-टू-एंड एन्क्रिप्शन और अन्य सुरक्षा उपायों के साथ, जो गोपनीयता को महत्व देने वाले लोगों द्वारा पसंद की जाती हैं। उदाहरणों में प्रोटॉनमेल, टूटनोटा और फास्टमेल शामिल हैं।

ईमेल से संबंधित शब्दावली (Terminology associated with Email)

1. **कार्बन कॉपी (CC) (Carbon Copy (CC))** - ईमेल में 'CC' फील्ड आपको मुख्य प्राप्तकर्ता के अलावा अन्य लोगों को भी अपनी ईमेल की एक प्रति भेजने की अनुमति देती है। उदाहरण के लिए, यदि आप किसी को 'CC: manager@example.com' जोड़कर CC करते हैं, तो प्रबंधक को ईमेल की एक प्रति मिलती है।
2. **ब्लाइंड कार्बन कॉपी (BCC) (Blind Carbon Copy (BCC))** - 'BCC' फील्ड आपको अन्य लोगों को अपनी ईमेल की एक प्रति भेजने की अनुमति देती है बिना उनके ईमेल पते को मुख्य प्राप्तकर्ता या 'CC' फील्ड में किसी को दिखाए। यह गोपनीयता के लिए उपयोगी है। उदाहरण के लिए, यदि आप 'BCC: Marketing Team marketing@example.com' डालते हैं, तो मार्केटिंग टीम को ईमेल मिलती है, लेकिन अन्य प्राप्तकर्ता उनके ईमेल पते नहीं देख पाएंगे।
3. **हस्ताक्षर (Signature)** - हस्ताक्षर एक ईमेल के अंत में एक टेक्स्ट ब्लॉक होता है जिसमें आमतौर पर प्रेषक की संपर्क जानकारी, नौकरी का शीर्षक और कंपनी का नाम शामिल होता है।
4. **ईमेल अटैचमेंट (Email Attachment)**- अटैचमेंट वे फाइलें होती हैं जैसे दस्तावेज, चित्र, वीडियो या ऑडियो फाइलें जिन्हें आप एक ईमेल में जोड़ते हैं। आमतौर पर इन फाइलों के आकार पर एक सीमा होती है (लगभग 25 मेगाबाइट) ताकि ईमेल प्रबंधनीय और जल्दी भेजे जा सकें।

ईमेल हेडर	प्रेषक: रवि कुमार ravi@ñyzpoint-com सोम जनवरी 15 09:00:00 IST 2024 दिनांक: सोम, 15 जनवरी 2024 09:00:00 IST प्रेषक: anita@ñyzpoint-com विषय: कॉफी बीन्स सीसी: rahul@ñyzpoint-com बीसीसी:
नमस्कार	हाय टीम,
टेक्स्ट/ईमेल बॉडी	ऐसा लगता है कि हमारे ऑफिस में कॉफी बीन्स खत्म हो गई हैं। क्या कोई आज आते समय दूसरा बैग ले सकता है? मुझे लगता है कि नेहा ऐसा कर सकती है क्योंकि वह हर सुबह स्टोर के पास से गाड़ी चलाकर जाती है।
हस्ताक्षर	धन्यवाद, रवि कुमार 789, एमजी रोड बेंगलुरु, कर्नाटक 560001 कार्यालय: (080)1234-5678 फैक्स: (080)1234-5679

चित्र 24.4 नमूना ईमेल

ई-कॉमर्स (e-Commerce)

ई-कॉमर्स, जिसे इलेक्ट्रॉनिक कॉमर्स के नाम से भी जाना जाता है, इंटरनेट के माध्यम से वस्तुओं और सेवाओं की खरीद और बिक्री है। इसमें वेबसाइटें और ऐप्स शामिल हैं जहां व्यवसाय और उपभोक्ता लेन-देन कर सकते हैं। भारत में, इंटरनेट और डिजिटल तकनीक का उपयोग बढ़ने के कारण ई-कॉमर्स तेजी से बढ़ा है। इसके पांच मुख्य प्रकार हैं-

1. **बिजनेस-टू-कंज्यूमर (B2C) (Business-to-Consumer (B2C))**- व्यवसाय ऑनलाइन व्यक्तिगत उपभोक्ताओं को सीधे उत्पाद या सेवाएं बेचते हैं। उदाहरण हैं अमेजन और फ्लिपकार्ट।
2. **बिजनेस-टू-बिजनेस (B2B)(Business-to-Business (B2B))**- व्यवसाय एक-दूसरे को ऑनलाइन उत्पाद या सेवाएं खरीदते और बेचते हैं, अक्सर थोक कीमतों पर। IndiaMART इसका एक उदाहरण है।
3. **कंज्यूमर-टू-कंज्यूमर (C2C) (Consumer-to-Consumer (C2C))**- व्यक्तिगत उपभोक्ता एक-दूसरे को ऑनलाइन प्लेटफार्मों के माध्यम से वस्तुएं या सेवाएं खरीदते और बेचते हैं, जैसे OLX।
4. **पीयर-टू-पीयर (P2P) ई-कॉमर्स (Peer-to-Peer (P2P) E-commerce)**- व्यक्ति बिना किसी मध्यस्थ के सीधे एक-दूसरे के साथ ऑनलाइन व्यापार करते हैं। उदाहरणों में Airbnb (लॉजिंग के लिए) और Uber (राइड्स के लिए) शामिल हैं।
5. **मोबाइल कॉमर्स (एम-कॉमर्स) (Mobile Commerce (M-commerce))**- ई-कॉमर्स लेन-देन स्मार्टफोन या टैबलेट का उपयोग करके किए जाते हैं, अक्सर ऐप्स जैसे Apple Pay और Android Pay के माध्यम से।

ई-कॉमर्स से संबंधित शब्दावली (Terminology Associated with e-Commerce)

1. **इलेक्ट्रॉनिक पेमेंट्स (Electronic Payments)**- ई-कॉमर्स विभिन्न भुगतान विधियों जैसे क्रेडिट कार्ड, डेबिट कार्ड, डिजिटल वॉलेट और ऑनलाइन बैंकिंग के माध्यम से सुरक्षित लेनदेन को सक्षम बनाता है। भुगतान गेटवे खरीदारों और विक्रेताओं के बीच लेनदेन की सुचारू प्रक्रिया सुनिश्चित करते हैं।
2. **ई-शॉपिंग (e-Shopping)**- ई-शॉपिंग उपभोक्ताओं को कपड़े, इलेक्ट्रॉनिक्स, किराने का सामान और अधिक जैसे उत्पादों की एक विस्तृत श्रृंखला के लिए ऑनलाइन खरीदारी करने की अनुमति देता है। अमेजन और फ्लिपकार्ट जैसे प्लेटफार्म सुविधाजनक खरीदारी अनुभव प्रदान करते हैं।
3. **ई-बैंकिंग (e-Banking)**- ई-बैंकिंग ग्राहकों को अपने बैंकिंग गतिविधियों को ऑनलाइन करने की अनुमति देता है। वे अपने खाते की शेष राशि की जांच कर सकते हैं, पैसे ट्रांसफर कर सकते हैं, बिलों का भुगतान कर सकते हैं, और एचडीएफसी या कोटक ऑनलाइन बैंकिंग जैसी सेवाओं का उपयोग करके ऋण के लिए आवेदन कर सकते हैं। यह सुरक्षित और सुविधाजनक है, जिससे ग्राहकों को इंटरनेट कनेक्शन के साथ कभी भी, कहीं भी अपने वित्त का प्रबंधन करने की अनुमति मिलती है।
4. **ई-रिजर्वेशन (e-Reservation)**- ई-रिजर्वेशन सिस्टम उपयोगकर्ताओं को सेवाओं के लिए ऑनलाइन बुकिंग और पुष्टि करने की अनुमति देते हैं। चाहे वह उड़ानें हों, होटल, रेस्तरां, या इवेंट टिकट, Booking.com, एयरबीएनबी, स्विगी डाइन आउट या जोमाटो गोल्ड जैसे प्लेटफार्म इसे आसान बनाते हैं। उपयोगकर्ता उपलब्धता की जांच कर सकते हैं, बुकिंग कर सकते हैं, और तत्काल पुष्टि प्राप्त कर सकते हैं, जिससे आरक्षण प्रक्रिया सरल और सुविधाजनक हो जाती है।

सामाजिक नेटवर्किंग (Social Networking)

सोशल नेटवर्किंग प्लेटफॉर्म जैसे फेसबुक, ट्विटर और इंस्टाग्राम उपयोगकर्ताओं को कनेक्ट करने, सामग्री साझा करने और ऑनलाइन बातचीत करने में सक्षम बनाते हैं। उपयोगकर्ता प्रोफाइल बना सकते हैं, अपडेट पोस्ट कर सकते हैं, मीडिया साझा कर सकते हैं, समूहों में शामिल हो सकते हैं और चैट कर सकते हैं, जिससे वैश्विक संचार और सामुदायिक सहभागिता को बढ़ावा मिलता है। आइए सोशल नेटवर्किंग से जुड़े कुछ शब्दों पर नजर डालें-

1. **सोशल मीडिया (Social media)**- सोशल मीडिया उन ऑनलाइन प्लेटफार्मों और अनुप्रयोगों को संदर्भित करता है जहां उपयोगकर्ता बातचीत कर सकते हैं, छवियों, वीडियो और ऑडियो रिकॉर्डिंग जैसी सामग्री साझा कर सकते हैं, और चर्चाओं में भाग ले सकते हैं। ये प्लेटफॉर्म वेब 2.0 का हिस्सा हैं। उदाहरणों में फेसबुक, इंस्टाग्राम, X (पूर्व में ट्विटर) और टिकटॉक शामिल हैं, जहां उपयोगकर्ता प्रोफाइल बना सकते हैं, दूसरों से कनेक्ट कर सकते हैं, अपडेट पोस्ट कर सकते हैं और सार्वजनिक या निजी रूप से बातचीत में शामिल हो सकते हैं।
2. **यूनिफाइड मैसेजिंग (Unified messaging)** - यह विभिन्न प्रकार के संचार जैसे ईमेल, वॉइसमेल, फैक्स और टेक्स्ट को एक स्थान पर एकीकृत करता है। इसका मतलब है कि आप अपने सभी संदेशों को एक साथ प्रबंधित कर सकते हैं बिना ऐप्स के बीच स्विच किए, जिससे संचार आसान और अधिक कुशल हो जाता है। उदाहरण के लिए, Microsoft Outlook और Google Workspace जैसे प्लेटफॉर्म एकीकृत संदेश सुविधाएँ प्रदान करते हैं, जिससे उपयोगकर्ता एक इंटरफेस में ईमेल, वॉइसमेल और चैट संदेश देख और उत्तर दे सकते हैं, विभिन्न चैनलों में दक्षता और सहयोग को बढ़ावा देते हैं।
3. **इंस्टेंट मैसेजिंग (IM)(Instant Messaging (IM))**: यह लोगों को इंटरनेट पर तेजी से टेक्स्ट संदेश भेजने और प्राप्त करने की सुविधा देता है। यह टेक्स्टिंग की तरह है, लेकिन तुरंत होता है, इसलिए आप दोस्तों या समूहों के साथ वास्तविक समय में चैट कर सकते हैं। सामान्य उदाहरणों में व्हाट्सएप, फेसबुक मैसेंजर, टेलीग्राम आदि शामिल हैं।
4. **चैट रूम (Chat rooms)**: चैट रूम इंस्टेंट मैसेजिंग प्लेटफॉर्म के भीतर वर्चुअल स्पेस होते हैं, जहाँ कई उपयोगकर्ता जुड़ सकते हैं और विशिष्ट विषयों या रुचियों पर बातचीत कर सकते हैं। चैट रूम समान रुचियों वाले उपयोगकर्ताओं के बीच बातचीत की सुविधा प्रदान करते हैं, चर्चा, बहस और नेटवर्किंग के लिए एक प्लेटफॉर्म प्रदान करते हैं।
5. **इंटरनेट रिले चैट (IRC)(Internet Relay Chat (IRC))**: एक ऐसी सेवा जहाँ लोग वास्तविक समय में एक-दूसरे से चैट कर सकते हैं। चैट रूम में हर कोई एक-दूसरे के संदेशों को तुरंत देख और जवाब दे सकता है, जैसे कि एक बड़ा समूह टेक्स्ट।
6. **बुलेटिन बोर्ड (Bulletin Board)**: एक प्रकार का इंटरनेट या इंट्रानेट फोरम जहाँ लोग जानकारी साझा करने, विषयों पर चर्चा करने और एक-दूसरे को जवाब देने के लिए संदेश पोस्ट कर सकते हैं।
7. **ब्लॉग (Blog)**: यह एक वेबसाइट है जहाँ व्यक्ति, जिन्हें ब्लॉगर के रूप में जाना जाता है, अपनी रुचि के विभिन्न विषयों पर अपडेट पोस्ट करते हैं। इन अपडेट में समाचार, व्यक्तिगत कहानियाँ, निबंध, अन्य वेबसाइटों के लिंक, चित्र, वीडियो और बहुत कुछ शामिल हो सकते हैं।
8. **स्पलॉग (Splog)**: स्पलॉग, 'स्पैम ब्लॉग' का संक्षिप्त रूप है, एक नकली ब्लॉग है जो अन्य वेबसाइटों से सामग्री चुराता है। स्पलॉगर खोज इंजन को धोखा देने या कॉपी की गई सामग्री का उपयोग करके विज्ञापनों से पैसे कमाने के लिए ऐसा करते हैं। यह ऐसा है जैसे कोई अन्य वेबसाइटों से लेख कॉपी कर रहा हो और दिखावा कर रहा हो कि उसने उन्हें खुद लिखा है।
9. **माइक्रोब्लॉगिंग (Microblogging)**: ब्लॉगिंग का एक रूप जहाँ बहुत छोटे टेक्स्ट, सूचना के स्निपेट, ईवेंट या लिंक अक्सर सोशल मीडिया प्लेटफॉर्म पर पोस्ट किए जाते हैं। उदाहरणों में X (पूर्व में ट्विटर) पर ट्वीट या फेसबुक पर स्टेटस अपडेट शामिल हैं। यह उपयोगकर्ताओं को त्वरित अपडेट साझा करने और अपने दर्शकों के साथ अक्सर जुड़ने की अनुमति देता है।
10. **मोब्लॉग (मोबाइल ब्लॉग) (Moblog (Mobile Blog))**: एक ब्लॉग जो मोबाइल उपकरणों का उपयोग करके बनाया और बनाए रखा जाता है।
11. **व्लॉग (वीडियो ब्लॉग) (Vlogs (Video Blogs))**: व्लॉग पारंपरिक ब्लॉग की तरह ही होते हैं, लेकिन वीडियो प्रारूप में होते हैं। वे लोगों को लिखित पोस्ट के बजाय वीडियो के माध्यम से जानकारी साझा करने, दूसरों को शिक्षित करने या खुद को अभिव्यक्त करने की अनुमति देते हैं।

12. **नेटिजन (Netizen):** एक शब्द जिसका उपयोग ऐसे व्यक्तियों का वर्णन करने के लिए किया जाता है जो नेटवर्क संसाधनों का उपयोग करते हैं और ऑनलाइन गतिविधियों में भाग लेते हैं। यह 'इंटरनेट' और 'सिटीजन' का मिश्रण है, जो ऑनलाइन समुदाय के सक्रिय सदस्यों को संदर्भित करता है।
13. **नेटिकेट (Netiquette):** इंटरनेट शिष्टाचार, ऑनलाइन संचार के लिए एक आचार संहिता। इसमें ऑनलाइन दूसरों के साथ बातचीत करते समय विनम्र, सम्मानजनक और विचारशील होना शामिल है।
14. **निंग (Ning):** एक ऐसा प्लेटफॉर्म जो उपयोगकर्ताओं को अपना खुद का सोशल नेटवर्क बनाने में सक्षम बनाता है।
15. **ट्रोल (Troll):** ट्रोल वह व्यक्ति होता है जो लोगों को परेशान करने के लिए ऑनलाइन कुछ भी कहता है। वे दूसरों से प्रतिक्रिया पाने और ऑनलाइन चर्चाओं में परेशानी पैदा करने के लिए मतलबी या असभ्य टिप्पणियाँ लिख सकते हैं।
16. **इंटरएक्टिविटी (Interactivity):** इंटरएक्टिविटी से तात्पर्य उपयोगकर्ताओं की वास्तविक समय में डिजिटल सामग्री से जुड़ने और उसे नियंत्रित करने की क्षमता से है। यह दो-तरफा बातचीत करने जैसा है: आप केवल निष्क्रिय रूप से जानकारी का उपभोग नहीं कर रहे हैं, बल्कि सक्रिय रूप से भाग ले रहे हैं और ऐसे विकल्प बना रहे हैं जो परिणाम को प्रभावित करते हैं। उदाहरण के लिए, जब आप कोई वीडियो गेम खेलते हैं, सोशल मीडिया पर पोस्ट करते हैं या ऑनलाइन क्विज से इंटरैक्ट करते हैं, तो आपकी हरकतें सीधे तौर पर इस बात को प्रभावित करती हैं कि सामग्री कैसे प्रतिक्रिया देती है या विकसित होती है। अनिवार्य रूप से, इंटरएक्टिविटी डिजिटल दुनिया में सक्रिय भागीदारी के बारे में है।
17. **लर्कर (Lurker):** चर्चा सूचियों, मंचों या ब्लॉगों में इस्तेमाल किया जाने वाला एक शब्द किसी ऐसे व्यक्ति का वर्णन करने के लिए जो अपने विचार पोस्ट करने के बजाय दूसरों के संदेश पढ़ना पसंद करता है। वे सक्रिय रूप से भाग लिए बिना चुपचाप बातचीत का अनुसरण करते हैं।

सिनेमैटिक कनेक्शन

मार्वल सिनेमैटिक यूनिवर्स और स्टार वार्स फिल्म श्रृंखला, दोनों ही आईसीटी के गहन प्रभाव और क्षमताओं को प्रदर्शित करती हैं।

एवेंजर्स (2012) में एक प्रतिभाशाली आविष्कारक टोनी स्टार्क अपने आयरन मैन सूट को डिजाइन और नियंत्रित करने के लिए उन्नत आईसीटी का उपयोग करता है। जार्विस और फ्राइडे जैसे उनके एआई सिस्टम परिष्कृत कृत्रिम बुद्धिमत्ता के प्रमुख उदाहरण हैं, जो डेटा विश्लेषण से लेकर पर्यावरण नियंत्रण तक सब कुछ प्रबंधित करते हैं।

स्टार वार्स एक ऐसा ब्रह्मांड प्रस्तुत करता है जहाँ अंतरिक्ष यात्रा, होलोग्राफिक इंटरफेस और ड्रॉयड इंटेलिजेंस आम बात है, जो कंप्यूटिंग और रोबोटिक्स की उन्नत स्थिति को उजागर करता है।

वर्चुअल कॉन्फ्रेंसिंग (Virtual Conferencing)

सोशल नेटवर्किंग प्लेटफॉर्म अक्सर वर्चुअल इवेंट, वेबिनार, ग्रुप मीटिंग, चर्चा और विचार-मंथन सत्रों को सुविधाजनक बनाने के लिए ऑडियो और वीडियो कॉन्फ्रेंसिंग सुविधाओं को एकीकृत करते हैं।

ऑडियो कॉन्फ्रेंसिंग (Audio Conferencing): ऑडियो कॉन्फ्रेंसिंग लोगों को वर्चुअल मीटिंग में शामिल होने देती है जहाँ वे एक-दूसरे को सुन सकते हैं लेकिन एक-दूसरे को देख नहीं सकते। Microsoft Teams एक ऐसे प्लेटफॉर्म का उदाहरण है जो ऑडियो कॉन्फ्रेंसिंग सुविधाएँ प्रदान करता है।

वीडियो कॉन्फ्रेंसिंग (Video Conferencing): वीडियो कॉन्फ्रेंसिंग प्रतिभागियों को एक-दूसरे को देखने और सुनने की अनुमति देती है जैसे कि वे एक ही कमरे में हों, इंटरनेट या नेटवर्क के माध्यम से जुड़े कैमरों और माइक्रोफोन का उपयोग करके। जूम और गूगल मीट जैसे प्लेटफॉर्म वीडियो कॉन्फ्रेंसिंग सेवाएँ प्रदान करते हैं, स्क्रीन शेयरिंग और दस्तावेज सहयोग को सक्षम करते हैं, जो लॉकडाउन के दौरान दूरस्थ शिक्षण के लिए विशेष रूप से उपयोगी थे।

24.7 इंटरनेट का विकास (Evolution of Internet)

इंटरनेट, श्इंटरकनेक्टेड नेटवर्कश का संक्षिप्त रूप है, एक वैश्विक प्रणाली है जो लाखों कंप्यूटर और उपकरणों को जोड़ती है। इंटरनेट उपयोगकर्ताओं को वेबसाइट, ईमेल, सोशल मीडिया प्लेटफॉर्म, ऑनलाइन शॉपिंग, स्ट्रीमिंग सेवाओं और बहुत कुछ सहित संसाधनों की एक विशाल श्रृंखला तक पहुँचने में सक्षम बनाता है।

इंटरनेट का निर्माण शीत युद्ध (1947-1991) से प्रभावित था। जब सोवियत संघ ने स्पुतनिक उपग्रह लॉन्च किया, तो अमेरिकी रक्षा विभाग ऐसी जानकारी साझा करने का एक तरीका चाहता था जो परमाणु हमले के बाद भी काम करे। इससे ARPANET (एडवांस्ड रिसर्च प्रोजेक्ट्स एजेंसी नेटवर्क) का निर्माण हुआ, जो अंततः आधुनिक इंटरनेट की नींव बन गया।

ARPANET ने कंप्यूटरों के बीच डेटा भेजने के लिए पैकेट स्विचिंग नामक तकनीक का इस्तेमाल किया, जिससे उन्हें नेटवर्क के एक हिस्से के विफल होने पर भी संवाद करने की अनुमति मिली। ARPANET शुरू में केवल रक्षा विभाग के साथ काम करने वाले कुछ विश्वविद्यालयों और शोध संस्थानों के लिए उपलब्ध था।

समय के साथ, ARPANET का विकास हुआ और अन्य नेटवर्क बनाए गए, जो आधुनिक इंटरनेट का आधार बने। 1980 के दशक में, नेशनल साइंस फाउंडेशन (NSF) ने संयुक्त राज्य अमेरिका में NSFNET की स्थापना की, जिसने देश भर के शैक्षणिक संस्थानों और शोध केंद्रों को जोड़ा।

1989 में, टिम बर्नर्स-ली नामक एक कंप्यूटर वैज्ञानिक ने वर्ल्ड वाइड वेब का आविष्कार किया, जिससे लोगों के लिए वेब ब्राउजर का उपयोग करके जानकारी तक पहुँचना और इंटरनेट पर नेविगेट करना आसान हो गया। इस आविष्कार ने इंटरनेट को उपयोगकर्ता के अनुकूल, सूचना-समृद्ध प्लेटफॉर्म में बदलने में महत्वपूर्ण भूमिका निभाई जिसका हम आज उपयोग करते हैं।

इंटरनेट विकास की समयरेखा (Timeline of Internet Evolution)

तालिका 24.3 इंटरनेट विकास की समयरेखा

1960s	**ARPANET का जन्म** अमेरिकी रक्षा विभाग द्वारा अनुसंधान संस्थानों को जोड़ने और जानकारी को सुरक्षित रूप से साझा करने के लिए बनाया गया।
1970s	**पहला ईमेल** रे टॉमलिनसन ने दो कंप्यूटरों के बीच पहला ईमेल 1971 में भेजा। **टीसीपी/आईपी** विभिन्न नेटवर्कों को एक-दूसरे से बात करने में मदद करने के लिए नए नियम बनाए गए, जो आधुनिक इंटरनेट की नींव बने।
1980s	**एनएसएफ एनईटी** अमेरिका भर में शैक्षणिक संस्थानों को जोड़ने के लिए नेशनल साइंस फाउंडेशन द्वारा बनाया गया, जिससे ARPANET की पहुँच का विस्तार हुआ। **डीएनएस** उपयोगकर्ताओं को संख्यात्मक IP पतों के बजाय आसानी से याद रखने वाले नामों (जैसे www.abc.com) वाली वेबसाइटों तक पहुँचने की अनुमति देने के लिए पेश किया गया।
1990s	**वर्ल्ड वाइड वेब (WWW)** टिम बर्नर्स-ली द्वारा निर्मित, उपयोगकर्ताओं को वेब ब्राउजर और हाइपरलिंक के साथ इंटरनेट पर नेविगेट करने की अनुमति देता है। **डॉट-कॉम बूम** इंटरनेट-आधारित व्यवसायों की तीव्र वृद्धि, जिससे निवेश और नवाचार में वृद्धि हुई।
2000s	**ब्रॉडबैंड इंटरनेट** तेज और ज्यादा भरोसेमंद इंटरनेट कनेक्शन आम हो गए। **सोशल मीडिया** फेसबुक, ट्विटर और यूट्यूब जैसे प्लेटफॉर्म ने लोगों के ऑनलाइन बातचीत करने और जानकारी साझा करने के तरीके को बदल दिया।
2010s	**मोबाइल इंटरनेट** स्मार्टफोन और टैबलेट के उदय ने इंटरनेट को हर जगह ज्यादा लोगों के लिए सुलभ बना दिया है। **क्लाउड कंप्यूटिंग** लोगों को ऑनलाइन डेटा स्टोर करने और एक्सेस करने की अनुमति दी, जिससे इसे साझा करना और साथ मिलकर काम करना आसान हो गया।
2020s	**इंटरनेट ऑफ थिंग्स (IoT)** स्मार्ट होम गैजेट्स जैसे रोजमर्रा के उपकरण नए स्वचालन के लिए इंटरनेट से जुड़ गए। **आर्टिफिशियल इंटेलिजेंस (AI)** सेवाओं को ज्यादा व्यक्तिगत और बुद्धिमान बनाया, जिससे इंटरनेट का इस्तेमाल करने के हमारे तरीके में सुधार हुआ।

नोट: हमने इस अध्याय के बाद के अनुभागों में क्लाउड कंप्यूटिंग, IoT और AI पर विस्तार से चर्चा की है।

क्विज स्टेशन *विगत UGC NET परीक्षाओं के प्रश्न*

प्र.1. इंटरनेट के प्रारंभिक विकास का समर्थन किसके द्वारा किया गया था:

(a) ARPANET
(b) बिल रोजर्स
(c) बिल गेट्स
(d) माइक्रोसॉफ्ट

उत्तर 1. (a)

वेब का विकास (Evolution of Web)

वेब 1.0 (Web 1.0)

वेब 1.0, जिसे अक्सर 'स्टेटिक वेब' के रूप में संदर्भित किया जाता है, 1990 के दशक के मध्य से 2000 के दशक की शुरुआत तक इंटरनेट के शुरुआती चरण को चिह्नित करता है। इस अवधि के दौरान, वेबसाइटें मुख्य रूप से सूचनात्मक और एकतरफा थीं, जिसमें उपयोगकर्ताओं को देखने के लिए सामग्री प्रस्तुत की जाती थी, लेकिन जुड़ाव या सहयोग के लिए बहुत कम अवसर थे। HTML (हाइपरटेक्स्ट मार्कअप लैंग्वेज) वेबसाइट बनाने के लिए प्रमुख तकनीक थी, और अधिकांश उपयोगकर्ता डायल-अप कनेक्शन के माध्यम से वेब तक पहुँचते थे। उपयोगकर्ता इसमें योगदान देने के बजाय ज्यादातर सामग्री का उपभोग करते थे। उदाहरण के लिए, वेब 1.0 में:

1. व्यक्तिगत वेबसाइटें लोकप्रिय थीं, जहाँ व्यक्ति GeoCities और Angelfire जैसी सेवाओं का उपयोग करके सरल वेब पेज बना सकते थे। ये साइटें अक्सर व्यक्तिगत रुचियों या शौक को प्रदर्शित करती थीं।
2. Yahoo! और AltaVista जैसी ऑनलाइन निर्देशिकाएँ जरूरी थीं। वे वेबसाइटों को वर्गीकृत और अनुक्रमित करती थीं, जिससे उपयोगकर्ताओं के लिए इंटरनेट पर जानकारी ढूँढना आसान हो जाता था।

वेब 2.0 (Web 2.0)

वेब 2.0 इंटरनेट के विकास में एक महत्वपूर्ण विकास को दर्शाता है, जो 2000 के दशक के मध्य में उभरा और आज भी वेब को आकार दे रहा है। वेब 1.0 की स्थिर और सूचनात्मक प्रकृति के विपरीत, वेब 2.0 ने गतिशील, इंटरैक्टिव और उपयोगकर्ता-संचालित सामग्री पेश की। वेब 2.0 की मुख्य विशेषताओं में शामिल हैं:

1. **यूजर-जनरेटेड कंटेंट (User-Generated Content):** वेबसाइटों ने केवल सूचना प्रस्तुत करने के बजाय उपयोगकर्ताओं द्वारा बनाई गई सामग्री पर ध्यान केंद्रित करना शुरू कर दिया। सोशल मीडिया और ब्लॉग जैसे प्लेटफॉर्म व्यक्तियों को अपने विचार, फोटो, वीडियो और बहुत कुछ साझा करने की अनुमति देते हैं।
   - **सोशल मीडिया प्लेटफॉर्म (Social Media Platforms):** फेसबुक, X (पूर्व में ट्विटर) और लिंक्डइन जैसी वेबसाइटों ने ऑनलाइन इंटरैक्शन में क्रांति ला दी। उपयोगकर्ता प्रोफाइल बना सकते हैं, दोस्तों और सहकर्मियों से जुड़ सकते हैं, अपडेट, फोटो और वीडियो साझा कर सकते हैं और वास्तविक समय की बातचीत में शामिल हो सकते हैं।
   - **ब्लॉगिंग प्लेटफॉर्म (Blogging Platforms):** वर्डप्रेस और ब्लॉगर जैसी सेवाओं ने प्रकाशन सामग्री को सभी के लिए सुलभ बना दिया। ब्लॉगर आसानी से ब्लॉग बना और प्रबंधित कर सकते हैं,

लेख लिख सकते हैं और टिप्पणियों और चर्चाओं के माध्यम से पाठकों के साथ बातचीत कर सकते हैं।

2. **मोबाइल इंटीग्रेशन (Mobile Integration):** वेब 2.0 में मोबाइल डिवाइस के उपयोग में उल्लेखनीय वृद्धि देखी गई। विभिन्न वेबसाइटों और अनुप्रयोगों को एक-दूसरे के साथ बातचीत करने की अनुमति देने के लिए API (एप्लिकेशन प्रोग्रामिंग इंटरफेस) विकसित किए गए। वेबसाइटों और अनुप्रयोगों को स्मार्टफोन और टैबलेट पर अच्छी तरह से काम करने के लिए अनुकूलित किया गया, जिससे सूचना और सेवाएँ चलते-फिरते अधिक सुलभ हो गई।
3. **लर्निंग मैनेजमेंट सिस्टम (LMS) (Learning Management Systems (LMS)):** ये ऐसे प्लेटफॉर्म हैं जिनका उपयोग ऑनलाइन पाठ्यक्रमों और शैक्षिक सामग्री के प्रबंधन के लिए किया जाता है। इसका मतलब यह था कि छात्र स्मार्टफोन या टैबलेट का उपयोग करके शैक्षिक सामग्री तक पहुँच सकते थे और ऑनलाइन कक्षाओं में भाग ले सकते थे, जिससे सीखना अधिक सुविधाजनक और विभिन्न शेड्यूल और स्थानों के अनुकूल हो जाता था।
4. **कोलैबोरेटिव टूल्स (Collaborative Tools):** Google डॉक्स और विकिपीडिया जैसे उपकरणों ने वैश्विक स्तर पर सहयोगी कार्य को सक्षम किया। कई उपयोगकर्ता एक साथ दस्तावेजों को संपादित कर सकते थे, सामग्री बना सकते थे और वास्तविक समय में ज्ञान साझा कर सकते थे, जिससे सामूहिक बुद्धिमत्ता और सहयोगी रचनात्मकता को बढ़ावा मिलता था।
5. **ई-कॉमर्स प्लेटफॉर्म (e-Commerce Platforms):** अमेजॅन और ईबे (eBay) जैसे प्लेटफॉर्म ने उपयोगकर्ता समीक्षाओं और सिफारिशों को अपनाया, जिससे ग्राहकों को प्रतिक्रिया देने और खरीदारी के फैसले को आकार देने में मदद मिली।

वेब 2.0 ने उपयोगकर्ताओं को न केवल उपभोग करने बल्कि सामग्री बनाने और साझा करने का अधिकार दिया, जिससे इंटरनेट एक सहभागी प्लेटफॉर्म में बदल गया, जहाँ व्यक्ति सामूहिक डिजिटल परिदृश्य में जुड़ सकते हैं, सहयोग कर सकते हैं और योगदान दे सकते हैं।

वेब 2.0 से संबंधित शब्द

AJAX: AJAX, जिसका मतलब है एसिंक्रोनस जावास्क्रिप्ट और XML, एक प्रोग्रामिंग तकनीक है जिसका उपयोग गतिशील और इंटरैक्टिव वेबसाइट बनाने के लिए किया जाता है। इसका उपयोग वेब 2.0 अनुप्रयोगों में व्यापक रूप से किया जाता है। यह वेब पेजों को उनकी सामग्री के कुछ हिस्सों को अपडेट करने की अनुमति देता है, बिना हर बार जब आप इसके साथ इंटरैक्ट करते हैं तो पूरे पेज को फिर से लोड करने की आवश्यकता होती है।

विकी (Wiki): एक विकी एक वेबसाइट है जहाँ लोग मिलकर काम कर सकते हैं और सामग्री को सहयोगी रूप से बना और संपादित कर सकते हैं। यह किसी को भी नई जानकारी जोड़कर या मौजूदा सामग्री में बदलाव करके योगदान करने की अनुमति देता है।

विकिपीडिया (Wikipedia): यह विकी का सबसे प्रसिद्ध उदाहरण है। यह एक ऑनलाइन विश्वकोश है जिसे कोई भी संपादित कर सकता है। दुनिया भर के उपयोगकर्ता इतिहास और विज्ञान से लेकर पॉप संस्कृति और प्रौद्योगिकी तक कई विषयों पर लेख लिखते हैं।

क्विज स्टेशन *विगत UGC NET परीक्षाओं के प्रश्न*

प्र.1. वेब 2.0 उपकरणों ने पारंपरिक शिक्षा को और अधिक सामाजिक और व्यक्तिगत बना दिया है।
निम्न में से किसे वेब 2.0 उपकरण कहा जा सकता है?

(a) ब्लॉग और विकी
(b) पॉडकास्ट और मैशअप
(c) सोशल नेटवर्किंग कम्युनिटीज
(d) उपरोक्त सभी

प्र.2. निम्नलिखित में से कौन वेब 2.0 अनुप्रयोगों की विशेषता है?

(a) कई उपयोगकर्ता एक-एक करके वेब 2.0 अनुप्रयोगों का उपयोग करने के लिए अपना समय निर्धारित करते हैं।
(b) वेब 2.0 अनुप्रयोग लोगों को ऑनलाइन सहयोग करने और जानकारी साझा करने की क्षमता पर केंद्रित हैं।
(c) वेब 2.0 अनुप्रयोग उपयोगकर्ताओं को सामग्री प्रदान करते हैं, न कि उपयोगकर्ताओं को इसे बनाने की सुविधा देते हैं।
(d) वेब 2.0 अनुप्रयोग केवल स्थिर पृष्ठों का उपयोग करते हैं।

उत्तर 1. (d) 2. (b)

वेब 3.0 (Web 3.0)

वेब 3.0 (जिसे अक्सर सिमेंटिक वेब या इंटेलिजेंट वेब कहा जाता है) को न्यूयॉर्क टाइम्स के जॉन मार्कऑफ ने 2006 में इंटरनेट की तीसरी पीढ़ी का वर्णन करने के लिए गढ़ा था। वेब 3.0 एक उन्नत अवधारणा है जिसका उद्देश्य इंटरनेट सामग्री को अधिक सार्थक और बुद्धिमान बनाना है। पिछले संस्करणों के विपरीत, वेब 3.0 उन तकनीकों पर ध्यान केंद्रित करता है जो डेटा को इस तरह से समझ और संसाधित कर सकती हैं जो मनुष्यों के सोचने के तरीके के करीब है।

सिमेंटिक वेब की अवधारणा, जिसे मूल रूप से वर्ल्ड वाइड वेब के आविष्कारक टिम बर्नर्स-ली ने प्रस्तावित किया था, का उद्देश्य मानव-पठनीय सामग्री से आगे जाना है। यह वेब सामग्री को कंप्यूटर द्वारा समझने योग्य और व्याख्या करने योग्य बनाने पर केंद्रित है। यह मशीनों को बेहतर तरीके से जानकारी को संसाधित करने और उपयोग करने की अनुमति देता है, जिससे विभिन्न डिजिटल प्लेटफॉर्म पर डेटा की खोज, विश्लेषण और आवेदन करने के तरीके में सुधार होता है। वेब 3.0 के मुख्य पहलुओं में शामिल हैं:

1. **आर्टिफिशियल इंटेलिजेंस (Artificial Intelligence):** AI, या आर्टिफिशियल इंटेलिजेंस, ऐसी तकनीक को संदर्भित करता है जो कंप्यूटर और मशीनों को ऐसे कार्य करने में सक्षम बनाती है जिसके लिए आमतौर पर मानवीय बुद्धिमत्ता की आवश्यकता होती है। इसमें अनुभव से सीखना, भाषण को पहचानना, निर्णय लेना और समस्याओं को हल करना जैसी चीजें शामिल हैं। 'आर्टिफिशियल इंटेलिजेंस' शब्द 1956 में गढ़ा गया था।

   रोजमर्रा की जिंदगी में AI के उदाहरणों में सिरी या गूगल असिस्टेंट जैसे वॉयस असिस्टेंट शामिल हैं, जो वॉयस कमांड को समझते हैं और उसका जवाब देते हैं; नेटफ्लिक्स जैसे स्ट्रीमिंग प्लेटफॉर्म पर सिफारिश सिस्टम, जो आपके देखने के इतिहास के आधार पर फिल्में सुझाते हैं; और

स्वायत्त वाहन, जो सड़कों पर सुरक्षित रूप से नेविगेट करने और ड्राइव करने के लिए AI का उपयोग करते हैं। AI की मुख्य विशेषताओं में शामिल हैं:

- **पर्सनलाइज्ड रिकमेंडेशन्स (Personalised Recommendations):** नेटफ्लिक्स और अमेजॅन जैसे प्लेटफॉर्म उपयोगकर्ताओं की पिछली गतिविधियों और प्राथमिकताओं के आधार पर फिल्में, उत्पाद या सामग्री की अनुशंसा करने के लिए परिष्कृत एल्गोरिदम का उपयोग करते हैं।
- **वर्चुअल असिस्टेंट (Virtual Assistants):** सिरी, गूगल असिस्टेंट और एलेक्सा जैसे वॉयस-नियंत्रित वर्चुअल असिस्टेंट प्राकृतिक भाषा प्रसंस्करण तकनीक (एनएलपी) का उपयोग करते हैं। एनएलपी कृत्रिम बुद्धिमत्ता (एआई) की एक शाखा है जो कंप्यूटर को मानव भाषा को समझने, व्याख्या करने और उत्पन्न करने में सक्षम बनाने पर केंद्रित है। इसमें कंप्यूटर और मनुष्यों के बीच प्राकृतिक भाषा, जैसे अंग्रेजी या हिंदी, का उपयोग करके बातचीत शामिल है, न कि कंप्यूटर भाषाओं का।

कल्पना करें कि आप सिरी या गूगल असिस्टेंट जैसे वॉयस असिस्टेंट का उपयोग कर रहे हैं। जब आप पूछते हैं, 'आज मौसम कैसा है?' तो वॉयस असिस्टेंट आपके प्रश्न को समझने के लिए एनएलपी का उपयोग करता है। यह आपके द्वारा बोले गए शब्दों को प्रोसेस करता है, उनके अर्थ का विश्लेषण करता है और फिर बोले गए उत्तर के साथ प्रतिक्रिया करता है, जैसे कि 'आज आपके स्थान पर मौसम धूप वाला है और अधिकतम तापमान 34 डिग्री सेल्सियस है।' यह इंटरैक्शन दर्शाता है कि कैसे NLP कंप्यूटर को वास्तविक समय में मानव भाषा को समझने और उस पर प्रतिक्रिया करने में सक्षम बनाता है।

- **ऑटोमैटिक स्पीच रिकग्निशन (ASR) (Automatic Speech Recognition (ASR)):** यह एक ऐसी तकनीक है जो कंप्यूटर को मानव भाषण को समझने और संसाधित करने में सक्षम बनाती है।
- **ChatGPT:** 2022 में OpenAI द्वारा बनाया गया, ChatGPT एक AI चैटबॉट है जो उपयोगकर्ताओं के साथ इंटरैक्टिव बातचीत करने के लिए बनाया गया है। ChatGPT GPT पर निर्भर करता है, जो कि जेनरेटिव प्री-ट्रेन्ड ट्रांसफॉर्मर का संक्षिप्त रूप है। नवीनतम संस्करण GPT-4 है। यह एक बड़ा मॉडल है जो टेक्स्ट और इमेज दोनों को संभाल सकता है। यह इसे सवालों के जवाब देने, शेड्यूल व्यवस्थित करने और यहां तक कि ग्राफिक्स बनाने जैसे कार्यों के लिए बढ़िया बनाता है। GPT-4, ChatGPT और GPT-3.5 जैसे पुराने संस्करणों की तुलना में अधिक लचीला और शक्तिशाली है।

2. **एन्हांस्ड कनेक्टिविटी (Enhanced Connectivity):** वेब 3.0 डेटा का अधिक प्रभावी ढंग से उपयोग करता है ताकि विभिन्न सेवाएँ और प्लेटफॉर्म आपस में जुड़ सकें और बातचीत कर सकें। यह ऑनलाइन अनुभवों को सहज और अधिक व्यक्तिगत बनाने पर ध्यान केंद्रित करता है।
3. **यूबिक्विटी (Ubiquity):** इसका मतलब है कि वेब सेवाएँ हर जगह, सभी प्रकार के उपकरणों पर उपलब्ध हैं। वेब 3.0 सुनिश्चित करता है कि आप सामग्री और सेवाओं तक सहजता से पहुँच सकते हैं, चाहे आप कंप्यूटर, फोन या किसी अन्य डिवाइस का उपयोग कर रहे हों।
4. **ब्लॉकचेन और डिजिटल मनी (Blockchain and Digital Money):** वेब 3.0 ब्लॉकचेन पेश करता है, जो जानकारी संग्रहीत करने और साझा करने का एक सुरक्षित तरीका है। यह बिटकॉइन और एथेरियम जैसी क्रिप्टोकरेंसी के पीछे की तकनीक है, जो ऑनलाइन सुरक्षित और अधिक पारदर्शी लेनदेन प्रदान करती है।
5. **मेटावर्स (Metaverse):** यह एक आभासी ब्रह्मांड की तरह है जहाँ आप वास्तविक जीवन में जो कुछ भी करते हैं वह डिजिटल स्पेस में कर सकते हैं। यह वास्तविक और आभासी दुनिया को मिलाता है, जिससे लोग 3D वातावरण में बातचीत, निर्माण और व्यापार कर सकते हैं।
6. **3D ग्राफिक्स (3D Graphics):** 3D ग्राफिक्स का एकीकरण यह दर्शाता है कि वेबसाइट और ऑनलाइन एप्लिकेशन उपयोगकर्ता अनुभव को बेहतर बनाने के लिए त्रि-आयामी दृश्यों का उपयोग कैसे कर रहे हैं। कंप्यूटर गेम में, 3D ग्राफिक्स इमर्सिव दुनिया बनाते हैं, जहाँ खिलाड़ी पात्रों और वस्तुओं के साथ अधिक यथार्थवादी तरीके से बातचीत कर सकते हैं।
7. **सिमेंटिक सर्च इंजन (Semantic Search Engines):** वोल्फ्राम अल्फा और नॉलेज ग्राफ जैसे सर्च इंजन खोज परिणाम प्रदान करने के लिए संगठित डेटा का उपयोग करते हैं जो न केवल अधिक सटीक होते हैं, बल्कि आपकी खोज से संबंधित अतिरिक्त संदर्भ भी शामिल करते हैं, जिससे वे अधिक उपयोगी और जानकारीपूर्ण बन जाते हैं।

यहाँ वेब 1.0, वेब 2.0 और वेब 3.0 की उनकी संबंधित विशेषताओं के साथ तुलना करने वाली तालिका दी गई है:

तालिका 24.3 वेब 1.0, वेब 2.0 और वेब 3.0

पहलू	वेब 1.0	वेब 2.0	वेब 3.0
समय अवधि	1996-2004	2004-2016	2016- वर्तमान समय तक
नाम/विवरण	हाइपरटेक्स्ट वेब या केवल पढ़ने योग्य वेब	सहभागी सामाजिक वेब	सिमेंटिक वेब या पढ़ें, लिखें, वेब निष्पादित करें
अंतरक्रियाशीलता	अधिकांशत: केवल पढ़ने योग्य	वाइल्डली पढ़ें-लिखें	पोर्टेबल और व्यक्तिगत
सामग्री	होम पेज	ब्लॉग/विकी	लाइव-स्ट्रीम/वेब्स
सामग्री निर्माण	कंपनियाँ सामग्री प्रकाशित करती हैं	लोग सामग्री प्रकाशित करते हैं	लोग ऐसे अनुप्रयोग बनाते हैं जिनके माध्यम से लोग सहभागिता करते हैं और सामग्री प्रकाशित करते हैं
सामग्री स्वामित्व	सामग्री का स्वामित्व	सामग्री साझा करना	सामग्री को विकेंद्रीकृत करना

संचार दिशात्मक	द्वि-दिशात्मक	बहु-उपयोगकर्ता	आभासी वातावरण
लक्ष्य	सूचना साझा करना	सहभागिता	इमर्शन
वेबसाइटें	स्थिर वेबसाइटें वेब	अनुप्रयोगों का परिचय	इंटेलिजेंट वेब-आधारित फंक्शन और ऐप
प्रौद्योगिकियाँ	वेब और फाइल सर्वर, HTML, और पोर्टल	AJAX, जावास्क्रिप्ट, CSS, और HTML5	ब्लॉकचेन, आर्टिफिशियल इंटेलिजेंस और डिसेंट्रलाइज्ड प्रोटोकॉल

वेब 4.0 (Web 4.0)

Web 4.0 एक अवधारणात्मक विचार है जो इंटरनेट के भविष्य की ओर देखता है। यह एक उन्नत वेब की कल्पना करता है जो हमारे दैनिक गतिविधियों और तकनीकों के साथ और भी अधिक जुड़ा और अंतर्निहित होगा। Web 4.0 इंटरनेट के लिए भविष्य की दृष्टि है, जिसका उद्देश्य कुछ रोमांचक बदलाव लाना है–

1. **ऑगमेंटेड रियलिटी (AR) और वर्चुअल रियलिटी (VR) (Augmented Reality (AR) and Virtual Reality (VR))**– वर्चुअल रियलिटी एक अलग दुनिया में कदम रखने जैसा है जो वास्तविक नहीं है लेकिन वास्तविक महसूस होती है! यह आपको 3D छवियां और ध्वनियां दिखाने के लिए विशेष चश्मे और हेडफोन का उपयोग करता है जो आपको इस आभासी दुनिया के अंदर होने का एहसास कराते हैं।
2. **एडवांस्ड एआई और मशीन लर्निंग (Advanced AI and Machine Learning)**– भविष्य का वेब एआई उपकरणों के साथ हो सकता है जो केवल बुनियादी आदेशों का जवाब देने से अधिक कर सकते हैं। एआई को सामग्री बनाने, मानव सहायक की तरह जटिल प्रश्नों का उत्तर देने और आपकी आदतों के आधार पर आपको क्या पसंद आ सकता है, इसकी भविष्यवाणी करने के बारे में सोचें।
3. **डिसेंट्रलाइज्ड वेब (Decentralised Web)**– यह नई तकनीक का उपयोग करने के बारे में है, जैसे ब्लॉकचेन, इंटरनेट को अधिक सुरक्षित और निष्पक्ष बनाने के लिए। यह आपको आपके डेटा और ऑनलाइन बातचीत करने के तरीके पर अधिक नियंत्रण दे सकता है, जिससे ऑनलाइन लेनदेन जैसी चीजें अधिक सुरक्षित और निजी हो सकती हैं।

सिनेमैटिक कनेक्शन

सिनेमा में आर्टिफिशियल इंटेलिजेंस (AI) और रोबोटिक्स का चित्रण अक्सर उन्नत तकनीक के चमत्कारों और संभावित खतरों दोनों को दर्शाता है। यहाँ बॉलीवुड से दो उल्लेखनीय उदाहरण दिए गए हैं:

बॉलीवुड की साइंस फिक्शन फिल्म रा.वन (2011) वीडियो गेम और उन्नत रोबोटिक्स की दुनिया में उतरती है। इसमें रा.वन नामक एक शक्तिशाली आर्टिफिशियल इंटेलिजेंस खलनायक है, जिसे एक वर्चुअल रियलिटी गेम के लिए डिजाइन किया गया है जो डिजिटल दुनिया से आगे निकलकर वास्तविक दुनिया में प्रवेश करता है।

फिल्म *तेरी बातों में ऐसा उलझा जिया* (2024) में, हम कृति सनोन द्वारा चित्रित एक ह्यूमनॉइड रोबोट सिफ्रा [SIFRA (Super Intelligent Female Robot Automation)] के चरित्र के माध्यम से आर्टिफिशियल इंटेलिजेंस की आकर्षक लेकिन सावधान करने वाली कहानी में उतरते हैं। यह AI की जटिलताओं और कमजोरियों को उजागर करता है, यह सुझाव देते हुए कि सबसे उन्नत तकनीक भी अप्रत्याशित चुनौतियों और परिणामों का सामना कर सकती है।

क्या आप जानते हैं? गीक उन लोगों के लिए एक शब्द है जो कंप्यूटर और तकनीक के बारे में बहुत भावुक हैं। उदाहरण के लिए, फिल्म द सोशल नेटवर्क (2010) में, मार्क जुकरबर्ग एक पूर्ण गीक है जो फेसबुक बनाने के लिए अपने कंप्यूटर कौशल का उपयोग करता है। गीक तकनीक की दुनिया के सुपरहीरो की तरह हैं, जो अपनी शक्तियों का उपयोग करके अच्छी चीजें बनाते हैं और समस्याओं का समाधान करते हैं!

वेब में उभरते रुझान और प्रौद्योगिकियाँ (Emerging Trends and Technologies in Web)

इंटरनेट ऑफ थिंग्स (The Internet of Things)

'इंटरनेट ऑफ थिंग्स' शब्द का इस्तेमाल सबसे पहले केविन एश्टन ने 1999 में किया था। यह भौतिक वस्तुओं को इंटरनेट से जोड़ने के विचार को दर्शाता है। IoT का मतलब है रोजमर्रा की वस्तुओं को इंटरनेट से जोड़ना ताकि वे आपस में संवाद कर सकें और साथ मिलकर काम कर सकें (चित्र 24.5)। इसमें स्मार्टफोन और कॉफी मशीन से लेकर पहनने योग्य डिवाइस और बहुत कुछ शामिल है।

उदाहरण के लिए, स्वास्थ्य निगरानी उपकरण पहनने की कल्पना करें। अगर यह किसी स्वास्थ्य समस्या का पता लगाता है, तो यह आपको सचेत कर सकता है और आपके महत्वपूर्ण संकेतों को वास्तविक समय में आपके डॉक्टर के साथ साझा कर सकता है। इस डेटा का उपयोग करके, आपका डॉक्टर जरूरत पड़ने पर तुरंत मदद भेज सकता है। यह आपस में जुड़ा सेटअप जान बचा सकता है और दिखाता है कि IoT कितना शक्तिशाली हो सकता है। IoT डिवाइस को संवाद करने और साथ मिलकर काम करने में मदद करता है, जिससे जीवन अधिक कुशल और तकनीक से जुड़ा हुआ हो जाता है। कुछ रोजमर्रा के उदाहरणों में शामिल हैं:

- **स्मार्ट होम डिवाइस (Smart Home Devices):** स्मार्ट लाइट, डोर लॉक और कैमरे जैसे डिवाइस जिन्हें स्मार्टफोन ऐप या वॉयस कमांड के जरिए दूर से नियंत्रित किया जा सकता है।
- **हेल्थ और फिटनेस ट्रैकर (Health and Fitness Trackers):** फिटनेस बैंड या स्मार्टवॉच जैसे पहनने योग्य उपकरण जो हृदय गति, उठाए गए कदम, नींद के पैटर्न और बहुत कुछ की निगरानी करते हैं।
- **कनेक्टेड कारें (Connected Cars):** जीपीएस नेविगेशन, रीयल-टाइम ट्रैफिक अपडेट, रिमोट डायग्नोस्टिक्स और मनोरंजन प्रणालियों के लिए बिल्ट-इन सेंसर और इंटरनेट कनेक्टिविटी वाले वाहन।

• **पर्यावरण निगरानी (Environmental Monitoring):** IoT उपकरणों का उपयोग कृषि में मिट्टी की नमी, तापमान और मौसम की स्थिति की निगरानी के लिए किया जाता है।

संक्षेप में, IoT उपकरणों को इंटरनेट से जोड़ने के बारे में है ताकि वे जानकारी साझा कर सकें, एक साथ काम कर सकें और परस्पर जुड़े सिस्टम का एक नेटवर्क बना सकें जिसका उपयोग कई अलग-अलग तरीकों से किया जा सके।

चित्र 24.5 IoT

क्लाउड कंप्यूटिंग (Cloud Computing)

क्लाउड कंप्यूटिंग (Cloud Computing)- यह एक तकनीक है जो आपको इंटरनेट ('क्लाउड') के माध्यम से सर्वर, स्टोरेज और एप्लिकेशन जैसी कंप्यूटिंग संसाधनों का उपयोग करने की अनुमति देती है, बजाय इसके कि आप अपने स्थानीय कंप्यूटर या भौतिक सर्वरों पर निर्भर रहें। यह इन सेवाओं को एक प्रदाता से किराए पर लेने जैसा है, जिसका मतलब है कि आपको महंगे हार्डवेयर में निवेश करने या रखरखाव की चिंता करने की आवश्यकता नहीं है।

उदाहरण के लिए, यदि आप अपने व्यवसाय के लिए एक वेबसाइट बनाना चाहते हैं, तो आप अमेजन वेब सर्विसेज (AWS) का उपयोग कर सकते हैं। AWS सेवाएं प्रदान करता है जैसे कि आपकी वेबसाइट चलाने के लिए Amazon EC2, फाइलों को स्टोर करने के लिए Amazon S3 और डेटा प्रबंधन के लिए Amazon RDS। इस तरह, आपको अपने स्वयं के सर्वर खरीदने और प्रबंधित करने की आवश्यकता नहीं होती है।

क्लाउड स्टोरेज (वर्चुअल स्टोरेज) (Cloud Storage (Virtual Storage))- यह इंटरनेट के माध्यम से डिजिटल फाइलों और डेटा को सहेजने और प्रबंधित करने का एक तरीका है। अपनी फाइलों को केवल अपने कंप्यूटर या फोन पर सहेजने के बजाय, आप उन्हें उन कंपनियों के दूरस्थ सर्वरों पर सहेजते हैं (जैसे Google)। इन सर्वरों को अक्सर रूपक रूप में 'क्लाउड' में बताया जाता है, जो उनकी दूरस्थ और अमूर्त प्रकृति को दर्शाता है। यहाँ कुछ लोकप्रिय क्लाउड स्टोरेज सेवाएं हैं-

• **गूगल ड्राइव (Google Drive)**- गूगल द्वारा पेश किया गया, यह आपको दस्तावेज, फोटो और अन्य फाइलें सहेजने की अनुमति देता है, और आप उन्हें अपने गूगल खाते के साथ किसी भी डिवाइस से एक्सेस कर सकते हैं।
• **आईक्लाउड (iCloud)**- एप्पल द्वारा प्रदान किया गया, आईक्लाउड आपको अपनी फोटो, वीडियो, फाइलें और अधिक सहेजने की अनुमति देता है, और यह आपके सभी एप्पल डिवाइसों में सिंक करता है।
• **वनड्राइव (OneDrive)**- माइक्रोसॉफ्ट द्वारा प्रबंधित, वनड्राइव आपके फाइलों के लिए स्टोरेज स्पेस प्रदान करता है और माइक्रोसॉफ्ट ऑफिस ऐप्स के साथ एकीकृत होता है, जिससे दस्तावेजों को संपादित और साझा करना आसान हो जाता है।

मोबाइल ऐप्स (Mobile Apps)

मोबाइल ऐप्स, या मोबाइल एप्लिकेशन, सॉफ्टवेयर प्रोग्राम हैं जो स्मार्टफोन और टैबलेट पर चलने के लिए डिजाइन किए गए हैं। वे मनोरंजन और उत्पादकता से लेकर संचार और वाणिज्य तक विभिन्न कार्य प्रदान करते हैं, जिससे वे दैनिक जीवन का अभिन्न हिस्सा बन जाते हैं। ऐप्स दो प्रकार के होते हैं-

1. **वेब ऐप्स (Web Apps):** वेब ऐप्स को Google Chrome या Mozilla Firefox जैसे वेब ब्राउजर के जरिए एक्सेस किया जाता है। वे कार्यात्मक और इंटरैक्टिव होते हैं, जिससे उपयोगकर्ता उन्हें डाउनलोड किए बिना ही कार्य कर सकते हैं। ये ऐप्स HTML, CSS और जावास्क्रिप्ट जैसी सामान्य वेब तकनीकों का उपयोग करते हैं। वे किसी भी डिवाइस पर काम करते हैं जिसमें वेब ब्राउजर हो, चाहे ऑपरेटिंग सिस्टम कोई भी हो।
2. **मोबाइल ऐप्स (Mobile Apps):** मोबाइल ऐप्स को दो मुख्य प्रकारों में वर्गीकृत किया जा सकता है:
   • **नेटिव ऐप्स (Native Apps):** नेटिव ऐप्स खास तौर पर iOS (Apple), Android (Google) या Windows फोन जैसे खास प्लैटफॉर्म के लिए बनाए जाते हैं। वे वेब ऐप्स की तुलना में ज्यादा जटिल होते हैं और हर प्लैटफॉर्म की अनूठी विशेषताओं का उपयोग करने के लिए डिजाइन किए जाते हैं। उदाहरण के लिए, iOS के लिए बनाया गया ऐप Android डिवाइस पर काम नहीं करेगा और इसके विपरीत, ये ऐप Apple App Store या Google Play Store जैसे ऐप स्टोर में उपलब्ध हैं, जहाँ उपयोगकर्ता उन्हें आसानी से ढूँढ़ और इंस्टॉल कर सकते हैं।
   • **हाइब्रिड ऐप्स (Hybrid Apps):** हाइब्रिड ऐप्स नेटिव और वेब ऐप्स दोनों के तत्वों को मिलाते हैं. इन्हें जावास्क्रिप्ट, HTML और CSS जैसी वेब तकनीकों का उपयोग करके बनाया जाता है, लेकिन इन्हें मूल ऐप की तरह पैकेज किया जाता है और इंस्टॉल किया जाता है। उदाहरण के लिए, इंस्टाग्राम हाइब्रिड तकनीक का उपयोग करता है, जिससे यह अपने इंटरफेस के लिए वेब-आधारित तकनीकों का उपयोग करते हुए विभिन्न उपकरणों पर आसानी से चल सकता है।

API: API या एप्लीकेशन प्रोग्रामिंग इंटरफेस एक पुल की तरह होता है जो अलग-अलग सॉफ्टवेयर एप्लीकेशन को एक दूसरे से बात करने की अनुमति देता है। API महत्वपूर्ण हैं क्योंकि वे ऐप को बाहरी सर्वर और सेवाओं से कनेक्ट करने में सक्षम बनाते हैं ताकि डेटा प्राप्त या भेजा जा सके। उदाहरण के लिए, जब आप अपने फोन पर मौसम ऐप का उपयोग करते हैं, तो ऐप में मौसम की सभी जानकारी संग्रहीत नहीं होती है। इसके बजाय, यह API के माध्यम से मौसम सेवा को एक अनुरोध भेजता है, जो तब नवीनतम मौसम डेटा के साथ प्रतिक्रिया करता है। ऐप तब यह डेटा आपको दिखा सकता है।

क्रैश (Crash): क्रैश तब होता है जब कोई कंप्यूटर प्रोग्राम या ऐप अचानक काम करना बंद कर देता है या अनुत्तरदायी हो जाता है। यह हाईवे पर कार के खराब होने जैसा है, जिससे सब कुछ रुक जाता है। सॉफ्टवेयर बग, हार्डवेयर विफलता या अन्य समस्याओं के कारण क्रैश हो सकते हैं।

परीक्षोपयोगी

24.8 कंप्यूटर सुरक्षा (Computer Security)

कंप्यूटर सुरक्षा, जिसे आईटी सुरक्षा या साइबर सुरक्षा भी कहा जाता है, कंप्यूटर सिस्टम, नेटवर्क और डेटा को अनधिकृत पहुँच और डिजिटल खतरों से सुरक्षित रखने के बारे में है। इसमें जानकारी की सुरक्षा के लिए विभिन्न तरीकों और तकनीकों का उपयोग करना शामिल है। इससे यह सुनिश्चित करने में मदद मिलती है कि डेटा निजी, सटीक और जरूरत पड़ने पर उपलब्ध रहे।

जैसे-जैसे हम अपने दैनिक जीवन में डिजिटल तकनीक पर अधिक निर्भर होते जाते हैं, कंप्यूटर सुरक्षा वास्तव में महत्वपूर्ण हो जाती है। यह व्यक्तिगत जानकारी, संवेदनशील डेटा और महत्वपूर्ण सिस्टम को संभावित जोखिमों और कमजोरियों से बचाने में मदद करता है जो नुकसान पहुँचा सकते हैं।

हैकर्स के प्रकार (Types of Hackers)

हैकिंग तब होती है जब कोई व्यक्ति किसी कंप्यूटर सिस्टम या नेटवर्क तक अनधिकृत पहुँच प्राप्त करने का प्रयास करता है। वे जानकारी चुराने, संचालन में बाधा डालने या नुकसान पहुँचाने के लिए ऐसा कर सकते हैं। हैकर कई प्रकार के होते हैं:

1. **व्हाइट हैट हैकर (एथिकल हैकर) (White Hat Hackers (Ethical Hackers)):** एथिकल हैकिंग एक ऐसी प्रक्रिया है जिसमें विशेषज्ञ, जिन्हें एथिकल हैकर के रूप में जाना जाता है, कमजोरियों के लिए कंप्यूटर सिस्टम या नेटवर्क का परीक्षण करते हैं। वे ऐसी कमजोरियों का पता लगाने के लिए ऐसा करते हैं जिनका दुर्भावनापूर्ण हैकर फायदा उठा सकते हैं। एथिकल हैकर फिर इन कमजोरियों की रिपोर्ट संगठन को देते हैं ताकि वे उन्हें ठीक कर सकें और अपनी सुरक्षा में सुधार कर सकें।
2. **ब्लैक हैट हैकर (क्रैकर) (Black Hat Hackers (Cracker)):** क्रैकर वह व्यक्ति होता है जो बिना अनुमति के कंप्यूटर सिस्टम में सेंध लगाने का प्रयास करता है। वे जानकारी चुराने, नुकसान पहुँचाने या सिर्फ चुनौती के लिए ऐसा कर सकते हैं। यह ऐसा है जैसे कोई व्यक्ति मालिक की जानकारी के बिना घर में सेंध लगाने की कोशिश कर रहा हो।
3. **ग्रीन हैट हैकर (Green Hat Hackers):** यह शब्द कम आम है और इसका मतलब है नौसिखिए हैकर जो हैकिंग तकनीक सीख रहे हैं या प्रयोग कर रहे हैं।
4. **ग्रे हैट हैकर्स (Grey Hat Hackers):** ग्रे हैट हैकर्स व्हाइट हैट और ब्लैक हैट हैकर्स के बीच आते हैं। वे कभी-कभी, दुर्भावनापूर्ण इरादे के बिना या व्यक्तिगत लाभ के लिए कमजोरियों को उजागर करने के लिए कानूनों या नैतिक मानकों का उल्लंघन कर सकते हैं।

सिनेमैटिक कनेक्शन

हॉलीवुड ने अक्सर हैकिंग को एक रोमांचक और कभी-कभी खतरनाक गतिविधि के रूप में चित्रित किया है जो अप्रत्याशित परिणामों को जन्म दे सकती है। आइए हम हैकिंग की दुनिया में उतरने वाली दो उल्लेखनीय फिल्मों पर नजर डालें:

वॉरगेम्स (1983): एक युवा कंप्यूटर विशेषज्ञ (मैथ्यू ब्रोडरिक) गलती से एक सैन्य सुपरकंप्यूटर को हैक कर लेता है और लगभग तीसरा विश्व युद्ध शुरू कर देता है।

हैकर्स (1995): यह हाई स्कूल हैकर्स के एक समूह के इर्द-गिर्द घूमती है जो एक साजिश का पता लगाते हैं और कॉर्पोरेट भ्रष्टाचार के खिलाफ लड़ने के लिए अपने कौशल का उपयोग करते हैं। यह हैकिंग में शामिल रचनात्मकता और जोखिमों को उजागर करता है, यह दर्शाता है कि कैसे तकनीक अच्छे के लिए एक उपकरण और गलत हाथों में एक हथियार दोनों हो सकती है।

क्विज स्टेशन *विगत UGC NET परीक्षाओं के प्रश्न*

प्र.1. निम्नलिखित में से किसे एथिकल हैकर्स कहा जाता है?

(a) ब्लू हैट हैकर्स (b) ब्लैक हैट हैकर्स
(c) ग्रे हैट हैकर्स (d) व्हाइट हैट हैकर्स

प्र.2. ____ को क्रैकर्स भी कहा जाता है।

(a) ग्रे हैट हैकर्स (b) व्हाइट हैट हैकर्स
(c) ब्लू हैट हैकर्स (d) ब्लैक हैट हैकर्स

उत्तर 1. (d) 2. (d)

ईमेल हैकिंग (Email Hacking)

ईमेल हैकिंग में विभिन्न रणनीतियाँ शामिल होती हैं जिनका उद्देश्य ईमेल खातों तक अनधिकृत पहुंच प्राप्त करना या हानिकारक/दुर्भावनापूर्ण उद्देश्यों के लिए ईमेल सिस्टम में हेरफेर करना होता है, जैसे कि वायरस फैलाना, व्यक्तिगत जानकारी चुराना या प्राप्तकर्ताओं को धोखाधड़ीपूर्ण अनुरोधों का जवाब देने के लिए धोखा देना (चित्र 24.6)। ईमेल हैकिंग के कई सामान्य रूपों में शामिल हैं-

1. **ईमेल स्पैमिंग (Email Spamming):** स्पैम से तात्पर्य अवांछित ईमेल से है जो उत्पादों या सेवाओं का विज्ञापन करने का प्रयास करते हैं। स्पैमिंग में लोगों को बड़ी संख्या में अनचाहे ईमेल भेजना शामिल है। इसका लक्ष्य अक्सर नकली उत्पादों या सेवाओं का विज्ञापन करना होता है, जैसे कि वजन घटाने की गोलियाँ या नकली सामान, या प्राप्तकर्ताओं को व्यक्तिगत जानकारी प्रकट करने के लिए धोखा देना।

   स्पैमबॉट (Spambot): इंटरनेट से ईमेल पते (address) खोजने और एकत्र करने के लिए डिजाइन किया गया एक प्रोग्राम। यह बहुत सारे स्पैम ईमेल भेजने के लिए इन पतों को इकट्ठा करता है।
2. **ईमेल वायरस (Email Viruses):** ये मेलिशियस (दुर्भावना से बनाया गया) प्रोग्राम या कोड हैं जो ईमेल अटैचमेंट या लिंक के माध्यम से फैलते हैं। जब कोई उपयोगकर्ता संक्रमित अटैचमेंट खोलता है या दुर्भावनापूर्ण लिंक पर क्लिक करता है, तो वायरस उनके कंप्यूटर या नेटवर्क को संक्रमित कर सकता है, जिससे सुरक्षा से समझौता होता है और नुकसान होता है।
3. **स्पूफिंग (Spoofing):** ईमेल स्पूफिंग एक खतरा है जिसमें नकली प्रेषक पते के साथ ईमेल संदेश भेजना शामिल है। उदाहरण के लिए,

आपको एक ईमेल प्राप्त हो सकता है जो आपके बैंक से आता है, लेकिन प्रेषक का पता थोड़ा बदला हुआ है (जैसे information@hdfcbank.net के बजाय inform$tion@hdfcbank.net)। इन ईमेल का उद्देश्य आपको संवेदनशील जानकारी प्रकट करने या धोखाधड़ी वाले लेनदेन करने के लिए धोखा देना है।

चित्र 24.6 ईमेल हैकिंग

सोशल इंजीनियरिंग हमलों के प्रकार (Types of Social Engineering Attacks)

सोशल इंजीनियरिंग एक विधि है जिसका उपयोग हैकर्स संवेदनशील जानकारी प्राप्त करने या सुरक्षा से समझौता करने वाले कार्यों को करने के लिए लोगों को धोखा देने के लिए करते हैं। कंप्यूटर सिस्टम पर सीधे हमला करने के बजाय, वे मनोवैज्ञानिक रणनीति के माध्यम से व्यक्तियों को धोखा देते हैं या उन्हें भ्रमित करते हैं। उदाहरण के लिए, एक हैकर एक विश्वसनीय प्राधिकरण, जैसे तकनीकी सहायता एजेंट या सहकर्मी होने का नाटक कर सकता है, ताकि किसी को अपना पासवर्ड प्रकट करने या मेलिशियस (दुर्भावना से बनाया गया) सॉफ्टवेयर डाउनलोड करने के लिए मना सके।

1. **फिशिंग (Phishing):** फिशिंग एक रणनीति है जहाँ हैकर्स विश्वसनीय स्रोतों, जैसे बैंक या सोशल मीडिया प्लेटफॉर्म होने का नाटक करते हैं, ताकि लोगों को पासवर्ड या क्रेडिट कार्ड नंबर जैसी संवेदनशील जानकारी देने के लिए धोखा दे सकें (चित्र 24.7)। इसे फिशिंग कहा जाता है क्योंकि यह एक मछुआरे के चारा डालकर मछली पकड़ने जैसा है–हैकर्स नकली संदेशों का उपयोग करके पीड़ितों को फंसाते हैं। इसके विभिन्न प्रकार हैं:
   - **स्पीयर फिशिंग (Spear Phishing)**– स्पीयर फिशिंग एक अधिक लक्षित प्रकार का फिशिंग हमला है। यहाँ, हैकर विशिष्ट व्यक्तियों पर शोध करते हैं, अक्सर उनके सोशल मीडिया प्रोफाइल या ऑनलाइन खोजों से जानकारी का उपयोग करते हैं। वे अपने नकली संदेशों को अनुकूलित करते हैं ताकि वे अधिक विश्वसनीय और लक्षित व्यक्ति के लिए उपयुक्त दिखें।
   - **व्हेलिंग (Whaling)**– व्हेलिंग स्पीयर फिशिंग का एक विशेष रूप है जो बड़े लक्ष्यों, जैसे उच्च-रैंकिंग अधिकारियों या कंपनी के महत्वपूर्ण लोगों को लक्षित करता है। हैकर्स बड़े 'व्हेल' के बजाय छोटे 'मछलियों' को निशाना बनाते हैं, मूल्यवान जानकारी या कंपनी सिस्टम तक पहुंच प्राप्त करने की उम्मीद में। उदाहरण के लिए, एक सीईओ को कंपनी के आईटी विभाग से एक ईमेल प्राप्त हो सकता है जिसमें संवेदनशील कंपनी जानकारी मांगी जाती है।
   - **ईमेल फिशिंग (Email Phishing)**– यह तब होता है जब आपको एक ईमेल प्राप्त होता है जो एक विश्वसनीय स्रोत, जैसे बैंक या सोशल मीडिया साइट से प्रतीत होता है। उदाहरण के लिए, आपको अपने बैंक से एक ईमेल प्राप्त होता है जिसमें आपसे अपने खाते की जानकारी को तुरंत अपडेट करने के लिए एक लिंक पर क्लिक करने के लिए कहा जाता है। जब आप लिंक पर क्लिक करते हैं, तो आपको एक नकली वेबसाइट पर पुनः निर्देशित किया जाता है जो आपकी जानकारी चुराने के लिए डिजाइन की गई है।
   - **वॉइस फिशिंग (विशिंग) (Voice Phishing (Vishing))**– विशिंग फिशिंग की तरह है, लेकिन यह फोन पर होता है। हैकर्स धोखाधड़ी वाले फोन कॉल करते हैं, एक वैध संगठन से होने का नाटक करते हैं, ताकि लोगों को उनकी व्यक्तिगत जानकारी या पासवर्ड प्रकट करने के लिए धोखा दे सकें। वे आपको अपनी व्यक्तिगत जानकारी देने या एक हानिकारक लिंक पर क्लिक करने के लिए प्रेरित करने की कोशिश करते हैं।
   - **एसएमएस फिशिंग (स्मिशिंग) (SMS Phishing (Smishing))**– हैकर्स टेक्स्ट संदेश (एसएमएस) भेजते हैं जिनमें लिंक होते हैं, जिन

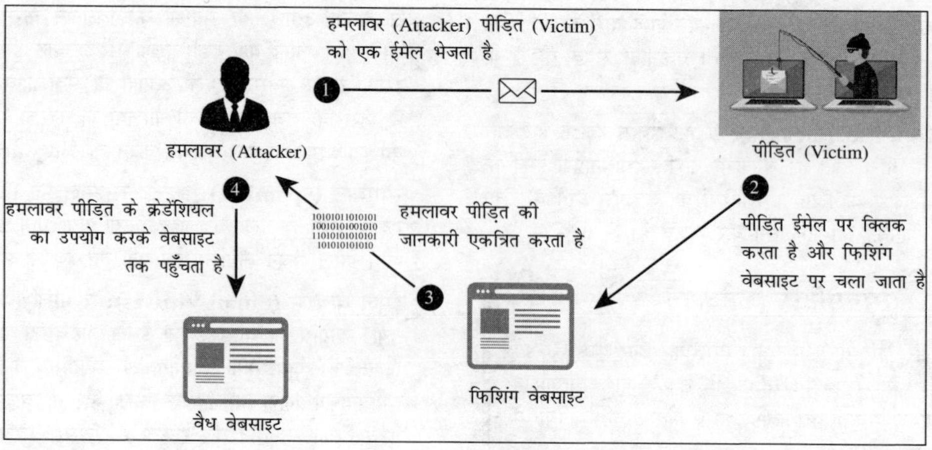

चित्र 24.7 फिशिंग

पर क्लिक करने पर आपके फोन पर मैलवेयर डाउनलोड हो जाता है या संवेदनशील जानकारी मांगी जाती है।

- **एंगलर फिशिंग (Angler Phishing)**- एंगलर फिशिंग नकली सोशल मीडिया खातों का उपयोग करता है जो विश्वसनीय कंपनियों या ग्राहक सहायता टीमों के होते हैं। वे इन खातों का उपयोग लोगों को उनकी व्यक्तिगत जानकारी देने या मेलिशियस (दुर्भावना से बनाया गया) लिंक पर क्लिक करने के लिए धोखा देने के लिए करते हैं।

सिनेमैटिक कनेक्शन

बॉलीवुड फिल्म लेडीज वर्सेस रिकी बहल (2011) में, रिकी बहल (रणवीर सिंह द्वारा निभाया गया) एक ठग है जो कई महिलाओं को धोखा देता है, जिनमें दीपिका पादुकोण और बिपाशा बसु द्वारा निभाए गए पात्र शामिल हैं। वह आकर्षण और झूठ का उपयोग करता है, नकली पहचान और कहानियाँ बनाकर उनका विश्वास जीतता है। वह उनका विश्वास जीतकर उनका पैसा चुरा लेता है।

यह फिल्म स्पीयर फिशिंग के विचार के समान है। जैसे स्पीयर फिशिंग में, जहां हमलावर विशिष्ट लोगों को धोखा देने के लिए व्यक्तिगत चालों का उपयोग करते हैं, रिकी बहल प्रत्येक महिला को व्यक्तिगत रूप से धोखा देने के लिए अनुकूलित घोटालों का उपयोग करता है। फिल्म दिखाती है कि लक्षित धोखाधड़ी कैसे गंभीर परिणामों की ओर ले जा सकती है।

2. **फार्मिंग (Pharming)**- यह तब होता है जब हैकर्स नकली वेबसाइटें बनाते हैं जो असली वेबसाइटों की तरह दिखती हैं। जब आप इन साइटों पर जाते हैं, तो वे आपकी लॉगिन जानकारी या अन्य संवेदनशील जानकारी चुरा सकते हैं बिना आपको पता चले।
3. **बैटिंग (Baiting)**- बैटिंग किसी का ध्यान आकर्षित करने के लिए कुछ लुभावना डालने जैसा है। साइबर सुरक्षा में, यह तब होता है जब हमलावर कुछ आकर्षक पेश करते हैं, जैसे मुफ्त संगीत डाउनलोड या गिफ्ट कार्ड, लोगों को उनकी लॉगिन क्रेडेंशियल्स या अन्य संवेदनशील जानकारी देने के लिए धोखा देने के लिए।
4. **स्निफिंग (Sniffing)**- स्निफिंग नेटवर्क पर हो रही बातचीत को सुनने जैसा है। जब डेटा इंटरनेट या स्थानीय नेटवर्क के माध्यम से यात्रा करता है, तो इसे छोटे टुकड़ों में तोड़ा जाता है जिन्हें पैकेट कहा जाता है। स्निफिंग में इन पैकेटों को पकड़ना शामिल है ताकि यह देखा जा सके कि उनमें क्या जानकारी है, जैसे पासवर्ड, ईमेल या वेबसाइट विजिट। हैकर्स लोगों की ऑनलाइन गतिविधियों पर जासूसी करने के लिए इसे बिना उनकी जानकारी के कर सकते हैं।
5. **क्लिक-जैकिंग (Click-Jacking)**- क्लिक-जैकिंग उपयोगकर्ताओं को कुछ अलग क्लिक करने के लिए धोखा देता है जो वे देखते हैं। उदाहरण के लिए, आपको लग सकता है कि आप एक हानिरहित बटन पर क्लिक कर रहे हैं, लेकिन वास्तव में आप एक लिंक पर क्लिक कर रहे हैं जो मैलवेयर डाउनलोड कर सकता है या आपको एक हानिकारक वेबसाइट पर ले जा सकता है।
6. **डिनायल-ऑफ-सर्विस (DoS) (Denial-of-Service (DoS))**- एक क्वै हमला फोन लाइन, नेटवर्क या वेबसाइट को इतने अधिक ट्रैफिक से भर देने जैसा है कि कोई और नहीं पहुंच सकता। यह ओवरलोड सेवा को बंद कर सकता है, जिससे वैध उपयोगकर्ताओं के लिए यह अनुपलब्ध हो जाती है। एक DoS हमला एक रेस्तरां को नकली ऑर्डर से भर देने जैसा है ताकि असली ग्राहकों को सेवा न मिल सके।

क्विज स्टेशन *विगत UGC NET परीक्षाओं के प्रश्न*

प्र.1. निम्नलिखित में से कौन-सा फिशिंग हमले का प्रकार नहीं है?

(a) व्हेलिंग (b) फार्मिंग
(c) DDo (d) स्पीयर फिशिंग

प्र.2. डिस्ट्रीब्यूटेड डेनियल-ऑफ-सर्विस (DDoS) हमले का उद्देश्य क्या है?

(a) नेटवर्क प्रदर्शन में सुधार करना
(b) इंटरनेट से जुड़े होस्ट की सेवाओं को अस्थायी या स्थायी रूप से बाधित करना
(c) कंप्यूटर नेटवर्क को सुरक्षित करना
(d) सॉफ्टवेयर अपडेट करना

प्र.3. कोई हैकर आपके फोन या ईमेल से संपर्क करता है और आपका पासवर्ड हासिल करने का प्रयास करता है, उसे क्या कहते हैं?

(a) बगिंग (b) फिशिंग
(c) स्पूफिंग (d) स्पैमिंग

उत्तर 1. (c) 2. (b) 3. (b)

मैलवेयर के प्रकार (Types of Malware)

मैलवेयर, मेलिशियस (दुर्भावना से बनाया गया) सॉफ्टवेयर का संक्षिप्त रूप है, जो जानबूझकर कंप्यूटर सिस्टम, नेटवर्क या उपयोगकर्ताओं को नुकसान पहुँचाने के लिए डिजाइन किए गए किसी भी प्रकार के सॉफ्टवेयर को संदर्भित करता है। ये हानिकारक प्रोग्राम पासवर्ड या क्रेडिट कार्ड नंबर जैसे संवेदनशील डेटा चुरा सकते हैं, महत्वपूर्ण फाइलों को एन्क्रिप्ट या डिलीट कर सकते हैं, कंप्यूटर फंक्शन को नियंत्रित कर सकते हैं या उपयोगकर्ताओं की गतिविधियों पर उनकी जानकारी के बिना जासूसी कर सकते हैं।

1. **वायरस (Viruses):** वायरस का अर्थ है श्महत्वपूर्ण सूचना संसाधन घेरे मेंश। कंप्यूटर वायरस एक प्रकार का मेलिशियस (दुर्भावना से बनाया गया) सॉफ्टवेयर है जो कंप्यूटर सिस्टम को संक्रमित करता है और एक होस्ट से दूसरे होस्ट में फैलता है। यह आमतौर पर खुद को अन्य प्रोग्राम या फाइलों से जोड़ता है और खुद को दोहरा सकता है, जिससे सिस्टम को नुकसान पहुँचता है या संवेदनशील जानकारी चोरी होती है। वायरस विभिन्न माध्यमों से फैल सकते हैं, जैसे ईमेल अटैचमेंट, संक्रमित वेबसाइट या हटाने योग्य स्टोरेज डिवाइस। यह फिर उसी कंप्यूटर पर अन्य फाइलों को संक्रमित कर सकता है या नेटवर्क पर अन्य कंप्यूटरों में फैल सकता है।
2. **वर्म्स (राइट वन्स रीड मेनी) (WORMS (Write Once, Read Many)):** ये एक प्रकार के मैलवेयर हैं जो खुद को कंप्यूटर सिस्टम पर कॉपी कर सकते हैं और दूसरे कंप्यूटरों में फैल सकते हैं। वायरस के विपरीत, वर्म्स को कंप्यूटर के बीच जाने के लिए अन्य फाइलों से

जुड़ने की आवश्यकता नहीं होती है। वे साझा नेटवर्क की तरह फैलने के तरीके खोजते हैं और खुद को विभिन्न फाइलों से जोड़ सकते हैं। स्वतंत्र रूप से प्रतिकृति बनाने और स्थानांतरित करने की यह क्षमता वर्म्स को कंप्यूटर नेटवर्क में तेजी से फैलने में एक शक्तिशाली खतरा बनाती है।

एक बुरा WORM 2000 में 'ILOVEYOU' था, जो ईमेल के माध्यम से तेजी से फैलता था, फाइलों को अधिलेखित करके और पीड़ित की ईमेल पता पुस्तिका में सभी संपर्कों को अपनी प्रतियाँ भेजकर व्यापक क्षति पहुँचाता था।

3. **ट्रोजन (Trojans):** ट्रोजन, जिन्हें ट्रोजन हॉर्स के रूप में भी जाना जाता है, मेलिशियस (दुर्भावना से बनाया गया) प्रोग्राम हैं जो उपयोगकर्ताओं को एक हानिरहित या उपयोगी प्रोग्राम, जैसे गेम या उपयोगिता होने का दिखावा करके धोखा देते हैं। वायरस या वर्म्स के विपरीत, ट्रोजन खुद की प्रतिकृति नहीं बनाते हैं, बल्कि उपयोगकर्ताओं को उन्हें चलाने के लिए धोखा देते हैं। एक बार कंप्यूटर पर इंस्टॉल हो जाने के बाद, यह उपयोगकर्ता की जानकारी के बिना मेलिशियस (दुर्भावना से बनाया गया) गतिविधियाँ करता है। ट्रोजन का उपयोग पासवर्ड जैसी संवेदनशील जानकारी चुराने या आपकी गतिविधियों पर जासूसी करने के लिए किया जा सकता है। इसका एक उदाहरण जीउस ट्रोजन है, जिसने ऑनलाइन बैंकिंग क्रेडेंशियल्स को लक्षित किया।

4. **रैनसमवेयर (Ransomware):** यह एक प्रकार का मैलवेयर है जो उपयोगकर्ताओं को उनके सिस्टम से बाहर रखने या उनके महत्वपूर्ण डेटा तक पहुँच से वंचित करने के लिए डिजाइन किया गया है जब तक कि वे फिरौती का भुगतान न करें। इस तरह का मैलवेयर अक्सर संक्रमित कंप्यूटर पर फाइलों को एन्क्रिप्ट (लॉक) कर देता है, जिससे वे पढ़ने योग्य नहीं रह जाते। फिर साइबर अपराधी फाइलों को अनलॉक करने के लिए डिक्रिप्शन कुंजी प्रदान करने के लिए आमतौर पर बिटकॉइन जैसी डिजिटल मुद्रा में भुगतान की मांग करते हैं।

5. **वाइपर मैलवेयर (Wiper Malware):** वाइपर मैलवेयर एक प्रकार का मेलिशियस (दुर्भावना से बनाया गया) सॉफ्टवेयर है जिसे नष्ट करने के एकमात्र उद्देश्य से डिजाइन किया गया है। अन्य मैलवेयर के विपरीत जो डेटा चोरी करने या संचालन को बाधित करने का लक्ष्य रखते हैं, वाइपर मैलवेयर का प्राथमिक कार्य पुनर्प्राप्ति से परे डेटा को मिटाना या दूषित करना है। रैनसमवेयर के विपरीत, जो डेटा एन्क्रिप्ट करता है और डिक्रिप्शन के लिए भुगतान की मांग करता है, वाइपर मैलवेयर आमतौर पर डेटा को पुनर्प्राप्त करने का कोई तरीका नहीं देता है, भले ही फिरौती का भुगतान किया गया हो।

6. **एडवेयर (Adware):** एडवेयर एक ऐसा सॉफ्टवेयर है जो इंटरनेट ब्राउज करते समय स्वचालित रूप से विज्ञापन प्रदर्शित करता है, अक्सर पॉप-अप के रूप में। ये विज्ञापन आमतौर पर अवांछित होते हैं, जो आपके ब्राउजिंग अनुभव को बाधित करते हैं।

   यदि आप गलती से इन विज्ञापनों पर क्लिक करते हैं, तो आपको मेलिशियस (दुर्भावना से बनाया गया) वेबसाइटों पर पुनः निर्देशित किया जा सकता है जो संभावित रूप से आपके कंप्यूटर को नुकसान पहुंचा सकते हैं या आपकी व्यक्तिगत जानकारी चुरा सकते हैं। ये विज्ञापन आपकी अनुमति के बिना विज्ञापनदाताओं को बेचने के लिए आपका डेटा एकत्र करते हैं। एक लोकप्रसिद्ध उदाहरण सुपरफिश एडवेयर है, जिसने लेनोवो लैपटॉप को प्रभावित किया।

7. **स्पाइवेयर (Spyware):** यह मेलिशियस (दुर्भावना से बनाया गया) सॉफ्टवेयर है जिसे आपके कंप्यूटर या मोबाइल डिवाइस से गुप्त रूप से निगरानी (जासूसी) करने और जानकारी एकत्र करने के लिए डिजाइन किया गया है। यह गुप्त रूप से आपके डिवाइस और आपकी गतिविधियों से जानकारी एकत्र करता है, जैसे कि आप जिन वेबसाइटों पर जाते हैं या जो पासवर्ड आप टाइप करते हैं, और यह डेटा आपकी जानकारी के बिना दूसरों को भेजता है। स्पाइवेयर खतरनाक है क्योंकि यह बैकग्राउंड में चुपचाप काम करता है, जिससे इसका पता लगाना मुश्किल हो जाता है। इसका उद्देश्य किसी तीसरे पक्ष (हैकर) के लिए कंप्यूटर सिस्टम से निजी जानकारी चुराना है।

8. **कीलॉगर (Keylogger):** कीलॉगर एक खास तरह का स्पाइवेयर है। यह आपके कीबोर्ड पर आपके द्वारा दबाए जाने वाले हर बटन को चुपचाप रिकॉर्ड करता है। इसमें संदेश, पासवर्ड या क्रेडिट कार्ड नंबर जैसी चीजें शामिल हो सकती हैं। फिर यह यह जानकारी उस व्यक्ति को भेजता है जिसने सॉफ्टवेयर इंस्टॉल किया है, जिससे वह टाइप की गई हर चीज देख सकता है, जैसे पासवर्ड, संदेश और अन्य संवेदनशील जानकारी।

9. **स्केयरवेयर (Scareware):** स्केयरवेयर एक प्रकार का मेलिशियस (दुर्भावना से बनाया गया) सॉफ्टवेयर (मैलवेयर) है जो लोगों को डर के मारे काम करने के लिए प्रेरित करता है। यह अक्सर आपके कंप्यूटर पर फर्जी अलर्ट या चेतावनियाँ दिखाता है, जो कानून प्रवर्तन या तकनीकी सहायता से होने का दिखावा करता है। उदाहरण के लिए, आपको एक संदेश दिखाई दे सकता है जिसमें दावा किया गया हो कि आपका कंप्यूटर वायरस से संक्रमित है और आपको इसे ठीक करने के लिए एक लिंक पर क्लिक करने का आग्रह किया गया हो। वास्तव में, लिंक पर क्लिक करने से आपके कंप्यूटर पर मैलवेयर इंस्टॉल हो सकता है या आप किसी ऐसी वेबसाइट पर जा सकते हैं जहाँ आपकी व्यक्तिगत जानकारी चोरी हो सकती है। स्केयरवेयर उपयोगकर्ताओं को गोपनीय जानकारी साझा करने या हानिकारक सॉफ्टवेयर डाउनलोड करने के लिए डर का इस्तेमाल करता है।

10. **फाइललेस मैलवेयर (Fileless Malware):** यह एक प्रकार का मैलवेयर है जो अपनी मेलिशियस (दुर्भावना से बनाया गया) गतिविधियों को अंजाम देने के लिए आपके डिवाइस पर मौजूद सॉफ्टवेयर और टूल का इस्तेमाल करता है। पारंपरिक मैलवेयर के विपरीत, फाइललेस मैलवेयर को आपके सिस्टम पर आने के लिए फाइल डाउनलोड करने की जरूरत नहीं होती है। फाइललेस मैलवेयर मेमोरी-आधारित है, फाइल-आधारित नहीं। यह हार्ड ड्राइव पर संग्रहीत होने के बजाय कंप्यूटर की मेमोरी में काम करता है, जिससे इसका पता लगाना मुश्किल हो जाता है। फाइल रहित मैलवेयर का एक उदाहरण एस्ट्रोथ है, जिसने 2019 में मुख्य रूप से ब्राजील में विंडोज डिवाइस को निशाना बनाया, ताकि हार्ड ड्राइव पर कोई निशान छोड़े बिना जानकारी चुराई जा सके।

11. **लॉजिक बम (Logic Bombs):** एक जासूसी फिल्म में टाइम बम की कल्पना करें - यह एक विशिष्ट समय पर या किसी दरवाजा खोलने जैसी किसी चीज से ट्रिगर होने पर फटने के लिए सेट किया गया है। इसी तरह, कंप्यूटर में लॉजिक बम टाइम बम की तरह काम करता है, लेकिन डिजिटल निर्देशों के साथ। यह तब तक निष्क्रिय रहता है जब तक कि कुछ शर्तें पूरी नहीं हो जातीं, जैसे कि एक विशिष्ट

स्कोर बूस्टर
पूरक पठन अनुशंसा

QR कोड काम नहीं कर रहा है? QR कोड के साथ दिए गए संसाधनों तक पहुँचने के लिए आंतरिक फ्रन्ट कवर पर दिए गए निर्देशों का पालन करें

ऐसे अतिरिक्त विषय खोजें जो UGC NET पेपर 1 में आपके स्कोर को बढ़ा सकते हैं। हालाँकि ये विषय आधिकारिक तौर पर पाठ्यक्रम का हिस्सा नहीं हैं, लेकिन ये विषय पिछली UGC NET परीक्षाओं में शामिल हो चुके हैं। निम्नलिखित विषयों को कवर करने वाला एक **विशेष PDF** डाउनलोड करने के लिए QR कोड को स्कैन करें:

1. कंप्यूटर सुरक्षा के घटक
2. सोशल इंजीनियरिंग हमले
3. वायरस के प्रकार
4. आवश्यक साइबर सुरक्षा अभ्यास

तिथि या समय पर पहुँचना या किसी खाते में एक निश्चित संख्या में लॉग इन करना जैसी कोई विशेष क्रिया। ट्रिगर होने पर, यह फाइलों को हटाकर, सिस्टम को क्रैश करके या अन्य नुकसान पहुँचाकर तबाही मचा सकता है। इसका एक उदाहरण 'माइकल एंजेलो' वायरस है, जो माइकल एंजेलो (प्रसिद्ध इतालवी चित्रकार) के जन्मदिन पर सक्रिय हुआ था।

12. **रूटकिट्स (Rootkits):** ये एक प्रकार के मैलवेयर हैं जो साइबर अपराधियों को आपके डिवाइस का रिमोट कंट्रोल देते हैं, अक्सर आपको पता भी नहीं चलता। रूटकिट्स हैकर्स को दूर से आपके कंप्यूटर पर नियंत्रण करने की अनुमति देते हैं। उन्हें छिपे रहने के लिए डिजाइन किया गया है, जिससे उन्हें पहचानना और हटाना मुश्किल हो जाता है।

तालिका 24.4 में मैलवेयर के प्रकारों का संक्षिप्त विवरण दिया गया है:

तालिका 24.4 मैलवेयर के प्रकार

मैलवेयर का प्रकार	यह क्या करता है	उदाहरण
वायरस	कंप्यूटर सिस्टम को संक्रमित करता है, अन्य प्रोग्राम या फाइलों से जुड़ता है, खुद की नकल करता है, नुकसान पहुंचाता है या जानकारी चुराता है	क्रीपर (जिसे पहला कंप्यूटर वायरस कहा जाता है) मेलिसा, कोड रेड
वर्म्स (राइट वन्स, रीड मेनी)	खुद की नकल करके नेटवर्क में फैलता है	ILOVEYOU
ट्रोजन	खुद को मनचाहा कोड/ सॉफ्टवेयर के रूप में छिपाता है	जीउस ट्रोजन
रैंसमवेयर	पीड़ित की डेटा तक पहुँच को तब तक अक्षम करता है जब तक फिरौती का भुगतान नहीं किया जाता	Ryuk
वाइपर मैलवेयर	उपयोगकर्ता डेटा को मिटा देता है जिसे पुनर्प्राप्त नहीं किया जा सकता	व्हिसपरगेट
एडवेयर	अवांछित विज्ञापन दिखाता है	फायरबॉल
स्पाइवेयर	उपयोगकर्ता की गतिविधि का डेटा उनकी जानकारी के बिना एकत्रित करता है	डार्कहोटल
कीलॉगर	उपयोगकर्ताओं के कीस्ट्रोक्स पर नजर रखता है	ओलंपिक विजन
स्केयरवेयर	उपयोगकर्ताओं को नकली अलर्ट के साथ धोखा देता है या उन्हें हानिकारक सॉफ्टवेयर डाउनलोड करने या जानकारी साझा करने के लिए प्रेरित करने के लिए चेतावनियाँ	मैकडिफेंडर (नकली वायरस अलर्ट और चेतावनी संदेश प्रदर्शित करके मैक उपयोगकर्ताओं को लक्षित करता है)
फाइललेस मैलवेयर	उन फाइलों में परिवर्तन करता है जो ओएस के लिए मूल हैं	एस्ट्रोथ
लॉजिक बम	निष्क्रिय रहता है जब तक कि विशिष्ट शर्तें पूरी नहीं हो जाती हैं, फिर फाइलों को हटाने या सिस्टम को क्रैश करने जैसे नुकसान का कारण बनता है	माइकल एंजेलो
रूटकिट्स	हैकर्स को पीड़ित के डिवाइस का रिमोट कंट्रोल देता है	जैकिनलो

क्विज स्टेशन *विगत UGC NET परीक्षाओं के प्रश्न*

प्र.1. कॉलम का मिलान कीजिए। *(21 अगस्त 2024 - शिफ्ट 1)*

A. ट्रोजन हॉर्स	I. एक नेटवर्क के माध्यम से स्वयं की प्रतियों का प्रचार-प्रसार करता है
B. वर्म	II. कुछ स्थिति उत्पन्न होने पर कार्रवाई शुरू करता है
C. लॉजिक बम	III. मैलवेयर के अस्तित्व को छिपाने के लिए मानक OS कॉल को हुक करता है
D. रूटकिट	IV. इसमें अप्रत्याशित रूपांतर प्रभाव शामिल है

(a) A-I, B-IV, C-III, D-II
(b) A-IV, B-II, C-I, D-III
(c) A-II, B-I, C-III, D-IV
(d) A-IV, B-I, C-II, D-III

प्र.2. कई कंप्यूटर उपयोगकर्ता मैलवेयर के बारे में चिंतित हैं। निम्नलिखित में से कौन से मैलवेयर के दो उदाहरण हैं?

1. फायरवॉल 2. वर्म
3. राउटर 4. वायरस

नीचे दिए गए विकल्पों में से सही उत्तर चुनें:

(a) केवल 1 और 3 (b) केवल 1 और 2
(c) केवल 2 और 4 (d) केवल 3 और 4

प्र.3. निम्नलिखित में से कौन सा सॉफ्टवेयर है जो डेटा फाइलों को लॉक करता है और अनलॉक करने के बदले में मौद्रिक भुगतान की मांग करता है? *(30 अगस्त 2024 - शिफ्ट 2)*

(a) रैनसमवेयर (b) स्पाइवेयर
(c) तर्क बम (d) ट्रोजन हॉर्स

प्र.4. पहला कंप्यूटर वायरस है:

(a) मॉरिस वर्म (b) क्रीपर
(c) ILOVEYOU (d) स्टक्सनेट

प्र.5. कीलॉगर, कीस्ट्रोक लॉगर का संक्षिप्त रूप, साइबर खतरे का एक प्रकार है। कीलॉगर एक प्रकार का है *(28 अगस्त 2024 - शिफ्ट 2)*

(a) वर्म (b) ट्रोजन हॉर्स
(c) वायरस (d) स्पाइवेयर

उत्तर 1. (d) 2. (c) 3. (a) 4. (b) 5. (d)

साइबर सुरक्षा से संबंधित प्रमुख शब्द (Key Terms Related to Cybersecurity)

1. **बॉट्स (Bots):** साइबर सुरक्षा में, बॉट का मतलब एक जोंबी कंप्यूटर होता है- एक ऐसा कंप्यूटर जो मैलवेयर से संक्रमित हो गया है और हैकर द्वारा बिना मालिक की जानकारी के दूरस्थ रूप से नियंत्रित किया जाता है।

   सकारात्मक पक्ष पर, बॉट शब्द 'रोबोट' का संक्षिप्त रूप भी है और इसका मतलब उन कंप्यूटर प्रोग्रामों से है जो बिना मानव हस्तक्षेप के स्वचालित रूप से कार्य करने के लिए डिजाइन किए गए हैं, बिल्कुल रोबोट की तरह। इन बॉट्स का उपयोग विभिन्न उद्देश्यों के लिए किया जा सकता है, जैसे प्रश्नों का उत्तर देना, जानकारी एकत्र करना, दोहराए जाने वाले कार्यों को स्वचालित करना, या यहां तक कि उपयोगकर्ताओं के साथ चैट करना। बॉट्स के सामान्य उदाहरणों में वर्चुअल असिस्टेंट जैसे सिरी, एलेक्सा, और वेबसाइटों पर पाए जाने वाले ग्राहक सेवा बॉट्स जैसे जोमैटो (Zomato) और मेकमायट्रिप (MakeMyTrip) शामिल हैं।

2. **बॉटनेट (Botnets):** जब कई कंप्यूटर संक्रमित होते हैं और एक ही हैकर द्वारा नियंत्रित होते हैं, तो वे बॉटनेट कहलाते हैं। बॉटनेट कुछ कंप्यूटर से लेकर इंटरनेट पर फैले लाखों कंप्यूटर तक हो सकते हैं। ये संक्रमित कंप्यूटर विभिन्न मेलिशियस (दुर्भावना से बनाया गया) गतिविधियों को अंजाम देने के लिए एक साथ काम करते हैं।

3. **बैकडोर (Backdoor):** कल्पना करें कि आपके घर में एक मजबूत सामने का दरवाजा है जिस पर ताला लगा है ताकि इसे सुरक्षित रखा जा सके। बैकडोर एक छिपे हुए प्रवेश द्वार की तरह है जो इस ताले को बायपास करता है, जिससे कोई व्यक्ति बिना चाबी का उपयोग किए प्रवेश कर सकता है। डिजिटल दुनिया में, बैकडोर किसी व्यक्ति को सामान्य लॉगिन प्रक्रिया का उपयोग किए बिना आपके कंप्यूटर या डिवाइस में गुप्त रूप से प्रवेश करने की अनुमति देता है। इसका उपयोग आमतौर पर हैकर्स द्वारा फाइलों तक अनधिकृत पहुँच प्राप्त करने या डिवाइस को दूरस्थ रूप से नियंत्रित करने के लिए किया जाता है। इस छिपी हुई प्रविष्टि का उपयोग आपके डेटा तक पहुँचने, चोरी करने या उसे बदलने के लिए किया जा सकता है। ये बैकडोर सॉफ्टवेयर (जैसे ट्रोजन हॉर्स) में छिपे हो सकते हैं या डिवाइस के हार्डवेयर में भी बनाए जा सकते हैं।

4. **पाइरेसी (Piracy):** पाइरेसी में कॉपीराइट की गई सामग्री को बिना अनुमति के अवैध रूप से कॉपी या वितरित करना शामिल है। यह सॉफ्टवेयर, फिल्में, संगीत या अन्य डिजिटल सामग्री हो सकती है। पायरेटेड सामग्री अक्सर अनधिकृत बाजारों (जिसे ग्रे मार्केट के रूप में जाना जाता है) में कम कीमतों पर बेची जाती है, जो उस सामग्री के अधिकार रखने वाले रचनाकारों को नुकसान पहुँचाती है।

5. **क्रिप्टोग्राफी (Cryptography):** आपके संदेशों को दूसरों से सुरक्षित रखने के लिए एक गुप्त भाषा का उपयोग करने जैसा है। जब आप इंटरनेट पर कोई संदेश भेजते हैं या इसे अपने कंप्यूटर पर संग्रहीत करते हैं, तो क्रिप्टोग्राफी उस संदेश को गुप्त कोड में बदलने के लिए विशेष गणितीय तकनीकों (जिसे एल्गोरिदम कहा जाता है) का उपयोग करती है। यह कोड संदेश को उन लोगों के लिए अपठनीय बना देता है जिनके पास इसे अनलॉक करने की सही कुंजी नहीं है। क्रिप्टोग्राफी पासवर्ड या बैंक विवरण जैसी संवेदनशील जानकारी को सुरक्षित रखने में मदद करती है जब आप उन्हें ऑनलाइन भेजते हैं या अपने डिवाइस पर सहेजते हैं। आइए मुख्य तत्वों को तोड़ते हैं:

   - **प्लेन टेक्स्ट (Plain Text):** यह एन्क्रिप्ट होने से पहले मूल, पठनीय संदेश या डेटा है। कल्पना करें कि कागज पर 'हैलो, आप कैसे हैं?' जैसा एक साधारण नोट लिखें। वह नोट सादा पाठ है क्योंकि कोई भी व्यक्ति इसे बिना किसी विशेष उपकरण के पढ़ सकता है।
   - **सिफर (Cipher):** सिफर एक गुप्त कोड की तरह होता है जिसका उपयोग सादे पाठ को सिफर टेक्स्ट नामक अपठनीय चीज में एन्क्रिप्ट करने के लिए किया जाता है। यह आपके संदेश को एक बॉक्स में

बंद करने जैसा है जिसमें एक कुंजी है जो केवल प्राप्तकर्ता के पास है। सीजर सिफर नामक एक बुनियादी सिफर में, संदेश में प्रत्येक अक्षर को वर्णमाला में एक निश्चित संख्या में स्थान दिया जाता है ताकि सिफर टेक्स्ट बनाया जा सके। उदाहरण के लिए, यदि आप 'हैलो, आप कैसे हैं?' पर तीन अक्षरों की शिफ्ट के साथ सीजर सिफर का उपयोग करते हैं, तो सिफर टेक्स्ट 'खूर, क्रज डुह ब्रक्स?' जैसा दिख सकता है। इस प्रक्रिया में 'कोडिंग डिकोडिंग' का उपयोग किया जाता है जिसकी चर्चा अध्याय 15 (गणितीय तर्क) में की गई थी।

- **एन्क्रिप्शन (Encryption):** यह आपके सादे पाठ संदेश को गुप्त कोड (सिफर टेक्स्ट) में बदलने की प्रक्रिया है। यह कोड जानकारी को किसी भी व्यक्ति के लिए अपठनीय बना देता है जिसके पास इसे डिकोड करने के लिए सही कुंजी नहीं है। यह आपके डेटा को सुरक्षित और निजी रखने में मदद करता है, चाहे वह आपके कंप्यूटर पर संग्रहीत हो या इंटरनेट पर भेजा गया हो।
- **डिक्रिप्शन (Decryption):** डिक्रिप्शन एन्क्रिप्शन के विपरीत है। यह वह जगह है जहाँ डिक्रिप्शन विधि या कुंजी का उपयोग करके सिफर टेक्स्ट को वापस सादे टेक्स्ट में बदल दिया जाता है। इससे अधिकृत लोग मूल संदेश पढ़ सकते हैं। हमारे उदाहरण में, सीजर सिफर के रिवर्स (तीन अक्षरों को पीछे की ओर शिफ्ट करना) के साथ 'खूर, क्रज डुह ब्रक्स?' को डिक्रिप्ट करने पर हमें 'हैलो, आप कैसे हैं?' मिलता है।

सिनेमैटिक कनेक्शन

हैक्ड (2020) एक बॉलीवुड थ्रिलर फिल्म है जिसमें हिना खान और रोहन शाह मुख्य भूमिका में हैं। यह एक युवा हैकर की कहानी है जो एक महिला के प्रति आसक्त हो जाता है और अपने कौशल का उपयोग करके उसके जीवन को नियंत्रित करना शुरू कर देता है। फिल्म साइबरस्टॉकिंग और तकनीक के अंधेरे पक्ष के विषयों की खोज करती है।

कंप्यूटर सुरक्षा खतरों के समाधान (Solutions to Computer Security Threats)

1. **एंटीवायरस (Antivirus):** एंटीवायरस सॉफ्टवेयर, जिसे कंप्यूटर सुरक्षा सॉफ्टवेयर के रूप में भी जाना जाता है, आपके कंप्यूटर से मेलिशियस (दुर्भावना से बनाया गया) सॉफ्टवेयर (वायरस, वर्म्स, ट्रोजन इत्यादि) का पता लगाने, रोकने और हटाने के लिए डिजाइन किया गया है। यह फाइलों और प्रोग्रामों को स्कैन करता है और आपके सिस्टम को सुरक्षित रखने के लिए मेलिशियस (दुर्भावना से बनाया गया) सॉफ्टवेयर को हटाता है। उदाहरणों में नॉर्टन, मैकएफी और अवास्ट शामिल हैं।
2. **एंटी-स्पाइवेयर (Anti&Spyware):** एंटी-स्पाइवेयर सॉफ्टवेयर उन स्पाइवेयर प्रोग्रामों का पता लगाता है और उन्हें हटाता है जो आपके कंप्यूटर पर आपकी जानकारी के बिना इंस्टॉल किए गए हो सकते हैं। एंटी-स्पाइवेयर टूल आपके सिस्टम को स्कैन करके इन अनधिकृत प्रोग्रामों की पहचान करते हैं और उन्हें हटाते हैं, जिससे आपकी गोपनीयता और ऑनलाइन सुरक्षा को बनाए रखने में मदद मिलती है।
3. **फायरवॉल (Firewall):** फायरवॉल आपके कंप्यूटर नेटवर्क के लिए सुरक्षा गार्ड की तरह है। यह हार्डवेयर या सॉफ्टवेयर हो सकता है जो आने-जाने वाले डेटा (नेटवर्क ट्रैफिक) पर नजर रखता है। यह डेटा को सुरक्षित रखने और हैकर्स, वायरस या मैलवेयर जैसी किसी भी संदिग्ध चीज को ब्लॉक करने के लिए सुरक्षा नियमों का पालन करता है। उदाहरण के लिए, कोई कंपनी अपने नेटवर्क की सुरक्षा के लिए फायरवॉल का इस्तेमाल करती है ताकि कुछ वेबसाइट या एप्लिकेशन तक पहुँच को रोका जा सके जो हानिकारक हो सकती हैं। विंडोज फायरवॉल और सिस्को एएसए इसके सामान्य उदाहरण हैं।

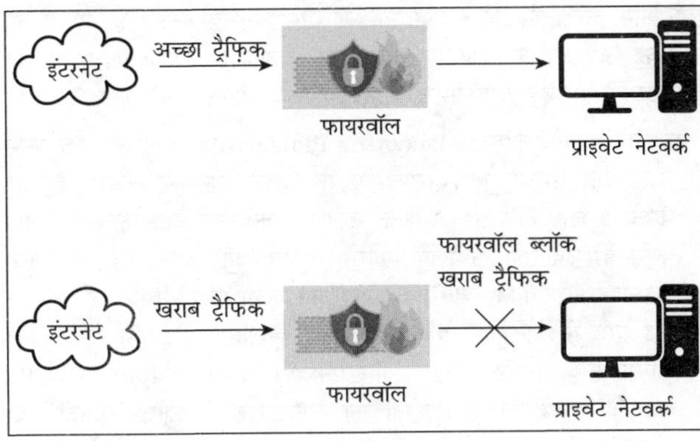

चित्र 24.8 फायरवॉल

क्विज स्टेशन — *विगत UGC NET परीक्षाओं के प्रश्न*

प्र.1. फायरवॉल का उपयोग संचार नेटवर्क की सुरक्षा के लिए किया जाता है

(a) अनधिकृत हमले
(b) वायरस हमले
(c) डेटा-संचालित हमले
(d) आग हमले

प्र.2. निम्नलिखित में से किसे बॉटनेट संक्रमण का प्रत्यक्ष संकेतक माना जा सकता है?

(a) आपके खाते से भेजे जा रहे स्पैम ईमेल में वृद्धि
(b) अप्रत्याशित आउटबाउंड ट्रैफिक
(c) अप्रत्याशित पॉप-अप या विज्ञापन
(d) कम इंटरनेट कनेक्टिविटी

प्र.3. अभिकथन: दो-कारक प्रमाणीकरण (2FA) ऑनलाइन धोखाधड़ी को रोकने के लिए एक मूर्खतापूर्ण तरीका नहीं है।

कारण: 2FA एक दूसरे सत्यापन कोड और पासवर्ड की आवश्यकता के द्वारा सुरक्षा की एक अतिरिक्त परत जोड़ता है।

(a) अभिकथन और कारण दोनों सत्य हैं, और कारण अभिकथन का सही स्पष्टीकरण है।
(b) अभिकथन और कारण दोनों सत्य हैं, लेकिन कारण अभिकथन का सही स्पष्टीकरण नहीं है।
(c) अभिकथन सत्य है, परन्तु कारण असत्य है।
(d) अभिकथन असत्य है, परन्तु कारण सत्य है।

उत्तर 1. (a) 2. (b) 3. (b)

24.9 शिक्षा में आईसीटी की भूमिका (Role of ICT in Education)

जैसे किसी भी व्यंजन में आलू डालने से वह और भी स्वादिष्ट बन जाता है, वैसे ही किसी भी क्षेत्र में आईसीटी का उपयोग करने से वह और भी अधिक प्रभावी और सफल हो जाता है। शिक्षा में, आईसीटी एक विशेष घटक की तरह काम करता है, जो संवादात्मक अधिगम अनुभव बनाता है, शिक्षा को सभी के लिए अधिक आकर्षक और सुलभ बनाता है। आइए शिक्षा के क्षेत्र में आईसीटी से जुड़े कुछ प्रमुख शब्दों पर नजर डालें:

1. **ई-लर्निंग प्लेटफॉर्म (e-Learning Platforms):** ई-लर्निंग प्लेटफॉर्म छात्रों और पेशेवरों को दूरस्थ रूप से सीखने और नए कौशल हासिल करने के लिए ऑनलाइन शैक्षिक संसाधन, पाठ्यक्रम और कार्यक्रम प्रदान करते हैं। उदाहरण के लिए, कोर्सेरा, यूडेमी और खान अकादमी जैसी वेबसाइटें प्रौद्योगिकी, व्यवसाय, भाषा और कला सहित विविध विषयों पर कई तरह के पाठ्यक्रम प्रदान करती हैं। ई-लर्निंग प्लेटफॉर्म में वर्चुअल लर्निंग एनवायरनमेंट (VLE) और मैनेज्ड लर्निंग एनवायरनमेंट (MLE) शामिल हैं। ये प्लेटफॉर्म छात्रों को ऑनलाइन पाठ्यक्रम, सामग्री और संवादात्मक गतिविधियों को व्यवस्थित करने और वितरित करने में मदद करते हैं।
2. **ब्लैकबोर्ड (Blackboard):** यह एक वाणिज्यिक वर्चुअल लर्निंग एनवायरनमेंट (VLE) है जिसका आमतौर पर स्कूलों और विश्वविद्यालयों में उपयोग किया जाता है। यह ऑनलाइन पाठ्यक्रमों के लिए एक मंच प्रदान करता है, जिससे छात्र और शिक्षक आपस में बातचीत कर सकते हैं, सामग्री साझा कर सकते हैं, असाइनमेंट जमा कर सकते हैं और परियोजनाओं पर सहयोग कर सकते हैं। यह सीखने और सिखाने के लिए एक संगठित और सुलभ ऑनलाइन स्थान बनाने में मदद करता है।
3. **इंटरएक्टिव व्हाइटबोर्ड (IWB) (Interactive Whiteboard (IWB)):** एक स्पर्श-संवेदनशील प्रोजेक्शन स्क्रीन जो शिक्षकों को व्हाइटबोर्ड को छूकर सीधे कंप्यूटर को नियंत्रित करने की अनुमति देती है। शिक्षक डिजिटल सामग्री के साथ लिख सकते हैं, चित्र बना सकते हैं और बातचीत कर सकते हैं, जिससे पाठ अधिक आकर्षक और संवादात्मक बन जाते हैं।
4. **कंप्यूटर-बेस्ड-ट्रेनिंग (CBT) (Computer-Based Training (CBT)):** यह प्रशिक्षण या शिक्षा की एक विधि है जो कंप्यूटर सॉफ्टवेयर के माध्यम से दी जाती है। इस प्रकार का प्रशिक्षण शिक्षार्थियों को शैक्षिक सामग्री तक पहुँचने, कौशल का अभ्यास करने और कंप्यूटर के माध्यम से प्रतिक्रिया प्राप्त करने की अनुमति देता है।
5. **टैंडेम लर्निंग (Tandem Learning (Buddy Learning)):** टैंडेम लर्निंग तब होती है जब दो लोग एक-दूसरे को अलग-अलग भाषाएँ सीखने में मदद करते हैं। वे बारी-बारी से शिक्षण और अभ्यास करते हैं, चाहे व्यक्तिगत रूप से या ऑनलाइन।
6. **टास्क-बेस्ड लर्निंग (TBL)(Task-based Learning (TBL)):** टास्क-बेस्ड लर्निंग अध्ययन किए जा रहे विषय से संबंधित विशिष्ट कार्यों को पूरा करके सीखने पर ध्यान केंद्रित करता है। यह ज्ञान को व्यावहारिक तरीकों से लागू करने के बारे में है, जो शिक्षार्थियों को अवधारणाओं को प्रभावी ढंग से समझने और उपयोग करने में मदद करता है।
7. **वेबक्वेस्ट (WebQuest):** एक कार्य-उन्मुख शिक्षण गतिविधि जहाँ शिक्षार्थी विशिष्ट शैक्षिक लक्ष्यों को प्राप्त करने के लिए विभिन्न वेबसाइटों से जानकारी एकत्र करते हैं। उदाहरण के लिए, यदि आपको डायनासोर पर एक प्रोजेक्ट सौंपा गया था, तो आप तथ्यों को इकट्ठा करने, वीडियो देखने और संभवत: जो आपने सीखा है उसके आधार पर एक प्रोजेक्ट बनाने के लिए वेबसाइटों का उपयोग करेंगे।

स्कोर बूस्टर

पूरक पठन अनुशंसा

QR कोड काम नहीं कर रहा है? QR कोड के साथ दिए गए संसाधनों तक पहुँचने के लिए आंतरिक फ्रन्ट कवर पर दिए गए निर्देशों का पालन करें

नीचे ई-लर्निंग से संबंधित कुछ अतिरिक्त विषय दिए गए हैं। यदि आप उन्हें एक्सप्लोर करना चाहते हैं, तो विस्तृत स्पष्टीकरण के साथ एक विशेष पीडीएफ तक पहुँचने के लिए क्यूआर कोड को स्कैन करें:

1. भाषा अधिगम आईसीटी की भूमिका
2. शिक्षण में आईसीटी की भूमिका
3. उच्च शिक्षा में आईसीटी की भूमिका
4. आईसीटी के उद्देश्य
5. शिक्षा में आईसीटी का उपयोग करने के लाभ
6. शिक्षा में आईसीटी का उपयोग करने के नुकसान
7. प्रमुख आईसीटी अधिगम श्रेणियाँ

नोट: यूनिट 8 (आईसीटी) के पाठ्यक्रम में 'उच्च शिक्षा में डिजिटल पहल' का विषय भी शामिल है। हालाँकि, चूँकि यह विषय यूनिट 10 (उच्च शिक्षा प्रणाली) से अधिक निकटता से जुड़ा हुआ है, इसलिए हमने इसे एक अलग अध्याय में विस्तार से कवर किया है। उच्च शिक्षा और अनुसंधान में सरकार की डिजिटल पहलों की एक व्यापक सूची के लिए, कृपया अध्याय 33 देखें।

24.10 शासन में आईसीटी की भूमिका (Role of ICT in Governance)

इस विषय को सरल बनाने वाले वीडियो व्याख्यान को देखने के लिए इस QR कोड को स्कैन करें

भारत में, आईसीटी (सूचना और संचार प्रौद्योगिकी) को शासन के साथ एकीकृत करने से सार्वजनिक प्रशासन के काम करने के तरीके और लोगों को सेवाएँ प्रदान करने के तरीके में पूरी तरह से बदलाव आया है। डिजिटल प्रौद्योगिकियों के उदय के साथ, सरकार ने अपनी प्रक्रियाओं को डिजिटल बनाना शुरू कर दिया है, जिससे वे अधिक पारदर्शी और कुशल बन गई हैं। आईसीटी-संचालित शासन पहल नागरिकों के लिए सूचना तक पहुँच, ऑनलाइन सेवाओं का उपयोग और सरकारी गतिविधियों में भाग लेना आसान बनाने के लिए डिजाइन की गई हैं। आइए कुछ महत्वपूर्ण पहलों पर नजर डालें:

1. **डिजिलॉकर (DigiLocker):** डिजिलॉकर एक ऑनलाइन डिजिटलीकरण सेवा है जो भारत सरकार के इलेक्ट्रॉनिक्स और सूचना प्रौद्योगिकी मंत्रालय द्वारा अपने डिजिटल इंडिया पहल के तहत प्रदान की जाती है। इसका उद्देश्य नागरिकों को उनके डिजिटल दस्तावेज वॉलेट में संग्रहीत प्रामाणिक डिजिटल दस्तावेजों तक पहुँच प्रदान करके डिजिटल रूप से सशक्त बनाना है। डिजिलॉकर के माध्यम से जारी किए गए दस्तावेज मूल भौतिक दस्तावेजों के बराबर माने जाते हैं।
2. **ई-कोर्ट (e-Courts):** ई-कोर्ट भारत में एक पहल है जो अदालती मामलों और कानूनी दस्तावेजों को डिजिटल रूप से प्रबंधित करने के लिए प्रौद्योगिकी का उपयोग करती है। यह अदालतों को तेजी से काम करने में मदद करती है, लंबित मामलों की संख्या को कम करती है और लोगों के लिए न्याय पाना आसान बनाती है।
3. **सेंट्रल पासपोर्ट सिस्टम (Central Passport System):** यह प्रणाली भारत में पासपोर्ट के लिए आवेदन करना आसान बनाती है। आप ऑनलाइन आवेदन कर सकते हैं, अपने आवेदन की स्थिति की जांच कर सकते हैं और पासपोर्ट कार्यालयों में अपॉइंटमेंट शेड्यूल कर सकते हैं। यह प्रक्रिया को गति देता है और यह सुनिश्चित करता है कि पासपोर्ट जल्दी से जल्दी डिलीवर हो जाए।
4. **एग्रीकल्चरल मार्केटिंग इंफॉर्मेशन नेटवर्क (AGMARKNET) (Agricultural Marketing Information Network (AGMARKNET)):** AGMARKNET कृषि कीमतों, बाजार के रुझान और मांग के बारे में वास्तविक समय की जानकारी साझा करता है। किसान इस जानकारी का उपयोग यह तय करने के लिए कर सकते हैं कि उन्हें कौन-सी फसल उगानी है और उन्हें कैसे बेचना है, जो उन्हें अपनी आजीविका सुरक्षित करने में मदद करता है।
5. **इंडिया इमेज (भारत सरकार का पोर्टल) (India Image (Government of India Portal)):** इंडिया इमेज आधिकारिक सरकारी वेबसाइट है जो भारत की नीतियों, कार्यक्रमों और सेवाओं के बारे में जानकारी प्रदान करती है। यह नागरिकों को सरकारी दस्तावेजों, रिपोर्टों और ऑनलाइन सेवाओं तक पहुँच प्रदान करता है, जिससे सरकार अधिक पारदर्शी और जवाबदेह बनती है।
6. **कम्युनिटी इंफॉर्मेशन सेंटर (सीआईसी) (Community Information Centres (CICs)):** सीआईसी ग्रामीण क्षेत्रों में स्थित केंद्र हैं जो कंप्यूटर, इंटरनेट और सरकारी सेवाओं तक पहुँच प्रदान करते हैं। वे गाँवों में लोगों को डिजिटल कौशल सीखने, ऑनलाइन फॉर्म जमा करने और सरकार से जानकारी प्राप्त करने में मदद करते हैं, जिससे ग्रामीण समुदायों को तकनीक से सशक्त बनाया जाता है।
7. **भारत इंटरफेस फॉर मनी (BHIM)(Bharat Interface for Money (BHIM):):** यह एक मोबाइल भुगतान ऐप है जो नेशनल पेमेंट्स कॉरपोरेशन ऑफ इंडिया (NPCI) द्वारा विकसित यूनिफाइड पेमेंट्स इंटरफेस (UPI) का उपयोग करता है। 2016 में लॉन्च किया गया, BHIM उपयोगकर्ताओं को अपने स्मार्टफोन का उपयोग करके सीधे अपने बैंक खातों से त्वरित और आसान डिजिटल भुगतान करने की अनुमति देता है।

इलेक्ट्रॉनिक्स और सूचना प्रौद्योगिकी मंत्रालय ने हाल ही में ऐप का अपडेटेड वर्जन **BHIM 2.0** पेश किया है। यह नया वर्जन बेहतर सुविधाएँ और कार्यक्षमता प्रदान करता है, जिससे डिजिटल लेनदेन और भी अधिक कुशल और उपयोगकर्ता के अनुकूल हो जाता है।

स्कोर बूस्टर
पूरक पठन अनुशंसा

QR कोड काम नहीं कर रहा है? QR कोड के साथ दिए गए संसाधनों तक पहुँचने के लिए आंतरिक फ्रन्ट कवर पर दिए गए निर्देशों का पालन करें

नीचे ई-गवर्नेंस से संबंधित कुछ अतिरिक्त विषय दिए गए हैं। यदि आप उन्हें जानना चाहते हैं, तो विस्तृत स्पष्टीकरण के साथ एक विशेष पीडीएफ तक पहुंचने के लिए क्यूआर कोड को स्कैन करें:

1. शासन में आईसीटी का दायरा
2. पारंपरिक और ई-गवर्नेंस के बीच अंतर
3. ई-गवर्नेंस के मुख्य घटक
4. ई-गवर्नेंस के उद्देश्य
5. ई-गवर्नेंस के लाभ
6. भारत में ई-गवर्नेंस पहल

24.11 लोकप्रिय कंप्यूटर संक्षेपाक्षर (Popular Computer Abbreviations)

A

AI	आर्टिफिशियल इंटेलिजेंस
ALGOL	एल्गोरिथमिक लैंग्वेज
ALU	अरिथमेटिक लॉजिक यूनिट
ASCII	अमेरिकन स्टैंडर्ड कोड फॉर इन्फॉर्मेशन इंटरचेंज

B

BASIC	बिगिनर्स ऑल-पर्पस सिम्बोलिक इंस्ट्रक्शन कोड
BCD	बाइनरी कोडेड डेसीमल
BD	ब्लू-रे डिस्क
BIOS	बेसिक इनपुट/आउटपुट सिस्टम
Bit	बाइनरी डिजिट
BPL	ब्रॉडबैंड ओवर पावर लाइन
BPS	बिट्स प्रति सेकंड

C

CAD	कंप्यूटर-एडेड डिजाइन
CAPCHA	कम्प्लीटली ऑटोमेटेड पब्लिक ट्यूरिंग टेस्ट टेल कंप्यूटर्स एंड ह्यूमन्स अपार्ट
CD	कॉम्पैक्ट डिस्क
C-DAC	सेंटर फॉर डेवलपमेंट ऑफ एडवांस्ड कंप्यूटिंग

CD-R	कॉम्पैक्ट डिस्क-रिकॉर्डेबल
CD-ROM	कॉम्पैक्ट डिस्क-रीड ओनली मेमोरी
CD-RW	कॉम्पैक्ट डिस्क-रीराइटेबल
CD-R/W	कॉम्पैक्ट डिस्क-रीड/राइट
CLI	कमांड लाइन इंटरफेस
COBOL	कॉमन बिजनेस-ओरिएंटेड लैंग्वेज
CPS	कैरेक्टर पर सेकंड
CPU	सेंट्रल प्रोसेसिंग यूनिट
CRT	कैथोड रे ट्यूब
CU	कंट्रोल यूनिट

D

DB	डेटाबेस
DBA	डेटाबेस एडमिनिस्ट्रेटर
DBMS	डेटाबेस मैनेजमेंट सिस्टम
DMS	डॉक्यूमेंट मैनेजमेंट सिस्टम
DNS	डोमेन नेम सिस्टम
DOS	डिस्क ऑपरेटिंग सिस्टम
DPI	डॉट्स पर इंच
DRAM	डायनेमिक रैंडम एक्सेस मेमोरी
DSL	डिजिटल सब्सक्राइबर लाइन/डोमेन स्पेसिफिक लैंग्वेज
DVD	डिजिटल वीडियो डिस्क/डिजिटल वर्सेटाइल डिस्क
DVD-R	डिजिटल वीडियो डिस्क-रिकॉर्डेबल
DVD-ROM	डिजिटल वीडियो डिस्क-रीड ओनली मेमोरी
DVD-RW	डिजिटल वीडियो डिस्क-रीराइटेबल

E

EDVAC	इलेक्ट्रॉनिक डिस्क्रीट वेरिएबल ऑटोमैटिक कंप्यूटर
EBCDIC	एक्सटेंडेड बाइनरी कोडेड डेसीमल इंटरचेंज कोड
EDP	इलेक्ट्रॉनिक डेटा प्रोसेसिंग
EDSAC	इलेक्ट्रॉनिक डिले स्टोरेज ऑटोमैटिक कैलकुलेटर
EPROM	इरेजेबल प्रोग्रामेबल रीड ओनली मेमोरी
EEPROM	इलेक्ट्रिकली इरेजेबल प्रोग्रामेबल रीड ओनली मेमोरी
E-Mail	इलेक्ट्रॉनिक मेल
ENIAC	इलेक्ट्रॉनिक न्यूमेरिकल इंटीग्रेटर और कंप्यूटर
EXE	एक्जीक्यूटेबल
FORTRAN	फॉर्मूला ट्रांसलेशन

F

FTP	फाइल ट्रांसफर प्रोटोकॉल

G

Gb	गीगाबिट
GB	गीगाबाइट
GUI	ग्राफिकल यूजर इंटरफेस
GHz	गीगाहर्ट्ज

H

HDD	हार्ड डिस्क ड्राइव
HLL	हाई लेवल लैंग्वेज
HTML	हाइपरटेक्स्ट मार्कअप लैंग्वेज
HTTP	हाइपरटेक्स्ट ट्रांसफर प्रोटोकॉल

I

ICT	इंफॉर्मेशन एंड कम्युनिकेशन टेक्नोलॉजी
ICR	इंटेलिजेंट कैरेक्टर रिकग्निशन
IM	इंस्टेंट मैसेजिंग
IMAP	इंटरनेट मैसेज एक्सेस प्रोटोकॉल
I/O	इनपुट/आउटपुट
IP	इंटरनेट प्रोटोकॉल
ISDN	इंटीग्रेटेड सर्विसेज डिजिटल नेटवर्क
ISO	इंटरनेशनल ऑर्गेनाइजेशन फॉर स्टैंडर्डाइजेशन
ISP	इंटरनेट सेवा प्रदाता
IT	सूचना प्रौद्योगिकी

J

JPEG	ज्वाइंट फोटोग्राफिक एक्सपर्ट्स ग्रुप

K

Kb	किलोबिट
KB	किलोबाइट
Kbps	किलोबिट पर सेकंड
KHz	किलोहर्ट्ज

L

LAN	लोकल एरिया नेटवर्क
LASER	लाइट एम्प्लीफिकेशन बाई स्टिम्युलेटेड एमिशन ऑफ रेडिएशन
LCD	लिक्विड क्रिस्टल डिस्प्ले
LED	लाइट एमिटिंग डायोड

LISP	लिस्ट प्रोसेसिंग
LLL	लो-लेवल लैंग्वेज
LPM	लाइन्स पर मिनट
LSB	लीस्ट सिग्निफिकेंट बिट
LSI	लार्ज स्केल इंटीग्रेशन

M

MAC	मीडिया एक्सेस कंट्रोल
MAN	मेट्रोपॉलिटन एरिया नेटवर्क
M-Banking	मोबाइल बैंकिंग
Mb	मेगाबिट
MB	मेगाबाइट
MHz	मेगाहर्ट्ज
MICR	मैग्नेटिक इंक कैरेक्टर रिकॉग्निशन
MIDI	म्यूजिकल इंस्ट्रूमेंट डिजिटल इंटरफेस
MIPS	मिलियन इंस्ट्रक्शन्स पर सेकंड
MODEM	मॉड्यूलेटर-डीमॉड्यूलेटर
MSB	मोस्ट सिग्निफिकेंट बिट
MS-DOS	माइक्रोसॉफ्ट-डिस्क ऑपरेटिंग सिस्टम
MU	मेमोरी यूनिट

N

NAD	नेशनल एकेडमिक डिपॉजिटरी
NDL	नेशनल डिजिटल लाइब्रेरी
NIC	नेटवर्क इंटरफेस कार्ड
NOS	नेटवर्क ऑपरेटिंग सिस्टम
NT	न्यू टेक्नोलॉजी (विंडोज)

O

OCR	ऑप्टिकल कैरेक्टर रिकॉग्निशन
OMR	ऑप्टिकल मार्क रीडर
OOP	ऑब्जेक्ट ओरिएंटेड प्रोग्रामिंग
OS	ऑपरेटिंग सिस्टम
OSS	ओपन सोर्स सॉफ्टवेयर

P

P2P	पीयर-टू-पीयर
PAN	पर्सनल एरिया नेटवर्क
PC	पर्सनल कंप्यूटर
PDA	पर्सनल डिजिटल असिस्टेंट
PDF	पोर्टेबल डॉक्यूमेंट फॉर्मेट
PPI	पिक्सेल्स पर इंच
PPM	पेजेज पर मिनट
PPP	पॉइंट-टू-पॉइंट प्रोटोकॉल
PROM	प्रोग्रामेबल रीड ओनली मेमोरी
PSTN	पब्लिक स्विच्ड टेलीफोन नेटवर्क

Q

QoS	क्वालिटी ऑफ सर्विस

R

RAM	रैंडम एक्सेस मेमोरी
RDBMS	रिलेशनल डेटाबेस मैनेजमेंट सिस्टम
RGB	रेड, ग्रीन और ब्लू
ROM	रीड ओनली मेमोरी

S

SMTP	सिंपल मेल ट्रांसफर प्रोटोकॉल
SRAM	स्टेटिक रैंडम एक्सेस मेमोरी

T

TB	टेराबाइट
TCP	ट्रांसमिशन कंट्रोल प्रोटोकॉल
TFT	थिन फिल्म ट्रांजिस्टर

U

UNIVAC	यूनिवर्सल ऑटोमैटिक कंप्यूटर
UI	यूजर इंटरफेस
UPS	अनइंटरप्टिबल पावर सप्लाई
URI	यूनिफॉर्म रिसोर्स आइडेंटिफायर
URL	यूनिफॉर्म रिसोर्स लोकेटर
USB	यूनिवर्सल सीरियल बस

V

VIRUS	वाइटल इंफॉर्मेशन रिसोर्सेज अंडर सीज
VDU	विजुअल डिस्प्ले यूनिट
VGA	वीडियो ग्राफिक्स ऐरे

VLSI वेरी लार्ज स्केल इंटीग्रेशन

VoIP वॉयस ओवर इंटरनेट प्रोटोकॉल

VPN वर्चुअल प्राइवेट नेटवर्क

W

WAN वाइड एरिया नेटवर्क

WAP वायरलेस एप्लिकेशन प्रोटोकॉल

Wi-Fi वायरलेस फिडेलिटी

WiMAK वर्ल्डवाइड इंटरऑपरेबिलिटी फॉर माइक्रोवेव एक्सेस

WWAN वायरलेस वाइड एरिया नेटवर्क

www वर्ल्ड वाइड वेब

Y

Yahoo येट एनदर हाइरार्कीली ऑर्गनाइज्ड ऑरैकल

Yb योट्टाबाइट

Z

Zb जेट्टाबाइट

क्विज स्टेशन *विगत UGC NET परीक्षाओं के प्रश्न*

प्र.1. निम्नलिखित में से कौन सा परिवर्णी शब्द और उसका विस्तार गलत सुमेलित है? *(30 अगस्त 2024 - शिफ्ट 2)*

(a) MIDI- म्यूजिकल इंस्ट्रूमेंट डिजिटल इंटरचेंज

(b) LED- लाइट एमिटिंग डायोड

(c) MPEG- मोशन पिक्चर्स एक्सपर्ट्स ग्रुप

(d) PDF- पोर्टेबल डॉक्यूमेंट फॉर्मेट

प्र.2. WiMAX का मतलब है *(7 जनवरी 2025 - शिफ्ट II)*

(a) वर्ल्ड वाइड इंटरऑपरेबिलिटी फॉर माइक्रोवेव एक्सेस

(b) वेब इंटरऑपरेबिलिटी फॉर माइक्रोवेव एक्सेस

(c) वर्ल्ड वाइड इंटरऑपरेशन फॉर माइक्रोवेव एक्सेस

(d) वर्ल्ड वाइड इंटरऑपरेबिलिटी फॉर मल्टीमीडिया एक्सेस

<u>उत्तर</u> 1. (a) 2. (a)

अध्याय के मुख्य बिंदु

क्षेत्र के आधार पर नेटवर्क के प्रकार
- पर्सनल एरिया नेटवर्क (PAN)
- लोकल एरिया नेटवर्क (LAN)
- वायरलेस लोकल एरिया नेटवर्क (WLAN)
- मेट्रोपॉलिटन एरिया नेटवर्क (MAN)
- वाइड एरिया नेटवर्क (WAN)
- वर्चुअल प्राइवेट नेटवर्क (VPN)
- कैंपस एरिया नेटवर्क (CAN)
- स्टोरेज एरिया नेटवर्क (SAN)

पहुँच के आधार पर
- इंट्रानेट
- एक्स्ट्रानेट
- इंटरनेट

नेटवर्क टोपोलॉजी के प्रकार
(जिस तरह से नेटवर्क के सभी भाग एक दूसरे से जुड़े होते हैं)
- बस टोपोलॉजी
- रिंग टोपोलॉजी
- स्टार टोपोलॉजी
- ट्री टोपोलॉजी
- मेश टोपोलॉजी
- हाइब्रिड टोपोलॉजी

इंटरनेट कनेक्शन के प्रकार
- डायल अप कनेक्शन
- डिजिटल सब्सक्राइबर लाइन (डीएसएल)
- केबल टीवी कनेक्शन
- सैटेलाइट कनेक्शन
- ब्रॉडबैंड कनेक्शन
- वायरलेस फिडेलिटी (वाईफाई)
- ब्लूटूथ
- लीज़्ड लाइन

इंटरनेट के लिए हार्डवेयर आवश्यकताएँ
- एनआईसी
- मॉडेम
- राउटर
- हब
- स्विच
- ब्रिज
- गेटवे

इंटरनेट प्रोटोकॉल
- HTTP (हाइपरटेक्स्ट ट्रांसफर प्रोटोकॉल)
- HTTPS (हाइपरटेक्स्ट ट्रांसफर प्रोटोकॉल सिक्योर)
- WAP (वायरलेस एप्लिकेशन प्रोटोकॉल)
- FTP (फाइल ट्रांसफर प्रोटोकॉल)
- TFTP (ट्रिवियल फाइल ट्रांसफर प्रोटोकॉल)
- टेलनेट
- SSL/TLS (सिक्योर सॉकेट लेयर/ट्रांसपोर्ट लेयर सिक्योरिटी)
- VoIP (वॉयस ओवर इंटरनेट प्रोटोकॉल)

सोशल इंजीनियरिंग हमलों के प्रकार
(हैकर्स द्वारा लोगों को संवेदनशील जानकारी देने के लिए धोखा देने के लिए उपयोग किया जाता है)
- फिशिंग
  - स्पीयर फिशिंग
  - व्हेलिंग
  - ईमेल फिशिंग
  - वॉयस फिशिंग (विशिंग)
  - एसएमएस फिशिंग (स्मिशिंग)
  - एंगलर फिशिंग
- फार्मिंग
- बैटिंग
- स्निफिंग
- क्लिक-जैकिंग
- डेनियल-ऑफ-सर्विस (DoS)

ईमेल प्रोटोकॉल
- SMTP (सिंपल मेल ट्रांसफर प्रोटोकॉल)
- POP3 (पोस्ट ऑफिस प्रोटोकॉल 3)
- IMAP (इंटरनेट मैसेज एक्सेस प्रोटोकॉल)
- MIME (मल्टीपर्पज इंटरनेट मेल एक्सटेंशन)

वेब का विकास
- वेब 1.0 (याहू!, अल्टाविस्टा, वन वे वेबसाइट)
- वेब 2.0 (सोशल मीडिया प्लेटफॉर्म, ब्लॉगिंग प्लेटफॉर्म, एपीआई, एलएमएस, गूगल डॉक्स, विकिपीडिया, यूजर रिव्यूज/रिकमेंडेशन्स
- वेब 3.0 (एआई, पर्सनलाइज्ड रिकमेंडेशन्स, सिरी जैसे वर्चुअल असिस्टेंट, ऑटोमैटिक स्पीच रिकग्निशन, चैटजीपीटी, बॉट)
- वेब 4.0 (एआर और वीआर)

मैलवेयर के प्रकार
- वायरस
- वर्म्स (राइट वन्स, रीड मेनी)
- ट्रोजन
- रैनसमवेयर
- वाइपर मैलवेयर
- एडवेयर
- स्पाइवेयर
- कीलॉगर
- स्केयरवेयर
- फाइललेस मैलवेयर
- लॉजिक बम
- रूटकिट

हैकर्स के प्रकार
- व्हाइट हैट हैकर्स (एथिकल हैकर्स)
- ब्लैक हैट हैकर्स (क्रैकर)
- ग्रीन हैट हैकर्स
- ग्रे हैट हैकर्स

मूल्यांकन जोन (EVALUATION ZONE)

1. निम्नलिखित में से कौन सा कम्प्यूटर नेटवर्क A-D का सबसे बड़े से सबसे छोटे क्रम में सही है? *(21 जनवरी 2025 - शिफ्ट 1)*

(A) WAN (B) MAN
(C) LAN (D) PAN

नीचे दिए गए विकल्पों में से सही उत्तर चुनें:

(a) केवल (A), (B), (C), (D) (b) केवल (B), (D), (A), (C)
(c) केवल (C), (A), (B), (D) (d) केवल (D), (C), (A), (B)

2. ICT के बारे में निम्नलिखित में से कौन-सा कथन सत्य है? *(21 जनवरी 2025 - शिफ्ट 1)*

(A) यूनिफॉर्म रिसोर्स लोकेटर (URL) प्रोटोकॉल, डोमेन, पथ और संसाधन को निर्दिष्ट करता है।
(B) वेब ब्राउजर www पर सामग्री तक पहुँचने के लिए उपयोग किया जाने वाला एप्लिकेशन सॉफ्टवेयर है।
(C) एक वेबसाइट आमतौर पर एक ही विषय या थीम पर आधारित वेबपेजों का एक संग्रह है।
(D) एक वेब सर्वर एक कम्प्यूटर है जिसमें सॉफ्टवेयर होता है जो OCR पर फाइलें उपलब्ध कराता है।

नीचे दिए गए विकल्पों में से सही उत्तर चुनें:

(a) केवल (A), (B) और (C) (b) केवल (B), (C) और (D)
(c) केवल (A) और (D) (d) (A), (B), (C) और (D)

3. नेटवर्क सुरक्षा के संदर्भ में निम्नलिखित में से कौन सा सही है? *(9 जनवरी 2025 - शिफ्ट 2)*

(A) वायरस, वर्म्स और ट्रोजन हॉर्स मैलवेयर के उदाहरण हैं
(B) ट्रोजन हॉर्स एक गैर-स्व-प्रतिकृति दुर्भावनापूर्ण सॉफ्टवेयर है
(C) भुगतान प्राप्त करने के बाद, यदि उत्पाद वितरित नहीं किया जाता है तो यह फिशिंग का एक उदाहरण है
(D) https में, 's' का अर्थ है सिक्योर

नीचे दिए गए विकल्पों में से सही उत्तर चुनें:

(a) केवल (A), (B) और (C) (b) केवल (A), (C) और D
(c) केवल (A), (C) और D (d) केवल (A), (B) और D

4. सूची-I को सूची-II से सुमेलित कीजिए- *(9 जनवरी 2025 - शिफ्ट 2)*

सूची-I (नेटवर्क डिवाइस)	सूची-II (फंक्शनस)
A. ब्रिज	I. डिवाइस जो डेटा प्राप्त कर सकती है, उसका विश्लेषण कर सकती है और उसे अन्य नेटवर्क पर भेज सकती है।
B. राउटर	II. नियमों का सेट जो तय करता है कि कम्प्यूटर और अन्य डिवाइस LAN में केबल के माध्यम से एक दूसरे से कैसे जुड़ते हैं।
C. गेटवे	III. नेटवर्क के प्रवेश और निकास बिंदु के रूप में कार्य करता है
D. ईथरनेट	IV. डिवाइस जो एक LAN को दूसरे LAN से जोड़ती है जो समान प्रोटोकॉल का उपयोग करता है

नीचे दिए गए विकल्पों में से सही उत्तर चुनें:

(a) (A)-(II), (B)-(III), (C)-(I), (D)-(IV)
(b) (A)-(III), (B)-(II), (C)-(I), (D)-(IV)
(c) (A)-(IV), (B)-(I), (C)-(III), (D)-(II)
(d) (A)-(I), (B)-(IV), (C)-(III), (D)-(II)

5. निम्न में से कौन-सा नॉन-इम्पैक्ट प्रिंटर का उदाहरण है? *(9 जनवरी 2025 - शिफ्ट 2)*

(a) डॉट मैट्रिक्स (b) डेज़ी व्हील
(c) लाइन (d) लेजर

6. निम्नलिखित में से कौन ऑप्टिकल स्टोरेज डिवाइस नहीं है? *(9 जनवरी 2025 - शिफ्ट 1)*

(a) CD-ROM (b) DVD-ROM
(c) RAM (d) CD-R

7. निम्नलिखित में से कौन-सा एप्लीकेशन सॉफ्टवेयर का उदाहरण नहीं हैं? *(9 जनवरी 2025 - शिफ्ट 1)*

(a) कंपाइलर (b) स्प्रेडशीट
(c) वर्ड प्रोसेसर (d) कम्प्यूटर एडेड डिजाइन

8. संक्षिप्त नाम 'VoIP' का पूरा नाम क्या है? *(8 जनवरी 2025 - शिफ्ट 2)*

(a) वॉयस ओवर इंटरनेट प्रोटोकॉल
(b) वॉयस ओवर इंट्रानेट प्रोटोकॉल
(c) वैक्यूम ओवर इंटरनेट प्रोटोकॉल
(d) वैक्यूम ओवर इंट्रानेट प्रोटोकॉल

9. निम्न को उनके भण्डारण स्थान के अनुसार आरोही क्रम में व्यवस्थित कीजिए: *(8 जनवरी 2025 - शिफ्ट 1)*

(a) पेटाबाइट (b) गिगाबाइट
(c) टेराबाइट (d) किलोबाइट

नीचे दिए गए विकल्पों में से सही उत्तर चुनें:

(a) (D), (B), (C), (A) (b) (C), (B), (A), (D)
(c) (A), (C), (B), (D) (d) (A), (B), (C), (D)

10. संक्षिप्त नाम 'HTTPS' का अर्थ है *(7 जनवरी 2025 - शिफ्ट 2)*

(a) हाइपर टेक्स्ट ट्रांसफर प्रोटोकॉल सिक्योर
(b) हाइपर टर्मिनल टेलीफोनिक पैरिटी सेल्फ
(C) हाइपर टर्मिनल टेलीफोनिक पैरिटी सिक्योर
(d) हाइपर टर्मिनल टेलीफोनिक पैरिटी सर्विस

11. रीटा का स्मार्टफोन ओपन सोर्स ऑपरेटिंग सिस्टम का उपयोग करता है। निम्नलिखित में से कौन ओपन सोर्स ऑपरेटिंग सिस्टम में सोर्स कोड का सबसे अच्छा वर्णन करता है? *(7 जनवरी 2025 - शिफ्ट 1)*

(a) इसका स्वामित्व उस कंपनी के पास है जिसने इसे विकसित किया है।
(b) इसे यूजर्स के लिए उपलब्ध कराया गया है।
(c) यह अधिक सुरक्षित है
(d) यह कम प्रसंस्करण शक्ति का उपयोग करता है।

12. यदि L_M बेस-M नंबर सिस्टम में एक नंबर L का प्रतिनिधित्व करता है, तो दशमलव संख्या प्रणाली में परिवर्तित होने पर निम्नलिखित संख्या A-D के सही आरोही क्रम की पहचान करें:

(7 जनवरी 2025 - शिफ्ट 1)

(A) $(1111.11)_2$ (B) $(102.3)_6$
(C) $(42.5)_8$ (D) $(32.6)_{16}$

नीचे दिए गए विकल्पों में से सही उत्तर चुनें:

(a) (B), (A), (C), (D) (b) (A), (C), (B), (D)
(c) (C), (A), (D), (B) (d) (D), (C), (B), (A)

13. निम्नलिखित में से कौन-सा एक स्वतंत्र दुर्भावनापूर्ण प्रोग्राम है जो व्यापक रूप से उपयोग की जाने वाली सेवाओं में सुरक्षा खामियों का फायदा उठाकर पूरे नेटवर्क में फैलता है?

(6 जनवरी 2025 - शिफ्ट 1)

(a) कम्प्यूटर वर्म (b) कम्प्यूटर वायरस
(c) ट्रोजन हॉर्स (d) लॉजिक बम

14. Android एक मोबाइल ऑपरेटिंग सिस्टम है जिसे ______ द्वारा विकसित किया गया है। *(6 जनवरी 2025 - शिफ्ट 1)*

(a) IBM (b) Apple
(c) Microsoft (d) Google

15. लैपटॉप के लिए स्क्रीन रिजॉल्यूशन का माप 1280 × 1024 है। स्क्रीन रिजॉल्यूशन को मापने के लिए निम्न में से कौन-सी इकाई का उपयोग किया जाता है? *(3 जनवरी 2025 - शिफ्ट 1)*

(a) Inch (b) Mbps
(c) Pixel (d) Hertz

16. मिलान कीजिए- *(4 सितम्बर 2024 - शिफ्ट 1)*

सूची-I	सूची-II
A. रैंसमवेयर	I. सॉफ्टवेयर जो लक्षित उपयोगकर्ताओं के कार्यों की निगरानी और/या रिकॉर्ड करता है।
B. स्पाइवेयर	II. कोड का एक छोटा टुकड़ा जो स्वयं को एक वैध प्रोग्राम के रूप में प्रच्छन्न करके उपयोगकर्ताओं को इसके वास्तविक इरादे से गुमराह करता है और जब आप इसे चलाते हैं तो यह आपके कम्प्यूटर को संक्रमित कर देता है।
C. वर्म	III. सॉफ्टवेयर जो डेटा फाइलों को लॉक करता है और अनलॉक करने के बदले में मौद्रिक भुगतान की मांग करता है।
D. ट्रोजन हॉर्स	IV. कोड का एक टुकड़ा जो उपयोगकर्ता के संपर्क के बिना अन्य उपकरणों पर अपनी प्रतिकृति बनाता है

(a) (A)-(II), (B)-(I), (C)-(IV), (D)-(III)
(b) (A)-(III), (B)-(IV), (C)-(I), (D)-(II)
(c) (A)-(I), (B)-(III), (C)-(II), (D)-(IV)
(d) (A)-(III), (B)-(I), (C)-(IV), (D)-(II)

17. निम्नलिखित में से कौन सी इलेक्ट्रॉनिक तकनीक 1970 के दशक में पर्सनल कम्प्यूटर (PC) बनाने की प्रमुख तकनीक है?

(3 सितम्बर 2024 - शिफ्ट 2)

(a) ट्रांजिस्टर आधारित
(b) इंटीग्रेटेड कंपोनेंट्स (IC) आधारित
(c) माइक्रोप्रोसेसर आधारित
(d) वैक्यूम ट्यूब आधारित

18. कॉलम का मिलान कीजिए: *(3 सितम्बर 2024 - शिफ्ट 1)*

सूची-I	सूची-II
A. ALU	I. तत्काल पहुंच भण्डारण
B. कंट्रोल यूनिट	II. अंकगणितीय एवं तार्किक गणनाएँ करता है
C. पेन ड्राइव	III. CPU में इनपुट और आउटपुट प्रवाह को निर्देशित करता है
D. मेन मेमोरी	IV. द्वितीयक/ऑफलाइन भण्डारण

(a) (A)-(II), (B)-(III), (C)-(IV), (D)-(I)
(b) (A)-(II), (B)-(I), (C)-(IV), (D)-(III)
(c) (A)-(I), (B)-(III), (C)-(IV), (D)-(II)
(d) (A)-(IV), (B)-(III), (C)-(II), (D)-(I)

19. निम्नलिखित में से कौन-सा सॉफ्टवेयर शीर्षक केवल एप्लिकेशन सॉफ्टवेयर के उदाहरण हैं? *(30 अगस्त 2024 - शिफ्ट 2)*

(A) एमएस-एक्सेल (B) एंड्रॉइड
(C) एडोब फोटोशॉप (D) आईओएस
(E) विंडोज-11

(a) (A), (B), (C) (b) (B), (D)
(c) (A), (C) (d) (A), (E)

20. कीलॉगर, कीस्ट्रोक लॉगर का संक्षिप्त रूप, एक प्रकार का .... है जो आपके कम्प्यूटर या मोबाइल फोन पर आप जो टाइप करते हैं उस पर नजर रखता है और रिकॉर्ड करता है।

(30 अगस्त 2024 - शिफ्ट 1)

(a) वर्म (b) स्पाइवेयर
(c) वायरस (d) ट्रोजन हॉर्स

21. ICT शब्दों A-D के अनुक्रम को पहचानें जो निम्नलिखित पैराग्राफ में रिक्त स्थान को सही ढंग से भरता है: .... स्थायी मेमोरी है जिसका उपयोग कम्प्यूटर को शुरू करने के लिए आवश्यकता निर्देशों को संग्रहीत करने के लिए किया जाता है। .... तेज अस्थायी मेमोरी है जिसका उपयोग वर्तमान में उपयोग में आने वाले डेटा और एप्लिकेशन को संग्रहीत करने के लिए किया जाता है। .... प्रसंस्करण करता है और डेटा को सूचना में बदल देता है। .... का उपयोग अन्य सभी घटकों को कम्प्यूटर सिस्टम में प्लग करने के लिए किया जाता है। *(30 अगस्त 2024 - शिफ्ट 1)*

(A) मदरबोर्ड (B) रैम
(C) सीपीयू (D) रोम

(a) (D), (B), (A), (C) (b) (A), (D), (C), (B)
(c) (C), (A), (B), (D) (d) (D), (B), (C), (A)

22. परिवर्णी और उसके विस्तार का निम्न में से कौन-सा युग्म सुमेलित नहीं है? *(29 अगस्त 2024 - शिफ्ट 1)*
(a) CDROM - कम्प्यूटर डिस्क रीड ओनली मेमोरी
(b) CRT - केथोड रे ट्यूब
(c) MICR - मेग्नेटिक इंक केरेक्टर रिकगनिशन
(d) AVI - ऑडियो वीडियो इंटरलीव

23. निम्नलिखित में से कौन-सी डिवाइस केवल कम्प्यूटर आउटपुट डिवाइस हैं? *(29 अगस्त 2024 - शिफ्ट 1)*
(A) स्कैनर (B) प्लॉटर
(C) लाइट पेन (D) प्रोजेक्टर
(E) स्पीकर
(a) (A), (B), (D), (E) (b) (D), (E)
(c) (A), (B), (C) (d) (B), (D), (E)

24. 'वेब 2.0', इंटरनेट की दूसरी पीढ़ी, सर्वोत्तम रूप से इसका वर्णन इस प्रकार किया जा सकता है: *(27 अगस्त 2024 - शिफ्ट 2)*
(a) माइक्रोसॉफ्ट द्वारा विकसित एक सॉफ्टवेयर पैकेज और शिक्षकों के लिए छूट पर उपलब्ध है।
(b) इंटरनेट का एक दृष्टिकोण जिसमें उपयोगकर्ता ब्लॉग, विकी और पॉडकास्ट जैसे स्वतंत्र और खुले मंच पर विचार, राय और सुझाव साझा कर सकते हैं।
(c) इंटरनेट के लिए एक दृष्टिकोण जिसमें वेबसाइटें और ऐप्स मशीन लर्निंग, बिग डेटा, डिसेंट्रलाइज्ड लेजर टेक्नोलॉजी जैसी तकनीकों के माध्यम से स्मार्ट इहुमन-जैसे तरीके से जानकारी संसाधित कर सकते हैं वगैरह।
(d) बड़े व्यवसाय के लिए तेज इंटरनेट।

25. प्रत्येक वेबसाइट को एक .... दिया जाता है कि जो इंटरनेट पर पृष्ठ की अवस्थिति की पहचान करने वाला पता होता है। *(27 अगस्त 2024 - शिफ्ट 2)*
(a) इंटरनेट प्रोटोकाल (b) यूनिफॉर्म रिसोर्स लोकेटर
(c) हाई लेवल एरिया (d) हाइपर टेक्स्ट ट्रांसफर प्रोटोकाल

26. पहली से चौथी पीढ़ी के कम्प्यूटरों के आधार पर कम्प्यूटरों के विकास में निम्नलिखित प्रमुख तकनीकी परिवर्तनों A-D के सही क्रम को पहचानें: *(23 अगस्त 2024 - शिफ्ट 1)*
(A) ट्रांजिस्टर (B) माइक्रोप्रोसेसर
(C) वैक्यूम ट्यूब (D) इंटीग्रेटेड सर्किट
(a) (A), (C), (D), (B) (b) (B), (A), (C), (D)
(c) (D), (A), (C), (B) (d) (C), (A), (D), (B)

27. एक वेबपेज निम्नलिखित जानकारी प्रदर्शित करता है, जिसमें रेखांकित शब्द दूसरे वेबपेज का लिंक होता है। "डिजिटल उपकरणों के लिए, बैंडविड्थ आमतौर पर बिट्स प्रति सेकंड (बीपीएस) में व्यक्त किया जाता है। एनालॉग उपकरणों के लिए, 'बैंडविड्थ हर्ट्ज (हर्ट्ज) में व्यक्त किया जाता है।" डेटा संगठन की किस पद्धति का उपयोग किया जा रहा है? *(22 अगस्त 2024 - शिफ्ट 2)*
(a) एचटीएमएल (b) हाइपरटेक्स्ट
(c) स्टोरीबोर्ड (d) डेटा स्कीम

28. वर्ष 1945 के आस-पास स्टोर्ड प्रोग्राम कम्प्यूटर का विचार किसने विकसित किया था जो प्रोग्राम और डाटा को मेमोरी में धारण करता था तथा फिर डाटा मेमोरी और प्रोसेसर के बीच संचालित होगा? *(22 अगस्त 2024 - शिफ्ट 2)*
(a) एलन ट्यूरिंग (b) टिम बर्नर्स - ली
(c) चार्ल्स बैबेज (d) जॉन वॉन न्यूमैन

29. कॉलम का मिलान कीजिए: *(18 जून 2024 - शिफ्ट 2)*

सूची-I (इंटरनेट प्रोटोकॉल)	सूची-II (इंटरनेट गतिविधि)
A. HTTP	I. इंटरनेट के माध्यम से ई-मेल भेजना
B. एसएसएल	II. ऑनलाइन ट्रांसमिशन के लिए डेटा एन्क्रिप्ट करता है
C. एसएमटीपी	III. वेब सर्वर पर टीसीपी/आईपी पैकेट भेजता है
D. एफटीपी	IV. इंटरनेट पर फाइलें स्थानांतरित करता है

(a) (A)-(IV), (B)-(III), (C)-(II), (D)-(I)
(b) (A)-(II), (B)-(I), (C)-(IV), (D)-(III)
(c) (A)-(I), (B)-(IV), (C)-(III), (D)-(II)
(d) (A)-(III), (B)-(II), (C)-(I), (D)-(IV)

30. कम्प्यूटर मेमोरी साइज के बारे में निम्नलिखित में से कौन-सा कथन A-D सत्य है? *(18 जून 2024 - शिफ्ट 2)*
(A) 25 KB, 100 MB से बड़ा है।
(B) 999 MB, 50 GB से बड़ा है।
(C) 3500 KB, 2 GB से छोटा है।
(D) 2350 bytes, 2 KB से छोटा है।
(a) (A) (b) (C)
(c) (B), (D) (d) (B), (C)

31. संचार के लिए कम्प्यूटर के डिजिटल सिग्नल को एनालॉग सिग्नल में परिवर्तित करने के लिए उपयोग किया जाने वाला उपकरण कहलाता है: *(18 जून 2024 - शिफ्ट 1)*
(a) पुल
(b) मॉडेम
(c) स्विच
(d) नेटवर्क इंटरफेस कार्ड (NIC)

32. एक्सेस समय के संदर्भ में सबसे धीमी से सबसे तेज रैंक वाले कम्प्यूटर घटकों की निम्नलिखित सूची का सही क्रम पहचानें। *(18 जून 2024 - शिफ्ट 1)*
(A) सीपीयू कैश (B) रैम
(C) एसएसडी (D) ऑप्टिकल ड्राइव
(a) (D), (C), (B), (A) (b) (A), (B), (C), (D)
(c) (B), (A), (D), (C) (d) (C), (D), (A), (B)

33. आधार-10 आधार-4 संख्या 3013 के समतुल्य क्या है? *(18 जून 2024 - शिफ्ट 1)*
(a) 182 (b) 196
(c) 199 (d) 190

34. निम्नलिखित में से कौन सा कम्प्यूटर मेमोरी प्रकार अस्थिर है? *(12 दिसम्बर 2023 - शिफ्ट 1)*

(A) सीएमओएस मेमोरी (B) कैश मेमोरी
(C) फ्लैश मेमोरी (D) हार्ड डिस्क
(E) रैम

(a) (A), (B), (E) (b) (A), (C), (D)
(c) (B), (C), (E) (d) (B), (E)

35. कॉलम का मिलान कीजिए- *(11 दिसम्बर 2023 - शिफ्ट 2)*

सूची-I	सूची-II
A. स्पाइवेयर	I. उपयोगकर्ताओं को उनकी व्यक्तिगत जानकारी प्राप्त करने के लिए नकली वेबसाइट पर लुभाने के लिए एक ई-मेल भेजना
B. फिशिंग	II. उपयोगकर्ताओं को उनके व्यक्तिगत विवरण प्राप्त करने के लिए नकली वेबसाइट पर पुनर्निर्देशित करने के लिए दुर्भावनापूर्ण कोड डाउनलोड करना
C. रैनसमवेयर	III. कीलॉगर कुंजी दबाए जाने को रिकॉर्ड करता था और उन्हें उन्हें तीसरें पक्ष को भेजता था
D. फार्मिंग	IV. अक्सर रिलीज शुल्क के लिए उपयोगकर्ता के डेटा को बंधक बनाकर रखना

(a) (A)-(III), (B)-(I), (C)-(IV), (D)-(II)
(b) (A)-(II), (B)-(I), (C)-(IV), (D)-(III)
(c) (A)-(I), (B)-(II), (C)-(IV), (D)-(III)
(d) (A)-(III), (B)-(IV), (C)-(I), (D)-(II)

36. निम्नलिखित बयानों में से कौन सा सही हैं? *(8 दिसम्बर 2023 - शिफ्ट 2)*

(A) ROM का एक मुख्य लाभ यह है कि कम्प्यूटर की बिजली बंद होने पर भी ROM चिप पर संग्रहीत जानकारी नष्ट नहीं होती है
(B) ASCI अमेरिकन स्टैंडर्ड कोड फॉर इंटेलिजेंट इंफॉर्मेशन का संक्षिप्त नाम है
(C) डेस्कटॉप कम्प्यूटर की तुलना में, लैपटॉप कम्प्यूटर पोर्टेबल होते हैं क्योंकि इसके सभी घटक एक ही इकाई में एक साथ होते हें

(a) (A), (B) (b) (A), (C)
(c) (B), (C) (d) (A), (B), (C)

37. कम्प्यूटर नेटवर्क में फायरवॉल के बारे में निम्नलिखित में से कौन सा कथन A-E सत्य है? *(7 दिसम्बर 2023 - शिफ्ट 2)*

(A) फायरवॉल केवल हार्डवेयर डिवाइस के रूप में उपलब्ध हैं और केवल नेटवर्क में प्रवेश करने वाले ट्रैफिक की जांच करते हैं।
(B) फायरवॉल स्वचालित रूप से सभी दुर्भावनापूर्ण ट्रैफिक को रोक देगा।
(C) फायरवॉल नेटवर्क पर प्रसारित होने वाले सभी डेटा का बैकअप लेता है।
(D) फायरवॉल नेटवर्क पर प्रसारित होने वाले सभी डेटा का बैकअप लेता है।
(E) फायरवॉल का उपयोग कुछ वेबसाइटों तक पहुंच को अवरुद्ध करने के लिए किया जा सकता है।

(a) (A), (C), (D) (b) (B), (E)
(c) (B), (D), (E) (d) (A), (C)

38. कॉलम का मिलान कीजिए- *(7 दिसम्बर 2023 - शिफ्ट 2)*

सूची-I	सूची-II
A. ओसीआर	I. वह प्रणाली जो कागज के एक टुकड़े पर पूर्व-निर्धारित स्थिति में पेंसिल या पेन के निशान को पढ़ती है
B. ओएमआर	II. वह प्रणाली जो एक विशेष स्याही में मुद्रित अक्षरों को पढ़ती है, उदाहरण के लिए, बैंक चेक के नीचे लिखे अक्षर
C. आरएफआईडी	III. हार्ड कॉपी से डेटा को सीधे पढ़ना
D. एमआईसीआर	IV. मिनट-इलेक्ट्रॉनिक उपकरणों (माइक्रोचिप और एंटीना युक्त) का उपयोग जो कुछ मिनटों तक की दूरी से पढ़ सकते हैं

(a) (A)-(I), (B)-(III), (C)-(II), (D)-(IV)
(b) (A)-(II), (B)-(IV), (C)-(III), (D)-(I)
(C) (A)-(III), (B)-(I), (C)-(IV), (D)-(II)
(d) (A)-(IV), (B)-(II), (C)-(I), (D)-(III)

39. एक सुरक्षा प्रणाली वीडियो फुटेज रिकॉर्ड करती है, एक मिनट के वीडियों के लिए 180 मेगाबाइट स्टोरेज की आवश्यकता होती है। रिकॉर्डिंग सिस्टम कई घंटों के वीडियों फुटेज को संग्रहीत कर सकता है। 2 घंटे के वीडियो फुटेज के लिए कितने स्टोरेज की आवश्यकता होगी? (1K = 1024): *(6 दिसम्बर 2023 - शिफ्ट 1)*

(a) 19.2 गीगा बाइट्स (b) 203 गीगा बाइट्स
(c) 21.1 गीगा बाइट्स (d) 224 गीगा बाइट्स

40. निम्नलिखित कम्प्यूटर भण्डारम संघटकों A-D के उनकी अभिगम (एक्सेस) गति के अवरोही क्रमानुसार (तीव्रतम से सबसे मंद) सही क्रम की पहचान कीजिए *(6 दिसम्बर 2023 - शिफ्ट 1)*

(A) कैश मेमोरी
(B) मेन मेमोरी
(C) मैग्नेटिक डिस्क
(D) सीपीयू रजिस्टर

(a) (A), (B), (C), (D) (b) (C), (B), (A), (D)
(c) (C), (B), (D), (A) (d) (D), (A), (B), (C)

41. हार्डवेयर युक्तियों के अंत: संबंधित नेटवर्क, सेंसरों, कनेक्टिविटी और आवश्यक साफ्टवेयर के द्वारा एक स्मार्ट परिवेश का सृजन कर सकने वाले इंटरनेट ऑफ थिंग्स (आईओटी) के बारे में निम्नलिखित में से कौन सा कथन सही है? *(19 दिसम्बर 2023 - शिफ्ट 1)*

(a) प्रत्येक आईओटी युक्ति या मद यूटीपी केवलों कें प्रयोग से अनिवार्य रूप से जुड़ी होनी चाहिए।
(b) आईओटी परिवेश की दूर से निगरानी व नियंत्रण नहीं किया जा सकता है।
(c) आईओटी सेटअप को कार्य करने के लिए इंटरनेट कनेक्टिविटी अनिवार्य नहीं है।
(d) आधुनिक स्मार्ट मोबाइल फोनों को आईओटी सेटअप से नहीं जोड़ा जा सकता है।

42. MAC एड्रेस एक मीडिया अभिगम .... एड्रेस है। नेटवर्क युक्ति का एक .... एमएसी एड्रेस होता है जो नेटवर्क में युक्ति की में सहायता कर सकता है। आईपी एड्रेस एक इंटरनेट .... एड्रेस है। आईसी एड्रेस स्थिर अथवा .... हो सकता है। *(17 जून 2023 - शिफ्ट 1)*

(A) नयाचार (प्रोटोकॉल) (B) नियंत्रण
(C) गतिक (D) पहचान
(E) विशिष्ट

(a) (B), (C), (D), (A), (E) (b) (C), (E), (D), (A), (B)
(c) (A), (B), (E), (D), (C) (d) (B), (E), (D), (A), (C)

43. साइबर हमलों के संदर्भ में निम्नलिखित कथनों 4-0 में से कौन-सा/से कथन सही हैं? *(15 जून 2023 - शिफ्ट 2)*

(A) स्पाईवेयर किसी वेबसाइट के अभिगम को रोकता है।
(B) वायरस किसी कम्प्यूटर पर स्व-प्रतिकतिक विद्वेषपूर्ण कोड है।
(C) डेनियल-ऑफ-सर्विस (DoS) व्यक्तिगत डेटा प्राप्त करने के लिए कीबोर्ड का उपयोग करके दर्ज किए गए सभी डेटा को कैप्चर करता है।

(a) केवल (A) (b) केवल (B)
(C) केवल (C) (d) केवल (A) और (B)

44. निम्नलिखित MS-EXCEL फॉर्मूला क्या करता है?

= SUM (Sheet1:Sheet4!D18) *(15 जून 2023 - शिफ्ट 1)*

(a) यह शीट 1, शीट 2, शीट 3 और शीट 4 में सभी D18 सेल से डेटा जोड़ता है।
(b) यह शीट 1 के सेल D18 और शीट 4 के सेल D18 से डेटा जोड़ता है।
(c) यह शीट 1, शीट 2, शीट 3 और शीट 4 में A1:D18 रेंज के सभी डेटा जोड़ता है।
(d) यह शीट 1 के सेल A1 और शीट 4 के सेल D18 से डेटा जोड़ता है।

45. कम्प्यूटर की आंतरिक मेमोरी का एक घटक रैंडम एक्सेस मेमोरी (RAM) है। RAM की विशेषताओं के बारे में निम्नलिखित में से कौन-सा कथन सही है? *(15 जून 2023 - शिफ्ट 1)*

(A) RAM से पढ़ा और लिखा जा सकता है
(B) RAM अस्थिर मेमोरी है
(C) RAM अस्थायी स्टोरेज है
(D) आधुनिक पीसी में आमतौर पर 2 TB से 32 TB तक रैम होती है

(a) केवल (C) और (D) (b) केवल (A), (B) और (C)
(c) केवल (A) और (B) (d) (A), (B), (C) और (D)

46. निम्नलिखित में से कौन किसी वेब पेज की डाउनलोडिंग गति को सबसे कम प्रभावित करता है? *(14 जून 2023 - शिफ्ट 2)*

(a) वेब पेज में हाइपरलिंकों की संख्या
(b) वेब पेज में चित्रों की संख्या एवं आकार
(c) सर्वर कम्प्यूटर की प्रोसेसिंग (संसाधन) शक्ति जो वेब पेज का भण्डारण करती है
(d) इंटरनेट की बैंड विड्थ जिसका उपयोग वेब पेज तक पहुँचने हेतु किया जाता है

47. निम्नलिखित में से कौन-सा घटक कम्प्यूटर सिस्टम के वॉन न्यूमैन मॉडल की सेंट्रल प्रोसेसिंग यूनिट (सीपीयू) का हिस्सा है? *(14 जून 2023 - शिफ्ट 2)*

(A) आरिथमेटिक लॉजिक यूनिट (ALU)
(B) हार्ड डिस्क ड्रावर (HDD)
(C) मोरी एड्रेस रजिस्टर (MAR)
(D) सॉलिड स्टेट ड्राइव (SSD)
(E) कंट्रोल यूनिट (CU)

(a) केवल (A) और (E) (b) केवल (B), (C) और (D)
(c) केवल (A) और (C) (d) केवल (A), (C) और (E)

48. **कथन I:** शेयरवेयर एक सॉफ्टवेयर है जिसके लिए यूजर्स से पैसा लेने से पहले उन्हें केवल जाँच-परख अवधि के दौरान जाँच-परख करने की अनुमति होती है। *(14 जून 2023 - शिफ्ट 1)*

कथन II: फ्रीवेयर एक सॉफ्टवेयर है जिसे यूजर्स निःशुल्क डाउनलोड कर सकते हैं, लेकिन वे किसी प्रकार स्रोत कोड में संशोधन नहीं कर सकते हैं।

(a) कथन I और कथन II दोनों सत्य हैं।
(b) कथन I और कथन II दोनों असत्य हैं।
(c) कथन I सत्य है लेकिन कथन II असत्य है।
(d) कथन I असत्य है लेकिन कथन II सत्य है।

49. कम्प्यूटर प्रारंभिक मेनफ्रेम मेनफ्रेम कम्प्यूटरों से लेकर आज उपयोग किए जाने वाले अपेक्षाकृत छोटे स्मार्ट उपकरणों तक विकसित हुए हैं, जिनमें उच्च गणना क्षमता होती है। निम्नलिखित में से कौन सा आविष्कार कम्प्यूटरों के भौतिक आकार को कम करने में योगदान देता है? *(13 जून 2023 - शिफ्ट 2)*

(a) निर्वात नलिका (वैक्यूम ट्यूब्स)
(b) ट्रांजिस्टर
(c) एकीकृत सर्किट (इंटीग्रेटेड सर्किट)
(d) कैथोड रे ट्यूब

50. कॉलम का मिलान कीजिए- *(13 जून 2023 - शिफ्ट 2)*

सूची-I	सूची-II
A. ब्राउजर	I. प्रोटोकॉल जिसका उपयोग इंटरनेट पर वेब पेजों के लिए डेटा भेजने के लिए किया जाता है
B. HTTPS	II. एक टेक्स्ट फाइल (वेब ब्राउजर द्वारा संग्रहीत) जिसमें उपयोगकर्ता की ब्राउजिंग प्राथमिकताओं के बारे में डेटा होता है
C. यूआरएल	III. सॉफ्टवेयर जो उपयोगकर्ताओं को वेब पेज देखने की अनुमति देता है
D. कुकी	IV. वेब पते का टेक्स्ट-आधारित संस्करण

(a) (A)-(II), (B)-(I), (C)-(IV), (D)-(III)
(b) (A)-(III), (B)-(IV), (C)-(I), (D)-(II)
(c) (A)-(I), (B)-(III), (C)-(II), (D)-(IV)
(d) (A)-(III), (B)-(I), (C)-(IV), (D)-(II)

51. स्टैटिक रैम (SRAM) की अपेक्षा डायनामिक रैम (DRAM) के लाभ निम्नलिखित में से कौन से हैं? *(14 मार्च 2023 - शिफ्ट 2)*

(A) स्टैटिक रैम की तुलना में इनका विनिर्माण बहुत कम खर्चीला होता है।

(B) ये स्टैटिक रैम की अपेक्षा कम ऊर्जा का उपभोग करते हैं।

(C) इनमें स्टैटिक रैम की अपेक्षा उच्च भण्डारण क्षमता होती है।

(D) ये डाटा (अभिगम) एक्सेस के संदर्भ में स्टैटिक रैम से बहुत तेज होते हैं।

(a) (A), (B), (C) (b) (A), (C)
(c) (B), (C) (d) (A), (B)

52. निम्नलिखित में से कौन-सी संचार प्रणाली व्यक्तियों के एक समूह को संबंधित पाठ के एक या अधिक पृष्ठों को प्रविष्ट, आशोधित व योगदान करने की अनुमति दे कर साझा करने व सहकार के साधन प्रदान करती है? *(12 मार्च 2023 - शिफ्ट 2)*

(a) विकी (b) ईमेल
(C) पोडकास्ट (d) आरएसएस फीड

53. **कथन I:** किसी ईमेल व्यवस्था में, Bcc: प्राप्तकर्ताओं को संदेश के सभी अन्य प्राप्तकर्ताओं, हेतु दृश्यमान होने की अनुमति देता है। *(6 मार्च 2023 - शिफ्ट 1)*

कथन II: VoIP, फोन कॉल करने हेतु इंटरनेट का उपयोग है।

(a) कथन I और कथन II दोनों सत्य हैं।
(b) कथन I और कथन II दोनों असत्य हैं।
(c) कथन I सत्य है लेकिन कथन II असत्य है।
(d) कथन I असत्य है लेकिन कथन II सत्य है।

54. कॉलम का मिलान कीजिए: *(5 मार्च 2023 - शिफ्ट 2)*

सूची-I	सूची-II
A. बायोमेट्रिक्स	I. डेटा को सीधे कार्ड कॉपी से पढ़ना और कम्प्यूटर-पठनीय रूप में परिवर्तित करना
B. ओसीआर	II. किसी व्यक्ति की विशिष्ट पहचान के तरीके के रूप में फिंगरप्रिंट स्कैन, रेटिना स्कैन, चेहरे की पहचान आदि का उपयोग
C. ओएमआर	III. सूक्ष्म इलेक्ट्रॉनिक उपकरणों (माइक्रोचिप और एंटीना युक्त) का उपयोग जिन्हें पांच मीटर तक की दूरी से पढ़ा जा सकता है
D. आरएफआईडी	IV. वह प्रणाली जो कागज के एक टुकड़े पर पूर्व-निर्धारित स्थिति में पेंसिल या पेन के निशान को पढ़ती है।

(a) (A)-(II), (B)-(I), (C)-(IV), (D)-(III)
(b) (A)-(I), (B)-(II), (C)-(IV), (D)-(III)
(C) (A)-(III), (B)-(IV), (C)-(I), (D)-(II)
(d) (A)-(IV), (B)-(I), (C)-(II), (D)-(III)

55. आईसीटी में निम्नलिखित में से कौन-सा परिवर्णी शब्द और उसका विस्तारण असंगत है? *(5 मार्च 2023 - शिफ्ट 2)*

(b) .gif - ग्राफिक्स इंटरचेंज फोर्मेट
(b) .css - कैसकेडिंग स्टाइल शीट
(C) .rar - रीडेबल आर्काइव
(d) .jpeg - जॉइंट फोटोग्राफिक एक्सपर्स ग्रुप

56. **कथन I:** फाइबर-ऑप्टिक केवल, डाटा संप्रेषण के लिए प्रकाशस्पंद का प्रयोग करती है और छोटे भवन में कम्प्यूटरों को जोड़ने (कनेक्ट) के लिए सर्वाधिक उपयुक्त होती है। *(2 मार्च 2023 - शिफ्ट 2)*

कथन II: यूआरएल (URL) इंटरनेट पर वेब एड्रेस का पता लगाने के लिए वेब ब्राउजरों द्वारा प्रयुक्त पाठ (टेक्स्ट) होता है।

(a) कथन I और कथन II दोनों सत्य हैं।
(b) कथन I और कथन II दोनों असत्य हैं।
(c) कथन I सत्य है लेकिन कथन II असत्य है।
(d) कथन I असत्य है लेकिन कथन II सत्य है।

57. **कथन I:** मेनफ्रेम कम्प्यूटर में डेस्कटॉप कम्प्यूटर की तुलना में छोटी आंतरिक मेमोरी होती है। *(1 मार्च 2023 - शिफ्ट 2)*

कथन II: स्प्रेडशीट और वर्ड प्रोसेसर एप्लिकेशन सॉफ्टवेयर के उदाहरण हैं।

(a) कथन I और कथन II दोनों सत्य हैं।
(b) कथन I और कथन II दोनों असत्य हैं।
(c) कथन I सत्य है लेकिन कथन II असत्य है।
(d) कथन I असत्य है लेकिन कथन II सत्य है।

58. निम्नलिखित में से कौन-सा कथन ईमेल सुरक्षा के बारे में ईमेल इनक्रिप्शन (गोपन) का सर्वोत्तिम वर्णन करता है? *(1 मार्च 2023 - शिफ्ट 1)*

(a) यह एक स्व-प्रतिकृति प्रोग्राम है, जो ई-मेल द्वारा विस्तृत हो सकता है।

(b) यह संवेदनशील सूचना के संरक्षण के लिए ई-मेल के संदेशों की विषयवस्तु को छदमवेश धारण कर छिपाता है।

(c) इसमें उसी ई-मेल पते को अनेक डुप्लीकेट (द्वेध) मेल्स को प्रेषित करना सम्मिलित है।

(d) ईमेल हैडर को परिवर्तित किया जाता है ताकि संदेश किसी अन्य से आया हुआ प्रतीत होता है।

59. निम्नलिखित कथनों में से कौन सा सत्य हैं? *(28 फरवरी 2023 - शिफ्ट 2)*

(A) संपीड़ित वीडियो फाइलों के लिए एक मानक प्रारूप एमपीईजी है।

(B) WAV फाइलें संपीड़ित नहीं होती हैं।

(C) एक संपीड़ित फाइल नेटवर्क पर तेजी से प्रसारित की जाएगी।

(a) (A), (B) (b) (A), (C)
(C) (B), (C) (d) (A), (B), (C)

60. **कथन I:** ट्विटर वेब 2.0 एप्लिकेशन का एक उदाहरण है। *(28 फरवरी 2023 - शिफ्ट 1)*

कथन II: वेब 2.0, स्टैटिक टेक्स्ट आधारित सूचना वेबसाइटों से संबंधित है।

(a) कथन I और कथन II दोनों सत्य हैं।
(b) कथन I और कथन II दोनों असत्य हैं।
(c) कथन I सत्य है लेकिन कथन II असत्य है।
(d) कथन I असत्य है लेकिन कथन II सत्य है।

61. निम्नलिखित में से कौन-सा कथन डाटा कम्प्रेशन को सर्वोत्तिम ढंग से वर्णित करता है? *(28 फरवरी 2023 - शिफ्ट 1)*

(a) सुरक्षित की गई फाइल के फाइल साइज के परिकलन की प्रक्रिया
(b) एक से अधिक भाषा में वर्णो को कूटबद्ध करने के प्रक्रिया
(c) मूल डाटा की अपेक्षा कम बिट के प्रयोग द्वारा सूचना को कूटबद्ध करने की प्रक्रिया
(d) किसी फाइल से आवश्यक डाटा को हटाने की प्रक्रिया

62. जब कंप्यूटर की बिजली बंद कर दी जाती है तो निम्न में से कौन सा हार्डवेयर घटक डेटा खो देगा? *(13 अक्टूबर 2022 - शिफ्ट 2)*

(A) प्रोसेसर रजिस्टर
(B) कैश मेमोरी
(C) एसएसडी
(D) रैम
(E) रोम

(a) (B), (D) (b) (A), (C), (D)
(c) (A), (B), (C) (d) (A), (B), (D)

63. निम्नलिखित में से कौन डाटा के छोटे अंशी वाली पठन फाइल है जिनका प्रयोग प्रयोक्ता विशेष की पहचान करने और वेब ब्राऊज करने के अनुभव में सुधार करने के लिए किया जाता है? *(13 अक्टूबर 2022 - शिफ्ट 2)*

(a) कुकीज (b) बुकमार्क
(c) ब्लॉग्स (d) विकीज़

64. किसी सॉफ्टवेयर को ओपन सोर्स सॉफ्टवेयर कहा जाता है यदि- *(13 अक्टूबर 2022 - शिफ्ट 1)*

(a) डेवलपर कम्पनी चौबीसों घंटे सातों दिन खुली है।
(b) इसका सोर्स कोड साझा किए जाने, अध्ययन और संशोधन के लिए उपलब्ध है।
(c) इसे इंटरनेट से डाउनलोड किया जा सकता है।
(d) वह नि:शुल्क उपलब्ध है।

65. निम्नलिखित में से किस फाइल फार्मेट में वेब डिस्ट्रीन्यूशन के लिए उपयुक्त एकानिक रूप से साउंड फाइल फार्मेट होती हैं? *(12 अक्टूबर 2022 - शिफ्ट 1)*

(A) डब्ल्यूएमवी (wMv)
(B) डब्ल्यूएवी (WAV)
(C) एवीआई (AVI)
(D) एमओवी (MOV)
(E) एमपी3 (MP3)

(a) (B), (C) (b) (B), (E)
(c) (A), (D) (d) (A), (E)

66. **कथन I:** रैम के अधिकांश रूपों की अंतर्वस्तु लोपशील हैं, अत: वे दीर्घकालिक डाटा भण्डारण के लिए अनुपयुक्त हो जाते हैं। *(10 अक्टूबर 2022 - शिफ्ट 2)*

कथन II: रैम और प्रोसेसर रजिस्टरों की तुलना में हार्ड डिस्क की डाटा तक पहुँच अधिक तीव्र है।

(a) कथन I और कथन II दोनों सही हैं।
(b) कथन I और कथन II दोनों गलत हैं।
(c) कथन I सही है लेकिन कथन II गलत है।
(d) कथन I गलत है लेकिन कथन II सही है।

67. नीचे दिखाए गए फील्ड के साथ A से B, C, D, E और F को एक ई-मेल संदेश भेजा गया है: *(10 अक्टूबर 2022 - शिफ्ट 1)*

से : A
को : B
सीसी: C, D
बीसीसी: E, F

निम्नलिखित में से कौन सा कथन सत्य है?

(a) F नहीं जानता कि C को संदेश भेजा गया था।
(b) C नही जानता कि D को संदेश भेजा गया था।
(c) E नहीं जानता कि F को संदेश भेजा गया था।
(d) D नहीं जानता कि B को संदेश भेजा गया था।

68. ई मेल प्राप्त करने के लिए आपको ई-मेल प्रदाता, अपने प्रदाता के साथ एक कनेक्शन और एक ई-मेल एप्लिकेशन की आवश्यकता है। यदि आपके इंटरनेट सेवा प्रदाता (आईएसपी) के पास पीओपी सर्वर है तो आपके पास ई-मेल ऐप्लिकेशन के व्यापक विकल्प है। संक्षिप्त नाम पीओपी का पूर्ण रूप क्या है? *(8 अक्टूबर 2022 - शिफ्ट 2)*

(a) पेज ओवरले प्रोटोकॉल (b) पोस्ट ऑफिस प्रोटोकॉल
(c) पावर आउटेज प्रोटोकॉल (d) पोस्टल ऑफ प्रोटोकॉल

69. **कथन I:** कैश मेमोरी वोलेटाइल मेमोरी है और रैंडम एक्सेस मेमोरी (RAM) की तुलना में बहुत धीमी है।

कथन II: सीडी, डीवीडी और मैग्नेटिक टेप सभी ऑप्टिकल मीडिया डिवाइस हैं। *(8 अक्टूबर 2022 - शिफ्ट 1)*

(a) कथन I और कथन II दोनों सत्य हैं।
(b) कथन I और कथन II दोनों गलत हैं।
(c) कथन I सत्य है लेकिन कथन II गलत है।
(d) कथन I गलत है लेकिन कथन II सही है।

70. **कथन I:** आर्टिफिशियल इंटेलिजेंस (AI) बदलती हुई परिस्थितियों से सीखती है, जबकि आभासी वास्तविकता कृत्रिम रूप से सृजित किया गया एक परिवेश होता है जिसका उपयोग 'वहाँ होने' का एहसास प्रदान करने हेतु किया जाता है।

कथन II: क्यूआर एक प्रकार का अधिक परिष्कृत बारकोड है जो हल्के पृष्ठभूमि पर गहरें वर्गों के मैट्रिक्स का उपयोग करता है, जिसका अर्थ है क्विक रिएक्शन। *(30 सितम्बर 2022 - शिफ्ट 2)*

(a) कथन I और कथन II दोनों सत्य हैं।
(b) कथन I और कथन II दोनों असत्य हैं।
(c) कथन I सत्य है लेकिन कथन II असत्य है।
(d) कथन I असत्य है लेकिन कथन II सत्य है।

71. कम्प्यूटर के अनेक उपयोगकर्ता मालवेयर के बारे में चिंतित है। निम्नलिखित में से कौन-से मालवेयर के दो उदाहरण हैं?
(30 सितम्बर 2022 - शिफ्ट 1)

(A) फायरवॉल (B) वर्म
(C) राउटर (D) वायरस

(a) केवल (A) और (C) (b) केवल (A) और (B)
(c) केवल (B) और (D) (d) केवल (C) और (D)

72. मिस रीना को मुंबई के साइबर सुरक्षा सेल द्वारा एक आतंकवादी संगठन की वेबसाइट में सेंध लगाकार जानकारी निकालने के लिए नियुक्त किया गया है। रीना की प्रोफाइल का निम्नलिखित में से कौन सा एक उपयुक्त विवरण है? *(29 सितम्बर 2022 - शिफ्ट 2)*

(a) हैक्टिविस्ट (b) एथिकल हैकर
(c) ट्रोलर (d) ब्लैक हैट हैकर

73. **कथन I:** 8 मेगावाट = 2^{13} गीगाबाइट
(29 सितम्बर 2022 - शिफ्ट 2)

कथन II: बाइनरी संख्या $(11101.101)_2$ का दशमलव समकक्ष $(29.625)_{10}$ है।

(a) कथन I और कथन II दोनों सत्य हैं।
(b) कथन I और कथन II दोनों असत्य हैं।
(c) कथन I सत्य है लेकिन कथन II असत्य है।
(d) कथन I असत्य है लेकिन कथन II सत्य है।

74. मल्टीमीडिया फाइलें वे दस्तावेज हैं जिनमें इसकी पुष्टि होती है:
(5 सितम्बर 2022 - शिफ्ट 2)

(A) टेक्स्ट (B) फोटोग्राफ
(C) वीडियो (D) कम्प्यूटर
(E) ऑडियो

(a) केवल (A), (C), (D) (b) केवल (A), (B), (C), (E)
(c) केवल (A), (B), (C), (D) (d) केवल (B), (C), (D), (E)

75. कम्प्यूटर में ASCII का अर्थ है: *(5 सितम्बर 2022 - शिफ्ट 2)*

(a) एल्गोरिथम सिलेक्शन कोड इन्फॉर्मेशन इंटरचेंज
(b) असिम्पैटैटिक सोर्टिंग कोड इंटरमीडिएट इंटरफेस
(c) अमेरिकन स्टैंडर्ड कंट्रोल इंफॉर्मेशन इंटरचेंज
(d) अमेरिकन स्टैंडर्ड कोड फॉर इन्फॉर्मेशन इंटरचेंज

76. निम्नलिखित कथन को पढ़े और सही कोड चुनें:
(26 दिसम्बर 2021 - शिफ्ट 2)

(A) रेडियो फ्रीक्वेंसी आइडेंटिफिकेशन सिस्टम सूचना को पढ़ने और कैप्चर करने के लिए तरंगों का उपयोग करते हैं।
(B) MICR (मैग्नेटिक इंक कैरेक्टर रिकॉग्निशन) अक्षर बनाना आसान है और इसे ऊपर नहीं लिखा जा सकता है
(C) OMR (ऑप्टिकल मार्क रिकॉग्निशन) एक पद पर विशिष्ट स्थानों पर पेंसिल या पेन में लिखे गए अंकों को पढ़ता है।
(D) ऑप्टिकल कैरेक्टर रिकॉग्निशन (OCR) टेक्स्ट को स्कैन करता है और इसे कंप्यूटर-पठनीय प्रारूप में परिवर्तित करता
(E) बारकोड जाली या क्षतिग्रस्त हो सकते हैं

(a) केवल (A), (B) और (C) (b) केवल (B), (C), (D) और (E)
(c) केवल (A), (C) और (E) (d) केवल (A), (C), (D) और (E)

77. एक यूटिलिटी प्रोग्राम कार्यक्रम क्या है?
(26 दिसम्बर 2021 - शिफ्ट 2)

(a) यह डिवाइस द्वारा समझे गए प्रारूप में डेटा का अनुवाद करता है।
(b) यह डेटा के आदान-प्रदान और साझाकरण की अनुमति देता है।
(c) यह किसी अन्य स्टोरेज डिवाइस पर फाइलों की कॉपी बनाता है।
(d) यह ऑपरेटिंग सिस्टम का एक हिस्सा है जो डीफ्रेमेंटेशन या डिस्क फ़ॉर्मेटिंग करता है।

78. निम्नलिखित में से कौन सा कथन सही है?
(26 दिसम्बर 2021 - शिफ्ट 1)

(A) WLAN एक विस्तृत क्षेत्र नेटवर्क है
(B) एक हब एक आने वाले पैकेट को नेटवर्क पर सही डिवाइस पर भेजता है
(C) विनिर्माण चरण में एक डिवाइस को एक आईपी पता सौंपा गया है
(D) किसी डिवाइस को नेटवर्क से कनेक्ट करने की अनुमति देने के लिए नेटवर्क इंटरफ़ेस कार्ड की आवश्यकता होती है
(E) राउटर इंटरनेट पर प्राप्त डेटा पैकेट का निरीक्षण करते हैं

(a) (A) और (B) केवल (b) (B) और (E) केवल
(c) (D) और (E) केवल (d) (B), (C) और (D) केवल

79. कॉलम का मिलान कीजिए: *(25 दिसम्बर 2021 - शिफ्ट 1)*

सूची-I	सूची-II
A. अपने संगीत को बजाने के तरीके पर निर्देशों की मुद्रित प्रतियाँ	I. mp3
B. उसके संगीत बजाने की ध्वनि फ़ाइलें	II. DOC
C. उनका संगीत बजाते हुए वीडियो फ़ाइल	III. JPEG
D. उनके द्वारा सिखाए गए उपकरणों की छवियाँ	IV. AVI

(a) (A)-(III), (B)-(I), (C)-(IV), (D)-(II)
(b) (A)-(I), (B)-(II), (C)-(III), (D)-(IV)
(c) (A)-(II), (B)-(I), (C)-(IV), (D)-(III)
(d) (A)-(II), (B)-(I), (C)-(III), (D)-(IV)

80. **कथन I:** USB ड्राइव को फ्लैश ड्राइव के रूप में भी जाना जाता है।

कथन II: चेक और जमा पर्ची के नीचे उन असामान्य संख्याओं को स्वचालित रूप से पढ़ने के लिए बैंकों द्वारा उपयोग किए जाने वाले उपकरण को MICR के रूप में जाना जाता है।
(3 दिसम्बर 2021 - शिफ्ट 2)

(a) कथन I और कथन II दोनों सत्य हैं।
(b) कथन I और कथन II दोनों असत्य हैं।
(c) कथन I सत्य है लेकिन कथन II असत्य है।
(d) कथन I असत्य है लेकिन कथन II सत्य है।

81. निम्नलिखित कंप्यूटर भंडारण क्षमताओं के सही क्रम की पहचान करें जो सबसे बड़ी से सबसे छोटी क्षमता के क्रम में हैं। *(3 दिसम्बर 2021 - शिफ्ट 1)*

(A) 100 जीबाइट्स (B) 10000000000 बाइट्स
(C) 1 टीबाइट्स (D) 1000000 केबाइट्स

(a) (C), (A), (D), (B) (b) (C), (A), (B), (D)
(c) (A), (C), (D), (B) (d) (A), (C), (B), (D)

82. जब किसी कम्प्यूटर को स्विच ऑन किया जाता है BIOS निम्नलिखित में से किससे लोड किया जाता है? *(3 दिसम्बर 2021 - शिफ्ट 1)*

(a) हार्ड डिस्क (b) रैम
(c) रॉम (d) सीडी-रॉम

83. मोडेम के संबंध में निम्नलिखित में से कौन सा कथन सही है? *(1 दिसम्बर 2021 - शिफ्ट 2)*

(A) इसका उपयोग डिजिटल डेटा को एनलॉग में बदलने के लिए किया जाता है
(B) यह एनालॉग डेटा को डिजिटल डेटा में भी परिवर्तित करता है
(C) डेटा पैकेट को विशिष्ट पते पर भेजता है
(D) इंटरनेट पर प्राप्त डेटा पैकेट का निरीक्षण करता है

(a) (A), (B) और (C) केवल (b) (B), (C) और (D) केवल
(c) (B) और (C) केवल (d) (A) और (B) केवल

84. एक डिवाइस ड्राइवर है *(1 दिसम्बर 2021 - शिफ्ट 1)*

(a) एक पोर्ट जो एक डिवाइस और एक सिस्टम को जोड़ता है
(b) एक सॉफ्टवेयर जो डिस्क कम्प्रेशन करता है
(c) एक साफ्टवेयर जो डिस्क डीफ्रेग्मेंटशन करता है
(d) एक सॉफ्टवेयर जो ऑपरेटिंग सिस्टम के साथ संचार करता है और डिवाइस द्वारा समझे जाने वाले प्रारूप में डेटा का अनुवाद करता है

85. **कथन I:** डेटा बस प्रोसेसर, मेमोरी यूनिट और /0 डिवाइस के बीच डेटा भेजता है। *(30 नवम्बर 2021 - शिफ्ट 1)*

कथन II: यह एकदिशात्मक है।

(a) कथन I और कथन II दोनों सत्य हैं।
(b) कथन I और कथन II दोनों असत्य हैं।
(c) कथन I सत्य है लेकिन कथन II असत्य है।
(d) कथन I असत्य है लेकिन कथन II सत्य है।

86. कॉलम से मिलान कीजिए: *(29 नवम्बर 2021 - शिफ्ट 1)*

सूची-I	सूची-II
A. एमबी (मेगाबाइट)	I. 2^{30}
B. जीबी (गीगाबाइट)	II. 2^{50}
C. टीबी (टेराबाइट)	III. 2^{20}
D. पीबी (पेटाबाइट)	IV. 2^{40}

(a) (A)-(II), (B)-(III), (C)-(I), (D)-(IV)
(b) (A)-(III), (B)-(I), (C)-(IV), (D)-(II)
(c) (A)-(III), (B)-(II), (C)-(I), (D)-(IV)
(d) (A)-(II), (B)-(I), (C)-(III), (D)-(IV)

87. फाइल ट्रांसफर प्रोटोकॉल (एफटीपी) के संबंध में नीचे कुछ कथन दिए गए हैं सही कथनों का चयन कीजिए: *(26 नवम्बर 2021 - शिफ्ट 1)*

(A) इसका उपयोग वर्ल्ड वाइड वेब (www) तक पहुँच के लिए किया जाता हैं
(B) इसका उपयोग फाइल सर्वशों से डेटा डाउनलोड करने के लिए किया जाता हैं
(C) इसका उपयोग अत्यधिक छोटी फाइलों के लिए किया जाता हैं
(D) एक उपकरण से दूसरे उपकरण तक फाइलें अंतरित की जाती हैं

(a) (A) और (B) केवल (b) (A) और (C) केवल
(c) (B) और D केवल (d) (B) और (C) केवल

88. 8 बिट वाले एएससीआईएल (अमेरिकन स्टेंडर्ड कोड फॉर इंफार्मेशन इंटरचेंज) कोड में वर्णों की संख्या है: *(26 नवम्बर 2021 - शिफ्ट 1)*

(a) 64 (b) 128
(c) 256 (d) 512

89. ईथरनेट क्या है? *(24 नवम्बर 2021 - शिफ्ट 1)*

(a) कई वायर्ड LAN द्वारा उपयोग किया जाने वाला प्रोटोकॉल।
(b) एड्रेस ट्रांसलेशन के लिए इस्तेमाल किया जाने वाला प्रोटोकॉल
(c) एक सुरक्षा प्रोटोकॉल
(d) एक टक्कर-पहचान प्रोटोकॉल

90. निम्नलिखित में से कौन एक अरब (बिलियन) संलक्षणों का प्रतिरूपण है? *(13 नवम्बर 2020 - शिफ्ट 1)*

(a) 1 किलोबाइट (b) 1 मेगाबाइट
(c) 1 गीगाबाइट (d) 1 टेराबाइट

91. 'की'-बोर्ड के किस 'की को उपान्तरिक की संज्ञा (मॉडिफायर की) दी जाती है? *(12 नवम्बर 2020 - शिफ्ट 2)*

(A) कंट्रोल (B) शिफ्ट
(C) इन्ड (D) अल्ट

(a) (A), (B), (C) (b) (A), (B), (D)
(c) (A), (C), (D) (d) (B), (C), (D)

92. क्लाउड कम्प्यूटिंग की निम्नलिखित में से कौन-सी विशिष्ट विशेषताएं, हैं? *(11 नवम्बर 2020 - शिफ्ट 2)*

(A) यह सेवा इंटरनेट पर प्रकार की जाती है।
(B) यह सेवा-प्रदाता के द्वारा उपलब्ध कराई जाती है।
(C) जब मौसम मेघाछन्न हो तो यह वर्षा की गणना और भविष्यवाणी करता है।
(D) प्रदाता द्वारा इस सेवा का पूर्णरूपेण प्रबंधन किया जाता है।

(a) (A), (B) (b) (A), (B), (C)
(c) (A), (D) (d) (A), (B), (D)

93. अनेक प्राप्तकर्ताओं को एक साथ भेजा गया कोई अवांछित ई-मेल मैसेज होता है। *(4 नवम्बर 2020 - शिफ्ट 2)*

(a) Inbox (b) Spam
(c) Virus (d) Attack

94. **कथन I:** दशमलव संख्या प्रणाली में हेक्साडेसिमल संख्या 21 का मान 33 है। *(17 अक्टूबर 2020 - शिफ्ट 2)*

कथन II: दशमलव संख्या प्रणाली में बाइनरी संख्या 1110 का मान 14 है।

(a) कथन I और कथन II दोनों सत्य हैं।
(b) कथन I और कथन II दोनों असत्य हैं।
(c) कथन I सत्य है लेकिन कथन II असत्य है।
(d) कथन I असत्य है लेकिन कथन II सत्य है।

95. बढ़ते हुए मेमोरी एक्सेस टाईम (कम से अधिक की ओर) के आधार पर निम्नलिखित कम्प्यूटर मेमोरीज के सही क्रम की पहचान करें। *(9 अक्टूबर 2020 - शिफ्ट 1)*

(A) रजिस्टर (B) मेन मेमोरी
(C) सेकेंडरी मेमोरी (D) कैश मेमोरी

(a) (A), (C), (D), (B) (b) (A), (D), (B), (C)
(c) (C), (B), (D), (A) (d) (B), (D), (A), (C)

96. राधा को एक ई-मेल प्राप्त होता है जिसमें यह कहा कि उसका क्रेडिट कार्ड खाता बंद होने वाला है अगर उसने अपने क्रेडिट कार्ड की जानकारी और व्यक्तिगत पहचान संख्या (PAN) तुरंत ई-मेल नहीं की। यह किसका उदाहरण है? *(1 अक्टूबर 2020 - शिफ्ट 2)*

(a) स्पैमिंग (b) फिशिंग
(c) वायरस साइनिंग (d) स्कैनिंग

97. निम्नलिखित में से कौन-सा वेब ब्राउजर नहीं है? *(1 अक्टूबर 2020 - शिफ्ट 1)*

(a) फायरफॉक्स (b) फेसबुक
(c) क्रोम (d) सफारी

98. कॉलम का मिलान कीजिए: *(30 सितम्बर 2020 - शिफ्ट 1)*

सूची-I	सूची-II
A. प्रोग्रामिंग भाषा	I. वाइड एरिया नेटवर्क
B. ऑपरेटिंग सिस्टम	II. एमएस पावरप्वाइंट
C. इंटरनेट	III. विंडो एक्सपी (XP)
D. एप्लीकेशन सॉफ्टवेयर	IV. C++

(a) (A)-(I), (B)-(II), (C)-(III), (D)-(IV)
(b) (A)-(IV), (B)-(III), (C)-(I), (D)-(II)
(c) (A)-(IV), (B)-(II), (C)-(III), (D)-(I)
(d) (A)-(II), (B)-(III), (C)-(I), (D)-(IV)

99. A-F प्रणाली निम्नांकित में से किस संख्या प्रणाली में प्रयुक्त होती है? *(24 सितम्बर 2020 - शिफ्ट 2)*

(a) बाइनरी (b) ऑक्टल
(c) हेक्सा-डेसिमल (d) डेसिमल

100. सूचना और संचार प्रौद्योगिकी (आईसीटी) में शामिल हैं- *(24 सितम्बर 2020 - शिफ्ट 1)*

(A) ऑनलाइन अधिगम
(B) मोबाइल एप्लीकेशन के माध्यम से अधिगम
(C) वेब आधारित अधिगम
(D) उपर्युक्त सभी

(a) (A), (B) (b) (A), (C)
(c) (D) (d) (A)

उत्तर

1. (a)	**2.** (a)	**3.** (d)	**4.** (c)	**5.** (d)	**6.** (c)	**7.** (a)	**8.** (a)	**9.** (a)	**10.** (a)
11. (b)	**12.** (b)	**13.** (a)	**14.** (d)	**15.** (c)	**16.** (d)	**17.** (c)	**18.** (a)	**19.** (c)	**20.** (b)
21. (d)	**22.** (a)	**23.** (d)	**24.** (b)	**25.** (b)	**26.** (d)	**27.** (b)	**28.** (d)	**29.** (d)	**30.** (b)
31. (b)	**32.** (a)	**33.** (c)	**34.** (d)	**35.** (a)	**36.** (b)	**37.** (b)	**38.** (c)	**39.** (c)	**40.** (d)
41. (c)	**42.** (d)	**43.** (b)	**44.** (a)	**45.** (b)	**46.** (a)	**47.** (d)	**48.** (a)	**49.** (c)	**50.** (d)
51. (a)	**52.** (a)	**53.** (d)	**54.** (a)	**55.** (c)	**56.** (d)	**57.** (d)	**58.** (b)	**59.** (d)	**60.** (c)
61. (c)	**62.** (d)	**63.** (a)	**64.** (b)	**65.** (b)	**66.** (c)	**67.** (c)	**68.** (b)	**69.** (b)	**70.** (c)
71. (c)	**72.** (b)	**73.** (d)	**74.** (b)	**75.** (d)	**76.** (d)	**77.** (d)	**78.** (c)	**79.** (c)	**80.** (a)
81. (b)	**82.** (c)	**83.** (d)	**84.** (d)	**85.** (c)	**86.** (b)	**87.** (c)	**88.** (c)	**89.** (a)	**90.** (c)
91. (b)	**92.** (d)	**93.** (b)	**94.** (a)	**95.** (b)	**96.** (b)	**97.** (b)	**98.** (b)	**99.** (c)	**100.** (c)

विस्तृत समाधान और संकेत

क्या आप किसी कठिन प्रश्न को हल करने में संघर्ष कर रहे हैं या संशय में हैं?

चिंता न करें! ऊपर दिए गए प्रश्नों के विस्तृत समाधान और उपयोगी संकेत प्राप्त करने के लिए इस QR कोड को स्कैन करें।

क्या आप जानते हैं? इस खंड में दिए गए प्रश्न पिछली UGC NET परीक्षाओं (2020-2025) से हैं और अक्सर परीक्षा में दोहराए जाते हैं। उन्हें समझने से आपका स्कोर काफी बढ़ सकता है। इसलिए, उत्तर कुंजी को सिर्फ सरसरी तौर पर न पढ़ें – विस्तृत व्याख्याओं को देखने और प्रत्येक प्रश्न की पूरी समझ हासिल करने के लिए इस QR कोड को स्कैन करें।

QR कोड काम नहीं कर रहा है? QR कोड के साथ दिए गए संसाधनों तक पहुँचने के लिए आंतरिक फ्रन्ट कवर पर दिए गए निर्देशों का पालन करें

क्या आप और अधिक अभ्यास करना चाहते हैं? इस इकाई से **अतिरिक्त 200+ अभ्यास प्रश्नों** तक पहुँचने के लिए इस QR कोड को स्कैन करें। McGraw Hill EDGE प्लेटफॉर्म UGC NET परीक्षा इंटरफेस की नकल करता है, जो आपको एक यथार्थवादी परीक्षा अनुभव प्रदान करता है और आपको वास्तविक परीक्षा प्रारूप से परिचित होने में मदद करता है। यह आपको समय का बेहतर प्रबंधन करने में मदद करता है और आपको परीक्षा के दबाव में MCQ को सटीक रूप से हल करने के लिए तैयार करता है।

25 लोग, विकास और पर्यावरण का परिचय (Introduction to People, Development and Environment)

इस अध्याय में

*परीक्षोपयोगी (Exam Essential): UGC NET परीक्षा में पूछे जाने की अत्यधिक संभावना, #CC का अर्थ है कॉन्सेप्ट कैप्सूल

परिचय (Introduction)

2018 में केरल में आई बाढ़ ने लोगों, विकास और पर्यावरण के बीच संबंध को स्पष्ट रूप से दिखाया। राज्य में तेजी से हो रहे शहरीकरण और वनों की कटाई के कारण भूमि उपयोग में बदलाव हुआ था। जब यह बदलाव अत्यधिक भारी वर्षा से जुड़ गया, तो गंभीर बाढ़ आई। इन बाढ़ों ने लाखों लोगों को प्रभावित किया, घरों और आधारभूत ढांचे को नष्ट कर दिया और पर्यावरण को भी भारी नुकसान पहुँचाया। इससे यह बात सामने आई कि योजना बनाते समय सतर्कता और टिकाऊ विकास की आवश्यकता है।

लोग, विकास और पर्यावरण की अवधारणाएँ एक-दूसरे से जुड़ी हुई हैं। 'लोग' से तात्पर्य मानव आबादी और उनके समुदायों से है, 'विकास' का मतलब है आर्थिक प्रगति और बेहतर जीवन स्तर, और 'पर्यावरण' में प्राकृतिक संसाधन और पारिस्थितिक तंत्र शामिल हैं। टिकाऊ विकास का उद्देश्य वर्तमान पीढ़ी की आवश्यकताओं को इस प्रकार पूरा करना है कि भविष्य की पीढ़ियों की जरूरतें पूरी करने की क्षमता प्रभावित न हो। यह सामाजिक, आर्थिक और पर्यावरणीय पहलुओं के बीच संतुलन बनाए रखने की कोशिश करता है।

लोगों, विकास और पर्यावरण के बीच संबंध को समझना UGC NET पेपर 1 के छात्रों के लिए बहुत आवश्यक है। इससे वे संसाधन प्रबंधन और पर्यावरण संरक्षण जैसे वर्तमान समय के मुद्दों का विश्लेषण और समाधान करना सीखते हैं। यह ज्ञान सभी के लिए टिकाऊ और न्यायपूर्ण भविष्य की दिशा में मदद करता है।

25.1 पर्यावरण की मूल बातें (Fundamentals of Environment)

'पर्यावरण' शब्द फ्रेंच शब्द 'environner' से लिया गया है, जिसका अर्थ है 'चारों ओर से घेरना'। पर्यावरण में वे सभी जीवित और निर्जीव तत्व शामिल होते हैं जो हमें घेरते हैं और हमारे जीवन को प्रभावित करते हैं। इसमें वह सब कुछ आता है - हवा जो हम सांस लेते हैं, पानी जो हम पीते हैं, और पौधे, जानवर और सूक्ष्मजीव जो इस धरती पर रहते हैं। पर्यावरण और इसके विभिन्न घटकों को समझना प्रकृति का संतुलन बनाए रखने और टिकाऊ विकास के लिए जरूरी है।

पृथ्वी के गोले (Spheres of Earth)

इस विषय को सरल बनाने वाले वीडियो व्याख्यान को देखने के लिए इस QR कोड को स्कैन करें

पृथ्वी को चार मुख्य गोलों (spheres) में बाँटा गया है, जिनमें प्रत्येक की अपनी विशेषताएँ और कार्य होते हैं। ये गोले एक-दूसरे से संपर्क करते हैं और मिलकर एक गतिशील तथा जुड़ा हुआ तंत्र बनाते हैं, जो पृथ्वी पर जीवन को बनाए रखता है। पृथ्वी के ये गोले सारणी 25.1 और चित्र 25.1 में संक्षेप में दिखाए गए हैं।

चित्र 25.1 पर्यावरण के क्षेत्र

स्थलमंडल (Lithosphere - Solid Earth)

विवरण: स्थलमंडल पृथ्वी की सबसे बाहरी परत है, जिसमें भूपर्पटी (crust) और ऊपरी मैंटल (upper mantle) शामिल होते हैं।

संरचना: इसमें मिट्टी, चट्टानें और खनिज होते हैं।

महत्त्व: यह स्थल-आधारित पारिस्थितिकी तंत्रों, कृषि और निर्माण कार्यों को सहारा देता है। इसमें पर्वत और घाटियाँ शामिल हैं, और भूकंप तथा ज्वालामुखी जैसी भौगोलिक घटनाएँ यहीं होती हैं।

जलमंडल (Hydrosphere - Water)

विवरण: जलमंडल में पृथ्वी के सभी जल स्रोत आते हैं, जैसे समुद्र, नदियाँ, झीलें, हिमनद (glaciers), और हवा में उपस्थित नमी।

संरचना: यह जल के तरल और ठोस दोनों रूपों में होता है।

महत्त्व: यह जीवन के सभी रूपों के लिए आवश्यक है, जलवायु प्रणाली में महत्वपूर्ण भूमिका निभाता है, और पीने, कृषि तथा अन्य मानवीय गतिविधियों के लिए ताजा जल उपलब्ध कराता है।

- **महासागर और खारे जल (Oceans and Saline Waters):** पृथ्वी के कुल जल का 97.5% भाग, जो अधिकतर खारा होता है।
- **मीठा जल (Freshwater):** पृथ्वी के कुल जल का केवल 2.5% भाग, जो हिमनदों, हिमछत्रों, नदियों, झीलों और भूमिगत जल में पाया जाता है।
- **उपलब्ध मीठा जल (Available Freshwater):** मीठे जल का केवल 1.3% भाग ही मनुष्यों के उपयोग के लिए आसानी से उपलब्ध है।

वायुमंडल - *हवा (Atmosphere - Air)*

विवरण: वायुमंडल पृथ्वी को घेरने वाली गैसों की एक परत है।

संरचना: मुख्य रूप से नाइट्रोजन, ऑक्सीजन, कार्बन डाइऑक्साइड, आर्गन और अन्य कुछ गैसें।

महत्त्व: यह श्वास लेने योग्य वायु प्रदान करता है, सूर्य की हानिकारक किरणों से रक्षा करता है, और मौसम व जलवायु की बनावट के लिए आवश्यक है।

जीवमंडल - *जीवन (Biosphere - Life)*

विवरण: जीवमंडल पृथ्वी पर जीवन का क्षेत्र है, जिसमें सभी जीवित प्राणी शामिल हैं।

संरचना: पौधे, जानवर, कवक, बैक्टीरिया और मनुष्य।

महत्त्व: यह स्थलमंडल, जलमंडल और वायुमंडल के भीतर स्थित होता है। यह विविध पारिस्थितिक तंत्र और जैव विविधता का समर्थन करता है और सभी जीवों के जीवन के लिए आवश्यक है।

तालिका 25.1 पृथ्वी के गोले

पृथ्वी के गोले	शामिल हैं	भूमिका
स्थलमंडल (Lithosphere)	मिट्टी, चट्टानें और खनिज	पौधों का जीवन, कृषि और निर्माण कार्यों को सहारा देता है
जलमंडल (Hydrosphere)	सभी जल स्रोत और हिमनद	जलीय जीवन का आवास, पीने का पानी और सिंचाई के लिए आवश्यक
वायुमंडल (Atmosphere)	पृथ्वी को घेरने वाली गैसों की परत	श्वसन योग्य वायु, मौसम और जलवायु नियंत्रण
जीवमंडल (Biosphere)	सभी जीवित प्राणी और उनके आवास	विविध पारिस्थितिक तंत्र, खाद्य शृंखलाएँ और जैव विविधता का समर्थन करता है

★★★ परीक्षोपयोगी

वायुमंडल की परतें (Layers of Atmosphere)

वायुमंडल को अलग-अलग परतों में बाँटा गया है, जिनकी अपनी विशेषताएँ और कार्य होते हैं।

क्षोभमंडल (Troposphere)

ऊँचाई: पृथ्वी की सतह से लगभग 8 से 14.5 किमी तक।

विवरण: यही वह परत है जहाँ सभी मानवीय गतिविधियाँ और अधिकांश मौसम की घटनाएँ होती हैं। वायुमंडल का अधिकांश भाग इसी में स्थित होता है।

महत्त्व: इसमें श्वसन योग्य वायु और जलवाष्प होता है, जो बादलों और वर्षा का निर्माण करता है।

तापमान: ऊँचाई बढ़ने पर तापमान कम होता है, लगभग हर 1000 मीटर पर 6.5°C घटता है।

समतापमंडल (Stratosphere)

ऊँचाई: लगभग 15 किमी से 50 किमी तक।

वायुमंडलीय दबाव: समुद्र तल की तुलना में लगभग 1/10।

ओजोन परत: यह परत 15 से 35 किमी के बीच होती है और सूर्य की हानिकारक पराबैंगनी किरणों को अवशोषित कर हमारी रक्षा करती है।

तापमान: ऊँचाई बढ़ने के साथ तापमान बढ़ता है क्योंकि ओजोन परत UV किरणों को अवशोषित करती है।

मध्यमंडल (Mesosphere)

ऊँचाई: 50 से 85 किमी तक।

विवरण: इस परत में उल्काएँ जल जाती हैं, जिन्हें हम टूटते हुए तारे (shooting stars) के रूप में देखते हैं।

तापमान: वायुमंडल का सबसे ठंडा हिस्सा, तापमान -90°C तक गिर सकता है।

तापमंडल (Thermosphere)

ऊँचाई: 85 से 600 किमी तक।

विवरण: इस परत में तापमान बहुत अधिक होता है (1,000°C या उससे अधिक), लेकिन वायु बहुत पतली होने के कारण यह ठंडी महसूस होती है। इसी परत में अरोरा (Northern और Southern Lights) दिखाई देते हैं और अधिकांश उपग्रह इसी में परिक्रमा करते हैं।

आयनमंडल (Ionosphere)

ऊँचाई: लगभग 48 से 965 किमी तक।

विवरण: इसमें आवेशित कण (charged particles) होते हैं जो रेडियो तरंगों को परावर्तित करते हैं, जिससे दूर की संचार व्यवस्था में सहायता मिलती है। यह परत सूर्य की गतिविधियों के अनुसार बदलती रहती है।

बहिर्मंडल (Exosphere)

ऊँचाई: उष्णमंडल के ऊपर से लेकर लगभग 10,000 किमी तक।

विवरण: यह वायुमंडल की सबसे बाहरी परत है, जो धीरे-धीरे अंतरिक्ष में विलीन हो जाती है। इसमें बहुत पतली वायु होती है, जिसमें हाइड्रोजन और हीलियम जैसे कण होते हैं जो अंतरिक्ष में बाहर निकल सकते हैं।

कार्मन रेखा (Kármán Line)

कार्मन रेखा एक अंतरराष्ट्रीय रूप से मान्य सीमा है, जो पृथ्वी के वायुमंडल और बाह्य अंतरिक्ष के बीच की सीमा को दर्शाती है। इसे समुद्र तल से 100 किमी (लगभग 62 मील) की ऊँचाई पर निर्धारित किया गया है।

- **ऊँचाई:** लगभग 100 किमी।
- **विमानन सीमा:** इस ऊँचाई के ऊपर वातावरण इतना पतला हो जाता है कि सामान्य विमान पर्याप्त लिफ्ट नहीं बना सकते। इसका मतलब है कि पारंपरिक विमान इस सीमा से ऊपर प्रभावी रूप से काम नहीं कर सकते।
- **अंतरिक्ष उड़ान:** अंतरिक्ष एजेंसियाँ और संगठन इस रेखा का उपयोग अंतरिक्ष कानून और अंतरिक्ष अभियानों की सीमा तय करने के लिए करते हैं।

जैव प्रदेश (Biome)

जैव प्रदेश एक बड़ा समुदाय होता है, जिसमें पौधे और जानवर एक विशेष प्रकार के वातावरण में एक साथ रहते हैं। यह एक बहुत बड़ा पड़ोस जैसा होता है जहाँ सभी जीव मौसम, मिट्टी और भूदृश्य के एक जैसे हालातों के अनुसार अपने को ढाल लेते हैं। प्रत्येक जैव प्रदेश में ऐसे जीव होते हैं जो विशेष रूप से उस क्षेत्र के लिए अनुकूलित होते हैं। जीवमंडल में मुख्य रूप से छह प्रकार के जैव प्रदेश या पारिस्थितिक समुदाय पाए जाते हैं:

1. **मरुस्थल (Desert):** एक सूखा स्थान जहाँ बहुत कम वर्षा होती है, दिन में बहुत गर्मी और रात को ठंड होती है। यहाँ कैक्टस जैसे पौधे और ऊँट तथा सरीसृप जैसे जानवर मिलते हैं जो पानी को संग्रहित करने में कुशल होते हैं।
2. **वन (Forests):** कई प्रकार के वन होते हैं। उष्णकटिबंधीय वर्षावन में भारी वर्षा और घने पेड़ होते हैं, जो बंदर और रंग-बिरंगे पक्षियों जैसे जानवरों का घर होते हैं। समशीतोष्ण वन (Temperate forests) में ऐसे पेड़ होते हैं जिनकी पत्तियाँ शरद ऋतु में झड़ जाती हैं, और यहाँ हिरण और भालू जैसे जानवर रहते हैं।
3. **घासभूमि (Grassland):** ये क्षेत्र मुख्य रूप से घास से ढके होते हैं और यहाँ पेड़ बहुत कम होते हैं। यह बाइसन और जेब्रा जैसे जानवरों का घर होते हैं जो खुले मैदानों में चरते हैं।
4. **जल-आधारित जैव प्रदेश (Aquatic Biomes):** इनमें मीठे जल वाले स्थान (जैसे झीलें और नदियाँ) और खारे जल या समुद्री स्थान (जैसे महासागर और प्रवाल भित्तियाँ) शामिल होते हैं। जल-आधारित जैव

तालिका 25.2 वायुमंडल की परतें

लेयर	ऊंचाई सीमा	मुख्य विशेषताएँ	तापमान
क्षोभमंडल (Troposphere)	सतह से 8-14.5 किमी तक	अधिकांश मौसम की घटनाएँ और मानवीय गतिविधियाँ यहीं होती हैं, श्वास लेने योग्य वायु होती है	ऊँचाई बढ़ने पर ठंडा होता है (हर 1000 मीटर पर 6.5°C कम)।
समतापमंडल (Stratosphere)	15-50 किमी	ओजोन परत मौजूद है जो UV किरणों को अवशोषित करती है	ऊँचाई बढ़ने पर गर्म होता है।
मध्यमंडल (Mesosphere)	50-85 किमी	उल्काओं को जलाता है, वायुमंडल का सबसे ठंडा भाग	तापमान -90°C तक गिर सकता है।
तापमंडल (Thermosphere)	85-600 किमी	अत्यधिक तापमान, अरोरा यहीं दिखाई देते हैं, अधिकांश उपग्रह यहीं परिक्रमा करते हैं	तापमान 1,000°C से अधिक हो सकता है।
आयनमंडल (Ionosphere)	48-965 किमी	रेडियो तरंगों को परावर्तित करता है, जिससे संचार में मदद मिलती है; सूर्य गतिविधि के अनुसार बदलता है	सूर्य की गतिविधियों पर निर्भर करता है।
बहिर्मंडल (Exosphere)	600 से ~10,000 किमी	अंतरिक्ष में विलीन होती है, बहुत पतली वायु होती है, जिसमें कण अंतरिक्ष में बाहर निकल सकते हैं	धीरे-धीरे अंतरिक्ष में विलीन हो जाता है।
कार्मन रेखा (Kármán Line)	100 किमी	अंतरिक्ष की सीमा मानी जाती है	लागू नहीं (N/A)

प्रदेशों में जल के अनुसार ढले हुए जीवों की एक विस्तृत श्रृंखला पाई जाती है, जैसे मछलियाँ, व्हेल, प्रवाल और सागर सरीखे पौधे जैसे सिवार।

5. **टुंड्रा (Tundra):** यह एक ठंडा और बर्फ से ढका क्षेत्र होता है जहाँ बढ़ने का मौसम बहुत छोटा होता है। यहाँ काई जैसे कठोर पौधे और कैरिबू व आर्कटिक लोमड़ी जैसे जानवर पाए जाते हैं जो बर्फीली ठंड में भी जीवित रह सकते हैं।
6. **चैपरल (Chaparral):** यह शुष्क क्षेत्र होते हैं जहाँ गर्मियाँ गर्म और सर्दियाँ हल्की होती हैं। ऐसे क्षेत्र कैलिफोर्निया जैसे स्थानों में मिलते हैं। यहाँ झाड़ियों और छोटे-छोटे पेड़-पौधों की भरमार होती है जो आग और सूखे को सहन कर सकते हैं। हिरण और कोयोट जैसे जानवर भी यहाँ पाए जाते हैं।

पारिस्थितिकी तंत्र (Ecosystem)

इस विषय को सरल बनाने वाले वीडियो व्याख्यान को देखने के लिए इस QR कोड को स्कैन करें

पारिस्थितिकी तंत्र जीवों का एक ऐसा बड़ा समूह होता है जो अपने आस-पास के वातावरण के साथ मिलकर काम करता है। यह पौधों, जानवरों और अन्य जीवों से बना होता है जो एक-दूसरे और अपने वातावरण पर निर्भर रहते हैं। इसे एक ऐसा समुदाय समझिए जिसमें हर जीव की अपनी भूमिका होती है। यह समुदाय अपने आप में संतुलन बनाए रख सकता है और खुद को समायोजित कर सकता है। 'पारिस्थितिकी तंत्र' शब्द सबसे पहले A. G. Tansley ने 1935 में प्रयोग किया था, जिससे यह विशेष और परस्पर जुड़ी हुई प्राकृतिक प्रणाली को समझाया गया था।

पारिस्थितिकी तंत्र के प्रकार (Types of Ecosystem)

1. **जल-आधारित पारिस्थितिकी तंत्र (Aquatic Ecosystem):** ये जल में पाए जाते हैं, जैसे तालाब, झीलें, नदियाँ और महासागर। यहाँ जलजीव और जल-प्रेमी पौधे रहते हैं।
2. **स्थलीय पारिस्थितिकी तंत्र (Terrestrial Ecosystem):** ये भूमि पर होते हैं, जैसे वन, रेगिस्तान और घासभूमियाँ। इनमें विभिन्न प्रकार की स्थलाकृति और उन पर अनुकूल जीव-जंतु और पौधे पाए जाते हैं। उदाहरण के लिए, रेगिस्तान में ऐसे जीव और पौधे होते हैं जो गर्मी और कम पानी को सह सकते हैं।
3. **मानव-निर्मित पारिस्थितिकी तंत्र (Man-Made Ecosystem):** ये मनुष्यों द्वारा बनाए जाते हैं, जैसे बाग-बगीचे, पार्क या खेत। ये भोजन उगाने, खेलने या विश्राम के लिए बनाए जाते हैं। हालाँकि इन्हें मनुष्य संचालित करता है, लेकिन यहाँ पक्षियों और कीड़ों जैसे जीव भी रहते हैं।
4. **प्राकृतिक पारिस्थितिकी तंत्र (Natural Ecosystem):** ये वे स्थान होते हैं जहाँ प्रकृति का नियंत्रण होता है और मानव हस्तक्षेप बहुत कम होता है। उदाहरणस्वरूप घने जंगल जिनमें अनेक प्रकार के पौधे और जानवर पाए जाते हैं, या रंग-बिरली मछलियों से भरे प्रवाल भित्तियाँ। ये पारिस्थितिकी तंत्र सूरज की रोशनी और वर्षा जैसी प्राकृतिक चीजों से अपने को संतुलित और जीवंत बनाए रखते हैं।

प्राकृतिक पारिस्थितिकी तंत्र के घटक (Components of Natural Ecosystem)

पारिस्थितिकी तंत्र में जैविक (जीवित) और अजैविक (अजीवित) घटकों के बीच परस्पर क्रिया होती है।

1. **अजैविक घटक (Abiotic Components):** ये पर्यावरण के वे अजीवित भाग हैं जो जीवित जीवों को प्रभावित करते हैं। उदाहरण:
   - **मिट्टी:** पौधों की वृद्धि के लिए पोषक तत्व और आधार प्रदान करती है।
   - **जल:** सभी जीवन रूपों के लिए आवश्यक और पारिस्थितिकी तंत्र की प्रक्रियाओं को प्रभावित करता है।
   - **हवा:** इसमें ऑक्सीजन और कार्बन डाइऑक्साइड जैसी गैसें होती हैं, जो श्वसन और प्रकाश-संश्लेषण के लिए जरूरी हैं।
   - **प्रकाश:** प्रकाश-संश्लेषण के लिए ऊर्जा प्रदान करता है।
   - **तापमान:** जीवों की जैविक प्रक्रियाओं और जीवित रहने की क्षमता को प्रभावित करता है।
   - **पोषक तत्व:** नाइट्रोजन, फॉस्फोरस और पोटैशियम जैसे तत्व जो वृद्धि के लिए जरूरी हैं।
2. **जैविक घटक (Biotic Components):** ये पर्यावरण के जीवित भाग होते हैं, जिनमें सभी पौधे, जानवर और सूक्ष्म जीव शामिल होते हैं।

ये सभी घटक मिलकर पृथ्वी पर जीवन को बनाए रखने के लिए एक जटिल और गतिशील प्रणाली बनाते हैं। इन घटकों की परस्पर क्रिया को समझना पर्यावरणीय समस्याओं का समाधान खोजने और टिकाऊ विकास को बढ़ावा देने के लिए अत्यंत आवश्यक है।

क्लैरिटी कॉर्नर

जीवमंडल की संगठनात्मक संरचना (Organisational Structure of Biosphere)

- **जनसंख्या (Population):** जब एक ही प्रकार के जीव (जैसे जेब्राओं का समूह या चीड़ के पेड़ों का समूह) एक ही स्थान पर और एक ही समय में रहते हैं, तो उन्हें जनसंख्या कहा जाता है।
- **समुदाय (Community):** एक समुदाय में विभिन्न प्रकार की जनसंख्याएँ शामिल होती हैं – जैसे पौधे, जानवर और अन्य जीव – जो एक ही स्थान पर साथ रहते हैं और परस्पर क्रिया करते हैं।
- **पारिस्थितिकी तंत्र (Ecosystem):** पारिस्थितिकी तंत्र एक सीमित क्षेत्र में स्थित जीवों (पौधे, जानवर और सूक्ष्मजीव) का समुदाय होता है जो एक-दूसरे और अपने अजीवित वातावरण (जैसे मिट्टी, जल और हवा) के साथ परस्पर संबंध रखते हैं।
- **जैव प्रदेश (Biome):** जैव प्रदेश पृथ्वी का एक बड़ा क्षेत्र होता है जहाँ एक जैसे जलवायु, पौधे और जानवर पाए जाते हैं। एक जैव प्रदेश में कई पारिस्थितिकी तंत्र होते हैं जो समान पर्यावरणीय परिस्थितियाँ साझा करते हैं और एक जैसे प्रकार के जीवों को सहारा देते हैं।
- **जीवमंडल (Biosphere):** जीवमंडल पृथ्वी का वह समस्त क्षेत्र है जहाँ जीवन मौजूद है। इसमें पृथ्वी के सभी पारिस्थितिकी तंत्र और जैव प्रदेश शामिल होते हैं, महासागर की गहराई से लेकर वायुमंडल की ऊँचाई तक।

ये सभी मिलकर एक श्रेणिबद्ध (hierarchical) संरचना बनाते हैं जो पृथ्वी पर जीवन के वितरण और विविधता को समझने में सहायता करती है।

पारिस्थितिक संगठन के स्तर

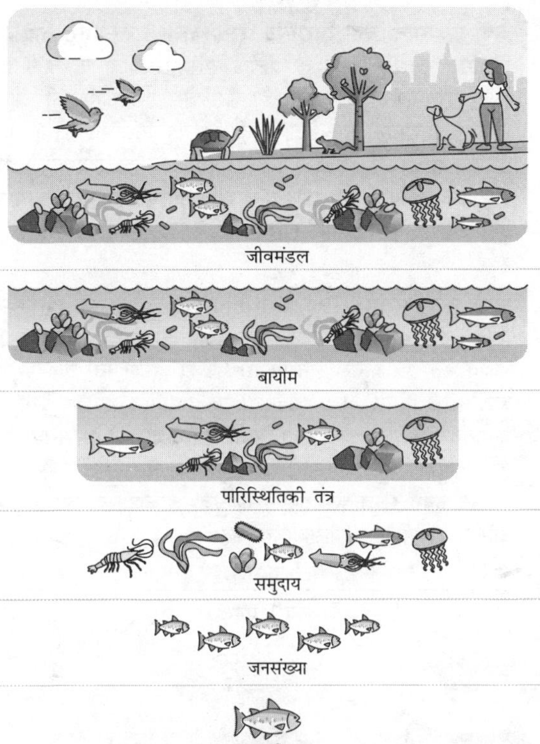

चित्र 25.2 जीवमंडल की संगठनात्मक संरचना

★★★ परीक्षोपयोगी

25.2 पारिस्थितिक पारस्परिक क्रियाएँ (Ecological Interactions)

खाद्य शृंखला (Food Chain)

खाद्य शृंखला जीवों का एक क्रम होता है जिसमें एक जीव को अगला जीव खाता है (चित्र 25.3)। यह शृंखला उत्पादकों से शुरू होती है, जैसे पौधे, जो स्वयं भोजन बनाते हैं, और अंत में अपघटक होते हैं, जैसे बैक्टीरिया और कवक, जो मृत जीवों को विघटित करते हैं। खाद्य शृंखला हमें यह समझने में मदद करती है कि पारिस्थितिकी तंत्र में कौन किसे खाता है और ऊर्जा जीवों के बीच कैसे प्रवाहित होती है। यह प्रकृति में जीवन के संतुलन को बनाए रखने के लिए बहुत महत्वपूर्ण होती है।

इस विषय को सरल बनाने वाले वीडियो व्याख्यान को देखने के लिए इस QR कोड को स्कैन करें

ट्रॉफिक स्तर (Trophic Levels) खाद्य शृंखला के विभिन्न चरण होते हैं जो दिखाते हैं कि ऊर्जा और पोषक तत्व एक जीव से दूसरे जीव तक कैसे जाते हैं। प्रत्येक स्तर पर वे जीव होते हैं जिनकी भूमिका खाद्य शृंखला में समान होती है।

1. **उत्पादक (Producers - Autotrophs):** ये जीव सूर्य की रोशनी का उपयोग करके प्रकाश-संश्लेषण द्वारा स्वयं भोजन बनाते हैं। ये ऊर्जा पिरामिड के आधार होते हैं और सभी अन्य जीवों के लिए ऊर्जा प्रदान करते हैं।
2. **उपभोक्ता (Consumers):** ये जीव अपना भोजन स्वयं नहीं बना सकते और ऊर्जा पाने के लिए अन्य जीवों को खाते हैं। ये तीन प्रकार के होते हैं:
    - **प्राथमिक उपभोक्ता (Primary Consumers - Herbivores):** ये उत्पादकों को खाते हैं। उदाहरण: हिरण और खरगोश।
    - **द्वितीयक उपभोक्ता (Secondary Consumers - Carnivores/Omnivores):** ये प्राथमिक उपभोक्ताओं को खाते हैं। उदाहरण: मेंढक और छोटी मछलियाँ।
    - **तृतीयक उपभोक्ता (Tertiary Consumers - Predators):** ये द्वितीयक उपभोक्ताओं को खाते हैं। उदाहरण: गरुड़ और बड़ी मछलियाँ।
3. **अपघटक (Decomposers & Detritivores):** ये मृत पौधों और जानवरों को विघटित कर पर्यावरण में पोषक तत्व वापस छोड़ते हैं। ये पारिस्थितिकी तंत्र के भीतर ऊर्जा और पदार्थ के पुनर्चक्रण में सहायता करते हैं। उदाहरण: बैक्टीरिया और कवक।

उदाहरण के लिए किसी वन में एक साधारण खाद्य शृंखला इस प्रकार हो सकती है – पौधे सूर्य की रोशनी से अपना भोजन बनाते हैं। एक हिरण उन पौधों को खाता है, फिर एक शेर उस हिरण को खाता है। जब शेर मर जाता है, तो बैक्टीरिया और कवक उसके शरीर को विघटित कर मिट्टी में पोषक तत्व वापस लाते हैं। इस तरह यह शृंखला दिखाती है कि पारिस्थितिकी तंत्र में ऊर्जा कैसे बहती है।

सिनेमैटिक कनेक्शन

द लायन किंग फिल्म खाद्य शृंखला की अवधारणा को समझाने का एक शानदार माध्यम है। फिल्म में यह इस तरह दिखाया गया है:

- **उत्पादक (Producers):** खाद्य शृंखला की शुरुआत करने वाले जीव। ये प्रकाश-संश्लेषण के माध्यम से सूर्य की ऊर्जा से भोजन बनाते हैं। फिल्म में प्राइड लैंड्स की हरी घास और पौधे उत्पादक होते हैं।
- **प्राथमिक उपभोक्ता (Primary Consumers - Herbivores):** जेब्रा, मृग और गजेल जैसे जानवर जो घास और पौधों को खाते हैं। ये शाकाहारी होते हैं और फिल्म में शांतिपूर्वक चरते हुए दिखाए गए हैं।
- **द्वितीयक उपभोक्ता (Secondary Consumers - Carnivores):** शेर खाद्य शृंखला के शीर्ष शिकारी होते हैं। ये शाकाहारी जानवरों का शिकार करते हैं। मुफासा, सिम्बा और अन्य शेर द्वितीयक उपभोक्ता होते हैं क्योंकि वे अन्य जानवरों को खाते हैं।
- **मृतभोजी (Scavengers):** हाइना को फिल्म में मृतभोजी के रूप में दिखाया गया है। वे शेरों द्वारा छोड़े गए मांस के अवशेष खाते हैं। ये मृत जानवरों को खाकर पर्यावरण को साफ रखने में मदद करते हैं।
- **अपघटक (Decomposers):** फिल्म में सीधे नहीं दिखाए गए हैं, लेकिन बैक्टीरिया और कवक जैसे अपघटक मृत पौधों और जानवरों के शरीर को विघटित कर पोषक तत्व मिट्टी में लौटाते हैं, जिससे नए पौधों की वृद्धि होती है और चक्र पूरा होता है।

मुफासा सिम्बा को समझाता है कि प्रकृति में सब कुछ जीवन चक्र (Circle of Life) से जुड़ा हुआ है। जब जानवर मरते हैं, तो उनके शरीर पौधों के लिए पोषक तत्व बनाते हैं, जिन्हें फिर शाकाहारी खाते हैं, और यह चक्र चलता रहता है। यह सिद्धांत हमें यह समझने में मदद करता है कि पारिस्थितिकी तंत्र में प्रत्येक जीव की जीवित रहने के लिए दूसरों पर निर्भरता होती है।

खाद्य जाल (Food Web)

खाद्य जाल एक जटिल तंत्र होता है जिसमें कई खाद्य शृंखलाएँ आपस में जुड़ी होती हैं। यह दर्शाता है कि पारिस्थितिकी तंत्र में ऊर्जा कई मार्गों से बहती है (चित्र 25.3)। एक साधारण खाद्य शृंखला की तुलना में, खाद्य जाल दिखाता है कि कैसे विभिन्न जीव अनेक खाद्य शृंखलाओं के माध्यम से एक-दूसरे से जुड़े होते हैं। उदाहरण के लिए, एक खरगोश को लोमड़ी, उल्लू या बाज खा सकते हैं। यह परस्पर क्रियाओं का जाल हमें यह स्पष्ट रूप से समझने में मदद करता है कि पारिस्थितिकी तंत्र में ऊर्जा किस प्रकार विभिन्न प्रजातियों में वितरित होती है। खाद्य जाल जीवों के बीच जटिल संबंधों और पारस्परिक क्रियाओं को दर्शाता है और पारिस्थितिकी तंत्र में विविधता और संतुलन को उजागर करता है।

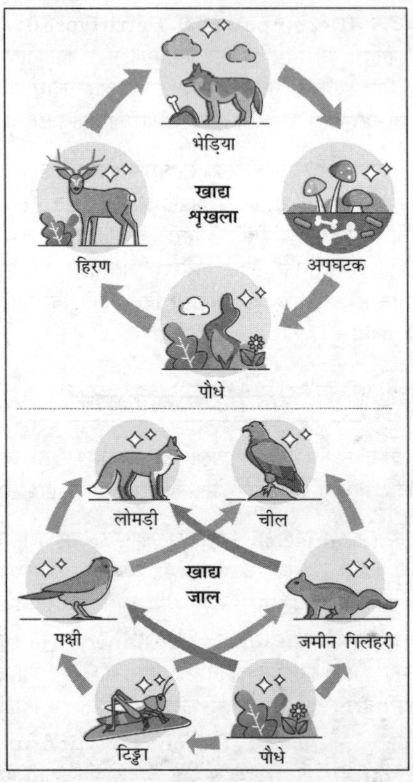

चित्र. 25.3 खाद्य शृंखला और खाद्य जाल

पारिस्थितिक पिरामिड (Ecological Pyramid)

पारिस्थितिक पिरामिड की अवधारणा चार्ल्स एल्टन ने दी थी। ये पिरामिड नीचे से उत्पादकों (जैसे पौधों) से शुरू होते हैं और ऊपर की ओर शाकाहारियों और मांसाहारियों तक जाते हैं। ये पिरामिड हमें यह समझने में मदद करते हैं कि पारिस्थितिकी तंत्र में ऊर्जा कैसे प्रवाहित होती है।

इस विषय को सरल बनाने वाले वीडियो व्याख्यान को देखने के लिए इस QR कोड को स्कैन करें

आइए पारिस्थितिक पिरामिड के प्रकारों को समझते हैं:

1. **संख्या का पिरामिड (Pyramid of Numbers):** यह पिरामिड प्रत्येक ट्रॉफिक स्तर पर जीवों की संख्या को दर्शाता है। जैसे-जैसे हम खाद्य शृंखला में ऊपर बढ़ते हैं, जीवों की संख्या घटती जाती है। उत्पादकों (पौधों) की संख्या शाकाहारियों से अधिक होती है, और शाकाहारियों की संख्या मांसाहारियों से अधिक होती है। यह पिरामिड पारिस्थितिकी तंत्र में विभिन्न प्रजातियों के आकार और उनके संबंधों को समझने में मदद करता है।
2. **जैव द्रव्यमान का पिरामिड (Pyramid of Biomass):** यह पिरामिड खाद्य शृंखला के प्रत्येक स्तर पर जीवों के कुल द्रव्यमान (जैव द्रव्यमान) को दर्शाता है। जैसे-जैसे हम ऊपर की ओर बढ़ते हैं, जैव द्रव्यमान कम होता जाता है। यह पिरामिड सीधा या उल्टा हो सकता है। उदाहरण के लिए, पौधों का जैव द्रव्यमान अधिक हो सकता है, लेकिन उन्हें खाने वाले शाकाहारियों का जैव द्रव्यमान कम, और उन्हें खाने वाले मांसाहारियों का जैव द्रव्यमान और भी कम होता है।
3. **ऊर्जा का पिरामिड (Pyramid of Energy):** यह पिरामिड खाद्य शृंखला के प्रत्येक स्तर पर ऊर्जा के प्रवाह को दर्शाता है (चित्र 25.4)। प्रत्येक स्तर पर केवल लगभग 10% ऊर्जा अगले स्तर तक पहुँचती है। इसे '10% नियम' कहा जाता है। यह पिरामिड हमेशा सीधा होता है क्योंकि जैसे-जैसे हम ऊपर बढ़ते हैं, ऊर्जा की मात्रा घटती जाती है। उदाहरण के लिए, पौधे बहुत अधिक सौर ऊर्जा ग्रहण करते हैं, लेकिन उनमें से केवल थोड़ी-सी ऊर्जा शाकाहारियों तक पहुँचती है, और उनसे भी कम मांसाहारियों तक।

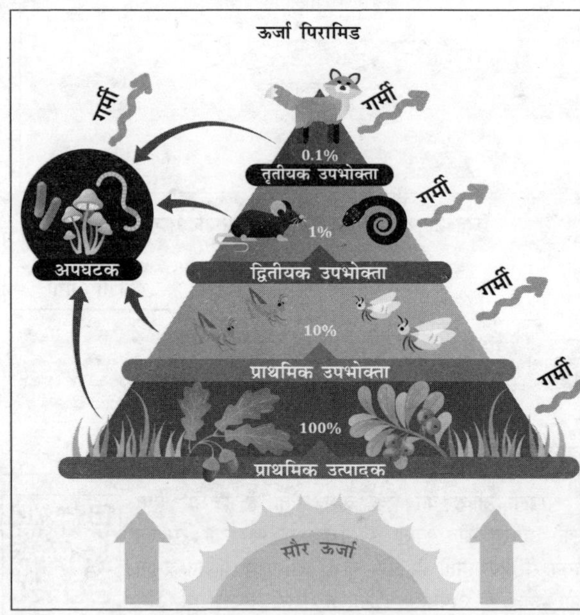

चित्र. 25.4 ऊर्जा पिरामिड

महत्वपूर्ण शब्दावली

स्थानांतरण (Energy Transfer): ऊर्जा ट्रॉफिक स्तरों (उत्पादक, उपभोक्ता और अपघटक) के बीच खाने की प्रक्रिया के माध्यम से स्थानांतरित होती है। हालांकि, हर स्थानांतरण के दौरान ऊर्जा का कुछ भाग ऊष्मा के रूप में खो जाता है, जो शरीर की चयापचयी क्रियाओं (metabolic processes) के कारण होता है। यह द्वितीय ऊष्मा नियम (Second Law of Thermodynamics) द्वारा समझाया गया है।

10% ऊर्जा नियम (10% Energy Rule): खाद्य श्रृंखला के एक ट्रॉफिक स्तर से अगले स्तर तक केवल लगभग 10% ऊर्जा ही पहुँचती है। बाकी ऊर्जा ऊष्मा के रूप में खो जाती है। इसलिए, पारिस्थितिकी तंत्र में विभिन्न ट्रॉफिक स्तरों को बनाए रखने के लिए लगातार ऊर्जा की आपूर्ति, मुख्यत: सूर्य से, आवश्यक होती है। इसे ऊर्जा पिरामिड के माध्यम से बेहतर ढंग से समझा जा सकता है, जो दर्शाता है कि उच्च स्तरों पर उपलब्ध ऊर्जा कैसे घटती जाती है।

पोषक चक्रण (Nutrient Cycling): पोषक तत्वों का चक्रण जीवन के लिए आवश्यक है। नाइट्रोजन, फॉस्फोरस और कार्बन जैसे पोषक तत्व जीवों के लिए जरूरी होते हैं, लेकिन इनका उचित रूप में होना भी आवश्यक है ताकि जीव इनका उपयोग कर सकें। पोषक चक्र ऐसे प्रक्रियाएँ हैं जो इन तत्वों को एक रूप से दूसरे रूप में परिवर्तित करते हैं और जीवों के लिए उन्हें उपलब्ध कराते हैं।

उदाहरण के लिए, नाइट्रोजन चक्र में, पौधे मिट्टी से नाइट्रोजन अवशोषित करते हैं, और जानवर पौधों को खाकर नाइट्रोजन प्राप्त करते हैं। जब पौधे और जानवर मरते हैं, तो अपघटक उनके शरीर को विघटित कर नाइट्रोजन को फिर से मिट्टी में छोड़ते हैं। यदि ये चक्र न हों, तो पोषक तत्वों की कमी के कारण पारिस्थितिकी तंत्र नष्ट हो सकते हैं।

25.3 मानव और पर्यावरण का परस्पर संबंध (Human and Environment Interaction)

मानव और पर्यावरण के बीच परस्पर संबंध उन तरीकों को दर्शाता है जिनसे मनुष्य अपने प्राकृतिक परिवेश को प्रभावित करता है और स्वयं भी उससे प्रभावित होता है। इस परस्पर क्रिया में कृषि, शहरीकरण और औद्योगिकीकरण जैसी गतिविधियाँ शामिल हैं, जो वनों की कटाई, प्रदूषण और जलवायु परिवर्तन जैसे पर्यावरणीय बदलावों का कारण बनती हैं। इस संबंध को समझना टिकाऊ जीवनशैली को बढ़ावा देने और पृथ्वी पर पड़ने वाले नकारात्मक प्रभावों को कम करने के लिए आवश्यक है।

मानवजनित गतिविधियाँ और उनका पर्यावरण पर प्रभाव (Anthropogenic Activities and their Impact on Environment)

मानवजनित गतिविधियों से आशय उन कार्यों से है जो मनुष्य के कारण प्राकृतिक पर्यावरण पर प्रभाव डालते हैं। इस शब्द में वनों की कटाई, प्रदूषण, शहरीकरण और औद्योगिकीकरण जैसी गतिविधियाँ शामिल हैं। ये क्रियाएँ अक्सर पर्यावरणीय क्षरण का कारण बनती हैं, जैसे आवासों का विनाश, जलवायु परिवर्तन और जैव विविधता की हानि (सारणी 25.3)।

मानवजनित गतिविधियों के प्रभावों से निपटना पर्यावरणीय सततता और स्वास्थ्य के लिए अत्यंत आवश्यक है। आइए अब इन गतिविधियों के पर्यावरण पर प्रभाव को विस्तार से समझें:

1. **कृषि पर प्रभाव (Impact on Agriculture):** जलवायु परिवर्तन और प्रदूषण जैसे मानवजनित प्रभाव कृषि को गंभीर रूप से प्रभावित कर सकते हैं, जिससे फसल उत्पादन में कमी और मिट्टी की गुणवत्ता में गिरावट आती है। उदाहरण के लिए, रासायनिक उर्वरकों और कीटनाशकों का अत्यधिक उपयोग मिट्टी और जल को प्रदूषित कर सकता है, जिससे फसलें और स्थानीय पारिस्थितिक तंत्र दोनों प्रभावित होते हैं।
2. **समुद्री मत्स्य पालन पर प्रभाव (Impact on Marine Fisheries):** अत्यधिक मछली पकड़ना और प्रदूषण समुद्री मछलियों की संख्या को कम कर रहे हैं और जलीय आवासों को नुकसान पहुँचा रहे हैं। उदाहरण के लिए, प्रवाल भित्तियाँ जो कई मछलियों की प्रजनन स्थली हैं, महासागरीय अम्लीकरण और तापमान वृद्धि के कारण नष्ट हो रही हैं, जिससे मछलियों की संख्या और जैव विविधता में गिरावट आ रही है।
3. **आर्कटिक क्षेत्र के पिघलने पर प्रभाव (Impact on Arctic Melting):** मानवजनित जलवायु परिवर्तन आर्कटिक की बर्फ के पिघलने की प्रक्रिया को तेज करता है, जिससे समुद्र तल बढ़ता है और वहाँ के वन्यजीवों का जीवन बाधित होता है। उदाहरण के लिए, ध्रुवीय भालू अपनी बर्फीली आवास-स्थली खो रहे हैं, जिससे उनके लिए सील का शिकार करना कठिन हो गया है और उनकी संख्या घट रही है।
4. **खनन गतिविधियों का प्रभाव (Impact of Mining Activities):** खनन से वनों की कटाई, मिट्टी का क्षरण और जल प्रदूषण होता है। उदाहरण के लिए, अमेजन वर्षावन में सोने के खनन के कारण भारी वनों की कटाई और नदियों में पारे (mercury) का प्रदूषण हुआ है, जिससे वहाँ के पारिस्थितिकी तंत्र और आदिवासी समुदाय दोनों प्रभावित हुए हैं।
5. **निर्माण कार्यों का प्रभाव (Impact of Construction Activities):** निर्माण गतिविधियाँ अक्सर आवासों के विनाश, वायु और जल प्रदूषण तथा कार्बन उत्सर्जन में वृद्धि का कारण बनती हैं। उदाहरण के लिए, शहरी विस्तार (urban sprawl) प्राकृतिक आवासों को नष्ट कर सकता है, जिससे वन्यजीव विस्थापित होते हैं और जैव विविधता घटती है। साथ ही वाहनों और औद्योगिक गतिविधियों के बढ़ने से वायु प्रदूषण भी बढ़ता है।

तालिका 25.3 मानवजनित गतिविधियों और उनके पर्यावरण पर प्रभाव का स्नैपशॉट

प्रभावित क्षेत्र	प्रभावित क्षेत्र
कृषि	• फसल की पैदावार में कमी • मृदा क्षरण
समुद्री मत्स्य पालन	• समुद्री मछली आबादी में कमी • जलीय आवासों को नुकसान
आर्कटिक पिघलना	• आर्कटिक बर्फ के पिघलने में तेजी • समुद्र स्तर में वृद्धि • स्थानीय वन्यजीवों को बाधित करना
खनन गतिविधियों का प्रभाव	• वनों की कटाई • मृदा अपरदन • जल प्रदूषण
निर्माण गतिविधियों का प्रभाव	• आवास विनाश • वायु और जल प्रदूषण • कार्बन उत्सर्जन में वृद्धि

वर्तमान विषय (मानवजनित गतिविधियाँ और उनका पर्यावरण पर प्रभाव) को इस खंड में विस्तार से नहीं प्रस्तुत किया गया है, ताकि विषय की पुनरावृत्ति न हो। इसका कारण यह है कि अगला अध्याय, अध्याय 27, प्रदूषण पर केंद्रित है और उसमें मानवजनित गतिविधियों के विभिन्न क्षेत्रों पर प्रभाव को विस्तार से समझाया गया है। अगला अध्याय व्यापक रूप से प्रचलित प्रदूषकों और उनके प्रमुख प्रभावों का अध्ययन करेगा, जिसमें इस विषय के सभी आवश्यक पहलुओं को समाहित किया जाएगा।

पारिस्थितिक पदचिह्न (Ecological Footprint)

पारिस्थितिक पदचिह्न मानव गतिविधियों के पर्यावरण पर पड़ने वाले प्रभाव को मापता है। यह यह गणना करता है कि किसी व्यक्ति या जनसंख्या द्वारा उपभोग किए जाने वाले संसाधनों के उत्पादन और उनके द्वारा उत्पन्न किए गए अपशिष्ट को अवशोषित करने के लिए कितने भूमि और जल क्षेत्र की आवश्यकता होती है। यह अवधारणा हमें यह समझने में मदद करती है कि हमारी जीवनशैली पृथ्वी को किस प्रकार प्रभावित करती है और क्या हम पृथ्वी की वहन क्षमता के भीतर रहकर जीवन जी रहे हैं।

पारिस्थितिक पदचिह्न उपभोग की आदतों को दो स्तरों पर देखता है:

- सूक्ष्म स्तर (व्यक्तिगत स्तर)
- व्यापक स्तर (क्षेत्र या राष्ट्र स्तर)

पारिस्थितिक पदचिह्न की गणना का उद्देश्य लोगों को यह शिक्षित करना है कि उन्हें अपनी उपभोग की आदतों में परिवर्तन लाकर उन्हें अधिक टिकाऊ बनाना चाहिए। पारिस्थितिक पदचिह्न को वैश्विक हेक्टेयर (global hectares (gha) में मापा जाता है।

आइए इसे एक उदाहरण से समझते हैं। कल्पना कीजिए कि एक परिवार बहुत अधिक बिजली का उपयोग करता है, बार-बार कार चलाता है, मांस आधारित आहार लेता है और काफी मात्रा में कचरा उत्पन्न करता है। इस परिवार का पारिस्थितिक पदचिह्न बड़ा होगा क्योंकि उन्हें अपनी ऊर्जा की खपत, खाद्य उपभोग और कचरा प्रबंधन के लिए अधिक भूमि और जल की आवश्यकता होगी। इसके विपरीत, यदि कोई परिवार नवीकरणीय ऊर्जा का उपयोग करता है, सार्वजनिक परिवहन या साइकिल पर निर्भर करता है, वनस्पति आधारित आहार लेता है और सावधानीपूर्वक पुनर्चक्रण करता है, तो उसका पारिस्थितिक पदचिह्न छोटा होगा। इन दोनों उदाहरण ों की तुलना करने पर हम देख सकते हैं कि अलग-अलग विकल्पों का पर्यावरण पर कैसा प्रभाव पड़ता है और हम किस प्रकार अपने प्रभाव को कम कर सकते हैं।

क्विज स्टेशन *विगत UGC NET परीक्षाओं के प्रश्न*

प्र 1. पारिस्थितिक पदचिह्न दर्शाता है:

(a) संसाधनों की आवश्यकता पूरी करने के लिए उत्पादक भूमि और जल का क्षेत्र

(b) ऊर्जा की खपत

(c) प्रति व्यक्ति CO_2 उत्सर्जन

(d) वन आवरण

उत्तर 1. (a)

कॉन्सेप्ट कैप्सूल

जैव विविधता (Biodiversity)

इस विषय को सरल बनाने वाले वीडियो व्याख्यान को देखने के लिए इस QR कोड को स्कैन करें

'जैव विविधता' शब्द की शुरुआत ई.ओ. विल्सन (E.O. Wilson) ने की थी। यह किसी विशेष स्थान या सम्पूर्ण पृथ्वी पर पाए जाने वाले जीवन के रूपों और प्रजातियों की विविधता को दर्शाता है। इसमें सभी प्रकार के जीव-पौधे, जानवर, कवक, बैक्टीरिया और अन्य जीव-तथा उनका आपसी संबंध और पर्यावरण से संबंध शामिल होता है।

उदाहरण के लिए, अमेजन वर्षावन अत्यधिक जैव विविधता वाला क्षेत्र है, जहाँ अनुमानत: 16,000 वृक्ष प्रजातियाँ पाई जाती हैं। इसके साथ ही वहाँ लाखों की संख्या में कीट प्रजातियाँ, हजारों पक्षी और स्तनधारी प्रजातियाँ, तथा अनगिनत सूक्ष्मजीव रहते हैं। जीवन के इन असंख्य रूपों की उपस्थिति इस पारिस्थितिक तंत्र को समृद्ध और जटिल बनाती है, और पोषक चक्र, परागण तथा पारिस्थितिक संतुलन बनाए रखने जैसे महत्वपूर्ण कार्यों में योगदान देती है। यह खाद्य पदार्थ और औषधियाँ जैसे आवश्यक संसाधन प्रदान करती है, मृदा निर्माण में सहायता करती है, मिट्टी में पोषक तत्वों की पुन: पूर्ति करती है और पर्यावरण को संतुलित बनाए रखने में मदद करती है।

जैविक हॉटस्पॉट (Biological Hotspots): जैविक हॉटस्पॉट वे क्षेत्र होते हैं जहाँ जैव विविधता बहुत अधिक होती है और जो मानवीय गतिविधियों के कारण संकट में हैं। ये क्षेत्र स्थानिक प्रजातियों (endemic species) से भरपूर होते हैं और इनकी तुरंत संरक्षण की आवश्यकता होती है। विश्वभर में 36 जैविक हॉटस्पॉट पहचाने गए हैं, जिनमें से चार भारत में स्थित हैं।

सिनेमैटिक कनेक्शन

फिल्म द जंगल बुक (2016) में जैव विविधता की अवधारणा को जंगल में रहने वाली विभिन्न प्रजातियों के आपसी संबंधों के माध्यम से समझाया जा सकता है।

इस फिल्म में हम देखते हैं कि जंगल के पर्यावरण में अनेक प्रकार की प्रजातियाँ साथ-साथ रहती हैं। यहाँ हाथी, बंदर, पक्षी, साँप और अनेक प्रकार के पौधे व पेड़ दिखाई देते हैं। हर प्रजाति की अपनी एक विशेष भूमिका होती है और उनके पास ऐसे अनुकूलन (adaptations) होते हैं जो उन्हें उनके आवास में जीवित रहने में मदद करते हैं। उदाहरण के लिए, हाथियों को शांत स्वभाव वाले विशाल जीव के रूप में दिखाया गया है जो जंगल के घने क्षेत्र में रास्ता बनाते हैं और परिदृश्य को आकार देते हैं। वहीं, बंदर फुर्तीले होते हैं जो पेड़ों की टहनियों पर रहते हैं और फल व कीड़ों का भोजन करते हैं। मुख्य पात्र मोगली का कई जानवरों से संपर्क होता है, जैसे भालू बलू, तेंदुआ बघीरा और बाघ शेर खान।

जंगल में इन विविध प्रजातियों का चित्रण जैव विविधता की अवधारणा को उजागर करता है – यानी किसी विशेष आवास में पाए जाने वाले जीवन रूपों और प्रजातियों की विविधता। यह दिखाता है कि विभिन्न प्रजातियाँ किस प्रकार एक-दूसरे और अपने पर्यावरण के साथ संपर्क करती हैं, और मिलकर ऐसे जटिल पारिस्थितिक तंत्र बनाती हैं जहाँ हर प्रजाति पूरे तंत्र के संतुलन और संचालन में योगदान देती है।

अध्याय के मुख्य बिंदु

पर्यावरण की संरचना

- स्थलमंडल
  (पृथ्वी की बाहरी ठोस परत)
- जलमंडल
  (पृथ्वी की सतह पर या उसके पास स्थित समस्त जल)
- वायुमंडल
  (पृथ्वी को घेरे हुए गैसों की परत)
- जीवमंडल
  (सभी पारिस्थितिक तंत्रों का वैश्विक योग)

ट्रॉफिक स्तर

- प्राथमिक उत्पादक
  (पौधे और प्रकाश-संश्लेषण करने वाले जीव)
- प्राथमिक उपभोक्ता
  (ऐसे शाकाहारी जो पौधों को खाते हैं)
- द्वितीयक उपभोक्ता
  (ऐसे मांसाहारी जो शाकाहारियों को खाते हैं)
- तृतीयक उपभोक्ता
  (ऐसे मांसाहारी जो अन्य मांसाहारियों को खाते हैं)
- अपघटक
  (ऐसे जीव जो मृत पदार्थ को विघटित करते हैं)

पारिस्थितिक पिरामिड

- ऊर्जा का पिरामिड
- संख्या का पिरामिड
- जैव द्रव्यमान का पिरामिड

अन्य महत्वपूर्ण शब्द

- पोषक चक्र
  (पारिस्थितिकी तंत्र में पोषक तत्वों के पुनर्चक्रण की प्रक्रिया)
- पारिस्थितिक पदचिह्न
  (पर्यावरण पर मानवीय गतिविधियों का प्रभाव)

पारिस्थितिक तंत्र के प्रकार

- जलीय पारिस्थितिक तंत्र
- स्थलीय पारिस्थितिक तंत्र
- मानव निर्मित पारिस्थितिक तंत्र
- प्राकृतिक पारिस्थितिक तंत्र

प्रदूषण (Pollution)

26

इस अध्याय में

*परीक्षोपयोगी (Exam Essential): UGC NET परीक्षा में पूछे जाने की अत्यधिक संभावना, #CC का अर्थ है कॉन्सेप्ट कैप्सूल

परिचय (Introduction)

कल्पना कीजिए कि आप किसी व्यस्त शहर की सड़क पर चल रहे हैं, हवा में कार के धुएं और कारखानों से निकलने वाले धुएं की गंध भरी हुई है। आप देखते हैं कि प्लास्टिक की थैलियाँ और बोतलें फुटपाथ पर बिखरी हुई हैं और पास की नदी गंदी और प्रदूषित दिखती है। यह प्रदूषण का एक वास्तविक उदाहरण है, जहाँ हानिकारक पदार्थ पर्यावरण को दूषित करते हैं, जिससे हमारी साँस लेने वाली हवा, पीने का पानी और जिस भूमि पर हम रहते हैं, प्रभावित होती है। प्रदूषण कई स्रोतों से आ सकता है, जिनमें वाहन, उद्योग, कृषि और अनुचित कचरा निपटान शामिल हैं।

प्रदूषण का तात्पर्य हानिकारक पदार्थों या उत्पादों को पर्यावरण में छोड़ने से है, जिससे प्रतिकूल प्रभाव पड़ता है। यह एक प्रमुख पर्यावरणीय मुद्दा है जो वायु, जल और मिट्टी की गुणवत्ता को प्रभावित करता है और मानव स्वास्थ्य और पारिस्थितिक तंत्र के लिए जोखिम पैदा करता है।

प्रदूषण और उसके प्रभावों को समझना यूजीसी नेट पेपर-1 के उम्मीदवारों के लिए महत्वपूर्ण है, क्योंकि यह आपको प्रदूषण के कारणों और परिणामों को समझने में मदद करता है। यह प्रदूषण को नियंत्रित करने के उपायों पर भी प्रकाश डालता है, जिससे आपको अपने शैक्षणिक और पेशेवर प्रयासों में पर्यावरणीय चुनौतियों का समाधान करने के लिए ज्ञान प्राप्त होता है।

हमारा ग्रह कई पर्यावरणीय चुनौतियों का सामना कर रहा है जो दुनिया के हर कोने को प्रभावित करती हैं। व्यस्त शहरों में प्रदूषित हवा से लेकर ध्रुवीय क्षेत्रों में पिघलते हिमशिखर तक, ये मुद्दे आपस में जुड़े हुए हैं और स्थानीय समुदायों और वैश्विक प्रणालियों दोनों को प्रभावित करते हैं। इन समस्याओं का समाधान करने के लिए एकीकृत प्रयास की आवश्यकता होती है, जो सतत विकास और समान संसाधन साझाकरण पर केंद्रित हो। हालाँकि, विकसित और विकासशील देशों के बीच असमानताएँ अक्सर इन प्रयासों को जटिल बना देती हैं, जिससे यह समझना आवश्यक हो जाता है कि पर्यावरणीय

मुद्दे किस स्तर पर उत्पन्न होते हैं। आइए हम उन तीन स्तरों पर विचार करें, जहां ये मुद्दे उत्पन्न होते हैं:-

1. **स्थानीय मुद्दे (Local Issues)**- स्थानीय पर्यावरणीय मुद्दे वे समस्याएँ हैं जो विशिष्ट क्षेत्रों और समुदायों को प्रभावित करती हैं। इनका स्थानीय परिस्थितियों के अनुरूप समाधान किये जाने की आवश्यकता होती है। इसके उदाहरण निम्नवत हैं-
   - **जल की कमी**- कुछ क्षेत्रों को गंभीर जल संकट का सामना करना पड़ता है।
   - **मृदा अपरदन**- मृदा अपरदन स्थानीय जंगल और भूमि को प्रभावित कर सकते हैं।
   - **प्रदूषण**- एक ही शहर में प्रदूषण का स्तर भिन्न-भिन्न हो सकता है।
   - **भूस्खलन**- कुछ क्षेत्रों में भूस्खलन की संभावना होती है, जो स्थानीय समुदायों को प्रभावित करता है।
2. **क्षेत्रीय मुद्दे (Regional Issues)**- क्षेत्रीय पर्यावरणीय समस्याएँ अक्सर स्थानीय सीमाओं को पार कर बड़े क्षेत्रों को प्रभावित करती है।

   इसके उदाहरण निम्नवत हैं-
   - **मरुस्थलीकरण और सूखा**- ये समस्याएँ बंजर भूमि और जल संकट का कारण बनती हैं।
   - **बाढ़ और मिट्टी का कटाव**- भारी बारिश बाढ़ का कारण बन सकती है और मिट्टी को बहा सकती है।
   - **समुद्र का बढ़ता जल-स्तर**- तटीय क्षेत्रों को समुद्र तट के कटाव, खारे पानी के प्रवेश और बाढ़ जैसी समस्याओं का सामना करना पड़ता है।
   - **वनों की कटाई**- बड़े पैमाने पर पेड़ों की कटाई से जंगलों और जैव विविधता का नुकसान होता है।
3. **वैश्विक मुद्दे (Global Issues)**- वैश्विक पर्यावरणीय समस्याएँ पूरे ग्रह को प्रभावित करती हैं और इन्हें हल करने के लिए अंतर्राष्ट्रीय सहयोग की आवश्यकता होती है। इसके उदाहरण निम्नवत हैं-
   - **जलवायु परिवर्तन और वैश्विक तापवृद्धि**- इससे बढ़ते सूखे, ध्रुवीय हिमशिखरों के पिघलने, तटीय बाढ़ और प्राकृतिक आपदाओं जैसी स्थितियों का सामना करना पड़ता है। यह कृषि, पारिस्थितिक तंत्र और खाद्य आपूर्ति को भी प्रभावित करता है।
   - **उत्तर-दक्षिण विभाजन**- विकसित देश ('उत्तर') दुनिया की 80 प्रतिशत ऊर्जा का उपभोग करते हैं लेकिन जनसंख्या का केवल 20 प्रतिशत इस क्षेत्र में निवास करता है। विकासशील देश ('दक्षिण') भोजन, पानी, आश्रय, शिक्षा और स्वास्थ्य देखभाल जैसी बुनियादी आवश्यकताओं को पूरा करने के लिए संघर्ष करते हैं।
   - **जैव विविधता की हानि**- जैव विविधता, जिसमें पौधे और जंतु, दोनों शामिल हैं, पर्यावास विनाश, जलवायु परिवर्तन और अन्य कारकों के कारण घट रही है।

★★★ परीक्षोपयोगी

26.1 वायु प्रदूषण (Air Pollution)

वायु प्रदूषण वायुमंडल में हानिकारक पदार्थों की उपस्थिति है, जो मानव गतिविधियों और प्राकृतिक प्रक्रियाओं दोनों के कारण होता है। इन प्रदूषकों में पदार्थों के कण, गैसें और रसायन शामिल हैं, जो वायु गुणवत्ता को खराब करते हैं और मनुष्यों, जंतुओं और पौधों के लिए गंभीर स्वास्थ्य जोखिम पैदा करते हैं। वायु प्रदूषण के सामान्य स्रोतों में वाहन उत्सर्जन, औद्योगिक निर्वहन और कृषि गतिविधियाँ शामिल हैं।

वायु प्रदूषण के स्रोत (Sources of Air Pollution)

वायु प्रदूषण विभिन्न स्रोतों से उत्पन्न होता है, जो वायुमंडल में हानिकारक पदार्थों को छोड़ते हैं। इन प्रदूषकों को उनके निर्माण प्रक्रिया और प्रत्यक्ष उत्सर्जन स्रोतों के आधार पर प्राथमिक और द्वितीयक के रूप में वर्गीकृत किया जा सकता है।

प्राथमिक वायु प्रदूषक (Primary Air Pollutants)

प्राथमिक वायु प्रदूषक वे पदार्थ हैं जो सीधे स्रोत से वायुमंडल में उत्सर्जित होते हैं। इन्हें 'प्राथमिक' कहा जाता है क्योंकि ये सीधे जीवाश्म ईंधन जलाने, औद्योगिक उत्सर्जन और वाहन निकास जैसी प्रक्रियाओं से निकलते हैं। प्राथमिक वायु प्रदूषकों के स्रोतों और प्रभावों के लिए तालिका 26.1 देखें। आइए कुछ महत्वपूर्ण प्राथमिक वायु प्रदूषकों पर नजर डालें-

1. **कार्बन मोनोऑक्साइड (CO)**- कार्बन मोनोऑक्साइड एक खतरनाक गैस है जिसे आप देख नहीं सकते, सूंघ नहीं सकते या स्वाद नहीं ले सकते। यह गैसोलीन और कोयले जैसे ईंधन जलाए जाने से उत्पन्न होती है। जब कार्बन मोनोऑक्साइड श्वास के जरिये शरीर में जाती है, तो यह रक्त के हीमोग्लोबिन से बंध जाती है, जिससे ऑक्सीजन शरीर की कोशिकाओं तक नहीं पहुंच पाती है। जब कार्बन मोनोऑक्साइड (CO) रक्त में हीमोग्लोबिन के साथ मिलती है, तो यह कार्बोक्सीहीमोग्लोबिन बनाती है। यह स्थिति कार्बन मोनोऑक्साइड विषाक्तता या श्वासावरोध के रूप में जानी जाने वाली बीमारी का कारण बन सकती है। कार, ट्रक और मशीनें जो जीवाश्म ईंधन जलाती हैं, CO के प्रमुख स्रोत हैं। हवा में, CO कार्बन डाइऑक्साइड (CO_2) में बदल सकती है और मीथेन (CH_4) के स्तर को प्रभावित कर सकती है।
2. **सल्फर ऑक्साइड (SO_x)**- सल्फर ऑक्साइड प्रदूषक कोयले और तेल जैसे जीवाश्म ईंधन जलाने से उत्पन्न होते हैं। जब सल्फर डाइऑक्साइड (SO_2) हवा में अन्य रसायनों के साथ मिलती है, तो यह सल्फ्यूरिक एसिड बना सकती है, जिससे अम्लीय वर्षा होती है। सल्फर डाइऑक्साइड नाक, गले और फेफड़ों में परेशानी पैदा कर सकती है, जिससे श्वसन समस्याएं जैसे ब्रोंकाइटिस और अस्थमा के दौरे पड़ सकते हैं। यह वायु प्रदूषण एक प्रमुख कारक है और लोगों एवं पर्यावरण, दोनों को प्रभावित कर सकता है।
3. **नाइट्रोजन ऑक्साइड (NO_x)**- नाइट्रोजन ऑक्साइड (जो NO_x के रूप में जाना जाता है) गैस से फोटोकेमिकल स्मॉग बनता है, जो पीले-भूरे रंग का दिखाई दे सकता है। NO_x में नाइट्रोजन ऑक्साइड (NO) और नाइट्रोजन डाइऑक्साइड (NO_2) शामिल हैं। ये कारों, ट्रकों और गैस स्टोव और हीटर जैसे हीटिंग उपकरणों में ईंधन जलाने से उत्पन्न होती हैं। जो स्थान हवादार नहीं होते हैं, वहां ये उपकरण घर के अंदर बड़ी मात्रा में नाइट्रोजन ऑक्साइड छोड़ सकते हैं। बाहरी NO_x स्तर भी वायु प्रदूषण में योगदान करते हैं और श्वसन संबंधी स्वास्थ्य को प्रभावित कर सकते हैं।
4. **कण प्रदूषक (PM) या निलंबित कण प्रदूषक (SPM)**- कण पदार्थ (PM) में हवा में निलंबित छोटे कण होते हैं जो विभिन्न स्रोतों से आते हैं जैसे कार्बनिक पदार्थों का अधूरा जलना (कालिख या काला कार्बन), आग और उद्योगों से निकलने वाला धुआं, प्राकृतिक स्रोतों से उत्पन्न

धूल, वस्त्र और निर्माण कार्यों से निकलने वाला फाइबर, कीटनाशक, पारा और सीसा जैसी धातु, धूल के कण और पौधों से निकलने वाले पराग। ये कण खतरनाक होते हैं क्योंकि ये हमारे श्वसन तंत्र में गहराई तक प्रवेश कर सकते हैं।

- **पीएम 2.5**- ये वे कण होते हैं जिनका व्यास 2.5 माइक्रोमीटर या उससे कम होता है। ये इतने छोटे होते हैं कि जब हम इन्हें सांस में लेते हैं तो ये फेफड़ों में गहराई तक पहुंच सकते हैं। इनके स्रोतों में वाहन उत्सर्जन, औद्योगिक प्रक्रियाएं और जीवाश्म ईंधन का जलना शामिल हैं। पीएम 2.5 श्वसन समस्याओं का कारण बन सकता है और हृदय की स्थितियों को खराब कर सकता है।
- **पीएम 10**- इन कणों का व्यास 10 माइक्रोमीटर या उससे कम होता है। इनमें धूल, पराग और फफूंद के बीजाणुओं जैसे बड़े कण शामिल होते हैं। यद्यपि पीएम 10, पीएम 2.5 जितने छोटे नहीं होते, फिर भी ये श्वसन समस्याओं का कारण बन सकते हैं, विशेषकर जब बड़ी मात्रा में ये सांस के जरिये शरीर में प्रवेश करें।
- **पीएम 1**- अल्ट्राफाइन कण जिनका व्यास 1 माइक्रोमीटर या उससे कम होता है। ये कण और भी छोटे होते हैं और सांस में लेने पर रक्तप्रवाह में प्रवेश कर सकते हैं। ये गंभीर श्वसन और हृदय संबंधी समस्याओं से जुड़े होते हैं क्योंकि ये फेफड़ों में गहराई तक पहुंच सकते हैं और यहां तक कि रक्तप्रवाह में प्रवेश कर सकते हैं।
- **कुल निलंबित कण पदार्थ (टीएसपीएम)**- इस श्रेणी में सभी वायुकण शामिल होते हैं, चाहे उनका आकार कुछ भी हो। यह हवा में मौजूद सभी कण पदार्थों का एक व्यापक माप प्रदान करता है।

एसपीएम फेफड़ों में गहराई तक जा सकते हैं और यहां तक कि रक्तप्रवाह में भी प्रवेश कर सकते हैं, जिससे श्वसन संबंधी समस्याएं हो सकती हैं। इसलिए इसे श्वसन निलंबित पीएम (आरएसपीएम) के रूप में भी जाना जाता है। भारत में, पीएम 2.5 और पीएम 10 स्तरों की महत्वपूर्ण रूप से निगरानी की जाती है और वायु गुणवत्ता सूचकांक (एक्यूआई) में शामिल किया जाता है, जो जनता को समग्र वायु गुणवत्ता का आकलन और संचार करने में मदद करता है। सार्वजनिक स्वास्थ्य की रक्षा करने और श्वसन और हृदय रोगों पर वायु प्रदूषण के प्रभाव को कम करने के लिए पीएम स्तरों का प्रबंधन करना और इनमें कमी लाना आवश्यक है।

आइए अन्य प्राथमिक प्रदूषकों को भारत के शहरों और वहां रहने वाले लोगों से जोड़कर देखें। याद रखने में आसानी के लिए, प्रत्येक प्रदूषक को एक व्यक्ति का नाम दिया गया है, जो उस प्रदूषक के आरंभिक अक्षर से शुरू होता हैजो इन शहरों में व्याप्त हैं-

5. **अमोनिया (NH_3)**- अर्जुन पंजाब में रहता है, जहां कृषि जीवन का एक प्रमुख हिस्सा है। खेती के मौसम के दौरान, खेतों में उपयोग किए जाने वाले उर्वरकों से निकलने वाली अमोनिया की तेज गंध कभी-कभी असहनीय हो सकती है। अमोनिया के कारम श्वसन संबंधी समस्याएं और वायुमंडल में द्वितीयक कण पदार्थ का निर्माण हो सकता है।
6. **निलंबित कण पदार्थ (एसपीएम)**- सुरेश राजस्थान में रहता है, जहां गर्मी के महीनों के दौरान रेत के तूफान आना आम बात है। वह और उसका परिवार हवा में निलंबित कण पदार्थों, जो श्वसन समस्याओं का कारण बन सकते हैं और दृश्यता को प्रभावित कर सकते हैं, से बचने के लिए अपने चेहरे को कपड़े से ढकते हैं।
7. **सीसा (लीड)**- लीना हैदराबाद में एक पुराने बैटरी निर्माण संयंत्र के पास बड़ी हुई है। उसका परिवार सीसे, जिसे एक समय में पेंट और गैसोलीन में व्यापक रूप से इस्तेमाल किया जाता था, के संपर्क में आने के कारण उसकी सेहत को लेकर चिंतित है। सीसे के संपर्क में आने से बच्चों में विकास संबंधी समस्याएं हो सकती हैं और शरीर के कई अंगों को नुकसान पहुंच सकता है।
8. **वाष्पशील कार्बनिक यौगिक (वीओसी)**- विक्रम हाल ही में कोलकाता में एक नए रंगे हुए अपार्टमेंट में चला गया है। ताजे पेंट से निकलने वाली तेज रासायनिक गंध उसकी आंखों और गले में जलन पैदा करती है। पेंट, सॉल्वैंट्स और अन्य घरेलू उत्पादों से निकलने वाले वीओसी शहरी क्षेत्रों में ग्राउंड-लेवल ओजोन और स्मॉग के निर्माण में योगदान करते हैं। (वीओसी का विस्तृत विवरण पृष्ठ संख्या 560 पर अलग शीर्षक के तहत दिया गया है।)

लर्निंग शॉर्टकट्स

प्राथमिक वायु प्रदूषकों को याद करने में परेशानी हो रही है? चिंता मत कीजिए! हमने सभी आवश्यक विवरणों को एक उपयोगी तालिका में व्यवस्थित किया है ताकि आप आसानी से प्रमुख जानकारी को याद कर सकें। नीचे देखें-

तालिका 26.1 प्राथमिक वायु प्रदूषक

प्रदूषक	स्रोत	प्रभाव
सल्फर डाइऑक्साइड (SO_2)	जीवाश्म ईंधन (कोयला, तेल) के जलने से, विद्युत संयंत्रों और औद्योगिक प्रक्रियाओं से (तेल परिष्करण)	धुंध का कारण बनता है, अम्लीय वर्षा, पत्तियों, इमारतों, स्मारकों को नुकसान पहुंचाता है, कण पदार्थ बनाता है और श्वसन संबंधी समस्याएं पैदा कर सकता है।
नाइट्रोजन ऑक्साइड (NO और NO_2)	शहरी क्षेत्र- वाहन ग्रामीण क्षेत्र- इनडोर घरेलू उपकरण जैसे गैस स्टोव या गैस या लकड़ी जलानेऔर विद्युत संयंत्र एवं औद्योगिक सुविधाओं में जीवाश्म ईंधन जलाने से।	जमीन-स्तर पर ओजोन और धुंध का निर्माण करता है।
नाइट्रोजन डाइऑक्साइड	विशेष रूप से कारों में जीवाश्म ईंधन (कोयला, गैस और तेल) जलाना, नाइट्रिक एसिड बनाना, वेल्डिंग करना, विस्फोटकों का उपयोग करना, पेट्रोल और धातुओं का परिष्करण, और विनिर्माण (वाणिज्यिक और खाद्य)	श्वसन संबंधी रोग और वायुमंडलीय विकिरण

तालिका 26.1 निरंतर

प्रदूषक	स्रोत	प्रभाव
कार्बन मोनोऑक्साइड (CO)	जीवाश्म ईंधन का अधूरा दहन, वाहनों से निकलने वाला धुआँ और औद्योगिक प्रक्रियाएं।	धुंध का कारण बनता है, कार्बन डाइऑक्साइड बना सकता है और मीथेन के सकेन्द्रण को प्रभावित कर सकता है, हीमोग्लोबिन के साथ मिलकर कार्बोक्सी हीमोग्लोबिन बनाता है।
वाष्पशील कार्बनिक यौगिक (VoC)	औद्योगिक प्रक्रियाएं, वाहन उत्सर्जन, पेंट, सॉल्वैंट्स	जमीनी-स्तर पर ओजोन और धुंध का निर्माण करता है, जिससे श्वसन संबंधी समस्याएं, आंखों में जलन होती है।
कण पदार्थ या निलंबित कण पदार्थ (PM)	निर्माण स्थल, कच्ची सड़कें, खेत, धुआं, आग, ईंधन जलाना और निर्माण स्थलों से उड़ने वाली धूल	श्वसन और हृदय संबंधी समस्याएं, हृदय या फेफड़ों की बीमारियों वाले लोगों में असमय मृत्यु।
सीसा	औद्योगिक प्रक्रियाएं, बैटरी निर्माण, पहले लीड युक्त गैसोलीन से।	लगभग हर अंग को प्रभावित करता है, विशेष रूप से बच्चों के तंत्रिका तंत्र के लिए हानिकारक, विकासात्मक समस्याएं।
अमोनिया (NH_3)	कृषि गतिविधियां, पशुधन अपशिष्ट, उर्वरक का उपयोग।	यह द्वितीयक प्रदूषकों में योगदान देता है। श्वसन संबंधी समस्याएं और अन्य स्वास्थ्य संबंधी समस्याएं पैदा करता है।

कण पदार्थ के प्रकार (Types of Particulate Matter)

कण पदार्थ (पीएम) का संदर्भ हवा में निलंबित छोटे कणों से है, जो आकार, संरचना और उत्पत्ति में भिन्न हो सकते हैं। इन कणों को उनके गुणों के आधार पर दो मुख्य प्रकारों में वर्गीकृत किया जा सकता है-

1. **जीवक्षम पीएम (जैव कण पदार्थ)**- जैवपीएम में वे कण शामिल होते हैं जिनमें जीव या जीवों से प्राप्त घटक होते हैं। इसके उदाहरण में निम्नलिखित शामिल हैं-
   - **शैवाल**- झीलों और तालाबों जैसे जल निकायों में पाए जाने वाले सूक्ष्म जीव।
   - **कवक**- सूक्ष्म कवक जो घर के अंदर (फफूंदी) या बाहर उग सकते हैं।
   - **पराग**- पौधों द्वारा उनकी प्रजनन प्रक्रिया के हिस्से के रूप में उत्पादित छोटे दाने।

   जैव पीएम स्वास्थ्य को प्रभावित कर सकते हैं, विशेष रूप से उन व्यक्तियों में जो इन जैविक पदार्थों के प्रति संवेदनशील होते हैं एलर्जी या श्वसन समस्याओं को ट्रिगर कर सकते हैं। उदाहरण के लिए, पराग के कारण कई लोगों में मौसमी एलर्जी हो जाती है।

2. **निर्जीव पीएम (निर्जीव कण पदार्थ)**- निर्जीव पीएम में वे कण शामिल होते हैं जो जैविक जीव नहीं होते हैं, बल्कि विभिन्न स्रोतों से ठोस या तरल पदार्थ होते हैं। इसका एक सामान्य उदाहरण एरोसोल है। एरोसोल हवा में निलंबित कण होते हैं जो ठोस या तरल हो सकते हैं। ये आकार में बहुत छोटे (नैनोमीटर से माइक्रोमीटर) से लेकर बड़े कण हो सकते हैं, जिन्हें नंगी आंखों से देखा जा सकता है (जैसे धुआं या धुंध)। आइए कुछ सामान्य प्रकार के एरोसोल पर नजर डालें-
   - **धुआं (Smoke)**- यह एक प्रकार का एरोसोल है जिसमें ठोस कण होते हैं जो जैविक पदार्थ के अपूर्ण दहन से उत्पन्न होते हैं, जैसे जंगल की आग या वाहनों के उत्सर्जन से।
   - **धूल (dust)**- यह एक प्रकार का एरोसोल है जिसमें मिट्टी, खनिज या अन्य पदार्थों के महीन कण होते हैं जो हवा या मानव गतिविधियों जैसे विनिर्माण और कृषि कार्य से उड़ते हैं।
   - **धुंध (Mist)**- यह एक प्रकार का एरोसोल है जिसमें अक्सर स्प्रे अनुप्रयोगों या प्राकृतिक घटनाओं जैसे कोहरे से हवा में निलंबित छोटी तरल बूंदें होती हैं। उदाहरण के लिए, जब आप अपना पसंदीदा परफ्यूम हवा में स्प्रे करते हैं, तो तरल सुगंध छोटे-छोटे बूंदों की एक महीन धुंध में बदल जाती है। यह धुंध एक प्रकार का एरोसोल है। सामान्य उदाहरणों में हेयर स्प्रे और एयर फ्रेशनर शामिल हैं।
   - **धूम्र (Fume)**- यह एक प्रकार का एरोसोल है जो गर्म धातुओं के संघनन द्वारा उत्पन्न होता है। यह तब बनता है जब वाष्प संघनित हो जाती है, आमतौर पर औद्योगिक प्रक्रियाओं जैसे वेल्डिंग या स्मेल्टिंग से उत्पन्न होती है।

क्विज स्टेशन *विगत UGC NET परीक्षाओं के प्रश्न*

प्र.1. निम्नलिखित में से कौन-सा प्रदूषक श्वसन रोगों को बढ़ाता है और वायुमंडलीय विकिरण का कारण बनता है?

(a) कार्बन मोनोऑक्साइड (b) सीसा

(c) नाइट्रोजन डाइऑक्साइड (d) ओजोन

प्र.2. ग्रामीण घरों के अंदर नाइट्रोजन ऑक्साइड प्रदूषण का/के स्रोत हो सकते हैं-

i. बिना वेंटिलेशन वाले गैस स्टोव

ii. लकड़ी के स्टोव

iii. मिट्टी के तेल के हीटर

सही कोड चुनें-

(a) केवल i और ii (b) केवल ii और iii

(c) केवल ii (d) i, ii और iii

प्र.3. निम्नलिखित में से कौनसा प्राथमिक वायु प्रदूषक नहीं है? *(22 अगस्त 2024 - शिफ्ट 1)*

(a) कार्बन मोनोक्साइड (CO)

(a) नाइट्रोजन मोनोक्साइड (NO)

(c) ओजोन (O_3)

(d) सल्फर डाई ऑक्साइड (SO_2)

उत्तर 1. (c) 2. (d) 3. (c)

द्वितीयक वायु प्रदूषक (Secondary Air Pollutants)

द्वितीयक वायु प्रदूषक सीधे उत्सर्जित नहीं होते हैं बल्कि प्राथमिक प्रदूषकों और अन्य वायुमंडलीय घटकों के बीच रासायनिक प्रतिक्रियाओं के माध्यम से वायुमंडल में ही बनते हैं। तालिका 26.2 में द्वितीयक वायु प्रदूषकों के स्रोत और उनके प्रभाव दिये गये हैं।

1. **स्मॉग (Smog)**- यह एक प्रकार का वायु प्रदूषण है जो मोटे कोहरे जैसा दिखता है। यह तब होता है जब धुआं, धूल और अन्य प्रदूषक हवा में कोहरे के साथ मिल जाते हैं। स्मॉग आकाश को धुंधला या पीला-भूरा बना सकता है और इसमें सांस लेना हानिकारक हो सकता है। यह अक्सर बड़े शहरों में होता है, जहां बहुत सारी कारें, कारखाने और प्रदूषण के अन्य स्रोत होते हैं। स्मॉग आपकी आंखों, नाक और गले में जलन पैदा कर सकता है और इससे विशेषत: अस्थमा या अन्य फेफड़ों की समस्याओं वाले लोगों के लिए सांस लेना कठिन हो सकता है, । स्मॉग के दो प्रकार होते हैं-

- ***फोटोकेमिकल (प्रकाश रसायन) स्मॉग (लॉस एंजिल्स स्मॉग)-***

  यह कैसे बनता है- जब सूर्य का प्रकाश वायुमंडल में नाइट्रोजन ऑक्साइड (NO_x) और वाष्पशील कार्बनिक यौगिकों (VOCs) जैसे प्रदूषकों के साथ प्रतिक्रिया करता है तो इसका निर्माण होता है। इसे एक समीकरण के रूप में भी व्यक्त किया जा सकता है- NO_x + VOCs + ओजोन (O_3) + सूर्य का प्रकाश = फोटोकेमिकल स्मॉग।

  स्रोत (Source)- फोटोकेमिकल स्मॉग **शहरी क्षेत्रों** में सबसे आम है जहां वाहन उत्सर्जन और औद्योगिक गतिविधियां बहुत अधिक होती हैं।

  रंग-रूप (Appearance)- यह अक्सर भूरा धुंध जैसा दिखाई देता है और **धूप**, गर्म मौसम के दौरान सबसे अधिक ध्यान देने योग्य होता है।

  प्रभाव- फोटोकेमिकल स्मॉग आपकी आंखों, नाक और गले में जलन पैदा कर सकता है। यह ग्राउंड-लेवल ओजोन के निर्माण में भी योगदान देता है, जो आपके फेफड़ों को नुकसान पहुंचा सकता है और सांस लेना कठिन बना सकता है। दीर्घकालिक संपर्क से फेफड़ों को नुकसान और अन्य स्वास्थ्य संबंधी समस्याएं हो सकती हैं।

  क्या आप जानते हैं?- क्या आप जानते हैं कि फोटोकेमिकल स्मॉग, जिसे अक्सर 'लॉस एंजिल्स स्मॉग' कहा जाता है, 20वीं सदी के मध्य में एक महत्वपूर्ण पर्यावरणीय चिंता के रूप में उभरा है? इसे लॉस एंजिल्स नाम दिया गया, जहां इसकी विशिष्ट भूरे रंग की धुंध और स्वास्थ्य पर हानिकारक प्रभावों के कारण व्यापक रूप से अध्ययन किया गया था।

- ***सल्फ्यूरस स्मॉग/औद्योगिक स्मॉग/क्लासिकल स्मॉग (लंदन स्मॉग)-***

  यह कैसे बनता है- इसका निर्माण जीवाश्म ईंधन जैसे कोयला और तेल के जलने से होता है, जो हवा में सल्फर डाइऑक्साइड (SO_2) छोड़ता है।

  स्रोत- इस प्रकार का स्मॉग औद्योगिक क्षेत्रों में अधिक आम बात है जहां भारी निर्माण और कोयला आधारित बिजली संयंत्र होते हैं।

  रंग-रूप- यह आमतौर पर ग्रे धुंध जैसा दिखाई देता है और ठंडी, नम परिस्थितियों में अधिक प्रचलित होता है।

  प्रभाव- सल्फ्यूरस स्मॉग में उच्च स्तर का सल्फर डाइऑक्साइड और कण पदार्थ होते हैं, जिससे आंखों, नाक और गले में जलन हो सकती है। इन प्रदूषकों को सांस में लेने से श्वसन संबंधी समस्याएं हो सकती हैं, जिनमें अस्थमा के दौरे और फेफड़ों को नुकसान शामिल हैं। इसके अतिरिक्त, सल्फर डाइऑक्साइड अम्लीय वर्षा में योगदान देता है, जो पौधों, जानवरों और जल निकायों को नुकसान पहुंचा सकता है।

  क्या आप जानते हैं?- सल्फ्यूरस स्मॉग, जिसे 'लंदन स्मॉग' या 'औद्योगिक स्मॉग' के रूप में भी जाना जाता है, ने 1952 में लंदन में इतिहास पर अपनी छाप छोड़ी। लंदन के इस प्रकार के स्मॉग के अनुभव ने प्रारंभिक पर्यावरण जागरूकता को प्रेरित किया और अंतत: सार्वजनिक स्वास्थ्य और पर्यावरण पर इसके हानिकारक प्रभावों को कम करने के लिए वायु गुणवत्ता नियम बनाए गये।

2. **फ्लाई ऐश (Fly Ash)**

   स्रोत- यह बिजली संयंत्रों और औद्योगिक सुविधाओं में कोयले के दहन से उत्पन्न होता है।

   प्रभाव- फ्लाई ऐश को सांस में लेने से श्वसन और हृदय संबंधी समस्याएं हो सकती हैं। यदि इसे ठीक से प्रबंधित नहीं किया जाए तो यह मिट्टी और पानी को भी दूषित कर सकता है, जिससे प्रतिकूल पर्यावरणीय प्रभाव हो सकते हैं।

   रोचक तथ्य- क्या आप जानते हैं कि फ्लाई ऐश का पुनर्चक्रण किया जा सकता है और कंक्रीट जैसी सामग्री को मजबूत बनाने के लिए उपयोग किया जा सकता है? यह कुछ बुरी चीज को अच्छी चीज में बदलने जैसा है!

3. **पेरॉक्सीएसिल नाइट्रेट्स (Peroñyacyl Nitrates) (पीएन) स्रोत**- सूर्य के प्रकाश की उपस्थिति में नाइट्रोजन ऑक्साइड (NO_x) और वाष्पशील कार्बनिक यौगिकों (वीओसी) के बीच रासायनिक प्रतिक्रियाओं के माध्यम से बनता है।

प्रभाव- पीएएन को सांस में लेने से आपके फेफड़ों में समस्या हो सकती है और सांस लेना मुश्किल हो सकता है। इससे आंखों में जलन और असुविधा भी हो सकती है।

रोचक तथ्य- पीएएन रंगीन सूर्यास्त के लिए भी जाना जाता है क्योंकि यह असामान्य तरीकों से प्रकाश को परावर्तित करता है। इसलिए, जहां यह सुंदर दिखता है, वहीं यह स्वास्थ्य के लिए अच्छा नहीं है!

4. **अम्लीय वर्षा (Acid Rain)**- कल्पना कीजिए कि आसमान से गिरने वाली बारिश की बूंदें न केवल पानीबल्कि कुछ छुपा हुआ अम्ल भी ले जा रही हैं! हाँ, अम्लीय वर्षा वह बारिश है जो सामान्य से अधिक अम्लीय हो जाती है। ऐसा तब होता है जब बारिश आसमान से गिरते समय अतिरिक्त अम्ल जैसे सल्फ्यूरिक अम्ल और नाइट्रिक अम्ल को अपने साथ मिला देती है क्योंकि यह आसमान से गिरती है, जिससे इसका pH 5.6 से कम हो जाता है।

स्रोत- अम्लीय वर्षा मुख्य रूप से सल्फर डाइऑक्साइड (SO_2) और नाइट्रोजन ऑक्साइड (NO और NO_2) के उत्सर्जन के कारण होती है। ये गैसें बिजली संयंत्रों, कारखानों और यहां तक कि हमारी कारों से, जब इनमें कोयला और तेल जैसे ईंधन जलते हैं, तो निकलती हैं।

निर्माण प्रक्रिया- SO_2 और NO_x जल वाष्प, ऑक्सीजन और अन्य वायुमंडलीय रसायनों के साथ प्रतिक्रिया करके सल्फ्यूरिक अम्ल (H_2SO_4) और नाइट्रिक अम्ल (HNO_3) बनाते हैं। सल्फर ट्राइऑक्साइड (SO_3) जल वाष्प के साथ प्रतिक्रिया करके सल्फ्यूरिक अम्ल बनाते हैं- $SO_3 + H_2O \rightarrow H_2SO_4$।

प्रभाव- अम्लीय वर्षा केवल गिरकर गायब नहीं होती—यह जहां भी गिरती है वहां परेशानी पैदा करती है। यह झीलों, नदियों और जंगलों को नुकसान पहुंचा सकती है क्योंकि यह पानी को मछलियों और पौधों के लिए बहुत अम्लीय बना देती है। यह इमारतों और मूर्तियों को भी नुकसान पहुंचा सकती है, धीरे-धीरे उनकी सतहों का क्षरण कर देती है। साथ ही, यह मिट्टी को अधिक अम्लीय बना देती है, जिससे पौधों के लिए मजबूत और स्वस्थ रूप से बढ़ना मुश्किल हो जाता है। इसलिए, जबकि बारिश आमतौर पर ताजगी और प्रकृति के लिए अच्छी होती है, अम्लीय वर्षा कपटपूर्ण आगंतुक की तरह है जो जहां भी जाती है वहां अतिरिक्त परेशानी लाती है।

क्या आप जानते हैं?- कुछ प्रसिद्ध स्मारक, जैसे भारत में ताजमहल, समय के साथ अम्लीय वर्षा से प्रभावित हुए हैं। बारिश में मौजूद अम्ल धीरे-धीरे सुंदर संगमरमर का क्षरण करते हैं, जो यह दिखाती है कि कैसे बारिश की बूंदें भी वर्षों में बड़े बदलाव ला सकती हैं।

5. **जमीनी स्तर की ओजोन या क्षोभमंडलीय ओजोन (Ground Level Ozone or Tropospheric Ozone) (O_3)**

स्रोत- यह सीधे उत्सर्जित नहीं होती है बल्कि वाहन उत्सर्जन, औद्योगिक उत्सर्जन और NO_x और VOCs के अन्य स्रोतों से संबंधित रासायनिक प्रतिक्रियाओं के माध्यम से उत्पन्न होती है। निर्माण प्रक्रिया- VOCs + नाइट्रोजन ऑक्साइड (NO_x) + सूर्य का प्रकाश → ओजोन (O_3)

प्रभाव- जमीनी स्तर पर ओजोन श्वसन संबंधी समस्याओं का कारण बन सकती है, अस्थमा को बढ़ा सकती है, फेफड़ों की कार्यक्षमता को कम कर सकती है, और विभिन्न श्वसन संबंधी रोग पैदा कर सकती है। यह प्रकाश संश्लेषण और पौधों की वृद्धि को प्रभावित करके वनस्पति और पारिस्थितिक तंत्र को भी नुकसान पहुंचाती है।

(ओजोन और ओजोन से संबंधित विभिन्न घटकों पर पृष्ठ संख्या 565 पर विस्तार से चर्चा की गयी है।)

लर्निंग शॉर्टकट्स

क्या द्वितीयक वायु प्रदूषकों को याद करने में परेशानी हो रही है? चिंता मत कीजिये! हमने सभी आवश्यक विवरणों को एक सुविधाजनक तालिका में व्यवस्थित किया है ताकि आप आसानी से प्रमुख जानकारी को याद कर सकें। तालिका नीचे दी गयी हैं-

तालिका 26.2 द्वितीयक वायु प्रदूषकों के स्रोत और प्रभाव

द्वितीयक वायु प्रदूषक	स्रोत	प्रभाव
फोटोकेमिकल स्मॉग	सूर्य का प्रकाश NO_x और वीओसी के साथ प्रतिक्रिया करता है।	आंखों और फेफड़ों में जलन पैदा करता है; धूप वाले शहरी क्षेत्रों में यह आम है।
सल्फ्यूरस स्मॉग (लंदन स्मॉग)	जीवाश्म ईंधन (कोयला, तेल) जलाने से होता है।	श्वसन संबंधी समस्याएं और गले में जलन पैदा करता है; ठंडे क्षेत्रों और औद्योगिक क्षेत्रों में व्याप्त है।
जमीनी स्तर की ओजोन (O_3)	NO_x और वीओसी के साथ रासायनिक प्रतिक्रियाएं।	श्वसन समस्याएं पैदा करता है, अस्थमा को बढ़ाता है, पौधों को नुकसान पहुंचाता है।
फ्लाई ऐश कोयला	बिजली संयंत्रों और उद्योगों में दहन।	श्वसन और हृदय संबंधी समस्याएं पैदा करता है; मिट्टी और पानी को प्रदूषित करता है।
पेरोक्सीएसिल नाइट्रेट्स (PAN)	NO_x और वीओसी के बीच सूर्य के प्रकाश में प्रतिक्रियाएं।	फेफड़ों की कार्यक्षमता को कम करता है, सांस लेने में समस्याएं पैदा करता है, और आंखों में जलन होती है।
अम्लीय वर्षा	बिजली संयंत्रों, उद्योगों और वाहनों से SO_2 और NO_x के उत्सर्जन।	अम्लीय वर्षा झीलों, नदियों और जंगलों को नुकसान पहुँचाती है; इमारतों और स्मारकों को नुकसान पहुँचाती है; मिट्टी और जल निकायों के पीएच (pH) को कम कर देती है

महत्वपूर्ण शब्दावली जो स्मॉग से संबंधित है (Important Terms Related to Smog)

शीतकालीन स्मॉग (Winter Smog)- दिल्ली में शीतकालीन स्मॉग कुछ हद तक फोटोकैमिकल स्मॉग के समान है। यह तापमान व्यूत्क्रमण नामक मौसमी घटना के कारण होता है, जहां ऊपर गर्म हवा की एक परत के नीचे ठंडी हवा फंस जाती है। यह गर्म हवा की परत एक ढक्कन की तरह काम करती है, जो वायुमंडल में गैसों के सामान्य मिश्रण को रोकती है। परिणामस्वरूप, प्रदूषक, जिनमें खतरनाक कण जैसे पीएम 2.5 शामिल हैं, जमीन के पास फंस जाते हैं। इससे धुंधली और स्मॉग वाली स्थितियां उत्पन्न होती हैं जो दृश्यता को कम करती हैं और प्रभावित क्षेत्रों में रहने वाले लोगों के लिए स्वास्थ्य जोखिम पैदा कर सकती हैं।

वायुमंडलीय धुंध (Atmospheric Haze)- वायुमंडलीय धुंध का तात्पर्य हवा में एक पतली, धुंधली परत से है जो धूल, प्रदूषण और सूक्ष्म कण पदार्थों (जैसे पीएम 2.5) जैसे छोटे कणों के कारण होती है। यह हवा को धुंधला या कोहरा जैसा बना सकती है और अक्सर दृश्यता को कम कर देती है। धुंध साल भर हो सकती है और हानिकारक होती है क्योंकि इन कणों को लंबे समय तक सांस लेने से स्वास्थ्य संबंधी समस्याएं हो सकती हैं।

लर्निंग शॉर्टकट्स

क्या आप जानते हैं कि यूजीसी नेट परीक्षाओं में द्वितीयक प्रदूषकों की रासायनिक प्रतिक्रियाओं के बारे में अक्सर प्रश्न पूछे जाते हैं? यहां उन्हें याद रखने में आपकी मदद के लिए एक उपयोगी सूची दी गयी है:-

1. **फोटोकैमिकल स्मॉग-** नाइट्रोजन ऑक्साइड्स (NO_x) + वाष्पशील कार्बनिक यौगिक (VOCs) + ओजोन (O_3) + सूर्य का प्रकाश → फोटोकैमिकल स्मॉग
2. **सल्फ्यूरिक स्मॉग (लंदन स्मॉग)-** सल्फर डाइऑक्साइड (SO_2) + पानी (H_2O) + ऑक्सीजन (O_2) → सल्फ्यूरिक एसिड (H_2SO_4)
3. **पेरॉक्सीएसीटाइल नाइट्रेट (PAN)-** पेरॉक्सीएसीटाइल रेडिकल्स ($CH_3C(O)O_2$) + नाइट्रोजन डाइऑक्साइड (NO_2) → पेरॉक्सीएसीटाइल नाइट्रेट (PAN)
4. **अम्लीय वर्षा-**
   - सल्फर डाइऑक्साइड (SO_2) + पानी (H_2O) + ऑक्सीजन (O_2) → सल्फ्यूरिक एसिड (H_2SO_4)
   - नाइट्रोजन ऑक्साइड्स (NO_x) + पानी (H_2O) → नाइट्रिक एसिड (भ्छव्3)
5. **ग्राउंड लेवल ओजोन (O_3)-** वाष्पशील कार्बनिक यौगिक (VOCs) + नाइट्रोजन ऑक्साइड्स (NO_x) + सूर्य का प्रकाश → ओजोन (O_3)

क्विज स्टेशन *विगत UGC NET परीक्षाओं के प्रश्न*

प्र.1. फोटोकेमिकल स्मॉग के निर्माण के लिये निम्नलिखित में से किसकी आवश्यकता होती है? *(18 जून, 2024 - शिफ्ट 1)*

A. कार्बन मोनोऑक्साइड (CO)
B. नाइट्रोजन डाइऑक्साइड (NO_2)
C. कार्बन डाइऑक्साइड (CO_2)
D. वाष्पशील कार्बनिक यौगिक (वीओसी)
E. सूर्य का प्रकाश

नीचे दिये गये विकल्पों में से सबसे उपयुक्त उत्तर चुनिये

(a) A, B, D (b) A, C, E
(c) B, C, D, E (d) B, D, E

उत्तर 1. (d)

महत्वपूर्ण वायु प्रदूषक (Important Air Pollutant)- वीओसी

ये कार्बन यौगिकों का एक समूह हैं जो कमरे के तापमान पर वाष्पित होने की क्षमता के लिए जाने जाते हैं, जिनसे अत्यधिक वायु प्रदूषण होता है।

वीओसी का स्वास्थ्य पर प्रभाव (Health Impact of VOC)- वाष्पशील जैविक यौगिकों (वीओसी) के विभिन्न स्रोत होते हैं और ये विभिन्न तरीकों से स्वास्थ्य को प्रभावित कर सकते हैं। वीओसी के संपर्क में आने से आंख, नाक और गले में जलन, साथ ही मतली, सिरदर्द और चक्कर आना हो सकता है। लंबे समय तक संपर्क में रहने से यकृत, गुर्दे और केंद्रीय तंत्रिका तंत्र को नुकसान हो सकता है, साथ ही स्मृति हानि और दृष्टि दोष भी हो सकता है। इसके अतिरिक्त, कुछ वीओसी कार्सिनोजेनिक होते हैं, जो कैंसर के विकास का कारण बनते हैं।

वीओसी के स्रोत (Sources of VOCs)- वीओसी के स्रोतों में एरोसोल स्प्रे, कीटनाशक, पेंट, कीटाणुनाशक, एयर फ्रेशनर, ड्राई क्लीन किए गए कपड़े, गैसोलीन, लकड़ी जलाना और वाहन उत्सर्जन आदि शामिल हैं। वीओसी प्राकृतिक रूप से जंगलों, आर्द्रभूमियों (दलदलों) और पेड़ों से भी निकलते हैं, जो वायु गुणवत्ता और मानव स्वास्थ्य को प्रभावित करते हैं।

वीओसी हानिकारक क्यों हैं (Why are VOCs harmful)- जब वीओसी हवा में उत्सर्जित होते हैं, तो वे अन्य प्रदूषकों जैसे नाइट्रोजन ऑक्साइड (NO_x) के साथ मिलकर रासायनिक प्रतिक्रियाएं कर सकते हैं और विभिन्न द्वितीयक प्रदूषकों का निर्माण कर सकते हैं जैसे-

1. **फोटोकैमिकल स्मॉग-** वाष्पशील जैविक यौगिक (VOCs) + नाइट्रोजन ऑक्साइड (NO_x) + ओजोन (O_3) + सूर्य का प्रकाश → फोटोकैमिकल स्मॉग
2. **ग्राउंड लेवल ओजोन (O_3)-** वाष्पशील जैविक यौगिक (VOCs) + नाइट्रोजन ऑक्साइड (NO_x) + सूर्य का प्रकाश → ओजोन (O_3)
3. **कण पदार्थ (पीएम) के निर्माण में वीओसी की भूमिका-**
   - **प्रत्यक्ष उत्सर्जन-** वीओसी सीधे हवा में कारों, कारखानों और हमारे दैनिक उपयोग के उत्पादों (जैसे पेंट और क्लीनर) जैसे स्रोतों से

निकल सकते हैं। ये वीओसी स्वयं हवा में छोटे कण बन सकते हैं, जिन्हें प्राथमिक जैविक एरोसोल (पीओए) कहा जाता है।

- **अप्रत्यक्ष निर्माण**- वीओसी वायुमंडल में अन्य प्रदूषकों जैसे नाइट्रोजन ऑक्साइड (NO_x) के साथ रासायनिक प्रतिक्रियाओं से भी गुजर सकते हैं। ये प्रतिक्रियाएं द्वितीयक जैविक एरोसोल (एसओए) का उत्पादन कर सकती हैं, जो पीएम का एक और प्रकार है। एसओए निर्माण हवा में पीएम की मात्रा और संरचना में महत्वपूर्ण योगदान देता है।

वीओसी के प्रकार (Types of VOCs)

1. **फॉर्मल्डिहाइड (Formaldehyde)**- फर्नीचर, प्लाईवुड और सफाई उत्पादों जैसे घरेलू वस्तुओं के उत्पादन में व्यापक रूप से उपयोग किया जाने वाला फॉर्मल्डिहाइड एक वाष्पशील जैविक यौगिक (VOC) है। ये बाहरी हवा की तुलना में इनडोर हवा में अधिक पाए जाते हैं।
2. **सॉल्वेंट्स (Solvents)**- ये रसायन विभिन्न औद्योगिक और उपभोक्ता उत्पादों जैसे डिग्रीजर, पेंट रिमूवर और सफाई एजेंटों में उपयोग किए जाते हैं। जब ये सॉल्वेंट्स वाष्पित होते हैं, तो ये इनडोर हवा में वीओसी छोड़ते हैं।
3. **टर्पीन/आइसोप्रीन (Terpene/Isoprene)**- ये पेड़ों और पौधों द्वारा उनके आवश्यक तेलों के हिस्से के रूप में उत्सर्जित प्राकृतिक वीओसी हैं। यद्यपि पेड़ बाहरी वायु गुणवत्ता के लिए फायदेमंद होते हैं, परंतु इनडोर में, ये उत्सर्जित वीओसी की उपस्थिति में योगदान कर सकते हैं, जो संवेदनशील व्यक्तियों में सिरदर्द, चक्कर आना और श्वसन प्रणाली की जलन का कारण बन सकते हैं।
4. **बेंजीन (Benzene)**- एक रंगहीन या हल्का पीला तरल, बेंजीन एक वीओसी है जो गैसोलीन, सिगरेट के धुएं और औद्योगिक प्रक्रियाओं से उत्सर्जन जैसे उत्पादों में पाया जाता है। बेंजीन के लंबे समय तक संपर्क में रहने से गंभीर स्वास्थ्य समस्याएं हो सकती हैं, जिनमें अस्थि मज्जा को नुकसान और ल्यूकेमिया का बढ़ा हुआ जोखिम शामिल है।
5. **टोल्यून (Toluene)**- एक और वीओसी जो पेंट, पेंट थिनर, चिपकने वाले और गैसोलीन जैसे उत्पादों में पाया जाता है। टोल्यून बेंजीन के समान तेज गंध छोड़ता है और सिरदर्द, चक्कर आना और उच्च सांद्रता में, तंत्रिका संबंधी क्षति का कारण बन सकता है।

क्विज स्टेशन *विगत UGC NET परीक्षाओं के प्रश्न*

प्र.1. कथन I: वाष्पशील कार्बनिक यौगिक (वीओसी) वाहनों से उत्सर्जित होते हैं।

कथन II: वाष्पशील कार्बनिक यौगिक कुछ पेड़ों से उत्सर्जित होते हैं। *(14 जून 2023 - शिफ्ट 1)*

(a) कथन I और कथन II दोनों सत्य हैं

(b) कथन I और कथन II दोनों असत्य हैं

(c) कथन I सत्य है लेकिन कथन II असत्य है

(d) कथन I असत्य है लेकिन कथन II सत्य है

उत्तर 1. (a)

लर्निंग शॉर्टकट्स

विभिन्न प्रकार के वीओसी को याद रखने में परेशानी हो रही है? चिंता मत कीजिए! हमने सभी आवश्यक विवरणों को एक सुविधाजनक तालिका में व्यवस्थित किया है ताकि आप आसानी से प्रमुख जानकारी को याद कर सकें। नीचे देखें-

तालिका 26.3 वीओसी के प्रकार

वीओसी का स्रोत	विवरण
फॉर्मल्डिहाइड	उर्वरक, कागज, प्लाईवुड आदि के उत्पादन में उपयोग किया जाता है, इसके कैंसरजन्य (कैंसर पैदा करने वाले) गुणों के कारण अत्यधिक हानिकारक है।
सॉल्वेंट्स	उपभोक्ता और औद्योगिक उपयोगों, जैसे कि डिग्रीसर्स, पेंट रिमूवर्स और सफाई एजेंट में पाए जाते हैं।
टर्पीन /आइसोप्रीन	पौधों के आवश्यक तेलों में पाए जाने वाले असंतृप्त हाइड्रोकार्बन का बड़ा समूह।
बेंजीन	कमरे के तापमान पर रंगहीन या हल्का पीला तरल पदार्थ होता है। यह गैसोलीन, सिगरेट के धुएं और औद्योगिक प्रक्रियाओं से होने वाले उत्सर्जन जैसे उत्पादों में पाया जाता है।
टोल्यून	पेंट, पेंट थिनर्स, चिपकने वाले पदार्थ और गैसोलीन जैसे उत्पादों में पाया जाता है।

ग्रीनहाउस गैसें (Greenhouse Gases)

इस विषय को सरल बनाने वाले वीडियो व्याख्यान को देखने के लिए इस QR कोड को स्कैन करें

ग्रीनहाउस गैसों को समझने के लिए, यह महत्वपूर्ण है कि वायुमंडल में मौजूद शुद्ध गैसों की समझ हो।

शुद्ध गैसें केवल एक प्रकार के तत्व या यौगिक से बनी होती हैं। शुद्ध गैसों की विभिन्न भूमिकाएँ होती हैं, जैसे जीवन को पनपने देना, (ऑक्सीजन) या औद्योगिक प्रक्रियाओं में उपयोग होना (नाइट्रोजन)। शुद्ध गैसों को समझना आवश्यक है क्योंकि उन्हें उनके रासायनिक गुणों के आधार पर प्रदूषक गैसों से अलग किया जा सकता है।

1. **नोबल गैसें (Noble Gases)**- ये गैसें रासायनिक रूप से निष्क्रिय होती हैं, जिसका अर्थ है कि ये अन्य पदार्थों के साथ आसानी से प्रतिक्रिया नहीं करती हैं क्योंकि उनके बाहरी इलेक्ट्रॉन शेल्स भरे होते हैं। इस समूह में हीलियम (He), नीयॉन (Ne), आर्गन (Ar), क्रिप्टॉन (Kr), जेनॉन (Xe) और रेडॉन (Rn) शामिल हैं।
2. **तत्वीय गैसें (Elemental Gases)**- ये गैसें एक ही तत्व के दो परमाणुओं से बनी होती हैं। ये पृथ्वी के वायुमंडल के प्रमुख घटक हैं

और कई प्राकृतिक प्रक्रियाओं में शामिल होती हैं। उदाहरण हैं हाइड्रोजन (H_2), ऑक्सीजन (O_2), नाइट्रोजन (N_2) और क्लोरीन (Cl_2)।

3. **अन्य गैसें**- कुछ गैसें, हालांकि निष्क्रिय नहीं होतीं, फिर भी स्थिर होती हैं और शुद्ध गैसें मानी जाती हैं। ये औद्योगिक और जैविक प्रक्रियाओं के लिए महत्वपूर्ण होती हैं लेकिन ग्रीनहाउस गैसों के रूप में जलवायु परिवर्तन में भी योगदान कर सकती हैं। इनमें कार्बन डाइऑक्साइड (CO_2), नाइट्रस ऑक्साइड (N_2O) और सल्फर हेक्साफ्लोराइड (SF_6) शामिल हैं।

पृथ्वी का वायुमंडल विभिन्न गैसों से बना होता है (तालिका 26.4), प्रत्येक गैस का इस वायुमण्डल के संघटन में योगदान होता है-

तालिका 26.4 पृथ्वी के वायुमंडल का संघटन

संघटक	सूत्र	आयतन के अनुसार प्रतिशत
नाइट्रोजन	N_2	78.08 प्रतिशत
ऑक्सीजन	O_2	20.95 प्रतिशत
आर्गन	Ar	0.93 प्रतिशत
कार्बन डाइऑक्साइड	CO_2	0.036 प्रतिशत
नीयॉन	Ne	0.002 प्रतिशत
हीलियम	He	0.0005 प्रतिशत
क्रिप्टॉन	Kr	0.001 प्रतिशत
जेनॉन	Xe	0.00009 प्रतिशत
हाइड्रोजन	H_2	0.00005 प्रतिशत

ग्रीनहाउस गैसों से संबंधित शब्दावली (Terminology Associated with Greenhouse Gases)

1. **ग्रीनहाउस गैसें (Greenhouse Gases)**- ग्रीनहाउस गैसें (तालिका 26.5) पृथ्वी के वायुमंडल में विशेष गैसें होती हैं जो गर्मी को वायुमण डल में रोके रखती हैं, जिससे पृथ्वी का तापमान बढ़ जाता है। इस गर्मी के प्रभाव को ग्रीनहाउस प्रभाव, जो पृथ्वी पर जीवन के लिए एक प्राकृतिक और आवश्यक प्रक्रिया है,कहा जाता है। इसके बिना, पृथ्वी हमारे लिए जीवित रहने के लिए बहुत ठंडी होती, जिसका औसत तापमान लगभग –18°C होता। ग्रीनहाउस गैसों के कारण, इसका औसत तापमान बहुत ही गर्म 14°C है, जो पृथ्वी को रहने योग्य बनाता है।
2. **वैश्विक तापवृद्धि (Global Warming)**- 1850 के दशक से, मानव गतिविधियों जैसे जीवाश्म ईंधन (कोयला, तेल और गैस) का जलाना, वनों की कटाई और औद्योगिक प्रक्रियाओं ने वायुमंडल में ग्रीनहाउस गैसों की सांद्रता को बढ़ा दिया है। इस वृद्धि ने वैश्विक तापमान को बढ़ा दिया है, जिसे वैश्विक तापवृद्धि के रूप में जाना जाता है। इस तापवृद्धि का हमारे पर्यावरण पर हानिकारक प्रभाव हो सकता है, जिसमें अधिक चरम मौसम, समुद्र के स्तर में वृद्धि और पारिस्थितिक तंत्र में परिवर्तन शामिल हैं।
3. **वैश्विक तापवृद्धि संभाव्यता (Global Warming Potential) (जीडबल्यूपी)**- विभिन्न ग्रीनहाउस गैसों का वैश्विक तापवृद्धि पर प्रभाव वैश्विक तापवृद्धि संभाव्यता (जीडबल्यूपी) का उपयोग करके मापा जा सकता है। यह मापता है कि एक टन गैस एक विशिष्ट समय अवधि में एक टन कार्बन डाइऑक्साइड (CO_2) की तुलना में कितनी ऊर्जा अवशोषित करेगी। एक गैस जिसकी जीडबल्यूपी अधिक होती है, उसका CO_2 की तुलना में अधिक तापवृद्धि प्रभाव होता है। उदाहरण के लिए, मीथेन (CH_4), एक अन्य ग्रीनहाउस गैस, का 100 वर्षों में जीडबल्यूपी 25 है, जिसका अर्थ है कि यह उस अवधि में CO_2 की तुलना में 25 गुना अधिक ताप को रोककर रखती है। यह हमें समझने में मदद करता है कि विभिन्न गैसों का वैश्विक तापवृद्धि पर सापेक्ष प्रभाव क्या है।
4. **जीवनकाल (Lifetime)**- ग्रीनहाउस गैसों के संदर्भ में, श्जीवनकालश का अर्थ है कि किसी विशेष गैस का कोई अणु विभिन्न प्रक्रियाओं जैसे रासायनिक प्रतिक्रिया द्वारा हटा दिये जाने, पौधों और मिट्टी द्वारा अवशोषित कर लिये जाने या पुनः पृथ्वी की सतह पर जमा हो जाने से पहले वायुमंडल में औसतन कितने समय तक रहता है। उदाहरण के लिए, तालिका 26.5 से, हम देखते हैं कि SF_6 का जीवनकाल 3,200 वर्ष है। इसका मतलब है कि एक बार वायुमंडल में छोड़े जाने के बाद, SF_6 का एक अणु औसतन 3,200 वर्षों तक वहां रहता है। यह असाधारण रूप से लंबा जीवनकाल SF_6 को सबसे स्थायी ग्रीनहाउस गैसों में से एक बनाता है।
5. **कार्बन तटस्थता (Carbon Neutrality)**- कल्पना कीजिये कि आपके पास एक तराजू है। एक तरफ, आपके पास कारों, कारखानों और जीवाश्म ईंधन जलाने से उत्सर्जित सभी कार्बन डाइऑक्साइड (CO_2) उत्सर्जन हैंऔर दूसरी तरफ, आपके पास वे तरीके, जैसे पेड़ लगाना या CO_2 को रोककर संग्रहीत करने के लिए तकनीक का उपयोग करना हैं जिनसे CO_2 को हवा से हटाया जा सकता है। जब दोनों पक्ष संतुलित होते हैं, तो हम कार्बन तटस्थता प्राप्त करने की स्थिति में होते हैं।
6. **कार्बन सिंक (Carbon Sinks)**- ये प्राकृतिक या कृत्रिम स्थान होते हैं जो पर्यावरण में CO_2 को छोड़ने की तुलना में अधिक मात्रा में अवशोषित करते हैं। वन, महासागर और मिट्टी प्राकृतिक कार्बन सिंक के उदाहरण हैं क्योंकि ये प्रकाश संश्लेषण जैसी प्रक्रियाओं के दौरान CO_2 का अवशोषण करते हैं।
7. **कार्बन पृथक्करण (Carbon Sequestration)**- यह वायुमंडल से कार्बन डाइऑक्साइड (CO_2) को सोखकर संग्रहीत करने की प्रक्रिया है ताकि हवा में CO_2 की मात्रा को कम किया जा सके और जलवायु परिवर्तन को कम करने में मदद मिल सके। यह प्राकृतिक तरीकों से किया जा सकता है, जैसे पेड़ लगाना और मिट्टी प्रबंधन प्रथाओं को बढ़ावा देना जो मिट्टी में संग्रहीत कार्बन की मात्रा को बढ़ाते हैं। इसे तकनीकी तरीकों से भी किया जा सकता है, जैसे औद्योगिक प्रक्रियाओं और बिजली संयंत्रों से CO_2 उत्सर्जन को सोखकर संगृहीत करना और उन्हें वायुमंडल में छोड़े जाने से पहले संग्रहीत करना।

लर्निंग शॉर्टकट्स

ग्रीनहाउस गैसों और उनके जीडबल्यूपी को याद रखने में परेशानी हो रही है? चिंता मत कीजिए! हमने सभी आवश्यक विवरणों को एक सुविधाजनक तालिका में व्यवस्थित किया है ताकि आप आसानी से मुख्य जानकारी को याद कर सकें। इसे नीचे दिया गया है-

तालिका 26.5 ग्रीनहाउस गैसें

गैस	स्रोत	वैश्विक तापवृद्धि क्षमता (GWP) (100 वर्ष की अवधि)	जीवनकाल
कार्बन डाइऑक्साइड (CO_2)	जीवाश्म ईंधन जलाना, वनों की कटाई, मिट्टी का क्षरण, भूमि की सफाई	1	100
मीथेन (CH_4) (वायुमंडल में सबसे कम समय तक रहती है)	कृषि, ऊर्जा उत्पादन, कचरा, आर्द्रभूमि	25	12
नाइट्रस ऑक्साइड (N_2O)	कृषि (उर्वरक उपयोग), जीवाश्म ईंधन का दहन	265	120
क्लोरोफ्लोरोकार्बन-12 (CFC-12)	रेफ्रिजरेटर, एयर कंडीशनर, विभिन्न प्रकार के स्प्रे, अग्निशामक और पेंट	10,200	100
हाइड्रोफ्लोरोकार्बन (HFCs)	ओजोन-क्षयकारी पदार्थों के प्रतिस्थापन	12,400	1-270
पेरफ्लोरोकार्बन (PFCs)	औद्योगिक प्रक्रियाएं	6,500-9,200	800-5,000
नाइट्रोजन ट्राइफ्लोराइड (NF_3)	इलेक्ट्रॉनिक घटकों का उत्पादन, उच्च-ऊर्जा लेजर	16,100	740
सल्फर हेक्साफ्लोराइड (SF_6)	औद्योगिक प्रक्रियाएं, विद्युत उपकरण	23,500	3200

लर्निंग शॉर्टकट्स

याद करने में कठिनाई हो रही है कि आपने अभी क्या पढ़ा? ग्रीनहाउस गैसों को याद करने और पुन: स्मरण करने के लिए यहां अत्यंत संक्षेप में जानकारी दी गयी है

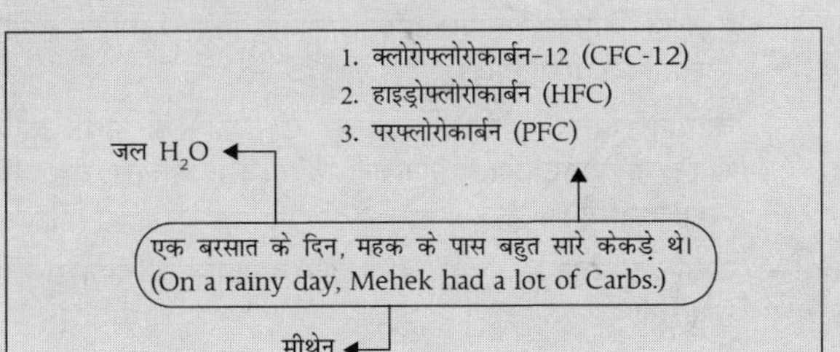

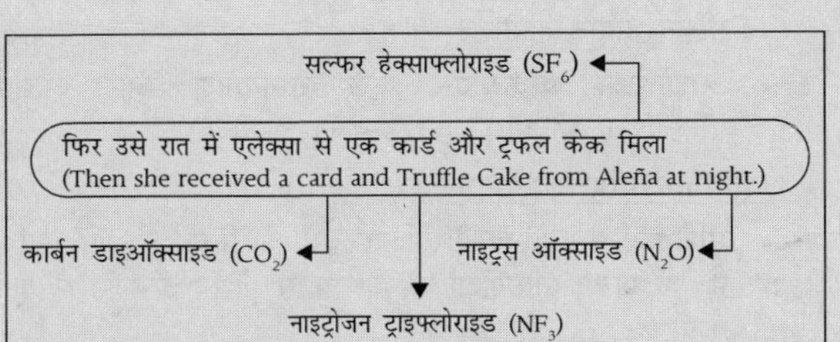

ग्रीनहाउस गैस (GHG) इन्वेंटरी (Greenhouse Gas Inventory)

ग्रीनहाउस गैस इन्वेंटरी किसी विशिष्ट क्षेत्र और समय अवधि में, अक्सर एक वर्ष के भीतर सभी ग्रीनहाउस गैसों (GHG) के उत्सर्जन और उसे हटाने का व्यापक लेखा-जोखा है। इन्वेंटरी का उद्देश्य उन गैसों के उत्सर्जन को ट्रैक और प्रबंधित करना है जो जलवायु परिवर्तन में योगदान करते हैं, उन्हें कम करने के लिए रणनीतियाँ विकसित करने के लिए एक आधार रेखा प्रदान करना। ग्रीनहाउस गैस (GHG) इन्वेंटरी आमतौर पर निम्नलिखित सात प्रत्यक्ष ग्रीनहाउस गैसों को कवर करती है-

1. कार्बन डाइऑक्साइड (CO_2)
2. मीथेन (CH_4)
3. नाइट्रस ऑक्साइड (N_2O)
4. हाइड्रोफ्लोरोकार्बन (HFCs)
5. पेरफ्लोरोकार्बन (PFCs)
6. सल्फर हेक्साफ्लोराइड (SF_6)
7. नाइट्रोजन ट्राइफ्लोराइड (NF_3)

ये गैसें सीधे जलवायु परिवर्तन में योगदान करती हैं। इसके अतिरिक्त, इन्वेंटरी चार अप्रत्यक्ष ग्रीनहाउस गैसों की भी रिपोर्ट करती है-

1. नाइट्रोजन ऑक्साइड्स (NO_x)
2. कार्बन मोनोऑक्साइड (CO)

3. गैर-मीथेन वाष्पशील कार्बनिक यौगिक (NMVOC)
4. सल्फर डाइऑक्साइड (SO_2)

ग्रीनहाउस गैस उत्सर्जन के स्रोत (Sources of Greenhouse Gas Emissions)

ग्रीनहाउस गैस उत्सर्जन के स्रोत विविध और आपस में जुड़े हुए हैं, जो प्रमुख क्षेत्रों में फैले हुए हैं जो सामूहिक रूप से वैश्विक जलवायु संकट में योगदान करते हैं। आइए कुछ प्रमुख क्षेत्रों और ग्रीनहाउस गैसों के क्षेत्र में उनके योगदान पर एक नजर डालें-

- **बिजली आपूर्ति**- 21 प्रतिशत
- **उद्योग**- 19 प्रतिशत
- **वानिकी**- 17 प्रतिशत
- **कृषि**- 14 प्रतिशत
- **परिवहन**- 13 प्रतिशत
- **भवन**- 8 प्रतिशत
- **जीवाश्म ईंधन आपूर्ति**- 5 प्रतिशत
- **कचरा**- 3 प्रतिशत

ग्रीनहाउस प्रभाव (Greenhouse Effect)

ग्रीनहाउस प्रभाव (चित्र 26.1) एक प्राकृतिक प्रक्रिया है जो पृथ्वी के तापमान को बनाए रखने और इसे जीवन के लिए अनुकूल बनाने के लिए महत्वपूर्ण है। आइए इस प्रक्रिया को विस्तार से समझते हैं:-

1. **सूर्य का प्रकाश पृथ्वी तक पहुँचता है**- सूर्य ऊर्जा को लघु तरंग विकिरण के रूप में पृथ्वी तक भेजता है, जिसमें दृश्य प्रकाश शामिल है। यह ऊर्जा पृथ्वी की सतह को गर्म करती है।
2. **पृथ्वी ताप उत्सर्जित करती है**- फिर पृथ्वी इस ऊर्जा का कुछ हिस्सा लंबी तरंग या अवरक्त विकिरण (गर्मी) के रूप में वायुमंडल में वापस भेजती है।
3. **ग्रीनहाउस गैसें इस उष्मा को रोककर रखती है**- ग्रीनहाउस गैसें, जैसे कि कार्बन डाइऑक्साइड (CO_2), मीथेन (CH_4), और जल वाष्प (H_2O), इस गर्मी के कुछ हिस्से को रोके रखती हैं, जिससे इसे अंतरिक्ष में वापस जाने से रोका जाता है। यह रुकी हुई उष्मा वायुमंडल को गर्म करती है, जैसे कंबल आपके शरीर की गर्मी को रोककर आपको गर्म रखता है।
4. **कंबल प्रभाव**- कल्पना कीजिये कि पृथ्वी एक आरामदायक कंबल से ढकी हुई है जो इसे गर्म रखती है। यह हमारे वायुमंडल में ग्रीनहाउस गैसों (GHGs) के साथ होने वाली प्रक्रिया के समान है, जिसे वैज्ञानिक श्कंबल प्रभावश कहते हैं। ठीक वैसे ही जैसे एक कंबल, GHGs अवरक्त विकिरण को अवशोषित और पुनः उत्सर्जित करते हैं, अत्यधिक उष्मा के नुकसान को रोककर एक स्थिर तापमान बनाए रखते हैं। यह श्कंबल प्रभावश पृथ्वी की जलवायु को नियंत्रित करने और हमारे ग्रह को रहने योग्य बनाने के लिए आवश्यक है।

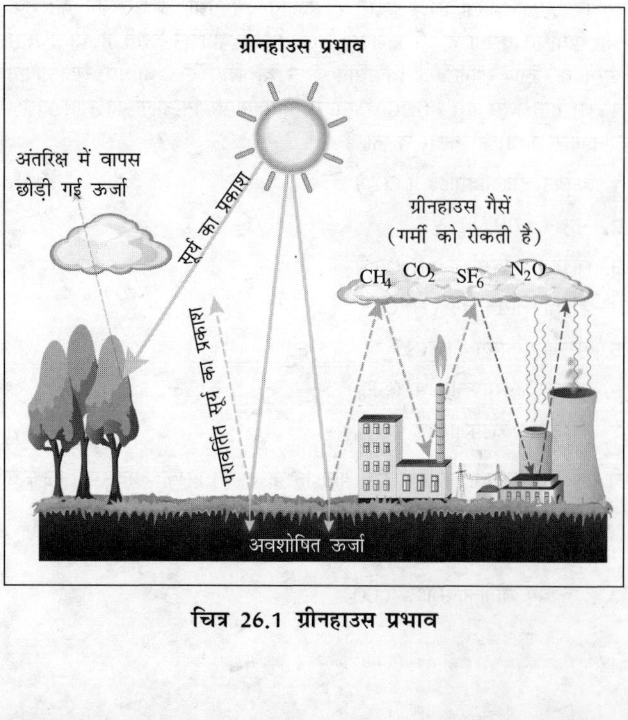

चित्र 26.1 ग्रीनहाउस प्रभाव

महत्वपूर्ण ग्रीन हाउस गैसें (Important Greenhouse Gases)

1. **मीथेन**- मीथेन 100 वर्ष की अवधि में, उष्मा को रोककर रखने में कार्बन डाइऑक्साइड (CO_2) की तुलना में लगभग 25 गुना अधिक प्रभावी है। इस कारण यह वातावरण में जलवायु परिवर्तन के लिये जिम्मेदार महत्वपूर्ण कारक है। मीथेन उत्सर्जन प्राकृतिक प्रक्रियाओं और मानव गतिविधियों, दोनों से होता है। यहां नीचे विस्तार से चर्चा की गयी है-
   - ***प्राकृतिक प्रक्रियाएं-***
     - **जैविक गतिविधियां**- मीथेन जानवरों (जैसे गायों) के पाचन तंत्र में पाचन के दौरान, पौधों में प्रकाश संश्लेषण के माध्यम से और सूक्ष्मजीवों के श्वसन के परिणामस्वरूप उत्पन्न होती है।
     - **पर्यावरणीय परिवर्तन**- प्राकृतिक घटनाएं जैसे कि मौसम, अपरदन, ज्वालामुखी विस्फोट और भूवैज्ञानिक प्रक्रियाएं जैसे प्लेट टेक्टोनिक्स से मीथेन का उत्सर्जन हो सकता है।
   - ***मानव गतिविधियां-***
     - **कचरे के ढेर से**- जैविक कचरे के विघटन से मीथेन उत्पन्न होती है।
     - **तेल और गैस प्रणाली**- जीवाश्म ईंधन के निष्कर्षण और प्रसंस्करण के दौरान रिसाव होने और बाहर निकलने से मीथेन निकलती है।
     - **खेती**- चावल की खेती और पशुधन से मीथेन उत्सर्जित होती है जहां जैविक सामग्री ऑक्सीजन के बिना विघटित होती है (एनारोबिक स्थितियां)।
     - **कोयला खनन**- कोयला खदानों में रूकी हुई मीथेन कोयला खनन के दौरान बाहर निकलती है (जिसे कोयला बेड मीथेन कहा जाता है)।
     - **ऊर्जा हेतु दहन**- जीवाश्म ईंधन और बायोमास के दहन से मीथेन निकलती है।
     - **अपशिष्ट जल उपचार**- सीवेज में जैविक पदार्थों के विघटन से मीथेन उत्पन्न होती है।
     - **औद्योगिक प्रक्रियाएं**- कुछ रासायनिक और औद्योगिक गतिविधियां भी मीथेन का उत्सर्जन करती हैं।
   - ***प्राकृतिक मीथेन उत्पादन-***
     - **मीथेनोजेन्स**- ये बैक्टीरिया जानवरों के पाचन तंत्र में पाए जाते हैं, जो पाचन प्रक्रियाओं के माध्यम से मीथेन उत्सर्जन में योगदान करते हैं।

- **पिघलती आर्कटिक पर्माफ्रॉस्ट**- सोलिफ्लक्शन का तात्पर्य जल संतृप्त मृदा का धीरे-धीरे नीचे की ओर खिसकने से है। यह उन क्षेत्रों में होता है जहां जमीन पर स्थायी रूप से बर्फ जमी रहती है, जिसे पर्माफ्रॉस्ट कहा जाता है। यह ध्रुवीय और उपध्रुवीय क्षेत्रों में पाया जाता है। जमीन पर जमी हुई यह बर्फ मौसमी तापमान परिवर्तनों, विशेष रूप से वैश्विक तापमान बढ़ने, के कारण पिघलती या ढीली हो जाती है।। जब पर्माफ्रॉस्ट पिघलता है, तो यह मीथेन छोड़ता है, जो एक शक्तिशाली ग्रीनहाउस गैस (GHG) है।

2. **कार्बन डाइऑक्साइड (CO_2)**- कार्बन डाइऑक्साइड जलवायु परिवर्तन में एक महत्वपूर्ण भूमिका निभाता है क्योंकि यह एक ग्रीनहाउस गैस के रूप में अद्वितीय विशेषताओं और मानव गतिविधियों से व्यापक उत्सर्जन के कारण है। मानव गतिविधियों, विशेष रूप से कोयला, तेल और गैस जैसे जीवाश्म ईंधनों के जलने के कारण वातावरण में कार्बन डाइऑक्साइड का स्तर काफी बढ़ गया है। नवंबर 2024 तक, वायु में कार्बन डाइऑक्साईड की मात्रा 427 भाग प्रति मिलियन (PPM) अथवा वातावरण के 0.04 प्रतिशत तक पहुँच गयी थी। 18 वीं शताब्दी में जब औद्योगिक युग की शुरूआत हुई तब मानव गतिविधियों के कारण कार्बन डाइऑक्साइड का स्तर 50 प्रतिशत तक पहुंच गया था। इसका तात्पर्य यह है कि वर्ष 1750 की तुलना में कार्बन डाइऑक्साइड की मात्रा 1.5 गुना अधिक है। देश में CO_2 उत्सर्जन की मात्रा जानने के लिए तालिका 27.6 देखें।

क्विज स्टेशन *विगत UGC NET परीक्षाओं के प्रश्न*

प्र.1. नीचे दो कथन दिए गए हैं। एक को अभिकथन (A) और दूसरे को कारण (R) के रूप में लेबल किया गया है।

अभिकथन (A)- ओजोन परत की रक्षा के लिए हाइड्रोफ्लोरोकार्बन (HFCs) को चरणबद्ध तरीके से समाप्त करने की आवश्यकता है।

कारण (R)- हाइड्रोफ्लोरोकार्बन (HFCs) का वैश्विक तापवृद्धि क्षमता बहुत अधिक है। उपरोक्त कथन के प्रकाश में, नीचे दिए गए विकल्पों में से सबसे उपयुक्त उत्तर चुनें-

(a) दोनों (A) और (R) सही हैं और (R), (A) का सही स्पष्टीकरण है।

(b) दोनों (A) और (R) सही हैं लेकिन (R), (A) का सही स्पष्टीकरण नहीं है।

(c) (A) सही है लेकिन (R) सही नहीं है।

(d) (A) सही नहीं है लेकिन (R) सही है।

प्र.2. ग्रीन हाउस गैस की वैश्विक तापवृद्धि संभाव्यता (जीडबल्यूपी) को मापने के लिए निम्नलिखित में से किसका उपयोग संदर्भ के रूप में किया जाता है? *(2 सितंबर, 2024 - शिफ्ट 1)*

(a) कार्बन डाइऑक्साइड (CO_2)

(b) मीथेन (CH_4)

(c) क्लोरोफ्लोरोकार्बन(CFC)

(d) हाइड्रोफ्लोरोकार्बन (HFC)

प्र.3. निम्नलिखित में से कौन सी ग्रीनहाउस गैस पर्माफ्रॉस्ट और हाइड्रेट्स में दबी हुई होती है जिसके वैश्विक तापवृद्धि के कारण निकलने की संभावना होती है? *(29 अगस्त, 2024 - शिफ्ट 2)*

(a) नाइट्रस ऑक्साइड (N_2O)

(b) मीथेन (CH_4)

(c) क्लोरोफ्लोरोकार्बन (CFC)

(d) हाइड्रोफ्लोरोकार्बन (HFC)

उत्तर 1. (d) 2. (a) 3. (b)

तालिका 26.6 देश-वार में कार्बन डाइऑक्साइड (CO_2) का उत्सर्जन

देश	वैश्विक उत्सर्जन का हिस्सा (प्रतिशत)	प्रति व्यक्ति CO उत्सर्जन (टन/व्यक्ति)
विश्व	100	4.86
चीन	34.0	9.24
संयुक्त राज्य अमेरीका	12.0	13.83
यूरोपीय यूनियन	6.4	5.66
भारत	7.6	2.07
रूस	5.3	14.45
जापान	2.4	7.54

ओजोन-क्षयकारी पदार्थ (Ozone-Depleting Substances)

<u>ओजोन-</u> ओजोन तीन ऑक्सीजन परमाणुओं (O_3) से बना एक अणु है। यह एक हल्की नीली गैस है जिसमें एक तीव्र, विशिष्ट गंध होती है।

<u>ओजोन का मापन-</u> एक डॉबसन इकाई (DU) वायुमंडल के शीर्ष से जमीन तक के एक वायु स्तंभ में ओजोन की माप की इकाई है। 1 डॉबसन इकाई = 0.01 मिमी।

<u>ओजोन के प्रकार-</u>

1. **स्ट्रैटोस्फेरिक ओजोन**- इसे वायुमंडलीय ओजोन या अच्छी ओजोन या ओजोन परत भी कहा जाता है। यह लाभकारी है क्योंकि यह जीवों को सूर्य की हानिकारक पराबैंगनी (यूवी) विकिरणों से बचाता है।
2. **ट्रोपोस्फेरिक ओजोन**- इसे सतही ओजोन, ग्राउंड लेवल ओजोन या खराब ओजोन भी कहा जाता है। यह हानिकारक है क्योंकि इससे विभिन्न स्वास्थ्य संबंधी समस्यायें हो सकती है। (यह भी द्वितीयक वायु प्रदूषकों का हिस्सा है और इस पर पृष्ठ संख्या 559 पर चर्चा की गयी है।)

<u>*पराबैंगनी किरणों से बचाने में स्ट्रैटोस्फेरिक ओजोन की भूमिका-*</u> पृथ्वी के वायुमंडल में स्ट्रैटोस्फेरिक ओजोन हमें अत्यधिक पराबैंगनी विकिरणों से बचाने में मदद करती है। जब यह परत मानव गतिविधियों जैसे कुछ रसायनों के उपयोग के कारण क्षीण हो जाती है, तो अधिक पराबैंगनी विकिरण पृथ्वी की सतह तक पहुँचता है। यह क्षीणन पराबैंगनी विकिरण से त्वचा को नुकसान और अन्य स्वास्थ्य संबंधी समस्याओं के जोखिम को बढ़ाता है, जो

मानव और वन्यजीव दोनों को प्रभावित करता है। पराबैंगनी विकिरण हमारे शरीर में विटामिन डी के उत्पादन में महत्वपूर्ण भूमिका निभाता है, जो हड्डियों के स्वास्थ्य के लिए महत्वपूर्ण है। हालांकि, पराबैंगनी विकिरण के अत्यधिक संपर्क से सनबर्न हो सकता है और त्वचा कैंसर का जोखिम बढ़ सकता है।

ओजोन क्षीणन- ओजोन क्षीणन तब होता है जब क्लोरीन और ब्रोमीन जैसे कुछ रसायन ऊँचाई पर (समतापमंडल में) ओजोन के साथ प्रतिक्रिया करते हैं। ये रसायन ओजोन अणुओं को तोड़ते हैं। एक क्लोरीन परमाणु समताप मण्डल से हटने से पहले 100,000 से अधिक ओजोन अणुओं को नष्ट कर सकता है। इससे ओजोन परत पतली हो जाती है। ओजोन को प्राकृतिक रूप से बनने की गति की तुलना में अधिक तेजी से नष्ट किया जा सकता है।

पहली बार ओजोन क्षरण- ओजोन छिद्र सबसे पहले अंटार्कटिका के ऊपर पाया गया था। यह ओजोन क्षरण का पहला उदाहरण है।

ओजोन क्षरण पदार्थ (ओडीएस)- ओजोन (O_3) मुख्य रूप से क्लोरीन (Cl) और ब्रोमीन (Br) से जुड़ी प्रतिक्रियाओं से नष्ट होता है, जो मानव निर्मित रसायनों जैसे कि CFCs (क्लोरोफ्लोरोकार्बन) और हैलोन से उत्पन्न होता है। ये पदार्थ निचले वायुमंडल में अत्यधिक स्थिर होते हैं और समताप मंडल तक पहुँचने में वर्षों लग जाते हैं। वहाँ पहुँचने के बाद, वे UV विकिरण द्वारा टूट जाते हैं, जिससे क्लोरीन और ब्रोमीन परमाणु निकलते हैं। ये परमाणु फिर ओजोन (O_3) के साथ प्रतिक्रिया करते हैं, इसे ऑक्सीजन (O_2) में तोड़ देते हैं और पृथ्वी को हानिकारक न्ट किरणों से बचाने की ओजोन परत की क्षमता को कम कर देते हैं।

ओडीएस के स्रोत- इसके स्रोत निम्नवत हैं-

1. वाहनों और रेफ्रिजरेटरों में रेफ्रिजरेंट और एयर कंडीशनर
2. फोम ब्लोइंग एजेंट्स
3. इलेक्ट्रीकल उपकरणों के भाग
4. औद्योगिक सॉल्वेंट्स
5. सफाई जैसे ड्राई क्लीनिंग में उपयोग में लाए जाने वाले सॉल्वेंट्स
6. एरोसोल स्प्रे प्रोपेलेंट्स
7. फ्यूमिगेंट्स

क्लैरिटी कॉर्नर

ओजोन-क्षरण पदार्थ (ओडीएस)

1. क्लोरोफ्लोरोकार्बन (CFCs)
2. हाइड्रोक्लोरोफ्लोरोकार्बन (HCFCs)
3. हाइड्रोब्रोमोफ्लोरोकार्बन (HBFCs)
4. हैलोन
5. मिथाइल ब्रोमाइड
6. कार्बन टेट्राक्लोराइड
7. मिथाइल क्लोरोफॉर्म

ग्रीनहाउस गैसें (GHG)

1. कार्बन डाइऑक्साइड (CO_2)
2. मीथेन (CH_4)
3. नाइट्रस ऑक्साइड (N_2O)
4. क्लोरोफ्लोरोकार्बन-12 (CFC-12)
5. हाइड्रोफ्लोरोकार्बन (HFCs)
6. पेरफ्लोरोकार्बन (PFCs)
7. सल्फर हेक्साफ्लोराइड (SF_6)
8. नाइट्रोजन ट्राइफ्लोराइड (NF_3)
9. जल वाष्प

यूजीसी नेट में कई प्रश्न ओजोन-क्षरण पदार्थ (ODS) या ग्रीनहाउस गैसों (GHGs) के रूप में वर्गीकृत गैसों की पहचान पर केंद्रित होते हैं। इसलिए, ऊपर दी गयी सूचियों को याद रखना महत्वपूर्ण है। इसके अतिरिक्त, यहाँ कुछ गैसें हैं जो समान दिखती हैं और संभावित रूप से भ्रम पैदा कर सकती हैं-

- **क्लोरोफ्लोरोकार्बन (CFCs)**- ओजोन क्षरण पदार्थ (ODS) और ग्रीनहाउस गैस के अंतर्गत आती है।
- **हाइड्रोक्लोरोफ्लोरोकार्बन (HCFCs)**- ओजोन क्षरण पदार्थ के अंतर्गत आती है।
- **हाइड्रोफ्लोरोकार्बन (HFCs)**- ग्रीनहाउस गैस के अंतर्गत आती है।

आइए इन गैसों के बीच के अंतर को स्पष्ट करें-

- **नाइट्रस ऑक्साइड (N_2O)**- यह एक ग्रीनहाउस गैस (GHG) है। इसे हंसाने वाली गैस के रूप में भी जाना जाता है।
- **नाइट्रोजन ऑक्साइड**- यह एक प्राथमिक वायु प्रदूषक है। इसमें नाइट्रिक ऑक्साइड (NO) + नाइट्रोजन डाइऑक्साइड (NO_2) शामिल हैं।

वैश्विक तापवृद्धि बनाम वैश्विक शीतलन (Global Warming vs Global Cooling)

वैश्विक तापवृद्धि और वैश्विक शीतलन दो अलग-अलग जलवायु परिवर्तन हैं जो रेडिएटिव फोर्सेज के कारण होते हैं।

वैश्विक तापवृद्धि का तात्पर्य लंबे समय तक पृथ्वी के वायुमंडल में उष्मा के अधिक समय तक रूके रहने से है। इसे पॉजिटिव रेडिएटिव फोर्सिंग कहा जाता है। यह तब होता है जब कार्बन डाइऑक्साइड (CO_2), मीथेन (CH_4), और नाइट्रस ऑक्साइड (N_2O) जैसी ग्रीनहाउस गैसें वायुमंडल में गर्मी को रोके रखती हैं, जिससे यह अंतरिक्ष में नहीं जा पाती हैं। वैश्विक तापवृद्धि के प्रभाव गंभीर होते हैं, जिनमें तापमान में वृद्धि, हिमशिखरों का पिघलना, समुद्र के जलस्तर में वृद्धि, चरम मौसमी परिघटनाएं और पारिस्थितिक तंत्र और कृषि में व्यवधान शामिल हैं। वैश्विक तापवृद्धि के प्रमुख कारक निम्नवत हैं-

1. **सभी ग्रीनहाउस गैसें**
2. **क्षोभमंडलीय (ट्रोपोस्फेरिक) ओजोन** (जिसे खराब ओजोन भी कहा जाता है)
3. **ब्लैक कार्बन** (जिसे कालिख भी कहा जाता है)- यह कोयला, तेल, लकड़ी और अन्य ईंधनों के अधूरे दहन के उत्पाद के रूप में निकलने वाला बारीक काला या भूरा पाउडर है।

वैश्विक शीतलन पृथ्वी की सतह के औसत तापमान में कमी को संदर्भित करता है, जो नकारात्मक रेडिएटिव फोर्सिंग के कारण होता है। यह स्थिति तब उत्पन्न होती है जब पृथ्वी द्वारा अवशोषित की जाने वाली सौर ऊर्जा की तुलना में अंतरिक्ष में परावर्तित होने वाली सौर ऊर्जा की मात्रा अधिक होती है। नकारात्मक रेडिएटिव फोर्सिंग के प्रमुख कारकों में ज्वालामुखी विस्फोटों और औद्योगिक उत्सर्जन से उत्पन्न एरोसोल और कण पदार्थ शामिल हैं। वैश्विक शीतलन के प्रमुख कारक निम्नवत हैं-

1. **समताप मंडलीय (स्ट्रैटोस्फेरिक) ओजोन** (अच्छी ओजोन)
2. **एरोसोल**- एरोसोल वायुमंडल में निलंबित छोटे कण या बूंदें होती हैं। ये ठोस या तरल हो सकती हैं और ज्वालामुखी उद्गार जैसे प्राकृतिक स्रोतों, साथ ही औद्योगिक प्रक्रियाओं और वाहन उत्सर्जन जैसी मानव गतिविधियों से आती हैं, एरोसोल सूर्य के प्रकाश को पृथ्वी की सतह तक पहुंचने से पहले ही अंतरिक्ष में परावर्तित कर देते हैं, जिससे पृथ्वी द्वारा अवशोषित सौर विकिरण की मात्रा कम हो जाती है और इसका शीतलन प्रभाव होता है। (एरोसोल को पृष्ठ संख्या 557 पर कण पदार्थ (पीएम) के प्रकारों के तहत भी चर्चा की गयी है।)
   - **ज्वालामुखी विस्फोट/सल्फ्यूरिक एरोसोल H_2SO_4 (प्राकृतिक एरोसोल)**- ज्वालामुखी एरोसोल का एक महत्वपूर्ण प्राकृतिक स्रोत हैं। जब कोई ज्वालामुखी विस्फोट होता है, तो यह वायुमंडल में गैसों, राख और छोटे कणों का मिश्रण छोड़ता है। ये कण आमतौर पर सिलिका जैसे खनिजों और लोहे और मैग्नीशियम जैसी धातुओं से समृद्ध होते हैं। ज्वालामुखी विस्फोटों के दौरान सल्फर डाइऑक्साइड (SO_2) और अन्य सल्फर यौगिक भी वायुमंडल में मिलते हैं। इन गैसों से वायुमंडल में रासायनिक प्रतिक्रियाएं होती हैं, जिससे ऑक्सीकरण और संघनन प्रक्रियाओं के माध्यम से सल्फेट एरोसोल (जैसे सल्फ्यूरिक एसिड एरोसोल, H_2SO_4) का निर्माण होता है।

इनडोर वायु प्रदूषण (Indoor Air Pollution)

इनडोर वायु प्रदूषण का तात्पर्य इमारतों और संरचनाओं के भीतर और आसपास की हवा के प्रदूषित होने है, जो मुख्य रूप से इनडोर हवा की गुणवत्ता और निवासियों के स्वास्थ्य को प्रभावित करता है। यह विभिन्न स्रोतों से उत्पन्न हो सकता है, जिनमें घरेलू उत्पाद, निर्माण सामग्री, दहन प्रक्रियाएं और बाहरी प्रदूषक शामिल हैं जो इनडोर स्थानों में प्रवेश करते हैं। सामान्य इनडोर प्रदूषकों में निम्नलिखित शामिल हैं-

1. **वाष्पशील कार्बनिक यौगिक (वीओसी)**- ये पेंट, वार्निश, सफाई आपूर्ति और एयर फ्रेशनर में पाए जाते हैं।
2. **फॉर्मल्डिहाइड**- फर्नीचर, निर्माण सामग्री और घरेलू उत्पादों से उत्सर्जित होते हैं।
3. **कार्बन मोनोऑक्साइड (CO)**- यह गैस, तेल, कोयला और लकड़ी जैसे ईंधनों को जलाने से उत्पन्न होती है।
4. **नाइट्रोजन डाइऑक्साइड (NO_2)**- यह गैस स्टोव, हीटर और तंबाकू के धुएं से उत्सर्जित होती है।
5. **कण पदार्थ (पीएम)**- खाना पकाने, धूम्रपान करने और भट्टी या चूल्हे का उपयोग करने से उत्पन्न होते हैं।
6. **रेडॉन**- यह मिट्टी में यूरेनियम के क्षय से उत्पन्न होने वाली एक प्राकृतिक रेडियोधर्मी गैस है।
7. **एस्बेस्टस**- पुरानी निर्माण सामग्री जैसे इन्सुलेशन, फर्श टाइल्स और छत में पाया जाता है।
8. **सीसा**- यह पुराने पेंट, पाइप और धूल में मौजूद होता है।
9. **मोल्ड और फफूंदी**- नम और आर्द्र क्षेत्रों में उगती हैं।
10. **कीटनाशक**- कीट नियंत्रण के लिए उपयोग किए जाते हैं और ये हवा और सतहों पर बने रह सकते हैं।
11. **तंबाकू का धुआं**- इसमें कई हानिकारक रसायन और कण होते हैं।
12. **जैविक प्रदूषक**- इसमें धूल के कण, पालतू जानवरों की रूसी, बैक्टीरिया और वायरस शामिल हैं।

सिक बिल्डिंग सिंड्रोम (SBS)- कल्पना कीजिए कि आप किसी विशेष इमारत के अंदर होने पर अस्वस्थ महसूस करते हैं, जबकि बाहर आप ठीक महसूस करते हैं। यही सिक बिल्डिंग सिंड्रोम है। जब लोग किसी इमारत के अंदर कुछ समय के लिए होते हैं तो उन्हें सिरदर्द, चक्कर आना, थकान या आंख, नाक या गले में जलन जैसे लक्षण अनुभव होते हैं। ये लक्षण अलग-अलग व्यक्तियों में भिन्न-भिन्न हो सकते हैं और इमारत को छोड़ने के बाद वे बेहतर महसूस करते हैं।

वायु प्रदूषण से होने वाली बीमारियां (Diseases Caused by Air Pollution)

वायु प्रदूषण के कारण कई प्रकार की स्वास्थ्य संबंधी समस्याएं होती हैं, जिनमें साधारण जलन से लेकर गंभीर बीमारियां शामिल हैं। सबसे आम बीमारियां निम्नवत हैं-

1. **श्वसन और फेफड़ों की बीमारियां**
   - **अस्थमा संबंधी समस्याएं**- वायु प्रदूषक अस्थमा के दौरे को ट्रिगर कर सकते हैं और अस्थमा के लक्षणों को बढ़ा सकते हैं।
   - **क्रॉनिक ऑब्सट्रक्टिव पल्मोनरी डिजीज (सीओपीडी)**- प्रदूषित हवा के लंबे समय तक संपर्क में रहने से सीओपीडी हो सकता है, जिसमें क्रॉनिक ब्रोंकाइटिस और एम्फिसीमा शामिल हैं।
   - **फेफड़ों की कार्यक्षमता में कमी**- वायु प्रदूषण के संपर्क में आने से फेफड़ों की कार्यक्षमता कम हो सकती है, जिससे सांस लेना मुश्किल हो जाता है।
   - **पल्मोनरी कैंसर**- कुछ वायु प्रदूषक, जैसे औद्योगिक उत्सर्जन से, फेफड़ों के कैंसर का जोखिम बढ़ जाता है।
2. **जन्म और प्रतिरक्षा प्रणाली की खामियां**- वायु प्रदूषण जन्म दोषों का कारण बन सकता है और प्रतिरक्षा प्रणाली को कमजोर कर सकता है, जिससे व्यक्ति संक्रमण के प्रति अधिक कमजोर हो जाते हैं।

3. **हृदय संबंधी समस्याएं**- कण पदार्थ जैसे प्रदूषकों से हृदय रोग, उच्च रक्तचाप और अन्य हृदय संबंधी समस्याएं हो सकती हैं।
4. **न्यूरोबिहेवियरल विकार**- विषाक्त प्रदूषकों के संपर्क में आने से तंत्रिकातंत्र संबंधी समस्याएं और विकासात्मक दोष हो सकते हैं, जो संज्ञानात्मक कार्यों और व्यवहार को प्रभावित करते हैं।
5. **यकृत और अन्य प्रकार के कैंसर**- कैंसरकारी (कार्सिनोजेनिक) (कैंसर पैदा करने वाले) वाष्पशील रसायनों को सांस में लेने से यकृत कैंसर और अन्य प्रकार के कैंसर हो सकते हैं।
6. **समय से पहले मृत्यु**- उच्च स्तर के वायु प्रदूषण के लंबे समय तक संपर्क में रहने से गंभीर श्वसन और हृदय संबंधी बीमारियां हो सकती है, जिससे असमय मृत्यु भी हो सकती है।

वायु प्रदूषण से न केवल श्वसन संबंधी समस्याएं होती है या हवा दूषित होती है बल्कि कुछ प्रदूषकों से जुड़ी विशिष्ट बीमारियां भी हो सकती है (तालिका 26.7)-

1. **त्वचा कैंसर और घाव**- कुछ प्रकार के वायु प्रदूषण में आर्सेनिक, विषाक्त रसायन, पाया जाता है, जो त्वचा कैंसर और घाव होने के जोखिम को बढ़ा सकता है।
2. **मनुष्यों में मिनामाता रोग और मछलियों में ड्रॉप्सी**- उद्योगों द्वारा छोड़ा गया पारा जल निकायों में प्रवेश करता है, जहाँ यह मिथाइलमर्करी में बदल जाता है और मछलियों में जमा हो जाता है। जब मनुष्य दूषित मछली खाते हैं, तो इससे मिनामाता रोग हो सकता है, जो मस्तिष्क और मांसपेशियों को प्रभावित करने वाला एक गंभीर तंत्रिका विकार है। मछलियों में, पारा विषाक्तता ड्रॉप्सी का कारण बन सकती है, एक ऐसी स्थिति जिसमें द्रव प्रतिधारण, सूजन और अंग विफलता होती है।
3. **डिस्लेक्सिया (अपपठन)**- सीसा, हानिकारक प्रदूषक, डिस्लेक्सिया जैसी सीखने संबंधी विकारों से जुड़ा हुआ है। पुराने पेंट या औद्योगिक गतिविधियों से वायु प्रदूषण के माध्यम से सीसा के संपर्क में आने से मस्तिष्क के विकास पर प्रभाव पड़ सकता है और सीखने में कठिनाइ आ सकती है।
4. **इटाई-इटाई रोग**- यह दर्दनाक स्थिति कैडमियम के कारण होती है, जो कुछ वायु प्रदूषकों में पायी जाने वाली धातु है। कैडमियम के संपर्क में आने से हड्डियों और गुर्दों को गंभीर क्षति हो सकती है, जो इटाई-इटाई रोग के लक्षण है।
5. **ब्लू बेबी सिंड्रोम**- पीने के पानी में उच्च स्तर का नाइट्रेट, जो अक्सर कृषि अपवाह या सीवेज से आते हैं, रक्त की ऑक्सीजन ले जाने की क्षमता में हस्तक्षेप कर सकते हैं, जिससे ब्लू बेबी सिंड्रोग की स्थिति हो सकती है। यह विशेष रूप से शिशुओं के लिए खतरनाक होती है।
6. **न्यूमोकोनियोसिस**- यह फेफड़ों की बीमारी लंबे समय तक कोयले की धूल में सांस लेने से होती है। कोयला खनन जैसे उद्योगों में काम करने वाले लोगों और खनिकों के कोयले की धूल के संपर्क में आने के कारण यह जोखिम होता है।, इससे फेफड़ों में निशान और सूजन हो सकती है।
7. **एस्बेस्टोसिस**- एस्बेस्टस फाइबर, जो कुछ प्रकार के इन्सुलेशन और निर्माण सामग्री में पाए जाते हैं, इस फेफड़ों की बीमारी का कारण बन सकते हैं। एस्बेस्टस के संपर्क में आने से फेफड़ों के ऊतक में निशान पड़ सकते हैं, जिससे समय के साथ सांस लेना मुश्किल हो जाता है।
8. **मिजोथेलियोमा**- यह कैंसर है, जो एस्बेस्टस के संपर्क में आने से जुड़ा हुआ है, जो एक हानिकारक प्रदूषक है।
9. **सिलिकोसिस**- सिलिका धूल, जो खनन, विनिर्माण और सैंडब्लास्टिंग जैसे कार्यों में आमतौर पर पायी जाती है, सिलिकोसिस का कारण बन सकती है। सिलिका कणों को सांस में लेने से फेफड़ों में सूजन और निशान पड़ सकते हैं, जिससे सांस लेने में कठिनाई होती है।
10. **फेफड़ों का कैंसर**- रेडॉन, जो मिट्टी और चट्टानों में पायी जाने वाली एक प्राकृतिक रेडियोधर्मी गैस है। यह धूम्रपान नहीं करने वाले लोगों में फेफड़ों के कैंसर का मुख्य कारण होती है। रेडॉन घरों की नींव में दरारों के माध्यम से प्रवेश कर सकती है और विशेष रूप से कम हवादार स्थानों में अंदर जमा हो सकती है।
11. **ल्यूकेमिया**- यह एक प्रकार का रक्त कैंसर है जो अस्थि मज्जा और लसीका प्रणाली से जुड़ा होता है। बेंजीन वाष्पों के साँस में लेने से ल्यूकेमिया हो सकता है।

लर्निंग शॉर्टकट्स

वायु प्रदूषण से होने वाली बीमारियों को याद करने में परेशानी हो रही है? चिंता मत कीजिए! हमने सभी आवश्यक विवरणों को एक सुविधाजनक तालिका में संगठित किया है ताकि आप आसानी से मुख्य जानकारी को याद कर सकें। तालिका नीचे दी गयी हैं-

तालिका 26.7 विशिष्ट वायु जनित बीमारियाँ और उनके कारक प्रदूषक

बीमारियाँ	प्रमुख प्रदूषक
त्वचा कैंसर, घाव	आर्सेनिक
मनुष्यों में मिनामाता रोग, मछलियों में ड्रॉप्सी रोग	पारा
डिस्लेक्सिया	सीसा
इटाई-इटाई रोग	कैडमियम
ब्लू बेबी सिंड्रोम	नाइट्रेट
न्यूमोकोनियोसिस	कोयला धूल
एस्बेस्टोसिस	एस्बेस्टस
मिजोथेलियोमा	एस्बेस्टस
सिलिकोसिस	सिलिका
फेफड़ों का कैंसर	रेडॉन
ल्यूकेमिया	बेंजीन

क्या आप जानते थे? ब्लू बेबी सिंड्रोम एक स्थिति है जिसमें बच्चे की त्वचा नीली दिखती है। ऐसा इसलिए होता है क्योंकि बच्चे के खून में पर्याप्त ऑक्सीजन नहीं होती है।

वायु प्रदूषण से होने वाली बीमारियों को याद करने में परेशानी हो रही है? चिंता मत कीजिए! यहां एक त्वरित और आसान ट्रिक है जिससे आप इसे याद कर पाएंगें और पुन: स्मरण कर पाएंगें।

एडवेंचर स्टार्टर्स लेटर- आर्सेनिक → स्किन कैंसर, लीजन

ड्राइविंग लाइसेंस (DL)- डिस्लेक्सिया → लीड (सीसा)

इटालियन कैंडी- इटाई-इटाई रोग → कैडमियम

नितिन का ब्लू बेबी- नाइट्रेट → ब्लू बेबी सिंड्रोम

लॉजिकल रीजनिंग (LR)- लंग कैंसर (फेफड़ों का कैंसर) → रेडॉन

लूकिंग फॉर बेंचेज- ल्यूकेमिया → बेंजीन

वायु प्रदूषण को नियंत्रित करने के उपाय (Measures to Control Air Pollution)

1. **दहन**- इस विधि में प्रदूषकों को उच्च तापमान पर जलाना शामिल है। जब कार्बनिक गैसें या वाष्प जलाए जाते हैं, तो वे सरल, कम हानिकारक पदार्थों जैसे कार्बन डाइऑक्साइड (CO_2) और जल वाष्प (H_2O) में परिवर्तित हो जाते हैं। यह प्रक्रिया उद्योगों और बिजली संयंत्रों में हानिकारक गैसों जैसे वाष्पशील कार्बनिक यौगिकों (वीओसी) के उत्सर्जन को कम करने के लिए व्यापक रूप से उपयोग की जाती है, जो औद्योगिक प्रक्रियाओं और वाहनों के उत्सर्जन में आम हैं।
2. **अवशोषण**- अवशोषण में, गैसों को एक धारा से हटाकर उन्हें एक तरल में घोल दिया जाता है। इस तरल को अक्सर सॉल्वेंट कहा जाता है, जो प्रदूषकों को गुजरते समय पकड़ लेता है। अवशोषण का सबसे सामान्य अनुप्रयोग औद्योगिक चिमनियों में उपयोग किए जाने वाले स्क्रबर में होता है। उदाहरण के लिए, सल्फर डाइऑक्साइड (SO_2) और नाइट्रोजन ऑक्साइड (NO_x) अम्लीय गैसें हैं जिन्हें सोडियम हाइड्रॉक्साइड या कैल्शियम कार्बोनेट जैसे सॉल्यूशन द्वारा अवशोषित किया जा सकता है, जिससे औद्योगिक उत्सर्जन से होने वाले वायु प्रदूषण में काफी कमी आती है।
3. **अधिशोषण**- अधिशोषण में प्रदूषक ठोस पदार्थों की सतह पर चिपक जाते हैं, जैसे सक्रिय कार्बन। जब गैसें इन ठोस पदार्थों के तल से गुजरती हैं, तो प्रदूषक सतह पर अधिशोषित हो जाते हैं। सक्रिय कार्बन वाष्पशील कार्बनिक यौगिकों (वीओसी), पारा और अन्य खतरनाक गैसों को सोखने में अत्यधिक प्रभावी है। यह विधि हवा शुद्धिकरण, जल उपचार प्रणालियों और औद्योगिक प्रक्रियाओं में आमतौर पर उपयोग की जाती है जहां स्वच्छ हवा महत्वपूर्ण होती है।
4. **कपड़ा फिल्टर**- कपड़ा फिल्टर, जिन्हें बैगहाउस भी कहा जाता है, विशेष कपड़े के बैग का उपयोग करके गैस धाराओं से ठोस कणों को रोका जाता है। जब प्रदूषित गैसें इन बैगों से होकर गुजरती हैं, तो कपड़ा धूल, धुआं और कालिख जैसे कणों को रोक लेता है जो रेशों के बीच के स्थान से बड़े होते हैं। ये फिल्टर औद्योगिक प्रक्रियाओं और बिजली संयंत्रों से कण पदार्थों (पीएम) को वायुमण्डल में जाने से रोकने में बहुत कारगर होते हैं। समय-समय पर, फिल्टर को साफ या बदला जाता है ताकि वे अच्छी तरह से काम करते रहें।
5. **इलेक्ट्रोस्टैटिक प्रीसिपिटेटर्स**- इलेक्ट्रोस्टैटिक प्रीसिपिटेटर्स (ईएसपी) विद्युत बलों का उपयोग करके गैस धाराओं से कणों और एरोसोल को हटाते हैं। जब प्रदूषित गैसें ईएसपी से गुजरती हैं, तो कण नकारात्मक रूप से चार्ज हो जाते हैं और सकारात्मक रूप से चार्ज प्लेटों की ओर आकर्षित होते हैं। यह विधि राख, कालिख और धातु कणों जैसे सूक्ष्म कणों को पकड़ने में बहुत प्रभावी है जो उद्योगों और बिजली संयंत्रों में दहन प्रक्रियाओं से उत्पन्न होते हैं। ईएसपी वायु प्रदूषण और श्वसन संबंधी समस्याओं के कारक उत्सर्जकों को कम करने के लिए महत्वपूर्ण हैं।
6. **औद्योगिक उपाय**- उद्योग वायु प्रदूषण को कम करने के लिए कई रणनीतियों को लागू करते हैं। एक सामान्य विधि ऊंची चिमनियों को स्थापित करना है जो उत्सर्जन को वायुमंडल में अधिक ऊंचाई पर छोड़ते हैं। ये चिमनियां प्रदूषकों को एक बड़े क्षेत्र में फैलाती हैं और जमीन-स्तर की वायु की गुणवत्ता पर उनके तत्काल प्रभाव को कम करती हैं। इसके अतिरिक्त, औद्योगिक प्रतिष्ठान प्रदूषण नियंत्रण उपकरणों जैसे फिल्टर और स्क्रबर का उपयोग करते हैं। फिल्टर ठोस कणों जैसे धूल और कालिख को निकास गैसों से रोकते हैं, जबकि स्क्रबर तरल पदार्थों का उपयोग करके सल्फर डाइऑक्साइड (SO_2) और नाइट्रोजन ऑक्साइड (NO_x) जैसी हानिकारक गैसों को वायु में छोड़े जाने से पहले अवशोषित या निष्क्रिय कर देते हैं।
7. **घरेलू उपाय**- घरेलू स्तर पर, इनडोर वायु की गुणवत्ता में सुधार करने के लिए खाना पकाने और हीटिंग के लिए लकड़ी, कोयला, या गोबर को जलाने के बजाय स्वच्छ ईंधन जैसे बायोगैस, प्राकृतिक गैस या बिजली का उपयोग करना शामिल है। बेहतर वायु निकास प्रणाली और कुशल स्टोव भी इनडोर वायु प्रदूषण को कम करने में मदद करते हैं।
8. **परिवहन उपाय**- शहरी क्षेत्रों में, परिवहन वायु प्रदूषण का एक महत्वपूर्ण स्रोत है। वाहन उत्सर्जन को नियंत्रित करने के उपायों में सार्वजनिक परिवहन को बढ़ावा देना, कारपूलिंग और स्वच्छ ईंधन जैसे संपीड़ित प्राकृतिक गैस (सीएनजी) या बिजली पर चलने वाले वाहनों का उपयोग शामिल है। वाहनों का नियमित रखरखाव यह सुनिश्चित करता है कि वे कुशलता से काम करें, वातावरण में कम प्रदूषक उत्सर्जित करें।

वायु प्रदूषण को नियंत्रित करने के लिए सरकारी पहलें (Government Initiatives to Control Air Pollution)

1. **वायु (प्रदूषण निवारण और नियंत्रण) अधिनियम, 1981**- 1981 का वायु अधिनियम भारत में वायु प्रदूषण को रोकने और कम करने के लिए बनाया गया था। इसने केंद्रीय और राज्य प्रदूषण नियंत्रण बोर्डों की स्थापना की ताकि वायु की गुणवत्ता के नियमों को लागू किया जा सके, प्रदूषण स्तरों की निगरानी की जा सके और प्रदूषकों के खिलाफ कार्रवाई की जा सके। ये बोर्ड देश भर में वायु की गुणवत्ता में सुधार के लिए काम करते हैं।
2. **वायु गुणवत्ता और मौसम पूर्वानुमान प्रणाली (सफर)**- सफर भारत के पृथ्वी विज्ञान मंत्रालय की एक परियोजना है। यह प्रमुख शहरों के लिए वायु की गुणवत्ता और मौसम पूर्वानुमान पर वास्तविक समय के अपडेट प्रदान करता है। पुणे में भारतीय उष्णकटिबंधीय मौसम विज्ञान संस्थान द्वारा विकसित, सफर लोगों को वायु की गुणवत्ता को प्रभावित करने वाली मौसम स्थितियों के बारे में भी सचेत करता है, जिससे उन्हें सूचित और सुरक्षित रहने में मदद मिलती है।
3. **राष्ट्रीय इलेक्ट्रिक मोबिलिटी मिशन योजना (एनईएमएमपी)**- एनईएमएमपी, 2020 भारत में इलेक्ट्रिक और हाइब्रिड वाहनों के उपयोग को प्रोत्साहित करता है। इसका उद्देश्य जीवाश्म ईंधनों पर निर्भरता को कम करना, उत्सर्जन को कम करना और सतत परिवहन को बढ़ावा देना है। मिशन में इलेक्ट्रिक वाहनों की खरीद के लिए प्रोत्साहन, अधिक चार्जिंग स्टेशनों का निर्माण और इलेक्ट्रिक वाहनों के स्थानीय उत्पादन का समर्थन शामिल है। यह पहल वायु गुणवत्ता में सुधार करने और देश के लिए ऊर्जा सुरक्षा सुनिश्चित करने में मदद करती है।
4. **भारत स्टेज उत्सर्जन मानक (बीएसईएस)**- बीएसईएस वाहन उत्सर्जन को नियंत्रित करने के लिए भारतीय सरकार द्वारा निर्धारित नियम हैं। ये

मानक, यूरोपीय मानदंडों के समान, समय के साथ सख्त नियम लागू करके वाहनों से प्रदूषण को कम करने का लक्ष्य रखते हैं। भारत स्टेज VI, जिसे 2020 में पेश किया गया था, नवीनतम मानक है, जिसमें बेहतर वाहन प्रौद्योगिकी और स्वच्छ ईंधनों की आवश्यकता होती है ताकि कार्बन मोनोऑक्साइड, नाइट्रोजन ऑक्साइड और पार्टिकुलेट मैटर जैसे प्रदूषकों को कम किया जा सके।

5. **राष्ट्रीय वायु गुणवत्ता निगरानी कार्यक्रम (एनएएमपी)**- केंद्रीय प्रदूषण नियंत्रण बोर्ड (सीपीसीबी) द्वारा प्रबंधित, एनएएमपी देशव्यापी वायु गुणवत्ता की निगरानी करता है। यह वायु गुणवत्ता की जानकारी को सरल बनाने के लिए राष्ट्रीय वायु गुणवत्ता सूचकांक (एनएक्यूआई) का उपयोग करता है। एक्यूआई वायु गुणवत्ता को छह स्तरों में वर्गीकृत करता है। (एक्यूआई पर नीचे दिये गये संकल्पना कैप्सूल में विस्तार से चर्चा की गयी है।)

6. **राष्ट्रीय परिवेशी वायु गुणवत्ता मानक (NAAQS)**- NAAQS को केंद्रीय प्रदूषण नियंत्रण बोर्ड द्वारा भारत के पर्यावरण, वन और जलवायु परिवर्तन मंत्रालय के तहत स्थापित किया गया था। ये मानक लगभग 12 प्रदूषकों के लिए सीमाएं निर्धारित करते हैं, जिनमें वायु गुणवत्ता सूचकांक (नीचे संकल्पना कैप्सूल में उल्लिखित) द्वारा निगरानी किए जाने वाले सभी आठ प्रदूषक शामिल हैं, साथ ही आर्सेनिक, निकल, बेंजीन और बेंजो-पाइरीन भी शामिल हैं, जो अपने विषाक्त और कैंसरकारी प्रभावों के लिए जाने जाते हैं।

एनएएक्यूएस पीएम 2.5 पर विशेष जोर देता है क्योंकि यह गंभीर स्वास्थ्य जोखिम पैदा करता है। ये सूक्ष्म कण फेफड़ों में गहरे प्रवेश कर सकते हैं और रक्तप्रवाह में प्रविष्ट हो सकते हैं, जिससे हृदय और श्वसन संबंधी बीमारियां हो सकती हैं। यह ध्यान रखना महत्वपूर्ण है कि कार्बन डाइऑक्साइड (CO_2) को एनएएक्यूएस या एक्यूआई में शामिल नहीं किया गया है, क्योंकि ये वायु प्रदूषकों पर ध्यान केंद्रित करते हैं, जो सीधे मानव स्वास्थ्य और वायु गुणवत्ता को प्रभावित करते हैं, जबकि CO_2 एक ग्रीनहाउस गैस है जो मुख्य रूप से जलवायु परिवर्तन से जुड़ी है।

कॉन्सेप्ट कैप्सूल

वायु गुणवत्ता सूचकांक (Air Quality Index)

वायु गुणवत्ता सूचकांक (एक्यूआई) का उपयोग जनता को सरल और समझने योग्य तरीके से वायु की गुणवत्ता को संप्रेषित करने के लिए किया जाता है। दूसरे शब्दों में, एक्यूआई एक माप है जिसका उपयोग यह बताने के लिए किया जाता है कि किसी विशेष क्षेत्र में किसी दिए गए समय पर वायु कितनी स्वच्छ या प्रदूषित है। यह एक पैमाने की तरह है जो 0 से 500 या उससे भी अधिक तक जाता है, जहां कम संख्या का मतलब स्वच्छ वायु और उच्च संख्या का मतलब अधिक प्रदूषित वायु है।

एक्यूआई कई प्रमुख वायु प्रदूषकों जैसे पार्टिकुलेट मैटर (धूल, धुआं), ओजोन, कार्बन मोनोऑक्साइड, सल्फर डाइऑक्साइड और नाइट्रोजन डाइऑक्साइड को ध्यान में रखता है और वायु गुणवत्ता का वर्णन करने के लिए एक समग्र संख्या या श्रेणी प्रदान करता है। उदाहरण के लिए, यदि एक्यूआई कम है (0-50), तो वायु गुणवत्ता अच्छी है और बाहर रहना सुरक्षित है। लेकिन अगर एक्यूआई अधिक है (150 या अधिक), तो विशेष रूप से अस्थमा, हृदय रोग या अन्य श्वसन समस्याओं वाले लोगों के लिए वायु प्रदूषित है। यह वायु गुणवत्ता को छह रंग-कोडित स्तरों में वर्गीकृत करता है (तालिका 26.8), जो प्रदूषण स्तरों के स्वास्थ्य प्रभाव को इंगित करता है। एक्यूआई आठ प्रदूषकों की सांद्रता के आधार पर गणना की जाती है, जो निम्नवत हैं-

1. पीएम 10
2. पीएम 2.5
3. ओजोन (O_3)
4. सल्फर डाइऑक्साइड (SO_2)
5. नाइट्रोजन डाइऑक्साइड (NO_2)
6. कार्बन मोनोऑक्साइड (CO)
7. सीसा (Pb)
8. अमोनिया (NH_3)

तालिका 26.8 वायु गुणवत्ता की गुणवत्ता एक्यूआई के अनुसार

एक्यूआई रेंज	रंग कोड	विवरण
0-50	हरा	अच्छा
51-100	पीला	संतोषजनक
101-200	नारंगी	मध्यम रूप से प्रदूषित
201-300	लाल	खराब
301-400	बैंगनी	बहुत खराब
401-500	मरून	गंभीर

क्विज स्टेशन *विगत UGC NET परीक्षाओं के प्रश्न*

प्र.1. नीचे दो कथन दिए गए हैं- **[2 मार्च 2023 शिफ्ट 2]**

कथन I- वायु गुणवत्ता सूचकांक (एक्यूआई) का उपयोग किसी दिए गए दिन की वायु गुणवत्ता का समग्र मूल्यांकन जनता को सूचित करने के लिए किया जाता है।

कथन II- वायु गुणवत्ता सूचकांक किसी भी दो मानदंड प्रदूषकों के वायु गुणवत्ता डेटा को एक एकल संख्या में एकीकृत करता है जो शहरी क्षेत्र की वायु गुणवत्ता का प्रतिनिधित्व करता है।

उपरोक्त कथनों के प्रकाश में, नीचे दिए गए विकल्पों में से सबसे उपयुक्त उत्तर चुनें-

(a) कथन I और कथन II दोनों सही हैं।
(b) कथन I और कथन II दोनों गलत हैं।
(c) कथन I सही है लेकिन कथन II गलत है।
(d) कथन I गलत है लेकिन कथन II सही है।

उत्तर 1. (c)

★★★ परीक्षोपयोगी

26.2 जल प्रदूषण (Water Pollution)

जल एक महत्वपूर्ण संसाधन है, जो जीवन के लिए आवश्यक है और जीवित कोशिकाओं के वजन का 60–95 प्रतिशत हिस्सा जल होता है। पृथ्वी को 'जल ग्रह' के रूप में जाना जाता है, इसके बावजूद इसका 99 प्रतिशत जल मानवों और कई अन्य जीवन रूपों द्वारा उपयोग किये जाने योग्य नहीं है। पृथ्वी के जल का केवल 1.2 प्रतिशत ताजा है, जिसमें से अधिकांश हिमशिखरों और ग्लेशियरों में बंद है। जैसे-जैसे जल की मांग बढ़ती है, प्रदूषण के कारण स्वच्छ, पीने योग्य जल की आपूर्ति घटती जाती है। जल प्रदूषण, जल निकायों में हानिकारक पदार्थों की उपस्थिति, जल को उपभोग के लिए अनुपयुक्त बना देती है और यह पीने के पानी, झीलों, नदियों और महासागरों को वैश्विक स्तर पर प्रभावित करती है। इस महत्वपूर्ण मुद्दे पर इस मूल्यवान संसाधन की सुरक्षा के लिए तत्काल ध्यान देने की आवश्यकता है।

इस विषय को सरल बनाने वाले वीडियो व्याख्यान को देखने के लिए इस QR कोड को स्कैन करें

जल गुणवत्ता मापदंड (Water Quality Parameters)

जल गुणवत्ता मापदंड हमें यह समझने में मदद करते हैं कि पीने और अन्य उपयोगों के लिए जल कितना स्वच्छ और सुरक्षित है। मुख्य रूप से तीन प्रकार के मापदंड होते हैं- भौतिक, रासायनिक और जैविक। तालिका 26.9 में प्रमुख जल गुणवत्ता मापदंड और उनकी वांछनीय सीमाएं दी गयी हैं।

भौतिक गुण (Physical Qualities)

1. **विद्युत चालकता (ईसी)**- यह मापता है कि जल कितना विद्युत का सुचालक है। स्वच्छ पीने का पानी बिजली का सुचालक नहीं होना चाहिए।
2. **लवणता**- यह हमें बताता है कि जल में कितना नमक है।
3. **कुल घुलित ठोस (टीडीएस)**- कुल घुलित ठोस (टीडीएस) का तात्पर्य जल में घुले हुए विभिन्न पदार्थों से है, जिसमें खनिज, लवण और कुछ जैविक सामग्री शामिल हैं। ये पदार्थ जल के स्वाद और उसकी समग्र गुणवत्ता को प्रभावित करते हैं-
   - **कम टीडीएस**- कम टीडीएस (300 मिलीग्राम/लीटर से कम) वाला जल साधारण या नीरस स्वाद का हो सकता है।
   - **मध्यम टीडीएस**- 300 और 600 मिलीग्राम/लीटर के बीच का टीडीएस स्तर जल के स्वाद को सुधार सकता है, जो इसे पीने में अधिक आनंददायक बनाता है।
   - **अधिक टीडीएस**- जब टीडीएस का स्तर 1000 मिलीग्राम/लीटर से अधिक हो जाता है, तो जल का स्वाद कड़वा, नमकीन या धात्विक हो सकता है, जो इसे पीने के लिए अनुपयुक्त बना सकता है।
4. **मटमैला**- यह बताता है कि जल कितना साफ या धुंधला है। धुंधले जल में छोटे कण या ठोस तैरते रहते हैं।
5. **तापमान**- यह मापता है कि जल कितना गर्म या ठंडा है।
6. **रंग**- स्वच्छ जल स्पष्ट होना चाहिए। यदि जल नीला या हरा है, तो इसमें सूक्ष्मजीव या कण हो सकते हैं।
7. **स्वाद और गंध**- यदि जल का स्वाद बदलता है, तो अक्सर इसकी गंध भी अलग होती है।

जैविक मापदंड (Biological Parameters)

1. **जैविक जल गुणवत्ता**- यह जल में हानिकारक सूक्ष्मजीवों जैसे बैक्टीरिया और वायरस की उपस्थिति की जांच करता है, जो जल को पीने या उसमें तैरने के लिए असुरक्षित बना सकता हैं।

रासायनिक मापदंड (Chemical Parameters)

1. **घुलित ऑक्सीजन (डीओ)**- यह जांचता है कि जल में कितना ऑक्सीजन है, जो मछलियों और अन्य जलीय जीवन के लिए महत्वपूर्ण है।
2. **पीएच स्तर**- यह हाइड्रोजन आयनों को मापकर हमें बताता है कि जल कितना अम्लीय या क्षारीय है। अधिक हाइड्रोजन आयन का मतलब है कि जल अधिक अम्लीय है। कुछ सामान्य जल निकायों/रूपों के पीएच स्तर नीचे दिए गए हैं-
   - **सामान्य जल**- 7
   - **नदी का जल**- 5–9
   - **अम्लीय जल**- < 5
   - **महासागर का जल**- > 7
3. **जल कठोरता**- इसका संदर्भ जल में खनिजों की मात्रा से है। जल कठोरता कैल्शियम और मैग्नीशियम के क्लोराइड, सल्फेट और बाइकार्बोनेट की उपस्थिति के कारण होती है। दूसरी ओर, मुलायम जल में आयनों या खनिजों की बहुत कम सांद्रता होती है। उदाहरणों में वर्षा जल और आसुत जल शामिल हैं। तालिका 26.10 अस्थायी और स्थायी जल कठोरता के बीच के अंतर को उजागर करती है।

तालिका 26.9 जल गुणवत्ता पैरामीटर और उनकी वांछित सीमाएँ

क्रमांक	जल गुणवत्ता पैरामीटर	इकाई	वांछनीय सीमा
1	पीएच	–	6.5–8.5
2	घुलित ऑक्सीजन (डीओ)	मिलीग्राम प्रति लीटर	5
3	तापमान	सेल्सियस	10–22.22
4	फॉस्फेट	मिलीग्राम प्रति लीटर	0.1
5	नाइट्रेट	मिलीग्राम प्रति लीटर	45
6	गंदलापन	नेफेलोमेट्रिक गंदलापन इकाइयाँ (एनटीयू)	5
7	कुल घुलित ठोस (टीडीएस)	पार्ट्स पर मिलियन (पीपीएम)	500

तालिका 26.10 अस्थायी बनाम स्थायी कठोरता

कठोरता का प्रकार	कारण	हटाने की विधि
अस्थायी कठोरता	कैल्शियम और मैग्नीशियम के बाइकार्बोनेट	उबालकर हटाने योग्य
स्थायी कठोरता	कैल्शियम और मैग्नीशियम क्लोराइड, सल्फेट और नाइट्रेट	उबालने से नहीं हटते हैं; इसको वॉशिंग सोडा से उपचारित किया जाता है।

क्विज स्टेशन *विगत UGC NET परीक्षाओं के प्रश्न*

प्र.1. जल में उपस्थित अस्थायी कठोरता को और किस नाम से जाना जाता है? *(2 सितंबर 2024 – शिफ्ट 2)*

(a) सल्फेट कठोरता

(b) नाइट्रेट कठोरता

(c) क्लोराइड कठोरता

(d) कार्बोनेट कठोरता

प्र.2. जल की गुणवत्ता को मापने के लिए निम्नलिखित में से कौन सा एक रासायनिक पैरामीटर है? *(3 सितंबर, 2024 – शिफ्ट 2)*

(a) मैलापन

(b) तापमान

(c) कठोरता

(d) रंग

उत्तर 1. (d) 2. (c)

जल प्रदूषण के प्रकार (Types of Water Pollution)

जल प्रदूषण को स्रोत और प्रदूषित होने के तरीकों के आधार पर विभिन्न प्रकारों में वर्गीकृत किया जा सकता है।

1. **बिंदु स्रोत प्रदूषण (point source pollution)**– कल्पना कीजिए कि एक फैक्ट्री से एक पाइप सीधे नदी में गंदा जल छोड़ता है। बिंदु स्रोत प्रदूषण विशिष्ट, पहचानने योग्य स्रोतों जैसे फैक्ट्रियों, सीवेज उपचार संयंत्रों, या पाइपों से आता है जो सीधे जल निकायों में प्रदूषक छोड़ते हैं। इसे शबिंदु स्रोतश कहा जाता है क्योंकि आप ठीक से बता सकते हैं कि प्रदूषण कहां से आ रहा है। इस प्रकार के प्रदूषण की निगरानी और नियंत्रण करना आसान होता है क्योंकि हमें ठीक से पता होता है कि यह कहां से आ रहा है। इसके प्रमुख योगदानकर्ता निम्नवत हैं–
   - **औद्योगिक अपशिष्ट जल**– उद्योग, बड़े और छोटे दोनों, कार्बनिक और अकार्बनिक प्रदूषकों के मिश्रण वाले अपशिष्ट जल को छोड़ते हैं। यह भारत में नदी प्रदूषण का एक महत्वपूर्ण कारण है।
   - **गर्म जल**– बड़े पावर प्लांट या तेल रिफाइनरी पर विचार कीजिए। ये स्थान अपनी मशीनों को ठंडा करने के लिए बहुत सारा जल उपयोग करते हैं। जब वे इस जल का उपयोग ठंडा करने के लिए करते हैं, तो वे इसे वापस नदियों या झीलों में छोड़ देते हैं, लेकिन यह पहले से कहीं अधिक गर्म होता है। यह गर्म जल, कभी-कभी 15 डिग्री सेल्सियस तक गर्म, जल के प्राकृतिक संतुलन को बदल सकता है। इससे जल में ऑक्सीजन को बनाए रखना कठिन होता है, जो मछलियों और अन्य जानवरों को जीवित रहने के लिए चाहिए।
2. **गैर-बिंदु स्रोत प्रदूषण (Non-point Source Pollution)**– कल्पना कीजिए कि किसी शहर में बारिश होती है और जल सड़कों पर बहता है, रास्ते में तेल, कचरा और रसायन उसमें मिल जाता है। गैर-बिंदु स्रोत प्रदूषण ऐसा ही होता है– इसमें प्रदूषक कई अलग-अलग स्रोतों से आते हैं और इसे एक विशिष्ट स्रोत से जोड़ना कठिन होता है। इस प्रकार का प्रदूषण तब होता है जब बारिश या बर्फ पिघलने से विभिन्न स्रोतों जैसे कृषि (उर्वरक और कीटनाशक), शहरी क्षेत्रों (सड़कों से तेल, कचरा और रसायन), और विनिर्माण स्थलों (तलछट) से प्रदूषक नदियों, झीलों और महासागरों में बहकर आते हैं। इसके प्रमुख स्रोत निम्नवत हैं–
   - **नगरीय अपशिष्ट जल**– कल्पना कीजिए कि हम घर पर बर्तन धोने, स्नान करने और शौचालय फ्लश करने के लिए जिस जल का उपयोग करते हैं। जब हम इसका उपयोग कर लेते हैं, तो वह जल साबुन, खाद्य स्क्रैप और अन्य चीजों से गंदा हो जाता है। इस गंदे जल को नगरीय अपशिष्ट जल कहा जाता है। भारत जैसे स्थानों में, जहां कई लोग शहरों में एक साथ रहते हैं, यह सारा अपशिष्ट जल नदियों में प्रवाहित होता है। यदि नदियों में जाने से पहले इसे ठीक से उपचारित नहीं किया जाता है, तो यह नदी के जल को बहुत गंदा बना सकता है और यह पौधों, जानवरों या लोगों के लिए असुरक्षित हो सकता है।
   - **सतही बहाव**– जब किसान फसलें उगाते हैं, तो वे अक्सर अपनी फसलों की अच्छी पैदावार के लिये उर्वरकों और कीटनाशकों का उपयोग करते हैं। लेकिन जब बारिश होती है, तो ये रसायन खेतों से बहकर पास की नदियों या झीलों में जा सकते हैं। इसे सतही बहाव कहा जाता है। यदि पास में फैक्ट्रियां हैं, तो वे जल में और अधिक रसायन जोड़ सकती हैं। इससे जल पीने या खेती के लिए सुरक्षित नहीं रह जाता है और यह जल में रहने वाली मछलियों और अन्य जानवरों को नुकसान पहुंचा सकता है।
   - **तेल रिसाव**– कभी-कभी, तेल का परिवहन करने वाले बड़े जहाजों से दुर्घटनावश महासागर में तेल रिसाव हो सकता है। इसे तेल रिसाव कहा जाता है। तेल रिसकर जल की सतह पर फैल जाता है, जिससे ऑक्सीजन जल में घुल नहीं पाती है। तेल रिसाव महासागर के लिए बहुत बुरा होता है क्योंकि तेल जल की सतह पर फैलता है, जिससे मछलियों, डॉल्फिन और पक्षियों जैसे समुद्री जंतुओं के लिए सांस लेना और भोजन खोजना मुश्किल हो जाता है। यह उनके पंखों या स्केल्स से चिपक सकता है और उन्हें बीमार कर सकता है। तेल से ढके पक्षी हाइपोथर्मिया से पीड़ित हो जाते हैं, क्योंकि तेल उनकी प्राकृतिक इन्सुलेशन को बाधित करता है और उन्हें जीवित रहने में गंभीर चुनौतियों का सामना करना पड़ता है। तेल रिसाव को साफ करना कठिन होता है और इसमें अधिक समय लगता है और इसको साफ करने के बाद भी, यह लंबे समय तक महासागर को नुकसान पहुंचा सकता है।

कॉन्सेप्ट कैप्सूल

बायोअक्यूम्यूलेशन और बायोमैग्निफिकेशन (Bioaccumulation and Biomagnification)

बायोअक्यूम्यूलेशन- यह उस प्रक्रिया को संदर्भित करता है जहां हानिकारक पदार्थ समय के साथ किसी जीव के शरीर में जमा हो जाते हैं। ये पदार्थ जीव में इतनी तेजी से प्रवेश करते हैं कि उन्हें समाप्त नहीं किया जा सकता। परिणामस्वरूप, इनका संकेंद्रण जीव के ऊतकों में बढ़ जाता है। यह किसी जीव के भीतर जमा होता है।

मान लीजिए कोई झील पारे से दूषित है। झील में छोटी मछलियाँ जब भोजन करती हैं और बढ़ती हैं तो जल और तलछट से पारा अवशोषित कर लेती हैं। यह पारा उनके शरीर में इतनी तेजी से प्रवेश करता है कि उसे समाप्त नहीं किया जा सकता। समय के साथ, इन छोटी मछलियों में पारे का संकेंद्रण बढ़ जाता है, भले ही प्रत्येक मछली में विषाक्तता के तात्कालिक संकेत न दिखें। इन मछलियों के ऊतकों में पारे का यह धीरे-धीरे निर्माण बायोअक्यूम्यूलेशन का एक उदाहरण है।

बायोमैग्निफिकेशन- यह वह प्रक्रिया है जिसके द्वारा हानिकारक रसायन, जैसे कि कीटनाशक या भारी धातुएं, खाद्य श्रृंखला में ऊपर की ओर बढ़ने पर जानवरों के शरीर में अधिक संकेंद्रित हो जाते हैं

किसी छोटी मछली की कल्पना कीजिए जो किसी प्रदूषित झील में रहती है। झील के जल में पारे जैसे हानिकारक रसायन होते हैं। जब मछली जल में तैरती है, तो यह अपने शरीर में थोड़ी मात्रा में पारा अवशोषित कर लेती है। अब, यह मछली झील में छोटे पौधों और जानवरों को खाती है, जिनमें भी थोड़ी मात्रा में पारा होता है। जैसे-जैसे मछली अपना खाना खाती है और बढ़ती है, समय के साथ उसमें अधिक से अधिक पारा जमा हो जाता है क्योंकि यह इसे बहुत जल्दी से समाप्त नहीं कर सकती।

अब, कोई बड़ी मछली आती है और उस छोटी मछली को खा जाती है। चूंकि बड़ी मछली अपने जीवनकाल में कई छोटी-छोटी मछलियों को खाती है, यह अपने शरीर में और भी अधिक पारा जमा करती है। यह प्रक्रिया इस खाद्य श्रृंखला में जारी रहती है-

बड़ी मछलियाँ छोटी मछलियों को खाती हैं और पारे जैसे विषाक्त रसायन बड़ी मछलियों के शरीर में बड़ी मात्रा में जमा हो जाते हैं।

अंततः, जब मनुष्य इन बड़ी मछलियों (जैसे टूना या स्वोर्डफिश) को प्रदूषित झीलों या महासागरों से खाते हैं, तो वे भी उच्च स्तर के पारे का सेवन कर लेते हैं। खाद्य श्रृंखला के माध्यम से विषाक्त पदार्थों का यह बायोमैग्निफिकेशन वन्यजीवों और मनुष्यों दोनों के लिए स्वास्थ्य जोखिम पैदा कर सकता है।

बायोएक्यूम्यूलेशन और बायोमैग्निफिकेशन के बीच अंतर- बायोएक्यूम्यूलेशन किसी एक जीव के भीतर होता है क्योंकि समय के साथ उसके ऊतकों में विषाक्त पदार्थ जमा हो जाते हैं, जबकि बायोमैग्निफिकेशन दूषित शिकार के क्रमिक उपभोग के कारण खाद्य श्रृंखला के उच्च स्तर पर विषाक्त पदार्थों की सांद्रता में वृद्धि होती है। बायोएक्यूम्यूलेशन को स्टेप 1 के रूप में देखा जा सकता है जिसका अगला स्टेप बायोमैग्निफिकेशन है।

क्विज स्टेशन *विगत UGC NET परीक्षाओं के प्रश्न*

प्र.1. दूषित जल निकाय के कारण बायोमैग्निफिकेशन का सही क्रम क्या है? [मार्च 2023]

A. मनुष्य

B. जोप्लांकटन

C. बैक्टीरिया

D. मछली

नीचे दिए गए विकल्पों में से सही उत्तर चुनें-

(a) A, C, D, B (b) C, B, D, A

(c) A, D, B, C (d) B, C, D, A

उत्तर 1. (b)

विषाक्तता से संबंधित महत्वपूर्ण शब्द-

1. **विषाक्तता (Toxicity)**- विषाक्तता का तात्पर्य किसी रासायनिक पदार्थ के किसी जीव के लिए हानिकारक होने की मात्रा से है।
2. **विषाक्त-गतिकी (Toxicodynamics)**- विषाक्त-गतिकी तात्पर्य रसायनों का शरीर के साथ परस्पर व्यवहार के प्रकार से है। यह व्यवहार सांस लेने, खाने या पीने, या त्वचा के माध्यम से अवशोषित होने के माध्यम से हो सकता है।
3. **टोक्सीकोकाईनेटिक्स (Toxicokinetics)**- यह इस बात का अध्ययन है कि शरीर रसायनों को कैसे संभालता है। इसमें देखा जाता है कि रसायन कैसे अवशोषित होते हैं, पूरे शरीर में फैलते हैं, टूटते हैं और शरीर से हटा दिए जाते हैं।
4. **तीव्र विषाक्तता (Acute Toxicity)**- तीव्र विषाक्तता तब होती है जब कोई व्यक्ति थोड़े समय में बड़ी मात्रा में विष के संपर्क में आता है। प्रभाव जल्दी दिखाई देते हैं और अक्सर प्रतिवर्ती होते हैं। उदाहरण के लिए, बहुत अधिक शराब पीने से हैंगओवर हो सकता है।
5. **दीर्घकालिक विषाक्तता (Chronic Toxicity)**- दीर्घकालिक विषाक्तता तब होती है जब कोई व्यक्ति लंबे समय तक थोड़ी मात्रा में विष के संपर्क में आता है। इसका प्रभाव दिखने में अधिक समय लगता है और आमतौर पर स्थायी प्रभाव होता है। उदाहरण के लिए, कई वर्षों तक सिगरेट पीने से फेफड़ों का कैंसर हो सकता है।
6. **अंगों पर विषाक्तता (Toxicity on Organs)**
   - **नेफ्रोटॉक्सिक**- गुर्दे के लिए हानिकारक होता है।
   - **हेमाटोटॉक्सिक**- रक्त के लिए हानिकारक होता है।
   - **पल्मोनोटॉक्सिक**- फेफड़ों के लिए हानिकारक होता है।
   - **हेपेटोटॉक्सिक**- यकृत के लिए हानिकारक होता है।

रसायनों द्वारा जल प्रदूषण (Water Pollution by Chemicals)

स्थायी जैविक प्रदूषक (पीओपी)- ये रसायनों के सुपरहीरो की तरह होते हैं-ये पर्यावरण में बहुत लंबे समय तक बने रहते हैं। ये सिंथेटिक रसायन कार्बन और क्लोरीन या ब्रोमीन जैसे अन्य तत्वों से बने होते हैं और इनका उपयोग कीटनाशकों और औद्योगिक प्रक्रियाओं में किया जाता है। इनकी जटिलता इनका स्थायित्व है, ये आसानी से टूटते नहीं हैं, इसलिए ये मिट्टी, जल और यहां तक कि जानवरों के शरीर में भी बने रहते हैं। यद्यपि 1970 के दशक के अंत और 1980 के दशक की शुरुआत से ये कई देशों में प्रतिबंधित हैं, पीसीबी अभी भी हमारे पर्यावरण, विशेष रूप से हमारे जल निकायों में मौजूद हैं। पीसीबी के बारे में याद रखने योग्य कुछ मुख्य बिंदु निम्नलिखित हैं-

- औद्योगिक और वाणिज्यिक अनुप्रयोगों में उपयोग किए जाने वाले मानव निर्मित रसायन।
- गैर-ज्वलनशील और अच्छे विद्युत इन्सुलेटर के रूप में जाने जाते हैं।
- पीसीबी स्पष्ट से पीले रंग के, या तो तैलीय तरल या ठोस रूप में हो सकते हैं।
- इनमें कोई गंध या स्वाद नहीं होता है।
- पीसीबी विषैले प्रदूषक हैं जो पर्यावरण में बने रहते हैं।
- ये जीवों के ऊतकों में जमा हो जाते हैं।
- पीसीबी के संपर्क में आने से कैंसर, प्रतिरक्षा प्रणाली की समस्याएं और हार्मोनल विकार हो सकते हैं।
- यद्यपि कई देशों ने 1970 के दशक के अंत और 1980 के दशक की शुरुआत में पीसीबी पर प्रतिबंध लगा दिया था, फिर भी ये पर्यावरण को प्रदूषित करते हैं।
- एक प्रमुख चिंता का विषय जल निकायों में इनका प्रदूषण है।

पीओपी को तीन भागों में वर्गीकृत किया जा सकता है-

1. **स्थायी**- ये रसायन पर्यावरण में लंबे समय तक बिना टूटे रह सकते हैं।
2. **जैविक**- ये रसायन कार्बन-आधारित होते हैं और इनमें क्लोरीन, फ्लोरीन या ब्रोमीन जैसे तत्व शामिल हो सकते हैं। ये कृषि और औद्योगिक गतिविधियों के कारण कीटनाशकों, शाकनाशियों और औद्योगिक कचरे में पाए जाते हैं।
3. **प्रदूषक**- ये रसायन तंत्रिका तंत्र और प्रतिरक्षा प्रणाली को नुकसान पहुंचा सकते हैं और कैंसर का कारण बन सकते हैं। ये खाद्य श्रृंखला में जमा हो जाते हैं और ट्रॉफिक (पोषी) स्तरों के ऊपर जाते ही अधिक केंद्रित हो जाते हैं। यह उन्हें शीर्ष शिकारी, जिसमें मनुष्य भी शामिल हैं, के लिए विशेष रूप से खतरनाक बनाता है, क्योंकि वे वसायुक्त ऊतकों में जमा हो जाते हैं।

पीओपी के प्रकार (Types of POPs)

1. **इरातदन उत्पादित पीओपी**- ये रसायन विशिष्ट उद्देश्यों के लिए जानबूझकर बनाए जाते हैं।
   - **औद्योगिक रसायन**- ये रसायन विभिन्न उद्देश्यों के लिए उद्योगों द्वारा बनाए जाते हैं जैसे कि निर्माण, प्रसंस्करण या उत्पादों को संरक्षित करना। उदाहरणों में प्लास्टिक, पेंट और इलेक्ट्रॉनिक्स बनाने में उपयोग किए जाने वाले रसायन शामिल हैं। एक सामान्य औद्योगिक रसायन पीसीबी है।
   - **पॉलीक्लोरीनेटेड बाइफिनाइल्स (पीसीबी)**- ये मानव निर्मित रसायन हैं जो उनकी गैर-ज्वलनशीलता और उत्कृष्ट विद्युत इन्सुलेटिंग गुणों के लिए जाने जाते हैं। औद्योगिक और वाणिज्यिक उपयोगिता के बावजूद, पीसीबी विषैले खलनायक साबित हुए हैं। ये स्थायी प्रदूषक जीवित जीवों के ऊतकों में जमा हो जाते हैं, जिससे गंभीर स्वास्थ्य समस्याएं जैसे कैंसर, प्रतिरक्षा प्रणाली की समस्याएं और हार्मोनल असंतुलन होते हैं।
   - **ऑर्गेनोक्लोरीन कीटनाशक**- ये कीटनाशक क्लोरीन युक्त होते हैं और फसलों पर कीटों को मारने के लिए उपयोग किए जाते हैं। उदाहरणों में डीडीटी (कीटनाशक) और लिंडेन शामिल हैं। इन्हें पहले व्यापक रूप से उपयोग किया जाता था लेकिन अब पर्यावरण और स्वास्थ्य पर उनके हानिकारक प्रभावों के कारण इन्हें नियंत्रित किया गया है।
   - **डाइक्लोरो-डाइफिनाइल-ट्राइक्लोरोएथेन (डीडीटी)**- यह कृषि में कीटनाशक के रूप में और मलेरिया जैसी बीमारियों को नियंत्रित करने के लिए व्यापक रूप से उपयोग किया जाता है। जब डीडीटी को फसलों पर छिड़का जाता है या सार्वजनिक स्वास्थ्य कार्यक्रमों में उपयोग किया जाता है, तो यह पर्यावरण में प्रवेश करता है। इसे पौधों और जलीय जीवों द्वारा अवशोषित किया जा सकता है, जो प्रारंभिक उपभोक्ताओं में केंद्रित होता है। जब जीव दूषित खाद्य स्रोतों का उपभोग करते हैं, तो डीडीटी उनके वसायुक्त ऊतकों में जमा हो जाता है। इन जीवों को खाने वाले शिकारी अपने शिकार की तुलना में डीडीटी की उच्च सांद्रता को ग्रहण करते हैं। खाद्य श्रृंखला के शीर्ष पर, शिकारी पक्षी (जैसे, ईगल, फाल्कन) और मछली खाने वाले स्तनधारी (जैसे, सील, डॉल्फिन) बहुत उच्च स्तर के डीडीटी को जमा कर सकते हैं। ऐसा इसलिए है क्योंकि वे अपने जीवनकाल में कई दूषित जीवों का उपभोग करते हैं, जिससे जैविक वृद्धि होती है। (जैविक वृद्धि पर पिछले पृष्ठ के संकल्पना कैप्सूल में चर्चा की गयी है।)
2. **गैर-इरादतन उत्पादित पीओपी**- ये विभिन्न औद्योगिक और दहन प्रक्रियाओं के उप-उत्पाद के रूप में बनते हैं।
   - **पीएएच (पॉलीसाइक्लिक एरोमैटिक हाइड्रोकार्बन)**- ये रसायन तब बनते हैं जब कोयला, तेल या गैस जैसे जैविक पदार्थ पूरी तरह से नहीं जलते हैं। ये सिगरेट के धुएं, कार के निकास और ग्रिल्ड मांस में पाये या सकते हैं। पीएएच हानिकारक हो सकते हैं क्योंकि वे धूल से चिपक सकते हैं और जब आप उन्हें सांस के जरिये लेते हैं या खाते हैं तो आपके शरीर में प्रवेश कर सकते हैं।

क्या आप जानते हैं- पीओपी, या स्थायी जैविक प्रदूषक तीन प्रकार के प्रदूषण से जुड़े होते हैं- वायु, जल और मृदा। इन्हें मुख्य रूप से मानव गतिविधियों जैसे औद्योगिक प्रक्रियाओं, कृषि प्रथाओं और कचरे के निपटान के माध्यम से पर्यावरण में छोड़ा जाता है। एक बार छोड़े जाने के बाद, पीओपी वायु और जल के माध्यम से लंबी दूरी तक यात्रा कर सकते हैं, अंततः मृदा और तलछट में बस जाते हैं जहां वे लंबे समय तक बने रह सकते हैं।

- **डाइऑक्सिन्स**- ये विषैले रसायन होते हैं जो कुछ औद्योगिक प्रक्रियाओं के दौरान या कुछ रसायनों के जलने पर बन सकते हैं। ये कुछ हर्बिसाइड्स और कीटनाशकों में भी थोड़ी मात्रा में पाये जा सकते हैं। डाइऑक्सिन्स हानिकारक होते हैं क्योंकि ये आपके शरीर में जमा हो सकते हैं और समय के साथ स्वास्थ्य समस्याएं पैदा कर सकते हैं।
- **फ्यूरान्स**- फ्यूरान्स डाइऑक्सिन्स के समान होते हैं और कुछ औद्योगिक प्रक्रियाओं के दौरान या कुछ रसायनों के जलने पर बन सकते हैं। ये कुछ हर्बिसाइड्स और कीटनाशकों में भी पाये जा सकते हैं।

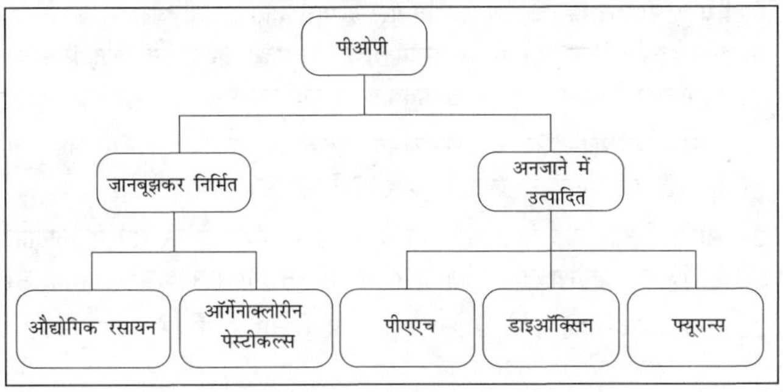

चित्र 26.2 पॉप्स के प्रकार

चित्र 26.3 डीडीटी का जैव आवर्धन

वोक्स और पॉप्स के बीच अंतर (Difference Between VOCs and POPs)

वोक्स (पृष्ठ संख्या 560 पर चर्चा की गयी है) कार्बन-आधारित पदार्थ होते हैं जिनका वाष्प दाब उच्च होता है, जिसका अर्थ है कि ये कमरे के तापमान पर जल्दी वाष्पित हो जाते हैं। इस गुण के कारण ये तरल या ठोस अवस्था से गैसीय अवस्था में आसानी से परिवर्तित हो जाते हैं। वोक्स अल्पकालिक वायु गुणवत्ता समस्याओं से जुड़े होते हैं क्योंकि ये पर्यावरण में लंबे समय तक नहीं रहते हैं।

दूसरी ओर, पॉप्स अपनी रासायनिक स्थिरता और अपघटन के प्रति प्रतिरोध के कारण पहचाने जाते हैं। ये जल्दी वाष्पित नहीं होते और पर्यावरण में लंबे समय तक बने रहते हैं। पॉप्स पर्यावरण में बने रहते हैं, जिससे दीर्घकालिक प्रदूषण और जैव संचय होता है।

वोक्स और पॉप्स, दोनों कार्सिनोजेनिक होते हैं, जिसका अर्थ है कि उनमें कैंसर पैदा करने की क्षमता होती है।

हार्मोनल विकार पैदा करने वाले विशेष जल प्रदूषक (Special Water Pollutant Leading to Hormonal Disorders)

एंडोक्राइन-डिसरप्टिंग केमिकल्स (ईडीसी)- ये ऐसे पदार्थ होते हैं जो कई चीजों में पाए जाते हैं जिन्हें हम हर दिन उपयोग करते हैं, जैसे प्लास्टिक की बोतलें, खाद्य कैन लाइनर्स, डिटर्जेंट और यहां तक कि खिलौने और सौंदर्य प्रसाधन। ये रसायन हमारे शरीर के हार्मोन के कामकाज को गड़बड़ कर सकते हैं, जिससे स्वास्थ्य संबंधी समस्याएं हो सकती हैं।

ईडीसी विभिन्न तरीकों से हमारे जल में प्रवेश करते हैं, जैसे जब फैक्ट्रियां उन्हें छोड़ती हैं, या जब बारिश उन्हें खेतों से बहाकर लाती है, या जब लोग इन रसायनों वाली चीजों को फेंक देते हैं। पानी में जाने के बाद, ये लंबे समय तक वहां रह सकते हैं और पीने के पानी को भी दूषित कर सकते हैं। यह उन लोगों और जानवरों दोनों को प्रभावित कर सकता है जो जल में रहते हैं। ईडीसी वाले जल को पीने से मनुष्यों और वन्यजीवों में अंत:स्रावी कार्यों में गड़बड़ी हो सकती है, जिससे प्रजनन, विकास और प्रतिरक्षा प्रणाली की समस्याएं हो सकती हैं।

पोषक तत्वों द्वारा जल प्रदूषण (Water Pollution by Nutrients)

पोषक तत्वों से प्रदूषण तब होता है जब बहुत अधिक पोषक तत्व, मुख्य रूप से नाइट्रोजन और फॉस्फोरस, जल निकायों में प्रवेश करते हैं। इसे ऐसे समझें जैसे पौधों को बहुत अधिक उर्वरक देना। ये अतिरिक्त पोषक तत्व शैवाल के तेजी से बढ़ने का कारण बनते हैं, जिससे जल की सतह पर एक मोटी, हरी परत बन जाती है। यह अत्यधिक शैवाल वृद्धि जल पारिस्थितिकी तंत्र को नुकसान पहुंचा सकती है, जिससे मछलियों और अन्य जलीय जीवों के लिए जीवित रहना मुश्किल हो जाता है।

झीलों के प्रकार (Types of Lakes)

1. **डिस्ट्रोफिक झीलें (उच्च अम्लता और कम पोषक तत्व स्तर)**- डिस्ट्रोफिक झीलों में उच्च अम्लता स्तर और बहुत कम पोषक तत्व होते हैं। इनमें अक्सर पौधों से प्राकृतिक अम्लों के कारण भूरा जल होता है। कम पोषक तत्वों के कारण, यहां पौधे और मछलियां अधिक नहीं होतीं हैं।
2. **ओलिगोट्रोफिक झीलें (कम पोषक तत्व स्तर)**- ओलिगोट्रोफिक झीलें गहरी और साफ होती हैं जिनमें कम पोषक तत्व होते हैं। इनमें बहुत कम पौधे और शैवाल होते हैं, जिससे जल बहुत साफ होता है। यहां रहने वाली मछलियां ठंडे, ऑक्सीजन युक्त जल से अनुकूलित होती हैं।
3. **मेसोट्रोफिक झीलें (मध्यम पोषक तत्व स्तर)**- मेसोट्रोफिक झीलों में मध्यम पोषक तत्व स्तर होते हैं। ये ओलिगोट्रोफिक झीलों की तुलना में

अधिक उत्पादक होती हैं लेकिन यूट्रोफिक झीलों जितनी नहीं। इनमें पौधों और मछलियों का मिश्रण होता है और जल मध्यम रूप से साफ होता है।

4. **यूट्रोफिक झीलें (उच्च पोषक तत्व स्तर)**- यूट्रोफिक झीलों में उच्च पोषक तत्व स्तर होते हैं, जिससे बहुत सारे पौधे और शैवाल होते हैं। जल हरा और गंदा दिख सकता है। यद्यपि ये कई मछलियों और पौधों को सहारा प्रदान करते हैं, बहुत अधिक पोषक तत्व झील के स्वास्थ्य को नुकसान भी पहुंचा सकते हैं।
5. **हाइपरट्रोफिक झीलें (अत्यधिक उच्च पोषक तत्व स्तर)**- ये झीलें अत्यधिक पोषक तत्व संवर्धन, विशेष रूप से फॉस्फोरस और नाइट्रोजन युक्त होती हैं, जिससे शैवाल और अन्य जलीय पौधों की तेजी से वृद्धि होती है। जब शैवाल और अन्य पौधे मरते हैं और विघटित होते हैं, तो इस प्रक्रिया में ऑक्सीजन की खपत होती है। इससे गहरे जल में ऑक्सीजन की कमी हो सकती है, जिससे हाइपोक्सिक (कम ऑक्सीजन) या एनोक्सिक (बिना ऑक्सीजन) की स्थितियां बन सकती हैं जो मछलियों और अन्य जलीय जीवों के लिए हानिकारक होती हैं।

यूट्रोफिकेशन (Eutrophication)

यूट्रोफिकेशन एक प्रक्रिया है जिसमें किसी जल निकाय, जैसे झील या तालाब, में पोषक तत्वों, विशेष रूप से नाइट्रोजन और फॉस्फोरस की मात्रा काफी हो जाती है। ये पोषक तत्व कृषि अपवाह, सीवेज और उर्वरकों जैसे स्रोतों से आते हैं। जब ये पोषक तत्व जल में प्रवेश करते हैं, तो ये शैवाल और जलीय पौधों की अत्यधिक वृद्धि करते हैं। इससे घने शैवाल खिलते हैं जो सूर्य के प्रकाश को अवरुद्ध करते हैं और जब ये मरते हैं और विघटित होते हैं तो जल में ऑक्सीजन के स्तर को कम कर देते हैं। परिणामस्वरूप, मछलियों और अन्य जलीय जीवों को जीवित रहने में कठिनाई हो सकती है, जिससे मछलियों की मृत्यु और झील के पारिस्थितिकी तंत्र संतुलन में व्यवधान हो सकता है।

कारण- यूट्रोफिकेशन मुख्य रूप से कृषि में नाइट्रोजन और फॉस्फोरस उर्वरकों के अत्यधिक उपयोग के कारण होता है।

प्रक्रिया (Process)-

1. **पोषक तत्व जोड़ना**- यूट्रोफिकेशन अक्सर तब शुरू होता है जब कृषि, सीवेज या औद्योगिक अपशिष्ट से उर्वरक जल निकायों में उच्च स्तर के पोषक तत्व जोड़ते हैं (जिसे अपवाह कहा जाता है)।
2. **शैवाल खिलना**- उच्च पोषक तत्व स्तर शैवाल के तेजी से बढ़ने का कारण बनते हैं, जिससे शैवाल खिलते हैं। ये जल की सतह को ढक सकते हैं और जल के नीचे के पौधों तक सूर्य के प्रकाश को पहुंचने से रोक सकते हैं।
3. **पौधों की मृत्यु और विघटन**- जब शैवाल मर जाते हैं, तो ये नीचे की ओर डूब जाते हैं और विघटित हो जाते हैं। विघटन की प्रक्रिया में जल से ऑक्सीजन की खपत होती है।
4. **ऑक्सीजन की कमी**- ऑक्सीजन की कमी "मृत क्षेत्र" बनाती है जहां जलीय जीवन जीवित नहीं रह सकता। मछलियां और अन्य जलीय जीव मर सकते हैं या दूर जा सकते हैं, जिससे जैव विविधता की हानि होती है।

परिणाम (Consequences)-

1. **जलीय पारिस्थितिक तंत्र को नुकसान**- यूट्रोफिकेशन पारिस्थितिक तंत्र के प्राकृतिक संतुलन को बाधित करता है, पौधों, जानवरों और सूक्ष्मजीवों को नुकसान पहुंचाता है।
2. **जल गुणवत्ता पर प्रभाव**- उच्च पोषक तत्व स्तर जल गुणवत्ता को खराब कर सकते हैं, जिससे यह पीने, मनोरंजन, या विविध जलीय जीवन का सहायक बनने के लिए अनुपयुक्त हो जाता है।
3. **वन्यजीवों और मनुष्यों के लिए हानिकारक**- खराब जल गुणवत्ता मछली की आबादी को प्रभावित करती है और इससे जहरीले शैवाल पनप सकते हैं, जो मनुष्यों और जानवरों के लिए स्वास्थ्य जोखिम पैदा करते हैं।

यूट्रोफिक झीलों से संबंधित महत्वपूर्ण शब्दावली (Important Terms Related to Eutrophic Lakes)

जलीय खरपतवार- जलीय खरपतवार वे पौधे होते हैं जो जल में उगते हैं, अक्सर पारिस्थितिक तंत्र में समस्याएं पैदा करते हैं। यूट्रोफिक जल निकायों में, सामान्य प्रकार के जलीय खरपतवारों में शामिल हैं-

1. **जल हायसिंथ**- यह तेजी से बढ़ने वाला पौधा है जिसमें तैरते हुए पत्ते होते हैं जो जल्दी से जल के बड़े क्षेत्रों को ढक सकते हैं।
2. **साल्विनिया**- यह तैरती हुई फर्न है जो जल की सतह पर घने मैट बनाती है, जिससे प्रकाश का प्रवेश और ऑक्सीजन का स्तर कम हो जाता है।
3. **डकवीड्स**- यह छोटे तैरते हुए पौधे हैं जिनमें गुणात्मक वृद्धि होती है और जलमार्गों को रोक सकते हैं।

ये खरपतवार पोषक तत्वों से समृद्ध वातावरण में पनपते हैं, जैसे यूट्रोफिक झीलें, जहां उनकी वृद्धि जलीय पारिस्थितिक तंत्र के संतुलन को और अधिक बाधित कर सकती है, मूल प्रजातियों को प्रतिस्पर्धा से बाहर कर सकती है और आवास की स्थिति को बदल सकती है।

ऑक्सीजन की कमी से जल प्रदूषण (Water Pollution by Oxygen Depletion)

ऑक्सीजन जलीय पारिस्थितिक तंत्र में जीवन के लिए बहुत महत्वपूर्ण है और रसायनों को तोड़ने और जलीय जीवों को बनाए रखने के लिए आवश्यक है। जब जल प्रदूषित होता है, तो इसकी ऑक्सीजन धारण करने की क्षमता कम हो जाती है, जिससे पौधों और जानवरों के लिए गंभीर खतरा पैदा होता है जो इस पर निर्भर रहते हैं।

सीओडी (रासायनिक ऑक्सीजन मांग) और बीओडी (जैव रासायनिक ऑक्सीजन मांग) दोनों का उपयोग जल गुणवत्ता और प्रदूषण स्तर का आकलन करने के लिए किया जाता है, लेकिन वे अपने दायरे और अनुप्रयोग में भिन्न होते हैं।

जल गुणवत्ता और प्रदूषण स्तर का आकलन करने के लिए मापदंड (Parameters to Assess Water Quality and Pollution Level)

1. **सीओडी (रासायनिक ऑक्सीजन मांग / Chemical Oxygen Demand)**-
   - **परिभाषा**- जल में कार्बनिक और अकार्बनिक पदार्थों दोनों को ऑक्सीकरण करने के लिए आवश्यक कुल ऑक्सीजन की मात्रा को मापता है।
   - **समय सीमा**- रासायनिक ऑक्सीकरण विधियों का उपयोग करके परिणाम बीओडी की तुलना में बहुत तेजी से, अक्सर कुछ घंटों के भीतर प्राप्त किये जा सकते हैं।

- **अनुप्रयोग**- औद्योगिक अपशिष्ट जल उपचार और निगरानी में उपयोगी, जहां कार्बनिक और अकार्बनिक दोनों प्रकार के प्रदूषकों का आकलन किये जाने की आवश्यकता होती है।
- **महत्व**- उच्च सीओडी मान महत्वपूर्ण प्रदूषण का संकेत देते हैं, जो कार्बनिक और रासायनिक प्रदूषकों दोनों के कारण कुल ऑक्सीजन मांग को दर्शाते हैं।

2. **बीओडी (जैव रासायनिक ऑक्सीजन मांग / Biochemical Oxygen Demand)**-
   - **परिभाषा**- जल में कार्बनिक पदार्थों को तोड़ते समय सूक्ष्मजीवों द्वारा खपत की जाने वाली घुलित ऑक्सीजन (डीओ) की मात्रा को मापता है।
   - **समय सीमा**- आमतौर पर यह निर्धारण 5-दिन की अवधि में निर्धारित किया जाता है, जिसमें कार्बनिक प्रदूषक प्राकृतिक रूप से टूटते हैं।
   - **अनुप्रयोग**- जल में बायोडिग्रेडेबल कार्बनिक सामग्री के स्तर को इंगित करता है और विशेष रूप से सीवेज या कृषि अपवाह से प्रभावित प्राकृतिक जल निकायों में कार्बनिक प्रदूषण का आकलन करने के लिए महत्वपूर्ण है।
   - **महत्व**- कम बीओडी मान साफ जल का संकेत देते हैं जिसमें कम कार्बनिक प्रदूषण होता है, जबकि उच्च मान जलीय जीवन के लिए हानिकारक परिस्थितियों का सुझाव देते हैं।

संक्षेप में, बीओडी विशेष रूप से बायोडिग्रेडेबल कार्बनिक सामग्री पर केंद्रित है और जलीय पारिस्थितिक तंत्र में प्राकृतिक प्रदूषण स्तर को समझने के लिए महत्वपूर्ण है। दूसरी ओर, सीओडी एक व्यापक आकलन प्रदान करता है, जिसमें कार्बनिक और अकार्बनिक दोनों पदार्थ शामिल होते हैं, जिससे यह औद्योगिक और जटिल अपशिष्ट जल विश्लेषण के लिए विशेष रूप से प्रासंगिक हो जाता है।

बीओडी के प्रकार (Types of BOD)

1. **सीबीओडी (कार्बोनेशियस जैव रासायनिक ऑक्सीजन मांग / Carbonaceous Biochemical Oxygen Demand)**-
   - **परिभाषा**- सीबीओडी मापता है कि जल में जैविक कार्बन यौगिकों को तोड़ने के लिए बैक्टीरिया को कितनी ऑक्सीजन की आवश्यकता होती है।
   - **स्रोत**- जैविक कार्बन सीवेज, पौधों और अन्य जैविक पदार्थों से आता है जो जल में विघटित होते हैं।
   - **महत्व**- उच्च सीबीओडी स्तर जैविक प्रदूषण का संकेत देते हैं। बैक्टीरिया ऑक्सीजन का उपयोग करते हैं क्योंकि वे जैविक पदार्थों को विघटित करते हैं, जो ऑक्सीजन स्तर को कम करके जलीय जीवन को नुकसान पहुंचा सकते हैं।
2. **एनबीओडी (नाइट्रोजेनस जैव रासायनिक ऑक्सीजन मांग / Nitrogenous Biochemical Oxygen Demand)**-
   - **परिभाषा**- एनबीओडी जल में नाइट्रोजन युक्त जैविक यौगिकों (जैसे प्रोटीन और अमीनो एसिड) को तोड़ने के लिए बैक्टीरिया को कितनी ऑक्सीजन की आवश्यकता होती है उसको मापता है।
   - **स्रोत**- नाइट्रोजन यौगिक मानव और पशु अपशिष्ट, कृषि अपवाह और कुछ उद्योगों से आते हैं।
   - **महत्व**- एनबीओडी महत्वपूर्ण है क्योंकि नाइट्रोजन यौगिक, जब विघटित होते हैं, तो ऑक्सीजन की भी खपत करते हैं। उच्च एनबीओडी स्तर जल में ऑक्सीजन की कमी का कारण बन सकते हैं, जो जलीय जीवों और जल गुणवत्ता को नकारात्मक रूप से प्रभावित करता है।

बीओडी और डीओ के बीच संबंध (Link Between BOD and Do)

घुलित ऑक्सीजन (डीओ) जल में घुली हुई ऑक्सीजन गैस की मात्रा को संदर्भित करता है। मछलियों और कीड़ों जैसे जलीय जीवों को सांस लेने के लिए जल में घुलित ऑक्सीजन पर निर्भर रहना पड़ता है। उनके जीवित रहने और समग्र पारिस्थितिकी तंत्र के स्वास्थ्य के लिए पर्याप्त डीओ स्तर आवश्यक हैं।

बीओडी जल में जैविक पदार्थों को विघटित करते समय बैक्टीरिया और अन्य सूक्ष्मजीवों द्वारा कितनी ऑक्सीजन की खपत की जाती है को मापता है। उच्च बीओडी स्तर उच्च जैविक प्रदूषण का संकेत देते हैं, जो विघटन के दौरान सूक्ष्मजीवों द्वारा ऑक्सीजन के उपयोग के कारण घुलित ऑक्सीजन में कमी का कारण बन सकता है।

क्विज स्टेशन *विगत UGC NET परीक्षाओं के प्रश्न*

प्र.1. जब किसी जल निकाय में पोषक तत्व की मात्रा अत्यंत कम हो जाती है, तो उसे क्या कहा जाता है?

(21 अगस्त, 2024 - शिफ्ट 1)

(a) डिस्ट्रोफिक (b) ओलिगोट्रोफिक

(c) मीसोट्रोफिक (d) यूट्रोफिक

प्र.1. जैव रासायनिक ऑक्सीजन मांग (BOD) के कारण, किसी जल निकाय में घुलित ऑक्सीजन (DO):-

(4 सितंबर, 2024 - शिफ्ट 1)

(a) बढ़ती है।

(b) घटती है।

(c) अपरिवर्तित रहती है।

(d) शुरू में बढ़ती है और फिर घट जाती है।

उत्तर 1. (b) 2. (b)

धातुओं द्वारा जल प्रदूषण (Water Pollution by Metals)

भारी धातुएं वे तत्व हैं जिनका घनत्व 5 ग्राम/सेमी से अधिक होता है और जब वे जल निकायों को प्रदूषित करती हैं तो महत्वपूर्ण स्वास्थ्य जोखिम पैदा करती हैं। सामान्यत: हानिकारक भारी धातुओं में सीसा, कैडमियम, पारा और आर्सेनिक शामिल हैं। औद्योगिक अपशिष्ट जल भारी धातु प्रदूषण का एक प्रमुख स्रोत है, जो सतही जल और भूजल दोनों को प्रभावित करता है। तालिका 26.11 में उन प्रमुख धातुओं को दर्शाया गया है जो जल को प्रदूषित करती हैं।

1. **एल्युमिनियम (Aluminium)**
- **अल्जाइमर**- अल्जाइमर रोग एक ऐसी स्थिति है जिसमें मस्तिष्क की कोशिकाएं धीरे-धीरे मर जाती हैं, जिससे स्मृति हानि और सोचने और व्यवहार करने में समस्याएं होती हैं।
- **पार्किंसंस रोग**- पार्किंसंस रोग एक ऐसी स्थिति है जो मस्तिष्क की गति को नियंत्रित करने की क्षमता को प्रभावित करती है, जिससे कांपना, कठोरता और संतुलन में समस्याएं होती हैं।
- **ऑस्टियोपोरोसिस**- एल्युमिनियम हड्डियों में कैल्शियम के कार्य में हस्तक्षेप कर सकता है, जिससे हड्डियों की क्षति (जिसे ऑस्टियोपोरोसिस कहा जाता है) हो सकती है।
- **एनीमिया**- उच्च स्तर का एल्युमिनियम एनीमिया का कारण बन सकता है, जिसमें रक्त में पर्याप्त लाल रक्त कोशिकाएं नहीं होती हैं जो ऑक्सीजन को सही तरीके से ले जा सकें।

2. **आर्सेनिक (ARSENIC)**
- **त्वचा परिवर्तन**- त्वचा के घाव, रंग परिवर्तन और मोटापन हो सकता है, जिससे त्वचा पर काले धब्बे, मस्से या खुरदरे पैच जैसी दृश्य असामान्यताएं हो सकती हैं।
- **हृदय रोग**- हृदय रोग विकसित होते हैं, जिनमें उच्च रक्तचाप, हृदय रोग और एथेरोस्क्लेरोसिस शामिल हैं, जो दिल के दौरे, स्ट्रोक और परिसंचरण प्रणाली को प्रभावित करने वाली अन्य जटिलताओं का कारण बन सकते हैं।
- **कैंसर का जोखिम**- त्वचा, फेफड़े और मूत्राशय में कैंसर विकसित होने का जोखिम बढ़ जाता है, जिससे कोशिकाओं में उत्परिवर्तन और क्षति होती है, जिससे असामान्य कोशिकाओं की अनियंत्रित वृद्धि होती है।

3. **कैडमियम (Cadmium)**
- **इटाई-इटाई रोग**- यह दर्दनाक स्थिति है जो हड्डी के गंभीर दर्द, गुर्दे की खराबी और कंकाल विकृति इसके लक्षण है, जो अक्सर फ्रैक्चर और गतिशीलता संबंधी समस्याओं का कारण बनती है।
- **क्रोनिक ब्रोंकाइटिस**- इसमें श्वासनली में लगातार सूजन रहती है, जिसके परिणामस्वरूप खांसी, बलगम का बनना और सांस लेने में कठिनाई होती है. इससे अक्सर श्वसन संबंधी संक्रमण और फेफड़ों की कार्यक्षमता में कमी आती है।
- **हड्डी की समस्याएं**- हड्डियों के घनत्व और ताकत में कमी, जिससे ऑस्टियोपोरोसिस जैसी स्थितियां और फ्रैक्चर और हड्डी के दर्द की संभावना बढ़ जाती है।
- **कैंसर का जोखिम**- फेफड़े, प्रोस्टेट और गुर्दे में कैंसर विकसित होने की संभावना बढ़ जाती है, जिससे कोशिकाओं में उत्परिवर्तन और क्षति होती है, जिससे घातक कोशिकाओं की अनियंत्रित वृद्धि होती है।

4. **क्रोमियम (Chromium)**
- **त्वचा की समस्याएं**- डर्मेटाइटिस, त्वचा के अल्सर और चकत्ते विकसित होते हैं, जिससे त्वचा में जलन, खुजली और संभावित दीर्घकालिक क्षति होती है।
- **सांस लेने में कठिनाई**- श्वसन समस्याएं जैसे अस्थमा, क्रोनिक ब्रोंकाइटिस और फेफड़ों की सूजन होती है, जिससे खांसी, घरघराहट और सांस लेने में कठिनाई होती है।
- **पाचन समस्याएं**- जठरांत्र संबंधी संकट, जिसमें पेट दर्द, मतली, उल्टी और दस्त शामिल हैं, हो सकता है, जिससे संभावित दीर्घकालिक पाचन तंत्र क्षति हो सकती है।

5. **तांबा (Copper)**
- **विल्सन रोग**- एक आनुवंशिक विकार जो यकृत, मस्तिष्क और अंगों में अत्यधिक तांबे का संचय करता है, जिससे यकृत रोग, न्यूरोलॉजिकल समस्याएं और मांसपेशियों की कठोरता होती है।

6. **साइनाइड (Cyanide)**
- **स्वास्थ्य प्रभाव**- साइनाइड के संपर्क में आने से गंभीर विषाक्तता और संभावित मृत्यु हो सकती है। यह शरीर की ऑक्सीजन का सही तरीके से उपयोग करने की क्षमता में हस्तक्षेप करता है।

7. **फ्लोराइड (Fluoride)**
- **दंत फ्लोरोसिस**- अत्यधिक फ्लोराइड सेवन से उत्पन्न होने वाली एक स्थिति, जिससे दांतों के एनामेल का रंग बदल जाता है और ध ब्बे पड़ जाते हैं।

8. **लोहा (Iron)**
- **थैलेसीमिया का बिगड़ना**- एनीमिया और थैलेसीमिया के अन्य लक्षण अधिक गंभीर हो जाते हैं।
- **अंग क्षति**- यकृत, हृदय और अग्न्याशय को अत्यधिक नुकसान होता है।
- **हृदय संबंधी समस्याएं**- अनियमित दिल की धड़कन और हृदय की विफलता होती है।
- **जोड़ों का दर्द**- जोड़ों में दर्द और कठोरता होती है।
- **त्वचा परिवर्तन**- त्वचा का रंग कांस्य या धूसर हो जाता है।

9. **सीसा (Lead)**
- **प्लंबिज्म**- सीसा विषाक्तता की एक स्थिति जिससे पेट दर्द, न्यूरोलॉजिकल समस्याएं और एनीमिया होता है।
- **बच्चों को जोखिम**- बच्चे सीसा के संपर्क में आने के लिए अत्यधिक संवेदनशील होते हैं, जिससे उनके विकास में रुकावट और सीखने में कठिनाई होती है।
- **सीसा एन्सेफैलोपैथी**- सीसा विषाक्तता का एक गंभीर रूप जो मस्तिष्क की सूजन, दौरे और संभावित स्थायी मस्तिष्क क्षति का कारण बनता है।

10. **मैंगनीज (Manganese)**
- **न्यूरोलॉजिकल विकार (मैंगनिज्म)**- अत्यधिक मैंगनीज के संपर्क में आने से उत्पन्न होने वाली एक स्थिति, जिसमें पार्किंसंस रोग जैसे लक्षण होते हैं, जिसमें कांपना, चलने में कठिनाई और चेहरे की मांसपेशियों में ऐंठन शामिल हैं।

11. **पारा (Mercury)**
- **न्यूरोलॉजिकल विकार**- गंभीर न्यूरोलॉजिकल लक्षणों में सुन्नता, बहरापन, दृष्टि समस्याएं और बुद्धि संबंधी क्षति शामिल हैं।
- **मसूड़ों की सूजन**- मसूड़ों की सूजन और संक्रमण।
- **एक्रोडिनिया (पिंक रोग)**- त्वचा का गुलाबी रंग, त्वचा का छिलना और बच्चों में न्यूरोलॉजिकल लक्षण।
- **हंटर-रसेल सिंड्रोम**- कांपना, मनोवैज्ञानिक परिवर्तन और न्यूरोमस्कुलर समस्याएं।
- **मैड हैटर रोग**- कांपना, भावनात्मक गड़बड़ी और मतिभ्रम।
- **दंत अमलगम**- पारा युक्त दंत भराव से संभावित स्वास्थ्य जोखिम।

12. **निकल (Nickel)**
   - **एलर्जी**- निकल के संपर्क में आने पर त्वचा पर चकत्ते, खुजली, लाली और सूजन जैसी अतिसंवेदनशील प्रतिक्रिया।

13. **कीटनाशक (Pesticide)**
   - **कैंसर**- कुछ कीटनाशकों के संपर्क में आने से विभिन्न प्रकार के कैंसर, जिनमें ल्यूकेमिया, लिम्फोमा और ठोस ट्यूमर शामिल हैं, विकसित होने का जोखिम बढ़ जाता है।

14. **नाइट्रेट्स (Nitrates)**
   - **मिथेमोग्लोबिनेमिया**- यह ऐसीस्थिति है जिसमें नाइट्रेट्स रक्त में असामान्य मात्रा में मिथेमोग्लोबिन का निर्माण करते हैं, जिससे ऊतकों में ऑक्सीजन की आपूर्ति कम हो जाती है और सायनोसिस, सिरदर्द, थकान और सांस की तकलीफ जैसे लक्षण उत्पन्न होते हैं।

15. **जिंक (Zinc)**
   - **तांबे की कमी**- अत्यधिक जिंक सेवन तांबे के अवशोषण में हस्तक्षेप करता है, जिससे एनीमिया, कमजोर प्रतिरक्षा कार्य और न्यूरोलॉजिकल समस्याएं जैसी समस्याएं होती हैं।

मानव स्वास्थ्य जोखिम मूल्यांकन (Human Health Risk Assessment)

मानव स्वास्थ्य जोखिम मूल्यांकन एक प्रक्रिया है जिसके माध्यम से यह समझा जाता है कि रसायन लोगों के स्वास्थ्य को कैसे प्रभावित कर सकते हैं। यह इस का पूर्वानुमान लगाने में हमारी मदद करता है कि पर्यावरण में, कार्यस्थल पर, या उत्पादों से रसायनों के संपर्क में आने से मानव स्वास्थ्य को नुकसान हो सकता है या नहीं। यह मूल्यांकन सार्वजनिक स्वास्थ्य की सुरक्षा के लिए निर्णय लेने में महत्वपूर्ण है।

- **चरण 1- खतरे की पहचान**- सबसे पहले, हम यह पता लगाते हैं कि क्या कोई रसायन विशिष्ट स्वास्थ्य समस्याओं का कारण बन सकता है।
- **चरण 2- खुराक-प्रतिक्रिया संबंध**- इसके बाद, हम अध्ययन करते हैं कि स्वास्थ्य समस्याओं का कारण बनने के लिए कितनी मात्रा में रसायन की आवश्यकता होती है और इन प्रभावों की गंभीरता कितनी हो सकती है।
- **चरण 3- संपर्क आकलन**- फिर, हम अनुमान लगाते हैं कि कितने लोग रसायन के संपर्क में आते हैं और वे कितनी मात्रा में इसके संपर्क में आते हैं।
- **चरण 4- जोखिम निरूपण**- अंत में, हम सभी बातों को एक-साथ रखते हैं ताकि यह समझा जा सकें कि स्वास्थ्य के लिए कुल मिलाकर जोखिम क्या है, यह देखते हुए कि लोगों के बीमार होने की संभावना कितनी है और बीमारी की गंभीरता कितनी हो सकती है।

लर्निंग शॉर्टकट्स

भारी धातुओं और उनके स्वास्थ्य प्रभावों की लंबी सूची को याद रखने में परेशानी हो रही है? चिंता मत कीजिए! हमने सभी आवश्यक विवरणों को एक सुविधाजनक तालिका में व्यवस्थित किया है ताकि आप आसानी से प्रमुख जानकारी को याद कर सकें। तालिका नीचे दी गयी हैं-

तालिका 26.11 भारी धातुओं द्वारा जल का प्रदूषण

धातु का नाम	रोग
एल्यूमिनियम	अल्जाइमर रोग, पार्किंसंस रोग, ऑस्टियोपोरोसिस, एनीमिया
आर्सेनिक	त्वचा में परिवर्तन, हृदय रोग, कैंसर का जोखिम
कैडमियम	इटाई-इटाई रोग, क्रॉनिक ब्रोंकाइटिस, हड्डी की समस्याएं, कैंसर का जोखिम
क्रोमियम	त्वचा की समस्याएं, सांस लेने में परेशानी, पाचन समस्याएं
तांबा	विल्सन रोग
साइनाइड	गंभीर विषाक्तता, ऑक्सीजन का कम उपयोग कर पाना।
फ्लोराइड	दंत फ्लोरोसिस
लोहा	थैलेसीमिया का बिगड़ना, अंगों को नुकसान, हृदय समस्याएं, जोड़ों का दर्द, त्वचा में परिवर्तन
सीसा	प्लंबिज्म, बच्चों को जोखिम, सीसा एन्सेफैलोपैथी
मैंगनीज	न्यूरोलॉजिकल विकार (मैंगनिज्म)
पारा	न्यूरोलॉजिकल विकार, मसूड़ों की सूजन, एक्रोडिनिया, हंटर-रसेल सिंड्रोम, मैड हैटर रोग, दंत अमलगम
निकेल	एलर्जी
कीटनाशक	कैंसर
नाइट्रेट्स	मेटहेमोग्लोबिनेमिया
जिंक	तांबे की कमी

जल प्रदूषण से होने वाली बीमारियाँ (Diseases Caused by Water Pollution)

जल प्रदूषण से होने वाली बीमारियों के प्रकार (Types of Diseases Caused by Water Pollution)

1. **जलजनित बीमारियाँ**- जलजनित बीमारियाँ उन रोगजनकों के कारण होती हैं जो दूषित जल के माध्यम से फैलते हैं। जब वे ऐसे जल का सेवन करते हैं या उसके संपर्क में आते हैं जिसमें ये रोगजनक होते हैं, तो लोग संक्रमित हो जाते हैं। ये बीमारियाँ अक्सर खराब स्वच्छता और स्वच्छ पेयजल की अपर्याप्त पहुंच का परिणाम होती हैं।

   सामान्य जलजनित बीमारियाँ- हैजा, टाइफाइड, पेचिश, हेपेटाइटिस ए।

2. **धुलाई हेतु पर्याप्त जल की कमी से होने वाली बीमारियाँ**- वाटर-वॉश्ड बीमारियाँ, जिन्हें जल-अल्प बीमारियाँ भी कहा जाता है, व्यक्तिगत स्वच्छता के लिए पर्याप्त जल की कमी के कारण होती हैं। ये बीमारियाँ हाथ, शरीर और बर्तनों की अपर्याप्त धुलाई के कारण फैलती हैं, जिससे रोगजनकों का प्रसार होता है। जल की उपलब्धता में सुधार और अच्छी स्वच्छता प्रथाओं को बढ़ावा देने से इन बीमारियों को रोका जा सकता है।

   सामान्य जल-धोयी बीमारियाँ- खुजली, ट्रेकोमा, कुछ प्रकार की दस्त की बीमारियाँ।

3. **जल-आधारित बीमारियाँ (Water-based Diseases)**- जल-आधारित बीमारियाँ उन रोगजनकों के कारण होती हैं जो अपने जीवन चक्र का एक हिस्सा जल में या जल में रहने वाले जीवों में बिताते हैं। इन रोगजनकों को अपने जीवन चक्र को पूरा करने के लिए आमतौर पर जल पर्यावरण की आवश्यकता होती है। इन बीमारियों में, मनुष्य दूषित जल के संपर्क में आने या मध्यवर्ती मेजबानों वाले जल का सेवन करने से संक्रमित हो जाते हैं।

   सामान्य जल-आधारित बीमारियाँ- शिस्टोसोमियासिस (परजीवी कीड़ों के कारण), गिनी कीड़ा रोग (ड्रैकुनकुलियासिस)।

4. **जल-संबंधित बीमारियाँ**- जल-संबंधित बीमारियाँ वे बीमारियाँ हैं जो जरूरी नहीं कि जल के कारण होती हैं, बल्कि उन वाहकों से संबंधित होती हैं जो जल में या उसके आसपास प्रजनन करते हैं। ये बीमारियाँ उन वाहकों द्वारा फैलती हैं जैसे मच्छर जिन्हें अपने जीवन चक्र के एक हिस्से के लिए जल की आवश्यकता होती है।

   सामान्य जल-संबंधित बीमारियाँ- मलेरिया, डेंगू बुखार, पीला बुखार, जीका वायरस।

रोगजनकों के कारण होने वाली बीमारियाँ (Diseases Caused by pathogenes)

कल्पना कीजिए कि वायरस, बैक्टीरिया और प्रोटोजोआ जैसे सूक्ष्म जीव हमारे शरीर में कुछ गंभीर समस्याएँ पैदा कर रहे हैं। ये कई जलजनित बीमारियों के लिए जिम्मेदार हैं जो विशेष रूप से उन क्षेत्रों में महत्वपूर्ण स्वास्थ्य जोखिम पैदा करते हैं जहां पर्याप्त जल उपचार और स्वच्छता सुविधाओं की कमी है।

रोगजनक- रोगजनक को एक ऐसा जीव माना जाता है जो अपने मेजबान के लिये बीमारी का कारण बनता है। इसमें वायरस, बैक्टीरिया आदि शामिल हैं। तालिका 26.12 में रोगजनक और उनके कारण होने वाली सामान्य बीमारियां दी गयी हैं। रोगजनक पाँच प्रकार के होते हैं-

1. **बैक्टीरिया**- बैक्टीरिया जल निकायों में आम होते हैं और उनकी तेजी से वृद्धि के कारण खतरनाक होते हैं। इनके कारण होने वाली बीमारियाँ निम्नवत हैं-
   - **हैजा**- इसके कारण गंभीर दस्त और निर्जलीकरण होता है। यह वाइब्रियो कोलेरी बैक्टीरिया से दूषित जल या भोजन का सेवन करने से फैलता है, जो खराब स्वच्छता वाले क्षेत्रों में आम है।
   - **टाइफाइड बुखार**- इसके लक्षणों में लंबे समय तक बुखार, सिरदर्द, मतली और भूख न लगना शामिल हैं। यह साल्मोनेला टाइफी बैक्टीरिया से दूषित जल या भोजन के माध्यम से फैलता है।
2. **वायरस**- वायरस छोटे सूक्ष्मजीव होते हैं जो जल में पाए जा सकते हैं। ये आमतौर पर पशु और मानव मल के माध्यम से जल स्रोतों में प्रवेश करते हैं और अपशिष्ट जल में भारी मात्रा में पाए जाते हैं। इनके कारण होने वाली बीमारियाँ निम्नवत हैं-
   - **हेपेटाइटिस ए**- इससे पीलिया, पेट दर्द और बुखार होता है। यह दूषित जल और भोजन के माध्यम से फैलता है, इसका संक्रमण मुख्य रूप से मल मार्ग-मौखिक मार्ग के माध्यम से होता है।
   - **पोलियो**- लकवा और मांसपेशियों की कमजोरी का कारण बन सकता है। यह दूषित जल और भोजन के माध्यम से फैलता है जिसमें पोलियोवायरस होता है।
   - **डेंगू:** डेंगू एडीज मच्छरों द्वारा फैलने वाला एक वायरल संक्रमण है, जिसके कारण तेज बुखार, गंभीर सिरदर्द, जोड़ों और मांसपेशियों में दर्द और चकत्ते जैसे लक्षण उत्पन्न होते हैं।
3. **प्रोटोजोआ**- प्रोटोजोआ एकल-कोशिका वाले जीव होते हैं जो नम वातावरण में रह सकते हैं और प्रजनन कर सकते हैं। कुछ प्रोटोजोआ परजीवी होते हैं जो मनुष्यों में बीमारियाँ पैदा कर सकते हैं। इनके कारण होने वाली बीमारियाँ निम्नवत हैं-
   - **गियार्डियासिस**- इसके कारण दस्त, गैस और पेट में ऐंठन होती । यह गियार्डिया प्रोटोजोआ से दूषित जल के माध्यम से फैलता है।
4. **परजीवी**- परजीवी वे जीव होते हैं जो किसी अन्य जीव (मेजबान) पर या उसके अन्दर रहते हैं और पोषक तत्वों के लिए मेजबान पर निर्भर रहते हैं। वे सूक्ष्म (जैसे प्रोटोजोआ) या नग्न आंखों से दिखाई देने वाले (जैसे हेल्मिन्थ) हो सकते हैं। इनके कारण होने वाली बीमारियाँ निम्नवत हैं-
   - **शिस्टोसोमियासिस**- त्वचा पर चकत्ते, बुखार और मांसपेशियों में दर्द का कारण बनता है। ताजे जल के संपर्क में आने से संक्रमित होता है जिसमें परजीवी कीड़े होते हैं।
   - **मलेरिया**- मलेरिया एक परजीवी रोग है जो एनोफिलीज मच्छरों द्वारा फैलता है। बुखार, ठंड लगना और फ्लू होना इसके लक्षण हैं।
5. **हेल्मिन्थ**- परजीवी कीड़े, जिन्हें हेल्मिन्थ भी कहा जाता है, बड़े मैक्रोपरजीवी होते हैं। ये मनुष्यों और जानवरों की आंतों या अन्य अंगों में रहते हैं। इनके कारण होने वाली बीमारियाँ निम्नवत हैं-
   - **एंटरबायसिस**- एंटरबायसिस एक आंतों का संक्रमण है जो एंटरबियस वर्मिकुलरिस के कारण होता है, जिसे आमतौर पर पिनवॉर्म के रूप में जाना जाता है।
   - **शिस्टोसोमियासिस**- शिस्टोसोमियासिस एक रोग है जो फ्लैटवॉर्म शिस्टोसोमा मैनसोनी के कारण होता है, जो मुख्य रूप से आंतों और यकृत को प्रभावित करता है।

लर्निंग शॉर्टकट्स

रोगजनकों द्वारा होने वाले रोगों को याद करने में परेशानी हो रही है? चिंता मत कीजिए! हमने सभी आवश्यक विवरणों को एक सुविधाजनक तालिका में व्यवस्थित किया है ताकि आप आसानी से प्रमुख जानकारी को याद कर सकें। तालिका नीचे दी गयी हैं-

तालिका 26.12 रोगजनकों के माध्यम से होने वाली सामान्य बीमारियाँ

कारक एजेंट	रोग	संचरण की विधि
बैक्टीरिया	हैजा	दूषित जल या भोजन का सेवन करना जिसमें विब्रियो कोलेरीबैक्टीरिया हो, जो खराब स्वच्छता वाले क्षेत्रों में आम बात है।
	टाइफाइड बुखार	दूषित जल या भोजन जिसमें साल्मोनेला टाइफी बैक्टीरिया हो।
वायरस	हेपेटाइटिस ए	दूषित जल और भोजन, मुख्य रूप से मलमार्ग-मौखिक मार्ग के माध्यम से।
	पोलियो	दूषित जल और भोजन जिसमें पोलियोवायरस हो।
	डेंगू	एडीज मच्छरों द्वारा प्रसारित।
प्रोटोजोआ	गियार्डियासिस	दूषित जल जिसमें जियार्डिया प्रोटोजोआ हो।
परजीवी	शिस्टोसोमियासिस	ताजे जल के संपर्क में आना जिसमें परजीवी कीड़े हों।
	मलेरिया	एनोफिलीज मच्छरों द्वारा प्रसारित।
हेल्मिन्थ्स	एंटरोबियासिस	आंतों का संक्रमण जो एंटरोबियस वर्मिकुलारिस कीड़े के कारण होता है, जिसे आमतौर पर पिनवर्म के रूप में जाना जाता है।
	शिस्टोसोमियासिस	फ्लैटवर्म शिस्टोसोमा मैनसोनी के कारण होता है, जो आंतों और यकृत को प्रभावित करता है

क्विज स्टेशन *विगत UGC NET परीक्षाओं के प्रश्न*

प्र.1. टाइफाइड जल जनित बीमारी है और यह निम्नलिखित में से किसके जल में संदूषित होने से होती है:-

(27 अगस्त 2024 - शिफ्ट 1)

(a) वायरस

(b) फंगस

(c) बैक्टीरिया

(d) प्रोमोजोआ

उत्तर 1. (c)

जल प्रदूषण को नियंत्रि करने के लिए सरकारी पहलें (Government Initiatives to Control Water Pollution)

1. **नमामि गंगे-** 2014 में शुरू की गयी, नमामि गंगे एक व्यापक पहल है जिसका उद्देश्य गंगा नदी और उसकी सहायक नदियों की सफाई करना और उन्हें पुनर्जीवित करना है। इसमें प्रदूषण को कम करने, जल संरक्षण और नदी संसाधनों के सतत उपयोग को बढ़ावा देने के लिए विभिन्न परियोजनाएं और उपाय शामिल हैं।
2. **रामसर वेटलैंड्स संरक्षण-** भारत अपने वेटलैंड्स की रक्षा करने के लिए प्रतिबद्ध है जो रामसर कन्वेंशन के तहत नामित हैं। यह वेटलैंड्स के संरक्षण और सतत उपयोग के लिए एक अंतरराष्ट्रीय संधि है। अगस्त 2024 तक भारत में 85 रामसर स्थल हैं। 2024 में जोड़े जाने वाले तीन नए स्थल हैं - नंजरायण पक्षी अभयारण्य; तमिलनाडु में काजुवेली पक्षी अभयारण्य; और मध्य प्रदेश में तवा जलाशय। ये स्थल जैव विविधता बनाए रखने, आजीविका का समर्थन करने और आवश्यक पारिस्थितिकी तंत्र सेवाएं प्रदान करने में महत्वपूर्ण भूमिका निभाते हैं।
3. **'ब्लू फ्लैग' प्रमाणन-** 'ब्लू फ्लैग' प्रमाणन उन समुद्र तटों और मरीना को दिया जाता है जो जल गुणवत्ता, पर्यावरण प्रबंधन, सुरक्षा और पर्यटकों के लिए सुविधाओं के लिए कठोर मानदंडों को पूरा करते हैं। वर्तमान में भारत में 8 समुद्र तटों को यह प्रमाणन प्राप्त है, जिनमें लक्षद्वीप के थुंडी और कदमत भी शामिल हैं, जो उच्च पर्यावरणीय मानकों और सतत पर्यटन प्रथाओं को बनाए रखने की उनकी प्रतिबद्धता को उजागर करता है।
4. **राष्ट्रीय नदी जोड़ों परियोजना (एनआरएलपी)-** राष्ट्रीय नदी जोड़ों परियोजना (एनआरएलपी) एक बड़े पैमाने की पहल है जिसका उद्देश्य भारत के विभिन्न क्षेत्रों में नहरों, जलाशयों और अन्य बुनियादी ढांचे के नेटवर्क के माध्यम से नदियों को जोड़ना है। इस परियोजना के मुख्य उद्देश्य सिंचाई सुविधाओं में सुधार, पीने और औद्योगिक उद्देश्यों के लिए जल उपलब्धता बढ़ाना, बाढ़ और सूखे को कम करना और राज्यों के बीच जल संसाधनों के समान वितरण को बढ़ावा देना शामिल है। एनआरएलपी परियोजनाओं के उदाहरण निम्नवत हैं-
   - केन-बेतवा- बुंदेलखंड
   - गोदावरी-कृष्णा- आंध्र प्रदेश/तेलंगाना
   - महानदी-गोदावरी-कृष्णा-पेन्नार-कावेरी

5. **मिशन भागीरथी**- मिशन भागीरथ तेलंगाना सरकार द्वारा शुरू की गई पेयजल आपूर्ति परियोजना है, जिसका उद्देश्य राज्य के हर घर में सुरक्षित और टिकाऊ पाइप से पेयजल उपलब्ध कराना है। मिशन भागीरथ भारत की सबसे बड़ी पेयजल परियोजनाओं में से एक है, जो यह सुनिश्चित करती है कि दूरदराज के गांवों को भी सुरक्षित और फ्लोराइड मुक्त पेयजल मिले। कृष्णा और गोदावरी नदियों को मौजूदा जलाशयों से जोड़कर, यह परियोजना एक टिकाऊ और कुशल जल आपूर्ति प्रणाली सुनिश्चित करती है, जो इसे पानी की कमी का सामना करने वाले अन्य राज्यों के लिए एक मॉडल बनाती है।

महत्वपूर्ण तथ्य (Important Facts)

- **भारत में भूजल प्रदूषण**- केंद्रीय भूजल बोर्ड की रिपोर्ट है कि भारत का भूजल काफी प्रदूषित है। 276 जिलों में फ्लोराइड की उच्च मात्रा पाई जाती है। 387 जिलों में नाइट्रेट्स अत्यधिक मात्रा में पाए जाते हैं। इसके अतिरिक्त, 152 जिलों में आर्सेनिक की उच्च सांद्रता है।
- **भविष्य की परियोजनाएं**- वर्तमान जल उपयोग और जनसंख्या वृद्धि के रुझानों को देखते हुए, भारत के समक्ष आने वाले दशकों में जल उपलब्धता में और भी बड़ी चुनौतियां आने की संभावना है। वर्ष 2050 तक, यह अनुमान लगाया गया है कि प्रति व्यक्ति जल उपलब्धता जलसंकट स्तर (Stress level) तक गिर सकती है, जो प्रति व्यक्ति 1,000 और 1,100 घन मीटर के बीच है। ऐसी स्थिति में भारत को जल संकट ग्रस्त देश घोषित किया जा सकता है।

26.3 मृदा प्रदूषण (Soil Pollution)

मृदा प्रदूषण हानिकारक रसायनों और अपशिष्ट सामग्री के कारण मृदा का प्रदूषित होना है, जो प्रमुख पर्यावरणीय चिंता का विषय है। यह प्रदूषण मृदा की प्राकृतिक संरचना और स्वास्थ्य को बाधित करता है, जिससे पौधों की वृद्धि, पशु स्वास्थ्य और मानव कल्याण पर प्रतिकूल प्रभाव पड़ता है। इसके प्रमुख कारकों में औद्योगिक गतिविधियाँ, कृषि रसायन और अनुचित अपशिष्ट निपटान शामिल हैं। आइए मृदा प्रदूषण का विस्तृत अवलोकन करें:-

मृदा के प्रकार (Types of Soil)

भारत में मृदा प्रकारों की विविधता को समझना कृषि और पर्यावरण प्रबंधन के लिए आवश्यक है। तालिका 26.13 में विभिन्न प्रकार की मृदा का विस्तृत अवलोकन दिया गया है।

तालिका 26.13 मृदा के प्रकार

मृदा का प्रकार	विशेषताएँ	स्थान
रेतीली मृदा	कम वर्षा, अच्छी जल निकासी	राजस्थान, गुजरात, पंजाब, हरियाणा, उत्तर प्रदेश
चिकनी मृदा	अधिक वर्षा	पश्चिम बंगाल, असम, बिहार, ओडिशा
गाद मृदा	उपजाऊ	डेल्टा क्षेत्र, उत्तर प्रदेश, बिहार, पश्चिम बंगाल
पीट मृदा	दलदली आर्द्रभूमि	केरल, तमिलनाडु, पश्चिम बंगाल, उत्तर-पूर्वी राज्य
दोमट मृदा	बहुउद्देशीय, कृषि के लिए आदर्श	सिंधू-गंगा के मैदान, मध्य भारत, दक्कन का पठार
चाक मृदा	शुष्क और अर्ध-शुष्क क्षेत्र, कैल्शियम कार्बोनेट (चॉक) से समृद्ध	राजस्थान, हरियाणा, आंध्र प्रदेश, तमिलनाडु, मध्य प्रदेश और बिहार
जलोढ़ मृदा	अवसाद जमा, उपजाऊ, ह्यूमस और नाइट्रोजन की कमी	सिंधू-गंगा के मैदान
लाल मृदा	लौह ऑक्साइड से समृद्ध, लाल रंग	मध्य प्रदेश, कर्नाटक, महाराष्ट्र, राजस्थान
लेटेराइट मृदा	लीच्ड चिकनी मृदा और लौह, कम उपजाऊ	पश्चिमी घाट, पूर्वी घाट, तटीय क्षेत्र
रेगुर मृदा (काली मृदा)	कैल्शियम, पोटेशियम, मैग्नीशियम से समृद्ध, नाइट्रोजन कम	दक्कन ट्रैप क्षेत्र

मृदा परतें (Soil Horizons)

मृदा एक परतदार केक की तरह होती है, जिसमें प्रत्येक परत की अपनी भूमिका और संरचना होती है। यहाँ मृदा की मुख्य परतें, या क्षितिज, निम्नवत हैं-

1. **O क्षितिज (परत)**- यह सबसे ऊपरी परत है जहाँ पत्तियाँ, टहनियाँ और पशु अपशिष्ट मिलता है। इस परत में इनकाटूटना आरंभ होता है। इस परत में बहुत सारे जैविक पदार्थ विघटित होना शुरू होते हैं।
2. **A क्षितिज (परत)**- ओ क्षितिज (परत) के नीचे, ए क्षितिज (परत) है। इस परत में आंशिक रूप से विघटित जैविक पदार्थ होते हैं जिन्हें ह्यूमस कहा जाता है, जो चट्टानों से कुछ खनिजों के साथ मिश्रित होते हैं। इस परत में पौधों की जड़ें बढ़ती हैं और अपने पोषक तत्व प्राप्त करती हैं।
3. **B क्षितिज (परत)**- बी क्षितिज (परत) को उपमृदा के रूप में जाना जाता है। इसमें ए क्षितिज (परत) की तुलना में कम जीवित चीजें और कम जैविक पदार्थ होते हैं। ऊपर की परतों से खनिज और पोषक तत्व यहाँ रिस सकते हैं।
4. **C क्षितिज (परत)**- यह परत मुख्य रूप से उस मूल सामग्री से बनी होती है जिससे मृदा का निर्माण हुआ है, जैसे कि चट्टानें और खनिज।

यह ऊपरी परतों की तरह जैविक पदार्थ और पोषक तत्वों में समृद्ध नहीं होती है। मृदा की परतें समय के साथ प्राकृतिक प्रक्रियाओं के माध्यम से विकसित होती हैं और पौधों की वृद्धि को सहाराप्रदान करने, जल को फिल्टर करने और

मृदा के जीवों के लिए पर्यावास प्रदान करने में महत्वपूर्ण भूमिका निभाती हैं। प्रत्येक परत मृदा के स्वास्थ्य और उर्वरता में अलग-अलग योगदान देती है।

मृदा की गुणवत्ता के पैरामीटर (Soil Quality Parameters)

मृदा का पीएच मृदा के स्वास्थ्य के लिए थर्मामीटर की तरह है, जो इसकी अम्लता या क्षारीयता को मापता है। मृदा विज्ञान में, पीएच हमें बताता है कि कोई चीज कितनी खट्टी (अम्लीय) या कड़वी (क्षारीय) है। कल्पना कीजिये कि आप कुछ बहुत खट्टा, जैसे नींबू (अम्लीय) या कुछ कड़वी दवा जैसे (क्षारीय) स्वाद का अनुभव कर रहे हैं। मृदाएँ अम्लीय (नींबू के रस की तरह) हो सकती हैं जिनका पीएच 7 से कम होता है, तटस्थ (शुद्ध जल की तरह) जिनका पीएच 7 होता है, या क्षारीय (कुछ खनिजों की तरह) जिनका पीएच 7 से अधिक होता है। यह पीएच हमें यह समझने में मदद करता है कि क्या पौधे वहाँ अच्छी तरह से बढ़ेंगे और मृदा में पोषक तत्व कैसे काम करेंगे। अब, आइए देखें कि भिन्न-भिन्न पीएच स्तर भिन्न-भिन्न प्रकार की मृदाओं को कैसे प्रभावित करते हैं-

1. **अम्लीय मृदाएं (जिनका पीएच 7 से कम होता है)-**
   - *उदाहरण*- रेतीली मृदा और पीट मृदा।
   - ये अम्लीय क्यों होती हैं? ये समय के साथ अम्लों को जमा करती रहती हैं और बुनियादी पोषक तत्वों को गवां देती हैं।
2. **तटस्थ मृदाएं (पीएच 7)-**
   - *उदाहरण*- दोमट मृदा।
   - न तो बहुत अम्लीय और न ही बहुत क्षारीय, ये बिल्कुल संतुलित मृदा हैं!
3. **क्षारीय मृदाएं (पीएच 7 से अधिक)-**
   - *उदाहरण*- चूना पत्थर युक्त मृदाएं ।
   - ये क्षारीय क्यों होती हैं? इनमें कैल्शियम कार्बोनेट जैसी सामग्री मिल जाती हैं जो पीएच स्तर को बढ़ाती है।

मृदा प्रदूषण के स्रोत (Sources of Soil Pollution)

मृदा प्रदूषण के स्रोत विविध हैं और इनमें मानव गतिविधियाँ और प्राकृतिक प्रक्रियाएँ दोनों शामिल हैं। प्रमुख स्रोतों में औद्योगिक अपशिष्ट, कृषि रसायन और घरेलू एवं खतरनाक अपशिष्ट का अनुचित निपटान शामिल हैं, जो सभी मृदा की गुणवत्ता और पारिस्थितिकी तंत्र के स्वास्थ्य के क्षरण में योगदान करते हैं। आइये मृदा प्रदूषण के सामान्य स्रोतों पर नजर डालें:

1. **वनों की कटाई का प्रभाव**- पेड़ों को काटने से मृदा का स्वास्थ्य और उर्वरता बाधित होती है, जिससे पारिस्थितिक तंत्र को नुकसान पहुंचता है।
2. **मृदा का संपीड़न**- मृदा का संपीड़न तब होता है जब भारी मशीनरी या यातायात मृदा के कणों को संकुचित कर देता है। मृदा का संपीड़न इसकी जल और पोषक तत्वों को धारण करने की क्षमता को कम करता है, जिससे पौधों की वृद्धि प्रभावित होती है।
3. **सीवेज और औद्योगिक अपशिष्ट**- सीवेज और औद्योगिक कचरे के निपटान के कारण मृदा में हानिकारक खनिज और प्रदूषकमिल जाते हैं।
4. **गहन कृषि**- फसल चक्रण के बिना निरंतर खेती मृदा के पोषक तत्वों को समाप्त कर देती है, जिससे इसकी उर्वरता प्रभावित होती है।
5. **उच्च उपज वाली फसलों का उपयोग**- उच्च उपज वाली फसलों को अधिक जल और रासायनिक उर्वरकों की आवश्यकता होती है, जो यदि स्थायी रूप से प्रबंधित नहीं किए जाते हैं तो मृदा के क्षरण और पोषक तत्वों के असंतुलन का कारण बन सकते हैं।
6. **लवणता और जलभराव**- उच्च लवणतायुक्त जल से अधिक सिंचाई करने से मृदा में लवणता का स्तर बढ़ सकता है, जिससे यह पौधों की वृद्धि के लिए अनुपयुक्त हो जाती है। जलभराव तब होता है जब अत्यधिक जल मृदा के छिद्रों को संतृप्त कर देता है, जिससे ऑक्सीजन की कमी हो जाती है।
7. **कीटनाशकों और उर्वरकों का उपयोग**- इन रसायनों का अत्यधिक उपयोग मृदा को प्रदूषित कर सकता है और आसपास के पारिस्थितिक तंत्र को प्रभावित कर सकता है।
8. **भूजल का अत्यधिक दोहन**- बहुत अधिक भूजल निकालने से जल स्तर कम हो सकता है, जिससे मृदा का मरुस्थलीकरण हो सकता है।
9. **खराब अपशिष्ट निपटान प्रथाएँ**- गैर-जैवअपघटन अपशिष्ट, रेडियोधर्मी अपशिष्ट और इलेक्ट्रॉनिक अपशिष्ट (ई-कचरे) का अनुचित निपटान मृदा को दूषित कर सकता है, जिससे मनुष्यों और वन्यजीवों के लिए स्वास्थ्य संबंधी जोखिम पैदा हो सकते हैं।
10. **वायुजनित प्रदूषण**- औद्योगिक उत्सर्जन, वाहनों और कृषि गतिविधियों से प्रदूषक मृदा की सतहों पर जमा हो जाते हैं, जिससे मृदा की गुणवत्ता प्रभावित होती है और पौधों के माध्यम से खाद्य श्रृंखला में प्रवेश करने की संभावना होती है।
11. **खुली खदानें**- खनन संचालन मृदा की संरचना को बाधित करते हैं और प्रदूषण का कारण बनते हैं, जिससे मृदा की उर्वरता और स्वास्थ्य प्रभावित होता है।

26.4 ध्वनि प्रदूषण (Noise Pollution)

ध्वनि प्रदूषण को समझने से पहले, आइए ध्वनि और शोर के बीच के अंतर को समझें-

1. **ध्वनि**- ध्वनि एक कंपन है जो गैस, तरल या ठोस जैसे माध्यम से होकर दबाव की श्रव्य तरंग के रूप में यात्रा करती है।
2. **शोर**- शोर कोई भी अवांछित या परेशान करने वाली ध्वनि है जो सुनने में बाधा डालती है, जिससे ध्यान भंग होता है या परेशानी होती है।
   - **शोर की प्रकृति**- शोर यादृच्छिक हो सकता है और आमतौर पर इसे नियमित ध्वनियों के विपरीत, अवांछनीय और विघटनकारी माना जाता है।
   - **ध्वनि प्रदूषण की परिभाषा**- ध्वनि प्रदूषण पर्यावरणीय शोर है जो विशेष रूप से उच्च मात्रा में या लंबे समय तक संपर्क में रहने पर शरीर को नुकसान पहुँचाता है। यह अवांछित ध्वनि है जो परेशान करती है और तनाव का कारण बनती है, जिससे कानों में स्थित बाल कोशिकाएँ (hair cells) को संभावित रूप से नुकसान पहुँचता है।
   - **ध्वनि प्रदूषण के प्रभाव**- ध्वनि प्रदूषण न केवल सुनने को प्रभावित करता है बल्कि रक्तचाप बढ़ाता है, संज्ञानात्मक कार्य को बाधित करता है और पुरानी तनाव का कारण बनता है, जिससे समग्र स्वास्थ्य प्रभावित होता है।

ध्वनि का मापन (Measurement of Noise)

आवृत्ति को समझना (Understanding Frequency)

आवृत्ति, जिसे अक्सर पिच के रूप में संदर्भित किया जाता है, यह बताती है कि कोई ध्वनि तरंग एक सेकंड में कितनी बार दोहराती है (चित्र 26.4)।

1. **मापन**- आवृत्ति को हट्र्ज (Hz) में मापा जाता है। एक हट्र्ज एक सेकंड में एक कंपन के बराबर होता है। तो, 100 Hz की आवृत्ति वाली ध्वनि तरंग प्रति सेकंड 100 बार कंपन करती है।
2. **मानव श्रवण सीमा**- सुनने की सामान्य क्षमता वाले मनुष्य आमतौर पर 20 Hz और 20,000 Hz के बीच की आवृत्तियों को सुन सकते हैं। 20 Hz से कम की ध्वनियाँ अवानिक (हमारे सुनने के लिए बहुत कम) होती हैं और 20,000 Hz से अधिक की ध्वनियाँ पराश्रव्य (हमारे सुनने के लिए बहुत अधिक) होती हैं।
3. **निम्न आवृत्ति**- इसका तात्पर्य है कि ध्वनि तरंग प्रति सेकंड कम बार कंपन करती है। उदाहरण के लिए, एक गहरे ड्रम की ध्वनि में उच्च पिच वाली सीटी की ध्वनि की तुलना में कम आवृत्ति होती है।
4. **उदाहरण**-
   - *निम्न आवृत्ति*- एक डीजल इंजन 20–1,000 Hz की सीमा के भीतर काम करता है, जो गहरा, गूंजायमान कंपन उत्पन्न करता है।
   - *उच्च आवृत्ति*- एक अलार्म घड़ी 2,000–4,000 Hz के बीच ध्वनियाँ उत्सर्जित करती है, जो अपनी तेज और पैनी ध्वनियों के लिए जानी जाती है।
   - *निम्न आवृत्ति*- किसी पुरुष की आवाज (85–180 Hz) गहरी और भारी लगती है, गंभीर या आधिकारिक स्वर के लिए अच्छी होती है।
   - *उच्च आवृत्ति*- किसी महिला की आवाज (165–255 Hz) उच्च पिच वाली, स्पष्ट और अभिव्यक्तिपूर्ण होती है, जो भावनात्मक संचार के लिए आदर्श होती है।

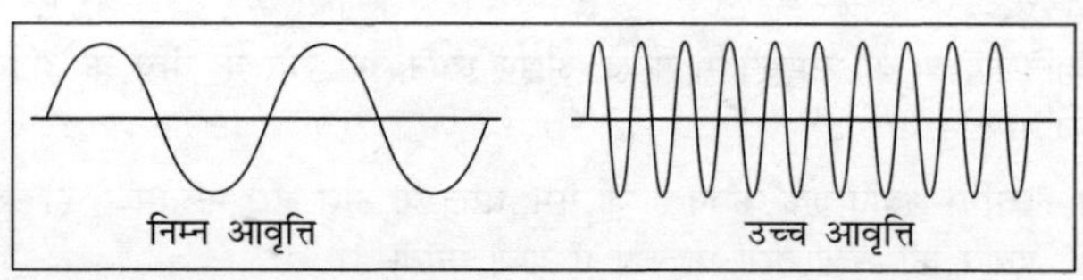

चित्र 26.4 एक सेकंड की अवधि में ध्वनि तरंगें

शोर मापने से संबंधित महत्वपूर्ण शब्दावली (Important Terms Associated with Noise Measurement)

1. **डेसिबल स्केल**- शोर, जो हम अपने आसपास सुनते हैं, को डेसिबल (dB) नामक इकाई का उपयोग करके मापा जाता है। इस इकाई का नाम अलेक्जेंडर ग्राहम बेल के नाम पर रखा गया है, जिन्होंने टेलीफोन का आविष्कार किया था। डेसिबल की विशेषता यह है कि ये सामान्य संख्याओं की तरह सीधी रेखा में नहीं बढ़ती है; इसके बजाय, ये लघुगणकीय पैमाने का पालन करती हैं। इसका तात्पर्य है कि हर 10 dB की वृद्धि ध्वनि तीव्रता में दस गुना वृद्धि का प्रतिनिधित्व करती है। उदाहरण के लिए, यदि किसी ध्वनि का माप 70 dB है, तो यह वास्तव में 60 dB पर मापी गयी ध्वनि की तुलना में दस गुना अधिक तीव्र है। यदि ध्वनि 40 dB से 80 dB तक बढ़ जाती है, तो इसका तात्पर्य है कि ध्वनि की तीव्रता 10,000 गुना बढ़ गयी है।
2. **डीबीए (dBA)**- डीबीए (dBA) का तात्पर्य डेसिबल-ए वेटिंग है। जब हम शोर प्रदूषण को मापते हैं, जैसे कि शहरों या कार्यस्थलों में, हम dBA का उपयोग करते हैं। यह पैमाना न केवल ध्वनि की तीव्रता (कितनी तेज है) बल्कि उसकी आवृत्ति (पिच) को भी ध्यान में रखता है। dBA में 'ए' वेटिंग यह दर्शाता है कि हमारे कान विभिन्न आवृत्तियों की ध्वनियों के प्रति कितने संवेदनशील हैं। चित्र 26.4 में विभिन्न गतिविधियों के लिए औसत डेसिबल स्तर दिया गया है।
3. **श्रवण की आरंभिक सीमा (दहलीज)**- यह सबसे शांत ध्वनि है जिसे औसत मानव कान सुन सकता है, जो लगभग 0 dB होती है। 0 डेसिबल श्रवण सीमा का प्रतिनिधित्व करती हैं, जो 1×10–12 वाट्स/मी^{2} की तीव्रता के अनुरूप है। इस स्तर से नीचे की ध्वनियाँ विशेष उपकरणों की सहायता के बिना नहीं सुनी जा सकती हैं। इसे चित्र 26.5 में दर्शाया गया है।

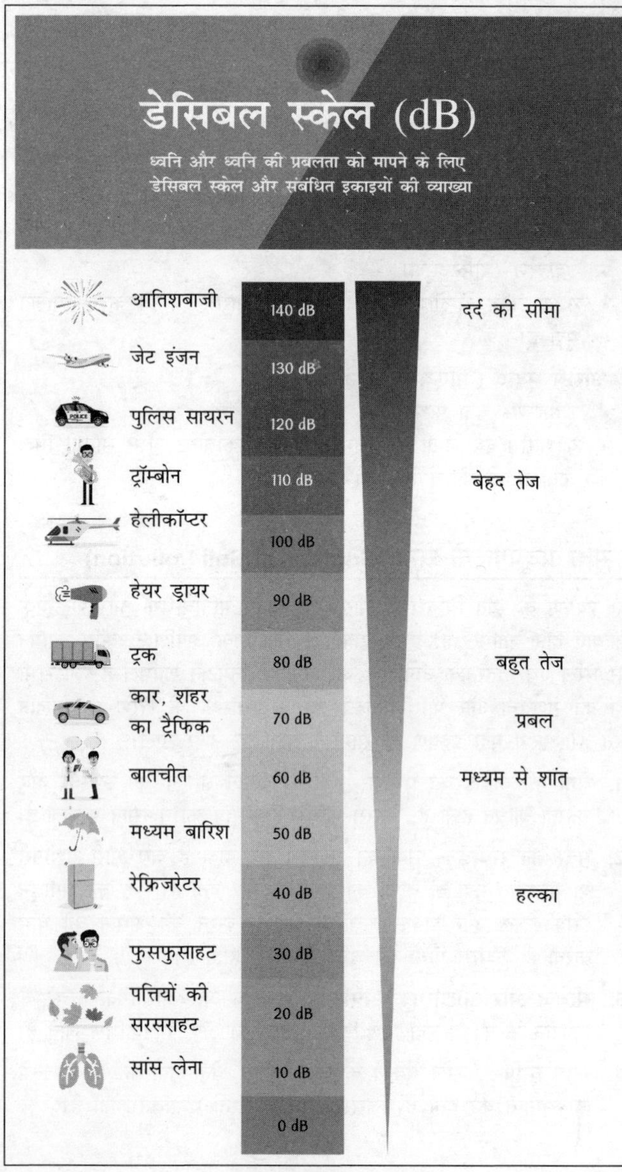

चित्र 26.5 डेसिबल स्केल

4. **दर्द की आरंभिक सीमा**- पैमाने के दूसरे छोर पर, लगभग 120-130 कठ पर, ध्वनियाँ दर्दनाक रूप से तेज हो सकती हैं और यदि हम उनके संपर्क में अधिक समय तक रहते हैं तो हमारी सुनने की क्षमता को नुकसान पहुँचा सकती हैं।
5. **सोनिक बूम**- जब विमान ध्वनि से भी तेज गति से उड़ते हैं, तो वे आघात तरंग (शॉकवेव) उत्पन्न करते हैं जिसे सोनिक बूम कहा जाता है। यह एक अत्यंत तेज ध्वनि उत्पन्न करता है जिसे जमीन पर सुना जा सकता है।
6. **ध्वनि ऊर्जा**- यह ध्वनि उत्पन्न करने वाली वस्तु, जैसे स्पीकर, संगीत वाद्ययंत्र या यहां तक कि विमान इंजन द्वारा विकिरित ऊर्जा की मात्रा का माप है। इसे वाट्स (W) में मापा जाता है।

सिनेमैटिक कनेक्शन

आईपीएल मैचों में, जब भी विराट कोहली जैसे स्टार बल्लेबाज छक्का मारते हैं या जसप्रीत बुमराह जैसे शीर्ष गेंदबाज विकेट लेते हैं, तो 'शोर मीटर' नामक एक अनूठी विशेषता प्रदर्शित की जाती है। यह 'शोर मीटर' स्टेडियम में डेसिबल स्तर को मापता है, भीड़ के उत्साह और ऊर्जा को कैप्चर करता है। ठीक वैसे ही जैसे फिल्मों में, जहां ध्वनि स्तर एक्शन के रोमांच को बढ़ाते हैं, 'शोर मीटर' खेल के विद्युतीय वातावरण में जोड़ता है, प्रशंसकों के अपने पसंदीदा खिलाड़ियों के लिए गर्जन समर्थन को प्रदर्शित करता है।

शोर प्रदूषण के प्रभाव (Effects of Noise Pollution)

विश्व स्वास्थ्य संगठन (WHO) द्वारा शोर प्रदूषण को विशेष रूप से शहरी क्षेत्रों में एक महत्वपूर्ण स्वास्थ्य चिंता के रूप में पहचानागया है। यहां तक कि लंबे समय तक 85 dB या इससे कम के शोर स्तर के संपर्क में रहने से भी स्थायी श्रवण क्षति हो सकती है, जबकि 130 dB के आसपास का स्तर शारीरिक दर्द का कारण बन सकता है।

शोर प्रदूषण हृदय गति और श्वास पैटर्न को भी बदल सकता है, चिड़चिड़ापन, सिरदर्द, अनिद्रा और समग्र उत्पादकता को कम कर सकता है। शोर प्रदूषण से जुड़ी एक और महत्वपूर्ण घटना मास्किंग है।

मास्किंग- शोर प्रदूषण के संदर्भ में मास्किंग उस घटना को संदर्भित करता है जहां अवांछित ध्वनियाँ हमें अन्य ध्वनियों, विशेष रूप से महत्वपूर्ण ध्वनियों को सुनने या पहचानने में कठिनाई पैदा करती हैं।

उदाहरण के लिए, किसी व्यस्त सड़क जैसी शोरगुल वाली जगह में किसी से बात करने की कोशिश करने की कल्पना करें। यातायात और लोगों की बातों से पृष्ठभूमि में होने वाला शोर उस व्यक्ति की आवाज को श्मास्कश या ढक देता है जिसे आप सुनने की कोशिश कर रहे हैं। ऐसा इसलिए होता है क्योंकि मस्तिष्क और कान वांछित ध्वनि (व्यक्ति की आवाज) को अवांछित शोर (यातायात, बातचीत) से अलग करने के लिए संघर्ष करते हैं।

दैनिक जीवन में, मास्किंग हमारे अलार्म, महत्वपूर्ण घोषणाओं, या यहां तक कि बातचीत को सुनने की क्षमता को प्रभावित कर सकता है। यह कार्यस्थलों, अस्पतालों और घरों में विशेष रूप से समस्याग्रस्त हो सकता है जहां एकाग्रता या नींद आवश्यक है। मास्किंग शोर प्रदूषण के हमारे संवाद करने और शोरगुल वाले वातावरण में प्रभावी ढंग से कार्य करने की क्षमता पर प्रभाव को रेखांकित करता है।

शोर प्रदूषण को नियंत्रित करने के लिए सरकारी पहलें (Government Initiatives to Control Noise Pollution)

1. **सीपीसीबी द्वारा शोर सीमा तय करना**- केंद्रीय प्रदूषण नियंत्रण बोर्ड (सीपीसीबी) ने विभिन्न क्षेत्रों के लिए विशिष्ट शोर सीमाएँ स्थापित की हैं, जो दिन और रात की गतिविधियों के बीच अंतर करती हैं। तालिका 26.14 में भारत में विभिन्न गतिविधियों के लिए निर्धारित शोर सीमाएँ दी गयी हैं। आप इन चार क्षेत्रों के अनुक्रम को निमोनिक (स्मृति सहायक सूत्र)- आईसीआरएस, (Industrial) औद्योगिक, (Commercial) वाणिज्यिक, (Residential) आवासीय और (Silent) शांत) के साथ याद रख सकते हैं।
2. **शांति क्षेत्रों का निर्माण**- भारत में शोर प्रदूषण (विनियमन और नियंत्रण) नियमावली के तहत नामित, शांति क्षेत्र संवेदनशील क्षेत्रों जैसे शैक्षिक संस्थानों, अस्पतालों, अदालतों और धार्मिक स्थानों के पास स्थित होते हैं। इन क्षेत्रों में शोर स्तरों को सख्ती से नियंत्रित किया जाता है, इनमें दिन के समय (6-00 AM से 10-00 PM) में 50 dB तक और रात के समय (10-00 PM से 6-00 AM) तक 40 dB तक शोर की ही अनुमति होती है ताकि व्यवधान न्यूनतम हो।

तालिका 26.14 भारत में शोर सीमाएँ

क्षेत्र	दिन की सीमा	रात की सीमा
औद्योगिक क्षेत्र	75 db	70 db
वाणिज्यिक क्षेत्र	65 db	55 db
आवासीय क्षेत्र	55 db	45 db
शांत क्षेत्र	50 db	40 db

क्विज स्टेशन *विगत UGC NET परीक्षाओं के प्रश्न*

प्र.1. कथन I- शोर प्रदूषण के संपर्क में आने से व्यक्ति के शारीरिक स्वास्थ्य पर प्रतिकूल प्रभाव पड़ता है।

कथन II- शोर प्रदूषण के संपर्क में आने से व्यक्ति के मानसिक स्वास्थ्य पर प्रतिकूल प्रभाव पड़ता है।

(a) कथन I और कथन II, दोनों सही हैं

(b) कथन I और कथन II, दोनों गलत हैं

(c) कथन I सही है लेकिन कथन II गलत है

(d) कथन I गलत है लेकिन कथन II सही है

उत्तर 1. (a)

26.5 रेडियोधर्मी प्रदूषण (Radioactive Pollution)

रेडियोधर्मी प्रदूषण तब होता है जब हानिकारक रेडियोधर्मी सामग्री पर्यावरण में प्रवेश करती है, जिससे जीवों और पारिस्थितिक तंत्रों को खतरा होता है। ये सामग्री विकिरण उत्सर्जित करती हैं। यह तरंगों या कणों के रूप में यात्रा करने वाली ऊर्जा होती है।

नीचे और तालिका 26.15 में विकिरण के दो मुख्य प्रकारों पर चर्चा की गयी है

विकिरण के प्रकार (Types of Radiation)

1. **आयनीकरण विकिरण**- इसमें शक्तिशाली ऊर्जा रूप जैसे एक्स-रे और गामा किरणें शामिल हैं।
   - **स्रोत**- चिकित्सा प्रक्रियाओं (जैसे एक्स-रे और सीटी स्कैन), परमाणु ऊर्जा संयंत्रों और प्राकृतिक स्रोतों (जैसे ब्रह्मांडीय किरणें और रेडॉन गैस) से निकलते हैं। ?
   - **प्रभाव**- डीएनए को बदल सकते हैं, परमाणुओं और अणुओं को आयनीकृत कर सकते हैं, त्वचा के ऊतकों को नुकसान पहुंचा सकते हैं, कैंसर का कारण बन सकते हैं और भावी पीढ़ी को प्रभावित कर सकते हैं।
2. **गैर-आयनीकरण विकिरण**- यह कम ऊर्जा वाला विकिरण का कमजोर रूप है।
   - **स्रोत**- ये विकिरणें मोबाइल फोन और रेडियो टावरों जैसे रोजमर्रा के उपकरणों से निकलती हैं।
   - **प्रभाव**- मुख्य रूप से गर्मी उत्पन्न करते हैं और आमतौर पर कम हानिकारक होते हैं। यद्यपि, उच्च स्तर पर लंबे समय तक संपर्क में रहने से स्वास्थ्य पर प्रतिकूल प्रभाव पड़ सकते हैं।

क्या आप जानते हैं

पराबैंगनी (UV) विकिरण गैर-आयनीकरण विकिरण का एक रूप है जो सूर्य और कृत्रिम स्रोतों द्वारा उत्सर्जित होता है।

तालिका 26.15 विकिरण के प्रकार

विकिरण का प्रकार	विवरण	स्रोत	प्रभाव
आयनीकरण विकिरण	उच्च-ऊर्जा रूप जैसे एक्स-रे और गामा किरणें	चिकित्सा प्रक्रियाएँ (एक्स-रे, सीटी स्कैन), परमाणु ऊर्जा संयंत्र, प्राकृतिक स्रोत (ब्रह्मांडीय किरणें, रेडॉन गैस)	डीएनए को बदल सकता है, ऊतकों को नुकसान पहुंचाता है, कैंसर का कारण बनता है, भविष्य की पीढ़ियों को प्रभावित करता है
गैर-आयनीकरण विकिरण	कम ऊर्जा वाला विकिरण	मोबाइल फोन, रेडियो टावर	गर्मी उत्पन्न करता है, आम तौर पर कम हानिकारक है। उच्च स्तर पर लंबे समय तक संपर्क में रहने से स्वास्थ्य पर प्रतिकूल प्रभाव पड़ सकते हैं।

रेडियोधर्मी प्रदूषण का प्रभाव (Effect of Radioactive Pollution)

विकिरण का मुख्य रूप से प्रदूषण, स्थायित्व और वन्यजीवों एवं पारिस्थितिक तंत्र पर इसके प्रभाव के माध्यम से पर्यावरण पर कई हानिकारक प्रभाव होते हैं।

1. **संदूषण**- रेडियोधर्मी प्रदूषक वायु, जल और मृदा को संदूषित कर सकते हैं। यह संदूषण सभी जीवों को प्रभावित करता है और प्राकृतिक प्रक्रियाओं को बाधित करता है। इन प्रदूषकों के फैलाव से व्यापक पर्यावरणीय क्षति हो सकती है, जिससे प्रभावित क्षेत्र वन्यजीवों और मनुष्यों, दोनों के लिए असुरक्षित हो जाते हैं।
2. **स्थायित्व**- रेडियोधर्मी पदार्थों में लंबे समय तक पर्यावरण में बने रहने की क्षमता होती है। इन प्रदूषकों के बने रहने की अवधि उनके अर्ध-जीवन पर निर्भर करती है, जो कुछ दिनों से लेकर हजारों वर्षों तक हो सकती है। इस दीर्घकालिक उपस्थिति का तात्पर्य है कि विकिरण से जुड़े पर्यावरणीय और स्वास्थ्य जोखिम कई पीढ़ियों तक बने रह सकते हैं।
3. **वन्यजीवों और पारिस्थितिक तंत्र पर प्रभाव**- विकिरण विशेष रूप से उच्च स्तर के प्रदूषण वाले क्षेत्रों में हानिकारक होता है। यह वन्यजीवों में आनुवंशिक उत्परिवर्तन और मृत्यु दर में वृद्धि का कारण बन सकता है। पारिस्थितिक तंत्र प्रभावित होते हैं क्योंकि प्राकृतिक संतुलन बाधित होता है, जिससे कई प्रजातियों की जनसंख्या में महत्वपूर्ण गिरावट आती है। इन क्षेत्रों की समग्र जैव विविधता गंभीर रूप से प्रभावित हो सकती है, जिससे दीर्घकालिक पारिस्थितिकीय क्षति हो सकती है।

परीक्षोपयोगी

26.6 पर्यावरणीय अपशिष्ट (Environmental Waste)

पर्यावरणीय अपशिष्ट का सन्दर्भ किसी भी ऐसी सामग्री या पदार्थ से है जिसे त्याग दिया गया है, बचा हुआ है या अब उपयोगी नहीं है और यदि इसे सही तरीके से प्रबंधित नहीं किया गया, तो यह पर्यावरण को नुकसान पहुंचा सकता है। अपशिष्ट प्रदूषण उन सामग्रियों के अनुचित निपटान को संदर्भित करता है जो पर्यावरण और मानव स्वास्थ्य के लिए हानिकारक हैं।

इस विषय को सरल बनाने वाले वीडियो व्याख्यान को देखने के लिए इस QR कोड को स्कैन करें

पर्यावरण संरक्षण अधिनियम, 1986 के अनुसार, अपशिष्ट में विभिन्न प्रक्रियाओं से उत्पन्न कोई भी अवांछित सामग्री शामिल है। अपशिष्ट प्रदूषण के पर्यावरणीय प्रभाव महत्वपूर्ण हैं, जिससे प्रदूषण, प्राकृतिक संसाधनों की कमी, ग्रीनहाउस गैस उत्सर्जन और पर्यावास का विनाश होता है। इन प्रभावों को कम करने के लिए प्रभावी अपशिष्ट प्रबंधन रणनीतियाँ महत्वपूर्ण हैं। इन रणनीतियों में अपशिष्ट के उपयोग में कमी लाने, पुनर्उपयोग करने और पुनर्चक्रण करने के सिद्धांत शामिल हैं, ताकि उचित निपटान सुनिश्चित हो सके और नवीन अपशिष्ट प्रबंधन प्रौद्योगिकियों को अपनाया जा सके।

ठोस अपशिष्ट (Solid Waste)

ठोस अपशिष्ट के स्रोत (Sources of Solid Waste)

अपशिष्टों के स्रोत विविध होते हैं और विभिन्न गतिविधियों, घरेलू और औद्योगिक, दोनों से उत्पन्न होते हैं। ये अपशिष्ट, घरेलू वस्तुओं से लेकर औद्योगिक प्रक्रियाओं के उप-उत्पादों तक, पर्यावरण प्रदूषण के महत्वपूर्ण कारक हैं। इन अपशिष्ट स्रोतों का उचित प्रबंधन और वर्गीकरण प्रभावी अपशिष्ट प्रबंधन और पर्यावरण संरक्षण के लिए अति आवश्यक है। तालिका 26.16 में उद्योगवार अपशिष्ट स्रोत दिये गये हैं।

तालिका 26.16 अपशिष्ट के स्रोत

अपशिष्ट का स्रोत	विवरण
घरेलू अपशिष्ट	इसमें पॉलीथीन, बोतलें, खाद्य स्क्रैप, कपास आदि शामिल हैं।
औद्योगिक अपशिष्ट	अपशिष्ट विभिन्न औद्योगिक गतिविधियों से उत्पन्न होते हैं और इसे निम्नलिखित प्रकारों में वर्गीकृत किया जा सकता है:-
खाद्य प्रसंस्करण	इसमें जैविक अपशिष्ट और रोगजनक शामिल हैं।
कागज उद्योग	इसमें क्लोरीन, सल्फर डाइऑक्साइड और मिथाइल मरकैप्टन जैसे अपशिष्ट पदार्थ शामिल हैं।
कपड़ा उद्योग	इसमें अपशिष्ट रेशों को उबालने और प्रसंस्करण से उत्पन्न होता है।
पेट्रोलियम उद्योग	इसमें अजैविक सल्फर, हाइड्रोकार्बन, जैविक अम्ल आदि अपशिष्ट शामिल हैं।
रासायनिक उद्योग	इसमें फॉस्फोरस, फ्लोरीन और सिलिका जैसे अपशिष्ट पदार्थ शामिल हैं।
धातु उद्योग	इसमें तांबा, सीसा, क्रोमियम और कैडमियम जैसी धातुएं शामिल हैं।
सीमेंट उद्योग	इसमें कण पदार्थ और धूल उत्पन्न होती है।
नाभिकीय रिएक्टर	रेडियोधर्मी अपशिष्ट उत्पन्न करते हैं, जिसमें प्लूटोनियम शामिल है।
कृषि अपशिष्ट	इसमें खेती की गतिविधियों से उत्पन्न अपशिष्ट शामिल हैं, जैसे उर्वरक, फसल अवशेष, कीटनाशक और धूमन पदार्थ आदि।
रेडियोधर्मी अपशिष्ट	एक्स-रे मशीनों, नाभिकीय संयंत्रों, प्रयोगशालाओं आदि जैसे स्रोतों से उत्पन्न होता है।
नगरीय अपशिष्ट	सार्वजनिक कार्यालयों, पार्कों, दुकानों और अन्य शहरी क्षेत्रों द्वारा उत्पन्न होते हैं।

ठोस अपशिष्ट के प्रकार (Types of Solid Waste)

कचरे को उसके गुणों और पर्यावरण पर प्रभाव के आधार पर विभिन्न प्रकारों में वर्गीकृत किया जा सकता है।

1. **जैविक अपशिष्ट-** इस प्रकार के अपशिष्ट को प्राकृतिक प्रक्रियाओं और बैक्टीरिया एवं कवक जैसे अपघटकों द्वारा तोड़ा जा सकता है। उदाहरणों में बचे हुए खाद्य पदार्थ, बगीचे का कचरा और कागज उत्पाद शामिल हैं।
2. **गैर-जैविक अपशिष्ट-** ये अपशिष्ट स्वाभाविक रूप से विघटित नहीं होते हैं और लंबे समय तक पर्यावरण में बने रह सकते हैं। इनके उदाहरणों में प्लास्टिक, धातु और कांच शामिल हैं, जो प्रदूषण के महत्वपूर्ण कारक हैं।
3. **जैव चिकित्सा अपशिष्ट-** यह कचरा स्वास्थ्य देखभाल गतिविधियों से उत्पन्न होता है और इसमें प्रयुक्त सिरिंज, पट्टियाँ और दवाएँ जैसी वस्तुएँ शामिल हैं। स्वास्थ्य खतरों और पर्यावरणीय प्रदूषण को रोकने के लिए इनका उचित निपटान आवश्यक है।
4. **ई-अपशिष्ट-** इलेक्ट्रॉनिक अपशिष्ट में त्यागे गए इलेक्ट्रॉनिक उपकरण जैसे कंप्यूटर, मोबाइल फोन और बैटरी शामिल हैं।

ठोस अपशिष्ट का निपटान करने के तरीके (Methods to Dispose Solid Waste)

घरों से नगरपालिका कचरा संगृहीत करने के बाद, नगरपालिका प्राधिकरण ठोस अपशिष्ट का प्रबंधन और निपटान करने के लिए कई तरीकों का उपयोग करते हैं। तालिका 26.17 में अपशिष्ट के निपटान के सभी महत्वपूर्ण तरीकों को दर्शाया गया है-

1. **बायोमीथनेशन (एनारोबिक डाइजेशन)-** यह प्रक्रिया सूक्ष्मजीवों का उपयोग करके जैविक अपशिष्ट को तोड़ती है, जिससे बायोगैस उत्पन्न होती है, जिसमें मीथेन और कार्बन डाइऑक्साइड शामिल हैं। बायोगैस

एक नवीकरणीय ऊर्जा स्रोत के रूप में कार्य करती है और इसका उपयोग खाना पकाने, हीटिंग या बिजली उत्पन्न करने के लिए किया जा सकता है। यह विधि न केवल ऊर्जा प्रदान करती है बल्कि अपशिष्ट की मात्रा और ग्रीनहाउस गैस उत्सर्जन को भी कम करती है। मीथेनोजेनेसिस एक प्राकृतिक प्रक्रिया है जहां छोटे जीव ऑक्सीजन की अनुपस्थिति में पशु अपशिष्ट या पौध सामग्री जैसे जैविक पदार्थों को तोड़ते हैं। यह प्रक्रिया मीथेन गैस छोड़ती है, जो वातावरण में छोड़े जाने पर हानिकारक हो सकती है लेकिन बायोगैस संयंत्रों जैसी प्रणालियों में संगृहीत किए जाने पर यह नवीकरणीय ऊर्जा स्रोत के रूप में उपयोगी होती है। यह महत्वपूर्ण है क्योंकि यह पर्यावरण और ऊर्जा उत्पादन दोनों को प्रभावित करती है।

2. **ऊष्मा ऊर्जा पुनर्प्राप्ति**– ऊष्मा ऊर्जा पुनर्प्राप्ति में अपशिष्ट को जलाना शामिल है ताकि उत्पन्न होने वाली ऊष्मा को संगृहीत किया जा सके और उपयोग किया जा सके। संगृहीत ऊष्मा का उपयोग इमारतों को गर्म करने, औद्योगिक प्रक्रियाओं को ऊर्जा प्रदान करने या बिजली उत्पन्न करने के लिए किया जा सकता है। यह विधि अपशिष्ट के निपटान को अधिक कुशल और पर्यावरण के अनुकूल बनाती है क्योंकि यह अपशिष्ट को उपयोगी ऊर्जा में परिवर्तित करती है।

3. **दहन**– इस विधि में अपशिष्ट को उच्च तापमान पर जलाया जाता है, जिससे यह ऊष्मा में परिवर्तित हो जाती है। उत्पन्न ऊष्मा का उपयोग बिजली उत्पन्न करने या हीटिंग उद्देश्यों के लिए किया जा सकता है, जिससे यह एक नवीकरणीय ऊर्जा स्रोत बन जाता है। दहन लैंडफिल स्थान को कम करने में मदद करता है और खतरनाक अपशिष्ट को संभाल सकता है। यद्यपि, दहन संयंत्रों की प्रारंभिक लागत और रखरखाव अधिक होता है। ग्रीनहाउस गैसों और अन्य प्रदूषकों के उत्सर्जन की चिंताएँ हैं, लेकिन उन्नत फिल्टरिंग सिस्टम इन प्रभावों को कम कर सकते हैं।

4. **लैंडफिलिंग**– इस विधि में अपशिष्ट को जमीन में दफनाया जाता है, जहां यह समय के साथ विघटित हो जाता है। लैंडफिलिंग तत्काल अपशिष्ट की मात्रा को कम करती है लेकिन मीथेन, एक शक्तिशाली ग्रीनहाउस गैस और लीचेट उत्पन्न कर सकती है। लीचेट तरल पदार्थ है जो जल के अपशिष्ट से होकर बहने से बनता है। यह प्रदूषकों को अवशोषित कर लेता है, जिसका उचित प्रबंधन न किये जाने पर पर्यावरण को दूषित कर सकता है। उचित प्रबंधन में पर्यावरणीय प्रभाव को कम करने के लिए सावधानीपूर्वक स्थल चयन, डिजाइन, संचालन और समापन शामिल है। गैस संग्रह प्रणाली ऊर्जा उपयोग के लिए मीथेन को संगृहीत कर सकती है।

5. **पुनर्चक्रण**– पुनर्चक्रण में प्लास्टिक, कागज, कांच और धातुओं जैसे अपशिष्ट की सामग्री को एकत्र करना, छांटना और संसाधित करना शामिल है ताकि नए उत्पाद बनाए जा सकें। यह प्रक्रिया कच्चे माल की आवश्यकता को कम करती है, ऊर्जा बचाती है, ग्रीनहाउस गैस उत्सर्जन को कम करती है और लैंडफिल स्थान को संरक्षित करती है। चुनौतियों में सामग्री और क्षेत्र के अनुसार भिन्न पुनर्चक्रण दर, सार्वजनिक भागीदारी की आवश्यकता और कुशल संग्रह प्रणाली शामिल हैं। कुछ सामग्री कई पुनर्चक्रण चक्रों के बाद गुणवत्ता खो देती हैं।

6. **जैव उपचार**– यह विधि मृदा, जल या वायु से प्रदूषकों को डिटॉक्सिफाई या हटाने के लिए सूक्ष्मजीवों, कवक या पौधों का उपयोग करती है। जैव उपचार तेल रिसाव, रासायनिक प्रदूषकों, भारी धातुओं और जैविक प्रदूषकों की समस्या के समाधान के लिए प्रभावी है। इसे साइट पर (इन सीटू) या साइट से बाहर (एक्स सीटू) किया जा सकता है और यह लागत प्रभावी है। यद्यपि, इसकी प्रभावशीलता प्रदूषक के प्रकार, सांद्रता और पर्यावरणीय परिस्थितियों पर निर्भर करती है और यह भौतिक या रासायनिक विधियों की तुलना में आमतौर पर धीमी होती है।

7. **पायरोलिसिस**– यह एक प्रक्रिया है जहां लकड़ी या अपशिष्ट जैसे जैविक पदार्थों को बिना ऑक्सीजन के बहुत उच्च तापमान पर गर्म किया जाता है। यह उन्हें तीन मुख्य उत्पादों में तोड़ता है–
   - **ठोस (चार या बायोचार)**– यह एक अवशिष्ट ठोस है, जो कार्बन में समृद्ध है। इसका उपयोग ईंधन के रूप में या मृदा में मिलाकर पौधों के लिए बेहतर बनाने के लिए किया जा सकता है।
   - **तरल (बायो-ऑयल)**– एक गाढ़ा तरल जिसे ईंधन या रसायन बनाने के लिए परिष्कृत किया जा सकता है।
   - **गैस (सिंगास)**– हाइड्रोजन, कार्बन मोनोऑक्साइड, और कार्बन डाइऑक्साइड जैसे गैसों का मिश्रण। सिंगास का उपयोग ईंधन के रूप में या अन्य रसायनों को बनाने के लिए किया जा सकता है। सिंगास विशेष रूप से उपयोगी है क्योंकि इसे शुद्ध हाइड्रोजन प्राप्त करने के लिए साफ किया जा सकता है, जो एक स्वच्छ ऊर्जा स्रोत है। पायरोलिसिस अपशिष्ट का प्रबंधन करने में मदद करता है और लकड़ी और बची हुई फसल सामग्री जैसी चीजों से नवीकरणीय ऊर्जा उत्पन्न करता है।

8. **कम्पोस्टिंग यूनिट्स**– कम्पोस्टिंग प्राकृतिक विघटन के माध्यम से खाद्य स्क्रैप जैसे जैविक अपशिष्ट को कम्पोस्ट में परिवर्तित करता है। परिणामी कम्पोस्ट मृदा की उर्वरता में सुधार करता है, लैंडफिल में भेजे जाने वाले अपशिष्ट की मात्रा को कम करता है और मीथेन उत्सर्जन को कम करता है। यह स्थायी प्रक्रिया अपशिष्ट को कृषि और बागवानी के लिए मूल्यवान जैविक इनपुट में परिवर्तित करती है। कम्पोस्टिंग यूनिट्स को तीन श्रेणियों में वर्गीकृत किया जा सकता है (तालिका 26.18) –
   - **एरोबिक कम्पोस्टिंग**– इस विधि में जैविक अपशिष्ट को तोड़ने के लिए वायु, गर्मी और नमी का उपयोग किया जाता है, जिससे गंध हीन और हानिकारक रोगाणुओं से मुक्त कम्पोस्ट उत्पन्न होता है। यह अपशिष्ट की मात्रा को 50 से 85 प्रतिशत तक कम कर सकता है और इसे हाथ से या मशीनों के साथ किया जा सकता है। उत्पन्न कम्पोस्ट मृदा में सुधार के लिए एक उत्कृष्ट उर्वरक है।
   - **वर्मीकम्पोस्टिंग**– इस विधि में, केंचुए और सूक्ष्मजीव मिलकर जैविक पदार्थ को विघटित करते हैं। प्रक्रिया के परिणामस्वरूप बारीक, गंध हीन केंचुए की कास्टिंग्स उत्पन्न होती हैं, जिन्हें खेती में प्राकृतिक उर्वरक के रूप में उपयोग किया जाता है। वर्मीकम्पोस्टिंग जैविक अपशिष्ट को पुनर्चक्रित करने और मृदा को समृद्ध करने का एक कुशल तरीका है।
   - **एनारोबिक डाइजेशन**– यहाँ, जैविक अपशिष्ट को कम ऑक्सीजन की स्थितियों में दफनाया जाता है, जिससे विशेष सूक्ष्मजीव इसे तोड़ते हैं और मीथेन और कार्बन डाइऑक्साइड उत्पन्न करते हैं। बचे हुए पदार्थ से मूल्यवान खाद बनती है। यह प्रक्रिया लैंडफिल में स्वाभाविक रूप से होती है और बायोगैस के माध्यम से ऊर्जा उत्पन्न कर सकती है, यद्यपि भारत में अपशिष्ट की उच्च नमीयुक्त सामग्री के कारण इसे चुनौतियों का सामना करना पड़ता है।

लर्निंग शॉर्टकट्स

ठोस अपशिष्ट के निपटान के तरीकों को याद रखने में परेशानी हो रही है? चिंता मत कीजिए! हमने सभी आवश्यक विवरणों को दो उपयोगी तालिकाओं में व्यवस्थित किया है ताकि आप आसानी से प्रमुख जानकारी को याद कर सकें। नीचे देखें -

तालिका 26.17 ठोस अपशिष्ट के निपटान के तरीके

विधि	विवरण	लाभ
बायोमेथनेशन (एनारोबिक डाइजेशन)	जैविक अपशिष्ट को तोड़ने के लिए सूक्ष्मजीवों का उपयोग करता है, बायोगैस (मीथेन और कार्बन डाइऑक्साइड) उत्पन्न करता है।	नवीकरणीय ऊर्जा उत्पन्न करता है, अपशिष्ट की मात्रा और ग्रीनहाउस गैस उत्सर्जन को कम करता है।
ऊष्मा ऊर्जा पुनर्प्राप्ति	अपशिष्ट को जलाने में शामिल होता है ताकि उत्पन्न गर्मी को संगृहीत और उपयोग किया जा सके।	अपशिष्ट को उपयोगी ऊर्जा में परिवर्तित करता है, अपशिष्ट के निपटान को कुशल और पर्यावरण के अनुकूल बनाता है।
दहन	अपशिष्ट को उच्च तापमान पर जलाता है, मात्रा को 80 से 90 प्रतिशत तक कम करता है।	उत्पन्न ऊष्मा को बिजली या सीधे हीटिंग में परिवर्तित करता है, लैंडफिल स्थान को कम करता है, खतरनाक अपशिष्ट को संभालता है।
लैंडफिल	अपशिष्ट को सुरक्षात्मक उपायों के साथ निर्दिष्ट क्षेत्रों में दफनाया जाता है।	मीथेन उत्पादन और लीचेट संदूषण को कम करने के लिए प्रबंधित किया गया।
पुनर्चक्रण	प्लास्टिक, कागज, कांच और धातुओं जैसी सामग्रियों को इकट्ठा करना, छांटना और संसाधित करना।	कच्चे माल की आवश्यकता को कम करता है, ऊर्जा बचाता है, ग्रीनहाउस गैस उत्सर्जन को कम करता है।
बायोरिमेडिएशन	मृदा, जल या वायु में प्रदूषकों को डिटॉक्सिफाई करने के लिए सूक्ष्मजीवों, कवक या पौधों का उपयोग करता है।	तेल रिसाव, रासायनिक प्रदूषकों और जैविक प्रदूषकों के लिए प्रभावी।
मीथेनोजेनेसिस	जैविक पदार्थ के एनारोबिक विघटन के माध्यम से मीथेन (बायोगैस) उत्पन्न करता है।	विशेष रूप से बायोगैस उत्पादन में ऊर्जा स्रोत के रूप में उपयोग किया जाता है।
पायरोलिसिस	जैविक सामग्रियों को ऑक्सीजन-रहित वातावरण में गर्म करता है। ठोस (चार या बायोचार), तरल (बायो-तेल), और गैस (सिंगास) उत्पन्न करता है।	सिंगास का उपयोग ईंधन या रासायनिक उत्पादन के लिए फीडस्टॉक के रूप में किया जा सकता है।
कम्पोस्टिंग यूनिट्स	जैविक अपशिष्ट (जैसे, खाद्य स्क्रैप) को प्राकृतिक विघटन के माध्यम से कम्पोस्ट में परिवर्तित करता है।	मृदा की उर्वरता में सुधार करता है, लैंडफिल अपशिष्ट को कम करता है, मीथेन उत्सर्जन को कम करता है।

तालिका 26.18 कम्पोस्टिंग इकाइयों के प्रकार

कम्पोस्टिंग का प्रकार	विवरण	लाभ
एरोबिक कम्पोस्टिंग	जैविक ठोस पदार्थों का वायु, ऊष्मा, और नमी की उपस्थिति में बैक्टीरियल रूपांतरण।	कम्पोस्ट (ह्यूमस) उत्पन्न करता है, अपशिष्ट की मात्रा को 50 से 85 प्रतिशत तक कम करता है, रोगाणु-मुक्त उर्वरक।
वर्मी कम्पोस्टिंग	केंचुए और एरोबिक सूक्ष्मजीवों का उपयोग करके अपशिष्ट को विघटित करता है।	सूक्ष्म, गंधहीन दानेदार केंचुए की कास्टिंग उत्पन्न करता है जो जैव उर्वरक के रूप में उपयोग की जाती है।
एनारोबिक डाइजेशन	जैविक कचरा एनारोबिक (ऑक्सीजन-मुक्त) परिस्थितियों में विघटित होता है, जिससे मीथेन और कार्बन डाइऑक्साइड उत्पन्न होती हैं।	बायोगैस उत्पन्न करता है जो बिजली उत्पादन के लिए उपयुक्त है, शेष अवशेष मूल्यवान खाद बन जाता है।

तरल अपशिष्ट (Liquid Waste)

तरल अपशिष्ट में विभिन्न प्रकार के अपशिष्ट जल और हानिकारक पदार्थ शामिल होते हैं जो विभिन्न स्रोतों जैसे आवासीय, वाणिज्यिक और औद्योगिक क्षेत्रों से उत्पन्न होते हैं।

तरल अपशिष्ट के स्रोत (Sources of Liquid Wastes)

तरल अपशिष्ट में विभिन्न स्रोतों जैसे घरों, व्यवसायों और उद्योगों से निकला अपशिष्ट जल शामिल होता है, जिसमें हानिकारक पदार्थ हो सकते हैं। इसका विवरण निम्नवत है-

1. **आवासीय**- इसमें घरों से उत्पन्न अपशिष्ट जल शामिल होता है, जिसमें अक्सर सीवेज (काला जल) और सिंक और शावर से जल (ग्रे जल) शामिल होता है।
2. **वाणिज्यिक**- रेस्टोरेंट जैसे व्यवसाय वसा और तेल युक्त अपशिष्ट जल उत्पन्न करते हैं, जिन्हें ब्लॉकेज को रोकने के लिए ग्रीस ट्रैप का उपयोग करके प्रबंधित किया जाता है।
3. **औद्योगिक**- उद्योगों द्वारा उत्पन्न अपशिष्ट जल उनकी प्रक्रियाओं और उपयोग की जाने वाली सामग्रियों के आधार पर भिन्न-भिन्न होता है। कुछ उद्योग हानिकारक रसायनों युक्त अपशिष्ट जल उत्पन्न करते हैं, जिन्हें सुरक्षित रूप से पर्यावरण में निर्वहन से पहले उपचार की आवश्यकता होती है।
4. **चक्रवातीय जल**- बारिश का जल और चक्रवातीय जल भी तरल अपशिष्ट में योगदान करते हैं, जिससे अपशिष्ट जल की कुल मात्रा बढ़ जाती है जिसे पर्यावरण की सुरक्षा के लिए प्रबंधित और उपचारित करने की आवश्यकता होती है।

तरल अपशिष्ट की विशेषताएँ (Characterstics of Liquid Waste)

1. **भौतिक विशेषताएँ**- तरल अपशिष्ट में अक्सर ठोस कण होते हैं, जिनको स्थिर छोड़ने पर नीचे बैठ जाते हैं। ये कण तरल में निलंबित भी रह सकते हैं, जिससे यह जल धुंधला दिखता है। जैविक गतिविधि के कारण, तरल अपशिष्ट आमतौर पर अपने परिवेश से गर्म होता है। जैविक पदार्थों के टूटने के कारण, मीथेन और हाइड्रोजन सल्फाइड जैसी गैसें अपशिष्ट में गंध पैदा कर सकती हैं। मुख्य विशेषताएँ इस प्रकार हैं-
   - ये अपशिष्ट कंटेनरों के पैंदे में बैठ जाते हैं।
   - तरल प्रवाह में ये निलंबित ठोस हो सकते हैं।
   - इनका परिवेश से उच्च तापमान होता है।
   - जैविक अपघटन के दौरान गैस उत्पन्न होने के कारण गंध।
2. **रासायनिक विशेषताएँ**- तरल अपशिष्ट में जैविक और अजैविक दोनों घटक होते हैं। जैविक पदार्थ जैविक ऑक्सीजन मांग (BOD) और रासायनिक ऑक्सीजन मांग (COD) में योगदान करते हैं, जो सूक्ष्मजीवों के टूटने के लिए कितनी ऑक्सीजन की आवश्यकता होती है, यह इंगित करता है। अजैविक पदार्थों में अमोनिया, क्लोराइड, फॉस्फेट और औद्योगिक प्रक्रियाओं और सफाई उत्पादों से धातुएँ शामिल होती हैं। ये रसायन अपशिष्ट जल की संरचना और गुणवत्ता को प्रभावित करते हैं। मुख्य विशेषताएँ इस प्रकार हैं-
   - जैविक और अजैविक दोनों घटक होते हैं।
   - जैविक पदार्थ में BOD (जैविक ऑक्सीजन मांग) और COD (रासायनिक ऑक्सीजन मांग) शामिल होते हैं।
   - अजैविक पदार्थ में अमोनिया, क्लोराइड, फॉस्फेट और धातु यौगिक शामिल होते हैं।
3. **जैविक विशेषताएँ**- तरल अपशिष्ट में विभिन्न प्रकार के बैक्टीरिया और सूक्ष्मजीव होते हैं जो मानव अपशिष्ट और औद्योगिक निर्वहन जैसे स्रोतों से आते हैं। कुछ सूक्ष्मजीव जैविक अपशिष्ट को तोड़ने में मदद करते हैं, जिससे अपशिष्ट के उपचार में सहायता मिलती है, जबकि अन्य हानिकारक हो सकते हैं यदि वे बीमारियाँ पैदा करते हैं। तरल अपशिष्ट का प्रबंधन इन जैविक तत्वों को समझने और नियंत्रित करने में शामिल होता है ताकि सुरक्षित निपटान और पर्यावरण की सुरक्षा सुनिश्चित की जा सके। मुख्य विशेषताएँ इस प्रकार हैं-
   - विभिन्न स्रोतों से विभिन्न प्रकार के बैक्टीरिया और सूक्ष्मजीव होते हैं, जिसमें मानव अपशिष्ट शामिल होता है।
   - कुछ सूक्ष्मजीव जैविक अपशिष्ट को तोड़ने में मदद करते हैं, जबकि अन्य रोगजनक हो सकते हैं।

तरल अपशिष्ट उपचार की प्रक्रिया (Process of Liquid Waste Treatment) (सीवेज)

अपशिष्ट जल को पर्यावरण में सुरक्षित रूप से वापस लौटाने से पहले सीवेज उपचार में तीन मुख्य चरण शामिल होते हैं (चित्र 26.6)।

1. **प्राथमिक उपचार**- सीवेज उपचार में, पहला चरण प्राथमिक उपचार कहलाता है। इसका मुख्य कार्य ठोस पदार्थों को सीवेज से अलग करना है। यह फिल्टर का उपयोग करके और सीवेज को पैंदे में बैठने देकर किया जाता है ताकि ठोस टुकड़े पैंदे में जम जाये। इसके बाद, सीवेज में कम ठोस पदार्थ होते हैं, लेकिन इसमें अभी भी रोगजनक (रोग उत्पन्न करने वाले कीटाणु) और जैविक पदार्थ (जैसे खाद्य स्क्रैप और अपशिष्ट) होते हैं।
   - **लक्ष्य**- सीवेज से ठोस पदार्थों को अलग करना।
   - **विधि**- कणों को हटाने के लिए निस्पंदन और अवसादन का उपयोग करना।
   - **परिणाम**- कम ठोस पदार्थों वाला सीवेज लेकिन इसमें रोगजनक और जैविक पदार्थ होते हैं।
   - **अन्य नाम**- यांत्रिक उपचार।
2. **द्वितीयक उपचार**- प्राथमिक उपचार के बाद, सीवेज द्वितीयक उपचार से गुजरता है। यहां, यह एक टैंक में जाता है जहां बैक्टीरिया बचे हुए जैविक पदार्थों को तोड़ते हैं। इस प्रक्रिया से मीथेन जैसी गैसें बनती हैं। फिर, जल टैंकों में जाता है, जहां हानिकारक रसायनों को हटाने के लिए और अधिक सफाई होती है।
   - **प्रक्रिया:** निष्प्रभावी अपशिष्ट जैविक उपचार इकाइयों से होकर गुजरते हैं, जहाँ सूक्ष्मजीव कार्बनिक पदार्थों को विघटित करने में मदद करते हैं।
   - **क्रिया:** अवायवीय जीवाणु बायोडिग्रेडेबल पदार्थ को तोड़ते हैं, जिससे मीथेन और अन्य गैसें बनती हैं, जो अक्सर गंध पैदा करती हैं। उपचार के दौरान तल पर जमने वाले ठोस अपशिष्ट को स्लज कहा जाता है, जिसे आगे संसाधित किया जा सकता है या बायोगैस उत्पादन के लिए इस्तेमाल किया जा सकता है।।
   - **रूपांतरण**- सीवेज साफ जल में बदल जाता है।
   - **अतिरिक्त चरण**- जल को और अधिक उपचार के लिए एरेशन टैंकों में भेजा जाता है। इस चरण में वीओसी को हटाया जाता है।

3. **तृतीयक उपचार**- अंतिम चरण तृतीयक उपचार है। इसका लक्ष्य जल को वास्तव में साफ करना है। यह शेष बैक्टीरिया और ठोस टुकड़ों को हटाने के लिए क्लोरीन मिलाने, जल को वाष्पित करने या चीजों को अवशोषित करने जैसी विधियों का उपयोग करता है। इससे जल को फिर से उपयोग करने या प्रकृति में वापस छोड़ने के लिए सुरक्षित बनाया जाता है।
   - **उद्देश्य**- जल को और अधिक कीटाणुरहित और साफ करना।
   - **चरण**- शेष बैक्टीरिया और जैविक ठोस पदार्थों को हटाना।
   - **विधियाँ**- क्लोरीनीकरण, वाष्पीकरण और विनिमय अवशोषण का उपयोग करना।
   - **परिणाम**- साफ जल प्राप्त होता है।

अपशिष्ट जल उपचार के तरीके (Methods of Waste Water Treatment)

जल उपचार विधियों में भौतिक, रासायनिक और जैविक विधियाँ शामिल हैं (तालिका 26.19)।

1. **अपशिष्ट जल उपचार की भौतिक विधियाँ (Physical Methods of Waste Water Treatment)**-
   - **स्क्रीनिंग**- कल्पना कीजिये कि अपशिष्ट जल एक बड़े पर्दे (जाली) से होकर बह रहा है जो प्लास्टिक बैग, लकड़ी की छड़ें और अन्य बड़े मलबे जैसी चीजों को रोक देती है। यह चरण इन वस्तुओं को पाइपों को अवरुद्ध करने या डाउनस्ट्रीम उपकरण को नुकसान पहुंचाने से रोकता है।
   - **गाढ़ापन/मिश्रण**- गाढ़ापन में रसायनों को जोड़ना शामिल है जो अपशिष्ट जल में छोटे कणों को एक साथ चिपकाते हैं। इसे ऐसे समझ सकते हैं मानों गंदगी के छोटे- छोटे कणों को एक साथ चिपकाने के लिए गोंद मिलाना।
   - **फ्लोकुलेशन**- गाढ़ापन (कोएगुलेशन) के बाद, धीरे-धीरे हिलाने से ये गुच्छे (जिन्हें फ्लोक्स कहा जाता है) और भी बड़े गुच्छों में जुड़ जाते हैं। यह चरण जल से गंदगी और अन्य कणों को अलग करने में मदद करता है।
   - **फ्लोटेशन**- इस विधि में वायु के बुलबुले का उपयोग करके छोटे कणों और तेलों को जल की सतह पर उठाया जाता है, जहां वे एक फोम परत बनाते हैं। इस परत को फिर से हटाया जा सकता है, जिससे नीचे साफ जल बचता है।
   - **फिल्ट्रेशन**- फिल्ट्रेशन में अपशिष्ट जल रेत, बजरी या कपड़े की परतों से गुजरता है। ये सामग्री ठोस कणों को रोक देती हैं, जिससे साफ जल प्राप्त होता है जिसका आगे और उपचार किया जाता है। यह रसोई में चाय पीने से पहले चाय की पत्तियों को छानने के लिए छलनी का उपयोग करने जैसा है।
   - **अवसादन (सेडीमेंटेशन)**- अवसादन टैंकों में, अपशिष्ट जल में भारी कण गुरुत्वाकर्षण के कारण नीचे बैठ जाते हैं। इससे एक मोटी कीचड़ की परत बनती है जिसे हटाया जा सकता है। ऊपर स्थित साफ जल का फिर से अगले चरण का उपचार किया जाता है।
2. **अपशिष्ट जल उपचार के रासायनिक तरीके (Chemical Method of Waste Water Treatment)**-
   - **प्रीसिपिटेशन**- अपशिष्ट जल में रसायनों को मिलाकर ठोस कण बनाए जाते हैं जो पैंदे में बैठ जाते हैं। यह प्रक्रिया विशेष रूप से सीसे या पारे जैसी धातुओं को हटाने के लिए उपयोगी है जो जल में घुल जाती हैं।
   - **एडसॉर्प्शन**- सक्रिय कार्बन जैसी सामग्री में बहुत सारे छोटे छिद्र होते हैं जो अपशिष्ट जल में घुले हुए प्रदूषकों को आकर्षित करते हैं और फँसाते हैं। यह स्पंज द्वारा जल को अवशोषित करने जैसा है, लेकिन इस मामले में, यह प्रदूषकों को अवशोषित करता है।

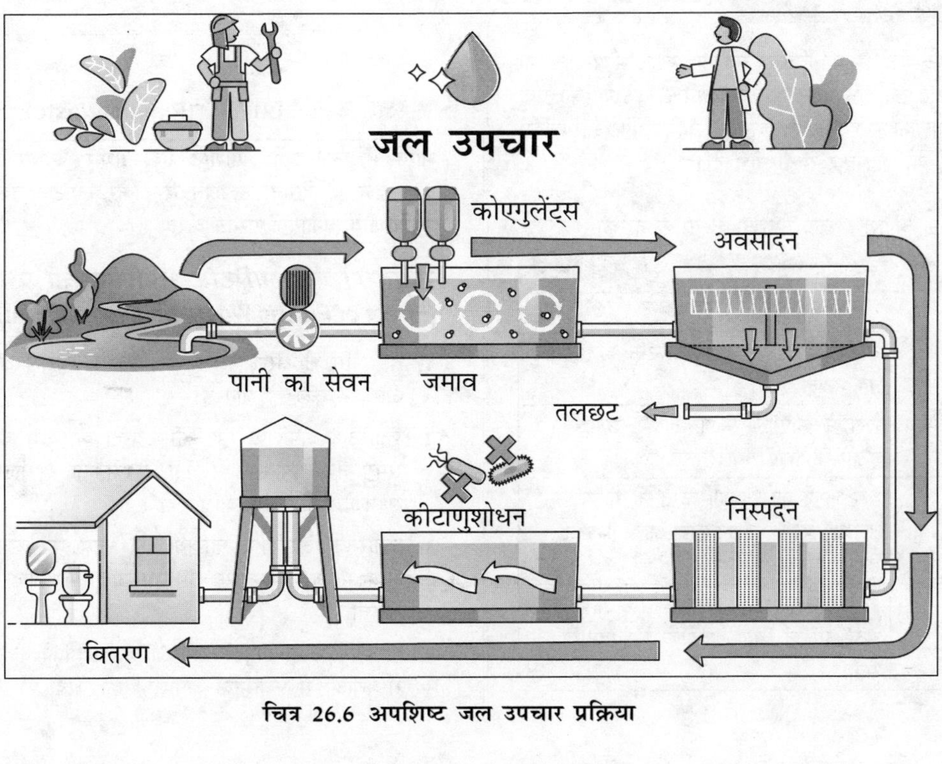

चित्र 26.6 अपशिष्ट जल उपचार प्रक्रिया

- **डिसइंफेक्शन**- अन्य उपचारों के बाद, डिसइंफेक्शन यह सुनिश्चित करता है कि जल में बचे हुए बैक्टीरिया, वायरस या अन्य हानिकारक सूक्ष्मजीव मारे जाएं। इस चरण में अक्सर क्लोरीन या अन्य कीटाणुनाशकों को मिलाया जाता है ताकि यह सुनिश्चित किया जा सके। यह प्रयोग या निर्वहन के लिए सुरक्षित है।

3. **अपशिष्ट जल उपचार के जैविक तरीके (Biological Method of Waste Water Treatment)**-
   - **एरेशन**- बैक्टीरिया जिन्हें अपशिष्ट जल में जैविक पदार्थ को तोड़ने के लिए ऑक्सीजन की आवश्यकता होती है। यह प्रक्रिया कम्पोस्टिंग की तरह है लेकिन बड़े टैंकों या बेसिनों में होती है जहां बैक्टीरिया के पास अपना काम करने के लिए पर्याप्त ऑक्सीजन होती है। इसे एरोबिक उपचार के रूप में जाना जाता है।
   - **एनारोबिक उपचार**- ऑक्सीजन की अनुपस्थिति में, विशेष बैक्टीरिया अपशिष्ट जल में जैविक पदार्थ को तोड़ते हैं। इस प्रक्रिया से बायोगैस उत्पन्न होती है, जिसे संगृहीत करके ऊर्जा स्रोत के रूप में उपयोग किया जा सकता है। यह एरोबिक उपचार की तुलना में धीमी प्रक्रिया है लेकिन उत्पन्न होने वाले कीचड़ की मात्रा को कम करती है।
   - **अपशिष्ट स्थिरीकरण तालाब (डबल्यूएसपी)**- इन्हें लैगून या सीवेज लैगून के रूप में भी जाना जाता है, डबल्यूएसपी एक सरल और किफायती तरीका है जो ग्रामीण और विकासशील क्षेत्रों में अपशिष्ट जल के उपचार के लिए उपयोग किया जाता है। ये तालाब प्राकृतिक प्रक्रियाओं का उपयोग करते हैं जिसमें सूर्य की ऊर्जा, शैवाल और बैक्टीरिया शामिल होते हैं जो अपशिष्ट जल में जैविक पदार्थ को तोड़ते हैं और हानिकारक रोगजनकों को हटाते हैं।

लर्निंग शॉर्टकट्स

विभिन्न अपशिष्ट जल उपचार विधियों को याद रखने में परेशानी हो रही है? चिंता मत कीजिए! हमने सभी आवश्यक विवरणों को एक सुविधाजनक तालिका में व्यवस्थित किया है ताकि आप आसानी से प्रमुख जानकारी को याद कर सकें। नीचे देखें-

तालिका 26.19 अपशिष्ट जल उपचार के तरीके तरीका

तरीका	विवरण
भौतिक तरीके	
स्क्रीनिंग	बड़े ठोस पदार्थों जैसे प्लास्टिक और कपड़े को हटाता है।
कोएगुलेशन/मिश्रण	जल में कोएगुलेंट्स जोड़ता है, कणों को हटाने के लिए तैयार करता है।
फ्लोकुलेशन	बड़े कणों का निर्माण करता है ताकि उन्हें तलछट या फ्लोटेशन द्वारा आसानी से हटाया जा सके।
फ्लोटेशन	गैस बुलबुले का उपयोग करके कणों को सतह पर ले जाता है ताकि उन्हें हटाया जा सके।
फिल्ट्रेशन	ठोस कणों को हटाने के लिए एक फिल्टर माध्यम का उपयोग करता है।
तलछट	जल में निलंबित ठोस पदार्थों को गुरुत्वाकर्षण का उपयोग करके बैठाता है।
रासायनिक तरीके	
प्रेसिपिटेशन	हाइड्रॉक्साइड या सल्फाइड प्रेसिपिटेशन का उपयोग करके अपशिष्ट जल से भारी धातुओं को हटाता है।
एडसॉर्प्शन	घुलनशील पदार्थों को हटाने के लिए एक ठोस (जैसे सक्रिय कार्बन) का उपयोग करता है।
डिसइंफेक्शन	निस्पंदन के बाद शेष माइक्रोब्स को मारने के लिए रासायनिक कीटाणुनाशकों को जोड़ता है।
जैविक तरीके	
एरोबिक उपचार	यांत्रिक ऑक्सीजन मिश्रण के साथ जैविक यौगिकों को तोड़ने के लिए ऑक्सीजन का उपयोग करता है।
एनारोबिक उपचार	औद्योगिक अपशिष्ट जल का उपचार करने के लिए बैक्टीरिया का उपयोग करता है, कीचड़ की मात्रा को कम करता है।
डबल्यूएसपी	जैविक पदार्थ को तोड़ने और हानिकारक रोगजनकों को हटाने के लिए सूर्य की ऊर्जा, शैवाल और बैक्टीरिया का उपयोग करता है

प्लास्टिक अपशिष्ट (Plastic Waste)

भारत में प्लास्टिक अपशिष्ट एक गंभीर पर्यावरणीय समस्या है। इसके जीवनचक्र के दौरान, उत्पादन से लेकर निपटान तक, प्लास्टिक महत्वपूर्ण पर्यावरणीय चुनौतियाँ प्रस्तुत करता है।

पर्यावरण पर प्लास्टिक अपशिष्ट का प्रभाव (Effect of Plastic Waste on Environment)

1. यह भूमि के क्षरण में योगदान देता है, जिससे क्षेत्र दृश्य रूप से अप्रिय और अस्वच्छ हो जाते हैं।
2. प्लास्टिक अपशिष्ट मृदा की उर्वरता को कम कर सकता है और लंबे समय तक पर्यावरण में बना रह सकता है, जिससे मृदा में आवश्यक सूक्ष्मजीव गतिविधि बाधित होती है।
3. प्लास्टिक अपशिष्ट नालियों को जाम कर सकता है, जिससे शहरी क्षेत्रों में जल निकासी की समस्याएं और बाढ़ की स्थिति उत्पन्न हो सकती है।
4. अध्ययनों ने हानिकारक रसायनों और प्रदूषकों के संपर्क के कारण प्रजनन समस्याओं से प्लास्टिक अपशिष्ट को जोड़ा है।

5. पीवीसी (पॉलीविनाइल क्लोराइड) के निर्माण के दौरान, डाइऑक्सिन और फ्यूरान जैसे अत्यधिक विषैले रसायन उत्सर्जित हो सकते हैं। ये पदार्थ स्थायी जैविक प्रदूषक (पीओपी) हैं जो अपने दीर्घकालिक पर्यावरणीय प्रभाव और खाद्य श्रृंखला में जमा होने की क्षमता के लिए जाने जाते हैं, जिससे मानव स्वास्थ्य और वन्यजीवों को खतरा होता है।

प्लास्टिक अपशिष्ट को नियंत्रित करने के लिए सरकारी पहलें (Government Initiatives to Control Plastic Waste)

1. **स्वच्छ भारत अभियान (Swachh Bharat Abhiyan) (2014):** भारत तेजी से शहरीकरण और जनसंख्या वृद्धि के कारण महत्वपूर्ण अपशिष्ट प्रबंधन चुनौतियों का सामना कर रहा है। रिपोर्टों से पता चलता है कि एकत्र किए गए 68 प्रतिशत अपशिष्ट में से केवल 28 प्रतिशत का उपचार किया जाता है। स्वच्छ भारत अभियान जैसी पहलें, जो 2014 में शुरू की गयी थीं, का लक्ष्य इन चुनौतियों का समाधान करने के लिए अपशिष्ट प्रबंधन, साफ-सफाई और स्वच्छता को बढ़ावा देना है।

   स्वच्छ भारत अभियान, जो 2014 में शुरू किया गया था, का उद्देश्य अपशिष्ट प्रदूषण से निपटना और पूरे भारत में स्वच्छता को बढ़ावा देना है। इस पहल का उद्देश्य सार्वजनिक भागीदारी को प्रोत्साहित करके और स्वच्छता बुनियादी ढांचे को बढ़ाकर, लैंडफिल में अपशिष्ट की मात्रा को कम करना और पर्यावरणीय प्रभाव को कम करना है। यह अभियान यह भी उजागर करता है कि प्रदूषण को रोकने के लिए उचित अपशिष्ट निपटान और उपचार कितना महत्वपूर्ण है। नागरिकों को स्थायी अपशिष्ट प्रबंधन प्रथाओं को अपनाने के लिए प्रोत्साहित करने में सार्वजनिक जागरूकता और शिक्षा प्रमुख घटक हैं। स्वच्छ भारत अभियान ने लाखों शौचालयों के निर्माण का नेतृत्व किया है, जिससे खुले में शौच और स्वास्थ्य जोखिमों में कमी आई है। इसके अतिरिक्त, इसने स्थानीय निकायों को अभिनव अपशिष्ट प्रबंधन समाधान लागू करने के लिए प्रेरित किया है, जिससे पूरे देश में स्वच्छता और पर्यावरणीय जिम्मेदारी की संस्कृति को बढ़ावा मिला है।

2. **प्लास्टिक अपशिष्ट प्रबंधन नियम, 2016 (Plastic Waste Management Rules, 2016)**
   - **न्यूनतम मोटाई को बढ़ाना**- इन नियमों में प्लास्टिक कैरी बैग और शीट्स की न्यूनतम मोटाई को 40 से 50 माइक्रोन तक बढ़ाने का आदेश दिया है। इस उपाय का उद्देश्य प्लास्टिक बैग को अधिक टिकाऊ बनाना था, जिससे उनके फटने की संभावना कम हो और यह सुनिश्चित हो सके कि उन्हें कई बार पुन: उपयोग किया जा सके।
   - **लागत प्रभाव**- न्यूनतम मोटाई बढ़ाने से प्लास्टिक कैरी बैग और शीट्स के निर्माण की लागत लगभग 20प्रतिशत बढ़ गयी। इस वित्तीय बोझ ने दुकानों और बाजारों में मुफ्त प्लास्टिक बैग प्रदान करने की प्रथा को हतोत्साहित किया, जिससे पुन: उपयोग योग्य विकल्पों की ओर बदलाव को बढ़ावा मिला। इसने अपशिष्ट बीनने वालों को इन मोटे बैगों को इकट्ठा करने और पुनर्चक्रण उद्देश्यों के लिए बेचने के लिए भी प्रोत्साहित किया।
   - **पुनर्चक्रण पर ध्यान केंद्रित**- इन नियमों ने प्लास्टिक अपशिष्ट के प्रबंधन के लिए एक प्रमुख रणनीति के रूप में पुनर्चक्रण पर महत्वपूर्ण जोर दिया। उन्होंने सड़क निर्माण, अपशिष्ट से तेल में रूपांतरण और ऊर्जा पुनर्प्राप्ति प्रक्रियाओं सहित विभिन्न अनुप्रयोगों में प्लास्टिक के पुन: उपयोग को प्रोत्साहित किया। पुनर्चक्रण पहलों को बढ़ावा देकर, सरकार का उद्देश्य लैंडफिल और पर्यावरण में फैंके जाने वाले प्लास्टिक अपशिष्ट की मात्रा को कम करना था।

3. **सिंगल-यूज प्लास्टिक पर प्रतिबंध, 2022 (Ban on Single Use Plastic, 2022)**
   - **कार्यान्वयन**- 1 जुलाई, 2022 से प्रभावी, भारत ने कुछ सिंगल-यूज प्लास्टिक वस्तुओं के निर्माण, आयात, भंडारण, वितरण, बिक्री और उपयोग पर व्यापक प्रतिबंध लगाया। इन वस्तुओं की पहचान उनकी कम उपयोगिता और उच्च कूड़ा-करकट की संभावना के आधार पर की गयी थी, जैसे कि प्लास्टिक बैग, स्ट्रॉ और डिस्पोजेबल कटलरी।
   - **मोटाई संबंधी अनिवार्यताएँ**- सिंगल-यूज प्लास्टिक कैरी बैग के उपयोग को और हतोत्साहित करने के लिए, इन नियमों में मोटाई आवश्यकताओं को निर्दिष्ट किया:-
     - इस उपाय का उद्देश्य प्लास्टिक बैग को अधिक टिकाऊ और एकल उपयोग के बाद त्यागने की संभावना को कम करना था, जिससे प्लास्टिक अपशिष्ट की पीढ़ी को कम किया जा सके।

बायोमेडिकल अपशिष्ट प्रबंधन (Biomedical Waste Management) (BMW)

बायोमेडिकल अपशिष्ट प्रबंधन में स्वास्थ्य देखभाल सुविधाओं जैसे अस्पतालों, क्लीनिकों और प्रयोगशालाओं से उत्पन्न अपशिष्ट का सुरक्षित नियंत्रण, उपचार और निपटान शामिल है। इन अपशिष्ट में रक्त, शारीरिक तरल पदार्थ या अन्य संभावित संक्रामक पदार्थों से दूषित सामग्री शामिल होती है।

बायोमेडिकल अपशिष्ट प्रबंधन के प्रकार (Types of Biomedical Waste Management)

1. **खतरनाक बीएमडबल्यू**- खतरनाक बीएमडबल्यू आमतौर पर उत्पन्न कुल बीएमडबल्यू का 10 से 25 प्रतिशत होता है। इस श्रेणी में ऐसा अपशिष्ट शामिल होता है जिसे यदि उचित तरीके से न संभाला जाए तो अत्यधिक स्वास्थ्य जोखिम पैदा कर सकता है। इन अपशिष्टों में संक्रामक सामग्री, सुइयों जैसी तेज वस्तुएं और स्वास्थ्य देखभाल सेटिंग्स में उपयोग किए जाने वाले रसायन।
2. **गैर-खतरनाक बीएमडबल्यू**- गैर-खतरनाक बीएमडबल्यू शेष 75 से 90 प्रतिशत बीएमडबल्यू बनाता है। इस श्रेणी में ऐसा अपशिष्ट शामिल होता है जो तत्काल स्वास्थ्य जोखिम पैदा नहीं करता है लेकिन पर्यावरणीय प्रदूषण को रोकने और सार्वजनिक सुरक्षा सुनिश्चित करने के लिए इसका उचित निपटान किये जाने की आवश्यकता होती है। उदाहरणों में सामान्य अपशिष्ट जैसे कागज तौलिए, पैकेजिंग सामग्री और चिकित्सा प्रक्रियाओं में उपयोग की जाने वाली गैर-संक्रामक डिस्पोजेबल वस्तुएं शामिल हैं।

बायोमेडिकल अपशिष्ट को नियंत्रित करने के उपाय (Measures to Control Biomedical Waste)

सुरक्षा और पर्यावरण संरक्षण सुनिश्चित करने के लिए बायोमेडिकल अपशिष्ट (बीएमडबल्यू) के प्रबंधन में पृथक्करण और निपटान महत्वपूर्ण कदम हैं-

1. **पृथक्करण**- बीएमडबल्यू को उसके स्रोत पर रंग-कोडित बैग या कंटेनरों का उपयोग करके छांटा जाना चाहिए। यह संक्रामक, तेज- नुकीले और गैर-संक्रामक जैसी श्रेणियों में अपशिष्ट को वर्गीकृत करने में मदद करता है, जिससे उचित हैंडलिंग और उपचार सुनिश्चित होता है।
2. **उपचार**- बायोमेडिकल अपशिष्ट को निपटान से पहले उसके आयतन को कम करने और रोगजनकों को नष्ट करने के लिए उच्च तापमान पर जलाने (दहन), वाष्प द्वारा जीवाणु रहित करने (दबाव के तहत भाप स्टैरीलाइजेशन) या रासायनिक कीटाणुशोधन (रोगजनकों को मारने के लिए रसायनों का उपयोग) जैसी उपचार प्रक्रियाओं से गुजरना पड़ता है।
3. **निपटान**- उपचारित अपशिष्ट को लैंडफिल में या दहन के माध्यम से निपटाया जाता है।

बायोमेडिकल अपशिष्ट को नियंत्रित करने के लिए सरकारी पहल (Government Initiatives to Control Biomedical Waste)

1. **बायोमेडिकल अपशिष्ट (प्रबंधन और हैंडलिंग) नियम, 1998**- पर्यावरण (संरक्षण) अधिनियम, 1986 के तहत, ये नियम रंग कोड के आधार पर बीएमडबल्यू के पृथक्करण, उपचार और निपटान को अनिवार्य करते हैं।
2. **WHO दिशानिर्देश (1999 और 2014)**- 1999 में "द ब्लू बुक" पेश की गयी, 2014 में सुरक्षित बीएमडबल्यू निपटान के लिए संशोधित की गयी।

खतरनाक अपशिष्ट (Hazardous Waste)

खतरनाक अपशिष्ट से तात्पर्य ऐसे अपशिष्ट से है जो अपनी भौतिक, रासायनिक या विषाक्त गुणों के कारण स्वास्थ्य या पर्यावरण के लिए खतरा पैदा करता है। उदाहरणों में रसायन, फार्मास्यूटिकल्स, रेडियोधर्मी सामग्री और अस्पतालों और उद्योगों से संक्रामक पदार्थ शामिल हैं। तालिका 26.20 विभिन्न गतिविधियों से जारी विभिन्न खतरनाक कचरों को देती है।

तालिका 26.20 खतरनाक अपशिष्ट

प्रदूषक प्रकार	विवरण
इलेक्ट्रॉनिक अपशिष्ट	इनमें हानिकारक तत्वों जैसे कैडमियम, सीसा और पीवीसी शामिल हैं।
घरेलू रसायन	ब्लीच, ओवन क्लीनर, टर्पेंटाइन और पेंट शामिल हैं।
नैनोकणों वाले उत्पाद	सनस्क्रीन, सौंदर्य प्रसाधन और त्वचा जैल में पाए जाते हैं।
वाणिज्यिक/औद्योगिक अपशिष्ट	इनमें रसायनों और भारी धातुओं की एक श्रृंखला शामिल है।
निर्माण/विध्वंस अपशिष्ट	विशेष रूप से एस्बेस्टस शामिल है
बायोसॉलिड्स	विशेष रूप से सीवेज कीचड़, मानक अपशिष्ट धाराओं के बाहर।

ई-अपशिष्ट E-Waste (इलेक्ट्रॉनिक अपशिष्ट/Electronic Waste)

ई-अपशिष्ट (ई-अपशिष्ट) अपनी जटिल संरचना और पर्यावरणीय प्रभाव के कारण वैश्विक स्तर पर एक बढ़ती चिंता है।

ई-अपशिष्ट का वर्गीकरण (Classification of E-Waste)

1. **सफेद सामान**- सफेद सामान से तात्पर्य बड़े घरेलू उपकरणों से है जो आमतौर पर रसोई और कपड़े धोने के कमरों में उपयोग किए जाते हैं। इनमें रेफ्रिजरेटर, वाशिंग मशीन, डिशवॉशर और माइक्रोवेव ओवन जैसी वस्तुएं शामिल हैं।
2. **भूरे सामान**- भूरे सामान में छोटे उपभोक्ता इलेक्ट्रॉनिक्स शामिल हैं जो आमतौर पर घरों में पाए जाते हैं। इस श्रेणी में टेलीविजन (टीवी), डीवीडी प्लेयर, वीसीआर (वीडियो कैसेट रिकॉर्डर), कैमकॉर्डर और रेडियो और स्टीरियो सिस्टम जैसे ऑडियो उपकरण शामिल हैं।
3. **ग्रे सामान**- ग्रे सामान से तात्पर्य कार्यालय और सूचना प्रौद्योगिकी उपकरणों से है। इस श्रेणी में कंप्यूटर (डेस्कटॉप और लैपटॉप), प्रिंटर, स्कैनर, फैक्स मशीन और डेटा प्रोसेसिंग, प्रिंटिंग और संचार के लिए कार्यस्थलों और घरों में उपयोग किए जाने वाले अन्य उपकरण आते हैं।

ई-वेस्ट की संरचना (Composition of E-Waste)

इलेक्ट्रॉनिक अपशिष्ट (ई-वेस्ट) विभिन्न प्रकार की सामग्री आती है, जिसमें जोखिम युक्त और बिना जोखिम वाले दोनों घटक शामिल हैं। इलेक्ट्रॉनिक अपशिष्ट (ई-वेस्ट) संरचना में शामिल तत्वों की विस्तृत सूची तालिका 26.21 में दी गयी है।

तालिका 26.21 इलेक्ट्रॉनिक अपशिष्ट तत्व

सामग्री	पुनर्चक्रण (प्रतिशत में)	स्थान	प्रभाव
सीसा	5	एसिड बैटरी, सीआरटी	गुर्दे की विफलता, केंद्रीय और परिधीय तंत्रिका तंत्र को नुकसान
कैडमियम	0	बैटरी, सीआरटी, हाउसिंग	दीर्घकालिक संचयी विषाक्तता, हड्डी रोग
पारा	0	बैटरियां, स्विच, हाउसिंग	मस्तिष्क, यकृत, केंद्रीय तंत्रिका तंत्र और भ्रूण को दीर्घकालिक नुकसान
क्रोमियम VI	0	सजावटी हार्डनर, जंग संरक्षण एजेंट	डीएनए क्षति, फेफड़ों का कैंसर

प्लास्टिक	20	कंप्यूटर मोल्डिंग्स, केबलिंग्स	डाइऑक्सिन और फ्यूरान उत्पन्न करता है।

ई-अपशिष्ट का प्रभाव (Effect of E-Waste)

1. पर्यावरणीय जोखिम- जब इलेक्ट्रॉनिक अपशिष्ट (ई-अपशिष्ट) का अनुचित निपटान या पुनर्चक्रण किया जाता है, तो यह सीसा, कैडमियम, पारा और क्रोमियम जैसी विषाक्त धातुओं को पर्यावरण में छोड़ सकता है। ये धातुएं मृदा और जल को दूषित कर सकती हैं, जिससे पौधों, जानवरों और मनुष्यों को खतरा हो सकता है। इसके अतिरिक्त, ई-अपशिष्ट को जलाने या भस्म करने से हानिकारक रसायन वायु में मिल सकते हैं, जिससे वायु प्रदूषित हो सकती है।
2. **स्वास्थ्य संबंधी चिंताएं**- ई-अपशिष्ट में खतरनाक पदार्थ होते हैं जो मानव स्वास्थ्य पर नकारात्मक प्रभाव डाल सकते हैं। ई-अपशिष्ट के संपर्क में आने वाले लोग, विशेष रूप से वे जो अनौपचारिक पुनर्चक्रण प्रक्रियाओं में शामिल होते हैं, विषाक्त रसायनों और भारी धातुओं के संपर्क में आने के कारण श्वसन समस्याओं, त्वचा विकारों और अन्य स्वास्थ्य समस्याओं से पीड़ित हो सकते हैं। ये स्वास्थ्य संबंधी चिंताएं ई-अपशिष्ट निपटान स्थलों के पास रहने वाली सामान्य आबादी और सीधे इलेक्ट्रॉनिक अपशिष्ट को संभालने वाले श्रमिकों दोनों को प्रभावित करती हैं।
3. **संपत्ति की वसूली**- इसके पर्यावरणीय और स्वास्थ्य जोखिमों के बावजूद, ई-अपशिष्ट में मूल्यवान सामग्री भी होती है जिसे उचित पुनर्चक्रण प्रक्रियाओं के माध्यम से पुन: प्राप्त किया जा सकता है। इलेक्ट्रॉनिक उपकरणों में आमतौर पर एल्युमीनियम, तांबा, प्लेटिनम, सोना, चांदी और पैलेडियम जैसी सामग्री पाई जाती है। इन सामग्रियों की पुन: प्राप्ति न केवल कच्चे माल की आवश्यकता को कम करती है बल्कि संसाधन संरक्षण को बढ़ावा देकर और पर्यावरणीय प्रभाव को कम करके स्थायी प्रथाओं में सहयोग करती है।

ई-अपशिष्ट को नियंत्रित करने के लिए सरकारी पहल (Government Initiative to Control E&Waste)-

1. **ई-अपशिष्ट (प्रबंधन और संचालन) नियम, 2011**- ये नियम मुख्य रूप से इलेक्ट्रॉनिक उत्पादों के उचित निपटान और पुनर्चक्रण के लिए उत्पादकों और उपभोक्ताओं दोनों को जिम्मेदारी सौंपने पर ध्यान केंद्रित करते हैं। उत्पादकों को अपने उत्पादों के जीवनचक्र के दौरान उनके पर्यावरणीय प्रभाव को कम करने के उपाय करने के लिए बाध्य किया जाता है। इसमें पुनर्चक्रण में आसान उत्पादों को डिजाइन करना और संग्रह और पुनर्चक्रण के लिए सिस्टम स्थापित करना शामिल है। उपभोक्ताओं को अपने इलेक्ट्रॉनिक उपकरणों को निर्दिष्ट संग्रह बिंदुओं या उत्पादकों द्वारा प्रदान किए गए पुनर्चक्रण कार्यक्रमों के माध्यम से जिम्मेदारी से निपटाने के लिए प्रोत्साहित किया जाता है।
2. **ई-अपशिष्ट (प्रबंधन) नियम, 2016**- 2016 के ई-अपशिष्ट (प्रबंधन) नियमों ने भारत में ई-अपशिष्ट प्रबंधन प्रथाओं को बढ़ाने के लिए कई प्रमुख प्रावधानों की शुरुआत की। एक महत्वपूर्ण उपाय निर्माताओं के लिए वापसी योग्य जमा या पुन: प्राप्ति प्रणाली लागू करने के विकल्पों की शुरुआत थी। इन पहलों का उद्देश्य उपभोक्ताओं को अपने जीवन के अंत में इलेक्ट्रॉनिक उत्पादों को अधिकृत पुनर्चक्रणकर्ताओं या निर्माताओं को लौटाने के लिए प्रोत्साहित करना था। निर्माता वित्तीय प्रोत्साहन प्रदान करके या मुफ्त वापसी सेवाओं को सुविधाजनक बनाकर पुनर्चक्रण को बढ़ावा देते हैं और अनुचित निपटान विधियों को हतोत्साहित करते हैं, जैसे कि लैंडफिलिंग या अनौपचारिक पुनर्चक्रण प्रथाएं जो पर्यावरण प्रदूषण में योगदान करती हैं।
3. **ई-अपशिष्ट (प्रबंधन) नियम, 2018 (संशोधन)**- ई-अपशिष्ट (प्रबंधन) नियमों को 2018 में और अधिक मजबूत किया गया था ताकि इलेक्ट्रॉनिक अपशिष्ट के निपटान और पुनर्चक्रण से संबंधित नियमों को सख्त किया जा सके। इस संशोधन में विस्तारित उत्पादक जिम्मेदारी (ईपीआर) के महत्व पर भी जोर दिया, जहां निर्माताओं को उनके उत्पादों के पूरे जीवनचक्र के लिए जिम्मेदार ठहराया जाता है, जिसमें उपभोक्ता द्वारा प्रयोग कर लिये जाने के बाद के अपशिष्ट का प्रबंधन भी शामिल है।

ई-अपशिष्ट से संबंधित महत्वपूर्ण तथ्य (Important Facts Related to E-Waste)

भारत में ई-अपशिष्ट का उत्पादन करने वाले शीर्ष पांच राज्यों की रैंकिंग

- महाराष्ट्र
- तमिलनाडु
- आंध्र प्रदेश
- उत्तर प्रदेश
- दिल्ली

ग्लोबल ई-वेस्ट मॉनिटर- ग्लोबल ई-वेस्ट मॉनिटर के अनुसार, ई-अपशिष्ट का एक महत्वपूर्ण हिस्सा व्यक्तिगत इलेक्ट्रॉनिक उपकरणों जैसे स्मार्टफोन, टैबलेट, लैपटॉप और डेस्कटॉप कंप्यूटर से उत्पन्न होता है। वास्तव में, वैश्विक ई-अपशिष्ट का लगभग 82 प्रतिशत इन व्यक्तिगत उपकरणों से उत्पन्न होता है। यद्यपि, उत्पन्न होने वाले ई-अपशिष्ट की बड़ी मात्रा के बावजूद, केवल एक छोटा हिस्सा ही पुनर्नवीनीकरण किया जाता है। उदाहरण के लिए, भारत में, उत्पन्न होने वाले ई-अपशिष्ट का केवल लगभग 1.5 प्रतिशत का ही प्रभावी रूप से पुनर्नवीनीकरण किया जाता है।

कॉन्सेप्ट कैप्सूल

जलवायु परिवर्तन (Climate Change)

जलवायु परिवर्तन का तात्पर्य किसी क्षेत्र या पूरे ग्रह के औसत मौसम पैटर्न में महत्वपूर्ण और दीर्घकालिक परिवर्तनों से है। ये परिवर्तन दशकों, सदियों या यहां तक कि लाखों वर्षों में हो सकते हैं। ये तापमान, वर्षा और अन्य मौसम पैटर्न में बदलाव का कारण बन सकते हैं।

वैश्विक तापवृद्धि जलवायु परिवर्तन का एक विशिष्ट पहलू है, जो पृथ्वी के औसत सतह तापमान में हालिया वृद्धि पर केंद्रित है। यह तापवृद्धि मुख्य रूप से मानव गतिविधियों, जैसे जीवाश्म ईंधन (कोयला, तेल और प्राकृतिक गैस) के जलने और वनों की कटाई के कारण होती है। ये क्रियाएं ग्रीनहाउस गैसों, जैसे कार्बन डाइऑक्साइड और मीथेन, को वायुमंडल में छोड़ती हैं, जो ऊष्मा को रोके रखती हैं और ग्रह को गर्म करती हैं। इस तापमान वृद्धि से मौसम पैटर्न में व्यवधान होता है, जिससे अधिक चरम मौसमी परिघटनाएं, बर्फ की चादरों का पिघलना और समुद्र के जलस्तर में वृद्धि होती है। मूल रूप से, वैश्विक तापवृद्धि हमारे ग्रह को गर्म बना रही है और हमारे जलवायु के व्यवहार को बदल रही है।

जलवायु परिवर्तन के प्राकृतिक कारण

(Natural Causes of Climate Change)

1. **महाद्वीपीय विस्थापन (Continental Drift)-** महाद्वीपीय विस्थापन पृथ्वी के महाद्वीपों का लाखों वर्षों में धीमी गति से खिसकना है। यह विस्थापन महासागरों के प्रवाह और वायु के चारों ओर घूमने के तरीके को बदल देता है, जो लंबे समय में मौसम पैटर्न और जलवायु को प्रभावित करता है।
2. **ज्वालामुखीय गतिविधि (Volcanic Activity)-** जब ज्वालामुखी विस्फोट होते हैं, तो ये वायुमंडल में गैसें, राख और कण छोड़ते हैं। ये कण सूर्य के प्रकाश को अवरुद्ध कर सकते हैं, जिससे पृथ्वी की सतह का अस्थायी रूप से ठंडी हो सकती है। वर्ष 1991 में माउंट पिनातुबो जैसे प्रमुख विस्फोटों ने दिखाया है कि ज्वालामुखीय गतिविधि वैश्विक. तापमान को कैसे प्रभावित कर सकती है।
3. **पृथ्वी का झुकाव और कक्षा (Earth's Tilt and Orbit)-** पृथ्वी अपने अक्ष पर झुकी हुई है, जिससे ऋतुएं बनती हैं। पृथ्वी के झुकाव और सूर्य के चारों ओर उसकी कक्षा में हजारों वर्षों में होने वाले बदलाव जलवायु में दीर्घकालिक परिवर्तनों का कारण बन सकते हैं, जैसे हिम युग या हिम युगों के बीच की गर्म अवधि।
4. **महासागरीय धाराएं (Ocean Currents)-** महासागर सूर्य से बहुत सारा प्रकाश और ऊष्मा अवशोषित करते हैं। महासागरीय धाराएं कन्वेयर बेल्ट की तरह काम करती हैं, जो गर्म जल और ठंडे जल को पूरे ग्लोब में ले जाती हैं। ये विभिन्न क्षेत्रों में मौसम पैटर्न और जलवायु को प्रभावित करती हैं, जैसे कि गल्फ स्ट्रीम यूरोप के कुछ हिस्सों को गर्म करती है।

जलवायु परिवर्तन का प्रभाव (Effect of Climate Change)

1. **चक्रवाती तूफान (Cyclonic Storm)-** चक्रवाती तूफान, जैसे कि हरिकेन या टाइफून की संख्या में गर्म महासागरीय जल और कोरिओलिस प्रभाव (जिसके कारण हवा घूर्णन करती है) के कारण वृद्धि हुई है और ये अधिक शक्तिशाली हुए हैं। ये तूफान विनाशकारी हवाएं और भारी वर्षा ला सकते हैं, जो तटीय क्षेत्रों को प्रभावित कर सकते हैं और बाढ़ का कारण बन सकते हैं।
2. **जैव विविधता की हानि (Loss of Biodiversity)-** जलवायु परिवर्तन के काण पर्यावास नष्ट होते हैं, जिससे कई पौधों और जानवरों की प्रजातियों की हानि होती है। जैव विविधता की यह हानि पारिस्थितिक तंत्र को बाधित कर सकती है और उन जीवन रूपों की विविधता को कम कर सकती है जो स्वस्थ पर्यावरण को बनाए रखने में महत्वपूर्ण भूमिका निभाते हैं।
3. **वन पारिस्थितिकी तंत्र (Forest Ecosystems)-** वन लगभग 70 प्रतिशत भूमि जानवरों और पौधों का घर हैं। ये वन्यजीवों के लिए पर्यावास प्रदान करते हैं, जैव विविधता का समर्थन करते हैं और औषधियों जैसे संसाधन प्रदान करते हैं। जलवायु परिवर्तन के कारण वनों में दावानल की बढ़ती घटनाओं, कीटों में वृद्धि और वर्षा पैटर्न में बदलाव का जोखिम बढ़ता है, जिससे प्रजातियों के विलुप्त होने की दर प्रति वर्ष 50,000 तक हो सकती है।
4. **समुद्र-जलस्तर में वृद्धि और महासागरीय परिवर्तन (Sea Level Rise and Ocean Changes)-** महासागर कार्बन डाइऑक्साइड (CO_2) को अवशोषित करने में महत्वपूर्ण भूमिका निभाते हैं, लेकिन जैसे-जैसे CO_2 का स्तर बढ़ता है, महासागर गर्म होते हैं और फैलते हैं, जिससे समुद्र का स्तर बढ़ता है। पिघलते ग्लेशियर और बर्फ की चादरें भी इस वृद्धि में योगदान करते हैं, जिससे तटीय बाढ़ आ सकती है और महासागरीय धाराएं बदलकर वैश्विक जलवायु पैटर्न को प्रभावित कर सकती है।
5. **प्रवाल भित्ति विरंजन (Coral Reaf Bleaching)-** प्रवाल भित्तियाँ छोटे जानवरों जिन्हें प्रवाल पॉलीप्स कहा जाता है, द्वारा बनाई गयी जल के नीचे की संरचनाएँ हैं। ये भित्तियाँ जल में स्थित शहरों की तरह हैं, जो कई समुद्री जीवों को घर प्रदान करती हैं और तटरेखाओं को लहरों से बचाती हैं। यद्यपि, जब महासागर का जल बहुत गर्म हो जाता है, तो प्रवाल के अंदर स्थित रंगीन शैवाल बाहर निकल जाती हैं, जिससे ये प्रवाल सफेद हो जाते हैं (इसे विरंजन (bleaching) कहा जाता है)। इससे प्रवाल कमजोर हो जाते हैं और बीमार पड़ने और मरने की संभावना बढ़ जाती है। समुद्री जीवन और तटीय क्षेत्रों को संरक्षित करने के लिए प्रवाल भित्तियों की रक्षा करना बहुत आवश्यक है।

शमन बनाम अनुकूलन (Mitigation vs Adaptation)

शमन और अनुकूलन जलवायु परिवर्तन से निपटने के दो तरीके हैं।

- शमन का ध्यान ग्रीनहाउस गैस उत्सर्जन को कम करके जलवायु परिवर्तन को रोकने पर है, जिससे जलवायु परिवर्तन के मूल कारणों का समाधान किया जा सके। इसमें सौर और पवन ऊर्जा जैसी स्वच्छ ऊर्जा का उपयोग करना, इमारतों और कारों को अधिक कुशल बनाना, पेड़ लगाना और कार्बन कर जैसे नियम बनाना शामिल है।
- अनुकूलन का तात्पर्य उन प्रभावों के लिए तैयारी करना और उन्हें समायोजित करना है जो पहले से ही हो रहे हैं जैसे प्राकृतिक आपदाएँ। इसका तात्पर्य है बाढ़ के लिए तैयारी करना, ऐसी फसलें उगाना जो अधिक ऊष्मा या कम जल से अनुकूलित हों, जल प्रबंधन में सुधार करना और शहरों की योजना इस प्रकार बनाना कि ये भूकंप और अधिक ताप की स्थिति को के अनुकूल हो।

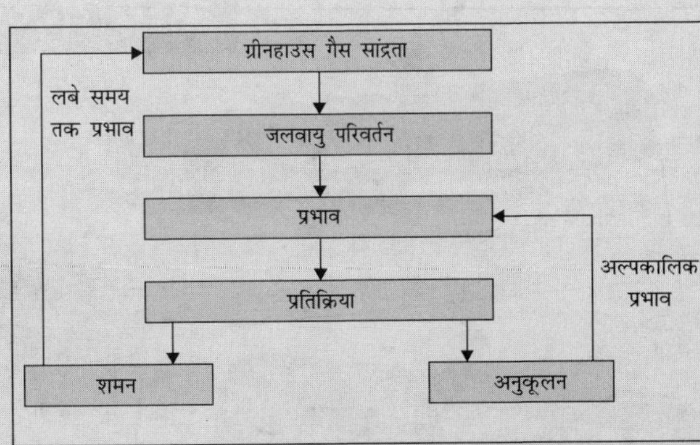

क्विज स्टेशन *विगत UGC NET परीक्षाओं के प्रश्न*

प्र.1. POP का पूर्ण रूप क्या है? *(18 जून 2024 - शिफ्ट 1)*

(a) पर्सिस्टेंट ऑर्गेनिक पॉल्यूटेंट्स
(b) पर्सिस्टेंट ऑक्सीजेनेटेड पॉल्यूटेंट्स
(c) पॉलीसाइक्लिक ऑर्गेनिक पॉल्यूटेंट्स
(d) पॉलिमेराइज्ड ऑर्गेनिक पॉल्यूटेंट्स

प्र.2. निम्नलिखित में से कौन सा एक अत्यंत अल्पकालिक और अस्थिर वायु/जल प्रदूषक है? (18 जून, 2024 - शिफ्ट 2)

(a) स्मॉग
(b) वाष्पशील कार्बनिक यौगिक (VOC)
(c) स्थायी कार्बनिक प्रदूषक (POP)
(d) पॉलीसाइक्लिक एरोमैटिक हाइड्रोकार्बन (PAH)

प्र.3. पीने के पानी में निम्नलिखित में से किसकी अधिक उपस्थिति मनुष्यों के रक्तचाप को बढ़ा सकती है? *(28 अगस्त, 2024 - शिफ्ट 1)*

(a) सल्फेट (b) जिंक
(c) सीसा (d) तांबा

प्र.4. निम्नलिखित में से कौन सा रोग ध्वनि प्रदूषण के कारण नहीं होता है? *(28 अगस्त, 2024 शिफ्ट 2)*

(a) ब्रोंकाइटिस (b) हृदय रोग
(c) उच्च रक्तचाप (d) अनिद्रा

प्र.5. गुर्दे को नुकसान पहुंचाने वाले विषाक्त पदार्थों को क्या कहा जाता है? *(2 सितंबर, 2024–प्र शिफ्ट 1)*

(a) हेमेटोटॉक्सिक (b) न्यूरोटॉक्सिक
(c) साइटोटॉक्सिक (d) नेफ्रोटॉक्सिक

उत्तर 1. (a) 2. (b) 3. (c) 4. (a) 5. (d)

अध्याय के मुख्य बिंदु

विभिन्न प्रकार के वीओसी (वीओसी) (Types of VOCs)

- फॉर्मेल्डिहाइड
- एरोसोल और मिस्ट्स
- सॉल्वेंट्स
- टरपीन/आइसोप्रीन
- बेंजीन
- टोल्यून

वायु प्रदूषण (Air Pollution)

- प्राथमिक वायु प्रदूषक (सीधे वायु में उत्सर्जित किये जाते हैं)
- द्वितीयक वायु प्रदूषक (अप्रत्यक्ष रूप से वायु में छोड़े जाते हैं)

महत्वपूर्ण प्राथमिक वायु प्रदूषक (Important Primary Air Pollutants)

- निलंबित कण पदार्थ (एसपीएम) (ईंधन को जलाने और निर्माण से निकलने वाली धूल)
- कार्बन मोनोऑक्साइड (CO) (पेट्रोल और कोयला जलाने से)
- सल्फर ऑक्साइड्स (SO_x) (कोयला और तेल जलाने से)
- नाइट्रोजन ऑक्साइड्स (NO_x) (शहरी- वाहन; ग्रामीण- गैस स्टोव, हीटर आदि में तेल जलाने से)

द्वितीयक वायु प्रदूषक (Secondary Air Pollutants)

- स्मॉग (फोटोकेमिकल स्मॉग और सल्फ्यूरस स्मॉग)
- फ्लाई ऐश (बिजली संयंत्रों में तेल जलाने से)
- पेरोक्सीएसिल नाइट्रेट्स (PAN) (NO_x और VOC के बीच रासायनिक प्रतिक्रिया)
- अम्लीय वर्षा (सल्फ्यूरिक एसिड) (सल्फर डाइऑक्साइड (SO_2) और नाइट्रोजन ऑक्साइड्स (NO और NO_2) के उत्सर्जन से)
- ग्राउंड लेवल ओजोन (O_3) (वाहन उत्सर्जन, औद्योगिक उत्सर्जन और NO_X और वीओसी के अन्य स्रोतों से संबंधित रासायनिक प्रतिक्रियाएं)

वायु प्रदूषण से होने वाली बीमारियाँ (Diseases Caused by Air Pollution)

- आर्सेनिक- त्वचा कैंसर, घाव
- पारा- मानव में मिनामाटा रोग, मछली में ड्रॉप्सी
- सीसा- डिस्लेक्सिया
- कैडमियम- इटाई-इटाई रोग
- नाइट्रेट- ब्लू बेबी सिंड्रोम
- कोयला धूल- न्यूमोकोनियोसिस
- एस्बेस्टस- एस्बेस्टोसिस
- सिलिका- सिलिकोसिस
- रेडॉन- फेफड़ों का कैंसर

ग्रीनहाउस गैसें (Greenhouse Gases)

- जल वाष्प (H_2O)
- कार्बन डाइऑक्साइड (CO_2)
- मीथेन (CH_4) (वायुमंडल में सबसे कम समय तक रहती है)
- नाइट्रस ऑक्साइड (N_2O)
- क्लोरोफ्लोरोकार्बन-12 (CFC-12)
- हाइड्रोफ्लोरोकार्बन (HFCs)
- पेरफ्लोरोकार्बन (PFCs)
- सल्फर हेक्साफ्लोराइड (SF_6)
- नाइट्रोजन ट्राइफ्लोराइड (NF_3)

ओजोन क्षयकारी पदार्थ (Ozone Depletion Substances)

- क्लोरोफ्लोरोकार्बन (CFCs)
- हाइड्रोक्लोरोफ्लोरोकार्बन (HCFCs)
- हाइड्रोब्रोमोफ्लोरोकार्बन (HBFCs)
- हैलोन
- मिथाइल ब्रोमाइड
- कार्बन टेट्राक्लोराइड
- मिथाइल क्लोरोफॉर्म

जल में खनिजों के कारण होने वाली बीमारियां (Diseases Caused by minerals in Water

- सीसा- मस्तिष्क क्षति
- फ्लोराइड- हड्डियों और दांतों पर प्रतिकूल प्रभाव
- नाइट्रेट्स- ब्लू बेबी सिंड्रोम

वायु गुणवत्ता सूचकांक में शामिल प्रदूषक (Pollutant included in Air Quality Index)

- पीएम 10
- पीएम 2.5
- ओजोन (O_3)
- सल्फर डाइऑक्साइड (SO_2)
- नाइट्रोजन डाइऑक्साइड (NO_2)
- कार्बन मोनोऑक्साइड (CO)
- सीसा (Pb) और अमोनिया (NH_3)

जल में रोगजनकों के कारण होने वाली बीमारियाँ (Diseases caused by Pathogenes in Water)

- बैक्टीरिया- हैजा, टाइफाइड बुखार
- वायरस- हेपेटाइटिस ए, पोलियो
- प्रोटोजोआ- गियार्डियासिस
- परजीवी- शिस्टोसोमियासिस, डेंगू, मलेरिया
- हेल्मिन्थ्स- एंटरोबियासिस, शिस्टोसोमियासिस

अध्याय के मुख्य बिंदु

जल प्रदूषण के प्रकार (Types of Water Pollution)

- बिंदु स्रोत प्रदूषण (प्रत्यक्ष रूप से जल स्रोत में)
  - औद्योगिक अपशिष्ट जल
  - गर्म जल
- गैर-बिंदु स्रोत प्रदूषण (कई विभिन्न स्रोत)
  - नगरपालिका अपशिष्ट जल
  - सतही बहाव
  - तेल रिसाव

मृदा प्रदूषण के स्रोत (Sources of Soil Pollution)

- वनों की कटाई
- मृदा संघनन
- सीवेज जल और भारी धातुएं
- सघन कृषि
- उच्च उपज वाली किस्में और संसाधन
- अधिक सिंचाई और जलभराव
- कीटनाशकों और उर्वरकों का उपयोग
- भूजल का अत्यधिक दोहन
- अपशिष्ट निपटान की खराब प्रथाएं
- खुली खदान खनन

अपशिष्ट प्रदूषण (Waste Pollution)

अपशिष्ट के प्रकार

- जैव अपघटनीय अपशिष्ट
- गैर-जैव अपघटनीय अपशिष्ट
- जैव चिकित्सा अपशिष्ट
- ई-अपशिष्ट

ठोस अपशिष्ट निपटान विधियाँ

- खाद इकाइयाँ
- जैवमीथेनन
- ऊष्मा ऊर्जा पुनर्प्राप्ति
- दहन
- लैंडफिल
- पुनर्चक्रण
- जैव उपचार
- मीथेनोजेनेसिस
- पायरोलिसिस

ध्वनि प्रदूषण सीमाएँ (Noise Pollution Limits)

क्षेत्र	दिन के समय	रात के समय
औद्योगिक क्षेत्र	75 dB(A)	70 dB(A)
वाणिज्यिक क्षेत्र	65 dB(A)	55 dB(A)
आवासीय क्षेत्र	55 dB(A)	45 dB(A)
शांत क्षेत्र	50 dB(A)	40 dB(A)

सिनेमैटिक कनेक्शन

इस पूरी पुस्तक के सबसे बड़े अध्याय को पूरा करने के लिए बधाई! आपको अध्ययन में आवश्यक ब्रेक देने के लिए, यहाँ कुछ फिल्मों के नाम दिये गये हैं जो जलवायु परिवर्तन, वैश्विक तापमान वृद्धि और प्रदूषण पर केंद्रित हैं। ये फिल्में न केवल आपका मनोरंजन करती हैं बल्कि दर्शकों को पर्यावरणीय क्षरण के विरूद्ध कदम उठाने के लिए शिक्षित और प्रेरित भी करती हैं।

द डे आफ्टर टुमॉरो (2004)- यह आपदा को दर्शाने वाली साइ-फाइ फिल्म है जो वैश्विक तापमान वृद्धि के प्रभावों को नाटकीय रूप से दर्शाती है, जिससे विनाशकारी जलवायु परिवर्तन और एक नये हिमयुग की शुरुआत होती है। यह वैश्विक स्तर पर जलवायु परिवर्तन के संभावित गंभीर परिणामों को दर्शाती है, जिसमें शहरों के जमने और अराजकता के बीच जीवित रहने के संघर्ष के नाटकीय दृश्य शामिल हैं।

वॉल-ई (2008)- पिक्सर द्वारा बनाई गयी यह एनिमेटेड फिल्म एक छोटे अपशिष्ट-संग्रहण करने वाले रोबोट की कहानी बताती है, जो एक ऐसे भविष्य में है जहाँ पृथ्वी को गंभीर प्रदूषण के कारण छोड़ दिया गया है। यह पर्यावरणीय क्षरण और उपभोक्तावाद की समस्याओं को दर्शाती है। यह अपशिष्ट से ढकी और उजाड़ दुनिया को दर्शाती है और हमारे ग्रह की देखभाल करने के महत्व को उजागर करती है।

बिफोर द फ्लड (2016)- लियोनार्डो डिकैप्रियो के अभिनय वाली एक डॉक्यूमेंट्री है, जो जलवायु परिवर्तन के प्रभावों और समाज के कर्तव्यों पर प्रकाश डालती है ताकि लुप्तप्राय प्रजातियों, पारिस्थितिक तंत्रों और दुनिया भर के मूल समुदायों के विनाश को रोका जा सके। यह वैश्विक तापवृद्धि के कारणों और प्रभावों पर एक व्यापक दृष्टिकोण प्रदान करती है, जलवायु परिवर्तन से लड़ने के लिए तत्काल कार्रवाई का आग्रह भी करती है।

कल्कि 2898 AD (2024)- 2898 ईस्वी को दर्शाती हुयी, 'कल्कि' फिल्म में दीपिका पादुकोण, प्रभास और अमिताभ बच्चन हैं। यह फिल्म एक ऐसे भविष्य को नाटकीय रूप से दर्शाती है जहाँ पवित्र गंगा नदी सूख चुकी है, जिससे काशी एक बंजर भूमि में बदल गयी है। लोग सांस लेने के लिए ऑक्सीजन मास्क पर निर्भर हैं, जो पर्यावरणीय उपेक्षा और जलवायु परिवर्तन से तबाह हुई दुनिया को दिखाती है।

प्राकृतिक और ऊर्जा संसाधन (Natural and Energy Resources)

27

इस अध्याय में

**परीक्षोपयोगी (Exam Essential): UGC NET परीक्षा में पूछे जाने की अत्यधिक संभावना,* #*CC का अर्थ है कॉन्सेप्ट कैप्सूल*

परिचय (Introduction)

हिमालय की तलहटी में बसे एक गाँव की कल्पना करें। गाँव वाले पीने के पानी, सिंचाई और मछली पकड़ने के लिए पास की नदी पर निर्भर हैं। वे खाना पकाने और आग सेकने के लिए आसपास के वन से लकड़ी इकट्ठा करते हैं। उपजाऊ मृदा उनकी कृषि का समर्थन करती है, जो उन्हें भोजन और आजीविका प्रदान करती है। नदी, वन और मृदा उनके दैनिक जीवन और कल्याण के लिए महत्वपूर्ण हैं। यह परिदृश्य मानव जीवन का समर्थन करने और समुदायों को संवहनीय बनाए रखने में प्राकृतिक संसाधनों के महत्व को दर्शाता है।

प्राकृतिक संसाधन प्रकृति में पाए जाने वाली सामग्री या पदार्थ हैं और इनका आर्थिक लाभ के लिए उपयोग किया जा सकता है । इनमें पानी, खनिज, वन और उपजाऊ भूमि शामिल हैं, जो मानव अस्तित्व और विकास के लिए आवश्यक हैं।

यूजीसी नेट पेपर 1 के छात्रों के लिए प्राकृतिक संसाधनों को समझना महत्वपूर्ण है क्योंकि यह पर्यावरण अध्ययन और सामान्य जागरूकता का एक मौलिक हिस्सा है। यह अध्याय प्राकृतिक संसाधनों के वितरण, उपयोग और संरक्षण को समझने में मदद करता है, जो संवहनीय विकास के लिए महत्वपूर्ण है।

27.1 प्राकृतिक संसाधन (Natural Resources)

प्राकृतिक संसाधन वे सामग्री और घटक हैं जो पर्यावरण के भीतर पाए जा सकते हैं। इनमें पानी, हवा, मृदा, पौधे, जानवर और खनिज शामिल हैं। आइए प्राकृतिक संसाधनों के प्रकारों पर एक नजर डालें-

1. **नवीकरणीय संसाधन (Renewable Resources):** ये संसाधन समय के साथ स्वाभाविक रूप से खुद की पुनः पूर्ति कर सकते हैं। उदाहरणों में पवन, सौर ऊर्जा, पौधे, वृक्ष, मृदा, मछली और पानी शामिल हैं।
2. **गैर-नवीकरणीय संसाधन (Non-Renewable Resources):** ये संसाधन सीमित हैं और समाप्त हो सकते हैं। उदाहरणों में कोयला, तेल और प्राकृतिक गैस शामिल हैं। प्राकृतिक संसाधनों को ऊर्जा संसाधन, खनिज संसाधन और वन संसाधन के रूप में भी वर्गीकृत किया जा सकता है (देखें चित्र 27.1)। हम इस खंड में उन्हें विस्तार से देखेंगे।

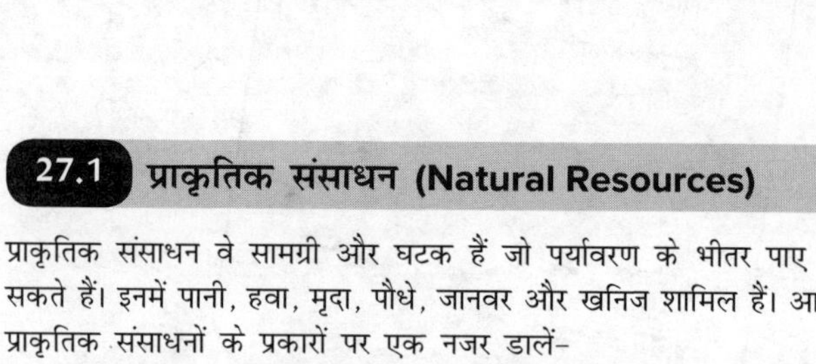

चित्र 27.1 प्राकृतिक संसाधनों के प्रकार

क्विज स्टेशन *विगत UGC NET परीक्षाओं के प्रश्न*

प्र 1. निम्नलिखित में से कौन-सा नवीकरणीय प्राकृतिक संसाधन नहीं है?

(a) स्वच्छ वायु (b) ताजा पानी
(c) उपजाऊ मृदा (d) नमक

प्र 2. निम्नलिखित में से कौन-सा संयोजन नवीकरणीय प्राकृतिक संसाधनों का है?

(a) उपजाऊ मृदा, ताजा पानी और प्राकृतिक गैस।
(b) स्वच्छ वायु, फॉस्फेट और जैव विविधता।
(c) मछली, उपजाऊ मृदा और ताजा पानी।
(d) तेल, वन और ज्वार

उत्तर 1. (d) 2. (c)

वन संसाधन (Forest Resources)

वन वृक्षों से घिरे बड़े क्षेत्र होते हैं हैं। वे पृथ्वी के पारिस्थितिकी तंत्र में महत्वपूर्ण भूमिका निभाते हैं क्योंकि वे कई प्रजातियों के लिए आवास प्रदान करते हैं, जलवायु पैटर्न को प्रभावित करते हैं, और महत्वपूर्ण कार्बन सिंक के रूप में कार्य करते हैं। आइए वनों के कुछ लाभों पर नजर डालें-

1. **जैव विविधता (Biodiversity):** वन कई प्रकार के पौधों और जानवरों का घर होते हैं, जो स्वस्थ पारिस्थितिकी तंत्र बनाए रखने के लिए आवश्यक हैं। वे ऑक्सीजन का उत्पादन कर और कार्बन डाइऑक्साइड का अवशोषण कर पृथ्वी के फेफड़ों की तरह कार्य करते हैं।
2. **आर्थिक मूल्य (Economic Value):** वन निर्माण और फर्नीचर के लिए लकड़ी के साथ-साथ औषधीय पौधों और बांस जैसे गैर-लकड़ी उत्पाद प्रदान करके अर्थव्यवस्था में योगदान करते हैं। ये संसाधन उद्योगों और स्थानीय आजीविका का समर्थन करते हैं।
3. **इकोटूरिज्म (Ecotourism):** वन इकोटूरिज्म में रुचि रखने वाले आगंतुकों को आकर्षित करते हैं, जो प्राकृतिक वातावरण का आनंद लेने के लिए बिना उन्हें नुकसान पहुंचाए संवहनीय यात्रा को बढ़ावा देता है। लंबी पैदल यात्रा और पक्षी देखने जैसी गतिविधियाँ न केवल मनोरंजन प्रदान करती हैं बल्कि संरक्षण के बारे में जागरूकता भी बढ़ाती हैं।
4. **पर्यावरण संरक्षण (Environment Protection):** वन पानी का संरक्षण करने, मृदा के कटाव को रोकने और कार्बन डाइऑक्साइड का अवशोषण कर जलवायु को नियंत्रित करने में मदद करते हैं। भारत में, वन जल चक्र को बनाए रखने और मृदा के कटाव से बचाने में महत्वपूर्ण भूमिका निभाते हैं, जो स्थिर जलवायु में योगदान करते हैं।

भारतीय वनों के बारे में तथ्य और आंकड़े (Facts and Statistics Around Indian Forests)

भारत में उष्णकटिबंधीय सदाबहार, पर्णपाती वन, कांटेदार वन और मैंग्रोव सहित विभिन्न प्रकार के वन पाए जाते हैं । भारत के कुछ सबसे समृद्ध वन क्षेत्र पश्चिमी घाट, पूर्वी हिमालय और उत्तर-पूर्वी क्षेत्र हैं। भारत राज्य वन रिपोर्ट (आईएसएफआर) 2022- आईएसएफआर 2022 भारत में वनों की स्थिति के बारे में जानकारी प्रदान करता है-

1. **वन और वृक्ष आवरण में वृद्धि:** रिपोर्ट में वन और वृक्ष आवरण में 0.55% की वृद्धि दिखाई गई है। इसमें पिछले रिपोर्ट की तुलना में वन आवरण में 0.05% और वृक्ष आवरण में 0.50% की वृद्धि शामिल है। कुल मिलाकर, भारत में अब 8,27,357वर्ग किलोमीटर वन और वृक्ष आवरण है, जो 2021 की तुलना में 1,445 वर्ग किलोमीटर अधिक है।
2. **वृद्धि के कारण:** वन और वृक्ष आवरण में वृद्धि मुख्य रूप से वृक्षारोपण और सहायक प्रा कृतिक पुनर्जनन के कारण है। वृक्षारोपण ने वृद्धि में 47% का योगदान दिया, यद्यपि सहायक प्राकृतिक पुनर्जनन ने 39% का योगदान दिया।
3. **अग्रणी राज्य:** मध्य प्रदेश, अरुणाचल प्रदेश और महाराष्ट्र वन आवरण के मामले में शीर्ष तीन राज्य हैं। ये तीनों राज्य मिलकर भारत के कुल वन और वृक्ष आवरण का लगभग आधा हिस्सा बनाते हैं।
4. **उच्चतम प्रतिशत आवरण:** मिजोरम, लक्षद्वीप और अंडमान एवं निकोबार वे राज्य हैं जिनमें सबसे अधिक प्रतिशत वन और वृक्ष आवरण है, प्रत्येक में 80% से अधिक क्षेत्र वनों से ढका हुआ है।
5. **वैश्विक तुलना:** वृद्धि के बावजूद, भारत का वन और वृक्ष आवरण अभी भी वैश्विक औसत से कम है।

ये आंकड़े भारत में वन संरक्षण और प्रबंधन में प्रयासों और प्रगति को दर्शाते हैं, जो उपलब्धियों और वन संसाधनों को बनाए रखने और विस्तार करने में आगे सुधार के क्षेत्रों को दर्शाते हैं।

वनोन्मूलन के कारण (Causes of Deforestation)

वनों की व्यापक स्तर पर कटाई के कारण पृथ्वी पर वन विस्तार निरंतर कम हो रहा है, जिससे भूमि का क्षरण होता है। इस प्रक्रिया के परिणामस्वरूप जैव विविधता की हानि, जलवायु परिवर्तन और जल चक्र का विघटन होता है। विभिन्न मानव गतिविधियों के कारण दुनिया के बहुमूल्य वन तेजी से लुप्त हो रहे हैं। वनोन्मूलन के कुछ कारण यहां दिए गए हैं-

1. **कृषि विस्तार:** वनों को बड़े पैमाने पर कृषि और खेती की गतिविधियों के लिए साफ किया जाता है। इसमें सोयाबीन, पाम ऑयल और मवेशी चराई जैसी फसलों के लिए भूमि को साफ करना शामिल है।
2. **लकड़ी काटना:** निर्माण (construction), फर्नीचर और कागज उत्पादन के लिए आवश्यक लकड़ी हेतु वृक्षों को काटा जाता है। लकड़ी काटना कानूनी या अवैध हो सकता है और मूल्यवान कठोर लकड़ी के वृक्षों वाले क्षेत्रों में वनोन्मूलन का एक प्रमुख कारण है।
3. **बुनियादी ढांचा विकास:** सड़कों, राजमार्गों, बांधों और शहरी विस्तार का निर्माण करने के लिए प्राय: वनों को साफ करने की आवश्यकता होती है। इस बुनियादी ढांचे के विकास से बड़े वन क्षेत्रों का विखंडन हो सकता है, जिससे आवास और जैव विविधता की हानि होती है।
4. **खनन:** सोना, कोयला और तेल जैसे खनिजों और संसाधनों के खनन के लिए प्राय: वनों को साफ किया जाता है।

   खनन कार्यों का पर्यावरण पर महत्वपूर्ण प्रभाव पड़ सकता है और इसके परिणामस्वरूप वनोन्मूलन की जा सकती है।

5. **प्राकृतिक कारण और वन की आग:** प्राकृतिक घटनाएँ जैसे वन की आग, सूखा और कीट संक्रमण वनों के विनाश का कारण बन सकते हैं। मानव गतिविधियाँ, जैसे कृषि के लिए आग लगाना या गलती से, भी वन की आग और वनोन्मूलन का कारण बनती हैं।

सिनेमैटिक कनेक्शन

'*पुष्पा-द राइज* (2021)' ने अपनी प्रसिद्ध पंक्ति, 'पुष्पा झुकेगा नहीं' के साथ इंटरनेट पर सनसनी मचा दी। इस ब्लॉकबस्टर फिल्म, जिसमें अल्लू अर्जुन ने अभिनय किया और सुकुमार ने निर्देशन किया, यह फिल्म अवैध लकड़ी कटाई और वनोन्मूलन की काली दुनिया से संबंधित है। आंध्र प्रदेश के हरे-भरे वनों में सेट, फिल्म पुष्पा राज से संबंधित है, जो एक मजदूर होता है और लाल चंदन की तस्करी में संलिप्त हो जाता है। यह फिल्म अवैध लकड़ी कटाई के गंभीर पर्यावरणीय प्रभावों को उजागर करती है, जैसे कि आवास विनाश और जैव विविधता की हानि।

वनोन्मूलन के प्रभाव (Effects of Deforestation)

1. **जलवायु परिवर्तन:** वनोन्मूलन वायुमंडल से कार्बन डाइऑक्साइड को अवशोषित करने वाले वृक्षों की संख्या को कम कर देता है। इससे CO_2 जैसी ग्रीनहाउस गैसों का स्तर बढ़ जाता है, जो वैश्विक तापन और जलवायु परिवर्तन का कारण बनता है।
2. **जल चक्र में व्यवधान:** वृक्ष मृदा से पानी को अवशोषित करके और इसे वाष्पोत्सर्जन के माध्यम से वायुमंडल में छोड़कर जल चक्र में महत्वपूर्ण भूमिका निभाते हैं। वनोन्मूलन इस चक्र को बाधित करता है, जिससे वर्षा में कमी आती है और स्थानीय जल उपलब्धता प्रभावित होती है।
3. **मृदा अपरदन:** वृक्षों की जड़ें मृदा को एक साथ बांधती हैं, जिससे अपरदन को रोका जा सकता है। जब वनों को साफ किया जाता है, तो मृदा हवा और पानी द्वारा अपरदन के प्रति अधिक संवेदनशील हो जाती है, जिससे उपजाऊ ऊपरी मृदा की हानि, नदियों में तलछट की मात्रा में वृद्धि और भूस्खलन का खतरा बढ़ जाता है।
4. **मरुस्थलीकरण:** शुष्क क्षेत्रों में वृक्षों को काटने से मरुस्थलीकरण में वृद्धि हो सकती है। बिना वृक्ष के आवरण के, मृदा की नमी तेजी से वाष्पित हो जाती है, और भूमि शुष्क और बंजर हो जाती है, जो वनस्पति या कृषि का समर्थन नहीं करती है।
5. **जैव विविधता हानि:** वनोन्मूलन के कारण अनगिनत पौधों और जानवरों की प्रजातियों का आवास नष्ट हो सकता है। जैसे-जैसे वन लुप्त होते हैं, प्रजातियाँ अपने घरों और भोजन के स्रोतों को खो देती हैं, जिससे जैव विविधता में गिरावट आती है। इससे पारिस्थितिक तंत्र बाधित होते हैं और प्रजातियों के विलुप्त होने का खतरा बढ़ जाता है, जो प्राकृतिक पर्यावरण के संतुलन और स्वास्थ्य को प्रभावित करता है।

भारत में मुख्य वन परियोजनाएँ (Main Forest Projects in India)

1. **वन महोत्सव (1950):**
   - **लक्ष्य:** वार्षिक राष्ट्रव्यापी वृक्षारोपण अभियान के माध्यम से जागरूकता बढ़ाना और वृक्षारोपण को प्रोत्साहित करना।
   - **पहल:** देश भर में कार्यक्रम और गतिविधियों का आयोजन करना, वृक्षों के महत्व को बढ़ावा देना और लोगों को वृक्ष लगाने और उनकी देखभाल करने के लिए प्रोत्साहित करना।
2. **राष्ट्रीय वनीकरण कार्यक्रम (1979):**
   - **लक्ष्य:** वन आवरण बढ़ाना और पर्यावरणीय लाभ प्रदान करना।
   - **पहल:** विभिन्न वृक्षारोपण और वन संरक्षण परियोजनाएँ जो क्षतिग्रस्त वन क्षेत्रों को बहाल करने का लक्ष्य रखती हैं।
3. **सामाजिक वानिकी कार्यक्रम (1980):**
   - **लक्ष्य:** वानिकी में स्थानीय समुदाय की भागीदारी को प्रोत्साहित करना।
   - **पहल:** सामुदायिक भूमि, सड़कों के किनारे और क्षतिग्रस्त भूमि पर वृक्षारोपण करना, हरे आवरण को बढ़ाना और समुदाय के लिए संसाधन प्रदान करना।
4. **संयुक्त वन प्रबंधन (JFM) कार्यक्रम (1990):**
   - **लक्ष्य:** वन प्रबंधन और संरक्षण के लिए सरकार और समुदायों के बीच सहयोगात्मक प्रयास।
   - **पहल:** वन संरक्षण प्रयासों में स्थानीय समुदायों को शामिल करना, वन संसाधनों के संवहनीय उपयोग को सुनिश्चित करना और वन-आश्रित समुदायों की आजीविका में सुधार करना।
5. **ग्रीन इंडिया मिशन (2014):**
   - **लक्ष्य:** 2030 तक वन आवरण को 2.5% बढ़ाने के लिए प्रमुख कार्यक्रम।
   - **पहल:** बड़े पैमाने पर वनीकरण और पुनर्वनीकरण परियोजनाएँ, संवहनीय कृषि को बढ़ावा देना और वन-आश्रित समुदायों की क्षमता को बढ़ाना।
6. **भारतीय शहरों के लिए हरियाली मिशन (MGIC-2022):**
   - **लक्ष्य:** शहरी हरे आवरण में सुधार और जीवन की गुणवत्ता को बढ़ाना।
   - **पहल:** शहरों में हरे स्थानों का विकास करना, शहरी वानिकी को बढ़ावा देना और नागरिकों को वृक्षारोपण और रखरखाव गतिविधियों में शामिल करना ।

क्विज स्टेशन *विगत UGC NET परीक्षाओं के प्रश्न*

प्र 1. वर्षावनों के बड़े क्षेत्रों में वृक्षों को काटने का दीर्घकालिक प्रभाव क्या है?

(a) उन क्षेत्रों में वर्षा में वृद्धि।

(b) उन क्षेत्रों में वर्षा में कमी।

(c) उन क्षेत्रों में हवा की गति में वृद्धि।

(d) उन क्षेत्रों में मृदा अपरदन की दर में वृद्धि।

उत्तर 1. (b)

खनिज संसाधन (Mineral Resources)

भारत विभिन्न प्रकार के खनिजों से समृद्ध है, जो विभिन्न उद्योगों के लिए आवश्यक प्राकृतिक संसाधन हैं। इन खनिजों को उनके संघटन और उपयोग के आधार पर विभिन्न श्रेणियों में वर्गीकृत किया गया है (देखें चित्र 27.2)

खनिजों के प्रकार (Types of Minerals)

1. **धात्विक खनिज:** धात्विक खनिजों के रासायनिक संघटन में धातुएं होती हैं। इनका उपयोग धातुओं और मिश्र धातुओं के निर्माण में किया जाता है। ये दो प्रकार के होते हैं–
   - **लौह धात्विक खनिज:** इसमें लौह अयस्क, मैंगनीज और क्रोमाइट शामिल हैं।
   - **अलौह धात्विक खनिज:** इसमें सोना, चांदी, तांबा, टिन, जस्ता और एल्यूमीनियम जैसे खनिज शामिल हैं।
2. **अधात्विक खनिज:** अधात्विक खनिजों में धातुएं नहीं होती हैं। इनका उपयोग विभिन्न उद्योगों में किया जाता है, जैसे निर्माण (construction), सिरेमिक और उर्वरक। उदाहरणों में चूना पत्थर, डोलोमाइट, अभ्रक, फॉस्फेट और विभिन्न अन्य शामिल हैं।

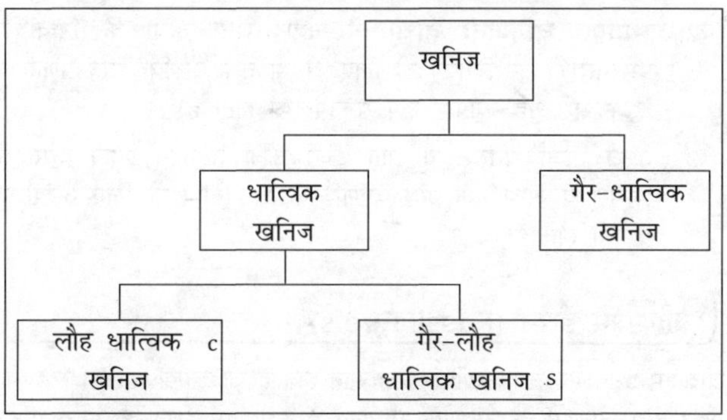

चित्र 27.2 खनिज संसाधनों के प्रकार

भारत में पाए जाने वाले महत्वपूर्ण खनिज (Important Minerals Found in India)

1. **लौह अयस्क:** ओडिशा, झारखंड, छत्तीसगढ़, कर्नाटक और गोवा जैसे राज्यों में पाया जाता है। यह हेमेटाइट, मैग्नेटाइट और लिमोनाइट जैसे प्रकारों में आता है।
2. **मैंगनीज अयस्क:** ओडिशा, मध्य प्रदेश, महाराष्ट्र, आंध्र प्रदेश और कर्नाटक जैसे राज्यों में पाया जाता है।
3. **बॉक्साइट:** झारखंड, मध्य प्रदेश, छत्तीसगढ़, गुजरात, महाराष्ट्र, तमिलनाडु, गोवा और उत्तर प्रदेश जैसे राज्यों में पाया जाता है।
4. **तांबा:** झारखंड के सिंहभूम, मध्य प्रदेश के बालाघाट, और राजस्थान के झुंझुनू और अलवर (खेत्री खदानें) क्षेत्रों में पाया जाता है।
5. **जस्ता और सीसा:** राजस्थान, गुजरात, महाराष्ट्र, पश्चिम बंगाल, ओडिशा, मध्य प्रदेश और उत्तर प्रदेश में पाया जाता है।
6. **सोना:** कर्नाटक में कोलार गोल्ड फील्ड्स और हुट्टी गोल्ड फील्ड्स, और आंध्र प्रदेश में रामगिरी गोल्ड फील्ड्स में पाया जाता है।
7. **चूना पत्थर और डोलोमाइट:** भारत के लगभग सभी भागों में उपलब्ध है, जिसका उपयोग मुख्य रूप से निर्माण और विनिर्माण उद्योगों में किया जाता है।
8. **उच्च गुणवत्ता अभ्रक:** बिहार और झारखंड में पाया जाता है, जिसका उपयोग इलेक्ट्रॉनिक्स, इन्सुलेशन और अन्य उद्योगों में किया जाता है।
9. **फॉस्फेट:** उत्तराखंड, मध्य प्रदेश और उत्तर प्रदेश में पाया जाता है, जिसका उपयोग कृषि में उर्वरक के रूप में किया जाता है।

खनिज संसाधनों का महत्व और संरक्षण (Importance and Conservation of Mineral Resources)

भारत की खनिज संपदा आर्थिक विकास के लिए महत्वपूर्ण है, जो इस्पात, इलेक्ट्रॉनिक्स और कृषि जैसे उद्योगों के लिए कच्चा माल प्रदान करती है। हालांकि, चूंकि खनिज सीमित संसाधन हैं, इसलिए उनका संवहनीय उपयोग करना महत्वपूर्ण है। संरक्षण प्रयास और जिम्मेदार खनन प्रथाएं आवश्यक हैं ताकि ये संसाधन वर्तमान और भविष्य की पीढ़ियों को लाभान्वित कर सकें।

ऊर्जा संसाधन (Energy Resources)

ऊर्जा क्षमता कार्य करने या परिवर्तन लाने की क्षमता होती है। यह प्रकृति में मौलिक है और विभिन्न रूपों में मौजूद होती है। ऊर्जा हमारे द्वारा किए जाने वाले हर काम को शक्ति प्रदान करती है, जैसे हमारे घरों को गर्म करना और हमारी कारों को चलाना। उदाहरण के लिए–

इस विषय को सरल बनाने वाले वीडियो व्याख्यान को देखने के लिए इस QR कोड को स्कैन करें

- **सौर ऊर्जा:** सूर्य सौर ऊर्जा प्रदान करता है, जो पृथ्वी को गर्म करता है और पौधों में प्रकाश संश्लेषण जैसी प्रक्रियाओं को संचालित करता है।
- **यांत्रिक ऊर्जा:** कारें ईंधन से यांत्रिक ऊर्जा का उपयोग करके चलती हैं।
- **विद्युत ऊर्जा:** हम फोन चार्ज करने और ऊर्जा उपकरणों के लिए विद्युत ऊर्जा का उपयोग करते हैं।

ऊर्जा से संबंधित प्रमुख अवधारणाएं (Key Concepts Related to Energy)

1. **संरक्षण नियम:** ऊर्जा संरक्षण का नियम कहता है कि ऊर्जा को न तो बनाया जा सकता है और न ही नष्ट किया जा सकता है; इसे केवल एक रूप से दूसरे रूप में परिवर्तित किया जा सकता है। यह सिद्धांत यह समझने के लिए मौलिक है कि ऊर्जा कैसे काम करती है और विभिन्न प्रक्रियाओं में कैसे स्थानांतरित होती है। उदाहरण के लिए, जब आप भोजन खाते हैं, तो आपका शरीर भोजन में संग्रहीत रासायनिक ऊर्जा को गति के लिए यांत्रिक ऊर्जा और शरीर के तापमान को बनाए रखने के लिए तापीय ऊर्जा में परिवर्तित करता है।
2. **समाज में ऊर्जा:** खाद्य और जल सुरक्षा, विकास और जलवायु अनुकूलन के लिए ऊर्जा आवश्यक है। ऊर्जा का उत्पादन और उपयोग मानव गतिविधियों, जैसे कृषि, उद्योग और परिवहन के लिए अनिवार्य है।

ऊर्जा के रूप (Forms of Energy)

ऊर्जा विभिन्न रूपों में आती है जो हमारे जीवन के विभिन्न पहलुओं को शक्ति प्रदान करती है। इन रूपों को समझने से हमें यह सराहना करने में मदद मिलती है कि ऊर्जा कैसे हमारी कारों से लेकर हमारे घरों और औद्योगिक प्रक्रियाओं तक सब कुछ चलाती है।

1. **यांत्रिक ऊर्जा**
   - **गतिज ऊर्जा (KE):** वह ऊर्जा जो किसी वस्तु के गति के कारण होती है। उदाहरण के लिए, एक चलती हुई कार या एक लुढ़कती हुई गेंद में गतिज ऊर्जा होती है।
   - **स्थितिज ऊर्जा (PE):** वह ऊर्जा जो किसी वस्तु में उसकी स्थिति या अवस्था के कारण संग्रहीत होती है। उदाहरणों में संपीड़ित स्प्रिंग्स, मेज पर रखी किताब और बांध में पानी शामिल हैं। संग्रहीत ऊर्जा को गतिज ऊर्जा में परिवर्तित किया जा सकता है।
2. **तापीय ऊर्जा:** यह किसी पदार्थ के तापमान से संबंधित होती है, जो अणुओं की गति से उत्पादन होती है। उदाहरण के लिए, जब आप पानी को गर्म करते हैं, तो पानी के अणुओं की तेजी गति से तापीय ऊर्जा बढ़ जाती है।
3. **रासायनिक ऊर्जा:** यह जीवाश्म ईंधन (जैसे, कोयला) जैसे पदार्थों में पाई जाती है, जो रासायनिक प्रतिक्रियाओं के दौरान मुक्त होती है। जब हम कोयला जलाते हैं, तो रासायनिक ऊर्जा तापीय ऊर्जा में परिवर्तित हो जाती है।
4. **नाभिकीय ऊर्जा:** यह ऊर्जा तब मुक्त होती है जब परमाणु नाभिक विभाजित (विखंडन) या संयोजित (संलयन) होते हैं (इस अध्याय में नाभिकीय ऊर्जा के तहत विस्तार से चर्चा की गई है)। नाभिकीय ऊर्जा संयंत्र विद्युत उत्पादन के लिए विखंडन का उपयोग करते हैं।

ऊर्जा के प्रकार (Types of Energy)

ऊर्जा के दो प्रकार होते हैं-

1. **प्राथमिक ऊर्जा:** यह ऊर्जा सीधे प्राकृतिक स्रोतों जैसे कोयला और सूर्य के प्रकाश से प्राप्त होती है। इन स्रोतों को नवीकरणीय, जैसे सूर्य का प्रकाश, जिसकी निरंतर पुनःप्राप्त होती है, या गैर-नवीकरणीय, जैसे कोयला, जो सीमित है और समय के साथ समाप्त हो जाता है, के रूप में वर्गीकृत किया जा सकता है।
2. **द्वितीयक ऊर्जा:** ये ऐसी ऊर्जा के रूप होते हैं जो प्राथमिक ऊर्जा स्रोतों से परिवर्तित होकर एक अधिक उपयोगी रूप लेते हैं, जैसे विद्युत। यह रूप घरों, उद्योगों और विभिन्न अन्य अनुप्रयोगों में उपभोग के लिए उपयुक्त है।

भारत का ऊर्जा परिदृश्य (India's Energy Landscape)

नीचे भारत के ऊर्जा परिदृश्य से संबंधित कुछ महत्वपूर्ण तथ्य दिए गए हैं

1. **विद्युत अधिनियम 2003:** यह कानून प्रतिस्पर्धा को बढ़ावा देने, उपभोक्ता हितों की रक्षा करने और सभी नागरिकों के लिए विद्युत की उपलब्धता सुनिश्चित करने के लिए लाया गया था।
2. **विविध ऊर्जा क्षेत्र:** भारत का ऊर्जा क्षेत्र बहुआयामी है, जिसमें केंद्रीय, राज्य और निजी क्षेत्रों का महत्वपूर्ण योगदान है, जो एक मजबूत और संतुलित ऊर्जा प्रणाली सुनिश्चित करता है।
3. **वैश्विक स्थिति:** भारत दुनिया का तीसरा सबसे बड़ा विद्युत उत्पादक और दूसरा सबसे बड़ा विद्युत उपभोक्ता है, जो वैश्विक ऊर्जा बाजार में इसकी महत्वपूर्ण भूमिका को दर्शाता है।
4. **ऊर्जा मिश्रण:** भारत अपनी विविध और बढ़ती ऊर्जा मांग को पूरा करने के लिए जीवाश्म ईंधन और नवीकरणीय ऊर्जा के संयोजन का उपयोग करता है।

27.2 गैर-नवीकरणीय ऊर्जा स्रोत (Non-Renewable Sources of Energy)

गैर-नवीकरणीय ऊर्जा स्रोत सीमित संसाधन होते हैं जिनकी कम समय में पुनःप्राप्त नहीं की जा सकती। गैर-नवीकरणीय ऊर्जा के दो प्रकार होते हैं, अर्थात् जीवाश्म ईंधन और नाभिकीय ऊर्जा। हम इस खंड में इनका विस्तार से अध्ययन करेंगे। नीचे गैर-नवीकरणीय संसाधनों के लाभ दिए गए हैं-

1. **विश्वसनीयता:** गैर-नवीकरणीय ऊर्जा स्रोत एक सुसंगत और विश्वसनीय विद्युत आपूर्ति प्रदान करते हैं, जो निरंतर ऊर्जा मांगों को पूरा करने के लिए महत्वपूर्ण है।
2. **स्थापित बुनियादी ढांचा:** गैर-नवीकरणीय ऊर्जा के निष्कर्षण, प्रसंस्करण और वितरण के लिए अच्छी तरह से विकसित प्रणालियाँ हैं, जिससे यह व्यापक रूप से उपलब्ध होती है।
3. **उच्च ऊर्जा घनत्व:** ये स्रोत उच्च ऊर्जा उत्पादन प्रदान करते हैं, जिससे वे औद्योगिक और वाणिज्यिक अनुप्रयोगों के लिए अत्यधिक प्रभावी होते हैं।

जीवाश्म ईंधन (Fossil Fuels)

जीवाश्म ईंधन गैर-नवीकरणीय ऊर्जा स्रोत होते हैं जो लाखों वर्षों में सड़े-गले पौधों और जानवरों के अवशेषों से बनते हैं। जीवाश्म ईंधन के मुख्य प्रकारों में कोयला, तेल और प्राकृतिक गैस शामिल हैं। नीचे जीवाश्म ईंधन के लाभ और हानियाँ दी गई हैं-

लाभ (Advantages)-

1. **उच्च ऊर्जा उत्पादन:** जीवाश्म ईंधन प्रति इकाई बहुत अधिक ऊर्जा उत्पादन करते हैं, जिससे वे घरों, उद्योगों और परिवहन को शक्ति प्रदान करने के लिए बहुत प्रभावी होते हैं।
2. **स्थापित प्रौद्योगिकी:** जीवाश्म ईंधन को खोजने, निष्कर्षण और उपयोग करने के तरीके अच्छी तरह से स्थापित और दुनिया भर में व्यापक रूप से उपयोग किए जाते हैं।
3. **विकसित व्यापार बाजार:** जीवाश्म ईंधन के लिए एक मजबूत वैश्विक बाजार है, जो यह सुनिश्चित करता है कि वे ऊर्जा आवश्यकताओं को पूरा करने के लिए आसानी से उपलब्ध और वितरित किए जाते हैं।

हानियाँ (Disadvantages)-

1. **पर्यावरणीय प्रभाव:** जीवाश्म ईंधन जलाने से ग्रीनहाउस गैसें उत्सर्जित होती हैं, जिस कारण वैश्विक तापन होता है।
2. **स्वास्थ्य जोखिम:** जीवाश्म ईंधन के दहन से सल्फर डाइऑक्साइड और नाइट्रोजन ऑक्साइड उत्सर्जन, मनुष्यों और जानवरों में श्वसन समस्याओं और अन्य गंभीर स्वास्थ्य समस्याओं का कारण बन सकते हैं।
3. **पारिस्थितिक क्षति:** तेल रिसाव जैसी दुर्घटनाएं समुद्री पारिस्थितिक तंत्र को नुकसान पहुंचा सकती हैं, जिससे आवासों को नुकसान होता है और वर्षों तक वन्यजीव विलुप्त हो जाते हैं।

कोयला (Coal)

कोयला उच्च दबाव और तापमान के तहत लाखों वर्षों में सड़ गए और परिवर्तित प्राचीन पौधों के अवशेषों से बनता है। अपनी प्रचुरता और उच्च ऊर्जा अंश के कारण यह एक महत्वपूर्ण ऊर्जा स्रोत है। बहुत अधिक कोयला जलाने से वायु प्रदूषण, स्वास्थ्य समस्याएं और जलवायु परिवर्तन होता है। हालांकि चीन, भारत, अमेरिका, ऑस्ट्रेलिया और इंडोनेशिया जैसे देशों में कोयला एक महत्वपूर्ण ऊर्जा स्रोत है, यह प्रदूषण और वैश्विक तापन का भी एक प्रमुख कारण है।

ऊर्जा रूपांतरण: विद्युत संयंत्रों में, कोयले को जलाकर पानी को भाप में बदल दिया जाता है, जो टर्बाइनों को चलाकर विद्युत उत्पादन करता है। इस प्रक्रिया में कोयले में रासायनिक ऊर्जा को थर्मल, यांत्रिक और अंततः विद्युत ऊर्जा में परिवर्तित करना शामिल है।

कोल बेड मीथेन (सीबीएम): कोयला खनन के दौरान उत्सर्जित एक प्राकृतिक गैस। सीबीएम कोयले की तुलना में साफ जलती है लेकिन इसका ऊर्जा घनत्व कम होता है। भारत के पास पर्याप्त सीबीएम संसाधन हैं, जो स्वच्छ ऊर्जा उत्पादन की संभावना प्रदान करते हैं। हालांकि, सीबीएम निष्कर्षण की पर्यावरण ीय चुनौतियां उत्पादनहैं, जिनमें जल प्रदूषण और भूमि प्रबंधन मुद्दे शामिल हैं।

कोयले का वर्गीकरण: कोयले को उसके कार्बन अंश और ऊर्जा क्षमता के आधार पर वर्गीकृत किया जाता है।

1. **पीट:** कोयला निर्माण का प्रारंभिक चरण, जिसमें 30–45% कार्बन अंश होता है। ऊष्मा और दबाव के तहत, पीट विभिन्न प्रकार के कोयले में परिवर्तित हो जाता है।
2. **लिग्नाइट (ब्राउन कोल):** इसमें लगभग 70% कार्बन होता है और इसका उपयोग मुख्य रूप से विद्युत उत्पादन के लिए किया जाता है क्योंकि इसका ऊर्जा अंश कम होता है।
3. **बिटुमिनस कोल (सॉफ्ट कोल):** इसमें लगभग 80% कार्बन अंश होता है और इसका व्यापक रूप से विद्युत उत्पादन और औद्योगिक अनुप्रयोगों में उपयोग किया जाता है। इसका उपयोग स्टील उद्योग के लिए कोक उत्पादन में भी किया जाता है।
4. **एंथ्रासाइट:** सबसे उच्च श्रेणी का कोयला जिसमें सबसे अधिक कार्बन अंश (80% से अधिक) होता है। यह न्यूनतम धुएं के साथ जलता है और अधिक ऊष्मा उत्पादन करता है, जिससे यह अत्यधिक प्रभावी होता है।

भारत में आयातित विभिन्न प्रकार के कोयले: भारत अपनी ऊर्जा मांगों को पूरा करने के लिए विभिन्न प्रकार के कोयले का आयात करता है-

1. **बिटुमिनस और सब-बिटुमिनस कोल:** इन प्रकार के कोयले में मध्यम से उच्च कार्बन अंश होता है लेकिन अन्य कोयलों की तुलना में ऊर्जा उत्पादन दक्षता कम होती है। इनका उपयोग प्रायः विद्युत संयंत्रों में किया जाता है।
2. **कोकिंग कोल:** इस उच्च गुणवत्ता वाले कोयले में अशुद्धियाँ कम होती हैं और यह स्टील उद्योग के लिए आवश्यक होता है क्योंकि यह कोक के उत्पादन में महत्वपूर्ण भूमिका निभाता है, जो स्टील निर्माण में एक महत्वपूर्ण घटक है।
3. **उच्च श्रेणी थर्मल कोल:** भारत उच्च श्रेणी थर्मल कोल भी आयात करता है, जिसमें उच्च कैलोरी मान होता है और यह विद्युत उत्पादन के लिए अधिक प्रभावी होता है। इस प्रकार के कोयले को इसके प्रति इकाई उच्च ऊर्जा उत्पादन भार के लिए प्राथमिकता दी जाती है।

पेट्रोलियम (तेल) (Petroleum (Oil))

पेट्रोलियम, जिसे कच्चा तेल भी कहा जाता है, एक तरल जीवाश्म ईंधन है जो भूमिगत भंडारों में पाया जाता है। इसे ड्रिलिंग के माध्यम से निकाला जाता है और गैसोलीन, डीजल और जेट ईंधन जैसे विभिन्न उत्पादों में परिष्कृत किया जाता है, जो कारों, ट्रकों, हवाई जहाजों और अन्य वाहनों को शक्ति प्रदान करते हैं।

निर्माण: पेट्रोलियम छोटे समुद्री जीवों के अवशेषों से बनता है जो लाखों वर्ष पहले रहते थे। जब ये जीव मर गए, तो वे समुद्र तल पर बस गए और तलछट की परतों के नीचे दब गए। समय के साथ, पृथ्वी से ऊष्मा और दबाव ने इन दबे हुए अवशेषों को तेल में बदल दिया।

उपयोग: पेट्रोलियम हमारे दैनिक जीवन के लिए महत्वपूर्ण है क्योंकि यह परिवहन (जैसे कारों और हवाई जहाजों के लिए ईंधन), घरों और इमारतों को गर्म करने और विद्युत उत्पादन करने के लिए एक प्राथमिक ऊर्जा स्रोत के रूप में कार्य करता है। यह पेट्रोकेमिकल उद्योग में भी आवश्यक है, जहां इसका उपयोग प्लास्टिक, उर्वरक, दवाएं और कई अन्य उत्पाद बनाने के लिए किया जाता है।

पर्यावरणीय प्रभाव: पेट्रोलियम के निष्कर्षण, परिष्करण और जलने से कई ग्रीनहाउस गैसों का उत्सर्जन होता है, जिससे यह जलवायु परिवर्तन का एक प्रमुख कारण बन जाता है।

प्राकृतिक गैस (Natural Gas)

प्राकृतिक गैस एक गैसीय जीवाश्म ईंधन है जो मुख्य रूप से मीथेन (CH_4) से बना है। इसका उच्चकैलोरी मान तथा कोयले और तेल की तुलना में कम कार्बन डाइऑक्साइड उत्सर्जन इसे सबसे स्वच्छ जलने वाला जीवाश्म ईंधन बनाता है।

निर्माण: प्राकृतिक गैस लाखों वर्षों में पौधों और जानवरों के अवशेषों से भूमि के अंदर बनती है। ये जैविक सामग्री पृथ्वी की परतों के नीचे दब जाती हैं जहां ऊष्मा और दबाव उन्हें गैस में बदल देते हैं। यह प्रायः तेल भंडारों के साथ पाई जाती है।

संरचना: प्राकृतिक गैस की मुख्य घटक मीथेन गैस है, जो इसकी संरचना का लगभग 70–90% बनाती है। इसमें एथेन, प्रोपेन और ब्यूटेन जैसी अन्य गैसें भी शामिल हैं, साथ ही थोड़ी मात्रा में नाइट्रोजन, कार्बन डाइऑक्साइड और हाइड्रोजन सल्फाइड भी शामिल हैं।

निष्कर्षण: प्राकृतिक गैस निष्कर्षण के लिए, इसे संग्रहीत भूमिगत भंडारों से निष्कर्षित किया जाता है। यह आमतौर पर प्राकृतिक गैस क्षेत्रों या तेल भंडारों के साथ पाई जाती है। निष्कर्षण के उपरांत उपयोग करने से पहले इसकी अशुद्धियों को दूर करने के लिए संसाधित किया जाता है।

उपयोग: प्राकृतिक गैस का व्यापक रूप से विद्युत उत्पादन, औद्योगिक प्रक्रियाओं, आवासीय तापन (विशेष रूप से यूरोप, रूस, यूएसए और कनाडा में) और वाहनों के लिए ईंधन के रूप में संपीड़ित प्राकृतिक गैस (CNG) के रूप में उपयोग किया जाता है। प्राकृतिक गैस प्लास्टिक, उर्वरक और यहां तक कि दवाओं जैसे विभिन्न दैनिक उत्पादों के उत्पादन में महत्वपूर्ण भूमिका निभाती है, जो पेट्रोकेमिकल उद्योग के माध्यम से होती है। यह केवल ऊर्जा उत्पादन से इत्तर भी इसके महत्व को दर्शाता है।

पर्यावरणीय प्रभाव: हालांकि प्राकृतिक गैस को जलाने से कोयले और तेल की तुलना में कम कार्बन डाइऑक्साइड निकलती है, लेकिन इसका भी

पर्यावरणीय प्रभाव होता है। मीथेन, एक महत्वपूर्ण ग्रीनहाउस गैस है, जो प्राकृतिक गैस के निष्कर्षण और परिवहन के दौरान निकल सकती है, जिससे जलवायु परिवर्तन होता है।

प्राकृतिक गैस विभिन्न रूपों में आती है जो ऊर्जा और ईंधन के लिए विभिन्न उद्देश्यों की पूर्ति करती है। इसके चार महत्वपूर्ण प्रकार निम्नलिखित हैं-

1. **प्राकृतिक गैस हाइड्रेट्सः** ये महासागर के गहरे हिस्सों और आर्कटिक जैसे बहुत ठंडे स्थानों में पाए जाते हैं। ये बर्फ की तरह होते हैं लेकिन इनमें प्राकृतिक गैस (मुख्य रूप से मीथेन) पानी के साथ मिश्रित होती है। प्राकृतिक गैस हाइड्रेट्स संबंधी कुछ प्रमुख बिंदु यहां दिए गए हैं-
   - यह भविष्य में ये एक प्रमुख ऊर्जा स्रोत हो सकते हैं, लेकिन इनका निष्कर्षण कठिन और महंगा है, जिसके लिए उन्नत तकनीक और बुनियादी ढांचे की आवश्यकता होती है।
   - भारत में, पश्चिमी, पूर्वी और अंडमान अपतटीय क्षेत्रों में कई हाइड्रेट संसाधन हैं।
2. **संपीड़ित प्राकृतिक गैस (CNG):** संपीड़ित प्राकृतिक गैस (CNG) एक प्राकृतिक गैस है जिसे उच्च दबाव में संपीड़ित किया गया है ताकि इसे टैंकों में संग्रहीत किया जा सके और वाहनों के लिए ईंधन के रूप में उपयोग किया जा सके। CNG मुख्य रूप से वाहनों के लिए ईंधन के रूप में उपयोग की जाती है क्योंकि इसे उच्च दबाव में संग्रहीत किया जा सकता है। CNG की कुछ प्रमुख विशेषताएं यहां दी गई हैं-
   - CNG डीजल और पेट्रोल की तुलना में साफ है, और इससे कम प्रदूषण होता है।
   - इसका ऑक्टेन रेटिंग अधिक होता है, जिसका अर्थ है कि यह इंजन नॉकिंग को कम करता है।
   - CNG हल्की होती है, इसका इग्निशन रेंज संकीर्ण होता है, और यह नियमित ईंधनों की तुलना में अधिक लागत प्रभावी होती है।
3. **पाइप्ड प्राकृतिक गैस (PNG):** यह प्राकृतिक गैस खाना पकाने और अन्य उपयोगों के लिए घरों और उद्योगों को आपूर्ति की जाती है। CNG और PNG दोनों मुख्य रूप से मीथेन से बने होते हैं और इनमें एक सरल आणविक संरचना होती है जो वायुमंडल में ओजोन निर्माण को कम करती है।
4. **शेल गैसः** शेल गैस एक प्रकार की प्राकृतिक गैस है जो शेल चट्टान में पाई जाती है, जो एक प्रकार की अवसादी चट्टान है। यह गैस चट्टान की परतों के भीतर कसकर फंसी होती है, जिससे इसे विशेष तकनीकों के बिना निष्कर्षित करना कठिन होता है। ड्रिलिंग और हाइड्रोलिक फ्रैक्चरिंग (फ्रैकिंग) में नई विधियों ने शेल गैस को अधिक कुशलता से निष्कर्षित करना संभव बना दिया है। ये तकनीकें हमें उन गैस भंडारों तक पहुंचने की संभावना प्रदान करती हैं जहां पहले नहीं पहुँचा जा सकता था।
   - **क्षैतिज ड्रिलिंग:** केवल सीधे नीचे ड्रिलिंग करने के बजाय, क्षैतिज ड्रिलिंग में शेल परत तक ड्रिलिंग करना और फिर चट्टान के माध्यम से साइडवेज ड्रिलिंग करना शामिल है। यह विधि शेल में फंसे गैस भंडारों तक पहुंचने में मदद करती है।
   - **हाइड्रोलिक फ्रैक्चरिंग (फ्रैकिंग):** फ्रैकिंग में चट्टान में छोटी दरारें बनाने के लिए पानी, रेत और रसायनों के उच्च दबाव मिश्रण को पंप करना शामिल है। ये दरारें गैस को कुएं से बाहर निकलने की संभावना प्रदान करती हैं। रेत दरारों को खुला रखती है ताकि गैस बहती रहे।

क्षैतिज ड्रिलिंग और फ्रैकिंग के संयोजन ने विशेष रूप से यूएसए में प्राकृतिक गैस उद्योग को बदल दिया है। इन तकनीकों ने प्राकृतिक गैस उत्पादन को बहुत बढ़ा दिया है, जिससे यूएसए एक शुद्ध आयातक से शुद्ध निर्यातक बन गया है। इस परिवर्तन का वैश्विक ऊर्जा बाजार पर बड़ा प्रभाव पड़ा है।

परमाणु ऊर्जा (Nuclear Energy)

परमाणु ऊर्जा एक प्रकार की ऊर्जा है जो परमाणुओं के कोर (नाभिक) से आती है। आइए संक्षेप में परमाणु की संरचना को समझें। परमाणु प्रोटॉन, न्यूट्रॉन और इलेक्ट्रॉन से बने होते हैं (चित्र 27.3 देखें)। परमाणु का नाभिक (कोर) प्रोटॉन और न्यूट्रॉन को समाहित करता है, यद्यपि इलेक्ट्रॉन नाभिक के चारों ओर परिक्रमा करते हैं। प्रोटॉन का पाजिटिव चार्ज होता है, और इलेक्ट्रॉन का नेगेटिव चार्ज होता है।

क्या परमाणु ऊर्जा एक जीवाश्म ईंधन है? नहीं, परमाणु ऊर्जा को जीवाश्म ईंधन के रूप में वर्गीकृत नहीं जाता है। कोयला, तेल और प्राकृतिक गैस जैसे जीवाश्म ईंधन लाखों वर्षों से सड़े हुए पौधों और जानवरों से बने हैं। इसके विपरीत, परमाणु ऊर्जा यूरेनियम और प्लूटोनियम से आती है, जो पृथ्वी की पपड़ी में पाए जाने वाले खनिज हैं। इन खनिजों को गैर-नवीकरणीय माना जाता है क्योंकि ये सीमित हैं- एक बार उपयोग किए जाने के बाद इन्हें प्रतिस्थापित नहीं किया जा सकता।

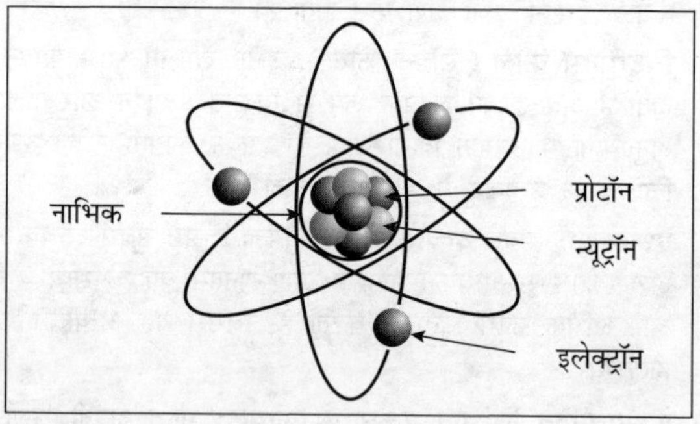

चित्र 27.3 परमाणु की संरचना

परमाणु ऊर्जा का उत्पादन कैसे होता है (How is Nuclear Energy Produced)

परमाणु ऊर्जा दो मुख्य तरीकों से प्राप्त की जा सकती है-

1. **विखंडनः** यह तब होता है जब एक परमाणु का नाभिक छोटे भागों में विभाजित हो जाता है। इस प्रक्रिया से बड़ी मात्रा में ऊर्जा निकलती है।
2. **संलयनः** यह तब होता है जब परमाणुओं के नाभिक (नाभिक का बहुवचन) मिलकर एक बड़ा नाभिक बनाते हैं। संलयन भी ऊर्जा पैदा करता है, लेकिन इसके लिए बहुत उच्च तापमान और दबाव की आवश्यकता होती है।

परमाणु ऊर्जा संयंत्रः ये विद्युत उत्पादनउत्पादन के लिए परमाणु विखंडन नामक प्रक्रिया का उपयोग करते हैं। यह इस प्रकार काम करता है-

1. **परमाणु विखंडनः** संयंत्र के रिएक्टर कोर के अंदर, विशेष यूरेनियम परमाणु, विशेष रूप से यूरेनियम-235, विभाजित होते हैं। इस विभाजन से बहुत अधिक ऊष्मा निकलती है।
2. **विद्युत उत्पादनः** इस ऊष्मा का उपयोग पानी को भाप में बदलने के लिए किया जाता है। भाप उच्च दबाव में होती है और टरबाइन को घुमाने के लिए पाइपों के माध्यम से चलती है।
3. **स्पिनिंग टरबाइनः** स्पिनिंग टरबाइन एक जनरेटर से जुडी होती है। जैसे ही टरबाइन घूमता है, यह जनरेटर को विद्युत उत्पादन करता है।

परमाणु ईंधन (Nuclear Fuel)

परमाणु ईंधन उन सामग्रियों को संदर्भित करता है जिनका उपयोग परमाणु रिएक्टरों में परमाणु प्रतिक्रियाओं के माध्यम से ऊर्जा उत्पादन के लिए किया जाता है। रिएक्टरों में उपयोग किए जाने वाले मुख्य प्रकार के परमाणु ईंधन हैं-

1. **यूरेनियमः** यूरेनियम एक धातु है जिसमें 92 प्रोटॉन और 92 इलेक्ट्रॉन होते हैं। यह विभिन्न रूपों में प्राकृतिक रूप से पाया जाता है, जैसे यूरेनियम-238, यूरेनियम-235, आदि। यूरेनियम रेडियोधर्मी होता है, जिसका अर्थ है कि यह कणों का उत्सर्जन करता है और समय के साथ अन्य तत्वों में परिवर्तित हो जाता है। यूरेनियम-235 परमाणु ऊर्जा संयंत्रों में उपयोग किया जाने वाला प्राथमिक ईंधन है क्योंकि इसके परमाणु आसानी से विभाजित होकर ऊर्जा जारी कर सकते हैं। भारत में, यूरेनियम का मुख्य स्रोत जादूगुड़ा खदान है।
2. **प्लूटोनियमः** प्लूटोनियम-239 एक अन्य सामग्री है जिसका उपयोग विशेष रूप से विशेषीकृत रिएक्टरों में ईंधन के रूप में किया जाता है।
3. **थोरियमः** इसे यूरेनियम-233 (U-233) में परिवर्तित करके परमाणु ईंधन के रूप में उपयोग किया जा सकता है। हालांकि भारत में थोरियम के प्रचुर भंडार हैं, लेकिन वाणिज्यिक ऊर्जा उत्पादन के लिए इसका उपयोग अभी भी विकासके चरण में है।
4. **संवर्धित यूरेनियम (EU):** कुछ रिएक्टरों में, भारत EU का उपयोग करता है, जहां प्राकृतिक यूरेनियम की तुलना में U-235 की सांद्रता बढ़ाई जाती है। यह संवर्धन प्रक्रिया ईंधन को परमाणु प्रतिक्रियाओं को बनाए रखने के लिए अधिक प्रभावी बनाती है।
5. **मिश्रित ऑक्साइड ईंधन (MOX):** MOX ईंधन प्लूटोनियम और यूरेनियम का मिश्रण है। इसका उपयोग कुछ प्रकार के रिएक्टरों में किया जाता है, जैसे प्रोटोटाइप फास्ट ब्रीडर रिएक्टर (PFBR), जिनसे लंबे समय तक ऊर्जा कुशलता से उत्पादन की जा सकती है।

परमाणु रिएक्टरों के प्रकार (Types of Nuclear Reactors)

परमाणु ऊर्जा संयंत्रों के अंदर परमाणु रिएक्टर होते हैं। ये ऐसे उपकरण हैं जो नियंत्रित परमाणु प्रतिक्रियाओं के माध्यम से विद्युत उत्पादन करते हैं। यह परमाणुओं के विभाजन (परमाणु विखंडन) या परमाणुओं के संयोजन (परमाणु संलयन) से जारी ऊर्जा का उपयोग करके ऊष्मा उत्पादन करता है, जिसका उपयोग भाप उत्पादन करने के लिए किया जाता है। भाप टरबाइन को चलाती है जो जनरेटर से जुड़ी होती है, अंततः विद्युत उत्पादन करती है। परमाणु रिएक्टरों के दो प्रकार हैं-

1. **थर्मल रिएक्टरः** नियमित परमाणु रिएक्टर, जिन्हें थर्मल रिएक्टर के रूप में जाना जाता है, यूरेनियम-235 (235U), यूरेनियम-233 (233U) और प्लूटोनियम-239 (239U) के परमाणुओं को विभाजित करके ऊर्जा उत्पादन करते हैं। इस प्रक्रिया को परमाणु विखंडन कहा जाता है, जो बड़ी मात्रा में ऊर्जा जारी करती है, जिसका उपयोग विद्युत उत्पादन करने के लिए किया जाता है।
2. **ब्रीडर रिएक्टरः** थर्मल रिएक्टरों के विपरीत, ब्रीडर रिएक्टर न केवल परमाणु विखंडन के माध्यम से ऊर्जा उत्पादन करते हैं बल्कि अतिरिक्त परमाणु ईंधन भी उत्पादन करते हैं। इनके द्वारा ऐसा गैर-विखंडनीय यूरेनियम-238 (238U) को विखंडनीय प्लूटोनियम-239 में परिवर्तित करके किया जाता है। इस प्लूटोनियम-239 का उपयोग ब्रीडर रिएक्टरों और पारंपरिक रिएक्टरों दोनों में ईंधन के रूप में किया जा सकता है, जिससे ईंधन की आपूर्ति बढ़ जाती है और प्रक्रिया अधिक प्रभावी हो जाती है।

भारत में ब्रीडर रिएक्टरः भारत सक्रिय रूप से फास्ट ब्रीडर रिएक्टर (FBR) विकसित कर रहा है। ये रिएक्टर भारत की रणनीति का हिस्सा हैं ताकि परमाणु ऊर्जा क्षमताओं को स्थायी रूप से बढ़ाया जा सके। भारत छह थ्ठत बनाने की योजना बना रहा है। पहले दो तमिलनाडु के कलपक्कम में बनाए जा रहे हैं। इकाइयाँ 3-4 और 5-6 की भी योजना हैं। सभी छह इकाइयाँ 2039 तक चालू हो जानी चाहिए। ब्रीडर रिएक्टरों का उपयोग करके, भारत अपने यूरेनियम संसाधनों का अधिक कुशलता से उपयोग करने और आयातित परमाणु ईंधन पर निर्भरता को कम करने का लक्ष्य रखता है।

परमाणु रिएक्टर के घटक (Components of a Nuclear Reactor)

1. **ईंधन रॉडः** ईंधन रॉड लंबे ट्यूब होते हैं जिनमें यूरेनियम-235 या प्लूटोनियम-239 होता है। ये सामग्री परमाणु विखंडन से गुजरती हैं, जहां उनके परमाणु विभाजित होते हैं, जिससे बड़ी मात्रा में ऊष्मा निकलती है।
2. **नियंत्रण रॉडः** नियंत्रण रॉड बोरॉन, हैफनियम या कैडमियम जैसी सामग्रियों से बने होते हैं। ये परमाणु प्रतिक्रिया की गति या तीव्रता को नियंत्रित करते हैं।
3. **मॉडरेटरः** परमाणु विखंडन के दौरान, परमाणु विभाजित होते हैं, जिससे ऊर्जा और न्यूट्रॉन निकलते हैं। इन न्यूट्रॉन को धीमा (या मॉडरेट) करने की आवश्यकता होती है ताकि श्रृंखला प्रतिक्रिया को बनाए रखा जा सके। भारी पानी या ग्रेफाइट जैसे मॉडरेटर का उपयोग परमाणु विखंडन के दौरान उत्पन्न न्यूट्रॉन को धीमा करने के लिए किया जाता है ताकि एक स्थिर और नियंत्रित श्रृंखला प्रतिक्रिया बनाए रखी जा सके, जिससे विद्युत उत्पादन की सुविधा हो।
4. **कूलेंटः** कूलेंट एक पदार्थ है जो रिएक्टर कोर से ऊष्मा को हटाता है। यह परमाणु प्रतिक्रियाओं द्वारा पैदा की गई ऊष्मा को संयंत्र के एक

अलग हिस्से में स्थानांतरित करता है जहां विद्युत उत्पादन किया जाता है। सामान्य कूलेंट्स में पानी शामिल है, जो लाइट वाटर रिएक्टर्स (LWRs) में सबसे व्यापक रूप से उपयोग किया जाता है, या अन्य प्रकार के रिएक्टरों में तरल सोडियम और कार्बन डाइऑक्साइड गैस शामिल हैं।

5. **कंटेनमेंट वेसल:** कंटेनमेंट वेसल परमाणु रिएक्टरों की एक महत्वपूर्ण सुरक्षा विशेषता है। इसे विकिरण को रोकने और अत्यधिक दबाव और तापमान का सामना करने के लिए ठोस सामग्री जैसे स्टील और प्रबलित कंक्रीट से बनाया जाता है। दुर्घटना या खराबी की स्थिति में, कंटेनमेंट वेसल रेडियोधर्मी पदार्थों को पर्यावरण में फैलने से रोकता है, इस प्रकार यह आसपास के क्षेत्र की सुरक्षा और संयंत्र ऑपरेटरों और जनता की सुरक्षा सुनिश्चित करता है।

परमाणु कचरा (Nuclear Waste)

1. **परमाणु कचरा क्या है:** रिएक्टर में परमाणु प्रतिक्रियाओं के बाद, शेष रेडियोधर्मी सामग्री को परमाणु कचरा कहा जाता है।
2. **क्षरित यूरेनियम:** यह एक प्रकार का परमाणु कचरा है। यह यूरेनियम होता है जिसे रिएक्टर में उपयोग किया जाता है और यह अब ईंधन के रूप में प्रभावी नहीं होता है।
3. **परमाणु कचरे का निपटान:** परमाणु कचरे को बहुत लंबे समय तक सुरक्षित रूप से संग्रहीत करने की आवश्यकता होती है क्योंकि यह रेडियोधर्मी होता है और हानिकारक हो सकता है। नमक की खदानों को प्रायः परमाणु कचरे को संग्रहीत करने के लिए चुना जाता है क्योंकि-
   - वे समय के साथ खुद को सील कर लेते हैं, कचरे को भूमिगत कर देते हैं।
   - उनकी पारगम्यता कम होती है, जिसका अर्थ है कि वे पदार्थों को आसानी से गुजरने नहीं देते।
   - वे ऊष्मा का अच्छी तरह से संचालन करते हैं, जो कचरे द्वारा निर्मित ऊष्मा को प्रबंधित करने में मदद करता है।

परमाणु कचरे को यह सुनिश्चित करते हुए कि यह लोगों या पर्यावरण को नुकसान न हो, सुरक्षित रूप से संग्रहीत करना पर्यावरण और स्वास्थ्य जोखिमों को रोकने के लिए महत्वपूर्ण है ।

परमाणु आपदाएँ (Nuclear Disasters)

1. **चेरनोबिल आपदा:** 26 अप्रैल, 1986 को, चेरनोबिल परमाणु ऊर्जा संयंत्र के नंबर 4 रिएक्टर में विस्फोट हुआ, जिससे बड़ी मात्रा में रेडियोधर्मी सामग्री पर्यावरण में फैल गई। यह यूक्रेनी SSR में प्रिप्याट के पास हुआ।
2. **थ्री माइल आइलैंड दुर्घटना:** 28 मार्च, 1979 को, पेंसिल्वेनिया में थ्री माइल आइलैंड के यूनिट 2 रिएक्टर में आंशिक रूप से पिघलाव हुआ, जिससे रेडियोधर्मी गैसें और आयोडीन निकल गए।
3. **फुकुशिमा परमाणु दुर्घटना:** 11 मार्च, 2011 को, जापान में फुकुशिमा दाइची परमाणु ऊर्जा संयंत्र में भूकंप और सुनामी के बाद एक बड़ी परमाणु दुर्घटना हुई।

क्विज स्टेशन *विगत UGC NET परीक्षाओं के प्रश्न*

प्र 1. थर्मल रिएक्टर निम्नलिखित परमाणु ईंधनों के विखंडन द्वारा ऊर्जा उत्पादन करते हैं

A. यूरेनियम-235 (^{235}U)
B. यूरेनियम-233 (^{233}U)
C. यूरेनियम-238 (^{238}U)
D. थोरियम-232 (^{232}TH)
E. प्लूटोनियम-239 (^{239}PU)

नीचे दिए गए विकल्पों में से सही उत्तर चुनें-

(a) केवल A, B, C और E
(b) A, B, C, D और E
(c) केवल A, B, D और E
(d) केवल A, B और E

प्र 2. थर्मल रिएक्टर निम्नलिखित परमाणु ईंधनों के विखंडन द्वारा ऊर्जा उत्पादन करते हैं

(a) खपत से अधिक फिसाइल (fissile) सामग्रियाँ उत्पादित होती हैं
(b) खपत से कम फिसाइल (fissile) सामग्रियाँ उत्पादित होती हैं
(c) न्यूट्रॉन को मॉडरेटर द्वारा धीमा किया जाता है
(d) Pu-239 फर्टाइल सामग्री से उत्पादित U-238 फर्टाइल सामग्री है

उत्तर 1. (d) 2. (b)

27.3 नवीकरणीय ऊर्जा के स्रोत (Renewable Sources of Energy)

इस विषय को सरल बनाने वाले वीडियो व्याख्यान को देखने के लिए इस QR कोड को स्कैन करें

नवीकरणीय ऊर्जा उन स्रोतों से प्राप्त होती है जिन्हें प्राकृतिक रूप से कम समय में पुनःप्राप्त किया जा सकता है। इसका अर्थ है कि हम उन्हें समाप्त नहीं किया जा सकता, और उन्हें बार-बार उपयोग किया जा सकता है। नवीकरणीय ऊर्जा संवहनीय (लंबे समय तक चलने वाली) और अंतहीन दोनों है। नीचे नवीकरणीय ऊर्जा संसाधनों के लाभ दिए गए हैं।

1. **पर्यावरणीय:** नवीकरणीय ऊर्जा बहुत कम ग्रीनहाउस गैसें उत्पादित करती हैं , जो ग्लोबल वार्मिंग के लिए जिम्मेदार हैं। नवीकरणीय ऊर्जा का उपयोग वायु और जल प्रदूषण को कम करता है, जिससे हमारा पर्यावरण स्वच्छ और स्वस्थ बनता है।
2. **आर्थिक:** नवीकरणीय ऊर्जा प्रणालियों का निर्माण और रखरखाव कई नए रोजगार संभावनाओं को निर्मित करता है। समय के साथ, नवीकरणीय ऊर्जा पारंपरिक ऊर्जा स्रोतों की तुलना में सस्ती हो सकती है क्योंकि यह प्राकृतिक संसाधनों पर निर्भर करती है जिनका उपयोग करने के लिए पैसे खर्च नहीं होते, जैसे कि सूर्य का प्रकाश और हवा।

3. **ऊर्जा सुरक्षा:** नवीकरणीय ऊर्जा का उपयोग करके, देश अपनी स्वयं की ऊर्जा का उत्पादन कर सकते हैं और अन्य देशों से ईंधन आयात पर निर्भरता कम कर सकते हैं।

नवीकरणीय ऊर्जा के मुख्य स्रोतों में सौर ऊर्जा, पवन ऊर्जा, जल ऊर्जा, भू-तापीय ऊर्जा और बायोमास शामिल हैं। हम उनपर अगले खंड में विस्तार से चर्चा करेंगे।

भारत का नवीकरणीय ऊर्जा क्षेत्र में योगदान (India's Contribution to the Domain of Renewable Energy)

भारत ने नवीकरणीय ऊर्जा के क्षेत्र में एक प्रमुख वैश्विक शक्ति के रूप में स्वयं को स्थापित किया है, जो संवहनीय विकास और ऊर्जा सुरक्षा की दिशा में महत्वपूर्ण प्रगति को दर्शाता है। भारत ने नवीकरणीय ऊर्जा प्रौद्योगिकियों को आगे बढ़ाने के लिए कई प्रमुख संस्थानों की स्थापना की है (तालिका 27.1 देखें)।

भारत में गैर-नवीकरणीय ऊर्जा मंत्रालय (MNRE) के अनुसार नवंबर 2024 तक, नवीकरणीय ऊर्जा स्रोतों की कुल स्थापित क्षमता 203.18 गीगावाट (GW) है। यह क्षमता देश की संवहनीय और पर्यावरण-अनुकूल ऊर्जा समाधान को अपनाने की प्रतिबद्धता को दर्शाती है। भारत का लक्ष्य 2030 तक 500 GW की स्थापित नवीकरणीय ऊर्जा क्षमता प्राप्त करना है, जिसमें इस वृद्धि का एक प्रमुख हिस्सा सौर ऊर्जा होने की उम्मीद है। तालिका 27.2 इन ऊर्जा स्रोतों का विस्तृत विवरण प्रदान करती है, जो उनकी वर्तमान स्थापित क्षमता को दर्शाती है। स्थापित क्षमता का अर्थ है कि ये स्रोत पूर्ण क्षमता पर संचालित होने पर कितना विद्युत उत्पादन कर सकते हैं।

तालिका 27.1 भारत में प्रमुख नवीकरणीय ऊर्जा संस्थान

संस्थान का नाम	स्थान	फोकस
राष्ट्रीय नवीकरणीय ऊर्जा संस्थान	कपूरथला, पंजाब	नवीकरणीय ऊर्जा प्रौद्योगिकियों का विकास
भारतीय नवीकरणीय ऊर्जा विकास एजेंसी	नई दिल्ली	नवीकरणीय परियोजनाओं के प्रचार और विकास के लिए वित्तीय सहायता
भारतीय सौर ऊर्जा निगम	नई दिल्ली	बड़े पैमाने पर सौर ऊर्जा परियोजनाओं का कार्यान्वयन और प्रचार
राष्ट्रीय सौर ऊर्जा संस्थान	गुरुग्राम	सौर ऊर्जा प्रौद्योगिकियों में अनुसंधान और विकास
राष्ट्रीय पवन ऊर्जा संस्थान	चेन्नई	पवन ऊर्जा प्रौद्योगिकी के अनुसंधान और प्रशिक्षण के माध्यम से विकास

तालिका 27.2 नवीकरणीय ऊर्जा संसाधनों की वर्तमान स्थापित क्षमता

ऊर्जा स्रोत	क्षमता (GW)	क्षमता में % हिस्सा
पवन ऊर्जा	47.72	23.98%
सौर ऊर्जा	92.12	43.53%
बायोमास/सह-उत्पादन	11.32	5.35%
लघु जल विद्युत	5.07	2.58%
कचरे से ऊर्जा	0.59	0.3%
बड़ी जल विद्युत	46.93	24.24%
कुल	203.54 GW	

★★★ परीक्षोपयोगी

सौर ऊर्जा (Solar Energy)

सौर ऊर्जा सूर्य से प्राप्त होने वाली शक्ति है। यह ऊर्जा पृथ्वी पर सूर्य के प्रकाश के रूप में आती है और इसे विद्युत या ऊष्मा उत्पादन करने के लिए कैप्चर और उपयोग किया जा सकता है। आइए देखें कि सौर ऊर्जा कैसे पैदा होती है। सौर ऊर्जा का उपयोग करने के विभिन्न उपाय हैं, जिनपर इस खंड में विस्तार से चर्चा की गई है-

1. सौर ऊर्जा का प्रत्यक्ष उपयोग (नीचे उल्लिखित तकनीक के माध्यम से)-
   - फोटोवोल्टिक (PV) सेल
   - संकेन्द्रित सौर ऊर्जा (CSP)
2. सौर ऊर्जा का अप्रत्यक्ष उपयोग

फोटोवोल्टिक (PV) सेल (Photovoltaic (PV) Cells)

फोटोवोल्टिक्स एक तकनीक है जो सौर पैनलों का उपयोग करके सूर्य के प्रकाश को सीधे विद्युत में परिवर्तित करती है, जो फोटोवोल्टिक (PV) कोशिकाओं से बने होते हैं। जब सूर्य का प्रकाश PV कोशिकाओं पर पड़ता है, जो मुख्य रूप से सिलिकॉन से बनी होती हैं, तो यह इलेक्ट्रॉनों को उत्तेजित करता है, जिससे एक विद्युत धारा (DC) का उत्पादन होता है। इसका आमतौर पर आवासीय और वाणिज्यिक सौर ऊर्जा प्रणालियों के लिए उपयोग किया जाता है।

सौर पैनलों का उपयोग करके विद्युत उत्पादन की प्रक्रिया-

1. **सूर्य का प्रकाश सौर पैनलों पर पड़ता है:** आपकी छत पर लगे सौर पैनल सूर्य के प्रकाश को कैप्चर करते हैं, और उस पर लगी कोशिकाएं इसे विद्युत में परिवर्तित करती हैं। इस प्रकार की विद्युत को डायरेक्ट करंट (DC) विद्युत कहा जाता है।
2. **उपयोगी विद्युत में परिवर्तन:** फिर DC विद्युत एक उपकरण से होकर गुजरती है जिसे इन्वर्टर कहा जाता है। इन्वर्टर DC विद्युत को अल्टरनेटिंग करंट (AC) विद्युत में बदल देता है, जो आपके घर या व्यवसाय में उपयोग की जाने वाली विद्युत का प्रकार है।
3. **विद्युत का उपयोग:** आपके घर या व्यवसाय में उपकरणों, लाइटों और अन्य उपकरणों को चलाने के लिए AC विद्युत का उपयोग किया जाता है। किसी भी अतिरिक्त विद्युत को बैटरियों में संग्रहीत किया जा सकता है ताकि बाद में जैसे रात में या बादल वाले दिनों में इसका उपयोग किया जा सके।
4. **अतिरिक्त विद्युत को बेचना:** यदि आपकी सौर ऊर्जा प्रणाली विद्युत ग्रिड (आपके क्षेत्र को विद्युत आपूर्ति करने वाला नेटवर्क) से जुड़ी है, तो आप जो अतिरिक्त विद्युत उत्पादन करते हैं उसे वापस उपयोगिता कंपनी को भेजा जा सकता है। वे इसके लिए आपको भुगतान भी कर सकते हैं।

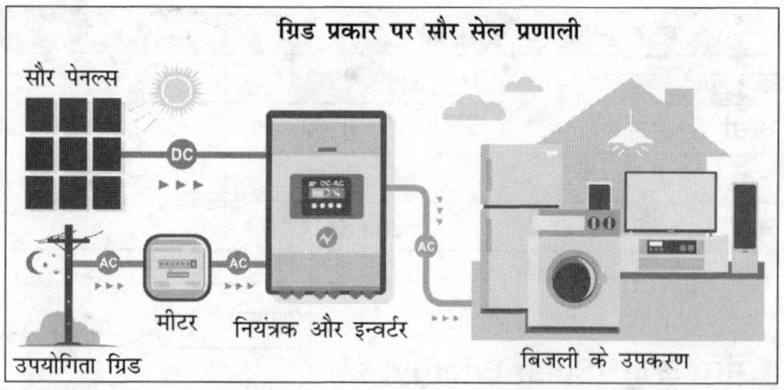

चित्र 27.4 सोलर पैनल का कार्य

पीवी कोशिकाओं से संबंधित प्रौद्योगिकी (Technology associated with PV Cells)

1. **ऑर्गेनिक फोटोवोल्टाइक (ओपीवी) के माध्यम से:** ओपीवी एक प्रकार की फोटोवोल्टाइक प्रौद्योगिकी है जो सिलिकॉन के बजाय ऑर्गेनिक (कार्बन-आधारित) पदार्थों का उपयोग करती है। ओपीवी सेल्स लचीले, हल्के और उत्पादन में सस्ते होते हैं लेकिन ये आमतौर पर सिलिकॉन-आधारित पीवी सेल्स की तुलना में कम प्रभावी होते हैं।
2. **फोटोइलेक्ट्रोकेमिकल (पीईसी) सोलर सेल्स:** पीईसी सेल्स विद्युत उत्पादन करने के लिए एक सेमीकंडक्टर और एक इलेक्ट्रोलाइट का उपयोग करते हैं। एक सेमीकंडक्टर एक सामग्री है जो कुछ परिस्थितियों में विद्युत का संचालन कर सकती है। एक इलेक्ट्रोलाइट एक तरल या जेल है जिसमें आयन होते हैं और जो विद्युत का संचालन कर सकता है। जब प्रकाश सेमीकंडक्टर पर पड़ता है, तो यह इलेक्ट्रॉन-होल जोड़े बनाता है जो इलेक्ट्रोलाइट में एक इलेक्ट्रोकेमिकल प्रतिक्रिया को ट्रिगर करते हैं, जिससे विद्युत उत्पादन होता है। पीईसी सेल्स पानी को हाइड्रोजन और ऑक्सीजन गैसों में विभाजित करके नवीकरणीय हाइड्रोजन का भी उत्पादन कर सकते हैं।
3. **फोटोइलेक्ट्रोड्स:** पारंपरिक पीवी सेल्स के विपरीत, फोटोइलेक्ट्रोड्स फोटोइलेक्ट्रिक प्रभाव द्वारा उत्पन्न विद्युत को सीधे रासायनिक ऊर्जा में परिवर्तित करते हैं। ये विद्युत उत्पादन कर सकते हैं और इन्हें बाद में उपयोग के लिए रासायनिक रूप में संग्रहीत किया जा सकता है।

क्लैरिटी कॉर्नर

पीवी, ओपीवी, पीईसी और फोटोइलेक्ट्रोड्स के बीच भ्रमित? आइए भ्रम को दूर करें-

- **पीवी:** सिलिकॉन का उपयोग करके सीधे सूर्य के प्रकाश को विद्युत में परिवर्तित करता है
- **ओपीवी:** ऑर्गेनिक सामग्री का उपयोग करके सीधे सूर्य के प्रकाश को विद्युत में परिवर्तित करता है
- **पीईसी:** पीईसी सेल्स पीवी (प्रकाश को अवशोषित करने के लिए एक सेमीकंडक्टर का उपयोग) और इलेक्ट्रोकेमिकल प्रक्रियाओं के सिद्धांतों को मिलाकर विद्युत उत्पादन करते हैं और हाइड्रोजन का उत्पादन करते हैं, जो एक बहुविध और नवीकरणीय ऊर्जा समाधान प्रदान करते हैं।
- **फोटोइलेक्ट्रोड्स:** फोटोइलेक्ट्रोड्स ऊर्जा रूपांतरण दक्षता और भंडारण में सुधार के लिए पीवी सिस्टम में एकीकृत किए जा सकते हैं।

संकेंद्रित सौर ऊर्जा (सीएसपी) (Concentrated Solar Power (CSP))

- सीएसपी दर्पणों या लेंसों का उपयोग करके सूर्य के प्रकाश को एक छोटे क्षेत्र पर संकेंद्रित करता है ताकि ऊष्मा उत्पादन हो सके।
- **यह कैसे काम करता है:** तीव्र ऊष्मा का उपयोग पानी से भाप पैदा करने के लिए किया जाता है। यह भाप एक जनरेटर से जुड़े टरबाइन को चलाती है, जिससे विद्युत उत्पादन होता है।
- **अनुप्रयोग:** यद्यपि सीएसपी पीवी की तरह सीधे सूर्य के प्रकाश को विद्युत में परिवर्तित नहीं करता है, यह संकेंद्रित सूर्य के प्रकाश से पैदा ऊष्मा का उपयोग करके विद्युत उत्पादन करता है। सीएसपी ऊर्जा भंडारण समाधान प्रदान करके पीवी सिस्टम को पूरक कर सकता है। यह बड़े पैमाने पर विद्युत उत्पादन के लिए उपयुक्त है और इसका उपयोग विद्युत या अन्य ऊर्जा रूपों, जैसे हाइड्रोजन ईंधन, के उत्पादन के लिए किया जा सकता है।

संकेंद्रित सौर ऊर्जा (सीएसपी) से संबंधित प्रौद्योगिकी (Technology associated with Concentrated Solar Power (CSP))

1. **सोलर कलेक्टर:** एक सोलर कलेक्टर एक उपकरण है जो सूर्य से सौर विकिरण को एकत्र और/या संकेंद्रित करता है।
2. **फ्लैट प्लेट कलेक्टर:** फ्लैट प्लेट कलेक्टर एक सौर ऊर्जा कलेक्टर है जो विकिरण सौर ऊर्जा को ऊष्मा ऊर्जा में परिवर्तित करता है। फ्लैट प्लेट कलेक्टर सीएसपी प्रौद्योगिकी के सरल रूप हैं। ये सौर ऊर्जा को संग्रहीत कर इसे थर्मल ऊर्जा में परिवर्तित करते हैं।
3. **सोलर पोंड:** एक सोलर पोंड एक बड़ा सौर ऊर्जा कलेक्टर है जो एक तालाब की तरह दिखता है लेकिन सौर ऊर्जा को अवशोषित और संग्रहीत करने के लिए एक नमकीन झील का उपयोग करता है। सोलर पोंड एक प्रकार की सीएसपी प्रणाली है जहां एकत्रित ऊष्मा ऊर्जा को समय के साथ संग्रहीत और उपयोग किया जा सकता है। ये अन्य सीएसपी प्रौद्योगिकियों के समान सौर थर्मल ऊर्जा को संकेंद्रित और संग्रहीत करने के सिद्धांत को दर्शाते हैं।
4. **सोलर स्टिल:** सोलर स्टिल एक उपकरण है जिसका उपयोग पानी को विलवणीकरण करने के लिए किया जाता है, जो खारे पानी को सौर ऊर्जा का उपयोग करके पीने योग्य/ताजे आसुत पानी में बदलता है।

क्लैरिटी कॉर्नर

विभिन्न प्रकार के सीएसपी के बीच भ्रमित? आइए भ्रम को दूर करें-

- **सीएसपी सिस्टम:** सौर कलेक्टरों (फ्लैट प्लेट कलेक्टरों सहित) का उपयोग करके सूर्य के प्रकाश को संकेंद्रित करते हैं और ऊष्मा उत्पादन करते हैं, जिसका उपयोग विद्युत उत्पादन के लिए किया जाता है।
- **सोलर कलेक्टर:** सीएसपी सिस्टम प्रायः विभिन्न प्रकार के सोलर कलेक्टरों का उपयोग करके सूर्य के प्रकाश को एकत्र और संकेंद्रित करते हैं। ये कलेक्टर सौर विकिरण को उपयोगी थर्मल ऊर्जा में परिवर्तित करने के लिए महत्वपूर्ण हैं।
- **फ्लैट प्लेट कलेक्टर:** सीएसपी और हीटिंग सिस्टम में सौर ऊर्जा संग्रहण की दक्षता को बढ़ाते हैं।
- **सोलर पोंड:** बड़े पैमाने पर सौर कलेक्टर जो सौर ऊष्मा को संग्रहीत और उपयोग करते हैं।
- **सोलर स्टिल:** विलवणीकरण के लिए प्रायः सोलर कलेक्टरों की मदद से सौर ऊर्जा का उपयोग करते हैं।

तालिका 27.3 PV और CSP के बीच अंतर

पहलू	फोटोवोल्टिक (PV)	संकेंद्रित सौर ऊर्जा (CSP)
रूपांतरण विधि	फोटोवोल्टिक कोशिकाओं (आमतौर पर सिलिकॉन) का उपयोग करके सीधे सूर्य की रोशनी को विद्युत में बदलता है	दर्पण/लेंस का उपयोग सूर्य की रोशनी को ऊष्मा में संकेंद्रित करने के लिए करता है, जो भाप पैदा करता है तथा एक टरबाइन को चलाकर विद्युत उत्पादन करता है
ऊर्जा उत्पादन	सूर्य की रोशनी के संपर्क में आने पर तुरंत विद्युत उत्पादन करता है	ऊष्मा को यांत्रिक ऊर्जा में बदलकर, फिर इसे विद्युत ऊर्जा में बदलकर विद्युत उत्पादन करता है
दक्षता	CSP की तुलना में कम दक्षता, लेकिन विभिन्न जलवायु स्थितियों में काम कर सकता है, जिसमें बादल वाले दिन भी शामिल हैं	PV की तुलना में उच्च दक्षता, लेकिन प्रभावी रूप से काम करने के लिए सीधे सूर्य की रोशनी की आवश्यकता होती है
अनुप्रयोग	आवासीय, वाणिज्यिक, छोटे से बड़े सौर फार्म	उपयोगिता-स्तरीय विद्युत संयंत्र, औद्योगिक हीटिंग प्रक्रियाएं
विस्तार क्षमता	छोटी घरेलू प्रणालियों से लेकर बड़े सौर फार्मों तक आसानी से विस्तार योग्य	मुख्य रूप से बड़े पैमाने पर विद्युत संयंत्रों के लिए उपयोग किया जाता है
लागत	आमतौर पर कम प्रारंभिक लागत	उच्च प्रारंभिक लागत
स्थापना	स्थापित करने में आसान और तेज, दिए गए विद्युत उत्पादन के लिए कम जगह की आवश्यकता	अधिक जटिल स्थापना, बड़े खुले क्षेत्रों और उच्च सीधे सूर्य की रोशनी वाले क्षेत्रों की आवश्यकता

क्विज स्टेशन

विगत UGC NET परीक्षाओं के प्रश्न

प्र 1. नीचे दो कथन दिए गए हैं- *[अक्टूबर 2022]*

कथन I- फोटोवोल्टिक कोशिकाएं प्रायः क्रिस्टल सिलिकॉन से बनी होती हैं।

कथन II- फोटोवोल्टिक कोशिकाएं सस्ती अमॉर्फस सिलिकॉन से भी बनी होती हैं, जो साधारण कांच की तरह होती है और जिसमें कोई क्रिस्टल गुण नहीं होते।

उपरोक्त कथनों के प्रकाश में, नीचे दिए गए विकल्पों में से सबसे उपयुक्त उत्तर चुनें-

(a) कथन I और कथन II दोनों सही हैं।
(b) कथन I और कथन II दोनों गलत हैं।
(c) कथन I सही है लेकिन कथन II गलत है।
(d) कथन I गलत है लेकिन कथन II सही है।

प्र 2. नीचे दो कथन दिए गए हैं-

कथन I- फोटोवोल्टिक कोशिकाएं वैकल्पिक धारा (AC) उत्पादन करती हैं।

कथन II- फोटोवोल्टिक कोशिकाएं सीधे सूर्य के संपर्क में होती हैं, इसलिए तापमान बढ़ने पर कोशिका में रिसाव बढ़ जाता है।

उपरोक्त कथनों के प्रकाश में, नीचे दिए गए विकल्पों में से सबसे उपयुक्त उत्तर चुनें-

(a) कथन I और कथन II दोनों सही हैं
(b) कथन I और कथन II दोनों गलत हैं
(c) कथन I सही है लेकिन कथन II गलत है
(d) कथन I गलत है लेकिन कथन II सही है

प्र 3. कथन I- विद्युत ग्रिड से विद्युत ऊर्जा को पूरक करने के लिए फोटोवोल्टिक पैनल का उपयोग बढ़ रहा है।

कथन II- ग्रिड से जुड़े फोटोवोल्टिक के साथ एक समस्या यह है कि PV कोशिकाएं अल्टरनेटिंग करंट (AC) उत्पादन करती हैं, यद्यपि विद्युत ग्रिड डायरेक्ट करंट (DC) का उपयोग करते है

(14 दिसम्बर 2023 - शिफ्ट 2)

(a) कथन I और कथन II दोनों सही हैं

(b) कथन I और कथन II दोनों गलत हैं

(c) कथन I सही है लेकिन कथन II गलत है

(d) कथन I गलत है लेकिन कथन II सही है

प्र 4. सोलर पोंड के पीछे मुख्य अवधारणा सौर ऊर्जा को संग्रहीत करना है

(a) तालाब की सतह से नीचे तक निश्चित साल्ट ग्रेडिएंट।

(b) तालाब में रेत की उपस्थिति।

(c) तालाब में सौर कोशिकाओं की उपस्थिति।

(d) तालाब की समान लवणता।

उत्तर 1. (a) 2. (d) 3. (c) 4. (a)

सौर ऊर्जा का अप्रत्यक्ष उपयोग (Indirect Use of Solar Power)

सौर ऊर्जा का अप्रत्यक्ष उपयोग उन तरीकों को संदर्भित करता है जिनमें सूर्य की ऊर्जा को प्राकृतिक प्रक्रियाओं के माध्यम से अप्रत्यक्ष रूप से संचालित किया जाता है और ऊर्जा के अन्य रूपों में परिवर्तित किया जाता है।

1. **जीवाश्म ईंधनः** जीवाश्म ईंधन जैसे कोयला, तेल और प्राकृतिक गैस प्राचीन पौधों और जानवरों से बने थे। ये जीव मूल रूप से सूर्य की ऊर्जा का उपयोग करके लाखों वर्ष पहले प्रकाश संश्लेषण के माध्यम से बढ़े और जीवित रहे। समय के साथ, उनके अवशेष पृथ्वी की पपड़ी के भीतर जीवाश्म ईंधन में बदल गए।
2. **पनविद्युतः** पनविद्युत उत्पादन में सूर्य की महत्वपूर्ण भूमिका होती है। यह पृथ्वी की सतह को गर्म करता है, जिससे महासागरों जैसे जल निकायों से वाष्पीकरण होता है। यह वाष्पीकृत पानी वायुमंडल में उठता है, जहां यह ठंडा होकर बादलों का निर्माण करता है। अंततः, यह संघनित पानी बारिश या बर्फ के रूप में गिरता है, जिससे नदियाँ और धाराएँ बनती हैं। जब यह पानी ढलान पर बहता है, तो यह टर्बाइनों को घुमाता है जो पनविद्युत स्टेशनों के माध्यम से विद्युत उत्पादन करते हैं।
3. **पवन ऊर्जाः** पवन ऊर्जा सौर ऊर्जा का एक और अप्रत्यक्ष रूप है। सूर्य पृथ्वी की सतह को असमान रूप से गर्म करता है, जिससे विभिन्न क्षेत्रों में तापमान में भिन्नता होती है। यह तापमान अंतर वायु दबाव असंतुलन पैदा करता है, और हवा उच्च दबाव वाले क्षेत्रों से निम्न दबाव वाले क्षेत्रों की ओर चलती है, जिससे पवन ऊर्जा पैदा होती है। पवन टरबाइन इस हवा (पवन) की गति को विद्युत में परिवर्तित करते हैं, जिसका उपयोग घरों और व्यवसायों को विद्युत प्रदान करने के लिए किया जा सकता है।

सौर ऊर्जा में भारत का योगदान (India's Contribution in Solar Power)

नवीन और नवीकरणीय ऊर्जा मंत्रालय (MNRE) के अनुसार, भारत अब दुनिया में सौर ऊर्जा का पांचवां सबसे बड़ा उत्पादक है, जिसकी स्थापित क्षमता 14 अक्टूबर 2024 तक 90.76 GW है। 2023 में भारत ने जापान को पीछे छोड़ते हुए चीन और अमेरिका के बाद सौर विद्युत उत्पादन में विश्व में तीसरा स्थान ग्रहण कर लिया ।

क्या आप जानते हैं: राजस्थान देश में सबसे अधिक सौर विकिरण प्राप्त करता है (तालिका 27.4 देखें)। जोधपुर, राजस्थान में भादला सौर पार्क दुनिया का तीसरा सबसे बड़ा सौर पार्क है, जिसकी स्थापित क्षमता 2.25 GW है। (स्रोतः www-theecoexperts-co-uk)। तालिका 27.5 में भारत के प्रमुख सौर ऊर्जा पार्कों को दर्शाया गया है–

तालिका 27.4 सौर ऊर्जा संयंत्रों की स्थापित क्षमता

सौर ऊर्जा संयंत्र	स्थापित क्षमता (GW)
राजस्थान	24.78 GW
गुजरात	15.94 GW
कर्नाटक	9.43 GW
तमिलनाडु	8.98 GW
आंध्र प्रदेश	4.65 GW

(स्रोतः नवीन और नवीकरणीय ऊर्जा मंत्रालय, 30 नवंबर 2024)

तालिका 27.5 प्रमुख सौर ऊर्जा पार्क

प्रमुख सौर ऊर्जा पार्क	स्थापित क्षमता (GW)
भादला सौर पार्क (जोधपुर, राजस्थान)	2.25 GW
अनंतपुरम अल्ट्रा मेगा सौर पार्क (आंध्र प्रदेश)	1.5 GW
कुर्नूल अल्ट्रा मेगा सौर पार्क (आंध्र प्रदेश)	1 GW
एनपी कुंटा अल्ट्रा मेगा सौर पार्क (आंध्र प्रदेश)	0.9 GW
पवगड़ा सौर पार्क (कर्नाटक)	2.05 GW

भारत के प्रमुख सौर ऊर्जा देश बनने के पीछे के कारक (Factors Behind India Being a Major Solar Power Player)

भारत अपनी अनुकूल भौगोलिक स्थिति, तकनीकी प्रगति और मजबूत सरकारी पहलों के कारण वैश्विक सौर ऊर्जा बाजार में एक महत्वपूर्ण देश के रूप में उभरा है। पूरे वर्ष भर में पर्याप्त धूप और महत्वाकांक्षी सौर ऊर्जा लक्ष्यों के साथ, भारत तेजी से अपनी सौर ऊर्जा क्षमता का विस्तार कर रहा है। आइए उन कारकों के बारे में विस्तार से जानें जो भारत को एक प्रमुख सौर ऊर्जा देश बना रहे हैं–

1. **भारत का स्थानः** भारत उत्तरी गोलार्ध में स्थित है, जिसके केंद्रीय क्षेत्र से कर्क रेखा गुजरती है, जो इसे दो बराबर भागों में विभाजित करती है। भारत के कई क्षेत्रों में प्रति वर्ष 300 से अधिक धूप वाले दिन होते हैं, जो इसे सौर ऊर्जा उत्पादन के लिए आदर्श बनाते हैं।
2. **तकनीकी प्रगतिः** अधिक कुशल सौर पैनलों, सौर भंडारण समाधान और सौर ऊर्जा संचालित सिंचाई और परिवहन जैसे नवाचारी अनुप्रयोगों के विकास में महत्वपूर्ण प्रगति हुई है।

3. **लागत में कमी:** नीति समर्थन, विनिर्माण क्षमता में वृद्धि और तकनीकी प्रगति के माध्यम से लागत में कमी आई है। इससे बड़ी परियोजनाओं के माध्यम से सौर ऊर्जा क्षमता का विस्तार हुआ है।
4. **सरकारी पहलें राष्ट्रीय:** सौर मिशन (NSM), राष्ट्रीय जलवायु परिवर्तन कार्य योजना का हिस्सा है, जो भारत को सौर ऊर्जा में एक वैश्विक अग्रणीय के रूप में स्थापित करने का लक्ष्य रखता है। 2010 में निर्धारित 20 गीगावाट (GW) का प्रारंभिक लक्ष्य 2015 में 100 GW तक संशोधित किया गया था, और कई बड़ी परियोजनाएं स्थापित की गई थीं। भारत 2015 में COP21 पेरिस शिखर सम्मेलन के दौरान फ्रांस के साथ अंतर्राष्ट्रीय सौर गठबंधन में एक भागीदार राष्ट्र बन गया।

प्रधानमंत्री सूर्योदय योजना (PMSY): प्रधानमंत्री नरेंद्र मोदी द्वारा जनवरी 2024 में प्रधानमंत्री सूर्योदय योजना (PMSY) शुरू की गई थी। यह योजना भारतीय घरों में एक करोड़ छतों पर सौर प्रणाली स्थापित करने पर केंद्रित है। इस पहल से विद्युत बिलों में कमी, कार्बन पदचिह्न में कटौती और नवीकरणीय ऊर्जा में नए रोजगार के अवसर पैदा होंगे। PMSY का उद्देश्य भारत को नवीकरणीय ऊर्जा में अग्रणीय बनाना है। यह योजना 2014 में शुरू की गई राष्ट्रीय छत योजना का विस्तार है, जिसका लक्ष्य 2022 तक 40 GW छत सौर क्षमता स्थापित करना था। धीमी प्रगति के कारण, लक्ष्य वर्ष को 2026 तक बढ़ा दिया गया था।

भारत के समक्ष आने वाली सौर ऊर्जा से संबंधित चुनौतियाँ (Challenges Related to Solar Power Faced by India)

तेजी से वृद्धि के बावजूद, सौर ऊर्जा को कई चुनौतियों का सामना करना पड़ता है जिन्हें दूर करने की आवश्यकता है-

1. **भूमि उपलब्धता:** सौर फार्म स्थापित करने के लिए उपयुक्त भूमि ढूंढना कृषि या शहरी विकास जैसे अन्य भूमि उपयोगों के साथ प्रतिस्पर्धा के कारण कठिन हो सकता है।
2. **ग्रिड कनेक्शन:** सौर ऊर्जा संयंत्र प्रायः धूप वाले लेकिन दूरस्थ क्षेत्रों में स्थित होते हैं। उन्हें मुख्य विद्युत ग्रिड से जोड़ना महंगा और तकनीकी रूप से जटिल हो सकता है।
3. **भंडारण समाधान:** सौर ऊर्जा उत्पादन सूर्य के प्रकाश पर निर्भर करता है, जो दिन और मौसमी रूप से परिवर्तनशील होता है। प्रभावी ऊर्जा भंडारण समाधान, जैसे बैटरी, विकसित करना आवश्यक है ताकि अतिरिक्त ऊर्जा को ऐसे समय के लिए संग्रहीत किया जा सके जब सूर्य नहीं चमक रहा हो।
4. **वित्तीय बाधाएँ:** बड़े पैमाने पर सौर परियोजनाओं के निर्माण हेतु अत्यधिक प्रारंभिक निवेश की आवश्यकता होती है। वित्तपोषण प्राप्त करना और वित्तीय चुनौतियों का सामना करना एक बाधा हो सकता है।

इन चुनौतियों का समाधान ऊर्जा भंडारण प्रौद्योगिकियों में सुधार और ग्रिड बुनियादी ढांचे को बढ़ाने के माध्यम से किया जा सकता है ताकि मौसम की स्थिति की परवाह किए बिना सौर ऊर्जा से विद्युत की विश्वसनीय और निरंतर आपूर्ति सुनिश्चित की जा सके।

पवन ऊर्जा (Wind Energy)

पवन ऊर्जा का तात्पर्य पवन टर्बाइनों का उपयोग करके पवन से पैदा की गई विद्युत शक्ति से है। पवन टरबाइन ऊँचे ढांचे होते हैं जिनमें बड़े ब्लेड होते हैं जो हवा चलने पर घूमते हैं। पवन टरबाइन पवन में गतिज ऊर्जा को यांत्रिक शक्ति में परिवर्तित करते हैं (देखें चित्र 27.5)।

चित्र 27.5 पवन चक्की का कार्य

पवन ऊर्जा का उपयोग करके विद्युत उत्पादन करने की प्रक्रिया (Process of Generating Electricity using Wind Energy)

1. **पवन कैप्चर:** पवन टरबाइन या पवन चक्कियों में बड़े ब्लेड होते हैं जो हवा को कैप्चर करते हैं। पवन ऊर्जा फार्मों के काम करने के लिए, हवा को न्यूनतम 15 किमी प्रति घंटे की गति से चलना चाहिए। पवन फार्मों की प्रभावशीलता प्राकृतिक पवन पैटर्न पर निर्भर करती है।
2. **यांत्रिक ऊर्जा रूपांतरण:** जब हवा चलती है, तो यह ब्लेड को धक्का देती है, जिससे वे घूमने लगते हैं। यह घूमने वाली गति पवन की गतिज ऊर्जा (गति की ऊर्जा) को यांत्रिक ऊर्जा में परिवर्तित करती है।
3. **विद्युत उत्पादन:** टरबाइन के अंदर, घूमते हुए ब्लेड एक शाफ्ट को घुमाते हैं। यह शाफ्ट एक जनरेटर से जुड़ा होता है, जो यांत्रिक ऊर्जा को विद्युत ऊर्जा में परिवर्तित करता है।
4. **विद्युत पारेषण:** पवन टर्बाइनों द्वारा उत्पादन विद्युत को पावर ग्रिड में डाला जाता है, जो इसे उपभोक्ताओं तक वितरित करता है।

पवन ऊर्जा से संबंधित मुख्य अवधारणाएँ (Key Concepts Related to Wind Energy)

1. **पवन फार्मः** पवन फार्म बड़े पवन टर्बाइनों के समूह होते हैं जो एक खुले क्षेत्र में स्थापित किए जाते हैं जहाँ हवा तेज और लगातार बहती है। पवन फार्म उन स्थानों पर बनाए जाते हैं जहाँ वे कुशलतापूर्वक बहुत सारी पवन ऊर्जा को प्राप्त कर सकें ।
2. **अपतटीय पवन ऊर्जाः** अपतटीय पवन ऊर्जा का अर्थ है कि पवन टर्बाइनों को भूमि के बजाय महासागर या बड़ी झीलों में स्थापित किया जाए। पानी के ऊपर हवा तेज और स्थिर बहती है, इसलिए ये टरबाइन भूमि की तुलना में अधिक विद्युत उत्पादन कर सकते हैं। उच्च हवा की गति के कारण अपतटीय पवन फार्म अधिक विद्युत उत्पादन कर सकते हैं।
3. **पवन ऊर्जा में अनियमितताः** पवन ऊर्जा में एक समस्या होती है जिसे अनियमितता (विभिन्न हवा की गति) के रूप में जाना जाता है। चूंकि हवा विभिन्न गति से बह सकती है, इसलिए किसी भी समय उत्पादन होने वाली विद्युत की सटीक मात्रा का पूर्वानुमान लगाना कठिन होता है।
4. **प्रोपेलर रोटरः** प्रोपेलर रोटर को एक बड़े पंखे की तरह सोचें जिसमें ब्लेड होते हैं जो हवा के बहने पर घूमते हैं। ये ब्लेड इस तरह से आकारित होते हैं कि वे जितनी संभव हो सके उतनी हवा को ग्रहण कर सकें। जब ये घूमते हैं, तो विद्युत उत्पादन करते हैं जिसका उपयोग पवनचक्की की तरह लेकिन बड़े पैमाने पर विद्युत बनाने के लिए किया जा सकता है।

क्विज स्टेशन *विगत UGC NET परीक्षाओं के प्रश्न*

प्र 1. पवन ऊर्जा विद्युत उत्पादन के लिए, निम्नलिखित में से कौन-सा रोटर सबसे अधिक उपयोग किया जाता है?

(27 अगस्त 2024 - शिफ्ट 1)

(a) मल्टीब्लेड रोटर (b) प्रोपेलर रोटर
(c) सवोनियस रोटर (d) डारियस रोटर

उत्तर 1. (b)

पवन ऊर्जा के लाभ (Advantages of Wind Energy)

1. **अनंत और संवहनीय संसाधनः** पवन ऊर्जा नवीकरणीय है और जब तक हवा बहती है तब तक इसे लगातार पैदा किया जा सकता है। पवन टरबाइन को भूमि (ऑनशोर) या जल निकायों (ऑफशोर) में रखा जा सकता है, जहाँ वे कम अवरोध के साथ उच्च हवा की गति को कैप्चर कर सकते हैं।
2. **पर्यावरण सुलभः** पवन ऊर्जा प्रदूषण या ग्रीनहाउस गैस उत्सर्जन का उत्पादन नहीं करती है, जिससे स्वच्छ हवा और कार्बन पदचिह्न में कमी होती है।
3. **स्केलेबलः** पवन ऊर्जा को बढ़ती ऊर्जा मांगों को पूरा करने के लिए विस्तारित किया जा सकता है। जैसे-जैसे अधिक लोगों को विद्युत की आवश्यकता होती है, हम अधिक पवन फार्म बना सकते हैं। यह इसे ऊर्जा का एक लचीला और विश्वसनीय स्रोत बनाता है।
4. **बहुविधः** पवन ऊर्जा का उपयोग केवल विद्युत बनाने के लिए नहीं किया जाता है। इसका उपयोग अन्य कार्यों के लिए भी किया जा सकता है जैसे पानी पंप करना या अनाज पीसना। यह एक यांत्रिक ऊर्जा स्रोत प्रदान करता है जिसे विभिन्न उपयोगों के लिए अनुकूलित किया जा सकता है।
5. **भूमि का बहुउद्देशीय उपयोगः** पवन फार्मों को उस भूमि पर स्थापित किया जा सकता है जिसका किसान फसल उगाने या जानवरों को पालने के लिए उपयोग कर सकते हैं। इसका अर्थ है कि हम ऊर्जा बनाने के लिए अतिरिक्त भूमि के बिना खेती और ऊर्जा उत्पादन के लिए एक ही भूमि का उपयोग कर सकते हैं।

पवन ऊर्जा की सीमाएँ (Limitations of Wind Energy)

पवन ऊर्जा की सीमाओं में निम्नलिखित शामिल हैं-

1. **वन्यजीव प्रभावः** पवन टरबाइन के पर्यावरण पर कुछ नकारात्मक प्रभाव हो सकते हैं। पक्षी और चमगादड़ घूमते हुए ब्लेड से टकराकर घायल या मारे जा सकते हैं। इससे कुछ प्रजातियों की आबादी में गिरावट आ सकती है।
2. **ध्वनि प्रदूषणः** पवन टरबाइन का संचालन निरंतर शोर पैदा कर सकता है, जो पास के निवासियों के लिए चिंता का विषय हो सकता है।
3. **भूमि की आवश्यकताः** पवन टरबाइन के लिए बहुत अधिक भूमि की आवश्यकता होती है। यह उन क्षेत्रों में समस्या हो सकती है जहाँ अधिक खुली भूमि नहीं है।
4. **रखरखाव लागतः** पवन टरबाइन को अच्छी कार्यशील स्थिति में रखना महंगा हो सकता है, जिससे पवन ऊर्जा प्रणालियों की कुल लागत-प्रभावशीलता प्रभावित होती है।

भारत में प्रमुख पवन ऊर्जा उत्पादक राष्ट्र एवं राज्य (Major Wind Producing Nations and States in India)

1. 2024 की स्थिति के अनुसार दुनिया में प्रमुख पवन ऊर्जा उत्पादक देश हैं-
   1. चीन
   2. संयुक्त राज्य अमेरिका
   3. जर्मनी
   4. भारत
   5. स्पेन
   6. यूनाइटेड किंगडम
2. 30, सितंबर की स्थिति अनुसार भारत में शीर्ष पांच पवन ऊर्जा उत्पादक राज्य हैं-
   1. गुजरात
   2. तमिलनाडु
   3. कर्नाटक
   4. महाराष्ट्र
   5. राजस्थान
3. सौर और पवन ऊर्जा के योगदान के मामले में शीर्ष पांच राज्य उनकी कुल ऊर्जा उत्पादन के संदर्भ में-

1. कर्नाटक (29%)
2. राजस्थान (20%)
3. तमिलनाडु (18%)
4. आंध्र प्रदेश (16%)
5. गुजरात (14%)

पवन ऊर्जा के बारे में मजेदार तथ्य

1. सबसे बड़े पवन टरबाइन ब्लेड 200 फीट (60 मीटर) से अधिक लंबे हैं, और टावर 260 फीट (80 मीटर) से अधिक ऊंचे हैं। ये बड़े टरबाइन हजारों घरों को विद्युत प्रदान कर सकते हैं।
2. नीदरलैंड, जिसमें 1,600 से अधिक ऐतिहासिक पवन चक्कियां हैं, को 'पवन चक्कियों की भूमि' के रूप में जाना जाता है।

क्विज स्टेशन *विगत UGC NET परीक्षाओं के प्रश्न*

प्र 1. निम्नलिखित में से किस राज्य में MNRE की नवीनतम रिपोर्ट के अनुसार सबसे अधिक स्थापित पवन ऊर्जा है?

(a) आंध्र प्रदेश (b) कर्नाटक
(c) महाराष्ट्र (d) तमिलनाडु

उत्तर 1. (d)

पवन ऊर्जा का परिकलन

पवन से प्राप्त होने वाली ऊर्जा उसकी गति के कारण होती है। इस ऊर्जा का सूत्र उसी तरह है जैसे हम किसी गतिमान वस्तु की ऊर्जा का परिकलन करते हैं।

गतिज ऊर्जा का मूल सूत्र-

$$\text{ऊर्जा} = \frac{1}{2}\ \text{द्रव्यमान} \times \text{वेग}^2$$

- **द्रव्यमान (m):** किलोग्राम में हवा की मात्रा।
- **वेग (v):** मीटर प्रति सेकंड में हवा की गति।

इस सूत्र का उपयोग करके, हम शक्ति (जो ऊर्जा का उपयोग करने की दर है) का पता लगा सकते हैं।

शक्ति का सूत्र-

$$\text{शक्ति} = \frac{dE}{dt}$$

$$\text{शक्ति} = \frac{1}{2} \times \rho \times A \times v^3$$

जहां-

- ρ (रो) हवा का घनत्व है (हवा कितनी भारी है)।
- A वह क्षेत्र है जिस पर हवा टकरा रही है (जैसे पवनचक्की के ब्लेड का आकार)।
- v हवा का वेग है (गति + दिशा)

महत्वपूर्ण बिंदु-

- **स्थिर कारक:** एक दिए गए ब्लेड की लंबाई के लिए, A और ρ(रो) स्थिर होते हैं।
- **पवन ऊर्जा:** हवा के वेग के घन (v^3) के सीधे अनुपाती होती है।

निष्कर्ष: पवन ऊर्जा हवा के वेग (गति) के प्रति बहुत संवेदनशील होती है क्योंकि यदि हवा का वेग दोगुना हो जाता है, तो पवन ऊर्जा आठ गुना बढ़ जाती है (23 = 8)। यह दर्शाता है कि पवन ऊर्जा हवा के वेग पर बहुत अधिक निर्भर करती है।

क्विज स्टेशन *विगत UGC NET परीक्षाओं के प्रश्न*

प्र 1. पवन ऊर्जा हवा के वेग के प्रति बहुत संवेदनशील होती है क्योंकि पवन ऊर्जा के सीधे अनुपाती होती है

(a) हवा का वेग
(b) हवा के वेग का वर्ग
(c) हवा के वेग का वर्गमूल
(d) हवा के वेग का घन

उत्तर 1. (d)

★★★ परीक्षोपयोगी

पनविद्युत ऊर्जा (Hydroelectric Energy)

इस विषय को सरल बनाने वाले वीडियो व्याख्यान को देखने के लिए इस QR कोड को स्कैन करें

पनविद्युत शक्ति एक तरीका है जिससे बहते या गिरते पानी की ऊर्जा का उपयोग करके विद्युत उत्पादन किया जाता है। पनविद्युत संयंत्र बहते पानी की ऊर्जा को विद्युत ऊर्जा में कुशलतापूर्वक और स्वच्छ रूप से परिवर्तित करते हैं, जिससे यह नवीकरणीय ऊर्जा का एक लोकप्रिय स्रोत बन जाता है।

पनविद्युत का उपयोग करके विद्युत उत्पादन करने की प्रक्रिया (Process of Generating Electricity Using Hydro Power)

1. **जल स्रोत:** एक नदी या जलाशय विद्युत उत्पादन करने के लिए आवश्यक पानी प्रदान करता है।
2. **बांध:** पानी को संग्रहीत करने और ऊंचाई अंतर के लिए एक बांध बनाया जाता है। जब जलाशय से पानी छोड़ा जाता है, तो यह नीचे की ओर बहता है, और इसकी स्थितिज ऊर्जा गतिज ऊर्जा में परिवर्तित हो जाती है।
3. **टरबाइन:** जैसे ही पानी नीचे की ओर बहता है, यह गति प्राप्त करता है, जिससे इसकी गतिज ऊर्जा बढ़ जाती है। यह गतिज ऊर्जा टरबाइन

को घुमाती है। टरबाइन एक विशाल पंखे या पहिये की तरह दिखता है। घूमते हुए टरबाइन पानी की गतिज ऊर्जा को यांत्रिक ऊर्जा में परिवर्तित कर देते हैं।

4. **जनरेटर:** टरबाइन एक जनरेटर से जुड़ा होता है। जब टरबाइन घूमता है, तो यह जनरेटर को घुमाता है। जनरेटर के अंदर, यांत्रिक ऊर्जा को विद्युत ऊर्जा में परिवर्तित किया जाता है जिसे विद्युत चुंबकीय प्रेरण कहा जाता है।
5. **पावर लाइन्स:** जनरेटर द्वारा उत्पादन विद्युत को फिर पावर लाइनों के माध्यम से घरों, स्कूलों, व्यवसायों और अन्य स्थानों पर भेजा जाता है जहां इसकी आवश्यकता होती है।

हाइड्रोइलेक्ट्रिक पावर में ऊर्जा उत्पादन के प्रमुख कारक हैं-

1. **पानी का प्रवाह:** प्रणाली के माध्यम से पानी की गति।
2. **पानी की मात्रा (जलाशय):** जलाशय में संग्रहीत पानी की मात्रा।
3. **गिरावट की ऊंचाई (हेड):** पानी के गिरने की ऊर्ध्वाधर दूरी।

ये कारक निर्धारित करते हैं कि कितनी विद्युत का उत्पादन किया जा सकता है।

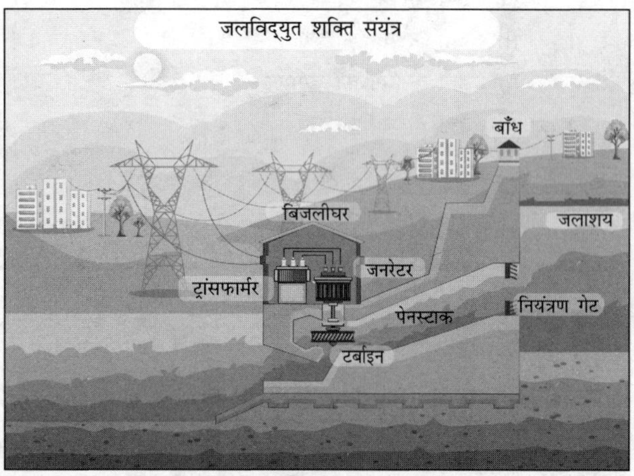

चित्र 27.6 हाइड्रोइलेक्ट्रिक बांध का कार्य

भारत में पनविद्युत (Hydropower in India)

1. **महत्व:** पनविद्युत भारत का सबसे बड़ा नवीकरणीय ऊर्जा स्रोत है, लेकिन उत्तरी और पूर्वी क्षेत्रों में कम वर्षा और प्राकृतिक आपदाओं के कारण वित्त वर्ष 2023-24 में कुल ऊर्जा उत्पादन में यह घटकर 8.3% के रिकार्ड न्यून स्तर पर पहुँच गया।
2. **स्थापित क्षमता** 30 नवंबर, 2024 तक, भारत की स्थापित पनविद्युत शक्ति क्षमता 52.05 GW थी, जिसमें 5.08 GW लघु पनविद्युत से और 46.97 GW बृहद पनविद्युत से प्राप्त होती है।
3. **क्षमता:** भारत में पनविद्युत क्षमता 145.32 GW आंकी गई है, जो वैश्विक स्तर पर 5वें स्थान पर है। वर्तमान में 42.10 GW(29%) विकसित और 15.02 GW(10.3%) निर्माणाधीन है।
4. **वृद्धि:** पनविद्युत वित्तीय वर्ष 2019-20 में 156 GW उत्पादन हुआ। भारत में हाल ही में चुनौतियों के बावजूद पनविद्युत ऊर्जा आवश्यकताओं का अहम भाग है।
5. **भविष्य के लक्ष्य:** भारत का लक्ष्य ऊर्जा सुरक्षा और स्थिरता को मजबूत करने के लिए 2031-32 तक अपनी जलविद्युत क्षमता को 42 गीगावाट से बढ़ाकर 67 गीगावाट करना है, जो कि 50% से अधिक की वृद्धि है।

पनविद्युत में भारत का योगदान (India's Contribution in Hydropower)

पनविद्युत भारत की नवीकरणीय ऊर्जा में पनविद्युत कई प्रमुख परियोजनाओं के साथ महत्वपूर्ण योगदान देता है-

1. **कोयना बांध (महाराष्ट्र):** 1,960 मेगावाट
2. **सरदार सरोवर बांध (गुजरात):** 1,450 मेगावाट
3. **नाथपा झाकरी पावर स्टेशन (हिमाचल प्रदेश):** 1,500 मेगावाट
4. **भाखड़ा नांगल बांध (हिमाचल प्रदेश और पंजाब):** 1,325 मेगावाट
5. **तीस्ता लो बांध (सिक्किम):** 1,200 मेगावाट

(स्रोत- www.oliveboard.in)

ये परियोजनाएं सिंचाई और बाढ़ नियंत्रण में भी सहायता करती हैं।

सिनेमैटिक कनेक्शन

फिल्म स्वदेस (2004) में मोहन भार्गव (शाहरुख खान द्वारा अभिनीत), एक सफल एनआरआई वैज्ञानिक, जो भारत लौटता है और एक छोटे से गांव में बदलाव लाने के लिए प्रेरित होता है।

फिल्म के केंद्रीय विषयों में से एक स्वच्छ पानी के लिए संघर्ष है। गांव गंभीर जल संकट का सामना कर रहा है, जो मोहन को इस बारे में कुछ करने के लिए प्रेरित करता है। वह गांव वालों को एक छोटा पनविद्युत पावर प्लांट बनाने में मदद करता है, जो न केवल विद्युत प्रदान करता है बल्कि नवीकरणीय ऊर्जा स्रोतों की क्षमता को भी प्रदर्शित करता है।

स्वदेस जैसी फिल्में संवहनीय प्रथाओं और नवीकरणीय संसाधनों के उपयोग के बारे में जागरूकता बढ़ाने में महत्वपूर्ण भूमिका निभाती हैं। ये वास्तविक दुनिया की समस्याओं के ठोस समाधान दिखाकर दर्शकों को प्रेरित करती हैं और पर्यावरण के प्रति जिम्मेदारी की भावना को प्रोत्साहित करती हैं।

भारत के समक्ष पनविद्युत से संबंधित चुनौतियाँ (Challenges Related to Hydropower Faced by India)

1. **पर्यावरणीय प्रभाव:** पनविद्युत परियोजनाएँ महत्वपूर्ण पारिस्थितिक परिणामों का कारण बन सकती हैं जैसे बाढ़ का बढ़ा हुआ जोखिम, आवास विनाश के कारण जैव विविधता की हानि, मछली प्रवास में बाधाएँ जो जलीय पारिस्थितिक तंत्र को प्रभावित करती हैं, और बांधों के पीछे तलछट का संचय, जो नदी की गतिशीलता को बदल सकता है। ऊर्जा की आवश्यकता को प्रकृति और समुदायों की सुरक्षा के साथ संतुलित करना दीर्घकालिक सफलता के लिए महत्वपूर्ण है।

2. **प्रबंधन चुनौतियाँः** यद्यपि पनविद्युत समग्र रूप से पर्यावरण के लिए बेहतर है, इसका सावधानीपूर्वक प्रबंधन किए जाने की आवश्यकता होती है। बांध और उपकरण पुराने हो सकते हैं और मरम्मत की आवश्यकता होती है, और बांधों के पीछे तलछट का निर्माण हो सकता है जिससे वे कम पानी धारण कर सकते हैं और उनकी कार्यक्षमता कम हो जाती है।

भूतापीय ऊर्जा (Geothermal Energy)

भूतापीय ऊर्जा एक प्रकार की नवीकरणीय ऊर्जा है जो पृथ्वी के कोर की प्राकृतिक ऊष्मा से प्राप्त होती है। भूतापीय ऊर्जा नवीकरणीय है क्योंकि पृथ्वी की ऊष्मा अनिवार्य रूप से असीमित और लगातार पुनःप्राप्त होती रहती है। जब इसका प्रबंधन सही तरीके से किया जाता है, तो यह संवहनीय होती है क्योंकि ऊष्मा को संसाधन को समाप्त किए बिना लगातार प्राप्त किया जा सकता है।

भूतापीय ऊर्जा का उपयोग करके विद्युत उत्पादन प्रक्रिया (Process of Generating Electricity using Geothermal Energy)

1. **प्राकृतिक ऊष्मा स्रोतः** पृथ्वी के भीतर गहराई में अत्यधिक गर्म चट्टानें होती हैं जिन्हें मैग्मा कहा जाता है। यह ऊष्मा ग्रह के निर्माण और खनिजों के रेडियोधर्मी क्षय से बची हुई है।
2. **ऊष्मा निष्कर्षणः** भूतापीय ऊर्जा इस ऊष्मा का दो मुख्य तरीकों से उपयोग करती है-
   - **प्रत्यक्ष उपयोगः** कुछ क्षेत्रों में सतह के करीब गर्म पानी के जलाशय (जिन्हें गर्म झरने भी कहा जाता है) होते हैं। इस गर्म पानी को सीधे इमारतों को गर्म करने, ग्रीनहाउस में पौधे उगाने, या यहां तक कि स्पा और मनोरंजन के लिए पंप किया जा सकता है।
   - **विद्युत उत्पादनः** विद्युत के लिए, गर्म पानी और भाप के जलाशयों तक पहुंचने के लिए जमीन में कुएं खोदे जाते हैं। भाप या गर्म पानी को सतह पर लाया जाता है और जनरेटर से जुड़े टरबाइनों को चलाने के लिए उपयोग किया जाता है, जिससे विद्युत उत्पादन होता है।

भूतापीय ऊर्जा का उपयोग करने के तरीके (Methods for Harnessing Geothermal Energy)

1. **ड्राई स्टीम पावर प्लांटः** इस विधि में भाप का उपयोग सीधे भूमिगत से किया जाता है। उच्च दबाव वाली भाप कुओं के माध्यम से ऊपर आती है और टरबाइनों को घुमाती है, जो विद्युत उत्पादन करती हैं।
2. **फ्लैश साइकिल प्लांटः** इस विधि में भूमिगत जलाशयों से उच्च दबाव द्वारा गर्म पानी निकालना शामिल है। जब गर्म पानी सतह पर पहुंचता है, तो दबाव घटता है, जिससे पानी "फ्लैश" होकर भाप में बदल जाता है। इस भाप का उपयोग टरबाइनों को घुमाने और विद्युत उत्पादन करने के लिए किया जाता है। सोडा की बोतल को जल्दी से खोलने के बारे में सोचें। अंदर का तरल अचानक गैस (कार्बन डाइऑक्साइड बुलबुले) में बदल जाता है। इसी तरह से एक फ्लैश साइकिल प्लांट में गर्म पानी जल्दी भाप में बदल जाता है।
3. **बाइनरी साइकिल पावर प्लांटः** इस प्रणाली में भूमिगत गर्म पानी का उपयोग दूसरे तरल को गर्म करने के लिए किया जाता है जो कम तापमान पर उबलता है। द्वितीयक तरल वाष्प में बदल जाता है, जो फिर टरबाइन को घुमाने के लिए उपयोग किया जाता है और विद्युत उत्पादन करता है।

भूतापीय ऊर्जा का वैश्विक परिदृश्य (Global Landscape of Geothermal Energy)

भूतापीय ऊर्जा कई देशों के लिए एक महत्वपूर्ण और संवहनीय नवीकरणीय ऊर्जा स्रोत है। दिसम्बर 2023 तक, भूतापीय ऊर्जा के लिए वैश्विक स्थापित क्षमता कुल 16,355 मेगावाट तक पहुंच गई। भूतापीय ऊर्जा का उत्पादन करने वाले शीर्ष देश निम्नलिखित हैं-

1. संयुक्त राज्य अमेरिका
2. इंडोनेशिया
3. तुर्की
4. फिलीपींस
5. न्यूजीलैंड

रिंग ऑफ फायरः रिंग ऑफ फायर प्रशांत महासागर बेसिन में एक घोड़े की नाल के आकार का क्षेत्र है जो अपने उच्च स्तर की भूकंपीय गतिविधि, जिसमें भूकंप और ज्वालामुखी शामिल हैं, के लिए जाना जाता है (चित्र 27.7 देखें)। यह दुनिया के लगभग 75% सक्रिय और सुप्त ज्वालामुखियों का घर है और दुनिया के लगभग 90% भूकंपों का अनुभव करता है। भूतापीय ऊर्जा पृथ्वी की सतह के नीचे संग्रहीत ऊष्मा से प्राप्त होती है। रिंग ऑफ फायर भूतापीय ऊर्जा उत्पादन के लिए एक आदर्श स्थान है क्योंकि इसमें उच्च स्तर की टेक्टोनिक गतिविधि होती है।

रिंग ऑफ फायर के भीतर के देश, जैसे संयुक्त राज्य अमेरिका (विशेष रूप से कैलिफोर्निया), इंडोनेशिया, जापान और फिलीपींस, महत्वपूर्ण भूतापीय ऊर्जा संसाधनों के क्षेत्र हैं। ये इस ऊष्मा का उपयोग विद्युत उत्पादन करने और प्रत्यक्ष हीटिंग उद्देश्यों के लिए करते हैं। पृथ्वी की प्राकृतिक ऊष्मा का उपयोग करके, रिंग ऑफ फायर के भीतर के देश नवीकरणीय ऊर्जा का उत्पादन कर सकते हैं, जीवाश्म ईंधन पर अपनी निर्भरता को कम कर सकते हैं और इससे जलवायु परिवर्तन से निपटने में मदद हो सकती है।

भारत में भू-तापीय ऊर्जा का परिदृश्य (Landscape of Geothermal Energy in India)

भारत में संवहनीय ऊर्जा उत्पादन करने के लिए भू-तापीय ऊर्जा एक महत्वपूर्ण विधि प्रदान करती है। पृथ्वी की प्राकृतिक ऊष्मा का उपयोग करके, यह बिना पर्यावरण को नुकसान पहुंचाए बढ़ती ऊर्जा मांगों को पूरा करने में मदद कर सकती है ।

1. **प्रायोगिक चरणः** भारत में भू-तापीय ऊर्जा अभी भी परीक्षण और विकास के चरण में है।
2. **संभावनाएंः** भारत में भू-तापीय ऊर्जा की बड़ी अप्रयुक्त संभावनाएं हैं, जिनका अनुमान 10,000 मेगावाट से अधिक है।
3. **भू-तापीय प्रांतः** भू-तापीय संसाधन सात क्षेत्रों में फैले हुए हैं-
   1. हिमालय
   2. सोहना
   3. पश्चिमी तट
   4. कैम्बे
   5. सोना-नर्मदा-तापी (SONATA)
   6. गोदावरी
   7. महानदी

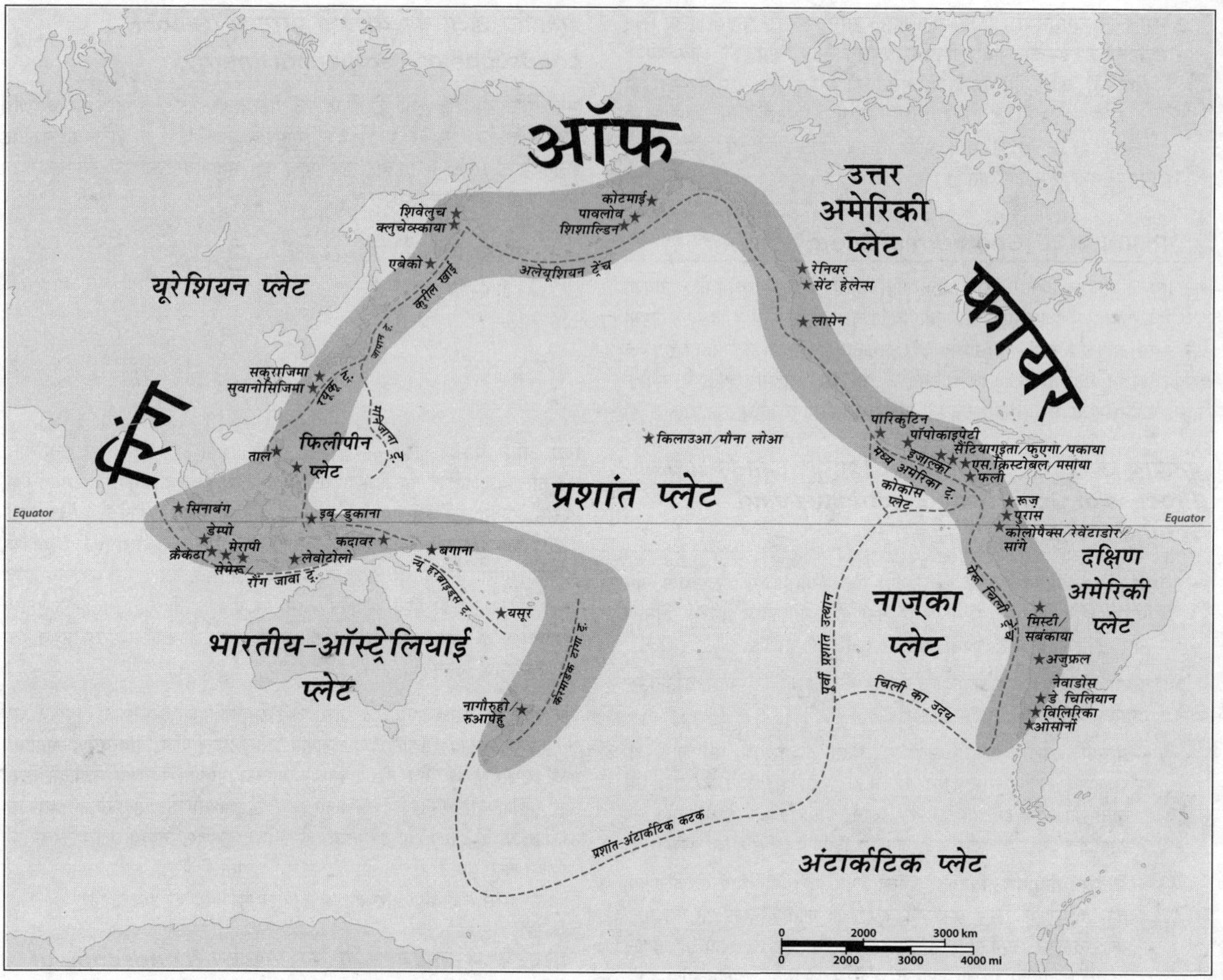

फिग. 27.7 रिंग ऑफ फायर

क्विज स्टेशन

विगत UGC NET परीक्षाओं के प्रश्न

प्र 1. निम्नलिखित में से कौन-से नवीकरणीय ऊर्जा स्रोत हैं? *(22 अगस्त 2024 – शिफ्ट 2)*

A. बायोडीजल

B. परमाणु ऊर्जा

C. सौर ऊर्जा

D. पनविद्युत ऊर्जा

E. पवन ऊर्जा

(a) A, B, C, D

(b) B, C, D, A

(c) C, D, E, A

(d) E, A, B

प्र 2. उन देशों का सही क्रम पहचानें जो दुनिया के प्रमुख भू-तापीय ऊर्जा (मेगावाट में) उत्पादक हैं।

A. न्यूजीलैंड

B. आइसलैंड

C. यूएसए

D. इंडोनेशिया

नीचे दिए गए विकल्पों में से सही उत्तर चुनें-

(a) C > A > B > D

(b) A > C > B > D

(c) D > C > A > B

(d) C > D > A > B

उत्तर 1. (c) 2. (d)

हाइड्रोजन (Hydrogen)

हाइड्रोजन ब्रह्मांड का सबसे सामान्य तत्व है तथा स्वच्छ और लचीले ऊर्जा स्रोत के रूप में इसकी अपार संभावनाएं हैं। हाइड्रोजन के कुछ सामान्य प्रकार निम्नलिखित हैं-

1. **ग्रे हाइड्रोजनः** प्राकृतिक गैस जैसे जीवाश्म ईंधन से बनती है। यह विधि कार्बन उत्सर्जन उत्पादन करती है, जो पर्यावरण के लिए हानिकारक है।
2. **ब्लू हाइड्रोजनः** यह भी जीवाश्म ईंधन से बनाई जाती है, लेकिन कार्बन उत्सर्जन को कैप्चर और स्टोर किया जाता है (कार्बन कैप्चर और स्टोरेज, या CCS), जिससे पर्यावरणीय प्रभाव कम होता है।
3. **ग्रीन हाइड्रोजनः** पानी को हाइड्रोजन और ऑक्सीजन में विभाजित करके बनाई जाती है, जिसमें नवीकरणीय ऊर्जा स्रोत (जैसे सौर या पवन ऊर्जा) का उपयोग किया जाता है। यह प्रक्रिया कोई उत्सर्जन उत्पादन नहीं करती, जिससे यह बहुत स्वच्छ होती है।
4. **ब्राउन हाइड्रोजनः** कोयले से उत्पादित होती है, जिससे पर्याप्त कार्बन उत्सर्जन होता है और यह पर्यावरण के लिए कम अनुकूल होता है।
5. **टरक्वॉइज हाइड्रोजनः** इसे मीथेन पायरोलिसिस प्रक्रिया द्वारा निर्मित किया जाता है, जो मीथेन को हाइड्रोजन और कार्बन में विभाजित करती है। इसमें कम उत्सर्जन द्वारा कार्बन कैप्चर करने की संभावना होती है।
6. **पिंक हाइड्रोजनः** नाभिकीय ऊर्जा का उपयोग करके पानी को हाइड्रोजन और ऑक्सीजन में विभाजित करके बनाई जाती है। यदि सही तरीके से प्रबंधित किया जाए तो यह विधि स्वच्छ हो सकती है।

हाइड्रोजन उत्पादन (Production of Hydrogen)

हाइड्रोजन को कई तरीकों से उत्पादित किया जा सकता है, और हाइड्रोजन का प्रकार उपयोग की गई विधि पर निर्भर करता है। हाइड्रोजन उत्पादन के दो मूल तरीके हैं- हाइड्रोकार्बन और नवीकरणीय स्रोतों से।

1. **हाइड्रोकार्बन सेः**
   - **स्टीम मीथेन रिफॉर्मिंगः** यह विधि प्राकृतिक गैस को उच्च तापमान पर गर्म करके हाइड्रोजन उत्पादन करती है।
   - **आंशिक ऑक्सीकरणः** यह प्रक्रिया एक हाइड्रोकार्बन (जैसे प्राकृतिक गैस या कोयला) को ऑक्सीकरण करके हाइड्रोजन उत्पादन करती है।
   - **कोयला गैसीकरणः** यह विधि कोयले को हाइड्रोजन और कार्बन मोनोऑक्साइड के गैस मिश्रण में परिवर्तित करती है।
2. **नवीकरणीय स्रोतों सेः**
   - **इलेक्ट्रोलिसिसः** इलेक्ट्रोलिसिस पानी को हाइड्रोजन और ऑक्सीजन में विभाजित करती है, जिसके लिए पवन या सौर ऊर्जा से विद्युत का उपयोग किया जाता है। उत्पादित हाइड्रोजन को ग्रीन हाइड्रोजन माना जाता है।
   - **फोटोलीसिसः** यह विधि सीधे पानी को हाइड्रोजन और ऑक्सीजन में विभाजित करती है, आमतौर पर इसके लिए PEC कोशिकाओं का उपयोग किया जाता है।

हाइड्रोजन से विद्युत उत्पादन (Generating Electricity using Hydrogen)

हाइड्रोजन से विद्युत उत्पादन आमतौर पर हाइड्रोजन ईंधन कोशिकाओं का उपयोग करके किया जाता है। ईंधन कोशिकाएं वे उपकरण हैं जो रासायनिक ऊर्जा को सीधे विद्युत ऊर्जा में एक इलेक्ट्रोकेमिकल प्रतिक्रिया के माध्यम से परिवर्तित करती हैं। ईंधन कोशिकाएं बैटरियों की तरह काम करती हैं लेकिन उन्हें रिचार्ज करने की आवश्यकता नहीं होती। ये तब तक विद्युत उत्पादन करती हैं जब तक इन्हें ईंधन (जैसे हाइड्रोजन) और एक ऑक्सीकरण एजेंट (जैसे हवा से ऑक्सीजन) की आपूर्ति की जाती है। दूसरे शब्दों में, ईंधन कोशिकाएं बिना जीवाश्म ईंधन को जलाए रासायनिक ऊर्जा को सीधे विद्युत और ऊष्मा में परिवर्तित करती हैं। यह एक स्वच्छ और संवहनीय ऊर्जा तकनीक है। ईंधन कोशिकाओं की प्रमुख विशेषताएं नीचे दी गई हैं-

1. **बहुविध ईंधन उपयोगः** ईंधन कोशिकाएं विभिन्न प्रकार के ईंधन का उपयोग कर सकती हैं, जैसे हाइड्रोजन, प्राकृतिक गैस, मेथनॉल (एक प्रकार का अल्कोहल), और बायोगैस (जैविक पदार्थ जैसे पौधों और पशु अपशिष्ट से पैदा गैस)। कई ईंधन कोशिकाओं में, हाइड्रोजन प्राथमिक और सबसे कुशल ईंधन है। हाइड्रोजन का उपयोग करने से ग्रीनहाउस गैसें (GHG) उत्सर्जित नहीं होतीं, जो पर्यावरण के लिए हानिकारक हैं।
2. **बहुविध अनुप्रयोगः** ईंधन कोशिकाओं का उपयोग कई क्षेत्रों में किया जा सकता है, जिसमें अंतरिक्ष अन्वेषण शामिल है, जहां इनकी विश्वसनीयता और दक्षता महत्वपूर्ण होती है। इन्हें अंतरिक्ष मिशनों में अंतरिक्ष यान के लिए विद्युत प्रदान करने के लिए उपयोग किया गया है।

   ईंधन कोशिकाओं का उपयोग ईंधन सेल इलेक्ट्रिक वाहनों (FCEVs) में भी किया जाता है। ये वाहन इलेक्ट्रिक मोटरों को शक्ति देने के लिए ईंधन कोशिकाओं का उपयोग करते हैं। ये पारंपरिक कारों के लिए एक स्वच्छ विकल्प प्रदान करते हैं जो आंतरिक दहन इंजन (ICE) का उपयोग करते हैं, जो जीवाश्म ईंधन जलाते हैं और प्रदूषण करते हैं। FCEVs शहरी वायु प्रदूषण को कम करने में मदद कर सकते हैं।

हाइड्रोजन उपयोग के लाभ (Advantages of using Hydrogen)

1. **उच्च ऊर्जा घनत्वः** ऊर्जा घनत्व का अर्थ है कि एक निश्चित मात्रा में ईंधन में कितनी ऊर्जा संग्रहीत होती है। हाइड्रोजन का ऊर्जा घनत्व बहुत अधिक होता है, जिसका अर्थ है कि यह थोड़ी मात्रा में बहुत अधिक ऊर्जा संग्रहीत कर सकता है। यह इसे एक कुशल ईंधन बनाता है।
2. **स्वच्छ दहनः** दहन जलने की प्रक्रिया है। जब हाइड्रोजन जलती है, तो यह ऑक्सीजन के साथ मिलकर केवल जल वाष्प (भाप) पैदा करती है, जो पर्यावरण के लिए हानिरहित है। जीवाश्म ईंधनों के विपरीत, यह प्रदूषक पैदा नहीं करती है।
3. **नवीकरणीय और प्रचुर मात्राः** हाइड्रोजन ब्रह्मांड में सबसे प्रचुर मात्रा में पाया जाने वाला तत्व है और इसे जल से इलेक्ट्रोलिसिस द्वारा सौर या पवन ऊर्जा का उपयोग करके नवीकरणीय स्रोतों से प्राप्त किया जा सकता है। यह इसे एक संवहनीय और पर्यावरण अनुकूल विकल्प बनाता है।

4. **शून्य उत्सर्जन:** ईंधन कोशिकाओं में हाइड्रोजन का उपयोग करने से ग्रीनहाउस गैसों का उत्पादन नहीं होता है, जो पर्यावरण के लिए हानिकारक हैं और वैश्विक तापमान वृद्धि में योगदान करती हैं।
5. **बहुविध और अत्यधिक प्रतिक्रियाशील:** हाइड्रोजन का उपयोग विभिन्न क्षेत्रों में किया जा सकता है, जिसमें परिवहन (ईंधन सेल वाहन), उद्योग (हीटिंग और निर्माण प्रक्रियाओं के लिए हाइड्रोजन) और विद्युत उत्पादन (विद्युत उत्पादन के लिए ईंधन कोशिकाएं) शामिल हैं। इसकी बहुविविधता इसे कई क्षेत्रों में जीवाश्म ईंधनों पर निर्भरता को कम करने के लिए एक लचीला समाधान बनाती है।

हाइड्रोजन उपयोग की सीमाएं (Limitations of using Hydrogen)

1. **भंडारण चुनौतियां:** हाइड्रोजन को संग्रहीत करना कठिन है क्योंकि इसका घनत्व कम होता है, जिसका अर्थ है कि यह बहुत अधिक स्थान लेती है। इसे सुरक्षित रूप से संग्रहीत करने के लिए विशेष कंटेनरों की आवश्यकता होती है।
2. **अवसंरचनात्मक आवश्यकताएँ:** अवसंरचना का अर्थ है उत्पादन, वितरण और पुनः ईंधन भरने के लिए आवश्यक भौतिक प्रणालियां। हाइड्रोजन को एक व्यापक ऊर्जा स्रोत बनाने के लिए बहुत सारी नई अवसंरचना की आवश्यकता होती है।
3. **सुरक्षा और प्रतिक्रियाशीलता:** हाइड्रोजन अत्यधिक ज्वलनशील है, जिसका अर्थ है कि यह आसानी से आग पकड़ सकती है। दुर्घटनाओं से बचने के लिए इसे सावधानीपूर्वक संभालने की आवश्यकता होती है।
4. **उत्पादन का पर्यावरणीय प्रभाव:** हाइड्रोजन उत्पादन के कुछ तरीकों, जैसे गैस सुधार, का पर्यावरण पर नकारात्मक प्रभाव हो सकता है।
5. **ऊर्जा रूपांतरण चुनौतियां:** हाइड्रोजन को अन्य तत्वों (जैसे जल या प्राकृतिक गैस) से अलग करने के लिए बहुत अधिक ऊर्जा की आवश्यकता होती है, जो प्रक्रिया को कम कुशल बना सकता है।

हाइड्रोजन उत्पादन को बढ़ावा देने के लिए सरकारी पहलें (Government Initiatives to Boost Hydrogen Production)

राष्ट्रीय हाइड्रोजन मिशन (2021): राष्ट्रीय हाइड्रोजन मिशन का उद्देश्य भारत को हाइड्रोजन ऊर्जा में अग्रणीय बनाना और 2047 तक ऊर्जा आत्मनिर्भरता प्राप्त करना है। यह नवीकरणीय ऊर्जा स्रोतों के माध्यम से ग्रीन हाइड्रोजन और ग्रीन अमोनिया उत्पादन पर केंद्रित है। इसका उद्देश्य ग्रीन हाइड्रोजन की लागत को +1.5 प्रति किलोग्राम तक लाना और 2030 तक प्रति वर्ष पांच मिलियन मीट्रिक टन (MMT) ग्रीन हाइड्रोजन क्षमता प्राप्त करना है। यह मिशन उद्योग, परिवहन और ऊर्जा सहित विभिन्न क्षेत्रों में हाइड्रोजन के उपयोग को प्रोत्साहित करता है।

हाइड्रोजन और अमोनिया को भविष्य के ईंधन के रूप में देखा जा रहा है जो जीवाश्म ईंधनों को प्रतिस्थापित करेंगे। इन ईंधनों का उत्पादन नवीकरणीय ऊर्जा से, जिसे ग्रीन हाइड्रोजन और ग्रीन अमोनिया कहा जाता है, पर्यावरणीय रूप से संवहनीय ऊर्जा सुरक्षा की दिशा में एक प्रमुख आवश्यकता है। भारत सरकार जीवाश्म ईंधन/जीवाश्म ईंधन आधारित फीडस्टॉक्स से ग्रीन हाइड्रोजन/ग्रीन अमोनिया में अंतरण को सुविधाजनक बनाने के लिए अनेक उपाय कर रही है।

राष्ट्रीय ग्रीन हाइड्रोजन मिशन (2023): यह ग्रीन हाइड्रोजन के वाणिज्यिक उत्पादन को प्रोत्साहित करने और भारत को इस ईंधन का शुद्ध निर्यातक बनाने के लिए एक कार्यक्रम है। यह मिशन ग्रीन हाइड्रोजन की मांग निर्माण, उत्पादन, उपयोग और निर्यात को सुविधाजनक बनाएगा। इस मिशन से जुड़े कुछ महत्वपूर्ण लक्ष्य इस प्रकार हैं-

1. **वैकल्पिक ईंधन के रूप में हाइड्रोजन का विकास:** परिवहन, उद्योग और विद्युत उत्पादन में पारंपरिक ईंधनों को बदलने के लिए हाइड्रोजन का उपयोग करना।
2. **ग्रीन हाइड्रोजन उत्पादन को बढ़ावा देना:** पर्यावरणीय प्रभाव को कम करने के लिए पवन और सौर ऊर्जा जैसे नवीकरणीय ऊर्जा स्रोतों का उपयोग करके हाइड्रोजन बनाना।
3. **हाइड्रोजन पारिस्थितिकी तंत्र का निर्माण:** हाइड्रोजन के उत्पादन, भंडारण और वितरण के लिए आवश्यक अवसंरचना का निर्माण करना।
4. **वैश्विक सहयोग:** हाइड्रोजन प्रौद्योगिकी में ज्ञान और सर्वोत्तम प्रथाओं को साझा करने के लिए अन्य देशों के साथ काम करना।

हाइड्रोजन ऊर्जा उत्पादन में भारत के समक्ष आने वाली चुनौतियां (Challenges Faced by India in Hydrogen Energy Production)

आइए उन चुनौतियों पर नजर डालें जिन्हें भारत को हाइड्रोजन ऊर्जा में अग्रणीय बनने के लिए पार करना होगा-

1. **ऊर्जा दक्षता अंतर:** हाइड्रोजन उत्पादन वर्तमान में ऊर्जा उत्पादन से अधिक ऊर्जा खपत करता है, इसलिए दक्षता में सुधार की आवश्यकता है।
2. **अवसंरचना और नीतियां:** हाइड्रोजन के भंडारण, परिवहन और वितरण के लिए आवश्यक अवसंरचना और सहायक नीतियों का विकास।
3. **नवाचार और साझेदारी:** अनुसंधान, प्रौद्योगिकी निवेश और संयुक्त परियोजनाओं के लिए नवाचार को प्रोत्साहित करना और वैश्विक स्तर पर सहयोग करना।
4. **परीक्षण के लिए प्रायोगिक परियोजनाएं:** उद्योगों, ऊर्जा क्षेत्रों और विश्वविद्यालयों को शामिल करते हुए प्रायोगिक परियोजनाओं का संचालन करना ताकि हाइड्रोजन प्रौद्योगिकियों का परीक्षण और विस्तार किया जा सके।

बायोमास (Biomass)

बायोमास उन जैविक सामग्रियों को संदर्भित करता है जो पौधों और जानवरों से प्राप्त होती हैं और ऊर्जा के स्रोत के रूप में उपयोग की जा सकती हैं। इसमें लकड़ी, फसल अवशेष (जैसे मक्का के डंठल) और जानवरों की खाद जैसी चीजें शामिल हैं। इन सामग्रियों का उपयोग ऊर्जा उत्पादन करने के लिए किया जा सकता है क्योंकि इनमें संग्रहीत सूर्य का प्रकाश होता है। क्योंकि पौधों और जानवरों को बार-बार उगाया और काटा जा सकता है, बायोमास को एक नवीकरणीय संसाधन माना जाता है। इसका अर्थ है कि जब तक हम पौधों को उगाते और जैविक कचरा पैदा करते रहेंगे, यह समाप्त नहीं होगा।

पर्यावरणीय लाभ: बायोमास को कार्बन न्यूट्रल माना जाता है, जिसका अर्थ है कि यह वातावरण में अतिरिक्त ग्रीनहाउस गैसें नहीं जोड़ता है। इससे प्रदूषण कम करने और जलवायु परिवर्तन से लड़ने में मदद मिलती है।

बायोमास की चुनौती: ऊर्जा के लिए बायोमास का उपयोग करने की मुख्य चुनौती यह है कि बायोमास के लिए पौधों (ऊर्जा फसलें) को उगाने के लिए बहुत सारी भूमि की आवश्यकता होती है।

भारत की राष्ट्रीय बायोफ्यूल नीति: बायोमास भारत की राष्ट्रीय बायोफ्यूल नीति का हिस्सा है, जो संवहनीय ऊर्जा भविष्य बनाने के लिए बायोमास जैसे नवीकरणीय ऊर्जा स्रोतों के उपयोग का समर्थन करती है।

क्विज स्टेशन *विगत UGC NET परीक्षाओं के प्रश्न*

प्र 1. बायोमास को प्रमुख ऊर्जा स्रोत के रूप में उपयोग करने में सबसे बड़ी बाधा क्या है

(a) निम्न स्तर की ऊर्जा उपज।

(b) ऊर्जा फसलों को उगाने के लिए बड़ी मात्रा में भूमि की आवश्यकता।

(c) व्यावसायीकरण के लिए प्रौद्योगिकी अच्छी तरह से विकसित नहीं है।

(d) दहन के कारण वायु प्रदूषण।

उत्तर 1. (b)

★★★ परीक्षोपयोगी

बायोफ्यूल (Biofuel)

बायोफ्यूल एक प्रकार की नवीकरणीय ऊर्जा है जो जैविक सामग्रियों जैसे पौधों और जानवरों के कचरे से बनाई जाती है। इन ईंधनों को जैविक पदार्थ को तरल ईंधनों में बदलने के लिए किण्वन और ट्रांसएस्टरीफिकेशन जैसी विभिन्न प्रक्रियाओं के माध्यम से बनाया जाता है। बायोफ्यूल का उपयोग पारंपरिक जीवाश्म ईंधनों जैसे पेट्रोल और डीजल के विकल्प के रूप में किया जा सकता है, जिससे ग्रीनहाउस गैस उत्सर्जन और गैर-नवीकरणीय संसाधनों पर निर्भरता कम होगी । जैव ईंधनों के कई प्रकार हैं, जिन पर हम इस खंड में विस्तार से चर्चा करेंगे-

- **बायोडीजल:** वनस्पति तेलों, पशु वसा, या प्रयुक्त खाना पकाने के तेल (यूसीओ) से बनाया जाता है।
- **बायोगैस:** जैविक कचरे के अवायवीय पाचन के माध्यम से बनाई जाती है।
- **एथेनॉल:** मक्का और गन्ने जैसी फसलों से शर्करा किण्वन करके उत्पादित किया जाता है।

भारत का बायोफ्यूल लक्ष्य: राष्ट्रीय बायोफ्यूल नीति में बायोफ्यूल बनाने के लिए गन्ना, मक्का, ज्वार, शकरकंद, कसावा, टैपिओका, शैवाल, नगरपालिका ठोस कचरा, कृषि अवशेष और पशु कचरे जैसी सामग्रियों की एक विस्तृत श्रृंखला शामिल है। भारत का लक्ष्य 2030 तक पेट्रोल के साथ 20% एथेनॉल (जिसे ई20 कहा जाता है) और डीजल के साथ 5% बायोडीजल (जिसे ई05 कहा जाता है) मिलाना है। यह लक्ष्य 2018 में स्थापित भारत की राष्ट्रीय बायोफ्यूल नीति का हिस्सा है।

बायोडीजल (Biodiesel)

बायोडीजल एक प्रकार का बायोफ्यूल है जो नवीकरणीय संसाधनों से बनाया जाता है। आइए बायोडीजल के बारे में कुछ प्रमुख तथ्यों पर नजर डालें-

1. **बायोडीजल के लिए मुख्य कच्चा माल (फीडस्टॉक):** फीडस्टॉक वे प्राथमिक कच्चे माल हैं जिनसे बायोडीजल प्राप्त होता है। बायोडीजल को तिलहन (सोयाबीन, रेपसीड) वनस्पति तेल(पाम तेल, सूरजमुखी पशु वसा और यूसीओ जैसे स्रोतों से बनाया जाता है। शैवाल और जटरोफा (एक सूखा प्रतिरोधी पौधा) बायोडीजल उत्पादन के लिए संभावित फीडस्टॉक हैं। बायोडीजल फीडस्टॉक का विकल्प उपलब्धता और उपयुक्तता के आधार पर किया जाता है।
2. **उत्पादन प्रक्रिया:** ट्रांसएस्टरीफिकेशन इन कच्चे माल को फैटी एसिड मिथाइल एस्टर (एफएएमई) में परिवर्तित करता है, जिनका उपयोग बायोडीजल के रूप में किया जाता है।
3. **संरचना:** बायोडीजल आमतौर पर एफएएमई से बना होता है।
4. **उपयोग:** बायोडीजल को इंजन उपयोग के लिए डीजल के साथ मिलाया जा सकता है। बायोडीजल की चिपचिपाहट डीजल ईंधन की तुलना में 12.5% अधिक होती है। चिपचिपाहट किसी तरल की मोटाई या प्रवाह के प्रतिरोध का माप है। उच्च चिपचिपाहट का अर्थ है कि तरल मोटा और धीरे-धीरे बहता है, यद्यपि कम चिपचिपाहट का अर्थ है कि यह पतला और आसानी से बहता है।

बायोगैस (Biogas)

बायोगैस एक नवीकरणीय ऊर्जा स्रोत है जो जैविक सामग्रियों, मुख्य रूप से बायोमास से पैदा होता है। जब बैक्टीरिया ऑक्सीजन के बिना वातावरण में जैविक कचरे को तोड़ते हैं तो बायोगैस का उत्पादन होता है (इसे अवायवीय पाचन कहा जाता है)। जैसे-जैसे कचरा टूटता है, यह मुख्य रूप से मीथेन और कार्बन डाइऑक्साइड से बनी गैस पैदा करता है। इस गैस को बायोगैस कहा जाता है। नीचे बायोगैस से संबंधित कुछ प्रमुख परिभाषाएं दी गई हैं-

1. **अवायवीय पाचन:** अवायवीय का अर्थ है 'ऑक्सीजन के बिना।' इस प्रक्रिया में, कृषि कचरे (फसलों के बचे हुए अवशेष), खाद (पशु मल), सीवेज (अपशिष्ट जल) और खाद्य स्क्रैप जैसे जैविक कचरे को ऑक्सीजन मुक्त वातावरण में तोड़ा जाता है। इसे एक विशेष कंटेनर में तोड़ा जाता है, इस कन्टैनर को डाइजेस्टर कहा जाता है।
2. **बायोगैस का कैलोरी मान:** कैलोरी मान विशिष्ट मात्रा में ईंधन के पूरी तरह जलने से पैदा हुई ऊर्जा या ऊष्मा उत्पादन का माप है। बायोगैस का कैलोरी मान 5000 किलो कैलोरी प्रति घन मीटर है। इसका अर्थ है कि एक घन मीटर बायोगैसके जलने से 5000 किलो कैलोरी (kcal) ऊर्जा उत्पादन होता है। गैस में मीथेन का प्रतिशत इसके कैलोरी मान को काफी हद तक निर्धारित करता है क्योंकि मीथेन ऊर्जा सामग्री में योगदान देने वाला मुख्य घटक है। गैस के अन्य घटकों में आमतौर पर महत्वपूर्ण ऊर्जा-उत्पादक क्षमताएं नहीं होती हैं। इसलिए, मीथेन की मात्रा जितनी अधिक होगी, गैस जलने पर उतनी ही अधिक ऊर्जा का उत्पादन कर सकती है। बायोगैस में आमतौर पर लगभग 60% मीथेन होती है, जिसका अर्थ है कि इसमें कम मीथेन सामग्री वाली गैसों की तुलना में उच्च कैलोरी मान होता है।

3. **संरचना:** बायोगैस विभिन्न गैसों से बनी होती है। इसमें आमतौर पर शामिल होते हैं-
   - **मीथेन:** बायोगैस का लगभग 50-70% मीथेन होती है, जो एक ज्वलनशील गैस है।
   - **कार्बन डाइऑक्साइड:** बायोगैस का एक और महत्वपूर्ण भाग कार्बन डाइऑक्साइड है।
   - **हाइड्रोजन सल्फाइड:** इस गैस की भी थोड़ी मात्रा होती है, जिसमें सड़े हुए अंडे की गंध होती है।
4. **अनुप्रयोग:** बायोगैस का उपयोग किया जा सकता है-
   - **खाना पकाने में:** बायोगैस का उपयोग खाना पकाने के लिए ईंधन के रूप में किया जा सकता है।
   - **हीटिंग:** इसे जलाकर घरों और इमारतों को गर्म करने के लिए ऊष्मा उत्पादन किया जा सकता है।
   - **विद्युत उत्पादन:** बायोगैस का उपयोग विद्युत उत्पादन करने के लिए किया जा सकता है।
   - **उर्वरक:** बायोगैस के उत्पादन के बाद, डाइजेस्टर में बचा हुआ पदार्थ स्लरी कहलाता है। यह स्लरी पोषक तत्वों से भरपूर होती है और फसलों के लिए उर्वरक के रूप में उपयोग की जा सकती है, जिससे पौधों की बेहतर वृद्धि होती है।

ऊर्जा फसलें: इस प्रकार के पौधे को भोजन के लिए नहीं उगाया जाता बल्कि विशेष रूप से ऊर्जा के नवीकरणीय स्रोतों के रूप में उपयोग के लिए उगाया जाता है। ये फसलें तेजी से बढ़ती हैं, अनुरक्षण में सस्ती होती हैं और प्रबंधन में आसान होती हैं। कटाई के बाद, इन्हें विभिन्न प्रकार के ईंधन में बदला जा सकता है- जैसे बायोफ्यूल, बायोडीजल, या बायोगैस। इन ईंधनों को फिर विद्युत या ऊष्मा उत्पादन के लिए जलाया जा सकता है।

बायो-ऑयल: बायो-ऑयल पायरोलिसिस प्रक्रिया के माध्यम से बनाई जाती है, जो बायोमास (पौध सामग्री) को तरल ईंधन में परिवर्तित करती है। इस प्रक्रिया में बायोमास को ऑक्सीजन की अनुपस्थिति में गर्म करना शामिल है, जिसके परिणामस्वरूप न्यूनतम अपशिष्ट के साथ उच्च गुणवत्ता वाला हीटिंग ऑयल प्राप्त होता है। जैव रासायनिक प्रक्रियाओं के विपरीत, पायरोलिसिस एक थर्मोकेमिकल प्रक्रिया है, जिसका अर्थ है कि यह जैविक गतिविधि के बजाय ऊष्मा और रासायनिक प्रतिक्रियाओं पर निर्भर करती है।

एथेनॉल (Ethanol)

एथेनॉल एक प्रकार का ईंधन है जिसे मक्का, गन्ना और गेहूं जैसी फसलों से बनाया जा सकता है। एथेनॉल एक नवीकरणीय संसाधन है क्योंकि जब तक हम मक्का, गन्ना और गेहूं जैसी फसलों को उगाते रहेंगे, तब तक हम इसे बनाते रह सकते हैं।

किण्वन: एथेनॉल किण्वन प्रक्रिया के माध्यम से बनाई जाती है, जहां इन पौधों में शर्करा और स्टार्च को ऐल्कहॉल में बदल दिया जाता है। इस शराब को एथेनॉल के रूप में जाना जाता है, जिसे पेट्रोल (या गैसोलीन) के साथ मिलाया जा सकता है ताकि वाहनों से होने वाले प्रदूषण को कम किया जा सके।

फ्लेक्स-फ्यूल इंजन: फ्लेक्स-फ्यूल इंजन एक प्रकार का इंजन है जो गैसोलीन और एथेनॉल के मिश्रण पर चल सकता है। फ्लेक्स-फ्यूल इंजनों के बारे में कुछ महत्वपूर्ण विवरण इस प्रकार हैं-

1. **ईंधन समायोजन:** फ्लेक्स-फ्यूल इंजन को उनके ईंधन-हवा मिश्रण और समय को समायोजित करने के लिए डिजाइन किया गया है ताकि वे गैसोलीन और एथेनॉल के विभिन्न मिश्रणों के साथ काम कर सकें। इसका अर्थ है कि वे अधिक गैसोलीन या अधिक एथेनॉल का उपयोग करते समय भी सुचारू रूप से चल सकते हैं। एक सामान्य मिश्रण को E85 कहा जाता है, जिसमें 85% एथेनॉल और 15% गैसोलीन होता है।
2. **क्षेत्रीय विविधताएँ:** फ्लेक्स-फ्यूल इंजन दुनिया के कुछ हिस्सों में अधिक सामान्य हैं। उदाहरण के लिए, संयुक्त राज्य अमेरिका में, कई E85 ईंधन स्टेशन हैं, जिससे फ्लेक्स-फ्यूल वाहनों का उपयोग करना आसान हो जाता है। हालांकि, यूरोप और एशिया जैसे अन्य क्षेत्रों में, ये स्टेशन कम सामान्य हैं।

परिवहन में एथेनॉल के उपयोग के लाभ-

1. **पर्यावरणीय लाभ:** एथेनॉल को प्राय: गैसोलीन (जिसे पेट्रोल भी कहा जाता है) में मिलाया जाता है। यह मिश्रण अकेले गैसोलीन की तुलना में साफ जलता है, जिससे वायु प्रदूषण कम करने में मदद मिलती है। यह जलवायु परिवर्तन से लड़ने के लिए महत्वपूर्ण है क्योंकि ग्रीनहाउस गैसें पृथ्वी के वायुमंडल में ऊष्मा को ट्रैप करती हैं, जिससे ग्लोबल वार्मिंग होती है।
2. **ऊर्जा स्वतंत्रता:** एथेनॉल का उपयोग करके, देश आयातित तेल पर निर्भरता कम कर सकते हैं, जिससे वे अधिक ऊर्जा स्वतंत्र हो जाते हैं।
3. **किसानों के लिए अतिरिक्त आय स्रोत:** किसान एथेनॉल उत्पादन के लिए फसलें उगाकर आर्थिक रूप से लाभान्वित होते हैं, जिससे अतिरिक्त आय प्राप्त होती है।

क्या आप जानते हैं- ब्राजील में, कानून द्वारा गैसोलीन के साथ 27% से 30% एथेनॉल मिलाना अनिवार्य है। यह नीति ब्राजील को जीवाश्म ईंधनों पर अपनी निर्भरता कम करने और प्रदूषण को कम करने में मदद करती है।

पेट्रोल (या गैसोलीन) के साथ एथेनॉल की तुलना-

1. **ऊर्जा सामग्री:** एथेनॉल में गैसोलीन की तुलना में प्रति गैलन कम ऊर्जा होती है। इसका अर्थ है कि आपको गैसोलीन के साथ यात्रा करने के लिए जितनी दूरी तय करनी होती है, उतनी ही दूरी तय करने के लिए आपको अधिक एथेनॉल की आवश्यकता होती है। यह ऊर्जा घनत्व नामक अवधारणा के कारण होता है, जो यह मापता है कि एक निश्चित मात्रा के ईंधन में कितनी ऊर्जा भरी होती है।
2. **इंजन सुधार:** जब गैसोलीन के साथ उच्च मात्रा में एथेनॉल मिलाया जाता है, तो यह कारों और अन्य वाहनों के इंजनों में बदलाव की आवश्यकता हो सकती है। पारंपरिक गैसोलीन इंजनों को उच्च-एथेनॉल मिश्रणों पर कुशलता से चलाने के लिए कुछ समायोजन की आवश्यकता हो सकती है।

क्विज स्टेशन *विगत UGC NET परीक्षाओं के प्रश्न*

प्र 1. बायोगैस का कैलोरी मान लगभग

(a) 5000 किलो कैलोरी प्रति घन मीटर।
(b) 3000 किलो कैलोरी प्रति घन मीटर।
(c) 2500 किलो कैलोरी प्रति घन मीटर।
(d) 1800 किलो कैलोरी प्रति घन मीटर।

प्र 2. नीचे दो कथन दिए गए हैं- *(19 जून 2023 - शिफ्ट 1)*

कथन I- बायोडीजल को वनस्पति तेलों और पशु वसा से बनाया जा सकता है।

कथन II- बायोडीजल की श्यानता पेट्रोलियम डीजल की तुलना में काफी कम होती है।

उपरोक्त कथनों के प्रकाश में, नीचे दिए गए विकल्पों में से सबसे उपयुक्त उत्तर चुनें-

(a) कथन I और कथन II दोनों सही हैं
(b) कथन I और कथन II दोनों गलत हैं
(c) कथन I सही है लेकिन कथन II गलत है
(d) कथन I गलत है लेकिन कथन II सही है

उत्तर 1. (a) 2. (c)

क्लैरिटी कॉर्नर

बायोगैस, बायोफ्यूल, बायोडीजल और बायोमास के बीच भ्रमित हैं? आइए भ्रम को दूर करें।

ये सभी नवीकरणीय ऊर्जा स्रोत आपस में जुड़े हुए हैं क्योंकि ये जैविक सामग्री से प्राप्त होते हैं और जीवाश्म ईंधनों के लिए संवहनीय विकल्प प्रदान करते हैं।

- बायोमास कच्चे माल के रूप में कार्य करता है जिसे बायोगैस, बायोफ्यूल और बायोडीजल में परिवर्तित किया जा सकता है।
- बायोफ्यूल, एक व्यापक श्रेणी, में बायोगैस, एथेनॉल और बायोडीजल शामिल हैं, जो सभी बायोमास से प्राप्त होते हैं।
- बायोगैस एक प्रकार का बायोफ्यूल है जो बायोमास के अवायवीय पाचन के माध्यम से उत्पादित होता है।
- बायोडीजल एक विशिष्ट प्रकार का बायोफ्यूल है जो बायोमास से विशेष रूप से पौधों के तेलों और पशु वसा से बनाया जाता है।

कॉन्सेप्ट कैप्सूल

इलेक्ट्रिक वाहन (ईवी)

भारत इलेक्ट्रिक वाहनों (ईवी) को अपनाने की दिशा में तेजी से बढ़ रहा है, जो इसके भविष्य की परिवहन रणनीति का एक प्रमुख घटक है। टाटा मोटर्स जैसी कंपनियों के टाटा नेक्सॉन ईवी जैसे मॉडलों के साथ, देश स्वच्छ और अधिक संवहनीय गतिशीलता विकल्पों की ओर एक महत्वपूर्ण बदलाव देख रहा है। ईवी वाहन पूरी तरह से बैटरी पैक में संग्रहीत विद्युत पर चलता है। पारंपरिक कारों के विपरीत जो गैसोलीन या डीजल इंजनों पर निर्भर करती हैं, ईवी प्रोपल्शन के लिए इलेक्ट्रिक मोटर्स का उपयोग करते हैं। उन्हें अपनी बैटरियों को रिचार्ज करने के लिए एक इलेक्ट्रिक पावर स्रोत, जैसे चार्जिंग स्टेशन या वॉल आउटलेट में प्लग इन करने की आवश्यकता होती है।

हाइब्रिड इलेक्ट्रिक वाहन (एचईवी)

एक हाइब्रिड इलेक्ट्रिक वाहन (एचईवी) दो पावर स्रोतों के संयोजन का उपयोग करता है-

1. एक आंतरिक दहन इंजन या आईसीई (पेट्रोल/डीजल/गैसोलीन द्वारा ईंधन प्राप्त)
2. इलेक्ट्रिक मोटर (बैटरी द्वारा संचालित)

यह संयोजन ईंधन दक्षता में सुधार करने और उत्सर्जन को कम करने में मदद करता है। हाइब्रिड कारों के दो मुख्य प्रकार हैं- समानांतर हाइब्रिड और श्रृंखला हाइब्रिड।

हाइब्रिड कारों के प्रकार-

1. **समानांतर हाइब्रिड कार:** एक समानांतर हाइब्रिड में, चालक तीन पावर विकल्पों में से चुन सकता है- हाइब्रिड सिस्टम का उपयोग करना, आईसीई, या इलेक्ट्रिक मोटर। यह लचीलापन कार को कम ईंधन का उपयोग करने और अधिक कुशल होने में मदद करता है।
2. **श्रृंखला हाइब्रिड कार:** कार को चलाने के लिए मुख्य पावर स्रोत के रूप में इलेक्ट्रिक मोटर का उपयोग करती है। गैसोलीन/पेट्रोल इंजन केवल बैटरी को चार्ज करने के लिए विद्युत उत्पादन करता है, जिससे लंबी यात्राएं संभव होती हैं।

हाइब्रिड कारों के लाभ-

1. **ईंधन की बचत:** एचईवी कम गैसोलीन का उपयोग करते हैं क्योंकि वे धीरे-धीरे चलने या रुकने पर विद्युत पर स्विच करते हैं, जिससे ईंधन की बचत होती है।
2. **शांत संचालन:** इलेक्ट्रिक मोटर आईसीई की तुलना में शांत होती हैं, जिससे हाइब्रिड कारें चलाने में शांत होती हैं।
3. **कम रखरखाव लागत:** हाइब्रिड कारों में प्रायः कम रखरखाव लागत होती है क्योंकि इलेक्ट्रिक मोटर आईसीई पर टूट -फूट को कम करती है।
4. **कम उत्सर्जन:** हाइब्रिड कारें पारंपरिक गैसोलीन कारों की तुलना में कम उत्सर्जन करती हैं, जो पर्यावरण के लिए बेहतर है।
5. **कुल ईंधन लागत में कमी:** चूंकि हाइब्रिड कारें विद्युत का उपयोग कर सकती हैं (जो गैसोलीन से सस्ती हो सकती है) और आंतरिक दहन इंजन पर कम निर्भर करती हैं, ईंधन की कुल लागत कम होती है। इसके अतिरिक्त, इलेक्ट्रिक मोटर त्वरण के दौरान शक्ति प्रदान करती है, जिससे आवश्यक गैसोलीन की मात्रा कम हो जाती है।

अध्याय के मुख्य बिंदु

वन संसाधन

वन क्षेत्र में शीर्ष राज्यः
(इन राज्यों में भारत के लगभग आधे वन और वृक्ष आवरण है)
- मध्य प्रदेश (77,073 वर्ग किमी.)
- अरुणाचल प्रदेश (65,882 वर्ग किमी.)
- छत्तीसगढ़ (55,812 वर्ग किमी.)

(आँकड़े राज्य वन रिपोर्ट (ISFR) 2023 के अनुसार)

प्राकृतिक संसाधन

- नवीकरणीय संसाधन
- गैर-नवीकरणीय संसाधन

जीवाश्म ईंधन

प्राप्ति का माध्यम -
- फोटोवोल्टाइक (पीवी) सेल्स
- संकेंद्रित सौर ऊर्जा (सीएसपी)

पीवी से संबंधित तकनीक-
- ऑर्गेनिक फोटोवोल्टाइक (ओपीवी)
- फोटोइलेक्ट्रोकेमिकल (पीईसी) सौर सेल्स

फोटोइलेक्ट्रोड्स सीएसपी सेल्स से संबंधित तकनीक-
- सोलर कलेक्टर
- फ्लैट प्लेट कलेक्टर
- सोलर पोंड
- सोलर स्टिल

सौर ऊर्जा

- कोयला
- पेट्रोलियम (तेल)
- प्राकृतिक गैस
  - प्राकृतिक गैस हाइड्रेट्स
  - सीएनजी
  - पीएनजी
  - शेल गैस

भूतापीय ऊर्जा

कुल वैश्विक स्थापित क्षमता-
16,355 मेगावाट

भूतापीय ऊर्जा का उत्पादन करने वाले शीर्ष देश-
- संयुक्त राज्य अमेरिका
- इंडोनेशिया
- तुर्की
- फिलीपींस
- न्यूजीलैंड

भारत में भूतापीय संसाधन-
- हिमालय
- सोहाना
- पश्चिमी तट
- कैम्बे
- सोना-नर्मदा-तापी (सोनाटा)
- गोदावरी
- महानदी

पवन ऊर्जा

2024 की स्थिति अनुसार दुनिया में प्रमुख पवन ऊर्जा उत्पादक-
- चीन
- संयुक्त राज्य अमेरिका
- जर्मनी
- भारत
- स्पेन
- यूनाइटेड किंगडम

30 सितंबर 2024 की स्थिति अनुसार भारत में शीर्ष 5 पवन ऊर्जा उत्पादक राज्य-
- गुजरात
- तमिलनाडु
- कर्नाटक
- महाराष्ट्र
- राजस्थान

परमाणु ऊर्जा

प्राप्ति माध्यम
- विखंडन (परमाणु छोटे भागों में विभाजित होते हैं)
- संलयन (परमाणु मिलकर बड़ा नाभिक बनाते हैं)

परमाणु ईंधन
- यूरेनियम
- प्लूटोनियम
- थोरियम
- संवर्धित यूरेनियम (ईयू)
- मिश्रित ऑक्साइड ईंधन (एमओएक्स)

पनविद्युत शक्ति

भारत की क्षमता और परियोजनाएं-
1. कोयना बांध (महाराष्ट्र)- 1,960 मेगावाट
2. सरदार सरोवर बांध (गुजरात)- 1,450 मेगावाट
3. नाथपा झाकरी पावर स्टेशन (हिमाचल प्रदेश)- 1,500 मेगावाट
4. भाखड़ा नांगल बांध (हिमाचल प्रदेश और पंजाब)- 1,325 मेगावाट
5. तीस्ता लो बांध (सिक्किम)- 1,200 मेगावाट

बायोमास और बायोफ्यूल

- **बायोमासः** कच्चा माल जिसे बायोगैस, बायोफ्यूल, और बायोडीजल में परिवर्तित किया जा सकता है।
- **बायोफ्यूलः** बायोमास/जैविक सामग्री से बनाया गया नवीकरणीय ईंधन
  - **बायोडीजलः** वनस्पति तेलों, पशु वसा, या प्रयुक्त खाना पकाने के तेल (यूसीओ) से बनाया गया
  - **बायोगैसः** जैविक कचरे के अवायवीय पाचन के माध्यम से बनाया गया
  - **एथेनॉलः** मक्का और गन्ने जैसी फसलों से शर्करा का किण्वन करके उत्पादित

प्राकृतिक संकट तथा आपदाएँ (Natural Hazard and Disasters)

28

इस अध्याय में

परीक्षोपयोगी (Exam Essential): UGC NET परीक्षा में पूछे जाने की अत्यधिक संभावना, #CC का अर्थ है कॉन्सेप्ट कैप्सूल

परिचय (Introduction)

2004 में, हिंद महासागर में आए भूकंप और सुनामी ने 14 देशों में भारी तबाही मचाई, जिसमें 230,000 से ज्यादा लोग मारे गए और लाखों लोग विस्थापित हुए। यह दुखद घटना प्राकृतिक आपदाओं के समुदायों पर पड़ने वाले विनाशकारी प्रभाव को उजागर करती है। ऐसी घटनाएँ जीवन को अस्त-व्यस्त कर देती हैं, बुनियादी ढाँचे को नष्ट कर देती हैं और महत्वपूर्ण आर्थिक नुकसान पहुँचाती हैं। इन घटनाओं को समझने से हमें बेहतर तैयारी करने और उनके प्रभाव को कम करने में सहायता मिलती है।

प्राकृतिक आपदाएँ भूकंप, बाढ़, तूफान और ज्वालामुखी विस्फोट जैसे पर्यावरणीय कारकों के कारण होने वाली चरम, आकस्मिक घटनाएँ हैं। ये घटनाएँ गंभीर क्षति, विनाश तथा मानवीय पीड़ा का कारण बन सकती हैं। दूसरी ओर, प्राकृतिक आपदाएँ संभावित खतरे हैं, जिन्होंने अभी तक महत्वपूर्ण नुकसान नहीं पहुँचाया है, लेकिन ऐसा करने की क्षमता रखते हैं। प्रभावी आपदा तैयारी और शमन रणनीतियों को विकसित करने के लिए प्राकृतिक आपदाओं और खतरों के बीच अंतर को समझना आवश्यक है। यह अंतर कमजोरियों की पहचान करने और संभावित आपदाओं के जोखिम और प्रभाव को कम करने के उपायों को लागू करने में सहायता करता है।

28.1 विपदाओं/संकटों के प्रकार (Types of Hazards)

इस विषय को सरल बनाने वाले वीडियो व्याख्यान को देखने के लिए इस QR कोड को स्कैन करें

विपदा क्षति का एक संभावित स्रोत है जो चोट, संपत्ति को नुकसान तथा पर्यावरण क्षरण के नकारात्मक स्वास्थ्य प्रभावों का कारण बन सकता है। आइए अब आपदाओं के विभिन्न प्रकारों पर नजर डालें।

मानव-जनित विपदाएँ (Man-made Hazards)

मानव निर्मित/जनित विपदाएँ मानव गतिविधियों द्वारा उत्पन्न आपदाएँ हैं। ये आतंकवादी हमलों जैसे इरादतन किए गए कार्य या औद्योगिक दुर्घटनाओं जैसी आकस्मिक घटनाएँ हो सकती हैं। मानव निर्मित आपदाएँ चोट, संपत्ति को नुकसान, पर्यावरणीय क्षति और यहाँ तक कि मृत्यु का कारण बन सकती हैं। आइए मानव निर्मित आपदाओं के प्रकारों पर नजर डालें:

1. **आतंकवादी हमले (Terrorist Attacks)**- ये हिंसक कृत्य लोगों या सरकार को डराने या नियंत्रित करने के लिए योजनाबद्ध तरीके से किए जाते हैं। इनमें बम, गोलीबारी, अपहरण या यहां तक कि कंप्यूटर सिस्टम पर हमले भी शामिल हो सकते हैं।

2. **विमान दुर्घटनाएँ (Aircraft Crashes)** - ये तब होती हैं जब एक विमान उड़ान के दौरान किसी समस्या का सामना करता है और सुरक्षित रूप से लैंड नहीं कर पाता। यह एक टूटे हुए इंजन, पायलट की गलती या खराब मौसम के कारण हो सकता है। उदाहरण के लिए, एक विमान का पंख बिजली की चपेट में आ सकता है, जिससे वह दुर्घटनाग्रस्त हो सकता है।

3. **औद्योगिक दुर्घटनाएँ/आग/विस्फोट (Industrial Accidents/ Fires/Explosions)** - ये अप्रत्याशित घटनाएँ होती हैं जो कारखानों, विद्युत संयंत्रों या अन्य औद्योगिक क्षेत्रों में होती हैं और लोगों को तथा संपत्ति को नुकसान पहुँचा सकती हैं या पर्यावरण को प्रदूषित कर सकती हैं। उदाहरण के लिए, एक कारखाने में एक रासायनिक टैंक लीक हो सकता है, जिससे एक खतरनाक गैस का बादल बन सकता है।

4. **प्रदूषण की घटनाएँ (Pollution Incidents)** - यह तब होता है जब रसायन, तेल या अपशिष्ट जैसे हानिकारक पदार्थ वायु, जल या मिट्टी में छोड़े जाते हैं। इससे लोग बीमार हो सकते हैं, जानवरों तथा पर्यावरण को लंबे समय तक नुकसान पहुँच सकता है। उदाहरण के लिए, तेल ले जा रहा एक ट्रक दुर्घटनाग्रस्त हो सकता है और तेल नदी में गिर सकता है, जिससे मछलियाँ और अन्य वन्यजीव मर सकते हैं।

5. **जहाजरानी/रेल आपदाएँ (Shipping/Rail Disasters)** - ये बड़े जहाजों या ट्रेनों से संबंधित दुर्घटनाएँ होती हैं। ये वाहन की समस्या, चालक की गलती या खराब मौसम की स्थिति के कारण हो सकती हैं। उदाहरण के लिए, एक ट्रेन पटरी से उतर सकती है क्योंकि पटरी टूटी हुई हो सकती है।

6. **खनन दुर्घटनाएँ (Mining Accidents)** - ये खतरनाक घटनाएँ तब हो सकती हैं जब लोग कोयले या सोने जैसी चीजों के लिए भूमिगत खनन कर रहे हों। इन दुर्घटनाओं से चोट लग सकती है, लोग भूमिगत फंस सकते हैं या हानिकारक गैसें निकल सकती हैं। उदाहरण के लिए, खदान में सुरंग का एक हिस्सा ढह सकता है, जिससे खनिक सुरंग में भूमिगत फंस सकते हैं।

7. **भवन/पुल गिरना (Building/Bridge Collapse)**- ऐसा तब होता है जब कोई इमारत या पुल अचानक टूटकर गिर जाता है। ऐसा इसके निर्माण के तरीके में समस्या, जिस जमीन पर यह बना है उसका अस्थिर होना या भूकंप जैसी प्राकृतिक आपदा के कारण हो सकता है। उदाहरण के लिए, पुल इसलिए गिर सकता है क्योंकि इसे कारों और ट्रकों के वजन को सहने के लिए पर्याप्त मजबूत नहीं बनाया गया था।

8. **साइबर हमले (Cyber Attacks)**- ये हैकर्स द्वारा कंप्यूटर सिस्टम में सेंध लगाने, जानकारी चुराने, डेटा को नुकसान पहुँचाने या समस्याएँ पैदा करने के प्रयास हैं। ये व्यक्तिगत कंप्यूटर, व्यवसाय या यहाँ तक कि सरकारी व्यवस्था को भी निशाना बना सकते हैं। उदाहरण के लिए, कोई व्यक्ति लोगों के नेट बैंकिंग पासवर्ड चुराने के लिए बैंक के कंप्यूटर सिस्टम को हैक करने का प्रयास कर सकता है।

9. **धोखाधड़ी (Fraud)**- यह तब होता है जब कोई व्यक्ति जानबूझकर किसी दूसरे व्यक्ति को निजी लाभ के लिए धोखा देता है, जिसमें अक्सर पैसे शामिल होते हैं। उदाहरण के लिए, कोई व्यक्ति ऑनलाइन चीजें खरीदने के लिए चोरी किए गए क्रेडिट कार्ड का इस्तेमाल कर सकता है।

10. **पर्यावरणीय विपदाएँ (Environmental Hazards)**- ये विपदाएँ मानवजनित गतिविधियों के कारण होती हैं। इनमें ग्रीन हाउस प्रभाव, वनों की कटाई, सूखती झीलें आदि शामिल हैं।

प्राकृतिक विपदाएँ (Natural Hazards)

प्राकृतिक विपदाएँ कभी-कभी प्राकृतिक आपदाओं का कारण बन सकती हैं। एक प्राकृतिक विपदा तब आपदा बन जाती है जब यह एक निश्चित सीमा को पार कर जाती है, जिससे समाज या समुदाय को अत्याधिक नुकसान होता है, और जब समुदाय अपने उपलब्ध संसाधनों से काम नहीं चला पाता है। आइए हम प्राकृतिक विपदाओं के विभिन्न प्रकारों पर नजर डालें।

1. **भूभौतिकीय विपदाएँ (Geophysical Hazards)**- भूभौतिकीय विपदाएँ प्राकृतिक घटनाएँ होती हैं जो पृथ्वी की सतह के नीचे की गतिविधियों और संचलनों के कारण होती हैं (इन्हें विवर्तनिकी और भूकंपीय गतिविधियाँ भी कहा जाता है)। इनमें भूकंप, ज्वालामुखी विस्फोट, सुनामी, ज्वालामुखी, तूफान, बवंडर, अवतलन और हिमस्खलन जैसी घटनाएँ शामिल हैं।

2. **जलविज्ञान संबंधी विपदाएँ (Hydrological Hazards)**- इनमें बाढ़ जैसी जल-संबंधी घटनाएं शामिल हैं, जो तब होती हैं जब किसी क्षेत्र में अत्यधिक पानी होता है, अक्सर भारी बारिश या नदियों के उफान के कारण, जिससे इमारतों, सड़कों और फसलों को नुकसान पहुंचता है।

3. **मौसम संबंधी विपदाएँ (Meteorological Hazards)**- इनमें मौसम से संबंधित घटनाएँ शामिल होती हैं जैसे हिम झंझावात, चक्रवात और तूफान।

4. **जलवायु संबंधी विपदाएँ (Climatological Hazards)**- ये दीर्घकालिक जलवायु स्थितियों से संबंधित होती हैं जैसे सूखा और वन्य अग्नि।

5. **जैविक विपदाएँ (Biological Hazards)**- इनमें जैविक जीवों से जुड़ी घटनाएँ शामिल हैं, जैसे महामारी। महामारी एक बीमारी का प्रकोप है जो एक विस्तृत भौगोलिक क्षेत्र में फैलती है और आबादी के एक महत्वपूर्ण भाग को प्रभावित करती है। उदाहरणों में COVID-19 महामारी और इन्फ्लूएंजा महामारी शामिल हैं।

6. **जलवायु परिवर्तन/वैश्विक तापन से प्राकृतिक विपदाएँ (Natural Hazards Due to Climate Change/Global Warming)**- जलवायु परिवर्तन और वैश्विक तापन कई प्राकृतिक विपदाओं की आवृत्ति और गंभीरता को बढ़ाते हैं। ये खतरे मुख्य रूप से जल-मौसम विज्ञान और जलवायु विज्ञान से संबंधित हैं (तालिका 28.1)। उदाहरण के लिए, वैश्विक तापमान में वृद्धि के कारण अधिक तीव्र और निरंतर उष्ण लहरें, सूखा एवं जंगल की आग लग सकती है। उष्ण महासागर मजबूत और अधिक विनाशकारी तूफान और हरीकेन में योगदान करते हैं। हिमनद और ध्रुवीय बर्फ की टोपियां पिघलने से समुद्र का स्तर बढ़ सकता है, जिससे तटीय बाढ़ का खतरा बढ़ सकता है। जलवायु परिवर्तन मौसम के प्रतिरूप को भी बदल सकता है, जिससे अप्रत्याशित और चरम मौसमी घटनाएं हो सकती हैं। तालिका 28.1 जलवायु परिवर्तन के कारण होने वाले प्राकृतिक खतरों या विपदाओं के प्रकारों को संक्षेप में प्रस्तुत करती है।

तालिका 28.1 जलवायु परिवर्तन द्वारा प्राकृतिक विपदाओं के प्रकार

विपदा का प्रकार	विवरण	उदाहरण
जल मौसम विज्ञान संबंधी संकट	बाढ़, तूफान, उष्ण लहर	तूफानों, टाइफून और उष्ण लहरों की बढ़ती आवृत्ति एवं तीव्रता
जलवायु संबंधी संकट	सूखा, वन अग्नि	लंबे समय तक सूखा जिससे जल की कमी, व्यापक वन-अग्नि

क्विज स्टेशन *विगत UGC NET परीक्षाओं के प्रश्न*

प्र.1. निम्नलिखित में से कौन सा एक मौसम संबंधी संकट है?

(a) हिमस्खलन
(b) तटीय अपरदन
(c) भूस्खलन
(d) बर्फीला तूफान

प्र.2. निम्नलिखित में से भौगोलिक उत्पत्ति का प्राकृतिक संकट पहचानें-

A. जंगल की आग   B. बाढ़
C. अवतलन   D. सुनामी
E. उष्ण लहर

विकल्प-

(a) केवल A, B, C और D
(b) केवल B और C
(c) केवल B, C और D
(d) केवल B, C, D और E

उत्तर 1. (d) 2. (c)

28.2 रोकथाम उपायों के प्रकार (Types of Prevention Measures)

रोकथाम का उद्देश्य यह सुनिश्चित करना है कि मानव क्रियाएं या प्राकृतिक घटनाएं आपदाओं या आपात स्थितियों का परिणाम न बनें। रोकथाम का उद्देश्य आपदाओं या आपात स्थितियों को होने से पहले कार्रवाई करके रोकना है। इसमें संभावित खतरों/विपदाओं से बचने के लिए सक्रिय उपाय शामिल हैं। आइए कुछ महत्वपूर्ण उपायों पर नजर डालें।

संरचनात्मक उपाय (Structural Measures)

संरचनात्मक उपायों में इमारतों और समुदायों को आपदाओं से सुरक्षित बनाने के लिए भौतिक परिवर्तन या कार्रवाई शामिल है। ये क्रियाएं नए निर्माण विधियों का उपयोग करके या सुरक्षित क्षेत्रों में स्थानांतरित करके लोगों और संपत्ति की सीधे रक्षा करती हैं। संरचनात्मक उपायों में अक्सर इमारतों और बुनियादी ढांचे में महत्वपूर्ण परिवर्तन शामिल होते हैं। उदाहरणों में शामिल हैं:

1. **बाढ़ तटबंध/डाइक (Flood Dykes)**- बाढ़ तटबंध वे बाधाएं हैं जो नदी के जल को आसपास के क्षेत्रों में बहने से रोकने के लिए बनाई जाती हैं, जिससे बाढ़ का खतरा कम हो जाता है।
2. **बाढ़-प्रवण क्षेत्रों में घरों को उठाना (Raising of Homes in Flood-Prone Areas)**- इस उपाय में बाढ़ के दौरान जल से होने वाले नुकसान को रोकने के लिए घरों को अपेक्षित बाढ़ के स्तर से ऊपर उठाना शामिल है। इमारत को बाढ़ के स्तर से ऊपर उठाने से जल की आवास वाले क्षेत्रों में प्रवेश करने की संभावना कम हो जाती है, जिससे संपत्ति और सामान को नुकसान होने का जोखिम कम हो जाता है।
3. **बवंडर सुरक्षित कमरों को मजबूत करना (Reinforce Tornado Safe Rooms)**- बवंडर का सामना करने के लिए इमारत में विशेष कमरों को मजबूत बनाना। इन कमरों का निर्माण मजबूत सामग्रियों से किया जाता है और बवंडर से जुड़ी तेज हवाओं और उड़ते मलबे का सामना करने के लिए दीवारों, फर्श और छतों को मजबूत बनाया जाता है। सुरक्षित कमरों को मजबूत बनाने से यह सुनिश्चित होता है कि लोगों के पास बवंडर की चेतावनी के दौरान आश्रय के लिए सुरक्षित स्थान हो, जिससे वायु से संबंधित खतरों के कारण चोट लगने या मृत्यु का जोखिम कम हो जाता है।
4. **पवनरोधी या भूकंपरोधी कमरे बनाना (Build Windproof or Earthquake-Proof Rooms)**- ये इमारतों के अंदर विशेष कमरे हैं जो चरम मौसम या भूकंप के दौरान मजबूत बने रहने के लिए बनाए गए हैं। इन कमरों में बहुत मजबूत सामग्री और अतिरिक्त सहारे का उपयोग किया जाता है ताकि तूफान या आंधी से आने वाली शक्तिशाली हवाओं और भूकंप के दौरान होने वाले झटकों का सामना किया जा सके।

गैर-संरचनात्मक उपाय (Non-Structural Measures)

गैर-संरचनात्मक उपाय वे तरीके हैं जिनसे आपदाओं के लिए तैयारी और प्रतिक्रिया की जाती है जो इमारतों या बुनियादी ढांचे को भौतिक रूप से बदलने में शामिल नहीं होते। इसके स्थान पर, ये उपाय शिक्षा, योजना और मानसिक तैयारी पर ध्यान केंद्रित करते हैं ताकि समुदायों और व्यक्तियों को आपात स्थितियों को संभालने में सुधार हो सके। ये उपाय स्थानीय स्तर पर लोकप्रिय हैं और रक्षात्मक सुरक्षा के रूप में भी जाने जाते हैं। गैर-संरचनात्मक उपायों में जानकारी, शिक्षा और संचार उपकरण प्रदान करना शामिल है ताकि तैयारी और प्रतिक्रिया क्षमताओं को बढ़ाया जा सके। उदाहरण शामिल हैं-

1. **भूमि-उपयोग क्षेत्र निर्धारण (Land-Use Zoning)**- इसमें योजना बनाना और विनियमित करना शामिल है कि इमारतें और बुनियादी ढांचा कहाँ और कैसे विकसित किए जाते हैं। क्षेत्रों का विशिष्ट उपयोगों के लिए क्षेत्र निर्धारण करके, जैसे कि बाढ़-प्रवण क्षेत्रों से घरों को दूर रखना या भूकंप क्षेत्रों में निर्माण से बचना, समुदाय आपदा जोखिमों को कम कर सकते हैं।

2. **बीमा कार्यक्रम (Insurance Programmes)**- ये कार्यक्रम लोगों और व्यवसायों को आपदाओं से होने वाले नुकसान के खिलाफ वित्तीय सुरक्षा प्रदान करते हैं। बीमा मरम्मत या क्षतिग्रस्त संपत्ति को बदलने की लागत को कवर करने में मदद करता है, जिससे आपदा के बाद वित्तीय बोझ कम होता है।
3. **प्रशिक्षण और शिक्षा (Training and Education)**- ऐसे कार्यक्रम जो लोगों को आपदाओं का प्रभावी ढंग से जवाब देने के लिए सिखाते हैं। वे आपात स्थितियों के दौरान आवश्यक ज्ञान और कौशल प्रदान करते हैं, जैसे कि प्राथमिक चिकित्सा प्रशिक्षण या निकासी प्रक्रियाओं को सीखना। शिक्षा समुदायों को संकट के दौरान बेहतर तैयार और संगठित होने में मदद करती है।
4. **मानसिक तैयारी कार्यक्रम (Mental Preparedness Programmes)**- ऐसे कार्यक्रम जो लोगों को आपदाओं का प्रभावी ढंग से सामना करना सिखाते हैं। वे आपातकालीन स्थितियों के दौरान आवश्यक ज्ञान और कौशल प्रदान करते हैं, जैसे कि प्राथमिक चिकित्सा प्रशिक्षण या निकासी प्रक्रियाओं को सीखना। शिक्षा समुदायों को संकट के दौरान बेहतर ढंग से तैयार और संगठित होने में सहायता करती है।

क्विज स्टेशन *विगत UGC NET परीक्षाओं के प्रश्न*

प्र.1. नीचे दिए गए आपदा शमन उपायों में से, उस उपाय की पहचान करें जिसे गैर-संरचनात्मक के रूप में वर्णित किया जा सकता है-

A. बाढ़ डाइक
B. भूमि-उपयोग क्षेत्र निर्धारण
C. बाढ़-प्रवण क्षेत्रों में घरों को उठाना
D. बीमा कार्यक्रम
E. बवंडर सुरक्षित कमरों को मजबूत करना

नीचे दिए गए विकल्पों में से सही उत्तर चुनें-

(a) केवल B और D (b) केवल A, B और D
(c) केवल B, D और E (d) केवल A, B, D और E

उत्तर 1. (a)

परीक्षोपयोगी

28.3 भूकंप (Earthquake)

भूकंप पृथ्वी की सतह का आकस्मिक रूप से हिलना है; जो भूपपर्टी में संचलनों के कारण होता है। यह संचलन अप्रत्याशित रूप से होता है, जिससे यह अनुमान लगाना कठिन हो जाता है कि यह कब होगा।

इस विषय को सरल बनाने वाले वीडियो व्याख्यान को देखने के लिए इस QR कोड को स्कैन करें

भूकंप कैसे आते हैं (How Earthquakes Happen)- पृथ्वी की बाहरी परत, जिसे क्रस्ट कहा जाता है, बड़े पिंडों से बनी होती है जिन्हें प्लेट्स कहा जाता है। ये प्लेट्स हमेशा बहुत धीरे-धीरे चलती रहती हैं। कभी-कभी, वे एक-दूसरे के विपरीत धक्का देती हैं, अलग हो जाती हैं, या एक-दूसरे के पास से गुजरती हैं। जब यह संचलन बहुत अधिक दाब और तनाव उत्पन्न करता है, तब यह भूपपर्टी के अचानक टूटने या खिसकने का कारण बन सकता है। बल के इस उत्सर्जन से ऊर्जा की तरंगें निर्मुक्त होती हैं जो धरती को हिला देती हैं, जिससे भूकंप आता है।

प्लेट संचलन के उदाहरण

- **महाद्वीपों का निर्माण (Formation of Continents)**- लाखों वर्ष पहले, सभी पृथ्वी के महाद्वीप एक अधिमहाद्वीप (supercontinent) पैंजिया में जुड़े हुए थे। समय के साथ, प्लेटें अलग हो गई, जिससे आज के महाद्वीप बने।
- **हिमालय का निर्माण (Himalayas Formation)**- भारतीय और यूरेशियन प्लेटों के बीच टकराव एक-दूसरे के विपरीत धक्का देता रहता है, जिससे हिमालय पर्वत बनते हैं और उस क्षेत्र में भूकंप आते हैं।

क्या आप जानते हैं- भूकंप आपदा जोखिम सूचकांक रिपोर्ट से पता चलता है कि भारत का लगभग 59 प्रतिशत क्षेत्र मध्यम से बड़े भूकंपों के लिए संवेदनशील है।

भूकंपीय तरंगें (Seismic Waves)

भूकंपीय तरंगें वे ऊर्जा तरंगें हैं जो भूकंप या अन्य भूवैज्ञानिक गतिविधि के परिणामस्वरूप पृथ्वी के माध्यम से यात्रा करती हैं। ये तरंगें यह समझने के लिए महत्वपूर्ण हैं कि भूकंप कैसे काम करते हैं और उनके प्रभाव को कैसे माप सकते है। भूकंपीय तरंगों के दो मुख्य प्रकार हैं- भूगर्भिक तरंगें और सतही / धरातलीय तरंगें (चित्र 28.1)।

भूगर्भिक तरंगें (Body Waves)

भूगर्भिक तरंगें पृथ्वी के आंतरिक भाग के माध्यम से यात्रा करती हैं और दो प्रकारों में विभाजित होती हैं (चित्र 28.2)-

1. **P-तरंगें (प्राथमिक तरंगें)**
   - **गति**- P-तरंगें सबसे तीव्र भूकंपीय तरंगें हैं।
   - **संचलन** - ये पदार्थों को संकुचित और विस्तारित करके चलती हैं (जैसे धक्का देना और खींचना)।
   - **माध्यम**- ये ठोस चट्टान, जल जैसी तरल पदार्थों और यहां तक कि गैसों के माध्यम से गमन कर सकती हैं।
   - **प्रभाव**- P-तरंगें भूकंप के दौरान भूकंप-मापी यंत्र (सिस्मोग्राफ) द्वारा पहली बार पता लगाई जाती हैं।
2. **S-तरंगें (माध्यमिक तरंगें)**
   - **गति** - S-तरंगें P-तरंगों से धीमी होती हैं।
   - **संचलन**- ये तरंगों की यात्रा की दिशा के लंबवत (ऊपर और नीचे) कणों को हिलाकर गमन करती हैं।
   - **माध्यम**- S-तरंगें केवल ठोस पदार्थों के माध्यम से यात्रा कर सकती हैं, तरल पदार्थों या गैसों के माध्यम से नहीं।
   - **प्रभाव**- ये P-तरंगों के बाद आती हैं और संचलन या कंपन के रूप में महसूस की जाती हैं।

धरातलीय तरंगें (Surface Waves)

धरातलीय तरंगें पृथ्वी की सतह के साथ यात्रा करती हैं और भूगर्भिक की तरंगों की तुलना में अधिक क्षति का कारण बनती हैं। दो मुख्य प्रकार हैं (चित्र 28.2)-

1. **लव तरंगें (Love Waves)**
   - **संचलन** - लव तरंगें जमीन को क्षैतिज रूप से एक तरफ से दूसरी तरफ ले जाती हैं।

- **गति**- ये रेले तरंगों की तुलना में तीव्र होती हैं।
- **प्रभाव**- ये भूकंप के दौरान इमारतों को होने वाले नुकसान के लिए जिम्मेदार होती हैं।

2. रेले तरंगें (Rayleigh Waves)

- **संचलन** - रेले तरंगें जमीन के साथ समुद्र की तरंगों के समान एक रोलिंग गति में चलती हैं।
- **गति**- ये लव तरंगों की तुलना में धीमी होती हैं।
- **प्रभाव**- ये भूकंप के दौरान महसूस होने वाले झटकों के लिए जिम्मेदार होती हैं।

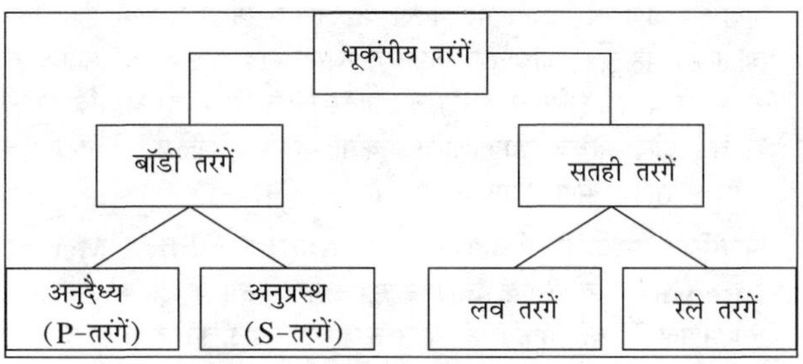

चित्र 28.1 भूकंपीय तरंगों के प्रकार

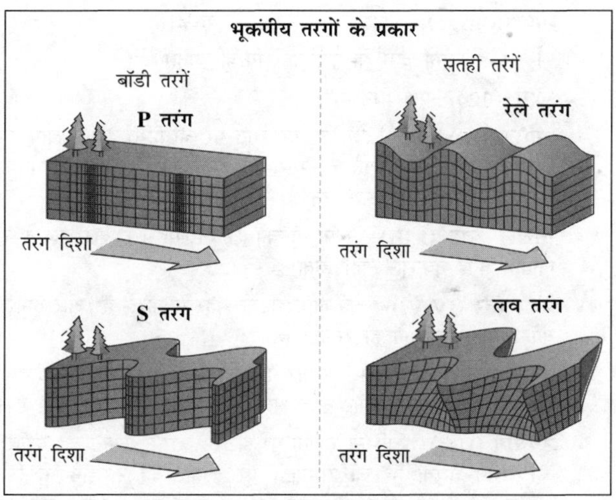

चित्र 28.2 भूगर्भिक और धरातलीय तरंगें

क्विज स्टेशन *विगत UGC NET परीक्षाओं के प्रश्न*

प्र.1. S और P तरंगें किससे संबंधित हैं

(a) बाढ़ डाइक (b) पवन ऊर्जा
(c) भूकंप (d) ज्वारीय ऊर्जा

उत्तर 1. (c)

भारत में भूकंपीय क्षेत्र (Seismic Zones in India)

भारत को चार भूकंपीय क्षेत्रों में विभाजित किया गया है- क्षेत्र II, III, IV और V, जिसमें क्षेत्र V सबसे अधिक भूकंपीय रूप से सक्रिय है और क्षेत्र II सबसे कम सक्रिय है। निम्नलिखित तालिका 28.2 में क्षेत्र II, क्षेत्र III, क्षेत्र IV और क्षेत्र V में शामिल राज्यों का उल्लेख है।

तालिका 28.2 भूकंपीय क्षेत्र

भूकंपीय क्षेत्र	जोखिम स्तर	क्षेत्र
क्षेत्र II	(निम्न जोखिम)	मध्य भारत, राजस्थान, कर्नाटक और महाराष्ट्र के कुछ हिस्से
क्षेत्र III	(मध्यम जोखिम)	मुंबई, चेन्नई, गोवा, तेलंगाना, आंध्र प्रदेश, पूर्वी राजस्थान, हरियाणा, पंजाब, हिमाचल प्रदेश, उत्तराखंड और बिहार के कुछ हिस्से
क्षेत्र IV	(उच्च जोखिम)	दिल्ली, हरियाणा, हिमाचल प्रदेश, उत्तराखंड, जम्मू-कश्मीर के कुछ हिस्से, उत्तरी बिहार, पश्चिम बंगाल, सिक्किम और पूर्वोत्तर के कुछ हिस्से
क्षेत्र V	(बहुत उच्च जोखिम)	संपूर्ण पूर्वोत्तर, अंडमान और निकोबार द्वीप समूह, उत्तरी उत्तराखंड, जम्मू और कश्मीर के कुछ हिस्से, और बिहार (नेपाल के पास)

भूकंप की तीव्रता मापना (Measuring Earthquake Intensity)

भूकंप की तीव्रता को मापने से हमें यह समझने में सहायता मिलती है कि यह कितना मजबूत है और यह कितनी ऊर्जा छोड़ता है। यह जानकारी भूकंपों से निपटने और पुनर्प्राप्ति की योजना बनाने के लिए महत्वपूर्ण है। रिक्टर स्केल और सिस्मोग्राफ इस प्रक्रिया में उपयोग किए जाने वाले प्रमुख उपकरण हैं।

भूकंप-मापी यंत्र (सिस्मोग्राफ)

1. **उद्देश्य**- एक उपकरण जो भूकंप के दौरान जमीन के कंपन को रिकॉर्ड करता है।
2. **कार्य**- यह भूकंपीय तरंगों का प्रग्रहण कर एक दृश्य रिकॉर्ड बनाता है जिसे सिस्मोग्राम कहा जाता है।
3. **उपयोग**- सिस्मोग्राम से प्राप्त डेटा का उपयोग रिक्टर स्केल पर भूकंप की तीव्रता की गणना के लिए किया जाता है। यह जानकारी भूकंप-प्रतिरोधी संरचनाओं को डिजाइन करने और आपातकालीन प्रतिक्रियाओं की योजना बनाने के लिए महत्वपूर्ण है। उदाहरण के लिए, सिस्मोग्राफ से प्राप्त डेटा का उपयोग कैलिफोर्निया और जापान जैसे भूकंप-प्रवण क्षेत्रों में भवन कोड और निर्माण प्रथाओं में सुधार के लिए किया जाता है।

रिक्टर मापनी (Richter Scale)

रिक्टर मापनी एक संख्यात्मक मापनी है जिसका उपयोग भूकंपों की तीव्रता को मापने के लिए किया जाता है। इसे 1935 में चार्ल्स एफ. रिक्टर, एक

अमेरिकी भूकंपविज्ञानी द्वारा विकसित किया गया था, और यह भूकंपीय घटनाओं के आकार को मापने के लिए सबसे प्रसिद्ध तरीकों में से एक है।

1. **उद्देश्य (Purpose)**- रिक्टर मापनी भूकंप की तीव्रता को मापता है, जो हमें बताता है कि यह कितनी ऊर्जा छोड़ता है। यह एक एकल संख्या प्रदान करता है जो भूकंप के आकार का प्रतिनिधित्व करता है, यह दर्शाता है कि स्रोत पर कितनी ऊर्जा छोड़ी गई थी। यह संख्या दर्शाती है कि भूकंप कितना शक्तिशाली है। उदाहरण के लिए, 2011 में जापान में तोहोकू भूकंप की तीव्रता 9.0 थी, जिसका अर्थ है कि इसने बहुत बड़ी मात्रा में ऊर्जा निर्मुक्त की थी।
2. **रिक्टर स्केल के अनुसार भूकंप की तीव्रता (Earthquake Magnitude as per Richter Scale)**-
   - **सूक्ष्म भूकंप (2.0 से कम)**- ये बहुत छोटे होते हैं और आमतौर पर मनुष्यों द्वारा महसूस नहीं किए जाते।
   - **मामूली भूकंप (2.0-2.9)**- अक्सर हल्के कंपन या झटके के रूप में महसूस होते हैं, लेकिन वे शायद ही कभी कोई नुकसान पहुंचाते हैं।
   - **मध्यम भूकंप (3.0-5.9)**- इमारतों और बुनियादी ढांचे को मध्यम नुकसान पहुंचा सकते हैं, विशेष रूप से यदि वे सघन आबादी वाले क्षेत्रों में होते हैं।
   - **प्रमुख भूकंप (6.0-6.9)**- महत्वपूर्ण नुकसान और व्यापक विनाश का कारण बन सकते हैं।
   - **वृहद भूकंप (7.0 और उससे अधिक)**- ये सबसे शक्तिशाली भूकंप होते हैं, जो बड़े क्षेत्रों में विनाशकारी नुकसान और व्यापक विनाश का कारण बन सकते हैं।
3. **तीव्रता की तुलना (Magnitude Comparison)**- एक अधिक संख्या का अर्थ है अधिक शक्तिशाली भूकंप। 7.0 तीव्रता का भूकंप 5.0 तीव्रता के भूकंप से कहीं अधिक शक्तिशाली होता है।
4. **माप (Measurement)**- रिक्टर स्केल एक लघुगणकीय मापनी का उपयोग करता है, जिसका अर्थ है कि प्रत्येक पूर्ण संख्या वृद्धि कंपन आयाम (भूमि की गति) में दस गुना वृद्धि और 30-32 गुना अधिक ऊर्जा निर्मुक्ति का प्रतिनिधित्व करती है। उदाहरण के लिए-
   - 6.0 तीव्रता का एक भूकंप 5.0 तीव्रता के भूकंप की तुलना में लगभग 32 गुना अधिक ऊर्जा निर्मुक्त करता है।
   - साथ ही, यह 5.0 तीव्रता के भूकंप की तुलना में दस गुना अधिक तीव्रता से भूमि को हिलाता है।
5. **उपयोग (Usage)**- रिक्टर स्केल का व्यापक रूप से 20वीं सदी के मध्य में उपयोग किया गया था और इसने वैश्विक स्तर पर भूकंप के आकार की तुलना करने का एक मानकीकृत तरीका प्रदान किया। हालांकि, इसे बड़े भूकंपों के लिए अधिक सटीक माप प्रदान करने वाले और दूरी या स्थान से सीमित नहीं होने वाले क्षण परिमाण (MW) स्केल द्वारा काफी हद तक प्रतिस्थापित कर दिया गया है। (MW स्केल का इस अध्याय में बाद में विस्तार से चर्चा की गई है।)
6. **सीमा (Limitation)** - यह मापन सैद्धांतिक रूप से शून्य से शुरू होता है, लेकिन 3.0 से कम या 7.0 से अधिक तीव्रता वाले भूकंपों को रिक्टर स्केल द्वारा कम सटीकता से मापा जाता है। 3.0 से कम तीव्रता वाले सूक्ष्म भूकंप अक्सर लोगों द्वारा महसूस नहीं किए जाते, और 7.0 से अधिक तीव्रता वाले बहुत बड़े भूकंप कभी-कभी कम आंके जा सकते हैं। हालांकि असामान्य, 9.0 की तीव्रता से अधिक भूकंप भी हो सकते हैं, जो मापनी की ऊपरी सीमा को चुनौती देते हैं।

भूकंप मापने के लिए उपयोग किए जाने वाले अन्य स्केल/मापनी (Other Scales used to Measure Earthquakes)

1. **MW मापनी, या क्षण परिमाण मापनी** (Moment Magnitude Scale), एक मापनी है जिसका उपयोग घटना के दौरान छोड़े गए भूकंपीय क्षण के आधार पर भूकंप के आकार को मापने के लिए किया जाता है। यह एक आधुनिक मापन है जिसने बड़े भूकंपों को सटीक रूप से मापने के लिए रिक्टर स्केल को प्रतिस्थापित किया है। यह विशेष रूप से बड़े और अधिक शक्तिशाली भूकंपों के लिए भूकंप की तीव्रता का अधिक सटीक माप प्रदान करता है।
2. **संशोधित मरकैली तीव्रता/गहनता (MMI-Modified Mercalli Intensity)** स्केल एक विशिष्ट स्थान पर भूकंप के झटकों की तीव्रता को मापता है। यह भूकंप की कुल ऊर्जा पर ध्यान केंद्रित करने के स्थान पर, लोगों, इमारतों और परिदृश्य पर इसके प्रभावों को देखता है।
   - **ध्यान (Focus)**- विशिष्ट स्थानों पर झटकों की तीव्रता को मापता है।
   - **माप (Range)**- यह स्केल I से XII तक है।
     - I (1)- लोगों द्वारा महसूस नहीं किया जाता।
     - XII (12)- पूर्ण विनाश।
   - **आधार (Basis)**- तीव्रता स्तर इस बात पर आधारित है कि लोग क्या देखते और महसूस करते हैं, साथ ही इमारतों और अन्य संरचनाओं को हुए नुकसान पर आधारित है। उदाहरण के लिए-
   - **निचले स्तर (I-III)**- लोग हल्का कंपन महसूस कर सकते हैं, लेकिन कोई नुकसान नहीं होता।
   - **मध्य स्तर (IV-VI)**- कई लोग झटके महसूस करते हैं, और इमारतों को मामूली नुकसान हो सकता है।
   - **उच्च स्तर (VII-XII)**- गंभीर झटके होते हैं, जिससे महत्वपूर्ण संरचनात्मक नुकसान और कुछ क्षेत्रों में पूर्ण विनाश हो सकता है।
   - **उपयोग (Use)**- विभिन्न स्थानों पर झटकों और नुकसान की गंभीरता का वर्णन करता है, जो समुदायों पर प्रभाव को समझने के लिए उपयोगी है। क्षण परिमाण मापनी (MW) अब भूकंप की तीव्रता को मापने के लिए रिक्टर मापनी की तुलना में अधिक पसंद किया जाता है क्योंकि यह भूकंप की कुल ऊर्जा निर्मुक्ति का अधिक सटीक माप प्रदान करता है।

मुख्य अंतर (Key Differences):

- **ध्यान** - MW स्केल ऊर्जा निर्मुक्ति के आधार पर भूकंप के आकार पर ध्यान केंद्रित करता है, जबकि MMI स्केल भूकंप के प्रभावों और इसे स्थानीय रूप से कैसे महसूस किया जाता है, पर ध्यान केंद्रित करता है।
- **माप**- MW स्केल भूकंपीय ऊर्जा के वैज्ञानिक माप का उपयोग करता है, जबकि MMI स्केल लोगों और बुनियादी ढांचे से प्राप्त अवलोकनों और रिपोर्टों पर निर्भर करता है।

- **उपयोग** – वैज्ञानिकों और भूकंपविज्ञानियों द्वारा वैश्विक स्तर पर भूकंपों को वर्गीकृत करने के लिए MW पैमाना उपयोग किया जाता है। MMI पैमाना स्थानीय स्तर पर समुदायों और बुनियादी ढांचे पर भूकंपों के प्रभाव को समझने के लिए उपयोग किया जाता है।

अवतलन (Subsidence)

अवतलन पृथ्वी की सतह का धीरे-धीरे डूबना या नीचे जाना है, जो विभिन्न प्राकृतिक या मानव गतिविधियों के कारण होता है। यह कई कारणों से हो सकता है-

1. **प्राकृतिक कारण (Natural Causes):**
   - **भूकंप**- भूकंप के बाद, जमीन खिसक सकती है और बैठ सकती है, जिससे अवतलन / धंसाव हो सकता है।
   - **भूमिगत जल का संचलन**- भूमिगत जल के संचलन जैसी प्राकृतिक प्रक्रियाएं जमीन को डूबा सकती हैं।
2. **मानव गतिविधियाँ (Human Activities):**
   - **खनन**- जमीन से खनिज निकालने से खाली स्थान बन सकते हैं, जिससे भू-अवतलन हो सकता है।
   - **जल पंप करना**- भूमिगत जलाशयों से बड़ी मात्रा में जल निकालने से ऊपर की जमीन डूब सकती है।

अवतलन के प्रभाव (Effects of Subsidence)- भू-अवतलन के कारण इमारतें टूट सकती हैं, झुक सकती हैं या धंस सकती हैं तथा सड़कें असमान और क्षतिग्रस्त हो सकती हैं।

रोकथाम (Prevention):

1. **सावधानीपूर्वक योजना (Careful Planning)**- भूमि और जल का उपयोग कैसे करें, इसकी योजना बनाकर अवतलन को रोका जा सकता है।
2. **संसाधनों का प्रबंधन (Managing Resources)**- भूमिगत संसाधनों, जैसे खनिज और जल का सही तरीके से प्रबंधन करने से जोखिम को कम किया जा सकता है।

क्विज स्टेशन *विगत UGC NET परीक्षाओं के प्रश्न*

प्र.1. रिक्टर मापनी पर 6.0-6.9 की सीमा में भूकंप को माना जाता है।

(a) मध्यम (b) मजबूत

(c) प्रमुख (d) वृहद

प्र.2. भूकंप के मामले में, रिक्टर मापनी पर 1 की वृद्धि का अर्थ है।

(a) भूकंपीय तरंगों के आयाम में 10 गुना वृद्धि

(b) भूकंपीय तरंगों की ऊर्जा में 10 गुना वृद्धि

(c) भूकंपीय तरंगों के आयाम में दो गुना वृद्धि

(d) भूकंपीय तरंगों की ऊर्जा में दो गुना वृद्धि

उत्तर 1. (b) 2. (a)

28.4 सुनामी (Tsunami)

सुनामी विशाल तरंगें होती हैं जो समुद्र के गहरे भाग में प्राकृतिक घटनाओं जैसे भूकंप, ज्वालामुखी विस्फोट, या भूस्खलन के कारण उत्पन्न होती हैं। 'सुनामी' (tsunami) शब्द जापानी शब्द 'त्सू' (tsu) (अर्थात बंदरगाह) और 'नामी' (nami) (अर्थात लहर) से आया है। ये लहरें अपनी बहुत लंबी तरंग-लंबाई के लिए जानी जाती हैं, जो उन्हें समुद्र में लंबी दूरी तक तेजी से यात्रा करने में सक्षम बनाती हैं।

सुनामी की विशेषताएँ (Characteristics of Tsunamis)

1. **तरंगदैर्ध्य और गति (Wavelength and Speed)**- सुनामी की तरंगदैर्ध्य 10 से 500 किलोमीटर तक हो सकती है और गहरे समुद्र के जल में 800 किलोमीटर प्रति घंटे की गति से यात्रा कर सकती है।
2. **तट के पास व्यवहार (Behaviour near Shore)**- जैसे ही सुनामी उथले तटीय क्षेत्रों के पास आती है, उनकी गति बढ़ जाती है और उनकी तरंगदैर्ध्य कम हो जाती है, जिससे वे ऊंचाई में नाटकीय रूप से बढ़ जाती हैं (चित्र 28.3)।
3. **भूमि पर प्रभाव (Impact on Land)**- जब सुनामी तट पर पहुंचती है, तो वे शक्तिशाली और विनाशकारी लहरें पैदा कर सकती हैं, जिससे अपरदन और वनस्पति का क्षय होता है और तटीय समुदायों के लिए गंभीर संकट पैदा होता है।

क्षेत्रीय जोखिम एवं चेतावनी प्रणाली (Regional Risks and Warning Systems)

1. **प्रशांत महासागर (Pacific Ocean)**- प्रशांत महासागर अपनी सक्रिय भूवैज्ञानिक विशेषताओं, जैसे जल के नीचे भूकंप और ज्वालामुखी गतिविधि के कारण अक्सर आने वाली सुनामी के लिए जाना जाता है।
2. **जोखिम क्षेत्र (Risk Areas)**- प्रशांत महासागर के अग्नि वलय के आसपास के तटीय क्षेत्र, जिनमें उत्तरी अमेरिका के स्थान भी शामिल हैं, जल के अंदर आने वाले भूकंपों और ज्वालामुखियों के कारण विशेष रूप से सुनामी के खतरे में हैं।
3. **सुनामी चेतावनी प्रणाली (Tsunami Warning Systems)**- महासागर के पास तटीय समुदायों में अक्सर सुनामी पर नजर रखने के लिए विशेष तंत्र होते हैं। ये तंत्र भूकंप या समुद्री जल में असामान्य परिवर्तनों का पता लगाने के लिए सेंसर और मॉनिटर का उपयोग करते हैं। ये सामान्यत: दृश्य अवलोकनों के स्थान पर समुद्र के स्तर में परिवर्तन को मापने के लिए भूकंपमापी और गहरे समुद्र में सुनामी का पता लगाने वाले उत्प्लवों (डर्ट तंत्र) पर निर्भर करते हैं। दृश्य रूप से देखें तो ये चीजें तब होती हैं जब सुनामी आ चुकी होती है और चेतावनी देने के लिए पर्याप्त समय नहीं होता।

सुनामी के कारण (Causes of Tsunamis)

1. **भूकंप (Earthquakes)**- अधिकांश सुनामी जल के नीचे भूकंपों के कारण आती हैं जो बड़ी मात्रा में जल को स्थानांतरित करती हैं, जिससे शक्तिशाली तरंगें बनती हैं। उदाहरण के लिए, 2004 में, भारतीय

महासागर में सुमात्रा के पास 9.1 की तीव्रता वाला एक विशाल भूकंप आया था। इस भूकंप ने एक सुनामी को ट्रिगर किया जो पूरे क्षेत्र में फैल गई। इसने 2,30,000 से अधिक लोगों की जान ले ली और 14 विभिन्न देशों में कई घरों और इमारतों को नष्ट कर दिया।

2. **भूस्खलन (Landslides)**- जब भूस्खलन जल के नीचे या महासागर तक पहुँचते हैं, तो वे भी सुनामी उत्पन्न कर सकते हैं।
3. **ज्वालामुखी विस्फोट (Volcanic Eruptions)**- विस्फोटक ज्वालामुखी विस्फोट से पानी एक ओर धकेला जा सकता है और सुनामी उत्पन्न हो सकती है।
4. **विस्फोट (Explosions)**- जल के नीचे के बड़े विस्फोट, जैसे कि परमाणु परीक्षणों से, सुनामी उत्पन्न हो सकती हैं।
5. **उल्कापिंड प्रभाव (Meteorite Impacts)**- यदि एक उल्कापिंड महासागर से टकराता है, तो यह बड़ी मात्रा में जल को विस्थापित कर सकता है, जिससे सुनामी तरंगें बन सकती हैं।

चित्र 28.3 सुनामी

★★★ परीक्षोपयोगी

28.5 चक्रवात (Cyclones)

इस विषय को सरल बनाने वाले वीडियो व्याख्यान को देखने के लिए इस QR कोड को स्कैन करें

चक्रवात शक्तिशाली तूफान होते हैं जो बहुत नुकसान पहुंचा सकते हैं। वे महासागरों के ऊपर बनते हैं और निम्न दाब के केंद्र के चारों ओर तेज हवाएँ चलती हैं। ये तूफान भारी बारिश, तेज हवाएँ और यहाँ तक कि बाढ़ भी ला सकते हैं।

चक्रवात कैसे बनते हैं (How Cyclones Form)- चक्रवात तब बनने शुरू होते हैं जब गर्म वायु समुद्र के ऊपर उठती है। जैसे-जैसे यह गर्म वायु ऊपर उठती है, यह अपने नीचे निम्न दाब का क्षेत्र विकसित करती है। यह निम्न दाब वाला क्षेत्र समुद्र की सतह से अधिक गर्म, आर्द्र वायु को खींचता है और पृथ्वी के घूर्णन के कारण से यह वायु घूमने लगती है, जिससे एक सर्पिल प्रतिरूप बनता है।

प्रभाव **(Impact)**- ये इमारतों और बुनियादी अवसरंचना को व्यापक नुकसान पहुंचा सकते हैं और बाढ़, भूस्खलन तथा बिजली कटौती का कारण बन सकते हैं। बाढ़ के कारण चक्रवात मलेरिया और दस्त जैसी बीमारियों के जोखिम को भी बढ़ा सकते हैं।

चक्रवात के प्रकार (Variants of cyclones)- चक्रवातों को उनके घटित होने के स्थान के आधार पर अलग-अलग नामों से जाना जाता है:

1. **टाइफून**- एशिया प्रशांत क्षेत्र, जिसमें फिलीपींस और जापान शामिल हैं।
2. **हरिकेन**- कैरेबियन सागर, मैक्सिको की खाड़ी, और अटलांटिक महासागर
3. **उष्णकटिबंधीय चक्रवात**- भारत और भारतीय महासागर के कुछ हिस्से
4. **विली विली**- ऑस्ट्रेलिया

चक्रवात की संरचना (Structure of a Cyclone)

1. **आँख (Eye)** - चक्रवात के केंद्र में चक्रवात की 'आँख' होती है, जो एक शांत क्षेत्र होता है जिसमें साफ आसमान होता है और यह तूफान का केंद्र होता है (चित्र 28.4)।
2. **आँख की दीवार (Eyewall)**- आँख के चारों ओर आँख की दीवार होती है, जहाँ सबसे तेज हवाएं और सबसे भारी बारिश होती है। यह चक्रवात का सबसे संकटपूर्ण क्षेत्र होता है।
3. **वर्षा पट्टियाँ (Rainbands)**- ये बादलों और गरज के साथ बारिश की पट्टियाँ होती हैं जो आँख की दीवार से बाहर की ओर घूमती हैं। जैसे-जैसे चक्रवात आगे बढ़ता है, ये अधिक बारिश और हवा लाती हैं।

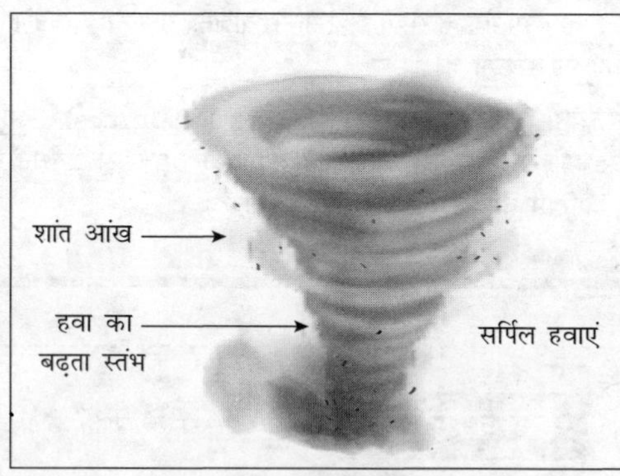

चित्र 28.4 चक्रवात

चक्रवात की विशेषताएँ (Characteristics of Cyclones)

1. **तीव्र हवाएं (Strong Winds)**- चक्रवातों में बहुत शक्तिशाली हवाएं हो सकती हैं, जिनकी गति 252 किमी/घंटा (157 मील/घंटा) तक पहुँच सकती है।
2. **भारी वर्षा (Heavy Rainfall)**- वे अक्सर भारी वर्षा लाते हैं जो प्रभावित क्षेत्रों में बाढ़ का कारण बन सकती है।
3. **तूफान महोर्मि (Storm Surge)**- चक्रवातों के कारण समुद्र का स्तर तेजी से बढ़ जाता है, जिसे तूफानी महोर्मि कहा जाता है, जिससे तटीय क्षेत्रों में बाढ़ आ जाती है और व्यापक क्षति होती है।

चक्रवात के घूर्णन तथा घटना से संबंधित महत्वपूर्ण तथ्य: (Important Facts Related to Rotation and Occurrence of Cyclone):

1. उत्तरी गोलार्ध में, चक्रवाती हवाएँ वामावर्त (counterclockwise) घूमती हैं, जबकि दक्षिणी गोलार्ध में, ये दक्षिणावर्त (clockwise) घूमती हैं।
2. चक्रवात विश्व भर में मुख्यत: उष्णकटिबंधीय और समशीतोष्ण क्षेत्रों में पाए जाते हैं।
3. चक्रवातों को पांच श्रेणियों में वर्गीकृत किया गया है, जिसमें श्रेणी 5 सबसे गंभीर है, जिसमें वायु की गति कम से कम 252 किमी/घंटा होती है।

चक्रवात के लिए शमन उपाय (Mitigation Measures for Cyclones)

1. **हरित पेटी वृक्षारोपण (Green Belt Plantation)**- तटरेखाओं के साथ वृक्ष लगाने से चक्रवात के प्रभाव को कम करने में मदद मिलती है। वृक्ष वायु के बल को कमजोर करते हैं और बारिश के पानी को सोख लेते हैं, जिससे बाढ़ कम आती है।
2. **प्रारंभिक चेतावनी प्रणाली (Early Warning Systems)**- ये प्रणालियाँ लोगों को आने वाले चक्रवात के बारे में पहले से ही सचेत कर देती हैं। यह प्रारंभिक सूचना निवासियों को तैयार होने और सुरक्षित क्षेत्रों में जाने का समय देती है, जिससे नुकसान का जोखिम कम हो जाता है।
3. **चक्रवात आश्रय (Cyclone Shelters)**- ये आश्रय सुरक्षित स्थान होते हैं जहाँ लोग चक्रवात के दौरान अपने घरों को छोड़ने में असमर्थ होने पर शरण ले सकते हैं। इन्हें तेज हवाओं का सामना करने तथा चक्रवात के गुजर जाने तक सुरक्षा प्रदान करने के लिए डिजाइन किया गया है।

चक्रवात के प्रकार (Types of Cyclones)

उष्णकटिबंधीय चक्रवात (Tropical Cyclone)

1. **स्थान (Location)**- उष्णकटिबंधीय चक्रवात शक्तिशाली तूफान होते हैं जो भूमध्य रेखा के पास गर्म समुद्री जल पर बनते हैं। ये निम्न दाब के केंद्र, तीव्र हवाओं और भारी वर्षा की विशेषता रखते हैं। उष्णकटिबंधीय चक्रवातों को उष्ण समुद्री जल से ऊर्जा मिलती है, जहाँ समुद्र की सतह का तापमान आमतौर पर 26 डिग्री सेल्सियस (79 डिग्री फारेनहाइट) से ऊपर होता है।
2. **निर्माण (Formation)**- ये महासागर पर तूफानों के समूहों के रूप में शुरू होते हैं, तथा उष्ण जल के ऊपर बढ़ने के साथ-साथ शक्तिशाली होते जाते हैं।
3. **प्रभाव (Impact)**- इन तूफानों में तेज हवाएं चलती हैं, भारी बारिश होती है और बाढ़ तथा भूस्खलन हो सकता है, जिससे काफी नुकसान हो सकता है।
4. **उदाहरण (Examples)**- अटलांटिक और पूर्वी प्रशांत में हरिकेन, पश्चिमी प्रशांत में टाइफून और भारतीय महासागर में चक्रवात सभी उष्णकटिबंधीय चक्रवात के प्रकार हैं।

शीतोष्ण कटिबन्ध या समशीतोष्ण चक्रवात (Temperate Cyclone)

1. **स्थान (Location)**- शीतोष्ण चक्रवात, जिन्हें बहिरूष्ण कटिबंधीय चक्रवात भी कहा जाता है, उष्ण कटिबंधों के बाहर उन स्थानों पर बनते हैं जहां ठंडी और गर्म हवाएं मिलती हैं।
2. **निर्माण (Formation)**- ये ध्रुवीय वाताग्र के साथ विकसित होते हैं, जहां उष्णकटिबंधीय क्षेत्रों से आने वाली गर्म हवा ध्रुवों से आने वाली ठंडी हवा से मिलती है, जिसके परिणामस्वरूप चक्रीय मौसम प्रतिरूप का निर्माण होता है।
3. **प्रभाव (Impact)**- शीतोष्ण चक्रवात बड़े क्षेत्रों को प्रभावित कर सकते हैं और भारी वर्षा ला सकते हैं, जिससे महाद्वीपों के मौसम प्रतिरूप पर प्रभाव पड़ता है।
4. **उदाहरण (Examples)**- ये संयुक्त राज्य अमेरिका के पूर्वी तट पर नॉर्थईस्टर और यूरोपीय तूफान जैसी मौसमी घटनाओं के लिए जिम्मेदार हैं। नॉर्थईस्टर तीव्र तूफान प्रणाली हैं जो सामान्यत:, विशेष रूप से, शरद ऋतु, सर्दियों और शुरुआती वसंत के दौरान संयुक्त राज्य अमेरिका के पूर्वी तट को प्रभावित करते हैं।

भारतीय राज्यों में आए महत्वपूर्ण चक्रवात (Important Cyclones that Hit Indian States)

1. दुनिया भर के चक्रवातों का नामकरण विश्व मौसम विज्ञान संगठन (WMO) द्वारा किया जाता है, जो संयुक्त राष्ट्र (UN) का अंग है।
2. चक्रवातों के नाम WMO की आर्थिक और सामाजिक आयोग के एशिया और प्रशांत (ESCAP) पैनल के 13 सदस्य देशों द्वारा सुझाए जाते हैं। ये नाम उस क्षेत्र के लोगों के लिए परिचित और आसानी से पहचानने योग्य होते हैं जहाँ चक्रवात का प्रभाव हो सकता है।
3. WMO के पास छह क्षेत्रीय केंद्र हैं जो मौसम विज्ञान में विशेषज्ञता रखते हैं (RSMCs)। प्रत्येक केंद्र अपने संबंधित क्षेत्रों में चक्रवातों के नामकरण का कार्य करता है।
4. भारत में, RSMC भारतीय मौसम विभाग (IMD) है, जो 169 नामों की सूची का प्रबंधन करता है।
5. भारत ने वर्षों में कई विनाशकारी चक्रवातों का अनुभव किया है, जिससे जीवन और संपत्ति का गंभीर नुकसान हुआ है। नीचे भारतीय राज्यों को प्रभावित करने वाले महत्वपूर्ण चक्रवातों की सूची दी गई है (तालिका 28.3)।

तालिका 28.3 महत्वपूर्ण चक्रवातों की सूची

चक्रवात का नाम	वर्ष	प्रभावित क्षेत्र
फैलिन	2013	ओडिशा, आंध्र प्रदेश, झारखंड
हुदहुद	2014	आंध्र प्रदेश का तट, और ओडिशा
वरदा	2016	अंडमान और निकोबार द्वीप समूह, चेन्नई, कांचीपुरम और विशाखापत्तनम
ओखी	2017	केरल, तमिलनाडु और लक्षद्वीप
तितली	2018	ओडिशा में गोपालपुर और आंध्र प्रदेश में श्रीकाकुलम
फानी	2019	ओडिशा, आंध्र प्रदेश और पश्चिम बंगाल
अम्फान	2020	पश्चिम बंगाल और ओडिशा
यास	2021	पश्चिम बंगाल और ओडिशा
Tauktae	2021	गुजरात, महाराष्ट्र और कर्नाटक
गुलाब	2021	उत्तरी आंध्र प्रदेश और उड़ीसा के तटों से लगा हुआ
जावद	2021	आंध्र प्रदेश, ओडिशा और पश्चिम बंगाल
आसनी	2022	आंध्र प्रदेश, तमिलनाडु, कर्नाटक और ओडिशा
सितरंग	2022	पूर्वी और उत्तर-पूर्वी राज्य असम, ओडिशा, पश्चिम बंगाल और अंडमान और निकोबार द्वीप समूह
मंडौस	2022	तमिलनाडु और आंध्र प्रदेश
बिप्रजय	2023	गुजरात, राजस्थान, महाराष्ट्र, गोवा और कर्नाटक

क्विज स्टेशन *विगत UGC NET परीक्षाओं के प्रश्न*

प्र.1. चक्रवात 'हुदहुद' किस राज्य के तट से टकराया था?

(a) आंध्र प्रदेश

(b) कर्नाटक

(c) केरल

(d) गुजरात

उत्तर 1. (a)

28.6 ज्वालामुखी (Volcano)

ज्वालामुखी वे पर्वत होते हैं जो फट सकते हैं और पृथ्वी के अंदर से अत्यधिक गर्म गैसें, राख और लावा निकाल सकते हैं (चित्र 28.5)। ये बहुत शक्तिशाली और विनाशकारी हो सकते हैं।

ज्वालामुखी का निर्माण (Formation of Volcano)

1. **मैग्मा**- पृथ्वी के अंदर मैग्मा नामक अत्यधिक गर्म चट्टान होती है। जब यह अत्यधिक गर्म हो जाती है या दाब बढ़ जाता है, तो यह भूपर्पटी में दरारों के माध्यम से सतह की ओर बढ़ती है।
2. **विस्फोट**- जब मैग्मा सतह तक पहुँचता है, तो यह एक बड़े विस्फोट की तरह फटता है, जिससे लावा (मैग्मा जो सतह तक पहुँच गया है), राख (चट्टान के छोटे-छोटे टुकड़े), और गैसें निकलती हैं। ये विस्फोट पायरोक्लास्टिक प्रवाह (गर्म गैस और ज्वालामुखीय पदार्थ की तेजी से चलने वाली धाराएँ) उत्पन्न करते हैं जो 700 किलोमीटर प्रति घंटे से अधिक की गति से यात्रा कर सकते हैं, जिससे व्यापक विनाश होता है।
3. **प्रकार**- विभिन्न प्रकार के ज्वालामुखी होते हैं। कुछ के किनारे बहुत तीव्र होते हैं और वे बहुत तेज आवाज में विस्फोट होते हैं, जैसे माउंट सेंट हेलेन्स (संयुक्त राज्य अमेरिका)। दूसरे ज्वालामुखी मंद होते हैं और उनके किनारे ढलानदार होते हैं, जैसे हवाई (संयुक्त राज्य अमेरिका) में पाए जाने वाले ज्वालामुखी।
4. **ये कहाँ पाए जाते हैं**- ज्वालामुखी आमतौर पर पृथ्वी की प्लेटों के मिलने वाले स्थानों पर बनते हैं। यह तब हो सकता है जब एक प्लेट दूसरी के नीचे धंस जाती है (जिसे प्रविष्ठन क्षेत्र कहा जाता है) या जब प्लेटें अलग हो जाती हैं। प्रशांत महासागर के चारों ओर बहुत सारे ज्वालामुखी हैं, जिन्हें श्रिंग ऑफ फायरश के नाम से जाना जाता है।

ज्वालामुखी के परिणाम (Consequences of Volcanoes)

ज्वालामुखी विस्फोट के परिणाम निम्नलिखित हैं-

1. **संपत्ति का विनाश**- ज्वालामुखी विस्फोट इमारतों, बुनियादी ढांचे और कृषि भूमि को नष्ट कर सकते हैं।
2. **जीवन की हानि**- तीव्र गर्मी, राख और पायरोक्लास्टिक प्रवाह मनुष्यों और जानवरों के लिए घातक हो सकते हैं।
3. **पर्यावरणीय प्रभाव**- विस्फोट वनों की कटाई, आवास की हानि और भू-आकृतियों में परिवर्तन का कारण बन सकते हैं।
4. **हवाई यात्रा में व्यवधान**- राख के बादल हवाई यात्रा में गंभीर व्यवधान पैदा कर सकते हैं, विमान के इंजनों को नुकसान पहुंचा सकते हैं और दृश्यता को कम कर सकते हैं।
5. **जलवायु प्रभाव**- ज्वालामुखी विस्फोट वायुमंडल में बड़ी मात्रा में राख और गैसें छोड़ सकते हैं, जो जलवायु पैटर्न को प्रभावित कर सकते हैं और पृथ्वी की सतह के अस्थायी शीतलन का कारण बन सकते हैं। (पृष्ठ संख्या 566 पर 'ग्लोबल वार्मिंग बनाम ग्लोबल कूलिंग' अनुभाग में चर्चा की गई है।)

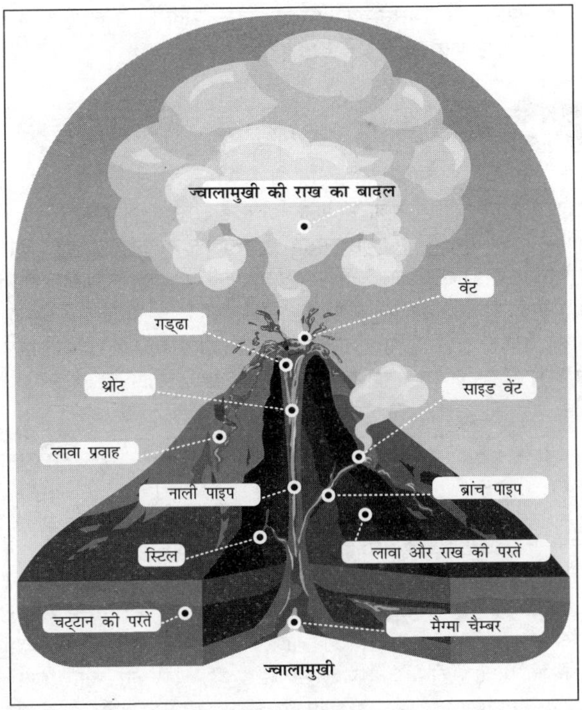

चित्र 28.5 ज्वालामुखी

स्कोर बूस्टर
अतिरिक्त पठन अनुशंसाएँ

QR कोड काम नहीं कर रहा है? QR कोड के साथ दिए गए संसाधनों तक पहुँचने के लिए आंतरिक फ्रन्ट कवर पर दिए गए निर्देशों का पालन करें

कृपया QR कोड को स्कैन करें ताकि आप एक **विशेष पीडीएफ** तक पहुंच सकें जिसमें विस्तृत निवारण रणनीतियाँ शामिल हैं-

1. भूकंप
2. सुनामी
3. चक्रवात
4. ज्वालामुखी
5. आकस्मिक बाढ़
6. भूस्खलन

ये शमन उपाय आधिकारिक यूजीसी नेट पेपर 1 पाठ्यक्रम का हिस्सा हैं, हालांकि इन्हें पिछली यूजीसी नेट परीक्षाओं में नहीं पूछा गया है।

कॉन्सेप्ट कैप्सूल

लाहार

लाहार एक तेजी से बहने वाली कीचड़ की नदी की तरह होती है जो ज्वालामुखी विस्फोट के बाद प्रवाहित होती है। यह ज्वालामुखीय राख (जैसे बारीक, किरकिरा रेत), चट्टानों और जल से बनी होती है। लाहार तब प्रवाहित हो सकती है जब ज्वालामुखी पर बड़ी मात्रा में विस्फोट से उत्पन्न ऊष्मा के कारण बर्फ पिघल जाए या जब भारी वर्षा ज्वालामुखी की राख के साथ मिल जाए, या जब ज्वालामुखी के पास की झील विस्फोट के कारण भर जाए। ये प्रवाह ज्वालामुखी की ढलानों से नीचे और आस-पास की घाटियों में तेजी से बह सकते हैं, जिससे विस्फोट स्थल से दूर काफी नुकसान हो सकता है।

क्विज स्टेशन *विगत UGC NET परीक्षाओं के प्रश्न*

प्र.1. लाहार एक प्राकृतिक आपदा है जिसमें शामिल है।

(a) बड़ी मात्रा में पदार्थों का विस्फोट
(b) तीव्र पवनें
(c) तीव्र पानी की लहरें
(d) तीव्र वायु और पानी की लहरें

उत्तर 1. (a)

28.7 बाढ़ (Floods)

बाढ़ प्राकृतिक आपदाएँ हैं जो तब आती हैं जब कोई क्षेत्र पानी से भर जाता है। ऐसा आमतौर पर तब होता है जब नदियाँ, झीलें या महासागर उफान पर होते हैं या जब भारी वर्षा के कारण पानी इतनी तेजी से जमा होता है कि उसे सोखना या बहा देना संभव नहीं होता।

बाढ़ के प्रकार (Types of Floods)

1. **नदीय बाढ़ (Riverine Floods)**- नदीय बाढ़ तब आती है जब नदियाँ या नाले लंबे समय तक बारिश, हिमपात या दोनों के संयोजन के कारण अपने किनारों से बाहर निकल जाते हैं। ये बाढ़ अचानक बाढ़ की तुलना में अधिक धीरे-धीरे विकसित होती हैं और नदी बेसिन के बड़े क्षेत्रों को प्रभावित कर सकती हैं।

2. **नगरीय बाढ़ (Urban Floods)**- नगरीय बाढ़ शहरों और कस्बों में तब आती है जब भारी बारिश के कारण पानी जमीन में तेजी से नहीं सोख पाता है क्योंकि वहाँ सड़कें और इमारतें होती हैं। ये बाढ़ तब भी हो आ सकती हैं जब भारी बारिश या खराब जल निकासी के कारण सड़कों और इमारतों में तेजी से पानी जमा हो जाता है।
3. **आकस्मिक बाढ़ (Flash floods)**- आकस्मिक बाढ़, अचानक और बहुत तीव्रता से आने वाली बाढ़ होती है जो भारी बारिश के कारण आती है। ये बाढ़ पहाड़ी और समतल दोनों क्षेत्रों में आ सकती हैं, लेकिन पहाड़ी क्षेत्रों में अधिक सामान्य होती हैं क्योंकि वहाँ पानी तेजी से नीचे की ओर बहता है (चित्र 28.6)। आकस्मिक बाढ़ लगभग कहीं भी आ सकती है, यहाँ तक कि उन स्थानों पर भी जहाँ सामान्यत: बाढ़ नहीं आती। आइए आकस्मिक बाढ़ के कारणों को विस्तार से देखें-

आकस्मिक बाढ़ के कारण (Causes of Flash Floods)

1. **भारी वर्षा (Heavy Rainfall)**- आकस्मिक बाढ़ अक्सर गरज-चमक के साथ आती है, जिससे थोड़े समय में बहुत अधिक बारिश होती है।
2. **नदियों में गाद का जमाव (Sediment Build-Up in Rivers)**- जब नदियाँ बहुत अधिक गंदगी और चट्टानों (गाद) को इकट्ठा कर लेती हैं, तो वे उतना पानी नहीं रोक पातीं। भारी बारिश के दौरान, यह पानी को बहने और आस-पास के क्षेत्रों में बाढ़ लाने का कारण बन सकता है।
3. **अवरुद्ध नालियाँ (Blocked Drains)**- कभी-कभी, पत्तियों या कचरे जैसे मलबे, शहरों या सड़कों पर नालियों को बंद कर सकते हैं। जब ऐसा होता है, तो पानी ठीक से नहीं बह पाता, इसलिए यह जमा हो जाता है और सड़कों और इमारतों में बाढ़ आ जाती है।
4. **भूस्खलन (Landslides)**- भूस्खलन धाराओं के प्रवाह को अवरुद्ध कर सकते हैं, जिससे पानी जमा हो जाता है और आस-पास के क्षेत्रों में बाढ़ आ जाती है।
5. **खराब प्रबंधित बांध (Poorly Managed Dams)**- बांधों का निर्माण जल प्रवाह को नियंत्रित करने के लिए किया जाता है, लेकिन यदि उनका सही तरीके से प्रबंधन नहीं किया जाता है, तो वे भारी बारिश के दौरान अधिप्रवाह आप्लाव या बहुत अधिक पानी छोड़ सकते हैं। इससे अचानक बाढ़ आ सकती है।
6. **तेज हवाएं और तूफानी लहरें (Strong Winds and Storm Surges)**- चक्रवातों या तूफानों के दौरान, तेज हवाएं पानी को जमीन पर धकेलती हैं, जिससे तूफानी लहरें उत्पन्न होती हैं। ये लहरें तटीय क्षेत्रों में तेजी से बाढ़ ला सकती हैं।

चित्र 28.6 बाढ़ के प्रकार

28.8 बादल फटना (Cloudburst)

बादल फटना एक आकस्मिक, तीव्र वर्षा की घटना है जिसमें बहुत कम समय में बहुत अधिक मात्रा में पानी गिरता है, जिससे आकस्मिक बाढ़ आ जाती है। यह ऐसा है जैसे थोड़े समय में अचानक आकाश से बहुत अधिक पानी गिर जाए, जिससे बाढ़ और जमीन पर पानी का तेजी से जमाव हो जाता है। बादल फटना गरज के साथ या भारी बरसात के दौरान हो सकता है, जिससे तत्काल और कभी-कभी गंभीर बाढ़ आ सकती है, विशेष रूप से उन क्षेत्रों में जहां जल निकासी खराब है या खड़ी ढलान है।

सिनेमैटिक कनेक्शन

बादल फटना और बाढ़ के प्रभाव को समझने के लिए हम प्रसिद्ध बॉलीवुड फिल्म केदारनाथ (2018) का उदाहरण ले सकते हैं। फिल्म में, एक विनाशकारी बाढ़ केदारनाथ घाटी से गुजरती है, जो 2013 में हुई वास्तविक आपदा को दिखाती है। भारी बारिश और बादल फटने के कारण आई बाढ़ ने बड़े स्तर पर विनाश किया, हजारों लोगों की जान ली और कई लोगों को फंसा दिया। यह उदाहरण हमें यह समझने में मदद करता है कि अचानक और गंभीर प्राकृतिक आपदाएं कैसे हो सकती हैं, जो लोगों और उनके पर्यावरण दोनों को प्रभावित करती हैं।

28.9 भूस्खलन (Landslides)

इस विषय को सरल बनाने वाले वीडियो व्याख्यान को देखने के लिए इस QR कोड को स्कैन करें

भूस्खलन तब होता है जब बड़ी मात्रा में मिट्टी, चट्टानें और मलबा अचानक ढलान से नीचे की ओर खिसकते हैं। यह भारी बारिश या भूकंप के बाद हो सकता है, जब जमीन अस्थिर हो जाती है। भूस्खलन घरों, सड़कों और वृक्षों को नुकसान पहुंचा सकते हैं और वे अपने रास्ते में लोगों के लिए खतरनाक हो सकते हैं। भूस्खलन आकार और गति में भिन्न हो सकते हैं, छोटे संचलनों से जो बिना ध्यान दिए रह जाते हैं, बड़े भूस्खलनों तक जो पूरे समुदायों को दफन कर सकते हैं।

भूस्खलन के कारण (Causes of Landslides)

भूस्खलन के कारणों में निम्नलिखित शामिल हैं-

1. **भारी वर्षा**- जब लंबे समय तक या बहुत भारी बारिश होती है, तो मिट्टी पानी से भर जाती है। इससे मिट्टी भारी हो जाती है और उसकी जमीन पर पकड़ कमजोर हो जाती है, जिससे भूस्खलन होता है। इसे ऐसे समझें जैसे एक स्पंज बहुत अधिक पानी से भर जाता है और मेज से फिसल जाता है।
2. **भूकंप**- भूकंप जमीन को हिला देते हैं, और यह संचलन ढीली मिट्टी और चट्टानों को नीचे की ओर फिसलने के लिए प्रेरित कर सकता है।

यह संचलन धरती में दरारें भी पैदा कर सकता है, जिससे ढलान अस्थिर हो जाती है और उनके फिसलने की संभावना बढ़ जाती है।

3. **ज्वालामुखी गतिविधि**- जब ज्वालामुखी फटता है, तो यह गर्म चट्टानें, राख और लावा बाहर फेंक सकती है। ये पदार्थ ढलानों पर जमा हो सकते हैं और उन्हें भारी और अस्थिर बना सकते हैं, जिससे वे नीचे की ओर फिसल जाते हैं।
4. **मानव गतिविधियाँ**- जब हम सड़कें और घर बनाते हैं या खनिजों के लिए खुदाई करते हैं, तो हम भूमि के आकार को बदल सकते हैं। पेड़ों को काटना, जो मिट्टी को एक साथ रखते हैं, ढलानों को कमजोर बना सकता है और उनके फिसलने की संभावना बढ़ा सकता है। यह एक मेज के पैरों को हटाने जैसा है, जिससे यह अस्थिर हो जाती है और आसानी से गिर सकती है।
5. **मिट्टी की संरचना**- कुछ प्रकार की मिट्टी और चट्टानें स्वाभाविक रूप से कमजोर होती हैं और एक दूसरे से अच्छी तरह से चिपक नहीं पाती हैं। उदाहरण के लिए, गीली होने पर मिट्टी बहुत फिसलन भरी हो सकती है और ढलानों से आसानी से फिसल सकती है। यह गीली रेत से, रेत का महल बनाने की कोशिश करने जैसा है जो बार-बार नीचे गिरती रहती है।
6. **ढाल का कोण**- बहुत खड़ी पहाड़ियाँ और पर्वत भूस्खलन की अधिक संभावना रखते हैं। गुरुत्वाकर्षण सब कुछ नीचे की ओर खींचता है, इसलिए ढाल जितनी खड़ी होती है, मिट्टी और चट्टानों के नीचे की ओर फिसलने की संभावना उतनी ही अधिक होती है। यह खेल के मैदान में एक स्लाइड की तरह हैख्रयह जितनी खड़ी होती है, आप उतनी ही तेजी से नीचे जाते हैं।

28.10 जंगल की आग (Wildfires)

जंगल की आग तेजी से फैलने वाली और अनियंत्रित आग होती है जो जंगलों, घास के मैदानों और अन्य वनस्पतियों में फैलती है। ये आमतौर पर शुष्क मौसम, उच्च तापमान और तीव्र हवाओं के कारण लगती हैं। ये आग प्राकृतिक रूप से भी लग सकती है, जैसे बिजली गिरने से, या लोगों के कारण लग सकती है, जैसे बिना देखरेख के छोड़े गए कैम्प फायर से, गिरी हुई सिगरेटों से या किसी के द्वारा जानबूझकर आग लगाने से।

जंगल की आग का प्रभाव (Impact of Wildfires)- जंगल की आग बहुत नुकसान पहुंचा सकती है। वे जंगलों को जला देती हैं, घरों को नष्ट कर देती हैं और उन क्षेत्रों में रहने वाले जानवरों को नुकसान पहुंचाती हैं। जंगल की आग से निकलने वाला धुआं वायु को गंदा और सांस लेने के लिए खतरनाक बना सकता है, जिससे लोगों के स्वास्थ्य पर प्रभाव पड़ सकता है।

जंगल की आग प्रबंधन रणनीतियाँ (Wildfire Management Strategies)- जंगल की आग को प्रभावी ढंग से प्रबंधित करने में तीन मुख्य रणनीतियाँ शामिल हैं- रोकथाम, प्रारंभिक पहचान और त्वरित प्रतिक्रिया (prevention] early detection and rapid response)। रोकथाम का ध्यान लोगों को अग्नि सुरक्षा के बारे में सिखाने और आकस्मिक आग को कम करने के लिए नियमों को लागू करने पर है। प्रारंभिक पहचान में उपग्रहों, ड्रोन और निगरानी टावरों जैसी तकनीक का उपयोग करके आग को जल्दी से जल्दी पहचानना शामिल है ताकि वे बहुत दूर तक न फैल सकें। त्वरित प्रतिक्रिया का अर्थ है कि अग्निशामकों, विमानों और विशेष उपकरणों को आग बुझाने के लिए तेजी से भेजना। आग को फैलने से रोकने के लिए बिना पौधों वाले साफ क्षेत्रों- अग्नि निरोधक (firebreaks)—का निर्माण भी समुदायों और प्रकृति की रक्षा करता है।

पुनर्वास एवं पुनर्स्थापन (Rehabilitation and Restoration)- जंगल की आग के बाद, प्रयासों का ध्यान नुकसान की मरम्मत पर होता है। इसमें पारिस्थितिक तंत्र को हुए नुकसान की जांच करना, मृदा अपरदन को रोकने के लिए नए पौधे लगाना और वन्यजीवों को पुन: स्थापित करने में सहायता करना शामिल है। लक्ष्य आग से प्रभावित भूमि के प्राकृतिक संतुलन और ताकत को पुन: बहाल करना है ताकि यह लंबे समय तक स्वस्थ रह सके।

28.11 सूखा (Drought)

सूखा असामान्य रूप से कम वर्षा की एक लंबी अवधि है, जिसके कारण जल की कमी हो जाती है (चित्र 28.7)। सूखे का कृषि, जल आपूर्ति और पारिस्थितिकी तंत्र पर गंभीर प्रभाव पड़ सकता है, जिससे फसल खराब हो सकती है, खाद्यान्न की कमी हो सकती है और आर्थिक नुकसान हो सकता है। यहां तक कि केरल जैसे स्थानों पर भी जहां आमतौर पर बहुत अधिक वर्षा होती है, वहां भी सूखे का सामना करना पड़ सकता है, अगर उपलब्ध जल की तुलना में पानी की मांग बहुत अधिक हो।

प्रभावी सूखा प्रबंधन में जल संरक्षण, स्थायी कृषि प्रथाओं और जल को कुशलतापूर्वक संग्रहीत और वितरित करने के लिए बुनियादी ढांचे का विकास शामिल है।

सूखे के प्रकार (Types of Droughts)

1. **मौसम संबंधी सूखा (Meteorological Drought)**- यह तब होता है जब लंबे समय तक सामान्य से कम बारिश होती है, जिसके परिणामस्वरूप लंबे समय तक धूप और गर्म मौसम रहता है।
2. **जलविज्ञान संबंधी सूखा (Hydrological Drought)**- यह तब होता है जब नदियों, झीलों और भूमिगत स्रोतों जैसे कुओं में जल की मात्रा कम हो जाती है, जिससे पानी की कमी हो जाती है।
3. **कृषि सूखा (Agricultural Drought)**- जब मिट्टी में पर्याप्त नमी नहीं होती है, तो फसलें ठीक से नहीं उग पाती हैं। इससे खाद्य कमी हो सकती है और खेती प्रभावित हो सकती है।
4. **सामाजिक-आर्थिक सूखा (Socioeconomic Drought)**- यह तब होता है जब पानी की कमी लोगों के जीवन को व्यापक रूप से प्रभावित करती है, नौकरियों, खाद्य उपलब्धता और समग्र अर्थव्यवस्था को प्रभावित करती है।

सिनेमैटिक कनेक्शन

फिल्म लगान (2001), जिसका निर्देशन आशुतोष गोवारीकर ने किया है, 19वीं सदी के अंत में औपनिवेशिक भारत के एक गाँव पर सूखे के प्रभाव को दर्शाती है। फिल्म में, चंपानेर गाँव लंबे समय से सूखे का सामना कर रहा है, जिससे गंभीर जल संकट और फसल की विफलता हो रही है। इसके अतिरिक्त, ब्रिटिश शासक गाँव वालों से उच्च कर की मांग करते हैं, जिसे लगान कहा जाता है, जिसे वे अपनी फसलें खराब होने के कारण वहन नहीं कर सकते।

गाँव वाले, आमिर खान के नेतृत्व में, 3 साल के लिए कर न देने के लिए ब्रिटिशों को क्रिकेट मैच में चुनौती देने का निर्णय लेते हैं। फिल्म के नाटकीय चरमोत्कर्ष में, जब वे मैच जीतते हैं, तो अचानक बारिश होने लगती है। यह एक महत्वपूर्ण क्षण है जो गाँव वालों को राहत और खुशी लाता है, उनके सूखे से पीड़ित होने का अंत और ब्रिटिश शासन पर उनकी विजय को चिह्नित करता है।

चित्र 28.7 सूखा

कृत्रिम वर्षा (Artificial Rain)

- कृत्रिम वर्षा, जिसे मेघ बीजन (cloud seeding) भी कहा जाता है, एक पद्धति है जिससे आवश्यकता पड़ने पर वर्षा कराई जा सकती है। इसमें वैज्ञानिक या पायलट हवाई जहाजों या जमीनी जनरेटर से बादलों में कुछ रसायन छिड़कते हैं। सिल्वर आयोडाइड या सूखी बर्फ जैसे ये रसायन बादलों में मौजूद छोटी-छोटी पानी की बूंदों को एक साथ लाकर बड़ी बारिश की बूँदें बनाने में सहायता करते हैं। यह प्रक्रिया बादलों को बारिश करने के लिए प्रोत्साहित कर सकती है, जो सूखे का सामना कर रहे क्षेत्रों या जहाँ कृषि को बढ़ावा देने या जंगल की आग के जोखिम को कम करने के लिए बारिश की आवश्यकता होती है, में मददगार होती है।
- मेघ बीजन का मुख्य कारण शुष्क क्षेत्रों में पानी की कमी को हल करना, खेती में सुधार करना या वायु प्रदूषण को कम करना है। हालांकि कृत्रिम वर्षा अस्थायी रूप से मदद कर सकती है, लेकिन यह जल की कमी का दीर्घकालिक समाधान नहीं है और पर्यावरण को नुकसान पहुंचाने से बचने के लिए सावधानीपूर्वक प्रबंधन किया जाना चाहिए। कृत्रिम वर्षा के मुख्य प्रभाव इस प्रकार हैं:
- **रासायनिक प्रदूषण (Chemical Contamination)**- कृत्रिम वर्षा से मिट्टी और पानी में सिल्वर आयोडाइड जैसे रसायन मिल सकते हैं, जिससे पर्यावरण को नुकसान हो सकता है।
- **मौसम में व्यवधान (Weather Disruption)**- मेघ बीजन स्थानीय मौसम के प्रतिरूप को बदल सकती है, जिससे अनपेक्षित परिणाम हो सकते हैं।

28.12 आपदा प्रबंधन के लिए सरकारी पहल (Government Initiatives for Disaster Management)

राष्ट्रीय आपदा प्रबंधन अधिनियम, 2005 (National Disaster Management Act, 2005)

- **प्राधिकरण**- राष्ट्रीय आपदा प्रबंधन प्राधिकरण (NDMA)
- **मंत्रालय**- गृह मंत्रालय

राष्ट्रीय आपदा प्रबंधन अधिनियम, 2005, भारत सरकार द्वारा आपदाओं के प्रभावी प्रबंधन को सुनिश्चित करने और आपदा रोकथाम, शमन, तैयारी और प्रतिक्रिया के लिए नीतियों और योजनाओं को स्थापित करने के लिए एक विधायी ढांचा है। अधिनियम विभिन्न प्राधिकरणों और तंत्रों की स्थापना के लिए प्रावधान करता है जो राष्ट्रीय, राज्य और जिला स्तर पर आपदा प्रबंधन प्रयासों का समन्वय और कार्यान्वयन करते हैं। आइए अधिनियम के मुख्य प्रावधानों पर एक नजर डालें-

1. **राष्ट्रीय आपदा प्रबंधन प्राधिकरण (NDMA- National Disaster Management Authority) की स्थापना**- NDMA आपदा प्रबंधन के लिए नीतियों, योजनाओं और दिशानिर्देशों को तैयार करने के लिए सर्वोच्च निकाय है। यह आपदाओं के लिए समय पर और प्रभावी प्रतिक्रिया सुनिश्चित करता है और विभिन्न हितधारकों के साथ समन्वय करता है।
2. **राष्ट्रीय कार्यकारी समिति (NEC-National Executive Committee)**- NEC NDMA को उसके कार्यों के निर्वहन में सहायता करती है और उसके निर्देशों का पालन सुनिश्चित करती है।
3. **राष्ट्रीय आपदा प्रतिक्रिया बल (NDRF-National Disaster Response Force)**- अधिनियम में आपदाओं से निपटने के लिए प्रशिक्षित और सुसज्जित एक विशेष बल NDRF के गठन का प्रावधान है। आपदाओं के दौरान खोज, बचाव और राहत कार्यों में NDRF की महत्वपूर्ण भूमिका होती है।
4. **राष्ट्रीय संकट प्रबंधन समिति (NCMC-National Crisis Management Committee)**- NCMC गंभीर परिमाण के संकटों, जिसमें प्राकृतिक आपदाएं शामिल हैं, को संभालने और राष्ट्रीय स्तर पर प्रतिक्रिया प्रयासों का समन्वय करने के लिए जिम्मेदार है।
5. **सुरक्षा पर कैबिनेट समिति (CCS-Cabinet Committee on Security)**- प्रधानमंत्री की सदस्यता वाली CCS आपदा प्रबंधन रणनीतियों सहित राष्ट्रीय सुरक्षा से संबंधित निर्णय लेने में महत्वपूर्ण भूमिका निभाती है।
6. **राष्ट्रीय योजना (National Plan)**- अधिनियम में राष्ट्रीय आपदा प्रबंधन योजना तैयार करने का प्रावधान है, जिसमें विभिन्न एजेंसियों और हितधारकों की भूमिका और जिम्मेदारियों का उल्लेख किया गया है।
7. **राज्य और जिला योजनाएँ (State and District Plans)**- राज्य और जिला स्तर पर समन्वित प्रयासों को सुनिश्चित करने के लिए इसी तरह की योजनाएँ तैयार की जानी चाहिए।
8. **शमन और तैयारी (Mitigation and Preparedness)**- अधिनियम आपदाओं के प्रभाव को कम करने के लिए रोकथाम, शमन और तैयारी के उपायों पर जोर देता है।

राष्ट्रीय आपदा प्रबंधन योजना प्राधिकरण (NDMP – National Disaster Management Plan)

NDMP का पूर्ण रूप राष्ट्रीय आपदा प्रबंधन योजना है। यह भारत सरकार द्वारा देश भर में आपदाओं को प्रभावी ढंग से प्रबंधित करने के लिए विकसित एक व्यापक ढांचा है। NDMP विभिन्न पहलुओं पर केंद्रित है-

1. **लचीलापन वृद्धि (Resilience Enhancement)**- यह समुदायों को मजबूत बनाने पर काम करता है ताकि वे आपदाओं को बेहतर तरीके से संभाल सकें। यह समुदायों और प्रणालियों की झटकों को अवशोषित करने, बदलती परिस्थितियों के अनुकूल होने और आपदाओं से तेजी से उबरने की क्षमता को मजबूत करने पर भी काम करता है।

2. **जोखिम मूल्यांकन (Risk Assessment)**- विभिन्न प्रकार की आपदाओं और उनके प्रभावों के बारे में जानना महत्वपूर्ण है।
3. **जोखिम न्यूनतमकरण (Risk Minimisation)**- ध्यान इस बात पर है कि आपदाएँ लोगों, उनकी नौकरियों और उनकी संपत्तियों को कम से कम नुकसान पहुँचाएँ।
4. **जोखिम में कमी (Risk Reduction)**- योजना का उद्देश्य आपदाओं के होने की संभावना को कम करना है।
5. **आपदा जोखिम न्यूनीकरण (DRR-Disaster Risk Reduction) में निवेश**- आपदा जोखिमों को कम करने के लिए भौतिक बुनियादी ढांचे (जैसे इमारतें और सड़कें) और गैर-संरचनात्मक उपायों (जैसे नीतियाँ और प्रथाएँ) दोनों में निवेश करना।
6. **गतिशील एवं अद्यतन (Dynamic and Updated)**- यह आपदाओं के प्रबंधन के लिए सर्वोत्तम वैश्विक विचारों को शामिल करने के लिए बदलता रहता है।
7. **अंतर-एजेंसी समन्वय (Inter-Agency Coordination)**- विभिन्न समूह आपदाओं से निपटने के लिए बेहतर तरीके से काम करते हैं।
8. **क्षमता निर्माण (Capacity Building)**- यह योजना सरकार और समाज के सभी स्तरों पर लोगों को आपदाओं से बेहतर तरीके से निपटने में मदद करती है।

उच्च शक्ति समिति, 2001 (High Power Committee, 2001)

उच्च-शक्ति समिति विशेषज्ञों या अधिकारियों का एक समूह है जो महत्वपूर्ण मुद्दों को संबोधित करने और नीति और कार्रवाई के लिए सिफारिशें करने के लिए गठित किया जाता है। आपदा प्रबंधन पर 2001 की उच्च शक्ति समिति ने आपदाओं से निपटने के लिए एक संरचित दृष्टिकोण का प्रस्ताव रखा-

- **स्तर L0**- यह सामान्य चरण है जहां प्रयास तैयारी और रोकथाम के माध्यम से आपदाओं के जोखिम को कम करने पर केंद्रित होते हैं।
- **स्तर L1**- इस स्तर पर, जिले छोटी आपदाओं का प्रबंधन करते हैं, तथा आवश्यकता पड़ने पर राज्य की सहायता भी उपलब्ध होती है।
- **स्तर L2**- राज्य प्राधिकारी अपने संसाधनों का उपयोग करते हुए इसमें शामिल होते हैं, तथा आवश्यकता पड़ने पर राष्ट्रीय एजेंसियां भी शीघ्र सहायता के लिए तैयार रहती हैं।
- **स्तर L3**- ये गंभीर आपदाएं हैं जो स्थानीय और राज्य की क्षमताओं पर भारी पड़ती हैं, जिसके लिए केंद्र सरकार को जिम्मेदारी लेनी पड़ती है।

राष्ट्रीय आपदा प्रबंधन प्राधिकरण (NDMA) और अन्य केंद्रीय सरकारी निकाय स्तर L1 और L2 आपदाओं के लिए प्रतिक्रियाओं का समर्थन करते हैं। स्तर L3 आपदाओं के लिए, केंद्र सरकार समन्वय और प्रतिक्रिया प्रयासों का प्रभारी बनती है। NDMA अधिनियम इन तंत्रों को स्थापित करता है ताकि देश भर में प्रभावी आपदा प्रबंधन सुनिश्चित किया जा सके।

क्विज स्टेशन *विगत UGC NET परीक्षाओं के प्रश्न*

प्र.1. राष्ट्रीय आपदा प्रबंधन प्राधिकरण किस मंत्रालय की एजेंसी है- *[जून 2014]*

(a) जल शक्ति (b) गृह मंत्रालय
(c) पृथ्वी विज्ञान (d) आवास और शहरी मामले

उत्तर 1. (b)

कॉन्सेप्ट कैप्सूल

रोग प्रतिरूप में अंतर: महामारी, सर्वव्यापी महामारी, स्थानिकमारी और प्रकोप (Epidemic, Pandemic, Endemic and Outbreak)

यहाँ महामारी, सर्वव्यापी महामारी, स्थानिकमारी और प्रकोप के बीच अंतर का विवरण दिया गया है:-

1. **महामारी (Epidemic)**- महामारी एक विशिष्ट समुदाय या क्षेत्र के भीतर बड़ी संख्या में लोगों में एक बीमारी का तेजी से फैलना है, जो सामान्य रूप से अपेक्षित से अधिक है। इसके आतिरिक्त, यह प्रगतिशील घटना और बहुकारणता की विशेषता है। सरल शब्दों में, महामारी अक्सर मामलों में तेजी से वृद्धि से चिह्नित होती है और इसके कई कारण हो सकते हैं।
   - **विस्तार** - आमतौर पर एक विशिष्ट भौगोलिक क्षेत्र या समुदाय तक सीमित।
   - **उदाहरण**- एक शहर या क्षेत्र को प्रभावित करने वाली इन्फ्लूएंजा महामारी।
2. **सर्वव्यापी महामारी (Pandemic)**- सर्वव्यापी महामारी एक ऐसी महामारी है जो देशों या महाद्वीपों में फैलती है, जिससे वैश्विक स्तर पर बड़ी संख्या में लोग प्रभावित होते हैं।
   - **विस्तार** - महामारी की तुलना में एक बड़े क्षेत्र और जनसंख्या को प्रभावित करता है।
   - **उदाहरण**- COVID-19 महामारी जिसने लगभग हर देश को प्रभावित किया है।
3. **स्थानिकमारी (Endemic)**- स्थानिकमारी एक विशिष्ट भौगोलिक क्षेत्र या जनसंख्या समूह के भीतर एक बीमारी की निरंतर उपस्थिति और संचलन को संदर्भित करता है। समय के साथ बीमारी अपेक्षाकृत स्थिर रहती है।
   - **विस्तार** - एक विशिष्ट क्षेत्र या समूह में नियमित रूप से पाया जाता है।
   - **उदाहरण**- मलेरिया कई उष्णकटिबंधीय क्षेत्रों, जैसे कि अफ्रीका और दक्षिण पूर्व एशिया के कुछ हिस्सों में स्थानिकमारी है।
4. **प्रकोप (Outbreak)**- प्रकोप एक जनसंख्या, समुदाय या क्षेत्र में बीमारी के मामलों की अचानक घटना को संदर्भित करता है, जो

सामान्य रूप से अपेक्षित से अधिक है। दूसरे शब्दों में, प्रकोप तब होता है जब किसी विशिष्ट स्थान पर सामान्य से अधिक रोग के मामले होते हैं।

- **विस्तार** – कहीं भी हो सकता है, न कि केवल एक क्षेत्र में। जरूरी नहीं कि एक विशिष्ट भौगोलिक क्षेत्र तक सीमित हो।
- **उदाहरण**– एक स्कूल में खसरे के मामलों में अचानक वृद्धि।

çeq• varj (Key Differences)

- **महामारी**– एक विशिष्ट क्षेत्र के भीतर तेजी से फैलना, सामान्य अपेक्षाओं से अधिक।
- **सर्वव्यापी महामारी**– एक महामारी जो कई देशों या महाद्वीपों में फैल गई है, जिससे वैश्विक स्तर पर कई लोग प्रभावित होते हैं।
- **स्थानिकमारी**– एक विशिष्ट क्षेत्र या जनसंख्या में निरंतर मौजूद रहने वाली बीमारी।
- **प्रकोप**– किसी विशेष क्षेत्र में बीमारी के मामलों में अचानक वृद्धि, जो किसी भी बीमारी को संदर्भित कर सकती है।

क्विज स्टेशन *विगत UGC NET परीक्षाओं के प्रश्न*

प्र.1. निम्नलिखित में से कौन सा प्राकृतिक संकट प्रगतिशील घटना और बहुकारणता की विशेषता रखता है?

(a) भूकंप
(b) ज्वालामुखी विस्फोट
(c) महामारी
(d) तूफान

उत्तर 1. (c)

कॉन्सेप्ट कैप्सूल

निपटने की रणनीतियों में अंतर: रोकथाम, शमन, तैयारी, प्रतिक्रिया और पुनर्प्राप्ति

1. **रोकथाम**– रोकथाम का अर्थ है आपदाओं को होने से रोकने या उनके प्रभाव को कम करने के लिए कार्रवाई करना। इसमें दीर्घकालिक रणनीतियाँ शामिल हैं जैसे यह सुनिश्चित करना कि इमारतें भूकंप या बाढ़ का सामना करने के लिए पर्याप्त मजबूत हों। उदाहरण के लिए, नदियों के किनारे बाढ़ अवरोधक बनाना या जोखिम वाले क्षेत्रों में इमारतों के निर्माण के बारे में नियम बनाना आपदाओं को होने से पहले रोकने के तरीके हैं।
2. **शमन**– यह आपदाओं के कारण होने वाले मानव और भौतिक नुकसान की गंभीरता को कम करने पर केंद्रित है। इसमें खतरों के होने पर उनके प्रभाव को कम करने के लिए रणनीतियों को लागू करना शामिल है।
3. **तैयारी**– तैयारी का अर्थ है आपदाओं के होने से पहले तैयार रहना। इसमें योजना बनाना और प्रशिक्षण शामिल है ताकि जब आपदा आए, तो लोग जान सकें कि क्या करना है। उदाहरण के लिए, निकासी योजनाएँ बनाना और आपातकालीन आपूर्ति जैसे भोजन और पानी का भंडारण करना तैयारी का हिस्सा है। सामुदायिक जागरूकता अभियान भी लोगों को आपात स्थितियों के दौरान सुरक्षित रहने के तरीके समझने में मदद करते हैं।
4. **प्रतिक्रिया**– प्रतिक्रिया वह है जो आपदा के तुरंत बाद होती है। यह जीवन बचाने और संपत्ति की रक्षा के लिए तत्काल कार्रवाई करने के संदर्भ में है। इसमें खतरे में फंसे लोगों की मदद के लिए अग्निशमन दल, पुलिस और चिकित्सा दल जैसी आपातकालीन सेवाएं भेजना शामिल है। जिन लोगों ने अपने घर खो दिए हैं उनके लिए आश्रय स्थल बनाना और खोज एवं बचाव अभियान चलाना, ये सभी प्रतिक्रिया चरण का हिस्सा हैं।
5. **पुनर्प्राप्ति**– पुनर्प्राप्ति तत्काल संकट के गुजरने के बाद शुरू होती है। यह चीजों को ठीक करने और समुदायों को सामान्य स्थिति में लाने में सहायता करने के संदर्भ में है। इस चरण में आपदा से हुए नुकसान का आकलन करना, घरों और सड़कों और पुलों जैसे बुनियादी ढांचे का पुनर्निर्माण करना और प्रभावित लोगों को सहायता प्रदान करना शामिल है। वित्तीय सहायता प्रदान करना, बिजली और पानी जैसी सुविधाओं को बहाल करना और लोगों को इससे निपटने में मदद करने के लिए परामर्श सेवाएँ प्रदान करना, ये सभी पुनर्प्राप्ति प्रयासों के महत्वपूर्ण भाग हैं।

क्विज स्टेशन *विगत UGC NET परीक्षाओं के प्रश्न*

प्र.1. सूची I को सूची II से मिलाएं:

सूची I (आपदा प्रबंधन चक्र के घटक)	सूची II (व्याख्या)
A. रोकथाम	I. भूमि-उपयोग योजना
B. तैयारी	II. बचाव
C. पुनर्प्राप्ति	III. जोखिम मूल्यांकन
D. प्रतिक्रिया	IV. निर्माण

विकल्प-
(a) A–I, B–III, C–II, D–IV
(b) A–I, B–III, C–IV, D–II
(c) A–III, B–I, C–II, D–IV
(d) A–III, B–I, C–IV, D–II

उत्तर 1. (d)

अध्याय के मुख्य बिंदु

भूकंप की तीव्रता

- **सूक्ष्म भूकंप**- 2 से कम
- **मामूली भूकंप**- 2-3.9
- **प्रमुख भूकंप**- 4-5.9
- **वृहद भूकंप**- 6-6.9
- **उच्च भूकंप**- 7 और उससे ऊपर

भूकंपीय तरंगों के प्रकार

- भूगर्भिक तरंगें
- P-तरंगें (प्राथमिक तरंगें)
- S-तरंगें (माध्यमिक तरंगें)
- **धरातलीय तरंगें**
  - लव तरंगें
  - रेले तरंगें

भूकंप मापने की मापनी

- रिक्टर मापनी
- MW मापनी, या क्षण परिमाण मापनी
- संशोधित मरकैली तीव्रता/गहनता (MMI) मापनी

सुनामी के कारण

- भूकंप
- भूस्खलन
- ज्वालामुखी विस्फोट
- विस्फोट
- उल्कापिंड प्रभाव

भूस्खलन के कारण

- भारी वर्षा
- भूकंप
- ज्वालामुखी गतिविधि
- मानव गतिविधियाँ
- मिट्टी की संरचना
- ढलान या ढाल का कोण

चक्रवात की संरचना

- **आँख** (चक्रवात का केंद्र)
- **आँख की दीवार** (चक्रवात का सबसे खतरनाक भाग)
- **वर्षा पट्टियाँ** (बादलों और गरज के साथ वर्षा की पट्टियाँ जो आँख की दीवार से बाहर की ओर घूमती हैं)

बाढ़ के प्रकार

- नदी बाढ़
- नगरीय बाढ़
- आकस्मिक बाढ़

पर्यावरणीय अधिनियम, सम्मेलन एवं प्रोटोकॉल (Environmental Acts, Convocations and Protocols)

29

इस अध्याय में

*परीक्षोपयोगी (Exam Essential): UGC NET परीक्षा में पूछे जाने की अत्यधिक संभावना, #CC का अर्थ है कॉन्सेप्ट कैप्सूल

परिचय (Introduction)

2014 में, भारत सरकार ने स्वच्छ भारत अभियान (Clean India Mission) प्रारंभ किया, जो शहरों और ग्रामीण क्षेत्रों की गलियों, सड़कों और बुनियादी ढांचे को साफ करने के लिए एक राष्ट्रव्यापी अभियान है। इस पहल का उद्देश्य पूरे देश में स्वच्छता और सफाई को बढ़ावा देना, खुले में शौच को कम करना और अपशिष्ट प्रबंधन प्रणालियों में सुधार करना था। स्वच्छ भारत अभियान इस बात का एक वास्तविक उदाहरण है कि कैसे सरकार के नेतृत्व वाली पहल नागरिकों और संसाधनों को महत्वपूर्ण पर्यावरणीय और सार्वजनिक स्वास्थ्य लक्ष्यों को प्राप्त करने के लिए जुटा सकती है।

इसी तरह, दुनिया भर की सरकारें, संयुक्त राष्ट्र जैसे अंतर्राष्ट्रीय संगठनों के साथ मिलकर, विभिन्न पर्यावरणीय चुनौतियों का सामना करने के लिए कई पहलें कर रही हैं। इन पहलों में जलवायु परिवर्तन से निपटने, जैव विविधता के संरक्षण और समन्वित वैश्विक कार्यों के माध्यम से प्रदूषण को कम करने के प्रयास शामिल हैं।

पर्यावरणीय अधिनियम, सम्मेलन और प्रोटोकॉल कानूनी ढांचे और समझौते हैं जो पर्यावरण का प्रबंधन और संरक्षण करने के लिए स्थापित किए गए हैं। ये सतत प्रथाओं, प्रदूषण नियंत्रण, संरक्षण प्रयासों और जलवायु परिवर्तन शमन के लिए दिशानिर्देश प्रदान करते हैं, यह सुनिश्चित करते हुए कि राष्ट्र पर्यावरणीय मुद्दों को व्यापक रूप से संबोधित करने के लिए एक साथ काम करें।

29.1 अंतर्राष्ट्रीय समझौते और सम्मेलन (International Agreements and Conventions)

स्टॉकहोम घोषणा (Stockholm Declaration-1972)

- **उद्देश्य:** पर्यावरण की रक्षा के लिए देशों को मिलकर काम करने की आवश्यकता पर प्रकाश डाला गया।
- **तिथि:** 5-16 जून 1972
- **स्थान:** स्टॉकहोम, स्वीडन

1972 का स्टॉकहोम घोषणापत्र वैश्विक पर्यावरण के संदर्भ में संयुक्त राष्ट्र का एक महत्वपूर्ण वक्तव्य है। यह पर्यावरण संबंधी चिंताओं को दूर करने के लिए पहला बड़ा अंतर्राष्ट्रीय प्रयास था। घोषणापत्र में पर्यावरण की रक्षा और सतत विकास को बढ़ावा देने के लिए अंतर्राष्ट्रीय सहयोग के महत्व पर जोर दिया गया।

स्टॉकहोम घोषणापत्र का महत्व (Importance of Stockholm Declaration): यह पहला प्रमुख घोषणापत्र था जो अंतर्राष्ट्रीय स्तर पर पर्यावरण पर केंद्रित था। इस घोषणापत्र में पर्यावरण की रक्षा और सतत विकास को बढ़ावा देने के लिए देशों के साथ मिलकर काम करने की आवश्यकता पर प्रकाश डाला गया।

स्टॉकहोम घोषणा का परिणाम (Result of Stockholm Declaration): स्टॉकहोम घोषणा में उल्लिखित सिद्धांतों के प्रति भारत की प्रतिबद्धता ने पर्यावरण (संरक्षण) अधिनियम, 1986 के अधिनियमन का नेतृत्व किया।

संयुक्त राष्ट्र पर्यावरण कार्यक्रम (UNEP & United Nations Environment Programme)

संयुक्त राष्ट्र पर्यावरण कार्यक्रम (UNEP): UNEP की स्थापना 1972 में स्टॉकहोम सम्मेलन के दौरान हुई चर्चाओं के परिणामस्वरूप की गई थी। यह संयुक्त राष्ट्र व्यवस्था के भीतर एक विशेष अभिकरण के रूप में कार्य करता है, जो प्रदूषण, जलवायु परिवर्तन और जैव विविधता क्षति जैसे वैश्विक पर्यावरणीय मुद्दों पर ध्यान केंद्रित करता है।

शासी निकाय (Governing Body) – संयुक्त राष्ट्र पर्यावरण सभा (UNEA - United Nations Environment Assembly)- संयुक्त राष्ट्र पर्यावरण सभा (UNEA) UNEP की शासी निकाय है, जो सभी संयुक्त राष्ट्र सदस्य राज्यों के प्रतिनिधियों को एक साथ लाकर महत्वपूर्ण पर्यावरणीय मुद्दों पर चर्चा और निर्णय लेने का काम करता है। UNEA वैश्विक पर्यावरण नीतियों के लिए प्राथमिकताएं निर्धारित करने और अंतर्राष्ट्रीय पर्यावरण कानून विकसित करने हेतु द्विवार्षिक रूप से (प्रत्येक दो वर्ष में) बैठक करती है, जो पर्यावरण नेतृत्व और सहयोग के लिए एक मंच के रूप में कार्य करती है।

मुख्यालय: नैरोबी, केन्या

प्रमुख रिपोर्टें: UNEP के तहत प्रमुख रिपोर्टें शामिल हैं-

1. उत्सर्जन अंतराल रिपोर्ट (Emissions Gap Report)
2. अनुकूलन अंतराल रिपोर्ट (Adaptation Gap Report)
3. वैश्विक पर्यावरण आउटलुक (Global Environment Outlook)
4. स्वस्थ ग्रह में निवेश करना (Invest in a Healthy Planet)

प्रमुख अभियान (Major Campaigns): UNEP द्वारा शुरू किए गए प्रमुख अभियान हैं-

1. **प्रदूषण को हराना (Beat Pollution):** एक अभियान जो वैश्विक स्तर पर प्रदूषण को कम करने के लिए जागरूकता बढ़ाने और कार्यों को बढ़ावा देने के लिए है।
2. **UN75:** संयुक्त राष्ट्र की 75वीं वर्षगांठ के उपलक्ष्य में, यह अभियान अंतर्राष्ट्रीय सहयोग के भविष्य को आकार देने में वैश्विक नागरिकों को शामिल करता है।
3. **विश्व पर्यावरण दिवस (World Environment):** प्रतिवर्ष 5 जून को मनाया जाने वाला यह अभियान पर्यावरण संबंधी मुद्दों पर जागरूकता बढ़ाता है और वैश्विक कार्रवाई को प्रोत्साहित करता है।
4. **जीवन के लिए जंगल (Wild for Life):** एक अभियान जो वन्यजीवों के अवैध व्यापार से लड़ने और जैव विविधता संरक्षण को बढ़ावा देने के लिए है।

UNEP के तहत सम्मेलन (Major Campaigns): UNEP पर्यावरण और संबंधित मुद्दों पर वैश्विक सम्मेलनों के विकास में संलग्न है। यह विभिन्न सम्मेलनों के सचिवालयों की मेजबानी करता है जैसे-

1. मिनामाता सम्मेलन
2. संयुक्त राष्ट्र जैव विविधता सम्मेलन
3. वन्य जीवों और वनस्पतियों की लुप्तप्राय प्रजातियों के अंतर्राष्ट्रीय व्यापार पर सम्मेलन (CITES)
4. बेसल सम्मेलन
5. स्टॉकहोम सम्मेलन
6. रॉटरडैम सम्मेलन
7. मॉन्ट्रियल प्रोटोकॉल
8. वियना सम्मेलन
9. जलवायु एवं स्वच्छ वायु गठबंधन (CCAC)

UNEP के कार्य (Functions of UNEP): UNEP के प्रमुख कार्य निम्नलिखित हैं-

1. पर्यावरण विज्ञान और सूचना को बढ़ावा देता है - UNEP वैश्विक स्तर पर पर्यावरणीय मुद्दों पर ज्ञान और सूचना साझा करने को बढ़ावा देता है।
2. विकास परियोजनाओं को वित्तपोषित और कार्यान्वित करता है- यह सतत विकास और पर्यावरण संरक्षण को बढ़ावा देने वाली परियोजनाओं का समर्थन और कार्यान्वयन करता है।
3. सरकारों और गैर सरकारी संगठनों के साथ संलग्न होता है- UNEP राष्ट्रीय सरकारों, गैर सरकारी संगठनों और अन्य हितधारकों के साथ पर्यावरणीय नीतियों के विकास और कार्यान्वयन के लिए सहयोग करता है।
4. संधियों एवं दिशानिर्देशों का विकास करता है- UNEP खतरनाक रसायनों, जल और वायु प्रदूषण तथा पर्यावरण संरक्षण से संबंधित अंतर्राष्ट्रीय संधियों और दिशानिर्देशों का मसौदा तैयार करने में महत्वपूर्ण भूमिका निभाता है।
5. पुरस्कार एवं सम्मान- UNEP पर्यावरण संरक्षण और स्थिरता में उत्कृष्ट योगदान हेतु व्यक्तियों और संस्थानों को मान्यता देता है।

क्विज स्टेशन *विगत UGC NET परीक्षाओं के प्रश्न*

प्र 1. संयुक्त राष्ट्र पर्यावरण कार्यक्रम (UNEP) के दौरान आयोजित विचार-विमर्श का परिणाम था

(a) 1972 में स्टॉकहोम में मानव पर्यावरण सम्मेलन
(b) 1992 में रियो डी जनेरियो में पृथ्वी शिखर सम्मेलन
(c) 1987 मॉन्ट्रियल प्रोटोकॉल
(d) 1997 क्योटो प्रोटोकॉल

प्र 2. पर्यावरण (संरक्षण) अधिनियम, 1986 भारत की इस प्रतिबद्धता का परिणाम था कि वह पर्यावरण के संरक्षण और सुधार के लिए निम्नलिखित स्तर पर उचित कार्रवाई करेगा:

(a) 1985 वियना सम्मेलन ओजोन परत की सुरक्षा के लिए
(b) 1983 लंबी दूरी के पार सीमा वायु प्रदूषण पर सम्मेलन
(c) 1975 वन्य जीवों और वनस्पतियों की लुप्तप्राय प्रजातियों के अंतर्राष्ट्रीय व्यापार पर सम्मेलन (CITES)
(d) 1972 स्टॉकहोम में मानव पर्यावरण पर संयुक्त राष्ट्र सम्मेलन

उत्तर 1. (a) 2. (d)

परीक्षोपयोगी

मॉन्ट्रियल प्रोटोकॉल (Montreal Protocol 1987)

- **उद्देश्य:** ओजोन परत का क्षरण करने वाले पदार्थों (ODS) को समाप्त करना।
- **समझौता किया गया:** 16 सितंबर 1987
- **प्रभाव में आया:** 1 जनवरी 1989
- **स्थान:** मॉन्ट्रियल, कनाडा
- **पुष्टि की गई/औपचारिक रूप से स्वीकृत:** सभी 197 संयुक्त राष्ट्र सदस्य राष्ट्रों द्वारा।

मॉन्ट्रियल प्रोटोकॉल एक अंतर्राष्ट्रीय समझौता है जो ओजोन परत के संरक्षण हेतु बनाया गया है, जिसमें कई हानिकारक रसायनों जैसे ODS (ओजोन क्षयकारी पदार्थों- Ozone-Depleting Substances) के उत्पादन को धीरे-धीरे बंद किया जाता है। यह समझौता 16 सितंबर 1987 को किया गया था और 1 जनवरी 1989 को लागू हुआ। यह विकसित और विकासशील देशों के लिए इन रसायनों को बंद करने के लिए अलग-अलग समय सारिणी निर्धारित करता है।

मॉन्ट्रियल प्रोटोकॉल का महत्व (Importance of Montreal Protocol): मॉन्ट्रियल प्रोटोकॉल को अब तक के सबसे सफल पर्यावरणीय समझौतों में से एक माना जाता है। यह सफल है क्योंकि यह पर्यावरणीय मुद्दों से संबंधित एकमात्र संयुक्त राष्ट्र संधि है जिसे सभी 197 संयुक्त राष्ट्र सदस्य राज्यों द्वारा पुष्टि (औपचारिक रूप से स्वीकृत) किया गया है।

मॉन्ट्रियल प्रोटोकॉल का उद्देश्य (Aim of the Montreal Protocol): मॉन्ट्रियल प्रोटोकॉल का उद्देश्य ओजोन परत को नुकसान पहुंचाने वाले पदार्थों (ODS) के उत्पादन और उपयोग को चरणबद्ध तरीके से समाप्त करके पृथ्वी की ओजोन परत की रक्षा करना है। ये पदार्थ, जैसे कि क्लोरोफ्लोरोकार्बन (CFCs), जो सामान्यत: रेफ्रिजरेशन और एयर कंडीशनिंग में पाए जाते हैं, ओजोन क्षरण में महत्वपूर्ण रूप से योगदान करते पाए गए। ओजोन क्षरण के कारण सूर्य से अधिक हानिकारक पराबैंगनी (UV) विकिरण पृथ्वी की सतह तक पहुँचता है, जिससे त्वचा कैंसर, मोतियाबिंद और पारिस्थितिकी तंत्र को नुकसान पहुँचने का जोखिम बढ़ जाता है। (ओजोन-क्षयकारी पदार्थों पर पृष्ठ 565 पर वायु प्रदूषण के अनुभाग में विस्तार से चर्चा की गई है।)

अपने लक्ष्य को प्राप्त करने के लिए, मॉन्ट्रियल प्रोटोकॉल अंतर्राष्ट्रीय सहयोग और समझौतों के माध्यम से ODS को धीरे-धीरे कम करने और अंतत: समाप्त करने का आदेश देता है। CFC और अन्य हानिकारक रसायनों को बदलने के लिए हाइड्रोफ्लोरोकार्बन (HFCs) जैसे सुरक्षित विकल्प अपनाए गए हैं। ये विकल्प ओजोन परत को नुकसान नहीं पहुँचाते हैं, इस प्रकार इसकी बहाली में योगदान करते हैं।

मॉन्ट्रियल प्रोटोकॉल का प्रभाव (Impact of Montreal Protocol): मॉन्ट्रियल प्रोटोकॉल का प्रभाव महत्वपूर्ण रहा है। वैज्ञानिक अवलोकनों से पता चलता है कि ओजोन छिद्र, विशेष रूप से अंटार्कटिका पर, धीरे-धीरे ठीक हो रहा है। इसका अर्थ है कि ओजोन परत स्वस्थ हो रही है और हानिकारक UV विकिरण से पृथ्वी पर जीवन की रक्षा करने में अधिक सक्षम हो रही है।

मॉन्ट्रियल प्रोटोकॉल में सूचीबद्ध ODSs:

1. क्लोरोफ्लोरोकार्बन (CFCs)
2. हैलोन
3. कार्बन टेट्राक्लोराइड (CCl4)
4. मिथाइल क्लोरोफॉर्म (1,1,1-ट्राइक्लोरोएथेन)
5. हाइड्रोक्लोरोफ्लोरोकार्बन (HCFCs)
6. मिथाइल ब्रोमाइड
7. ब्रोमो क्लोरोमेथेन (BCM)

मॉन्ट्रियल प्रोटोकॉल में आवधिक संशोधन (Periodic Revisions in Montreal Protocol): समझौते को इसकी प्रभावशीलता में सुधार के लिए नौ बार अपडेट किया गया है। ये अपडेट विभिन्न शहरों में आयोजित महत्वपूर्ण अंतर्राष्ट्रीय बैठकों में हुए-

1. 1990 (लंदन)
2. 1992 (कोपेनहेगन)
3. 1995 (वियना)
4. 1997 (मॉन्ट्रियल)
5. 1999 (बीजिंग)
6. 2007 (मॉन्ट्रियल)
7. 2016 (किगाली)
8. 2018 (क्विटो)

स्मरण हेतु महत्वपूर्ण बिंदु

मॉन्ट्रियल प्रोटोकॉल (1987) से संबंधित कुछ महत्वपूर्ण बिंदु निम्नलिखित हैं जिन्हें आपको परीक्षा के दृष्टिकोण से याद रखना चाहिए-

- **उद्देश्य:** ओजोन क्षयकारी पदार्थों (ODS) को समाप्त करना।
- **समझौता किया गया:** 16 सितंबर 1987
- **प्रभाव में आया:** 1 जनवरी 1989
- **कार्यान्वयन:** हाइड्रोफ्लोरोकार्बन का उपयोग ODSs को बदलने के लिए किया गया।
- **महत्वपूर्ण संशोधन:** किगाली समझौता (2016)
- **पुष्टि की गई/औपचारिक रूप से स्वीकृत:** सभी 197 संयुक्त राष्ट्र सदस्य राज्यों द्वारा।

कृपया ध्यान दें: फरवरी 2025 तक, संयुक्त राष्ट्र (UN) के 193 सदस्य देश हैं।

विचारणीय प्रश्न

क्या HFCs वास्तव में ओजोन क्षय से पर्यावरण की रक्षा करने में प्रभावी थे, या वे ODSs जितने ही खतरनाक साबित हुए? इस प्रश्न का उत्तर किगाली समझौते में निहित है। इसकी चर्चा, इस अध्याय में बाद में विस्तार से की गई है

क्विज स्टेशन *विगत UGC NET परीक्षाओं के प्रश्न*

प्र 1. मॉन्ट्रियल प्रोटोकॉल किसकी सुरक्षा से संबंधित है:
(2 सितंबर 2024 - शिफ्ट 1)

(a) जैव विविधता
(b) हिमनद
(c) महासागर
(d) समताप मंडलीय ओजोन परत

प्र 2. पर्यावरणीय मुद्दों से संबंधित एकमात्र संयुक्त राष्ट्र संधि जिसे सभी 197 संयुक्त राष्ट्र सदस्य देशों द्वारा अनुमोदित किया गया है:

(a) मॉन्ट्रियल प्रोटोकॉल
(b) पेरिस समझौता
(c) क्योटो प्रोटोकॉल
(d) बेसल सम्मेलन

उत्तर 1. (d) 2. (a)

★★★ परीक्षोपयोगी

रियो पृथ्वी शिखर सम्मेलन (Rio Earth Summit - 1992)

- **उद्देश्य:** सतत विकास
- **कब हुआ:** 3-14 जून 1992
- **स्थान:** रियो डी जनेरियो, ब्राजील
- **वैकल्पिक नाम:** संयुक्त राष्ट्र पर्यावरण और विकास सम्मेलन (UNCED - United Nations Conference on Environment and Development) या पृथ्वी शिखर सम्मेलन, रियो डी जनेरियो पृथ्वी शिखर सम्मेलन,

इस विषय को सरल बनाने वाले वीडियो व्याख्यान को देखने के लिए इस QR कोड को स्कैन करें

रियो सम्मेलन रियो शिखर सम्मेलन, जिसे आधिकारिक तौर पर संयुक्त राष्ट्र पर्यावरण और विकास सम्मेलन (UNCED) या 'पृथ्वी शिखर सम्मेलन' के रूप में जाना जाता है, 3-14 जून, 1992 को रियो डी जनेरियो, ब्राजील में आयोजित किया गया था। यह एक वैश्विक सभा थी जहां देश सतत विकास को प्राप्त करने के तरीकों पर चर्चा करने हेतु एकत्र हुए थे।

रियो शिखर सम्मेलन के तहत बने प्रमुख वैश्विक समझौते हैं-

1. एजेंडा 21
2. पर्यावरण और सिद्धांतों पर रियो घोषणा

उपरोक्त उल्लिखित समझौतों के साथ, इस शिखर सम्मेलन से तीन संधियाँ उभरीं, जिनमें से प्रत्येक पर्यावरण संरक्षण और सतत विकास के विभिन्न पहलुओं पर केंद्रित थी-

1. संयुक्त राष्ट्र जलवायु परिवर्तन रूपरेखा सम्मेलन (UNFCCC - UN Framework Convention on Climate Change)
2. संयुक्त राष्ट्र मरुस्थलीकरण से निपटने के लिए कन्वेंशन (UNCCD - United Nations Convention to Combat Desertification)
3. जैव विविधता पर सम्मेलन (CBD - Convention on Biological Diversity)

अभिसमय: एक सम्मेलन/अभिसमय देशों (जिन्हें "पार्टियाँ" कहा जाता है) के बीच एक औपचारिक संधि को संदर्भित करता है जो वैश्विक महत्व के विशिष्ट मुद्दों पर नियम, मानक एवं प्रतिबद्धताएँ स्थापित करता है। सम्मेलन कानूनी रूप से बाध्यकारी साधन हैं जो साझा लक्ष्यों और उद्देश्यों को प्राप्त करने हेतु भाग लेने वाले देशों के लिए दायित्वों और जिम्मेदारियों को रेखांकित करते हैं।

पक्षकारों के सम्मेलन (COPs - Conferences of the Parties): COPs वार्षिक बैठकें होती हैं जो संधियों (जैसे UNFCCC, UNCCD, CBD) के तहत आयोजित की जाती हैं जहां पार्टियाँ या पक्षकार (देश) जलवायु नीतियों और समझौतों पर चर्चा और बातचीत करती हैं। ये बैठकें उन देशों के प्रतिनिधियों को एक साथ लाती हैं जो संबंधित संधियों के पक्षकार हैं।

उपरोक्त उल्लिखित सभी वैश्विक समझौतों और संधियों पर नीचे विस्तार से चर्चा की गई है।

वैश्विक समझौता 1 : एजेंडा 21 (Global Agreement 1 : Agenda 21)

एजेंडा 21 पर्यावरण पर मानवीय प्रभाव को प्रबंधित करने के लिए संयुक्त राष्ट्र संगठनों, सरकारों और प्रमुख समूहों द्वारा वैश्विक, राष्ट्रीय और स्थानीय स्तर पर अपनाई गई एक विस्तृत योजना है। इसे 1992 में ब्राजील के रियो डी जेनेरियो में पृथ्वी शिखर सम्मेलन में स्थापित किया गया था, जिसका उद्देश्य 21वीं सदी के लिए सतत विकास पर ध्यान केंद्रित करना था।

इस एजेंडे का उद्देश्य विभिन्न पर्यावरणीय मुद्दों को संबोधित करना और सतत विकास के लिए राष्ट्रों के बीच सहयोग को बढ़ावा देना है। यह विकसित (उत्तर) और विकासशील (दक्षिण) देशों के बीच अंतर को पहचानता है: उत्तर के पास प्रौद्योगिकी और पूंजी है, जबकि दक्षिण के पास प्राकृतिक संसाधन हैं। यह स्वीकार करता है कि वैश्विक पर्यावरणीय निम्नीकरण मुख्य रूप से उत्तर के कारण होता है, जिससे दक्षिण इन मुद्दों के प्रति अधिक संवेदनशील हो जाता है। प्रमुख सिद्धांतों और उत्तरदायित्वों में शामिल हैं:

1. **सामान्य लेकिन विभेदित उत्तरदायित्व (CBDR: Common but Different Responsibilities):** यह सिद्धांत एजेंडा 21 का केंद्रीय भाग है, जो इस बात पर जोर देता है कि सभी राष्ट्रों को पर्यावरण की रक्षा करनी चाहिए, लेकिन विकसित देशों की ऐतिहासिक योगदानों के कारण उनकी अधिक जिम्मेदारी है।
2. **उत्तर की भूमिका (Role of the North):** विकसित देशों को प्रौद्योगिकी हस्तांतरण को सुविधाजनक बनाने और विकासशील देशों को वैश्विक अर्थव्यवस्था में अधिक प्रभावी ढंग से भाग लेने में मदद करने के लिए वित्तीय सहायता प्रदान करने के लिए प्रोत्साहित किया जाता है, जिससे सतत और समान विकास को बढ़ावा मिलता है।
3. **सतत उपभोग (Sustainable Consumption):** एजेंडा 21 कहता है कि सभी को संसाधनों का समझदारी से उपयोग करना चाहिए। यह एक संतुलित दृष्टिकोण चाहता है जो पर्यावरण, अर्थव्यवस्था और गरीबी को कम करने को एक साथ विचार करता है।

वैश्विक समझौता 2 : पर्यावरण और विकास पर रियो घोषणा (Global Agreement 2 : Rio Declaration on Environment and Development)

- **उद्देश्य:** रियो घोषणा पत्र में 27 सिद्धांत शामिल हैं जो सतत विकास के लिए एक मार्गदर्शक ढांचे के रूप में कार्य करते हैं। यह मौलिक पर्यावरणीय सिद्धांतों और अधिकारों पर जोर देता है, जैसे कि एहतियाती सिद्धांत, सामान्य लेकिन विभेदित जिम्मेदारियां और विकास का अधिकार।
- **ध्यान:** यह वैश्विक स्तर पर सतत विकास नीतियों और प्रथाओं का मार्गदर्शन करने हेतु आवश्यक सिद्धांतों और मूल्यों को परिभाषित करने पर केंद्रित है। रियो घोषणा पत्र में उल्लिखित सिद्धांत पर्यावरण संरक्षण और विकास लक्ष्यों के एकीकरण पर जोर देते हैं, जो मनुष्यों और पर्यावरण की परस्पर निर्भरता को पहचानते हैं।

अभिसमय 1 : यूएनएफसीसीसी (Convention 1 : UNFCCC)

- **उद्देश्य:** वैश्विक जलवायु परिवर्तन को संबोधित करना और ग्रीनहाउस गैस सांद्रता को स्थिर करना
- **समझौता किया गया:** 9 मई 1992
- **प्रभाव में आया:** 21 मार्च 1994
- **स्थान:** रियो डी जनेरियो, ब्राजील

UNFCCC का पूर्ण रूप संयुक्त राष्ट्र जलवायु परिवर्तन फ्रेमवर्क कन्वेंशन है। यह एक अंतर्राष्ट्रीय संधि है जिसे 1992 में रियो डी जनेरियो में पृथ्वी शिखर सम्मेलन में अपनाया गया था और 1994 में लागू हुआ था। UNFCCC का उद्देश्य वायुमंडल में ग्रीनहाउस गैस सांद्रता को एक ऐसे स्तर पर स्थिर करने के लिए अंतर्राष्ट्रीय सहयोग को बढ़ावा देकर वैश्विक तापमान वृद्धि और जलवायु परिवर्तन का समाधान करना है, जिससे जलवायु तंत्र में खतरनाक मानवजनित हस्तक्षेप को रोका जा सके।

पक्षकारों के सम्मेलन (COPs): COPs UNFCCC के तहत वार्षिक बैठकें हैं जहां पक्षकार (देश) जलवायु नीतियों और समझौतों पर चर्चा और बातचीत करती हैं। ये बैठकें उन देशों के प्रतिनिधियों को एक साथ लाती हैं जो संबंधित सम्मेलनों की पार्टियां हैं।

नीचे UNFCC के तहत कुछ महत्वपूर्ण COPs हैं-

- COP1 (बर्लिन, जर्मनी, 1995) = भारत ने आधिकारिक तौर पर COP1 के परिणामों और दायित्वों को कई वर्ष बाद, 2002 में स्वीकार किया।
- COP3 (क्योटो, जापान, 1997)
- COP11 (मॉन्ट्रियल, कनाडा, 2005)
- COP16 (कैनकन, मेक्सिको, 2010)
- COP21 (पेरिस, फ्रांस, 2015)
- COP26 (ग्लासगो, यूनाइटेड किंगडम, 2021)

क्योटो प्रोटोकॉल (COP 3), मॉन्ट्रियल प्रोटोकॉल (COP 11), कैनकन समझौता (COP 16), पेरिस समझौता (COP 21) और ग्लासगो समझौतों (COP 26) की इस अध्याय के निम्नलिखित अनुभागों में विस्तार से चर्चा की गई है।

अभिसमय 2 : सीबीडी (Convention 2 : CBD)

- **उद्देश्य:** जैव विविधता का संरक्षण, जैविक और आनुवंशिक संसाधनों का सतत उपयोग
- **समझौता किया गया:** 5 जून 1992
- **प्रभाव में आया:** 29 दिसंबर 1993
- **स्थान:** रियो डी जनेरियो, ब्राजील

जैव विविधता पर सम्मेलन (CBD) 1992 में रियो डी जनेरियो में आयोजित रियो पृथ्वी शिखर सम्मेलन में हुई चर्चाओं से उभरा। इसका ध्यान जैव विविधता का संरक्षण, प्राकृतिक संसाधनों का सतत उपयोग तथा आनुवंशिक संसाधनों से प्राप्त लाभों का न्यायसंगत वितरण सुनिश्चित करना है। आनुवंशिक संसाधन से तात्पर्य पौधों, पशुओं और सूक्ष्मजीवों की आनुवंशिक सामग्री से है, जो अपने अद्वितीय आनुवंशिक गुणों के कारण मनुष्यों के लिए संभावित मूल्य रखते हैं।

हालांकि एजेंडा 21 (ऊपर चर्चा की गई) विभिन्न क्षेत्रों में सतत विकास के लिए एक व्यापक रूपरेखा प्रदान करता है, लेकिन CBD जैव-विविधता संरक्षण, प्रजातियों की सुरक्षा और आनुवंशिक संसाधनों से प्राप्त लाभों के निष्पक्ष और न्यायसंगत बंटवारे से संबंधित विशिष्ट मुद्दों को संबोधित करता है। ब्ठक के मुख्य लक्ष्य इस प्रकार हैं:

1. **जैव विविधता का संरक्षण (Conservation of Biological Diversity):** पृथ्वी पर जीवन के विभिन्न रूपों की रक्षा करना।
2. **इसके घटकों का सतत उपयोग (Sustainable Use of Its Components):** जैविक संसाधनों का इस तरह से उपयोग करना कि वे भविष्य की पीढ़ियों के लिए उपलब्ध हो सकें।
3. **लाभों का न्यायसंगत और समान वितरण (Fair and Equitable Sharing of Benefits):** जब देश आनुवंशिक संसाधनों (जैसे दवाओं के लिए उपयोग किए जाने वाले पौधों) को साझा करते हैं, तो ब्ठक यह सुनिश्चित करने का प्रयास करता है कि इसमें शामिल सभी को लाभ का उचित हिस्सा मिले। इसमें स्थानीय समुदायों के अधिकारों और ज्ञान का सम्मान करना शामिल है। उदाहरण के लिए, कई पौधों में आनुवंशिक सामग्री होती है जो पारंपरिक चिकित्सा या फार्मास्यूटिकल्स में उपयोग किए जाने वाले यौगिकों का उत्पादन करती है। एक अच्छा उदाहरण मेडागास्कर में पाया जाने वाला गुलाबी पेरिविंकल (एक पौधा) है, जिसमें ऐसे आनुवंशिक संसाधन होते हैं जो कैंसर के इलाज के लिए कीमोथेरेपी में उपयोग किए जाने वाले यौगिकों का उत्पादन करते हैं।

CBD के तहत प्रमुख प्रोटोकॉल (Key Protocols under CBD): एक प्रोटोकॉल एक पूरक समझौते को संदर्भित करता है जो मुख्य सम्मेलन के विशिष्ट पहलुओं या प्रावधानों पर विस्तार से चर्चा करता है। यहां CBD के तहत कुछ प्रमुख प्रोटोकॉल हैं-

1. **जैव सुरक्षा पर कार्टाजेना प्रोटोकॉल (Cartagena Protocol on Biosafety - 2000):** यह प्रोटोकॉल जीवित संशोधित जीवों (LMOs - Living Modified Organism) के सुरक्षित हस्तांतरण और उपयोग से संबंधित है, जो आधुनिक जैव प्रौद्योगिकी (जैसे आनुवंशिक रूप से संशोधित फसलें) का उपयोग करके बनाए गए जीव हैं। इसका उद्देश्य पर्यावरण को इन जीवों से संभावित जोखिमों से बचाना है। इसे 2000 में हस्ताक्षरित किया गया था और 2003 में प्रभावी हुआ।

2. **नागोया प्रोटोकॉल (Nagoya Protocol 2010):** नागोया प्रोटोकॉल यह सुनिश्चित करता है कि आनुवंशिक संसाधनों (जैसे दवाओं के लिए उपयोग किए जाने वाले पौधों) के उपयोग से प्राप्त लाभों का न्यायसंगत वितरण हो। इसमें उन समुदायों से अनुमति प्राप्त करने के लिए दिशानिर्देश भी शामिल हैं जो इन संसाधनों को प्रदान करते हैं (जिसे पूर्व सूचित सहमति या पीआईसी कहा जाता है) और लाभों को कैसे साझा किया जाएगा इस पर सहमत होते हैं (आपसी सहमत शर्तें या MAT)।

महत्वपूर्ण COP: UNFCCC की तरह, CBD के तहत वार्षिक बैठकें (जिन्हें COPs कहा जाता है) आयोजित की जाती हैं, जहां पार्टियां (देश) जलवायु नीतियों और समझौतों पर चर्चा और बातचीत करती हैं। हमने पृष्ठ संख्या 657 पर COP15 (कुनमिंग मॉन्ट्रियल ग्लोबल बायोडायवर्सिटी फ्रेमवर्क (GBF), 2022) पर चर्चा की है।

अभिसमय 3 : यूएनसीसीडी (Convention 3 : UNCCD)

- **उद्देश्य:** मरुस्थलीकरण और सूखे के विरुद्ध लड़ाई
- **समझौता किया गया:** 17 जून 1994
- **प्रभाव में आया:** दिसंबर 1996
- **स्थान:** पेरिस, फ्रांस

संयुक्त राष्ट्र मरुस्थलीकरण रोकथाम सम्मेलन (UNCCD) को रियो पृथ्वी शिखर सम्मेलन के दौरान परक्राम्य और अपनाए गए तीन प्रमुख सम्मेलनों में से एक के परिणामस्वरूप अपनाया गया था। इसका उद्देश्य मरुस्थलीकरण से निपटने और सूखे के प्रभावों को कम करना था। इसे 1994 में हस्ताक्षर के लिए खोला गया और 1996 में लागू हुआ। यह सम्मेलन विशेष रूप से शुष्क, अर्ध-शुष्क और शुष्क उप-आर्द्र क्षेत्रों में मरुस्थलीकरण और सूखे से निपटने पर केंद्रित है। बेहतर स्पष्टता के लिए महत्वपूर्ण शब्दों पर एक नजर डालें-

- **मरुस्थलीकरण (Desertification):** मरुस्थलीकरण तब होता है जब भूमि जीवन को सहारा देने की अपनी क्षमता खो देती है और रेगिस्तान जैसी हो जाती है। यह जलवायु परिवर्तन और खेती तथा वनों की कटाई जैसी मानवीय गतिविधियों के कारण होता है।
- **शुष्क क्षेत्रों की परिभाषा (Defining Arid regions):** ऐसे स्थान जो प्रति वर्ष 10 इंच (25 सेमी) से कम वर्षा प्राप्त करते हैं।
- **अर्ध-शुष्क क्षेत्रों की परिभाषा (Defining Semi-arid regions):** ऐसे स्थान जो प्रति वर्ष 10-20 इंच (25-50 सेमी) वर्षा प्राप्त करते हैं।

भारत की भागीदारी (India's Involvement): भारत ने 1996 में UNCCD का अनुसमर्थन (औपचारिक रूप से अनुमोदन) किया। भारत में पर्यावरण मंत्रालय इसके कार्यान्वयन की देखरेख के लिए जिम्मेदार है।

मुख्य लक्ष्य (Key Goals): 2018 से 2030 तक, UNCCD का लक्ष्य क्षतिग्रस्त भूमि को बहाल करना, उन लोगों के जीवन को सुधारना है जो इस भूमि पर निर्भर हैं और कमजोर समुदायों पर सूखे के प्रभाव को कम करना है।

दृष्टिकोण (Approach): यह सम्मेलन अपने लक्ष्यों को प्राप्त करने में स्थानीय समुदायों को शामिल करते हुए नीचे से ऊपर की ओर दृष्टिकोण अपनाता है। यह एक कानूनी रूप से बाध्यकारी समझौता है जो सतत भूमि प्रबंधन को विकास और पर्यावरण संरक्षण से जोड़ता है।

तालिका 29.1 रियो शिखर सम्मेलन के तहत वैश्विक समझौतों का विवरण

वैश्विक समझौता एवं सम्मेलन	हस्ताक्षरित वर्ष	प्रभाव में आने का वर्ष
एजेंडा 21	1992	1992
पर्यावरण और विकास पर रियो घोषणा	1992	1992
UNFCCC	1992	1994
CBD	1992	1993
UNCCD	1994	1996

संबंधित सम्मेलन (Related Conference)

रियो+ 10 सम्मेलन, 2002 (सतत विकास पर जोहान्सबर्ग घोषणा): रियो+10 शिखर सम्मेलन, जिसे औपचारिक रूप से सतत विकास पर विश्व शिखर सम्मेलन के रूप में जाना जाता है, 2002 में जोहान्सबर्ग, दक्षिण अफ्रीका में हुआ था। मूल रियो पृथ्वी शिखर सम्मेलन (इसलिए "रियो+10") के 10 वर्ष बाद होने वाले इस आयोजन का उद्देश्य 1992 के रियो सम्मेलन के बाद हुई प्रगति की समीक्षा करना था।

शिखर सम्मेलन के परिणामस्वरूप सतत विकास पर जोहान्सबर्ग घोषणा हुई, जिसमें सतत विकास और गरीबी उन्मूलन के लिए वैश्विक प्रतिबद्धता पर जोर दिया गया। इसने आगे के अंतर्राष्ट्रीय सहयोग और कार्य योजनाओं के लिए मंच तैयार किया, जिससे सतत विकास के आर्थिक, सामाजिक और पर्यावरणीय आयामों के एकीकरण को मजबूती मिली।

रियो+ 20 सम्मेलन, 2012- सतत विकास पर संयुक्त राष्ट्र सम्मेलन (UNCSD), जिसे रियो+20 या पृथ्वी शिखर सम्मेलन 2012 के नाम से भी जाना जाता है, मूल पृथ्वी शिखर सम्मेलन के 20 वर्ष बाद रियो डी जेनेरियो में आयोजित किया गया था। इस सम्मेलन में वैश्विक समुदाय के लिए आर्थिक और पर्यावरणीय लक्ष्यों को संतुलित करके सतत विकास पर ध्यान केंद्रित किया गया।

रियो+20 शिखर सम्मेलन 1992 के सम्मेलन का अनुवर्ती था और इसका उद्देश्य इसकी सफलताओं को आगे बढ़ाना था। इसमें विश्व के नेताओं के साथ-साथ सरकारों, निजी क्षेत्र, गैर-सरकारी संगठनों और अन्य समूहों के हजारों प्रतिभागियों ने भाग लिया, ताकि इस बात पर चर्चा की जा सके कि बढ़ती भीड़-भाड़ वाली धरती पर गरीबी को कैसे कम किया जाए, सामाजिक समानता को कैसे आगे बढ़ाया जाए और पर्यावरण संरक्षण कैसे सुनिश्चित किया जाए।

रियो+20 के परिणाम दस्तावेज, जिसका शीर्षक है 'हम जो भविष्य चाहते हैं', (The Future We Want) ने नए लक्ष्य निर्धारित किए और सतत विकास के प्रति प्रतिबद्धताओं की पुष्टि की। रियो+20 सम्मेलन के मुख्य परिणामों में से एक सतत विकास लक्ष्यों का एक समूह विकसित करना था। ध्यान दें कि रियो+20 शिखर सम्मेलन के दौरान केवल विकास लक्ष्यों का एक समूह विकसित करने का इरादा निर्धारित किया गया था। 17 सतत विकास लक्ष्यों का सेट बाद में 2013 में ओपन वर्किंग ग्रुप (OWG) द्वारा प्रस्तावित किया गया था। (इस अध्याय में बाद में सतत विकास लक्ष्यों के तहत विस्तार से चर्चा की गई है।)

स्मरण हेतु महत्वपूर्ण बिंदु

निम्नलिखित कुछ महत्वपूर्ण बिंदु हैं जो आपको रियो पृथ्वी शिखर सम्मेलन (1992) से परीक्षा की दृष्टि से याद रखने चाहिए-

- **उद्देश्यः** सतत विकास
- **कबः** 3-14 जून 1992
- **स्थानः** रियो डी जनेरियो, ब्राजील
- **वैकल्पिक नामः**
  - संयुक्त राष्ट्र पर्यावरण और विकास सम्मेलन (UNCED)
  - पृथ्वी शिखर सम्मेलन
  - रियो डी जनेरियो पृथ्वी शिखर सम्मेलन
  - रियो सम्मेलन
- **प्रमुख वैश्विक समझौतेः**
  - एजेंडा 21
  - पर्यावरण और सिद्धांतों पर रियो घोषणा
- **प्रमुख वैश्विक सम्मेलनः**
  - संयुक्त राष्ट्र जलवायु परिवर्तन फ्रेमवर्क कन्वेंशन (UNFCCC)
  - जैव विविधता पर सम्मेलन (CBD)
  - संयुक्त राष्ट्र मरुस्थलीकरण से निपटने के लिए अभिसमय (UNCCD)
- **पार्टियों के सम्मेलन (COPs):** UNFCCC, CBD और UNCCD के तहत वार्षिक बैठकें
- **संबंधित सम्मेलनः**
  - **रियो+ 10 सम्मेलन, 2002:** जिसे जोहान्सबर्ग घोषणा पर सतत विकास के रूप में भी जाना जाता है।
  - **रियो+ 20 सम्मेलन, 2012:** सतत लक्ष्यों का एक समूह विकसित करना।

आरईडीडी+ (REDD+)

1992 में रियो पृथ्वी शिखर सम्मेलन के दौरान, जलवायु परिवर्तन और जैव विविधता संरक्षण में वनों की महत्वपूर्ण भूमिका पर वैश्विक ध्यान आकर्षित किया गया। शिखर सम्मेलन ने वनों की कटाई को संबोधित करने हेतु अंतर्राष्ट्रीय सहयोग की तत्काल आवश्यकता को उजागर किया, जो ग्रीनहाउस गैस उत्सर्जन और जैव विविधता के क्षय में योगदान देता है।

वनों की कटाई और वन क्षरण से उत्सर्जन को कम करना (REDD+) संयुक्त राष्ट्र जलवायु परिवर्तन फ्रेमवर्क कन्वेंशन (UNFCCC) के तहत विकसित एक तंत्र है जिसका उद्देश्य विकासशील देशों में वनों की कटाई और वन क्षरण से निपटकर जलवायु परिवर्तन को कम करना है। विकासशील देशों को उनके वनों को संरक्षित करने के लिए वित्तीय प्रोत्साहन प्रदान करके, REDD+ का उद्देश्य वनों को कृषि भूमि में परिवर्तित करने या अन्य उपयोगों में बदलने को कम करना है जो वायुमंडल में कार्बन डाइऑक्साइड छोड़ते हैं।

क्विज स्टेशन *विगत UGC NET परीक्षाओं के प्रश्न*

प्र 1. जैव विविधता पर अभिसमय सतत विकास को बढ़ावा देने के लिए समर्पित है, जिसे निम्नलिखित सिद्धांतों को कार्यान्वित करने हेतु एक व्यावहारिक उपकरण के रूप में माना गया है: *(6 दिसंबर 2023 - शिफ्ट 1)*

(a) एजेंडा 20 (b) एजेंडा 21

(c) एजेंडा 22 (d) एजेंडा 23

प्र 2. रियो+ 20 सम्मेलन का एक मुख्य परिणाम था:

(a) सतत विकास लक्ष्य

(b) सहस्राब्दी विकास लक्ष्य

(c) राष्ट्रीय विकास रणनीति

(d) राष्ट्रीय भूमि पुनर्स्थापन रणनीति

प्र 3. निम्नलिखित में से कौन-सा सम्मेलन/शिखर सम्मेलन संयुक्त राष्ट्र सतत विकास सम्मेलन (UNCSD) के रूप में भी जाना जाता है?

(a) स्टॉकहोम सम्मेलन, 1972

(b) रियो डी जनेरियो सम्मेलन, 1992

(c) जोहान्सबर्ग शिखर सम्मेलन, 2002

(d) रियो+ 20 सम्मेलन, 2012

उत्तर 1. (b) 2. (a) 3. (d)

परीक्षोपयोगी

क्योटो प्रोटोकॉल (Kyoto Protocol 1997)

- **उद्देश्यः** ग्रीनहाउस गैसों में कमी
- **समझौता किया गयाः** 11 दिसंबर 1997
- **प्रभाव में आयाः** 16 फरवरी 2005
- **UNFCCC का COP3**
- **आरंभ में हस्ताक्षरकर्ताः** अपनाने के समय 84 देश।
- **वर्तमान हस्ताक्षरकर्ताः** 192 देशों ने समझौते की पुष्टि की है।

उद्देश्यः क्योटो प्रोटोकॉल को 1997 में UNFCCC के विस्तार के रूप में अपनाया गया था। इसका मुख्य लक्ष्य भाग लेने वाले देशों (जिन्हें अनुलग्नक I देश कहा जाता है) को अपने ग्रीनहाउस गैस उत्सर्जन को सीमित करने और कम करने के लिए बाध्य करके वैश्विक तापन से निपटना है। अनुलग्नक I देशों ने 2008-2012 की अवधि के दौरान छह ग्रीनहाउस गैसों (नीचे सूचीबद्ध) के उत्सर्जन को कम करने के लिए विशिष्ट लक्ष्यों पर सहमति व्यक्त की, जिसे पहली प्रतिबद्धता अवधि के रूप में जाना जाता है।

क्योटो प्रोटोकॉल में ग्रीनहाउस गैसें: क्योटो प्रोटोकॉल छह ग्रीनहाउस गैसों को लक्षित करता है-

1. कार्बन डाइऑक्साइड (CO_2)
2. मीथेन (CH_4)

3. नाइट्रस ऑक्साइड (N_2O)
4. हाइड्रोफ्लोरोकार्बन (HFCs)
5. पेरफ्लोरोकार्बन (PFCs)
6. सल्फर हेक्साफ्लोराइड (SF_6)

क्योटो प्रोटोकॉल प्रतिबद्धता अवधि: क्योटो प्रोटोकॉल के तहत दो प्रतिबद्धता अवधि स्थापित की गई-

1. **पहली प्रतिबद्धता अवधि:** 2008-2012

   लक्ष्य: उपरोक्त ग्रीनहाउस गैसों के उत्सर्जन को 1990 के स्तर से औसतन 5% कम करना।
2. **दूसरी प्रतिबद्धता अवधि (जिसे दोहा समझौता भी कहा जाता है):** 2013-2020

   लक्ष्य: उपरोक्त ग्रीनहाउस गैसों के उत्सर्जन को 1990 के स्तर से 18% कम करना।

इन अवधियों ने देशों के लिए ग्रीनहाउस गैस उत्सर्जन को कम करने के अपने लक्ष्यों को प्राप्त करने के लिए समयसीमा निर्धारित की।

अनुलग्नक B और गैर-अनुलग्नक B देश (Annex B and Non-Annex B Countries):- आइए हम एजेंडा 21 के भाग के रूप में पढ़े गए सामान्य लेकिन विभेदित उत्तरदायित्वों (CBDR) की अवधारणा को याद करें। यह सिद्धांत कहता है कि विकसित देशों की औद्योगिकीकरण और शहरीकरण में उनके ऐतिहासिक योगदान के कारण पर्यावरण की रक्षा के लिए अधिक जिम्मेदारी है। क्योटो प्रोटोकॉल के संदर्भ में, देशों को उनके ग्रीनहाउस गैस उत्सर्जन में कमी के लिए प्रतिबद्धताओं के आधार पर अनुलग्नक ठ और गैर- अनुलग्नक B समूहों में वर्गीकृत किया गया है-

1. **अनुलग्नक B देश:** ये मुख्य रूप से विकसित देश और संक्रमण ाकालीन अर्थव्यवस्थाएं हैं। ग्रीनहाउस गैस उत्सर्जन को कम करने के लिए उनके पास कानूनी रूप से बाध्यकारी लक्ष्य हैं। ऐसे देशों के उदाहरणों में संयुक्त राज्य अमेरिका, यूनाइटेड किंगडम, यूरोपीय संघ, जापान, कनाडा, ऑस्ट्रेलिया और रूस शामिल हैं।
2. **गैर-अनुलग्नक B देश:** ये मुख्य रूप से विकासशील देश हैं जिनके पास क्योटो प्रोटोकॉल के तहत बाध्यकारी उत्सर्जन कटौती लक्ष्य नहीं हैं। इसके स्थान पर, इन्हें सतत विकास नीतियों को लागू करने और अनुलग्नक B देशों से समर्थन प्राप्त करने हेतु प्रोत्साहित किया जाता है। उदाहरणों में भारत, चीन और ब्राजील शामिल हैं।
3. **स्वच्छ विकास तंत्र (CDM - Clean Development Mechanism):** CDM अनुलग्नक B (विकसित) देशों को गैर-अनुलग्नक B (विकासशील) देशों में उत्सर्जन में कमी लाने वाली परियोजनाओं में निवेश करने की अनुमति देता है, जिससे उन्हें अपने ग्रीनहाउस गैस उत्सर्जन में कटौती करने में सहायता मिलती है। अमीर देश इन गरीब देशों में सौर ऊर्जा या बेहतर कृषि की पद्धतियों जैसी परियोजनाओं में निवेश कर सकते हैं। ऐसा करने से, अमीर देश इन परियोजनाओं से कम हुए उत्सर्जन को अपने लक्ष्यों में शामिल कर सकते हैं। यहां, श्लक्ष्यश से तात्पर्य विकसित/अमीर देशों के लिए निर्धारित लक्ष्यों से है कि वे कितना ग्रीनहाउस गैसों का उत्सर्जन कम करें। ये लक्ष्य प्रोटोकॉल के तहत कानूनी रूप से बाध्यकारी प्रतिबद्धताएं थीं, जिसका अर्थ है कि देशों को इन लक्ष्यों की दिशा में काम करना था और अपनी प्रगति की नियमित रूप से रिपोर्ट करनी थी।

स्मरण हेतु महत्वपूर्ण बिंदु

नीचे क्योटो प्रोटोकॉल (1997) के बारे में कुछ महत्वपूर्ण बिंदु दिए गए हैं जिन्हें आपको परीक्षा के दृष्टिकोण से याद रखना चाहिए:-

- **उद्देश्य:** ग्रीनहाउस गैसों में कमी
- **समझौता किया गया:** 11 दिसंबर 1997
- **प्रभाव में आया:** 16 फरवरी 2005
- **स्थान:** क्योटो, जापान
- **UNCCC का COP3**
- **हस्ताक्षर किए:** 150 देशों द्वारा
- **ग्रीनहाउस गैसें (GHGs) शामिल:**
  1. कार्बन डाइऑक्साइड (CO_2)
  2. मीथेन (CH_4)
  3. नाइट्रस ऑक्साइड (N_2O)
  4. हाइड्रोफ्लोरोकार्बन (HFCs)
  5. पेरफ्लोरोकार्बन (PFCs)
  6. सल्फर हेक्साफ्लोराइड (SF_6)
- **प्रतिबद्धता अवधि:**
  - **पहली प्रतिबद्धता अवधि:** 2008-2012 (GHGs 1990 के स्तर से 5% कम)
  - **दूसरी प्रतिबद्धता अवधि:** 2013-2020 (GHGs 1990 के स्तर से 18% कम)
- **स्वच्छ विकास तंत्र (CDM):** विकसित देश विकासशील देशों में उत्सर्जन में कमी परियोजनाओं में निवेश कर सकते हैं।

*संयुक्त राज्य अमेरिका ने अनुलग्नक ठ में सूचीबद्ध होने के बावजूद क्योटो प्रोटोकॉल की पुष्टि नहीं की और इसलिए, वह बाध्यकारी उत्सर्जन कटौती लक्ष्यों के अधीन नहीं थी। इसके विपरीत, कनाडा ने शुरू में भाग लिया लेकिन 2012 में औपचारिक रूप से समझौते से हट गया।

क्विज स्टेशन *विगत UGC NET परीक्षाओं के प्रश्न*

प्र 1. निम्नलिखित में से कौन-सी गैसें क्योटो प्रोटोकॉल के अंतर्गत आती हैं?

A. कार्बन डाइऑक्साइड (CO_2)
B. मीथेन (CH_4)
C. नाइट्रोजन डाइऑक्साइड (NO_2)
D. नाइट्रस ऑक्साइड (N_2O)
E. सल्फर डाइऑक्साइड (SO_2)

विकल्प:

(a) ABD (b) ABC
(c) BCD (d) CDE

प्र 2. क्योटो प्रोटोकॉल में, राष्ट्र पक्षों द्वारा प्रथम प्रतिबद्धता अवधि 2008-12 के दौरान ग्रीन हाउस गैसों (GHGs) की सांद्रता को 1990 के स्तर से नीचे लाने के लिए कितना लक्ष्य निर्धारित किया गया था?

(4 सितंबर 2024 - शिफ्ट 2)

(a) 1.0% (b) 5.2%

(c) 10.4% (d) 20%

उत्तर 1. (a) 2. (b)

मिलेनियम शिखर सम्मेलन (Millennium Summit 2000)

- **उद्देश्य:** MDGs (सहस्राब्दी विकास लक्ष्यों) को अपनाना
- **समझौता किया गया:** सितंबर 2000
- **स्थान:** न्यूयॉर्क, यूएसए

मिलेनियम शिखर सम्मेलन सितंबर 2000 में न्यूयॉर्क शहर में संयुक्त राष्ट्र मुख्यालय में आयोजित विश्व नेताओं की एक बड़ी सभा थी। यह इतिहास में विश्व नेताओं की सबसे बड़ी बैठकों में से एक थी, जो नई सहस्राब्दी (1,000 वर्ष की अवधि) की शुरुआत का प्रतीक थी।

उद्देश्य: शिखर सम्मेलन का मुख्य लक्ष्य वैश्विक चुनौतियों का समाधान करना और अंतर्राष्ट्रीय विकास के लिए महत्वाकांक्षी लक्ष्य निर्धारित करना था। 189 देशों के नेता गरीबी, भुखमरी, शिक्षा, लैंगिक समानता और पर्यावरणीय स्थिरता जैसे महत्वपूर्ण मुद्दों पर चर्चा करने के लिए एक साथ आए।

प्रमुख परिणाम-मिलेनियम घोषणा: शिखर सम्मेलन का समापन संयुक्त राष्ट्र सहस्राब्दि घोषणा को अपनाने के साथ हुआ। इस घोषणा में भविष्य के लिए एक दृष्टिकोण की रूपरेखा दी गई, जिसमें शांति, सुरक्षा और विकास पर ध्यान केंद्रित किया गया। इसने सहस्राब्दि विकास लक्ष्यों (MDG) के निर्माण को भी जन्म दिया, जो आठ विशिष्ट लक्ष्यों का एक समूह है। इन लक्ष्यों का उद्देश्य दुनिया के सबसे जरूरी मुद्दों, जैसे कि गरीबी और भूख से निपटना था। इन लक्ष्यों को जीवन की स्थितियों में उल्लेखनीय सुधार और वैश्विक स्तर पर सतत विकास को बढ़ावा देने के लिए मांगा गया था। (MDG पर इस अध्याय में बाद में विस्तार से चर्चा की गई है।)

स्मरण हेतु महत्वपूर्ण आंकड़े: न्यूयॉर्क स्थित संयुक्त राष्ट्र मुख्यालय में आयोजित शिखर सम्मेलन में 189 संयुक्त राष्ट्र सदस्य देशों द्वारा हस्ताक्षरित, जिसमें 149 अंतर्राष्ट्रीय नेता उपस्थित थे, सहस्राब्दि विकास लक्ष्य (MDGs) में 2015 तक प्राप्त किये जाने वाले 8 लक्ष्य निर्धारित किये गये थे।

स्टॉकहोम सम्मेलन (Stockholm Convention 2001)

- **उद्देश्य:** स्थायी जैविक प्रदूषकों (POPs) के उपयोग को कम करना और समाप्त करना
- **समझौता तिथि:** 22 मई 2001
- **प्रभाव में आया:** 17 मई 2004
- **स्थान:** स्टॉकहोम, स्वीडन

उद्देश्य: इस सम्मेलन का उद्देश्य दुनिया भर में स्थायी जैव प्रदूषकों (POPs) के उत्पादन, उपयोग और उत्सर्जन को समाप्त करना या प्रतिबंधित करना है। इन प्रदूषकों में DDT, PCBs और डाइऑक्सिन जैसे पदार्थ शामिल हैं, जो वायु और जल के माध्यम से लंबी दूरी तय कर सकते हैं और खाद्य श्रृंखला में जमा हो सकते हैं। ये रसायन पर्यावरण में लंबे समय तक बने रहते हैं, जीवित जीवों के वसायुक्त ऊतकों में जमा होते हैं और मनुष्यों एवं वन्यजीवों के लिए विषाक्त होते हैं। (POPs पर अध्याय 27: प्रदूषण, पृष्ठ संख्या 574 में विस्तार से चर्चा की गई है।)

विस्तार: इसमें 12 POPs की एक विशिष्ट सूची शामिल है जिसे 'डर्टी डजन' के रूप में जाना जाता है, जिसमें कीटनाशक, औद्योगिक रसायन और उप-उत्पाद जैसे DDT शामिल हैं।

डर्टी डजन में शामिल हैं-

1. **कीटनाशक:** एल्ड्रिन, क्लोर्डेन, डीडीटी, डिल्ड्रिन, एंड्रिन, हेप्टाक्लोर, मिरेक्स और टॉक्साफीन 2
2. **औद्योगिक रसायन:** हेक्साक्लोरोबेंजीन और पीसीबी
3. **अनजाने में उत्पादित POPs:** डाइऑक्सिन और फ्यूरान

प्रमुख प्रावधान-

1. **नियंत्रण उपाय:** पार्टियों (देशों) को POPs के उत्पादन और उपयोग को समाप्त करने या कम करने के उपाय करने की आवश्यकता है।
2. **विकल्प:** POPs के सुरक्षित विकल्पों के विकास और प्रचार को प्रोत्साहित करता है।
3. **स्टॉकपाइल्स:** मौजूदा स्टॉकपाइल्स (भंडार) और POPs युक्त कचरे के पर्यावरणीय रूप से ध्वनि प्रबंधन का आह्वान करता है।
4. **अंतर्राष्ट्रीय सहयोग:** विकासशील देशों और संक्रमणकालीन अर्थव्यवस्थाओं वाले देशों को सम्मेलन के कार्यान्वयन में समर्थन देने के लिए अंतर्राष्ट्रीय सहयोग और सहायता को बढ़ावा देता है।

कार्यान्वयन: सम्मेलन में शामिल होने वाले देशों (पार्टियों के रूप में संदर्भित) को POPs के उपयोग को समाप्त करने या कम करने के लिए राष्ट्रीय योजनाएं विकसित और कार्यान्वित करनी होती हैं। उन्हें अपनी प्रगति पर नियमित रूप से रिपोर्ट भी करनी होती है और अनुसंधान और निगरानी पर अंतर्राष्ट्रीय स्तर पर सहयोग करना होता है।

प्रभावशीलता: सम्मेलन ने वैश्विक स्तर पर कई पीओपी के उत्पादन और उपयोग में महत्वपूर्ण कमी की है। यह देशों को इन खतरनाक रसायनों का समाधान करने और मानव स्वास्थ्य और पर्यावरण की रक्षा करने के लिए एक ढांचा प्रदान करता है।

कानकुन समझौता (Cancun Agreement 2010)

- **उद्देश्य:** अंतर्राष्ट्रीय जलवायु नीति की दिशा में कदम
- **समझौता किया गया:** 11 दिसंबर 2010
- **UNFCCC का COP 16**
- **स्थान:** कानकुन, मेक्सिको

कानकुन, मैक्सिको में 2010 में आयोजित संयुक्त राष्ट्र जलवायु परिवर्तन सम्मेलन (COP16) में अपनाया गया, यह समझौता, अंतर्राष्ट्रीय जलवायु नीति में एक महत्वपूर्ण कदम है।

1. **हरित जलवायु कोष (Green Climate Fund):** कैनकन समझौते ने ग्रीन क्लाइमेट फंड की स्थापना की। इसका लक्ष्य 2020 तक हर वर्ष 100 बिलियन डॉलर इकट्ठा करना है। (पेरिस में COP21 में, जलवायु कार्रवाई को वित्तपोषित करने के लिए इस प्रतिबद्धता को 2025 तक बढ़ा दिया गया था।) यह धन विकासशील देशों को जलवायु परिवर्तन के खिलाफ काम करने में मदद करता है। विकसित देशों ने सार्वजनिक और निजी दोनों स्रोतों का उपयोग करके यह धन उपलब्ध कराने का वादा किया है। इस धन का उपयोग विकासशील देशों में उत्सर्जन में कटौती करने की स्पष्ट योजनाओं के लिए किया जाता है।
2. **जलवायु शमन ढांचा (Climate Mitigation Framework):** इस समझौते में वैश्विक स्तर पर ग्रीनहाउस गैस उत्सर्जन को कम करने के लिए विभिन्न उपाय और प्रतिबद्धताएं पेश की गई।
3. **अनुकूलन ढांचा (Adaptation Framework):** कैनकन अनुकूलन रूपरेखा दुनिया को जलवायु परिवर्तन के प्रभावों के अनुकूल होने में मदद करने के लिए बनाई गई थी। इसमें चरम मौसम और बढ़ते समुद्री स्तर जैसी चीजों के लिए तैयारी करना शामिल है।
4. **प्रौद्योगिकी हस्तांतरण (Technology Transfer):** समझौता उन प्रौद्योगिकियों के विकास और साझा करने को प्रोत्साहित करता है जो जलवायु परिवर्तन से निपटने में सहायता करती हैं। ये प्रौद्योगिकियां विकासशील देशों में सतत विकास के लिए महत्वपूर्ण हैं।
5. **क्षमता निर्माण (Capacity Building):** विकासशील देशों को जलवायु परिवर्तन से बेहतर तरीके से निपटने हेतु उनके कौशल और संसाधनों को बढ़ाने में सहायता करने पर ध्यान केंद्रित किया गया है। इसका अर्थ है कि उन्हें आवश्यक उपकरण और ज्ञान प्रदान करना।

मिनामाता सम्मेलन-2013 (Minamata Convention – 2013)

- **उद्देश्य:** मनुष्यों और पर्यावरण को पारे से बचाना।
- **समझौता किया गया:** 10 अक्टूबर 2013
- **प्रभाव में आया:** 16 अगस्त 2017
- **स्थान:** कुमामोटो, जापान

यह संयुक्त राष्ट्र पर्यावरण कार्यक्रम (UNEP) के तहत 2013 में हस्ताक्षरित एक संयुक्त राष्ट्र संधि है, जिसका उद्देश्य मानव स्वास्थ्य और पर्यावरण को पारे और उसके यौगिकों के हानिकारक प्रभावों से बचाना है। इसे 10 अक्टूबर, 2013 को जापान के कुमामोटो में हस्ताक्षर के लिए खोला गया था और 2017 में लागू हुआ।

उद्देश्य: इस सम्मेलन का उद्देश्य दुनिया भर में पारे के उत्सर्जन और जोखिम को कम करना है। पारा एक जहरीली धातु है जो गंभीर स्वास्थ्य समस्याओं, विशेष रूप से मनुष्यों में तंत्रिका संबंधी और विकास संबंधी समस्याओं का कारण बन सकती है।

विरासत: मिनामाता, जापान के नाम पर रखा गया है, जहां 20वीं सदी के मध्य में गंभीर पारा विषाक्तता हुई थी, यह सम्मेलन भविष्य में ऐसे पर्यावरणीय और स्वास्थ्य आपदाओं को रोकने के लिए एक वैश्विक प्रतिक्रिया के रूप में कार्य करता है।

मुख्य प्रावधान-

1. यह कुछ उत्पादों और प्रक्रियाओं में पारे के उत्पादन और उपयोग को प्रतिबंधित करता है, जैसे बैटरियां, स्विच और कुछ औद्योगिक प्रक्रियाएं।
2. यह पारा युक्त कचरे के सुरक्षित हैंडलिंग और निपटान को बढ़ावा देता है।
3. सम्मेलन पर्यावरण में पारे के स्तर की निगरानी, पारे में कमी के लिए सर्वोत्तम प्रथाओं को साझा करने और संधि को लागू करने में विकासशील देशों का समर्थन करने के लिए अंतर्राष्ट्रीय सहयोग को बढ़ावा देता है।

भारत की भागीदारी: भारत इस सम्मेलन का एक पक्षकार है और इसे 2018 में अनुमोदित किया।

मिनामाता सम्मेलन का COP1: पक्षकारों का पहला सम्मेलन (COP1) 24 से 29 सितंबर 2017 तक जिनेवा, स्विट्जरलैंड में हुआ।

★★★ परीक्षोपयोगी

पेरिस समझौता (Paris Agreement 2015)

- **उद्देश्य:** वैश्विक औसत तापमान में वृद्धि को कम करना।
- **समझौता किया गया:** 12 दिसंबर 2015
- **प्रभाव में आया:** 4 नवंबर 2016
- **स्थान:** पेरिस, फ्रांस
- **UNFCCC का COP21**
- **हस्ताक्षर और अनुमोदन किया गया:** 195 देशों द्वारा

उद्देश्य: जलवायु परिवर्तन पर संयुक्त राष्ट्र फ्रेमवर्क कन्वेंशन (UNFCCC) के तहत स्थापित पेरिस समझौता जलवायु परिवर्तन से निपटने के लिए एक वैश्विक प्रयास है। 2015 में अपनाया गया, यह ग्रीनहाउस गैस उत्सर्जन को कम करने और ग्लोबल वार्मिंग को सीमित करने के लिए देशों को एक साथ काम करने में मदद करने के लिए विभिन्न लक्ष्य और रूपरेखाएँ निर्धारित करता है।

हस्ताक्षर एवं पुष्टि: पेरिस समझौते पर 194 देशों और यूरोपीय संघ ने हस्ताक्षर किए हैं और इसकी पुष्टि की है। फरवरी 2023 तक, होली सी (Holy See) एकमात्र ऐसा राज्य है जिसने समझौते पर हस्ताक्षर तो किए हैं, लेकिन अभी तक इसकी पुष्टि नहीं की है। अन्य सभी UNFCCC सदस्यों ने समझौते पर हस्ताक्षर और पुष्टि दोनों कर दी है। दूसरी ओर, ईरान, लीबिया और यमन जैसे देशों ने न तो पेरिस समझौते की पुष्टि की और न ही इस पर हस्ताक्षर किए। संयुक्त राज्य अमेरिका 2020 में समझौते से हट गया, लेकिन 2021 में पुनः इसमें शामिल हो गया।

पेरिस समझौते के लक्ष्य (Goals of the Paris Agreement 2015):

1. **तापमान लक्ष्य:** इसका लक्ष्य वैश्विक तापमान में वृद्धि को 2°C से नीचे रखना है तथा इसे पूर्व-औद्योगिक स्तर की तुलना में आदर्श रूप से 1.5°C तक सीमित रखना है।
2. **उत्सर्जन में कमी:** पेरिस समझौते में औपचारिक रूप से शामिल होने से पहले देश ग्रीनहाउस गैसों को कम करने के लिए अपने लक्ष्य निर्धारित करते हैं, जिन्हें इच्छित राष्ट्रीय निर्धारित योगदान (INDCs-Intended Nationally Determined Contributions) कहा जाता

है। एक बार जब कोई देश इसमें शामिल हो जाता है, तो उसका INDC स्वचालित रूप से उसका राष्ट्रीय निर्धारित योगदान (NDC) बन जाता है, जब तक कि उसे संशोधित न किया जाए। NDC प्रत्येक देश की अंतिम प्रतिबद्धता का प्रतिनिधित्व करते हैं। इन लक्ष्यों प्रगति सुनिश्चित करने हेतु हर पाँच वर्ष में समीक्षा की जाती है और उन्हें अद्यतन किया जाता है।

समझौते के लागू होने की आवश्यकता (Requirement for the Agreement to come into force):

पेरिस समझौते के तहत, समझौते को लागू करने के लिए एक महत्वपूर्ण आवश्यकता यह थी कि इसे कम से कम 55 देशों द्वारा अनुमोदित (आधिकारिक रूप से स्वीकार किया जाना) किया जाना था, जो कुल मिलाकर वैश्विक कार्बन डाइऑक्साइड (CO_2) उत्सर्जन के कम से कम 55% के लिए जिम्मेदार हैं।

यह '55-55' सीमा, यह सुनिश्चित करने के लिए निर्धारित की गई थी कि समझौते को दुनिया के देशों और सबसे बड़े उत्सर्जकों का एक महत्वपूर्ण हिस्सा समर्थन देगा, जिससे वैश्विक जलवायु परिवर्तन प्रयासों पर इसका प्रभाव अधिकतम हो सके। 5 अक्टूबर, 2016 को सीमा पूरी हो गई, जिसके परिणामस्वरूप 4 नवंबर, 2016 को समझौता लागू हो गया। इस अनुसमर्थन प्रक्रिया ने वैश्विक स्तर पर जलवायु परिवर्तन को संबोधित करने हेतु सामूहिक प्रतिबद्धता का प्रदर्शन किया।

रूपरेखा (Frameworks):

1. **प्रौद्योगिकी तंत्र/ढांचा/रूपरेखा (Technology Framework):** देशों को नई, पर्यावरण-अनुकूल प्रौद्योगिकियों को विकसित करने और साझा करने में सहायता करता है।
2. **क्षमता निर्माण तंत्र (Capacity-Building Framework):** विकासशील देशों को जलवायु परिवर्तन से निपटने हेतु आवश्यक कौशल और क्षमताओं का निर्माण करने में सहायता करता है।
3. **पारदर्शिता तंत्र (Transparency Framework):** यह सुनिश्चित करता है कि देश अपने कार्यों और प्रगति की स्पष्ट रूप से रिपोर्ट करें ताकि हर कोई देख सके कि क्या किया जा रहा है।

वित्तीय प्रतिबद्धताएँ (Financial Commitments)

1. **वित्त लक्ष्य (Finance Goal):** इस समझौते का लक्ष्य 2020 तक अमीर देशों को हर वर्ष 100 बिलियन डॉलर इकट्ठा करना है। इसका उद्देश्य गरीब देशों को अपने उत्सर्जन में कटौती करके और इसके प्रभावों के लिए तैयार होकर जलवायु परिवर्तन से निपटने में सहायता करना है। हालाँकि, 2020 में केवल 83.3 बिलियन डॉलर ही जुटाए गए और लक्ष्य 2023 में पूरा हो गया।
2. **बाकू वित्त लक्ष्य (Baku Finance Goal):** COP29 (बाकू, अजरबैजान, नवंबर 2024) में, देशों ने विकासशील देशों के लिए जलवायु वित्त को 2035 तक 100 बिलियन डॉलर से बढ़ाकर 300 बिलियन डॉलर करने पर सहमति जताई। इस नई प्रतिबद्धता को 'बाकू वित्त लक्ष्य' कहा जाता है। (इस पर कैनकन समझौते के तहत चर्चा की गई है।)
3. **जलवायु वित्त (Climate Finance):** इसका अर्थ है गरीब देशों को अनुदान (ऐसा धन जिसे उन्हें वापस नहीं चुकाना पड़ता) या ऋण (ऐसा धन जिसे वे उधार लेते हैं और बाद में चुकाते हैं) के रूप में धन देना। इसका लक्ष्य इन देशों को काम करने के स्वच्छ तरीकों को अपनाने में सहायता करना है, जैसे कि अधिक नवीकरणीय ऊर्जा का उपयोग करना, सतत खेती करना और अपने बुनियादी ढांचे में सुधार करना।
4. **प्रौद्योगिकी हस्तांतरण (Technology Transfer):** धन के अतिरिक्त, समझौते में स्वच्छ प्रौद्योगिकी को भी साझा करने की बात कही गई है। इसका अर्थ है कि गरीब देशों को सौर ऊर्जा या ऊर्जा के बेहतर उपयोग जैसी चीजों तक पहुंच बनाने में सहायता करना। ये प्रौद्योगिकियां उन्हें जलवायु परिवर्तन से निपटने और इसके प्रभावों के अनुकूल होने में सहायता कर सकती हैं।
5. **अनुकूलन कोष (Adaptation Fund):** इस समझौते के तहत गरीब देशों को जलवायु परिवर्तन के प्रभावों से निपटने में सहायता करने हेतु एक विशेष कोष बनाया गया। यह निधि उन परियोजनाओं को सहायता प्रदान करती है जो इन देशों को चरम मौसम या जलवायु परिवर्तन के कारण बढ़ते समुद्र स्तर जैसी समस्याओं के प्रति अधिक लचीला बनाती हैं।

पेरिस समझौते की संरचना (Structure of Paris Agreement, 2015):

1. समझौते में कानूनी रूप से बाध्यकारी और स्वैच्छिक कार्य दोनों शामिल हैं।
2. देशों को अपनी प्रगति की रिपोर्ट देनी होती है, लेकिन विशिष्ट उत्सर्जन में कमी के लक्ष्य कानूनी रूप से लागू नहीं होते हैं।

भारत	**चीन**	**संयुक्त राज्य अमेरिका**	**यूरोपीय संघ (28)**
जीडीपी की उत्सर्जन तीव्रता 2030 तक 2005 के स्तर से 33-35% कम होगी। बिजली क्षमता 40% गैर-जीवाश्म ईंधन आधारित होग	2030 तक सकल घरेलू उत्पाद की उत्सर्जन तीव्रता 2005 के स्तर से 60-65% कम होगी। 2030 के आसपास अधिकतम उत्सर्जन होगा। 2030 तक गैर-जीवाश्म ईंधन प्राथमिक ऊर्जा खपत का 20% होगा	पूर्ण उत्सर्जन 2025 तक 2005 के स्तर से 26-28% नीचे	पूर्ण उत्सर्जन 2030 तक 1990 के स्तर से 40% नीचे

चित्र 29.1 पेरिस समझौते के लक्ष्य

पेरिस समझौते में भारत की भूमिका, (India's Role in the Paris Agreement, 2015):

1. भारत ने 2030 तक अपनी बिजली का 40% गैर-जीवाश्म स्रोतों जैसे सौर और पवन ऊर्जा से प्राप्त करने का वचन दिया है।
2. भारत अंतर्राष्ट्रीय सौर गठबंधन में भी एक प्रमुख खिलाड़ी है (अगले खंड में विस्तार से चर्चा की गई है), जिसका उद्देश्य दुनिया भर में सौर ऊर्जा को बढ़ावा देना है।

स्मरण हेतु महत्वपूर्ण बिंदु

नीचे पेरिस समझौते (2015) के बारे में कुछ महत्वपूर्ण बिंदु दिए गए हैं जिन्हें आपको परीक्षा के दृष्टिकोण से याद रखना चाहिए-

- **उद्देश्य:** वैश्विक औसत तापमान में वृद्धि को कम करना
- **समझौता किया गया:** 12 दिसंबर 2015
- **प्रभाव में आया:** 4 नवंबर 2016
- **स्थान:** पेरिस, फ्रांस
- **UNFCCC का COP21**
- **हस्ताक्षर और पुष्टि की गई:** 194 देश और यूरोपीय संघ
- **तापमान लक्ष्य:** वैश्विक तापमान में वृद्धि को 2°C से नीचे रखना, तथा आदर्श रूप से इसे पूर्व-औद्योगिक स्तरों की तुलना में 1-5°C तक सीमित रखना।
- **राष्ट्रीय स्तर पर निर्धारित योगदान (INDCs):** देशों द्वारा निर्धारित उत्सर्जन कटौती लक्ष्य। इन लक्ष्यों की प्रत्येक 5 वर्ष में समीक्षा की जाती है।

क्विज स्टेशन *विगत UGC NET परीक्षाओं के प्रश्न*

प्र 1. जलवायु परिवर्तन के विनाशकारी परिणामों से बचने के लिए, दुनिया के देशों के बीच एक सामान्य सहमति है कि औसत सतह तापमान में वृद्धि को पूर्व-औद्योगिक समय की तुलना में कितने तक सीमित किया जाएं:

(a) 1.5-2°C (b) 2.0-3.5°C
(c) 0.5-1.0°C (d) 0.25-0.5°C

प्र 2. पेरिस समझौते के प्रावधानों के अनुसार, राष्ट्रीय स्तर पर निर्धारित योगदान (INDCs) की समीक्षा हर:

(a) 15 वर्ष (b) 10 वर्ष
(c) 5 वर्ष (d) 3 वर्ष

प्र 3. UNFCCC (जलवायु परिवर्तन पर संयुक्त राष्ट्र फ्रेमवर्क कन्वेंशन) निम्नलिखित में से किस बैठक का परिणाम था? *(27 अगस्त 2024 - शिफ्ट 1)*

(a) मॉन्ट्रियल प्रोटोकॉल
(b) स्टॉकहोम सम्मेलन
(c) रियो शिखर सम्मेलन
(d) क्योटो प्रोटोकॉल

प्र 4. पेरिस समझौता तब लागू हुआ जब कम से कम 55 देशों द्वारा पुष्टि के उपकरण जमा किए गए, जो कम से कम:

(a) वैश्विक CO_2 उत्सर्जन का 50%
(b) वैश्विक CO_2 उत्सर्जन का 55%
(c) वैश्विक CO_2 उत्सर्जन का 60%
(d) वैश्विक CO_2 उत्सर्जन का 75%

प्र 5. सूची I को सूची II से मिलाएं।
(22 अगस्त 2024 - शिफ्ट 1)

सूची-I (अंतर्राष्ट्रीय बैठकें)	सूची-II (मुख्य उद्देश्य)
A. क्योटो प्रोटोकॉल	I. वैश्विक तापन
B. मॉन्ट्रियल प्रोटोकॉल	II. जैव विविधता संरक्षण
C. रियो शिखर सम्मेलन	III. ओजोन क्षरण
D. पेरिस समझौता	IV. सौर गठबंधन

नीचे दिए गए विकल्पों में से सही उत्तर चुनें

(a) A-I, B-III, C-II, D-IV
(b) A-II, B-III, C-I, D-V
(c) A-III, B-I, C-IV, D-II
(d) A-IV, B-II, C-I, D-III

प्र 6. 2015 में पेरिस में UNFCCC बैठक में समझौते के संदर्भ में, निम्नलिखित में से कौन सा/से कथन सही है/हैं?

1. समझौते पर UN के सभी सदस्य देशों द्वारा हस्ताक्षर किए गए थे और यह 2017 में प्रभावी होगा।
2. समझौते का उद्देश्य ग्रीनहाउस गैस उत्सर्जन को सीमित करना है ताकि इस सदी के अंत तक औसत वैश्विक तापमान में वृद्धि 2°C या पूर्व-औद्योगिक स्तरों से 1-5°C से अधिक न हो।
3. विकसित देशों ने वैश्विक तापमान वृद्धि में अपनी ऐतिहासिक जिम्मेदारी को स्वीकार किया और विकासशील देशों को जलवायु परिवर्तन से निपटने में मदद करने के लिए 2020 से प्रति वर्ष +1,000 बिलियन दान करने के लिए प्रतिबद्ध किया।

नीचे दिए गए कोड का उपयोग करके सही उत्तर चुनें

(a) केवल 1 और 3 (b) केवल 2
(c) केवल 2 और 3 (d) 1, 2 और 3

व्याख्याएँ: कानकुन समझौता 2010 और पेरिस समझौता 2015 के अंतर्गत विकसित देशों की वार्षिक प्रतिबद्धता 100 बिलियन डॉलर थी (न कि 1,000 बिलियन डॉलर)।

उत्तर 1. (a) 2. (c) 3. (c)
4. (b) 5. (a) 6. (b)

परीक्षोपयोगी

अंतर्राष्ट्रीय सौर गठबंधन (International Solar Alliance 2015)

- **उद्देश्य:** सौर ऊर्जा को बढ़ावा देना
- **समझौता किया गया:** 30 नवंबर 2015
- **प्रभाव में आया:** 6 दिसंबर 2017

- **स्थानः** पेरिस, फ्रांस
- **COP21**
- **मुख्यालयः** राष्ट्रीय सौर ऊर्जा संस्थान, गुरुग्राम, हरियाणा, भारत
- **हस्ताक्षर एवं पुष्टि की गईः** प्रारम्भ में 99 देशों द्वारा
- **फ्रेमवर्क समझौताः** नवंबर 2016 में हस्ताक्षर के लिए खोला गया, जिसमें 102 देश शामिल हुए।
- **वर्तमान सदस्यता (नवंबर 2024):** 120 हस्ताक्षरकर्ता, जिनमें 102 पूर्ण रूप से अनुसमर्थित सदस्य देश शामिल हैं।

उद्देश्यः अंतर्राष्ट्रीय सौर गठबंधन (ISA) कर्क और मकर रेखा के बीच स्थित देशों का एक समूह है और इसका उद्देश्य वैश्विक स्तर पर सौर ऊर्जा को बढ़ावा देना है। ISA का मुख्य लक्ष्य कोयला और तेल जैसे जीवाश्म ईंधन पर निर्भरता को कम करने के लिए सौर ऊर्जा के उपयोग को बढ़ावा देना है।

ISA का लक्ष्यः ISA ने 2030 तक 1 टेरावाट (TW) सौर ऊर्जा प्राप्त करने का लक्ष्य रखा है।

प्रस्तावकः इस पहल का प्रस्ताव पहली बार भारतीय प्रधान मंत्री नरेंद्र मोदी ने नवंबर 2015 में वेम्बली स्टेडियम में एक भाषण में दिया था। ISA आधिकारिक तौर पर 6 दिसंबर, 2017 को शुरू हुआ। ISA का मुख्यालय हरियाणा, भारत में स्थित है।

शुभारंभ किया गयाः ISA को भारत और फ्रांस ने 2015 में UNCCC के COP 21 सम्मेलन के दौरान लॉन्च किया था। भारतीय प्रधानमंत्री नरेंद्र मोदी और फ्रांस के राष्ट्रपति फ्रांस्वा ओलांद ने संयुक्त रूप से 2016 में हरियाणा में ISA मुख्यालय की आधारशिला रखी थी। कृपया ध्यान दें कि भारत के पूर्व गृह सचिव आर.के सिंह ISA के अध्यक्ष हैं। भारत को 2024-2026 के कार्यकाल के लिए अंतर्राष्ट्रीय सौर गठबंधन (ISA) के अध्यक्ष के रूप में पुनः चुना गया।

क्या आप जानते हैंः चीन और पाकिस्तान अंतर्राष्ट्रीय सौर गठबंधन का भाग नहीं हैं।

ISA का दृष्टिकोण और मिशन

- **दृष्टिकोणः** 'आइए हम मिलकर सूरज को और उज्जवल बनाएं'।
- **मिशनः** "हर घर, चाहे कितना भी दूर हो, घर में एक रोशनी होगी।"

ISA की आधिकारिक भाषाएं- ISA की आधिकारिक भाषाएं अंग्रेजी और फ्रेंच हैं।

सनशाइन देशः सनशाइन देश या धूप वाले देश वे हैं जो कर्क रेखा और मकर रेखा के बीच पूरी तरह या आंशिक रूप से स्थित हैं। इन देशों को बहुत अधिक धूप मिलती है, जो उन्हें सौर ऊर्जा पहल के लिए आदर्श बनाती है।

क्षेत्र विस्तारः 2018 में, ISA ने संयुक्त राष्ट्र के सभी सदस्य देशों को शामिल करने के लिए अपने दायरे का विस्तार किया। भारत ISA में एक महत्वपूर्ण भूमिका निभाता है, इसके सचिवालय की मेजबानी करता है और महत्वपूर्ण योगदान देने के लिए प्रतिबद्ध है। भारत ने 2022 तक सौर स्रोतों से 175 गीगावाट (GW) अक्षय ऊर्जा विकसित करने का संकल्प लिया है, जिसकी चर्चा ग्लासगो COP प्रतिबद्धताओं के तहत पृष्ठ संख्या 656 पर अलग से की गई है।

स्मरण हेतु महत्वपूर्ण बिंदु

नीचे अंतर्राष्ट्रीय सौर गठबंधन (2015) के बारे में कुछ महत्वपूर्ण बिंदु दिए गए हैं जिन्हें आपको परीक्षा के दृष्टिकोण से याद रखना चाहिए-

- **उद्देश्यः** सौर ऊर्जा को बढ़ावा देना
- **समझौता किया गयाः** 30 नवंबर 2015
- **प्रभाव में आयाः** 6 दिसंबर 2017
- **स्थानः** पेरिस, फ्रांस
- **UNCCC का COP21**
- **मुख्यालयः** राष्ट्रीय सौर ऊर्जा संस्थान, गुरुग्राम, हरियाणा, भारत
- **शुरू किया गयाः** भारत और फ्रांस द्वारा
- **हस्ताक्षर और पुष्टि की गईः** 99 देशों द्वारा
- **लक्ष्यः** 2030 तक 1 टेरावाट (TW) सौर ऊर्जा प्राप्त करना।
- **दृष्टिकोणः** 'आइए हम मिलकर सूर्य को और उज्जवल बनाएं'।
- **मिशनः** 'हर घर, चाहे कितना भी दूर हो, घर में एक रोशनी होगी'।
- **शामिल देशः** संयुक्त राष्ट्र के सभी सदस्य राष्ट्र

क्विज स्टेशन *विगत UGC NET परीक्षाओं के प्रश्न*

प्र 1. अंतर्राष्ट्रीय सौर गठबंधन का मिशन क्या है?

(4 सितंबर 2024 - शिफ्ट 1)

(a) हर घर में बिजली होगी, चाहे वह कितनी भी दूर क्यों न हो
(b) हर घर में सौर ऊर्जा का उपयोग होगा
(c) हर घर में रोशनी होगी, चाहे वह कितनी भी दूर क्यों न हो
(d) हर घर को कार्बन न्यूट्रल होना होगा

प्र 2. अंतर्राष्ट्रीय सौर गठबंधन (ISA) देशों का गठबंधन है, जिनमें से अधिकांश स्थित हैं

(3 सितंबर 2024 - शिफ्ट 1)

(a) उत्तरी ध्रुव और कर्क रेखा के बीच
(b) मकर रेखा और दक्षिणी ध्रुव के बीच
(c) भूमध्य रेखा पर
(d) कर्क रेखा और मकर रेखा के बीच

प्र 3. नीचे दो कथन दिए गए हैं:

कथन I: अंतर्राष्ट्रीय सौर गठबंधन के वर्तमान अध्यक्ष का पद भारत के पास है।

कथन II: संयुक्त राज्य अमेरिका अंतर्राष्ट्रीय सौर गठबंधन का सदस्य नहीं है।

उपरोक्त कथनों के आलोक में, नीचे दिए गए विकल्पों में से सही उत्तर चुनें:

(a) कथन I और कथन II दोनों सत्य हैं

(b) कथन I और कथन II दोनों असत्य हैं

(c) कथन I सत्य है लेकिन कथन II असत्य है

(d) कथन I असत्य है लेकिन कथन II सत्य है

प्र 4. कथन I: अंतर्राष्ट्रीय सौर गठबंधन का गठन 2010 में किया गया था।

कथन II: अंतर्राष्ट्रीय सौर गठबंधन सौर प्रौद्योगिकियों के विकास के लिए सहयोगी अनुसंधान में शामिल दुनिया के बीस अग्रणी देशों का एक समूह है।

उपरोक्त कथनों के प्रकाश में, नीचे दिए गए विकल्पों में से सबसे उपयुक्त उत्तर चुनें:

(a) कथन I और कथन II दोनों सत्य हैं

(b) कथन I और कथन II दोनों असत्य हैं

(c) कथन I सत्य है लेकिन कथन II असत्य है

(d) कथन I असत्य है लेकिन कथन II सत्य है

व्याख्या: ISA 2017 में प्रभाव में आया। इसके अतिरिक्त, 120 से अधिक देश सौर प्रौद्योगिकियों के विकास के लिए सहयोगात्मक अनुसंधान में शामिल हैं।

उत्तर 1. (c) 2. (d) 3. (c) 4. (b)

संयुक्त राष्ट्र सतत विकास शिखर सम्मेलन (UN Sustainable Development Summit 2015)

- **उद्देश्य:** सतत विकास लक्ष्यों (जिसे सतत विकास के लिए 2030 एजेंडा के रूप में भी जाना जाता है) को अपनाना।
- **समझौता किया गया:** 25-27 सितंबर 2015
- **स्थान:** न्यूयॉर्क, यूएसए

उद्देश्य: सितंबर 2015 में न्यूयॉर्क में आयोजित संयुक्त राष्ट्र सतत विकास शिखर सम्मेलन में सतत विकास के लिए 2030 एजेंडा को अपनाया गया। इस एजेंडे में 17 सतत विकास लक्ष्य (SDGs) शामिल हैं जिनका उद्देश्य गरीबी को मिटाना, ग्रह की रक्षा करना और सभी के लिए समृद्धि सुनिश्चित करना है। (SDGs को पृष्ठ संख्या 660 पर विस्तार से समझाया गया है।)

शिखर सम्मेलन में विश्व के नेताओं ने इन महत्वाकांक्षी लक्ष्यों के प्रति प्रतिबद्धता जताई, तथा असमानता, जलवायु परिवर्तन और पर्यावरण क्षरण जैसी वैश्विक चुनौतियों का समाधान किया। सतत विकास लक्ष्यों को अगले 15 वर्षों में प्राप्त करने के लिए डिजाइन किया गया है, जो वैश्विक सतत विकास के लिए एक व्यापक ब्लूप्रिंट प्रदान करता है।

योजना या ब्लूप्रिंट का नाम: 'हमारी दुनिया को बदलना- 2030 के लिए सतत विकास एजेंडा'।

किगाली समझौता (Kigali Agreement 2016)

- **उद्देश्य:** HFCs का चरणबद्ध उन्मूलन
- **समझौता किया गया:** 15 अक्टूबर 2016
- **प्रभाव में आया:** 1 जनवरी 2019
- **स्थान:** किगाली, रवांडा (पूर्वी अफ्रीका में स्थित)
- **विस्तार:** मॉन्ट्रियल प्रोटोकॉल, 1987

महत्व: किगाली संशोधन मॉन्ट्रियल प्रोटोकॉल से निकटता से जुड़ा हुआ है, जो 1987 में स्थापित एक अंतर्राष्ट्रीय संधि है, जिसका उद्देश्य ओजोन परत को नष्ट करने वाले पदार्थों, जैसे क्लोरोफ्लोरोकार्बन (सीएफसी) को चरणबद्ध तरीके से समाप्त करके इसकी रक्षा करना है। जैसे-जैसे देश मॉन्ट्रियल प्रोटोकॉल के तहत व्वे को समाप्त कर रहे हैं, वे विकल्प के रूप में HFCs का उपयोग करने लगे हैं क्योंकि HFCs ओजोन परत को नष्ट नहीं करते हैं।

हालांकि, बाद में वैज्ञानिक शोध के बाद यह महसूस किया गया कि HFCs ओजोन के अनुकूल होते हुए भी, उच्च वैश्विक तापन क्षमता (GWP) वाले शक्तिशाली ग्रीनहाउस गैस हैं। इस प्रकार, किगाली, रवांडा (पूर्वी अफ्रीका में स्थित) में हस्ताक्षरित किगाली समझौते का उद्देश्य हाइड्रोफ्लोरोकार्बन (HFCs) के उपयोग को कम करना है।

चरणबद्ध तंत्र (Phasedown Mechanism): मॉन्ट्रियल प्रोटोकॉल के दृष्टिकोण के समान, किगाली संशोधन HFCs के लिए एक चरणबद्ध अनुसूची स्थापित करता है। यह देशों के लिए समय के साथ HFCs के उत्पादन और खपत को धीरे-धीरे कम करने के लिए विशिष्ट लक्ष्य और आधार सीमाएँ निर्धारित करता है।

कटौती या कमी का लक्ष्य (Reduction Target): देशों को HFCs के उपयोग को कम करने की आवश्यकता है क्योंकि वे वैश्विक तापमान में वृद्धि में योगदान करते हैं। समझौता HFCs के उपयोग को 2040 के दशक के अंत तक 40% तक कम करने का लक्ष्य निर्धारित करता है।

तापमान पर प्रभाव: HFCs को चरणबद्ध तरीके से समाप्त करके, समझौते का उद्देश्य सदी के अंत तक वैश्विक तापमान में 0.5°C तक की वृद्धि को रोकना है।

कार्यान्वयन समय-सीमा (Implementation Timeline):

- **विकसित देश (अनुच्छेद 5 देश):** उन्नत अर्थव्यवस्थाओं वाले देश, जैसे कि ईयू और यूएसए, ने 2019 में HFCs के उपयोग को कम करना शुरू कर दिया। वे वैकल्पिक प्रौद्योगिकियों और प्रथाओं को अपनाने में आगे हैं।
- **विकासशील देश (गैर-अनुच्छेद 5 देश):** विकासशील अर्थव्यवस्थाओं वाले देशों के लिए HFCs को कम करने के लिए एक चरणबद्ध समय-सीमा है। कुछ 2024 में अपना चरणबद्ध उन्मूलन शुरू करेंगे, जबकि अन्य 2028 में शुरू करेंगे। यह चरणबद्ध दृष्टिकोण उनकी आर्थिक क्षमताओं को ध्यान में रखता है और उन्हें लागत प्रभावी विकल्प अपनाने का समय देता है।

विकसित बनाम विकासशील देश (Developed vs. Developing Countries)

विकसित देश (गैर-अनुच्छेद 5 देश) वे देश हैं जो अधिक औद्योगीकृत हैं और जिन्होंने ओजोन परत के क्षरण में अधिक योगदान दिया है। उनसे ODS (ओजोन क्षयकारी पदार्थ) को कम करने में अग्रणी भूमिका निभाने की अपेक्षा की जाती है और सामान्यत: उनके पास सख्त और पहले की समय-सीमाएँ होती हैं। विकसित देशों के उदाहरण:

1. संयुक्त राज्य अमेरिका
2. कनाडा
3. जर्मनी
4. जापान
5. यूनाइटेड किंगडम
6. ऑस्ट्रेलिया

विकासशील देश (अनुच्छेद 5 देश) आम तौर पर ODS को चरणबद्ध तरीके से समाप्त करने के लिए कम सख्त दायित्व और बाद की समय-सीमाएँ होती हैं। यह मान्यता इन देशों को उनकी अलग-अलग आर्थिक क्षमताओं और प्राथमिकताओं के कारण अधिक समय और लचीलापन प्रदान करती है। विकासशील देशों के उदाहरण:

1. भारत
2. चीन
3. ब्राजील
4. दक्षिण अफ्रीका
5. इंडोनेशिया
6. मेक्सिको

इस तरह, दोनों समूह के देश अपने विकास और क्षमताओं के विभिन्न स्तरों को ध्यान में रखते हुए, ओजोन परत की सुरक्षा के साझा लक्ष्य की दिशा में मिलकर काम कर सकते हैं।

क्विज स्टेशन *विगत UGC NET परीक्षाओं के प्रश्न*

प्र 1. हाइड्रो फ्लोरो कार्बन (HFCs) को समाप्त करने के लिए हाल ही में अंतर्राष्ट्रीय समझौता किस देश में हस्ताक्षरित हुआ था?

(a) रवांडा
(b) मोरक्को
(c) दक्षिण अफ्रीका
(d) अल्जीरिया

उत्तर 1. (a)

ग्लासगो बैठक (Glasgow Meeting 2021)

- **उद्देश्य:** सतत ऊर्जा प्रणालियों की ओर संक्रमण
- **तिथि:** 13 नवंबर 2021
- **स्थान:** ग्लासगो, स्कॉटलैंड (यूके)
- **UNFCCC का COP26**

2021 में आयोजित ग्लासगो जलवायु परिवर्तन सम्मेलन, जिसे COP26 के नाम से भी जाना जाता है, ने जलवायु परिवर्तन को कम करने और संधारणीय ऊर्जा प्रणालियों में परिवर्तन के लिए प्रतिबद्धताओं पर चर्चा करने और बनाने के लिए विश्व नेताओं को एक साथ लाया। यह बैठक जलवायु परिवर्तन पर संयुक्त राष्ट्र फ्रेमवर्क कन्वेंशन (UNFCCC) के लक्ष्यों की दिशा में कार्रवाई में तेजी लाने के लिए महत्वपूर्ण थी। इसका प्राथमिक लक्ष्य जलवायु परिवर्तन से निपटने और पेरिस समझौते के लक्ष्यों को लागू करने के लिए वैश्विक प्रयासों में तेजी लाना था।

शुद्ध शून्य (Net Zero) क्या है? शुद्ध शून्य का अर्थ है कि हम वायु में जितनी ग्रीनहाउस गैसें छोड़ते हैं, उतनी ही मात्रा में उन्हें बाहर निकालकर संतुलित करना। भारत और अन्य देश सौर और पवन ऊर्जा जैसी अधिक नवीकरणीय ऊर्जा का उपयोग करके, हमारे ऊर्जा उपयोग को अधिक कुशल बनाकर, और खेती और उद्योग में संधारणीय तरीकों का उपयोग करके शुद्ध शून्य उत्सर्जन तक पहुँचना चाहते हैं। वे ऐसी तकनीकों में निवेश करने की भी योजना बना रहे हैं जो वायु से ग्रीनहाउस गैसों को हटा सकती हैं, जैसे वृक्ष लगाना या कार्बन का प्रग्रहण करना। शुद्ध शून्य उत्सर्जन प्राप्त करना महत्वपूर्ण है क्योंकि यह वैश्विक तापन को धीमा करने में सहायता करता है और भविष्य के लिए हमारे ग्रह की रक्षा करता है।

ग्लासगो बैठक में भारत की प्रतिबद्धताएं (Glasgow Meeting Commitments by India): इन्हें भारत की जलवायु कार्रवाई रणनीति के पांच प्रमुख तत्व (पंचामृत) के रूप में जाना जाता है।

1. **2030 तक 500 गीगावाट गैर-जीवाश्म ऊर्जा क्षमता (500 GW Non-fossil Energy Capacity by 2030):** भारत की योजना 2030 तक सौर, पवन, जल और परमाणु ऊर्जा जैसे नवीकरणीय स्रोतों से 500 गीगावाट (GW) ऊर्जा उत्पन्न करने की है। इसका लक्ष्य जीवाश्म ईंधन पर निर्भरता कम करना और ग्रीनहाउस गैस उत्सर्जन में कटौती करना है।
2. **2030 तक 50% ऊर्जा नवीकरणीय स्रोतों से (50% Energy from Renewable Sources by 2030):** भारत का लक्ष्य है कि 2030 तक उसकी आधी ऊर्जा नवीकरणीय स्रोतों से प्राप्त हो। इससे कार्बन उत्सर्जन में उल्लेखनीय कमी आएगी, जिससे जलवायु परिवर्तन से लड़ने में सहायता मिलेगी।
3. **2030 तक 1 बिलियन टन कार्बन उत्सर्जन कम करना (Reduce Carbon Emissions by 1 billion tonnes by):** भारत 2030 तक अपने कार्बन उत्सर्जन को 1 बिलियन टन कम करने की योजना बना रहा है।
4. **2005 के स्तरों की तुलना में 2030 तक कार्बन तीव्रता को 45% कम करना (Reduce Carbon Intensity by 45% by 2030 (over 2005 levels):** भारत का लक्ष्य 2005 के स्तरों की तुलना में प्रत्येक इकाई आर्थिक उत्पादन के लिए उत्पन्न कार्बन

उत्सर्जन की मात्रा को 45% कम करना है। यह अधिक सतत आर्थिक विकास और विकास को बढ़ावा देता है।

5. **2070 तक शुद्ध शून्य उत्सर्जन प्राप्त करना (Achieve Net Zero Emissions by 2070):** 2070 तक भारत का लक्ष्य शून्य उत्सर्जन हासिल करना है, जिसका अर्थ है कि वह कार्बन प्रग्रहण और भंडारण जैसे उपायों को हटाने या विस्थापित करने के साथ उत्सर्जन को संतुलित करेगा। इससे ग्लोबल वार्मिंग को सीमित करने और पर्यावरण और समाज पर इसके हानिकारक प्रभावों को कम करने में सहायता मिलेगी।

ग्लासगो बैठक में अन्य देशों की प्रतिबद्धताएँ

1. **चीन:** चीन ने वर्ष 2060 तक शून्य शुद्ध ग्रीनहाउस गैस उत्सर्जन प्राप्त करने का संकल्प लिया है।
2. **संयुक्त राज्य अमेरिका:**
   a. अमेरिका ने भी 2050 तक शून्य शुद्ध ग्रीनहाउस गैस उत्सर्जन प्राप्त करने का संकल्प लिया है।
   b. संयुक्त राज्य अमेरिका ने प्रस्तावित किया है कि उनकी सरकार नवीकरणीय ऊर्जा उत्पादन और इलेक्ट्रिक वाहनों (ईवी) के बुनियादी ढांचे को बढ़ावा देने के लिए +555 बिलियन का निवेश करेगी।

कुनमिंग-मॉन्ट्रियल वैश्विक जैव विविधता ढांचा (Kunming-Montreal Global Biodiversity Framework GBF), 2022

- **ध्यानः** ज्ञड-ळठथ का उद्देश्य जलवायु परिवर्तन और जैव विविधता क्षति के परस्पर जुड़े संकटों का समाधान करना है।
- **तिथि:** 19 दिसंबर 2022
- **स्थानः** मॉन्ट्रियल, कनाडा
- **CBD का COP15**

उद्देश्यः कुनमिंग-मॉन्ट्रियल वैश्विक जैव विविधता ढांचा (GBF) दिसंबर 2022 में संयुक्त राष्ट्र जैव विविधता सम्मेलन में देशों द्वारा बनाई गई एक योजना है। इसका उद्देश्य जैव विविधता के क्षय की समस्या को हल करना है, जिसका अर्थ है पृथ्वी पर जीवन रूपों की विविधता में कमी। GBF इस मुद्दे को संबोधित करने के लिए कई महत्वपूर्ण कार्यों की रूपरेखा तैयार करता है।

जैव विविधता संकट को संबोधित करने के लिए प्रमुख कार्य (Key Actions to Address the Biodiversity Crisis):

1. **भूमि और समुद्र के उपयोग में परिवर्तन (Changes in Land and Sea Use):** GBF प्राकृतिक क्षेत्रों जैसे कि जंगलों को कृषि भूमि या अन्य मानवीय उपयोगों में बदलने से रोकना चाहता है। यह क्षतिग्रस्त आवासों को ठीक करने पर भी जोर देता है। कृषि (खेती) एक बड़ा खतरा है, जिससे 28,000 प्रजातियों में से 85% विलुप्त होने के संकट में हैं।
   लक्ष्य: 2030 तक ग्रह की 30% भूमि और समुद्री क्षेत्रों की रक्षा करना।
2. **जलवायु परिवर्तन (Climate Change):** वैश्विक तापन से कई प्रजातियों को खतरा है, जिनमें से छह में से एक प्रजाति खतरे में है। GBF ग्रीनहाउस गैस उत्सर्जन को कम करने और प्राकृतिक वातावरण को जलवायु परिवर्तन के अनुकूल बनाने में सहायता करने के लिए कार्रवाई करने का आह्वान करता है।
3. **प्रदूषण (Pollution):** GBF का उद्देश्य कीटनाशकों जैसे हानिकारक रसायनों के उपयोग को कम करना है जो पौधों और कीटों को नुकसान पहुंचाते हैं। लक्ष्य: प्रदूषण को उस स्तर तक कम करना जो जैव विविधता के लिए हानिकारक न हो।
4. **प्राकृतिक संसाधनों का प्रत्यक्ष उपयोग (Direct Use of Natural Resources):** GBF प्राकृतिक संसाधनों के सतत तरीके से उपयोग को बढ़ावा देता है, जिसका अर्थ है कि उन्हें समाप्त किए बिना उनका उपयोग करना। इसमें लुप्तप्राय प्रजातियों की रक्षा के लिए भूमि और महासागरों को होने वाले नुकसान को रोकना शामिल है। लक्ष्य- 2030 तक 30% क्षतिग्रस्त पारिस्थितिक तंत्र को बहाल करना।
5. **आक्रामक प्रजातियाँ (Invasive Species):** GBF आक्रामक प्रजातियों को रोकने और नियंत्रित करने की आवश्यकता पर जोर देता है, जो गैर-देशी प्रजातियां हैं जो नुकसान पहुंचाती हैं। यह इन प्रजातियों द्वारा क्षतिग्रस्त पारिस्थितिकी तंत्र को ठीक करने पर भी ध्यान केंद्रित करता है।

कॉन्सेप्ट कैप्सूल

अन्य सम्मेलन और समझौतें (Other Conventions and Agreements)

नीचे कुछ अतिरिक्त सम्मेलन और समझौते दिए गए हैं जो पर्यावरण की रक्षा का लक्ष्य रखते हैं।

1. **वन्य जीव और वनस्पतियों की लुप्तप्राय प्रजातियों के अंतर्राष्ट्रीय व्यापार पर सम्मेलन (CITES), 1973**
   - **उद्देश्यः** उन जानवरों और पौधों की रक्षा करना जो अंतर्राष्ट्रीय व्यापार के कारण विलुप्त होने के खतरे में हैं।
   - **विवरणः** यह सुनिश्चित करता है कि जंगली जानवरों और पौधों के व्यापार से उनके अस्तित्व को कोई खतरा न हो। इसका उद्देश्य व्यापार पर पूरी तरह प्रतिबंध लगाना नहीं है, बल्कि इसे सतत और गैर-हानिकारक बनाना है।
2. **बेसल सम्मेलन, 1989**
   - **उद्देश्यः** खतरनाक अपशिष्ट की देशों के बीच आवाजाही को नियंत्रित करना।
   - **विवरणः** खतरनाक अपशिष्ट के निर्माण और आवाजाही को कम करने का लक्ष्य रखता है, यह सुनिश्चित करते हुए

कि उन्हें उनके स्रोत के जितना संभव हो सके प्रबंधित और निपटाया जाए।

3. **अंतर्राष्ट्रीय महत्व के आर्द्रभूमि पर सम्मेलन (रामसर सम्मेलन), 1971**
   - **उद्देश्य:** अंतर्राष्ट्रीय महत्व की आर्द्रभूमियों का संरक्षण करना।
   - **विवरण:** स्थानीय, क्षेत्रीय और राष्ट्रीय कार्यों तथा अंतर्राष्ट्रीय सहयोग के माध्यम से सभी आर्द्रभूमियों के संरक्षण और बुद्धिमत्तापूर्ण उपयोग पर ध्यान केंद्रित किया जाता है।
4. **प्रवासी वन्य जीवों के संरक्षण पर बॉन सम्मेलन (Bonn Convention on the Conservation of Migratory Species of Wild Animals & CMS)] 1979**
   - **उद्देश्य:** प्रवासी प्रजातियों को उनके क्षेत्र में संरक्षित करना।
   - **विवरण:** बॉन सम्मेलन के रूप में भी जाना जाता है, यह प्रवासी जानवरों और उनके आवासों के संरक्षण और स्थायी उपयोग के लिए एक वैश्विक मंच प्रदान करता है।
5. **राष्ट्रीय हरित अधिकरण (NGT - National Green Tribunal), 2010**
   - **उद्देश्य:** बहु-विषयक मुद्दों से संबंधित पर्यावरणीय विवादों को संभालना।
   - **विवरण:** NGT अधिनियम, 2010 के तहत स्थापित एक विशेष न्यायिक निकाय, जो पर्यावरण संरक्षण और जंगलों तथा अन्य प्राकृतिक संसाधनों के संरक्षण से संबंधित मामलों के प्रभावी और शीघ्र निपटान के लिए है।
6. **पर्यावरण प्रभाव आकलन (EIA - Environment Impact Assessment)**
   - **उद्देश्य:** प्रस्तावित परियोजनाओं के पर्यावरणीय प्रभावों का आकलन करना।
   - **विवरण:** भारत में, EIA पर्यावरण, वन और जलवायु परिवर्तन मंत्रालय (MoEFCC) द्वारा देखा जाता है, जो संभावित पर्यावरणीय जोखिमों वाली परियोजनाओं के लिए लागत-लाभ विश्लेषण के रूप में कार्य करता है।
7. **एहतियाती सिद्धांत (Precautionary Principle)**
   - **उद्देश्य:** वैज्ञानिक साक्ष्य अनिश्चित होने पर पर्यावरण या सार्वजनिक स्वास्थ्य को नुकसान से बचाना।
   - **विवरण:** इसमें प्रदूषक भुगतान सिद्धांत (PPP) और लाभार्थी भुगतान सिद्धांत (BPP) जैसे उप-सिद्धांत शामिल हैं, जो पर्यावरणीय प्रभावों के लिए वित्तीय जिम्मेदारी पर जोर देते हैं।
8. **ISO 14000, 1996**
   - **उद्देश्य:** पर्यावरण प्रबंधन प्रथाओं में सुधार करना।
   - **विवरण:** ISO द्वारा शुरू किए गए मानकों की एक श्रृंखला जो किसी संगठन के पर्यावरणीय प्रदर्शन को बढ़ाने के लिए पर्यावरण प्रबंधन प्रणालियों पर ध्यान केंद्रित करती है।

29.2 मानव विकास हेतु महत्वपूर्ण वैश्विक पहलें (Important Global Initiatives for Human Development)

मानव विकास (Human Development): मानव विकास से तात्पर्य जन्म से लेकर वयस्कता तक होने वाले जैविक और मनोवैज्ञानिक परिवर्तनों से है। इसमें शारीरिक वृद्धि, मानसिक और भावनात्मक विकास, सामाजिक कौशल तथा किसी की लिंग पहचान और कामुकता को समझना शामिल है।

मानव विकास का महत्व (Importance of Human Development): संयुक्त राष्ट्र के लिए, मानव विकास बहुत महत्वपूर्ण है क्योंकि यह दुनिया भर में लोगों के जीवन को बेहतर बनाने पर केंद्रित है। जब देश एक साथ काम करते हैं, तो वे एक अधिक न्यायसंगत और निष्पक्ष दुनिया बना सकते हैं जहां हर किसी को अपनी पूरी क्षमता तक पहुंचने और अपने लक्ष्यों को प्राप्त करने का अवसर मिलता है। यह सहयोग यह सुनिश्चित करने में सहायता करता है कि हर किसी को शिक्षा, स्वास्थ्य सेवा और निष्पक्ष उपचार जैसी चीजों तक पहुंच हो ताकि वे अपनी पूरी क्षमता तक पहुंच सकें।

संयुक्त राष्ट्र विकास कार्यक्रम (UNDP): यह संयुक्त राष्ट्र का एक वैश्विक विकास नेटवर्क है। इसका उद्देश्य गरीबी को मिटाना, असमानताओं को कम करना और लचीलापन बनाना है ताकि देश प्रगति को बनाए रख सकें। UNDP लगभग 170 देशों और क्षेत्रों में काम करता है, उन्हें विभिन्न विकास क्षेत्रों में उनकी क्षमताओं का निर्माण करने के लिए विशेषज्ञ सलाह, प्रशिक्षण और समर्थन प्रदान करता है। UNDP वैश्विक स्तर पर मानव विकास को ट्रैक और मापने के लिए नीचे उल्लिखित ढांचों के संयोजन का उपयोग करता है-

1. सहस्राब्दी विकास लक्ष्य (MDGs)
2. सतत विकास लक्ष्य (SDGs)
3. मानव विकास सूचकांक (HDI)

हम आगामी खंडों में प्रत्येक को विस्तार से देखेंगे।

सहस्राब्दी विकास लक्ष्य (Millennium Development Goals), 2000

- उद्देश्यों की संख्या: 8
- लक्ष्यों की संख्या: 21
- संकेतकों की संख्या: 60
- कार्यान्वयन समय सीमा: 2000-2015

सहस्राब्दी विकास लक्ष्य (MDGs) आठ अंतर्राष्ट्रीय विकास लक्ष्यों का एक समूह थे जो 2000 में संयुक्त राष्ट्र के सहस्राब्दि शिखर सम्मेलन के बाद स्थापित किए गए थे। (सहस्राब्दि शिखर सम्मेलन पर पृष्ठ संख्या 650 पर विस्तार से चर्चा की गई है।)

MDGs गरीबी, शिक्षा, लैंगिक समानता, बाल एवं मातृ स्वास्थ्य, बीमारी, पर्यावरणीय स्थिरता और वैश्विक भागीदारी जैसे महत्वपूर्ण मुद्दों को संबोधित करने के लिए एक वैश्विक प्रयास था। इन लक्ष्यों में 2015 तक देशों के लिए

काम करने हेतु मापनीय लक्ष्य और संकेतक निर्धारित किए गए थे, जिसका उद्देश्य दुनिया भर के लोगों के जीवन की गुणवत्ता में सुधार करना था।

आठ सहस्राब्दी विकास लक्ष्य (The Eight Millennium Development Goals)

1. **अत्यधिक गरीबी और भुखमरी का उन्मूलन (Eradicate Extreme Poverty and Hunger):** +1.25 प्रतिदिन से कम पर जीवन यापन करने वाले और भूख से पीड़ित लोगों की संख्या को काफी हद तक कम करना।
2. **सार्वभौमिक प्राथमिक शिक्षा प्राप्त करना (Achieve Universal Primary Education):** यह सुनिश्चित करना कि सभी बच्चे, चाहे उनका लिंग कुछ भी हो, पूरी प्राथमिक शिक्षा प्राप्त कर सकें।
3. **लैंगिक समानता को बढ़ावा देना और महिलाओं को सशक्त बनाना (Promote Gender Equality and Empower Women):** शिक्षा में लैंगिक असमानताओं को समाप्त करना और सभी क्षेत्रों में महिलाओं को सशक्त बनाना।
4. **बाल मृत्यु दर को कम करना (Reduce Child Mortality):** इस लक्ष्य का उद्देश्य 5 वर्ष से कम उम्र के बच्चों की मृत्यु दर को कम करना है। इसका उद्देश्य छोटे बच्चों के लिए स्वास्थ्य सेवा और पोषण में सुधार करना है ताकि बीमारियों और मौतों को रोका जा सके।
5. **मातृ स्वास्थ्य में सुधार (Improve Maternal Health):** इस लक्ष्य का उद्देश्य गर्भावस्था और प्रसव के दौरान मरने वाली महिलाओं की संख्या को कम करना है। इसका उद्देश्य प्रजनन स्वास्थ्य सेवाओं को अधिक सुलभ बनाना है ताकि महिलाएं सुरक्षित गर्भधारण और प्रसव कर सकें।
6. **एचआईवी/एड्स, मलेरिया और अन्य बीमारियों का मुकाबला करना (Combat HIV/AIDS] Malaria and Other Diseases):** प्रमुख बीमारियों के प्रसार को रोकना और उलटना।
7. **पर्यावरणीय स्थिरता सुनिश्चित करना (Ensure Environmental Sustainability):** सतत विकास प्रथाओं को बढ़ावा देना और पर्यावरणीय क्षरण को उलटना।
8. **विकास के लिए वैश्विक साझेदारी विकसित करना (Develop a Global Partnership for Development):** विकसित और विकासशील देशों के बीच सहयोग को बढ़ावा देना। इसका उद्देश्य व्यापार में सुधार करना, जहां आवश्यक हो वहां सहायता प्रदान करना और विकासशील देशों को बढ़ने और अपनी अर्थव्यवस्थाओं में सुधार करने में सहायता करने के लिए ऋण को कम करना है।

तालिका 29.2 MDG: लक्ष्य एवं संकेतक

डक्ळ	विवरण	लक्ष्यों की संख्या	संकेतकों की संख्या
MDG 1	अत्यधिक गरीबी और भुखमरी का उन्मूलन	3	9
MDG 2	सार्वभौमिक प्राथमिक शिक्षा प्राप्त करना	1	3
MDG 3	लैंगिक समानता को बढ़ावा देना और महिलाओं को सशक्त बनाना	1	3
MDG 4	बाल मृत्यु दर को कम करना	2	3
MDG 5	मातृ स्वास्थ्य में सुधार करना	3	6
MDG 6	एचआईवी/एड्स, मलेरिया और अन्य बीमारियों का मुकाबला करना	4	10
MDG 7	पर्यावरणीय स्थिरता सुनिश्चित करना	6	10
MDG 8	विकास के लिए वैश्विक साझेदारी विकसित करना	21	16

चित्र 29.2 सहस्राब्दी विकास लक्ष्य

लर्निंग शॉर्टकट्स

जो आपने अभी पढ़ा उसे याद करने में मुश्किल हो रही है? चिंता मत करो! यहाँ आठ Millenium Development Goals को याद रखने के लिए एक सरल तरकीब है:

शिक्षा ← बाल मृत्यु दर ← → स्थायित्व

पप्पू तरबूज का आनंद लेता है। चारू को शकरकंद पसंद है।

→ गरीबी → महिला सशक्तिकरण → स्वास्थ्य (मातृ) → साझेदारी

MDG की प्रमुख उपलब्धियां (Major Achievements of the MDGs)

MDG पर अंतिम रिपोर्ट में कई प्रमुख सफलताओं को उजागर किया गया-

1. **अत्यधिक गरीबी में कमी (Reduction in Extreme Poverty):** अत्यधिक गरीबी में रहने वाले लोगों की संख्या आधे से अधिक कम हो गयी।

2. **भूख में कमी (Decrease in Hunger):** विकासशील क्षेत्रों में कुपोषित व्यक्तियों का प्रतिशत लगभग आधा हो गया।
3. **प्राथमिक शिक्षा में प्रगति (Advancement in Primary Education):** विकासशील क्षेत्रों में प्राथमिक विद्यालय नामांकन दर 91% तक बढ़ गई।
4. **महिला नामांकन में वृद्धि (Higher Female Enrolment):** महिला छात्रों के नामांकन दर में महत्वपूर्ण वृद्धि देखी गई।
5. **बेहतर स्वास्थ्य सेवा (Better Healthcare):** एचआईवी/एड्स, मलेरिया और तपेदिक जैसी बीमारियों के लिए उन्नत उपचार सुविधाएं उपलब्ध कराई गईं।
6. **बाल एवं मातृ मृत्यु दर में कमी (Lower Child And Maternal Mortality):** पांच वर्ष से कम उम्र के बच्चों की मृत्यु दर (U5MR) प्रति 1,000 जीवित जन्मों में एक वर्ष में पांच वर्ष की आयु तक पहुंचने से पहले मरने वाले बच्चों की संख्या को मापती है। मातृ मृत्यु अनुपात (MMR) प्रति 100,000 जीवित जन्मों में गर्भावस्था से संबंधित कारणों से गर्भवती होने या गर्भावस्था के अंत के 42 दिनों के भीतर मरने वाली महिलाओं की संख्या को मापती है। पांच वर्ष से कम उम्र की मृत्यु दर आधे से अधिक कम हो गई, और मातृ मृत्यु दर 45% कम हो गई।
7. **स्वच्छ जल तक पहुंच में सुधार (Improved Access to Clean Water):** अधिक लोगों को सुरक्षित पेयजल तक पहुंच प्राप्त हुई।

ये उपलब्धियां सरकारों, नागरिक समाज, अंतर्राष्ट्रीय निकायों और निजी क्षेत्र के संयुक्त प्रयासों का परिणाम थीं, जिन्हें संयुक्त राष्ट्र विकास कार्यक्रम (UNDP) का समर्थन प्राप्त था।

क्विज स्टेशन *विगत UGC NET परीक्षाओं के प्रश्न*

प्र 1. निम्नलिखित में से कौन-सा सहस्राब्दी विकास लक्ष्य (MDG) नहीं था?
(a) अत्यधिक गरीबी और भूख को समाप्त करना
(b) मातृ स्वास्थ्य में सुधार करना
(c) सभी आयु वर्ग के लिए स्वस्थ जीवन सुनिश्चित करना और कल्याण को बढ़ावा देना
(d) पर्यावरणीय स्थिरता सुनिश्चित करना

प्र 2. सहस्राब्दी विकास लक्ष्यों के कार्यान्वयन की समय सीमा क्या थी
(a) 2000-2005 (b) 2000-2015
(c) 2005-2010 (d) 2000-2012

प्र 3. निम्नलिखित में से किस सहस्राब्दी विकास लक्ष्य (MDG) में सबसे अधिक लक्ष्य थे?
(a) लक्ष्य 5- मातृ स्वास्थ्य में सुधार करना
(b) लक्ष्य 6- एचआईवी/एड्स से लड़ना
(c) लक्ष्य 7- पर्यावरणीय स्थिरता सुनिश्चित करना
(d) लक्ष्य 8- विकास के लिए वैश्विक साझेदारी विकसित करना

उत्तर 1. (c) 2. (b) 3. (d)

★★★ परीक्षोपयोगी

सतत विकास लक्ष्य (Sustainable Development Goals)] 2015

- **उद्देश्यों की संख्या:** 17
- **लक्ष्यों की संख्या:** 169
- **कुल संकेतकों की संख्या:** 247
- **अद्वितीय संकेतकों की संख्या:** 231
- **कार्यान्वयन की समय सीमा:** 2016-2030
- **अन्य नाम:** सतत विकास के लिए एजेंडा 2030

सहस्राब्दि विकास लक्ष्यों (MDGs) से सतत विकास लक्ष्यों (SDGs) की ओर बढ़ना दुनिया में विकास संबंधी समस्याओं से निपटने के तरीके में एक बड़ा बदलाव दर्शाता है। इस बदलाव का अर्थ है वैश्विक मुद्दों के समाधान के लिए एक व्यापक, अधिक समावेशी और अधिक महत्वाकांक्षी योजना।

डक्ळे को 2000 में संयुक्त राष्ट्र द्वारा महत्वपूर्ण समस्याओं जैसे गरीबी, भूख, बीमारी, लिंग असमानता और स्वच्छ जल एवं स्वच्छता तक पहुंच को 2015 तक हल करने के लिए बनाया गया था। यद्यपि सहस्राब्दि विकास लक्ष्यों को कुछ सफलता मिली, फिर भी उनकी आलोचना इस आधार पर की गई कि वे बहुत संकीर्ण हैं, पर्याप्त समावेशी नहीं हैं तथा विभिन्न क्षेत्रों और विभिन्न आबादियों के बीच असमान प्रगति हुई है।

डक्ळे से सीखते हुए, संयुक्त राष्ट्र ने 2015 में संयुक्त राष्ट्र सतत विकास शिखर सम्मेलन (2015) के हिस्से के रूप में SDGs को पेश किया। सतत विकास लक्ष्य अधिक व्यापक हैं, जिनमें 17 लक्ष्य और 169 लक्ष्य हैं, जो वैश्विक चुनौतियों की एक विस्तृत श्रृंखला को एक संलग्न तरीके से संबोधित करते हैं।

संयुक्त राष्ट्र विकास कार्यक्रम (UNDP) 170 से अधिक देशों में SDGs को लागू करने में सहायता करता है, यह सुनिश्चित करता है कि वे सरकारी नीतियों और योजनाओं में शामिल हों। SDGs का उद्देश्य गरीबी और भूख से लेकर शिक्षा, जलवायु परिवर्तन, शांति और सभी के लिए एक बेहतर, अधिक स्थायी दुनिया बनाने के लिए प्रयास करना है।

SDG निर्माण की समय-सीमा (Timeline of SDG Creation)

1. रियो+ शिखर सम्मेलन (त्पव+ 20 Summit), 2012: संयुक्त राष्ट्र सतत विकास सम्मेलन (UNCED), जिसे रियो+20 के नाम से भी जाना जाता है, जून 2012 में रियो डी जनेरियो, ब्राजील में आयोजित किया गया था। इस सम्मेलन के दौरान, विश्व नेताओं ने ष्द फ्यूचर वी वांटष् शीर्षक वाले परिणाम दस्तावेज को अपनाया, जिसने भविष्य के सतत विकास प्रयासों के लिए आधार तैयार किया। (रियो+20 का विस्तार से पृष्ठ संख्या 617 पर चर्चा की गई है।)
2. खुला कार्य समूह (Open Working Group), 2013: UNCED के बाद, 30 सदस्य देशों का एक कार्य समूह (जिसे ओपन वर्किंग ग्रुप OWG के नाम से जाना जाता है) का गठन किया गया था ताकि सतत विकास लक्ष्यों (SDGs) के लिए एक प्रस्ताव विकसित किया जा सके। इन लक्ष्यों का उद्देश्य सहस्राब्दि विकास लक्ष्यों (MDGs) को आगे बढ़ाना तथा व्यापक वैश्विक चुनौतियों का समाधान करना था।

3. **संयुक्त राष्ट्र सतत विकास शिखर सम्मेलन (United Nations Sustainable Development Summit), 2015:** सितंबर 2015 में, संयुक्त राष्ट्र मुख्यालय में न्यूयॉर्क में संयुक्त राष्ट्र सतत विकास शिखर सम्मेलन आयोजित किया गया था। इस शिखर सम्मेलन के दौरान, विश्व नेताओं ने 'हमारी दुनिया को बदलना- सतत विकास के लिए 2030 एजेंडा' शीर्षक वाले 2030 एजेंडा को अपनाया। इस एजेंडा में 17 सतत विकास लक्ष्य (SDGs) और 169 संबंधित लक्ष्य शामिल हैं।

MDGs और SDGs के बीच प्रमुख अंतर (Key differences between MDGs and SDGs)

1. **शून्य लक्ष्य (Zero Goals):** SDGs भूख और रोके जा सकने वाली बाल मृत्यु जैसी समस्याओं के पूर्ण उन्मूलन का लक्ष्य रखते है, जबकि MDGs ने इन समस्याओं को एक निश्चित प्रतिशत तक कम करने पर ध्यान केंद्रित किया।
2. **सार्वभौमिक लक्ष्य (Universal Goals):** SDGs सभी देशों पर लागू होते हैं और देशों के भीतर और बीच की असमानताओं को दूर करने का प्रयास करते हैं, जबकि डक्ळे मुख्य रूप से विकासशील देशों पर केंद्रित थे।
3. **व्यापक और समावेशी (Comprehensive and Inclusive):** SDGs लिंग समानता और सतत विकास सहित व्यापक क्षेत्रों को शामिल करते हैं, जबकि MDGs गरीबी और शिक्षा जैसी बुनियादी आवश्यकताओं पर अधिक केंद्रित थे।
4. **वित्तपोषण (Funding):** सतत विकास लक्ष्य (SDGs) सहस्राब्दि विकास लक्ष्यों के सहायता-निर्भर दृष्टिकोण से हटकर, आत्मनिर्भरता के लिए सतत आर्थिक विकास पर जोर देते हैं।
5. **शांति निर्माण (Peace Buidling):** SDGs समाज की भलाई के लिए शांति को एक प्रमुख लक्ष्य के रूप में शामिल करते हैं, जिसे MDGs में स्पष्ट रूप से उजागर नहीं किया गया था।
6. **डेटा क्रांति (Data Revolution):** SDGs विभिन्न समूहों में निगरानी, मूल्यांकन और जवाबदेही को प्राथमिकता देते हैं ताकि प्रगति ट्रैकिंग और पारदर्शिता सुनिश्चित की जा सके।
7. **गुणवत्तापूर्ण शिक्षा (Quality Education):** हालांकि MDGs का लक्ष्य सार्वभौमिक प्राथमिक शिक्षा था, लेकिन SDGs सभी स्तरों पर गुणवत्तापूर्ण शिक्षा प्राप्त करने पर ध्यान केंद्रित करते हैं, जिसमें शैक्षिक परिणामों को मापने के लिए बेहतर संकेतक होते हैं।

17 सतत विकास लक्ष्य (Sustainable Development Goals)

1. **कोई गरीबी नहीं (No Poverty):** सभी रूपों में हर जगह गरीबी का अंत करना। (एमडीजी के लक्ष्य 1 से जुड़ा है)
2. **शून्य भूख (Zero Hunger):** भूख का अंत करना, खाद्य सुरक्षा प्राप्त करना, पोषण में सुधार करना तथा सतत कृषि को बढ़ावा देना।
3. **अच्छा स्वास्थ्य तथा भलाई (Good Health and Well-Being):** सभी उम्र के लिए स्वस्थ जीवन सुनिश्चित करना और भलाई को बढ़ावा देना। (एमडीजी के लक्ष्य 4, 5 और 6 से जुड़ा है)
4. **गुणवत्तापूर्ण शिक्षा (Quality Education):** सभी के लिए समावेशी और समान गुणवत्तापूर्ण शिक्षा सुनिश्चित करना तथा जीवन भर सीखने के अवसरों को बढ़ावा देना। (एमडीजी के लक्ष्य 2 से जुड़ा है)
5. **लिंग समानता (Gender Equality):** लिंग समानता प्राप्त करना और सभी महिलाओं तथा लड़कियों को सशक्त बनाना। (एमडीजी के लक्ष्य 3 से जुड़ा है)
6. **स्वच्छ जल तथा स्वच्छता (Clean Water and Sanitation):** सभी के लिए जल और स्वच्छता की उपलब्धता तथा सतत प्रबंधन सुनिश्चित करना।
7. **किफायती तथा स्वच्छ ऊर्जा (Affordable and Clean Energy):** सभी के लिए सस्ती, विश्वसनीय, सतत और आधुनिक ऊर्जा तक पहुंच सुनिश्चित करना। इस लक्ष्य का लक्ष्य ऊर्जा दक्षता में सुधार की वैश्विक दर को दोगुना करना है।
8. **समुचित-कार्यः तथा आर्थिक विकास (Decent Work and Economic Growth):** सतत, समावेशी और सतत आर्थिक विकास, पूर्ण और उत्पादक रोजगार तथा सभी के लिए समुचित-कार्यः को बढ़ावा देना।
9. **उद्योग, नवाचार एवं बुनियादी ढांचा (Industry] Innovation and Infrastructure):** लचीला बुनियादी ढांचा बनाना, समावेशी तथा सतत औद्योगिकीकरण को बढ़ावा देना और नवाचार को प्रोत्साहित करना।
10. **असमानता में कमी (Reduced Inequality):** देशों के भीतर और बीच की असमानता को कम करना।
11. **सतत शहर तथा समुदाय (Sustainable Cities and Communities):** शहरों और मानव बस्तियों को समावेशी, सुरक्षित, लचीला और सतत बनाना।
12. **जिम्मेदार खपत और उत्पादन (Responsible Consumption and Production):** सतत खपत और उत्पादन पैटर्न सुनिश्चित करें। (एमडीजी के लक्ष्य 7 से जुड़ा हुआ)
13. **जलवायु कार्रवाई (Climate Action):** जलवायु परिवर्तन और इसके प्रभावों से निपटने हेतु तात्कालिक कार्रवाई करना।
14. **जल के नीचे जीवन (Life Below Water):** महासागरों, समुद्रों और समुद्री संसाधनों का संरक्षण तथा सतत उपयोग करना।
15. **भूमि पर जीवन (Life on Land):** स्थलीय पारिस्थितिकी तंत्र के सतत उपयोग को संरक्षित, पुनर्स्थापित और बढ़ावा देना, वनों का सतत प्रबंधन करना, मरुस्थलीकरण से निपटना, भूमि क्षरण को रोकना और जैव विविधता की क्षति को रोकना।
16. **शांति, न्याय एवं मजबूत संस्थान (Peace] Justice and Strong Institutions):** सतत विकास के लिए शांतिपूर्ण और समावेशी समाज को बढ़ावा देना, सभी के लिए न्याय तक पहुंच प्रदान करना और सभी स्तरों पर प्रभावी और जवाबदेह तथा समावेशी संस्थानों का निर्माण करना।
17. **लक्ष्यों के लिए साझेदारी (Partnerships for the Goals):** कार्यान्वयन के साधनों को मजबूत करना और सतत विकास के लिए वैश्विक साझेदारी को पुनर्जीवित करना। (एमडीजी के लक्ष्य 8 से जुड़ा है)

ये लक्ष्य व्यापक और परस्पर जुड़े हुए हैं, जिनका उद्देश्य सभी के लिए बेहतर और अधिक सतत भविष्य का निर्माण करना है।

चित्र 29.3 सतत विकास लक्ष्य

सिनेमैटिक कनेक्शन

फिल्म टॉयलेट- एक प्रेम कथा (2017) ने भारत में स्वच्छता के महत्वपूर्ण मुद्दे को शानदार तरीके से प्रस्तुत किया है। यह केशव (अक्षय कुमार द्वारा निभाया गया किरदार) की कहानी है, जो अपनी पत्नी जया (भूमि पेडनेकर द्वारा निभाया गया किरदार) के लिए शौचालय बनाने के लिए बहुत प्रयास करता है, क्योंकि वह उचित स्वच्छता सुविधाओं की कमी के कारण उसे छोड़ देती है।

फिल्म स्वास्थ्य, गरिमा और कल्याण के लिए स्वच्छता सुविधाओं के महत्व पर जोर देती है। केशव का व्यक्तिगत संघर्ष बेहतर स्वच्छता बुनियादी ढांचे के लिए व्यापक विरोध का प्रतीक है, जो SDG 6 के उद्देश्यों के साथ मेल खाता है, जो दुनिया भर में जल और स्वच्छता के सतत प्रबंधन को बढ़ावा देने के लिए है।

लर्निंग शॉर्टकट्स

क्या आपको अभी-अभी पढ़ी गई बातों को याद करने में परेशानी हो रही है? एक दिलचस्प कहानी का उपयोग करके 17 सतत विकास लक्ष्यों को याद करें:-

रांचोड़दास एक बहुत गरीब आदमी था। वह बहुत भूखा था, और यहां तक कि उसका स्वास्थ्य भी बिगड़ रहा था। अपनी जिंदगी को फिर से शुरू करने और कुछ पैसे कमाने के लिए, उसने एक गांव में छात्रों को पढ़ाना शुरू किया और गुणवत्तापूर्ण शिक्षा दी। सभी लिंगों के छात्र उसकी कक्षाओं में आते थे। कक्षाओं के पास एक कुआं था जहां से छात्र ताजा और साफ पानी पीते थे। धीरे-धीरे, रांचोड़दास ने अपनी कक्षाओं में वृद्धि देखी। उसने और अधिक नवाचारी तरीकों का उपयोग करके पढ़ाना शुरू किया। बहुत से छात्र उससे पढ़ना चाहते थे। और उसकी कक्षाओं में कोई असमानता नहीं थी। कोई भी आ सकता था और उससे पढ़ सकता था।

एक दिन रांचोड़दास को पास के शहर से उनकी पाठ्य सामग्री की नकल करने के लिए कानूनी नोटिस मिला। इसके लिए पिंकू चौरसिया जिम्मेदार था। इस कार्रवाई की बहुत बड़ी प्रतिक्रिया हुई! इस हद तक कि उसने नदी में कूदकर आत्महत्या करने की कोशिश की और मर गया क्योंकि जमीन पर हर कोई रांचोड़दास का मजाक उड़ाने लगा था। उनके छात्रों ने एक याचिका शुरू की, 'रांचोड़दास के लिए न्याय'। मृत्यु के बाद उनकी विरासत को आगे बढ़ाने के लिए, उनके पिता और चाचा ने उनके नाम से एक साझेदारी व्यवसाय शुरू किया।

इस कहानी में, हाइलाइट किए गए कीवर्ड नीचे दिए गए सतत विकास लक्ष्यों को दर्शाते हैं:-

1. **गरीब**- कोई गरीबी नहीं
2. **भूखा**- शून्य भूख
3. **स्वास्थ्य**- अच्छा स्वास्थ्य और कल्याण
4. **शिक्षा**- गुणवत्तापूर्ण शिक्षा
5. **लिंग**- लिंग समानता
6. **स्वच्छ पानी**- स्वच्छ पानी और स्वच्छता
7. **स्वच्छ ऊर्जा**- सस्ती और स्वच्छ ऊर्जा
8. **वृद्धि**- सम्मानजनक कार्य और आर्थिक वृद्धि
9. **नवाचार**- उद्योग, नवाचार और बुनियादी ढांचा
10. **असमानता**- असमानता में कमी
11. **शहर**- सतत शहर और समुदाय
12. **जिम्मेदार**- जिम्मेदार खपत और उत्पादन
13. **कार्रवाई**- जलवायु कार्रवाई
14. **पानी में कूदना**- पानी के नीचे जीवन
15. **जमीन**- जमीन पर जीवन
16. **न्याय**- शांति, न्याय और मजबूत संस्थान
17. **साझेदारी**- लक्ष्यों के लिए साझेदारी

भारतीय सरकार द्वारा SDGs की दिशा में प्रमुख पहलें (Key Initiatives by Indian Government Towards SDGs)

1. **यूएन स्तर**

   राष्ट्रीय समीक्षा रिपोर्ट (NPR)/स्वैच्छिक राष्ट्रीय समीक्षा (VNR): यह रिपोर्ट हर वर्ष नीति आयोग द्वारा सतत विकास लक्ष्यों के लिए तैयार की जाती है और संयुक्त राष्ट्र को प्रस्तुत की जाती है। इसमें सभी 17 सतत विकास लक्ष्यों को शामिल किया जाता है और विभिन्न संकेतक शामिल होते हैं।

2. **राष्ट्रीय स्तर**

   राष्ट्रीय संकेतक रूपरेखा (NIF): NIF सांख्यिकी और कार्यक्रम कार्यान्वयन मंत्रालय (MoSPI) द्वारा विकसित सांख्यिकीय संकेतकों का एक समूह है जो राष्ट्रीय स्तर पर SDGs पर प्रगति को ट्रैक करता है। इसमें SDGs के सभी पहलुओं को कवर करने वाले 286 संकेतक शामिल हैं।

3. **राज्य स्तर**

   नीति SDGs *सूचकांक:* यह सूचकांक, नीति आयोग द्वारा विकसित, SDGs पर उनके प्रदर्शन के आधार पर राज्यों को रैंक करता है, जिसमें 115 संकेतक शामिल हैं। यह सभी महत्वपूर्ण संकेतकों का एक उपसमूह कवर करता है।

4. **संयुक्त स्तर**

   SDGs इंडिया सूचकांक: SDGs इंडिया सूचकांक में नीति SDGs सूचकांक और SDGs के लिए NIF दोनों शामिल हैं, जो एक व्यापक रिपोर्ट प्रदान करता है। (नवीनतम SDGs इंडिया रिपोर्ट की नीचे बॉक्स में चर्चा की गई है।)

5. **स्थानीय स्तर**

   SDGs *स्थानीयकरण मॉडल:* यह ढांचा, भारत सरकार द्वारा विकसित, स्थानीय शासन और योजना प्रक्रियाओं में SDGs को एकीकृत करता है।

लर्निंग शॉर्टकट्स

SDGs इंडिया सूचकांक (जून 2024) रिपोर्ट - प्रमुख बिन्दु

1. **समग्र SDGs स्कोर:** गरीबी उन्मूलन, स्वास्थ्य सेवा और लैंगिक समानता में प्रगति के कारण, भारत का स्कोर 2020-21 में 66 से बढ़कर 2023-24 में 71 हो गया है।
2. **शीर्ष प्रदर्शनकर्ता:** केरल और उत्तराखंड शीर्ष प्रदर्शन करने वाले राज्य हैं, इसके बाद तमिलनाडु, गोवा और हिमाचल प्रदेश हैं। असम, मणिपुर, पंजाब और पश्चिम बंगाल ने महत्वपूर्ण प्रगति दिखाई है।
3. **कम प्रदर्शनकर्ता:** बिहार सबसे निचले स्थान पर है, झारखंड, नागालैंड और मेघालय के भी कम स्कोर हैं।
4. **लक्ष्य-वार प्रगति:** महत्वपूर्ण सुधार देखे गए हैं-
   - **लक्ष्य 1:** गरीबी उन्मूलन
   - **लक्ष्य 8:** समुचित कार्य और आर्थिक विकास
   - **लक्ष्य 13:** जलवायु कार्रवाई
   - **लक्ष्य 15:** धरातल पर जीवन
5. **शहरी-ग्रामीण असमानताएं:** शहरी और ग्रामीण क्षेत्रों के बीच सतत विकास लक्ष्य की उपलब्धियों में महत्वपूर्ण अंतर हैं, शहरी क्षेत्र, विशेष रूप से स्वास्थ्य देखभाल, शिक्षा और स्वच्छता के मामले में, सामान्यत: बेहतर प्रदर्शन कर रहे हैं।

क्विज स्टेशन *विगत UGC NET परीक्षाओं के प्रश्न*

प्र 1. सतत विकास लक्ष्य 7 किससे संबंधित है?

(2 सितंबर 2024 - शिफ्ट 1)

(a) लैंगिक समानता (b) जलवायु कार्रवाई
(c) सस्ती और स्वच्छ ऊर्जा (d) गुणवत्तापूर्ण शिक्षा

प्र 2. वर्ष 2030 तक, सतत विकास लक्ष्य 7 का लक्ष्य ऊर्जा दक्षता में सुधार की वैश्विक दर को कितने गुना बढ़ाना है?

(a) दो (b) तीन
(c) चार (d) पांच

उत्तर 1. (c) 2. (a)

मानव विकास सूचकांक (HDI & Human Development Index)

मानव विकास सूचकांक (HDI) एक उपकरण है जिसका उपयोग किसी देश की सामाजिक और आर्थिक क्षेत्रों में समग्र सफलता को मापने के लिए किया जाता है। संयुक्त राष्ट्र द्वारा विकसित, HDI मानव विकास का एक प्रमुख संकेतक है, जो तीन मुख्य पहलुओं पर केंद्रित है-

1. **जीवन प्रत्याशा (Life Expectancy):** किसी देश की जनसंख्या की औसत जीवन प्रत्याशा को मापता है, जो समग्र स्वास्थ्य और दीर्घायु को इंगित करता है।
2. **शिक्षा (Education):** व्यक्तियों द्वारा प्राप्त औसत स्कूली शिक्षा के वर्षों और शिक्षा प्रणाली में प्रवेश करने वाले बच्चों के लिए अपेक्षित स्कूली शिक्षा के वर्षों का आकलन करता है।
3. **आय (Income):** प्रति व्यक्ति सकल राष्ट्रीय आय (GNI) का मूल्यांकन करता है, जो जनसंख्या के जीवन स्तर और आर्थिक कल्याण को दर्शाता है।

HDI केवल आर्थिक विकास के स्थान पर स्वास्थ्य, शिक्षा और आय के महत्व पर प्रकाश डालकर विकास का एक व्यापक दृष्टिकोण देता है। HDI स्कोर की तुलना करके, नेता और शोधकर्ता उन क्षेत्रों का पता लगा सकते हैं जिनमें सुधार की आवश्यकता है और मानव विकास को बढ़ावा देने हेतु योजनाएँ बना सकते हैं।

एचडीआई श्रेणी (HDI Rankings), 2023-24

मानव विकास सूचकांक (HDI) जीवन प्रत्याशा, शिक्षा और प्रति व्यक्ति आय सहित मानव विकास के प्रमुख क्षेत्रों में उनकी उपलब्धियों के आधार पर देशों को रैंक करता है। HDI रैंकिंग में सार्क और ब्रिक्स सदस्य देशों का वार्षिक मूल्यांकन किया जाता है (तालिका 29.3), जो जीवन स्तर और समग्र कल्याण में सुधार की उनकी प्रगति एवं चुनौतियों में अंतर्दृष्टि प्रदान करता है।

तालिका 29.3 विभिन्न देशों के समूहों के लिए HDI रैंकिंग

उच्चतम HDI रैंकिंग वाले देश	शीर्ष सार्क राष्ट्र (उनके HDI के अनुसार)	शीर्ष ब्रिक्स राष्ट्र (उनके HDI के अनुसार)
1. स्विट्जरलैंड	1. श्रीलंका	1. रूस
2. नॉर्वे	2. मालदीव	2. चीन
3. आइसलैंड	3. भूटान	3. ब्राजील
	4. बांग्लादेश	4. दक्षिण अफ्रीका
	5. भारत	5. भारत
	6. म्यांमार	
	7. नेपाल	
	8. पाकिस्तान	
	9. अफगानिस्तान	

सार्क (दक्षिण एशियाई क्षेत्रीय सहयोग संगठन): दक्षिण एशियाई क्षेत्रीय सहयोग संगठन (सार्क) दक्षिण एशिया के आठ सदस्य देशों का एक संगठन है। इसे दिसंबर 1985 में विभिन्न क्षेत्रों में क्षेत्रीय सहयोग और विकास को बढ़ावा देने के उद्देश्य से स्थापित किया गया था, जिसमें अर्थशास्त्र, व्यापार, कृषि, प्रौद्योगिकी, संस्कृति और सामाजिक मुद्दे शामिल हैं।

ब्रिक्स (ब्राजील, रूस, भारत, चीन, दक्षिण अफ्रीका): ब्रिक्स पांच प्रमुख उभरती अर्थव्यवस्थाओं-ब्राजील, रूस, भारत, चीन और दक्षिण अफ्रीका के संघ का संक्षिप्त नाम है। ये देश क्षेत्रीय और वैश्विक मामलों के संदर्भ में विशेष रूप से आर्थिक विकास, राजनीतिक प्रभाव आठ सांस्कृतिक विविध ता में, अपने महत्वपूर्ण प्रभाव के लिए जाने जाते हैं।

भारत का मानव विकास सूचकांक - प्रमुख संकेतक एवं रुझान (India's HDI: Key Indicators and Trends)

1. **भारत की HDI रैंकिंग:** 2023-24 की मानव विकास रिपोर्ट में भारत 193 देशों में 134वें स्थान पर है, जिसका मानव विकास सूचकांक मूल्य 0.644 है, जिसे मध्यम मानव विकास के रूप में वर्गीकृत किया गया है। यह 2021 के 0.633 से सुधार दर्शाता है। जीवन प्रत्याशा भी 2021 में 67.2 वर्ष से बढ़कर 2022 में 67.7 वर्ष हो गई है।
2. **पिछले वर्षों में भारत का HDI मूल्यांकन -**
   - 1990-0.427
   - 2000-0.556
   - 2010-0.633
   - 2019-0.645
   - 2021-0.633
   - 2022-0.644
3. **प्रति व्यक्ति सकल राष्ट्रीय आय:** भारत की प्रति व्यक्ति सकल राष्ट्रीय आय 6,542 डॉलर से बढ़कर 6,951 डॉलर हो गयी।
4. **HDI रुझान:** पिछले कुछ दशकों में भारत का भ्क्प मूल्यांकन निरंतर बढ़ रहा है लेकिन हाल के वर्षों में स्थिर हो गया है।
5. **चुनौतियाँ:** असमानता, गरीबी, अल्परोजगार, निरक्षरता और स्वास्थ्य सेवा तक पहुंच की कमी भारत की निम्न मानव विकास सूचकांक श्रेणी के प्रमुख कारण हैं।

कॉन्सेप्ट कैप्सूल

महत्वपूर्ण विकास सूचकांक (IMPORTANT DEVELOPMENT INDICES (DI)

मानव विकास सूचकांक (HDI) वास्तव में संयुक्त राष्ट्र विकास कार्यक्रम (UNDP) द्वारा देशों में मानव विकास के स्तर को मापने और तुलना करने के लिए उपयोग किया जाने वाला एक प्रमुख मीट्रिक है। HDI के अतिरिक्त, UNDP मानव विकास को समय के साथ आकलन और ट्रैक करने के लिए कई अन्य सूचकांकों का उपयोग करता है। आइए कुछ प्रमुख सूचकांकों पर नजर डालें-

1. **असमानता-समायोजित HDI (IHDI):** मानव विकास वितरण में असमानता को ध्यान में रखता है।
2. **लिंग विकास सूचकांक (GDI):** मानव विकास उपलब्धियों में लिंग अंतर को मापता है, विशेष रूप से पुरुषों और महिलाओं के बीच असमानताओं पर ध्यान केंद्रित करता है।
3. **लिंग असमानता सूचकांक (GII):** स्वास्थ्य, सशक्तिकरण और आर्थिक स्थिति में लिंग असमानताओं को मापता है। GII उन क्षेत्रों की पहचान करने में सहायता करता है जहां महिलाएं और लड़कियां अपनी पूरी क्षमता हासिल करने में सबसे महत्वपूर्ण बाधाओं का सामना करती हैं। यह विभिन्न क्षेत्रों में लिंग समानता में सुधार और महिलाओं को सशक्त बनाने के उद्देश्य से नीतियों और हस्तक्षेपों का मार्गदर्शन करता है।
4. **बहुआयामी गरीबी सूचकांक (MPI):** MPI केवल आय स्तरों से परे गरीबी की अधिक व्यापक समझ प्रदान करता है। यह स्वास्थ्य, शिक्षा और जीवन स्तर जैसे कारकों को देखता है ताकि गरीबी के स्तर का निर्धारण किया जा सके।

क्विज स्टेशन *विगत UGC NET परीक्षाओं के प्रश्न*

प्र 1. निम्नलिखित में से कौन मानव विकास सूचकांक का माप नहीं है?

(a) साक्षरता दर

(b) सकल नामांकन

(c) लिंग अनुपात

(d) जीवन प्रत्याशा

उत्तर 1. (c)

29.3 महत्वपूर्ण भारतीय सरकारी पहलें (Important Indian Government Initiatives)

भारतीय सरकार ने विभिन्न कानूनों और संस्थानों के माध्यम से पर्यावरण की रक्षा करने और अंतर्राष्ट्रीय प्रयासों में भाग लेने के लिए सक्रिय भूमिका निभाई है। यहाँ कुछ प्रमुख पहलें दी गई हैं-

पर्यावरण (संरक्षण) अधिनियम, (Environment (Protection) Act) 1986

पर्यावरण (संरक्षण) अधिनियम (EPA) 1986 में पर्यावरण की सुरक्षा और सुधार के उद्देश्य से लागू किया गया था।

EPA, 1986 को शुरू करने के कारण

1. **स्टॉकहोम सम्मेलन:** EPA का विचार संयुक्त राष्ट्र मानव पर्यावरण सम्मेलन से आया था, जो जून 1972 में स्टॉकहोम में आयोजित किया गया था। इस सम्मेलन ने वैश्विक पर्यावरणीय मुद्दों पर ध्यान केंद्रित किया। (स्टॉकहोम सम्मेलन का विस्तृत विवरण ऊपर अनुभाग 29.1 अंतर्राष्ट्रीय समझौतों और सम्मेलनों में दिया गया है।)

इस विषय को सरल बनाने वाले वीडियो व्याख्यान को देखने के लिए इस QR कोड को स्कैन करें

2. **भोपाल गैस त्रासदी:** EPA भोपाल गैस त्रासदी के बाद बनाया गया था, जहाँ गैस रिसाव से हजारों लोग मारे गए थे। यह सरकार को पर्यावरण मानक निर्धारित करने, प्रदूषक उत्सर्जन को नियंत्रित करने और खतरनाक पदार्थों से निपटने का अधिकार देता है। यह अधिनियम उल्लंघन के लिए दंड का प्रावधान करता है, जिसमें जुर्माना और कारावास शामिल है। यह पर्यावरण संबंधी निर्णय लेने में सार्वजनिक भागीदारी को प्रोत्साहित करता है।

संवैधानिक प्रावधान (Constitutional Provisions)

1. **EPA अधिनियम और अनुच्छेद 253- EPA (पर्यावरण संरक्षण अधिनियम):** भारतीय संविधान के अनुच्छेद 253 के तहत बनाया गया था। यह अनुच्छेद भारत को अंतर्राष्ट्रीय समझौतों का पालन करने के लिए कानून बनाने की अनुमति देता है।
2. **अनुच्छेद 48A:** संविधान का यह भाग कहता है कि सरकार को पर्यावरण, वन और वन्यजीवों की रक्षा और सुधार के लिए काम करना चाहिए।
3. **अनुच्छेद 51A:** यह अनुच्छेद कहता है कि प्रत्येक नागरिक का कर्तव्य है कि वह पर्यावरण की रक्षा करे।

पर्यावरण संरक्षण अधिनियम की प्रमुख विशेषताएँ (Key features of the Environment Protection Act), 1986

1. **प्रदूषण की रोकथाम:** सरकार को प्रदूषण को रोकने, नियंत्रित करने और कम करने का अधिकार देता है।
2. **प्रदूषक निर्वहन का नियमन:** सरकार को विभिन्न स्रोतों से उत्सर्जन और निर्वहन को नियंत्रित करने का अधिकार देता है।
3. **खतरनाक पदार्थों का प्रबंधन:** खतरनाक पदार्थों के प्रबंधन हेतु मानक स्थापित करता है।
4. **केंद्रीय सरकार की भूमिका:** सरकार आवश्यक कार्रवाई कर सकती है और नियम निर्धारित कर सकती है।
5. **दंड:** उल्लंघनों के लिए जुर्माना और कारावास का प्रावधान है।
6. **पारिस्थितिक रूप से संवेदनशील क्षेत्र:** पारिस्थितिक रूप से संवेदनशील क्षेत्रों की पहचान करता है, औद्योगिक गतिविधियों को प्रतिबंधित करता है।
7. **सार्वजनिक भागीदारी:** पर्यावरणीय निर्णयों में सार्वजनिक सुनवाई और भागीदारी का प्रावधान करता है।
8. **कानूनी ढांचा:** अधिनियम को पर्यावरण संरक्षण के कानूनी आधार के रूप में मान्यता देता है।
9. **भारतीय पर्यावरणीय शासन में महत्व:** भारत में पर्यावरणीय शासन के लिए एक नींव स्थापित करता है।

★★★ परीक्षोपयोगी

जलवायु परिवर्तन पर राष्ट्रीय कार्य योजना (National Action Plan on Climate Change) 2008

इस विषय को सरल बनाने वाले वीडियो व्याख्यान को देखने के लिए इस QR कोड को स्कैन करें

जलवायु परिवर्तन पर राष्ट्रीय कार्य योजना (NAPCC) को भारत सरकार द्वारा देश पर जलवायु परिवर्तन के प्रभावों को संबोधित करने के लिए 2008 में शुरू किया गया था। NAPCC भारत के जलवायु परिवर्तन लक्ष्यों को प्राप्त करने के लिए आठ मिशनों की रूपरेखा तैयार करता है, जो सतत विकास, समानता, एहतियात और रोकथाम, सह-लाभ और अंतर्राष्ट्रीय सहयोग पर केंद्रित हैं। नीचे इस मिशन की कुछ प्रमुख विशेषताएँ बताई गई हैं:

1. **सतत विकास:** NAPCC का उद्देश्य यह सुनिश्चित करना है कि जलवायु परिवर्तन को संबोधित करते समय आर्थिक विकास और गरीबी उन्मूलन से समझौता न हो।
2. **समानता:** NAPCC उत्तर-दक्षिण विभाजन से संबंधित मुद्दों को पहचानता है, जो कुछ समुदायों को अधिक संवेदनशील बनाता है। यह जलवायु परिवर्तन के प्रति एक निष्पक्ष और समान प्रतिक्रिया को बढ़ावा देता है।
3. **एहतियात और रोकथाम:** जलवायु परिवर्तन से अपरिवर्तनीय क्षति को रोकने के लिए एक एहतियाती दृष्टिकोण की आवश्यकता है। NAPCC रोकथाम और अनुकूलन रणनीतियों पर जोर देता है।
4. **सह-लाभ:** NAPCC सभी हितधारकों को समान लाभ प्रदान करने का लक्ष्य रखता है, जिसमें वायु गुणवत्ता में सुधार, ऊर्जा सुरक्षा और जल प्रबंधन पर ध्यान केंद्रित किया गया है।
5. **अंतर्राष्ट्रीय सहयोग:** भारत जलवायु परिवर्तन की वैश्विक प्रकृति और अंतर्राष्ट्रीय सहयोग की आवश्यकता को स्वीकार करता है।

NAPCC प्रभावी साझेदारी और कार्यों को बढ़ावा देने का प्रयास करता है।

NAPCC मिशन

1. **राष्ट्रीय सौर मिशन (NSM-2010):** राष्ट्रीय सौर मिशन (NSM) का मुख्य उद्देश्य भारत को सौर ऊर्जा में एक नेतृत्वकर्ता के रूप में स्थापित करना है। प्रारंभ में, मिशन का लक्ष्य 2022 तक 20 GW सौर ऊर्जा प्राप्त करना था, लेकिन बाद में इस लक्ष्य को बढ़ाकर 100 GW कर दिया गया। मिशन को तीन चरणों में लागू किया गया है-
   - चरण 1 (2012-13 तक)
   - चरण 2 (2013-17)
   - चरण 3 (2017-22)
2. **राष्ट्रीय उन्नत ऊर्जा दक्षता मिशन (NMEEE-2011):** यह मिशन ऊर्जा बचाने के नए तरीकों को बढ़ावा देने और स्थायी मूल्य बनाने का लक्ष्य रखता है।
3. **राष्ट्रीय सतत आवास मिशन (NMSH-2010):** यह मिशन शहरों को अधिक ऊर्जा-कुशल बनाने पर केंद्रित है। यह शहरों को जलवायु परिवर्तन से निपटने में मदद करने के लिए मानक स्थापित करता है और ऊर्जा-कुशल परिवहन की योजना बनाने को प्रोत्साहित करता है।
4. **राष्ट्रीय जल मिशन (NWM-2011):** यह मिशन जल की बचत और समझदारी से उसका उपयोग करने पर केंद्रित है। इसका उद्देश्य पानी की बर्बादी को कम करना और यह सुनिश्चित करना है कि सभी को पानी की उचित पहुँच हो, साथ ही जल उपयोग दक्षता में 20% तक सुधार करना है।
5. **राष्ट्रीय सतत कृषि मिशन (NMSA-2014-15):** यह मिशन खेती को अधिक उत्पादक और स्थायी बनाने का लक्ष्य रखता है। इसमें बेहतर कृषि पद्धति, मृदा और जल का संरक्षण तथा पानी के कुशल उपयोग शामिल हैं।
6. **राष्ट्रीय हरित भारत मिशन (NMGI-2014):** यह मिशन 2030 तक भारत के वन क्षेत्र को 2.5% तक बढ़ाने का लक्ष्य रखता है। यह कार्बन को संग्रहीत करने और वनों द्वारा प्रदान की जाने वाली जल सेवाओं में सुधार पर केंद्रित है।
7. **जलवायु परिवर्तन के लिए रणनीतिक ज्ञान पर राष्ट्रीय मिशन (NMSKCC-2009):** यह मिशन जलवायु परिवर्तन की चुनौतियों से निपटने और भारत के सतत विकास का समर्थन करने के लिए एक ज्ञान प्रणाली बनाने का लक्ष्य रखता है।
8. **हिमालयी पारिस्थितिकी तंत्र को बनाए रखने के लिए राष्ट्रीय मिशन (NMSHE-2010):** 2014 में स्वीकृत, यह मिशन हिमालयी क्षेत्र के पौधों और जानवरों की रक्षा करने और हिमनदों को पिघलने से रोकने का लक्ष्य रखता है। यह वन्यजीवों के संरक्षण, ज्ञान और कौशल के निर्माण और व्यवस्थित नीतियों के निर्माण पर केंद्रित है।

लर्निंग शॉर्टकट्स

क्या आपने अभी जो पढ़ा उसे याद करने में परेशानी हो रही है? NAPCC के अंतर्गत आठ मिशनों को याद करने के लिए यहाँ एक सरल तरकीब दी गई है:

उपरोक्त स्मरणीय में-

- S का अर्थ राष्ट्रीय सौर मिशन है।
- E का अर्थ राष्ट्रीय उन्नत ऊर्जा दक्षता मिशन है।
- H का अर्थ राष्ट्रीय सतत आवास मिशन है।
- W का अर्थ राष्ट्रीय जल मिशन है।
- A का अर्थ राष्ट्रीय सतत कृषि मिशन है।
- G का अर्थ राष्ट्रीय हरित भारत मिशन है।
- क्रिकेट का अर्थ जलवायु परिवर्तन के लिए रणनीतिक ज्ञान पर राष्ट्रीय मिशन है।
- हिमालय का अर्थ हिमालयी पारिस्थितिकी तंत्र को बनाए रखने के लिए राष्ट्रीय मिशन है।

आइए तालिका 29.4 में NAPCC के सभी मिशनों का सारांश प्रस्तुत करें।

तालिका 29.4 NAPCC मिशनों का स्नैपशॉट

मिशन का नाम	वर्ष	ध्यान
राष्ट्रीय सौर मिशन (National Solar Mission - NSM)	2010	भारत को सौर ऊर्जा में अग्रणी बनाना; 2022 तक 100 GW उत्पादन लक्ष्य
राष्ट्रीय उन्नत ऊर्जा दक्षता मिशन (National Mission for Enhanced Energy Efficiency - NMEEE)	2011	नवाचारी व्यापार मॉडलों के माध्यम से ऊर्जा दक्षता में सुधार
राष्ट्रीय सतत आवास मिशन (NMSH)	2010	ऊर्जा-कुशल शहरी योजना और परिवहन को बढ़ावा देना

मिशन का नाम	वर्ष	ध्यान
राष्ट्रीय जल मिशन (National Water Mission - NWM)	2011	पानी का संरक्षण और पानी के उपयोग की दक्षता में 20% सुधार
राष्ट्रीय सतत कृषि मिशन (National Mission for Sustainable Agriculture - NMSA)	2014-15	कृषि उत्पादकता, स्थिरता और लचीलापन बढ़ाना
राष्ट्रीय हरित भारत मिशन (National Mission for a Green India - NMGI)	2014	2030 तक भारत के वन क्षेत्र को 2.5% तक बढ़ाना
जलवायु परिवर्तन के लिए रणनीतिक ज्ञान पर राष्ट्रीय मिशन (National Mission on Strategic Knowledge for Climate Change - NMSKCC)	2009	जलवायु परिवर्तन की चुनौतियों का समाधान करने के लिए एक ज्ञान प्रणाली विकसित करना
हिमालयी पारिस्थितिकी तंत्र को बनाए रखने के लिए राष्ट्रीय मिशन (National Mission for Sustaining the Himalayan Ecosystem -NMSHE)	2010 (2014 में स्वीकृत)	हिमालयी जैव विविधता की रक्षा करना और हिमनदों को पिघलने से रोकना

राष्ट्रीय हरित हाइड्रोजन मिशन (National Green Hydrogen Mission) 2021

राष्ट्रीय हरित हाइड्रोजन मिशन (NGHM) का लक्ष्य भारत को हाइड्रोजन ऊर्जा में वैश्विक नेतृत्वकर्ता बनाना और 2047 तक ऊर्जा आत्मनिर्भरता हासिल करना है। यह अक्षय ऊर्जा स्रोतों का उपयोग करके हरित हाइड्रोजन और हरित अमोनिया के उत्पादन पर ध्यान केंद्रित करता है, जिसका लक्ष्य 2030 तक 5 मिलियन मीट्रिक टन हरित हाइड्रोजन उत्पादन है। यह मिशन उद्योग, परिवहन और ऊर्जा सहित विभिन्न क्षेत्रों में हाइड्रोजन के उपयोग को बढ़ावा देता है। इस पहल के तहत, नवीन और नवीकरणीय ऊर्जा मंत्रालय (MNRE) ने हरित हाइड्रोजन मिशन के भाग के रूप में हरित अमोनिया उत्पादन को प्रोत्साहित करने हेतु SIGHT कार्यक्रम - घटक II की शुरुआत की।

चुनौतियाँ जिन्हें पार करना है (Challenges to Overcome)

आइए उन चुनौतियों पर नजर डालें जिन्हें भारत को हाइड्रोजन ऊर्जा में वैश्विक नेतृत्वकर्ता बनने के लिए पार करना होगा-

- हाइड्रोजन उत्पादन वर्तमान में जितनी ऊर्जा उत्पन्न करता है उससे अधिक ऊर्जा की खपत करता है, जिससे एक दक्षता अंतराल उत्पन्न होता है जिसे संबोधित करने की आवश्यकता है।
- हाइड्रोजन भंडारण, परिवहन और वितरण के लिए बुनियादी ढांचे और नीति समर्थन की आवश्यकता है।
- अनुसंधान, प्रौद्योगिकी निवेश और सहयोगात्मक अनुसंधान पहलों के लिए वैश्विक साझेदारी को बढ़ावा देने के लिए नवाचार और सहयोग की आवश्यकता है।
- हाइड्रोजन प्रौद्योगिकियों को मान्य और स्केल करने के लिए उद्योग, ऊर्जा क्षेत्रों और अकादमिया को शामिल करने वाले पायलट प्रोजेक्ट आवश्यक हैं।

हाइड्रोजन का उत्पादन

हम जानते हैं कि राष्ट्रीय हाइड्रोजन और अमोनिया मिशन (2021) के अनुसार, भारत का लक्ष्य हाइड्रोजन ऊर्जा में वैश्विक अग्रणी बनना है। आइए देखें कि हाइड्रोजन का उत्पादन कैसे किया जाता है। हाइड्रोजन के उत्पादन के लिए दो बुनियादी विधि हैं: हाइड्रोकार्बन और नवीकरणीय ऊर्जा से।

हाइड्रोकार्बन से:

- **भाप मीथेन पुनः संभावन (Steam Methane Reforming):-** यह विधि प्राकृतिक गैस को उच्च तापमान पर गर्म करके हाइड्रोजन उत्पादन करती है।
- **आंशिक ऑक्सीकरण (Partial Oxidation):** इस प्रक्रिया में हाइड्रोकार्बन (जैसे प्राकृतिक गैस या कोयला) को ऑक्सीकरण करके हाइड्रोजन उत्पादन किया जाता है।
- **कोयला गैसीकरण (Coal Gasification):** यह विधि कोयले को हाइड्रोजन और कार्बन मोनोऑक्साइड के गैस मिश्रण में परिवर्तित करती है।

नवीकरणीय स्रोतों से-

- **विद्युत अपघटन (Electrolysis):** इलेक्ट्रोलिसिस जल को हाइड्रोजन और ऑक्सीजन में विभाजित करता है, जिसमें बिजली का उपयोग पवन या सौर ऊर्जा से किया जाता है। उत्पन्न हाइड्रोजन को हरित हाइड्रोजन माना जाता है।
- **प्रकाश अपघटन (Photolysis):** यह विधि सीधे जल को हाइड्रोजन और ऑक्सीजन में विभाजित करती है, जिसमें आमतौर पर फोटोइलेक्ट्रोकेमिकल सेल का उपयोग किया जाता है।

कॉन्सेप्ट कैप्सूल

भारत में प्रमुख पर्यावरण अभिकरण (Key Environmental Agencies in India)

भारत में कई पर्यावरण अभिकरण मिलकर पर्यावरण की रक्षा के लिए नीतियों की निगरानी, विकास और कार्यान्वयन करते हैं। ये अभिकरण प्रदूषण को नियंत्रित करने, जैव विविधता को संरक्षित करने और पर्यावरण कानूनों की देखरेख में महत्वपूर्ण भूमिका निभाते हैं। आइए कुछ महत्वपूर्ण पर्यावरण अभिकरणों पर नजर डालें–

1. **भारतीय वन्यजीव बोर्ड (Indian Board of Wildlife 1952):** वन्यजीवों का संरक्षण करने के लिए स्थापित।
2. **केंद्रीय प्रदूषण नियंत्रण बोर्ड (Central Pollution Control Board - CPCB) (1974):** प्रदूषण स्तर की निगरानी करता है।
3. **पर्यावरण विभाग (Department of Environment 1980):** पर्यावरण नीतियों की देखरेख करता है। 1985 में पर्यावरण विभाग का नाम बदलकर पर्यावरण एवं वन मंत्रालय (MoEF) कर दिया गया।
4. **पर्यावरण और वन मंत्रालय (Ministry of Environment and Forests - MoEF) (1985):** पर्यावरण कानूनों का विकास और कार्यान्वयन करता है। वर्ष 2014 में पर्यावरण, वन और जलवायु परिवर्तन मंत्रालय का नाम बदलकर वर्तमान पर्यावरण, वन और जलवायु परिवर्तन मंत्रालय (डवम्थ्ब्ब) कर दिया गया।
5. **राष्ट्रीय पर्यावरण अपीलीय प्राधिकरण (National Environment Appellate Authority - NEAA) (1997):** पर्यावरण मंजूरी के संबंध में अपीलों को संभालता है।
6. **राष्ट्रीय जैव विविधता प्राधिकरण (National Biodiversity Authority - NBA) (2002):** NBA की स्थापना 2003 में भारत के जैविक विविधता अधिनियम (2002) को लागू करने के लिए की गई थी।
7. **आनुवंशिक इंजीनियरिंग मूल्यांकन समिति (Genetic Engineering Appraisal Committee - GEAC):** आनुवंशिक इंजीनियरिंग गतिविधियों को नियंत्रित करता है और आनुवंशिक रूप से संशोधित जीवों (GMO) की सुरक्षा सुनिश्चित करता है।

भारत में प्रमुख पर्यावरण कानून (Key Environmental Legislations in India)

भारत ने अपने पर्यावरण और प्राकृतिक संसाधनों की रक्षा के लिए विभिन्न कानून बनाए हैं। इन कानूनों का उद्देश्य प्रदूषण को रोकना, वन्यजीव और वनों का संरक्षण करना तथा जैव विविधता की रक्षा करना है।

1. पर्यावरण संरक्षण अधिनियम, 1986 (EPA)
2. वन्यजीव संरक्षण अधिनियम, 1972– वन्य जानवरों, पक्षियों और पौधों की रक्षा करता है।
3. जल प्रदूषण की रोकथाम और नियंत्रण अधिनियम, 1974– जल प्रदूषण को रोकता है।
4. वन संरक्षण अधिनियम, 1980– वनों का संरक्षण करता है।
5. वायु प्रदूषण की रोकथाम और नियंत्रण अधिनियम, 1981– वायु प्रदूषण को नियंत्रित करता है।
6. जैव विविधता अधिनियम, 2002– जैव विविधता की रक्षा करता है।

कॉन्सेप्ट कैप्सूल

महत्वपूर्ण पर्यावरणीय तिथियाँ (Important Dates Linked with Environment)

महत्वपूर्ण पर्यावरणीय दिवसों को पहचानना और मनाना विभिन्न पारिस्थितिक मुद्दों के बारे में जागरूकता बढ़ाने में मदद करता है और अधिक सतत भविष्य की दिशा में कार्रवाई को प्रोत्साहित करता है। तालिका 29.5 में प्रमुख तिथियों और उनके अनुरूप पर्यावरणीय दिवसों की सूची दी गई है:

तालिका 29.5 पर्यावरण से जुड़ी महत्वपूर्ण तिथियाँ

तिथि	महत्वपूर्ण दिवस
30 जनवरी	विश्व कुष्ठ रोग दिवस
2 फरवरी	विश्व आर्द्रभूमि दिवस
25 फरवरी	विश्व सतत ऊर्जा दिवस
20 मार्च	विश्व गौरैया दिवस
21 मार्च	विश्व वानिकी दिवस
22 मार्च	विश्व जल दिवस
22 अप्रैल	विश्व पृथ्वी दिवस
25 अप्रैल	विश्व मलेरिया दिवस
31 मई	विश्व तंबाकू निषेध दिवस
5 जून	विश्व पर्यावरण दिवस
8 जून	विश्व महासागर दिवस
27 जून	अंतर्राष्ट्रीय मधुमेह दिवस
11 जुलाई	विश्व जनसंख्या दिवस
28 जुलाई	विश्व प्रकृति संरक्षण दिवस
29 जुलाई	विश्व बाघ दिवस
6 अगस्त	हिरोशिमा दिवस
10 अगस्त	विश्व जैव ईंधन दिवस
3 अक्टूबर	विश्व प्रकृति दिवस
4 अक्टूबर	विश्व पशु दिवस
2 दिसंबर	विश्व प्रदूषण रोकथाम दिवस
14 दिसंबर	विश्व ऊर्जा दिवस
29 दिसंबर	अंतर्राष्ट्रीय जैव विविधता दिवस

क्विज स्टेशन *विगत UGC NET परीक्षाओं के प्रश्न*

प्र 1. सूची - I और सूची - II का मिलान करें और सही कोड पहचानें-

सूची - I	सूची - II
A. विश्व स्वास्थ्य दिवस	i. 16 सितंबर
B. विश्व जनसंख्या दिवस	ii. 1 दिसंबर
C. विश्व ओजोन दिवस	iii. 11 जुलाई
D. विश्व एड्स दिवस	iv. 7 अप्रैल

विकल्प–

(a) A–i, B–ii, C–iii, D–iv

(b) A–iv, B–iii, C–i, D–ii

(c) A–ii, B–iii, C–iv, D–i

(d) A–iii, B–iv, C–ii, D–i

उत्तर 1. (b)

अध्याय के मुख्य बिंदु

मिलेनियम विकास लक्ष्य (MDGs)

1. अत्यधिक गरीबी और भूखमरी का उन्मूलन
2. सार्वभौमिक प्राथमिक शिक्षा प्राप्त करना
3. लैंगिक समानता को बढ़ावा देना और महिलाओं को सशक्त बनाना
4. बाल मृत्यु दर को कम करना
5. मातृ स्वास्थ्य में सुधार
6. एचआईवी/एड्स, मलेरिया और अन्य बीमारियों का मुकाबला करना
7. पर्यावरणीय स्थिरता सुनिश्चित करना
8. विकास के लिए वैश्विक साझेदारी विकसित करना

रियो शिखर सम्मेलन (1992) से प्रमुख निष्कर्ष

- प्रमुख वैश्विक समझौते–
  - एजेंडा 21
  - पर्यावरण और सिद्धांतों पर रियो घोषणा
- रियो शिखर सम्मेलन से उभरे प्रमुख सम्मेलन–
  - जलवायु परिवर्तन पर संयुक्त राष्ट्र फ्रेमवर्क कन्वेंशन (UNFCCC)
  - मरुस्थलीकरण से निपटने के लिए संयुक्त राष्ट्र कन्वेंशन (UNCCD)
  - जैव विविधता पर कन्वेंशन (CBD) (इन सभी सम्मेलनों की अपनी वार्षिक बैठकें होती हैं जिन्हें ब्व्ऊ कहा जाता है)

राष्ट्रीय कार्य योजना पर जलवायु परिवर्तन (NAPCC) के तहत मिशन

1. राष्ट्रीय सौर मिशन
2. ऊर्जा दक्षता में वृद्धि के लिए राष्ट्रीय मिशन
3. सतत आवास पर राष्ट्रीय मिशन
4. राष्ट्रीय जल मिशन
5. सतत कृषि के लिए राष्ट्रीय मिशन
6. हरित भारत के लिए राष्ट्रीय मिशन
7. जलवायु परिवर्तन के लिए रणनीतिक ज्ञान पर राष्ट्रीय मिशन
8. हिमालयी पारिस्थितिकी तंत्र को बनाए रखने के लिए राष्ट्रीय मिशन

क्योटो प्रोटोकॉल (1997) से प्रमुख निष्कर्ष

- **उद्देश्य:** ग्रीनहाउस गैसों में कमी
- **समझौता किया गया:** 11 दिसंबर 1997
- **प्रभाव में आया:** 16 फरवरी 2005
- **स्थान:** क्योटो, जापान
- **UNCCC** का **COP3**
- **आरंभ में हस्ताक्षरकर्ता:** अपनाने के समय 84 देश।
- **वर्तमान हस्ताक्षरकर्ता:** 192 देशों ने समझौते की पुष्टि की है।
- **ग्रीनहाउस गैसें (GHGs) शामिल हैं–**
  1. कार्बन डाइऑक्साइड (CO_2)
  2. मीथेन (CH_4)
  3. नाइट्रस ऑक्साइड (N_2O)
  4. हाइड्रोफ्लोरोकार्बन (HFCs)
  5. पेरफ्लोरोकार्बन (PFCs)
  6. सल्फर हेक्साफ्लोराइड (SF_6)

सतत विकास लक्ष्य (SDGs)

1. कोई गरीबी नहीं
2. शून्य भूख
3. अच्छा स्वास्थ्य और कल्याण
4. गुणवत्तापूर्ण शिक्षा
5. लैंगिक समानता
6. स्वच्छ जल और स्वच्छता
7. सस्ती और स्वच्छ ऊर्जा
8. सम्मानजनक कार्य और आर्थिक विकास
9. उद्योग, नवाचार और बुनियादी ढांचा
10. असमानता में कमी
11. सतत शहर और समुदाय
12. जिम्मेदार खपत और उत्पादन
13. जलवायु कार्रवाई
14. जल के नीचे जीवन
15. भूमि पर जीवन
16. शांति, न्याय और मजबूत संस्थान
17. लक्ष्यों के लिए साझेदारी

MDGs के प्रमुख बिंदु

- **लक्ष्यों की संख्या:** 8
- **लक्ष्यों की संख्या:** 21
- **संकेतकों की संख्या:** 60
- **कार्यान्वयन समय सीमा:** 2000–2015

SDGs के प्रमुख बिंदु

- **लक्ष्यों की संख्या:** 17
- **लक्ष्यों की संख्या:** 169
- **कुल संकेतकों की संख्या:** 247
- **अद्वितीय संकेतकों की संख्या:** 231
- **कार्यान्वयन समय सीमा:** 2016–2030
- **अन्य नाम:** सतत विकास के लिए एजेंडा 2030

ISA (2015) से प्रमुख निष्कर्ष

- **उद्देश्य:** सौर ऊर्जा को बढ़ावा देना
- **समझौता किया गया:** 30 नवंबर 2015
- **प्रभाव में आया:** 6 दिसंबर 2017
- **स्थान:** पेरिस, फ्रांस
- **UNCCC** का **COP21**
- **मुख्यालय:** राष्ट्रीय सौर ऊर्जा संस्थान, गुरुग्राम, हरियाणा, भारत
- **लॉन्च किया गया:** भारत और फ्रांस द्वारा
- **लक्ष्य:** 2030 तक 1 टेरावाट (TW) सौर ऊर्जा प्राप्त करना
- **दृष्टि:** 'आइए हम मिलकर सूरज को और चमकदार बनाएं'
- **मिशन:** 'हर घर, चाहे कितना भी दूर हो, घर में एक रोशनी होगी'

समझौते/समझौतों/सम्मेलनों की समयरेखा

वर्ष	नाम	समझौता तिथि	प्रभाव में आया	उद्देश्य	स्थान	COP
1972	स्टॉकहोम घोषणा	16 जून 1972	–	देशों को पर्यावरण की रक्षा के लिए एक साथ काम करने की आवश्यकता को उजागर करना	स्टॉकहोम, स्वीडन	–
1987	मॉन्ट्रियल प्रोटोकॉल	16 सितम्बर 1987	1 जनवरी 1989	ओजोन परत को नुकसान पहुंचाने वाले पदार्थों (ODS) को चरणबद्ध तरीके से समाप्त करना	मॉट्रियल, कनाडा	
1992	रियो पृथ्वी सम्मेलन	3-14 जून 1992	–	सतत विकास	रियो डी जनेरियो, ब्राजील	–
1994	संयुक्त राष्ट्र का मरुस्थलीकरण से लड़ने के लिए सम्मेलन (UNCCD)	17 जून 1994	दिसम्बर 1996	मरुस्थलीकरण और सूखे के खिलाफ लड़ाई	पेरिस, फ्रांस	–
1997	क्योटो प्रोटोकॉल	11 दिसम्बर 1997	16 फरवरी 2005	ग्रीनहाउस गैसों में कमी	क्योटो, जापान	UNFCCC का COP3
2000	सहस्राब्दी शिखर सम्मेलन	सितम्बर 2000	–	MDGs को अपनाना	न्यूयॉर्क, यूएसए	–
2001	स्टॉकहोम सम्मेलन	22 मई 2001	17 मई 2004	POPs के उपयोग को कम करना और समाप्त करना	स्टॉकहोम, स्वीडन	–
2002	रियो+ 10 सम्मेलन	26 अगस्त से 4 सितम्बर 2002	–	1992 के रियो सम्मेलन के बाद से की गई प्रगति की समीक्षा करना	जोहान्सबर्ग, दक्षिण अफ्रीका	
2010	कानकुन समझौता	11 दिसम्बर 2010	–	अंतर्राष्ट्रीय जलवायु नीति की दिशा में कदम	कानकुन, मेक्सिको	UNFCCC का COP16
2012	रियो+ 20 सम्मेलन	20-22 जून 2012	–	दस्तावेज 'हम जो भविष्य चाहते हैं' को अपनाना और सतत विकास लक्ष्यों के विकास की ओर अग्रसर होना	रियो डी जनेरियो, ब्राजील	–
2013	मिनामाता सम्मेलन	10 अक्टूबर 2013	16 अगस्त 2017	मनुष्यों और पर्यावरण को पारे से बचाना	कुमामोटो, जापान	–
2015	पेरिस समझौता	12 दिसम्बर 2015	4 नवम्बर 2016	वैश्विक औसत तापमान में वृद्धि को कम करना	पेरिस, फ्रांस	UNFCCC का COP21
2015	अंतर्राष्ट्रीय सौर गठबंधन	30 नवम्बर 2015	6 दिसम्बर 2017	सौर ऊर्जा को बढ़ावा देना	पेरिस, फ्रांस	UNFCC
2015	संयुक्त राष्ट्र सतत विकास शिखर सम्मेलन	25-27 सितम्बर 2015	–	2030 के सतत विकास एजेंडा को अपनाना	न्यूयॉर्क, यूएसए	–

वर्ष	नाम	समझौता तिथि	प्रभाव में आया	उद्देश्य	स्थान	COP
2016	किगाली समझौता	15 अक्टूबर 2016	1 जनवरी 2019	HFCs को चरणबद्ध तरीके से समाप्त करना	किगाली, रवांडा	-
2021	ग्लासगो बैठक	13 नवम्बर 2021	-	सतत ऊर्जा प्रणालियों में संक्रमण	ग्लासगो, स्कॉटलैंड (यूके)	UNFCCC का COP26
2022	कुनमिंग-मॉन्ट्रियल वैश्विक जैव विविधता ढांचा (GBF)	19 दिसम्बर 2022	-	इसका उद्देश्य जलवायु परिवर्तन और जैव विविधता हानि के अंतर्संबंधित संकटों का समाधान करना है।	मॉन्ट्रियल, कनाडा	CBD का COP15

इस अध्याय में, हमने कई लक्ष्यों के बारे में पढ़ा जिन्हें वैश्विक/भारतीय स्तर पर प्राप्त करना है। यहाँ उनका एक त्वरित सारांश है-

2030 तक प्राप्त किए जाने वाले लक्ष्यों का स्नैपशॉट

मिशन/कन्वेंशन/प्रोटोकॉल/अधिनियम	वैश्विक/भारतीय	लक्ष्य
राष्ट्रीय हरित भारत मिशन (NMGI-2014)	भारतीय	2030 तक भारत के वन क्षेत्र को 2.5% बढ़ाना
राष्ट्रीय हरित हाइड्रोजन मिशन (2021)	भारतीय	2030 तक 5 मिलियन मीट्रिक टन हाइड्रोजन का उत्पादन
सतत विकास लक्ष्य (SDGs)	वैश्विक	2030 तक 17 लक्ष्यों को प्राप्त करना
पेरिस समझौता	भारतीय	2030 तक गैर-जीवाश्म स्रोतों से 40% बिजली
ग्लासगो बैठक, 2021	भारतीय	2030 तक 500 गीगावाट गैर-जीवाश्म ऊर्जा क्षमता
		2030 तक नवीकरणीय स्रोतों से 50% ऊर्जा
		2030 तक 1 बिलियन टन कार्बन उत्सर्जन को कम करना
		2030 तक कार्बन तीव्रता को 45% कम करना
अंतर्राष्ट्रीय सौर गठबंधन, 2015	वैश्विक	2030 तक 1 टेरावाट (TW) सौर ऊर्जा प्राप्त करना
कुनमिंग-मॉन्ट्रियल वैश्विक जैव विविधता फ्रेमवर्क (GBF), 2022	वैश्विक	2030 तक ग्रह की 30% भूमि और समुद्री क्षेत्रों का संरक्षण करना
		प्रदूषण को उस स्तर तक कम करना जो जैव विविधता के लिए हानिकारक न हो।
		2030 तक 30% क्षतिग्रस्त पारिस्थितिक तंत्र को बहाल करना

मूल्यांकन जोन (EVALUATION ZONE)

1. सूची-I को सूची-II से मिलान कीजिए।*(21 जनवरी 2025 - शिफ्ट 1)*

सूची-I (एरोसोल कण)	सूची-II (आकार)
A. मोटे कण	I. <0.1 माइक्रोन
B. श्वसन योग्य कण	II. >10 माइक्रोन
C. महीन कण	III. <10 माइक्रोन
D. अतिसूक्ष्म कण	IV. <2.5 माइक्रोन

नीचे दिए गए विकल्पों में से सही उत्तर चुनें:

(a) (A)-(II), (B)-(III), (C)-(IV), (D)-(I)
(b) (A)-(II), (B)-(III), (C)-(I), (D)-(IV)
(c) (A)-(III), (B)-(II), (C)-(I), (D)-(IV)
(d) (A)-(III), (B)-(II), (C)-(IV), (D)-(I)

2. सूची-I को सूची-II से मिलान कीजिए। *(9 जनवरी 2025 - शिफ्ट 2)*

सूची-I (पर्यावरण कानून)	सूची-II (वर्ष)
A. वायु (प्रदूषण की रोकथाम और नियंत्रण) अधिनियम	I. 1974
B. वन संरक्षण अधिनियम	II. 1981
C. पर्यावरण संरक्षण अधिनियम	III. 1980
D. जल (प्रदूषण की रोकथाम और नियंत्रण) अधिनियम	IV. 1986

नीचे दिए गए विकल्पों में से सही उत्तर चुनें:

(a) (A)-(I), (B)-(III), (C)-(II), (D)-(IV)
(b) (A)-(II), (B)-(IV), (C)-(III), (D)-(I)
(c) (A)-(III), (B)-(II), (C)-(I), (D)-(IV)
(d) (A)-(II), (B)-(III), (C)-(IV), (D)-(I)

3. निम्नलिखित में से कौन से ज्ञात कार्सिनोजन हैं?
(9 जनवरी 2025 - शिफ्ट 2)

(A) निकेल (Ni) (B) कैडमियम (Cd)
(C) बेंजीन (C_6H_6) (D) ओजन (0_3)

नीचे दिए गए विकल्पों में से सही उत्तर चुनें:

(a) (A), (B), (D) (b) (A), (C), (D)
(c) (B), (C), (D) (d) (A), (B), (C)

4. निम्नलिखित में से कौन सा लक्ष्य सहस्राब्दि विकास लक्ष्य नहीं है?
(9 जनवरी 2025 - शिफ्ट 2)

(a) अत्यधिक गरीबी और भुखमरी को मिटाना
(b) बाल मृत्यु दर को कम करना
(c) जलवायु कार्रवाई
(d) पर्यावरण स्थिरता सुनिश्चित करना

5. सूची-I को सूची-II से मिलान कीजिए। *(9 जनवरी 2025 - शिफ्ट 1)*

सूची-I (मिट्टी का प्रकार)	सूची-II (क्षेत्र)
A. जलोढ़ मिट्टी	I. पश्चिमी घाट, केरल
B. मरुस्थलीय मिट्टी	II. कच्छ का रण, गुजरात
C. काली मिट्टी	III. इंडो-गंगा का मैदान, बिहार
D. लेटराइट मिट्टी	IV. कृष्णा तुंगभद्रा बेसिन, तमिलनाडु

नीचे दिए गए विकल्पों में से सही उत्तर चुनें:

(a) (A)-(III), (B)-(I), (C)-(IV), (D)-(II)
(b) (A)-(I), (B)-(II), (C)-(III), (D)-(IV)
(c) (A)-(III), (B)-(II), (C)-(IV), (D)-(I)
(d) (A)-(I), (B)-(III), (C)-(II), (D)-(IV)

6. निम्नलिखित में से कौन से प्रदूषक अम्लीय वर्षा के निर्माण के लिए सबसे अधिक जिम्मेदार हैं? *(9 जनवरी 2025 - शिफ्ट 1)*

(A) कार्बन मोनोऑक्साइड (CO)
(B) नाइट्रोजन डाइऑक्साइड (NO_2)
(C) ओजोन (0_3)
(D) सल्फर डाइऑक्साइड (SO_2)
(E) सीसा (Pb)

नीचे दिए गए विकल्पों में से सही उत्तर चुनें:

(a) केवल (A) और (B) (b) केवल (B) और (D)
(c) केवल (C) और (E) (d) केवल (A), (B) और (D)

7. निम्न में से (SO_2) के पर्यावरण पर होने वाले प्रमुख प्रतिकूल प्रभावों की पहचान कीजिए: *(8 जनवरी 2025 - शिफ्ट 1)*

(A) अम्लीय वर्षा (B) भूमंडलीय उष्मन
(C) ओजोन परत-अवक्षय (D) श्वसन विकारों की घटना

नीचे दिए गए विकल्पों में से सही उत्तर चुनें:

(a) (A), (B) (b) (B), (C)
(c) (C), (D) (d) (A), (D)

8. निम्न में से मीथेन के प्रमुख स्रोतों की पहचान कीजिए:
(8 जनवरी 2025 - शिफ्ट 1)

(A) भू-भरण स्थल (लैंड फिल)
(B) पहाड़ी नदियां
(C) आर्द्र भूमि
(D) धान के खेत

नीचे दिए गए विकल्पों में से सही उत्तर चुनें:

(a) (A), (B), (C) (b) (B), (C), (D)
(c) (A), (C), (D) (d) (A), (B), (D)

9. अंतर्राष्ट्रीय सौर-संधि की परिकल्पना निम्न में से किसके हाशिये पर की गई थी? *(8 जनवरी 2025 - शिफ्ट 1)*

(a) COP 21 (b) COP 22
(c) COP 23 (d) COP 24

10. पेरिस समझौता इस सदी में वैश्विक औसत तापमान को औद्योगिक क्रांति से पहले के स्तर की तुलना में कितने डिग्री सेल्सियस तक सीमित करने के प्रयासों को जारी रखने की परिकल्पना करता है।

(7 जनवरी 2025 - शिफ्ट 2)

(a) 0.5° C (b) 1° C
(c) 1.5° C (d) 2.5° C

11. ग्रीन हाउस गैसों का अनुसरण करने के ग्लोबल वार्मिंग पोटेंशियल (GWP) का सही अनुक्रम सबसे कम से उच्चतम तक क्या है?

(7 जनवरी 2025 - शिफ्ट 2)

(A) CH_4 (मिथेन)
(B) CO_2 (कार्बनडाइऑक्साइड)
(C) CFC-11 (क्लारोफ्लोरो कार्बन-11)
(D) N_2O (नाइट्रसऑक्साइड)

नीचे दिए गए विकल्पों में से सही उत्तर चुनें:

(a) (C), (A), (B), (D) (b) (A), (D), (B), (C)
(c) (B), (A), (C), (D) (d) (B), (A), (D), (C)

12. जलवायु परिवर्तन पर राष्ट्रीय कार्य योजना के राष्ट्रीय मिशन निम्नलिखित में से कौन से हैं? *(7 जनवरी 2025 - शिफ्ट 2)*

(A) राष्ट्रीय ओजोन मिशन (B) राष्ट्रीय सौर मिशन
(C) राष्ट्रीय जल मिशन (D) राष्ट्रीय वायु मिशन
(E) राष्ट्रीय हरित भारत मिशन

नीचे दिए गए विकल्पों में से सही उत्तर चुनें:

(a) (A), (B), (D) (b) (A), (D), (E)
(c) (B), (C), (E) (d) (C), (D), (E)

13. निम्नलिखित में से किसमें सबसे अधिक गंदलापन है?

(6 जनवरी 2025 - शिफ्ट 1)

(a) पीने का पानी (b) मैला पानी
(c) साफ झील का पानी (d) समुद्र का पानी

14. निम्न में से कौन सा वायु प्रदूषक ऑक्सीजन की तुलना में रक्त में हीमोग्लोबिन के प्रति अधिक आकर्षण के कारण गंभीर स्वास्थ्य समस्या का कारण बनता है? *(6 जनवरी 2025 - शिफ्ट 1)*

(a) SO_2 (सल्फर डाइऑक्साइड) (b) CO (कार्बन मोनोऑक्साइड)
(c) CO_2 (कार्बन डाइऑक्साइड) (d) O_3 (ओजोन)

15. निम्नलिखित में से कौन सा प्रकाश रासायनिक धुंध के निर्माण में मुख्य घटक है? *(3 जनवरी 2025 - शिफ्ट 1)*

(a) कार्बन डाइऑक्साइड (CO_2) (b) कार्बन मोनोऑक्साइड (CO)
(c) नाइट्रोजन ऑक्साइड (NO_x) (d) सल्फर ऑक्साइड (SO_x)

16. निम्नलिखित में से कौन सा प्रोटोकॉल/सम्मेलन जैव विविधता पर सम्मेलन (CBD) का पूरक है? *(3 जनवरी 2025 - शिफ्ट 1)*

(A) बेसल कन्वेंशन (B) कार्टाजेना प्रोटोकॉल
(C) किगाली समझौता (D) नागोया प्रोटोकॉल
(E) बाली शिखर सम्मेलन

नीचे दिए गए विकल्पों में से सही उत्तर चुनें:

(a) (A), (E) (b) (B), (C), (E)
(c) (B), (D) (d) (A), (C), (D)

17. भूकंप से होने वाले विनाश की मात्रा मापी जाती है:

(4 सितम्बर 2024 - शिफ्ट 1)

(a) रिक्टर स्केल (b) इंटेंसिटी स्केल
(c) मैग्नीट्यूड स्केल (d) मर्कल्ली स्केल

18. क्लोरोफ्लोरोकार्बन (CFCs) के प्रतिस्थापन हाइड्रोक्लोरोफ्लोरोकार्बन (HCFCs) को इस वर्ष तक पूरी तरह से समाप्त करना होगा।

(3 सितम्बर 2024 - शिफ्ट 1)

(a) 2025 (b) 2030
(c) 2035 (d) 2040

19. पर्यावरणीय खतरों से संबंधित जोखिम आकलन का सही अनुक्रम क्या है? *(30 अगस्त 2024 - शिफ्ट 2)*

(A) उदभासन आकलन
(B) मात्रा अनुक्रिया आकलन (डोज रेस्पांस एसेसमेंट)
(C) जोखिम आकलन
(D) संकट की पहचान (E) जोखिम के लक्षण

नीचे दिए गए विकल्पों में से सही उत्तर चुनें:

(a) (D), (A), (B), (E), (C) (b) (D), (A), (B), (C), (E)
(c) (C), (E), (D), (B), (A) (d) (E), (C), (B), (A), (D)

20. दोहा संशोधन एक संशोधन है *(30 अगस्त 2024 - शिफ्ट 1)*

(a) मॉन्ट्रियल प्रोटोकॉल (b) क्योटो प्रोटोकॉल
(c) स्टॉकहोम कन्वेंशन (d) रियो शिखर सम्मेलन

21. प्रारंभिक से अंतिम तक निम्नलिखित पेयजल उपचार प्रक्रियाओं का सही क्रम क्या है? *(30 अगस्त 2024 - शिफ्ट 1)*

(A) निस्पंदन
(B) कीटाणुशोधन
(C) बड़े कणों का गुरुत्वाकर्षण निपटान
(D) फ्लोक्यूलेशन

नीचे दिए गए विकल्पों में से सही उत्तर चुनें:

(a) (A), (B), (C), (D) (b) (A), (B), (D), (C)
(c) (C), (D), (A), (B) (d) (C), (D), (B), (A)

22. ध्वनि के बारे में निम्नलिखित में से कौन-सा सत्य है?

(29 अगस्त 2024 - शिफ्ट 2)

(A) ध्वनि में 10 डेसिबल (डीबी) की वृद्धि ध्वनि की तीव्रता में 10 गुना वृद्धि के बराबर है
(B) ध्वनि में 20 डीबी की वृद्धि ध्वनि की तीव्रता में 0 गुना वृद्धि के बराबर है
(C) प्रबलता ध्वनि की तीव्रता की मानवीय धारणा है।
(D) श्रव्य ध्वनि सीमा 20 हर्ट्ज से 20 किलोहर्ट्ज के बीच है।
(E) 20 हर्ट्ज से नीचे की ध्वनि को अल्ट्रासाउंड कहा जाता है जबकि 20 किलोहर्ट्ज से ऊपर की ध्वनि को इन्फ्रासाउंड कहा जाता है।

नीचे दिए गए विकल्पों में से सही उत्तर चुनें:

(a) (A), (B), (D) (b) (B), (C), (D)
(c) (C), (D), (E) (d) (A), (C), (D)

23. निम्नलिखित में से कौन विभिन्न स्तरों पर जल निकाय की पोषक सामग्री को दर्शाता है? *(29 अगस्त 2024 - शिफ्ट 2)*
(A) फोटोट्रोपिक (B) यूट्रोफिक
(C) मेसोट्रोफिक (D) केमोट्रोफिक
(E) ओलिगोट्रॉफिक
नीचे दिए गए विकल्पों में से सही उत्तर चुनें:
(a) (A), (C), (E) (b) (B), (C), (D)
(c) (A), (B), (D) (d) (B), (C), (E)

24. निम्नलिखित में से किसे एक प्रमुख इनडोर वायु प्रदूषक माना जाता है? *(29 अगस्त 2024 - शिफ्ट 1)*
(a) मरकरी (b) रेडॉन
(c) हीलियम (d) आर्गन

25. लीचेट एक है: *(29 अगस्त 2024 - शिफ्ट 1)*
(a) ग्रीन हाउस गैस
(b) वायु प्रदूषक
(c) भरावक्षेत्र स्थल से तरल पदार्थ निकालना
(d) ओजोन क्षयकारी पदार्थ

26. अंतर्राष्ट्रीय सौर गठबंधन (आईएसए) के बारे में निम्नलिखित में से कौन सा सत्य है? *(29 अगस्त 2024 - शिफ्ट 1)*
(A) इस गठबंधन में 100 से अधिक सदस्य देश हैं
(B) इसका मुख्यालय जिनेवा, स्विट्जरलैण्ड में है
(C) इसके अधिकांश सदस्य देश भूमध्य रेखा और कर्क रेखा के बीच स्थित हैं
(D) गठबंधन का प्राथमिक उद्देश्य सौर ऊर्जा का कुशलतापूर्वक उपयोग करना है
(E) यह भारत और फ्रांस की एक सहयोगात्मक पहल है
नीचे दिए गए विकल्पों में से सही उत्तर चुनें:
(a) (A), (B), (D) (b) (A), (D), (E)
(c) (B), (C), (E) (d) (C), (D), (E)

27. कॉलम का मिलान कीजिए: *(28 अगस्त 2024 - शिफ्ट 1)*

सूची-I (जल उपचार)	सूची-II (प्रक्रिया)
A. प्राथमिक	I. सक्रिय चारकोल आदि की सहायता से अपशिष्टों को हटाना।
B. माध्यमिक	II. पराबैंगनी किरणों द्वारा ओजोनीकरण और कीटाणुशोधन।
C. तृतीयक	III. बड़े टुकड़ों जैसे छड़ी, पत्थर, चिथड़े, प्लास्टिक आदि को हटाना।
D. उन्नत	IV. अपशिष्टों के फ्लोक्यूलेशन और जमाव के बाद निष्कासन।

नीचे दिए गए विकल्पों में से सही उत्तर चुनें:
(a) (A)-(III), (B)-(IV), (C)-(II), (D)-(I)
(b) (A)-(III), (B)-(IV), (C)-(I), (D)-(II)
(c) (A)-(II), (B)-(III), (C)-(I), (D)-(IV)
(d) (A)-(II), (B)-(III), (C)-(IV), (D)-(I)

28. कॉलम का मिलान कीजिए: *(23 अगस्त 2024 - शिफ्ट 2)*

सूची-I	सूची-II
A. सिंह	I. प्रथम ट्रॉफिक स्तर
B. पेड़	II. दूसरा ट्रॉफिक स्तर
C. मछली	III. तीसरा ट्रॉफिक स्तर
D. टिड्डा	IV. चौथा ट्रॉफिक स्तर

नीचे दिए गए विकल्पों में से सही उत्तर चुनें:
(a) (A)-(I), (B)-(IV), (C)-(II), (D)-(III)
(b) (A)-(IV), (B)-(I), (C)-(III), (D)-(II)
(c) (A)-(II), (B)-(III), (C)-(I), (D)-(IV)
(d) (A)-(III), (B)-(II), (C)-(IV), (D)-(I)

29. निम्नलिखित में से कौन सी वैश्विक स्तर की घटना है? *(22 अगस्त 2024 - शिफ्ट 1)*
(A) ओजोन परत की कमी (B) ग्लोबल वार्मिंग
(C) जंगल की आग (D) समुद्र के स्तर में वृद्धि
(E) वायु प्रदूषण
नीचे दिए गए विकल्पों में से सही उत्तर चुनें:
(a) (A), (C), (D) (b) (A), (B), (C), (D)
(c) (B), (C), (E) (d) (A), (B), (D)

30. जैव विविधता पर कन्वेंशन (सीबीडी) को पहली बार हस्ताक्षर के लिए खोला गया था *(21 अगस्त 2024 - शिफ्ट 1)*
(a) मानव पर्यावरण पर सम्मेलन (b) पृथ्वी शिखर सम्मेलन
(c) मॉन्ट्रियल प्रोटोकॉल (d) COP1

31. अंतर्राष्ट्रीय सौर गठबंधन (आईएसए) वह गठबंधन देश है जिसमें से अधिकांश या पूर्ण रूप से शामिल हैं- *(18 जून 2024 - शिफ्ट 2)*
(a) कर्क रेखा के ऊपर
(b) मकर रेखा के नीचे
(c) कर्क रेखा और मकर रेखा के बीच
(d) दक्षिणी गोलार्ध

32. कॉलम का मिलान कीजिए: *(18 जून 2024 - शिफ्ट 2)*

सूची-I (जल विशिष्ट रोग)	सूची-II (उदाहरण)
A. जलजनित रोग (प्रदूषित पानी जल के कारण)	I. मलेरिया
B. जल से होने वाली बीमारियाँ (जल साफ न करने के कारण)	II. सिस्टोसोमियासिस
C. जल आधारित रोग (प्रदूषित जल के संपर्क के कारण)	III. आंत्र ज्वर
D. जल संबंधी रोग (प्रदूषित जल में रोग पैदा करने वाले परजीवियों के निवास के कारण)	IV. ट्रैकोमा

नीचे दिए गए विकल्पों में से सही उत्तर चुनें:
(a) (A)-(III), (B)-(IV), (C)-(I), (D)-(II)
(b) (A)-(III), (B)-(IV), (C)-(II), (D)-(I)
(c) (A)-(I), (B)-(II), (C)-(III), (D)-(IV)
(d) (A)-(II), (B)-(IV), (C)-(III), (D)-(I)

33. कॉलम का मिलान कीजिए: *(18 जून 2024 - शिफ्ट 1)*

सूची-I (एमडीजी और एसडीजी के लक्ष्य/उद्देश्य)	सूची-II (लक्ष्यों/उद्देश्यों की संख्या)
A. लक्ष्यसहस्राब्दी विकास लक्ष्य	I. 8
B. सहस्राब्दी विकास लक्ष्यों के लक्ष्य	II. 17
C. सतत विकास लक्ष्यों में लक्ष्य	III. 21
D. सतत विकास लक्ष्यों को लक्षित करता है	IV. 169

नीचे दिए गए विकल्पों में से सही उत्तर चुनें:

(a) (A)-(II), (B)-(I), (C)-(III), (D)-(IV)
(b) (A)-(I), (B)-(III), (C)-(II), (D)-(IV)
(c) (A)-(III), (B)-(I), (C)-(IV), (D)-(II)
(d) (A)-(IV), (B)-(II), (C)-(I), (D)-(III)

34. ब्रीडर रिएक्टरों के बारे में निम्नलिखित में से कौन सा सत्य है? *(18 दिसम्बर 2024 - शिफ्ट 1)*

(A) वे जितना उपभोग करते हैं उससे अधिक विखण्डनीय पदार्थ का उत्पादन करते हैं।
(B) भारत में कोई ब्रीडर रिएक्टर नहीं हैं।
(C) ब्रीडर रिएक्टर दो प्रकार के (तेज और धीमे) होते हैं।
(D) प्रजनन प्रचालन के लिए रूपांतरण अनुपात (उत्पादित विखंडनीय सामग्री/खपत विखण्डनीय सामग्री) एक से अधिक होना चाहिए।
(E) ब्रीडर रिएक्टर पारंपरिक रिएक्टरों की तुलना में अधिक परमाणु कचरा पैदा करते हैं।

नीचे दिए गए विकल्पों में से सही उत्तर चुनें:

(a) (A), (C), (D) (b) (A), (B), (D)
(c) (B), (C), (E) (d) (A), (C), (D), (E)

35. वायु प्रदूषण में, नाइट्रोजन के ऑक्साइड (NOx) शामिल हैं: *(14 दिसम्बर 2023 - शिफ्ट 2)*

(A) नाइट्रिक ऑक्साइड (B) नाइट्रस ऑक्साइड
(C) नाइट्रोजन डाइऑक्साइड (D) डाइ-नाइट्रोजन ट्राइऑक्साइड
(E) डाइ-नाइट्रोजन पेंटा ऑक्साइड

नीचे दिए गए विकल्पों में से सही उत्तर चुनें:

(a) (A), (B), (C) (b) (B), (C)
(c) (B), (C), (D) (d) (D), (E)

36. जल उपचार में मानक कौयगुलांट है? *(14 दिसम्बर 2023 - शिफ्ट 1)*

(a) हाइपोक्लोराइड (b) क्लोरीन
(c) एल्युमिनियम (d) फिटकरी

37. सिक बिल्डिंग सिंड्रोम (एसबीएस) किसके कारण होता है? *(11 दिसम्बर 2023 - शिफ्ट 2)*

(a) भवन का जरण/क्षरण
(b) दूषित भीतरी हवा
(c) भवन में दूषित जल की आपूर्ति
(d) भूस्खलन प्रवण क्षेत्र में भवन का होना

38. ओजोन छिद्र की खोज सबसे पहले की गई थी– *(11 दिसम्बर 2023 - शिफ्ट 1)*

(a) आर्कटिक (b) भूमध्य रेखा
(c) अंटार्कटिक (d) उष्णकटिबंधीय

39. **कथन I:** मॉन्ट्रियल प्रोटोकॉल के तहत विकसित और विकासशील देशों की जिम्मेदारियां अलग-अलग हैं। *(7 दिसम्बर 2023 - शिफ्ट 2)*

कथन II: मॉन्ट्रियल प्रोटोकॉल के किगाली संशोधन के तहत, क्लोरोफ्लोरोकार्बन (CFCs) और हाइड्रोक्लोरोफ्लोरोकार्बन (HCFCs) को चरणबद्ध तरीके से समाप्त किया जाना था।

(a) कथन I और कथन II दोनों सत्य हैं
(b) कथन I और कथन II दोनों असत्य हैं
(c) कथन I सत्य है लेकिन कथन II असत्य है
(d) कथन I असत्य है लेकिन कथन II सत्य है

40. निम्नलिखित में से कौन सा प्रदूषक ब्लू बेबी रोग पैदा करने के लिए जिम्मेदार है? *(6 दिसम्बर 2023 - शिफ्ट 2)*

(a) मरकरी (b) पार्टिकुलेट मैटर
(c) नाइट्रेट्स (d) सल्फर डाइऑक्साइड

41. **कथन (A):** डीडीटी मनुष्यों सहित कई प्रजातियों के ऊतकों में जैव संचय करता है। *(6 दिसम्बर 2023 - शिफ्ट 1)*

कारण (R): डीडीटी जल में अपेक्षाकृत अघुलनशील है लेकिन वसा और तेल में आसानी से घुलनशील है।

(a) (A) और (R) दोनों सही हैं और (R), (A) की सही व्याख्या है।
(b) (A) और (R) दोनों सही हैं लेकिन (R), (A) की सही व्याख्या नहीं है।
(c) (A) सही है लेकिन (R) गलत है।
(d) (A) गलत है लेकिन (R) सही है।

42. निम्नलिखित पादप गृह (ग्रीन हाउस) गैसों में से किसकी वैश्विक तापन संभाव्यता (जी डब्ल्यू पी) को 1 माना जाता है? *(20 जून 2023 - शिफ्ट 1)*

(a) क्लोरोफ्लोरो कार्बन (CFC)
(b) नाइट्रस ऑक्साइड (N_2O)
(c) कार्बन डाइऑक्साइड (CO_2)
(d) मीथेन (CH_4)

43. **कथन I:** समतापीय ओजोन 'गुड ओजोन' के रूप में ज्ञात है। *(19 जून 2023 - शिफ्ट 2)*

कथन II: धरातल पर ओजोन स्वास्थ्य के लिए गंभीर जोखिम है और प्रदूषक के रूप में ज्ञात है।

(a) कथन I और कथन II दोनों सत्य हैं
(b) कथन I और कथन II दोनों असत्य हैं
(c) कथन I सत्य है लेकिन कथन II असत्य है
(d) कथन I असत्य है लेकिन कथन II सत्य है

44. **कथन (A):** कोपेनहेगन-1992 सम्मेलन के दौरान ओजोन अवक्षय कारी पदार्थ क्लोरोफ्लोरोकार्बन (HFCs) को प्रतिस्थापित करने वाले हाइड्रोफ्लोरोकार्बन (HFCs) को भी चरणबद्ध तरीके से हटाने का निर्णय लिया गया था। *(19 जून 2023 - शिफ्ट 1)*

कारण (R): CFCs की तुलना में HCFs का लघु जीवन काल होता है और इनमें क्लोरीन व ब्रोमीन नहीं होता है।

(a) (A) और (R) दोनों सत्य हैं और (R), (A) की सत्य व्याख्या है।
(b) (A) और (R) दोनों सत्य हैं लेकिन (R), (A) की सत्य व्याख्या नहीं है।
(c) (A) सत्य है लेकिन (R) असत्य है।
(d) (A) असत्य है लेकिन (R) सत्य है।

45. कथन I: डाईआक्सिन व फ्यूरान अत्याधिक विषैले पदार्थ होते हैं जो ठोस अपशिष्ट भस्मित्रों के उप उत्पादों के रूप में उत्पन्न होते हैं। *(17 जून 2023 - शिफ्ट 2)*

कथन II: डाईआक्सिन व फ्यूरान वायुमंडल में निर्मुक्त होने के बाद अत्याधिक अस्थिर व अल्पजीवी होते हैं।

(a) कथन I और कथन II दोनों सत्य हैं
(b) कथन I और कथन II दोनों असत्य हैं
(c) कथन I सत्य है लेकिन कथन II असत्य है
(d) कथन I असत्य है लेकिन कथन II सत्य है

46. पार्टिकुलेट मेंटर, वायु प्रदूषकों के एक वर्ग में शामिल हैं: *(17 जून 2023 - शिफ्ट 2)*

(A) सूत (B) पैन
(C) पराग (D) हाइऑक्सिन
(E) फ्लाईएश

नीचे दिए गए विकल्पों में से सही उत्तर चुनें:

(a) (A), (B), (C) (b) (A), (C), (E)
(c) (B), (C), (D) (d) (B), (D), (E)

47. वाष्पशील कार्बनिक यौगिकों (VoCs) के स्रोत निम्नलिखित में से कौन से हैं? *(16 जून 2023 - शिफ्ट 2)*

(A) वाहन (B) पादप
(C) दीमक (D) विद्युत संयंत्र
(E) दलदल

नीचे दिए गए विकल्पों में से सही उत्तर चुनें:

(a) (A), (D) (b) (A), (B), (D)
(c) (A), (B), (D), (E) (d) (A), (B), (C), (D), (E)

48. प्राकृतिक यूरेनियम में किस यूरेनियम समस्थानिक के संकेन्द्रण को संवर्धन प्रक्रिया द्वारा बढाया जाता है? *(16 जून 2023 - शिफ्ट 1)*

(a) U-234 (b) U-235
(c) U-238 (d) U-239

49. कॉलम का मिलान कीजिए: *(14 मार्च 2023 - शिफ्ट 2)*

सूची-I	सूची-II
A. जलजनित	I. ट्रैकोमा
B. जल से धोया	II. मलेरिया
C. जल आधारित	III. हैजा
D. जल संबंधी	IV. सिस्टोसोमियासिस

नीचे दिए गए विकल्पों में से सही उत्तर चुनें:

(a) (A)-(III), (B)-(I), (C)-(II), (D)-(IV)
(b) (A)-(III), (B)-(I), (C)-(IV), (D)-(II)
(c) (A)-(I), (B)-(II), (C)-(III), (D)-(IV)
(d) (A)-(I), (B)-(IV), (C)-(III), (D)-(II)

50. अन्तरराष्ट्रीय सौर संधि के लिए आधिकारिक भाषाएँ हैं: *(14 मार्च 2023 - शिफ्ट 2)*

(A) हिन्दी (B) अंग्रेजी
(C) फ्रांसीसी (D) स्पेनी
(E) चीनी

नीचे दिए गए विकल्पों में से सही उत्तर चुनें:

(a) (A), (B), (C) (b) (B), (D), (E)
(c) (B), (C), (D) (d) (B), (C), (E)

51. निम्नलिखित में से कौन-कौन वायुमंडल के प्राथमिक ऐरोसोल हैं। *(11 मार्च 2023 - शिफ्ट 2)*

(A) समुद्री लवण (B) ब्लैंक कार्बन
(C) सल्फेट (D) नाइट्रेट
(E) खनिज कण

नीचे दिए गए विकल्पों में से सही उत्तर चुनें:

(a) (A), (B), (C) (b) (B), (C), (D)
(c) (A), (B), (E) (d) (C), (D), (E)

52. वायु प्रदूषक का एक प्रकार PAN का पूर्ण रूप है- *(5 मार्च 2023 - शिफ्ट 2)*

(a) पेरोक्सीएसिटाइल नाइट्रेट्स
(b) पेरोक्सीएसिटाइल नाइट्राइट्स
(c) पॉलीसाइक्लिक एसाइल नाइट्रेट्स
(d) पॉलीसाइक्लिक एसाइल नाइट्राइट्स

53. निम्नलिखित कौन से जैव-ईंधन हैं? *(5 मार्च 2023 - शिफ्ट 1)*

(A) गैसोलीन (B) मेथनॉल
(C) मीथेन (D) एथलॉल

नीचे दिए गए विकल्पों में से सही उत्तर चुनें:

(a) (A), (B), (C) (b) (B), (C), (D)
(c) (B), (D) (d) (A), (D)

54. कथन I: शहरी पर्यावरण में सल्फेट एयरोसोल प्राथमिक प्रदूषक होते हैं। *(4 मार्च 2023 - शिफ्ट 2)*

कथन II: सल्फेट एयरोसोल का जलवायु पर शीतलन प्रभाव होता है।

(a) कथन I और कथन II दोनों सत्य हैं
(b) कथन I और कथन II दोनों असत्य हैं
(c) कथन I सत्य है लेकिन कथन II असत्य है
(d) कथन I असत्य है लेकिन कथन II सत्य है

55. कॉलम का मिलान कीजिए- *(4 मार्च 2023 - शिफ्ट 1)*

सूची-I	सूची-II
A. मॉन्ट्रियल प्रोटोकॉल	I. 1992
B. रियो शिखर सम्मेलन	II. 2015
C. क्योटो प्रोटोकॉल	III. 1987
D. पेरिस समझौता	IV. 1997

नीचे दिए गए विकल्पों में से सही उत्तर चुनें:

(a) (A)-(III), (B)-(I), (C)-(IV), (D)-(II)
(b) (A)-(III), (B)-(I), (C)-(II), (D)-(IV)
(c) (A)-(I), (B)-(III), (C)-(II), (D)-(IV)
(d) (A)-(IV), (B)-(II), (C)-(I), (D)-(III)

56. फोटो इलेक्ट्रो केमिकल (पीईसी) और सेल्स किस पर आधारित है? *(4 मार्च 2023 - शिफ्ट 1)*

(a) केवल अकार्बनिक अर्धचालक (सेमीकन्डक्टर)
(b) केवल कार्बनिक अर्धचालक
(c) केवल क्रिस्टल सिलिकॉन अर्धचालक
(d) अकार्बनिक अर्धचालकों और एक इलेक्ट्रोलाइट की संकर संरचना

57. निम्नलिखित में से किसके मापन की इकाई डॉबसन है? *(4 मार्च 2023 - शिफ्ट 1)*

(a) क्लोरो फ्लोरो कार्बन (सीएफसी)
(b) समताप मंडलीय ओजोन
(c) पराबैंगनी किरणें
(d) सौर विकिरण

58. संदूषित जलाशयों के कारण जैव आवर्धन का सही अनुक्रम कौन-सा है? *(2 मार्च 2023 - शिफ्ट 2)*

(A) मानव (B) प्राणिप्लवक
(C) बैक्टीरिया (जीवाणु) (D) मछली

नीचे दिए गए विकल्पों में से सही उत्तर चुनें:

(a) (A), (C), (D), (B) (b) (C), (B), (D), (A)
(c) (A), (D), (B), (C) (d) (B), (C), (D), (A)

59. पवन फार्म क्या होते हैं? *(2 मार्च 2023 - शिफ्ट 1)*

(a) वह स्थान जहाँ पवन 5 मीटर/सेकंड की गति से अधिक पर प्रवाहित होती है।
(b) पवन ऊर्जा उत्पादन के संभाव्य स्थल
(c) वह स्थान जहाँ पवन उत्तम कृषि-कार्यों में सहायक होती है।
(d) विद्युत उत्पादन के लिये पतन जेनरेटरों (उत्पादनकर्ता) का वृहद स्तर पर संकेन्द्रण

60. मोटर वाहनों में नम्य ईंधन इंजन क्या है? *(1 मार्च 2023 - शिफ्ट 2)*

(a) वह इंजन जो केवल जैव ईंधन से चलता है
(b) वह इंजन जो केवल 50% जैव ईंधन और 50% पेट्रोल के साथ संगत होते हैं।
(c) वह इंजन जिसमें जैवईंधन और पेट्रोल को किसी भी अनुपात में रखा जा सकता है
(d) वह इंजन जो डीजल और सीएनजी दोनों से चलता है

61. निम्नलिखित वायु प्रदूषकों के एक प्रकार, वाष्पशील कार्बनिक यौगिक (वीओसी) में से कौन सा पादपों, दलदलों आदि जैसे प्राकृतिक संसाध नों से उत्सर्जित होता है? *(28 फरवरी 2023 - शिफ्ट 2)*

(a) फार्मल्डिहाइड (b) बेन्जीन
(c) टरपीन (d) टालुईन

62. कथन I: मॉन्ट्रियल प्रोटोकॉल पर 1987 में सहमति हुई और 1990 में यह लागू हुआ। *(28 फरवरी 2023 - शिफ्ट 1)*

कथन II: क्योटो प्रोटोकॉल पर 1997 में सहमति हुई और यह 2005 में लागू हुआ।

(a) कथन I और कथन II दोनों सत्य हैं
(b) कथन I और कथन II दोनों असत्य हैं
(c) कथन I सत्य है लेकिन कथन II असत्य है
(d) कथन I असत्य है लेकिन कथन II सत्य है

63. कथन (A): जैवईंधन को कार्बन निरपेक्ष माना जाता है। *(13 अक्टूबर 2022 - शिफ्ट 2)*

कारण (R): वें कार्बन की जितनी मात्रा का उत्सर्जन करते हैं; वह उनके जीवन काल के दौरान उनके द्वारा उपभोग की जाने वाली कार्बन की मात्रा के समान होती है।

(a) (A) और (R) दोनों सत्य हैं और (R), (A) की सही व्याख्या है।
(b) (A) और (R) दोनों सत्य हैं लेकिन (R), (A) की सही व्याख्या नहीं है।
(c) (A) सत्य है लेकिन (R) असत्य है।
(d) (A) असत्य है लेकिन (R) सत्य है।

64. कॉलम का मिलान कीजिए: *(12 अक्टूबर 2022 - शिफ्ट 1)*

सूची-I	सूची-II
A. धुंध	I. एरोसोल जिसमें ठोस कण होते हैं
B. धूम्र	II. धातुओं के गर्म वाष्प के संघनन से उत्पन्न एरोसोल
C. धूम्र	III. वीओसी और एनओएक्स के फोटोकैमिकल उत्पाद
D. स्मॉग	IV. एरोसोल जिसमें तरल बूंदे होती हैं

नीचे दिए गए विकल्पों में से सही उत्तर चुनें:

(a) (A)-(IV), (B)-(I), (C)-(II), (D)-(III)
(b) (A)-(III), (B)-(II), (C)-(IV), (D)-(I)
(c) (A)-(II), (B)-(IV), (C)-(III), (D)-(I)
(d) (A)-(IV), (B)-(II), (C)-(I), (D)-(III)

65. राष्ट्रीय आपदा प्रबंधन प्राधिकरण (एनडीएमए) निम्नलिखित में से किसके तत्वावधान में कार्य करता है? *(11 अक्टूबर 2022 - शिफ्ट 2)*

(a) पृथ्वी विज्ञान मंत्रालय (एमओईएस)
(b) गृह मंत्रालय (एमएचए)
(c) पर्यावरण वन एवं जलवायु परिवर्तन मंत्रालय (एमओईएफसीसी)
(d) अंतरिक्ष विभाग - भारतीय अंतरिक्ष अनुसंधान संगठन (इसरो)

66. विगत 100 वर्षों में, वैश्विक समुद्र तल में 0–25 सेमी या उससे अधिक की वृद्धि आंकलित की गई है। इस वृद्धि में निम्नलिखित में से किसका योगदान सर्वाधिक है? *(11 अक्टूबर 2022 - शिफ्ट 2)*

(a) महासागरीय जल का तापीय प्रसार
(b) हिमनद और हिमछत्र का पिघलना
(c) ग्रीनलैण्ड की बर्फीली परत का तनुकरण
(d) मानवीय कार्यकलापों के कारण पृथ्वी जल संचयन में परिवर्तन

67. निम्नलिखित में से कौन सतही ओजोन के मापन की इकाई नहीं है? *(11 अक्टूबर 2022 - शिफ्ट 1)*

(a) माइक्रोग्राम प्रति घन मीटर
(b) नैनोग्राम प्रति घन मीटर
(c) डॉबसन इकाई
(d) भाग प्रति मिलियन (दस लाख)

68. नाभकीय ऊर्जा उत्पादन के दौरान नियंत्रित श्रृंखला प्रतिक्रिया के लिए न्यूट्रॉन को धीमा करने वाले पदार्थ को निम्नलिखित में से क्या कहा जाता है? *(10 अक्टूबर 2022 - शिफ्ट 2)*

(a) नियंत्रक (कंट्रोलर) (b) अवरोधक (इनहिंबिटर)
(c) मंदक (मॉडरेटर) (d) न्यूनीकारक (रिड्यूसर)

69. विद्युत-अपघटन द्वारा उत्पन्न ग्रीन हाइड्रोजन के लिए ऊर्जा निम्नलिखित में से किसके द्वारा प्राप्त होती है? *(10 अक्टूबर 2022 - शिफ्ट 1)*

(a) तापीय ऊर्जा संयंत्र की ऊर्जा से
(b) ऊर्जा के नवीकरणीय स्त्रोतों से
(c) नाभिकीय ऊर्जा से
(d) लेड बैटरी से

70. कॉलम का मिलान कीजिए: *(10 अक्टूबर 2022 - शिफ्ट 1)*

सूची-I	सूची-II
A. कार्बन मोनोऑक्साइड	I. एलर्जेनिक
B. नाइट्रोजन डाइऑक्साइड	II. कार्सिनोजेनिक
C. वाष्पशील कार्बनिक यौगिक (वीओसी)	III. एस्फिक्सियंट
D. ओजोन (O_3)	IV. ब्लू बेबी-सिंड्रोम

नीचे दिए गए विकल्पों में से सही उत्तर चुनें:

(a) (A)-(III), (B)-(IV), (C)-(II), (D)-(I)
(b) (A)-(III), (B)-(IV), (C)-(I), (D)-(II)
(c) (A)-(I), (B)-(III), (C)-(II), (D)-(IV)
(d) (A)-(I), (B)-(IV), (C)-(II), (D)-(III)

71. कथन I: पावर ग्रिड से विद्युत ऊर्जा को अनुपूरित करने के लिए प्रकाश-वोल्टीय पट्टों का उपयोग बढ़ता जा रहा है। *(29 सितम्बर 2022 - शिफ्ट 2)*

कथन II: ग्रिड से जुड़े प्रकाश वोल्टीय यन्त्रों के साथ एक समस्या यह है कि वे प्रत्यावर्तीधारा (एसी) उत्पन्न करते हैं जबकि पावर-ग्रिड प्रत्यक्ष धारा (डीसी) का उपयोग करते हैं।

(a) कथन I और कथन II दोनों सत्य हैं।
(b) कथन I और कथन II दोनों असत्य हैं।
(c) कथन I सत्य है लेकिन कथन II असत्य है।
(d) कथन I असत्य है लेकिन कथन II सत्य है।

72. कथन (A): हाइब्रिड इलेक्ट्रिक वाहनों (HEVs) की ईंधन चालन लागत इलेक्ट्रिक वाहन (EVs) से कम हैं। *(29 अक्टूबर 2022 - शिफ्ट 1)*
कारण (R): हाइब्रिड इलेक्ट्रिक वाहन में आंतरिक दहन ईंजन और एक ऑनबोर्ड इलेक्ट्रिक विद्युत उत्पादन प्रणाली दोनों होते हैं।

(a) (A) और (R) दोनों सही हैं और (R), (A) की सही व्याख्या है।
(b) (A) और (R) दोनों सही हैं लेकिन (R), (A) की सही व्याख्या नहीं है।
(c) (A) सही है लेकिन (R) गलत है।
(d) (A) गलत है लेकिन (R) सही है।

73. निम्नलिखित समझौता, शिखर सम्मेलन एवं प्रोटोकॉलों का पुराने से नए कालानुक्रम में सही क्रम क्या है? *(29 अक्टूबर 2022 - शिफ्ट 1)*

(A) पेरिस समझौता
(B) मॉट्रियल प्रोटोकॉल
(C) क्योटों प्रोटोकॉल
(D) रियो शिखर सम्मेलन

नीचे दिए गए विकल्पों में से सही उत्तर चुनें:

(a) (A), (B), (C), (D) (b) (B), (D), (C), (A)
(c) (A), (C), (D), (B) (d) (B), (C), (D), (A)

74. कॉलम का मिलान कीजिए: *(5 जनवरी 2022 - शिफ्ट 1)*

सूची-I	सूची-II
A. लीड	I. विद्युत रोधन
B. पीसीबी (पॉलीक्लोरीनेटेड बाइफिनाइल्स)	II. प्लास्टिक का औद्योगिक उपयोग
C. बेंजीन	III. रँगना
D. विनाइल क्लोराइड	IV. गैसोलीन

नीचे दिए गए विकल्पों में से सही उत्तर चुनें:

(a) (A)-(I), (B)-(II), (C)-(III), (D)-(IV)
(b) (A)-(II), (B)-(III), (C)-(IV), (D)-(I)
(c) (A)-(III), (B)-(I), (C)-(II), (D)-(IV)
(d) (A)-(III), (B)-(I), (C)-(IV), (D)-(II)

75. कथन I: जलीय खरपतवार तेजी से बढ़ने वाले खतरपतवार हैं जो पोषक तत्वों से भरपूर अपशिष्ट जल जैसे घरेलू सीवेज पर खेती करने पर बहुत अधिक उत्पादकता प्राप्त कर सकते हैं। *(5 जनवरी 2022 - शिफ्ट 1)*

कथन II: जलकुंभी, साल्विनिया और बत्तख का खरपतवार जलीय खरपतवारों के कुछ उदाहरण हैं।

(a) कथन I और कथन II दोनों सत्य हैं
(b) कथन I और कथन II दोनों असत्य हैं
(c) कथन I सत्य है लेकिन कथन II असत्य है
(d) कथन I असत्य है लेकिन कथन II सत्य है

76. कॉलम का मिलान कीजिए: *(26 दिसम्बर 2022 - शिफ्ट 2)*

सूची-I	सूची-II
A. मॉन्ट्रियल प्रोटोकॉल	I. पर्यावरण और सतत विकास
B. रियो शिखर सम्मेलन	II. ग्रीन हाउस गैसों का उत्सर्जन कम करना
C. क्योटो प्रोटोकॉल	III. जलवायु परिवर्तन शमन और अनुकूलन
D. पेरिस समझौता	IV. ओजोन रिक्तीकरण

नीचे दिए गए विकल्पों में से सही उत्तर चुनें:

(a) (A)-(III), (B)-(I), (C)-(II), (D)-(IV)
(b) (A)-(II), (B)-(III), (C)-(IV), (D)-(I)
(c) (A)-(IV), (B)-(I), (C)-(II), (D)-(III)
(d) (A)-(IV), (B)-(II), (C)-(I), (D)-(III)

77. जलवायु परिवर्तन पर राष्ट्रीय कार्य योजना के मिशन निम्नलिखित में से कौन से हैं? *(26 दिसम्बर 2022 - शिफ्ट 2)*

(A) राष्ट्रीय सौर मिशन
(B) हरित भारतीय मिशन
(C) पश्चिमी घाट विकास मिशन
(D) राष्ट्रीय जल मिशन
(E) वायु प्रदूषण शमन मिशन

नीचे दिए गए विकल्पों में से सही उत्तर चुनें:

(a) केवल (A), (B) और (D)
(b) केवल (A), (B), (D) और (E)
(c) केवल (A), (B) और (E)
(d) केवल (A), (C), (D) और (E)

78. बायोगैस का ऊष्मीय मान लगभग होता है *(26 दिसम्बर 2022 - शिफ्ट 1)*

(a) 5000 किलो कैलोरी प्रति घन मीटर
(b) 3000 किलो कैलोरी प्रति घन मीटर
(c) 2500 किलो कैलोरी प्रति घन मीटर
(d) 1800 किलो कैलोरी प्रति घन मीटर

79. कॉलम का मिलान कीजिए: *(25 दिसम्बर 2022 - शिफ्ट 2)*

सूची-I	सूची-II
A. हैजा	I. स्वच्छता बनाए रखने के लिए जल की कमी
B. ट्रैकोमा	II. इनमें जल का संपर्क शामिल है लेकिन अंतर्ग्रहण नहीं
C. सिस्टोसोमियासिस	III. प्रदूषित जल का सेवन
D. डेंगू	IV. होस्ट की आवश्यकता है

नीचे दिए गए विकल्पों में से सही उत्तर चुनें:

(a) (A)-(II), (B)-(III), (C)-(IV), (D)-(I)
(b) (A)-(III), (B)-(I), (C)-(IV), (D)-(II)
(c) (A)-(III), (B)-(I), (C)-(II), (D)-(IV)
(d) (A)-(I), (B)-(III), (C)-(II), (D)-(IV)

80. मॉन्ट्रियल प्रोटोकॉल में किगाली संशोधन में एचएफसी की खपत में 2040 के दशक के अंत तक की सीमा तक कमी की परिकल्पना की गई है *(25 दिसम्बर 2021 - शिफ्ट 1)*

(a) 50–55% (b) 65–70%
(c) 80–85% (d) 90–95%

81. 'सौर जल स्थिर' एक उपकरण है *(1 दिसम्बर 2021 - शिफ्ट 1)*

(a) सौर ऊर्जा का उपयोग करके जल पंप करना।
(b) सौर ऊर्जा का उपयोग करके खारे जल को पीने योग्य जल में बदलना।
(c) सौर ऊर्जा का उपयोग करके जल गर्म करना।
(d) सौर ऊर्जा का उपयोग करके बिजली उत्पन्न करना।

82. कॉलम का मिलान कीजिए– *(30 नवम्बर 2021 - शिफ्ट 1)*

सूची-I	सूची-II
A. लक्ष्य 1	I. लैंगिक समानता को बढ़ावा देना और महिलाओं को सशक्त बनाना
B. लक्ष्य 2	II. बाल मृत्यु दर कम करना
C. लक्ष्य 3	III. चरम गरीबी और भुखमरी उन्मूलन
D. लक्ष्य 4	IV. सार्वभौमिक प्राथमिक शिक्षा हासिल करना

नीचे दिए गए विकल्पों में से सही उत्तर चुनें:

(a) (A)-(III), (B)-(IV), (C)-(I), (D)-(II)
(b) (A)-(I), (B)-(III), (C)-(II), (D)-(IV)
(c) (A)-(II), (B)-(IV), (C)-(III), (D)-(I)
(d) (A)-(IV), (B)-(II), (C)-(I), (D)-(III)

83. सीवेज कीचड़ का अवायवीय पाचन है *(30 नवम्बर 2021 - शिफ्ट 1)*

(A) कार्बनिक ठोस के लिए एक प्रभावी प्रक्रिया
(B) इस प्रक्रिया में बहुत अधिक ऊर्जा की आवश्यकता होती है
(C) यह प्रक्रिया अंतिम उत्पाद के रूप में मीथेन उत्पन्न करती है
(D) पचा हुआ कीचड़ आयतन में कम हो जाता है और आसानी से निर्जलित हो जाता है
(E) बहुत तेज प्रक्रिया और इस प्रकार बड़े आकार के रिएक्टरों की आवश्यकता नहीं होती है

नीचे दिए गए विकल्पों में से सही उत्तर चुनें:

(a) केवल (B), (C), (D) और (E)
(b) केवल (A), (B) और (C)
(c) केवल (A), (C), (D) और (E)
(d) केवल (A), (C) और (D)

84. वर्षा को अम्लीय वर्षा कहा जाता है जब इसका pH मान होता है *(29 नवम्बर 2021 - शिफ्ट 1)*

(a) 1–3 (b) 5.6 से कम
(c) 5.6–7.0 (d) 7 से अधिक

85. यूरेनियम का निम्नलिखित में से कौन सा समस्थानिक विखंडनीय पदार्थ है और इसका उपयोग परमाणु प्रतिक्रियाओं के लिए किया जा सकता है? *(29 नवम्बर 2021 - शिफ्ट 1)*

(a) U – 234 (b) U – 235
(c) U – 236 (d) U – 238

86. संयुक्त राष्ट्र पर्यावरण कार्यक्रम (यूएनईपी) किसके दौरान आयोजित विचार-विमर्श का परिणाम था? *(26 नवम्बर 2021 - शिफ्ट 1)*

(a) 1972 में स्टॉकहोम में मानव पर्यावरण सम्मेलन
(b) 1992 में रियो डी जनेरियो में पृथ्वी शिखर सम्मेलन
(c) मॉन्ट्रियल प्रोटोकॉल 1987
(d) क्योटो प्रोटोकॉल 1997

87. निम्नलिखित में से कौन-सी ग्रीन हाउस गैसें वे लक्षित गैसें थीं जिनके उत्सर्जन को क्योटो प्रोटोकॉल के प्रथम प्रतिबद्धता काल के दायरे में लाया जाना था? *(24 नवम्बर 2021 - शिफ्ट 1)*

(A) SO_2 (B) CO_2
(C) N_2O (D) NH_3
(E) CH_4

नीचे दिए गए विकल्पों में से सही उत्तर चुनें:

(a) केवल (A), (B), (C) और (D)
(b) केवल (A), (B) और (C)
(c) केवल (B), (C), (D) और (E)
(d) केवल (B), (C) और (E)

88. निम्नलिखित में से किस प्रकार के ऊर्जा संयंत्र 24 घंटे प्रति दिन और 7 दिन प्रति सप्ताह चलते हुए नियमित रूप से बिजली प्रदान करते हैं? *(24 नवम्बर 2021 - शिफ्ट 1)*

(a) भूतापीय (b) सौर
(c) पवन (d) हाइड्रो

89. अपशिष्ट के अपशिष्ट घटक को 'कचरा' के रूप में वर्गीकृत किया गया है: *(22 नवम्बर 2021 - शिफ्ट 1)*

(A) कागज, कार्डबोर्ड डिब्बों
(B) पशु अपशिष्ट
(C) औद्योगिक प्रक्रिया अपशिष्ट
(D) सब्जी अपशिष्ट
(E) लकड़ी

नीचे दिए गए विकल्पों में से सही उत्तर चुनें:

(a) केवल (A) और (E)
(b) केवल (A), (C) और (E)
(c) केवल (A), (C), (D) और (E)
(d) केवल (A), (B), (D) और (E)

90. पवन-ऊर्जा पवन के वेग के प्रति अत्यधिक संवेदनशील है क्योंकि पवन शक्ति निम्नलिखित में से किस एक के प्रत्यक्ष अनुपात में होती है? *(11 नवम्बर 2020 - शिफ्ट 2)*

(a) पवन वेग (b) पवन वेग के वर्ग
(c) पवन वेग के वर्गमूल (d) पवन वेग के घन

91. वायु गुणवत्ता सुचकांक (AQI) की गणना में निम्नलिखित में से कौन से प्रकार के सूक्ष्म कण (पार्टिकुलेट मैटर) प्रदूषकों का प्रयोग किया जाता है? *(5 नवम्बर 2020 - शिफ्ट 2)*

(A) TSP (टोटल सस्पेंडेड पार्टिकल्स)
(B) PM 10 (10 माइक्रोन या उससे कम आकार के सूक्ष्मकण)
(C) PM 2.5 (2.5 माइक्रोन या उससे कम आकार के सूक्ष्मकण)
(D) PM 1 (1 माइक्रोन या उससे कम आकार के सूक्ष्मकण)

नीचे दिए गए विकल्पों में से सही उत्तर चुनें:

(a) (B), (C), (D) (b) (A), (B)
(c) (B), (C) (d) (A), (B), (C)

92. पवन ऊर्जा उत्पादन हेतु निम्नलिखित में से किस प्रकार के घूर्णक (रोटर) का आम तौर पर सर्वाधिक प्रयोग किया जाता है? *(4 नवम्बर 2020 - शिफ्ट 2)*

(a) मल्टीब्लेड रोटर (b) प्रोपेलर रोटर
(c) सैवोनियस रोटर (d) डैरियस रोटर

93. निम्नलिखित में से किस देश ने इंटरनेशनल सोलर अलायंस फ्रेमवर्क एग्रीमेंट पर हस्ताक्षर/का अनुसमर्थन नहीं किया है? *(4 नवम्बर 2020 - शिफ्ट 2)*

(a) ऑस्ट्रेलिया (b) यूनाइटेड किंगडम
(c) जापान (d) चीन

94. **कथन I:** हरिकेन और टाइफून आवश्यक रूप से उष्णकटिबंधीय चक्रवातों के समान होते हैं। *(17 अक्टूबर 2020 - शिफ्ट 2)*

कथन II: उष्णकटिबंधीय चक्रवातों के निर्माण हेतु गर्म उष्णकटिबंधीय महासागरों और आर्द्र वायु पिण्ड का होना पूर्व-शर्तें हैं।

(a) कथन I और कथन II दोनों सही हैं
(b) कथन I और कथन II दोनों गलत हैं
(c) कथन I सही है लेकिन कथन II गलत है
(d) कथन I गलत है लेकिन कथन II सही है

95. घुलित ऑक्सीजन (DO) जल गुणवत्ता के महत्वपूर्ण मानदंड के रूप में निम्नलिखित में से किसके उत्तर-जीवन के लिए आवश्यक है? *(1 अक्टूबर 2020 - शिफ्ट 1)*

(a) मनुष्य (b) पशु
(c) मछली (d) फसल और सब्जियां

96. नवीन और नवीकरणीय ऊर्जा मंत्रालय और भारतीय केन्द्रीय विद्युत प्राधिकरण के वर्गीकरण के अनुसार, छोटे जल विद्युत संयंत्रों की क्षमता सीमा में होती है *(30 सितम्बर 2020 - शिफ्ट 2)*

(a) 1-25 मेगावाट (b) 100-1000 किलोवाट
(c) 1-50 मेगावाट (d) 1-100 किलोवाट

97. ध्वनि प्रदुषण (विनियमन एवं नियंत्रण) नियम 2000 के अनुसार, रात्रि में शैक्षणिक संस्थानों के लिए निर्धारित ध्वनि मानक है: *(30 सितम्बर 2020 - शिफ्ट 1)*

(a) 55 dB (A) (b) 50 dB (A)
(c) 45 dB (A) (d) 40 dB (A)

98. ध्वनि प्रदूषण को निम्नलिखित परिणाम की मानव ध्वनि तीव्रता के संदर्भ में डेसीबल (DB) में मापा जाता है- *(25 सितम्बर 2020 - शिफ्ट 1)*

(a) 1 पिको वाट प्रति मी^{2} (b) 1 मिलीवाट प्रति मी^{2}
(c) 1 नैनोवाट प्रति मी^{2} (d) 1 माइक्रोवाट प्रति मी^{2}

99. कॉलम का मिलान कीजिए- *(24 सितम्बर 2020 - शिफ्ट 2)*

सूची-I	सूची-II
A. कार्बन डाइऑक्साइड	I. अम्लीय वर्षा का निर्माण
B. कार्बन मोनोऑक्साइड	II. विषैले और कैंसरकारी होते हैं
C. नाइट्रोजन ऑक्साइड	III. विषैले और श्वसन संबंधी रोगों का कारण बनते हैं
D. बेंजीन और हाइड्रोकार्बन	IV. ग्रीनहाउस गैस के रूप में ग्लोबल वार्मिंग में योगदान

नीचे दिए गए विकल्पों में से सही उत्तर चुनें:

(a) (A)-(III) (B)-(IV) (C)-(I) D-II

(b) (A)-(I) (B)-(III) (C)-(II) D-IV

(c) (A)-(II) (B)-(IV) (C)-(III) D-I

(d) (A)-(IV) (B)-(II) (C)-(I) D-III

100. कॉलम का मिलान कीजिए- *(24 सितम्बर 2020 - शिफ्ट 1)*

सूची-I	सूची-II
A. ऑक्सीजन की मांग करने वाले अपशिष्ट	I. खान जल निकासी
B. पादप के पोषक तत्व	II. आधुनिक वाशिंग पाउडर और कृषि अपवाह
C. अम्ल	III. अपशिष्ट भस्मीकरण और विषाक्त डंप
D. पॉलीक्लोराइनेटेड बाइफिनाइल्स (PCBs)	IV. कागज मिलें और खाद्य प्रसंस्करण इकाइयां

नीचे दिए गए विकल्पों में से सही उत्तर चुनें:

(a) (A)-(IV) (B)-(III) (C)-(II) D-I

(b) (A)-(IV) (B)-(I) (C)-(III) D-II

(c) (A)-(IV) (B)-(II) (C)-(I) D-III

(d) (A)-(IV) (B)-(III) (C)-(I) D-II

उत्तर

1. (d)	**2.** (d)	**3.** (d)	**4.** (c)	**5.** (c)	**6.** (b)	**7.** (d)	**8.** (c)	**9.** (a)	**10.** (c)
11. (d)	**12.** (c)	**13.** (b)	**14.** (b)	**15.** (c)	**16.** (c)	**17.** (d)	**18.** (b)	**19.** (a)	**20.** (b)
21. (c)	**22.** (d)	**23.** (d)	**24.** (b)	**25.** (c)	**26.** (b)	**27.** (b)	**28.** (b)	**29.** (d)	**30.** (b)
31. (c)	**32.** (b)	**33.** (b)	**34.** (a)	**35.** (b)	**36.** (d)	**37.** (b)	**38.** (c)	**39.** (c)	**40.** (c)
41. (a)	**42.** (c)	**43.** (a)	**44.** (d)	**45.** (c)	**46.** (b)	**47.** (d)	**48.** (b)	**49.** (b)	**50.** (a)
51. (c)	**52.** (a)	**53.** (c)	**54.** (d)	**55.** (a)	**56.** (d)	**57.** (b)	**58.** (b)	**59.** (d)	**60.** (c)
61. (c)	**62.** (d)	**63.** (a)	**64.** (a)	**65.** (b)	**66.** (a)	**67.** (c)	**68.** (c)	**69.** (b)	**70.** (a)
71. (c)	**72.** (d)	**73.** (b)	**74.** (d)	**75.** (a)	**76.** (c)	**77.** (a)	**78.** (a)	**79.** (c)	**80.** (c)
81. (b)	**82.** (a)	**83.** (d)	**84.** (b)	**85.** (b)	**86.** (a)	**87.** (d)	**88.** (a)	**89.** (a)	**90.** (d)
91. (c)	**92.** (b)	**93.** (d)	**94.** (a)	**95.** (c)	**96.** (a)	**97.** (d)	**98.** (a)	**99.** (a)	**100.** (c)

बोनस बॉक्स *कालानुक्रमिक और अनुक्रमण प्रश्न*

हाल के रुझानों से संकेत मिलता है कि यूजीसी तेजी से इकाई 9 – लोग, विकास और पर्यावरण से कालानुक्रमिक और अनुक्रम-आधारित संख्यात्मक प्रश्नों को शामिल कर रहा है। प्रश्नों का निम्नलिखित सेट आपको इस विकसित पैटर्न से परिचित होने में मदद करेगा

1. भारत में उनके अधिनियम के वर्ष के अनुसार विभिन्न अधिनियमों के प्रारंभिक से नवीनतम तक का सही कालानुक्रमिक क्रम निम्नलिखित में से कौन सा है?

(2 सितम्बर 2024 - शिफ्ट 2)

(a) पर्यावरण संरक्षण अधिनियम, वायु (प्रदूषण की रोकथाम एवं नियंत्रण) अधिनियम, जल (प्रदूषण की रोकथाम एवं नियंत्रण) अधिनियम
(b) वायु (प्रदूषण की रोकथाम एवं नियंत्रण) अधिनियम, पर्यावरण संरक्षण अधिनियम, जल (प्रदूषण की रोकथाम एवं नियंत्रण) अधिनियम
(c) जल (प्रदूषण की रोकथाम एवं नियंत्रण) अधिनियम, पर्यावरण संरक्षण अधिनियम, वायु (प्रदूषण की रोकथाम एवं नियंत्रण) अधिनियम
(d) जल (प्रदूषण की रोकथाम एवं नियंत्रण) अधिनियम, वायु (प्रदूषण की रोकथाम एवं नियंत्रण) अधिनियम, पर्यावरण संरक्षण अधिनियम

2. निम्नलिखित घटनाओं को सबसे पुराने से लेकर नवीनतम तक उनके घटित होने के क्रम में व्यवस्थित करें।

(23 अगस्त 2024 - शिफ्ट 2)

(A) भोपाल गैस त्रासदी (B) फुकुशिमा आपदा
(C) चेरनोबिल आपदा (D) कैलिफोर्निया स्मॉग
(E) लंदन स्मॉग

(a) (D), (E), (B), (A), (C) (b) (E), (C), (A), (B), (D)
(c) (D), (E), (A), (C), (B) (d) (E), (D), (A), (B), (C)

3. सतत विकास लक्ष्यों के निम्नलिखित विषयों को उनकी लक्ष्य संख्या के अनुसार बढ़ते क्रम में व्यवस्थित करें।

(22 अगस्त 2024 - शिफ्ट 1)

(A) लैंगिक समानता (B) शून्य भूख
(C) शांति और न्याय (D) जलवायु कार्रवाई
(E) गुणवत्तापूर्ण शिक्षा

(a) (B), (E), (A), (D), (C) (b) (A), (B), (D), (C), (E)
(c) (C), (D), (A), (E), (B) (d) (B), (A), (E), (D), (C)

4. निम्नलिखित गैसों को उनकी ग्लोबल वार्मिंग क्षमता (GWD) के आरोही क्रम में व्यवस्थित करें। *(22 अगस्त 2024 - शिफ्ट 1)*

(A) CO_2 (B) CH_4
(C) SF_6 (D) CFC-11
(E) N_2O

(a) (A), (B), (C), (E), (D) (b) (A), (B), (E), (D), (C)
(c) (B), (C), (A), (E), (D) (d) (A), (E), (B), (D), (C)

Ans. 1.(d) 2.(c) 3.(a) 4.(b)

विस्तृत समाधान और संकेत

क्या आप किसी कठिन प्रश्न को हल करने में संघर्ष कर रहे हैं या संशय में हैं?

चिंता न करें! ऊपर दिए गए प्रश्नों के विस्तृत समाधान और उपयोगी संकेत प्राप्त करने के लिए इस QR कोड को स्कैन करें।

क्या आप जानते हैं? इस खंड में दिए गए प्रश्न पिछली UGC NET परीक्षाओं (2020–2025) से हैं और अक्सर परीक्षा में दोहराए जाते हैं। उन्हें समझने से आपका स्कोर काफी बढ़ सकता है। इसलिए, उत्तर कुंजी को सिर्फ सरसरी तौर पर न पढ़ें - विस्तृत व्याख्याओं को देखने और प्रत्येक प्रश्न की पूरी समझ हासिल करने के लिए इस QR कोड को स्कैन करें।

QR कोड काम नहीं कर रहा है? QR कोड के साथ दिए गए संसाधनों तक पहुँचने के लिए आंतरिक फ्रन्ट कवर पर दिए गए निर्देशों का पालन करें

क्या आप और अधिक अभ्यास करना चाहते हैं? इस इकाई से **अतिरिक्त 200+ अभ्यास प्रश्नों** तक पहुँचने के लिए इस QR कोड को स्कैन करें। McGraw Hill EDGE प्लेटफॉर्म UGC NET परीक्षा इंटरफेस की नकल करता है, जो आपको एक यथार्थवादी परीक्षा अनुभव प्रदान करता है और आपको वास्तविक परीक्षा प्रारूप से परिचित होने में मदद करता है। यह आपको समय का बेहतर प्रबंधन करने में मदद करता है और आपको परीक्षा के दबाव में MCQ को सटीक रूप से हल करने के लिए तैयार करता है।

प्राचीन भारतीय शिक्षा प्रणाली (Ancient Indian Education System)

30

इस अध्याय में

**परीक्षोपयोगी (Exam Essential): UGC NET परीक्षा में पूछे जाने की अत्यधिक संभावना, #CC का अर्थ है कॉन्सेप्ट कैप्सूल*

भूमिका (Introduction)

उस समय की कल्पना कीजिए जब आधुनिक विद्यालय, विश्वविद्यालय और डिजिटल कक्षाएँ नहीं थीं-ऐसे समय कि जब ज्ञान मौखिक रूप से, हस्तलिखित पुस्तकों और व्यक्तिगत शिक्षण के माध्यम से प्रदान किया जाता था। प्राचीन भारत में शिक्षा केवल कौशल प्राप्त करने का माध्यम नहीं थी, बल्कि यह आत्म-खोज, आध्यात्मिकता और सामाजिक योगदान की एक गहन यात्रा थी।

इस अध्याय में, हम प्राचीन भारतीय शिक्षा प्रणाली की आकर्षक अन्वेषण यात्रा पर निकलेंगे। हम यह बताएंगें कि प्राचीन भारत में शिक्षा कक्षा-कक्ष की चार-दीवारी तक सीमित नहीं थी बल्कि यह दैनिक जीवन, आध्यात्मिक प्रथाओं और प्राकृतिक दुनिया के साथ गहराई से जुड़ी हुई थी। हरे-भरे जंगलों में बसे शांत आश्रमों से लेकर नालंदा और तक्षशिला जैसे भव्य विश्वविद्यालयों तक, जहाँ दुनिया भर के विद्वान एकत्रित होते थे, प्राचीन भारत की शिक्षा प्रणाली जितनी गहन (profound) उतनी ही विविध (diverse) थी।

भारत की प्राचीन शिक्षा प्रणाली समग्र विकास पर केंद्रित थी। इसमें दर्शन, गणित, खगोल विज्ञान और चिकित्सा जैसे विषयों का गहन (rigorous) अध्ययन शामिल था। यह शिक्षा मौखिक रूप से, वाद-विवाद, और व्यावहारिक अनुप्रयोग जैसी विधियों के माध्यम प्रदान की जाती थी। इस प्रणाली ने न केवल बौद्धिक विकास पर, बल्कि नैतिक और आध्यात्मिक कल्याण पर भी जोर दिया। तो, आइए उस विगत समय में चलें और जानें कि प्राचीन भारतीयों ने किस प्रकार शिक्षा को एक समग्र (holistic), आजीवन प्रक्रिया (lifelong pursuit) के रूप में देखा, जिसने न केवल व्यक्तित्व को बल्कि समाज की संपूर्ण संरचना को आकार दिया।

भारत में शिक्षा का इतिहास (संक्षिप्त विवरण)

वैदिक शिक्षा के बारे में जानने से पहले, आइए भारतीय इतिहास के विभिन्न युगों से संबंधित समय अवधियों पर एक त्वरित नजर डालें (तालिका 30.1)। इन प्रत्येक अवधि में भारत के सामाजिक, सांस्कृतिक और शैक्षिक परिदृश्यों में महत्वपूर्ण परिवर्तन एवं विकास हुआ है।

तालिका 30.1 भारत में विभिन्न अवधियों का कालक्रम

अवधि	समय-सीमा
वैदिक युग (जिसे ब्राह्मणिक युग भी कहा जाता है)	600 ईसा पूर्व से पहले
बौद्ध युग	600 ईसा पूर्व से 1200 ईस्वी तक
मध्यकाल	1200 ईस्वी से 1800 ईस्वी तक
ब्रिटिश काल	1800 ईस्वी से 1947 ईस्वी तक
उत्तर-ब्रिटिश काल	1947 ईस्वी के बाद

वैदिक युग, जिसमें वेदों की रचना हुई, में भारतीय शिक्षा एवं दर्शन के मौलिक सिद्धांतों की नींव रखी गयी। बौद्ध युग में बौद्ध शिक्षाओं का उदय हुआ और अनेक मठवासी विश्वविद्यालयों की स्थापना हुई। मध्यकाल में विभिन्न सांस्कृतिक एवं शैक्षिक परंपराओं का समन्वयन हुआ, वहीं ब्रिटिश काल में पश्चिमी शैक्षिक मॉडलों की शुरुआत हुई और भारतीय शिक्षा प्रणाली में एक महत्वपूर्ण परिवर्तन आया।

30.1 वैदिक शिक्षा भूमिका (Introduction to Vedic Education)

इस विषय को सरल बनाने वाले वीडियो व्याख्यान को देखने के लिए इस QR कोड को स्कैन करें

भारतीय शिक्षा के इतिहास में वैदिक अवधि का संदर्भ उस अवधि से है जब प्राचीन भारत में औपचारिक शिक्षा प्रारंभिक हई थी। इस अवधि का नाम वेदों के नाम पर रखा गया है, जो भारतीय संस्कृति में सबसे प्राचीन और सबसे पूजनीय (revered) ग्रंथ हैं। वैदिक काल लगभग 1500 ईसा पूर्व से लेकर 500 ईसा पूर्व तक विस्तृत है।

वैदिक अवधि को ब्राह्मणिक अवधि के रूप में भी जाना जाता है, क्योंकि इसमें ब्राह्मणों की महत्वपूर्ण भूमिका थी। वैदिक समाज की संरचना पदानुक्रमित जाति प्रणाली (hier-archical caste system) के ईर्द-गिर्द थी, जिसमें ब्राह्मण धार्मिक और शैक्षिक गतिविधियों में उनकी भूमिका के कारण शीर्ष पर थे। इस सामाजिक संरचना ने जीवन के सभी पहलुओं में ब्राह्मणों के प्रभाव और प्रभुत्व को मजबूत किया, जिसमें शिक्षा, राजनीति और संस्कृति शामिल हैं।

वर्ण प्रणाली (Varna System)

प्राचीन भारतीय समाज में, सामाजिक संरचना को चार मुख्य श्रेणियों में विभाजित किया गया था, जिन्हें वर्ण कहा जाता था। प्रत्येक वर्ण की अपनी विशिष्ट भूमिकाएँ और जिम्मेदारियाँ थीं। एक ओर जहां इसका उद्देश्य व्यवस्था और दक्षता को बढ़ावा देना था, वहीं इससे समाज में वर्गों का जन्म हुआ और एक वर्ण के लोगों का दूसरे वर्णों में आना-जाना बहुत सीमित था। समय के साथ इस प्रणाली की कठोरता के कारण समाज में असमानता आई।

1. **ब्राह्मण (Brahmins)** - ये पुजारी, विद्वान और शिक्षक थे। उनका दायित्व धार्मिक अनुष्ठान करना, शास्त्रों (जैसे वेद) का अध्ययन करना और दूसरों को ज्ञान प्रदान करना था।
2. **क्षत्रिय (Kshatriyas)** - क्षत्रिय योद्धा और शासक थे। उनका मुख्य कर्तव्य समाज की रक्षा करना, न्याय करना और साम्राज्यों का शासन कार्य देखना था। इनकी भूमिका अक्सर सैन्य मामलों और प्रशासन को लेकर थी।
3. **वैश्य (Vaishyas)** - वैश्य व्यवसायी, व्यापारी और किसान थे। ये कृषि गतिविधियों, व्यापार और व्यवसायों में लगे हुए थे। इनका कार्य समाज की आर्थिक भलाई में योगदान देना था।
4. **शूद्र (Shudras)** - शूद्र श्रमिक और कारीगर थे। ये शारीरिक श्रम करते थे और कृषि, निर्माण और शिल्प जैसी आवश्यक सेवाएं प्रदान करते थे। इनका मुख्य कार्य आवश्यक कार्यों को पूरा कर अन्य वर्णों की सहायता करना था।

वैदिक शिक्षा की प्रमुख विशेषताएं (Salient Features of Vedic Education)

1. **निःशुल्क और सुलभ (Free and Accessible)** - शिक्षा के दरवाजे उन सभी के लिए खुले थे जो सीखना चाहते थे और इसका कोई शुल्क नहीं था। इससे सभी पृष्ठभूमि के लोगों के लिए ज्ञान उपलब्ध हो पाया और सभी को सीखने के समान अवसरों को बढ़ावा मिला।
2. **सरकारी नियंत्रण मुक्त (No Government Control)** - शिक्षा का प्रबंधन ब्राह्मणों द्वारा किया जाता था और शासकों के पास इसका नियंत्रण नहीं था। यद्यपि शासक भूमि या धन के अनुदान के माध्यम से शिक्षा में सहायता प्रदान कर सकते थे। वे शिक्षकों पर कोई शर्तें नहीं लगा सकते थे, अत: शिक्षकों को अपनी शिक्षण विधियों और विषय वस्तु के संबंध में पूर्ण स्वतंत्रता प्राप्त थी।
3. **शिक्षकों की उच्च्य स्थिति (High Status of Teachers)** - शिक्षकों का समाज में बहुत सम्मान था। यहां तक कि राजा भी उनका सम्मान किया करते थे। उनका सम्मान उनके ज्ञान और बुद्धिमत्ता के लिए था, जो प्राचीन भारत में शिक्षकों की उच्च स्थिति को दर्शाता है।
4. **गुरुकुल (Gurukul) (आवासीय विद्यालय Residential Schools)** - शिक्षा अक्सर आवासीय विद्यालयों में प्रदान की जाती थी जिन्हें गुरुकुल कहा जाता था। यहां छात्र अपने शिक्षकों के साथ रहते थे। इस तल्लीन वातावरण (immersive environment) में करीबी गुरु-शिष्य संबंध को बढ़ावा मिलता था और समग्र शिक्षा सुलभ हो पाती थी।
5. **शिक्षण विधियाँ (Education Method)** - शिक्षक व्याख्यान, दोहरान, स्पष्टीकरण, और चर्चाओं जैसी परस्पर भागीदारी युक्त (इंटरैक्टिव) विधियों का उपयोग करते थे। इससे यह सुनिश्चित होता था कि छात्र विषयों को गहराई से समझें और अपने ज्ञान को व्यावहारिक रूप से लागू कर सकें।

6. **विकेंद्रीकृत शिक्षा (Learning was Decentralised)** - प्राचीन भारत में, शिक्षा एक ही स्थान पर नहीं बल्कि विभिन्न स्थानों पर फैली हुई थी। छात्र विद्यालयों, गुरुकुलों (शिक्षक के घरों) और यहां तक कि मंदिरों में भी शिक्षा प्राप्त करते थे। प्रत्येक स्थान में विशिष्ट शिक्षा प्रदान कीं जाती थी।
7. **छात्र-केंद्रित शिक्षा (Student-Centric Learning)** - शिक्षा अत्यधिक व्यक्तिगत थी, जिसमें गुरु प्रत्येक शिक्षार्थी की आवश्यकताओं और क्षमताओं के अनुसार पाठों को अनुकूलित किया करते थे। गुरु न केवल शिक्षक थे बल्कि मार्गदर्शक और सलाहकार भी थे। शिक्षक प्रत्येक शिक्षार्थी पर व्यक्तिगत रूप से ध्यान देते थे।इससे यह सुनिश्चित हो पाता था कि हर कोई अपनी गति से सीख सके। बड़ी (Larger) कक्षाओं में, बड़े छात्र छोटे छात्रों की मदद किया करते थे, जिससे साथियों के बीच सहयोग की भावना को बढ़ावा मिलता था।
8. **कर्म का महत्व (Importance of Action)** - कर्म में नैतिक आचरण और नैतिक जिम्मेदारी के महत्व पर जोर दिया। यह विश्वास के इर्द-गिर्द घूमता है कि हर क्रिया के परिणाम होते हैं, भले ही वह शारीरिक हो, मानसिक हो या मौखिक हो।
9. **शिक्षा का वातावरण (Learning Environment)** - शिक्षा अक्सर शहरों से दूर जंगलों में होती थी, जो केंद्रित शिक्षा और ध्यान के लिए उपयुक्त शांतिपूर्ण वातावरण प्रदान करती थी।
10. **भाषा का माध्यम (Language of Instruction)** - संस्कृत मुख्य रूप से ब्राह्मणों के बीच शिक्षा के माध्यम के रूप में उपयोग की जाने वाली भाषा थी। पवित्र ग्रंथों और बौद्धिक संभाषण के लिए इसका सम्मान था।
11. **शिक्षा के केंद्र (Centres of Learning)** - मंदिर और अन्य संस्थान ज्ञान को बढ़ावा देने के महत्वपूर्ण केंद्र के रूप में कार्य करते थे।
12. **मौखिक परंपरा (Oral Tradition)** - वैदिक काल के दौरान शिक्षा मुख्य रूप से मौखिक रूप से प्रदान की जाती थी। शिक्षक (गुरु) मौखिक रूप से से ज्ञान को शिक्षार्थी (शिष्य) तक पहुंचाते थे।
13. **महिलाओं की शिक्षा तक पहुंच (Women's Access to Education)** - वैदिक काल के दौरान महिलाओं को भी शिक्षा तक पहुंच प्राप्त थी।

वैदिक काल के दौरान शिक्षा का उद्देश्य (Aim of Education during Vedic Period)

प्राचीन भारत में वैदिक काल के दौरान, शिक्षा के कई उद्देश्य थे जो व्यक्तिगत, नैतिक और सामाजिक विकास पर केंद्रित थे-

1. **आत्म-साक्षात्कार (Self Realisation)** - मुख्य उद्देश्य आत्म-साक्षात्कार और आध्यात्मिक मुक्ति (मुक्ति या मोक्ष) प्राप्त करना था।
2. **तात्कालिक या व्यावसायिक उद्देश्य (Immediate or Vocational Aim)** - शिक्षा का उद्देश्य व्यक्तियों को उनकी जातीय भूमिकाओं (वर्णों) के अनुसार उनकी व्यावहारिक दैनिक आवश्यकताओं और जिम्मेदारियों को प्रभावी ढंग से पूरा करने के लिए तैयार करना था।
3. **नैतिक, धार्मिक और आध्यात्मिक विकास (Moral, Religious and Spiritual Development)** - शिक्षा ने नैतिक मूल्यों, धार्मिक समझ और आध्यात्मिक उन्नति पर जोर दिया। इसका उद्देश्य नैतिक मूल्यों और आध्यात्मिक प्रथाओं की गहरी समझ को विकसित करना था।
4. **आत्म-नियंत्रण और आत्म-अनुशासन (Self-Control and Self&Discipline)** - शिक्षा ने आत्म-अनुशासन को सर्वोत्तम नियंत्रण के रूप में बढ़ावा दिया। कोई शारीरिक दंड नहीं था; इसके बजाय, छात्रों को आंतरिक अनुशासन और संयम विकसित करने के लिए प्रोत्साहित किया गया।
5. **व्यक्तित्व विकास और चरित्र निर्माण (Personality Development and Character Formation)** - शिक्षा में मुख्यत: आत्मिक विकास और नैतिक मूल्यों पर ध्यान केन्द्रित था। शिक्षार्थियों को विनम्रता, सत्यनिष्ठा, अनुशासन और आत्मनिर्भरता जैसे मूल्य सिखाये जाते थे। उन्होंने सभी प्राणियों का सम्मान करना और मनुष्य एवं प्रकृति के बीच संतुलन बनाए रखना सीखा।
6. **सामाजिक और नागरिक कर्तव्यों पर जोर (Stress on Social and Civic Duties)** - शिक्षा ने परिवार, समुदाय और समाज के प्रति सामाजिक जिम्मेदारियों और नागरिक कर्तव्यों को पूरा करने के महत्व पर जोर दिया।
7. **संस्कृति का संरक्षण और प्रसार (Preservation and Spreading of Culture)** - शिक्षा ने सांस्कृतिक विरासत के संरक्षण और प्रसार में महत्वपूर्ण भूमिका निभाई। इसमें परंपराओं, अनुष्ठानों, साहित्य और ज्ञान का अध्ययन और इस ज्ञान का एक पीढ़ी से दूसरी पीढ़ी तक हस्तांतरण शामिल था, जिससे सांस्कृतिक निरंतरता सुनिश्चित होती थी।

★★★ परीक्षोपयोगी

30.2 वैदिक काल के दौरान ज्ञान के स्रोत (Sources of Knowledge during Vedic Period)

वैदिक काल के दौरान, ज्ञान को दो मुख्य आयामों में वर्गीकृत किया गया था (चित्र 30.1) -

1. **परा विद्या (Para Vidya)** - यह ज्ञान उच्च बौद्धिकता और आध्यात्मिक समझ प्राप्त करने से संबंधित है। इसका मुख्य उद्देश्य व्यक्तियों को परमात्मा के साथ उनके संबंध का एहसास कराने और उनके भीतर दिव्य सार को पहचानने में मदद करना है।
2. **अपरा विद्या (Apara Vidya)** - यह ज्ञान जीवन के व्यावहारिक और सांसारिक पहलुओं पर केंद्रित है। इसमें विभिन्न विज्ञान और विषय शामिल हैं जो एक आरामदायक और भौतिकवादी अस्तित्व में योगदान करते हैं। अपरा विद्या को प्रदान किये जाने की विधि और रचना की प्रकृति के आधार पर व्यापक रूप से दो श्रेणियों में विभाजित किया जा सकता है-
   - **श्रुति (Shruti)** - श्रुति का अर्थ है 'जो सुना गया है।' इन्हें दिव्य रूप से प्रकट ग्रंथ माना जाता है। श्रुति ग्रंथों को शाश्वत सत्य माना जाता है जो प्राचीन ऋषियों द्वारा सुने और मौखिक रूप से संप्रेषित किये गये थे।
   - **स्मृति (Smriti)** - स्मृति का अर्थ है 'जो याद किया गया है।' ये ग्रंथ श्रुति में दी गयी शिक्षाओं और सिद्धांतों पर आधारित हैं परंतु इनकी रचना मनुष्य (ऋषियों और विद्वानों) द्वारा की गयी हैं और ये अधिक लचीले हैं। चित्र 30.1 में स्मृति और श्रुति का और अधिक वर्गीकरण दिया गया है।

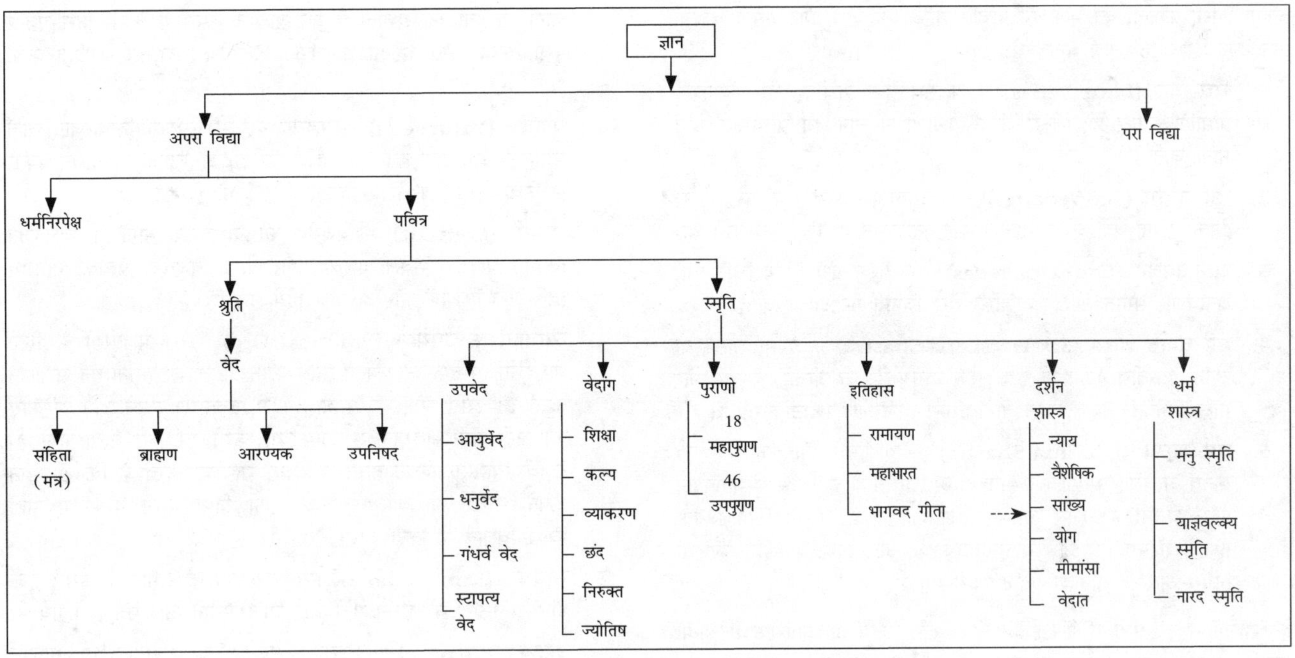

चित्र 30.1 वेदिक शिक्षा के अंतर्गत ज्ञान का विभाजन

भगवद गीता – विद्यार्थियों हेतु शाश्वत ज्ञान (Bhagavad Gita: Timeless Wisdom for Students)

भगवद गीता प्राचीन भारतीय शास्त्र है, जिसमें प्रस्तुत ज्ञान धार्मिक और सांस्कृतिक सीमाओं से परे है। इस पवित्र ग्रंथ में सात सौ श्लोक है, जिसमें महाभारत युद्ध के दौरान भगवान कृष्ण और योद्धा अर्जुन के बीच संवाद है। महाभारत का युद्ध लगभग 3100 ई.पू. में हुआ था। भगवान श्रीकृष्ण अर्जुन को गहन ज्ञान प्रदान करते हैं, जो अपने परिवार के विरुद्ध युद्ध करने अथवा नहीं करने के नैतिक दुविधा का सामना कर रहा है।

भगवद गीता क्यों पढ़ें? (Why Read the Bhagavad Gita)

भगवान श्रीकृष्ण, हिंदू देवता होने से कहीं अधिक, इस ब्रह्मांड के सच्चे आध्यात्मिक गुरु हैं। भगवद् गीता की शिक्षाएं शिक्षार्थियों को उनके जीवन में मूल्यवान सीख प्रदान करती हैं। यदि आप कभी अपने जीवन में अटक जाते हैं और अपने प्रश्नों के उत्तर नहीं मिल रहे हैं, तो आप भगवद गीता से मार्गदर्शन प्राप्त कर सकते हैं। यह अद्भुत पुस्तक शाश्वत ज्ञान और अंतर्दृष्टियों से भरी हुई है, जो आपको अपने जीवन संबंधी सभी प्रश्नों के उत्तर देने में समर्थ है।

शिक्षा में भगवद गीता (Bhagavad Gita in Education)

गीता दुनिया भर में लाखों लोगों को प्रेरित करती रहती है और इसे प्रबंधन एवं नेतृत्व के संबंध में एक शाश्वत मार्गदर्शक के रूप में जाना जाता है। अनेक प्रतिष्ठित महाविद्यालयों और बिजनेस स्कूल ने अपने पाठ्यक्रम में इसकी शिक्षाओं को शामिल किया है, जिनमें आईआईएम भी शामिल हैं।

याद रखने योग्य प्रमुख श्लोक *(Key Verses to Remember)*

कर्मण्येवाधिकारस्ते मा फलेषु कदाचन।
मा कर्मफलहेतुर्भूर्मा ते सङ्गोऽस्त्वकर्मणि।।

इस श्लोक में, भगवान श्रीकृष्ण अर्जुन को परिणाम की चिन्ता किये बिना अपना कर्तव्य निभाने की सलाह देते हैं। वे अर्जुन को वर्तमान क्षण और हाथ में लिए गये कार्य पर ध्यान केंद्रित करने के लिए प्रोत्साहित करते हैं, न कि भविष्य की चिंता करने या अतीत पर पछतावा करने पर।

न हि ज्ञानेन सदृशं पविामिह विद्यते।
तत्स्वयं योगसंसिद्धः कालेनात्मनि विन्दति।।

यह श्लोक भगवद गीता के सर्वश्रेष्ठ श्लोकों में से एक है, यह हमें सिखाता है कि ज्ञान सर्वाधिक शक्तिशाली साधन है। ज्ञान के माध्यम से ही अज्ञानता को दूर किया जा सकता है और निर्वाण की प्राप्ति की जा सकती है।

मात्रास्पर्शास्तु कौन्तेय शीतोष्णसुखदुःखदाः।
आगमापायिनोऽनित्यास्तांस्तितिक्षस्व भारत।

यह श्लोक हमें जीवन में सुख और दुख की अस्थिरता के बारे में बताता है। जैसे शीत और ग्रीष्म ऋतुएँ आती और जाती हैं, वैसे ही समय के साथ सुख और दुख भी आते हैं और चले जाते हैं। इसलिए, हमें सुख और दुख दोनों को शांति से स्वीकार करना सीखना चाहिए और उन्हें हमारी आंतरिक शांति को बाधित नहीं करने देना चाहिए।

वैदिक शिक्षा प्रणाली का मूल उन प्राचीन शास्त्रों के चारों ओर घूमता था जो ज्ञान और शिक्षा की नींव बनाते थे।

1. **चार वेद (Four Vedas)** – ये सर्वाधिक प्राचीन और सर्वाधिक प्रामाणिक ग्रंथ हैं, जिन्हें वैदिक प्रणाली में ज्ञान का प्राथमिक स्रोत माना जाता है।
2. **छह वेदांग (Six Vedangs)** – ये आवश्यक मार्गदर्शक पुस्तकें हैं। इनकी रचना वेदों को समझने में सहायता करने के लिए की गयी थीं।
3. **चार उपवेद (Four Upavedas)** – ये पूरक ग्रंथ हैं। ये चिकित्सा, धनुर्विद्या, संगीत और राज्यशास्त्र जैसे विषयों पर आधारित हैं।
4. **छह दर्शन शास्त्र (Six Darshana Shastra)** – दर्शन शास्त्र या दर्शन, भारतीय दर्शन के छह मुख्य विषय हैं, जो जीवन, यथार्थ और मोक्ष (मुक्ति) प्राप्त करने के विभिन्न दृष्टिकोण प्रदान करते हैं।
5. **धर्म शास्त्र (Dharma Shastra)** – ये नियम पुस्तिकाएँ हैं जो मानव आचरण, सामाजिक मानदंडों और विधियों के संबंध में मार्गदर्शन प्रदान करती हैं। इनमें तीन स्मृतियाँ शामिल हैं। स्मृतियाँ आवश्यक ग्रंथ हैं जिनमें हिंदू धर्म में नैतिक जीवन और सामाजिक आचरण के नियम और दिशानिर्देश प्रदान किये गये हैं।

इन शास्त्रों ने उस युग में शिक्षा की नींव रखी।, इनमें आध्यात्मिक शिक्षाओं और अनुष्ठानों से लेकर दर्शन, शासन और दैनन्दिन जीवन के लिए आवश्यक व्यावहारिक कौशल तक के विषयों की एक विस्तृत श्रृंखला शामिल थी। आइए उपर्युक्त कुछ महत्वपूर्ण स्रोतों के बारे में विस्तार से जानकारी प्राप्त करें।

वेद (Veda)

वेद संस्कृत भाषा में रचित प्राचीन धार्मिक ग्रंथ हैं। ये दुनिया के सर्वाधिक प्राचीन पवित्र लेखों में से एक हैं और हिंदू धर्म का आधार हैं। 'वेद' शब्द का अर्थ 'ज्ञान' है और यह संस्कृत की धातु 'विद' से बना है, जिसका अर्थ है 'जानना'। इसका संदर्भ किसी एक साहित्यिक कृति से नहीं है बल्कि यह कई शताब्दियों में विकसित साहित्य के विशाल संग्रह का प्रतिनिधित्व करता है। यह ज्ञान मौखिक रूप से एक पीढ़ी से दूसरी पीढ़ी को प्रदान किया गया था। वेदों को श्रुति भी कहा जाता है, जिसका अर्थ है 'जो सुना गया है'। यह दर्शाता है कि इन्हें प्रत्यक्ष आध्यात्मिक अनुभव के माध्यम से प्राप्त किया गया था। यह स्मृति ग्रंथों से अलग हैं, जिनकी रचना बाद में ऋषियों द्वारा की गयी थी और इनमें वेदों में दी गयी शिक्षाओं का वर्णन हैं।

1. **ऋग्वेद (Rigveda)** – ऋग्वेद चारों वेदों में से सबसे प्राचीन वेद है, जिसकी रचना लगभग 4000 ईसा पूर्व में की गयी थी। इसके नाम का तात्पर्य 'ज्ञान की स्तुति' है। इसमें देवताओं की स्तुति करने के लिए गाये या पाठ किये जाने वाले स्तोत्रों का संग्रह है।

   विषय वस्तु (Content) – ऋग्वेद में 1,028 सूक्त हैं जो अग्नि (अग्निदेव), देवताओं के राजा (इंद्र) और पवित्र पौधे (सोम) जैसे देवताओं को समर्पित हैं। लोग इन सूक्तों का उच्चारण संस्कारों के दौरान आशीर्वाद प्राप्त करने के लिए करते थे।

   संरचना (Structure) – इसे दस मंडलों में विभाजित किया गया है, जिनमें से प्रत्येक मण्डल में सूक्तों का अपना समूह है। इन मण्डलों का उपयोग विभिन्न प्रकार के अनुष्ठानों और संस्कारों के लिए किया जाता था, जो यह दर्शाता है कि प्राचीन समय में लोग किस प्रकार पूजा किया करते थे और देवताओं के साथ तादात्मय स्थापित करते थे।

2. **यजुर्वेद (Yajurveda)** – यजुर्वेद यज्ञ में उपयोग किये जाने वाले मंत्रों एवं अनुष्ठानों का संग्रह है। इसमें इन अनुष्ठानों का उचित प्रकार से निर्वाह करने के लिए विस्तृत निर्देश भी दिये गये हैं।

   सामग्री (Content) – यजुर्वेद को दो मुख्य भागों में विभाजित किया गया है- शुक्ल यजुर्वेद और कृष्ण यजुर्वेद। प्रत्येक भाग में विभिन्न व्याख्याएँ और अभ्यास दिये गये हैं।

   व्यावहारिक उपयोग (Practical Use) – यह पुजारियों के लिए मार्गदर्शक पुस्तक के रूप में कार्य करता है जो अनुष्ठानों का संचालन करते हैं। इसमें मंत्रों का सही ढंग से उच्चारण करने और संस्कारों को सही विधि-विधान से आयोजित करने पर जोर दिया गया है। यजुर्वेद यह सुनिश्चित करने में हमारी सहायता करता है कि अनुष्ठान अपने इच्छित आध्यात्मिक लक्ष्यों को प्राप्त करने के लिए सही विधि-विधान से किये जाएं।

3. **सामवेद (Samaveda)** – सामवेद ऋग्वेद के समान है। इसमें पूजा और अनुष्ठानों के दौरान गाये जाने वाले संगीत और मंत्र दिये गये हैं।

   उद्देश्य (Purpose) – इसका मुख्य उद्देश्य संगीत के माध्यम से अनुष्ठानों का भावनात्मक और आध्यात्मिक अनुभव बढ़ाना है। सामवेद को अक्सर 'संगीत का वेद' कहा जाता है। सामवेद को भारतीय शास्त्रीय संगीत और शास्त्रीय नृत्य का मूल माना जाता है।

   संरचना (Structure) – इसे दो भागों में विभाजित किया गया है- शुरआती भाग पूर्वार्चिका है और बाद वाला भाग उत्तरार्चिका है। प्रत्येक भाग में विभिन्न अनुष्ठानों और संस्कारों के लिए उपयुक्त सूक्त शामिल हैं।

4. **अथर्ववेद (Atharvaveda)** – अन्य वेदों, जो मुख्य रूप से अनुष्ठानों और आध्यात्मिक सुक्तों पर केंद्रित हैं, अथर्ववेद में स्वास्थ्य, समृद्धि और नकारात्मक शक्तियों से सुरक्षा के लिए मंत्र और प्रार्थनाएँ शामिल हैं। यह मुख्य रूप से चिकित्सा विज्ञान से संबंधित है।

   सामग्री (Content) – इसमें बीमारियों को ठीक करने, व्यक्तिगत प्रयासों में सफलता सुनिश्चित करने और दैनिक जीवन की चुनौतियों से निपटने के लिए सुक्त दिये गये हैं। यह ब्रह्मांड और अस्तित्व की प्रकृति के बारे में दार्शनिक विषयों का भी अन्वेषण करता है।

   संरचना (Structure) – अथर्ववेद में 20 काण्ड हैं। प्रत्येक काण्ड में जीवन और आध्यात्मिक प्रथाओं के विभिन्न पहलुओं को लेकर सुक्त और मंत्र दिये गये हैं।

वेदों की संरचना (Structure of Vedas)

इन चार वेदों – ऋग्वेद, यजुर्वेद, सामवेद, और अथर्ववेद – में से प्रत्येक वेद को पारंपरिक रूप से चार भागों में विभाजित किया गया है:-

1. **संहिताएँ (Samhitas)** – संहिताएँ प्रत्येक वेद में सुक्तों का संग्रह हैं। ये वेदों का सार और सबसे प्राचीन रूप हैं। संहिता शब्द का अर्थ संस्कृत में 'संग्रह' या 'संकलन' होता है। संहिताएँ मुख्य रूप से अनुष्ठानों को विधि-विधान से किये जाने और पवित्र मंत्रों के उच्चारण से संबंधित हैं।

2. **ब्राह्मण (Brahmanas)** - ये गद्यात्मक ग्रंथ हैं, जो वेदों में वर्णित अनुष्ठानों और संस्कारों की व्याख्या करते हैं। ब्राह्मण ग्रंथ चार हैं।
3. **आरण्यक (Aranyakas)** - ये ब्राह्मणों और उपनिषदों के बीच संक्रमणकालीन ग्रंथ हैं, जो ध्यान और दर्शन पर केंद्रित हैं।
4. **उपनिषद (Upanishads)** - उपनिषद आनुष्ठानिक प्रथाओं से दार्शनिक अन्वेषण और आत्मनिरीक्षण की ओर संक्रमण को दर्शाते हैं। जहां संहिताएँ सुक्तों पर और ब्राह्मण अनुष्ठानों पर केंद्रित हैं, वहीं उपनिषद् अस्तित्व, आत्मा और ब्रह्मांड की प्रकृति के संबंध में दार्शनिक प्रश्नों पर गहन चिंतन करते हैं। ये कर्म (कर्म), मुक्ति (मोक्ष) और कर्तव्य (धर्म) जैसी अवधारणाओं का अन्वेषण करते हैं।

उपनिषदों को वेदों का समापन भाग माना जाता है। इन्हें कभी-कभी वेदांत भी कहा जाता है, जिसका अर्थ है 'वेदों का अंत' (वेद + अंत)। ये वैदिक साहित्य के अंत और शास्त्रीय हिंदू दर्शन की शुरुआत को चिह्नित करते हैं। इन्हें वैदिक शिक्षाओं का सार माना जाता है और ये गहन आध्यात्मिक और दार्शनिक विचारों पर केंद्रित हैं। प्रत्येक वेद का अपना उपनिषद समूह होता है (चित्र 30.2)। कुल मिलाकर, 108 उपनिषद हैं।

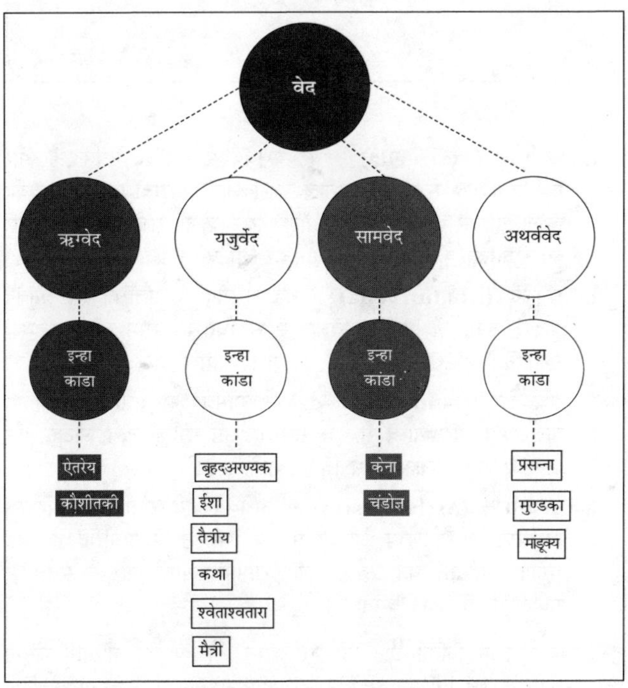

चित्र 30.2 वेद और उपनिषद

तालिका 30.2 वेदों का संक्षिप्त सार (Snapshot of Vedas)

वेद	अर्थ	विषय वस्तु और प्रयोजन	अनुमानित अवधि
ऋग्वेद	स्तुति ज्ञान	देवताओं और भगवानों की स्तुति के लिए सुक्त	लगभग 4000 ईसा पूर्व
यजुर्वेद	उपासना ज्ञान	अनुष्ठानों के लिए मंत्र एवं उच्चारण	1100-800 ईसा पूर्व
सामवेद	संगीत का वेद	संगीतमय अनुष्ठानों के लिए मंत्र एवं उच्चारण	1200-800 ईसा पूर्व
अथर्ववेद	अथर्वान् का ज्ञान	दैनन्दिन जीवन हेतु जादू टोने, मंत्रोच्चार, व्यावहारिक सूत्र (चिकित्सा विज्ञान से संबंधित)	1200-1000

वेदांग (Vedangas)

आज के समय में किसी जटिल विषय का अध्ययन करने की कल्पना कीजिए जिसमें कठिन अवधारणाओं को समझने और व्यावहारिक अंतर्दृष्टि प्रदान करने के लिए गाइडबुक्स की मदद ली जाती है। इसी तरह, प्राचीन भारत में, चार मुख्य वेदों के साथ-साथ, विद्वानों ने पूरक ग्रंथों की रचना की जिन्हें वेदांग कहा जाता है। ये वेदांग गाइडबुक्स की तरह कार्य करते थे, जिन्हें वेदों का सही उच्चारण करने और उन्हें समझने में सहायता प्रदान करने के लिए डिजाइन किया गया था। इन्हें 'वेदों के अंग' कहा जाता था क्योंकि इन्होंने वैदिक ज्ञान के अध्ययन में सहायता प्रदान की और इसे समृद्ध किया। जैसे आधुनिक गाइडबुक्स जटिल विषयों को समझने में सहायता करती हैं, वेदांगों ने वैदिक सुक्तों और अनुष्ठानों के सही उच्चारण, समझ और अनुप्रयोग को बढ़ाने के लिए विस्तृत अंतर्दृष्टि और व्यावहारिक साधन प्रदान किये। वेदांगों की संख्या छह है, जो निम्नवत है:-

1. **ध्वनिविज्ञान या वर्णविन्यास का विज्ञान (Science of Phonetics or Orthography) (शिक्षा/Shiksha)** - इस वेदांग में वैदिक शब्दों का सही उच्चारण और उनकी ध्वनियों को समझने का सही तरीका सिखाया गया है।
2. **छंद (Metres)** - यह वेदांग वैदिक सुक्तों और कविताओं में उपयोग किये जाने वाले लयबद्ध पैटर्न और संगीत शैलियों पर केंद्रित था।
3. **व्याकरण (Grammar)** - इस ग्रंथ में वेदों में उपयोग किये गए व्याकरण और भाषा के नियमों की व्याख्या की है, जिससे विद्वानों को वाक्यों और शब्दों के अर्थ समझने में मदद मिली।
4. **निरुक्त (Etymology)** - इसमें वैदिक शब्दों के अर्थ और उनकी उत्पत्ति का अन्वेषण किया गया है, जिससे उनके गहरे अर्थों की व्याख्या करने में सहायता मिली।
5. **ज्योतिष (Astronomy)** - यह वेदांग खगोल विज्ञान और वेदों में वर्णित तारों और ग्रहों के अध्ययन से संबंधित था, जो अनुष्ठानों का समय निर्धारित करने और खगोलीय घटनाओं को समझने के लिए महत्वपूर्ण था।
6. **कल्प (Practice)** - कल्प में वेदों में वर्णित अनुष्ठानों और संस्कारों को सही विधि-विधान से किये जाने हेतु दिशानिर्देश प्रदान किये गये हैं, ताकि उनका विधि-विधानपूर्वक आयोजन सुनिश्चित किया जा सके।

कॉन्सेप्ट कैप्सूल

पारंपरिक भारतीय शिक्षा में, वेदांगों को एक व्यक्ति (पुरुष) के रूपक के रूप में वर्णित किया गया है, जिसमें वेदों का अध्ययन करने में सहायता करने और अनुपूरक बनने की महत्वपूर्ण भूमिका को उजागर करने के लिये उनकी तुलना शरीर के विभिन्न अंगों के साथ की गयी है। उदाहरण के लिए, कल्प को वेदों के हाथ माना गया है क्योंकि जिस प्रकार हाथ क्रियाएं करते हैं, उसी प्रकार इसमें वैदिक संस्कारों को करने की प्रक्रियाएं और अनुष्ठान दिये गये हैं। यहाँ अन्य वेदांगों की तुलना शरीर के विभिन्न अंगों से की गयी है जो निम्नवत है–

1. शिक्षा	*Siksha*	ध्वनिविज्ञान	नाक
2. व्याकरण	*Vyakarana*	व्याकरण	मुंह
3. छंद	*Chandas*	वैदिक मीटर	पैर
4. निरुक्त	*Nirukta*	शब्दव्युत्पत्ति शास्त्र	कान
5. ज्योतिष	*Jyotisha*	ज्योतिष/खगोलशास्त्र	आँखें
6. कल्प	*Kalpa*	वैदिक क्रिया	भुजाएँ

उपरोक्त वेदांगों से संबंधित कुछ महत्वपूर्ण पुस्तकें निम्नवत हैं–

1. **प्रातिशाख्य (Pratishakhya):** ध्वनिविज्ञान पर सबसे प्राचीन ग्रंथ।
2. **निघंटु (Nighantu):** कठिन शब्दों का विश्व का सबसे प्राचीन संग्रह।
3. **निरुक्त (Nirukta):** विश्व का सबसे प्राचीन शब्दकोश।
4. **पाणिनि कृत अष्टाध्यायी (Ashtadhyayi):** विश्व का सबसे प्राचीन व्याकरण ग्रंथ।
5. **पिंगल कृत छंदसूत्र (Chhandasutras):** छंदशास्त्र का प्रसिद्ध ग्रंथ।
6. **लगध मुनि कृत वेदांग ज्योतिष (Vedanga Jyotisha):** सबसे प्राचीन ज्योतिष ग्रंथ।

क्विज स्टेशन *विगत UGC NET परीक्षाओं के प्रश्न*

प्र 1. कॉलम का मिलान करें: *(14 जून 2023 - शिफ्ट 2)*

सूची 1	सूची 2
A. शिक्षा	I. मीटर
B. निरुक्त	II. स्वर-विज्ञान
C. कल्प	III. शब्द-साधन
D. छंद	IV. धार्मिक परंपराएं

(a) A-III, B-II, C-IV, D-I
(b) A-I, B-II, C-VI, D-III
(c) A-II, B-III, C-IV, D-I
(d) A-IV, B-III, C-II, D-I

उत्तर 1. (c)

उपवेद (Upavedas)

उपवेद शब्द का तात्पर्य प्राचीन भारतीय साहित्य में उन अनुपूरक ग्रंथों के समूह से है, जिनका विकास वेदों (हिंदू धर्म के प्रमुख पवित्र ग्रंथों) के साथ हुआ। इन ग्रंथों को पारंपरिक रूप से वेदों से व्युत्पन्न माना जाता है और वैदिक संस्कृति से संबंधित विशिष्ट क्षेत्र में विशेष ज्ञान प्रदान करते हैं। चार मान्यता प्राप्त उपवेद निम्नवत हैं–

1. **आयुर्वेद (Ayurveda)** – यह ऋग्वेद से संबंधित उपवेद है और चिकित्सा एवं स्वास्थ्य देखभाल के विज्ञान से संबंधित है। आयुर्वेद हर्बल उपचार, आहार, योग और जीवन शैली संबंधी अभ्यासों पर ध्यान केंद्रित करते हुए समग्र उपचार दृष्टिकोण प्रदान करता है।
2. **धनुर्वेद (Dhanurveda)** – यह यजुर्वेद से संबंधित है। धनुर्वेद युद्ध और मार्शल आर्ट के विज्ञान से संबंधित है। इसमें हथियारों, युद्ध रणनीतियों और सैन्य रणनीति का ज्ञान शामिल है।
3. **गंधर्ववेद (Gandharvaveda)** – सामवेद से संबंधित गंधर्ववेद, कला और सौंदर्यशास्त्र से संबंधित है। इसमें संगीत, नृत्य, नाटक और अन्य प्रदर्शन कलाओं जैसे विषय शामिल हैं।
4. **अर्थशास्त्र (Arthashastra)** – अथर्ववेद से संबंधित, अर्थशास्त्र अर्थव्यवस्था, वाणिज्य और सामाजिक संगठन से संबंधित है। यह व्यापार, शासन, धन प्रबंधन और सामाजिक संरचना के संबंध में मार्गदर्शन भी प्रदान करता है।

ये उपवेद वेदों में निहित ज्ञान को पूरा करने और प्राचीन भारतीय जीवन एवं संस्कृति के इन विशिष्ट क्षेत्रों में विशेष विशेषज्ञता प्रदान करने के लिए विकसित किये गए थे।

दर्शन शास्त्र (Darshana Shastra)

दर्शन शास्त्र, जिसे अक्सर केवल दर्शन के रूप में संदर्भित किया जाता है, का तात्पर्य भारतीय दर्शन के छह शास्त्रीय विषयों से है। भारतीय दर्शन में मुख्य छह विषय शामिल हैं, जिनमें से प्रत्येक जीवन और ब्रह्मांड में हमारे स्थान को समझने का विशिष्ट मार्ग बताते हैं –

1. **न्याय (Nyaya)** – यह दर्शन तर्क और चीजों को जानने की प्रक्रिया पर ध्यान केन्द्रित करता है। 'विश्वसनीय ज्ञान किसे कहा जा सकता है' इसका पता लगाने के लिए तर्क और अनुमान का उपयोग करता है।

2. **वैशेषिक (Vaisheshika)** - यह दर्शन प्रकृति के सबसे छोटे तत्वों, जैसे परमाणु और अणुओं की परख करता है। यह विश्व में चीजों के काम करने के तरीके और ज्ञान को वर्गीकृत करने के तरीके के बारे में बताता है।
3. **मीमांसा (Mimamsa)** - यह दर्शन वेदों में वर्णित अनुष्ठानों और कर्तव्यों का अध्ययन करता है। यह हमें इन शिक्षाओं के आधार पर जीवन में हमारी जिम्मेदारियों और कार्यों को समझने में मदद करता है।
4. **वेदांत (Vedanta)** - यह वेदों में बताये गये गहन दार्शनिक विचारों का अन्वेषण करता है। यह ब्रह्मांड के परम सत्य और हमारे अपने आध्यात्मिक सत्व जैसी अवधारणाओं की परख करता है।
5. **सांख्य (Samkhya)** - यह दो मुख्य विचगारों- चेतना और भौतिक विश्व के बारे में बात करता है। यह जो हम हैं उसके निमित्त कारकों और हम दैनन्दिन चुनौतियों से कैसे मुक्ति पा सकते हैं, के संबंध में खोज करता है।
6. **योग (Yoga)** - यह केवल शारीरिक व्यायाम के संबंध में नहीं है; यह हमारे व्यक्तिगत मन को व्यापक सार्वभौमिक चेतना से जोड़ने के संबंध में है। इसका उद्देश्य ध्यान और नैतिक आचरण जैसे अभ्यासों के माध्यम से, आंतरिक शांति और एकत्व प्राप्त करना है।

तालिका 30.3 दार्शनिक विषयों का संक्षिप्त सार

दार्शनिक स्कूल	प्रमुख अवधारणाएँ
न्याय	तर्क और विश्लेषणात्मक दर्शन
वैशेषिक	परमाणु सिद्धांत और चेतना की समझ
मीमांसा	वेदों की आलोचनात्मक व्याख्या
वेदांत	वेदों के सारतत्व की खोज
सांख्य	चेतना और पदार्थ का द्वैतवादी दर्शन
योग	ध्यान और चिंतन का अभ्यास

धर्म शास्त्र (Dharma Shastra)

स्मृतियाँ धर्म शास्त्र आधार है। हिंदू धर्म में नैतिक जीवन और सामाजिक आचरण के लिए नियम एवं दिशानिर्देश बताने वाले ये मुख्य ग्रंथ हैं।

हिंदू धर्म में तीन प्रमुख स्मृतियाँ निम्नवत हैं-

1. **मनुस्मृति (Manusmriti)** - यह ऋषि मनु द्वारा लिखी गयी है, जिन्हें विश्व का पहला विधि निर्माता माना जाता है। यह हिंदू धर्म में प्रारंभिक और सबसे प्रामाणिक विधि ग्रंथों में से एक है। यह मानव आचरण को विनियमित करने वाले सामाजिक, नैतिक और विधि सिद्धांतों से संबंधित है।
2. **याज्ञवल्क्य स्मृति (Yajnavalkya Smriti)** - यह ऋषि याज्ञवल्क्य द्वारा लिखी गयी है, यह स्मृति धर्म पर केंद्रित है और इसमें विधि, आचार और संस्कारों सहित अनेक विषयों को शामिल किया गया है।
3. **नारद स्मृति (Narada Smriti)** - यह ऋषि नारद द्वारा रचित है। यह स्मृति मुख्य रूप से धर्म से संबंधित है और व्यक्तिगत आचरण, विधिक मामलों और सामाजिक मानदंडों के संबंध में दिशानिर्देश प्रदान करती है।

30.3 वैदिक काल के दौरान पाठ्यक्रम (Curriculum during Vedic Period)

प्राचीन शिक्षा प्रणाली में प्राचीन शास्त्रों के साथ-साथ, 64 कलाओं का ज्ञान और व्यापक विकास के उद्देश्य से विभिन्न विषयों की एक विविध श्रृंखला शामिल थी। आइए इन घटकों को विस्तार से जानते हैं:-

बाणभट्ट की कादंबरी (Banabhatta's Kadambari)

प्राचीन भारतीय साहित्यिक कृतियाँ, जैसे बाणभट्ट की कादंबरी, 64 कलाओं के ज्ञान को शामिल करने वाली एक व्यापक शिक्षा प्रणाली का वर्णन करती हैं। इस दृष्टिकोण का उद्देश्य विभिन्न विषयों और कौशलों को मिलाकर समग्र विकास प्रदान करना था। विभिन्न विषयों को सीखने का विचार, जैसा कि कादंबरी में प्रकाश डाला गया है, आज की उदार कला शिक्षा के समान है। इस प्रकार की शिक्षा व्यापक ज्ञान को महत्व देती है, जिससे छात्रों को लचीला और अनुकूल बनने में मदद मिलती है।

इन 64 कलाओं में विभिन्न विषय और कौशल की विस्तृत श्रृंखला शामिल थी, जहां छात्र समग्र शिक्षा प्राप्त करते थे-

1. **रंग कलाएँ (Performing Arts)** - गायन, नृत्य और चित्रकला जैसे विषय महत्वपूर्ण थे, जिनमें रचनात्मकता और कलात्मक अभिव्यक्ति पर जोर दिया जाता था।
2. **वैज्ञानिक क्षेत्र (Scientific Fields)** - रसायन विज्ञान और गणित जैसे विषयों ने तार्किक सोच और वैज्ञानिक अन्वेषण को प्रोत्साहित किया।
3. **व्यावसायिक कौशल (Vocational Skills)** - बढ़ईगीरी और कपड़े बनाने जैसे व्यावहारिक कौशल के माध्यम से यह सुनिश्चित किया जाता था कि छात्र अपने ज्ञान को वास्तविक जीवन में लागू कर सकें।
4. **पेशेवर क्षेत्र (Professional Fields)** - चिकित्सा और इंजीनियरिंग जैसे क्षेत्र छात्रों को विभिन्न कैरियर के लिए तैयार करते थे।
5. **व्यावहारिक कौशल (Soft Skills)** - संप्रेषण, चर्चा और वाद-विवाद अनिवार्य विषय थे, जो अच्छे अंतर-व्यक्तिगत कौशल और आलोचनात्मक सोच की आवश्यकता को रेखांकित करते थे।

वैदिक शिक्षा में विषय (Subjects in Vedic Education)

वैदिक प्रणाली में शिक्षा व्यापक थी, जिसमें समाज में विभिन्न भूमिकाओं के लिए व्यक्तियों को तैयार करने हेतु विभिन्न विषय शामिल थे।

1. **इतिहास (History)** - ऐतिहासिक घटनाओं, प्रमुख व्यक्तित्वों और अतीत की महत्वपूर्ण घटनाओं का अध्ययन।
2. **अन्वीक्षिकी (Logic)** - तार्किक विवेचना, आलोचनात्मक सोच और दार्शनिक जांच का अन्वेषण।
3. **मीमांसा (Interpretation)** - पवित्र ग्रंथों को समझना और उनकी व्याख्या करना।
4. **शिल्पशास्त्र (Architecture)** - भवन निर्माण, निर्माण तकनीकों और वास्तु डिजाइन से संबंधित ज्ञान।
5. **अर्थशास्त्र (राजनीति) (Polity)** - शासन, अर्थशास्त्र और राजनीतिक प्रशासन का अध्ययन।

6. **वार्ता (कृषि, व्यापार, वाणिज्य)** – कृषि, व्यापार, व्यावसायिक प्रथाओं और बाजार की गतिशीलता में व्यावहारिक ज्ञान।
7. **धनुर्विद्या (Martial Arts)** – धनुर्विद्या, युद्ध कौशल और शारीरिक फिटनेस में प्रशिक्षण।
8. **योगसाधना (Yaga Practice)** – मन और शरीर का प्रशिक्षण।
9. **शास्त्रार्थ (Debate)** – विचारशील चर्चाओं और शास्त्रार्थों में भाग लेना।

बहु-विषयक दृष्टिकोण का महत्व– विज्ञान, कला और व्यावहारिक कौशल सहित विभिन्न विषयों को सीखने का विचार भारतीय शिक्षा में गहरी जड़ें रखता है। इस बहु-विषयक दृष्टिकोण ने यह सुनिश्चित किया कि छात्रों में विभिन्न प्रकार की क्षमताओं का विकास हो, ताकि वे समाज में प्रभावी ढंग से योगदान देने वाले व्यक्तित्व बन सके।

ज्ञान के प्रकार (Types of Knowledge)

वैदिक शिक्षा में ज्ञान के विभिन्न प्रकार थे जो निम्नवत है:-

1. **शास्त्र (Learned Disciplines)** – विज्ञान, दर्शन और तकनीकी विषयों जैसे व्यवस्थित अध्ययन पर केंद्रित।
2. **काव्य (कल्पनाशील और रचनात्मक साहित्य) (Imaginative and Creative Literature)** – इसमें कविता, महाकाव्य और नाटक शामिल है, जिससे रचनात्मकता और साहित्यिक कौशल को बढ़ावा मिलता है।

30.4 वैदिक काल में शैक्षिक प्रक्रिया (Educational Process in Vedic Period)

शैक्षिक संरचना (Education Structure)

वैदिक काल में, शिक्षा की दोहरी व्यवस्था थी-

1. **प्राथमिक शिक्षा (Primary Education)** – यह आमतौर पर घर पर दी जाती थी, जहां बच्चे अपने परिवार के सदस्यों, विशेष रूप से अपने माता-पिता और बुजुर्गों से बुनियादी कौशल और ज्ञान प्राप्त करते थे। इसमें पढ़ना और लिखना सीखना, आरंभिक अंकगणित और धार्मिक सुक्त शामिल थे। प्रारंभिक शिक्षा ने नैतिक मूल्यों और आध्यात्मिक शिक्षाओं पर भी ध्यान केंद्रित किया, जिन्हें व्यक्तिगत विकास और सामाजिक सामंजस्य के लिए आवश्यक माना जाता था।
2. **उच्च शिक्षा (Higher Education)** – उन्नत शिक्षा के लिए, छात्र गुरुकुल जाते थे, जो गुरुओं या शिक्षकों द्वारा संचालित स्कूल थे। प्रारंभिक वैदिक काल में, ये गुरुकुल शांतिपूर्ण वन क्षेत्रों में स्थित थे, जो शहरों के शोर और ध्यान बँटने से दूर थे। ये आवासीय स्कूल थे जहां छात्र अपने गुरु (शिक्षक) और सह-छात्रों के साथ रहते थे। गुरु और छात्र के बीच का संबंध पवित्र और आपसी सम्मान पर आधारित था।

गुरुदक्षिणा (Gurudakshina) – प्राचीन भारत में, अपनी शिक्षा पूरी करने के बाद, छात्र गुरुदक्षिणा नामक प्रथा के माध्यम से अपने शिक्षकों के प्रति आभार व्यक्त करते थे। यह गुरूओं से प्राप्त ज्ञान और मार्गदर्शन के लिए उनका आभार व्यक्त करने हेतु दिया जाने वाला उपहार था। इस अवध रणा ने कड़ी मेहनत (श्रम की गरिमा) और शिक्षा प्रदान करने में शिक्षक के प्रयासों के प्रति सम्मान के मूल्य पर भी जोर दिया। इस प्रथा ने उन लोगों को मान्यता देने और सम्मानित करने के महत्व को उजागर किया जिन्होंने उनके सीखने की यात्रा में महत्वपूर्ण भूमिका निभाई।

शिक्षा के केंद्र (Education Centres)

1. **गुरुकुल (Gurukul)** – यह एक पारंपरिक शिक्षा प्रणाली है जहां छात्र अपने शिक्षकों के साथ रहते थे और विभिन्न विषय, नैतिक मूल्य और जीवन कौशल सीखते थे। इस प्रकार की शिक्षा बहुत व्यक्तिगत थी और समग्र विकास पर केंद्रित थी। गुरुकुलों को आज के बोर्डिंग स्कूल मान सकते हैं, जहां आप अपने शिक्षक के साथ रहते हैं (चित्र 30.3)। केवल किताबें पढ़ने के बजाय, आप गतिविधियों को करके सीखते हैं, कामों में मदद करते हैं और चर्चाओं में भाग लेते हैं। यह एक बड़ा परिवार जैसा है जहां हर कोई साथ में सीखता है। किसी भी सामान्य दिन में शारीरिक व्यायाम, काम, अकादमिक शिक्षा और ध्यान शामिल होते थे। कार्यक्रम को शारीरिक, मानसिक और आध्यात्मिक गतिविधियों को संतुलित करने के लिए डिजाइन किया गया था। छात्र आमतौर पर लगभग 12 वर्षों तक गुरुकुल में पढ़ते थे।

चित्र 30.3 गुरुकुल

समय के साथ, विशेष रूप से उत्तर वैदिक काल में, गुरुकुल जंगलों से बड़े शहरों और प्रमुख तीर्थ केंद्रों की ओर स्थानांतरित होने लगे। ये स्थान न केवल शैक्षिक अवसर प्रदान करते थे बल्कि आध्यात्मिक और धार्मिक गतिविधियों के केंद्र भी बन गये थे-

- **उल्लेखनीय शहर (Notable Towns)** – वैदिक काल के दौरान शिक्षा के उल्लेखनीय केंद्रों में तक्षशिला, पाटलिपुत्र, मिथिला, धार, कन्नौज, कैकय, कल्याणी, तंजौर और कांची शामिल थे।

- **उल्लेखनीय तीर्थ केंद्र (Notable Pilgrimage Centres)** - प्रयाग, काशी, अयोध्या, उज्जयिनी , नासिक, कर्नाटक और कांची जैसे तीर्थ केंद्र भी अपनी धार्मिक महत्ता के साथ-साथ शिक्षा के प्रसिद्ध केंद्र बनकर उभरे।

2. **परिषदें (Parishads)** - परिषदें उच्चतर शिक्षा और विद्वतापूर्ण चर्चाओं के मंच थे। ये ऐसे केंद्र थे जहां दार्शनिक, धर्मशास्त्री और विधि विद्वान शास्त्रार्थ करते थे और अपने विचारों का आदान-प्रदान करते थे। तमिलनाडु में संगम एक उल्लेखनीय परिषद थी।
3. **गोष्ठी (Goshthi)** - यह राजाओं द्वारा आयोजित राष्ट्रीय सम्मेलन थे, जहां विभिन्न विषयों के विद्वान शास्त्रार्थ और चर्चा करते थे।
4. **आश्रम (Ashramas)** - आश्रम ऋषियों (जैसे प्रयाग में भारद्वाज) द्वारा चालित आश्रय स्थल या आध्यात्मिक निवास थे, जो विविध शिक्षा प्रदान करते थे। इनमें वैदिक अध्ययन और दर्शन शामिल थे। छात्र ऋषियों के मार्गदर्शन में अनुशासित जीवन जीते थे, जिसमें वे न केवल शैक्षणिक ज्ञान बल्कि नैतिक और आचार संबंधी सिद्धांत भी सीखते थे।
5. **विद्यापीठ (Vidyapeetha)** - विद्यापीठ प्रसिद्ध विद्वानों द्वारा स्थापित शैक्षिक संस्थान थे, जैसे श्री शंकराचार्य द्वारा श्रृंगेरी और पुरी में पीठ। ये आध्यात्मिक शिक्षा में विशेषज्ञता रखते थे, जिसमें वेदांत, शास्त्र और दार्शनिक सिद्धांतों की शिक्षा प्रदान करते थे।
6. **ब्रह्मपुरी (Brahmapuris)** - ब्रह्मपुरी वे बस्तियाँ थीं जहाँ शहरों और कस्बों में विद्वान ब्राह्मण निवास किया करते थे।
7. **अग्रहारा (Agraharas)** - ये गाँव या आवासीय परिसर थे, जो राजाओं या धनी व्यक्तियों द्वारा विद्वान ब्राह्मणों को प्रदान किये जाते थे। यहाँ ब्राह्मण पढ़ाते और अपने धार्मिक कर्तव्यों का पालन करते थे। ये संपूर्ण भारत से शिक्षार्थियों को आकर्षित करते थे। इन्होंने विशेष रूप से ग्रामीण क्षेत्रों में ज्ञान का प्रसार करने और सांस्कृतिक परंपराओं को संरक्षित करने में महत्वपूर्ण भूमिका निभाई।
8. **घटिका (Ghatikas)** - घटिका, (मुख्यत: दक्षिण भारत में), शैक्षिक संस्थान थे, जो अक्सर मंदिरों के पास स्थित होते थे। यहाँ विद्वान और शिक्षार्थी विद्वतापूर्ण चर्चाओं, शास्त्रार्थों और बौद्धिक प्रयासों के लिए एकत्रित होते थे। ये शिक्षा और बौद्धिक विनिमय के केंद्र के रूप में कार्य करते थे, जो एक जीवंत शैक्षणिक वातावरण को बढ़ावा देते थे।
9. **मठ (Mathas)** - मठ धार्मिक संस्थान थे जो शैव और वैष्णव संप्रदायों से जुड़े थे। ये अक्सर मंदिरों के पास स्थित होते थे।

सिनेमैटिक कनेक्शन

रामानंद सागर और बी. आर. चोपड़ा द्वारा क्रमश: निर्मित रामायण (1987) और महाभारत (1988) के टीवी धारावाहिकों में प्राचीन भारतीय गुरुकुल प्रणाली को खूबसूरती से चित्रित किया गया है, जिसमें शैक्षिक और नैतिक शिक्षाओं पर जोर दिया गया है।

रामायण में, भगवान राम की ऋषि विश्वामित्र के मार्गदर्शन में गुरुकुल के समय का विस्तार से वर्णन किया गया है। राम, अपने भाइयों के साथ, बारह वर्षों तक विश्वामित्र के गुरुकुल में रहे, जहाँ उन्होंने पवित्र शास्त्र, युद्ध कला और नैतिक सिद्धांत सीखे।

महाभारत में भी, विशेष रूप से द्रोणाचार्य द्वारा कौरव और पांडव राजकुमारों के प्रशिक्षण के चित्रण में गुरुकुल प्रणाली को रेखांकित किया गया है। प्रसिद्ध पक्षी की आँख की कहानी इस प्रशिक्षण को दर्शाती है जिसमें द्रोणाचार्य ने अपने छात्रों को एक पेड़ पर ऊँचाई पर रखे लकड़ी के पक्षी की आँख पर निशाना साधने की चुनौती दी। उन्होंने प्रत्येक राजकुमार से पूछा कि वे क्या देख सकते हैं, और जबकि कई शिष्यों ने पेड़, पत्तियाँ या शाखाएँ कहा, अर्जुन, जो अपने ध्यान और कौशल के लिए प्रसिद्ध थे, ने उत्तर दिया कि उन्हें केवल पक्षी की आँख दिखायी दे रही है। यह तीरंदाजी में आवश्यक सटीकता और ध्यान के महत्व को रेखांकित करता है और उस युग के गुरुकुलों में प्रदान किये गये विस्तृत प्रशिक्षण का उदाहरण भी है।

इन टीवी धारावाहिकों ने न केवल इन महाकाव्य कथाओं को जीवंत किया बल्कि प्राचीन भारत की समृद्ध सांस्कृतिक विरासत और शैक्षिक प्रणालियों का भी गुणगान किया, जिससे दर्शकों पर इसका स्थायी प्रभाव पड़ा।

संस्कार (Ceremonies)

वैदिक शिक्षा में विभिन्न संस्कार शामिल थे जो किसी भी शिक्षार्थी की शैक्षिक यात्रा के महत्वपूर्ण मील के पत्थर हुआ करते थे। ये संस्कार आध्यात्मिक और सांस्कृतिक परंपराओं में गहराई से निहित थे, जो किसी के जीवन में शिक्षा के महत्व को उजागर करते थे।

1. **विद्यारंभ (Vidyarambha) (5 वर्ष की आयु)** - इसे 'अक्षर स्वीकरण' या 'दीक्षारंभ' के नाम से भी जाना जाता है। यह संस्कार बच्चे की शिक्षा की औपचारिक शुरुआत को दर्शाता है। इसमें बच्चे को अक्षर ज्ञान और सीखने की शुरूआत शामिल थी। इस संस्कार के दौरान बच्चा आमतौर पर अपना पहला अक्षर या शब्द लिखता था, जो उसकी शैक्षिक यात्रा की शुरुआत का प्रतीक था।
2. **उपनयन (Upanayana) (8-12 वर्ष की आयु)** - उपनयन संस्कार वैदिक शिक्षा में औपचारिक दीक्षा थी।
   - इसमें यज्ञोपवीत धारण करना शामिल था और यह छात्र के गुरुकुल में प्रवेश का प्रतीक था।
   - यह संस्कार औपचारिक शिक्षा की शुरुआत और सीखने एवं आध्यात्मिक विकास के प्रति छात्र की प्रतिबद्धता को दर्शाता है।
   - यह संस्कार छात्र के दूसरे जन्म का प्रतीक था। यह जन्म ज्ञान की दुनिया में उसके जन्म को दर्शाता है। पहला जन्म जैविक माता-पिता से होता है और दूसरा आध्यात्मिक गुरु और वैदिक ज्ञान से होता है। इस प्रकार, गुरु के घर में, शिक्षार्थी दूसरे जन्म अनुभव कर, 'द्विज' (द्विज) बन जाता है।
   - इस चरण में छात्र को 'ब्रह्मचारी' (ब्रह्मचर्य और अध्ययन का काल) कहा जाता था।
   - अपनी शिक्षा पूरी करने के बाद, ब्रह्मचारी (ब्रह्मचारी) 'गृहस्थ' बन सकता था।
   - बौद्ध शिक्षा प्रणाली में, यह कदम घर छोड़कर मठ जाने का था।

3. **मेधा ज्ञान (Medha Jnana) (उपनयन के 3 दिन बाद)** - इसे बालक के आध्यात्मिक जन्म के रूप में जाना जाता है। यह संस्कार उपनयन के तीन दिन बाद होता है। यह गहन आध्यात्मिक शिक्षा और चिंतन की अवधि थी, जो ज्ञान और बुद्धि के जीवन में छात्र के पुनर्जन्म का प्रतीक थी।
4. **उत्सर्जन (Utsarjan) संस्कार** - यह संस्कार शैक्षणिक सत्र के समापन का प्रतीक था। यह सीखने के एक चरण की समाप्ति का उत्सव मनाने और शिक्षा के अगले चरण की तैयारी करने का समय था। इस संस्कार में अनुष्ठान और भेंट देना शामिल था, जो सत्र के दौरान प्राप्त ज्ञान के प्रति आभार व्यक्त करने को दर्शाता था।
5. **समावर्तन (Samavartana) संस्कार** - समावर्तन संस्कार विदाई संस्कार (दीक्षांत भाषण) था, जो औपचारिक शिक्षा की अवधि समाप्त होने का प्रतीक था। यह एक महत्वपूर्ण मील का पत्थर था जहां शिक्षार्थी अपना अध्ययन पूरा कर समाज में शिक्षित व्यक्ति के रूप में लौटने के लिए तैयार होते थे। इस संस्कार में अक्सर छात्रों की प्रतिज्ञाएँ शामिल होती थीं कि वे अपने ज्ञान का उपयोग समाज की भलाई के लिए करेंगे और अपनी शिक्षा के दौरान सीखे गये मूल्यों और सिद्धांतों को बनाए रखेंगे।

शिक्षा के चरण (Educational Stages)

प्राचीन भारतीय शिक्षा प्रणाली में, वसु, रुद्र और आदित्य चरण का सन्दर्भ गुरुकुल प्रणाली में अधिगम के प्रगतिशील चरणों और विद्यार्थी द्वारा प्राप्त महारत से हैं। ये चरण वैदिक देवताओं से रूपक रूप से जुड़े हुए हैं, जो ज्ञान और उपलब्धि के विभिन्न स्तरों का प्रतिनिधित्व करते हैं।

1. **वसु (Vasu):** जिन विद्यार्थियों ने 24 वर्ष का पाठ्यक्रम या किसी भी 2 वेदों का अध्ययन पूर्ण किया हो।
2. **रुद्र (Rudra):** जिन विद्यार्थियों ने 36 वर्ष का पाठ्यक्रम या किसी भी 3 वेदों का अध्ययन पूर्ण किया हो।
3. **आदित्य (Aditya):** जिन विद्यार्थियों ने 48 वर्ष का पाठ्यक्रम या सभी 4 वेदों का अध्ययन पूर्ण किया हो।

शिक्षकों के प्रकार (Types of Teachers)

1. **आचार्य (Acharya)** - आचार्य अत्यधिक सम्मानित शिक्षक थे जो वेदों और अन्य पवित्र ग्रंथों में विशेषज्ञता रखते थे। उन्होंने निःस्वार्थ भाव से, बिना शुल्क लिए, ज्ञान प्रदान किया।
2. **उपाध्याय (Upadhyaya)** - उपाध्याय वे शिक्षक थे जो वेदों या वेदांगों जैसे व्याकरण, ध्वन्यात्मकता आदि के विशिष्ट भागों पर ध्यान केंद्रित करते थे। आचार्यों के विपरीत, वे शिक्षण के माध्यम से अपनी आजीविका कमाते थे।
3. **गुरु (Guru)** - गुरु घरेलू शिक्षक थे जो गुरुकुल प्रणाली के भीतर नैतिक, आध्यात्मिक और अकादमिक शिक्षा में छात्रों का मार्गदर्शन करते थे।
4. **शिक्षिका (Shikshika)** - शिक्षिकाएँ नृत्य, संगीत, चित्रकला और अन्य सांस्कृतिक परंपराओं जैसी कलाओं में कुशल प्रशिक्षक थीं।
5. **चरक (Charakas)** - चरक घुमंतू विद्वान थे जो उच्च ज्ञान की खोज में व्यापक रूप से यात्रा करते थे। उन्होंने विभिन्न क्षेत्रों के बीच विचारों और अधिगम के आदान-प्रदान की सुविधा प्रदान की।
6. **यौजनसती (Yaujanasati)** - यौजनसती वे विद्वान थे जो विशिष्ट विषयों में अपने गहन ज्ञान के लिए जाने जाते थे। इनके पास ज्ञानार्जन हेतु ऐसे शिक्षार्थी आते थे, जिन्हें विशेष शिक्षा और विशेषज्ञता की तलाश थी।

शिक्षण के तरीके (Methods of Instructions)

प्राचीन वैदिक शिक्षा में, शिक्षकों द्वारा छात्रों को पढ़ाने के तीन मुख्य तरीके थे-

1. **श्रवण (Sravana)** - छात्र अपने शिक्षक की बातों को ध्यानपूर्वक सुनते थे, शिक्षाओं को समझने के लिए पूरी तरह से ध्यान देते थे।
2. **मनन (Manana)** - सुनने के बाद, छात्र जो सीखते थे, उस पर गहराई से मनन करते थे। वे उन शिक्षाओं को पूरी तरह से समझने के लिये चिंतन करते थे।
3. **निदिध्यासन (Nididhyasana)** - यह सीखने का उच्चतम स्तर था (जैसा कि अध्याय 1 में चर्चा किये गये शिक्षण के चिंतन स्तर के समान)। छात्र गहन ध्यान और चिंतन का अभ्यास करते थे ताकि उन्होंने जो ज्ञान प्राप्त किया था उसे गहराई से आत्मसात कर सके और व्यवहार में ला सकें।

छात्र-केंद्रित शिक्षण (Student-Centric Teaching) - प्राचीन भारत में शिक्षा व्यक्तिगत थी, बड़े समूहों (जनसमूह) में पढ़ाने के बजाय छात्रों को व्यक्तिगत रूप से पढ़ाने पर ध्यान केंद्रित किया जाता था। इस छात्र-केंद्रित शिक्षा प्रणाली में प्रत्येक छात्र की प्रगति और समझ को अत्यधिक महत्व दिया जाता था।

मूल्यांकन प्रणाली (Evaluation System)

प्राचीन समय में, इस बात का स्पष्ट उल्लेख नहीं है कि शिक्षक अपने छात्रों के ज्ञान की पर्याप्तता का मूल्यांकन कैसे करते थे। यद्यपि, यास्क और सायण जैसे टिप्पणीकारों ने ऋग्वेद के मंत्रों से यह निष्कर्ष निकाला है कि छात्रों को उनकी क्षमताओं के आधार पर तीन श्रेणियों में वर्गीकृत किया गया था-

1. **महान प्रज्ञा (Great Wisdom)** - यह श्रेणी उन छात्रों के लिए थी जिन्होंने विषयों की असाधारण समझ और महारत का प्रदर्शन किया हो। जिन्होंने गहरी अंतर्दृष्टि, विश्लेषणात्मक क्षमताएँ और अपने ज्ञान को प्रभावी ढंग से लागू करने की क्षमता का प्रदर्शन किया हो। इस श्रेणी के छात्रों को अत्यधिक ज्ञानी और बुद्धिमान माना जाता था।
2. **मध्यम प्रज्ञा (Moderate Wisdom)** - यह श्रेणी ऐसे छात्रों के लिए थी, जिन्हें विषयों की अच्छी समझ थी और जिनके पास समझ और अनुप्रयोग का पर्याप्त स्तर था। यद्यपि वे महाप्रज्ञा के असाधारण स्तर तक नहीं पहुंचे थे, परंतु वे अपने अध्ययन में सक्षम और कुशल थे।
3. **अल्प प्रज्ञा (Limited Wisdom)** यह श्रेणीऐसे छात्रों के लिए थी जिन्होंने विषयों में बुनियादी या सीमित समझ का प्रदर्शन किया। वे अपने ज्ञान को पूरी तरह से समझने और लागू करने में संघर्ष कर रहे थे। यद्यपि, ऐसा मानना था कि इस श्रेणी के शिक्षार्थियों में सुधार और विकास की संभावना थी।

क्विज स्टेशन *विगत UGC NET परीक्षाओं के प्रश्न*

प्र 1. बाणभट्ट की कादंबरी में, अच्छी शिक्षा को 64 कलाओं के ज्ञान के रूप में वर्णित किया गया है। इन 64 कलाओं में निम्नलिखित में से कौन से विषय शामिल थे?

(a) केवल गायन और चित्रकला जैसी कलाएँ।

(b) केवल कला और व्यावसायिक पाठ्यक्रम।

(c) कला, व्यावसायिक पाठ्यक्रम और चिकित्सा।

(d) कला, व्यावसायिक पाठ्यक्रम, इंजीनियरिंग, चिकित्सा, गणित, विज्ञान और कई अन्य विषय।

उत्तर 1. (d)

कॉन्सेप्ट कैप्सूल

प्राचीन भारत में महिला शिक्षा (Women Education in Ancient India)

वैदिक काल के दौरान, महिलाओं का अत्यधिक सम्मान था और उन्हें पुरुषों के समान शिक्षा और महत्वपूर्ण भूमिकाओं के अवसर मिलते थे। वे वेदों का अध्ययन कर सकती थीं और प्रशासनिक कर्तव्यों को निभा सकती थीं। महिला ऋषियों, जिन्हें 'ऋषिकाएँ' और 'ब्रह्मवादिनियाँ' कहा जाता था, ने पुरुषों के समान 'ब्रह्मचर्य' के अनुशासन का पालन करते हुए शिक्षा अर्जित करती थी। उदाहरण के लिए, ऋग्वेद में उल्लेख है कि युवा महिलाएँ विवाह से पहले 'ब्रह्मचारिणी' के रूप में अपनी शिक्षा पूर्ण करती थीं। यह उनके पारिवारिक जीवन के साथ शिक्षा के एकीकरण का प्रतीक था, जैसे नदियाँ महासागरों में मिल जाती हैं। यह दर्शाता है कि वैदिक समाज महिलाओं के बौद्धिक और सामाजिक योगदान को महत्व देता था।

वैदिक युग की विदूषी महिलाएं (Women Scholars of Vedic Era)

- अपाला
- गार्गी
- मैत्रेयी
- विश्ववारा
- देवयानी
- घोषा
- लोपामुद्रा
- इंद्राणी
- जटिला
- सावित्री
- जुहू
- यामी
- शरंगा
- पौलोमी
- रोमशा
- उर्वशी
- गौतमी

क्या आप जानते हैं

भारत में विभिन्न क्षेत्रों में उत्कृष्ट उपलब्धियों को मान्यता प्रदान करने के लिये महिलाओं को प्रतिष्ठित सम्मान गार्गी पुरस्कार दिया जाता है। इसका नाम गार्गी के नाम पर रखा गया है, जो वैदिक ग्रंथों में उल्लिखित एक प्राचीन भारतीय दार्शनिक थीं।

30.5 जैन धर्म–भूमिका (Introduction to Jainism)

जैन दर्शन की प्राचीन जड़ें प्रागैतिहासिक काल से जुड़ी हैं। इसे आध्यात्मिक शिक्षकों द्वारा स्थापित किया गया था जिन्हें तीर्थंकर कहा जाता है। इन्होंने आध्यात्मिक ज्ञान प्राप्त किया और दूसरों को जन्म और मृत्यु (संसार) के चक्र से मुक्ति का मार्ग सिखाया। जैन धर्म में 24 तीर्थंकर हुये हैं, जिनमें ऋषभनाथ पहले और महावीर अंतिम तीर्थंकर हैं। महावीर का जन्म 599 ईसा पूर्व में कुंडग्राम, बिहार में हुआ था और वे जैन धर्म में केंद्रीय व्यक्तित्व हैं। जैन धर्म के बारे में याद रखने के लिए यहां कुछ मुख्य बिंदु दिये गये हैं-

1. **जैन का अर्थ (Meaning of Jain)** - इसका तात्पर्य है इच्छाओं पर विजय प्राप्त करना, जो सांसारिक आसक्तियों को दूर करने पर जोर देता है।
2. **प्रतीक (Emblem)** - जैन धर्म का प्रतीक एक सिंह है, जो शक्ति का प्रतिनिधित्व करता है।
3. **भाषा (Language)** - अधिकांश प्राचीन जैन साहित्य प्राकृत में हैं, जो प्रारंभिक भारतीय भाषा है।
4. **पवित्र पुस्तकें (Holy Books)** - जैन धर्म के पवित्र ग्रंथ अंग हैं जिनमें शिक्षाएं और दर्शन शामिल हैं। इनमें जैन धर्म के अभ्यास और विश्वास का मूल दिया गया है।

5. **मंदिर (Temples)** – जैन मंदिर या मठ को बसदी कहा जाता है। जहाँ भक्त और साधु पूजा और अनुष्ठान करते हैं।
6. **पवित्र स्थान (Sacred Places)** – सप्तभंगी या सप्त पुरी जैन धर्म के अत्यधिक पूजनीय तीर्थ स्थल हैं जिनमें अयोध्या, उज्जैन, मथुरा, द्वारका, काशी और कांचीपुरम शामिल हैं।

जैन धर्म की शाखाएँ (Branches of Jainism)

जैन धर्म, कई अन्य धार्मिक परंपराओं की तरह, विभिन्न शाखाओं (जिन्हें संप्रदाय भी कहा जाता है) में विकसित हुआ है जो जैन शिक्षाओं की मान्यताओं, प्रथाओं और व्याख्याओं में भिन्नता के कारण समय के साथ विकसित हुई हैं। जैन धर्म के भीतर दो मुख्य संप्रदाय हैं–

1. **सफेद कपड़े पहनने वाले Wearers of White Clothes (Svetambaras - श्वेतांबर)** – 'वेतांबर जैन धर्म का एक समूह है जहाँ साधु और साध्वियाँ सफेद कपड़े पहनते हैं ताकि यह दिखाया जा सके कि वे सांसारिक चीजों से अलग हैं। वे जैन शिक्षाओं की अपनी तरह से व्याख्या करते हैं, जो दिगंबरों से अलग है।
2. **आकाशवासी/नग्न Sky-Clad (Digambaras - दिगंबर)** – दिगंबर जैन धर्म का एक और समूह है, जहाँ साधु सभी संपत्तियों, यहाँ तक कि कपड़ों को भी त्याग देते हैं ताकि वे पूर्णत: सांसारिक वस्तुओं से अलगाव रख सके। वे श्वेतांबरों की तुलना में आध्यात्मिक अनुशासन के एक सख्त रूप का पालन करते हैं।

जैन धर्म के मुख्य दर्शन (Core Philosophies of Jainism)

जैन शिक्षा न केवल दार्शनिक अवधारणाओं और नैतिक सिद्धांतों का ज्ञान प्रदान करती है बल्कि बल्कि यह छात्रों को अन्य लोगों और उनके आस-पास की दुनिया के प्रति दृष्टिकोण, व्यवहार और परस्पर क्रियाओं के माध्यम से इन शिक्षाओं को आत्मसात करने के लिए भी प्रोत्साहित करती है। इस अवधि के दौरान छात्रों को निम्नलिखित दर्शन सिखाए गये थे–

1. **अनेकांतवाद (Non-Absolutism)** – जैन शिक्षा इस तथ्य के माध्यम से कि 'सत्य बहुआयामी है और इसे पूरी तरह से केवल प्रबुद्ध प्राणी ही समझ सकते हैं' अनेकांतवाद को अपनाती है। यह छात्रों को विविध दृष्टिकोणों की सराहना करने और कठोर, निरपेक्ष सोच से बचने के लिए प्रोत्साहित करता है।
2. **स्यादवाद (Conditioned Predication)** – जैन शिक्षा में स्यादवाद महत्वपूर्ण है क्योंकि यह सिखाता है कि सत्य संदर्भात्मक है और यह विशिष्ट परिस्थितियों और दृष्टिकोणों पर निर्भर करता है। यह वास्तविकता को समझने में आलोचनात्मक सोच और विनम्रता को प्रोत्साहित करता है।
3. **नयवाद (Partial Standpoint)** – जैन शिक्षा, इस बात पर जोर देकर कि सत्य सापेक्ष है और इसे विभिन्न दृष्टिकोणों से देखा जा सकता है, नयवाद को शामिल करती है। यह छात्रों के बीच विभिन्न विचारों के प्रति सहिष्णुता और सम्मान को बढ़ावा देता है।

सप्तभंगी (Sevenfold Predication) – यह अवधारणा, जो नयवाद से जुड़ी हुई है, यह बताती है कि किसी भी कथन को सात विभिन्न कोणों से देखा जा सकता है और प्रत्येक कोण सत्य के एक अलग पहलू को प्रकट करता है। यह कथनों की सशर्त और सापेक्ष प्रकृति को रेखांकित करता है।

जैन शिक्षा प्रणाली में सिखाए गये सिद्धांत (Principles Taught in Jain Education System)

1. **अहिंसा (Non-Violence)** – अहिंसा का अर्थ है किसी भी जीवित प्राणी को क्रिया, शब्द या विचार, किसी भी माध्यम से हानि नहीं पहुँचाना। यह सभी प्राणियों के प्रति दया और करुणा को बढ़ावा देता है।
2. **सत्य (Truth)** – सत्य का तात्पर्य है अपने शब्दों और कार्यों में सच्चाई रखना। इसका अर्थ है बिना धोखे या झूठ के, ईमानदारी से बोलना और जीना।
3. **अस्तेय (Non-Stealing)** – अस्तेय का तात्पर्य है जो आपका नहीं है उसे नहीं लेना। यह दूसरों की संपत्ति और वस्तुओं का सम्मान करने और दूसरों के पास जो है उसे न चाहने तक विस्तारित है।
4. **अपरिग्रह (Non-Possession)** – अपरिग्रह का तात्पर्य है भौतिक वस्तुओं और सांसारिक संपत्तियों से अनासक्ति। यह जीवनशैली में सादगी और संयम को प्रोत्साहित करता है, अत्यधिक इच्छाओं और लालच से खुद को मुक्त करता है।
5. **ब्रह्मचर्य (Celibacy)** – ब्रह्मचर्य का पारंपरिक अर्थ है ब्रह्मचर्य या यौन गतिविधि से परहेज करना। इसका तात्पर्य है अपनी इंद्रियों और विचारों को नियंत्रित करना, शारीरिक सुखों में लिप्त होने के बजाय आध्यात्मिक साधनाओं पर ध्यान केंद्रित करना।

जैन आचार (Jain Ethics) (तीन रत्न या त्रिरत्न/Three Gems)

इस अवधि के दौरान स्कूलों और शैक्षणिक संस्थानों ने अपने पाठ्यक्रम में 'तीन रत्न' या त्रिरत्न (सम्यक दर्शन, सम्यक ज्ञान और सम्यक आचरण) की शिक्षाओं को शामिल किया–

1. **सम्यक दर्शन (Right Faith)** – इसका तात्पर्य है जैन शिक्षाओं में सम्यक विश्वास या आस्था रखना। इसमें अहिंसा और आध्यात्मिक मुक्ति जैसे जैन सिद्धांतों को समझना और स्वीकार करना शामिल है।
2. **सम्यक ज्ञान (Right Knowledge)** – इसका तात्पर्य है सीखने और आत्म-साक्षात्कार के माध्यम से सच्चे ज्ञान को प्राप्त करना। इसमें वास्तविकता की प्रकृति, कर्म (क्रियाएं और उनके परिणाम) और आध्यात्मिक ज्ञान के मार्ग को समझना शामिल है।
3. **सम्यक चरित्र (आचरण) (Right conduct)** – जैन शिक्षा सम्यक चरित्र पर जोर देती है। यह छात्रों को जैन सिद्धांतों, जिसमें अहिंसा, सत्य, अस्तेय, अपरिग्रह और कुछ मामलों में दैनिक जीवन में ब्रह्मचर्य, के अनुसार नैतिक रूप से जीने के लिए मार्गदर्शन करती है।

शैक्षिक विधियाँ (Educational Methods)

1. **वाचन (Reading)** – धार्मिक शिक्षाओं और सिद्धांतों को समझने के लिए आगम जैसे शास्त्रों का अध्ययन करना जैन शिक्षा में मूलभूत है।
2. **प्रच्छन (Questioning)** – शंकाओं का समाधान करने और समझ को गहरा करने के लिए प्रश्न पूछने और संवाद करने को प्रोत्साहित किया जाता है।

3. **अनुप्रेक्षा (Reflection)** - जो सीखा गया है उस पर गंभीरता से विचार करना। इसमें आत्म-चिंतन और गहरी अंतर्दृष्टि को बढ़ावा देना शामिल है।
4. **अम्हाया (Analysis)** - जटिल विषयों को छोटे-छोटे भागों में व्यवस्थित रूप से विभाजित करना ताकि अध्ययन और गहन समझ में सुविधा हो सके।
5. **धर्मपालेसा (Propagation of Teachings)** - जैन शिक्षाओं का व्यापक रूप से प्रचार-प्रसार करना। इसमें भिक्षु और विद्वान अहिंसा और नैतिक सिद्धांत आधारित जीवन जैसे सिद्धांतों को बढ़ावा देते हैं।

30.6 बौद्ध धर्म का परिचय (Introduction to Buddhism)

बौद्ध धर्म एक आध्यात्मिक और दार्शनिक परंपरा है जो प्राचीन भारत में लगभग 6वीं शताब्दी ईसा पूर्व में सिद्धार्थ गौतम, जिन्हें बुद्ध के नाम से जाना जाता है, की शिक्षाओं के साथ उत्पन्न हुई थी। सिद्धार्थ गौतम, जिनका जन्म लगभग 563 ईसा पूर्व हुआ था, बौद्ध धर्म के संस्थापक थे।

चित्र 30.4 गौतम बुद्ध

गौतम बुद्ध का जीवन (Life of Gautam Buddha)

1. **जन्म** - गौतम बुद्ध का जन्म हिमालय की तलहटी के पास एक छोटे से राज्य में एक शाही परिवार में हुआ था। उन्होंने विलासिता में जीवन बिताया लेकिन उन्हें महल के बाहर की दुनिया के बारे में जिज्ञासा हुयी।
2. **महाभिनिष्क्रमण (Great Departure)** - 29 वर्ष की आयु में, सिद्धार्थ ने आध्यात्मिक सत्य की खोज करने और दुख के स्वभाव को समझने के लिये अपना शाही जीवन, अपनी पत्नी और पुत्र को छोड़ दिया।
3. **निर्वाण (Enlightenment)** - सिद्धार्थ ने 35 वर्ष की आयु में बोधगया में एक बोधि वृक्ष के नीचे गहन ध्यान के बाद ज्ञान प्राप्त किया और चार आर्य सत्य और दुख को समाप्त करने का मार्ग समझा।
4. **धम्मचक्रप्रवर्तन (First Sermon)** - बुद्ध ने अपना शेष जीवन धर्म (अपने उपदेश) को शिष्यों को सिखाने में बिताया। सारनाथ के मृगदाव में उनका पहला उपदेश पाँच आर्य सत्य और अष्टांगिक मार्ग का परिचय था।
5. **संघ की स्थापना (Establishing the Sangha)** - बुद्ध के कई अनुयायी बने, जिन्होंने संघ का निर्माण किया। ये नैतिक जीवन, ध्यान और उनके उपदेशों का प्रचार-प्रसार करने वाले भिक्षुओं और भिक्षुणियों का समुदाय था।
6. **महापरिनिर्वाण (Passing Away)** - 80 वर्ष की आयु में, बुद्ध ने कुशीनगर में शांतिपूर्वक महापरिनिर्वाण प्राप्त किया, जो जन्म और मृत्यु के चक्र (संसार) से मुक्ति का प्रतीक है।

बुद्ध से जुड़े प्रतीक (Symbols Associated with Buddha)

1. **कमल** - पवित्रता और आध्यात्मिक जागृति का प्रतीक।
2. **बैल** - शक्ति और स्थिरता का प्रतिनिधित्व करता है।
3. **बोधि वृक्ष** - वह अंजीर का पेड़ जिसके नीचे बुद्ध ने ज्ञान प्राप्त किया।
4. **चक्र (धर्म चक्र)** - बुद्ध के उपदेशों, अष्टांगिक मार्ग और जीवन के चक्र का प्रतीक।
5. **स्तूप** - एक स्तूप एक बड़ा टीला होता है जिसमें बुद्ध के अवशेष या शरीर का कोई भाग होता है। यह एक पवित्र स्थान है जहां बौद्ध प्रार्थना करने और शांति पाने के लिए जाते हैं।

बौद्ध धर्म की मुख्य शिक्षाएं (Core Teachings of Buddhism)

बौद्ध धर्म एक आध्यात्मिक परंपरा है जो दुख को समझकर और उसे दूर करके शांति और खुशी पाने का तरीका सिखाती है। यहाँ इसकी मुख्य शिक्षाएं हैं-

1. **चार आर्य सत्य (The Four Noble Truths)** -
    - **दुःख (Suffering)** - जीवन में दर्द, असंतोष और अस्थिरता शामिल है।
    - **समुदय (दुख का कारण) (Cause of Suffering)** - हम दुखी होते हैं क्योंकि हम चीजों की लालसा करते हैं या उन्हें छोड़ना नहीं चाहते हैं।
    - **निरोध (दुख का अंत) (End of Suffering)** - लालसाओं और आसक्तियों को छोड़कर दुख को समाप्त करना संभव है।
    - **मार्ग (दुख को समाप्त करने का मार्ग) (Path to End Suffering)** - अष्टांगिक मार्ग हमें बताता है कि हम किस प्रकार बुद्धिमानी और करुणा से जीवन जीयें कि हमें दुख से मुक्ति मिल सकें।

2. **अष्टांगिक मार्ग (Noble Eightfold Path)** - इसमें सम्यक दृष्टि, सम्यक संकल्प, सम्यक वाणी, सम्यक कर्म, सम्यक आजीविका, सम्यक प्रयास, सम्यक स्मृति और सम्यक समाधि शामिल हैं। इस मार्ग का पालन करने से संतुलित और नैतिक जीवन जीने में मदद मिलती है, जिससे आंतरिक शांति और ज्ञान की प्राप्ति होती है।
3. **निर्वाण (Nirvana)** - निर्वाण बौद्ध धर्म में अंतिम लक्ष्य है, जो गहन शांति और दुख से मुक्ति की स्थिति है। इसे बुद्ध की शिक्षाओं का पालन करके और ध्यान एवं जागरूकता का अभ्यास करके प्राप्त किया जा सकता है।

बौद्ध धर्म के तीन स्तंभ (Three Pillars of Buddhism)

1. **धम्म (Dhamma)** - बुद्ध की शिक्षाएं। इनमें चार आर्य सत्य और अष्टांगिक मार्ग शामिल हैं। (अगले खंड में इस पर विस्तार से चर्चा की गयी है)।
2. **संघ (Sangha)** - बौद्ध भिक्षुओं और भिक्षुणियों का समुदाय।
3. **बुद्ध (Buddha)** - वह प्रबुद्ध शिक्षक जो मुक्ति के मार्ग का उदाहरण प्रस्तुत करते हैं।

हीरा त्रिकोण (Diamond Triangle): ओडिशा में 'हीरा त्रिकोण' है, जिसमें रत्नागिरी, ललितगिरी और उदयगिरी के बौद्ध स्थल शामिल हैं। ये स्थान अपने प्राचीन मठों, स्तूपों और बौद्ध कलाकृतियों के समृद्ध संग्रह के लिए जाने जाते हैं, जो बौद्ध धर्म में इस क्षेत्र के ऐतिहासिक महत्व को उजागर करते हैं।

बौद्ध संगीति परिषदें (Buddhist Councils)

बौद्ध संगीति बौद्ध भिक्षुओं और नेताओं की महत्वपूर्ण बैठकें थीं जो विभिन्न समयों पर बुद्ध की शिक्षाओं पर चर्चा करने, विवादों को सुलझाने और बुद्ध की शिक्षाओं को संरक्षित करने के लिए आयोजित की गयी थीं। प्रत्येक परिषद द्वारा किये गये कार्य निम्नवत हैं:-

1. **प्रथम संगीति (486 ईसा पूर्व)** - यह बुद्ध की मृत्यु के तुरंत बाद हुई। भिक्षु उनकी शिक्षाओं को त्रिपिटक में संकलित करने के लिए एकत्रित हुए। - त्रिपिटक एक संग्रह है, जिसमें भिक्षुओं के लिए नियम (विनय पिटक) और बुद्ध के प्रवचन (सुत्त पिटक) शामिल है।
2. **द्वितीय संगीति (383 ईसा पूर्व)** - भिक्षु नियमों और प्रथाओं के बारे में असहमति को सुलझाने के लिए मिले, जिससे दो मुख्य समूहों - थेरवाद और महासांघिक में विभाजन हुआ। यह बौद्ध धर्म में प्रारंभिक विभाजन था।
3. **तृतीय संगीति (250 ईसा पूर्व)** - सम्राट अशोक ने बौद्ध विचारों को स्पष्ट करने और अभिधम्म पिटक नामक अधिक विस्तृत पुस्तक बनाने के लिए इस संगीति का आयोजन किया। परिषद का प्राथमिक उद्देश्य संघ को शुद्ध करना तथा बौद्ध धर्म के प्रसार को बढ़ावा, विशेष रूप से मिशनरी कार्यों के माध्यम से, देना था।
4. **चौथी संगीति (प्रथम शताब्दी ईस्वी)** - कनिष्क ने इस परिषद का आयोजन शिक्षाओं को मानकीकृत करने और शास्त्रों को संरक्षित करने के लिए किया था। इसने बौद्ध धर्म की हीनयान (थेरवाद) और महायान शाखाओं के बीच अंतर को भी देखा। आइए इन दो शाखाओं के बारे में विस्तार से जानते हैं:-

- **हीनयान (Hinayana)** - हीनयान, जिसे अक्सर थेरवाद ('बुजुर्गों की शिक्षा' या लघु वाहन) कहा जाता है, व्यक्तिगत ज्ञान पर केंद्रित है। इसके अनुयायी बुद्ध की मूल शिक्षाओं का पालन करके ज्ञान प्राप्त करने का लक्ष्य रखते हैं। वे सरल, मठवासी जीवन जीते हैं और बहुत ध्यान करते हैं। हीनयान मूर्ति पूजा में शामिल नहीं होते हैं और पाली भाषा में लिखे गये शास्त्रों का उपयोग करते हैं।
- **महायान (Mahayana)** - इसका उद्देश्य सभी को ज्ञान प्राप्त करने में मदद करना है। यह बोधिसत्वों (ज्ञान प्राप्त प्राणी जो दूसरों को ज्ञान प्राप्त करने के मार्ग में सहायता करते हैं) के विचारों को प्रस्तुत करता है। महायान शाखा में प्रार्थना, अनुष्ठान और बुद्ध एवं बोधिसत्वों की पूजा जैसी प्रथाएं शामिल हैं, जिससे मूर्ति पूजा महत्वपूर्ण हो जाती है। यह महायान सूत्र नामक अतिरिक्त शास्त्रों का उपयोग करता है, जिनकी शिक्षाएं अक्सर संस्कृत और अन्य स्थानीय भाषाओं में है।

ये दो संप्रदाय आगे चलकर 2 अलग-अलग शाखाओं में विभाजित हुए। चित्र 30.5 इनके संस्थापकों के संबंध में जानकारी दी गयी है।

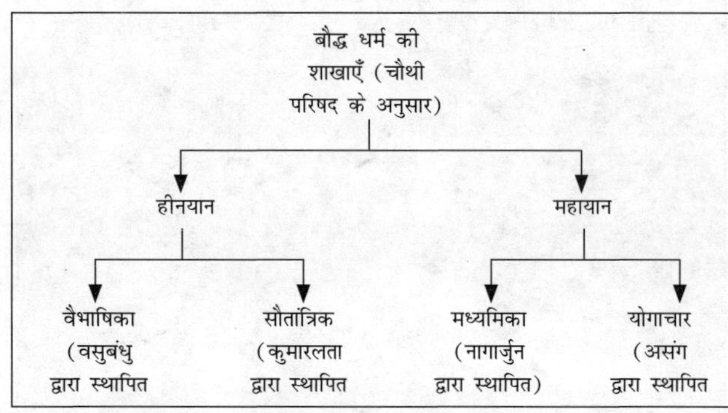

चित्र 30.5 बौद्ध धर्म की शाखाएँ

तालिका 30.4 बौद्ध संगितियाँ

संगीति	संरक्षण	अध्यक्षता	स्थान	विवरण
प्रथम संगीति (486 ई.पू.)	अजातशत्रु (हर्यक वंश)	महाकस्सप उपाली	राजगृह	विनय पिटक और सुत्त पिटक का संकलन।
द्वितीय संगीति (383 ई.पू.)	कालाशोक (शिशुनाग वंश)	सर्वकामिनी	वैशाली	संघ का थेरवेदिन और महासंघिक में विभाजन।
तृतीय संगीति (250 ई.पू.)	अशोक	मोगलिपुत्त तिस्स	पाटलिपुत्र	अभिधम्म पिटक का संकलन।
चतुर्थ संगीति (प्रथम शताब्दी ई.)	कनिष्क (कुषाण वंश)	वसुमित्र	कश्मीर	दो संप्रदायों में विभाजन - हीनयान और महायान।

तालिका 30.5 में प्राचीन शासकों और बौद्ध धर्म एवं इसकी शिक्षाओं में उनके योगदान को उजागर करती है।

तालिका 30.5 प्राचीन शासक और बौद्ध धर्मएवं इसकी शिक्षाओं में उनका योगदान

शासक/सम्राट	काल	बौद्ध धर्म और इसकी शिक्षा में योगदान
अशोक महान (मौर्य सम्राट)	268-232 ई.पू	प्रदान किये गये व्यापक संरक्षण के कारण मठवासी और शैक्षिक केंद्रों की स्थापना हुई।
कनिष्क (कुषाण साम्राज्य)	127-150 ई.	बौद्ध धर्म के प्रसार और शैक्षिक केंद्रों की स्थापना में महत्वपूर्ण भूमिका।
कुमार गुप्त (गुप्त वंश)	415-455 ई.	इनके 'स्वर्ण युग' के दौरान नालंदा विश्वविद्यालय फला-फूला।
हर्षवर्धन (पुष्यभूति वंश)	606-647 ई.	बौद्ध धर्म और हिंदू धर्म के संरक्षण ने उत्तरी भारत में शिक्षा के केंद्रों में वृद्धि हुई।
धर्मपाल (पाल वंश)	770-810 ई.	विक्रमशिला विश्वविद्यालय की स्थापना की

तालिका 30.6 वभिन्न शिक्षा प्रणालियों द्वारा उपयोग की जाने वाली भाषाओं को उजागर करती है।

तालिका 30.6 विभिन्न प्रकार की शिक्षा में उपयोग की जाने वाली भाषाएँ

शिक्षा का प्रकार	उपयोग की जाने वाली भाषा
वैदिक शिक्षा	संस्कृत
जैन शिक्षा	प्राकृत
बौद्ध शिक्षा	पाली (हीनयान) संस्कृत (महायान)

बौद्ध शिक्षा से संबंधित महत्वपूर्ण शब्दावली (Important Terms related to Buddhist Education)

1. **गैर-वैदिक दर्शन स्कूल (Non-Vedic Philosophy Schools)** - बौद्ध धर्म, जैन धर्म, और चार्वाक को प्राचीन भारतीय दर्शन में गैर-वैदिक (नास्तिक) स्कूल माना जाता है। ये वेदों और उपनिषदों के प्राधिकार का पालन नहीं करते हैं, जो कि रूढ़िवादी हिंदू धर्म में केंद्रीय हैं।
2. **सभी जातियों के लिए सुलभ शिक्षा (Education Accessible to all Castes)** - बौद्ध शिक्षा अपनी समावेशिता के लिए उल्लेखनीय है, जो सभी जातियों और पृष्ठभूमियों वाले लोगों का स्वागत करती है। यह धम्म (बुद्ध के उपदेश) और विनय (मठवासी अनुशासन) की शिक्षाओं के इर्द-गिर्द केंद्रित है, जो आचार संबंधी दिशानिर्देश और नैतिक सिद्धांत प्रदान करते हैं।
3. **शिक्षा के दो रूप (Two Forms of Education)** -
   - **जातक (मौखिक शिक्षाएँ) (Oral Teachings)** - जातक वे कहानियाँ हैं जो बुद्ध और उनके शिष्यों के पिछले जीवन का वर्णन करती हैं। ये कहानियाँ मौखिक परंपरा के माध्यम से पारित की गई, जिसमें बुद्ध को मानव और पशु जैसे विभिन्न रूपों में, नैतिक पाठ पढ़ाते हुए और कर्म के सिद्धांत को चित्रित करते हुए दिखाया गया है। इसमें कहानी के माध्यम से नैतिक आचरण और ज्ञान के बौद्ध सिद्धांतों पर जोर दिया गया है।
   - **लिखित शिक्षाएँ (Written Teachings)** - प्रारंभ में, बुद्ध के उपदेश उनके शिष्यों द्वारा मौखिक रूप से प्रसारित किये गये थे। बाद में, उन्हें पाली में लिखित ग्रंथों में संकलित किया गया, जो आम लोगों के लिए सुलभ भाषा थी। त्रिपिटक (तीन टोकरी) ख्र विनय, सुत्त, और अभिधम्म पिटक - बौद्ध धर्म के मुख्य ग्रंथ हैं। इन पर नीचे विस्तार से चर्चा की गयी है।

सिनेमैटिक कनेक्शन

प्राचीन भारत में, शिक्षा केवल पाठ्यपुस्तकों और कक्षा-कक्षों तक सीमित नहीं थी-इसकी गहरी जड़ें मौखिक परंपरा में निहित थी। मूल्यों एवं जीवन के सबक कहानियों के माध्यम से पीढ़ी दर पीढ़ी मौखिक रूप से सिखाये जाते थे। ये कहानियाँ कई पीढ़ियों से चली आ रही हैं और अक्सर दादा-दादी इन्हें युवा पीढ़ियों को सुनाते रहे हैं। ऐसी प्रसिद्ध कहानियों के दो संग्रह हैं, जातक कथाएँ और पंचतंत्र।

जातक कथाएँ बुद्ध के पिछले जीवन की कहानियाँ हैं, जो नैतिक शिक्षा प्रदान करती हैं। पंचतंत्र की कहानियाँ, जिनकी रचना विष्णु शर्मा ने की हैं, वे दंतकथाएँ हैं, जहाँ जानवर मनुष्यों की तरह कार्य करते हैं और इनमें नेतृत्व, मित्रता और अन्य महत्वपूर्ण विषय से संबंधित सबक दिये गये हैं।

ऐसी एक प्रसिद्ध कहानी खरगोश और कछुए की है। इस कहानी में, धीरे परंतु निरंतर चलने वाला कछुआ तेज परंतु अति-आत्मविश्वासी खरगोश को दौड़ के लिए चुनौती देता है। खरगोश, अपनी गति के बारे में निश्चिंत होकर, अपनी जीत सुनिश्चित मानते हुए बीच में एक झपकी ले लेता है। इस बीच, कछुआ लगातार फिनिश लाइन की ओर बढ़ता रहता है। जब खरगोश जागता है, तो वह शेष दौड़ पूरी करने के लिए दौड़ता है, परंतु पाता है कि कछुआ पहले ही जीत चुका है। यह कहानी हमें सिखाती है कि निरंतरता और दृढ़ता से अक्सर हमें सफलता मिलती है। यह याद दिलाती है कि धीरे परंतु निरंतर चलने वाला दौड़ जीतता है।

ये कहानियाँ केवल मनोरंजन का साधन नहीं होकर मूल्य, नैतिकता और जीवन कौशल सिखाने का साधन थीं। ये कहानियां निरंतर प्रेरित एवं शिक्षित कर रही हैं, जो संस्कृतियों को आकार देने और पीढ़ियों को ज्ञान प्रदान करने में मौखिक परंपरा की स्थायी शक्ति को दर्शाती है।

बौद्ध ग्रंथ (Buddhist Scriptures) (त्रिपिटक/Tripitaka)

त्रिपिटक, जिसे पाली में टिपिटक के रूप में भी जाना जाता है, संदर्भ बौद्ध ग्रंथों को तीन मुख्य भांगों में बांटे जाने से है। इनमें बौद्ध साधकों के लिए मुख्य शिक्षाएँ और दिशानिर्देश दिये गये हैं-

1. **विनय पिटक (अनुशासन की टोकरी) (Vinaya Pitaka)** - इस भाग में भिक्षुओं (भिक्षु) और भिक्षुणियों (भिक्षुणी) के लिए नियम और दिशानिर्देश दिये गये हैं। इसमें नैतिक आचरण, अनुष्ठान और कहानियाँ दी गयी हैं कि किस प्रकार ये नियम बुद्ध द्वारा स्थापित किये गये थे।
2. **सुत्त पिटक (प्रवचन की टोकरी) (Sutta Pitaka)** - सुत्त पिटक बुद्ध और उनके शिष्यों द्वारा दिये गये उपदेशों और प्रवचनों का संग्रह है। इसमें ध्यान, नैतिक जीवन और जीवन एवं दु:ख के बारे में दार्शनिक चर्चाओं पर व्यावहारिक सलाह दी गयी है।
3. **अभिधम्म पिटक (उच्च शिक्षाओं की टोकरी) (Abhidhamma Pitaka)** - इस भाग में बौद्ध दर्शन और मनोविज्ञान संबंधी उन्नत शिक्षाएँ प्रस्तुत की गयी हैं। इसमें समझ विकसित करने और आध्यात्मिक अभ्यास को गहन करने के उद्देश्य से मन, चेतना और यथार्थ की प्रकृति का विस्तृत एवं व्यवस्थित विश्लेषण किया गया है।इन तीनों ग्रंथों को सामूहिक रूप से त्रिपिटक कहा जाता है। ये बौद्ध शिक्षाओं का मूल है। ये आध्यात्मिक विकास और ज्ञानोदय की तलाश में भिक्षुओं और गृहस्थ साधकों दोनों के लिए व्यापक मार्गदर्शिका प्रदान करते हैं।

अन्य प्रमुख ग्रंथ - दिव्यावदान (दिव्य घटनाओं की कहानियाँ), दीपवंश और महावंश (श्रीलंकाई बौद्ध धर्म का इतिहास) और मिलिंद पन्हा (राजा मिलिंद द्वारा किये गये प्रश्न और बौद्ध ऋषि नागसेन द्वारा दिये गये उत्तर) महत्वपूर्ण ग्रंथ हैं जो बौद्ध सिद्धांतों और ऐतिहासिक विवरणों को विस्तार प्रदान करते हैं।

बौद्ध शिक्षा में संस्कार (Ceremony in Buddhist Education)

1. **प्रव्रज्या संस्कार (Going-Forth Ceremony) (पब्बज्जा/Pabbajja)** - यह एक संस्कार है जहाँ कोई व्यक्ति अपने गृहस्थ जीवन को छोड़कर बौद्ध भिक्षु संघ में शामिल होता है।
    - **आयु** - आमतौर पर लगभग 7 वर्ष की होती है, लेकिन अलग-अलग आयु भी हो सकती है।
    - **उद्देश्य** - यह किसी व्यक्ति के बौद्ध भिक्षु या भिक्षुणी के रूप में जीवन की शुरुआत को चिह्नित करता है।
2. **उपसम्पदा (पूर्ण दीक्षा संस्कार) (Upsampada)** - यह संस्कार दीक्षा प्रक्रिया को पूर्ण करता है। इसके बाद भिक्षु या भिक्षुणी (भिक्षुणी) के रूप में पूर्ण स्थिति प्राप्त हो जाती है।
    - **आयु** - आमतौर पर लगभग 20 वर्ष की होती है, जब व्यक्ति को परिपक्व माना जाता है।
    - **उद्देश्य** - यह मठ समुदाय के भीतर पूर्ण वयस्कता की प्राप्ति को दर्शाता है। इनके उपर सभी जिम्मेदारियाँ होती हैं और सारे विशेषाधिकार प्राप्त होते हैं।

30.7 प्राचीन विश्वविद्यालय (Ancient Universities)

बौद्ध शिक्षा में, शिक्षण केंद्रों ने ज्ञान और आध्यात्मिक शिक्षाओं के प्रसार में महत्वपूर्ण भूमिका निभाई। ये केंद्र भिक्षुओं, भिक्षुणियों और गृहस्थ अनुयायियों के बीच अकादमिक शिक्षा और धार्मिक प्रथाओं को बढ़ावा देने में महत्वपूर्ण थे। यहाँ बौद्ध शिक्षा के तहत कुछ प्रमुख शिक्षण केंद्र निम्नवत हैं-

1. **विहार (Viahara)** - विहार बौद्ध मठ थे जहाँ बुद्ध और बौद्ध दर्शन की शिक्षाएँ दी जाती थीं।
2. **महाविहार (Mahaviharas)** - महाविहार एक बड़ा बौद्ध मठ या शिक्षण केंद्र है। यह शब्द संस्कृत और पाली से आया है, जहाँ 'महा' का अर्थ महान और 'विहार' का अर्थ मठ या निवास स्थान होता है। ये वे स्थान थे जहाँ भिक्षु रहते थे, अध्ययन करते थे और शिक्षण करते थे। ये केवल धार्मिक केंद्र नहीं थे बल्कि शिक्षा के भी स्थान थे। महाविहार आज के समय के बड़े विश्वविद्यालयों के रूप में थे, जहाँ कई छात्र एक बड़े परिसर में एक साथ रहते थे और सीखते थे। आइए इस अवधि के दौरान फले-फूले प्रसिद्ध विश्वविद्यालयों के बारे में विस्तार से जानते हैं:-

तक्षशिला विश्वविद्यालय (Takshashila Uniersity)

तक्षशिला विश्वविद्यालय, जो प्राचीन भारत में लगभग 6वीं शताब्दी ईसा पूर्व में स्थापित हुआ था, उच्च शिक्षा के सबसे प्रारंभिक और प्रतिष्ठित केंद्रों में से एक था। विश्व के विभिन्न हिस्सों से, जिनमें कोरिया, बर्मा, सीलोन, नेपाल, तिब्बत, बाबुल (इराक), ग्रीस, अरब और चीन शामिल हैं, 10,500 से अधिक छात्र तक्षशिला विश्वविद्यालय में अध्ययन करने आए थे।

1. **स्थान (Location)** - यह गांधार क्षेत्र में स्थित था, जो अब पाकिस्तान के रावलपिंडी जिले में है, तक्षशिला हिंदू धर्म और बौद्ध धर्म, दोनों के धर्मशास्त्र (धर्म या ईश्वर का अध्ययन) पढ़ाये जाने के लिए उल्लेखनीय था।
2. **राजनीतिक महत्व (Political Importance)** - तक्षशिला गांधार राज्य की राजधानी थी। गांधार का महाभारत से निकट संबंध है। गांधारी, राजा धृतराष्ट्र की पत्नी और कौरवों की माता, गांधार से ही थीं।
3. **पढ़ाए जाने वाले विषय (Subjects Taught)** - तक्षशिला में अध्ययन के लिये 64 से अधिक विभिन्न विषयों की एक विस्तृत श्रृंखला थी। इनमें वेद, व्याकरण, दर्शन, आयुर्वेद, कृषि, शल्य चिकित्सा, राजनीति, धनुर्विद्या, युद्ध, खगोल विज्ञान, वाणिज्य, भविष्यवाणी, संगीत, नृत्य, विधि, चिकित्सा, सैन्य, राजनीति विज्ञान और तकनीकी विज्ञान शामिल थे।
4. **विशेषता (Specialisation)** - तक्षशिला विशेष रूप से चिकित्सा और कला में अपनी शिक्षाओं के लिए प्रसिद्ध था। तक्षशिला विश्वविद्यालय तंत्रवाद (तंत्र) में अपनी विशेषता के लिए भी प्रसिद्ध था। तंत्रवाद एक आध्यात्मिक अभ्यास या धार्मिक परंपरा को संदर्भित करता है जो अनुष्ठानों, ध्यान तकनीकों और दिव्य ऊर्जाओं की पूजा पर जोर देता है।
5. **प्रवेश मानदंड (Admission Criteria)** - इस विश्वविद्यालय में प्रवेश पूरी तरह से योग्यता पर आधारित था, जिसका तात्पर्य है कि छात्रों को प्रवेश पाने के लिए अपने कौशल और ज्ञान का प्रदर्शन करना होता था। प्रवेश के लिए न्यूनतम आयु अनिवार्यता 16 वर्ष थी।

6. **विश्वविद्यालय की संरचना (Structure of the University)** - विश्वविद्यालय में केंद्रीयकरण नहीं था। इस कारण शिक्षक व्यक्तिगत प्रतिष्ठा और विशेषज्ञता के आधार पर विशिष्ट भूमिकाएँ निभा सकते थे। तक्षशिला विश्वविद्यालय में ऐसे छात्रों को, जो कक्षाओं में भाग लेते थे परंतु परिसर में नहीं रहते थे, डे स्कॉलर कहा जाता था। आवासीय छात्रों, जो विश्वविद्यालय में रहते थे, के विपरीत डे स्कॉलर अपनी कक्षाओं के बाद अपने घरों को लौटने के लिए स्वतंत्र थे। इस व्यवस्था से छात्र विश्वविद्यालय के बाहर अपने दैनिक जीवन और अपने परिवारों एवं समुदायों के साथ संबंध बनाए रखते हुए अपनी पढ़ाई जारी रख पाए।

7. **परीक्षा (Examination)** - तक्षशिला विश्वविद्यालय में कोई परीक्षा नहीं होती थी। इसके अलावा, इस विश्वविद्यालय के छात्रों को कोई डिग्री या डिप्लोमा नहीं दिया जाता था।

8. **विनाश (Detruction)** - विश्वविद्यालय का अस्तित्व तोरमाण द्वारा नष्ट कर दिये जाने के कारण 5वीं शताब्दी ईस्वी में समाप्त हो गया। उसे तोरमाण शाही जौवला के नाम से भी जाना जाता है, जो 5वीं और 6वीं शताब्दी ईस्वी के दौरान उत्तरी भारत पर शासन करने वाला एक राजा था।

9. **पुरातात्विक महत्व (Archaeological Importance)** - वर्ष 1860 से पहले, तक्षशिला विश्वविद्यालय दबा हुआ था। तक्षशिला का पहला पुरातात्विक सर्वेक्षण अलेक्जेंडर कनिंघम द्वारा किया गया था, जिन्होंने इस स्थल की खुदाई की और तक्षशिला के ऐतिहासिक और शैक्षिक महत्व को उजागर किया। तक्षशिला विश्वविद्यालय को वर्ष 1980 में यूनेस्को द्वारा विश्व धरोहर स्थल घोषित किया गया था। अपने समृद्ध इतिहास और शिक्षा में योगदान के कारण यह प्राचीन शिक्षा का एक महत्वपूर्ण स्थल है।

क्विज स्टेशन *विगत UGC NET परीक्षाओं के प्रश्न*

प्र 1. तक्षशिला, जो भारत में उच्च शिक्षा का एक प्राचीन केंद्र था, को यूनेस्को द्वारा किस वर्ष विश्व धरोहर स्थल घोषित किया गया था *[सितंबर 2020]*

(a) 1980

(b) 1982

(c) 1984

(d) 1986

उत्तर 1. (a)

नालंदा विश्वविद्यालय (Nalanda University)

नालंदा विश्वविद्यालय एक प्राचीन महाविहार अथवा विशाल बौद्ध मठ था। (चित्र 30.6), इसकी स्थापना 427 ईस्वी या 5वीं शताब्दी ईस्वी में की गयी थी। यह 5वीं शताब्दी ईस्वी से 1200 ईस्वी तक भारत को एक महान शिक्षा और शक्ति के केंद्र के रूप में स्थापित करने में अपनी महत्वपूर्ण भूमिका के लिए प्रसिद्ध हुआ।

चित्र 30.6 नालंदा विश्वविद्यालय

1. **स्थान (Location)** - यह प्राचीन मगध राज्य में स्थित था, जो आधुनिक समय के राजगीर, बिहार, भारत में है।

2. **संस्थापक (Founder)** - गुप्त वंश के कुमारगुप्त प्रथम

3. **पढ़ाए जाने वाले विषय (Subjects Taught)** - नालंदा विश्वविद्यालय बौद्ध धर्म की महायान शाखा, तर्कशास्त्र और गणित जैसे विषयों को पढ़ाने के लिए प्रसिद्ध था। वेद भी इसके पाठ्यक्रम का हिस्सा थे। तक्षशिला के विपरीत, नालंदा ने अपने पाठ्यक्रम में तकनीकी विज्ञानों को शामिल नहीं किया था। नालंदा में प्रत्येक प्रोफेसर विशेष रूप से एक विशिष्ट विषय को पढ़ाने में विशेषज्ञ थे।

4. **प्रवेश प्रक्रिया (Admission Process)** - नालंदा विश्वविद्यालय में प्रवेश लेने के लिये अत्यधिक प्रतिस्पर्धात्मक थी। इसमें प्रवेश परीक्षाएं विद्वान द्वाराचार्यों (द्वारपाल) और शिक्षकों के एक बोर्ड द्वारा आयोजित की जाती थीं। इन कठिन परीक्षाओं ने यह सुनिश्चित किया कि केवल सर्वाधिक योग्य छात्र ही प्रवेश पा सकें। प्रवेश प्रक्रिया व्यापक और प्रतिस्पर्धात्मक थीं, जिसमें लगभग 30 प्रतिशत की सफलता दर थी। यह आज के शीर्ष विश्वविद्यालयों की तरह था, जिसमें छात्रों को कठिन परीक्षाएं एवं साक्षात्कार पास करने होते हैं। इसके अलावा, छात्रों से कोई शुल्क नहीं लिया जाता था।

5. **विश्वविद्यालय की संरचना (Structure of the University)** - नालंदा विश्वविद्यालय में, छात्रों को कक्षा के समय के बाद परिसर में रहना आवश्यक था, जिससे यह विश्व का पहला आवासीय विश्वविद्यालय बन गया था। नालंदा की संरचना में चमकदार लाल ईंटों से बने भवन, जिनकी ऊंची दीवारें थी और एक भव्य प्रवेश द्वार शामिल था। इसमें मंदिर, स्तूप, कक्षा-कक्ष और ध्यान के लिये हॉल, साथ ही शांत झीलें और सुंदर बगीचे थे।

6. **प्रशासन (Administration)** - नालंदा विश्वविद्यालय में शीलभद्र कुलपति के रूप में कार्यरत थे। महान गणितज्ञ आर्यभट्ट इस विश्वविद्यालय के प्रमुख थे।

7. **नालंदा के पुस्तकाल (Libraries at Nalanda)** - नालंदा विश्वविद्यालय में तीन भव्य पुस्तकालय थें। प्रत्येक पुस्तकालय अपने व्यापक और मूल्यवान ग्रंथों एवं पांडुलिपियों के संग्रह के लिए प्रसिद्ध था-

- **रत्नसागर (Ratnasagar)** - यह अपनी विशाल पांडुलिपियों और ग्रंथों के संग्रह के लिए जाना जाता था।

- **रत्नोदधि (Ratnodadhi)** – नौ स्तरों वाला सबसे बड़ा पुस्तकालय था, जिसमें उपनिषद जैसे पवित्र ग्रंथ थे।
- **रत्नरंजक (Ratnaranjak)** – इसमें महत्वपूर्ण विद्वतापूर्ण संसाधनों का संग्रह था।

8. **नालंदा का विनाश (Destruction of Nalanda)** – नालंदा विश्वविद्यालय का विनाश तीन महत्वपूर्ण हमलों के कारण हुआ–
   - **हूण आक्रमण (Huna Attack) (455–470 ईस्वी)** – हूणों ने आक्रमण किया और नालंदा को काफी नुकसान पहुंचाया।
   - **गौड़ राजवंश का आक्रमण (Gauda Rajvansh Attack) (7वीं शताब्दी के आरंभ में)** – इस आक्रमण ने बड़े पैमाने पर विनाश किया और विश्वविद्यालय के संचालन को बाधित किया।
   - **बख्तियार खिलजी का आक्रमण (Bakhtiyar Khilji Attack) (1200 ईस्वी)** – बख्तियार खिलजी का आक्रमण सबसे विनाशकारी था। बख्तियार खिलजी ने ज्ञान को नष्ट करने के उद्देश्य से नालंदा विश्वविद्यालय पर हमला किया था। । उसने विश्वविद्यालय के पुस्तकालय में आग लगा दी, जिसमें लगभग 900,000 किताबें थीं, जिनमें कई मूल लेखन शामिल थे। इतिहासकारों का मानना है कि सभी किताबों को पूरी तरह जलने में तीन महीने लगे। पुस्तकालय को जलाने के अलावा, बख्तियार खिलजी ने नालंदा के भिक्षुओं और विद्वानों को मार डाला ताकि उनका ज्ञान आगे न बढ़ सके। यह विनाश इतना गंभीर था कि कोई अन्य शासक नालंदा विश्वविद्यालय को फिर से नहीं बना सका, जिससे इसके समृद्ध ज्ञान प्रवाह का अंत हो गया।

विश्व के सबसे बड़े और सबसे शानदार पुस्तकालयों की खोज करने वाले रोमांचक वीलॉग (vlog) को देखने के लिए QR कोड को स्कैन करें।

9. **पुरातात्विक महत्व (Archaelogical Significance)** – विश्वविद्यालय को पहली बार 1812 ई. में स्कॉटिश सर्वेक्षक फ्रांसिस बुकानन-हैमिल्टन द्वारा पुनः खोजा गया था। इसके ऐतिहासिक और शैक्षिक महत्व को पहचानते हुए, नालंदा पुरातात्विक स्थल को 9 जनवरी, 2009 को यूनेस्को द्वारा विश्व धरोहर स्थलों की अस्थायी सूची में शामिल किया गया था।

नालंदा विश्वविद्यालय का पुनरुद्धार (Revival of Nalanda University)

यह परियोजना भारत सरकार के विदेश मंत्रालय के अंतर्गत है।

नालंदा विश्वविद्यालय को पुनः स्थापित करने का विचार भारत के पूर्व राष्ट्रपति डॉ. ए.पी.जे. अब्दुल कलाम ने 2006 में सुझाया था। उन्होंने इस विचार को बिहार राज्य विधान सभा में एक भाषण के दौरान प्रस्तुत किया। उसी समय, सिंगापुर सरकार ने भी सुझाव दिया कि नालंदा को एक महत्वपूर्ण शैक्षिक केंद्र के रूप में पुनः स्थापित किया जाना चाहिए। नालंदा विश्वविद्यालय को पुनः स्थापित करने के लिए निम्नलिखित कदम उठाए गये हैं–

1. **यूनेस्को की मान्यता (UNESCO Recognition) (2009)** – यूनेस्को ने वर्ष 2009 में नालंदा विश्वविद्यालय के पुनर्निर्माण के लिये मान्यता प्रदान की।
2. **नालंदा विश्वविद्यालय अधिनियम (Nalanda University Act) (2010)** – वर्ष 2010 में, भारतीय संसद ने नालंदा विश्वविद्यालय अधिनियम पारित किया। इस विधि ने नए नालंदा विश्वविद्यालय के पुनर्निर्माण और संचालन को कानूनी आधार प्रदान किया।
3. **नया परिसर उद्घाटन (New Campus Inauguration) (2014)** – नये परिसर का उद्घाटन भारत के प्रधानमंत्री नरेंद्र मोदी ने 19 जून, 2024 को किया, जिसमें 18 आसियान सदस्य देशों के राजदूत और गणमान्य व्यक्ति उपस्थित थे। सितंबर 2014 में, नालंदा विश्वविद्यालय ने अपने पहले छात्रों का स्वागत किया। यह एक महत्वपूर्ण क्षण था, लगभग आठ शताब्दियों के बाद विश्वविद्यालय को पुनर्जीवित करना।

नए नालंदा विश्वविद्यालय की प्रमुख विशेषताएं (Key Features of New Nalanda University)

1. **राष्ट्रीय महत्व का संस्थान (Institute of National Importance)** – नालंदा को भारत सरकार द्वारा 'राष्ट्रीय महत्व का संस्थान' के रूप में मान्यता दी गयी है, जो देश की शिक्षा प्रणाली में इसकी महत्वपूर्ण भूमिका को दर्शाता है।
2. **भारत के राष्ट्रपति की भूमिका (Role of President of India)** – भारत के राष्ट्रपति विश्वविद्यालय के कुलाध्यक्ष हैं। 'विश्वविद्यालय के कुलाध्यक्ष के रूप में कार्य करना' का अर्थ है कि भारत के राष्ट्रपति विश्वविद्यालय की निरीक्षण करते हैं ताकि यह सुनिश्चित हो सके कि यह अपने नियमों और विनियमों का पालन कर रहे।
3. **अंतर्राष्ट्रीय समर्थन (International Support)** – इस विश्वविद्यालय को पूर्वी एशिया शिखर सम्मेलन के 18 देशों का समर्थन प्राप्त है। इस विचार को सबसे पहले भारत के पूर्व राष्ट्रपति ए.पी.जे. अब्दुल कलाम ने प्रस्तावित किया था। पहले कुलपति नोबेल पुरस्कार विजेता अमर्त्य सेन थे, जिनके बाद सिंगापुर के विदेश मंत्री जॉर्ज यो ने यह पद संभाला।
4. **प्रदान की जाने वाली डिग्रियाँ (Degrees Offered)** – नालंदा विश्वविद्यालय केवल एक स्नातकोत्तर संस्थान है, जो केवल परास्नातक और पीएच.डी. की डिग्रियाँ प्रदान करता है। नया नालंदा प्राचीन विश्वविद्यालय की विरासत को जारी रखते हुए विभिन्न अध्ययन क्षेत्रों और अंतर्राष्ट्रीय सहयोग पर ध्यान केंद्रित करता है।

क्विज स्टेशन *विगत UGC NET परीक्षाओं के प्रश्न*

प्र 1. प्राचीन भारत में नालंदा विश्वविद्यालय ________ का एक प्रसिद्ध केंद्र था। *(9 जनवरी 2025 – शिफ्ट 1)*

(a) बौद्ध शिक्षा

(b) ब्राह्मणवादी शिक्षा

(c) क्षत्रिय शिक्षा

(d) जैन शिक्षा

प्र 2. नालंदा विश्वविद्यालय में दी जाने वाली शिक्षा धार्मिक और *(3 सितंबर 2024 – शिफ्ट 1)*

(a) अधार्मिक

(b) मनोरंजक

(c) धर्मनिरपेक्ष

(d) व्यवसाय-उन्मुख

प्र 3. कथन I- प्राचीन काल में, नालंदा ने तर्क के क्षेत्र में सबसे बड़ी और सबसे शानदार उपलब्धियाँ हासिल कीं।

कथन II- नालंदा में प्रत्येक प्रोफेसर केवल एक विषय का प्रभार रखते थे। *(6 दिसंबर 2023 - शिफ्ट 1)*

(a) कथन I और कथन II, दोनों सही हैं।

(b) कथन I और कथन II, दोनों गलत हैं।

(c) कथन I सही है लेकिन कथन II गलत है।

(d) कथन I गलत है लेकिन कथन II सही है।

प्र 4. कथन I - प्राचीन काल में, नालंदा ने तर्क के क्षेत्र में सबसे महान और सबसे शानदार उपलब्धियाँ प्राप्त कीं। *(20 जून 2023 - शिफ्ट 1)*

कथन II - नालंदा में प्रत्येक प्रोफेसर को केवल एक विषय का ही प्रभार दिया गया था।

(a) कथन I और कथन II, दोनों सही हैं।

(b) कथन I और कथन II, दोनों गलत हैं।

(c) कथन I सही है लेकिन कथन II गलत है।

(d) कथन I गलत है लेकिन कथन II सही है।

उत्तर 1. (a) 2. (c) 3. (c) 4. (a)

वल्लभी विश्वविद्यालय (Vallabhi University)

1. **अवधि** - 6ठीं से 14वीं शताब्दी ईस्वी
2. **स्थान** - भावनगर जिला, गुजरात
3. **संरक्षक राजा** - वल्लभी विश्वविद्यालय के संरक्षक राजा मैत्रक थे।
4. **राजनीतिक महत्व** - वल्लभी शहर मैत्रक राजाओं की राजधानी थी।
5. **पढ़ाए जाने वाले विषय** - अर्थशास्त्र, नीति शास्त्र, चिकित्सा शास्त्र।
6. **विशेषता** - इसमें हीनयान बौद्ध धर्म और धर्मनिरपेक्ष अध्ययन पर जोर दिया गया। यह बौद्ध अध्ययन पर जोर देने के लिए प्रसिद्ध था, जो भारत और उससेबाहर के विद्वानों और छात्रों को आकर्षित करता था।
7. **महत्व** - यह प्रसिद्धि और शैक्षिक महत्व में नालंदा विश्वविद्यालय का प्रतिद्वंद्वी माना जाता था।
8. **विद्वान** - गुणमती और स्थिरमती जैसे प्रमुख व्यक्तियों ने महत्वपूर्ण योगदान दिया।
9. **पतन** - 755 ईस्वी में अरब आक्रमणों द्वारा आंशिक रूप से नष्ट कर दिया गया लेकिन 12वीं शताब्दी तक चलता रहा।

विक्रमशिला विश्वविद्यालय (Vikramashila University)

विक्रमशिला विश्वविद्यालय पाल साम्राज्य के दौरान नालंदा विश्वविद्यालय के साथ भारत में दो सबसे महत्वपूर्ण शिक्षा के केंद्रों में से एक था।इसे पाल साम्राज्य के राजा धर्मपाल द्वारा स्थापित किया गया था। विक्रमशिला अपने स्थापित मानकों के सख्त अनुपालन के लिए जाना जाता था और अपने समय के दौरान उच्च शिक्षा का एक प्रमुख केंद्र था, जो विश्व भर के छात्रों को आकर्षित करता था।

1. **स्थान** - भागलपुर जिला, बिहार।
2. **संस्थापक** - 8वीं शताब्दी में पाल वंश के सम्राट धर्मपाल।
3. **पढ़ाए जाने वाले विषय** - व्याकरण, तर्कशास्त्र, दर्शनशास्त्र, वैदिक अध्ययन, 14 विद्याओं, 18 शिल्पों और 64 कलाओं का अध्ययन।
4. **विशेषता** - तांत्रिक बौद्ध धर्म, कर्मकांड, महायान बौद्ध धर्म।
5. **प्रभाव** - तिब्बत के साथ मजबूत संबंध, बौद्ध धर्म के प्रसार में महत्वपूर्ण।
6. **प्रवेश** - भिक्षु बनने की इच्छा रखने वाले छात्रों को प्राथमिकता दी जाती थी।
7. **संरचना** - यह छह कॉलेजों में विभाजित था, केंद्रीय भवन को महास्तूप के रूप में जाना जाता था।
8. **पदानुक्रम** - स्पष्ट संरचना सहित इसमें डिग्रियां बंगाल के शासकों द्वारा दीक्षांत समारोह में प्रदान की जाती थीं।
9. **विनाश** - 1203 ईस्वी में बख्तियार खिलजी द्वारा नष्ट कर दिया गया।
10. **संरक्षण** - भारतीय पुरातत्व सर्वेक्षण इस स्थल का संरक्षण और विकास कर रहा है।

जगद्दल विश्वविद्यालय (Jagaddala University)

1. **स्थान** - वरेंद्रभूमि (अब बांग्लादेश में; पहले बंगाल का हिस्सा था)।
2. **संस्थापक** - पाल वंश के राजा राम पाल, बौद्ध धर्म और शिक्षा के संरक्षक।
3. **विशेषता** - महायान बौद्ध धर्म को आगे बढ़ाने में महत्वपूर्ण भूमिका निभाई, बौद्ध ग्रंथों का तिब्बती भाषा में अनुवाद पर जोर दिया। इसने क्षेत्र में बौद्ध शिक्षाओं और शिक्षा के प्रसार में महत्वपूर्ण योगदान दिया। इसके अलावा, इस विश्वविद्यालय ने 'वज्रयान बौद्ध धर्म' नामक एक विशेष विषय की शिक्षा प्रदान की।
4. **अवधि** - लगभग एक सदी तक सक्रिय, जगद्दल विश्वविद्यालय ने बौद्ध विद्वता और शैक्षणिक गतिविधियों के लिए एक जीवंत बौद्धिक वातावरण को पोषित किया।
5. **विनाश** - 1203 ईस्वी में आक्रमण द्वारा नष्ट कर दिया गया।

क्विज स्टेशन *विगत UGC NET परीक्षाओं के प्रश्न*

प्र 1. निम्नलिखित में से किस विश्वविद्यालय की स्थापना 1916 के एक ही वर्ष में की गई थी? *(14 दिसंबर 2023 - शिफ्ट 2)*

(A) बॉम्बे विश्वविद्यालय

(B) बनारस हिंदू विश्वविद्यालय

(C) मैसूर विश्वविद्यालय

(D) एस.एन.डी.टी महिला विश्वविद्यालय

(E) पंजाब विश्वविद्यालय

(a) ABB

(b) BCD

(c) CDE

(d) ACE

प्र 2. निम्नलिखित में से किस प्राचीन विश्वविद्यालय ने अन्य विषयों के साथ 'वज्रयान बौद्ध धर्म' के विशेष विषय की शिक्षा प्रदान की?

(a) जगद्दल विश्वविद्यालय

(b) मिथिला विश्वविद्यालय

(c) ओदंतपुरी विश्वविद्यालय

(d) नालंदा विश्वविद्यालय

प्र 3. विक्रमशिला विश्वविद्यालय एक प्रसिद्ध केंद्र था-

(6 दिसंबर 2023 - शिफ्ट 2)

(a) अरबी भाषा

(b) चीनी दर्शन

(c) तांत्रिक बौद्ध धर्म

(d) जापानी कला

उत्तर 1. (b) 2. (a) 3. (c)

ओदंतपुरी विश्वविद्यालय (Odantpuri University)

1. **स्थान** - मगध (आधुनिक बिहार)।
2. **संस्थापक** - पाल वंश के राजा गोपाल प्रथम।
3. **महत्व** - ओदंतपुरी भारत के प्रारंभिक बौद्ध शैक्षिक केंद्रों में से एक था, जो पाल वंश से पहले का है। इस विश्वविद्यालय ने वज्रयान बौद्ध धर्म के विकास और प्रसार में मदद की। यह विश्वविद्यालय तिब्बत के साथ सांस्कृतिक और शैक्षिक आदान-प्रदान में महत्वपूर्ण था, जिससे इस क्षेत्र के छात्र आकर्षित होते थे।
4. **वास्तुकला प्रभाव** - इसकी वास्तुकला ने संभवत: नालंदा जैसे अन्य बौद्ध विश्वविद्यालयों के डिजाइन को प्रभावित किया ।
5. **पतन** - मुस्लिम आक्रमणों के कारण ओदंतपुरी का पतन भारत में बौद्ध शिक्षा के लिए आघात था।

मिथिला विश्वविद्यालय (Mithila University)

1. **स्थान** - दरभंगा नगर, बिहार।
2. **उत्पत्ति** - राजा जनक के समय से अस्तित्व में, जो अपनी बुद्धिमत्ता और शिक्षा के संरक्षण के लिए जाने जाते थे।
3. **विशेषज्ञता** - मिथिला विश्वविद्यालय ब्राह्मणिक शिक्षा का एक प्रमुख केंद्र था, जिसने सदियों तक अपनी प्रमुखता बनाए रखी। यह वेदों, अनुष्ठानों और पारंपरिक ज्ञान की शिक्षा पर केंद्रित था। यह विश्वविद्यालय न्याय या तर्क शास्त्र में उन्नत और विशेष अध्ययन के लिए भी जाना जाता था।
4. **प्रसिद्ध कवि** - मिथिला प्रसिद्ध कवियों जैसे विद्यापति, जिन्होंने हिंदी में लिखा और जयदेव, एक प्रसिद्ध संस्कृत कवि, का जन्मस्थान था।
5. **महत्वपूर्ण कृतियाँ** - महत्वपूर्ण ग्रंथ, तत्व चिंतामणि, यहाँ लिखा गया था, जिसने भारतीय दर्शन में बहुत योगदान दिया।
6. **दीर्घकालिक प्रभाव** - मिथिला अकबर के समय तक महत्वपूर्ण बना रहा।

नदिया विश्वविद्यालय (Nadia University)

1. **वैकल्पिक नाम** - नवद्वीप विश्वविद्यालय
2. **स्थान** - बंगाल।
3. **फोकस** - यह विश्वविद्यालय विशेष रूप से तर्क (न्याय), तंत्र, राजनीति, विधि और हिंदू दर्शन की अन्य शाखाओं पर केंद्रित था। नदिया विश्वविद्यालय ने भारतीय दर्शन के विकास में महत्वपूर्ण योगदान दिया, विशेष रूप से तर्क और तत्वमीमांसा के क्षेत्रों में, और बंगाल के सांस्कृतिक और बौद्धिक इतिहास में महत्वपूर्ण भूमिका निभाई।
4. **महत्वपूर्ण कृतियाँ** - यह विश्वविद्यालय जयदेव द्वारा रचित गीत गोविंद के साथ अपने संबंध के लिए जाना जाता था, जो एक शास्त्रीय संस्कृत साहित्यिक कृति है।

तालिका 30.7 प्रमुख विश्वविद्यालयों का संक्षिप्त विवरण

विश्वविद्यालय	स्थान	विशेषज्ञता
तक्षशिला विश्वविद्यालय	गांधार (पाकिस्तान)	हिंदू धर्म, बौद्ध धर्म, तंत्रवाद
नालंदा विश्वविद्यालय	मगध (बिहार, भारत)	महायान बौद्ध धर्म, वेद, तर्क
वल्लभी विश्वविद्यालय	भावनगर (गुजरात, भारत)	हीनयान बौद्ध धर्म, धर्मनिरपेक्ष अध्ययन
विक्रमशिला विश्वविद्यालय	भागलपुर (बिहार, भारत)	तांत्रिक बौद्ध धर्म, तंत्र शास्त्र महायान बौद्ध धर्म
जगद्दल विश्वविद्यालय	बांग्लादेश	वज्रयान बौद्ध धर्म
ओदंतपुरी विश्वविद्यालय	मगध (बिहार, भारत)	वज्रयान बौद्ध धर्म
मिथिला विश्वविद्यालय	दरभंगा (बिहार, भारत)	ब्राह्मणिक शिक्षा, न्याय (तर्क), तर्क शास्त्र
नदिया विश्वविद्यालय	बंगाल (भारत)	तर्क, तत्वमीमांसा, तंत्र

क्विज स्टेशन *विगत UGC NET परीक्षाओं के प्रश्न*

प्र 1. प्राचीन भारतीय विश्वविद्यालय जो न्याय या तर्क में उन्नत और विशेष अध्ययन के लिए मुख्य केंद्र के रूप में जाना जाता था-

(a) जगद्दल विश्वविद्यालय
(b) नदिया विश्वविद्यालय
(c) मिथिला विश्वविद्यालय
(d) वल्लभी विश्वविद्यालय

प्र 2. निम्नलिखित प्राचीन भारतीय संस्थानों को पूर्व से पश्चिम दिशा की ओर व्यवस्थित करें।

(23 अगस्त 2024 - शिफ्ट 1)

(C) विक्रमशिला (D) शारदा पीठ

(a) A D C B (b) B C A D
(c) D A B C (d) C B D A

प्र 3. ज्ञान की खोज के लिए भिक्षु और भिक्षुणियों ने कहाँ ध्यान, वाद-विवाद और विद्वानों के साथ विचार-विमर्श किया?

(a) मठ (b) बसाडिस
(c) चर्च (d) घातिका

उत्तर 1. (c) 2. (d) 3. (a)

कॉन्सेप्ट कैप्सूल

प्राचीन विश्वविद्यालयों के बारे में महत्वपूर्ण विवरण (Important Details about ancient Universities)

अन्य विश्वविद्यालय (Other Universities)

तालिका 30.8 अन्य विश्वविद्यालय

विश्वविद्यालय	विवरण	स्थान
उज्जैन विश्वविद्यालय	गणित और खगोल विज्ञान जैसे धर्मनिरपेक्ष विषयों के लिए प्रसिद्ध	मध्य प्रदेश
संगपीठ	कश्मीर में संस्कृत शिक्षा का स्वर्ण युग	कश्मीर
शारदापीठ	देवी सरस्वती को समर्पित प्रसिद्ध मंदिर विश्वविद्यालय	कश्मीर
सलोटगी	कई छात्रावास थे	कर्नाटक
एन्नयिरम	मुफ्त बोर्डिंग और ट्यूशन की सुविधा प्रदान की जाती थी	केरल
सोमपुरा	सबसे महत्वपूर्ण बौद्ध मठ परिसरों में से एक है। यह यूनेस्को विश्व धरोहर स्थल भी है	बांग्लादेश

विदेशी आगंतुक (Foreign Visitors)

- तक्षशिला विश्वविद्यालय- तक्षशिला विश्वविद्यालय प्राचीन काल में शिक्षा और विद्वता का केंद्र माना जाता था। इस विश्वविद्यालय में दूर-दूर से कई यात्री आए जिनमें प्रसिद्ध चीनी विद्वान भी शामिल थे। उनमें से ह्वेन त्सांग (जिसे जुआन जांग के नाम से भी जाना जाता है) 7वीं शताब्दी ईस्वी में नालंदा की यात्रा की। उनकी तीर्थयात्रा का उद्देश्य बौद्ध शिक्षाओं का अध्ययन करना और पवित्र ग्रंथों को संग्रहीत करना था। इससे बौद्ध ग्रंथों के संरक्षण में महत्वपूर्ण योगदान मिला। फा-हियान, एक और प्रतिष्ठित चीनी यात्री, 5वीं शताब्दी ईस्वी में तक्षशिला आए थे।
- नालंदा विश्वविद्यालय- 7वीं शताब्दी ईस्वी में, नालंदा विश्वविद्यालय में प्राचीन चीनी विद्वानों यिजिंग (जिसे आई-किंग के नाम से भी जाना जाता है) आए। उन्होंने वहां 10 वर्ष व्यतीत किये। जुआन जांग (ह्वेन त्सांग) यहां 2 वर्ष रहे। जुआन जांग ने नालंदा में शीलभद्र के मार्गदर्शन में योगशास्त्र का अध्ययन किया और भारत में उन्हें मोक्ष देव के नाम से जाना जाता था। जुआन जांग की लेखनी के अनुसार, नालंदा विश्वविद्यालय में 10,000 भिक्षु और 2,000 शिक्षक थे। तालिका 30.9 में अन्य चीनी विद्वानों की प्रमुख कृतियों के बारे में विवरण दिया गया है।

तालिका 30.9 महत्वपूर्ण चीनी विद्वान

चीनी विद्वान	यात्रा का समय	लिखी गयी पुस्तकें	विश्वविद्यालय
फा-हियान	399 ईस्वी	'रिकॉर्ड ऑफ बुद्धिस्ट किंगडम'	तक्षशिला
जुआन जांग	629-645 ईस्वी	'ग्रेट तांग रिकॉर्ड्स ऑन द वेस्टर्न रीजन'	नालंदा
यिजिंग (आई-चिंग/यी जिंग)	671 ईस्वी	'द रिकॉर्ड ऑफ द मिस्ट्रीज'	नालंदा
		'अ सूत्र ऑन द प्रोफाउंड मीनिंग ऑफ द लोटस सूत्र'	

टिप्पणी- चीनी विद्वानों ह्वेन त्सांग और आई-किंग द्वारा वल्लभी विश्वविद्यालय को इसके व्यापक पाठ्यक्रम के लिए अत्यधिक सराहा गया था।

प्राचीन भारत में विश्वविद्यालयों में पदानुक्रम (Hierarchy at Universities in Ancient India)

आधुनिक विश्वविद्यालय की कल्पना कीजिये जिसमें डीन, कुलपति, उप प्राचार्य, प्रोफेसर और अन्य कर्मचारी होते हैं, जो इनके सुचारू संचालन के लिए आवश्यक होते हैं। इसी तरह, प्राचीन भारतीय मठों में प्रभावी प्रबंधन और शिक्षण के लिए एक संरचित पदानुक्रम था। तालिका 30.10 में प्राचीन काल में भारतीय विश्वविद्यालयों में अनुसरण किये जाने वाले पदानुक्रम की व्यापक संरचना दी गयी है।

तालिका 30.10 प्राचीन भारत में विश्वविद्यालयों में पदानुक्रम

पदनाम	प्रबंधन का स्तर	भूमिका
महंत (Abbot)	शीर्ष	मठ का प्रमुख होता है, प्रबंधन और आध्यात्मिक मार्गदर्शन की देखरेख करता है।
पंडित (Scholar)	मध्य	ये मुख्य शिक्षण संकाय होते हैं जो कक्षाएं आयोजित करते हैं और छात्रों का मार्गदर्शन करते हैं।
आचार्य (professors or Teachers)	मध्य	ये अनुभवी विद्वान होते हैं जो पर्यवेक्षण और शिक्षण कार्य करते हैं।
द्वारपाल	मध्य	सुरक्षा बनाए रखने वाले और आगंतुकों की सहायता करने वाले विद्वान होते हैं।
महापंडित	मध्य	गहन ज्ञान वाले प्रसिद्ध विद्वान।
निवासी भिक्षु (भिक्षु)	निचले	दैनिक दिनचर्या और आध्यात्मिक अभ्यास बनाए रखने वाले मठवासी।

क्विज स्टेशन विगत UGC NET परीक्षाओं के प्रश्न

प्र 1. कथन I- ह्वेनसांग ने भारत का दौरा किया और वे तक्षशिला विश्वविद्यालय के छात्र थे।

कथन II- ह्वेनसांग ने भारत का दौरा किया और वे योग शास्त्र के छात्र थे। *(2 मार्च 2023 - शिफ्ट 1)*

(a) कथन I और कथन II, दोनों सही हैं।
(b) कथन I और कथन II, दोनों गलत हैं।
(c) कथन I सही है लेकिन कथन II गलत है।
(d) कथन I गलत है लेकिन कथन II सही है।

प्र 2. प्राचीन भारत में उज्जैन किस विषय के अध्ययन के लिये जाना जाता था *(08 दिसंबर, 2023 - शिफ्ट 2)*

(a) पशु चिकित्सा विज्ञान
(b) चीनी दर्शन
(c) खगोल विज्ञान
(d) सामुदायिक कार्य

प्र 3. प्राचीन चीनी विद्वान आई-किंग और ह्वेनसांग ने नालंदा विश्वविद्यालय का दौरा कब किया था- *[25 सितंबर, 2020 - शिफ्ट 1]*

(a) 5वीं शताब्दी ईस्वी
(b) 7वीं शताब्दी ईस्वी
(c) 10वीं शताब्दी ईस्वी
(d) 12वीं शताब्दी ईस्वी

उत्तर 1. (d) 2. (c) 3. (b)

30.8 प्राचीन विचारक और उनकी कृतियाँ (Ancient Thinkers and Their Works)

भारत के प्राचीन विचारक भाषा, दर्शन, चिकित्सा और राजनीतिक विज्ञान जैसे विभिन्न क्षेत्रों में अग्रणी थे। उनके योगदान ने कई आधुनिक विषयों की नींव रखी और समकालीन सोच को प्रभावित करना जारी रखा। ये विद्वान न केवल बौद्धिक थे बल्कि व्यावहारिक विशेषज्ञ भी थे जिन्होंने अपने ज्ञान का उपयोग विश्व की वास्तविक समस्याओं को हल करने के लिए किया।

इन विचारकों की कल्पना अपने समय के आइंस्टीन या न्यूटन के रूप में कीजिये। वे भाषा, दर्शन, चिकित्सा और राजनीति जैसे विभिन्न क्षेत्रों के विशेषज्ञ थे। उदाहरण के लिए, पाणिनि संस्कृत के शेक्सपियर की तरह थे और चरक प्राचीन डॉक्टर के समान थे, जिन्होंने चिकित्सा विषय पर पाठ्यपुस्तकें लिखीं। आइए महत्वपूर्ण प्राचीन विचारकों के बारे में और जानकारी प्राप्त करें।

भाषा और संगीत के क्षेत्र में विचारक (Thinkers in the Field of Language and Music)

1. **पाणिनि (Panini)** - ये प्रसिद्ध संस्कृत व्याकरणज्ञ थे जिन्होंने संस्कृत के लिए विस्तृत व्याकरण प्रणाली बनाई। उनकी रचना, अष्टाध्यायी, भाषाविज्ञान की आधारभूत रचना है। इसमें ध्वन्यात्मकता, रूपविज्ञान और वाक्यविन्यास शामिल हैं और आज भी शास्त्रीय संस्कृत का अध्ययन करने के लिए इसका उपयोग किया जाता है।
2. **कालिदास** - इन्हें सबसे महान संस्कृत कवियों में से एक माना जाता है। ये अपनी रचना 'अभिज्ञान शाकुंतलम (Abhijnanasakuntalam)' के लिए जाने जाते हैं। यह एक काव्यात्मक नाटक है जो शकुंतला और राजा दुष्यंत की प्रेम कहानी को दर्शाता है। ये अपनी काव्यात्मक सुंदरता और भावनात्मक गहराई के लिए जाना जाता है।
3. **भरत मुनि** - इन्होंने 'नाट्यशास्त्र' की रचना की, जो प्राचीन भारतीय नाट्यशास्त्र संबंधी व्यापक ग्रंथ है। इसमें रंगमंच, नृत्य और संगीत

शामिल हैं। यह ग्रंथ मंचकला, अभिनय, वेशभूषा, मेकअप और 'रस' के रूप में जानी जाने वाली भावनात्मक अभिव्यक्तियों के संबंध में विस्तृत दिशानिर्देश प्रदान करता है। इसके प्रदर्शन कला पर विस्तृत दिशानिर्देश और सिद्धांत भरतनाट्यम, कथक और ओडिसी जैसी विभिन्न शास्त्रीय नृत्य शैलियों को प्रभावित करते हैं।

4. **अमरसिंह** – ये उल्लेखनीय विद्वान हैं जिन्होंने 'अमरकोश' की रचना की। यह प्राचीन संस्कृत थिसॉरस है। यह कृति अपने शब्दों और अर्थों की व्यापक श्रेणीबद्धता के लिए अत्यधिक मूल्यवान है। यह शास्त्रीय संस्कृत साहित्य और भाषाविज्ञान में एक महत्वपूर्ण संदर्भ ग्रंथ है।

दर्शन और अर्थशास्त्र के क्षेत्र में विचारक
(Thinkers in the Field of Philosophy and Economics)

1. **कपिल** – ये एक ऋषि थे जिन्होंने सांख्य दर्शन का प्रतिपादन किया। इसमें यथार्थ और ब्रह्मांड की प्रकृति का अन्वेषण किया गया है। इनकी शिक्षाओं ने विभिन्न भारतीय दर्शनों को प्रभावित किया।
2. **महर्षि गौतम** – इन्होंने नैतिकता और आचार पर व्यापक रूप से लिखा है। इनके ग्रंथ सम्यक आचरण और न्याय के सिद्धांतों पर चर्चा करते हैं, जो नैतिक दर्शन संबंधी आधुनिक विमर्श के समान है। इनकी कृति न्याय सूत्र, हिंदू दर्शन के न्याय विषय में आधारभूत ग्रंथ है, जो तर्क और ज्ञानमीमांसा पर केंद्रित है।
3. **कौटिल्य/चाणक्य/विष्णुगुप्त** – कौटिल्य, जिन्हें चाणक्य के नाम से भी जाना जाता है, ने अर्थशास्त्र ग्रंथ की रचना की। यह ग्रंथ राज्यशास्त्र, आर्थिक नीति और सैन्य रणनीति के विषय में है। इस ग्रंथ की तुलना अक्सर मैकियावेली के 'द प्रिंस' से की जाती है, क्योंकि इसमें राजनीति और शासन का विस्तृत विश्लेषण है। कौटिल्य पहले मौर्य सम्राट, चंद्रगुप्त के प्रमुख सलाहकार और रणनीतिकार थे।
4. **कामंदक** – इन्होंने 'नीतिसार' नामक ग्रंथ की रचना की। यह राजनीतिक विज्ञान और नैतिकता संबंधित ग्रंथ है। यह कृति राज्यशास्त्र, शासन और नैतिक आचरण के विस्तृत विश्लेषण के लिए महत्वपूर्ण है, जिसने प्राचीन भारत में राजनीतिक विचार और प्रशासन को प्रभावित किया।

चिकित्सा के क्षेत्र में विचारक
(Thinkers in the Field of Medicine)

1. **पतंजलि** – इन्होंने योग सूत्र की रचना की। यह योग दर्शन और योगाभ्यास पर एक प्रमुख ग्रंथ है। इन्होंने पाणिनि के व्याकरण पर महाभाष्य भी लिखा है। पतंजलि के योग सूत्र आज भी व्यापक रूप से पढ़े और व्यवहार में अपनाये जाते हैं, इस कारण ये वैश्विक योग समुदाय में एक केंद्रीय व्यक्तित्व बन गये हैं।
2. **जीवक** – ये प्राचीन भारतीय चिकित्सक थे जो अपनी शल्य चिकित्सा कौशल और उपचार विधियों के लिए जाने जाते थे। इन्होंने शल्य चिकित्सा की और हर्बल दवाओं का उपयोग किया, जो आधुनिक डॉक्टरों के समान है। चिकित्सा और शल्य चिकित्सा में उनके योगदान को आज भी याद किया जाता है और सराहा जाता है।
3. **चरक** – इन्होंने चरक संहिता लिखी, जो पारंपरिक भारतीय चिकित्सा (आयुर्वेद) पर एक व्यापक ग्रंथ है। इसमें विभिन्न चिकित्सा उपचार, निदान और हर्बल उपचार शामिल हैं।
4. **वाग्भट** – इन्होंने 'अष्टांगहृदयम संहिता' की रचना की, जो आयुर्वेद में एक और महत्वपूर्ण कृति है।
5. **सुश्रुत** – ये शल्य चिकित्सा संबंधी अपनी अपने कार्यों के लिए जाने जाते हैं। इन कार्यों को सुश्रुत संहिता में दर्ज किया गया है। इन्होंने कई शल्य चिकित्सा प्रक्रियाओं और उपकरणों का वर्णन किया है, इस कारण उन्हें 'भारतीय चिकित्सा का पिता' और 'प्लास्टिक सर्जरी का पिता' की उपाधि दी गयी है।

गणित और खगोल विज्ञान के क्षेत्र में विचारक
(Thinkers in the field of Mathamatics and Astronomy)

1. **वराहमिहिर** – ये उज्जैन में जन्मे, खगोलशास्त्री और गणितज्ञ थे। इनकी रचना 'पंचसिद्धांतिका' उनके उज्जैन की खगोल और गणित की विद्वत परंपरा से जुड़ाव को दर्शाती है। इनकी कृति 'बृहत संहिता' ज्योतिष, वास्तुकला, मौसम विज्ञान और विभिन्न अन्य विषयों को कवर करती है।
2. **ब्रह्मगुप्त** – ब्रह्मगुप्त ने 'ब्रह्मस्फुटसिद्धांतश, की रचना 628 ईस्वी में की जिसमें शून्य को एक संख्या के रूप में और शून्य के साथ अंकगणित के नियमों को प्रस्तुत किया है। उनकी इस कृति ने प्राचीन भारत में गणितीय ज्ञान को उन्नत किया, जिससे बीजगणित और संख्या सिद्धांत का विकास हुआ।
3. **भास्कर-प्रथम** – ये 7वीं सदी के गणितज्ञ थे, जिन्होंने हिंदू दशमलव प्रणाली के बारे में लिखा और त्रिकोणमिति में महत्वपूर्ण योगदान दिया। ये भी संभवतः उज्जैन की गणितीय परंपरा से जुड़े हुए थे।
4. **भास्कराचार्य/भास्कर द्वितीय** – ये 12वीं सदी के गणितज्ञ थे, जो दशमलव संख्या प्रणाली और गुरुत्वाकर्षण सिद्धांत में अपने योगदान के लिए जाने जाते हैं। इनकी रचना 'सिद्धांत शिरोमणि' गणित और खगोल विज्ञान से संबंधित एक प्रमुख ग्रंथ था। ये भी संभवतः उज्जैन से संबंधित थे। भास्कराचार्य ने 'लीलावती' ग्रंथ की रचना की, जो अंकगणित, बीजगणित, ज्यामिति और मापन विषयों को कवर करने वाला संस्कृत गणितीय ग्रंथ है। इस ग्रंथ को उनकी बेटी के साथ संवाद के रूप में प्रस्तुत किया गया है।
5. **पिंगल** – ये द्विआधारी संख्याओं और संयोजकता संबंधित अपनी रचना के लिए जाने जाते हैं, जो इनके उन्नत गणितीय परंपरा का हिस्सा होने का संकेत देता है।
6. **बोधायन** – बोधायन का 'शाल्व सूत्र' ज्यामिति और गणित से संबंधित एक महत्वपूर्ण ग्रंथ है। इसमें ज्यामितीय आकृतियों और वेदियों के निर्माण के निर्देश शामिल हैं, जो वैदिक अनुष्ठानों और वास्तुकला में उन्नत गणितीय समझ का प्रदर्शन करते हैं।
7. **आर्यभट्ट** – आर्यभट्ट पाटलिपुत्र (आधुनिक पटना) के एक प्रतिभाशाली गणितज्ञ और खगोलशास्त्री थे, जो 5वीं सदी ईस्वी में गुप्त युग के दौरान हुए। इनके बारे में कुछ मुख्य बिंदु निम्नवत हैं-
   - **शून्य के आविष्कारक** – आर्यभट्ट को शून्य के आविष्कार का श्रेय दिया जाता है। आर्यभट्ट की रचना 'आर्यभट्टीय' भारतीय गणित और खगोल विज्ञान की प्रमुख कृति है, जो शून्य की अवधारणा को प्रस्तुत करती है और सौर वर्ष और ग्रहों की गति की सटीक गणना प्रदान करती है।

- **पाई का मान** – इन्होंने पाई के मान की गणना लगभग 3.14159 के रूप में की, जो अत्यंत सटीक है।
- **बीजगणित** – इन्होंने बीजगणित को 'बीजगणितम' कहा था।
- **खगोलीय खोजें** – आर्यभट्ट ने चंद्र और सूर्य ग्रहणों, पृथ्वी के अपने अक्ष पर घूमने और चंद्रमा द्वारा प्रकाश के परावर्तन की व्याख्या की। उन्होंने निष्कर्ष निकाला कि पृथ्वी एक घूमता हुआ गोला है और सौर वर्ष की गणना 365.8586805 दिनों की है। उन्होंने अपनी पुस्तक 'सूर्य सिद्धांत' में इन खोजों के बारे में लिखा।

अन्य प्रमुख विचारक (Other Prominent Thinkers)

1. **जैमिनी** – इन्होंने 'पूर्व मीमांसा सूत्र' की रचना की। उनकी इस रचना ने वैदिक अनुष्ठानों और संस्कारों की समझ और अभ्यास में योगदान दिया।
2. **वात्स्यायन** – वात्स्यायन ने 'कामसूत्र' की रचना की, जो मानव संबंधों, प्रेम और कामुकता पर एक प्रसिद्ध ग्रंथ है। 'कामसूत्र' मानव व्यवहार की अंतर्दृष्टि और प्रेम एवं अंतरंगता की सांस्कृतिक धारणाओं पर इसके प्रभाव के लिए प्रसिद्ध है।
3. **विष्णु शर्मा** – इन्होंने 'पंचतंत्र' की रचना की, जो परस्पर संबंधित पशु कथाओं और नैतिक कहानियों का संग्रह है। यह रचना, जो लगभग तीसरी शताब्दी ईसा पूर्व में लिखी गयी, कहानी कहने के माध्यम से नैतिकता का पाठ पढ़ाती है, जो यह भारतीय साहित्य और सांस्कृतिक ज्ञान में एक महत्वपूर्ण योगदान है।
4. **कणाद** – उन्होंने 'वैशेषिक' स्कूल की स्थापना की, जो तत्वमीमांसा और प्राकृतिक विज्ञान पर केंद्रित था। उन्होंने 'वैशेषिक सूत्र' नामक ग्रंथ की रचना की। वे अपने परमाणु सिद्धांत के लिए जाने जाते हैं, जिसमें प्रस्तावित किया गया था कि ब्रह्मांड की हर चीज परमाणुओं से बनी है। उनके विचार अपने समय से बहुत आगे थे और उन्होंने भारत में बाद के वैज्ञानिक विकास की नींव रखी।

बौद्ध धर्म के क्षेत्र में विचारक (Thinkers in the field of Buddhism)

1. **नागार्जुन** – नागार्जुन एक प्रभावशाली भारतीय दार्शनिक और महायान बौद्ध धर्म के मध्यमक (मध्य मार्ग) स्कूल के संस्थापक थे। वह लगभग दूसरी शताब्दी ईस्वी में हुए। नागार्जुन का सबसे महत्वपूर्ण योगदान उनकी रचना 'मध्यमक कारिका' (मध्य मार्ग पर मौलिक श्लोक) है, जो शून्यता (शून्यता) और यथार्थ की प्रकृति की अवधारणा का विस्तार से वर्णन करती है।
2. **शीलभद्र** – शीलभद्र 7वीं शताब्दी के दौरान नालंदा के प्रमुख थे और चीनी दार्शनिक और यात्री ह्वेनसांग के समकालीन थे। वह बौद्ध धर्म की महायान शाखा के शिक्षक थे और ह्वेनसांग की शिक्षा में महत्वपूर्ण भूमिका निभाई।
3. **वसुबंधु** – वह एक प्रारंभिक भारतीय दार्शनिक और महायान बौद्ध धर्म के विकास में एक प्रमुख व्यक्ति थे। उन्होंने कई महत्वपूर्ण ग्रंथों की रचना की, जिनमें 'अभिधर्मकोश' शामिल है, जो बौद्ध दर्शन और मनोविज्ञान से संबंधित व्यापक ग्रंथ है।
4. **भाविवेक** – वह अपने स्वतंत्र मध्यमक स्कूल स्वातंत्रिका के लिए जाने जाते हैं। इसमें तार्किक विचार के विकास पर जोर दिया गया है।

अन्य महत्वपूर्ण बौद्ध विचारक (Other Important Buddhist Thinkers)

1. धर्मपाल
2. दिग्नाग
3. शांतरक्षित
4. धर्मकीर्ति
5. हरिभद्र
6. बोधिधर्म
7. चंद्रकीर्ति
8. अतीश दीपंकर
9. ज्ञानगर्भ
10. शांतिदेव
11. कुमारलता
12. पद्मसंभव

महत्वपूर्ण विचारकों और उनकी रचनाओं का संक्षिप्त सारांश 30.11 और 30.12 तालिकाओं में दिया गया है।

तालिका 30.11 महत्वपूर्ण विचारक और उनकी कृतियाँ

अध्ययन का क्षेत्र	विचारक का नाम	रचना का नाम
भाषा और संगीत	पाणिनि	• अष्टाध्यायी
	कालिदास	• शकुंतला
	भरत मुनि	• नाट्यशास्त्र
	अमर सिंह	• अमरकोश
दर्शनशास्त्र और अर्थशास्त्र	कपिल	–
	ऋषि गौतम	• न्याय सूत्र
	कौटिल्य/चाणक्य	• अर्थशास्त्र
	कामंदक	• नीतिसार
चिकित्सा	पतंजलि	• योग सूत्र
		• महाभाष्य
	जीवक	–
	चरक	• चरक संहिता
	वाग्भट	• अष्टांग हृदयम संहिता
	सुश्रुत	• सुश्रुत संहिता

अध्ययन का क्षेत्र	विचारक का नाम	रचना का नाम
गणित और खगोलशास्त्र	वराहमिहिर	• पंच-सिद्धांतिका • वृहत संहिता
	ब्रह्मगुप्त (ब्रह्मगुप्त)	• ब्रह्मस्फुटसिद्धांत
	भास्कर प्रथम	–
	भास्कर द्वितीय	• लीलावती • सिद्धांत शिरोमणि
	पिंगल	–
	बोधायन	• शाल्व सूत्र
	आर्यभट्ट	• आर्यभट्टीय
अन्य प्रमुख विचारक	जैमिनी	• पूर्व मीमांसा सूत्र
	वात्स्यायन	• कामसूत्र
	विष्णु शर्मा	• पंचतंत्र
	कणाद	–
बौद्ध धर्म के क्षेत्र में विचारक	नागार्जुन	• मध्यमक कारिका
	शीलभद्र	–
	वसुबंधु	• अभिधर्मकोश
	भाविवेक	

तालिका 30.12 भारत की अन्य महत्वपूर्ण प्राचीन पुस्तकें

लेखक	प्राचीन भारतीय पुस्तक
अमोघवर्ष	प्रश्नोत्तरमालिका
अमर सिंह	अमरकोष
अश्वघोष	बुद्धचरित
बादरायण	वेदांत सूत्र
भरत	नाट्यशास्त्र
भर्तृहरि	वाक्यपदीय
बृहस्पति	बृहस्पति सूत्र
गौतम	न्याय सूत्र
हर्षवर्धन	नागानंद
जयदेव	गीत गोविन्द
कल्हण	राजतरंगिणी
महावीर	आगम साहित्य
मेघस्थनीज	इंडिका
रवि कृति	ऐहोल प्रशस्ति
सोमदेव	कथासरित्सागर
सुद्रक	मृच्छकटिक
सिद्धार्थ गौतम	बुद्ध त्रिपिटिक
विशाखदत्त	मुद्रा राक्षस
वीरसेन	नवरत्न

तालिका 30.13 तक्षशिला और नालंदा के महत्वपूर्ण शिक्षक और छात्र

विवरण	नालंदा	तक्षशिला
प्रसिद्ध शिक्षक	• आर्यभट्ट (नालंदा के प्रमुख) • शीलभद्र (जुआंग जांग के शिक्षक) • धर्मकीर्ति • दीपंकर अतिश • धर्मपाल	• पाणिनि (संस्कृत व्याकरणाचार्य) • चाणक्य/कौटिल्य (महान भारतीय दार्शनिक) • कुमारलता (सौतांत्रिक बौद्ध दर्शन के संस्थापक)
प्रसिद्ध छात्र	• राजा हर्षवर्धन • नागार्जुन (मध्यमक बौद्ध दर्शन के संस्थापक) • वसुबन्धु (बौद्ध धर्म की महायान शाखा से संबंधित)	• जीवक (गौतम बुद्ध के चिकित्सक/डॉक्टर) • चरक (भारतीय चिकित्सा के जनक) • विष्णु शर्मा (पंचतंत्र के लेखक) • राजा चंद्रगुप्त मौर्य

टिप्पणी- जैन धर्म के पहले तीर्थंकर, ऋषभ मुनि भी तक्षशिला आए थे।

क्विज स्टेशन *विगत UGC NET परीक्षाओं के प्रश्न*

प्र 1. निम्नलिखित स्तम्भों का मिलान कीजिये-

(3 सितंबर 2024 - शिफ्ट 2)

सूची 1	सूची 2
A. ब्रह्मगुप्त	I. लीलावती
B. वराहमिहिर	II. ब्रह्मस्फुट सिद्धांत
C. भास्कराचार्य	III. नाट्यशास्त्र
D. भरतमुनि	IV. वृहत संहिता

(a) A-II, B-I, C-IV, D-III
(b) A-II, B-IV, C-I, D-III
(c) A-IV, B-II, C-I, D-III
(d) A-II, B-IV, C-III, D-I

प्र 2. निम्नलिखित प्राचीन विद्वानों में से कौन व्याकरणिक परम्परा के प्रतिपादक थे:-

(4 सितंबर 2024 - शिफ्ट 1))

(a) ईश्वरकृष्णा
(b) भर्तृहरि
(c) गौतम
(d) कणाद

प्र 3. निम्नलिखित स्तम्भों का मिलान कीजिये-

(30 अगस्त 2024 - शिफ्ट 1)

सूची 1	सूची 2
A. पिंगल	I. लीलावती
B. पाणिनी	II. छन्द शास्त्र
C. आर्यभट	III. अष्टाध्यायी
D. भास्कराचार्य	IV. आर्यभट्टीय

(a) A-II, B-IV, C-III, D-I
(b) A-III, B-II, C-IV, D-I
(c) A-II, B-III, C-IV, D-I
(d) A-I, B-III, C-IV, D-II

प्र 4. प्राचीन व्याकरणविद् पाणिनी निम्नलिखित ज्ञान के प्राचीनतम स्थानों में से किस स्थान पर विद्यार्थी रहे हैं:-

(27 अगस्त 2024 - शिफ्ट 2)

(a) तक्षशिला
(b) नालंदा
(c) श्रीधन्य कटक
(d) ओदंतपुरी

प्र 5. निम्नलिखित स्तम्भों का मिलान कीजिये-

(18 जून 2024 - शिफ्ट 1)

सूची 1 (प्राचीन ग्रंथ)	सूची 2 (लेखक)
A. लीलावती	I. चाणक्य
B. योगसूत्र	II. गौतम
C. न्याय सूत्र	III. पतंजलि
D. अर्थशास्त्र	IV. भास्कराचार्य

नीचे दिये गये विकल्पों में से सही उत्तर को चुनिये:-

(a) A-IV, B-III, C-II, D-I
(b) A-III, B-IV, C-II, D-I
(c) A-IV, B-III, C-I, D-II
(d) A-I, B-III, C-II, D-IV

प्र 6. पाणिनी द्वारा रचित विश्व की प्राचीनतम व्याकरण है:-

(a) अष्टाध्यायी
(b) प्रतिशाक्य
(c) निरूक्त
(d) वेनांगा ज्योतिष

उत्तर 1. (b) 2. (b) 3. (c) 4. (a) 5. (a) 6. (a)

अध्याय के मुख्य बिंदु

वेद

ऋग्वेद
- सबसे प्राचीन वेद
- इसमें 1,028 मंत्र हैं
- इसे 10 पुस्तकों में विभाजित किया गया है

यजुर्वेद
- बलि अनुष्ठानों के लिए मंत्रों और स्तुतियों का संग्रह
- पुजारियों के लिए एक मार्गदर्शक पुस्तक के रूप में कार्य करता है
- इसे 2 भागों में विभाजित किया गया है- शुक्ल यजुर्वेद (श्वेत यजुर्वेद) कृष्ण यजुर्वेद (काला यजुर्वेद)

सामवेद
- अनुष्ठानों में गायन के लिए संगीत और स्तुतियाँ
- उद्देश्य- संगीत के माध्यम से अनुष्ठानों के भावनात्मक और आध्यात्मिक अनुभव को बढ़ाना
- इसे संगीत का वेद भी कहा जाता है
- इसे 2 भागों में विभाजित किया गया है- प्रारंभिक भाग (पूर्वार्चिका) बाद का भाग (उत्तरार्चिका)

अथर्ववेद
- इसमें स्वास्थ्य, समृद्धि और नकारात्मक शक्तियों से सुरक्षा के लिए मंत्र और प्रार्थनाएँ शामिल हैं।
- इसे 20 पुस्तकों में संगठित किया गया है।

सभी वेदों को निम्नलिखित में विभाजित किया गया है
- संहिता
- ब्राह्मण ग्रंथ
- आरण्यक
- उपनिषद

उपवेद
(संबंधित वेद के पूरक ग्रंथों का समूह)

- आयुर्वेद → ऋग्वेद
- धनुर्वेद → यजुर्वेद
- गंधर्ववेद → सामवेद
- अर्थशास्त्र → अथर्ववेद

दर्शन शास्त्र
(भारतीय दर्शन के शास्त्रीय स्कूल)

- न्याय (तर्क एवं विश्लेषणात्मक दर्शन)
- वैशेषिक (चेतनता का आणविक सिद्धांत और समझ)
- मीमांसा (वेदों की आलोचनात्मक व्याख्या)
- वेदांत (वेदों के सार का अन्वेषण)
- सांख्य (चेतनता और पदार्थ का द्वैत दर्शन)
- योग (ध्यान और चिंतन का अभ्यास)

वेदांग
(वैदिक मंत्रों या अनुष्ठानों में महारत हासिल करने के लिए अंतर्दृष्टि और साधन प्रदान करते हैं)

- ध्वनिविज्ञान या शास्त्र (शिक्षा)
- छंद
- व्याकरण
- निरुक्त
- ज्योतिष
- कल्प (कल्प)

संस्कार

- विद्यारंभ (5 वर्ष की आयु) (बच्चे की शिक्षा की औपचारिक शुरुआत)
- उपनयन (8–12 वर्ष की आयु) (वैदिक शिक्षा में औपचारिक दीक्षा)
- मेधा ज्ञान (उपनयन के 3 दिन बाद) (ज्ञान और बुद्धि के जीवन में छात्र के पुनर्जन्म का प्रतीक)
- उत्सर्जन संस्कार (शैक्षणिक सत्र का समापन)
- समावर्तन संस्कार (औपचारिक शिक्षा अवधि का अंत)

मूल्यांकन प्रणाली

- महाप्रज्ञा (मेधावी छात्र)
- मध्यम प्रज्ञा (सामान्य छात्र)
- अल्प प्रज्ञा (औसत छात्र)

तक्षशिला विश्वविद्यालय

स्थान- गांधार क्षेत्र (पाकिस्तान के रावलपिंडी जिले में)
विशेषज्ञता- चिकित्सा और कला
विनाश- तोरमान द्वारा (5वीं सदी ईस्वी में)
यूनेस्को विश्व धरोहर स्थल- 1980 में घोषित
महत्वपूर्ण छात्र-

- जीवक
- चरक
- विष्णु शर्मा
- राजा चंद्रगुप्त मौर्य

महत्वपूर्ण शिक्षक-

- पाणिनि
- चाणक्य/कौटिल्य
- कुमारलता

बौद्ध ग्रंथ (त्रिपिटक)

- अनुशासन की टोकरी (विनय पिटक)
- प्रवचन की टोकरी (सुत्त पिटक)
- उच्च शिक्षाओं की टोकरी (अभिधम्म पिटक)

नालंदा विश्वविद्यालय

स्थान-राजगृह, बिहार
संस्थापक- गुप्त वंश के कुमारगुप्त प्रथम
पढ़ाए जाने वाले विषय- महायान बौद्ध धर्म, तर्कशास्त्र, गणित, वेद
प्रशासन-

- कुलपति- शीलभद्र
- प्रमुख- आर्यभट्ट

नालंदा का विनाश-

- हूण आक्रमण (455-470 ईस्वी)
- गौड़ राजवंश का आक्रमण (7वीं सदी के आरंभ में)
- बख्तियार खिलजी का आक्रमण (1200 ईस्वी)

बौद्ध संगीतियां

- प्रथम संगीति (486 ईसा पूर्व) (बुद्ध के उपदेशों को त्रिपिटक में संकलित करने के लिए)
- द्वितीय संगीति (383 ईसा पूर्व) (नियमों और प्रथाओं के बारे में असहमति को हल करने के लिए)
- तृतीय संगीति (250 ईसा पूर्व) (बौद्ध विचारों को स्पष्ट करने और अधिक विस्तृत पुस्तक बनाने के लिए)
- चतुर्थ संगीति (प्रथम शताब्दी ईस्वी) (शिक्षाओं को मानकीकृत करने और ग्रंथों को संरक्षित करने के लिए; बौद्ध धर्म की हीनयान और महायान शाखाओं के बीच अंतर करने के लिए)

स्वतंत्रता पूर्व और पश्चात् के आयोग (Pre and Post Independence Commissions)

31

इस अध्याय में

31.1 स्वतंत्रता पूर्व आयोग
- *चार्टर अधिनियम (1813)*
- *मैकॉले के कार्यवृत्त (1835)**
- *अंग्रेजी शिक्षा अधिनियम (1835)*
- *वुड्स डिस्पैच (1854)**
- *हंटर आयोग (1882)*
- *शिमला शिक्षा सम्मेलन (1901)*
- *रैले आयोग (1902)*
- *भारतीय विश्वविद्यालय अधिनियम (1904)*
- *सैडलर विश्वविद्यालय आयोग (1917)*
- *केंद्रीय शिक्षा सलाहकार बोर्ड (1921)*
- *हार्टोग समिति (1929)*
- *वर्धा योजना (1937)*
- *सार्जेंट योजना (1944)*

31.2 स्वतंत्रता के पश्चात् आयोग
- *राधाकृष्णन आयोग (1948-49)**
- *मुदालियर आयोग (1952)*
- *भावनात्मक बुद्धिमत्ता समिति (1961)*
- *हंसा मेहता समिति (1962)*
- *कोठारी आयोग (1964-1966)**
- *राष्ट्रीय शिक्षा नीति (1968)*
- *शिक्षा का समवर्ती सूची में स्थानांतरण (1976)*
- *राममूर्ति समिति (1990)*
- *सीएबीई समिति (1992)*
- *यशपाल समिति (1993)*
- *सैम पित्रोदा समिति (2005-2008)**

31.3 भारतीय शिक्षा सुधारक

31.4 महत्वपूर्ण विश्वविद्यालय और कॉलेज

**परीक्षोपयोगी (Exam Essential): UGC NET परीक्षा में पूछे जाने की अत्यधिक संभावना*

भूमिका (Introduction)

उस समय की कल्पना कीजिये जब भारत में शिक्षा शांत, रहस्यमय यात्रा हुआ करती थी और हरे-भरे जंगलों में हुआ करती थी, जहाँ ज्ञान का प्रवाह गुरुओं से शिष्यों तक एक गहन व्यक्तिगत और आध्यात्मिक वातावरण में होता था। यद्यपि यह मौखिक ज्ञान और समग्र शिक्षा की समृद्ध विरासत यद्यपि ब्रिटिश औपनिवेशिक शासन के आगमन के साथ नाटकीय रूप से बदलने लगी। जैसे ही ब्रिटिशर्स आए, प्राचीन शास्त्रों के मंत्रों का स्थान पर ब्लैकबोर्ड पर चॉक की आवाज और पाठ्यपुस्तकों की सरसराहट ने ले ली। आध्यात्मिक शिक्षा से व्यवस्थित शिक्षा में यह नाटकीय बदलाव भारतीय शिक्षा व्यवस्था में आकर्षक परिवर्तन की शुरुआत थी।

जैसे ही भारत ने स्वतंत्रता प्राप्त की, देश में आयोगों की श्रृंखला के माध्यम से अपनी शिक्षा प्रणाली को सुधारने और पुनर्जीवित करने की एक महत्वाकांक्षी यात्रा की शुरुआत हुई। इन महत्वपूर्ण निकायों का उद्देश्य एक समावेशी, न्यायसंगत और भावी सोच वाली रूपरेखा बनाना था, जो भारत की आकांक्षाओं और इसकी बढ़ती हुई जनसंख्या की परिवर्तनशील आवश्यकताओं को दर्शाती हो। स्वतंत्रता पूर्व युग से लेकर समकालीन अवधि तक के प्रत्येक आयोग ने एक जीवंत और प्रगतिशील शैक्षिक परिदृश्य को आकार देने में योगदान दिया है और भारत की ज्ञान एवं विकास की निरंतर खोज में प्राचीन और आधुनिक के बीच सेतु का काम किया है।

ऐतिहासिक पृष्ठभूमि (Historical Background)

1. **प्राचीन काल (Ancient Period):** जैसा कि हमने पिछले अध्याय में देखा, प्राचीन भारत में शिक्षा व्यवस्था की जड़ें गुरुकुल प्रणाली में विद्यमान थी। जहाँ आश्रमों या गुरूकुलों में गुरुओं (शिक्षकों) द्वारा शिक्षा प्रदान की जाती थी। इस प्रणाली ने समग्र शिक्षा पर जोर दिया, जिसमें आध्यात्मिक, नैतिक और व्यावहारिक ज्ञान शामिल था।
2. **मुगल साम्राज्य (Mughal Empire):** 16वीं शताब्दी में मुगल साम्राज्य के आगमन के साथ, शैक्षिक परिदृश्य में महत्वपूर्ण बदलाव आया। मुगलों ने, विशेष रूप से अकबर जैसे शासकों के तहत, इस्लामी और फारसी शैक्षिक परंपराओं के मिश्रण को बढ़ावा दिया। मदरसे (इस्लामी स्कूल) फले-फूले, जहाँ धर्मशास्त्र, कानून, साहित्य और विज्ञान जैसे विषय पढ़ाए जाते थे।

3. **मध्य काल (Medieval Period):** मुगल साम्राज्य के पतन के बाद, राजनीतिक अराजकता और अशांति के वातावरण में पारंपरिक स्कूलों और शैक्षिक संस्थानों ठीक से कार्य नहीं कर पायी। लगातार राजनीतिक अशांति के कारण पारंपरिक शिक्षा केंद्रों में गिरावट आना प्रारंभ हो गयी। स्कूलों को मिलने वाली सहायता कम हो गयी, जिससे शिक्षा की गुणवत्ता और उपलब्धता में गिरावट आई।

4. **ब्रिटिश औपनिवेशिक शासन (British Colonial Rule):** 18वीं और 19वीं शताब्दी में भारत में ब्रिटिश उपनिवेशवाद के कारण एक और क्रांतिकारी परिवर्तन आया। प्रारंभ में, ब्रिटिश ईस्ट इंडिया कंपनी ने मौजूदा शिक्षा प्रणाली में ज्यादा हस्तक्षेप नहीं किया, जिससे शिक्षा मुख्य रूप से निजी व्यक्तियों और स्थानीय समुदायों के हाथों में रही। यद्यपि, बाद में उन्होंने महसूस किया कि बेहतर प्रशासन के लिए शिक्षित लोगों का होना अत्यावश्यक था।

   चार्ल्स ग्रांट का प्रभाव- (Influence of Charles Grant): ईस्ट इंडिया कंपनी के एक अधिकारी चार्ल्स ग्रांट ने अंग्रेजी सिखाने के लिए स्कूलों की स्थापना करने में महत्वपूर्ण भूमिका निभाई। उनका मानना था कि अंग्रेजी को माध्यम के रूप में उपयोग करने से आधुनिक शिक्षा को बढ़ावा मिलेगा। ग्रांट के विचारों के कारण अंग्रेजी को शिक्षण की प्राथमिक भाषा के रूप में स्थापित करने का मार्ग प्रशस्त हुआ। इसका उद्देश्य शिक्षित भारतीयों का एक वर्ग तैयार करना था जिससे प्रशासन में सहायता हों और भारत में पश्चिमी ज्ञान लाया जा सकें। अंग्रेजी शिक्षा को बढ़ावा देने के उनके प्रयासों के कारण चार्ल्स ग्रांट को अक्सर 'भारत में आधुनिक शिक्षा के जनक' के रूप में जाना जाता है। उनके दृष्टिकोण के कारण अंग्रेजों द्वारा प्रस्तुत भावी शैक्षिक नीतियों की नींव रखी गयी, जिससे अधिक औपचारिक और मानकीकृत शैक्षिक प्रणाली की दिशा में महत्वपूर्ण बदलाव आया।

31.1 स्वतंत्रता पूर्व आयोग (Pre-Independence Commissions)

चार्टर अधिनियम (1813) (The Charter Act (1813)

इस विषय को सरल बनाने वाले वीडियो व्याख्यान को देखने के लिए इस QR कोड को स्कैन करें

चार्टर अधिनियम, 1813 ब्रिटिश भारत में शिक्षा के इतिहास में एक महत्वपूर्ण क्षण था। पहली बार ब्रिटिश सरकार ने आधिकारिक तौर पर भारतीयों के लिए शिक्षा के महत्व को मान्यता दी और भविष्य के शैक्षिक सुधारों के लिए मंच तैयार किया।

1. **चार्टर अधिनियम की धारा 43 (Section 43 of the Charter Act):** यह धारा महत्वपूर्ण थी, क्योंकि यह पहला कानून था जिसमें कहा गया कि सार्वजनिक धन का उपयोग शिक्षा को वित्तपोषित करने के लिए किया जाना चाहिए। यह भारत में एक अधिक संगठित शिक्षा प्रणाली बनाने की दिशा में एक बड़ा कदम था।
2. **वित्तीय आवंटन (Financial Allocation):** इस अधिनियम में प्रावधान था कि ईस्ट इंडिया कंपनी को भारत में शिक्षा को बढ़ावा देने के लिए 1 लाख रुपये खर्च करने होंगे। यह राशि शैक्षिक कार्यक्रमों को सहायता प्रदान करने और स्कूलों और कॉलेजों में सुधार करने के लिए था।
3. **वित्त पोषण में देरी (Delay in Funding):** यद्यपि अधिनियम में शिक्षा के लिए धनराशि देने का प्रावधान किया गया था, परंतु इसे वास्तव में वर्ष 1823 तक प्रदान नहीं किया गया। इस देरी के कारण कुछ योजनाबद्ध शैक्षिक सुधारों धीमे हो गये।
4. **स्थानीय पहल (Local Initiatives):** धनराशि की प्रतीक्षा में बंगाल के शिक्षित भारतीयों ने खुद ही पहल की। डेविड हरे (David Hare) और अलेक्जेंडर डफ (Alexander Duff) के सहयोग से राजा राममोहन राय ने 1817 में कलकत्ता में हिंदू कॉलेज की स्थापना की। इसके अतिरिक्त, ब्रिटिश सरकार ने कलकत्ता, दिल्ली और आगरा में तीन संस्कृत कॉलेजों की स्थापना की, जिससे भारत में उच्च शिक्षा का प्रसार हुआ।
5. **शैक्षिक नीति के लक्ष्य: (Goals of the Educational Policy)**
   - **साहित्य का पुनरुद्धार और सुधार:** इस अधिनियम का उद्देश्य भारत में साहित्य के अध्ययन और गुण-दोष विवेचना को बढ़ावा देना था।
   - **शिक्षित भारतीयों को प्रोत्साहित करना:** इसका उद्देश्य शिक्षित भारतीयों को उनके विद्वतापूर्ण कार्यों को जारी रखने के लिए सहायता प्रदान करना और प्रोत्साहित करना था।
   - **वैज्ञानिक ज्ञान को बढ़ावा देना:** इस अधिनियम का उद्देश्य ब्रिटिश शासित भारत के लोगों के बीच वैज्ञानिक ज्ञान का परिचय और प्रसार करना था।

★★★ परीक्षोपयोगी

मैकॉले के कार्यवृत्त (Macaulay*s Minute) (1835)

2 फरवरी 1835 को, ब्रिटिश इतिहासकार और राजनीतिज्ञ थॉमस बैबिंगटन मैकॉले ने 'भारतीय शिक्षा पर कार्यवृत्त' प्रस्तुत किया। मैकॉले ने भारत में अंग्रेजी शिक्षा को पारंपरिक भारतीय ज्ञान प्रणालियों से श्रेष्ठ मानते हुए इसके पक्ष में जोरदार तर्क दिया। उन्होंने अंग्रेजी शिक्षा को भारतीयों को पश्चिमी विचारों और मूल्यों में शिक्षित करने का एक माध्यम माना, ताकि ब्रिटिश शासन को अधिक स्वीकार्य बनाया जा सकें।

मैकॉले के प्रभाव के कारण भारत में आधिकारिक प्रशासनिक भाषा फारसी का स्थान अंग्रेजी ने ले लिया। उन्होंने ऐसे भारतीयों के प्रशिक्षण को भी बढ़ावा दिया जो अंग्रेजी में धाराप्रवाह बोल सकते थे, ताकि वे ब्रिटिश शासन के तहत भावी नेता और प्रशासक बन सकें। उपयोगितावादी सिद्धांतों से प्रेरित होकर, मैकॉले ने 'उपयोगी शिक्षा' में विश्वास जताया ताकि ब्रिटिश प्रशासन लाभान्वित हो सके और भारत में विकास को बढ़ावा मिल सके।

ओरिएंटेलिस्ट-एंग्लिसिस्ट विवाद (Orientalist-Anglicist Controversy)

1823 में लॉर्ड मैकॉले द्वारा स्थापित जनरल कमेटी ऑफ पब्लिक इंस्ट्रक्शन ने भारत में शिक्षा का प्रबंधन किया। इस समिति ने ओरिएंटेलिस्ट-एंग्लिसिस्ट विवाद को जन्म दिया। इसमें दस सदस्य थे जो दो समूहों में विभाजित थे-

- **ओरिएंटेलिस्ट:** एच.टी.पी. प्रिंसेप के नेतृत्व में इस गुट ने पारंपरिक भारतीय शिक्षा के साथ पश्चिमी शिक्षा को मिलाने का समर्थन किया ताकि सांस्कृतिक विरासत को संरक्षित किया जा सके और लोगों को नौकरियों के लिए तैयार किया जा सके।
- **एंग्लिसिस्ट:** इस गुट ने आधुनिक पश्चिमी शिक्षा को भारत की प्रगति के लिए महत्वपूर्ण बताते हुए इसका समर्थन किया। इन्होंने अंग्रेजी भाषा में अथवा भारतीय भाषाओं में शिक्षा प्रदान की जाये, इस विषय पर वाद-विवाद किया।इस कारण इनके शैक्षिक विचारों में अत्यधिक अंतर उजागर हुआ।

निष्कर्ष: लॉर्ड मैकॉले ने अपनी 'मिनट ऑन इंडियन एजुकेशन' में यह तर्क देकर इस विवाद का समाधान किया कि अंग्रेजी ही शिक्षण की मुख्य भाषा होनी चाहिए। इस निर्णय ने ब्रिटिश भारत में होने वाले शिक्षा के विकास को बहुत प्रभावित किया।

डाउनवर्ड फिल्ट्रेशन थ्योरी (Downward Filtration Theory)

'डाउनवर्ड फिल्ट्रेशन थ्योरी' 19वीं सदी के दौरान भारत में ब्रिटिश औपनिवेशिक प्रशासकों द्वारा अपनी शैक्षिक नीतियों को सही ठहराने के लिए उपयोग की जाने वाली एक अवधारणा थी।

इस सिद्धांत में यह सुझाव दिया गया कि यदि ऊपरी और मध्यम वर्ग के भारतीयों के एक छोटे समूह को पश्चिमी शैली की शिक्षा दी जाए, तो अंततः इस शिक्षा के लाभ समाज के बाकी हिस्सों तक 'फिल्टर' हो जाएंगे। इस सिद्धांत का उद्देश्य शिक्षा का उपयोग एक साधन के रूप में करना था ताकि भारतीय समाज में धीरे-धीरे पश्चिमी ज्ञान और मूल्यों का प्रसार किया जा सके।

सिनेमैटिक कनेक्शन

फिल्म हिंदी मीडियम (2017), जिसमें इरफान खान ने अभिनय किया है, यह दिखाती है कि ब्रिटिश शिक्षा प्रणाली ने भारत में अंग्रेजी शिक्षा को कितना महत्वपूर्ण बना दिया है। यह प्रतिष्ठित अंग्रेजी-माध्यम स्कूलों में बच्चों को प्रवेश दिलाने की सामाजिक दबावों और चुनौतियों, शिक्षा प्रणाली में खामियों और असमानताओं को उजागर करती है। फिल्म यह दिखाती है कि कैसे अंग्रेजी को अक्सर बुद्धिमत्ता और सफलता से जोड़ा जाता है, जबकि हिंदी-माध्यम शिक्षा को नीचा दिखाया जाता है, जो गहरे जड़ें जमाए पूर्वाग्रहों को दर्शाता है।

क्विज स्टेशन *विगत UGC NET परीक्षाओं के प्रश्न*

प्र 1. मैकॉले के बारे में निम्नलिखित में से कौन से कथन सही हैं? *(18 जून, 2024 - शिफ्ट 2)*

A. उन्होंने प्रशासनिक भाषा फारसी के स्थान पर अंग्रेजी को स्थापित करने में सफलता प्राप्त की।

B. उन्होंने अंग्रेजी बोलने वाले भारतीयों को शिक्षक के रूप में प्रशिक्षित करने को बढ़ावा दिया।

C. वे उपयोगितावादी विचारों से प्रेरित थे।

D. उन्होंने "उपयोगी शिक्षा" को बढ़ावा दिया।

नीचे दिए गए विकल्पों में से सही उत्तर चुनें-

(a) A और B

(b) B और C

(c) A, और C

(d) A, B, C और D

उत्तर 1. (d)

अंग्रेजी शिक्षा अधिनियम (English Education Act) (1835)

अंग्रेजी शिक्षा अधिनियम भारत परिषद का विधायी निर्णय था, जो भारत के गवर्नर-जनरल लॉर्ड विलियम बेंटिक द्वारा प्रभावित था। इस अधिनियम ने पारंपरिक भारतीय शिक्षा प्रणालियों से अंग्रेजी शिक्षा के लिए धन का पुनर्वितरण किया। इसका उद्देश्य भारतीयों को प्रशिक्षित करना था ताकि सरकार चलाने और ब्रिटिश शासन का समर्थन करने में मदद मिल सकें।

★★★ परीक्षोपयोगी

वुड्स डिस्पैच (Wood's Dispatch) (1854)

वैकल्पिक नाम: शिक्षा डिस्पैच (1854)

1854 में, सर चार्ल्स वुड ने उस समय के भारत के गवर्नर-जनरल लॉर्ड डलहौजी को एक पत्र भेजा, जिसे वुड्स डिस्पैच के नाम से जाना जाता है। इस डिस्पैच से भारत की शिक्षा के इतिहास में एक महत्वपूर्ण मोड़ आया।इसने आधुनिक शिक्षा प्रणाली की नींव रखी।

मुख्य सिफारिशें (Key Recommendations)

1. **स्कूल नेटवर्क:** वुड्स डिस्पैच ने एक स्कूल नेटवर्क बनाने की सिफारिश की जहां अंग्रेजी को क्षेत्रीय भाषाओं के साथ पढ़ाया जाएगा।
2. **उच्च शिक्षा:** इसने विभिन्न क्षेत्रों में उन्नत शिक्षा प्रदान करने के लिए विश्वविद्यालयों की स्थापना का प्रस्ताव रखा। इसने उच्च शिक्षा के लिए मुख्य भाषा के रूप में अंग्रेजी का उपयोग करने का भी प्रस्ताव रखा।
3. **महिला शिक्षा:** डिस्पैच ने बालिकाओं और महिलाओं की शिक्षा का समर्थन करने पर जोर दिया।
4. **पेशेवर प्रशिक्षण:** इसने विधि, चिकित्सा और इंजीनियरिंग जैसे क्षेत्रों में व्यावसायिक प्रशिक्षण शुरू करने का सुझाव दिया।
5. **व्यावसायिक प्रशिक्षण:** इसने व्यावसायिक प्रशिक्षण के महत्व को उजागर किया। इस प्रकार का प्रशिक्षण विशिष्ट व्यापार या कौशल सिखाने पर केंद्रित है, जैसे बढ़ईगीरी या वस्त्र कार्य, जो छात्रों को आसानी से रोजगार पाने में मदद कर सकता है।
6. **शिक्षक प्रशिक्षण संस्थान:** इसने इंग्लैंड के समान शिक्षक प्रशिक्षण संस्थान स्थापित करने का सुझाव दिया। ये संस्थान यह सुनिश्चित करेंगे कि शिक्षक अच्छी तरह से तैयार और योग्य हों ताकि छात्रों को उच्च गुणवत्ता वाली शिक्षा प्रदान की जा सके।
7. **अनुदान सहायता प्रणाली:** इस प्रणाली में निजी शैक्षिक संस्थानों को वित्तीय सहायता प्रदान की जायेगी, जिससे निजी उद्यमों को शिक्षा क्षेत्र में निवेश करने और सुधारने के लिए प्रोत्साहित किया जा सकेगा।

वुड्स डिस्पैच के परिणाम (Outcomes of Wood's Dispatch)

1. **समावेश अधिनियम (1857):** वुड्स डिस्पैच के परिणामस्वरूप 1857 में कलकत्ता, बॉम्बे और मद्रास विश्वविद्यालयों की स्थापना हुई, जो लॉर्ड कैनिंग द्वारा पारित समावेश अधिनियम के तहत थी। ये विश्वविद्यालय लंदन विश्वविद्यालय के मॉडल पर आधारित थे और इन्हें भारत के गवर्नर-जनरल लॉर्ड कैनिंग के कार्यकाल के दौरान स्थापित किया गया था।

2. **उच्च शिक्षा का विस्तार:** इन विश्वविद्यालयों की स्थापना के बाद, उच्च शिक्षा का काफी विस्तार हुआ। भी इन क्षेत्रों में उच्च शिक्षा की बढ़ती मांग को पूरा करने के लिए जल्द ही पंजाब, लाहौर और इलाहाबाद के विश्वविद्यालयों की स्थापना की गयी थी।
3. **आधुनिक शिक्षा की नींव:** वुड्स डिस्पैच ने संरचित विश्वविद्यालय शिक्षा पर जोर देकर भारत की आधुनिक शिक्षा प्रणाली की नींव रखी।
4. **शिक्षा तक व्यापक पहुंच:** विश्वविद्यालयों का निर्माण करके, वुड्स डिस्पैच ने भारतीयों के लिए शिक्षा को अधिक सुलभ बना दिया, जिससे उच्च शिक्षा के अधिक अवसर मिले। इससे शिक्षित व्यक्तियों का समूह तैयार हुआ जो भारत के शासन और उसके विकास में योगदान देर सके।

भारतीय शिक्षा का मैग्ना कार्टा (Magnakarta of Indian Education): वुड्स डिस्पैच को भारतीय शिक्षा का मैग्ना कार्टा कहा जाता है क्योंकि इसने शिक्षा प्रणाली में क्रांति ला दी। इसने विश्वविद्यालयों की स्थापना की, महिलाओं और व्यावहारिक क्षेत्रों में शिक्षा को बढ़ावा दिया, और स्कूलों का एक संरचित नेटवर्क बनाया। इन व्यापक सुधारों ने शिक्षा को अधिक व्यवस्थित और सुलभ बना दिया, जिससे भारत के भावी शैक्षिक परिदृश्य का निर्माण हुआ।

क्विज स्टेशन *विगत UGC NET परीक्षाओं के प्रश्न*

प्र 1. निम्नलिखित में से कौन-सा विश्वविद्यालय वर्ष 1857 में स्थापित पहले तीन विश्वविद्यालयों की त्रयी का हिस्सा नहीं था? *(21 जनवरी, **2025** - शिफ्ट 1)*

(a) बॉम्बे
(b) कलकत्ता
(c) मद्रास
(d) इलाहाबाद

प्र 2. प्रसिद्ध 'वुड्स डिस्पैच' को प्रायः भारतीय शिक्षा का ________ कहा जाता है। *(06 जनवरी, **2025** - शिफ्ट 1)*

(a) बिल ऑफ राइट्स
(b) पीपल्स चार्टर
(c) प्रिएंबल
(d) मैग्ना कार्टा

प्र 3. निम्नलिखित में से किसे भारतीय शिक्षा का मैग्ना कार्टा कहा गया है? *[08 दिसंबर **2023** - शिफ्ट 1]*

(a) भारतीय विश्वविद्यालय अधिनियम, 1904
(b) हंटर आयोग रिपोर्ट
(c) सार्जेंट योजना
(d) शिक्षा डिस्पैच 1854

प्र 4. शिक्षा डिस्पैच 1854 ने पेशेवर प्रशिक्षण का सुझाव दिया था- *[08 दिसंबर **2023**, शिफ्ट 2]*

A. पुस्तकालय विज्ञान
B. विधि
C. चिकित्सा
D. सिविल इंजीनियरिंग
E. सामग्री विज्ञान

विकल्प-

(a) A, B और C
(b) B, C और D
(c) C, D और E
(d) A, B और E

प्र 5. कथन I- वैदिक युग में, पुरुषों और महिलाओं दोनों को शिक्षा का अधिकार था।

कथन II- वुड्स डिस्पैच (1854) में पहली यह बार मान्यता दी गयी कि सरकार को महिला शिक्षा को 'स्पष्ट और सौहार्द्रपूर्ण सहायता' प्रदान करना चाहिए। *[13 जून, **2023**, शिफ्ट 2]*

(a) कथन I और कथन II, दोनों सही हैं।
(b) कथन I और कथन II, दोनों गलत हैं।
(c) कथन I सही है लेकिन कथन II गलत है।
(d) कथन I गलत है लेकिन कथन II सही है।

प्र 6. फरवरी 1857 में लॉर्ड कैनिंग द्वारा पारित समावेशन अधिनियम ने निम्नलिखित में से किस विश्वविद्यालय की स्थापना के लिए प्रावधान किया था? *[03 मार्च **2023**, शिफ्ट 2]*

A. कलकत्ता
B. दिल्ली
C. बॉम्बे
D. मद्रास

विकल्प-

(a) B, C और D
(b) A और D
(c) A, C और D
(d) A, B और D

उत्तर 1. (d) 2. (d) 3. (d) 4. (b) 5. (a) 6. (c)

हंटर आयोग (Hunter Commission) (1882)

वैकल्पिक नाम: भारतीय शिक्षा आयोग (1882)

1882 में, भारत का शासन कर रहे लॉर्ड रिपन ने सर विलियम हंटर के नेतृत्व में भारतीय शिक्षा आयोग की स्थापना की। इस आयोग का गठन 1854 के वुड्स डिस्पैच में निर्धारित योजनाओं को सही ढंग से लागू किया जाना सुनिश्चित करने के लिए किया गया था।

मुख्य सिफारिशें (Key Recommendations)

1. **निजी भागीदारी:** आयोग ने उच्च शिक्षा में निजी व्यवसायों को शामिल करने का सुझाव दिया ताकि इसकी गुणवत्ता और उपलब्धता में सुधार हो सके।
2. **प्राथमिक शिक्षा:** विशेष रूप से ग्रामीण क्षेत्रों में बेहतर प्राथमिक शिक्षा पर जोर देना और इसे सभी के लिए अधिक सुलभ बनाना।
3. **शिक्षक प्रशिक्षण:** छात्रों को प्रभावी ढंग से शिक्षित करने के लिए शिक्षक अच्छी तरह से तैयार हों, यह सुनिश्चित करने हेतु उनके लिए बेहतर प्रशिक्षण की सिफारिश की गई।
4. **कॉलेजों का मूल्यांकन:** कॉलेजों का मूल्यांकन स्टाफ की संख्या, रखरखाव खर्च और स्थानीय जरूरतों जैसे कारकों के आधार पर करना ताकि ये गुणवत्तापूर्ण शिक्षा प्रदान कर सकें।
5. **शिक्षा का विस्तार:** आयोग ने स्थानीय सरकारों को सामान्य शिक्षा सुविधाओं का विस्तार करने की आवश्यकता पर जोर दिया, जिससे शिक्षा को स्थानीय स्तर पर अधिक सुलभ बनाया जा सके।
6. **अवसरंचना अनुदान:** कॉलेज के अवसरंचना को सुधारने के लिए विशेष अनुदान की सिफारिश करना और यह सुनिश्चित करना कि सुविधाएं प्रभावी शिक्षण के मानकों को पूरा करे।
7. **मिशनरी उद्यम:** आयोग का मानना था कि मिशनरी द्वारा संचालित स्कूलों और शैक्षिक कार्यक्रमों को राष्ट्रीय शिक्षा प्रणाली में केवल गौण भूमिका निभानी चाहिए। इसका तात्पर्य है कि उन्होंने शिक्षा के क्षेत्र में मिशनरियों के प्रयासों की सराहना की, परंतु प्राथमिक ध्यान राज्य द्वारा प्रबंधित एक राष्ट्रीय शिक्षा प्रणाली बनाने पर होना चाहिए।

हंटर आयोग के परिणाम (Outcome of Hunter Commission)

1. **नियंत्रण का हस्तांतरण:** प्राथमिक शिक्षा पर नियंत्रण स्थानीय बोर्डों और नगरपालिकाओं को सौंप दिया गया।
2. **नई राज्य नीति:** सरकार ने निर्णय लिया कि नए कॉलेज और माध्यमिक स्कूल नहीं खोले जायेंगे परंतु मौजूदा राज्य कॉलेज सरकारी नियंत्रण में बने रहे।
3. **सुधार:** आयोग के बाद, सरकार ने प्राथमिक और तकनीकी शिक्षा को बेहतर बनाने के लिए कड़ी मेहनत की। उन्होंने स्कूलों और कॉलेजों को बेहतर स्थान बनाने पर ध्यान केंद्रित किया। भवनों, पाठों और शिक्षार्थियों पर ध्यान केंद्रित किया।

क्विज स्टेशन *विगत UGC NET परीक्षाओं के प्रश्न*

प्र 1. हंटर आयोग द्वारा निम्नलिखित में से किसकी सिफारिश की गई थी? *(06 दिसंबर, 2023 - शिफ्ट 2)*

(a) भारत में उच्च शिक्षा का उन्मूलन

(b) कॉलेजों में महिलाओं के प्रवेश को प्रतिबंधित करना

(c) उच्च शिक्षा में निजी उद्यमों की भागीदारी

(d) ग्रामीण भारत में अधिक से अधिक सरकारी विश्वविद्यालयों की स्थापना को प्रोत्साहित करना

प्र 2. शिक्षा आयोग 1882-83 के महत्वपूर्ण अवलोकन क्या थे? *(15 जून 2023 - शिफ्ट 1)*

A. 1854 के डिस्पैच को बदलने की आवश्यकता है।

B. भारतीय विश्वविद्यालयों के सामान्य कार्य को पुनः आकार देना आवश्यक है।

C. स्थानीय सरकारों के लिए सामान्य शिक्षा की सुविधाओं का विस्तार करना भी आवश्यक है।

D. प्रत्येक कॉलेज को स्टाफ की संख्या, रखरखाव के खर्च और स्थानीय आवश्यकताओं के आधार पर वित्त पोषित करना आवश्यक है।

E. कॉलेजों के अवसरंचना को सुधारने के लिए विशेष अनुदान उपलब्ध कराए जाने चाहिए।

नीचे दिए गए विकल्पों में से सही उत्तर चुनें-

(a) केवल A, B और C

(b) केवल B, C और D

(c) केवल C, D और E

(d) केवल A, D और E

उत्तर 1. (c) 2. (c)

शिमला शिक्षा सम्मेलन (Shimla Education Conference) (1901)

शिमला शिक्षा सम्मेलन, वर्ष 1901 में आयोजित, भारतीय शिक्षा प्रणाली संबंधी मुद्दों पर चर्चा करने के लिए ब्रिटिश औपनिवेशिक सरकार द्वारा आयोजित एक महत्वपूर्ण बैठक थी।

अध्यक्ष: भारत के वायसराय लॉर्ड कर्जन ने इस सम्मेलन की अध्यक्षता की।

भारतीय प्रतिनिधित्व का अभाव: इस सम्मेलन की एक प्रमुख आलोचना यह थी कि इसमें कोई भारतीय प्रतिनिधि शामिल नहीं था। यह बहिष्करण इसके अर्थपूर्ण सुधार प्राप्त करने में विफलता का एक महत्वपूर्ण कारण था।

एजेंडा और प्रस्ताव (Agenda and Proposals)

नीचे दिए गए बिंदुओं में शिमला सम्मेलन के एजेंडा और प्रस्तावों को दिया गया है-

1. **व्यापक कवरेज:** इस सम्मेलन का उद्देश्य प्राथमिक से विश्वविद्यालय स्तर तक की शिक्षा से संबंधित सभी समस्याओं को शामिल करना था।
2. **महानिदेशक की नियुक्ति:** भारत में शैक्षिक मामलों की देखरेख और प्रबंधन के लिए एक महानिदेशक की नियुक्ति का प्रस्ताव किया गया।
3. **संपूर्ण सुधार:** सम्मेलन ने शिक्षा प्रणाली की दक्षता और प्रभावशीलता में सुधार के लिए व्यापक सुधारों की वकालत की।
4. **सरकारी नियंत्रण:** इसने भारत में सभी शैक्षणिक संस्थानों पर सरकारी भागीदारी और नियंत्रण बढ़ाने पर जोर दिया।

शिमला शिक्षा सम्मेलन अपने उद्देश्यों के बावजूद भारतीयों की राय, जो भारत की शिक्षा चुनौतियों को समझने और उन्हें हल करने के लिए आवश्यक थी, के अभाव में विफल रहा। इस चूक के कारण देश में इसके प्रभावी बदलाव लाने और देश की विविध शैक्षिक आवश्यकताओं की पूर्ति करने की इसकी क्षमता कमजोर हो गयी।

क्विज स्टेशन *विगत UGC NET परीक्षाओं के प्रश्न*

प्र 1. वर्ष 1901 में शिमला में आयोजित पहले शैक्षिक सम्मेलन की सिफारिशें कौन सी थीं?

(7 दिसंबर 2023 - शिफ्ट 2)

A. भारतीय विश्वविद्यालयों के कुलपतियों के रूप में केवल भारतीयों की नियुक्ति

B. संस्कृत में शिक्षण और अनुसंधान को महत्व

C. भारतीय विश्वविद्यालयों में व्यापक सुधार

D. भारतीय शिक्षा के महानिदेशक की नियुक्ति

E. परीक्षाओं के लिए नियमों का समन्वय

विकल्प-

(a) केवल A, B और C

(b) केवल B, C और D

(c) केवल C, D और E

(d) केवल A, B और E

उत्तर 1. (c)

रैले आयोग (Raleigh Commission) (1902)

वैकल्पिक नाम: भारतीय विश्वविद्यालय आयोग (1902)

रैले आयोग वर्ष 1901 के शिमला शिक्षा सम्मेलन के बाद भारत में विश्वविद्यालय शिक्षा में सुधार के लिए स्थापित किया गया था। रैले आयोग ने भावी विश्वविद्यालयी शिक्षा को आकार देने में महत्वपूर्ण भूमिका निभाई। इसमें इसे समय की आवश्यकताओं के अनुसार अधिक प्रभावी और प्रासंगिक बनाने के लिए सुधारों की सिफारिश की गई।

1. **गठन और अध्यक्षता:** आयोग की अध्यक्षता थॉमस रैले ने की। इसका मुख्य कार्य भारत भर में विश्वविद्यालयी शिक्षा को आधुनिक बनाने और उसको बढ़ावा देने के तरीकों की सिफारिश करना था। इस आयोग की रिपोर्ट लॉर्ड कर्जन को सौंपी गयी थी।
2. **इंपीरियल लाइब्रेरी की स्थापना:** यह आयोग भी कोलकाता में इंपीरियल लाइब्रेरी की स्थापना का कारण बना। इसे लॉर्ड कर्जन द्वारा स्थापित किया गया था। यह पुस्तकालय, जिसे अब भारत का राष्ट्रीय पुस्तकालय कहा जाता है, देश का सबसे बड़ा पुस्तकालय है और अनुसंधान और शिक्षा के लिए एक मूल्यवान संसाधन के रूप में कार्य करता है।
3. **आयोग की संरचना:** लॉर्ड कर्जन ने प्रस्तावित किया कि आयोग में छह स्थायी सदस्य होंगे। ये सदस्य वर्तमान विश्वविद्यालय प्रणाली की जांच करने और आवश्यक सुधारों के संबंध में सुझाव देने के लिए जिम्मेदार होंगे।

भारतीय विश्वविद्यालय अधिनियम (Indian University Act) (1904)

रैले आयोग की सिफारिशों के आधार पर, भारतीय विश्वविद्यालय अधिनियम 1904 पारित किया गया था। इस अधिनियम ने भारत में विश्वविद्यालयों की गुणवत्ता और प्रबंधन में सुधार के लिए कई सुधारों की पेशकश की। इसका उद्देश्य विश्वविद्यालयी प्रथाओं को मानकीकृत करना और यह सुनिश्चित करना था कि वे आधुनिक शैक्षिक आवश्यकताओं को पूरा करें।

मुख्य प्रावधान (Key Provisions)

1. **सीनेट और सिंडिकेट की स्थापना:** इसने प्रत्येक विश्वविद्यालय के लिए सीनेट और सिंडिकेट की अवधारणा प्रस्तुत की। सीनेट को शैक्षणिक नीति और सामान्य नियंत्रण की जिम्मेदारी दी गयी, जबकि सिंडिकेट को वित्तीय और प्रशासनिक मामलों का प्रबंधन दिया गया। मद्रास, कलकत्ता और बॉम्बे विश्वविद्यालयों के लिए सीनेट सदस्यों की संख्या 50 से 100 के बीच निर्धारित की गयी।
2. **शासन सुधार:** अधिनियम ने विश्वविद्यालयों के प्रशासन के तौर-तरीकों में सुधार किया, अधिक संरचित और संगठित प्रबंधन को बढ़ावा दिया। अधिनियम में यह प्रावधान किया गया कि सभी विश्वविद्यालय और कॉलेज ब्रिटिश सरकार के अधीन होंगे।
3. **संबद्धता और मान्यता:** अधिनियम के तहत मान्यता प्राप्त करने और संबद्धता के लिए विश्वविद्यालयों को कुछ मानकों को पूरा करना था। इसका उद्देश्य उच्च शिक्षा में गुणवत्ता और एकरूपता बनाए रखना था।
4. **कुलपतियों की नियुक्ति:** यह सुनिश्चित करते हुए कि कुलपति योग्य और सक्षम नेतृत्व प्रदान करते हों, इस अधिनियम में कुलपतियों की नियुक्ति के लिए दिशानिर्देश निर्दिष्ट किए गये।
5. **अनुदान जारी करना:** अधिनियम में निर्दिष्ट किया कि प्रत्येक विश्वविद्यालय को पांच वर्षों के लिए प्रति वर्ष 5 लाख रुपये का अनुदान प्राप्त होगा।

6. **गवर्नर जनरल की शक्तिः** अधिनियम ने निर्दिष्ट किया कि गवर्नर जनरल विश्वविद्यालयों की क्षेत्रीय सीमाओं को निर्धारित करेगा। उदाहरण के लिए, यदि तीन विश्वविद्यालय थे, तो गवर्नर जनरल यह निर्णय ले सकता था कि एक विश्वविद्यालय उत्तरी क्षेत्र में सेवाएँ प्रदान करेगा, दूसरा दक्षिणी क्षेत्र में और तीसरा पूर्वी क्षेत्र में सेवाएँ प्रदान करेगा। इससे क्षेत्रों और प्रत्येक विश्वविद्यालय की जिम्मेदारियों को स्पष्ट रूप से परिभाषित करके शिक्षा प्रणाली को बेहतर ढंग से संगठित और प्रबंधित करने में मदद मिली।

परिणाम (Outcome)

1. **मानकीकरणः** इस अधिनियम से भारत के विभिन्न क्षेत्रों में विश्वविद्यालयों के कामकाज में एकरूपता आयी।
2. **आधुनिकीकरणः** इसने ब्रिटिश शैक्षणिक मानदंडों के अनुरूप आध ुनिक शैक्षिक प्रथाओं और शासन संरचनाओं को अपनाने का मार्ग प्रशस्त किया
3. **केंद्रीकरणः** इस अधिनियम ने विश्वविद्यालयी मामलों में नियंत्रण को केंद्रीकृत किया, जिससे औपनिवेशिक प्रशासन को अधिक अधिकार मिले।

क्विज स्टेशन *विगत UGC NET परीक्षाओं के प्रश्न*

प्र 1. प्रथम भारतीय विश्वविद्यालय आयोग (1902) की अध्यक्षता किसने की थी?

[13 दिसंबर, 2023 - शिफ्ट 2]

(a) गुरुदास बनर्जी
(b) सैयद हसन बिलग्रामी
(c) विलियम एडम
(d) थॉमस रैले

प्र 2. भारतीय विश्वविद्यालय अधिनियम, 1904 किस वायसराय के कार्यकाल के दौरान पारित किया गया था?

(a) लॉर्ड वेलस्ली
(b) लॉर्ड रिपन
(c) लॉर्ड कर्जन
(d) लॉर्ड चेम्सफोर्ड

प्र 3. वर्ष 1901 में किस स्थान पर सम्मेलन आयोजित किया गया था जिसके परिमामस्वरूप वर्ष 1902 में भारतीय विश्वविद्यालय आयोग की नियुक्ति की गयी?

(a) शिमला
(b) दिल्ली
(c) कलकत्ता
(d) उपरोक्त में से कोई नहीं

उत्तर 1. (d) 2. (c) 3. (a)

सैडलर विश्वविद्यालय आयोग (Sadler University Commission) (1917)

वैकल्पिक नामः कलकत्ता विश्वविद्यालय आयोग (1917)

सैडलर आयोग की स्थापना वर्ष 1917 में भारत सरकार द्वारा कलकत्ता विश्वविद्यालय की भावी स्थिति की जांच के लिए की गयी थी। सैडलर विश्वविद्यालय आयोग ने औपनिवेशिक भारत में शिक्षा की संरचना का भी मूल्यांकन किया। इसने विशेष रूप से माध्यमिक से उच्च शिक्षा में संक्रमण पर ध्यान केंद्रित किया।

उद्देश्यः लीड्स विश्वविद्यालय के डॉ. माइकल सैडलर की अध्यक्षता में आयोग को कलकत्ता विश्वविद्यालय के संचालन और उसमें सुधार के तरीकों का अध्ययन करने का कार्य सौंपा गया था।

मुख्य सिफारिशें (Key Recommendations)

1. **मैट्रिक परीक्षा (*10वीं बोर्ड परीक्षा*):** उस समय, मैट्रिक परीक्षा माध्यमिक शिक्षा के बाद ली जाती थी, जो आज की 10वीं बोर्ड परीक्षा के समान है। आयोग ने उच्च शिक्षा के लिए छात्रों को तैयार करने में इस परीक्षा की भूमिका की समीक्षा की और इसे विश्वविद्यालय मानकों के साथ बेहतर ढंग से संरेखित करने के लिए सुधारों का सुझाव दिया।
2. **इंटरमीडिएट कक्षाओं (*11वीं और 12वीं कक्षाओं*) का स्थानांतरणः** इस आयोग से पहले, इंटरमीडिएट कक्षाएं (11वीं और 12वीं कक्षाएं) विश्वविद्यालयों में आयोजित की जाती थीं। शैक्षिक गुणवत्ता को बढ़ाने के लिए, आयोग ने सिफारिश की कि विश्वविद्यालय की इंटरमीडिएट कक्षाओं को माध्यमिक विद्यालयों/उच्च विद्यालयों में स्थानांतरित कर दिया जाए। इसका कारण यह था कि आयोग का मानना था कि इंटरमीडिएट स्तर पर छात्रों को कॉलेज के तौर-तरीकों के बजाय, स्कूल के तौर-तरीकों का उपयोग करके अधिक प्रभावी ढंग से पढ़ाया जा सकता है। इस परिवर्तन का उद्देश्य इस स्तर पर शिक्षण की प्रभावशीलता में सुधार करना था।
3. **एक पृथक बोर्ड बनानाः** उन्होंने माध्यमिक और इंटरमीडिएट शिक्षा का प्रबंधन करने के लिए एक नया बोर्ड स्थापित करने की सिफारिश की, ताकि प्रत्येक स्तर की आवश्यकताओं को बेहतर ढंग से पूरा किया जा सके। इसे अब वरिष्ठ माध्यमिक शिक्षा के रूप में जाना जाता है।
4. **पूर्णकालिक कुलपतिः** उन्होंने बेहतर विश्वविद्यालय प्रबंधन और नेतृत्व के लिए एक पूर्णकालिक कुलपति नियुक्त करने की सलाह दी।
5. **शिक्षण को अनुसंधान से जोड़नाः** उन्होंने शिक्षा की गुणवत्ता में सुधार और व्यावहारिक शिक्षा को प्रोत्साहित करने के लिए शिक्षण को अनुसंधान से जोड़ने पर जोर दिया।

सिंडिकेट और सीनेट का प्रतिस्थापन (Replacement of Synidicate and Senate)

सिंडिकेट और सीनेट के बारे में-

1. **सिंडिकेटः** विश्वविद्यालयों के व्यावसायिक पक्ष का प्रबंधन करता थाख्रजैसे धन का प्रबंधन, नियम बनाना और चीजों को क्रियान्वित करना।

2. **सीनेटः** शैक्षणिक पक्ष का ध्यान रखता था- जैसे शिक्षण के मानकों को निर्धारित करना, पाठ्यक्रमों को मंजूरी देना और छात्रों के प्रदर्शन की निगरानी करना।

सैडलर आयोग द्वारा सुझाया गया बदलाव- सैडलर आयोग ने सिंडिकेट और सीनेट को दो नए समूहों से प्रतिस्थापित करने का सुझाव दिया-

1. **कोर्टः** शासन और नीति-निर्माण पर ध्यान केंद्रित करने हेतु।
2. **कार्यकारी परिषदः** प्रशासनिक और वित्तीय मामलों की देखभाल।

प्रयोजन (Purpose): इस बदलाव का प्रयोजन विश्वविद्यालय के प्रबंधन को स्पष्ट एवं कुशल बनाना है ताकि त्वरित निर्णय लिये जा सकें और विद्यालय को समग्र रूप में बेहतर ढंग से चलाया जा सके।

क्विज स्टेशन *विगत UGC NET परीक्षाओं के प्रश्न*

प्र 1. सैडलर आयोग (1917-19) ने भारतीय विश्वविद्यालयों में ________ की स्थापना की सिफारिश की।

(a) सीनेट

(b) कोर्ट

(c) परामर्श केंद्र

(d) शिकायत निवारण प्रकोष्ठ

उत्तर 1. (b)

केंद्रीय शिक्षा सलाहकार बोर्ड (Central Advisory Board Education) (1921)

केंद्रीय शिक्षा सलाहकार बोर्ड (CABE) को वर्ष 1921 में पूरे भारत में शैक्षिक मुद्दों का प्रबंधन करने के लिए स्थापित किया गया था। इसका गठन पूरे देश में शिक्षा नीतियों का प्रबंधन करने और उनमें सुधार लाने के लिए एक एकल प्राधिकरण की आवश्यकता के मद्देनजर किया गया था।

1. **केंद्रीय शिक्षा सलाहकार बोर्ड का उद्देश्यः** केंद्रीय शिक्षा सलाहकार बोर्ड का मुख्य कार्य देश के विभिन्न क्षेत्रों में शिक्षा नीतियों का समन्वय और प्रभावी कार्यान्वयन करना था।
2. **केंद्रीय शिक्षा सलाहकार बोर्ड की स्थापना क्यों की गईः** केंद्रीय शिक्षा सलाहकार बोर्ड का विचार कलकत्ता विश्वविद्यालय आयोग (1917) से आया, जिसने शिक्षा के लिए एक केंद्रीय सलाहकार निकाय बनाने की सिफारिश की थी।
3. **उन्मूलनः** दुर्भाग्य से, 1923 में वित्तीय समस्याओं के कारण, केंद्रीय शिक्षा सलाहकार बोर्ड को अस्थायी रूप से बंद कर दिया गया था। यह निर्णय इसलिए लिया गया क्योंकि सरकार को अपने धन को अन्य तात्कालिक मामलों पर केंद्रित करने की आवश्यकता थी।

हार्टोग समिति (Hartog Committee (1929)

हार्टोग समिति को 1929 में ब्रिटिश सरकार ने भारत में शिक्षा के विकास का सर्वेक्षण करने के लिए नियुक्त किया गया था।

नियुक्तिः हार्टोग समिति का गठन वर्ष 1929 में भारत के वायसराय लॉर्ड इरविन द्वारा किया गया था। इस समिति की अध्यक्षता प्रसिद्ध शिक्षाविद् और ढाका विश्वविद्यालय के कुलपति सर फिलिप हार्टोग ने की थी।

रिपोर्ट प्रस्तुत करनाः समिति ने उसी वर्ष अपना कार्य पूर्ण कर लिया और उसी वर्ष अर्थात वर्ष 1929 में अपनी रिपोर्ट सौंप दी।

मुख्य निष्कर्ष और सिफारिशें (Key Findings and Recommendations)

1. **अपव्यय और ठहरावः** उन्होंने पाया कि कई छात्र, विशेष रूप से प्राथमिक शिक्षा में, स्कूल छोड़ रहे थे (अपव्यय) या अपनी पढ़ाई में आगे नहीं बढ़ रहे थे (ठहराव)।
2. **जन शिक्षा पर ध्यान केंद्रित करनाः** इसने इस बात पर भी जोर दिया कि बड़ी संख्या में बच्चों को बुनियादी शिक्षा सुनिश्चित करते हुए, जन शिक्षा पर अधिक ध्यान देने की आवश्यकता है।
3. **विश्वविद्यालय शिक्षा में सुधारः** समिति ने शिक्षा की गुणवत्ता में सुधार करके और उच्च मानक स्थापित करके विश्वविद्यालयों को बेहतर बनाने का सुझाव दिया।
4. **सीएबीई की पुनः स्थापनाः** उन्होंने केंद्रीय शिक्षा सलाहकार बोर्ड (सीएबीई) की पुनः स्थापना करने की सिफारिश की, जिसे बाद में 1935 में पुनः शुरू किया गया।
5. **संबद्ध विश्वविद्यालयः** उन्होंने नए विश्वविद्यालयों की स्थापना करने का सुझाव दिया ताकि उच्च शिक्षा प्राप्त करने के इच्छुक अधिक छात्रों को प्रवेश देने के लिए एक साथ (संबद्ध) होकर काम कर सकें।
6. **संबद्ध कॉलेजों की गुणवत्ताः** इसने स्वीकार किया कि संबद्ध कॉलेजों में शिक्षा का स्तर मुख्य विश्वविद्यालयों की तुलना में बहुत कम था, लेकिन इसे उच्च शिक्षा तक पहुंच बढ़ाने के लिए एक आवश्यक कदम माना।
7. **शिक्षक नियुक्तियाँः** समिति ने संबद्ध कॉलेजों के लिए योग्य शिक्षकों की नियुक्ति की सिफारिश की।
8. **प्रवेश प्रक्रियाः** इसने सुझाव दिया कि छात्रों की क्षमताओं और योग्यता के आधार पर विश्वविद्यालयों में प्रवेश प्रक्रिया नियंत्रित की जाये।
9. **उन्नत ऑनर्स पाठ्यक्रमः** समिति ने छात्रों को अधिक चुनौती देने के लिए ऑनर्स पाठ्यक्रमों को कठिन बनाने की सिफारिश की।
10. **तकनीकी और वाणिज्यिक शिक्षा को बढ़ावा देनाः** इसने बेरोजगारी की समस्या के समाधान के लिए विश्वविद्यालयों द्वारा तकनीकी और वाणिज्यिक शिक्षा को बढ़ावा देने पर भी जोर दिया।

लर्निंग शॉर्टकट्स

यहाँ केंद्रीय शिक्षा सलाहकार बोर्ड (सीएबीई) से संबंधित घटनाक्रमों को संक्षेप में दिया गया है:-

- 1917- कलकत्ता विश्वविद्यालय आयोग (सैडलर आयोग) ने सीएबीई का विचार प्रस्तुत किया।
- 1920- सीएबीई की पहली बार स्थापना की गयी।
- 1923- राजनीतिक अशांति के कारण सीएबीई को भंग कर दिया गया।
- 1929- हार्टोग समिति की रिपोर्ट जारी की गयी जिसमें सीएबीई को पुन: स्थापित करने की सिफारिश की गयी।
- 1935- हार्टोग समिति की सिफारिशों के अनुसार सीएबीई की पुन स्थापना की गयी।

क्विज स्टेशन *विगत UGC NET परीक्षाओं के प्रश्न*

प्र 1. निम्नलिखित में से किस समिति की सिफारिशों के बाद वर्ष 1935 में केंद्रीय शिक्षा सलाहकार बोर्ड (सीएबीई) को पुनर्जीवित किया गया था?

(a) एस. एच. वुड समिति
(b) हार्टोग समिति
(c) वुड-अबॉट समिति
(d) सैडलर समिति

उत्तर 1. (b)

वर्धा योजना (Wardha Scheme) (1937)

वैकल्पिक नाम: बुनियादी शिक्षा योजना (1937)

वर्धा योजना 1937 में महात्मा गांधी द्वारा वर्धा, महाराष्ट्र में आयोजित अखिल भारतीय राष्ट्रीय शिक्षा सम्मेलन के दौरान पेश की गयी थी। इस योजना का उद्देश्य भारत की शिक्षा प्रणाली को ग्रामीण आबादी की जरूरतों के अनुरूप और गांधीवादी आत्मनिर्भरता और व्यावसायिक प्रशिक्षण के सिद्धांतों के साथ संरेखित करके बदलना था।

अध्यक्ष: डॉ. जाकिर हुसैन को वर्धा योजना का मसौदा तैयार करने और लागू करने के लिए अध्यक्ष नियुक्त किया गया था।

वर्धा योजना की प्रमुख विशेषताएं (Key Features of the Wardha Scheme)

1. **बुनियादी शिक्षा (Basic Education):** इस योजना ने 7 से 14 वर्ष की आयु के बच्चों के लिए 'बुनियादी शिक्षा' पर जोर देने वाली शिक्षा प्रणाली का प्रस्ताव रखा। यह शिक्षा निशुल्क, अनिवार्य और मातृभाषा में प्रदान की जानी थी। लक्ष्य छात्रों को आत्मनिर्भर बनाना और अपने स्थानीय समुदायों में योगदान करने में सक्षम बनाना था।
2. **नई शिक्षा (New Education):** नई तालीम या 'नई शिक्षा' की अवधारणा वर्धा योजना का केंद्रीय हिस्सा थी। इसने खेती, शिल्प और व्यापार जैसे उत्पादक कार्यों के माध्यम से सीखने पर जोर दिया। छात्रों ने अपने स्कूल के दिन का एक महत्वपूर्ण हिस्सा व्यावहारिक गतिविधियाँ करने में बिताया। इस पद्धति ने न केवल उपयोगी कौशल सिखाए बल्कि श्रम और स्वतंत्रता के मूल्य भी सिखाए।
3. **शिक्षा का माध्यम मातृभाषा (Mothertongue as Medium of Instruction):** वर्धा योजना ने सभी स्तरों पर शिक्षा के माध्यम के रूप में मातृभाषा के उपयोग की वकालत की। इसका उद्देश्य बच्चों के लिए सीखने को अधिक सुलभ और सार्थक बनाना था, क्योंकि वे अपनी मातृभाषा में सामग्री से बेहतर तरीके से जुड़ सकते थे।
4. **शिल्प-केंद्रित पाठ्यक्रम (Craft-Centred Curriculum):** वर्धा योजना के तहत पाठ्यक्रम शिल्प और शारीरिक श्रम के इर्द-गिर्द केंद्रित था। प्रत्येक स्कूल को बुनाई, कताई, कृषि या बढ़ईगीरी जैसे स्थानीय समुदाय के लिए प्रासंगिक शिल्प चुनना था। इस योजना में शिक्षा को वास्तविक जीवन की गतिविधियों और स्थानीय वातावरण से जोड़ने का विचार था, जिससे यह छात्रों के लिए अधिक प्रासंगिक और व्यावहारिक हो सके।
5. **आत्मनिर्भर स्कूल (Self-Sustaining Schools):** वर्धा योजना के तहत स्कूलों को आर्थिक रूप से आत्मनिर्भर बनाने के लिए डिजाइन किया गया था। छात्रों द्वारा व्यावसायिक प्रशिक्षण के दौरान बनाये गये उत्पादों को बेचा गया और अर्जित धन से स्कूल के खर्चों को पूरा किया गया। इससे स्कूल बाहरी वित्तपोषण पर कम निर्भर हुए और स्वतंत्र रूप से संचालित हो सके।

सिनेमैटिक कनेक्शन

फिल्म गांधी बनाम गोडसे (2023) में महात्मा गांधी और नाथूराम गोडसे के बीच वैचारिक टकराव की पड़ताल करती है, जो भारत के स्वतंत्रता संग्राम में गांधी की महत्वपूर्ण भूमिका और उनकी शैक्षिक दार्शनिकताओं पर प्रकाश डालती है। गांधी ने एक ऐसी शिक्षा प्रणाली की वकालत की जो आत्मनिर्भरता, नैतिक विकास और हाशिए पर पड़े लोगों के उत्थान को बढ़ावा देती थी। उनका दृष्टिकोण व्यावहारिक शिक्षा और जिज्ञासा एवं आलोचनात्मक सोच की भावना को पोषित करने के महत्व पर जोर देता था।

आज की दुनिया में गांधी के विचारों की प्रासंगिकता लगे रहो मुन्ना भाई (2006) फिल्म में और भी स्पष्ट होती है, जिसमें संजय दत्त और बोमन ईरानी ने अभिनय किया है। फिल्म हास्य और नाटक का उपयोग करते हुए दिखाती है कि कैसे अहिंसा, सत्य और सहानुभूति आधुनिक सामाजिक समस्याओं का समाधान कर सकती हैं, जो यह सिद्ध करती है कि गांधी जी की शिक्षाएं आज भी शक्तिशाली और प्रासंगिक हैं।

सार्जेंट योजना (Sargent Plan) (1944)

वैकल्पिक नामः भारत में युद्धोत्तर शैक्षिक विकास संबंधी सार्जेंट आयोग का प्रतिवेदन (1944) सार्जेंट योजना भारत सरकार के तत्कालीन शैक्षिक सलाहकार सर जॉन सार्जेंट के नेतृत्व में तैयार की गयी थी। इसके प्राथमिक लक्ष्यों में से एक 40 वर्षों के भीतर देश में 100% साक्षरता प्राप्त करना था और यह सुनिश्चित करना था कि सभी बच्चों को कम से कम आठ वर्ष की प्राथमिक शिक्षा प्राप्त हों।

क्विज स्टेशन *विगत UGC NET परीक्षाओं के प्रश्न*

प्र 1. भारत में उच्च शिक्षा से संबंधित निम्नलिखित आयोगों और समितियों का सही कालानुक्रमिक क्रम लिखें-

A. सार्जेंट योजना
B. हार्टोग समिति
C. कलकत्ता विश्वविद्यालय आयोग
D. हंटर आयोग
E. भारतीय विश्वविद्यालय आयोग

नीचे दिए गये विकल्पों में से सही उत्तर चुनें-

(a) B, E, D, C, A
(b) E, A, B, C, D
(c) C, D, A, E, D
(d) D, E, C, B, A

उत्तर 1. (d)

31.2 स्वतंत्रता के पश्चात् आयोग (Post-Independence Commissions)

राधाकृष्णन आयोग (Radhakrishnan Commission) (1948-49)

★★★ परीक्षोपयोगी

इस विषय को सरल बनाने वाले वीडियो व्याख्यान को देखने के लिए इस QR कोड को स्कैन करें

वैकल्पिक नामः विश्वविद्यालय शिक्षा आयोग

उद्देश्यः कॉलेजों और विश्वविद्यालयों के समक्ष आ रही समस्याओं का समाधान करना। राधाकृष्णन आयोग वर्ष 1948 में भारत की स्वतंत्रता के बाद स्थापित पहला शिक्षा आयोग था। इसका नेतृत्व डॉ. सर्वपल्ली राधाकृष्णन ने किया था।

त्रि-भाषा सूत्र (Three-Language Formula)

आयोग ने अंग्रेजी भाषा वाली शिक्षा प्रणाली में बदलाव कर ऐसी शिक्षा प्रणाली का सुझाव दिया जहां छात्र तीन भाषाएं सीखेंगे-

1. **क्षेत्रीय भाषाः** उनके क्षेत्र में बोली जाने वाली स्थानीय भाषा।
2. **राज्य की आधिकारिक भाषाः** जिस राज्य में वे रहते हैं, उसकी आधिकारिक भाषा।
3. **हिंदीः** उन्होंने कल्पना की थी कि हिन्दी आगे चलकर भारत की राष्ट्रीय भाषा होगी, यद्यपि आज भारत की कोई राष्ट्रीय भाषा नहीं है।

प्रमुख सिफारिशें (Key Recommendations)

1. **विश्वविद्यालय अनुदान आयोग का पुनर्गठनः** आयोग ने सिफारिश की कि 1945 में सार्जेंट रिपोर्ट के तहत गठित विश्वविद्यालय अनुदान आयोग (यूजीसी) का पुनर्गठन किया जाए।
2. **कुलपति की नियुक्तिः** पूर्णकालिक वेतनभोगी कुलपति की नियुक्ति। इसमें यह भी कहा गया कि कुलपति का कार्यकाल 5 वर्ष का होगा। किसी भी कुलपति की एक ही विश्वविद्यालय में 2 से अधिक कार्यकाल के लिए नियुक्ति नहीं की जाएगी। कुलपति की सेवानिवृत्ति की आयु 65 वर्ष होगी।
3. **अंतर-विश्वविद्यालय बोर्ड (आईयूबी):** सभी विश्वविद्यालयों (डीम्ड विश्वविद्यालयों सहित) के सहयोग और समन्वय को सुविधाजनक बनाने के लिए एक अंतर-विश्वविद्यालय बोर्ड (आईयूबी) की स्थापना।
4. **शैक्षिक अनुसंधान परिषदः** शिक्षा के क्षेत्र में अनुसंधान को बढ़ावा देने के लिए शैक्षिक अनुसंधान परिषद की स्थापना।
5. **कृषि शिक्षा को बढ़ावा देनाः** प्रत्येक राज्य में कम से कम 1 कृषि विश्वविद्यालय खोलने की सिफारिश की।
6. **महिलाओं के लिए सुविधाएंः** कॉलेजों में महिलाओं के लिये पुरुषों के समान सुविधाएं और अवसर होने चाहिए।
7. **पेशेवर एवं व्यावसायिक प्रशिक्षणः** छात्रों को कार्यबल के लिए बेहतर तरीके से तैयार करने के लिए पेशेवर एवं व्यावसायिक प्रशिक्षण प्रदान करने की सिफारिश की गयी।
8. **स्नातकोत्तर शिक्षाः** ज्ञान के उन्नयन के लिए स्नातकोत्तर शिक्षा, प्रशिक्षण और अनुसंधान की भूमिका पर जोर दिया गया।
9. **शिक्षा का माध्यमः** उच्च शिक्षा में अंग्रेजी को जल्द से जल्द एक भारतीय भाषा से बदलने की सिफारिश की गयी।
10. **सरकारी सेवाओं के लिए डिग्रीः** सुझाव दिया गया कि सरकारी प्रशासनिक नौकरियों के लिए विश्वविद्यालय की डिग्री अनिवार्य नहीं होनी चाहिए। इसके बजाय, भर्ती के लिए विशेष राज्य परीक्षाएं आयोजित की जानी चाहिए।
11. **शैक्षिक परीक्षण और मूल्यांकनः** मूल्यांकन प्रणाली में सुधार के लिए शैक्षिक परीक्षण और मूल्यांकन के वैज्ञानिक तरीकों का गहन अध्ययन करने की सिफारिश की गयी।

मुदालियर आयोग (Mudaliar Commission) (1952)

वैकल्पिक नामः माध्यमिक शिक्षा आयोग

अध्यक्षताः मद्रास विश्वविद्यालय के तत्कालीन कुलपति डॉ. लक्ष्मणस्वामी मुदालियर।

प्रतिवेदनः माध्यमिक शिक्षा आयोग ने वर्ष 1953 में अपना प्रतिवेदन प्रस्तुत किया, जिसमें माध्यमिक शिक्षा के लगभग सभी पहलुओं पर सिफारिशें थीं।

माध्यमिक शिक्षा हेतु प्रमुख सिफारिशें (Key Recommendations for Secondary Education)

1. **पाठ्यक्रम में विविधता लाना**- विभिन्न रुचियों और आवश्यकताओं को पूरा करने के लिए अधिक विविध पाठ्यक्रम प्रस्तुत करना।
2. **इंटरमीडिएट स्तर**- प्राथमिक शिक्षा और उच्च शिक्षा के बीच सेतु बनाने के लिए शिक्षा प्रणाली में एक इंटरमीडिएट स्तर जोड़ा जाए।
3. **त्रि-स्तरीय स्नातक पाठ्यक्रम**- स्नातक पाठ्यक्रमों के लिए त्रि-स्तरीय संरचना लागू की जाये।
4. **उच्चतर माध्यमिक प्रणाली**- गहन शैक्षणिक और व्यावसायिक प्रशिक्षण प्रदान करने के लिए उच्चतर माध्यमिक शिक्षा प्रणाली स्थापित की जाये।
5. **त्रि-भाषा सूत्र**- राधाकृष्णन आयोग (1948-49) के तहत विचारित त्रि-भाषा सूत्र का कार्यान्वयन किया जाये।
6. **शिक्षा का माध्यम**- माध्यमिक स्तर पर शिक्षा का माध्यम मातृभाषा हो।
7. **शिक्षा और व्यावसायिक मार्गदर्शन**- छात्रों को शैक्षिक और व्यावसायिक मार्गदर्शन प्रदान करने पर अधिक ध्यान दिया जाये।
8. **शिक्षण विधियाँ**- शिक्षण विधियों, पाठ्यपुस्तकों, परीक्षा प्रणालियों में सुधार किया जाये और शिक्षक प्रशिक्षण और वेतनमानों में सुधार किया जाये।
9. **अवसरंचना**- स्कूलों के अवसरंचना को विकसित किया जाएं, जिसमें भवन और उपकरण शामिल हैं।
10. **बहुउद्देश्यीय स्कूल**- विविध और व्यावसायिक प्रशिक्षण प्रदान करने के लिए बहुउद्देश्यीय स्कूल स्थापित किये जाएँ।
11. **तकनीकी विश्वविद्यालय**- शिक्षा को सीधे रोजगार से जोड़ने के लिए कारखानों के पास तकनीकी विश्वविद्यालय खोलने का सुझाव दिया।
12. **प्रशिक्षण कॉलेज**- यह सिफारिश की गयी कि प्रशिक्षण कॉलेजों में कोई शुल्क नहीं लिया जाना चाहिए। इसके बजाय, छात्रवृत्ति प्रदान की जानी चाहिए।
13. **एम. एड. आवश्यकताएँ**- शिक्षा में मास्टर करने वालों के लिए तीन साल के शिक्षण अनुभव की आवश्यकता है।
14. **शिक्षा प्रणाली की संरचना**- 3+4 शिक्षा प्रणाली की सिफारिश की गयी, जिसका अर्थ है तीन साल की माध्यमिक शिक्षा हो और उसके बाद चार साल की उच्च शिक्षा हो।
15. **अखिल भारतीय माध्यमिक शिक्षा सलाहकार बोर्ड**- माध्यमिक शिक्षा की समस्याओं का पता लगाने और उनके समाधान सुझाने के लिए केंद्र में एक बोर्ड का गठन किया जाए।

माध्यमिक शिक्षा के उद्देश्य (Objectives of Secondary Education)

1. **लोकतांत्रिक नागरिकता का विकास**- छात्रों को जिम्मेदार और सक्रिय नागरिक बनने के लिए शिक्षित करना।
2. **व्यावसायिक क्षमता और दक्षता में सुधार**- छात्रों को विभिन्न व्यवसायों के लिए कौशल से लैस करना।
3. **नेतृत्व के लिए शिक्षा**- छात्रों को समाज में नेतृत्व की भूमिकाएँ निभाने के लिए तैयार करना।
4. **व्यक्तित्व का विकास**- समग्र व्यक्तित्व विकास को बढ़ावा देना।

माध्यमिक शिक्षा का संगठन (Organization of Secondary Education)

1. **लक्षित आयु समूह**- 11 से 17 वर्ष की आयु के बालक।
2. **अवधि**- अवधि 7 वर्ष, जिसे दो भागों में विभाजित किया गया है-
   - कनिष्ठ माध्यमिक स्तर (3 वर्ष)
   - उच्चतर माध्यमिक स्तर (4 वर्ष)
3. **इंटरमीडिएट कक्षाएं**- समाप्त कर दी जानी चाहिए।
4. **कक्षा पुनर्संरेखण**- कक्षा 11 को माध्यमिक शिक्षा में जोड़ा जाना चाहिए और कक्षा 12 को डिग्री पाठ्यक्रमों में।
5. **बहुउद्देश्यीय स्कूल**- उच्चतर माध्यमिक स्तर पर विविधीकृत पाठ्यक्रमों के साथ बहुउद्देश्यीय स्कूल खोलें जायें।
6. **विशेष स्कूल**- विकलांग बच्चों के लिए विशेष रूप से डिजाइन किये गये स्कूल स्थापित किये जायें।

भावनात्मक बुद्धिमत्ता समिति (Committee of Emotional Integration) (1961)

अध्यक्षता: सम्पूर्णानंद की अध्यक्षता में स्थापित की गयी।

समिति का मुख्य उद्देश्य सामाजिक एकीकरण और राष्ट्रीय एकता को बढ़ावा देने पर था। समिति ने राष्ट्र की आवश्यकताओं को पूरा करने के लिए कॉलेजों और विश्वविद्यालयों के पाठ्यक्रम को नया रूप देने की सिफारिश की। समिति का उद्देश्य छात्रों को अपनी और दूसरों की भावनाओं को समझने और प्रबंधित करने की क्षमता विकसित करने में मदद करना था, जिससे शैक्षिक वातावरण में एक अधिक सामंजस्यपूर्ण और सहायक वातावरण को बढ़ावा मिल सके।

हंसा मेहता समिति (Hansa Mehta Committee) (1962)

नियुक्ति: राष्ट्रीय महिला शिक्षा परिषद द्वारा

नेतृत्व: श्रीमती हंसा जीवराज मेहता

उद्देश्य: महिलाओं के लिए शैक्षिक अवसरों में सुधार करना तथा शिक्षा में लैंगिक असमानताओं को दूर करना।

हंसा मेहता समिति की प्रमुख सिफारिशें निम्नवत हैं-

1. **प्राथमिक स्तर सह-शिक्षा**- प्राथमिक स्तर पर सह-शिक्षा को प्रोत्साहित किया जाये ताकि बालक और बालिकाएं साथ-साथ सीख सकें, जिससे कम उम्र से ही समानता को बढ़ावा मिले।
2. **बालिकाओं के लिए पृथक स्कूल**- पर्याप्त मांग वाले क्षेत्रों में, प्राथमिक या माध्यमिक विद्यालय स्तर पर बालिकाओं के लिए पृथक स्कूल खोले जायें ताकि उनकी शैक्षिक आवश्यकताओं को प्रभावी ढंग से पूरा किया जा सके।
3. **माध्यमिक और कॉलेज शिक्षा में विकल्प:** माध्यमिक और कॉलेज स्तर पर, अलग-अलग और सह-शैक्षिक संस्थान, दोनों की सुविधा उपलब्ध हो। माता-पिता के पास अपनी बेटी की आवश्यकताओं के अनुसार सबसे उपयुक्त संस्थान चुनने का विकल्प होना चाहिए।
4. **बालिकाओं के लिए विज्ञान और गणित पर जोर:** उच्चतर माध्यमिक शिक्षा के दौरान बालिकाओं को विज्ञान और गणित के अध्ययन के लिए प्रोत्साहित किया जाये ताकि इन क्षेत्रों में रूढ़ियों को तोड़ा जा सके और लैंगिक समानता को बढ़ावा दिया जा सके।
5. **गृह विज्ञान शिक्षा:** उच्चतर माध्यमिक स्तर पर बालिकाओं के लिए गृह विज्ञान को एक मूल्यवान विषय के रूप में मान्यता प्रदान की

जाये, जिससे उन्हें जीवन के विभिन्न पहलुओं में उपयोगी व्यावहारिक कौशल प्राप्त हो सके।

6. **महिला शिक्षकों की संख्या बढ़ाना:** प्राथमिक स्कूलों, माध्यमिक स्कूलों और कॉलेजों में जहां बालिकाओं को प्रवेश दिया जाता है, वहां महिला शिक्षकों की संख्या बढ़ाई जानी चाहिए।
7. **बालिकाओं के लिए सहायता:** बालिकाओं को छात्रवृत्ति, निशुल्क परिवहन और वजीफे जैसी आवश्यक सहायता सुविधाएं प्रदान की जायें ताकि शिक्षा तक उनकी पहुंच हो सकें और उसमें सफल हो सकें।
8. **सामान्य पाठ्यक्रम:** प्राथमिक और माध्यमिक विद्यालय स्तर पर बालकों और बालिकाओं के लिए सामान्य पाठ्यक्रम लागू किया जाये ताकि सीखने का समान अनुभव सुनिश्चित हो सके।
9. **पाठ्यपुस्तक समितियों में महिलाएं:** पाठ्यपुस्तक समितियों में महिलाओं का पर्याप्त प्रतिनिधित्व सुनिश्चित किया जायें ताकि पाठ्य-सामग्री को अधिक समावेशी बनाने में उनका प्रभाव हो सके।
10. **व्यावसायिक प्रशिक्षण:** माध्यमिक शिक्षा के अंत में लड़कियों को विभिन्न व्यवसायों के लिए प्रशिक्षित करने, उनके कैरियर के अवसरों को बढ़ाने और आर्थिक रूप से योगदान करने की क्षमता बढ़ाने के लिए व्यावसायिक स्कूलों का प्रावधान होना चाहिए।

सिनेमैटिक कनेक्शन

फिल्म निल बटे सन्नाटा (2016) एक घरेलू कामगार की प्रेरणादायक कहानी बताती है जो वापस स्कूल लौटती है ताकि अपनी बेटी को शिक्षा प्राप्त करने और अपने सपनों को पूरा करने के लिए प्रेरित कर सकें। यह फिल्म गरीबी के चक्र को तोड़ने में शिक्षा के महत्व को रेखांकित करती है। यह हंसा मेहता समिति के सिद्धांतों के साथ निकटता से मेल खाती है, जिसने महिलाओं की शिक्षा की आवश्यकता पर जोर दिया ताकि उन्हें सशक्त बनाया जा सके और सामाजिक समानता को बढ़ावा दिया जा सके। शिक्षा की परिवर्तनकारी शक्ति को उजागर करते हुए, फिल्म निल बटे सन्नाटा महिलाओं को सीखने और अवसरों के माध्यम से ऊपर उठाने की हंसा समिति की दृष्टि को दर्शाती है।

महिला शिक्षा के लिए अन्य समितियां (Other Committees for Women's Education)

भारत में महिला शिक्षा के लिए कार्य करने वाली कुछ अन्य समितियां निम्नवत हैं:-

- दुर्गाबाई देशमुख समिति (Durgabai Deshmukh Committee) (1958)- सरकार ने मई, 1958 में राष्ट्रीय महिला शिक्षा समिति की स्थापना की, जिसकी अध्यक्षता डॉ. दुर्गाबाई देशमुख ने की। समिति का मुख्य उद्देश्य महिलाओं की शिक्षा में रूकावट डालने वाली चुनौतियों और बाधाओं की पहचान करना था।
- भक्तवत्सलम समिति रिपोर्ट (Bhaktavatsalam Committee Report) (1963)- राष्ट्रीय महिला शिक्षा परिषद द्वारा वर्ष 1963 में श्री एम. भक्तवत्सलम की अध्यक्षता में भक्तवत्सलम समिति की नियुक्ति की गयी थी। इसका मुख्य उद्देश्य यह जांच करना था कि विशेष रूप से ग्रामीण क्षेत्रों में बालिकाओं की शिक्षा के लिए सार्वजनिक सहायता की कमी क्यों है?

क्विज स्टेशन *विगत UGC NET परीक्षाओं के प्रश्न*

प्र 1. स्वतंत्रता के बाद भारत सरकार द्वारा महिला शिक्षा पर गठित पहली समिति की अध्यक्षता किसने की थी?

(a) डॉ. राधाकृष्णन

(b) डॉ. दुर्गा बाई देशमुख

(c) हंसा मेहता

(d) कमला चौधरी

उत्तर 1. (b)

★★★ परीक्षोपयोगी

कोठारी आयोग (Kothari Commission) (1964–1966)

वैकल्पिक नाम: राष्ट्रीय शिक्षा आयोग

उप-शीर्षक: राष्ट्रीय विकास के लिए शिक्षा

अध्यक्षता: दौलत सिंह कोठारी की अध्यक्षता में

उद्देश्य: भारत में शिक्षा क्षेत्र के सभी पहलुओं की जांच करना।

(नोट- यद्यपि कोठारी आयोग को पूरे शिक्षा क्षेत्र की समीक्षा करने के लिए स्थापित किया गया था, लेकिन इसके दायरे से दो महत्वपूर्ण क्षेत्रों, विधि शिक्षा और चिकित्सा शिक्षा, को बाहर रखा गया था।

रिपोर्ट प्रस्तुतिकरण: 29 जून, 1966 को 'शिक्षा और राष्ट्रीय विकास, शिक्षा आयोग का प्रतिवेदन' शीर्षक से एम. सी. छागला (तत्कालीन शिक्षा मंत्री) को एक प्रतिवेदन प्रस्तुत किया। इस प्रतिवेदन का मुख्य ध्यान शिक्षा को अधिक उत्पादक बनाने, विभिन्न समुदायों को एकीकृत करने, स्कूलों का आधुनिकीकरण करने और नैतिक मूल्यों को सिखाने पर केन्द्रित था।

मुख्य सिफारिशें (Key Recommendations)

कोठारी आयोग ने भारत में शिक्षा प्रणाली को पुनर्गठित करने के लिए 23 सिफारिशें दी थीं। उनमें से कुछ निम्नवत हैं-

1. **10+2+3 स्वरूप:** कोठारी आयोग ने भारतीय शिक्षा प्रणाली को 10+2+3 के एक समान स्वरूप में पुनर्गठित करने का सुझाव दिया। (10 साल की स्कूली शिक्षा + 2 साल की उच्च शिक्षा + 3 साल की स्नातक शिक्षा)।
2. **राज्य शिक्षक शिक्षा बोर्ड (एसबीटीई) की स्थापना:** इसका उद्देश्य शिक्षक शिक्षा की देखरेख और मानकों को बनाये रखना था।
3. **क्षेत्रीय शिक्षा संस्थानों (आरआईई) की स्थापना:** वर्ष 1963 में एनसीईआरटी के तहत शिक्षकों को उन्नत प्रशिक्षण प्रदान करने के लिए स्थापित संस्थान अजमेर, भोपाल, भुवनेश्वर, शिलांग और मैसूर में स्थित हैं।
4. **प्रदर्शन स्कूलों की स्थापना:** शिक्षा में सर्वोत्तम प्रथाओं को प्रदर्शित करने के लिए मॉडल स्कूलों के रूप में सेवा करने का प्रस्ताव।

5. **राष्ट्रीय शिक्षक चयन:** गुणवत्तापूर्ण शिक्षा सुनिश्चित करने के लिए शिक्षकों के चयन और भर्ती के लिए पूरे देश में एक मानकीकृत प्रणाली लागू की जायें।
6. **उच्च शिक्षा के विस्तार पर रोक:** शैक्षिक मानकों को बनाये रखने के लिए उच्च शिक्षा संस्थानों की तीव्र वृद्धि का प्रबंधन एवं नियंत्रण किया जाये।
7. **विश्वविद्यालयों को स्वायत्तता प्रदान करना:** नवाचार को बढ़ावा देने और शैक्षणिक गुणवत्ता में सुधार के लिए विश्वविद्यालयों को स्वयं शासित होने और स्वतंत्र निर्णय लेने की स्वतंत्रता प्रदान की जाये।
8. **वरिष्ठ (सीनियर) विश्वविद्यालयों का विकास:** कुछ विश्वविद्यालयों को 'वरिष्ठ विश्वविद्यालयों' में अपग्रेड किया जाये ताकि उनकी अनुसंधान और शैक्षिक भूमिकाओं को बढ़ाया जा सके।
9. **उन्नत केंद्रों का समूह:** प्रमुख विश्वविद्यालयों के भीतर विशेष केंद्रों के समूह बनाएं जाएं ताकि उन्नत अनुसंधान और शिक्षा को बढ़ावा दिया जा सके।
10. **छह प्रमुख विश्वविद्यालयों की स्थापना:** उच्च शिक्षा में उत्कृष्टता के मॉडल के रूप में छह प्रमुख विश्वविद्यालयों का विकास किया जाएं।
11. **व्याख्यान की गुणवत्ता में सुधार:** बेहतर शैक्षिक परिणाम प्रदान करने के लिए व्याख्यान और सामग्री की गुणवत्ता को बढ़ाया जाएं।
12. **जीडीपी का 6 प्रतिशत आवंटन:** शिक्षा क्षेत्र में पर्याप्त धन और संसाधनों को सुनिश्चित करने के लिए राष्ट्रीय आय का 6प्रतिशत निवेश किया जाए।
13. **विज्ञान शिक्षा को उच्च प्राथमिकता:** आर्थिक विकास और राष्ट्रीय विकास को बढ़ावा देने के लिए विज्ञान शिक्षा और अनुसंधान को प्राथमिकता दी जाए।
14. **जनशक्ति (Manpower) दृष्टिकोण को अपनाना:** यह दृष्टिकोण शिक्षा को नौकरी बाजार की जरूरतों के साथ मिलाने पर केंद्रित है। यह सुनिश्चित किया जाए कि छात्रों को ऐसे कौशल प्राप्त हों जो कार्यबल की मांगों को पूरा करें और आर्थिक विकास में सहायता मिल सके।
15. **व्यावसायिक शिक्षा:** कोठारी आयोग ने व्यावसायिक शिक्षा पर भी जोर दिया।
16. **नि:शुल्क शिक्षा:** 6 से 14 वर्ष की आयु के छात्रों के लिए नि:शुल्क और अनिवार्य शिक्षा की सिफारिश की।
17. **त्रि-भाषा सूत्र:** स्थानीय भाषा, राज्य की आधिकारिक भाषा और हिंदी भाषा सीखने की सिफारिश की।

कोठारी आयोग के प्रमुख उद्धरण (Key Quotes from Kothari Commission)-

1. 'भारत का भाग्य उसके कक्षा-कक्षों में आकार ले रहा है।'
2. 'यह स्पष्ट है कि यदि उच्च शिक्षा में मौलिक सुधार नहीं किये गये, तो हमारा प्रशासन और तकनीकी प्रगति, हमारे बौद्धिक मानक और सामाजिक प्रगति, सभी गंभीर रूप से बाधित होंगे।'

क्विज स्टेशन *विगत UGC NET परीक्षाओं के प्रश्न*

प्र 1. कोठारी आयोग की कुछ प्रमुख सिफारिशें थीं-

(12 मार्च 2023 - शिफ्ट 2)

A. प्रमुख विश्वविद्यालयों में उन्नत केन्द्रों के समूह की स्थापना।
B. संबद्ध कॉलेजों की प्रणाली को समाप्त करना।
C. सतत मूल्यांकन प्रणाली को समाप्त करना।
D. छह प्रमुख विश्वविद्यालयों की स्थापना करना।
E. व्याख्यान की सामग्री एवं गुणवत्ता में सुधार करना।

(a) A, B, और C
(b) B, C और D
(c) C, D और E
(d) A, D और E

प्र 2. कोठारी आयोग द्वारा भाषा के संदर्भ में निम्नलिखित में से क्या प्रस्ताव दिया गया था?

(13 अक्टूबर 2022 - शिफ्ट 1)

(a) शिक्षा के माध्यम के रूप में मातृभाषा का उपयोग
(b) शिक्षा के माध्यम के रूप में हिंदी का उपयोग
(c) द्वि-भाषा सूत्र
(d) त्रि-भाषा सूत्र

प्र 3. कोठारी आयोग ने शिक्षा में निवेश के लिए राष्ट्रीय आय का एक निश्चित प्रतिशत निवेश करने की सिफारिश की थी। वह प्रतिशत कितना था?

(a) 10 प्रतिशत
(b) 8 प्रतिशत
(c) 6 प्रतिशत
(d) 5 प्रतिशत

*उत्तर 1. (d) 2. (d) 3. (c)

राष्ट्रीय शिक्षा नीति (National Policy on Education) (1968)

कोठारी आयोग की सिफारिशों से उत्पन्न, वर्ष 1968 की राष्ट्रीय शिक्षा नीति ने स्वतंत्र भारत के शैक्षिक इतिहास में एक महत्वपूर्ण कदम चिह्नित किया है।

उद्देश्य: इस नीति का लक्ष्य राष्ट्र का विकास करना, नागरिकता और संस्कृति की साझा भावना को बढ़ावा देना और राष्ट्रीय एकता को बढ़ाना था। इसकी प्रमुख सिफारिशें निम्नवत थीं-

1. **उच्च शिक्षा की गुणवत्ता में सुधार:** इस नीति ने पूरे देश में उच्च शिक्षा की गुणवत्ता को बढ़ाने की आवश्यकता पर जोर दिया।

2. **दूरस्थ शिक्षा:** इसने उच्च शिक्षा को अधिक लोगों, चाहे वे कहीं भी हों, के लिए सुलभ बनाने के लिए दूरस्थ शिक्षा विधियों का उपयोग करने का सुझाव दिया।
3. **शैक्षिक पुनर्निर्माण:** इससे सम्पूर्ण शिक्षा प्रणाली को पूरी तरह से पुनर्गठित करने के लिए महत्वपूर्ण बल मिला ताकि इसे सभी स्तरों पर, प्राथमिक विद्यालयों से लेकर विश्वविद्यालयों तक, अधिक प्रभावी बनाया जा सके।
4. **विज्ञान और प्रौद्योगिकी पर ध्यान केंद्रित करना:** विज्ञान और प्रौद्योगिकीय शिक्षा पर महत्वपूर्ण ध्यान दिया गया।
5. **नैतिक मूल्यों का संवर्धन:** नैतिक मूल्यों के संवर्धन और लोगों के जीवन की गुणवत्ता बढ़ाने में शिक्षा के महत्व पर जोर दिया गया।

शिक्षा का समवर्ती सूची में स्थानांतरण (Transfer of Education to Concurrent List) (1976)

मूल रूप से, शिक्षा केवल केंद्र सरकार की जिम्मेदारी थी। लेकिन 1976 में, 42वें संवैधानिक संशोधन अधिनियम के माध्यम से शिक्षा को केन्द्रीय सूची से समवर्ती सूची में स्थानांतरित कर दिया गया। इसका मतलब है कि अब केंद्र सरकार और राज्य सरकारें दोनों शिक्षा के बारे में कानून बना सकती हैं। यह संशोधन कई कारणों से महत्वपूर्ण था-

1. **समान शिक्षा नीति:** इस परिवर्तन से केंद्र सरकार को यह सुनिश्चित करने में मदद मिली कि शिक्षा के मानक पूरे देश में समान हों, जबकि राज्यों को स्थानीय शैक्षिक मुद्दों को संभालने की अनुमति दी गयी।
2. **बेहतर समन्वय:** इसने शिक्षा नीतियों और कार्यक्रमों को बनाने और लागू करने में केंद्र और राज्य सरकारों के बीच टीमवर्क को बढ़ावा मिला।
3. **संसाधनों का साझा करना:** अब दोनों स्तरों की सरकारें शिक्षा के लिए धन और संसाधन प्रदान कर सकती थीं, जिससे शिक्षा प्रणाली में सुधार हो सकता था।

राष्ट्रीय शिक्षा नीति (National Policy on Education) (1986)

वर्ष 1985 में, भारत सरकार ने मौजूदा शिक्षा प्रणाली की समीक्षा की और 'शिक्षा की चुनौती- एक नीतिगत परिप्रेक्ष्य' दस्तावेज में एक नई नीति का वर्णन किया। इस नई शिक्षा नीति का उद्देश्य 21वीं सदी के लिए भारत को तैयार करना था।

मुख्य विशेषता (Key Highlight): इस नीति ने अनुसूचित जातियों (एससी), अनुसूचित जनजातियों (एसटी), महिलाओं और विकलांग व्यक्तियों के लिए शिक्षा में सुधार पर विशेष जोर दिया।

मुख्य सिफारिशें (Key Recommendations)

1. **पहुंच, नामांकन और प्रतिधारण:** इसका उद्देश्य यह सुनिश्चित करना था कि 14 वर्ष तक के सभी बालक स्कूल में नामांकित हों और बिना ड्रॉपआउट के अपनी शिक्षा जारी रखें।
2. **अनौपचारिक शिक्षा:** इस नीति ने उन बच्चों को शिक्षा का अवसर प्रदान करने के लिए अनौपचारिक शिक्षा केंद्रों की स्थापना का आह्वान किया, जो औपचारिक रूप से स्कूलों में भाग लेने में असमर्थ थे।
3. **नवोदय विद्यालय:** इसने ग्रामीण क्षेत्रों में गुणवत्तापूर्ण शिक्षा प्रदान करने वाले नवोदय विद्यालयों के निर्माण का प्रस्ताव रखा।
4. **10+2+3 स्वरूप:** इस नीति ने राष्ट्रीय शिक्षा संरचना को मजबूत किया, जिसमें 10 वर्षों की स्कूली शिक्षा, उसके बाद 2 वर्षों की उच्च माध्यमिक शिक्षा और 3 वर्षों की विश्वविद्यालय शिक्षा शामिल है।
5. **त्रि-भाषा सूत्र का प्रचार:** इसने त्रि-भाषा सूत्र- स्थानीय भाषा, राज्य की आधिकारिक भाषा और हिंदी को बढ़ावा देना जारी रखा।

एनपीई (1986) में स्थापित प्राधिकरण (Authorities Established in NPE (1986))

1. **डीआईईटी की स्थापना:** जिला शिक्षा और प्रशिक्षण संस्थान (डीआईईटी) की स्थापना जिला स्तर पर शिक्षक शिक्षा और प्रशिक्षण को बढ़ावा देने के लिए की गयी थी।
2. **राज्य उच्च शिक्षा परिषद की स्थापना:** राज्य स्तर पर उच्च शिक्षा की योजना और समन्वय में सुधार के लिए राज्य उच्च शिक्षा परिषदों का गठन किया गया।
3. **एनएएसी की स्थापना:** राष्ट्रीय मूल्यांकन और प्रत्यायन परिषद (एनएएसी) की स्थापना भारत में उच्च शिक्षा संस्थानों का आकलन और प्रत्यायन करने के लिए की गयी थी। एनएएसी को शिक्षा गुणवत्ता मानकों को बनाये रखने में इसके प्राधिकार और प्रभावशीलता को सुनिश्चित करने के लिए वैधानिक दर्जा दिया गया था।

> **सिनेमैटिक कनेक्शन**
>
> फिल्म हिचकी (2018), जिसमें रानी मुखर्जी ने अभिनय किया है, समावेशी शिक्षा का महत्व और हर छात्र की क्षमता को दर्शाती है, चाहे उनकी पृष्ठभूमि कुछ भी हो या वह विकलांग हो। यह फिल्म एक शिक्षक की कहानी बताती है जिसे टॉरेट सिंड्रोम है और जो अपने वंचित छात्रों को उनकी चुनौतियों को पार करने के लिए प्रेरित करती है।
>
> यह संदेश राष्ट्रीय शिक्षा नीति 1986 के साथ मेल खाता है, जिसने अनुसूचित जातियों (एससी), अनुसूचित जनजातियों (एसटी), महिलाओं और विकलांग व्यक्तियों के लिए शिक्षा में सुधार पर जोर दिया था। हिचकी यह दिखाती है कि कैसे एक समावेशी दृष्टिकोण हर छात्र में छिपी हुई क्षमता को उजागर कर सकता है और सीखने की विविध जरूरतों का समर्थन करने वाली नीतियों की आवश्यकता को मजबूत करता है।

राममूर्ति समिति (Ramamurti Committee) (1990)

उद्देश्य: वर्ष 1986 की नई शिक्षा नीति की समीक्षा करना।

रिपोर्ट: समिति ने राष्ट्रीय शिक्षा नीति, 1986 की समीक्षा संबंधी प्रतिवेदन प्रस्तुत किया। इस प्रतिवेदन का नाम 'प्रबुद्ध और मानवीय समाज की ओर' था।

सिफारिश: राममूर्ति समिति की एक प्रमुख सिफारिश यह थी कि उच्च शिक्षा का आधार चयन होना चाहिए। इसका तात्पर्य है कि उच्च शिक्षा संस्थानों

में प्रवेश किसी परीक्षा या साक्षात्कार के माध्यम से होना चाहिए ताकि यह सुनिश्चित किया जा सके कि छात्रों को योग्यता और उपयुक्तता के आधार पर प्रवेश दिया जाए।

क्विज स्टेशन *विगत UGC NET परीक्षाओं के प्रश्न*

प्र 1. राममूर्ति समीक्षा समिति की सिफारिश के अनुसार उच्च शिक्षा में प्रवेश होना चाहिए-

(a) सार्वभौमिक

(b) आरक्षण-आधारित

(c) चयनात्मक

(d) भुगतान से मुक्त

उत्तर 1. (c)

सीएबीई समिति (CABE Committee) (1992)

इसे जनार्दन समिति (Janardhan Committee) (1992) के नाम से भी जाना जाता है।

उद्देश्य: सीएबीई समिति की स्थापना वर्ष 1986 की राष्ट्रीय शिक्षा नीति और राममूर्ति समिति द्वारा की गयी सिफारिशों की व्यापक समीक्षा करने के लिए की गयी थी।

परिणाम: जनार्दन समिति के कार्य के परिणामस्वरूप वर्ष 1992 के कार्रवाई कार्यक्रम (Programme of Action) (पीओए) का निर्माण हुआ। यह एक विस्तृत योजना थी जिसे पिछली समीक्षाओं और रिपोर्टों में सुझाए गये परिवर्तनों और सुधारों को लागू करने के लिए डिजाइन किया गया था।

संशोधित कार्रवाई कार्यक्रम (Revised Programme of Action) (1992)

वर्ष 1992 में संशोधित कार्रवाई कार्यक्रम की अध्यक्षता जनार्दन रेड्डी ने की थी। इसकी प्रमुख सिफारिशें निम्नवत थीं-

1. **ऑपरेशन ब्लैकबोर्ड:** मूल रूप से 1987-88 में राष्ट्रीय शिक्षा नीति (NPE) 1986 के तहत शुरू किए गए ऑपरेशन ब्लैकबोर्ड का उद्देश्य देश भर के प्राथमिक विद्यालयों में संसाधनों में सुधार करना था। संशोधित कार्य योजना/पीओए (1992) ने इसके विस्तार और संवर्द्धन पर ध्यान केंद्रित किया, जिससे ब्लैकबोर्ड, बेंच, कुर्सियाँ और चाक सहित बेहतर बुनियादी ढाँचा सुनिश्चित हुआ। इसके अतिरिक्त, इसने स्कूलों में महिला शिक्षकों की उपस्थिति के महत्व पर जोर दिया ताकि बेहतर मार्गदर्शन प्रदान किया जा सके।
2. **आंगनवाड़ी और बालवाड़ी की स्थापना:** ये प्रारंभिक बाल्यावस्था देखभाल और शिक्षा केंद्र हैं, जिन्हें छोटे बच्चों की विकासात्मक जरूरतों को पूरा करने और उन्हें औपचारिक स्कूली शिक्षा के लिए तैयार करने के लिए स्थापित करने का सुझाव दिया गया था।
3. **मध्याह्न भोजन कार्यक्रम:** यह सुनिश्चित करने के लिए कि छात्रों को पर्याप्त पोषण मिले, स्कूलों में मध्याह्न भोजन योजनाओं के कार्यान्वयन और विस्तार को प्रोत्साहित किया गया।
4. **अन्य फोकस क्षेत्र:** कार्यक्रम ने विश्वविद्यालय अनुदान आयोग (यूजीसी) को मजबूत करने पर ध्यान केंद्रित किया। इसने महिलाओं (18 से 35 वर्ष की आयु वर्ग की) के लिए अनौपचारिक शिक्षा प्रणाली को मजबूत करने पर भी ध्यान केंद्रित किया।

यशपाल समिति (Yashpal Committee) (1993)

वर्ष 1993 और 2009 की यशपाल समिति की रिपोर्टों ने भारत में शिक्षा के परिदृश्य को पुनः आकार देने में महत्वपूर्ण भूमिका निभाई है। इसका नेतृत्व दूरदर्शी वैज्ञानिक, प्रोफेसर यशपाल ने किया था।

मुख्य रिपोर्ट: यशपाल समिति की पहली रिपोर्ट, "बोझ रहित शिक्षा" 1993 में, शिक्षा प्रणाली की खामियों की एक क्रांतिकारी जांच थी। इस रिपोर्ट के आधार पर, यशपाल समिति ने वर्ष 2009 में अपनी दूसरी रिपोर्ट प्रस्तुत की, जिसका शीर्षक था "उच्च शिक्षा का नवीनीकरण और पुनरुद्धार।"

यशपाल समिति वर्ष 1993 का उद्देश्य: अधिगम को बढ़ाने के लिये छात्रों पर शैक्षणिक भार को कम करना।

यशपाल समिति (2009) की प्रमुख सिफारिशें (Key Recommendations of Yash Pal Committee, 2009)

1. **एनसीएचईआर (राष्ट्रीय उच्च शिक्षा और अनुसंधान आयोग) का निर्माण:** इसमें सुझाव दिया गया है कि विभिन्न पेशेवर संगठनों (जैसे यूजीसी, एनसीटीई, एआईसीटीई, एमसीआई, और बीसीआई) की शैक्षिक जिम्मेदारियों को एक नए मुख्य संगठन द्वारा लिया जाना चाहिए, जिसे राष्ट्रीय उच्च शिक्षा और अनुसंधान आयोग (एनसीएचईआर) कहा जाएगा।
2. **डीम्ड विश्वविद्यालय का दर्जा:** समिति ने डीम्ड विश्वविद्यालय का दर्जा समाप्त करने की सिफारिश की और विश्वविद्यालयों को मान्यता प्रदान करने और उनके प्रशासन के तरीकों का पुनर्मूल्यांकन एवं पुनर्गठन करने का सुझाव दिया गया।
3. **आईआईटी और आईआईएम:** प्रस्तावित किया गया कि आईआईटी और आईआईएम को पूर्ण विश्वविद्यालयों के रूप में संचालित किया जाना चाहिए।

★★★ परीक्षोपयोगी

सैम पित्रोदा समिति (Sam Pitroda Committee) (2005-2008)

वैकल्पिक नाम: राष्ट्रीय ज्ञान आयोग (एनकेसी)

उद्देश्य: इस आयोग का मुख्य लक्ष्य भारत में एक जीवंत ज्ञान-आधारित समाज का विकास करना था। सैम पित्रोदा समिति का गठन 13 जून 2005 को तीन वर्ष की अवधि के लिए किया गया था। बाद में जुलाई 2014 में इसे भंग कर दिया गया।

मुख्य फोकस क्षेत्र (Key Areas of Focus)

1. **शैक्षिक उत्कृष्टता:** 21वीं सदी की चुनौतियों का सामना करने और ज्ञान के क्षेत्रों में भारत की वैश्विक प्रतिस्पर्धा को बढ़ावा देने के लिए शैक्षिक प्रणाली में सुधार करना।
2. **विज्ञान और प्रौद्योगिकी:** विज्ञान और प्रौद्योगिकी प्रयोगशालाओं में नए ज्ञान के निर्माण को प्रोत्साहित करना।

3. **बौद्धिक संपदा प्रबंधन:** बौद्धिक संपदा अधिकारों से संबंधित संस्थानों के प्रबंधन को बढ़ावा देना।
4. **कृषि और उद्योग:** कृषि और उद्योग में सुधार के लिए ज्ञान का उपयोग करना।
5. **सरकारी पारदर्शिता:** सरकार को अधिक प्रभावी, पारदर्शी और जवाबदेह बनाने के लिए ज्ञान का उपयोग करना, और यह सुनिश्चित करना कि ज्ञान का लाभ व्यापक रूप से जनता को मिले।

मुख्य सिफारिशें (Key Recommendations)

सैम पित्रोदा समिति की प्रमुख सिफारिशें निम्नवत थीं–

1. **पाठ्यक्रम पुनर्गठन:** आयोग ने बहु–विषयक पेशेवरों की मांग को पूरा करने के लिए पाठ्यक्रमों के पुनर्गठन की सिफारिश की।
2. **विदेशी विश्वविद्यालय:** भारत में विदेशी विश्वविद्यालयों को संचालित करने की अनुमति दी जाये और भारतीय विश्वविद्यालयों पर कॉलेज संबद्धताओं का बोझ कम किया जाये।
3. **विश्वविद्यालय विस्तार:** 2015 तक विश्वविद्यालयों की संख्या बढ़ाकर 1500 तक की जाए।
4. **राष्ट्रीय विश्वविद्यालयों की स्थापना:** भारत में 50 नए राष्ट्रीय विश्वविद्यालयों की स्थापना की सिफारिश की।
5. **उम्मीदवार की वित्तीय स्थिति की परवाह किये बिना (Need-blind) प्रवेश:** आयोग ने राष्ट्रीय विश्वविद्यालयों के लिए उम्मीदवार की वित्तीय स्थिति की परवाह किये बिना प्रवेश दिये जाने की सिफारिश की। नीड ब्लाइन्ड प्रवेश नीति में कॉलेज और विश्वविद्यालय प्रवेश के दौरान आवेदक की वित्तीय स्थिति पर विचार नहीं किया जाता है। इसका तात्पर्य है कि प्रवेश संबंधी निर्णय आवेदकों की वित्तीय परिस्थितियों की परवाह किये बिना किये जाते हैं। नीड ब्लाइन्ड प्रवेश का लक्ष्य यह सुनिश्चित करना है कि सभी योग्य छात्रों को, उनकी वित्तीय पृष्ठभूमि की परवाह किये बिना, केवल उनके शैक्षणिक और व्यक्तिगत उपलब्धियों के आधार पर प्रवेश पाने का समान अवसर मिले।
6. **सकल नामांकन अनुपात (जीईआर):** 15% जीईआर की प्राप्ति। सकल नामांकन अनुपात (जीईआर) किसी निश्चित स्तर की शिक्षा में उस आयु समूह के कुल विद्यार्थियों की संख्या की तुलना में नामांकित विद्यार्थियों का प्रतिशत है।
7. **कुलपति की नियुक्ति:** कुलपति की नियुक्ति में कोई राजनीतिक हस्तक्षेप नहीं होना चाहिए।
8. **राष्ट्रीय विज्ञान और सामाजिक विज्ञान फाउंडेशन (एनएसएसएफ):** भारतीय वैज्ञानिकों के लिए नोबेल पुरस्कार जीतने की संभावना वाले अनुसंधान का समर्थन करने के लिए एनएसएसएफ की स्थापना की जाये।
9. **केंद्रीय और राज्य स्नातक शिक्षा बोर्ड:** स्नातक शिक्षा की देखरेख के लिए इन बोर्डों की स्थापना की जाये।
10. **उच्च शिक्षा के लिए स्वतंत्र नियामक प्राधिकरण (आईआरएएचए):** सैम पित्रोदा समिति ने आईआरएएचए की स्थापना की भी सिफारिश की। आईआरएएचए कई मौजूदा विनियामक निकायों की भूमिकाओं को संभालेगा और उनके कार्यों को एक संगठन में एकीकृत करेगा। प्रमुख निकायों में निम्न शामिल हैं–
    - **अखिल भारतीय तकनीकी शिक्षा परिषद (एआईसीटीई):** तकनीकी शिक्षा और प्रशिक्षण की जिम्मेदारी।
    - **भारतीय चिकित्सा परिषद (एमसीआई):** चिकित्सा शिक्षा और प्रेक्टिस की देखरेख करता है।
    - **भारतीय बार परिषद (बीसीआई):** विधि शिक्षा और पेशे का विनियमन करता है।

नॉलेज पेंटागन (Knowledge Pentagon)

"नॉलेज पेंटागन" का उद्देश्य समाज में ज्ञान को प्रबंधित करने और लाभ उठाने के लिए एक समग्र दृष्टिकोण बनाना है।

1. **ज्ञान तक पहुंच:** सभी को जानकारी और संसाधनों, जैसे पुस्तकालयों और डिजिटल प्लेटफार्मों के माध्यम से बेहतर अवसरंचना तक पहुंच सुनिश्चित करना।
2. **ज्ञान की अवधारणा:** स्कूलों और विश्वविद्यालयों में क्या पढ़ाया जाये और किस पर शोध किया जाए, इसके लिए स्पष्ट नियम और दिशानिर्देश निर्धारित करना।
3. **ज्ञान सृजन:** विज्ञान, प्रौद्योगिकी और अन्य क्षेत्रों में नए शोध एवं विचारों का समर्थन और वित्तपोषण करना ताकि नये ज्ञान का सृजन हो सके।
4. **ज्ञान अनुप्रयोग:** व्यवसायों, स्कूलों और सरकार के साथ मिलकर काम करके रोजमर्रा की समस्याओं को हल करने के लिए शोध और ज्ञान का उपयोग करना।
5. **ज्ञान सेवाएं:** लोगों को उनके जीवन और कार्य में प्रभावी ढंग से सीखने और ज्ञान का उपयोग करने में मदद करने के लिए शैक्षिक कार्यक्रम और सलाह प्रदान करना

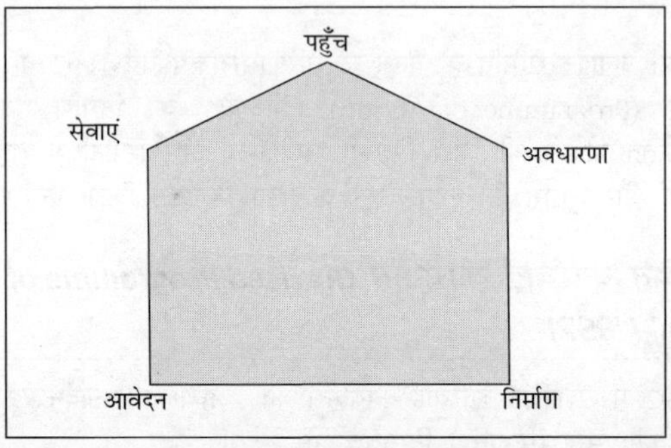

चित्र 31.1 नॉलेज पेंटागन

सिनेमैटिक कनेक्शन

फिल्म चॉक एन डस्टर (2016) दिखाती है कि प्रशासनिक राजनीति कैसे शिक्षण की गुणवत्ता को गंभीर रूप से प्रभावित कर सकती है। जूही चावला और शबाना आजमी अभिनीत इस फिल्म में समर्पित शिक्षकों के संघर्ष को एक भ्रष्ट स्कूल प्रशासन के खिलाफ दिखाया गया है। यह फिल्म छात्रों के लिए अधिगम हेतु निष्पक्ष और पोषणकारी वातावरण सुनिश्चित करने के लिए शिक्षा को राजनीति से अलग रखने के महत्व पर जोर देती है।

यह सैम पित्रोदा समिति की सिफारिशों के साथ मेल खाती है, जिसमें कहा गया था कि कुलपतियों की नियुक्ति में कोई राजनीतिक हस्तक्षेप नहीं होना चाहिए। इसमें शैक्षिक अखंडता और स्वतंत्र प्रशासन की आवश्यकता को रेखांकित किया गया है।

क्विज स्टेशन *विगत UGC NET परीक्षाओं के प्रश्न*

प्र 1. राष्ट्रीय ज्ञान आयोग द्वारा परिकल्पित एनएसएसएफ का तात्पर्य है-

(a) नेशनल साइंस एंड सोशल साइंस फाउंडेशन

(b) नेशनल साइंटिफिक एंड सोशल साइंस फाउंडेशन

(c) नेशनल साइंटिस्ट एंड सोशल साइंटिस्ट फाउंडेशन

(d) नेशनल स्पेस साइंस एंड सोसाइटी फोरम

प्र 2. राष्ट्रीय ज्ञान आयोग ने निम्नलिखित में से किसमें प्रवेश के लिए 'नीड-ब्लाइंड प्रवेश' की सिफारिश की-

(a) राष्ट्रीय विश्वविद्यालय

(b) राज्य विश्वविद्यालय

(c) निजी विश्वविद्यालय

(d) भारत में संचालित विदेशी विश्वविद्यालय

प्र 3. राष्ट्रीय ज्ञान आयोग की सिफारिश के अनुसार उच्च शिक्षा में वर्ष 2015 तक कितने प्रतिशत न्यूनतम सकल नामांकन अनुपात (जीईआर) प्राप्त किया जाना था- *(2 सितंबर 2024 - शिफ्ट 2)*

(a) 5 प्रतिशत (b) 10 प्रतिशत

(c) 15 प्रतिशत (d) 20 प्रतिशत

प्र 4. निम्नलिखित का मिलान कीजिये-

सूची 1	सूची 2
A. यशपाल समिति	I राष्ट्रीय ज्ञान आयोग
B. राधाकृष्णन आयोग	II डीम्ड विश्वविद्यालय के लिये सिफारिशें
C. कोठारी आयोग	III उच्च शिक्षा, विशेष रूप से विश्वविद्यालयी शिक्षा
D. सैम पित्रोदा समिति	IV 10 + 2 + 3 का एक समान पैटर्न का सुझाव

विकल्प-

(a) A-I, B-II, C-IV, D-III

(b) A-II, B-III, C-IV, D-I

(c) A-II, B-IV, C-I, D-III

(d) A-IV, B-III, C-II, D-I

प्र 5. निम्नलिखित में से किस आयोग ने भारत में राष्ट्रीय विश्वविद्यालयों की स्थापना का सुझाव दिया?

(a) कोठारी आयोग (b) राधाकृष्णन आयोग

(c) ज्ञान आयोग (d) योजना आयोग

प्र 6. निम्नलिखित में से कौन सा भारत में स्वतंत्रता पश्चात् का पहला शिक्षा आयोग है? *(18 जून 2024 - शिफ्ट 1)*

(a) भारतीय शिक्षा आयोग

(b) कलकत्ता विश्वविद्यालय आयोग

(c) विश्वविद्यालय शिक्षा आयोग

(d) भारतीय विश्वविद्यालय आयोग

प्र 7. किस शिक्षा आयोग ने कुछ विश्वविद्यालयों को वरिष्ठ विश्वविद्यालयों में विकसित करने का सुझाव दिया था?

(a) सार्जेंट आयोग (b) राधाकृष्णन आयोग

(c) मुदालियर आयोग (d) कोठारी आयोग

प्र 8. यूजीसी की स्थापना किसकी सिफारिश पर की गयी थी?

(a) विश्वविद्यालय शिक्षा आयोग

(b) उच्च शिक्षा आयोग

(c) शिक्षा मंत्रालय

(d) योजना आयोग

प्र 9. किस आयोग/समिति ने यह सिफारिश की थी कि 'कॉलेजों में सामान्य तौर पर पुरूषों के लिये नियोजित सामान्य सुविधाएं और शिष्टाचार महिलाओं को भी प्रदान किये जाने चाहिए और महिलाओं के लिए अवसरों में कोई कटौती नहीं होनी चाहिए'?

(a) दुर्गाबाई देशमुख समिति (1959)

(b) कोठारी आयोग (1964 - 66)

(c) भक्तवत्सलम समिति (1963)

(d) राधाकृष्णन आयोग (1948)

प्र 10. निम्नलिखित में से किस समिति/आयोग ने अपनी रिपोर्ट में सिफारिश की थी कि विज्ञान शिक्षा और अनुसंधान को राष्ट्रीय अर्थव्यवस्था को तेजी से बढ़ाने के लिए उच्च प्राथमिकता मिलनी चाहिए?

(a) आचार्य नरेंद्र देव समिति

(b) मुदालियर आयोग

(c) राधाकृष्णन आयोग

(d) कोठारी आयोग

प्र 11. निम्नलिखित में से किस समूह को उनके गठन के वर्ष के क्रम में दिया गया है?

(a) कोठारी आयोग, मुदालियर आयोग, राधाकृष्णन आयोग

(b) राधाकृष्णन आयोग, मुदालियर आयोग, कोठारी आयोग

(c) मुदालियर आयोग, कोठारी आयोग, राधाकृष्णन आयोग

(d) राधाकृष्णन आयोग, कोठारी आयोग, मुदालियर आयोग

उत्तर 1. (a) 2. (a) 3. (c) 4. (b) 5. (c) 6. (c)
7. (d) 8. (a) 9. (d) 10. (d) 11. (b)

31.3 भारतीय शिक्षा सुधारक (Indian Education Reformers)

1. **राजा राम मोहन राय:** राजा राम मोहन राय एक महान विद्वान और समाज सुधारक थे। उन्होंने ब्रह्म समाज की स्थापना की, जो भारत के पहले सामाजिक-धार्मिक सुधार आंदोलनों में से एक था। उन्हें "आधुनिक भारत के जनक" के रूप में जाना जाता है। उन्होंने पश्चिमी वैज्ञानिक शिक्षा के महत्व में विश्वास किया। उन्होंने अंग्रेजी में शिक्षा को पारंपरिक भारतीय शिक्षा प्रणाली से बेहतर माना। उन्होंने भारतीयों को पश्चिमी वैज्ञानिक शिक्षा में शिक्षित करने के लिए कई स्कूल शुरू किये। उनके प्रमुख योगदान निम्नवत हैं-
   - **हिंदू कॉलेज (1817):** उन्होंने 1817 में कलकत्ता में हिंदू कॉलेज की स्थापना में महत्वपूर्ण भूमिका निभाई, जो भारत में विज्ञान शिक्षा शुरू करने वाले पहले संस्थानों में से एक था। बाद में 1855 में कॉलेज का नाम बदलकर प्रेसीडेंसी कॉलेज कर दिया गया और 2010 में इसे प्रेसीडेंसी विश्वविद्यालय बना दिया गया, जो आज भी एक प्रतिष्ठित संस्थान है।
   - **वेदांत कॉलेज (1825):** उन्होंने वेदांत कॉलेज की स्थापना की, जहां उन्होंने भारतीय और पश्चिमी सामाजिक और भौतिक विज्ञान दोनों को शामिल करने वाला पाठ्यक्रम प्रस्तुत किया। यह उनके व्यापक दृष्टिकोण का हिस्सा था, जिसमें पूर्वी और पश्चिमी ज्ञान दोनों को महत्व देने वाली संतुलित शिक्षा प्रणाली बनाना था।
2. **डॉ. भीमराव अंबेडकर:** भीमराव रामजी अंबेडकर एक भारतीय न्यायविद, अर्थशास्त्री, समाज सुधारक और राजनीतिक नेता थे, जिन्होंने भारतीय संविधान के मसौदे में महत्वपूर्ण भूमिका निभाई। वे समाज के कमजोर वर्गों, विशेष रूप से अछूतों और महिलाओं के लिए शिक्षा में सुधार के लिए समर्पित थे। उन्होंने महाराष्ट्र में कई शैक्षणिक संस्थानों की स्थापना की। इनमें सिद्धार्थ कॉलेज, मिलिंद कॉलेज और दलित एवं महिलाओं के लिए अन्य स्कूल शामिल थे।
3. **एनी बेसेंट:** एनी बेसेंट एक ब्रिटिश समाजवादी, महिला अधिकार कार्यकर्ता, शिक्षाविद् और भारतीय राष्ट्रवाद की समर्थक थीं। उन्होंने भारत में शिक्षा में सुधार के लिए कड़ी मेहनत की और महिलाओं के अधिकारों के लिए लड़ाई लड़ी। वह पारंपरिक भारतीय शिक्षा प्रणाली की मुखर समर्थक थीं। उन्होंने भारत में पश्चिमी शिक्षा प्रणाली के कार्यान्वयन का विरोध किया और भारतीय शैक्षिक परंपराओं और मूल्यों को संरक्षित करने के महत्व पर जोर दिया। उनके कुछ प्रमुख योगदान निम्नवत हैं-
   - **सेंट्रल हिंदू गर्ल्स स्कूल (1904):** एनी बेसेंट ने सेंट्रल हिंदू गर्ल्स स्कूल की स्थापना की, जिसे प्रारंभ में कन्या विद्यालय के नाम से जाना जाता था। इस स्कूल की स्थापना बालिकाओं को गुणवत्तापूर्ण शिक्षा प्रदान करने के लिए की गयी थी।
   - **बनारस में हिंदू कॉलेज (1916):** भारत की स्वतंत्रता से पहले, उन्होंने बनारस के हिंदू कॉलेज की स्थापना की (जो अब बनारस हिंदू विश्वविद्यालय का हिस्सा है)। इस संस्थान को धार्मिक और नैतिक शिक्षा प्रदान करने के लिए डिजाइन किया गया था, जो पारंपरिक भारतीय शैक्षिक मूल्यों के प्रति उनके समर्थन को दर्शाता है।

क्विज स्टेशन *विगत UGC NET परीक्षाओं के प्रश्न*

प्र 1. डॉ. बी. आर. अम्बेडकर निम्नलिखित में से किसकी स्थापना के प्रयासों से जुड़े हुए थे। *(11 मार्च 2023 - शिफ्ट 2)*

(a) मिलिंद कॉलेज
(b) औरंगाबाद कॉलेज
(c) महाबोधि कॉलेज
(d) नागपुर कॉलेज

प्र 2. राजा राम मोहन राय निम्नलिखित में से किसकी स्थापना के लिये उत्तरदायी थे। *(15 जून 2023 - शिफ्ट 1)*

(a) आगरा कॉलेज, आगरा
(b) हिन्दू कॉलेज, कलकत्ता
(c) बनारस संस्कृत कॉलेज, बनारस
(d) सीरमपुर कॉलेज, सीरमपुर

प्र 3. निम्नलिखित में से किसने भारत में पश्चिमी शिक्षा प्रणाली के कार्यान्वयन का विरोध किया था? *(11 दिसंबर 2023 - शिफ्ट 1)*

(a) विलियम एडम
(b) लॉर्ड कैनिंग
(c) डॉ. एनी बेसेंट
(d) बी.एल. राइस

प्र 4. स्वतंत्रता से पहले एनी बेसेंट द्वारा बनारस में स्थापित हिंदू कॉलेज ने किस प्रकार की शिक्षा प्रदान करने का प्रस्ताव रखा था?

(a) शारीरिक शिक्षा
(b) धार्मिक और नैतिक शिक्षा
(c) पश्चिमी शिक्षा
(d) चिकित्सा शिक्षा

उत्तर 1. (a) 2. (b) 3. (c) 4. (b)

31.4 महत्वपूर्ण विश्वविद्यालय और कॉलेज (Important Universities and Colleges)

तालिका 31.1 में भारत में स्वतंत्रता पूर्व और स्वतंत्रता पश्चात् के समय के प्रमुख विश्वविद्यालयों और कॉलेजों की विस्तृत सूची दी गयी है।

तालिका 31.1 प्रमुख विश्वविद्यालय और कॉलेज

वर्ष	नाम	स्थान	स्थापनाकर्ता / टिप्पणी
1542	संट पॉल कॉलेज	गोवा-पुर्तगाली	जेसुइट
1781	कोलकाता मदरसा	कोलकाता	वॉरेन हेस्टिंग्स
1784	एशियाटिक सोसाइटी	कोलकाता	विलियम जोन्स
1791	बनारस संस्कृत कॉलेज	वाराणसी	जोनाथन डंकन
1800	श्रीरामपुर मिशन	सेरामपुर	विलियम केरी
1800	फोर्ट विलियम कॉलेज	कोलकाता	लॉर्ड वेलेस्ली
1817	हिंदू कॉलेज	कोलकाता	डेविड हेयर और राजा राम मोहन राय
1817	स्कूल बुक सोसाइटी	कोलकाता	डेविड हेयर
1817	प्रेसीडेंसी कॉलेज	कोलकाता	डेविड हेयर और राजा राम मोहन राय
1818	सेरामपुर कॉलेज	पश्चिम बंगाल	डेनिश चार्टर
1820	बिशप कॉलेज	सिबपुर	चर्च ऑफ इंग्लैंड
1822	एंग्लो हिंदू स्कूल	कोलकाता	राजा राममोहन राय
1823	पांडिचेरी चिकित्सा विद्यालय	पांडिचेरी	फ्रांसीसी द्वारा स्थापित
1823	आगरा कॉलेज	आगरा	पंडित गंगाधर शास्त्री
1828	अकादमिक एसोसिएशन	कोलकाता	डेरोजियो
1830	स्कॉटिश चर्च कॉलेज	कोलकाता	अलेक्जेंडर डफ
1834	एल्फिंस्टन कॉलेज	महाराष्ट्र	लॉर्ड विलियम बेंटिंक
1835	कलकत्ता मेडिकल कॉलेज	कोलकाता	लॉर्ड बेंटिंक
1837	मद्रास क्रिश्चियन कॉलेज	चेन्नई, तमिलनाडु	रेव. जॉन एंडरसन
1840	तत्त्वबोधिनी पाठशाला	कोलकाता	देबेंद्रनाथ टैगोर
1840	प्रेसीडेंसी कॉलेज	चेन्नई, तमिलनाडु	–
1844	महाराजा कॉलेज	जयपुर, राजस्थान	सवाई राम सिंह द्वितीय
1847	आईआईटी रुड़की	रुड़की, उत्तराखंड	रुड़की में 'सिविल इंजीनियरिंग कॉलेज' के रूप में शुरू हुआ, वर्ष 1948 में 'रुड़की विश्वविद्यालय' बना और वर्ष 2001 में आईआईटी रुड़की बना।
1857	कलकत्ता विश्वविद्यालय	कोलकाता	–
1857	मुंबई विश्वविद्यालय	मुंबई	–
1857	मद्रास विश्वविद्यालय	चेन्नई, तमिलनाडु	–
1860	संट जेवियर्स कॉलेज	कोलकाता, पश्चिम बंगाल	–
1863	पटना कॉलेज	पटना, बिहार	–
1866	यूनिवर्सिटी कॉलेज	तिरुवनंतपुरम, केरल	–
1869	संट जेवियर्स कॉलेज	मुंबई, महाराष्ट्र	–
1875	अलीगढ़ मुस्लिम विश्वविद्यालय	अलीगढ़, उत्तर प्रदेश	वर्ष 1877 में मदरसातुल उलूम मुसलमान-ए-हिंद का नाम बदलकर मुहम्मदन एंग्लो-ओरिएंटल कॉलेज कर दिया गया।
1880	डेक्कन एजुकेशन सोसाइटी	पुणे	विष्णुशास्त्री चिपलूणकर, लोकमान्य बाल गंगाधर तिलक
1881	संट स्टीफेंस कॉलेज	दिल्ली	रेव. सैमुअल स्कॉट ऑलनट
1882	पंजाब विश्वविद्यालय	चंडीगढ़	–

वर्ष	नाम	स्थान	स्थापनाकर्ता / टिप्पणी
1883	हिसलोप कॉलेज	नागपुर	स्टीफन हिसलोप नोट– यह कॉलेज वर्ष 1954 में भारत में पहला पत्रकारिता विभाग शुरू करने के लिए प्रसिद्ध है।
1885	फर्ग्यूसन कॉलेज	पुणे	बाल गंगाधर तिलक
1886	दयानंद एंग्लो-वैदिक कॉलेज	लाहौर	लाला हंसराज
1887	इलाहाबाद विश्वविद्यालय	इलाहाबाद	–
1887	निजाम कॉलेज	हैदराबाद	सैयद हुसैन बिलग्रामी
1899	हिंदू कॉलेज	दिल्ली	–
1900	क्रिश्चियन मेडिकल कॉलेज	वेल्लोर	डॉ. इडा सोफिया स्कडर
1906	राष्ट्रीय शिक्षा परिषद	कोलकाता	सतीश चंद्र मुखर्जी
1906	जादवपुर विश्वविद्यालय	कोलकाता	बंगाल तकनीकी संस्थान
1909	भारतीय विज्ञान संस्थान	बेंगलुरु, कर्नाटक	जमशेदजी नुसरवानजी टाटा
1913	सिडेनहैम कॉलेज ऑफ कॉमर्स	मुंबई	एशिया का सबसे पुराना वाणिज्य कॉलेज
1916	बनारस हिंदू विश्वविद्यालय	वाराणसी	मदन मोहन मालवीय
1916	एसएनडीटी महिला विश्वविद्यालय	मुंबई	धोंडो केशव कर्वे
1916	मैसूर विश्वविद्यालय	मैसूर	महामहिम श्री नलवाड़ी कृष्णराज वाडियार - चतुर्थ
1917	बसु विज्ञान मंदिर	कोलकाता	आचार्य जगदीश चंद्र बोस
1917	पटना विश्वविद्यालय	पटना	जे. जी. जेनिंग्स
1918	दक्षिण हिंदी प्रचार सभा	चेन्नई	महात्मा गांधी
1918	उस्मानिया विश्वविद्यालय	हैदराबाद	मीर उस्मान अली खान अकबर हैदरी
1920	जामिया मिलिया इस्लामिया	अलीगढ़/नई दिल्ली	मोहम्मद अली जौहर हकीम अजमल खान
1921	विश्व भारती	शांतिनिकेतन, पश्चिम बंगाल	आर. एन. टैगोर
1921	काशी विद्यापीठ	वाराणसी	भगवान दास, शिव प्रसाद गुप्ता
1921	लखनऊ विश्वविद्यालय	लखनऊ	राजा सर मोहम्मद अली मोहम्मद खान
1922	दिल्ली विश्वविद्यालय	दिल्ली	–
1925	लोयोला कॉलेज	चेन्नई, तमिलनाडु	फ्रांसिस बर्ट्राम
1926	श्री राम कॉलेज ऑफ कॉमर्स	दिल्ली	वाणिज्य में शिक्षा वर्ष 1920 में शुरू हुई, यह वर्ष 1926 में कॉलेज बना।
1927	आगरा विश्वविद्यालय (अब डॉ. बी. आर. अंबेडकर विश्वविद्यालय के नाम से जाना जाता है)	आगरा	प्रो. जी. राम रेड्डी
1929	अन्नामलाई विश्वविद्यालय	चिदंबरम, तमिलनाडु	राजा सर एस. आर. एम. अन्नामलाई चेट्टियार
1931	भारतीय सांख्यिकी संस्थान	कोलकाता	प्रशांत चंद्र महालनोबिस
1936	कलाक्षेत्र	चेन्नई, तमिलनाडु	रुक्मिणी देवी अरुंडेल
1938	भारतीय विद्या भवन	मुंबई	के. एम. मुंशी
1944	भारतीय ज्ञानपीठ	नई दिल्ली	साहू शांति प्रसाद जैन, शांति राम जैन
1945	टाटा इंस्टीट्यूट ऑफ फंडामेंटल रिसर्च	मुंबई	होमी के. भाभा और जे.आर.डी. टाटा
1946	बी एम एस कॉलेज ऑफ इंजीनियरिंग	बेंगलुरु	भारत का पहला निजी इंजीनियरिंग कॉलेज
1948	मिरांडा हाउस	दिल्ली	मॉरिस गुइयर
1949	दिल्ली स्कूल ऑफ इकोनॉमिक्स	दिल्ली	वी. के. आर. वरदराजा राव

क्विज स्टेशन *विगत UGC NET परीक्षाओं के प्रश्न*

प्र 1. निम्न स्तंभों का मिलान कीजिये

(18 जून 2024 - शिफ्ट 2)

सूची-I (कॉलेज)	सूची-II (संस्थापक)
A पूना कॉलेज फॉर हिंदू लर्निंग	I अलेक्जेंडर डफ
B हिंदू कॉलेज, कोलकाता (प्रेसीडेंसी कॉलेज)	II एम. एलफिंस्टोन
C बिशप कॉलेज, सिबपुर	III राजा राम मोहन राय
D स्कॉटिश मिशनरी कॉलेज, कोलकाता	IV चर्च ऑफ इंग्लैंड

नीचे दिए गये विकल्पों में से सही उत्तर चुनें-

(a) A-I, B-II, C-III, D-IV
(b) A-II, B-III, C-IV, D-I
(c) A-III, B-IV, C-I, D-II
(d) A-IV, B-I, C-II, D-III

प्र 2. निम्नलिखित में से कौन से विश्वविद्यालय 1916 में स्थापित किये गये थे?

(14 दिसंबर *2023* - शिफ्ट 2)

A. बॉम्बे विश्वविद्यालय
B. बनारस हिंदू विश्वविद्यालय
C. मैसूर विश्वविद्यालय
D. एस.एन.डी.टी महिला विश्वविद्यालय
E. पंजाब विश्वविद्यालय

नीचे दिए गये विकल्पों में से सही उत्तर चुनें-

(a) केवल A, B और C
(b) केवल B, C और D
(c) केवल C, D और E
(d) केवल A, C और E

प्र 3. निम्नलिखित में से कौन से विश्वविद्यालय 1857 में स्थापित किये गये थे?

A. कलकत्ता विश्वविद्यालय
B. बॉम्बे विश्वविद्यालय
C. मद्रास विश्वविद्यालय
D. इलाहाबाद विश्वविद्यालय

विकल्प-

(a) केवल A, B और D
(b) केवल A, B और C
(c) केवल B, C और D
(d) केवल A, C और D

प्र 4. निम्नलिखित विश्वविद्यालयों को उनकी स्थापना के कालक्रम के अनुसार व्यवस्थित कीजिये।

A. बनारस हिंदू विश्वविद्यालय
B. जवाहरलाल नेहरू विश्वविद्यालय
C. इलाहाबाद विश्वविद्यालय
D. दिल्ली विश्वविद्यालय

नीचे दिए गये विकल्पों में से सही उत्तर चुनें-

(a) C, A, D, B
(b) A, C, D, B
(c) A, D, C, B
(d) A, C, B, D

प्र 5. अपने प्रारंभिक वर्षों में, कलकत्ता विश्वविद्यालय ने निम्नलिखित में से किस स्थान के कॉलेजों को संबद्ध किया था-

(a) अफगानिस्तान
(b) कश्मीर
(c) श्रीलंका (सीलोन)
(d) गोवा

प्र 6. लॉर्ड कर्जन के शासनकाल के प्रारंभिक वर्षों में निम्नलिखित में से कौन-सा विश्वविद्यालय सबसे बड़ा था?

(a) कलकत्ता
(b) मद्रास
(c) बॉम्बे
(d) पंजाब

उत्तर 1. (b) 2. (b) 3. (b) 4. (a) 5. (c) 6. (a)

अध्याय के मुख्य बिंदु

स्वतंत्रता पूर्व और स्वतंत्रता पश्चात् के आयोगों की समय-रेखा			
वर्ष	आयोग	अध्यक्षता	मुख्य सिफारिशें/ परिणाम
स्वतंत्रता पूर्व आयोग			
1813	चार्टर अधिनियम	–	शिक्षा के लिए 1 लाख रुपये का आवंटन
1835	मैकॉले के कार्यवृत्त	थॉमस बैबिंगटन मैकॉले	भारत में फारसी के स्थान पर अंग्रेजी को आधिकारिक प्रशासनिक भाषा बनाना।
1835	अंग्रेजी शिक्षा अधिनियम	लॉर्ड विलियम बेंटिक	पारंपरिक भारतीय शिक्षा प्रणालियों से अंग्रेजी शिक्षा के लिए धन का पुन: आवंटन
1854	वुड्स डिस्पैच/ शिक्षा डिस्पैच (भारतीय शिक्षा का मैग्ना कार्टा)	सर चार्ल्स वुड	• 3 विश्वविद्यालयों (मद्रास, कलकत्ता और बॉम्बे) की स्थापना • कानून, चिकित्सा और इंजीनियरिंग में व्यावसायिक प्रशिक्षण की शुरुआत। • महिला शिक्षा के लिए समर्थन प्रदान करना।
1882	हंटर आयोग/ भारतीय शिक्षा आयोग	विलियम हंटर	• प्राथमिक शिक्षा का नियंत्रण स्थानीय बोर्डों को दिया गया। • उच्च शिक्षा में निजी व्यवसायों को शामिल करने का सुझाव दिया।
1901	शिमला शिक्षा सम्मेलन	लॉर्ड कर्जन	भारतीय प्रतिनिधि नहीं होने के कारण विफल रहा।
1902	रैले आयोग/ भारतीय विश्वविद्यालय आयोग	थॉमस रैले	भारत में विश्वविद्यालयी शिक्षा में सुधार।
1904	भारतीय विश्वविद्यालय अधिनियम	–	• सीनेट और सिंडिकेट की स्थापना। • कुलपतियों की नियुक्ति। • विश्वविद्यालयों की क्षेत्रीय सीमाओं को निर्धारित करने के लिए गवर्नर जनरल को शक्ति दी गयी।
1917	सैडलर विश्वविद्यालय आयोग/ कलकत्ता विश्वविद्यालय आयोग	डॉ. माइकल सैडलर	• मैट्रिक परीक्षा में सुधार। • इंटरमीडिएट कक्षाओं को स्कूलों में स्थानांतरित करना। • पूर्णकालिक कुलपति की नियुक्ति। • सीनेट और सिंडिकेट के स्थान पर कोर्ट्स और कार्यकारी परिषद बनाना।
1921	सीएबीई	–	देशव्यापी शिक्षा नीतियों का समन्वय और कार्यान्वयन
1929	हार्टोग समिति	सर फिलिप जोसेफ हार्टोग	• सीएबीई की पुन: स्थापना • संबद्ध विश्वविद्यालय
1937	वर्धा योजना/ बुनियादी शिक्षा योजना	डॉ. जाकिर हुसैन	• बुनियादी शिक्षा • नई तालीम • शिक्षा का माध्यम मातृभाषा
1944	सार्जेंट योजना	सर जॉन सार्जेंट	देश में 40 वर्षों के भीतर शत-प्रतिशत साक्षरता प्राप्त करना।

स्वतंत्रता के बाद आयोग			
1948-49	राधाकृष्णन आयोग/ विश्वविद्यालय शिक्षा आयोग	डॉ. सर्वपल्ली राधाकृष्णन	• त्रि-भाषा सूत्र • यूजीसी की स्थापना • पूर्णकालिक कुलपति की नियुक्ति
1952	मुदालियर आयोग/ माध्यमिक शिक्षा आयोग	डॉ. लक्ष्मणस्वामी मुदालियर	माध्यमिक शिक्षा क्षेत्र में सुधार पर ध्यान केंद्रित किया
1961	भावनात्मक बुद्धिमत्ता समिति	संपूर्णानंद	युवाओं और छात्रों का भावनात्मक विकास
1962	हंसा मेहता समिति/ राष्ट्रीय महिला शिक्षा परिषद	श्रीमती हंसा जीवराज मेहता	महिला शिक्षा पर ध्यान केंद्रित किया
1964-66	कोठारी आयोग/ राष्ट्रीय शिक्षा आयोग	दौलत सिंह कोठारी	• 10+2+3 स्वरूप • राज्य शिक्षक शिक्षा बोर्ड (एसबीटीई) की स्थापना • क्षेत्रीय शिक्षा संस्थानों (आरआईईएस) की स्थापना • शिक्षा के लिए जीडीपी का 6% आवंटन
1968	राष्ट्रीय शिक्षा नीति	–	उच्च शिक्षा की गुणवत्ता में सुधार
1976	शिक्षा को समवर्ती सूची में स्थानांतरित करना	–	• 42वां संवैधानिक संशोधन अधिनियम • शिक्षा की देखरेख केंद्र और राज्य सरकारों द्वारा की जाएगी।
1986	राष्ट्रीय शिक्षा नीति	–	• एसटी, एससी और अन्य के लिए शिक्षा में सुधार पर ध्यान केंद्रित किया • शिक्षा की देखरेख केंद्र और राज्य सरकारों द्वारा की जाएगी। • डाइट (DIET), नैक (NAAC), राज्य उच्च शिक्षा परिषद की स्थापना • नवोदय विद्यालय की स्थापना
1990	राममूर्ति समिति	आचार्य राममूर्ति	उच्च शिक्षा हेतु प्रवेश चयन (प्रवेश परीक्षाओं) पर आधारित होना चाहिए।
1992	जनार्दन समिति / सीएबीई समिति	जनार्दन रेड्डी	1992 के कार्रवाई कार्यक्रम (Programme of Action) का निर्माण • ऑपरेशन ब्लैकबोर्ड • आंगनवाड़ी और बालवाड़ी की स्थापना • मध्याह्न भोजन कार्यक्रम
1993 और 2009	यशपाल समिति	प्रोफेसर यशपाल	• एनसीएचईआर (NCHER) का निर्माण • डीम्ड विश्वविद्यालय का दर्जा समाप्त करना। • आईआईटी और आईआईएम को पूर्ण विश्वविद्यालय के रूप में संचालित किया जाना।
2005-09	सैम पित्रोदा समिति/ राष्ट्रीय ज्ञान आयोग	सैम पित्रोदा	• विदेशी विश्वविद्यालयों को भारत में संचालित करने की अनुमति देना। • 2015 तक विश्वविद्यालयों की संख्या बढ़ाकर 1500 करना। • भारत में 50 नए राष्ट्रीय विश्वविद्यालयों की स्थापना करना। • जरूरत-आधारित नीड-ब्लाइंड प्रवेश को बढ़ावा देना • 15% जीईआर (GER) का लक्ष्य प्राप्त करना • शिक्षा में राजनीतिक हस्तक्षेप को रोकना।

भारत में उच्च शिक्षा की संरचना (Structure of Higher Education in India)

32

इस अध्याय में

**परीक्षोपयोगी (Exam Essential): UGC NET परीक्षा में पूछे जाने की अत्यधिक संभावना*

32.1 भारत में उच्च शिक्षा की संरचना (Structure of Higher Education in India)

इस विषय को सरल बनाने वाले वीडियो व्याख्यान को देखने के लिए इस QR कोड को स्कैन करें

भारत में शिक्षा एक गतिशील यात्रा है जो जल्दी शुरू होती है और विभिन्न चरणों के माध्यम से विकसित होती है, प्रत्येक चरण का अपना महत्व होता है। चित्र 32.1 में दर्शाया गया है कि भारत में उच्च शिक्षा का प्रबंधन कैसे किया जाता है। इसे तीन मुख्य क्षेत्रों में विभाजित किया गया है-

1. **नीति निर्माण निकाय**- ये निकाय उच्च शिक्षा के लिए नियम और दिशानिर्देश बनाते हैं।
2. **विनियामक निकाय**- ये संगठन सुनिश्चित करते हैं कि कॉलेज और विश्वविद्यालय नियमों का पालन करें और गुणवत्ता बनाए रखें।
3. **प्रत्यायन निकाय**- ये एजेंसियां जांच और प्रमाणित करती हैं कि संस्थानों द्वारा प्रदान की जाने वाली शिक्षा कुछ गुणवत्ता मानकों को पूरा करे।

हम इस अध्याय के आगामी खंडों में इनमें से प्रत्येक को विस्तार से देखेंगे।

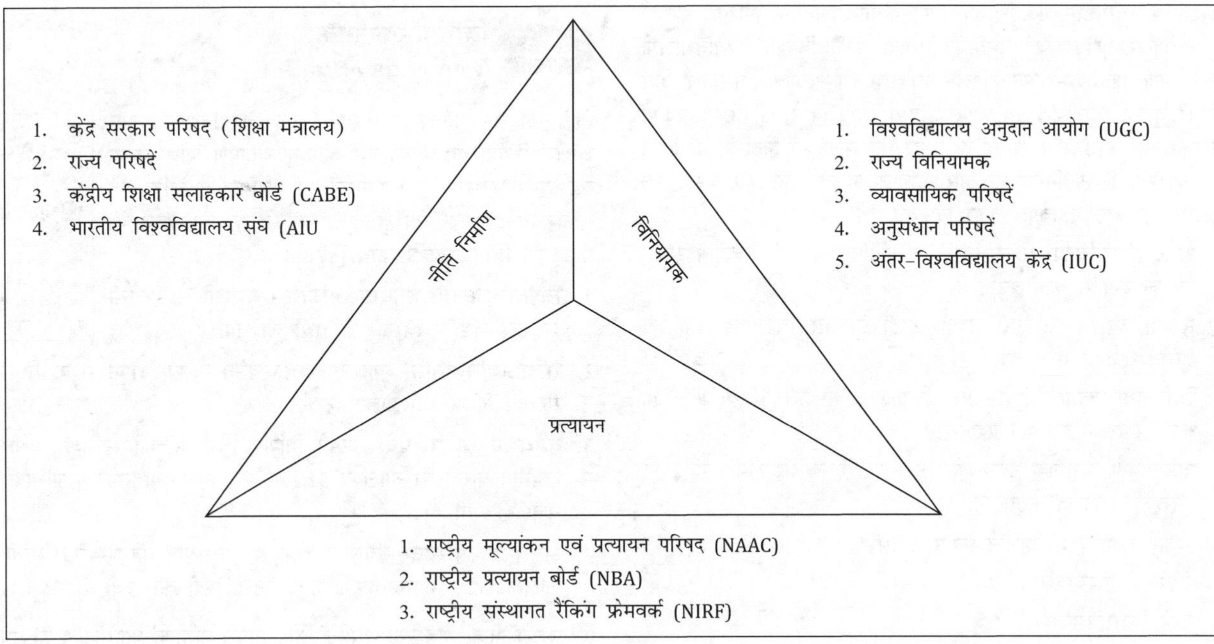

चित्र 32.1 भारत में उच्च शिक्षा का विनियामक ढांचा

32.2 नीति निर्माण निकाय (Policy Making Bodies)

नीति निर्माण में उच्च शिक्षा के संचालन के लिए नियम और दिशानिर्देश निर्धारित करना शामिल है। इसमें योजना बनाना और यह तय करना शामिल है कि विश्वविद्यालयों और कॉलेजों को किन लक्ष्यों और मानकों का पालन करना चाहिए।

वर्तमान में, भारत में उच्च शिक्षा के लिए नीति निर्माण में केंद्रीय और राज्य सरकारें मिलकर शिक्षा प्रणाली को सुधारने और प्रबंधित करने का काम करती हैं-

1. **केंद्रीय सरकार (शिक्षा मंत्रालय [एमओई])**- यह राष्ट्रीय शिक्षा नीति स्थापित करती है और शिक्षा मंत्रालय के माध्यम से उच्च शिक्षा का प्रबंधन करती है। इसे 1985 से 2020 तक मानव संसाधन विकास मंत्रालय के नाम से जाना जाता था। यह मंत्रालय स्कूलों से लेकर विश्वविद्यालयों तक सभी स्तरों की शिक्षा को संभालता है। केंद्रीय सरकार विश्वविद्यालय अनुदान आयोग (यूजीसी) के साथ मिलकर उच्च शिक्षा को बढ़ावा देती है और केंद्रीय विश्वविद्यालयों और अन्य प्रतिष्ठित संस्थानों को सहायता प्रदान करती है।
2. **राज्य सरकार (राज्य परिषदें)**- राज्य सरकारें अपने क्षेत्रों में स्कूल और उच्च शिक्षा दोनों को बढ़ावा देने में महत्वपूर्ण भूमिका निभाती हैं। वे विभिन्न सरकारी निकायों और विश्वविद्यालयों के बीच समन्वय के लिए राज्य परिषदें और सलाहकार बोर्ड स्थापित करती हैं। ये परिषदें प्रत्येक राज्य में उच्च शिक्षा नीतियों को विकसित और समन्वित करने का काम करती हैं। राज्यों के पास अपने स्वयं के विश्वविद्यालय और संस्थान भी होते हैं जो स्थानीय स्तर पर उच्च शिक्षा को और बढ़ावा देते हैं।

नीति निर्माण में शामिल अन्य प्रमुख संगठन हैं-

3. **केंद्रीय शिक्षा सलाहकार बोर्ड (सीएबीई)**- सीएबीई शैक्षिक नीतियों के संबंध में सलाह देता है। सीएबीई की स्थापना पहली बार वर्ष 1920 में की गयी थी। यह भारत में शिक्षा के क्षेत्र में सबसे पुराना और उच्चतम स्तर का सलाहकार बोर्ड है। (अध्याय 32 में इस पर विस्तार से चर्चा की गयी है)
4. **भारतीय विश्वविद्यालय संघ (एआईयू)**- एआईयू विश्वविद्यालयों को एक साथ काम करने और जानकारी साझा करने में मदद करता है। आइए अगले खंड में एआईयू के बारे में विस्तार से जानते हैं।

भारतीय विश्वविद्यालय संघ (Association of Indian Universities) (एआईयू)

1. **स्थान**- नई दिल्ली
2. **स्थापना**- भारतीय विश्वविद्यालय संघ (एआईयू), जिसे मूल रूप से इंटर-यूनिवर्सिटी बोर्ड कहा जाता था, की स्थापना वर्ष 1925 में शिमला में वर्ष 1924 में आयोजित वाइस चांसलर्स सम्मेलन के बाद की गयी थी। भारत के वायसराय लॉर्ड रीडिंग ने वर्ष 1924 में शिमला में विश्वविद्यालयों को एक साथ लाने का सुझाव दिया था। इसे वर्ष 1973 में एआईयू का नाम दिया गया।
3. **उद्देश्य**- एआईयू का मुख्य उद्देश्य विश्वविद्यालयों के बीच सहयोग को बढ़ावा देना है। यह शिक्षा, संस्कृति और खेल जैसे विभिन्न क्षेत्रों में सहयोग को प्रोत्साहित करता है, जानकारी साझा करता है और संयुक्त गतिविधियों को बढ़ावा देता है।

4. **शिक्षा में भूमिका**- एआईयू भारतीय विश्वविद्यालयों में शैक्षिक मानकों को बनाए रखने में महत्वपूर्ण भूमिका निभाता है। यह विदेशी विश्वविद्यालयों के कोर्सेज, पाठ्यक्रमों, मानकों और क्रेडिट्स का मूल्यांकन करता है और उनकी तुलना भारतीय विश्वविद्यालयों द्वारा प्रदान किये जा रहे पाठ्यक्रमों मानकों और क्रेडिट्स से करता है। इससे यह सुनिश्चित होता है कि प्रदान की जा रही शिक्षा निरंतर हो और कतिपय मानकों को पूरा करती हों। एआईयू के कुछ महत्वपूर्ण कार्य निम्नवत है:-
   - **अंतर विश्वविद्यालयी संगठन**- यह विश्वविद्यालयों के लिये संचार हब के रूप में कार्य करता है।
   - **सूचना ब्यूरो**- जानकारी प्रदान करता है और विश्वविद्यालयों को सूचित रहने में मदद करता है।
   - **स्वायत्तता बनाए रखना**- विश्वविद्यालयों को उनकी स्वतंत्र स्थिति बनाए रखने में सहायता प्रदान करता है।
   - **प्रकाशन**- प्रासंगिक विवरणों के साथ विश्वविद्यालयों की एक पुस्तिका प्रकाशित करता है।
5. सदस्यता- एआईयू में विभिन्न प्रकार के संस्थान शामिल हैं-
   - पारंपरिक विश्वविद्यालय
   - मुक्त विश्वविद्यालय
   - व्यावसायिक विश्वविद्यालय
   - राष्ट्रीय महत्व के संस्थान (आईएनआई)
   - डीम्ड विश्वविद्यालय
   - पड़ोसी देशों के विश्वविद्यालय भी इसके एसोसिएट सदस्य बन सकते हैं।

32.3 विनियामक निकाय (Regulatory Bodies)

विनियमन यह सुनिश्चित करता है कि विश्वविद्यालय और कॉलेज नियमों का पालन करें और गुणवत्तापूर्ण शिक्षा बनाए रखें। इसमें संस्थानों की निगरानी भी शामिल है ताकि यह सुनिश्चित हो सके कि वे कुछ मानकों को पूरा करते हैं। महत्वपूर्ण विनियामक निकाय निम्नवत हैं-

इस विषय को सरल बनाने वाले वीडियो व्याख्यान को देखने के लिए इस QR कोड को स्कैन करें

1. **विश्वविद्यालय अनुदान आयोग (यूजीसी)**- यूजीसी को इस खंड में विस्तार से चर्चा की गयी है।
2. **राज्य विनियामक**- यह सुनिश्चित करते हैं कि अपने राज्यों में स्थित संस्थान नियमों का पालन करें।
3. **व्यावसायिक परिषदें**- अपने विशिष्ट क्षेत्रों में व्यावसायिक शिक्षा को नियंत्रित करती हैं। तालिका 32.1 में महत्वपूर्ण व्यावसायिक परिषदों की सूची दी गयी है।
4. **अनुसंधान परिषदें**- विभिन्न क्षेत्रों में अनुसंधान की देखरेख करती हैं। तालिका 32.2 में महत्वपूर्ण अनुसंधान परिषदों की सूची दी गई है।

एपेक्स बॉडीज- उपरोक्त संगठनों को 'एपेक्स बॉडीज' कहा जाता है। एपेक्स बॉडीज एक विशिष्ट क्षेत्र में शीर्ष संगठन होते हैं। ये नियम, मानक और दिशानिर्देश निर्धारित करते हैं ताकि सब कुछ सुचारू रूप से चले और उच्च गुणवत्ता बनाए रखे। ये निकाय आमतौर पर सरकार द्वारा विभिन्न संस्थानों और पेशेवरों को उनके विशेषज्ञता के क्षेत्र में देखरेख और मार्गदर्शन करने के लिए बनाए जाते हैं।

तालिका 32.1 भारत में व्यावसायिक परिषदें

संक्षिप्त नाम	परिषद/संस्थान का पूर्ण नाम	स्थापना वर्ष	विवरण
एमसीआई	भारतीय चिकित्सा परिषद	1934	भारत में चिकित्सा शिक्षा और योग्यता के मानक निर्धारित करता है।
एआईसीटीई	अखिल भारतीय तकनीकी शिक्षा परिषद	1945	इंजीनियरिंग, प्रबंधन और वास्तुकला जैसे क्षेत्रों में तकनीकी शिक्षा की देखरेख करता है।
आईएनसी	भारतीय नर्सिंग परिषद	1947	नर्सिंग शिक्षा और पेशे को नियंत्रित करता है।
पीसीआई	भारतीय फार्मेसी परिषद	1948	फार्मेसी शिक्षा और प्रशिक्षण को नियंत्रित करता है।
सीसीआईएम	भारतीय चिकित्सा केंद्रीय परिषद	1970	आयुर्वेद, सिद्ध, यूनानी और सोवा-रिग्पा सहित भारतीय चिकित्सा की शिक्षा और अभ्यास को नियंत्रित करता है।
डीएसटी	विज्ञान और प्रौद्योगिकी विभाग	1971	पूरे भारत में विज्ञान और प्रौद्योगिकी गतिविधियों को बढ़ावा देता है।
सीओए	वास्तुकला परिषद	1972	वास्तुकला शिक्षा और पेशे को नियंत्रित करता है।
सीसीएच	केंद्रीय होम्योपैथी परिषद	1973	होम्योपैथी शिक्षा और पेशे को नियंत्रित करता है।
बीसीआई	भारतीय बार परिषद	1961	कानूनी शिक्षा और कानून के पेशे को नियंत्रित करता है।
एनसीईआरटी	राष्ट्रीय शैक्षिक अनुसंधान और प्रशिक्षण परिषद	1961	स्कूल शिक्षा से संबंधित शैक्षणिक मामलों पर केंद्र और राज्य सरकारों को सहायता एवं सलाह प्रदान करती है। पाठ्यक्रम, पाठ्यपुस्तकें और शैक्षिक संसाधन विकसित करती है।
डीईसी	दूरस्थ शिक्षा परिषद	1991	दूरस्थ शिक्षा कार्यक्रमों में गुणवत्ता मानकों को सुनिश्चित करती है।
एनसीटीई	राष्ट्रीय शिक्षक शिक्षा परिषद	1995	शिक्षक शिक्षा और प्रशिक्षण कार्यक्रमों को नियंत्रित करती है।

तालिका 32.2 भारत में अनुसंधान परिषदें

संक्षिप्त नाम	अनुसंधान परिषद	स्थापना वर्ष	विवरण
आईसीएमआर	भारतीय चिकित्सा अनुसंधान परिषद	1911	मूल रूप से भारतीय अनुसंधान निधि संघ (आईआरएफए) नामित, इसे वर्ष 1949 में आईसीएमआर का नाम दिया गया। भारत में जैव चिकित्सा अनुसंधान को बढ़ावा देती है, देश की स्वास्थ्य आवश्यकताओं को पूरा करती है।
आईसीएआर	भारतीय कृषि अनुसंधान परिषद	1929	कृषि अनुसंधान और शिक्षा विभाग (डीएआरई), कृषि और किसान कल्याण मंत्रालय के तहत स्वायत्त संगठन। उत्पादकता और गुणवत्ता में सुधार के लिए कृषि अनुसंधान और शिक्षा का समन्वय करती है।
सीएसआईआर	वैज्ञानिक और औद्योगिक अनुसंधान परिषद	1942	एयरोस्पेस, जैव प्रौद्योगिकी और पर्यावरण जैसे क्षेत्रों में वैज्ञानिक और औद्योगिक अनुसंधान करती है।
आईसीएसएसआर	भारतीय सामाजिक विज्ञान अनुसंधान परिषद	1969	सामाजिक विज्ञान अनुसंधान को बढ़ावा देती है और अनुसंधान परियोजनाओं और प्रकाशनों के लिए वित्तपोषण और समर्थन प्रदान करती है।
आईसीएचआर	भारतीय ऐतिहासिक अनुसंधान परिषद	1972	अनुदान, फैलोशिप और संसाधनों के माध्यम से भारत में ऐतिहासिक अनुसंधान का समर्थन करती है।
आईसीपीआर	भारतीय दार्शनिक अनुसंधान परिषद	1977	दर्शनशास्त्र में उन्नत अनुसंधान को बढ़ावा देती है, संगोष्ठियों का आयोजन करती है, तथा फैलोशिप और अनुदान प्रदान करती है।

क्विज स्टेशन *विगत UGC NET परीक्षाओं के प्रश्न*

प्र.1. निम्नलिखित अनुसंधान संगठनों को उनकी स्थापना के वर्ष के अनुसार सही क्रम में पहचानें। *(18 जून, 2024 शिफ्ट 1)*

A. भारतीय सामाजिक विज्ञान अनुसंधान परिषद (आईसीएसएसआर)
B. राष्ट्रीय ग्रामीण संस्थान परिषद (एनसीआरआई)
C. भारतीय दार्शनिक अनुसंधान परिषद (आईसीपीआर)
D. भारतीय ऐतिहासिक अनुसंधान परिषद (आईसीएचआर)
E. भारतीय उच्च अध्ययन संस्थान (आईआईएएस)

नीचे दिए गए विकल्पों में से सही उत्तर चुनें-

(a) A, D, E, B, C, (b) B, E, C, D, A
(c) E, A, D, C, B (d) C, B, A, E, D

प्र.2. भारत सरकार ने किस वर्ष विज्ञान एवं प्रोद्यौगिकी विभाग की स्थापना की थी? *(01 मार्च 2023 - शिफ्ट 1)*

(a) 1990 (b) 1985
(c) 1978 (d) 1971

प्र.3. निम्न में से किस संस्थान की स्थापना स्वतंत्रता से पूर्व की गयी थी? *(19 जून, 2023 शिफ्ट 2)*

(a) आईसीएसएसआर (b) एआईसीटीई
(c) आईसीएचआर (d) आईसीपीआर

उत्तर 1ण (ब) 2ण (क) 2ण (इ)

विश्वविद्यालय अनुदान आयोग (University Grants Commission)

भारत में विश्वविद्यालय अनुदान आयोग (यूजीसी) एक वैधानिक निकाय है जिसे उच्च शिक्षा विभाग, शिक्षा मंत्रालय, भारत सरकार द्वारा स्थापित किया गया है। इसकी स्थापना वर्ष 1949 में विश्वविद्यालय शिक्षा आयोग (जिसे राधाकृष्णन आयोग भी कहा जाता है) की सिफारिश पर की गयी थी और आधिकारिक रूप से 28 दिसंबर, 1953 को शुरू किया गया था। यह वर्ष 1956 में संसद के एक अधिनियम के माध्यम से एक वैधानिक निकाय बना। यूजीसी भारत में विश्वविद्यालयों की देखरेख करता है

पदानुक्रम (Hierarchy)

यूजीसी में एक अध्यक्ष, एक उपाध्यक्ष और 10 अन्य सदस्य होते हैं। अध्यक्ष का सेवाकाल 5 साल तक या 65 वर्ष की आयु तक, जो भी पहले हो, होता है। उपाध्यक्ष का कार्यकाल 3 वर्ष का होता है। इसके सदस्यों में-

- केंद्रीय सरकार के 2 अधिकारी (शिक्षा सचिव और वित्त सचिव)
- 3 विश्वविद्यालय के प्रोफेसर
- कृषि, प्रौद्योगिकी, विज्ञान, उद्योग, और इंजीनियरिंग में विशेषज्ञता वाले सदस्य

कार्य (Functions)

1. **विश्वविद्यालय शिक्षा को बढ़ावा देना और समन्वय करना**- यूजीसी का मुख्य कार्य यह सुनिश्चित करना है कि पूरे भारत में विश्वविद्यालय शिक्षा अच्छी तरह से समन्वित और प्रभावी हो।
2. **मानक स्थापित करना**- यूजीसी शिक्षण, परीक्षाओं और विश्वविद्यालयों में अनुसंधान के मानकों को स्थापित करने और बनाए रखने के लिए जिम्मेदार है (यूजीसी अधिनियम की धारा 12 के अनुसार)। यह सुनिश्चित करता है कि छात्रों को गुणवत्तापूर्ण शिक्षा मिले, चाहे वे कहीं भी अध्ययन करें।
3. **धन का संवितरण**- यह विश्वविद्यालयों और कॉलेजों को वित्तीय सहायता (अनुदान) प्रदान करता है।

4. **सरकारों के बीच संबंध**- यूजीसी केंद्रीय एवं राज्य सरकारों और उच्च शिक्षा संस्थानों के बीच एक सेतु का कार्य करता है।
5. **सलाहकार भूमिका**- यह केंद्रीय और राज्य सरकारों को विश्वविद्यालय शिक्षा में सुधार के लिए उठाए जाने वाले कदमों पर भी सलाह देता है।

नोट- यूजीसी को विश्वविद्यालयों की स्थापना करने या बंद करने का अधिकार नहीं है।

यूजीसी द्वारा शुरू किए गए कार्यक्रम (Programmes Launched by UGC)

1. **जीवन कौशल**- यूजीसी छात्रों को आवश्यक जीवन कौशल सिखाने पर ध्यान केंद्रित करता है ताकि उनके भावनात्मक, सामाजिक और पेशेवर क्षमताओं में सुधार हो सके और समग्र विकास और बेहतर नौकरी के अवसर मिल सकें।
2. **दीक्षारंभ**- प्रथम वर्ष के छात्रों को ओरिएंटेशन कार्यक्रमों और सहायता प्रणालियों के माध्यम से कॉलेज जीवन में समायोजित करने में मदद करता है, जिससे एक सकारात्मक शैक्षणिक वातावरण बनता है।
3. **विश्व दर्शन**- छात्रों को अंतरराष्ट्रीय संस्कृतियों और प्रथाओं से अवगत कराकर वैश्विक जागरूकता को बढ़ावा देता है, जिससे उन्हें व्यापक दृष्टिकोण प्राप्त करने में मदद मिलती है।

लर्निंग शॉर्टकट्स

यूजीसी के बारे में याद रखने योग्य कुछ महत्वपूर्ण बिंदु यहां दिये गये हैं।

- **स्थापना** - उच्च शिक्षा विभाग, शिक्षा मंत्रालय, भारत सरकार द्वारा
- **आधारित**- ब्रिटिश यूजीसी के स्वरूप पर
- **सिफारिश**- राधाकृष्णन आयोग (1949)
- **स्थापना की तारीख**- 28 दिसंबर, 1953
- **वैधानिक निकाय**- 1956 से (यूजीसी अधिनियम, 1956 के माध्यम से)
- **भूमिका**- भारत में विश्वविद्यालयों का संचालन
- **पहले अध्यक्ष**- डॉ. सी. डी. देशमुख
- **वर्तमान अध्यक्ष**- प्रो. ममिदाला जगदीश कुमार
- **मुख्य कार्यालय**- नई दिल्ली
- **क्षेत्रीय कार्यालय**- बेंगलुरु, भोपाल, गुवाहाटी, हैदराबाद, कोलकाता, पुणे
- **यूजीसी वित्तीय सहायता**- यूजीसी से वित्तीय सहायता प्राप्त करने के लिए, कॉलेजों को यूजीसी अधिनियम, 1956 की धारा 2(f) के तहत मान्यता प्राप्त और धारा 12(B) के तहत उपयुक्त होना चाहिए।

अंतर विश्वविद्यालय केंद्र (आईयूसी) Inter-University Centres)

अंतर विश्वविद्यालय केंद्र (आईयूसी) विशेष सुविधाएं हैं जो विश्वविद्यालय अनुदान आयोग (यूजीसी) द्वारा उन विश्वविद्यालयों का समर्थन करने के लिए स्थापित की गयी हैं जो अपने स्वयं के उन्नत संसाधनों या अवसंरचना का खर्च नहीं उठा सकते। इन्हें यूजीसी द्वारा यूजीसी अधिनियम की धारा 12(ccc) के तहत स्थापित किया गया था।

आईयूसी उच्च गुणवत्ता वाले साझा संसाधन और विशेषज्ञता प्रदान करते हैं जिनका उपयोग देश भर के विश्वविद्यालय कर सकते हैं। इससे प्रत्येक विश्वविद्यालय को महंगी सुविधाएं बनाने की आवश्यकता के बिना शिक्षा और अनुसंधान की गुणवत्ता में सुधार होता है।

मुख्य विशेषताएं (Key Features)

1. **स्वायत्त संचालन**- स्वायत्त का मतलब है कि ये केंद्र स्वतंत्र रूप से कार्य करते हैं। ये अपने संचालन और प्रबंधन के बारे में निर्णय लेने के लिए बाहरी अधिकारियों की अनुमति की आवश्यकता के बिना अपने मामलों का प्रबंधन कर सकते हैं।
2. **आत्म-शासन**- ये बड़े विश्वविद्यालय प्रणाली का हिस्सा होने के बावजूद अपने मामलों का प्रबंधन करते हैं।
3. **केंद्रीकृत सुविधाएं**- ये उन्नत और केंद्रीकृत सुविधाएं प्रदान करते हैं जो व्यक्तिगत विश्वविद्यालय अपने दम पर वहन या बनाए नहीं रख सकते हैं।
4. **विशेषज्ञ समर्थन**- ये शिक्षा और अनुसंधान में सुधार के लिए विशेष ज्ञान और सहायता प्रदान करते हैं।

तालिका 32.3 भारत में आईयूसी

संक्षिप्त नाम	पूरा नाम	शहर
आईयूएसी	अंतर-विश्वविद्यालय त्वरक केंद्र	नई दिल्ली
आईयूसीएए	खगोल विज्ञान और खगोल भौतिकी अंतर-विश्वविद्यालय केंद्र	पुणे
यूजीसीडीएईसीएसआर	यूजीसी-डीएई वैज्ञानिक अनुसंधान संघ	इंदौर
इन्फ्लिबनेट	सूचना और पुस्तकालय नेटवर्क	अहमदाबाद
सीईसी	शैक्षिक संचार के लिए संघ	नई दिल्ली
एनएएसी	राष्ट्रीय मूल्यांकन एवं प्रत्यायन परिषद	बेंगलुरु
आईयूसीटीई	अंतर-विश्वविद्यालय शिक्षक शिक्षा केंद्र	काकीनाडा

क्या आप जानते हैं?

प्रथम आईयूसी, जिसे न्यूक्लियर साइंस सेंटर कहा जाता है (अब इसे अंतर-विश्वविद्यालय त्वरक केंद्र के रूप में जाना जाता है), की स्थापना वर्ष 1994 में नई दिल्ली में की गयी थी

क्विज स्टेशन *विगत UGC NET परीक्षाओं के प्रश्न*

प्र.1. निम्नलिखित में से कौन-से विशिष्ट कार्यक्रम यूजीसी द्वारा मूल्यों और नैतिक प्रथाओं के प्रचार के लिए शुरू किए गये हैं?

A. जीवन कौशल B. दीक्षारंभ
C. विश्व भारत D. गुरु दक्षता
E. विश्व दर्शन

नीचे दिये गये विकल्पों में से सही उत्तर चुनें-

(a) केवल C, D और E (b) केवल A और E
(c) केवल B, C और D (d) केवल A, B और D

प्र.2. यूजीसी की स्थापना किसके लिए की गयी है-

A. देश में उच्च शिक्षा में अनुसंधान और नवाचार को बढ़ावा देना
B. विश्वविद्यालय शिक्षा के मानकों का समन्वय, निर्धारण और रखरखाव
C. देश में उच्च शिक्षा तक पहुंच बढ़ाना
D. विश्वविद्यालयों और कॉलेजों को अनुदान वितरित करना
E. संघ एवं राज्य सरकारों और उच्च शिक्षा संस्थानों के बीच एक महत्वपूर्ण कड़ी के रूप में कार्य करना

नीचे दिये गये विकल्पों में से सही उत्तर चुनें-

(a) केवल A, C और E (b) केवल A, B और C
(c) केवल A, B, C और D (d) केवल B, D और E

उत्तर 1. (d) 2. (d)

32.4 प्रत्यायन निकाय (Accrediting Bodies)

प्रत्यायन प्रदान करना शैक्षिक संस्थानों और उनके कार्यक्रमों की गुणवत्ता का मूल्यांकन करने और उन्हें प्रमाणित करने की प्रक्रिया है। भारत में मुख्य प्रत्यायन संस्थाओं पर नीचे चर्चा की गयी है।

राष्ट्रीय मूल्यांकन एवं प्रत्यायन परिषद (एनएएसी) (The National Assessment and Accreditation Council)

- **स्थापना वर्ष**- 1994
- **स्थापना**- यूजीसी के तहत।
- **मुख्यालय**- बैंगलोर

इस विषय को सरल बनाने वाले वीडियो व्याख्यान को देखने के लिए इस QR कोड को स्कैन करें

एनएएसी कॉलेजों और विश्वविद्यालयों का मूल्यांकन करती है और उनका प्रत्यायन करती है ताकि उनकी शिक्षा की गुणवत्ता का निर्धारण किया जा सके। एनएएसी का गठन वर्ष 1992 में राष्ट्रीय शिक्षा नीति, 1986 की सिफारिश के आधार पर किया गया था। इसमें उच्च शिक्षा की घटती गुणवत्ता के बारे में चिंताओं को उजागर किया गया था

पद्धति- एनएएसी प्रत्यायन के लिए दो-चरणीय प्रक्रिया का उपयोग करता है-

1. **गुणवत्ता मूल्यांकन के लिए संस्थागत पात्रता (आईईक्यूए)**- संस्थान पात्रता के लिए आवेदन करते हैं। यह प्रक्रिया संस्थान की 'गुणवत्ता स्थिति' को समझने में मदद करती है। एनएएसी की मान्यता यह सुनिश्चित करती है कि ये संस्थान शिक्षा में विशिष्ट गुणवत्ता मानकों को पूरा करते हैं।
2. **मूल्यांकन और प्रत्यायन**- संस्थान प्रत्यायन हेतु विस्तृत मूल्यांकन से गुजरते हैं। एनएएसी द्वारा मूल्यांकन सात मानदंडों पर आधारित है जो नीचे सूचीबद्ध हैं-
   - **पाठ्यक्रम पहलू**- यह परिषद देखती है कि क्या प्रस्तुत पाठ्यक्रम अद्यतित और प्रासंगिक हैं।
   - **शिक्षण-अधिगम और मूल्यांकन**- शिक्षण विधियों और छात्र मूल्यांकन की गुणवत्ता की जांच करती है।
   - **अनुसंधान, परामर्श और विस्तार**- संस्थान की अनुसंधान, परामर्श और सामुदायिक सेवा में भागीदारी का मूल्यांकन करती है।
   - **अवसंरचना और शिक्षण संसाधन**- पुस्तकालयों और कक्षाओं जैसी सुविधाओं की गुणवत्ता का मूल्यांकन करती है।
   - **छात्र सहायता और प्रगति**- छात्रों के लिए उपलब्ध सहायता और उनकी अध्ययन में प्रगति का मूल्यांकन करता है।
   - **शासन, नेतृत्व, और प्रबंधन**- संस्थान के संचालन और प्रबंधन की गुणवत्ता की जांच करता है।
   - **नवाचार और सर्वोत्तम प्रथाएं**- संस्थान में सुधार लाने वाली नई और प्रभावी प्रथाओं को देखता है।

परिणाम- यह संस्थानों को ग्रेड (A, B, C, या D) और सीजीपीए (क्युमुलेटिव ग्रेड पॉइंट एवरेज) प्रदान करता है। इनके आधार पर, इन्हें विशेष स्थिति या अनुदान मिल सकता है।

प्रत्यायन हेतु पात्रता- कोई भी संस्थान, जो कम से कम छह वर्षों से संचालित हो या स्नातक के कम से कम दो बैच उत्तीर्ण किये हो।

क्विज स्टेशन *विगत UGC NET परीक्षाओं के प्रश्न*

प्र.1. निम्नलिखित में से कौन-सा/से एनएएसी द्वारा अनुसरण किए गये गुणवत्ता मूल्यांकन के मानदंड नहीं है/हैं?

[12 मार्च, 2023 शिफ्ट 2]

A. शिक्षण-अधिगम और मूल्यांकन
B. परामर्श और विस्तार
C. अवसंरचना और शिक्षण संसाधन
D. शिक्षण पेशेवरों की भर्ती
E. शासन और नेतृत्व

विकल्प-

(a) D (b) ABD
(c) BCE (d) B

उत्तर 1. (a)

राष्ट्रीय प्रत्यायन बोर्ड (National Board of Accreditation) (एनबीए)

- **स्थापना वर्ष**- वर्ष 1994
- **स्थापना** - अखिल भारतीय तकनीकी शिक्षा परिषद (एआईसीटीई) अधिनियम की धारा 10(u) के तहत
- **मुख्यालय**- नई दिल्ली

राष्ट्रीय प्रत्यायन बोर्ड (NBA) की स्थापना वर्ष 1994 में एआईसीटीई अधिनियम के तहत की गयी थी। इसका मुख्य कार्य तकनीकी संस्थानों द्वारा प्रदान किये गये कार्यक्रमों की गुणवत्ता का मूल्यांकन करना है। इसमें इंजीनियरिंग और प्रौद्योगिकी, प्रबंधन, फार्मेसी और वास्तुकला जैसे क्षेत्रों में डिप्लोमा से लेकर स्नातकोत्तर स्तर तक के कार्यक्रम शामिल हैं।

एनबीए द्वारा प्रत्यायन यह सुनिश्चित करता है कि ये कार्यक्रम उच्च गुणवत्ता मानकों को पूरा करते हैं, जिससे छात्रों को पेशेवर उत्कृष्टता के लिए तैयार किया जा सके। इसके पास कार्यक्रमों और संस्थानों को उनकी गुणवत्ता के आधार पर मान्यता देने या मान्यता समाप्त करने की शक्ति होती है।

राष्ट्रीय संस्थागत रैंकिंग फ्रेमवर्क (National Institutional Ranking Framework) (एनआईआरएफ)

- **स्थापना वर्ष**- 2015
- **स्थापना** - शिक्षा मंत्रालय (एमओई) के तहत
- **मूल्यांकन** - राष्ट्रीय प्रत्यायन बोर्ड (एनबीए) द्वारा
- **पहली रैंकिंग जारी की गयी**- अप्रैल 2016 में

इस विषय को सरल बनाने वाले वीडियो व्याख्यान को देखने के लिए इस QR कोड को स्कैन करें

एनआईआरएफ देश भर में संस्थानों को रैंक करने के लिए एक पद्धति प्रदान करता है। रैंकिंग प्रणाली भारत में शैक्षिक संस्थानों की समग्र गुणवत्ता और प्रदर्शन का मूल्यांकन करने के लिए डिजाइन की गयी है।

रैंकिंग मानदंड (Ranking Criteria)

1. **शिक्षण, अधिगम और संसाधन** (40%) - शिक्षण की गुणवत्ता और उपलब्ध संसाधनों का मूल्यांकन करता है।
2. **अनुसंधान और पेशेवर प्रथाएं (25%)** - संस्थान के अनुसंधान उत्पादन और पेशेवर प्रथाओं को मापता है।
3. **स्नातक परिणाम (15%)** - स्नातकों की सफलता दर का आकलन करता है।
4. **संपर्क और समावेशिता (5%)** - विविध समूहों तक पहुंचने और उन्हें शामिल करने के लिए संस्थान के प्रयासों को देखता है।
5. **नवाचार और उद्यमिता (5%)** - संस्थान के नवाचार और उद्यमशीलता गतिविधियों पर ध्यान केंद्रित करता है।
6. **समावेशिता और सामाजिक जिम्मेदारी पर ध्यान केंद्रित (5%)** - संस्थान की सामाजिक जिम्मेदारी और समावेशिता के प्रति प्रतिबद्धता को मापता है।
7. **धारणा (5%)** - यह मूल्यांकन करता है कि संस्थान को उसके हितध रकों द्वारा कैसे देखा जाता है।

ध्यान देने योग्य महत्वपूर्ण बिंदु (Important Points to Note)

1. **वैश्विक रैंकिंग तुलना**- एनआईआरएफ टाइम्स हायर एजुकेशन (टीएचई) और क्वाक्वारेली साइमंड्स (क्यू एस) जैसी वैश्विक रैंकिंग को पूरक करता है।
2. **नवाचार मेट्रिक्स का एकीकरण**- नवाचार रैंकिंग अब एआरआईआईए (संस्थानों की नवाचार उपलब्धियों संबंधी अटल रैंकिंग) से मेट्रिक्स को शामिल करती है ताकि नवाचार का अधिक पूर्ण मूल्यांकन किया जा सके।

अन्य प्रत्यायन बोर्ड (Other Accrediting Boards

राष्ट्रीय कृषि शिक्षा प्रत्यायन बोर्ड (एनएईएबी)- एनएईएबी की स्थापना वर्ष 1996 में भारतीय कृषि अनुसंधान परिषद (आईसीएआर) के तहत की गयी थी ताकि कृषि विश्वविद्यालयों में उच्च शिक्षा की गुणवत्ता सुनिश्चित की जा सके। वर्ष 1996 में अपनी शुरुआत के बाद से, इसने लगभग 43 विश्वविद्यालयों को प्रत्यायन प्रदान किया है।

संस्थानों की नवाचार उपलब्धियों संबंधी अटल रैंकिंग (एआरआईआईए)- एआरआईआईए मानव संसाधन विकास मंत्रालय (एमएचआरडी) की एक पहल है, जिसका नाम अब शिक्षा मंत्रालय (एमओई) रखा गया है। इसका उद्देश्य छात्रों और संकाय के बीच नवाचार और उद्यमशीलता को बढ़ावा देने में भारतीय उच्च शैक्षिक संस्थानों और विश्वविद्यालयों की प्रभावशीलता के आधार पर व्यवस्थित रूप से रैंक करना है।

उच्च शिक्षा संबंधी अखिल भारतीय सर्वेक्षण (एआईएसएचई)- यह एक वेब-आधारित सर्वेक्षण है जिसे मानव संसाधन विकास मंत्रालय (एमएचआरडी) (अब शिक्षा मंत्रालय (एमओई)) द्वारा 2010 से भारत में सभी उच्च शिक्षा संस्थानों के बारे में डेटा एकत्र करने के लिए वार्षिक रूप से आयोजित किया जाता है।

32.5 विश्वविद्यालयों के प्रकार (Types of Universities)

भारत में, 'विश्वविद्यालय' शब्द का सन्दर्भ उन संस्थानों से है, जो निम्नलिखित मानदंडों को पूरा करते हैं-

इस विषय को सरल बनाने वाले वीडियो व्याख्यान को देखने के लिए इस QR कोड को स्कैन करें

1. **विधि द्वारा स्थापित**- विश्वविद्यालय किसी विशिष्ट कानून द्वारा बनाया या मान्यता प्राप्त होना चाहिए।
   - केंद्रीय अधिनियम द्वारा (केंद्र सरकार द्वारा पारित)
   - प्रांतीय अधिनियम द्वारा (वर्ष 1947 में भारत की स्वतंत्रता से पहले पारित)
   - राज्य अधिनियम द्वारा (राज्य सरकार द्वारा पारित)
2. **यूजीसी द्वारा मान्यता प्राप्त हो**- विधि द्वारा स्थापित होने के अलावा, विश्वविद्यालय को यूजीसी द्वारा मान्यता प्राप्त भी होना चाहिए। यह तब होता है जब यूजीसी किसी मौजूदा विश्वविद्यालय से परामर्श करता है और यूजीसी अधिनियम वर्ष 1956 के तहत नियमों के अनुसार संस्थान को मान्यता देने का निर्णय लेता है। सरल शब्दों में, भारत में एक संस्थान को विश्वविद्यालय माना जाने के लिए, इसे या तो किसी विधि द्वारा

बनाया जाना चाहिए। केंद्र या राज्य सरकार, या यूजीसी अधिनियम वर्ष 1956 के नियमों के अनुसार यूजीसी द्वारा मान्यता प्राप्त होनी चाहिए। आइए महत्वपूर्ण प्रकार के विश्वविद्यालयों पर एक नजर डालते हैं।

केंद्रीय विश्वविद्यालय (Central Universities)

केंद्रीय विश्वविद्यालय संसद के अधिनियम द्वारा स्थापित किये जाते हैं और भारत सरकार द्वारा समर्थित होते हैं। ये सीधे शिक्षा मंत्रालय (एमओई) के तहत उच्च शिक्षा विभाग द्वारा प्रबंधित किये जाते हैं। केंद्रीय विश्वविद्यालय निम्नलिखित कार्य करते हैं-

1. ये राष्ट्रीय शिक्षा नीति (NEP) बनाते हैं और उसकी देखरेख करते हैं।
2. यह विश्वविद्यालय अनुदान आयोग (यूजीसी) को वित्तीय सहायता प्रदान करते हैं।
3. यह केंद्रीय विश्वविद्यालयों और राष्ट्रीय महत्व के संस्थानों (आईएनआई) की स्थापना करता है।
4. यह यूजीसी की सिफारिश के आधार पर किसी शैक्षणिक संस्थान को डीम्ड विश्वविद्यालय घोषित करता है।

राष्ट्रपति की भूमिका- भारत के राष्ट्रपति इन विश्वविद्यालयों में कुलाध्यक्ष के रूप में कार्य करते हैं, जिसका तात्पर्य है कि उनके पास इन संस्थानों के संबंध में कुछ औपचारिक भूमिकाएँ और शक्तियाँ होती हैं।

अपवाद- विश्व-भारती विश्वविद्यालय के मामले में, राष्ट्रपति के बजाय प्रधानमंत्री कुलाध्यक्ष के रूप में कार्य करते हैं।

क्विज स्टेशन *विगत UGC NET परीक्षाओं के प्रश्न*

प्र.1. कथन I- केंद्रीय विश्वविद्यालय संसद के एक अधिनियम के तहत स्थापित किया जाता है।
कथन II- भारत के प्रधानमंत्री केंद्रीय विश्वविद्यालयों के कुलाध्यक्ष के रूप में कार्य करते हैं। *[06 मार्च 2023 - शिफ्ट 1]*

(a) कथन I और कथन II दोनों सही हैं।
(b) कथन I और कथन II दोनों गलत हैं।
(c) कथन I सही है लेकिन कथन II गलत है।
(d) कथन I गलत है लेकिन कथन II सही है।

प्र.2. केंद्रीय विश्वविद्यालय हैं-

A. यूजीसी द्वारा स्थापित
B. संसद के एक अधिनियम द्वारा स्थापित
C. भारत सरकार के शिक्षा विभाग द्वारा स्थापित
D. केंद्रीय सरकार द्वारा वित्त पोषित
E. 'नीति आयोग' द्वारा वित्त पोषित

नीचे दिये गये विकल्पों में से सही उत्तर चुनें-

(a) केवल A और D (b) केवल C और E
(c) केवल B और D (d) केवल B और E

उत्तर 1.(c) 2.(c)

राज्य विश्वविद्यालय (State Universities)

राज्य विश्वविद्यालय सार्वजनिक विश्वविद्यालय हैं जो भारत के प्रत्येक राज्य या क्षेत्र की सरकार द्वारा प्रांतीय या राज्य अधिनियमों के माध्यम से बनाए जाते हैं। राज्य विश्वविद्यालयों को राज्य और केंद्रीय दोनों निधियों से सहायता प्राप्त होती है। मुख्य वित्त पोषण राज्य सरकार से आता है। उन्हें अपनी सुविधाओं और अवसंरचना में सुधार के लिए केंद्रीय सरकार द्वारा प्रदान की गयी विशेष योजनाओं और विकास अनुदानों से भी धन प्राप्त होता है। ये केंद्रीय अनुदान किसी भी वित्तीय अंतर को भरने में मदद करते हैं जो राज्य कवर नहीं कर पाते हैं।

क्या आप जानते हैं?

राज्य विश्वविद्यालय विश्वविद्यालय अनुदान आयोग (यूजीसी) अधिनियम, 1956 की धारा 12(B) के तहत सूचीबद्ध हैं। यह सूची उन्हें केंद्रीय सरकार से वित्तीय सहायता प्राप्त करने में सक्षम बनाती है।

राष्ट्रीय उच्चतर शिक्षा अभियान (Rashtriya Uchchatar Shiksha Abhiyan (RUSA))

यह भारत में उच्च शिक्षा में सुधार के लिए वर्ष 2013 में शुरू किया गया एक सरकारी कार्यक्रम है। यह राज्य विश्वविद्यालयों और कॉलेजों को वित्तीय सहायता प्रदान करता है, जिससे उन्हें अपनी सुविधाओं, संकाय और अनुसंधान क्षमताओं में सुधार करने में मदद मिलती है। वित्त पोषण संरचना इस प्रकार है-

- **सामान्य राज्य**- केंद्रीय सरकार लागत का 60% कवर करती है और राज्य सरकार 40% कवर करती है।
- **विशेष श्रेणी राज्य**- केंद्रीय सरकार 90% कवर करती है और राज्य सरकार 10% कवर करती है।
- **केंद्र शासित प्रदेश**- केंद्रीय सरकार 100% कवर करती है।

निजी विश्वविद्यालय (Private Universities)

स्थापना- भारत में निजी विश्वविद्यालय सरकारों के बजाय निजी संगठनों द्वारा स्थापित किये जाते हैं। ये विधि प्रायोजक निकायों जैसे-

- **पंजीकृत सोसायटी**- सोसायटी पंजीकरण अधिनियम, 1860 के तहत पंजीकृत संगठन।
- **सार्वजनिक ट्रस्ट**- सार्वजनिक उद्देश्यों के लिए स्थापित ट्रस्ट।
- **कंपनियां**- कंपनियां जो कंपनी अधिनियम, 1956 की धारा 25 के तहत पंजीकृत हैं, जो आमतौर पर गैर-लाभकारी संगठन होते हैं।

डिग्री प्रदान करना- इन विश्वविद्यालयों को विश्वविद्यालय अनुदान आयोग (यूजीसी) अधिनियम की धारा 22 के अनुसार डिग्री प्रदान करने का अधिकार है। यद्यपि, विशिष्ट कार्यक्रमों के लिए, उन्हें यह सुनिश्चित करने के लिए एआईसीटीई या एमसीआई जैसे वैधानिक परिषदों से अनुमोदन की आवश्यकता होती है कि पाठ्यक्रम राष्ट्रीय शैक्षिक मानकों को पूरा करते हैं। इससे यह सुनिश्चित होता है कि प्रदान की गयी डिग्रियाँ मान्यता प्राप्त और मूल्यांकित हैं।

शिक्षा में भूमिका- निजी विश्वविद्यालय भारत में उच्च शिक्षा को विविध और विस्तारित करने में महत्वपूर्ण भूमिका निभाते हैं। ये अक्सर नवीन कार्यक्रम और शिक्षण विधियाँ प्रस्तुत करते हैं, जो बदलती शैक्षिक आवश्यकताओं और उद्योग की मांगों के साथ तेजी से अनुकूल हो सकते हैं। यह लचीलापन और नवाचार छात्रों की व्यापक श्रेणी की रुचियों और करियर आकांक्षाओं को पूरा करने में मदद करता है।

वित्तपोषण- निजी विश्वविद्यालय मुख्य रूप से ट्यूशन फीस, निजी निवेश और निजी दाताओं से दान पर निर्भर करते हैं। इस वित्तीय मॉडल से ये विश्वविद्यालय अत्याधुनिक सुविधाओं का निर्माण करने और अनुभवी संकाय को नियुक्त करने में सक्षम हो पाते हैं। इससे इनके छात्रों को उच्च गुणवत्ता वाली शिक्षा मिल पाती है।

संबद्ध कॉलेज- कई निजी कॉलेज इन निजी विश्वविद्यालयों से संबद्ध होते हैं। इसका तात्पर्य यह है कि जबकि कॉलेज स्वतंत्र रूप से संचालित होते हैं, उनका पाठ्यक्रम और ये जो डिग्रियाँ प्रदान करते हैं, ये संबद्ध निजी विश्वविद्यालय द्वारा अनुमोदित और जारी की जाती हैं। यह संबद्धता प्रदान की गयी शिक्षा में स्थिरता और गुणवत्ता सुनिश्चित करती है।

पहला निजी विश्वविद्यालय- भारत का पहला निजी विश्वविद्यालय सिक्किम मणिपाल विश्वविद्यालय ऑफ हेल्थ, मेडिकल और टेक्नोलॉजिकल साइंसेज था, जो वर्ष 1995 में गंगटोक में स्थापित हुआ था।

मानित विश्वविद्यालय (Deemed to be Universities)

मानित विश्वविद्यालय प्रतिष्ठित संस्थान हैं जो अपनी शैक्षणिक उत्कृष्टता के लिए मान्यता प्राप्त हैं। उन्हें यह दर्जा केंद्रीय सरकार द्वारा विश्वविद्यालय अनुदान आयोग (यूजीसी) अधिनियम, 1956 की धारा 3 के तहत यूजीसी की सलाह पर दिया जाता है।

मानित विश्वविद्यालयों को शैक्षणिक, प्रशासनिक और वित्तीय मामलों के बारे में अपने निर्णय लेने की स्वतंत्रता होती है। यद्यपि, ये अन्य कॉलेजों को संबद्ध नहीं कर सकते। मानित विश्वविद्यालयों को अपने अधिकांश वित्तपोषण यूजीसी के माध्यम से संघीय सरकार से प्राप्त होता है। इससे उन्हें उच्च मानकों को बनाए रखने और स्वतंत्र रूप से संचालित करने में मदद मिलती है। मानित विश्वविद्यालयों के उल्लेखनीय उदाहरणों में निम्नलिखित शामिल हैं-

- राष्ट्रीय शैक्षिक योजना और प्रशासन विश्वविद्यालय (एनयूईपीए), नई दिल्ली
- राष्ट्रीय संस्कृत संस्थान, नई दिल्ली।
- श्री लाल बहादुर शास्त्री राष्ट्रीय संस्कृत विद्यापीठ, नई दिल्ली।
- राष्ट्रीय संस्कृत विद्यापीठ, तिरुपति।
- राष्ट्रीय डेयरी अनुसंधान संस्थान, करनाल।
- टाटा मूलभूत अनुसंधान संस्थान, मुंबई।

पहला मानित विश्वविद्यालय- भारतीय विज्ञान संस्थान (आईआईएससी) बेंगलुरु अनुसंधान और शिक्षा में उच्च मानकों के कारण 12 मई, 1958 को इस दर्जे को प्राप्त करने वाला पहला संस्थान बना।

मेटा विश्वविद्यालय (Meta University)

मेटा विश्वविद्यालय एक नये प्रकार का उच्च शिक्षा संस्थान हैं जिन्हें विश्वविद्यालय अनुदान आयोग (यूजीसी) द्वारा योजना आयोग की 12वीं योजना अवधि के दौरान प्रस्तुत किया गया था। ये दूसरी पीढ़ी के विश्वविद्यालयों का प्रतिनिधित्व करते हैं जो भौतिक स्थानों से बंधे नहीं होते हैं बल्कि वर्चुअल या डिजिटल प्लेटफार्मों पर संचालित होते हैं। ये विश्वविद्यालय भौतिक परिसरों द्वारा प्रतिबंधित नहीं होते हैं। ये मुख्य रूप से डिजिटल प्लेटफार्मों के माध्यम से संचालित होते हैं, जिससे छात्रों को अधिक पहुंच और लचीलापन मिलता है।

उद्देश्य- मेटा विश्वविद्यालय का मुख्य उद्देश्य नवीनतम तकनीकों का उपयोग करके विभिन्न विश्वविद्यालयों के साथ शिक्षण संसाधनों को साझा करना है। इससे छात्रों को विभिन्न संस्थानों में उपलब्ध शिक्षण संसाधनों का लाभ उठाने में मदद मिलती है।

पहला मेटा विश्वविद्यालय- इस अवधारणा को भारत में पहली बार दिल्ली विश्वविद्यालय और जामिया मिलिया इस्लामिया द्वारा प्रस्तुत किया गया था। दोनों विश्वविद्यालयों ने वर्ष 2015 के शैक्षणिक सत्र से 'गणित शिक्षा में मास्टर' नामक दो वर्षीय संयुक्त डिग्री कार्यक्रम शुरू किया।

भाषा विश्वविद्यालय (Language Universities)

भारत के भाषा विश्वविद्यालय भाषाई विरासत के संवर्धन और संरक्षण के लिए समर्पित हैं। ये संस्कृत, अंग्रेजी, हिंदी और उर्दू में विशेष शिक्षा प्रदान करते हैं, जिससे देश की सांस्कृतिक और शैक्षिक समृद्धि में योगदान मिलता है।

संख्या और प्रकार- भारत में छह भाषा विश्वविद्यालय हैं, जिनमें से तीन मानित विश्वविद्यालय हैं और तीन केंद्रीय विश्वविद्यालय हैं।

उद्देश्य- मानित विश्वविद्यालय संस्कृत के संवर्धन पर ध्यान केंद्रित करते हैं, जबकि प्रत्येक केंद्रीय विश्वविद्यालय एक अलग भाषा को बढ़ावा देता है, जैसे कि अंग्रेजी और विदेशी भाषाएँ, हिंदी और उर्दू।

तालिका 32.4 भारत में प्रमुख भाषा विश्वविद्यालय

विश्वविद्यालय का प्रकार	विश्वविद्यालय का नाम	स्थान
मानित विश्वविद्यालय	श्री लाल बहादुर शास्त्री राष्ट्रीय संस्कृत विद्यापीठ	नई दिल्ली
	राष्ट्रीय संस्कृत विद्यापीठ	तिरुपति
	राष्ट्रीय संस्कृत संस्थान	नई दिल्ली
केंद्रीय विश्वविद्यालय	अंग्रेजी और विदेशी भाषाएँ विश्वविद्यालय	हैदराबाद
	महात्मा गांधी अंतरराष्ट्रीय हिंदी विश्वविद्यालय	वर्धा
	मौलाना आजाद राष्ट्रीय उर्दू विश्वविद्यालय	हैदराबाद

तालिका 32.5 में भाषा शिक्षा ब्यूरो के तहत प्रमुख अधीनस्थ कार्यालयों का अवलोकन प्रदान किया गया है। ये कार्यालय भारत भर में भाषा नीतियों और शैक्षिक संसाधनों के प्रचार, विकास और कार्यान्वयन में महत्वपूर्ण भूमिका निभाते हैं

तालिका 32.5 भाषा शिक्षा ब्यूरो के तहत प्रमुख अधीनस्थ कार्यालय

नाम	शहर	विवरण
केंद्रीय हिंदी निदेशालय	नई दिल्ली	वर्ष 1960 में शुरू हुआ। पूरे भारत में हिंदी के प्रचार के लिए कार्य करता है। चेन्नई, कोलकाता, हैदराबाद और गुवाहाटी में कार्यालय हैं।
	नई दिल्ली	सभी भारतीय भाषाओं में वैज्ञानिक और तकनीकी शब्दों का निर्माण और उनकी परिभाषा तय करता है।
केंद्रीय भारतीय भाषा संस्थान (सीआईएल)	मैसूर	वर्ष 1969 में शुरू हुआ। भाषा नीतियों के विकास में मदद करता है और भारतीय भाषाओं पर शोध करता है।
क्षेत्रीय भाषा केंद्र (आरएलसी)	विभिन्न शहर	भुवनेश्वर, पुणे, मैसूर, पटियाला, गुवाहाटी, सोलन और लखनऊ में स्थित है। भाषा शिक्षा और सामग्री पर कार्य करता है।
राष्ट्रीय परीक्षण सेवा (एनटीएस)	मैसूर	वर्ष 2006-07 में स्थापित। भाषा शिक्षा से संबंधित परीक्षण और मूल्यांकन कार्य देखता है।
भारतीय भाषाओं के लिए भाषाई डेटा संघ (एलडीसी-आईएल)	मैसूर	वर्ष 2007 में शुरू हुआ। भारतीय भाषाओं के लिए भाषा डेटा बनाने और प्रबंधित करने पर ध्यान केंद्रित करता है।
राष्ट्रीय अनुवाद मिशन (एनटीएम)	मैसूर	भारतीय भाषाओं में अनुवाद गतिविधियों का प्रबंधन और समर्थन करने के लिए स्थापित। सीआईएल, मैसूर, इस कार्यक्रम को चलाता है।
राष्ट्रीय पुस्तक न्यास (एनबीटी)	नई दिल्ली	वर्ष 1957 में स्थापित। विभिन्न भारतीय भाषाओं और अंग्रेजी में पुस्तकें प्रकाशित करता है और पुस्तक कार्यक्रमों का आयोजन करता है।

उत्कृष्टता संस्थान (Institute of Eminence) (आईओई)

भारत उत्कृष्टता संस्थान (आईओई) योजना के माध्यम से अंतर्राष्ट्रीय शिक्षा रैंकिंग में अपनी स्थिति में सुधार करना चाहता है। यह पहल, शिक्षा मंत्रालय के तहत, भारतीय संस्थानों को वैश्विक मान्यता के लिए प्रोजेक्ट करने का प्रयास करती है। आईओई योजना का उद्देश्य चयनित भारतीय संस्थानों को विश्व स्तरीय स्थिति में लाना है।

चयन प्रक्रिया- चयन प्रक्रिया प्रतिस्पर्धात्मक है और इसे सशक्त विशेषज्ञ समिति (ईईसी) द्वारा प्रबंधित किया जाता है। संस्थानों का चयन ईईसी की सिफारिशों और उनके समग्र शैक्षणिक प्रदर्शन के आधार पर किया जाता है। इससे यह सुनिश्चित होता है कि केवल सर्वश्रेष्ठ प्रदर्शन करने वाले संस्थानों को आईओई (IoE) का दर्जा प्राप्त होता है।

उद्देश्य- आईओई (IoO) योजना के कई प्रमुख उद्देश्य हैं-

1. **उत्कृष्टता और नवाचार**- उच्च मानकों और उच्च शिक्षा में नवाचार प्रथाओं को बढ़ावा देना।
2. **विशेषज्ञता**- संस्थानों को उनके क्षेत्रों में विशिष्ट योगदान देने के लिए प्रोत्साहित करना।
3. **वैश्विक रेटिंग**- भारतीय विश्वविद्यालयों की वैश्विक रैंकिंग में सुधार का लक्ष्य।
4. **गुणवत्तापूर्ण शिक्षण और अनुसंधान**- उच्च गुणवत्ता वाले शिक्षण और अनुसंधान मानकों को सुनिश्चित करना।

आईओई की स्थापना- उत्कृष्टता संस्थान के रूप में पात्र होने के लिए, उच्च शिक्षा संस्थानों को वैश्विक स्तर पर शीर्ष 500 में या राष्ट्रीय संस्थागत रैंकिंग फ्रेमवर्क (एनआईआरएफ) के शीर्ष 50 में रैंक किया जाना चाहिए। निजी संस्थान भी नयी परियोजनाओं (ग्रीनफील्ड वेंचर्स) के रूप में पात्र हो सकते हैं यदि ये एक ठोस 15-वर्षीय विकास योजना प्रस्तुत करते हैं। ग्रीनफील्ड संस्थानों के पास चालू होने के लिए तीन वर्ष का समय होता है।

शीर्ष आईओई- यूजीसी ने अगस्त, 2019 में आईओई स्थिति के लिए 20 संस्थानों (10 सार्वजनिक और 10 निजी विश्वविद्यालयों) को नामित किया। इसका उद्देश्य अगले 10 वर्षों में इन संस्थानों को दुनिया के शीर्ष 500 विश्वविद्यालयों में लाना है। शीर्ष तीन सार्वजनिक क्षेत्र के आईओई हैं- आईआईटी बॉम्बे, आईआईटी दिल्ली, और आईआईएससी बेंगलुरु। शीर्ष तीन निजी क्षेत्र के आईओई हैं- बीआईटीएस पिलानी, मणिपाल उच्च शिक्षा अकादमी (एमएएचई) और जियो संस्थान, जो अभी भी विकसित हो रहा है।

प्रभाव- उत्कृष्टता संस्थानों को महत्वपूर्ण लाभ मिलते हैं, जिसमें फीस, पाठ्यक्रम की अवधि और शासन संरचनाओं के संबंध में निर्णय लेने में अधिक स्वायत्तता शामिल है। ये विदेशी छात्रों को प्रवेश दे सकते हैं और अंतर्राष्ट्रीय संकाय सदस्यों को नियुक्त कर सकते हैं। भारत में उत्कृष्ट संस्थान (IoE) के रूप में मान्यता प्राप्त सार्वजनिक संस्थानों को पांच वर्षों की अवधि में ₹1,000 करोड़ तक की वित्तीय सहायता प्रदान की जाती है। हालांकि, निजी IoE को इस योजना के तहत धनराशि प्राप्त नहीं होगी, लेकिन उन्हें बढ़ी हुई स्वायत्तता का लाभ मिलेगा।

राष्ट्रीय महत्व के संस्थान (Institute of National Importance) (आईएनआईएस)

राष्ट्रीय महत्व के संस्थान (आईएनआईएस) भारत में प्रतिष्ठित संस्थान हैं जिन्हें अत्यधिक कुशल व्यक्तियों के विकास में उनके महत्वपूर्ण योगदान के लिए मान्यता प्राप्त है। ये संस्थान उच्च कुशल पेशेवरों का उत्पादन करके और प्रौद्योगिकी, चिकित्सा, प्रबंधन और अन्य विशेष क्षेत्रों में प्रगति को बढ़ावा देकर राष्ट्र के विकास में महत्वपूर्ण योगदान देते हैं। आईएनआईएस की कुल संख्या 165 हैं। कुछ प्रमुख आईएनआईएस निम्नवत हैं-

1. **अभियांत्रिकी एवं प्रौद्योगिकी**- सभी भारतीय प्रौद्योगिकी संस्थान (आईआईटी) और राष्ट्रीय प्रौद्योगिकी संस्थान (एनआईटी)।
2. **चिकित्सा**- सभी भारतीय आयुर्विज्ञान संस्थान (एम्स)
3. **प्रबंधन**- भारतीय प्रबंधन संस्थान (आईआईएम)
4. **विज्ञान और अनुसंधान**- भारतीय विज्ञान शिक्षा और अनुसंधान संस्थान (आईआईएसईआर)

भारत में शिक्षा परिदृश्य (Education Landscape in India)

विभिन्न राज्यों में कुछ महत्वपूर्ण आंकड़े निम्नवत हैं-

- गुजरात- सबसे अधिक विश्वविद्यालयों वाला राज्य
- **मिजोरम, गोवा, अंडमान और निकोबार द्वीप समूह**- सबसे कम विश्वविद्यालयों वाले राज्य/ संघ राज्यक्षेत्र
- **तमिलनाडु**- उच्च शिक्षा में सबसे अधिक जीईआर वाला राज्य
- **असम**- उच्च शिक्षा में सबसे कम जीईआर वाला राज्य।

सकल नामांकन अनुपात (जीईआर) का उपयोग उच्च शिक्षा में नामांकन के स्तर का आकलन करने के लिए किया जाता है। उच्च जीईआर का मतलब है कि सही आयु वर्ग के अधिक छात्र उच्च शिक्षा में प्रवेश कर रहे हैं। यह दर्शाता है कि किसी स्थान पर उच्च शिक्षा कितनी सुलभ और व्यापक है।

$$GER = \frac{\text{उच्च शिक्षा में कुल नामांकन}}{\text{18–23 आयु वर्ग की कुल जनसंख्या}} \times 100$$

तालिका 32.6 शिक्षा से संबंधित अन्य एजेंसियां/संस्था

संक्षिप्त नाम	पूरा नाम	स्थापना वर्ष	विवरण
एनईयूपीए	राष्ट्रीय शैक्षिक योजना और प्रशासन संस्थान	1962 और 1979	एशियाई क्षेत्रीय केंद्र के रूप में उत्पन्न हुआ जो शैक्षिक योजनाकारों और प्रशासकों के लिए यूनेस्को द्वारा स्थापित किया गया था। वर्ष 1970 में भारत सरकार द्वारा अधिग्रहित और वर्ष 1979 में एनईयूपीए का नाम दिया गया। शैक्षिक योजना और प्रशासन में अनुसंधान, क्षमता निर्माण और नीति संबंधी परामर्श पर ध्यान केंद्रित करता है।
आईआईएएस	भारतीय उच्च अध्ययन संस्थान	1965	शिमला में मानविकी और सामाजिक विज्ञान में उन्नत अनुसंधान के लिए अनुसंधान संस्थान।
एनआईओएस	राष्ट्रीय मुक्त विद्यालयी शिक्षा संस्थान	1989	पूर्व में राष्ट्रीय मुक्त विद्यालय (NOS) के रूप में जाना जाता था। माध्यमिक, वरिष्ठ माध्यमिक और व्यावसायिक प्रशिक्षण कार्यक्रमों के लिए लचीली शिक्षा और दूरस्थ शिक्षा के अवसर प्रदान करता है।
एनसीआरआई	महात्मा गांधी राष्ट्रीय ग्रामीण संस्थान परिषद	1995	यह ग्रामीण उच्च शिक्षा को बढ़ावा देती है और ग्रामीण विकास और सतत जीवन पर ध्यान केंद्रित करते हुए पाठ्यक्रम विकसित करती है।
एचईएफए	उच्च शिक्षा वित्तपोषण एजेंसी	2017	एचईएफए भारत के शीर्ष संस्थानों में शैक्षिक सुविधाओं के निर्माण और सुधार के लिए धन प्रदान करता है। इसे मानव संसाधन विकास मंत्रालय और केनरा बैंक की मदद से बनाया गया था।
एनटीए	राष्ट्रीय परीक्षण एजेंसी	2017	एनटीए भारत में उच्च शिक्षा संस्थानों के लिए प्रवेश परीक्षाएं आयोजित करता है। इसने यूजीसी-नेट परीक्षा और अन्य समान परीक्षाओं के प्रबंधन में सीबीएसई की जगह ली है।
एनसीवीईटी	राष्ट्रीय व्यावसायिक शिक्षा और प्रशिक्षण परिषद	2018	राष्ट्रीय व्यावसायिक प्रशिक्षण परिषद (एनसीवीटी) और राष्ट्रीय कौशल विकास एजेंसी (एनएसडीए) के विलय से गठित। व्यावसायिक शिक्षा और प्रशिक्षण की गुणवत्ता को विनियमित और मानकीकृत करने का लक्ष्य, छात्रों को आवश्यक रोजगार कौशल प्रदान करना।

तालिका 32.7 में यूजीसी वेबसाइट डेटा के अनुसार 01 जनवरी, 2025 तक विश्वविद्यालयों की संख्या का सार दिया गया है

तालिका 32.7 विश्वविद्यालयों की संख्या

विश्वविद्यालय का प्रकार	संख्या
केंद्रीय विश्वविद्यालय	57
राज्य विश्वविद्यालय	494
मानित विश्वविद्यालय	138
निजी विश्वविद्यालय	501
कुल	**1190**

तालिका 32.8 भारत में शिक्षा परिदृश्य का संक्षिप्त विवरण

श्रेणी	शीर्ष राज्य/ संघ राज्यक्षेत्र
सबसे अधिक संख्या में विश्वविद्यालय	गुजरात (100), उत्तर प्रदेश (96), राजस्थान (90), कर्नाटक (88), महाराष्ट्र (86)
सबसे अधिक संख्या में केंद्रीय विश्वविद्यालय	दिल्ली (7), उत्तर प्रदेश (6), बिहार (4), तेलंगाना (4), आंध्र प्रदेश (3), मणिपुर (3)
सबसे अधिक संख्या में राज्य विश्वविद्यालय	कर्नाटक (43), उत्तर प्रदेश (38), पश्चिम बंगाल (38), गुजरात (30), महाराष्ट्र (30)
सबसे अधिक संख्या में मानित विश्वविद्यालय	तमिलनाडु (29), महाराष्ट्र (22), कर्नाटक (15), दिल्ली (10), राजस्थान (8)
सबसे अधिक संख्या में निजी विश्वविद्यालय	गुजरात (66), मध्य प्रदेश (54), राजस्थान (53), उत्तर प्रदेश (44), महाराष्ट्र (33)

क्विज स्टेशन *विगत UGC NET परीक्षाओं के प्रश्न*

प्र.1. नीचे दो कथन दिये गये हैं-

कथन I- किसी निजी विश्वविद्यालय की स्थापना राज्य या केंद्रीय अधिनियम के माध्यम से अथवा सोसाइटी पंजीकरण अधिनियम के तहत पंजीकृत सोसाइटी द्वारा की जाती है।

कथन II- किसी निजी विश्वविद्यालय के कुलपति को राज्य के मुख्यमंत्री या देश के प्रधानमंत्री, यथास्थिति, नियुक्त किया जाता है।

नीचे दिये गये विकल्पों में से सही उत्तर चुनें-

(a) कथन I और कथन II दोनों सही हैं।

(b) कथन I और कथन II दोनों गलत हैं।

(c) कथन I सही है लेकिन कथन II गलत है।

(d) कथन I गलत है लेकिन कथन II सही है।

प्र.2. निम्नलिखित संस्थानों को उनके स्थापना वर्ष के क्रमानुसार व्यवस्थित कीजिये (बढ़ते क्रम में) *(22 अगस्त, 2024 - शिफ्ट 2)*

A. नेशनल काउंसिल ऑफ रूरल इंस्टीट्यूट (एनसीआरआई)

B. इंडियन काउंसिल ऑफ सोशल साइंस रिसर्च (आईसीएसएसआर)

C. इंडियन काउंसिल ऑफ हिस्टोरीकल रिसर्च (आईसीएचआर)

D. इंडियन काउंसिल ऑफ फिलोसॉफिकल रिसर्च (आईसीपीआर)

(a) A, B, C, D, E (b) C, D, B, E, A

(c) B, E, A, C, D (d) C, B, D, E, A

प्र.3. कथन I- उच्च शिक्षा का उद्देश्य छात्रों में आलोचनात्मक और रचनात्मक सोच क्षमताओं को बढ़ावा देना है।

कथन II- मानित विश्वविद्यालय अपने स्वयं के पाठ्यक्रम और कोर्स को डिजाइन कर सकते हैं लेकिन डिग्री प्रदान नहीं कर सकते हैं।

(11 मार्च 2023 शिफ्ट 2)

(a) कथन I और कथन II दोनों सही हैं।

(b) कथन I और कथन II दोनों गलत हैं।

(c) कथन I सही है लेकिन कथन II गलत है।

(d) कथन I गलत है लेकिन कथन II सही है।

उत्तर 1. (c) 2. (d) 3. (c)

32.6 अधिगम कार्यक्रमों के प्रकार (Types of Learning Programmes)

परंपरागत अधिगम कार्यक्रम (Orthodox Learning Programmes)

परंपरागत शिक्षा ईमानदारी, आतिथ्य, दान और अच्छाई के प्रति प्रेम जैसे सिद्धांतों को महत्व देती है। यह वैदिक सांहित्य की शिक्षाओं को बनाए रखती है और सहिष्णुता, सत्य, अहिंसा, शांति और अनआक्रामकता जैसे भारतीय सांस्कृतिक मूल्यों पर जोर देती है। इस शिक्षा दृष्टिकोण का उद्देश्य तर्कसंगत सोच के माध्यम से अज्ञानता से परे जाकर समझ को बढ़ाना है।

अधिगम प्रक्रिया विधिपूर्वक होती है जो निम्नवत हैं-

1. **श्रवण**- प्रारंभिक ज्ञान प्राप्त करने के लिए शिक्षाओं को सुनना।
2. **मनन**- इन शिक्षाओं पर विचार करना ताकि समझ को गहरा किया जा सके।
3. **निध्यासन**- शिक्षाओं पर ध्यान करना ताकि गहन और स्थायी समझ प्राप्त हो सके।

प्राच्य अधिगम कार्यक्रम (Oriental Learning Programme)

प्राच्य शिक्षा में निकट पूर्व और सुदूर पूर्व के देशों जैसे चीन, जापान और भारत की संस्कृतियों और इतिहासों का अध्ययन शामिल है। हाल की शब्दावली में, प्राच्य अध्ययन का सन्दर्भ अक्सर मध्य पूर्व के अध्ययन और एशियाई अध्ययन के रूप में लिया जाता है। इसमें उनकी भाषाओं, इतिहासों और कलाकृतियों का

अध्ययन शामिल है। विशेष अनुसंधान संस्थान इन क्षेत्रों से पुरानी पांडुलिपियों को खोजने, अध्ययन करने और समझाने पर ध्यान केंद्रित करते हैं। कई संस्थान और पुस्तकालय इस प्राचीन ज्ञान को सुरक्षित और सुलभ रखने के लिए स्थापित किये गये हैं (तालिका 32.9)।

तालिका 32.9 संस्थान और पुस्तकालय

संस्थान का नाम	स्थान
अड्यार पुस्तकालय और अनुसंधान केंद्र	चेन्नई
एशियाटिक सोसाइटी	कोलकाता
भंडारकर ओरिएंटल रिसर्च इंस्टीट्यूट	पुणे
गंगानाथ झा केंद्रीय संस्कृत विद्यापीठ	प्रयागराज
कुप्पुस्वामी शास्त्री अनुसंधान संस्थान	चेन्नई
मद्रास संस्कृत कॉलेज	चेन्नई
मिथिक सोसाइटी	बंगलौर
ओरिएंटल रिसर्च इंस्टीट्यूट	मैसूर
ओरिएंटल रिसर्च इंस्टीट्यूट	तिरुपति
संस्कृत अकादमी	मद्रास
संस्कृत साहित्य परिषद	कोलकाता
सरकारी संस्कृत कॉलेज	कोलकाता
सरस्वती महल पुस्तकालय	तंजावुर, तमिलनाडु
विश्वेश्वरानंद विश्वबंधु संस्थान संस्कृत और भारतीय अध्ययन	होशियारपुर, पंजाब

पारंपरिक अधिगम कार्यक्रम (Conventional Learning Programmes)

पारंपरिक शिक्षण कार्यक्रम पारंपरिक तरीके होते हैं जो आमतौर पर कक्षा-कक्षों में आयोजित किये जाते हैं। ये आधुनिक तकनीक का उपयोग नहीं करते हैं। यदि आप कोई ऑफलाइन डिग्री या डिप्लोमा कोर्स कर रहे हैं जहाँ आप कक्षाओं में व्यक्तिगत रूप से उपस्थित होते हैं और मुद्रित सामग्री का उपयोग करते हैं, तो इसे पारंपरिक शिक्षण माना जाता है। पारंपरिक शिक्षा में अक्सर निष्क्रिय शिक्षण शामिल होता है, जहाँ छात्र मुख्य रूप से शिक्षक के निर्देशों को सुनते और उनका पालन करते हैं। पारंपरिक अधिगम कार्यक्रमों की महत्वपूर्ण विशेषताएं निम्नवत हैं-

1. **व्यापक शिक्षा**- ये कार्यक्रम ज्ञान, समझ और नौकरी के अवसर प्रदान करने का लक्ष्य रखते हैं।
2. **कक्षा-कक्ष व्याख्यान**- शिक्षक अवधारणाओं को समझाते हैं और मौखिक निर्देश और ब्लैकबोर्ड जैसे दृश्य सहायता का उपयोग करके जानकारी प्रदान करते हैं।
3. **पाठ्यपुस्तक अधिगम**- छात्र पाठ्यपुस्तकों और शिक्षक द्वारा प्रदान की गयी अन्य सामग्री से सीखते हैं।
4. **संरचित अधिगम**- यह शिक्षा किसी परिसर में एक निश्चित समय-सारणी और निर्धारित पाठ्यक्रम के साथ प्रदान की जाती है।
5. **पारंपरिक मूल्यांकन**- छात्रों का मूल्यांकन पारंपरिक तरीकों से किया जाता है, जैसे परीक्षा और असाइनमेंट देकर।
6. **समय-साध्य**- ये कार्यक्रम आमतौर पर पूरा होने में अधिक समय लेते हैं और परिसर में नियमित उपस्थिति की आवश्यकता होती है।

गैर-पारंपरिक अधिगम कार्यक्रम (Non-Conventional Learning Programmes)

भारत में गैर-पारंपरिक अधिगम कार्यक्रम पारंपरिक कक्षा-आधारित शिक्षा का एक विकल्प प्रदान करते हैं। इनमें ऑनलाइन शिक्षा, खुली और दूरस्थ शिक्षा और विभिन्न लचीले प्रारूप शामिल हैं। गैर-पारंपरिक अधिगम कार्यक्रमों की महत्वपूर्ण विशेषताएं निम्नवत हैं-

1. **शिक्षार्थी-उन्मुख**- कार्यक्रम व्यक्तिगत आवश्यकताओं और समय-सारणी के अनुसार डिजाइन किये जाते हैं, जिससे शिक्षार्थियों को अपनी गति से कार्य करने की अनुमति मिलती है।
2. **लचीला अधिगम दृष्टिकोण**- जहां अनेक मुक्त और दुरस्थ अधिगम अथवा ऑनलाइन शिक्षा कार्यक्रमों ने पाठ्यक्रम तैयार किये हैं, जिसमें समय-सारणी में लचीलापन होता है और ध्यान व्यावहारिक, रोजगार-उन्मुख ज्ञान पर होता है।
3. **आत्म-नियंत्रण और आत्म-मूल्यांकन**- छात्रों को अपने शिक्षण को प्रबंधित करने और अपनी प्रगति का मूल्यांकन करने के लिए प्रोत्साहित किया जाता है, जिसमें सहपाठियों के साथ परस्पर क्रिया पर कम जोर दिया जाता है।
4. **सहयोगात्मक अधिगम**- छात्र समस्याओं को हल करने के लिए मिलकर कार्य करते हैं, शिक्षक एक व्याख्याता के बजाय एक सुविधा प्रदाता के रूप में कार्य करता है।
5. **लागत-प्रभावी**- ये कार्यक्रम आमतौर पर पारंपरिक तरीकों की तुलना में अधिक किफायती होते हैं।
6. **समावेशिता**- ये कार्यक्रम व्यापक शिक्षार्थियों को लक्षित करते हैं, जिनमें बेरोजगार युवा, स्कूल बीच में छोड़ने वाले और हाशिए पर रहने वाले समुदाय शामिल हैं।

32.7 खुली और दूरस्थ अधिगम (ओडीएल) कार्यक्रम (Open and Distance Learning (ODL) Programmes)

खुली और दूरस्थ अधिगम, शिक्षा का माध्यम है जो छात्रों को पारंपरिक कक्षा-कक्षों में भौतिक रूप से उपस्थित हुए बिना अध्ययन करने की सुविधा प्रदान करता है। यह उन लोगों के लिए आदर्श है जो व्यक्तिगत रूप से कक्षाओं में उपस्थित नहीं हो सकते। इसकी प्रमुख विशेषताएं निम्नवत हैं-

इस विषय को सरल बनाने वाले वीडियो व्याख्यान को देखने के लिए इस QR कोड को स्कैन करें

1. **विस्तृत पहुंच**- ओडीएल उच्च शिक्षा को अधिक लोगों के लिए सुलभ बनाता है और भौतिक रूप से उपस्थित होने एवं समय संबंधी बाधाओं को दूर करता है।
2. **लचीला अधिगम**- जबकि कई खुली और दूरस्थ शिक्षा या ऑनलाइन शिक्षा कार्यक्रमों में संरचित पाठ्यक्रम होते हैं, वे समय निर्धारण में लचीलापन प्रदान करते हैं और व्यावहारिक, रोजगार-उन्मुख ज्ञान पर ध्यान केंद्रित करते हैं।
3. **कौशल विकास**- कौशल उन्नयन और नयी योग्यताओं को प्राप्त करने के अवसर प्रदान करता है।

4. **आजीवन अधिगम**- यह व्यक्ति को जीवन भर निरंतर सीखते रहने को प्रोत्साहित करता है।

तालिका 32.10 भारत में दूरस्थ शिक्षा का ऐतिहासिक परिप्रेक्ष्य

वर्ष	घटना
1962	दिल्ली विश्वविद्यालय ने पत्राचार पाठ्यक्रम और सतत शिक्षा स्कूल की शुरूआत की, जो गैर-पारंपरिक तरीकों से शिक्षा प्रदान करने की दिशा में पहला कदम था।
1964-66	कोठारी आयोग (शिक्षा आयोग) ने अधिक छात्रों तक पहुंचने और पारंपरिक विश्वविद्यालयों पर बोझ कम करने के लिए पत्राचार पाठ्यक्रमों के महत्व को मान्यता प्रदान की।
1968	पंजाब विश्वविद्यालय और राजस्थान विश्वविद्यालय ने खुली और दूरस्थ शिक्षा विधियों को अपनाया।
1969	मेरठ विश्वविद्यालय और मैसूर विश्वविद्यालय ने भी दूरस्थ शिक्षा को अपनाया।
1970 का दशक	भारत भर में दूरस्थ शिक्षा का विस्तार हुआ, जिससे उच्च शिक्षा की पहुंच बढ़ी।
1982	हैदराबाद में प्रथम राज्य मुक्त विश्वविद्यालय के रूप में डॉ. बी. आर. अंबेडकर मुक्त विश्वविद्यालय की स्थापना की गयी, जो दूरस्थ शिक्षा पर केंद्रित थी।
1985	इंदिरा गांधी राष्ट्रीय मुक्त विश्वविद्यालय (ईग्नू) की स्थापना की गयी, जो दूरस्थ शिक्षा के क्षेत्र में एक महत्वपूर्ण संस्थान बन गया।
1986	राष्ट्रीय शिक्षा नीति (एनपीई) ने उच्च शिक्षा के अवसरों का विस्तार करने के लिए ओपन विश्वविद्यालयों के विकास का समर्थन किया।
1991	इंदिरा गांधी राष्ट्रीय मुक्त विश्वविद्यालय अधिनियम के तहत दूरस्थ शिक्षा परिषद (डीईसी) का गठन किया गया, जो देशभर में दूरस्थ शिक्षा को विनियमित और समन्वित करता है।
2013	दूरस्थ शिक्षा परिषद (डीईसी) को भंग कर दिया गया।
2014	विश्वविद्यालय अनुदान आयोग (यूजीसी) ने दूरस्थ शिक्षा को विनियमित करने की भूमिका संभाली और दूरस्थ शिक्षा ब्यूरो (डीईबी) के माध्यम से सामान्य और तकनीकी दूरस्थ शिक्षा कार्यक्रमों का प्रबंधन किया।

ओडीएल कार्यक्रम पेश करने वाले संस्थानों के प्रकार (Types of Institutions offering ODL Programme)

1. **मुक्त अधिगम विद्यालय (School of Open Learning)**- दिल्ली विश्वविद्यालय द्वारा स्थापित, यह प्रणाली शुरू में छात्रों को मेल के माध्यम से अध्ययन करने की सुविधा प्रदान करती थी, यद्यपि अब इसमें प्रोद्यौगिकी का उपयोग किया जा रहा है और इसके बहुत सारे कार्य डिजिटल प्लेटफॉर्म के माध्यम से आयोजित किये जा रहे हैं।
2. **मैसिव ओपन ऑनलाइन कोर्सेज (MOOCs)**- ये दूरस्थ शिक्षा का एक नया रूप हैं। ये इंटरनेट का उपयोग करके बड़े पैमाने पर इंटरैक्टिव पाठ्यक्रम प्रदान करते हैं जिनमें कोई भी कहीं से भी शामिल हो सकता है।
3. **मुक्त विश्वविद्यालय** - मुक्त विश्वविद्यालय को विभिन्न प्रकार के छात्रों के लिए अध्ययन को लचीला और सुलभ बनाने के लिए डिजाइन किया गया है। ये लचीले अध्ययन विकल्प प्रदान करते हैं, जिससे छात्र घर से या किसी भी स्थान से जो उन्हें उपयुक्त लगे और अपनी गति से सीख सकते हैं। इस दृष्टिकोण से अधिक लोगों के लिए उच्च शिक्षा उपलब्ध होती है। भारत में दो प्रकार के मुक्त विश्वविद्यालय हैं-
   (क) **राष्ट्रीय मुक्त विश्वविद्यालय**- इसमें सबसे प्रमुख इंदिरा गांधी राष्ट्रीय मुक्त विश्वविद्यालय (ईग्नू) है।
   (ख) **राज्य मुक्त विश्वविद्यालय**- राज्य सरकारों द्वारा स्थापित।
4. **दूरस्थ शिक्षा संस्थान (डीईआई)**- ये शैक्षिक संगठन दूरस्थ शिक्षा विधियों के माध्यम से शिक्षण कार्यक्रम पेश करते हैं।

इंदिरा गांधी राष्ट्रीय मुक्त विश्वविद्यालय (ईग्नू)
Indira Gandhi National Open University (IGNOU)

20 सितंबर, 1985 को स्थापित किया गया है और इसका नाम पूर्व प्रधानमंत्री इंदिरा गांधी के नाम पर रखा गया है। ईग्नू भारत में एक प्रमुख मुक्त विश्वविद्यालय है। इसे 1986 की राष्ट्रीय शिक्षा नीति का पालन करने के लिए स्थापित किया गया था, जिसका उद्देश्य व्यापक शिक्षार्थियों के लिए अधिक सीखने के अवसर प्रदान करना था। 4 मिलियन से अधिक छात्रों के साथ, ईग्नू विश्व का सबसे बड़ा विश्वविद्यालय है।

- **विकेंद्रीकरण**- बेहतर पहुंच प्रदान करने के लिए, ईग्नू ने भारत भर में पांच क्षेत्रीय जोन (उत्तर, दक्षिण, पूर्व, पश्चिम और उत्तर-पूर्व) स्थापित किये गये हैं और अपने बजट का 10 प्रतिशत विशेष रूप से पूर्वोत्तर राज्यों के लिए आवंटित करता है।
- **द्वैध भूमिका**- ईग्नू न केवल एक मुक्त विश्वविद्यालय (ओपन यूनिवर्सिटी) के रूप में कार्य करता है बल्कि पूरे भारत में ओपन और दूरस्थ शिक्षा प्रणाली को बढ़ावा देता है और उसका समन्वय करता है।
- **साक्षात (SAKSHAT) पोर्टल**- यह शिक्षा मंत्रालय द्वारा चलाया जाता है जिसमें ईग्नू भागीदार है। यह एक व्यापक शैक्षिक पोर्टल है जिसकी शुरुआत 30 अक्टूबर, 2006 को की गयी थी। इसका उद्देश्य छात्रों, शिक्षकों और पेशेवरों को निशुल्क और आजीवन सीखने के अवसर प्रदान करना है। इसका उद्देश्य भारत भर के सभी उच्च शिक्षा संस्थानों को जोड़ना और 500 मिलियन से अधिक लोगों को सहायता प्रदान करना है, जिससे शैक्षिक संसाधनों और सामग्री तक आसान पहुंच प्रदान की जा सके। सामग्री सलाहकार समिति (सीएसी) साक्षात के लिए सामग्री के विकास की देखरेख करती है।
- **अंतर्राष्ट्रीय सहयोग (International Collaboration)**-
  - **सार्क कंसोर्टियम ऑन ओपन एंड डिस्टेंस लर्निंग (SACODiL)**- इसका वर्तमान सचिवालय बांग्लादेश ओपन यूनिवर्सिटी, ढाका,

बांग्लादेश में है। यह कंसोर्टियम दक्षिण एशिया में ओपन और डिस्टेंस शिक्षा को सुधारने के लिए कार्य करता है।

- **ग्लोबल मेगा यूनिवर्सिटीज नेटवर्क (GMUNET)**- इग्नू बड़े विश्वविद्यालयों के इस वैश्विक नेटवर्क का भी हिस्सा है, जिसे यूनेस्को से आरंभिक सहायता प्राप्त है। यह यूनेस्को और अंतर्राष्ट्रीय साझेदारों के साथ मिलकर अफ्रीका में दुरस्थ शिक्षा प्रदान करने और क्षमता निर्माण के लिए भी कार्य करता है।

कॉमनवेल्थ ऑफ लर्निंग (Commonwealth of Learning) (सीओएल)

कॉमनवेल्थ ऑफ लर्निंग (सीओएल) एक अंतर्राष्ट्रीय संगठन है जिसे वर्ष 1988 में कॉमनवेल्थ देशों द्वारा मुक्त अधिगम और दुरस्थ शिक्षा को बढ़ावा देने और साझा करने के लिए स्थापित किया गया था। इसे शैक्षिक संसाधनों और प्रौद्योगिकियों के विकास में सहायता प्रदान करने के लिए स्थापित किया गया था ताकि अधिगम को अधिक सुलभ बनाया जा सके।

प्रारंभ में कनाडा में स्थापित, सीओएल के प्रमुख समर्थक कनाडा, भारत, न्यूजीलैंड, नाइजीरिया, दक्षिण अफ्रीका और यूनाइटेड किंगडम जैसे देशों से हैं। इनमें से प्रत्येक देश की बोर्ड ऑफ गवर्नर्स में एक सीट है। भारत में, कई संगठन सीओएल के साथ मिलकर कार्य करते हैं, जिनमें निम्न शामिल हैं-

- इंदिरा गांधी राष्ट्रीय मुक्त विश्वविद्यालय (ईग्नू)
- राष्ट्रीय मुक्त विद्यालयी शिक्षा संस्थान (एनआईओएस)
- राष्ट्रीय मूल्यांकन एवं प्रत्यायन परिषद (एनएएसी)।

क्विज स्टेशन — *विगत UGC NET परीक्षाओं के प्रश्न*

प्र.1. निम्नलिखित में से कौन सा ओपन विश्वविद्यालय राष्ट्रीय शिक्षा नीति, 1986 के अनुसार स्थापित किया गया था?

(14 दिसंबर, 2023 शिफ्ट 1)

(a) डॉ. बी. आर. अंबेडकर मुक्त विश्वविद्यालय, हैदराबाद

(b) इंदिरा गांधी राष्ट्रीय मुक्त विश्वविद्यालय, दिल्ली

(c) कर्नाटक राज्य मुक्त विश्वविद्यालय, मैसूर

(d) यशवंत राव चव्हाण महाराष्ट्र मुक्त विश्वविद्यालय, नासिक

प्र.2. निम्नलिखित में से किस विश्वविद्यालय में 1962 में पत्राचार पाठ्यक्रम शुरू किये गये थे?

(a) मद्रास विश्वविद्यालय

(b) बॉम्बे विश्वविद्यालय

(c) इग्नू

(d) दिल्ली विश्वविद्यालय

उत्तर 1. (ख) 2. (घ)

राज्य मुक्त विश्वविद्यालय (State Open Universities) (एसओयू)

राज्य मुक्त विश्वविद्यालय (एसओयू) विशेष विश्वविद्यालय हैं, जिन्हें भारत के विभिन्न राज्यों द्वारा दुरस्थ अधिगम के माध्यम से शिक्षा प्रदान करने के लिए स्थापित किया गया है। नियमित विश्वविद्यालयों, जो पारंपरिक कक्षा-कक्ष आधारित शिक्षा प्रदान करते हैं, के विपरीत एसओयू विशेष रूप से दुरस्थ शिक्षा पर ध्यान केंद्रित करते हैं। इन्हें उन लोगों की मदद करने के लिए डिजाइन किया गया है जो कार्य, पारिवारिक जिम्मेदारियों या अन्य कारणों से नियमित कक्षाओं में भाग नहीं ले सकते हैं।

भारत का पहला राज्य मुक्त विश्वविद्यालय डॉ. बी. आर. अंबेडकर मुक्त विश्वविद्यालय, हैदराबाद, अगस्त 1982 में स्थापित किया गया था। वर्तमान में, भारत में 14 राज्य मुक्त विश्वविद्यालय हैं। प्रत्येक दुरस्थ अधिगम के माध्यम से विभिन्न कार्यक्रम प्रदान करते हैं। इनमें से कुछ की सूची यहां दी गयी है-

1. डॉ. बी. आर. अंबेडकर मुक्त विश्वविद्यालय (BRAOU) - हैदराबाद
2. वर्धमान महावीर मुक्त विश्वविद्यालय (VMOU) - कोटा
3. नालंदा मुक्त विश्वविद्यालय (NOU) - पटना
4. यशवंतराव चव्हाण महाराष्ट्र मुक्त विश्वविद्यालय (YCMOU) - नासिक
5. मध्य प्रदेश भोज मुक्त विश्वविद्यालय (MPBOU) - भोपाल
6. डॉ. बाबासाहेब अंबेडकर मुक्त विश्वविद्यालय (BAOU) - अहमदाबाद
7. कर्नाटक राज्य मुक्त विश्वविद्यालय (KSOU) - मैसूर
8. नेताजी सुभाष मुक्त विश्वविद्यालय (NSOU) - कोलकाता
9. यूपी राजर्षि टंडन मुक्त विश्वविद्यालय - प्रयागराज
10. तमिलनाडु मुक्त विश्वविद्यालय (TNOU) - चेन्नई
11. पं. सुंदरलाल शर्मा मुक्त विश्वविद्यालय - बिलासपुर
12. उत्तराखंड मुक्त विश्वविद्यालय - हल्द्वानी
13. कृष्णा कांता हांडीकुई राज्य ओपन विश्वविद्यालय - गुवाहाटी

32.8 शिक्षा के प्रकार (Types of Education)

व्यावसायिक शिक्षा (Professional Education)

इस विषय को सरल बनाने वाले वीडियो व्याख्यान को देखने के लिए इस QR कोड को स्कैन करें

व्यावसायिक शिक्षा का उद्देश्य व्यक्तियों को विशिष्ट करियर के लिए आवश्यक विशेष कौशल से लैस करना है। इसका मुख्य उद्देश्य युवाओं को विभिन्न व्यवसायों में सफल होने के लिए आवश्यक विशेषज्ञता प्रदान करना है। इसका मुख्य लक्ष्य छात्रों को सरकारी और निजी दोनों क्षेत्रों में रोजगार के लिए तैयार करना है, जिससे वे अपनी पढ़ाई पूरी करने के बाद नौकरी के बाजार के लिए तैयार हो सकें। व्यावसायिक पाठ्यक्रमों के उदाहरणों में - बैचलर ऑफ बिजनेस एडमिनिस्ट्रेशन (बीबीए), मास्टर ऑफ बिजनेस एडमिनिस्ट्रेशन (एमबीए), मास्टर कंप्यूटर अनुप्रयोग

(एमसीए), मास कम्युनिकेशन/पत्रकारिता, बैचलर ऑफ एजुकेशन (बी.एड.), आतिथ्य, आदि शामिल हैं।

विशेषीकृत पेशेवर निकाय- पेशेवर परिषदें पाठ्यक्रमों को मान्यता देती हैं, संस्थानों को बढ़ावा देती हैं और स्नातक कार्यक्रमों और विभिन्न पुरस्कारों के लिए अनुदान प्रदान करती हैं। *(भारत की उल्लेखनीय व्यावसायिक परिषदों की सूची प्राप्त करने के लिए पृष्ठ 703 पर तालिका 32.1 देखें।)*

तकनीकी शिक्षा (Technical Education)

इस विषय को सरल बनाने वाले वीडियो व्याख्यान को देखने के लिए इस QR कोड को स्कैन करें

तकनीकी शिक्षा का ध्यान विशेष रूप से विज्ञान, इंजीनियरिंग और प्रौद्योगिकी के क्षेत्रों में ट्रेड, शिल्प, या पेशे से संबंधित विशिष्ट कौशल सिखाने पर होता है। यह कुशल पेशेवरों के विकास, औद्योगिक उत्पादकता को बढ़ाने और जीवन की गुणवत्ता में सुधार करने में महत्वपूर्ण भूमिका निभाती है।

ऐतिहासिक पृष्ठभूमि- भारत में तकनीकी शिक्षा की जड़ें 1847 तक जाती हैं जब पहला इंजीनियरिंग कॉलेज उत्तर प्रदेश के रुड़की में स्थापित किया गया था (अब उत्तराखंड में है)। इस कॉलेज की स्थापना सिविल इंजीनियरों को प्रशिक्षित करने के लिए की गयी थी।

बाद में, वर्ष 1909 में, भारतीय विज्ञान संस्थान की स्थापना इंजीनियरिंग और विज्ञान में अनुसंधान और शिक्षा को आगे बढ़ाने के लिए की गयी थी। वर्ष 1919 तक, बनारस विश्वविद्यालय ने पं. मदन मोहन मालवीय के प्रयासों से इंजीनियरिंग डिग्री प्रदान करना शुरू कर दिया था।

अखिल भारतीय तकनीकी शिक्षा परिषद (एआईसीटीई)

अखिल भारतीय तकनीकी शिक्षा परिषद (एआईसीटीई) भारत में तकनीकी शिक्षा की देखरेख करती है। इसे नवंबर 1945 में स्थापित किया गया था (इसकी सिफारिश सार्जेंट रिपोर्ट में वर्ष 1944 में की गयी थी)। इसमें विभिन्न स्तरों पर डिप्लोमा पाठ्यक्रमों से लेकर स्नातकोत्तर कार्यक्रमों तक, विभिन्न कार्यक्रम शामिल हैं।

एआईसीटीई द्वारा कवर किये गये क्षेत्र निम्नवत हैं-

1. अभियांत्रिकी
2. प्रौद्योगिकी
3. वास्तुकला
4. नगर नियोजन
5. प्रबंधन
6. फार्मेसी
7. अनुप्रयुक्त कला और शिल्प
8. होटल प्रबंधन एवं खानपान प्रौद्योगिकी

एआईसीटीई यह सुनिश्चित करता है कि ये कार्यक्रम उच्च गुणवत्ता और उद्योग की आवश्यकताओं के अनुरूप बने रहें। यह इन क्षेत्रों में अनुसंधान और विकास को भी बढ़ावा देता है ताकि वैश्विक प्रगति के साथ तालमेल बनाए रखा जा सके।

महत्वपूर्ण संस्थान (Important Institutions)

1. **भारतीय प्रौद्योगिकी संस्थान (आईआईटी)**- आईआईटी भारत में इंजीनियरिंग और अनुसंधान के प्रमुख संस्थान हैं। पहला आईआईटी वर्ष 1951 में खड़गपुर में स्थापित किया गया था, इसके बाद बॉम्बे, मद्रास, कानपुर और दिल्ली में अन्य आईआईटी स्थापित किये गये। प्रौद्योगिकी संस्थान अधिनियम, 1961 द्वारा शासित, ये संस्थान अपने कठोर शैक्षणिक कार्यक्रमों और अत्याधुनिक अनुसंधान के लिए जाने जाते हैं।
2. **राष्ट्रीय प्रौद्योगिकी संस्थान (एनआईटी)**- मूल रूप से क्षेत्रीय इंजीनियरिंग कॉलेज (आरईसी) के रूप में जाने जाने वाले, एनआईटी को वर्ष 2002 में राष्ट्रीय प्रौद्योगिकी संस्थान अधिनियम, 2007 के तहत उन्नत किया गया था। इन्हें दूसरी पंचवर्षीय योजना (वर्ष 1956-60) के दौरान क्षेत्रीय इंजीनियरिंग शिक्षा को बढ़ावा देने के लिए स्थापित किया गया था। भारत में 31 एनआईटी हैं।
3. **भारतीय सूचना प्रौद्योगिकी संस्थान (आईआईआईटी)**- आईआईआईटी सूचना प्रौद्योगिकी में विशेषज्ञता रखते हैं और मानव संसाधन विकास मंत्रालय (एमएचआरडी) द्वारा स्थापित किये गये थे। वर्ष 2010 में सार्वजनिक-निजी भागीदारी (पीपीपी) मॉडल के माध्यम से 20 और आईआईआईटी स्थापित करने की योजना को मंजूरी दी गयी थी। वर्तमान में, भारत में 26 आईआईआईटी हैं।
4. **राष्ट्रीय तकनीकी शिक्षक प्रशिक्षण और अनुसंधान संस्थान (एनआईटीटीटीआर)**- एनआईटीटीटीआर स्वायत्त संस्थान हैं जो इंजीनियरिंग शिक्षा की गुणवत्ता को बढ़ाने पर केंद्रित हैं। इन्हें वर्ष 1960 के दशक के मध्य में भोपाल, चंडीगढ़, चेन्नई और कोलकाता में स्थापित किया गया था। ये संस्थान पॉलिटेक्निक शिक्षकों के लिए प्रशिक्षण और सहायता प्रदान करते हैं और अनुसंधान एवं परामर्श पर कार्य करते हैं।
5. **भारतीय प्रबंधन संस्थान (आईआईएम)**- आईआईएम अपनी प्रबंधन शिक्षा और अनुसंधान के लिए प्रसिद्ध हैं। भारत में 21 सार्वजनिक, स्वायत्त आईआईएम हैं जो स्नातकोत्तर, डॉक्टोरल और कार्यकारी कार्यक्रम प्रदान करते हैं। पहला आईआईएम वर्ष 1961 में कलकत्ता में स्थापित किया गया था, इसके बाद अहमदाबाद और अन्य शहरों में अन्य आईआईएम स्थापित किये गये।

तालिका 32.11 और तालिका 32.12 में क्रमश: भारत के आईआईटी और आईआईएम की सूची दी गयी है।

तालिका 32.11 आईआईटी का संक्षिप्त विवरण

आईआईटी	स्थापना वर्ष
आईआईटी खड़गपुर	1951
आईआईटी बॉम्बे	1958
आईआईटी मद्रास और कानपुर	1959
आईआईटी दिल्ली	1963
आईआईटी गुवाहाटी	1994

तालिका 32.12 आईआईएम का संक्षिप्त विवरण

आईआईएम	स्थापना का वर्ष
आईआईएम कलकत्ता	1961
आईआईएम अहमदाबाद	1961
आईआईएम बेंगलुरु	1973
आईआईएम लखनऊ	1984
आईआईएम कोझिकोड	1996
आईआईएम इंदौर	1996
आईआईएम शिलांग	2007

कौशल-आधारित शिक्षा (Skill based Education)

इस विषय को सरल बनाने वाले वीडियो व्याख्यान को देखने के लिए इस QR कोड को स्कैन करें

कौशल-आधारित शिक्षा विभिन्न व्यवसायों के लिए आवश्यक व्यावहारिक प्रशिक्षण और विशिष्ट कौशल प्रदान करने पर केंद्रित है। पारंपरिक अकादमिक शिक्षा, जो सैद्धांतिक ज्ञान पर जोर देती है, के विपरीत कौशल-आधारित शिक्षा का उद्देश्य छात्रों को व्यावहारिक अनुभव और क्षमताओं से लैस करना है जो सीधे नौकरी बाजार में लागू होते हैं। यहाँ कुछ प्रमुख पहलू दिये गये हैं-

1. **व्यावहारिक प्रशिक्षण**- पाठ्यक्रमों को व्यावहारिक अभ्यास, कार्यशालाओं और इंटर्नशिप के माध्यम से वास्तविक दुनिया के कौशल प्रदान करने के लिए डिजाइन किया गया है।
2. **कम अवधि**- ये पाठ्यक्रम आमतौर पर 6 महीने से 2 वर्ष तक चलते हैं, जिससे छात्र आवश्यक कौशल जल्दी प्राप्त कर पाते हैं।

कौशल-आधारित पाठ्यक्रमों में फैशन डिजाइनिंग, पर्यटन, खाद्य प्रसंस्करण, परिधान प्रौद्योगिकी, सॉफ्टवेयर विकास, आतिथ्य प्रबंधन, आईआईटी पाठ्यक्रम जैसे बढ़ई, कटिंग, प्रौद्योगिकी तकनीशियन, इलेक्ट्रीशियन, फोटोग्राफी, कढ़ाई और सुई का कार्य, स्वास्थ्य स्वच्छता निरीक्षक और काफी कुछ शामिल हैं।

कौशल शिक्षा से संबंधित महत्वपूर्ण संस्थान/संस्थान (Important Institutes/Bodies related to Skill Education)

1. **औद्योगिक प्रशिक्षण संस्थान (आईटीआई)**- औद्योगिक प्रशिक्षण संस्थान (आईटीआई) ऐसे संस्थान हैं जो माध्यमिक विद्यालय समाप्त करने के बाद छात्रों को व्यावहारिक कौशल शिक्षा और प्रशिक्षण प्रदान करते हैं। ये संस्थान रोजगार और प्रशिक्षण महानिदेशालय (डीजीईटी) द्वारा प्रबंधित किये जाते हैं, जो भारतीय सरकार के कौशल विकास और उद्यमिता मंत्रालय का हिस्सा है।

   आईटीआई में छात्र बढ़ईगीरी, विद्युत कार्य, प्लंबिंग और ऐसे अनेक विशिष्ट ट्रेड सीखते हैं। अपना प्रशिक्षण पूरा करने के बाद, छात्रों को अखिल भारतीय व्यापार परीक्षा (एआईटीटी) पास करनी होती है। यदि वे इसे पास कर लेते हैं, तो उन्हें राष्ट्रीय ट्रेड प्रमाणपत्र (एनटीसी) प्राप्त होता है, जो प्रमाणित करता है कि उनके पास अपनी ट्रेड के लिए आवश्यक कौशल है। यह प्रमाणपत्र उन्हें अपने चुने हुए क्षेत्रों में नौकरी खोजने में मदद करता है।

2. **कौशल विकास एवं उद्यमिता मंत्रालय (एमएसडीई)**- एमएसडीई पूरे भारत में सभी कौशल विकास प्रयासों का समन्वय करता है। यह पूरे भारत में नौकरी कौशल में सुधार करने में मदद करता है। इसका मुख्य लक्ष्य प्रशिक्षण कार्यक्रम तैयार कर और उनमें सुधार लाकर विभिन्न उद्योगों के लिए पर्याप्त प्रशिक्षित श्रमिक सुनिश्चित करना है।

   एमएसडीई श्रमिकों को वर्तमान नौकरी मानकों को पूरा करने के लिए अपने कौशल को अपडेट करने में भी मदद करता है और अधिक नौकरियां बनाने के लिए नए विचारों को प्रोत्साहित करता है। तालिका 32.13 में एमएसडीई के प्रमुख निकायों का एक सरल अवलोकन प्रदान किया गया है, जो भारत में कौशल विकास को बढ़ावा देने में उनकी भूमिकाओं को उजागर करती है-

तालिका 32.13 व्यावसायिक प्रशिक्षण से संबंधित कार्यात्मक शाखाएँ

संक्षिप्त नाम	कार्यात्मक शाखा	विवरण
डीजीटी	प्रशिक्षण महानिदेशालय	15,000 औद्योगिक प्रशिक्षण संस्थानों (आईटीआई) का प्रबंधन करता है और एनएसडीसी के साथ 187 प्रशिक्षण भागीदारों की देखरेख करता है।
एनसीवीईटी	राष्ट्रीय व्यावसायिक शिक्षा और प्रशिक्षण परिषद	सभी व्यावसायिक प्रशिक्षणों को नियंत्रित करता है। से एनएसडीए और एनसीवीटी को मिलाकर बनाया गया है। इसकी स्थापना 5 दिसंबर, 2018 को की गयी।
एससीवीटी	राज्य व्यावसायिक प्रशिक्षण परिषद	यह राज्य स्तर पर आईटीआई की निगरानी करता है, यह सुनिश्चित करता है कि नियमों का पालन हो। प्रत्येक राज्य की अपनी एससीवीटी होती है।
एनएसडीसी	राष्ट्रीय कौशल विकास निगम	यह सार्वजनिक-निजी भागीदारी है, जो बड़े व्यावसायिक प्रशिक्षण संस्थान करते हैं और कौशल विकास में सहायता प्रदान करते हैं।
एनएसडीएफ	राष्ट्रीय कौशल विकास कोष	यह कौशल विकास के लिए सरकार और निजी क्षेत्रों से धन जुटाता है। वर्ष 2009 में स्थापित।
एनएसटीआई	राष्ट्रीय कौशल प्रशिक्षण संस्थान	ये आईटीआई प्रशिक्षकों को प्रशिक्षित करने के लिए डीजीटी द्वारा संचालित प्रमुख संस्थान। वर्ष 1963 में स्थापित।
एसएससी	क्षेत्र कौशल परिषदें	ये उद्योग-नेतृत्व वाले निकाय हैं, जो नौकरी के मानक तय करते हैं, प्रशिक्षण कार्यक्रम बनाते हैं और प्रशिक्षुओं को प्रमाण पत्र प्रदान करते हैं। एनएसडीसी द्वारा स्थापित।

कौशल विकास में प्रयास (Efforts in Skill Development)

1. **राष्ट्रीय कौशल नीति**- राष्ट्रीय कौशल नीति पहली बार वर्ष 2009 में भारत में कौशल विकास की चुनौतियों का समाधान करने के लिए बनाई गयी थी। इसे वर्ष 2015 में सुधारा गया और विस्तारित किया गया। यह नीति देश भर में सभी कौशल-संबंधित गतिविधियों के लिए एक मार्गदर्शक के रूप में कार्य करती है, जिससे कौशल विकास प्रयासों का समन्वय और संवर्धन होता है।

2. **राष्ट्रीय कौशल योग्यता ढांचा (एनएसक्यूएफ)**- यह एक प्रणाली है जो कौशल और योग्यताओं को 10 स्तरों में व्यवस्थित करती है। प्रत्येक स्तर ज्ञान, कौशल और योग्यता के एक अलग चरण का प्रतिनिधित्व करता है।

   एनएसक्यूएफ यह सुनिश्चित करता है कि लोग जो कौशल सीखते हैं वे मानकीकृत और भारत और अंतरराष्ट्रीय स्तर पर मान्यता प्राप्त हों। इससे नियोक्ताओं को यह समझने में मदद मिलती है कि व्यक्ति क्या जानता है और क्या कर सकता है, जिससे लोगों को नौकरी पाने में आसानी होती है। तालिका 32.14 विभिन्न एनएसक्यूएफ स्तरों और उनके अंतरराष्ट्रीय समकक्षों को दर्शाती है।

तालिका 32.14 एनएसक्यूएफ का संक्षिप्त विवरण

एनएसक्यूएफ स्तर	अंतरराष्ट्रीय समकक्ष	न्यूनतम पात्रता
स्तर 10	डॉक्टरेट	मास्टर्स या स्तर 9
स्तर 9	मास्टर्स	स्नातक या स्तर 8
स्तर 8	पोस्ट ग्रेजुएट (पीजी) डिप्लोमा	स्नातक या स्तर 7
स्तर 7	बैचलर्स	12वीं +
स्तर 6	एडवांस्ड डिप्लोमा	12वीं
स्तर 5	डिप्लोमा	12वीं
स्तर 4	एडवांस्ड सर्टिफिकेट	12वीं
स्तर 3	सर्टिफिकेट	10वीं
स्तर 2	सर्टिफिकेट	10वीं
स्तर 1	सर्टिफिकेट	10वीं

3. **प्रधानमंत्री कौशल विकास योजना (पीएमकेवीवाई)**- यह कार्यक्रम कौशल विकास और उद्यमिता मंत्रालय द्वारा चलाया जाता है और 12वीं कक्षा पूरी करने वाले छात्रों को विशेष पाठ्यक्रम प्रदान करता है। इसका उद्देश्य इन युवाओं को मूल्यवान कौशल और प्रशिक्षण प्रदान करना है ताकि ये नौकरी पा सकें। पीएमकेवीवाई छात्रों को व्यावहारिक कौशल सिखाने में मदद करता है और पाठ्यक्रम पूरा करने के बाद उन्हें रोजगार प्राप्त करने में भी सहायता करता है।

4. **पूर्वोत्तर राज्यों के लिए प्रधानमंत्री कौशल विकास योजना (अप्रैल 2022)**- सात पूर्वोत्तर राज्यों में उद्योग-संबंधित कौशल प्रशिक्षण प्रदान करती है।

5. **स्कीम फॉर हायर एजुकेशन यूथ इन अप्रेंटिसशिप एंड स्किल्स (SHREYAS)**- यह कार्यक्रम वर्ष 2019 में एमएचआरडी (अब शिक्षा मंत्रालय) द्वारा हाल ही में स्नातक हुए छात्रों के लिए शिक्षुता के अवसर प्रदान करने के लिए शुरू किया गया था। श्रेयस का उद्देश्य व्यावहारिक कार्य अनुभव प्रदान करके नौकरी की तैयारी को बेहतर बनाना है, ताकि स्नातकों को कार्यबल में आसानी से संक्रमण करने में मदद मिले। यह कार्यक्रम छात्रों की अकादमिक शिक्षा और उद्योग में आवश्यक कौशल के बीच संबंध को मजबूत करने का प्रयास करता है। सेक्टर स्किल काउंसिल्स (एसएससी) इस योजना का प्रबंधन और कार्यान्वयन करती है और यह सुनिश्चित करती है कि शिक्षुता प्रभावी ढंग से संगठित हो और उद्योग की आवश्यकताओं के अनुरूप हो।

6. **स्किल्स स्ट्रेंथनिंग फॉर इंडस्ट्रियल वैल्यू एनहांसमेंट (STRIVE)**- यह भारत सरकार की एक पहल है, जिसे विश्व बैंक का समर्थन प्राप्त है। इसका उद्देश्य आईटीआई में व्यावसायिक प्रशिक्षण में सुधार करना है। यह अवसंरचना, प्रशिक्षक कौशल और उद्योग साझेदारी को बढ़ाने पर ध्यान केंद्रित करता है ताकि प्रशिक्षण नौकरी बाजार की आवश्यकताओं के लिए प्रासंगिक और प्रभावी हो।

7. **स्किल्स एक्विजिशन एंड नॉलेज अवेयरनेस फॉर लाइवलीहुड प्रमोशन (SANKALP)**- इसका उद्देश्य प्रशिक्षण कार्यक्रमों को बेहतर और नौकरी बाजार की आवश्यकताओं के लिए अधिक प्रासंगिक बनाना है।

8. **कौशल विकास एवं उद्यमिता मंत्रालय (2014)**- पूरे भारत में कौशल विकास का समन्वय करने के लिए बनाया गया है।

9. **स्किल इंडिया पहल (2015)**- वर्ष 2022 तक 40 करोड़ लोगों को कौशल प्रदान करने का लक्ष्य है, जिसमें पीएमकेवीवाई और स्किल लोन योजना जैसे कार्यक्रम शामिल हैं।

10. **सक्षम (श्रमिक शक्ति मंच) (फरवरी 2022)**- यह एक जॉब पोर्टल है जो श्रमिकों के कौशल को सही उद्योगों से मिलाने के लिए, उनकी नौकरी के अवसरों को बेहतर बनाता है।

11. **भारतीय उद्यमिता संस्थान (आईआईई) और राष्ट्रीय उद्यमिता और लघु व्यवसाय विकास संस्थान (एनआईईएसबीयूडी)**- ये प्रशिक्षण और विकासशील उद्यमियों पर ध्यान केंद्रित करते हैं।

सिनेमैटिक कनेक्शन

फिल्म *सुई धागा* (2018) कौशल शिक्षा और इसके व्यक्तियों और समुदायों पर परिवर्तनकारी प्रभाव को खूबसूरती से दर्शाती है। फिल्म में मौजी (वरुण धवन) और ममता (अनुष्का शर्मा) की यात्रा दिखायी गयी है। ये भारत के एक छोटे से शहर में रहने वाले दंपत्ति है जो अपना खुद का कपड़े का व्यवसाय शुरू करना चाहते हैं। ये हस्तनिर्मित वस्त्र बनाकर अपनी शिल्पकला का प्रदर्शन करते हैं। इनकी यात्रा कौशल के व्यावहारिक अनुप्रयोग पर जोर देती है।

सुई धागा 'मेड इन इंडिया' की भावना और छोटे शहर की प्रतिभा की महान सफलता प्राप्त करने की क्षमता का जश्न मनाती है।

12. **सामुदायिक कॉलेज**- स्थानीय उद्योग की आवश्यकताओं के अनुरूप कौशल-आधारित शिक्षा प्रदान करते हैं।

क्विज स्टेशन

विगत UGC NET परीक्षाओं के प्रश्न

प्र.1. एनएसक्यूएफ योग्यता को निम्नलिखित में से किसके स्तर की श्रृंखला के अनुसार व्यवस्थित करता है-

(a) ज्ञान, कौशल और अभिरूचि।

(b) ज्ञान, कौशल और अनुभव।

(c) कौशल, उपलब्धि और अभिरूचि।

(d) कौशल, अनुभव और अभिरूचि।

प्र.2. कौशल-आधारित/व्यावसायिक शिक्षा के संदर्भ में, एनएसक्यूएफ क्षमता स्तर 8 किसके समकक्ष है-

(a) अंडाग्रेजुएट (ऑनर्स) डिग्री।

(b) मास्टर्स (पोस्ट ग्रेजुएट) डिग्री।

(c) एडवांस्ड डिप्लोमा।

(d) डॉक्टरेट डिग्री।

प्र.3. निम्नलिखित में से कौन सी योजनाएं कौशल विकास से संबंधित हैं?

A. स्ट्राइड B. स्ट्राइव

C. संकल्प D. श्रेयस

नीचे दिये गये विकल्पों में से सही उत्तर चुनें-

(a) केवल A और B

(b) केवल C और B

(c) केवल B, C और D

(d) केवल A, B, C और D

।देण 1ण (ं) 2ण (इ) 3ण (ब)

मूल्य शिक्षा (Value Education)

नई शिक्षा नीति (एनईपी) 2020 मूल्य-आधारित शिक्षा को एक प्रमुख घटक के रूप में शामिल करती है। यह दृष्टिकोण छात्रों को एक समग्र शिक्षा प्रदान करने का लक्ष्य रखता है जो न केवल शैक्षणिक ज्ञान पर ध्यान केंद्रित करता है बल्कि महत्वपूर्ण जीवन कौशल और मूल्यों पर भी ध्यान देता है।

मूल्य शिक्षा के मुख्य उद्देश्य जिम्मेदार और अच्छे नागरिकों का विकास करना, समाज को लाभ पहुंचाने वाले मूल्यों को स्थापित करना, आदर्श शिक्षकों का निर्माण करना, छात्रों को शिक्षा के महत्व को समझने में मदद करना, और चरित्र निर्माण पर ध्यान केंद्रित करना शामिल हैं।

मूल्य शिक्षा के चरण (Stages of Value Education)

1. **चरण I- मूल्य संग्रह**- इस पहले चरण में, छात्र अपने जीवन में महत्वपूर्ण लोगों, विशेष रूप से अपने माता-पिता को देखकर और उनकी नकल करके मूल्य सीखते हैं।
2. **चरण II- मूल्य मूल्यांकन**- इस चरण के दौरान, छात्र उन मूल्यों को चुनना और अपनाना शुरू करते हैं जो उन्हें महत्वपूर्ण लगते हैं। यह उन्हें एक संतुलित व्यक्तित्व विकसित करने में मदद करता है, जिससे वे लोकतांत्रिक, सामाजिक रूप से जिम्मेदार, सांस्कृतिक रूप से जागरूक और बौद्धिक रूप से मजबूत बन सकें।
3. **चरण III- मूल्य स्पष्टता** - यह चरण छात्रों के लिए यह पता लगाने के बारे में है कि वे वास्तव में किसे महत्व देते हैं और वे इन मूल्यों पर हर दिन कैसे कार्य करते हैं। यह एक सतत प्रक्रिया है जो उन्हें यह देखने में मदद करती है कि वे जो कहते हैं और जो वे वास्तव में करते हैं उसमें कितना अंतर है।
4. **चरण IV- मूल्य समेकन**- अंत में, इस चरण में, छात्र अपने मूल्यों को एक सुसंगत विश्वास प्रणाली में मिलाते हैं। इससे उनका व्यवहार पूर्वानुमेय और सुसंगत हो जाता है, जिससे यह दिखता है कि उनके पास एक मजबूत और एकीकृत मूल्य प्रणाली है।

तालिका 32.15 भारत में मूल्य शिक्षा संबंधी प्रमुख घटनाक्रम

वर्ष	प्रमुख घटनाक्रम	विवरण
1948	विश्वविद्यालय शिक्षा आयोग	मूल्य शिक्षा जोड़ने का सुझाव दिया, लेकिन केवल कुछ स्कूलों में बदलाव किये गये।
1959	श्री प्रकाश समिति	नैतिक और आध्यात्मिक मूल्यों को सिखाने की सिफारिश की, जिसमें महान धार्मिक नेताओं की कहानियां शामिल हैं।
1964-1966	राष्ट्रीय शिक्षा आयोग (कोठारी आयोग)	नियमित शिक्षा के साथ नैतिक शिक्षा को शामिल करने की सलाह दी।
1986, 1992	राष्ट्रीय शिक्षा नीति (एनपीई)	सामाजिक और नैतिक मूल्यों को सिखाने के माध्यम के रूप में शिक्षा को बढ़ावा दिया, राष्ट्रीय एकता का लक्ष्य रखा।
1999	चव्हाण समिति की रिपोर्ट	शिक्षा में मूल्यों को सिखाने पर नये सिरे से ध्यान केंद्रित किया।
2000, 2005	राष्ट्रीय पाठ्यचर्या रूपरेखा (एनसीएफ)	शांति, मानवता और सहिष्णुता जैसे मूल्य सिखाने पर जोर दिया।
2001	इंजीनियरिंग में मूल्य- शिक्षा के लिए राष्ट्रीय संसाधन केंद्र	तकनीकी और व्यावसायिक स्कूलों में मूल्य शिक्षा को प्रोत्साहित करने के लिए आईआईटी दिल्ली में स्थापित किया गया।

32.9 उच्च शिक्षा से संबंधित संवैधानिक प्रावधान (Constitution Provisions Related to Higher Education)

भारतीय संविधान एक विस्तृत दस्तावेज है जिसका उद्देश्य भारत के लोगों को स्थिर और निष्पक्ष शासन प्रदान करना है।

1. **प्रस्तावना**- इसकी शुरूआत प्रस्तावना से होती है, जिसमें न्याय, स्वतंत्रता, समानता और बंधुत्व का वादा किया गया है। प्रस्तावना में अब तीन अतिरिक्त शब्द शामिल किये गये हैं-समाजवादी, पंथनिरपेक्ष, और अखंडता।
2. **संरचना**- वर्तमान में संविधान में 448 अनुच्छेद हैं, जो 25 भागों और 12 अनुसूचियों में विभाजित हैं। प्रारंभ में इसमें 22 भाग 8 अनुसूचियां और 395 वें अनुच्छेद थे। इसमें 103 संशोधन किये गये हैं।
3. **लंबाई**- यह दुनिया का सबसे लंबा और सबसे विस्तृत संविधान है।
4. **उत्पत्ति**- भारतीय संविधान को बनाने का विचार सबसे पहले कम्युनिस्ट नेता एम. एन. रॉय द्वारा सुझाया गया था।
5. **मसौदा तैयार करने का समय**- भारतीय संविधान का मसौदा संविधान सभा द्वारा 2 वर्ष, 11 महीने और 18 दिनों में तैयार किया गया था।
6. **प्रवर्तन**- संविधान को 26 नवंबर 1949 को अंगीकृत किया गया और 26 जनवरी 1950 को लागू किया गया।

संविधान में समवर्ती सूची के विषय के रूप में शिक्षा (Education as a Concurrent Subject in Constitution)

पिछले अध्याय में, हमने विभिन्न स्वतंत्रता पूर्व और स्वतंत्रता पश्चात आयोगों का अध्ययन किया। इसमें एक उल्लेखनीय आयोग वर्ष 1948 का विश्वविद्यालय शिक्षा आयोग था, जिसका नेतृत्व डॉ. एस. राधाकृष्णन ने किया था। इस आयोग ने सरकार को एक महत्वपूर्ण सिफारिश की, जिसमें शिक्षा को समवर्ती सूची का विषय बनाने का सुझाव दिया गया था।

मूल रूप से, शिक्षा केवल केंद्रीय सरकार की जिम्मेदारी थी। यद्यपि, वर्ष 1976 में, 42वें संवैधानिक संशोधन अधिनियम ने शिक्षा को राज्य सूची से समवर्ती सूची में स्थानांतरित कर दिया। इस परिवर्तन का मतलब था कि अब केंद्रीय सरकार और राज्य सरकारें दोनों शिक्षा के बारे में विधि बना सकती हैं।

- **संघ सूची**- इस सूची में राष्ट्रीय महत्व के विषय शामिल हैं जिनके बारे में केवल संघ सरकार विधि बना सकती है। उदाहरणों में रक्षा, बैंकिंग और मुद्रा शामिल हैं।
- **राज्य सूची**- इस सूची में स्थानीय और राज्य महत्व के विषय शामिल हैं जिनके बारे में केवल राज्य सरकार विधि बना सकती है। उदाहरणों में पुलिस, व्यापार, वाणिज्य, कृषि और सिंचाई शामिल हैं।
- **समवर्ती सूची**- इस सूची में सामान्य रुचि के विषय शामिल हैं जिनके बारे में केंद्र और राज्य सरकारें दोनों विधि बना सकती हैं। उदाहरणों में शिक्षा, वन, ट्रेड यूनियन, विवाह और गोद लेना शामिल हैं।

42वें संशोधन का महत्व (Significance of the 42nd Amendment)

1. **समान शिक्षा नीति**- इस परिवर्तन से केंद्रीय सरकार को यह सुनिश्चित करने में मदद मिली कि शिक्षा के मानक पूरे देश में समान हों, वहीं राज्यों को स्थानीय शैक्षिक मुद्दों को संभालने की अनुमति मिलती है।
2. **बेहतर समन्वय**- यह शिक्षा नीतियों और कार्यक्रमों को बनाने और लागू करने में केंद्रीय और राज्य सरकारों के बीच टीमवर्क को बढ़ावा देता है।
3. **संसाधन साझा करना**- अब दोनों स्तरों की सरकारें शिक्षा के लिए धन और संसाधन प्रदान कर सकती हैं, जिससे शिक्षा प्रणाली में सुधार हो सकता है।

तालिका 32.16 में भारत में शैक्षिक और अनुसंधान संस्थानों के प्रबंधन और विनियमन से संबंधित विशिष्ट प्रविष्टियों का विवरण दिया गया है। प्रत्येक प्रविष्टि सरकार की इन संस्थानों की देखरेख में भूमिका के एक विशेष पहलू का वर्णन करती है। यहां प्रत्येक प्रविष्टि का अर्थ दिया गया है।

तालिका 32.17 में हमारे संविधान में शिक्षा से संबंधित विभिन्न अनुच्छेदों का उल्लेख किया गया है।

तालिका 32.16 संविधान में शिक्षा से संबंधित प्रविष्टियों का संक्षिप्त विवरण

प्रविष्टि संख्या	नाम	संक्षिप्त विवरण
प्रविष्टि 63	प्रमुख संस्थानों का नियंत्रण	राष्ट्रीय पुस्तकालय और केंद्रीय विश्वविद्यालयों जैसे प्रमुख राष्ट्रीय संस्थानों का प्रबंधन करता है।
प्रविष्टि 64	वैज्ञानिक और तकनीकी शिक्षा	सरकार द्वारा वित्त पोषित वैज्ञानिक और तकनीकी शिक्षा प्रदान करने वाले संस्थानों का समर्थन करता है।
प्रविष्टि 65	व्यावसायिक और तकनीकी प्रशिक्षण	पेशेवर, व्यावसायिक, या तकनीकी प्रशिक्षण संस्थानों के निर्माण और सहायता संबंधी आवश्यकताओं को पूरा करता है।
प्रविष्टि 66	समन्वयन और मानक-निर्धारण	उच्च शिक्षा और अनुसंधान संस्थानों में समन्वयन और मानक-निर्धारण सुनिश्चित करता है।

तालिका 32.17 संविधान से संबंधित अनुच्छेद

अनुच्छेद संख्या	नाम	संक्षिप्त विवरण
अनुच्छेद 15	विभेद का प्रतिषेध	किसी के साथ धर्म, मूलवंश, जाति, लिंग या जन्म स्थान के आधार पर विभेद का प्रतिषेध।
अनुच्छेद 15(6)	ईडब्ल्यूएस के लिए आरक्षण	केंद्रीय सरकार के शैक्षणिक संस्थानों में आर्थिक रूप से दुर्बलर्गों के लिए सीटों का उपबंध करता है।
अनुच्छेद 17	अस्पृश्यता का अंत	"अस्पृश्यता" का अंत किया जाता है और उसके आचरण को निषिद्ध किया जाता है।
अनुच्छेद 21क	शिक्षा का अधिकार	बच्चों के लिए निशुल्क और अनिवार्य शिक्षा की गारंटी देता है।
अनुच्छेद 29(3)	समान प्रवेश अधिकार	किसी भी नागरिक को धर्म, मूलवंश, जाति, भाषा आदि के आधार पर शैक्षणिक संस्थानों में प्रवेश से वंचित नहीं किया जाएगा।
अनुच्छेद 30	संस्थानों के लिए निष्पक्ष सहायता	सरकार धर्म, मूलवंश, जाति या भाषा के आधार पर शैक्षणिक संस्थानों को सहायता देने में भेदभाव नहीं कर सकती।
अनुच्छेद 30(1)	अल्पसंख्यक अधिकार	धार्मिक या भाषाई अल्पसंख्यक अपने शैक्षणिक संस्थान स्थापित और प्रबंधित कर सकते हैं।
अनुच्छेद 30(2)	सहायता में कोई पक्षपात नहीं	अल्पसंख्यकों द्वारा चलाए जा रहे शैक्षणिक संस्थानों को सहायता प्रदान करने में कोई भेदभाव नहीं किया जाएगा।
अनुच्छेद 41	शिक्षा और कार्य का अधिकार	हर किसी को शिक्षा प्राप्त करने और कार्य करने का अधिकार है और राज्य को इन अधिकारों को सुरक्षित करने के लिए प्रावधान करना चाहिए।
अनुच्छेद 45	बच्चों के लिए नि:शुल्क शिक्षा	2009 में पारित शिक्षा का अधिकार अधिनियम ने इस प्रावधान का विस्तार किया ताकि 14 वर्ष की आयु तक के बच्चों के लिए नि:शुल्क और अनिवार्य शिक्षा की गारंटी दी जा सके, इसके बाद यह भारत में हर बच्चे का मौलिक अधिकार बन गया।
अनुच्छेद 46	कमजोर वर्गों के लिए समर्थन	राज्य को कमजोर वर्गों, विशेष रूप से अनुसूचित जाति/अनुसूचित जनजातियों की शिक्षा और आर्थिक हितों को बढ़ावा देना चाहिए।
अनुच्छेद 28(1)	स्कूलों में धार्मिक शिक्षा नहीं	किसी भी राज्य द्वारा वित्त पोषित शैक्षणिक संस्थान में धार्मिक शिक्षा की अनुमति नहीं है।
अनुच्छेद 350(a)	अल्पसंख्यकों के लिए भाषा शिक्षा	राज्यों को भाषाई अल्पसंख्यक समूहों के बच्चों के लिए मातृभाषा में प्राथमिक शिक्षा प्रदान करनी चाहिए।
अनुच्छेद 246	शक्तियों का विभाजन	केंद्र और राज्यों के बीच जिम्मेदारियों को संघ, राज्य और समवर्ती सूचियों में विभाजित करता है।
अनुच्छेद 239	संघ राज्य क्षेत्र प्रशासन	संघ राज्यक्षेत्रों का प्रबंधन राष्ट्रपति द्वारा नियुक्त प्रशासक के माध्यम से किया जाएगा जब तक कि संसद द्वारा अन्यथा विनिर्दिष्ट न किया गया हो।

क्विज स्टेशन *विगत UGC NET परीक्षाओं के प्रश्न*

प्र.1. भारतीय संविधान की निम्नलिखित प्रविष्टियों में से कौन सी प्रविष्टि उच्च शिक्षा या अनुसंधान या वैज्ञानिक और तकनीकी संस्थानों में मानकों के समन्वयन और निर्धारण से संबंधित है?

(a) प्रविष्टि 63 (b) प्रविष्टि 64
(c) प्रविष्टि 65 (d) प्रविष्टि 66

प्र.2. भारतीय संविधान का कौन सा अनुच्छेद केंद्रीय सरकार के शैक्षणिक संस्थानों में प्रवेश के लिए आर्थिक रूप से कमजोर वर्गों के लिए आरक्षण का उपबंध करता है?

(a) अनुच्छेद 15 (b) अनुच्छेद 15(6)
(c) अनुच्छेद 16 (d) अनुच्छेद 16(4)

उत्तर 1. (d) 2. (b)

32.10 योजना आयोग और नीति आयोग (Planning Commission and NITI Aayog)

योजना आयोग (Planning Commission)

भारत का योजना आयोग 1950 में भारत सरकार द्वारा स्थापित किया गया था। यह 2015 में नीति आयोग द्वारा प्रतिस्थापित किया गया था। इसका मुख्य उद्देश्य आर्थिक और सामाजिक विकास लक्ष्यों को प्राप्त करने के लिए पंचवर्षीय योजनाओं को तैयार करना और लागू करना था

पंचवर्षीय योजना (Five-Year Plan)

पंचवर्षीय योजनाओं को योजना आयोग द्वारा विकसित, कार्यान्वित और पर्यवेक्षित किया गया था। इन योजनाओं का उद्देश्य देश की आर्थिक स्थिति में सुधार करना और आर्थिक योजना को सुविधाजनक बनाना था। पंचवर्षीय

योजना का विचार बॉम्बे योजना से प्रेरित था, जिसे 1944 में विभिन्न उद्योगपतियों द्वारा प्रस्तावित किया गया था, जिसमें व्यवस्थित आर्थिक योजना की आवश्यकता पर प्रकाश डाला गया था। इस अवधारणा को मूल रूप से सोवियत संघ में जोसेफ स्टालिन द्वारा पेश किया गया था। भारत ने 1951 में अपने पहले प्रधानमंत्री जवाहरलाल नेहरू के नेतृत्व में इस दृष्टिकोण को अपनाया और वर्ष 2017 तक इसे जारी रखा। भारत के विकास को गति प्रदान करने के लिये पंचवर्षीय योजनाओं के कई प्रमुख उद्देश्य थे -

1. **वृद्धि दर बढ़ाना**- राष्ट्र की वृद्धि दर को बढ़ाने और इसके नागरिकों के जीवन स्तर में सुधार करने का लक्ष्य।
2. **समृद्धि की ओर ले जाना**- देश को समग्र समृद्धि और आर्थिक कल्याण की ओर ले जाना।
3. **आत्मनिर्भरता**- विदेशी सहायता और आयात पर निर्भरता को कम करना और भारत को आत्मनिर्भर बनाना।
4. **औद्योगिकीकरण**- रोजगार सृजित करने और आर्थिक विकास को बढ़ावा देने के लिए देश के औद्योगिकीकरण को बढ़ावा देना।
5. **असमानता को कम करना**- अमीर और गरीब के बीच की खाई को पाटना ताकि धन का अधिक समान वितरण सुनिश्चित हो सके।
6. **संसाधनों का कुशल उपयोग**- यह सुनिश्चित करना कि देश के संसाधनों का अधिकतम लाभ लेने के लिए उनका कुशलतापूर्वक और प्रभावी ढंग से उपयोग किया जाए।

तालिका 32.18 विभिन्न पंचवर्षीय योजनाओं का एक त्वरित विवरण देती है।

तालिका 32.18 महत्वपूर्ण पंचवर्षीय योजनाएँ

पंचवर्षीय योजना	वर्ष	मुख्य लक्ष्य	शैक्षिक लक्ष्य
पहली योजना	1951-1956	कृषि विकास	• 5 नए आईआईटी की स्थापना
दूसरी योजना	1956-1961	औद्योगिकीकरण	• तीन वर्षीय डिग्री पाठ्यक्रमों की शुरुआत। • पुस्तकालयों और प्रयोगशालाओं में सुधार। • विश्वविद्यालय शिक्षकों के वेतन में वृद्धि।
तीसरी योजना	1961-1966	आर्थिक स्वतंत्रता और आत्मनिर्भरता	• आर्थिक विकास के लिए शिक्षा के महत्व पर जोर दिया
चौथी योजना	1969-1974	स्थिरता के साथ विकास	-
पाँचवीं योजना	1974-1979	गरीबी उन्मूलन और रोजगार सृजन	-
छठी योजना	1980-1985	तेजी से औद्योगिक विकास और तकनीकी आत्मनिर्भरता	-
सातवीं योजना	1985-1990	मानव संसाधन विकास	• मानव संसाधन विकास पर ध्यान केंद्रित
आठवीं योजना	1992-1997	मानव संसाधन विकास और उच्च शिक्षा का निजीकरण	• शिक्षा में उत्कृष्टता का लक्ष्य • शिक्षा तक निष्पक्ष पहुंच • वित्तीय रूप से आत्मनिर्भर शिक्षा • विश्वविद्यालय प्रबंधन को मजबूत करना
नौवीं योजना	1997-2002	सामाजिक न्याय और समानता	• कॉलेजों का विस्तार और सुधार • स्वायत्त कॉलेजों का विकास • पाठ्यक्रमों को अपडेट करना • शिक्षकों को प्रशिक्षित करना • अनुसंधान को मजबूती प्रदान करना
दसवीं योजना	2002-2007	सतत विकास	-
ग्यारहवीं योजना	2007-2012	समावेशी विकास	सुनिश्चित करना कि सभी की शिक्षा तक पहुंच हो
बारहवीं योजना	2012-2017	तेज सतत और समावेशी विकास	-

नीति आयोग (NITI Aayog)

वर्ष 2015 में, योजना आयोग को बदलकर नीति (राष्ट्रीय भारत परिवर्तन संस्थान) आयोग बना दिया गया, जो आयोजना और विकास के लिए अधिक विकेंद्रीकृत और समावेशी दृष्टिकोण पर केंद्रित है।

- **शुरूआत**- 1 जनवरी, 2015।
- **प्रकार**- यह भारत में शीर्ष सलाहकार निकाय है, लेकिन यह गैर-सांविधिक है (गैर-सांविधिक निकाय वह संगठन होता है जिसे सरकार के कार्यकारी आदेश द्वारा बनाया जाये, विधि द्वारा नहीं)।
- **मुख्य भूमिका**- भारत की आर्थिक वृद्धि को बढ़ावा देने के लिए नीतियां बनाना।
- **दृष्टि**- एक मजबूत और गतिशील राष्ट्र का निर्माण करना, भारत को एक प्रमुख वैश्विक अर्थव्यवस्था बनाना।
- **संरचना**- इसके दो मुख्य भाग हैं
  - टीम इंडिया हब- राज्यों को केंद्र सरकार के साथ कार्य करने के लिए प्रोत्साहित करता है।
  - ज्ञान और नवाचार हब- नए विचारों और समाधानों का विकास करता है।

नीति आयोग के उद्देश्य (Objectives of NITI Aayog)

1. **विकास के लिए साझा दृष्टिकोण**- राज्यों के साथ मिलकर देश के विकास के लिए एक सामान्य योजना बनाना।
2. **सहकारी संघवाद**- केंद्र और राज्य सरकारों की सुचारू रूप से कार्य करने में मदद करना।
3. **स्थानीय स्तर की योजना**- ग्राम स्तर से योजनाएं विकसित करना और उन्हें उच्च स्तर की सरकार तक ले जाना।
4. **आर्थिक नीति में राष्ट्रीय सुरक्षा**- आर्थिक योजना में राष्ट्रीय सुरक्षा को शामिल करना।
5. **समावेशी विकास**- यह सुनिश्चित करना कि सभी लोग आर्थिक प्रगति से लाभान्वित हों, विशेष रूप से कम सुविधा प्राप्त लोग।
6. **रणनीतिक और दीर्घकालिक योजना**- सतत विकास के लिए दीर्घकालिक योजनाएं बनाना।
7. **परामर्श और साझेदारी**- राष्ट्रीय और अंतर्राष्ट्रीय विशेषज्ञों और संस्थानों के साथ परामर्श और साझेदारी को प्रोत्साहित करना।
8. **नवाचार और उद्यमिता का समर्थन**- सहयोग के माध्यम से नवाचार और नए व्यावसायिक विचारों का समर्थन करना।
9. **निगरानी और मूल्यांकन**- कार्यक्रमों और पहलों की सक्रिय रूप से निगरानी और मूल्यांकन करना, सफलता के लिए आवश्यक संसाधनों की पहचान करना।
10. **प्रौद्योगिकी और क्षमता निर्माण**- कार्यक्रमों को बेहतर तरीके से लागू करने के लिए प्रौद्योगिकी और कौशल में सुधार करना।

नीति आयोग की प्रशासनिक संरचना (Administrative Structure of NITI Aayog)

- **अध्यक्ष**- भारत के प्रधानमंत्री नीति आयोग के अध्यक्ष होते हैं।
- **उपाध्यक्ष**- प्रधानमंत्री द्वारा चुना गया व्यक्ति जो संगठन का नेतृत्व करने में मदद करता है।
- **शासी परिषद**- इस समूह में सभी भारतीय राज्यों के मुख्यमंत्री और संघ राज्यक्षेत्रों के उपराज्यपाल शामिल होते हैं। ये मिलकर निर्णय लेते हैं।
- **क्षेत्रीय परिषद**- इसमें एक क्षेत्रीय परिषद भी होती है जो विभिन्न क्षेत्रों के विशिष्ट मुद्दों पर ध्यान केंद्रित करती है।
- **तदर्थ सदस्य**- शीर्ष अनुसंधान संस्थानों के दो सदस्य, जो चक्रीय आधार पर सेवा प्रदान करते हैं।
- **पदेन सदस्य**- प्रधानमंत्री द्वारा चुने गये अधिकतम चार केंद्रीय मंत्री परिषद के सदस्य हो सकते हैं।
- **मुख्य कार्यकारी अधिकारी (सीईओ)**- प्रधानमंत्री द्वारा एक विशिष्ट अवधि के लिए नियुक्त किया जाता है। सीईओ का दर्जा शीर्ष सरकारी अधिकारी (भारत सरकार के सचिव) के समान होता है।
- **विशेष आमंत्रित सदस्य**- विभिन्न क्षेत्रों के विशेषज्ञ और जानकार व्यक्ति, जिन्हें प्रधानमंत्री उनके ज्ञान और विशेषज्ञता के लिए आमंत्रित कर सकते हैं।

तालिका 32.19 नीति आयोग और योजना आयोग की तुलना

विशेषता	नीति आयोग	योजना आयोग
भूमिका	सलाहकार थिंक टैंक	केंद्रीय योजना निकाय
विशेषज्ञता	कई विशेषज्ञ शामिल होते हैं।	सीमित संख्या में विशेषज्ञ थे।
राज्यों की भागीदारी	राज्य समान साझेदार हैं।	राज्यों की सीमित भूमिका थी।
सचिव	प्रधानमंत्री द्वारा नियुक्त सीईओ	नियमित प्रक्रिया के माध्यम से नियुक्ति।
योजना दृष्टिकोण	नीचे से ऊपर की ओर (स्थानीय स्तर)	ऊपर से नीचे की ओर (केंद्रीय स्तर)
नीति लागू करना	नीतियों को लागू नहीं कर सकता।	नीतियों को लागू कर सकता था।
धन आवंटन	धन आवंटित नहीं कर सकता।	धन आवंटित कर सकता था।

क्विज स्टेशन *विगत UGC NET परीक्षाओं के प्रश्न*

प्र.1. विश्वविद्यालय अनुदान आयोग द्वारा द्वितीय पंचवर्षीय योजना के दौरान निम्नलिखित में से कौने से कदम उठाये गये हैं?

(6 दिसंबर 2023 - शिफ्ट 1)

A. तीन वर्षीय डिग्री पाठ्यक्रम की शुरूआत।

B. पुस्तकालयों एवं प्रयोगशालाओं में सुधार।

C. विश्वविद्यालयों के शिक्षकों के वेतन में वृद्धि।

D. विश्वविद्यालयों में किसी भी नये विभाग को स्वीकृति नहीं दी गयी।

E. सभी भारतीय विश्वविद्यालयों में स्थानीय भाषाओं के अतिरिक्त हिन्दी को शिक्षा का वैकल्पिक माध्यम बनाया गया।

(a) केवल A, B और C (b) केवल B, C और D

(c) केवल C, D और E (d) केवल A, D और E

उत्तर 1. (a)

32.11 राष्ट्रीय शिक्षा नीति (National Education Policy (2020))

राष्ट्रीय शिक्षा नीति (एनईपी) 2020 का उद्देश्य भारतीय शैक्षिक प्रणाली को अधिक आधुनिक, लचीली और वर्तमान एवं भविष्य की आवश्यकताओं के अनुकूल बनाना है। यह भारत में स्कूली और उच्च शिक्षा, दोनों में सुधार पर केंद्रित है। एनईपी 2020 के पांच बुनियादी स्तंभ निम्नवत हैं-

1. **पहुंच**- सभी बच्चों की गुणवत्तापूर्ण शिक्षा तक पहुंच सुनिश्चित करना।
2. **समानता**- सभी छात्रों को उनकी पृष्ठभूमि की परवाह किये बिना समान अवसर प्रदान करना।
3. **गुणवत्ता**- शिक्षा की गुणवत्ता को वैश्विक मानकों के अनुरूप बढ़ाना।
4. **वहनीयता (किफायती)**- समाज के सभी वर्गों के लिए शिक्षा को वहनीय (किफायती) बनाना।
5. **जवाबदेही**- शैक्षिक संस्थानों को उच्च गुणवत्ता वाली शिक्षा प्रदान करने के लिए जवाबदेह ठहराना।

तालिका 32.20 एनईपी, 2020 के लिए समयरेखा

तारीख	घटनाक्रम
मई 2016	नई शिक्षा नीति बनाने के लिए एक समिति का गठन किया गया।इसकी अध्यक्षता स्वर्गीय टी. एस. आर. सुब्रमण्यम ने की थी।
जून 2017	शिक्षा नीति का मसौदा तैयार करने के लिए एक नई समिति का गठन किया गया। इसकी अध्यक्षता डॉ. के. कस्तूरीरंगन ने की थी।
मई 2019	नई शिक्षा नीति का मसौदा प्रस्तुत किया गया।
2020	राष्ट्रीय शिक्षा नीति, 2020 को मंजूरी दी गयी और जारी किया गया।

तालिका 32.21 राष्ट्रीय शिक्षा नीति (एनईपी) का इतिहास

वर्ष	नीति	मुख्य विशेषताएं
1968	*राष्ट्रीय शिक्षा नीति (पहली एनईपी)*	कोठारी आयोग द्वारा अनुशंसित
1986	राष्ट्रीय शिक्षा नीति (दूसरी एनईपी)	• छात्रों के लिए 14 वर्ष की आयु तक निशुल्क और व्यापक शिक्षा। • 10+2+3 स्वरूप की शुरुआत की • डीआईईटी, एससीएचई और एनएएसी की स्थापना की
1992	संशोधित कार्यक्रम (संशोधित एनईपी	• जनार्दन रेड्डी की अध्यक्षता में • ऑपरेशन ब्लैकबोर्ड की शुरुआत की • आंगनवाड़ियों और बालवाड़ियों (प्री-स्कूल) की स्थापना की • मध्याह्न भोजन कार्यक्रमों की शुरुआत की गयी। • यूजीसी नेट, जेईई, एआईईईई परीक्षाओं की शुरुआत की गयी।
2020	नई शिक्षा नीति 2020 (तीसरी एनईपी	शिक्षा प्रणाली का व्यापक सुधार विभिन्न सुधारों और समग्र विकास पर ध्यान केंद्रित किया गया है

नोट- 1968, 1986 और 1992 की राष्ट्रीय शिक्षा नीतियों पर अध्याय 31 (स्वतंत्रता पूर्व और पश्चात् आयोग) में विस्तार से चर्चा की गई है।

एनईपी 2020 के तहत महत्वपूर्ण सुधार (Important Reforms under NEP 2020)

1. **निशुल्क और अनिवार्य शिक्षा**- एनईपी, 2020 में शिक्षा का अधिकार अधिनियम में संशोधन करने की सिफारिश की गयी है ताकि 6 से 14 वर्ष तक के बच्चों को नि:शुल्क और अनिवार्य शिक्षा को विस्तार देकर 6 से 18 वर्ष तक किया जा सके। यद्यपि यह संशोधन अभी तक नहीं हुआ है।
2. **वैश्विक शिक्षा लक्ष्य**- राष्ट्रीय शिक्षा नीति, 2020 सतत विकास 2030 के एजेंडा के लक्ष्य 4 (एसडीजी4) के साथ संरेखित है। वर्ष 2015 में भारत द्वारा अपनाये गये इस लक्ष्य का उद्देश्य सभी के लिए समावेशी और गुणवत्तापूर्ण शिक्षा प्रदान करना और वर्ष 2030 तक जीवन भर सीखने के अवसरों को बढ़ावा देना है।
3. **मंत्रालय का नाम बदलना**- एनईपी, 2020 के तहत, मानव संसाधन विकास मंत्रालय का नाम बदलकर शिक्षा मंत्रालय कर दिया गया है ताकि इसकी भूमिका के बारे में बेहतर स्पष्टता हो सके।
4. **निवेश में वृद्धि**- केंद्र और राज्य सरकारें शिक्षा में सार्वजनिक निवेश बढ़ाने के लिए मिलकर कार्य करेंगी। शिक्षा पर जीडीपी का 6 प्रतिशत तक निवेश करने के लक्ष्य तक शीघ्रातिशीघ्र पहुंचना है। यह बढ़ा हुआ वित्त पोषण शिक्षा प्रणाली के विस्तार और सुधार में सहायक होगा।

एनईपी, 2020 के तहत स्कूली शिक्षा में सुधार (Reforms in School Education under NEP 2020)

1. **नया स्कूली संरचना (New School Structure)**- वर्तमान 10+2 प्रणाली को एक नए 5+3+3+4 ढांचे से बदला जाएगा।
   - **5 वर्ष**- आधारभूत चरण (प्री-स्कूल और कक्षा 1-2)
   - **3 वर्ष**- प्रारंभिक चरण (कक्षा 3-5)
   - **3 वर्ष**- मध्य चरण (कक्षा 6-8)
   - **4 वर्ष**- माध्यमिक चरण (कक्षा 9-12), इसके बाद उच्च शिक्षा
2. **शिक्षा तक सार्वभौमिक पहुंच (Universal Access to Education)**- लक्ष्य यह है कि सभी बच्चों को प्री-स्कूल से माध्यमिक स्कूल तक शिक्षा तक पहुंच सुनिश्चित की जाए। वर्ष 2030 तक 100% सकल नामांकन अनुपात (जीईआर) प्राप्त करने का लक्ष्य। नीति मौजूदा पहलों को मजबूत करके और नए समर्थन तंत्रों को पेश करके 2 करोड़ स्कूल से बाहर के बच्चों को वापस शिक्षा प्रणाली में लाने का भी लक्ष्य रखती है।
3. **वंचित समूहों के लिए समर्थन (Support for Disadvantaged Groups)**- सामाजिक और आर्थिक रूप से वंचित समूहों (एसईडीजी) पर विशेष ध्यान दिया जाएगा ताकि यह सुनिश्चित किया जा सके कि उन्हें शिक्षा तक पहुंच प्राप्त हो।
4. **अनुभवात्मक अधिगम (Experential Learning)**- अनुभवयुक्त शिक्षा और आलोचनात्मक सोच पर जोर।
5. **शिक्षण का माध्यम (Medium of Instructions)**- शिक्षण का माध्यम कक्षा 5 तक मातृभाषा या क्षेत्रीय भाषा होगा। यह दृष्टिकोण बच्चों को उनके प्रारंभिक वर्षों में बेहतर समझने और सीखने में मदद करता है।
6. **व्यावसायिक शिक्षा (Vocational Education)**- कक्षा 6 से व्यावसायिक प्रशिक्षण शुरू होगा, जिससे छात्रों को प्रारंभिक व्यावहारिक कौशल का अनुभव मिलेगा। यह उन्हें भविष्य के करियर के लिए तैयार करता है और उनके सीखने के अनुभव को बढ़ाता है।
7. **मूल्यांकन सुधार (Assessment Reforms)**- नए मूल्यांकन तरीकों में 360-डिग्री समग्र प्रगति कार्ड शामिल होगा जो छात्र की प्रगति की पूर्ण तस्वीर देगा। पारंपरिक रिपोर्ट कार्डों के विपरीत जो केवल शैक्षणिक प्रदर्शन पर ध्यान केंद्रित करते हैं, यह प्रगति कार्ड कौशल और क्षमताओं की एक विस्तृत श्रृंखला का मूल्यांकन करेगा, जिसमें संज्ञानात्मक, भावनात्मक और सामाजिक पहलू शामिल हैं। इसके अतिरिक्त, कक्षा 10 और 12 के लिए बोर्ड परीक्षाएं मुख्य दक्षताओं पर अधिक ध्यान केंद्रित करेंगी और आसान बनाई जाएंगी।
8. **स्कूल क्लस्टर (School Clusters)**- स्कूल संसाधनों को साझा करने और प्रशासन में सुधार के लिए क्लस्टर बनाए जाएंगे।
9. **स्कूल गुणवत्ता मूल्यांकन (School Quality Assessment)**- राज्य शैक्षिक अनुसंधान और प्रशिक्षण परिषद (एससीईआरटी) स्कूल गुणवत्ता मूल्यांकन और मान्यता ढांचा (एसक्यूएएएफ) विकसित करेगी ताकि स्कूल की गुणवत्ता का मूल्यांकन और उसमें सुधार किया जा सके।

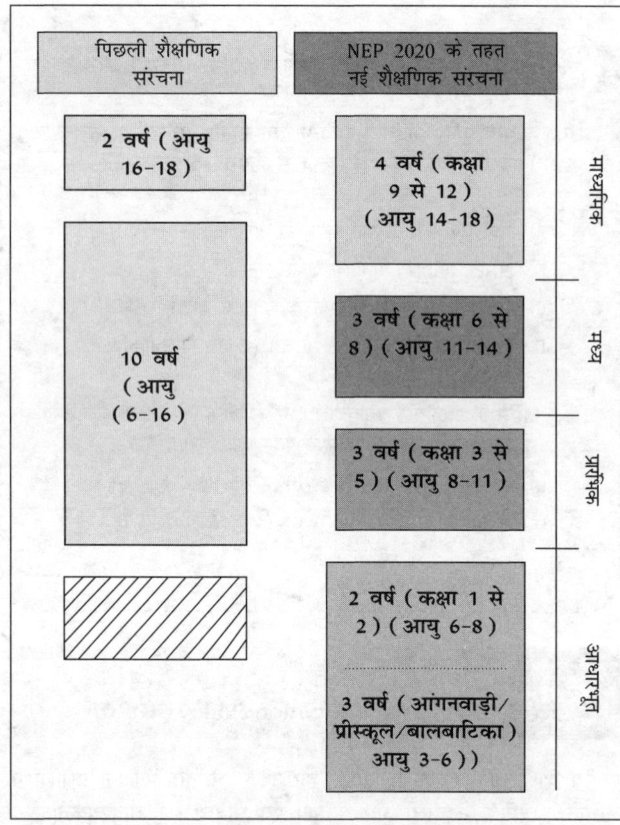

चित्र 32. पुराने शैक्षणिक स्वरूप और नए शैक्षणिक स्वरूप (एनईपी 2020 के तहत) की तुलना

एनईपी, 2020 के तहत उच्च शिक्षा में सुधार (Reforms in Higher Education under NEP 2020)

1. **चार-वर्षीय स्नातक कार्यक्रम**- बहु निकास विकल्पों के साथ बहु-विषयक चार-वर्षीय स्नातक डिग्री कार्यक्रम को फिर से प्रस्तुत करना।
2. **बहु-प्रवेश और निकास बिंदु**- छात्र अपनी पढ़ाई से ब्रेक ले सकते हैं और बाद में अपनी पिछली प्रगति को बिना गवाए वापस आ सकते हैं। उन्हें विभिन्न चरणों में उपयुक्त प्रमाणपत्र प्राप्त होंगे, जैसे-
   - 1 वर्ष के बाद- सर्टिफिकेट
   - 2 वर्ष के बाद- एडवांस्ड डिप्लोमा
   - 3 वर्ष के बाद- बैचलर डिग्री
   - 4 वर्ष के बाद- रिसर्च के साथ बैचलर
3. **एकेडमिक बैंक ऑफ क्रेडिट्स (एबीसी)**- एकेडमिक बैंक ऑफ क्रेडिट्स स्थापित किया जाएगा ताकि छात्रों को उनके एकेडमिक क्रेडिट को विभिन्न संस्थानों के बीच संग्रहीत और स्थानांतरित करने में मदद मिल सके। इस प्रणाली से छात्रों के लिए पाठ्यक्रम या कॉलेज बदलना आसान हो जाएगा।

4. **सकल नामांकन अनुपात (जीईआर) में वृद्धि**- लक्ष्य 2035 तक उच्च शिक्षा में जीईआर को 26.3% से 50% तक बढ़ाना है, जिससे 3.5 करोड़ और सीटें जुड़ेंगी।
5. **संबद्धता प्रणाली को चरणबद्ध तरीके से समाप्त करना**- अगले 15 वर्षों में, वर्तमान संबद्धता प्रणाली को चरणबद्ध तरीके से समाप्त कर दिया जाएगा। कॉलेजों को अपने पाठ्यक्रम को डिजाइन करने और अपने प्रशासन संरचनाओं को स्वतंत्र रूप से प्रबंधित करने के लिए अधिक स्वायत्तता प्राप्त होगी।
6. **एम. फिल कार्यक्रम को बंद करना**- एम. फिल कार्यक्रम को बंद कर दिया जाएगा।
7. **लचीला पाठ्यक्रम**- छात्रों को अपनी रुचियों और करियर लक्ष्यों के आधार पर अपने विषयों को चुनने और बदलने की स्वतंत्रता होगी। इस लचीलेपन से अधिक व्यक्तिगत शिक्षा का अनुभव प्राप्त हो सकेगा। तकनीकी, स्वास्थ्य विज्ञान, विधि और कृषि जैसे क्षेत्रों में व्यावसायिक शिक्षा मुख्यधारा की उच्च शिक्षा का हिस्सा बन जाएगी, जिसका उद्देश्य अधिक बहु-विषयक दृष्टिकोण है।
8. **बहु-विषयक संस्थान**- एनईपी का लक्ष्य, बड़े, बहु-विषयक विश्वविद्यालयों और कॉलेजों का निर्माण करके उच्च शिक्षा में सुधार करना है। वर्ष 2040 तक, सभी उच्च शिक्षा संस्थानों को बहु-विषयक बनाने का लक्ष्य रखना चाहिए, जो विभिन्न विषयों और पाठ्यक्रमों की पेशकश करते हों। इन्हें ज्ञान हब नामक समूहों में वर्गीकृत किया जाएगा, जिनमें से प्रत्येक का लक्ष्य कम से कम 3,000 छात्रों को रखनाहोगा।

यह विचार प्राचीन भारतीय विश्वविद्यालयों जैसे तक्षशिला, नालंदा, वल्लभी और विक्रमशिला से प्रेरित है। ये विश्वविद्यालय भारत और अन्य देशों के हजारों छात्रों के साथ विभिन्न विषयों का अध्ययन प्रस्तुत करते थे। उनकी सफलता यह दिखाती है कि बड़े, बहु-विषयक विश्वविद्यालय कितने प्रभावी हो सकते हैं।

भारत का उच्च शिक्षा आयोग (Higher Education Commission of India) (HECI)

भारत का उच्च शिक्षा आयोग (एचईसीआई) एक नया निकाय है जिसे भारत में उच्च शिक्षा में सुधार के लिए डिजाइन किया गया है। इसे शिक्षा मंत्रालय द्वारा प्रस्तावित किया गया था और राष्ट्रीय शिक्षा नीति (एनईपी) 2020 में इस पर चर्चा की गयी थी। एचईसीआई का उद्देश्य उच्च शिक्षा के प्रबंधन को सरल बनाना और उसमें सुधार करना है। एचईसीआई वर्तमान नियामक निकायों जैसे यूजीसी और एआईसीटीई को प्रतिस्थापित करेगा। एचईसीआई के चार स्वतंत्र खंड होंगे, जिनमें से प्रत्येक का अपना कार्य होगा (तालिका 32.22)

तालिका 32.22 भारत के उच्च शिक्षा आयोग (एचईसीआई) की संरचना

संक्षिप्त नाम	परिषद	भूमिका	काय
एनएचईआरसी	राष्ट्रीय उच्च शिक्षा नियामक परिषद	उच्च शिक्षा के लिए मुख्य विनियामक (चिकित्सा और कानूनीविधि को छोड़कर	• नियम निर्धारित करता है। • संस्थानों को मंजूरी देता है। • मानकों का पालन सुनिश्चित करता है।
एनएएसी	राष्ट्रीय मूल्यांकन एवं प्रत्यायन परिषद	गुणवत्ता परीक्षा	• मान्यता की देखरेख करता है। • शासन, छात्र परिणाम, रोजगार, और अनुसंधान में मानकों को सुनिश्चित करता है।
एचईजीसी	उच्च शिक्षा अनुदान परिषद (राष्ट्रीय उच्च शिक्षा वित्त पोषण परिषद या एनएचईएफसी के रूप में भी जाना जाता है)	वित्त प्रबंधक	• प्रदर्शन और प्राथमिकताओं के आधार पर निधि और छात्रवृत्ति आवंटित करता है।
जीईसी	सामान्य शिक्षा परिषद	शिक्षण परिणाम निर्धारित करता है।	• उच्च शिक्षा कार्यक्रमों में छात्रों को क्या सीखना चाहिए (जिसे 'स्नातक गुण' कहा जाता है) को परिभाषित करता है। • यह राष्ट्रीय कौशल योग्यता ढांचे (एनएसक्यूएफ) के साथ सरेखित होगा ताकि व्यावसायिक शिक्षा को उच्च शिक्षा में एकीकृत किया जा सके।

एनईपी, 2020 के तहत शिक्षक प्रशिक्षण में सुधार (Reforms in Teacher Training under NEP 2020)

1. **शिक्षक शिक्षा के लिए राष्ट्रीय पाठ्यक्रम ढांचा (एनसीएफटीई)**- एनसीएफटीई को पारदर्शी भर्ती और शिक्षकों के लिए योग्यता-आधारित पदोन्नति के लिए स्थापित किया जाएगा।
2. **शिक्षकों के लिए राष्ट्रीय व्यावसायिक मानक (एनपीएसटी)**- उच्च शिक्षण मानकों को बनाए रखने और शिक्षा की गुणवत्ता सुनिश्चित करने के लिये एनपीएसटी का निर्माण किया गया है। इन दिशा-निर्देशों से सटीक फ्रेमवर्क, जो शिक्षार्थियों के अधिगम में प्रभावी तरीके से सहायक होने हेतु आवश्यक योग्यता, समझ, अभ्यास, अभिरूचियाँ और ज्ञान को रेखांकित करता है, को बनाने में मदद मिलेगी।
3. **बी.एड. कार्यक्रम में परिवर्तन**- वर्ष 2030 तक, शिक्षण के लिए न्यूनतम योग्यता 4-वर्षीय एकीकृत बी.एड. डिग्री होगी। इन सभी बी.एड. कार्यक्रमों में भावी शिक्षकों को व्यावहारिक अनुभव देने के लिए स्थानीय स्कूलों में छात्र-शिक्षण शामिल होगा।

4. **छात्रवृत्तियाँ**– उत्कृष्ट छात्र, विशेष रूप से ग्रामीण क्षेत्रों से, 4-वर्षीय एकीकृत बी.एड. कार्यक्रमों में अध्ययन करने के लिए छात्रवृत्तियाँ प्राप्त करेंगे। इससे शिक्षण पेशे में सर्वश्रेष्ठ प्रतिभाओं को आकर्षित करने में मदद मिलेगी।
5. **शिक्षक पात्रता परीक्षाएँ (टीईटी)**– उच्च गुणवत्ता वाले शिक्षण मानकों को सुनिश्चित करने के लिए टीईटी को मजबूत किया जाएगा, जो विषय ज्ञान और शिक्षण कौशल दोनों पर ध्यान केंद्रित करेंगे। एनईपी में सभी स्कूल शिक्षा चरणों को कवर करने के लिए टीईटी का विस्तार भी शामिल है।
6. **निजी स्कूल शिक्षकों के लिए योग्यताएँ**– निजी स्कूलों के शिक्षकों को भी टीईटी पास करने और साक्षात्कार में अपना शिक्षण कौशल दिखाने और स्थानीय भाषाओं का ज्ञान रखने जैसी अतिरिक्त आवश्यकताओं को पूरा करने की आवश्यकता होगी।

तालिका 32.23 एनईपी, 2020 के तहत प्रमुख शैक्षिक निकाय/पहल और उनकी भूमिकाएँ

संक्षिप्त नाम	निकाय	भूमिका
एनआईएफ एलएन	राष्ट्रीय साक्षरता और संख्यात्मकता संस्थान	एक पहल जिसका उद्देश्य भारत में हर बच्चे को एक निश्चित आयु तक मूलभूत पढ़ने, लिखने और गणित कौशल प्राप्त करना है।
पीएसएसबी	व्यावसायिक मानक निर्धारण निकाय (जीईसी का हिस्सा)	उच्च गुणवत्ता वाली शिक्षा सुनिश्चित करने के लिए व्यावसायिक पाठ्यक्रमों के लिए मानक निर्धारित करना।
एनआईएचई	राष्ट्रीय उच्च शिक्षा संस्थान	कॉलेजों और विश्वविद्यालयों से संबंधित अनुसंधान विषय।
एनईटीएफ	राष्ट्रीय शैक्षिक प्रौद्योगिकी मंच	शिक्षा में सीखने, मूल्यांकन और प्रबंधन के लिए प्रौद्योगिकी के उपयोग को बढ़ावा देना।
एनआरएफ	राष्ट्रीय अनुसंधान फाउंडेशन	सभी विषयों में अनुसंधान का वित्त पोषण करना। विश्वविद्यालयों में एक मजबूत अनुसंधान संस्कृति का निर्माण करना।
एमईआरयू	बहुविषयक शिक्षा और अनुसंधान विश्वविद्यालय	नए विश्वविद्यालयों की स्थापना करना जो बहुविषयक शिक्षा के मॉडल हों, जो आईआईटी और आईआईएम के समकक्ष हों।
एनआईटीआर	राष्ट्रीय जनजातीय अनुसंधान संस्थान	जनजातीय समुदायों के महत्वपूर्ण मुद्दों जैसे शिक्षा और स्वास्थ्य पर अनुसंधान करना।
पीएआरएकेएच	समग्र विकास के लिए ज्ञान का प्रदर्शन, समीक्षा, और विश्लेषण	छात्रों का मूल्यांकन करना और विदेशी विश्वविद्यालयों को भारत में परिसरों की स्थापना करने में सक्षम बनाना।
जीआईएफ	लैंगिक समावेशन कोष	सभी बालिकाओं और ट्रांसजेंडर छात्रों के लिए शिक्षा के समान अवसरों को बढ़ावा देना।
एसईजेड	विशेष शिक्षा क्षेत्र	वंचित क्षेत्रों में शैक्षिक असमानताओं को दूर करना।
आईआईटीआई	भारतीय अनुवाद और भाषांतरण संस्थान	अनुवाद और भाषांतरण सिखाना और अनुसंधान करना। भारतीय भाषाओं को वैश्विक स्तर पर प्रचारित करना।
एनआईपीपीपी	पाली, फारसी, और प्राकृत के लिए राष्ट्रीय संस्थान	पाली, फारसी, और प्राकृत जैसी भाषाओं को सिखाना और संरक्षित करना।
एनआईसीएल	राष्ट्रीय शास्त्रीय भाषा संस्थान	भारत की शास्त्रीय भाषाओं जैसे संस्कृत और तमिल को सिखाने पर ध्यान केंद्रित करना।

क्विज स्टेशन *विगत UGC NET परीक्षाओं के प्रश्न*

प्र.1. एनईपी-2020 के माध्यम से कौन-सा एसडीजी लक्ष्य पूरा हो रहा है?

(a) लक्ष्य 8 (b) लक्ष्य 12
(c) लक्ष्य 4 (d) लक्ष्य 15

प्र.2. राष्ट्रीय शिक्षा नीति, 2020 ने निम्नलिखित में से किस ओर आगे बढ़ने की सिफारिश की है- *(4 सितंबर 2024 - शिफ्ट 2)*

(a) उपनगरीय विश्वविद्यालय
(b) एकल-विषय विश्वविद्यालय
(c) बहु-विषयक विश्वविद्यालय
(d) विशेषीकृत विश्वविद्यालय

प्र.3. एनईपी 2020 के अनुसार, भारत के उच्च शिक्षा आयोग (एचईसीआई) का पहला खंड क्या होगा?

(a) राष्ट्रीय प्रत्यायन परिषद (एनएसी)
(b) राष्ट्रीय शिक्षा नियामक परिषद (एनएचईआरसी)
(c) सामान्य शिक्षा परिषद (जीईसी)
(d) उच्च शिक्षा अनुदान परिषद (एचईजीसी)

उत्तर 1. (c) 2. (c) 3. (b)

अध्याय के मुख्य बिंदु

योजना आयोग (नीति आयोग द्वारा प्रतिस्थापित)

- **स्थापना**- 1950
- **स्थिति**- गैर-वैधानिक निकाय
- **लक्ष्य**- पंचवर्षीय योजनाएँ बनाना
- **अन्य प्रमुख उद्देश्य**-
  - वृद्धि दर बढ़ाना
  - समृद्धि लाना
  - आत्मनिर्भरता
  - औद्योगिकीकरण
  - असमानता कम करना
  - संसाधनों का कुशल उपयोग

नीति आयोग

- **स्थापना** 2015
  - **स्थिति**- सलाहकार निकाय लेकिन गैर-वैधानिक
  - **मुख्य भूमिका**- भारत की आर्थिक वृद्धि को बढ़ावा देने के लिए नीतियाँ बनाना।
- **दृष्टि**- एक मजबूत और गतिशील राष्ट्र का निर्माण करना, जिससे भारत एक प्रमुख वैश्विक अर्थव्यवस्था बने।
- **भाग**-
  - टीम इंडिया हब
  - ज्ञान और नवाचार हब

राष्ट्रीय शिक्षा नीति, (2020)

महत्वपूर्ण सुधार
- 18 वर्ष तक निःशुल्क और अनिवार्य शिक्षा
- एसडीजी 4 के साथ सरेखण
- एमएचआरडी का नाम बदलकर एमओई किया गया
- निवेश में वृद्धि (जीडीपी का 6%)

स्कूली शिक्षा में सुधार
- 5+3+3+4 संरचना
- 100% जीईआर
- कक्षा 5 तक मातृभाषा को माध्यम के रूप में प्रयोग करना

उच्च शिक्षा में सुधार
- चार-वर्षीय स्नातक कार्यक्रम
- कई प्रवेश और निकास बिंदु
- 2035 तक 50% जीईआर
- एम. फिल कार्यक्रम को बंद करना
- एचईसीआई की स्थापना (एचईसीआई के 4 अंग- एनएचईआरसी, एनएसी, एचईजीसी, जीईसी)

शिक्षक प्रशिक्षण में सुधार
- शिक्षक शिक्षा के लिए राष्ट्रीय पाठ्यक्रम ढांचा (एनसीएफटीई)
- शिक्षकों के लिए राष्ट्रीय व्यावसायिक मानक (एनपीएसटी)
- 4-वर्षीय बी.एड. कार्यक्रम
- शिक्षक पात्रता परीक्षाएँ (टीईटी)

प्रत्यायन निकाय

राष्ट्रीय मूल्यांकन एवं प्रत्यायन परिषद (एनएएसी)

(कॉलेजों और विश्वविद्यालयों का उनकी शिक्षा की गुणवत्ता निर्धारित करने के लिए मूल्यांकन और प्रत्यायन करता है)
- **स्थापना**- 1994
- **स्थिति**- स्वायत्त निकाय
- **स्थापित**- यूजीसी द्वारा

मूल्यांकन के 7 मानदंड-
- पाठ्यक्रम पहलू
- शिक्षण-अधिगम और मूल्यांकन
- अनुसंधान, परामर्श और विस्तार
- अवसंरचना और शिक्षण संसाधन
- छात्रों को सहायता और प्रगति
- शासन, नेतृत्व, और प्रबंधन
- नवाचार और सर्वोत्तम प्रथाएँ

राष्ट्रीय प्रत्यायन बोर्ड (एनबीए)

(तकनीकी संस्थानों द्वारा प्रस्तुत किये गये कार्यक्रमों की गुणवत्ता का मूल्यांकन करता है)
- **स्थापना** - 1994
- **स्थिति**- स्वायत्त निकाय
- **स्थापना**- एआईसीटीई अधिनियम की धारा 10 (u) के तहत

राष्ट्रीय संस्थागत रैंकिंग फ्रेमवर्क (एनआईआरएफ)

(देश भर में संस्थानों को रैंक करने के लिए एक पद्धति प्रदान करता है)
- **स्थापना**- 2015
- **स्थापित**- शिक्षा मंत्रालय (एमओई) के तहत
- **मूल्यांकन**- राष्ट्रीय प्रत्यायन बोर्ड (एनबीए) द्वारा
- **पहली रैंकिंग जारी**- अप्रैल, 2016

कौशल आधारित शिक्षा

(विभिन्न पेशों के लिए आवश्यक व्यावहारिक प्रशिक्षण और विशिष्ट कौशल प्रदान करने पर केंद्रित है)
- **शासी निकाय**- एमएसडीई
- **एनएसक्यूएफ**- ज्ञान, कौशल और योग्यता के स्तरों की श्रृंखला के अनुसार पात्रता का आयोजन करता है।

विश्वविद्यालयों के प्रकार

केन्द्रीय विश्वविद्यालय
- **स्थापना**- संसद के अधिनियम द्वारा
- **वित्त पोषित और प्रबंधित**- केंद्र सरकार द्वारा

राज्य विश्वविद्यालय
- **स्थापना**- राज्य विधानमंडल के अधिनियम द्वारा
- **वित्त पोषित और प्रबंधित**- संबंधित राज्य सरकार द्वारा
- **अतिरिक्त वित्त पोषण**- केंद्र सरकार से (यूजीसी अधिनियम, 1956 की धारा 12 (बी) के अनुसार)

मानित विश्वविद्यालय
- **स्थिति**- यूजीसी की सिफारिश पर केंद्र सरकार द्वारा (यूजीसी अधिनियम, 1956 की धारा 3 के तहत)
- पाठ्यक्रम डिजाइनिंग और प्रशासन में अधिक स्वायत्तता प्राप्त होती है।

निजी विश्वविद्यालय
- **स्थापना**- राज्य विधानमंडल के अधिनियम द्वारा
- **वित्त पोषित और प्रबंधित**- निजी संस्थाओं द्वारा
- यूजीसी अधिनियम, 1956 की धारा 22 के अनुसार डिग्री प्रदान कर सकते हैं।

राष्ट्रीय महत्व के संस्थान (आईएनआई)
- **नामित**- संसद के अधिनियम द्वारा
- **मान्यता प्राप्त**- शिक्षा और अनुसंधान में उत्कृष्टता के लिए
- **उदाहरण**- आईआईटी, एनआईटी, एम्स और आईआईएसईआर

उत्कृष्टता संस्थान (आईओई)
- **चयन**- एमओई द्वारा
- अधिक स्वायत्तता और वित्तीय सहायता।
- **उदाहरण**- आईआईएससी बैंगलोर, आईआईटी

मेटा विश्वविद्यालय
- **प्रस्तुत**- यूजीसी द्वारा
- **प्रस्तुति का समय**- योजना आयोग की 12वीं योजना अवधि के दौरान
- **उद्देश्य**- प्रौद्योगिकी के माध्यम से विभिन्न विश्वविद्यालयों के साथ शिक्षण संसाधनों को साझा करना

भाषा विश्वविद्यालय
- **उद्देश्य**- भाषाई विरासत को बढ़ावा देना
- **विश्वविद्यालयों की संख्या**- 6

नियामक निकाय

विश्वविद्यालय अनुदान आयोग
- **स्थापना**- 1949
- **स्थिति**- वैधानिक निकाय
- **स्थापना**- राधाकृष्णन आयोग द्वारा

कार्य
- सलाहकार भूमिका
- विश्वविद्यालय शिक्षा को बढ़ावा देना और समन्वय करना
- मानक स्थापित करना
  (यूजीसी अधिनियम की धारा 12 के अनुसार)
- धन वितरित करना
  (यूजीसी से वित्तीय सहायता प्राप्त करने के लिए, कॉलेजों को यूजीसी अधिनियम, 1956 की धारा 2(च) और धारा 12(ख) के तहत मान्यता प्राप्त होनी चाहिए)

नीति निर्माण निकाय

- **एमओई/एमएचआरडी**
  (स्कूलों से लेकर विश्वविद्यालयों तक सभी स्तरों की शिक्षा की देखरेख करता है)
- **राज्य परिषदें**
  (विभिन्न सरकारी निकायों और विश्वविद्यालयों के बीच समन्वय के लिए राज्य परिषदों और सलाहकार बोर्डों की स्थापना)
- **केब, 1920**
  (शैक्षणिक नीतियों पर सलाह देता है)
- **भारतीय विश्वविद्यालय संघ एआईयू (1925)**
  (विदेशी विश्वविद्यालयों के पाठ्यक्रमों, पाठ्यचर्या, मानकों और क्रेडिट का मूल्यांकन करता है तथा उनकी तुलना भारतीय विश्वविद्यालयों द्वारा प्रदान किए जाने वाले पाठ्यक्रमों से करता है)

मुक्त और दूरस्थ शिक्षा (ओडीएल) कार्यक्रम

(छात्रों को वहां भौतिक रूप से उपस्थित हुए बिना अध्ययन करने की अनुमति देता है)

इंदिरा गांधी राष्ट्रीय मुक्त विश्वविद्यालय (इग्नू)
- **स्थापना**- 20 सितंबर, 1985
- **स्थिति**- वैधानिक निकाय
- **विकेंद्रीकरण**- 5 क्षेत्र
- **साक्षात पोर्टल**- छात्रों, शिक्षकों और पेशेवरों को निशुल्क, आजीवन सीखने के अवसर प्रदान करता है
- **अंतर्राष्ट्रीय सहयोग**-
  - साकोडिल
  - जीएमयूनेट

राज्य मुक्त विश्वविद्यालय (एमओयू)
पहला एमओयू- डॉ. बी. आर. अंबेडकर मुक्त विश्वविद्यालय (बीआरएओयू)

तकनीकी शिक्षा

(व्यापार, शिल्प, या पेशे, विशेष रूप से विज्ञान, इंजीनियरिंग, और प्रौद्योगिकी के क्षेत्रों में विशिष्ट कौशल सिखाने पर केंद्रित है।)
- **शासी निकाय**- एआईसीटीई
- **महत्वपूर्ण संस्थान**-
  - आईआईटी - भारतीय प्रौद्योगिकी संस्थान
  - एनआईटी - राष्ट्रीय प्रौद्योगिकी संस्थान
  - आईआईआईटी - भारतीय सूचना प्रौद्योगिकी संस्थान
  - एनआईटीटीटीआर - राष्ट्रीय तकनीकी शिक्षक प्रशिक्षण एवं अनुसंधान संस्थान
  - आईआईएम - भारतीय प्रबंधन संस्थान

उच्च शिक्षा में डिजिटल पहलें (Digital Initiatives in Higher Education)

33

इस अध्याय में

*परीक्षोपयोगी (Exam Essential): UGC NET परीक्षा में पूछे जाने की अत्यधिक संभावना,

परिचय (Introduction)

एक ऐसी दुनिया की कल्पना कीजिए जहाँ कक्षा चार दीवारों से परे हो, और ज्ञान एक क्लिक की दूरी पर हो। भारतीय शिक्षा और अनुसंधान की डिजिटल क्रांति में आपका स्वागत है! सरकार ने तकनीक-संचालित पहलों की एक लहर शुरू की है जो पारंपरिक शिक्षा को एक उच्च-तकनीकी कार्य क्षेत्र में बदल रही है।

वर्चुअल कक्षाओं की कल्पना कीजिए जहाँ दूरदराज के गाँवों के छात्र प्रमुख शिक्षकों के साथ बातचीत कर सकते हैं, या डिजिटल पुस्तकालयों जो ई-पुस्तकों, वीडियो और इंटरैक्टिव सिमुलेशनों से युक्त हैं।

तैयार हो जाइए क्योंकि भारत शिक्षा और अनुसंधान के क्षेत्र में तेजी से आगे बढ़ रहा है, जो अधिगम को खोज और नवाचार की एक रोमांचक यात्रा बना रहा है!

महत्वपूर्ण नोट

डिजिटल पहलें यूजीसी नेट पेपर 1 में एक प्रमुख विषय है, क्योंकि यह पाठ्यक्रम की तीन विभिन्न इकाइयों से जुड़ा है-

- इकाई 1- शिक्षण योग्यता
- इकाई 8- आईसीटी
- इकाई 10- उच्च शिक्षा

आपके लिए विषय को आसान बनाने के लिए, हमने इन इकाइयों से डिजिटल पहलों संबंधी सभी प्रमुख जानकारियों को एक अध्याय में संयोजित किया है। इस तरह, आप अपने अध्ययन सत्र को सुगम और अधिक प्रभावी बनाने के लिए एक ही स्थान पर सारे विषय को पा सकते हैं।

33.1 शिक्षा के क्षेत्र में डिजिटल पहलें (Digital Initiatives in the field of Education)

1. **सूचना और संचार प्रौद्योगिकी के माध्यम से राष्ट्रीय शिक्षा मिशन (NMEICT)**- यह एक पहल है जो भारतीय उच्च शिक्षा संस्थानों में प्रौद्योगिकी का उपयोग करके शिक्षा में सुधार करने के लिए तैयार की गई है। इसका उद्देश्य शैक्षिक सामग्री बनाने, इंटरनेट कनेक्टिविटी प्रदान करने और छात्रों और संस्थानों दोनों की उपकरणों तक पहुंच सुनिश्चित करके शिक्षण और अधिगम को अधिक प्रभावी बनाना है। यह किसी भी समय और कहीं भी अधिगम के अवसरों को सक्षम बनाता है।

   इस विषय को सरल बनाने वाले वीडियो व्याख्यान को देखने के लिए इस QR कोड को स्कैन करें

   NMEICT के हिस्से के रूप में, विश्वविद्यालयों को उच्च गति इंटरनेट कनेक्टिविटी से सुसज्जित किया गया है, जिसमें कई संस्थानों को 1 Gbps कनेक्टिविटी और 14,000 से अधिक कॉलेजों को वर्चुअल प्राइवेट नेटवर्क (VPN) कनेक्टिविटी प्राप्त हो रही है।

2. **शैक्षिक संचार संघ (CEC)**- यह भारत के विश्वविद्यालय अनुदान आयोग (UGC) द्वारा शुरू की गई एक महत्वपूर्ण परियोजना है। इसका लक्ष्य टीवी और सूचना संचार प्रौद्योगिकी (ICT) का उपयोग करके कॉलेज और विश्वविद्यालय के छात्रों की अधिगम आवश्यकताओं को पूरा करना है। इसे 1984 में पूरे देश में प्रसारित किए जाने वाले कार्यक्रमों के साथ शुरू किया गया था।

   1993 तक, CEC एक समूह में विकसित हो गया जो 21 मीडिया केंद्रों में शैक्षिक शो बनाने के प्रबंधन में मदद करने लगा। CEC के प्राथमिक उद्देश्यों में मीडिया केंद्रों के बीच सहयोग को सुविधाजनक बनाना, शैक्षिक सामग्री साझा करना, शिक्षण सामग्री विकसित करना, कार्यक्रम की गुणवत्ता को बढ़ाने के लिए अनुसंधान, विशेषज्ञ सामग्री निर्माण में, और शैक्षिक पहुँच का विस्तार करने के लिए नवीन प्रौद्योगिकियों का अन्वेषण करना शामिल है।

3. **शिक्षा और अनुसंधान नेटवर्क (ERNET)**- ERNET इंडिया एक गैर-लाभकारी संगठन है जो इलेक्ट्रॉनिक्स और सूचना प्रौद्योगिकी मंत्रालय द्वारा संचालित है। 1986 से, यह भारत में शैक्षिक और अनुसंधान संस्थानों को उन्नत प्रौद्योगिकी अवसंरचना प्रदान करके मदद कर रहा है।

   ERNET ने भारत में इंटरनेट की शुरुआत की और विभिन्न सेवाएं जैसे कि आईसीटी परियोजनाओं में मदद करना, डोमेन पंजीकरण, वेब-होस्टिंग, और विश्वविद्यालयों में डिजिटल कक्षाओं और वाई-फाई नेटवर्क की स्थापना करने में मदद प्रदान करता है। यह शीर्ष शैक्षणिक संस्थानों के साथ साझेदारी में क्वांटम संचार, LiFi, और इंटरनेट ऑफ थिंग्स (IoT) जैसी नई और उभरती प्रौद्योगिकियों पर भी काम करता है।

4. **ई-पाठशाला**- इसे केंद्रीय शैक्षिक प्रौद्योगिकी संस्थान (CIET) द्वारा NCERT के तहत बनाया गया है, जो भारत में अधिगम के लिए एक ऑनलाइन केंद्र है। यह एक बड़ी डिजिटल लाइब्रेरी है जो छात्रों और शिक्षकों के लिए अध्ययन उपकरणों से युक्त है। CIET और NCERT ने ई-पाठशाला बनाई ताकि हर कोई, चाहे वे कहीं भी रहते हों या उनके पास कितने भी पैसे हों, निशुल्क में अच्छे शिक्षा संसाधन प्राप्त कर सकें।

   छात्र ई-पाठशाला पर NCERT पाठ्यपुस्तकें (कक्षा 1 से 12), वीडियो, ऑडियो, और इंटरैक्टिव पाठ, अभ्यास प्रश्न, संदर्भ सामग्री जैसे विश्वकोश, और शैक्षिक खेल उपलब्ध हैं। यह प्राथमिक से उच्चतर माध्यमिक स्तर तक गणित, विज्ञान, और भाषाओं जैसे कई विषयों को कवर करता है, शिक्षक कक्षाओं को और अधिक रोचक बनाने के लिए पाठ योजनाओं और वर्कशीट्स जैसी अतिरिक्त शिक्षण सामग्री भी प्राप्त कर सकते हैं।

   इसके अलावा, ई-पाठशाला का उपयोग करना भी बहुत आसान है। आप जो चाहते हैं उसे जल्दी प्राप्त कर सकते हैं, और यह विभिन्न भाषाओं (हिंदी, अंग्रेजी, उर्दू, आदि) में उपलब्ध है ताकि हर कोई समझ सके। इस प्लेटफार्म को लैपटॉप, डेस्कटॉप, टैबलेट, और स्मार्टफोन जैसे उपकरणों पर आसानी से पहुंच के लिए तैयार किया गया है। ई-पाठशाला का मोबाइल एप्लिकेशन 5 मिलियन से अधिक बार डाउनलोड किया गया है।

5. **ई-पीजी पाठशाला**- ई-पीजी पाठशाला MHRD (अब MoE) के तहत NMEICT की एक पहल है। इसे विश्वविद्यालय अनुदान आयोग (UGC) द्वारा प्रबंधित किया जाता है। परियोजना के अंतर्गत उच्च गुणवत्ता वाली शैक्षिक सामग्री निर्मित की जाती है। ई-पीजी पाठशाला कुल मिलाकर 70 विभिन्न विषयों की एक विस्तृत श्रृंखला को कवर करती है।

   ये विषय सामाजिक विज्ञान, कला, ललित कला, मानविकी, प्राकृतिक और गणितीय विज्ञान, भाषाविज्ञान, और भाषाओं सहित विभिन्न क्षेत्रों को कवर करते हैं। ई-पीजी पाठशाला पर उपलब्ध सामग्री को भारत के विश्वविद्यालयों और अनुसंधान संस्थानों के विशेषज्ञों द्वारा विकसित किया गया है।

6. **वर्चुअल लर्निंग एनवायरनमेंट (VLE)**- यह दिल्ली विश्वविद्यालय के इंस्टीट्यूट ऑफ लाइफ लॉन्ग लर्निंग द्वारा निर्मित एक ऑनलाइन प्लेटफार्म है। 2012 में परिकल्पित इस प्लेटफॉर्म को 2020 में लॉन्च किया गया, VLE स्नातक और स्नातकोत्तर छात्रों के लिए विभिन्न ई-संसाधन प्रदान करता है। इस प्लेटफार्म पर छात्रों की विविध शैक्षिक आवश्यकताओं को पूरा करने के लिए उन्नत मूडल मॉडल का उपयोग किया जाता है जो दिल्ली विश्वविद्यालय और अन्य संस्थानों के विद्यार्थियों की आवश्यकतायों को पूरा करता है।

7. **साक्षात पोर्टल**- यह एक डिजिटल प्लेटफार्म है जिसे शिक्षा मंत्रालय द्वारा शैक्षिक पहुंच और संसाधनों को बढ़ाने के लिए लॉन्च किया गया है। यह छात्रों, शिक्षकों, और शोधकर्ताओं के लिए ई-लर्निंग उपकरण, ऑनलाइन पाठ्यक्रम, और शैक्षिक सामग्री की एक विस्तृत श्रृंखला प्रदान करता है।

   20,000 से अधिक संसाधनों के साथ विभिन्न प्रारूपों और विषयों में उपलब्ध, इस पोर्टल का उद्देश्य भारत में शिक्षा की गुणवत्ता में सुधार करना है। साक्षात पोर्टल डिजिटल लर्निंग के लिए एक व्यापक, वन-स्टॉप समाधान के रूप में कार्य करता है, जिसका उद्देश्य प्रौद्योगिकी के माध्यम से शैक्षिक अनुभव को समृद्ध करना है।

8. **राष्ट्रीय शैक्षिक प्रौद्योगिकी गठबंधन (NEAT)**- NEAT को अखिल भारतीय तकनीकी शिक्षा परिषद (AICTE) द्वारा 2019 में शुरू किया गया, यह एक कार्यक्रम है जो आर्टिफिशियल इंटेलिजेंस (AI) का उपयोग करके अधिगम को अधिक व्यक्तिगत और प्रत्येक छात्र की आवश्यकताओं के अनुरूप बनाता है।

   NEAT भारत में, सरकार (AICTE के माध्यम से) और शिक्षा प्रौद्योगिकी कंपनियों के मध्य एक सार्वजनिक-निजी भागीदारी मॉडल के रूप में कार्य करता है। इस पहल की निगरानी शिक्षा मंत्रालय द्वारा की जाती है। यह कार्यक्रम निजी प्रौद्योगिकी कंपनियों को एक मंच पर लाकर नए अधिगम उपकरण बनाने और प्रस्तुत करने के लिए काम करता है। AICTE राष्ट्रीय NEAT प्लेटफॉर्म का प्रबंधन करती है, जहां छात्र इन उपकरणों का उपयोग कर सकते हैं जबकि निजी कंपनियां अधिगम के समाधान बनाएंगी और इस प्लेटफार्म के माध्यम से छात्र पंजीकरण का प्रबंधन करेंगी।

9. **सारांश**- यह केंद्रीय माध्यमिक शिक्षा बोर्ड (CBSE) द्वारा बच्चों की शिक्षा में सुधार के लिए विकसित किया गया एक उपकरण है। यह स्कूलों और माता-पिता को एक साथ मिलकर छात्रों की शिक्षा के बारे में सूचित निर्णय लेने के लिए उपयोगी डेटा प्रदान करके बेहतर सहयोग में मदद करता है।

   स्कूल सारांश का उपयोग करके उन क्षेत्रों की पहचान कर सकते हैं जहां छात्रों, शिक्षकों, या पाठ्यक्रम में सुधार की आवश्यकता है और बदलाव करने के लिए कार्रवाई कर सकते हैं। 2015 में एक मोबाइल ऐप के रूप में लॉन्च सारांश, माता-पिता और छात्रों को उनके परिणामों को स्कूल, राज्य, और राष्ट्रीय स्तर पर देखने और तुलना करने की सुविधा देता है, जिससे वह अपने प्रदर्शन का बेहतर मूल्यांकन कर सकते हैं।

चित्र 33.1 ऑनलाइन लर्निंग

10. **शाला सिद्धि**- यह राष्ट्रीय स्कूल मानक और मूल्यांकन कार्यक्रम (NPSSE) के तहत एक कार्यक्रम है, जिसे भारत में स्कूल शिक्षा की गुणवत्ता बढ़ाने के लिए तैयार किया गया है। इसे राष्ट्रीय शैक्षिक योजना और प्रशासन संस्थान (NIEPA) द्वारा शिक्षा मंत्रालय (पूर्व में मानव संसाधन विकास मंत्रालय), के समर्थन से शुरू किया गया था। इस कार्यक्रम का उद्देश्य एक विस्तृत मूल्यांकन प्रक्रिया के माध्यम से स्कूल प्रदर्शन का आकलन और सुधार करना है।

    यह कार्यक्रम एक फ्रेमवर्क का उपयोग करता है, जिसे स्कूल मानक और मूल्यांकन फ्रेमवर्क (SSEF) कहा जाता है, जो स्कूलों का निरंतर और व्यापक मूल्यांकन करता है। यह फ्रेमवर्क स्कूलों में सुधार की आवश्यकता वाले क्षेत्रों की पहचान करने और उनका समाधान करने में मदद करता है।

    शाला सिद्धि की एक प्रमुख विशेषता स्कूल मूल्यांकन डैशबोर्ड है। इस उपकरण के द्वारा स्कूल एक समेकित मूल्यांकन रिपोर्ट प्रस्तुत सुविधा करते हैं, जिसमें उन क्षेत्रों को उजागर किया जाता है जहां उन्हें बदलाव करने की आवश्यकता होती है। एकत्रित डेटा का उपयोग विभिन्न प्रशासनिक स्तरों-क्लस्टर, ब्लॉक, जिला, राज्य और राष्ट्रीय-पर सामान्य मुद्दों की पहचान करने और बेहतर स्कूल प्रदर्शन के लिए हस्तक्षेपों को लक्षित करने के लिए किया जाता है। डैशबोर्ड और स्कूल मानकों के प्रबंधन के लिए ऐप इस उद्देश्य के साथ विकसित किए जा रहे हैं, कि मूल्यवान अंतर्दृष्टि प्रदान की जा सके और स्कूल शिक्षा में क्रमिक सुधार को बढ़ावा दिया जा सके।

11. **ई-आचार्य**- ई-आचार्य NMEICT के तहत शिक्षकों के पेशेवर विकास का समर्थन करने के लिए विकसित एक ऑनलाइन प्लेटफॉर्म है। यह विज्ञान, कला, अभियांत्रिकी, और समाज विज्ञान सहित विभिन्न विधाओं में ई-अधिगम का संग्रह करता है।

    यह NMEICT के तहत विकसित और वित्त-पोषित सभी ई-अधिगम परियोजनाओं हेतु वेब आधारित इंटरफेस प्रदान करता है। 35 से अधिक परियोजनाओं की विषय सामग्री को इस पर अपलोड किया गया है, और कुछ सामग्री जोड़ी जा रही है, जिसमें NPTEL, ई-पीजी पाठशाला, NCERT और अन्य शैक्षिक संस्थानों से संसाधन सम्मिलित हैं।

    यह प्लेटफॉर्म शिक्षकों को नवीनतम शिक्षण विधियों और तकनीकों से अपडेट रहने के अवसर प्रदान करता है, जिससे वे अपने छात्रों के लिए आकर्षक और इंटरैक्टिव शिक्षण अनुभव बना सकते हैं। शिक्षण प्रथाओं में निरंतर सुधार को बढ़ावा देकर, ई-आचार्य शिक्षकों को कक्षा में अपनी प्रभावशीलता बढ़ाने में सशक्त बनाता है।

12. **शिक्षण में वार्षिक पुनश्चर्या कार्यक्रम (ARPIT)**- मानव संसाधन विकास मंत्रालय (अब शिक्षा मंत्रालय) ने 13 नवंबर 2018 को ऑनलाइन वार्षिक पुनश्चर्या कार्यक्रम (ARPIT) शुरू किया। इसका उद्देश्य उच्च शिक्षा में लगभग 15 लाख शिक्षकों को उनके शिक्षण कौशल को बढ़ाने में मदद करना है। यह कार्यक्रम SWAYAM प्लेटफॉर्म के माध्यम से ऑनलाइन पाठ्यक्रम प्रदान करता है, जो देशभर के शिक्षकों के लिए उपलब्ध है। **विश्वविद्यालय अनुदान आयोग** (UGC) ARPIT को पारंपरिक पुनश्चर्या पाठ्यक्रमों के समकक्ष मान्यता देता है, जो शिक्षकों को कैरियर उन्नति योजना (CAS) के तहत अपने करियर में आगे बढ़ने के लिए आवश्यक होते हैं। इसका अर्थ है कि ARPIT पाठ्यक्रमों को पूरा करके, शिक्षक अपनी कुछ पेशेवर विकास आवश्यकताओं को पूरा कर सकते हैं और अपनी शिक्षण क्षमताओं में सुधार कर सकते हैं।

13. **ज्ञान साझा करने के लिए डिजिटल अवसंरचना (DIKSHA)**- DIKSHA, शिक्षा मंत्रालय की एक पहल है, यह दुनिया का सबसे बड़ा शैक्षिक मंच है जो शिक्षकों को उच्च गुणवत्ता वाले शिक्षण और अधिगम के संसाधनों, निर्देशात्मक सामग्री और पेशेवर विकास पाठ्यक्रमों तक पहुंच प्रदान करती है। 80 लाख से अधिक पंजीकृत उपयोगकर्ताओं और हजारों इंटरैक्टिव पाठों और शैक्षिक वीडियो के साथ, DIKSHA का उद्देश्य शिक्षकों की प्रभावशीलता को बढ़ाना, अधिगम के परिणामों में सुधार करना और स्कूलों और शैक्षिक संस्थानों में शिक्षाशास्त्र में नवाचार को बढ़ावा देना है।

14. **स्कूल प्रमुखों और शिक्षकों की समग्र उन्नति हेतु राष्ट्रीय पहल (NISHTHA)**- 2020 में शुरू किया गया, NISHTHA एक प्रमुख प्रशिक्षण कार्यक्रम है जिसे भारत में 42 लाख सरकारी शिक्षकों के कौशल में सुधार हेतु तैयार किया गया है। इसका उद्देश्य शिक्षकों को छात्रों में आलोचनात्मक सोच को प्रोत्साहित करने की उनकी क्षमता को विकसित करने में मदद करना है। यहाँ NISHTHA के विभिन्न संस्करणों का विवरण दिया गया है-

    - **NISHTHA 1.0**- अगस्त 2020 में शुरू हुआ, यह ऑनलाइन पाठ्यक्रम प्राथमिक और उच्च प्राथमिक स्तर के शिक्षकों के लिए है। इसका उद्देश्य 30 राज्यों और केंद्र शासित प्रदेशों में लगभग 24 लाख शिक्षकों और प्रधानाचार्यों को 11 भाषाओं में प्रशिक्षित करना है।
    - **NISHTHA 2.0**- जुलाई 2021 में शुरू किया गया, यह पाठ्यक्रम माध्यमिक और वरिष्ठ माध्यमिक शिक्षकों के लिए लक्षित है। इसका उद्देश्य सभी राज्यों और केंद्र शासित प्रदेशों में लगभग 10 लाख शिक्षकों और प्रधानाचार्यों को प्रशिक्षित करना है।
    - **NISHTHA 3.0**- सितंबर 2021 में शुरू किया गया, यह संस्करण प्रारंभिक साक्षरता और संख्यात्मकता (FLN) पर केंद्रित है, जो पूर्व-प्राथमिक से 5वीं कक्षा के शिक्षकों के लिए है। यह DIKSHA पोर्टल पर उपलब्ध है और इसका उद्देश्य लगभग 25 लाख शिक्षकों और स्कूल प्रमुखों को प्रशिक्षित करना है।
    - **NISHTHA 4.0**- यह आगामी संस्करण भी DIKSHA प्लेटफॉर्म पर उपलब्ध होगा और इसका उद्देश्य 36 राज्यों और केंद्र शासित प्रदेशों में लगभग 25 लाख पूर्व-प्राथमिक और प्राथमिक स्कूल शिक्षकों और प्रमुखों तक पहुंचना है।

15. **राष्ट्रीय शैक्षणिक निक्षेपागार (NAD)**- NAD का अर्थ राष्ट्रीय शैक्षणिक निक्षेपागार है। यह एक केंद्रीकृत ऑनलाइन प्लेटफॉर्म है जिसे शैक्षणिक दस्तावेजों को डिजिटल रूप से संग्रहीत, सत्यापित और प्रमाणित करने के लिए विकसित किया गया है। NAD का उद्देश्य वास्तविक प्रमाणपत्रों की आवश्यकता को समाप्त करना और शैक्षणिक रिकॉर्ड को इलेक्ट्रॉनिक प्रारूप में सुरक्षित रखना है।

क्विज स्टेशन *विगत UGC NET परीक्षाओं के प्रश्न*

प्र.1. निम्नलिखित में से कौन-सा सभी शैक्षणिक अवाड्र्स जैसे प्रमाणपत्र, डिप्लोमा, डिग्री, अंकतालिका आदि का ऑनलाइन भंडार है? *(7 दिसंबर 2023 - शिफ्ट 2)*

(a) SWAYAM

(b) राष्ट्रीय डिजिटल पुस्तकालय

(c) राष्ट्रीय शैक्षणिक पुस्तकालय

(d) राष्ट्रीय शैक्षणिक निक्षेपागार

प्र.2. "SHREYAS" मानव संसाधन विकास मंत्रालय, भारत सरकार द्वारा शुरू की गई योजना है। निम्नलिखित में से इस योजना का प्राथमिक उद्देश्य क्या है?

(a) गरीब पृष्ठभूमि के योग्य डिग्री कॉलेज के छात्रों को निशुल्क शिक्षा प्रदान करना।

(b) कौशल-आधारित इंजीनियरिंग कॉलेजों के योग्य छात्रों को छात्रवृत्ति प्रदान करना।

(c) उद्यमशील आकांक्षाओं वाले कॉलेज छात्रों को ऋण प्रदान करना।

(d) B.A., B.Sc., और B.Com. पाठ्यक्रमों के गैर-तकनीकी छात्रों को उद्योग शिक्षुता या प्रशिक्षण के अवसर प्रदान करना।

प्र.3. NISHTHA है-

A. प्राथमिक स्तर पर अधिगम के परिणामों में सुधार के लिए एक राष्ट्रीय मिशन

B. भारत पुनर्वास परिषद द्वारा अपने कर्मचारियों के लिए शुरू किया गया एक कार्यक्रम

C. एकीकृत शिक्षक प्रशिक्षण के माध्यम से स्कूल शिक्षा की गुणवत्ता में सुधार के लिए क्षमता निर्माण कार्यक्रम

D. विश्वविद्यालय अनुदान आयोग द्वारा शुरू किया गया एक कार्यक्रम

नीचे दिए गए विकल्पों में से सही उत्तर चुनें-

(a) (A) और (B) केवल (b) (B) और (D) केवल

(c) (A) और (C) केवल (d) (A) और (D) केवल

प्र.4. निम्नलिखित में से कौन सा एक निर्णय समर्थन तंत्र है जो लोगों को अपने बच्चों के भविष्य के लिए सर्वोत्तम निर्णय लेने में मदद करता है?

(a) ई-पाठशाला (b) सारांश

(c) शाला सिद्धि (d) आत्म-मूल्यांकन

प्र.5. DIKSHA का पूरा नाम क्या है- *(4 मार्च 2023 - शिफ्ट 1)*

(a) डिजिटल इन्फ्रस्ट्रक्चर फॉर नॉलेज शेरिंग

(b) डिस्ट्रिक्ट इंस्टिट्यूट फॉर नॉलेज शेरिंग

(c) डाटा इनफार्मेशन फॉर नॉलेज शेरिंग

(d) डिजिटल इंस्टीट्यूशन फॉर नॉलेज शेरिंग

प्र.6. वह संस्थान जिसे आईटी विभाग द्वारा भारत में शैक्षणिक अनुसंधान संस्थानों को संचार बुनियादी फ्रेमवर्क और सेवाएं प्रदान करने के लिए प्रोत्साहित किया गया है, वह है

(a) INFLIBNET (b) UGC

(c) ERNET (d) उपरोक्त में से कोई नहीं

उत्तर 1.(d) 2.(d) 3.(c) 4.(b) 5.(a) 6.(c)

★★★ परीक्षोपयोगी

आईआईटी द्वारा डिजिटल पहल (Digital Initiatives by IITs)

1. नेशनल प्रोग्राम ऑन टेक्नोलॉजी एन्हांस्ड लर्निंग (एनपीटीईएल)- कई लोग आईआईटी में प्रवेश लेने की इच्छा रखते हैं। क्या होगा अगर आप इस सपने को हकीकत बना सकें? कल्पना कीजिए कि आप अपने घर से ही आईआईटी के शिक्षकों और प्रोफेसरों से पढ़ सकते हैं! नेशनल प्रोग्राम ऑन टेक्नोलॉजी एन्हांस्ड लर्निंग (एनपीटीईएल) शिक्षा मंत्रालय की एक विशेष परियोजना है, जिसे सात भारतीय प्रौद्योगिकी संस्थानों (बॉम्बे, दिल्ली, कानपुर, खड़गपुर, मद्रास, गुवाहाटी और रुड़की) और भारतीय विज्ञान संस्थान, बेंगलुरु (2003) द्वारा शुरू किया गया था।

इस विषय को सरल बनाने वाले वीडियो व्याख्यान को देखने के लिए इस QR कोड को स्कैन करें

इसका उद्देश्य आईआईटी से अधिगम के इच्छुक किसी भी व्यक्ति को गुणवत्तापूर्ण शिक्षा प्रदान करना है। इसका प्राथमिक उद्देश्य वेब और वीडियो पाठ्यक्रमों को विकसित करना था जो सभी प्रमुख इंजीनियरिंग शाखाओं, भौतिक विज्ञानों (स्नातक और स्नातकोत्तर स्तर पर) और प्रबंधन पाठ्यक्रमों (स्नातकोत्तर स्तर पर) को कवर करते हैं।

एनपीटीईएल कई ऑनलाइन पाठ्यक्रम प्रदान करता है, जिन्हें इन प्रसिद्ध संस्थानों के प्रोफेसरों द्वारा पढ़ाया जाता है। ये पाठ्यक्रम शिक्षार्थियों को इंजीनियरिंग, विज्ञान और प्रबंधन जैसे विषयों को स्पष्ट और संरचित तरीके से समझने में मदद करने के लिए तैयार किए गए हैं। इसमें यांत्रिक इंजीनियरिंग से लेकर कंप्यूटर विज्ञान और गणित से लेकर प्रबंधन तक के विषयों को शामिल किया गया है।

एनपीटीईएल शिक्षार्थियों को कई लाभ प्रदान करता है। यह अधिगम में लचीलापन प्रदान करता है, जिससे, शिक्षार्थी अपनी गति और सुविधा के अनुसार अध्ययन कर सकते हैं। चाहे शहरी क्षेत्रों में रह रहे हों या दूरदराज के क्षेत्रों में, शिक्षार्थी इंटरनेट कनेक्टिविटी के साथ किसी भी स्थान से एनपीटीईएल पाठ्यक्रमों का उपयोग कर सकते हैं, यह सुनिश्चित करते हुए कि शिक्षा सभी के लिए सुलभ है। इसके अतिरिक्त, एनपीटीईएल पाठ्यक्रमों में नामांकन करने के लिए कोई शुल्क नहीं लेता है, यह इंटरनेट कनेक्शन वाले किसी भी , शिक्षार्थी के लिए वित्तीय बाधाओं को समाप्त करता है और गुणवत्तापूर्ण शिक्षा उपलब्ध कराता है।

इसके अतिरिक्त, एनपीटीईएल पाठ्यक्रम को पूरा करने पर प्रमाणपत्र प्रदान करता है। इस प्रमाणपत्र को कंपनियों और कॉलेजों द्वारा मान्यता प्राप्त है, जिससे यह आपके रिज्यूमे के लिए काफी मूल्यवान है। ये प्रमाणपत्र शिक्षार्थियों के रिज्यूमे में काफी मूल्यवान हैं, जो एनपीटीईएल पाठ्यक्रमों के माध्यम से प्राप्त कौशल और ज्ञान को प्रमाणित करते हैं और उनके करियर की संभावनाओं को बढ़ाते हैं।

2. **आईआईटी बॉम्बेएक्स**- आईआईटी बॉम्बेएक्स एक ऑनलाइन लर्निंग प्लेटफॉर्म है जिसे प्रतिष्ठित भारतीय प्रौद्योगिकी संस्थान (आईआईटी), बॉम्बे द्वारा विकसित किया गया है। 2014 में लॉन्च किया गया, यह ओपन एडएक्स प्लेटफॉर्म पर संचालित होता है और शिक्षा मंत्रालय के आईसीटी (NMEICT) के माध्यम से राष्ट्रीय शिक्षा मिशन द्वारा समर्थित है। यह प्लेटफॉर्म विभिन्न अध्ययन क्षेत्रों में विविध विषयों को कवर करने वाले पाठ्यक्रमों की एक विस्तृत श्रृंखला प्रदान करता है।

   आईआईटी बॉम्बेएक्स मिश्रित शिक्षा पर जोर देने, ऑनलाइन पाठ्यक्रम सामग्री को व्यक्तिगत शिक्षण विधियों के साथ एकीकृत करने के लिए जाना जाता है। इस दृष्टिकोण को आईआईटी बॉम्बे के मिश्रित शिक्षण - एमओओसी मॉडल (बीएलएमएम) के रूप में जाना जाता है, जिसका उद्देश्य अधिगम अनुभवों की प्रभावशीलता को बढ़ाना है।

3. **ओपन-सोर्स कोर्सवेयर एनिमेशन रिपॉजिटरी (ओएससीएआर)**- यह एक डिजिटल प्लेटफॉर्म है जिसे आईआईटी बॉम्बे द्वारा लॉन्च किया गया है जो इंटरैक्टिव एनिमेशन और सिमुलेशन का संग्रह प्रदान करता है, जिन्हें लर्निंग ऑब्जेक्ट्स (एलओ) के रूप में जाना जाता है। ये एलओ कॉलेज-स्तरीय विज्ञान और इंजीनियरिंग के साथ-साथ स्कूल-स्तरीय गणित और विज्ञान सहित विभिन्न विषयों को कवर करते हैं।

   ओएससीएआर छात्रों और शिक्षकों को इन शैक्षिक उपकरणों को देखने, चलाने और डाउनलोड करने की सुविधा प्रदान करता है, जिससे अधिगम अधिक आकर्षक और प्रभावी हो जाता है। दृश्य सहायता और इंटरैक्टिव अनुभव प्रदान करके, ओएससीएआर का उद्देश्य जटिल अवधारणाओं की समझ को सरल और विकसित करना है।

4. **टॉक टू ए टीचर**- शिक्षक से बात करें आईआईटी बॉम्बे द्वारा शुरू किया गया एक कार्यक्रम है, जहां दूरदराज के क्षेत्रों के छात्र वीडियो कॉन्फ्रेंसिंग के माध्यम से अनुभवी संकाय सदस्यों के साथ बातचीत कर सकते हैं। यह छात्रों को व्यक्तिगत शैक्षणिक समर्थन और मार्गदर्शन प्रदान करता है, जिससे उन्हें संदेह को दूर करने और जटिल अवधारणाओं को समझने में मदद मिलती है। शिक्षक से बात करें शिक्षा में समावेशिता और पहुंच को बढ़ावा देता है, जो वंचित क्षेत्रों के छात्रों तक पहुंचता है। इसकी प्रमुख विशेषताएं हैं-

   - **निशुल्क पहुंच** - कोई भी बिना किसी लागत के पाठ्यक्रमों का उपयोग कर सकता है, जिससे उन्नत शिक्षा अधिक सुलभ हो जाती है।
   - **ऑनलाइन उपलब्धता** - पाठ्यक्रम ऑनलाइन उपलब्ध हैं और इन्हें इंटरनेट कनेक्शन के साथ व्यक्तिगत कंप्यूटर का उपयोग करके एक्सेस किया जा सकता है, भले ही इंटरनेट की गति कम हो।
   - **पंजीकरण की आवश्यकता नहीं**- पाठ्यक्रमों का उपयोग करने के लिए पंजीकरण की आवश्यकता नहीं है, क्योंकि वे बिना किसी औपचारिक मूल्यांकन या प्रमाणन के केवल अधिगम के लिए हैं।
   - **पाठ्यक्रम सामग्री** - IIT बॉम्बे की कक्षाओं में व्याख्यान लाइव रिकॉर्ड किए जाते हैं। हालांकि, यह ध्यान रखना महत्वपूर्ण है कि वे पूरे पाठ्यक्रम की सामग्री को कवर नहीं कर सकते हैं।

5. **अमृता वर्चुअल इंटरएक्टिव ई-लर्निंग वर्ल्ड (A-VIEW सॉफ्टवेयर)**- A-VIEW एक पुरस्कार विजेता मल्टीमीडिया ई-लर्निंग प्लेटफॉर्म है जो लगभग एक वास्तविक कक्षा के अनुभव के समान एक इमर्सिव ई-लर्निंग अनुभव प्रदान करता है, जिसे अमृता ई-लर्निंग रिसर्च लैब द्वारा विकसित किया गया है।

   A-VIEW, IIT बॉम्बे द्वारा समन्वित 'टॉक टू ए टीचर' कार्यक्रम का हिस्सा है। A-VIEW का उपयोग मुख्य रूप से शिक्षकों के प्रशिक्षण के लिए किया जाता है। यह भारत की उच्च शिक्षा प्रणाली की आज की सबसे महत्वपूर्ण समस्याओं में से एक को संबोधित करता है- लाखों छात्र जो सीखना चाहते हैं लेकिन उनके पास अच्छी तरह से योग्य शिक्षक नहीं हैं जो उन्हें प्रशिक्षित कर सकें। A-VIEW के साथ, एक अच्छा शिक्षक एक ही समय में भारत के विभिन्न स्थानों पर हजारों छात्रों को व्यक्तिगत रूप से पढ़ा सकता है।

6. **ई-कल्प** - ई-कल्प, जिसे डिजाइन हेतु डिजिटल लर्निंग परिवेश निर्मित करने हेतु बनाया गया है, यह शिक्षा मंत्रालय द्वारा NMEICT के तहत शुरू की गई एक पहल है। इसका उद्देश्य डिजिटल संसाधनों के माध्यम से तकनीकी शिक्षा को बढ़ाना है।

   ई-कल्प डिजाइन में 160 विभिन्न पाठ्यक्रम प्रदान करता है। यह छात्रों को डिजाइन के बारे में अधिगम प्राप्त करने में मदद करने के लिए वीडियो, एनिमेशन, सिमुलेशन और वर्चुअल लैब जैसी ऑनलाइन सामग्री प्रदान करता है। यह एक ऐसा मंच भी बनाता है जहां डिजाइन में छात्र और पेशेवर जुड़ सकते हैं और विचार साझा कर सकते हैं।

   यह परियोजना IIT बॉम्बे में इंडस्ट्रियल डिजाइन सेंटर (IDC), बैंगलोर में NID, IIT गुवाहाटी में DOD और अन्य डिजाइन स्कूलों और संगठनों के साथ एक संयुक्त प्रयास है। वे यह सुनिश्चित करने के लिए मिलकर काम करते हैं कि यह परियोजना डिजाइन अधिगम के लिए उपयोगी संसाधनों की एक विस्तृत श्रृंखला प्रदान करे।

7. **ई-यंत्र** - ई-यंत्र IIT बॉम्बे द्वारा चलाई जाने वाली एक परियोजना है और यह शिक्षा मंत्रालय द्वारा वित्त पोषित है, जिसका उद्देश्य इंजीनियरिंग कॉलेजों में शिक्षा को रोबोटिक्स के माध्यम से बढ़ाना है। इसका मुख्य लक्ष्य युवा इंजीनियरों को खेती, निर्माण और रक्षा जैसे क्षेत्रों में समस्याओं को हल करने के लिए रोबोटिक्स का उपयोग करने के लिए प्रोत्साहित करना है। यह परियोजना कॉलेजों को रोबोटिक्स लैब और क्लब स्थापित करने में भी मदद करती है, जिससे रोबोटिक्स को उनके नियमित पाठ्यक्रम में एकीकृत किया जा सके। ई-यंत्र शिक्षकों को रोबोटिक्स को प्रभावी ढंग से सिखाने के लिए प्रशिक्षित करता है। ई-यंत्र की सभी परियोजनाएं और कोड उनकी वेबसाइट (www.eyantra.org) पर निशुल्क उपलब्ध हैं, जो ज्ञान साझा करते हैं। वर्तमान में, ई-यंत्र 3250 से अधिक कॉलेजों में सफलतापूर्वक चल रहा है।

8. **फ्री/लिब्रे एंड ओपनसोर्स सॉफ्टवेयर इन एजुकेशन (FOSSEE)**- FOSSEE आईआईटी बॉम्बे की एक पहल है। यह परियोजना शिक्षा मंत्रालय द्वारा NMEICT के तहत वित्त पोषित है।

स्कोर बूस्टर

पूरक पठन अनुशंसा

QR कोड काम नहीं कर रहा है? QR कोड के साथ दिए गए संसाधनों तक पहुँचने के लिए आंतरिक फ्रन्ट कवर पर दिए गए निर्देशों का पालन करें

इस अध्याय में शामिल प्रमुख डिजिटल पहलों के अलावा, ***15*** और डिजिटल पहल हैं, जिन्हें तलाशना जरूरी है। इनके बारे में और अधिक जानने के लिए, बस **QR कोड** को स्कैन करें और **एक विशेष पीडीएफ** प्राप्त करें।

नोट: दो महत्वपूर्ण डिजिटल पहलों, स्वयं और स्वयं प्रभा को इस अध्याय में शामिल नहीं किया गया है, क्योंकि उन पर यूनिट 1: शिक्षण अभिक्षमता में विस्तार से चर्चा की गई है। इनके बारे में जानकारी के लिए, ***अध्याय 4: शिक्षण सहायता प्रणाली*** देखें।

यह शैक्षणिक संस्थानों में ओपन-सोर्स सॉफ्टवेयर को अपनाने में सुविधा प्रदान करता है, स्वामित्व सॉफ्टवेयर पर निर्भरता को कम करता है और छात्रों और संकाय के बीच डिजिटल साक्षरता को बढ़ावा देता है। FOSSEE शिक्षा क्षेत्र की विशिष्ट आवश्यकताओं को पूरा करने के लिए शैक्षिक सॉफ्टवेयर के विकास और अनुकूलन का समर्थन करता है। FOSSEE द्वारा समर्थित कार्यक्रमों में शामिल हैं- Scilab, Python, eSim, Osdag, DWSIM, OpenFOAM, OpenModelica, OpenPLC और FLOSS Arduino।

9. **स्पोकन ट्यूटोरियल**- स्पोकन ट्यूटोरियल परियोजना को NMEICT, IIT बॉम्बे द्वारा विकसित और वित्त पोषित किया जाता है और इसे शिक्षा मंत्रालय, भारत सरकार द्वारा शुरू किया गया है। इसका उद्देश्य लिनक्स, पायथन, LaTeX और अन्य जैसे विभिन्न मुक्त और ओपन-सोर्स सॉफ्टवेयर (FOSS) को सिखाना है, जो सरल वीडियो ट्यूटोरियल का उपयोग करते हैं। इन ट्यूटोरियल्स को स्पोकन ट्यूटोरियल्स कहा जाता है, इनमें आमतौर पर लगभग दस मिनट की स्क्रीन रिकॉर्डिंग के साथ वॉयस एक्सप्लेनेशन होते हैं। ये शिक्षार्थियों को अपनी गति से अध्ययन करने की सुविधा प्रदान करते हैं, जिससे शिक्षा किसी भी इच्छुक शिक्षार्थी के लिए स्थान या समय की सीमाओं के बावजूद भी सुलभ हो जाती है। परियोजना कई भाषाओं में पाठ्यक्रम प्रदान करती है और इसकी सारी सामग्री खुले लाइसेंस के तहत निशुल्क में उपलब्ध है, जो व्यापक शिक्षा और कौशल विकास को बढ़ावा देती है।

10. **बादल**- बादल एक क्लाउड प्रबंधन सॉफ्टवेयर है जिसे ऑनलाइन शैक्षिक संसाधनों को कुशलतापूर्वक व्यवस्थित और प्रबंधित करने में मदद करने के लिए तैयार किया गया है। यह शैक्षिक अनुप्रयोगों के त्वरित निर्माण और लॉन्च का भी समर्थन करता है।

    बादल को शिक्षा मंत्रालय द्वारा NMEICT योजना के तहत शुरू किया गया था और इसे IIT दिल्ली द्वारा विकसित और अनुरक्षित किया जाता है। बादल को NIC (राष्ट्रीय सूचना विज्ञान केंद्र) डेटा केंद्र में होस्ट किया गया है, जो मजबूत बुनियादी फ्रेमवर्क का समर्थन सुनिश्चित करता है।

11. **वर्चुअल लैब्स प्रोजेक्ट**- वर्चुअल लैब्स प्रोजेक्ट शिक्षा मंत्रालय की एक पहल है जो NMEICT के तहत है। यह IIT दिल्ली और 12 अन्य संस्थानों का एक प्रयास है जो विज्ञान और इंजीनियरिंग प्रयोगों को इंटरनेट के माध्यम से सभी के लिए उपलब्ध कराने का प्रयास करता है। यह छात्रों और शिक्षकों को ऑनलाइन प्रयोग करने की सुविधा देता है, भले ही उनके स्कूल या कॉलेज में सभी आवश्यक उपकरण न हों।

    यह उच्च विद्यालय के छात्रों को विज्ञान के बारे में अधिक जानने में मदद करता है और उन्हें उच्च शिक्षा प्राप्त करने के लिए प्रोत्साहित करता है। शोधकर्ता भी इन वर्चुअल लैब्स का उपयोग एक साथ काम करने और अपने निष्कर्षों को साझा करने के लिए कर सकते हैं। परियोजना का उद्देश्य विज्ञान को अधिक व्यावहारिक और सुलभ बनाना है, जिसका उपयोग कोई भी इंटरनेट एक्सेस के साथ कहीं से भी कर सकता है।

12. **मूकीट (mooKIT)**- मूकीट एक ऑनलाइन प्लेटफॉर्म है जिसे IIT कानपुर द्वारा 2014 में बनाया गया था। इसे विशेष रूप से MOOCs (मैसिव ओपन ऑनलाइन कोर्सेज) के लिए पाठ्यक्रमों का प्रबंधन करने के लिए तैयार किया गया है। मूकीट की विशेषता इसकी बहुविविधता है- यह छोटे और बड़े दोनों पैमाने के पाठ्यक्रमों का प्रबंधन कर सकता है।

    यह धीमे इंटरनेट वाले क्षेत्रों में छात्रों और शिक्षकों के लिए उपयोगी है क्योंकि यह सामग्री को वितरित करने के तरीके को समायोजित कर सकता है। इसके अतिरिक्त, मूकीट छात्रों के पाठ्यक्रमों में उनकी प्रगति को ट्रैक करने में सहायता प्रदान करता है। यह किसी भी व्यक्ति के लिए एक सहायक उपकरण है जो ऑनलाइन सीखना चाहता है, चाहे आप इंजीनियरिंग, विज्ञान, या किसी अन्य विषय का अध्ययन कर रहे हों।

13. **बृहस्पति**- बृहस्पति एक ओपन-सोर्स ई-लर्निंग प्लेटफॉर्म है जिसे IIT कानपुर द्वारा बनाया गया है। यह शैक्षणिक संस्थानों को ऑनलाइन पाठ्यक्रम और वर्चुअल कक्षाएं स्थापित करने और प्रबंधित करने की सुविधा देता है। यह प्लेटफॉर्म विशेष रूप से दूरस्थ क्षेत्रों में जहां पारंपरिक संसाधन दुर्लभ हो सकते हैं, दूरस्थ शिक्षा को अधिक प्रभावी बनाने के लिए तैयार किया गया है।

14 **नेशनल डिजिटल लाइब्रेरी (NDL)**- भारत की नेशनल डिजिटल लाइब्रेरी (NDL), जिसे IIT खड़गपुर द्वारा विकसित किया गया है और NMEICT के तहत शिक्षा मंत्रालय द्वारा समर्थित है, एक ऐसी परियोजना है जिसे विभिन्न भारतीय संस्थागत रिपॉजिटरी से अधिगम की सामग्री तक आसान पहुंच प्रदान करने के लिए तैयार किया गया है। NDL में पुस्तकों, लेखों, पांडुलिपियों, वीडियो व्याख्यानों और थीसिस जैसे विविध संसाधनों का संग्रह शामिल है, जो विभिन्न शैक्षिक आवश्यकताओं को पूरा करता है। NDL के दो प्रमुख तथ्य हैं-

- **बहुभाषी समर्थन**- NDL की एक प्रमुख विशेषता इसका बहुभाषी समर्थन है। यह दस व्यापक रूप से उपयोग की जाने वाली भारतीय भाषाओं में सामग्री प्रदान करता है, जिससे उपयोगकर्ताओं को उनकी पसंदीदा भाषा में सामग्री सुलभ होती है।
- **विकास प्रयास**- NDL परियोजना में मेटाडेटा हार्वेस्टिंग (OAI-PMH) सर्वर के लिए एक ओपन आर्काइव्स इनिशिएटिव प्रोटोकॉल का विकास शामिल है, जो डिजिटल संसाधनों की विशाल श्रृंखला को कुशलतापूर्वक एकत्र करने, अनुक्रमण और व्यवस्थित करने में मदद करता है, जिससे शैक्षिक सामग्री की सुचारू पुनर्प्राप्ति और प्रबंधन सुनिश्चित होता है।

15. **ग्लोबल इनिशिएटिव ऑफ एकेडमिक नेटवर्क (GIAN)**- 2015 में 30 नवंबर को IIT गांधीनगर में लॉन्च किया गया, GIAN का उद्देश्य भारत के उच्च शिक्षा संस्थानों और प्रतिष्ठित वैश्विक संस्थानों के बीच संबंधों को मजबूत करना है। लॉन्च के समय, दो पाठ्यक्रम संचालित किए गए थे- एक IIT गांधीनगर में और दूसरा IIT खड़गपुर में। GIAN का उद्देश्य भारत के उच्च शिक्षा संस्थानों और प्रतिष्ठित वैश्विक संस्थानों के बीच संबंधों को मजबूत करना है। इसे शुरू करने के बाद दो पाठ्यक्रम आयोजित किए गए थे- एक को IIT गांधीनगर में और दूसरा IIT खड़गपुर में आयोजित किया गया था।

इस विषय को सरल बनाने वाले वीडियो व्याख्यान को देखने के लिए इस QR कोड को स्कैन करें

यह पहल दुनिया भर के शीर्ष विश्वविद्यालयों के संकाय सदस्यों को भारत लाकर काम करती है। ये विशेषज्ञ भारतीय शिक्षाविदों और छात्रों के साथ सहयोग करते हैं, विशेष पाठ्यक्रम प्रदान करते हैं और अपना ज्ञान साझा करते हैं। इससे सभी भागीदारों के शैक्षणिक क्षितिज का विस्तार होता है और शैक्षिक अनुभव में वृद्धि होती है।

इग्नू द्वारा डिजिटल पहलें (Digital Initiatives By IGNOU)

IGNOU ने अभिनव प्लेटफार्मों के माध्यम से शिक्षा तक पहुंच बढ़ाने के उद्देश्य से कई डिजिटल पहलों की शुरुआत की है।

1. **ज्ञान दर्शन**- 26 जनवरी, 2000 को एमएचआरडी (अब एमओई), सूचना और प्रसारण, प्रसार भारती, और IGNOU द्वारा लॉन्च किया गया, ज्ञानदर्शन भारत का 24 घंटे समर्पित शैक्षिक सैटेलाइट टेलीविजन चैनल है। यह देश भर के दूरस्थ शिक्षार्थियों और शैक्षिक उत्साही लोगों के लिए विभिन्न विषयों का प्रसारण करता है।
2. **ज्ञानवाणी:** IGNOU ने जून 2006 में एफएम 105.6 पर ज्ञानवाणी लॉन्च किया। यह रेडियो चैनल सरकारी मंत्रालयों, बाहरी संगठनों, और ओपन यूनिवर्सिटीज द्वारा विकसित कार्यक्रमों का प्रसारण करता है, जो विविध शैक्षिक आवश्यकताओं और रुचियों को पूरा करता है।

सिनेमैटिक कनेक्शन

भारत में इंजीनियरिंग उम्मीदवारों के लिए, एक आईआईटी में प्रवेश प्राप्त करना एक बहुत बड़ा सपना होता है। फिल्म सुपर 30 (2019) में दिखाया गया है कि कैसे आनंद कुमार, जिसे ऋतिक रोशन ने निभाया है, ने वंचित छात्रों को आईआईटी प्रवेश परीक्षा पास करने के लिए सशक्त बनाया, उनके सपनों को हकीकत में बदल दिया।

यह प्रेरणादायक कहानी आईआईटी की डिजिटल पहलों के माध्यम से छात्रों का समर्थन करने के निरंतर प्रयासों को दर्शाती है। ई-कल्प और ई-ज्ञानकोश जैसे प्लेटफार्म पारंपरिक तरीकों से हटकर शिक्षा को बढ़ाने के लिए तैयार किए गए हैं, जो मूल्यवान संसाधन और इंटरैक्टिव सामग्री प्रदान करते हैं। जैसे आनंद कुमार के प्रयासों ने उनके छात्रों के भविष्य को बदल दिया, वैसे ही आईआईटी की ये डिजिटल पहलें शैक्षिक अवसरों को बढ़ा रही हैं और छात्रों को सफलता के लिए तैयार कर रही हैं।

क्विज स्टेशन *विगत UGC NET परीक्षाओं के प्रश्न*

प्र.1. नीचे दिए गए दो कथन हैं-

कथन I- 'स्वयं', भारत सरकार की एक पहल, ग्रामीण क्षेत्रों में स्वयं सहायता समूहों को बढ़ावा देने का उद्देश्य रखती है।

कथन II- 'ई-यंत्र' एक पहल है जो आईआईटी, मुंबई द्वारा एमएचआरडी - NMEICT के माध्यम से एम्बेडेड सिस्टम और रोबोटिक्स में शिक्षा फैलाने के लिए है।

(a) कथन I और कथन II दोनों सही हैं।

(b) कथन I और कथन II दोनों गलत हैं।

(c) कथन I सही है लेकिन कथन II गलत है।

(d) कथन I गलत है लेकिन कथन II सही है।

प्र.2. निम्नलिखित में से कौन सा एक वर्चुअल क्लासरूम वातावरण प्रदान करने के लिए एक सहयोग उपकरण है?

(a) ए-लैब (b) ए-ट्यूटर

(c) ए-व्यू (d) ए-लर्नर

प्र.3. आईआईटी और आईआईएससी की संयुक्त पहल जो निशुल्क ऑनलाइन पाठ्यक्रम सामग्री प्रदान करके देश में कई विधाओं में, विशेष रूप से इंजीनियरिंग में ऑनलाइन वेब और वीडियो पाठ्यक्रमों के माध्यम से ई-लर्निंग प्रदान करती है:

(a) नेशनल प्रोग्राम ऑन टेक्नोलॉजी एन्हांस्ड लर्निंग

(b) एआईसीटीईनेट

(c) एनएमसीईआईटी

(d) उपरोक्त में से कोई नहीं

प्र.4. निम्नलिखित में से कौन सा ओपन-सोर्स ई-लर्निंग प्लेटफॉर्म आईआईटी कानपुर द्वारा विकसित किया गया है?

(a) ई-ज्ञान (b) ई-सरस्वती

(c) बृहस्पति (d) उपरोक्त में से कोई नहीं

उत्तर 1.(b) 2.(c) 3.(a) 4.(c)

3. **ज्ञानधारा**- IGNOU की ज्ञानधारा एक इंटरनेट-आधारित ऑडियो काउंसलिंग सेवा है जहां छात्र शिक्षकों और विषय विशेषज्ञों के साथ लाइव चर्चाओं में भाग ले सकते हैं। टेलीफोन, ईमेल, और चैट इंटरैक्शन के माध्यम से, शिक्षार्थी इंटरैक्टिव लर्निंग सत्रों में भाग लेते हैं। गैर-लाइव सत्रों के दौरान भी ज्ञानवाणी दिल्ली की सामग्री इस प्लेटफार्म पर उपलब्ध होती है।
4. **ई-ज्ञानकोश**- ई-ज्ञानकोश IGNOU की एक पहल है जो अधिगम के संसाधनों की एक डिजिटल लाइब्रेरी प्रदान करती है। यह एक केंद्रीकृत प्लेटफार्म है जहां छात्र और शिक्षक विभिन्न शैक्षिक सामग्री, जैसे पाठ्यक्रम सामग्री, ई-पुस्तकें, ऑडियो और वीडियो व्याख्यान, और शोध पत्रों को देख सकते हैं। यह डिजिटल रिपॉजिटरी लोगों के लिए कभी भी और कहीं भी शैक्षिक सामग्री उपलब्ध कराती है, जो विशेष रूप से दूरस्थ शिक्षार्थियों और अधिगम की तलाश करने वालों के लिए सहायक है।

क्विज स्टेशन *विगत UGC NET परीक्षाओं के प्रश्न*

प्र.1. एफएम रेडियो चैनलों का गुलदस्ता जो IGNOU और आईआईटी जैसे संस्थानों द्वारा किए गए कार्यक्रमों का प्रसारण करता है-

(a) ज्ञानवाणी (b) ज्ञानदर्शन (c) एडुसैट (d) उपरोक्त में से कोई नहीं

प्र.2. निम्नलिखित में से किस संस्थान ने 2005 में एक ज्ञान भंडार ई-ज्ञानकोश लॉन्च किया जिसका उद्देश्य डिजिटल अधिगम के संसाधनों को संग्रहीत और संरक्षित करना है?

(a) आईआईटी कानपुर (b) IGNOU (c) इलाहाबाद विश्वविद्यालय (d) दिल्ली विश्वविद्यालय

प्र.3. कथन **I: इंदिरा गांधी राष्ट्रीय मुक्त विश्वविद्यालय (IGNOU) की स्थापना संसद के अधिनियम (1965) द्वारा की गई थी।**
कथन **II: इंदिरा गांधी राष्ट्रीय मुक्त विश्वविद्यालय ने ज्ञान दर्शन और ज्ञान वाणी द्वारा समेकित मल्टीमीडिया अनुदेशों को अंगीकृत और अपनाया।** *(15 जून 2023 - शिफ्ट 2)*

(a) कथन I और कथन II दोनों सत्य हैं। (b) कथन I और कथन II दोनों असत्य हैं।
(c) कथन I सत्य है लेकिन कथन II असत्य है। (d) कथन I असत्य है लेकिन कथन II सत्य है।

उत्तर 1.(a) 2.(b) 3.(d)

अध्याय के मुख्य बिंदु

उच्च शिक्षा में डिजिटल पहलों पर एक नजर

वर्ष	पहल	उतरदायित्व निकाय	मुख्य योगदान
1984	सीईसी (शैक्षिक संचार संघ)	UGC	कॉलेज और विश्वविद्यालय के छात्रों के लिए शैक्षिक सामग्री बनाने और वितरित करने के लिए टीवी और आईसीटी का उपयोग
1986	ईआरनेट (शिक्षा और अनुसंधान नेटवर्क)	MeitY	भारत में इंटरनेट की शुरुआत की; विश्वविद्यालयों में डिजिटल कक्षाएं और वाई-फाई नेटवर्क स्थापित किए
2006	साक्षात पोर्टल	MoE	छात्रों, शिक्षकों और शोधकर्ताओं के लिए ई-लर्निंग टूल्स, ऑनलाइन पाठ्यक्रम और शैक्षिक सामग्री की एक विस्तृत श्रृंखला प्रदान करता है
2009	NMEICT (सूचना एवं संचार प्रौद्योगिकी के माध्यम से शिक्षा पर राष्ट्रीय मिशन)	MoE	विश्वविद्यालयों को उच्च गति इंटरनेट कनेक्टिविटी प्रदान करता है
2012	वीएलई (वर्चुअल लर्निंग एनवायरनमेंट)	दिल्ली विश्वविद्यालय	दिल्ली विश्वविद्यालय के छात्रों और संकाय के लिए इंटरैक्टिव, मल्टीमीडिया ई-संसाधन प्रदान करता है
2014	ई-पीजी पाठशाला	NMEICT, MoE और यूजीसी	विश्वविद्यालय के छात्रों के लिए उच्च गुणवत्ता वाली शैक्षिक सामग्री बनाता है
2015	सारांश	CBSE	स्कूलों और माता-पिता को विस्तृत प्रदर्शन डेटा और अंतर्दृष्टि प्रदान करके शिक्षा में सुधार करने में मदद करता है
2015	शाला सिद्धि	NIEPA, NPSSE और MoE	निरंतर मूल्यांकन और स्कूल मूल्यांकन डैशबोर्ड के लिए एक रूपरेखा का उपयोग करके स्कूल के प्रदर्शन में सुधार करता है

वर्ष	पहल	उतरदायित्व निकाय	मुख्य योगदान
2016	ई-आचार्य	NMEICT	शिक्षकों के पेशेवर विकास का समर्थन करने के लिए ऑनलाइन पाठ्यक्रम और संसाधन प्रदान करता है
2017	दीक्षा (ज्ञान साझा करने के लिए डिजिटल अवसंरचना)	MoE	शिक्षण संसाधन, निर्देशात्मक सामग्री और पेशेवर विकास पाठ्यक्रम प्रदान करने वाला एक डिजिटल प्लेटफॉर्म
2017	एनएडी (राष्ट्रीय शैक्षणिक निक्षेपागार)	NMEICT	शैक्षणिक दस्तावेजों को डिजिटल रूप से संग्रहीत, सत्यापित और प्रमाणित करने के लिए केंद्रीकृत ऑनलाइन प्लेटफॉर्म
2018	एआरपीआईटी (शिक्षण में वार्षिक पुनश्चर्या कार्यक्रम)	MoE, NMEICT	उच्च शिक्षा शिक्षकों के लिए ऑनलाइन पुनश्चर्या पाठ्यक्रम प्रदान करता है
2020	निष्ठा (स्कूल प्रमुखों और शिक्षकों के समग्र उन्नयन के लिए राष्ट्रीय पहल)	MoE -विद्यालय शिक्षा एवं साक्षरता विभाग	विद्यालय शिक्षा एवं साक्षरता विभाग सरकारी विद्यालय को शिक्षकों को महत्वपूर्ण सोच और शिक्षण कौशल बढ़ाने के लिए प्रशिक्षित करता है
2022	नीट (राष्ट्रीय शैक्षिक प्रौद्योगिकी गठबंधन)	MoE	कृत्रिम बुद्धिमत्ता (एआई) का उपयोग करके व्यक्तिगत शिक्षा प्रदान करता है

आईआईटी द्वारा डिजिटल पहलें

वर्ष	पहल	जिम्मेदार निकाय	मुख्य पेशकश
2002	ओएससीएआर (ओपन-सोर्स कोर्सवेयर एनिमेशन रिपॉजिटरी)	आईआईटी बॉम्बे	विज्ञान और इंजीनियरिंग अवधारणाओं की समझ बढ़ाने के लिए इंटरैक्टिव एनिमेशन और सिमुलेशन प्रदान करता है
2002	बृहस्पति	आईआईटी कानपुर	ओपन-सोर्स ई-लर्निंग प्लेटफॉर्म
2003	एनपीटीईएल (नेशनल प्रोग्राम ऑन टेक्नोलॉजी एन्हांस्ड लर्निंग)	शिक्षा मंत्रालय और 7 आईआईटी	आईआईटी शिक्षकों द्वारा ऑनलाइन पाठ्यक्रम और प्रमाणपत्र प्रदान करता है
2009	ए-व्यू सॉफ्टवेयर (अमृता वर्चुअल इंटरएक्टिव ई-लर्निंग वर्ल्ड)	आईआईटी बॉम्बे और NMEICT	विशेष रूप से शिक्षक प्रशिक्षण के लिए एक वर्चुअल क्लासरूम परिवेश के साथ बड़े पैमाने पर, इंटरैक्टिव ई-लर्निंग अनुभवों की सुविधा प्रदान करता है
2009	एफओएसएसई (फ्री/लिब्रे एंड ओपनसोर्स सॉफ्टवेयर इन एजुकेशन)	आईआईटी बॉम्बे और NMEICT	शिक्षा में ओपन-सोर्स सॉफ्टवेयर के उपयोग का समर्थन करता है
2009	स्पोकन ट्यूटोरियल	शिक्षा मंत्रालय और आईआईटी बॉम्बे	सी, सी++, पायथन, मायएसक्यूएल आदि जैसे फ्री और ओपन सोर्स सॉफ्टवेयर (एफओएसएस) अधिगम के लिए ट्यूटोरियल प्रदान करता है।
2011	ई-यंत्र	आईआईटी बॉम्बे और शिक्षा मंत्रालय	युवा इंजीनियरों को वास्तविक दुनिया की समस्याओं को हल करने के लिए रोबोटिक्स का उपयोग करने के लिए प्रोत्साहित करता है।
2013	शिक्षक से बात करें	आईआईटी बॉम्बे और NMEICT	छात्रों को दूरस्थ क्षेत्रों से वीडियो कॉन्फ्रेंसिंग के माध्यम से संकाय के साथ व्यक्तिगत शैक्षणिक समर्थन प्राप्त करने में सक्षम बनाता है।
2013	बादल	आईआईटी दिल्ली और NMEICT	क्लाउड प्रबंधन सॉफ्टवेयर

वर्ष	पहल	जिम्मेदार निकाय	मुख्य पेशकश
2014	वर्चुअल लैब्स प्रोजेक्ट	आईआईटी दिल्ली और NMEICT	छात्रों और शिक्षकों को ऑनलाइन प्रयोग करने की सुविधा देता है।
2014	मूकिट	आईआईटी कानपुर	छोटे और बड़े पैमाने पर एमओओसीएस देने के लिए एक ऑनलाइन प्लेटफॉर्म जिसमें कम इंटरनेट स्थितियों का समर्थन करने के लिए सुविधाएँ हैं।
2015	ई-कल्प	आईआईटी बॉम्बे और NMEICT	160+ ऑनलाइन तैयार पाठ्यक्रम और डिजिटल संसाधन प्रदान करता है।
2015	आईआईटी बॉम्बेएक्स	आईआईटी बॉम्बे और NMEICT	ओपन एडएक्स प्लेटफॉर्म पर व्यक्तिगत शिक्षण विधियों के साथ एकीकृत ऑनलाइन सामग्री के साथ मिश्रित शिक्षण पाठ्यक्रम प्रदान करता है
2015	जीआईएएन (ग्लोबल इनिशिएटिव ऑफ एकेडमिक नेटवर्क्स)	आईआईटी गांधीनगर और आईआईटी खड़गपुर	दुनिया भर के शीर्ष विश्वविद्यालयों के संकाय सदस्यों को भारत लाने में मदद करता है।
2018	एनडीएल (नेशनल डिजिटल लाइब्रेरी)	आईआईटी खड़गपुर और NMEICT	कई भाषाओं में अधिगम की सामग्री तक पहुंच प्रदान करता है।

IGNOU द्वारा डिजिटल पहल (Digital Initiatives by IGNOU)

वर्ष	पहल	उत्तरदायी निकाय	मुख्य पेशकश
2000	ज्ञानदर्शन	शिक्षा मंत्रालय, सूचना और प्रसारण, प्रसार भारती और IGNOU	समर्पित 24 घंटे का शैक्षिक टेलीविजन चैनल।
2000	ज्ञानधारा	IGNOU	इंटरनेट-आधारित ऑडियो काउंसलिंग प्रदान करता है जिसमें लाइव चर्चाएं और शिक्षकों और विषय विशेषज्ञों के साथ बातचीत होती है।
2006	ज्ञानवाणी	IGNOU	एक FM रेडियो चैनल (FM 105.6) जो शैक्षिक कार्यक्रम प्रदान करता है।
2008	ई-ज्ञानकोश	IGNOU	एक डिजिटल लाइब्रेरी जो पाठ्यक्रम सामग्री, ई-पुस्तकें और मल्टीमीडिया शैक्षिक संसाधन प्रदान करती है

शब्दावली (Glossary)

- IGNOU- इंदिरा गांधी राष्ट्रीय मुक्त विश्वविद्यालय
- NIEPA- राष्ट्रीय शैक्षिक योजना एवं प्रशासन संस्थान
- INFLIBNET- सूचना और पुस्तकालय नेटवर्क केंद्र
- CIET- केंद्रीय शैक्षिक प्रौद्योगिकी संस्थान (एनसीईआरटी की एक घटक इकाई)
- DAVV- देवी अहिल्या विश्वविद्यालय
- NCERT- राष्ट्रीय शैक्षिक अनुसंधान और प्रशिक्षण परिषद
- MeitY- इलेक्ट्रॉनिक्स और सूचना प्रौद्योगिकी मंत्रालय
- ICSSR- भारतीय सामाजिक विज्ञान अनुसंधान परिषद
- NMEICT- सूचना एवं संचार प्रौद्योगिकी के माध्यम से शिक्षा पर राष्ट्रीय मिशन
- CBSE- केंद्रीय माध्यमिक शिक्षा बोर्ड
- NPSSE- राष्ट्रीय कौशल विकास एवं उद्यमिता नीति
- UGC- विश्वविद्यालय अनुदान आयोग
- MoE- शिक्षा मंत्रालय (पूर्व में मानव संसाधन विकास मंत्रालय)

मूल्यांकन जोन (EVALUATION ZONE)

1. सही कथनों का चयन करें। *(9 जनवरी 2025 - शिफ्ट 2)*

(A) यूजीसी के प्लेजरिज्म नियम दस प्रतिशत समानता सूचकांक की अनुमति देते हैं।

(B) मातृभाषा को शिक्षा के माध्यम के रूप में जोर देने का सुझाव सबसे पहले एनईपी 2020 द्वारा दिया गया था।

(C) ऑपरेशन ब्लैकबोर्ड की सिफारिश आरटीई 2009 द्वारा की गई थी।

(D) एनईपी 2020 10+2+3 के बजाय 5+3+3+4 शिक्षा प्रणाली का सुझाव देता है।

नीचे दिए गए विकल्पों में से सही उत्तर चुनें-

(a) केवल (B) और (C) (b) केवल (A) और (D)
(c) केवल (A), (B) और (C) (d) केवल (B), (C) और (D)

2. नवोदय विद्यालय ग्रामीण गरीब छात्रों को स्कूल में पढ़ाने के लिए .... की सिफारिशों पर स्थापित किए गए थे। *(9 जनवरी 2025 - शिफ्ट 1)*

(a) राष्ट्रीय शिक्षा नीति-1986
(b) पीएम-श्री विद्यालय
(c) राष्ट्रीय शिक्षा नीति 2020
(d) माध्यमिक शिक्षा आयोग 1950

3. क्रमानुसार व्यवस्थित करें- *(9 जनवरी 2025 - शिफ्ट 1)*

(A) दिल्ली विश्वविद्यालय की स्थापना
(B) विश्वविद्यालय अनुदान आयोग की स्थापना
(C) एनसीईआरटी की स्थापना
(D) इलाहाबाद विश्वविद्यालय की स्थापना
(E) इग्नू की स्थापना

नीचे दिए गए विकल्पों में से सही उत्तर चुनें

(a) (B), (A), (D), (E), (C) (b) (D), (C), (E), (B), (A)
(c) (A), (B), (D), (E), (C) (d) (D), (A), (B), (C), (E)

4. भारत में सभी नीतिकी शिक्षा संस्थानों को विनियमित करने वाली यह संस्था है: *(8 जनवरी 2025 - शिफ्ट 2)*

(a) NPTEL (b) NCERT
(c) NCTE (d) AICTE

5. MoE की ICT पहल के तहत निम्नलिखित में से कौन एम्बेडेड सिस्टम पर व्यावहारिक अनुभव प्रदान करता है? *(8 जनवरी 2025 - शिफ्ट 1)*

(A) शोधगंगा (B) FOSSE
(C) वर्चुअल लैब्स (D) ई-यंत्र

नीचे दिए गए विकल्पों में से सही उत्तर चुनें-

(a) केवल (A) और (B) (b) केवल (A) और (C)
(c) केवल (B), (C) और (D) (d) (A), (B), (C) और (D)

6. निम्नलिखित मुक्त-विश्वविद्यालयों के सही कालक्रम (प्रारंभिक से नवीनतम तक) की पहचान कीजिए: *(8 जनवरी 2025 - शिफ्ट 1)*

(A) कर्नाटक राज्य मुक्त-विश्वविद्यालय
(B) भोज मुक्त-विश्वविद्यालय
(C) राजर्षि टंडन मुक्त-विश्वविद्यालय
(D) नेताजी सुभाष मुक्त-विश्वविद्यालय
(E) नालंदा मुक्त-विद्यालय

नीचे दिए गए विकल्पों में से सही उत्तर चुनें:

(a) (A), (C), (D), (E), (B) (b) (B), (D), (E), (A), (C)
(c) (C), (D), (B), (A), (E) (d) (E), (B), (A), (D), (C)

7. निम्नलिखित में से कौन-सा सही है? *(7 जनवरी 2025 - शिफ्ट 2)*

(A) UGC नियमों को फ्रेम करता है और शिक्षा के न्यूनतम मानकों को निर्धारित करता है।
(B) NAAC गुणवत्ता और मान्यता सुनिश्चित करता है।
(C) HEFA उच्च शिक्षा संस्थानों को अनुदान-सहायता प्रदान करता है।
(D) NIRF भारतीय संस्थानों को रैंकिंग प्रदान करता है

नीचे दिए गए विकल्पों में से सही उत्तर चुनें:

(a) केवल (B) (b) केवल (D)
(c) केवल (A), (B) और (D) (d) केवल (B), (C) और (D)

8. पूर्व में शिक्षा मंत्रालय का नामकरण था।*(7 जनवरी 2025 - शिफ्ट 1)*

(a) युवा मामलों का मंत्रालय
(b) मानव संसाधन विकास मंत्रालय
(c) शिक्षा और अनुसंधान मंत्रालय
(d) केंद्रीय मामलों का मंत्रालय

9. प्राचीन भारतीय विश्वविद्यालयों में निम्नलिखित में से कौन-सा विषय पढ़ाया जाता था? *(7 जनवरी 2025 - शिफ्ट 1)*

(A) पत्रकारिता (B) पर्यावरण विज्ञान
(C) तर्क (D) चिकित्सा
(E) दर्शन

नीचे दिए गए विकल्पों में से सही उत्तर चुनें:

(a) केवल (A), (B), (C) (b) केवल (B), (C), (D)
(c) केवल (C), (D), (E) (d) केवल (A), (B), (E)

10. सूची-I को सूची-II से मिलाए- *(3 जनवरी 2025 - शिफ्ट 1)*

सूची-I (प्राचीन विश्वविद्यालय)	सूची-II (प्रसिद्ध छात्र)
A. तक्षशिला	I. नागार्जुन
B. नालंदा	II. गंगेश उपाध्याय
C. मिथिला	III. कुमारजीव
D. शारदापीठ	IV. चाणक्य

नीचे दिए गए विकल्पों में से सही उत्तर चुनें-

(a) (A)-(I), (B)-(II), (C)-(III), (D)-(IV)
(b) (A)-(II), (B)-(III), (C)-(IV), (D)-(I)
(c) (A)-(III), (B)-(IV), (C)-(I), (D)-(II)
(d) (A)-(IV), (B)-(I), (C)-(II), (D)-(III)

11. भारतीय प्रबंधन संस्थान, इंदौर की स्थापना किसके दौरान की गई थी: *(4 सितम्बर 2024 - शिफ्ट 1)*

(a) आठवीं पंचवर्षीय योजना (b) नौवीं पंचवर्षीय योजना
(c) दसवीं पंचवर्षीय योजना (d) ग्यारहवीं पंचवर्षीय योजना

12. चीनी यात्री ह्वेनत्सांग ने निम्नलिखित में से किस प्राचीन विश्व विद्यालय का दौरा किया था? *(3 सितम्बर 2024 - शिफ्ट 2)*

(a) इन्द्रप्रस्थ (b) तक्षशिला
(c) नालंदा (d) ओदंतपुरी

13. निम्नलिखित में से कौन-से भारतीय सामाजिक विज्ञान अनुसंधान परिषद के कार्य हैं? *(2 सितम्बर 2024 - शिफ्ट 2)*

(A) सामाजिक विज्ञान को प्राकृतिक विज्ञान से अलग करने को प्रोत्साहित करना।
(B) सामाजिक विज्ञान में अनुसंधान के लिए छात्रवृत्ति प्रदान करना।
(C) शोध की संस्थागत पत्रिकाओं को वित्तीय सहायता देना।
(D) सामाजिक विज्ञान अनुसंधान को बढ़ावा देना।
(E) समय-समय पर गैर-निष्पादित सामाजिक विज्ञान संस्थानों को काली सूची में डालना।

नीचे दिए गए विकल्पों में से सही उत्तर चुनें:

(a) (A), (B), (C)
(b) (B), (C), (D)
(c) (C), (D), (E)
(d) (A), (D)

14. कॉलम का मिलान कीजिए: *(30 अगस्त 2024 - शिफ्ट 2)*

सूची-I	सूची-II
A. भरत मुनि	I. अष्टांसंग्रह
B. पतंजलि	II. महाभष्य
C. वाग्भट	III. ब्रह्मस्फुट सिद्धांत
D. ब्रह्मगुप्त	IV. नाट्यशास्त्र

नीचे दिए गए विकल्पों में से सही उत्तर चुनें:

(a) (A)-(IV), (B)-(II), (C)-(I), (D)-(III)
(b) (A)- IV, (B)-(I), (C)-(II), (D)-(III)
(c) (A)-(III), (B)-(I), (C)-(II), (D)-(IV)
(d) (A)-(III), (B)-(II), (C)-(I), (D)-(IV)

15. भारत में उच्च शिक्षा में रुचि लेने वाले निम्नलिखित ब्रिटिश अधिकारियों/व्यक्तियों का कालानुक्रमिक क्रम ज्ञात कीजिए। *(30 अगस्त 2024 - शिफ्ट 2)*

(A) लॉर्ड कर्जन
(B) लॉर्ड रिपन
(C) लार्ड कैनिंग
(D) लॉर्ड डलहौजी

नीचे दिए गए विकल्पों में से सही उत्तर चुनें:

(a) (A), (B), (C), (D)
(b) (B), (D), (A), (C)
(c) (D), (C), (B), (A)
(d) (C), (D), (A), (B)

16. कॉलम का मिलान कीजिए: *(29 अगस्त 2024 - शिफ्ट 2)*

सूची-I	सूची-II
A. गौतम	I. वैशेषिक सूत्र
B. पतंजलि	II. न्याय सूत्र
C. कौटिल्य	III. योग सूत्र
D. कणद	IV. अर्थशास्त्र

नीचे दिए गए विकल्पों में से सही उत्तर चुनें:

(a) (A)-(III), (B)-(II), (C)-(IV), (D)-(I)
(b) (A)-(II), (B)-(III), (C)-(IV), (D)-(I)
(c) (A)-(III), (B)-(II), (C)-(I), (D)-(IV)
(d) (A)-(II), (B)-(IV), (C)-(III), (D)-(I)

17. कोठारी आयोग (1963-64) ने शिक्षा पर राष्ट्रीय आय का .... खर्च करने का सुझाव दिया। *(29 अगस्त 2024 - शिफ्ट 1)*

(a) 3 प्रतिशत
(b) 6 प्रतिशत
(c) 7 प्रतिशत
(d) 9 प्रतिशत

18. राष्ट्रीय शिक्षा नीति, 2020, भारत के उच्च शिक्षा आयोग के तहत कुछ कार्यक्षेत्रों की सिफारिश की गई। वे हैं *(28 अगस्त 2024 - शिफ्ट 2)*

(A) एनएचईआरसी (राष्ट्रीय उच्च शिक्षा नियामक परिषद)
(B) एनएएसी (राष्ट्रीय प्रत्यायन परिषद)
(C) एचईजीसी (उच्च शिक्षा अनुदान परिषद)
(D) जीईसी (सामान्य शिक्षा परिषद)
(E) ओएलसी (ओपन लर्निंग काउंसिल)

नीचे दिए गए विकल्पों में से सही उत्तर चुनें:

(a) (A), (D), (E)
(b) (A), (B), (C), (D)
(c) (A), (C), (D), (E)
(d) (A), (B), (C), (E)

19. मूल्य आधारित शिक्षा में सार्वभौमिक मानवीय मूल्य शामिल होंगे जैसे: *(28 अगस्त 2024 - शिफ्ट 1)*

(A) अलगाव
(B) अहिंसा
(C) शांति
(D) धार्मिक आचरण
(E) अपराध की सजा

नीचे दिए गए विकल्पों में से सही उत्तर चुनें:

(a) (A), (B)
(b) (B), (C), (D)
(c) (C), (D), (E)
(d) (A), (C), (E)

20. रत्नसागर, रत्नदाधि और रत्नरंजक नामक प्राचीन इमारतें प्राचीन भारत के निम्नलिखित में से किस विश्वविद्यालय का हिस्सा थीं? *(28 अगस्त 2024 - शिफ्ट 1)*

(a) तक्षशिला
(b) ओदंतपुरी
(c) नालंदा
(d) श्रीधन्य कटक

21. प्राचीन भारत में, उज्जैन किसके अध्ययन के लिए प्रसिद्ध था: *(22 अगस्त 2024 - शिफ्ट 2)*

(a) मानव विज्ञान
(b) खगोल विज्ञान
(c) पुरातत्व
(d) भूविज्ञान

22. कॉलम का मिलान कीजिए: *(18 जून 2024 - शिफ्ट 2)*

सूची-I (कॉलेज)	सूची-II (संस्थापक)
A. पूना कॉलेज फॉर हिंदू लर्निंग	I. अलेक्जेंडर डफ
B. हिंदू कॉलेज, कोलकाता (प्रेसीडेंसी कोल्गी)	II. एम. एलफिंस्टन
C. बिशप कॉलेज, सिबपुर	III. राजाराम मोहन राय
D. स्कॉटिश मिशनरी कॉलेज, कोलकाता	IV. इंग्लैंड का गिरजाघर

नीचे दिए गए विकल्पों में से सही उत्तर चुनें:

(a) (A)-(I), (B)-(II), (C)-(III), (D)-(IV)
(b) (A)-(II), (B)-(III) ,(C)-(IV), (D)-(I)
(c) (A)-(III), (B)-(IV), (C)-(I), (D)-(II)
(d) (A)-(IV), (B)-(I), (C)-(II), (D)-(III)

23. सकल नामांकन अनुपात (जीईआर) निम्न आयु वर्ग की पात्र जनसंख्या के प्रतिशत के रूप में उच्च शिक्षा में नामांकित छात्रों की संख्या को मापता है: *(18 जून 2024 - शिफ्ट 2)*

(a) 18 से 24 वर्ष (b) 19 से 25 वर्ष
(c) 18 से 23 वर्ष (d) 17 से 23 वर्ष

24. कार्यान्वयन के लिए दूसरी पंचवर्षीय योजना में निम्नलिखित सिफारिशें शामिल थीं: *(18 जून 2024 - शिफ्ट 1)*

(A) एक विश्वविद्यालय शिक्षा आयोग
(B) भारतीय भाषा आयोग
(C) ग्रामीण उच्च शिक्षा समिति
(D) नए विश्वविद्यालयों की स्थापना संबंधी समिति
(E) तीन वर्षीय डिग्री पाठ्यक्रम समिति

नीचे दिए गए विकल्पों में से सही उत्तर चुनें:

(a) (A), (B), (C) (b) (B), (C), (D)
(c) (C), (D), (E) (d) (A), (B), (E)

25. नेशनल क्रेडिट फ्रेमवर्क (एनसीटीएफ) के अनुसार, चार साल की कार्यक्रम अवधि की स्नातक डिग्री (ऑनर्स इंजीनियरिंग) प्राप्त करने के बाद, अर्जित क्रेडित स्तर है: *(18 जून 2024 - शिफ्ट 1)*

(a) 5.5 (b) 6
(c) 6.5 (d) 7

26. उच्च शिक्षा के निजीकरण की नीति किसके लागू होने से शुरू हुई: *(14 दिसम्बर 2023 - शिफ्ट 2)*

(a) चौथी पंचवर्षीय योजना (b) छठी पंचवर्षीय योजना
(c) आठवीं पंचवर्षीय योजना (d) दसवीं पंचवर्षीय योजना

27. कॉलम का मिलान कीजिए: *(14 दिसम्बर 2023 - शिफ्ट 1)*

सूची-I	सूची-II
A. सैडलर आयोग	I. यूजीसी और एआईसीटीई की कार्यप्रणाली
B. हार्टोग समिति	II. भारत में विश्वविद्यालय शिक्षा
C. राधाकृष्णन आयोग	III. भारत में शिक्षा पर व्यापक रिपोर्ट
D. यशपाल समिति	IV. कलकत्ता विश्वविद्यालय की कार्यप्रणाली

नीचे दिए गए विकल्पों में से सही उत्तर चुनें:

(a) (A)-(II), (B)-(III), (C)-(I), (D)-(IV)
(b) (A)-(III), (B)-(IV), (C)-(II), (D)-(I)
(c) (A)-(I), (B)-(II), (C)-(IV), (D)-(III)
(d) (A)-(IV), (B)-(III), (C)-(II), (D)-(I)

28. बाद में कलकत्ता के हिन्दू कॉलेज का नाम बदल दिया गया- *(13 दिसम्बर 2023 - शिफ्ट 2)*

(a) सुरेन्द्रनाथ कॉलेज (b) राम मोहन राय कॉलेज
(c) दिल्ली कॉलेज (d) प्रेसीडेंसी कॉलेज

29. भारत में इंडिया कंपनी के शासनकाल के दौरान निम्नलिखित में से किसकी स्थापना की गई थी? *(13 दिसम्बर 2023 - शिफ्ट 1)*

(A) सेंट स्टीफंस कॉलेज, दिल्ली
(B) हिस्लोप कॉलेज, नागपुर
(C) फोर्ट विलियम कॉलेज, कलकत्ता
(D) पूना संस्कृत कॉलेज, पुणे

नीचे दिए गए विकल्पों में से सही उत्तर चुनें:

(a) (A), (B), (C) (b) (B), (C)(D)
(c) (A), (B), (E) (d) (C), (D), (E)

30. 1948 में, देश के सामाजिक-आर्थिक विकास के लिए आवश्यक वैज्ञानिक, तकनीकी और अन्य जनशक्ति की मांग को पूरा करने के लिए विश्वविद्यालय शिक्षा के पुनर्निर्माण के उद्देश्य से किसकी अध्यक्षता में एक विश्वविद्यालय आयोग नियुक्त किया गया था? *(13 दिसम्बर 2023 - शिफ्ट 1)*

(a) डॉ. जाकिर हुसैन (b) डॉ. एस. राधाकृष्णन
(c) डॉ. ए.एल. मुदलियार (d) डॉ. डी.एस. कोठारी

31. कॉलम का मिलान कीजिए: *(12 दिसम्बर 2023 - शिफ्ट 2)*

सूची-I (लेखक)	सूची-II (ग्रंथ)
A. पाणिनि	I. महाभाष्य
B. भतृहरि	II. वैशेषिक-सूत्र
C. कनाडा	III. वाक्यापडिया
D. पतंजलि	IV. अष्टाशयी

नीचे दिए गए विकल्पों में से सही उत्तर चुनें:

(a) (A)-(IV), (B)-(II), (C)-(III), (D)-(I)
(b) (A)-(IV), (B)-(III), (C)-(II), (D)-(I)
(c) (A)-(III), (B)-(IV), (C)-(II), (D)-(I)
(d) (A)-(IV), (B)-(III), (C)-(I), (D)-(II)

32. 20वीं शताब्दी के आरंभ में भारतीय विश्वविद्यालय अधिनियम के अधिनियमन के पीछे निम्नलिखित में से किसका हाथ था? *(11 दिसम्बर 2023 - शिफ्ट 2)*

(a) लॉर्ड केनिंग (b) लॉर्ड कर्जन
(c) चार्ल्स बुड़ (d) लॉर्ड डलहौजी

33. **कथन I:** एनईपी 2020 के अनुसार, भारतीय उच्च शिक्षा आयोग (एचईसीआई) के वर्टिकल में से एक, सामान्य शिक्षा परिषद (जीईसी) उच्च शिक्षा संस्थानों (एचईआईएस) की मान्यता के लिए जिम्मेदार होगा। *(11 दिसम्बर 2023 - शिफ्ट 2)*

कथन II: एनईपी 2020 के अनुसार, श्रेणीबद्ध मान्यता और श्रेणीबद्ध स्वायत्तता की एक उपयुक्त प्रणाली के माध्यम से, और 15 वर्षों की अवधि में चरणबद्ध तरीके से, भारत में सभी एचईआई स्वतंत्र स्वशासी संस्थान बनने का लक्ष्य रखेंगे।

(a) कथन I और कथन II दोनों सही हैं
(b) कथन I और कथन II दोनों गलत हैं
(c) कथन I सही है लेकिन कथन II गलत है
(d) कथन I गलत है लेकिन कथन II सही है

34. निम्नलिखित में से किसे भारतीय शिक्षा का मैग्मा कार्टा कहा गया है? *(8 दिसम्बर 2023 - शिफ्ट 1)*

(a) भारतीय विश्वविद्यालय अधिनियम, 1904
(b) हंटर कमीशन रिपोर्ट
(c) सार्जेंट योजना
(d) 1854 का शिक्षा डिस्पैच

35. स्वतंत्रता से पहले एनी बेसेंट द्वारा स्थापित बनारस में हिंदू कॉलेज ने निम्नलिखित शिक्षा प्रदान करने का प्रस्ताव रखा: *(7 दिसम्बर 2023 - शिफ्ट 2)*

(a) शारीरिक शिक्षा (b) धार्मिक एवं नैतिक शिक्षा
(c) पश्चिमी शिक्षा (d) चिकित्सा शिक्षा

36. राष्ट्रीय शिक्षा नीति, 2020 का उद्देश्य है कि उच्च शिक्षा के क्षेत्र में सकल नामांकन (एनरोलमेंट) अनुपात को बढ़ा कर 2035 तक .... कर दिया जाए: *(19 जून 2023 - शिफ्ट 1)*

(a) 35% (b) 26.3%
(c) 50% (d) 40%

37. भारत में उच्च शिक्षा के संबंध में ज्ञान आयोग की अनुशंसाओं का निम्नलिखित में से किस समिति ने समर्थन किया था? *(17 जून 2023 - शिफ्ट 2)*

(a) रामपूर्ति समिति (b) नायुडम्मा समिति
(c) खेर समिति (d) यशपाल समिति

38. 1854 के शिक्षा डिस्पैच में सुझाव दिया गया था कि भारतीय विश्वविद्यालयों में अनुदेशन का माध्यम यह भाषा होनी चाहिये। *(17 जून 2023 - शिफ्ट 1)*

(a) फारसी (b) संस्कृत
(c) हिन्दी (d) अंग्रेजी

39. **कथन I:** यूजीसी, एआईसीआईई और एनसीटीई जैसे शिक्षा के नियामक निकायों के उन्मूलन का विचार इस अवधारणा पर आधारित है कि ऐसे बहुल निकाय अनावश्यक है। *(16 जून 2023 - शिफ्ट 2)*

कथन II: बार काउन्सिल ऑफ इंडिया ने नियामक निकायों का उन्मूलन करने के विचार का विरोध किया था क्योंकि इससे भारत में विविध व्यवसायिकों की प्रमुख नियामक निकाय के रूप में इसकी भूमिका पर प्रतिकूल प्रभाव पड़ेगा।

(a) कथन I और कथन II दोनों सत्य हैं
(b) कथन I और कथन II दोनों असत्य हैं
(c) कथन I सत्य है लेकिन कथन II असत्य है
(d) कथन I असत्य है लेकिन कथन II सत्य है

40. निम्नलिखित में से किस विचारक का मत था कि प्रकाश और उष्मा एक ही आवश्यक पदार्थ के केवल भिन्न स्वरूप हैं और किसी वस्तु के गिरने का कारण गुरुत्वाकर्षण होता है? *(15 जून 2023 - शिफ्ट 2)*

(a) नागार्जुन (b) जीवक
(c) कणाद (d) रामानुज

41. किस शिक्षा आयोग ने कुछ विश्व विद्यालयों को वरिष्ठ विश्वविद्यालयों के रूप में विकसित करने का सुझाव दिया था? *(15 जून 2023 - शिफ्ट 2)*

(a) सार्जेंट आयोग (b) राधाकृष्ण आयोग
(c) मुदलियार आयोग (d) कोठारी आयोग

42. उच्चतर शिक्षा पर कोठारी आयोग की कुछ मुख्य सिफारिशें हैं: *(14 जून 2023 - शिफ्ट 2)*

(A) नये पाठ्यक्रम प्रारम्भ करने से बचना।
(B) शिक्षकों का चयन राष्ट्रीय स्तर पर हो।
(C) उच्चतर शिक्षा के विस्तार पर प्रतिबंध लगाना।
(D) विश्वविद्यालयों को स्वायत्तता प्रदान करना।
(E) सतत मूल्यांकन प्रणाली को समाप्त करना।

नीचे दिए गए विकल्पों में से सही उत्तर चुनें:

(a) (A), (B), (C) (b) (B), (D), (E)
(c) (B), (C), (D) (d) (A), (D), (E)

43. **कथन I:** नई शिक्षा नीति (एनईपी) 2020 में संस्थाओं के बीच क्रेडिट्स के अंतरण की सुविधा के लिए एकेडेमिक बैंक ऑफ क्रेडिट की स्थापना की सिफारिश की गई है। *(13 जून 2023 - शिफ्ट 1)*

कथन II: एनईपी 2020 को उद्देश्यों में से एक, देश में बहुविषयक संस्थाओं की संख्या में वृद्धि करना है।

(a) कथन I और कथन II दोनों सत्य हैं
(b) कथन I और कथन II दोनों असत्य हैं
(c) कथन I सत्य है लेकिन कथन II असत्य है
(d) कथन I असत्य है लेकिन कथन II सत्य है

44. अपने आरम्भिक विकास के समय (रचनाकाल) में निम्नांकित कौन-से विश्वविद्यालय ने ज्ञानवाणी और ज्ञान दर्शन के माध्यम से मल्टी-मीडिया अनुदेशों को अपनाए जाने की कार्यनीति अपनायी थी? *(13 मार्च 2023 - शिफ्ट 2)*

(a) कर्नाटक स्टेट मुक्त विश्वविद्यालय
(b) इन्दिरा गाँधी राष्ट्रीय मुक्त विश्वविद्यालय
(c) डॉ. बी. आर. अम्बेडकर मुक्त विश्वविद्यालय
(d) यशवंत राव चव्हाण मुक्त विश्वविद्यालय

45. नेक (NAAC) द्वारा गुणवत्ता के आकलन हेतु अनुपालन किया जाने वाला मानदंड निम्नलिखित में से कौन सा नहीं है/हैं? *(12 मार्च 2023 - शिफ्ट 2)*

(A) शिक्षण-अधिगम और मूल्यांकन
(B) परामर्श कार्य और प्रसार
(C) अवसंरचना एवं अधिगम संसाधन
(D) शिक्षण कर्मियों की नियुक्ति
(E) शासन एवं नेतृत्व

नीचे दिए गए विकल्पों में से सही उत्तर चुनें:

(a) (D) (b) (A), (B), (D)
(c) (B), (C), (E) (d) (B)

46. एनईपी 2020 के अनुसार सभी उच्च शिक्षा संस्थानों (एचईआई) को बहुविषयक होने तथा अधिकाधिक विद्यार्थियों के पंजीकरण का लक्ष्य किस वर्ष तक प्राप्त करना होगा? *(6 मार्च 2023 - शिफ्ट 2)*

(a) 2040 (b) 2035
(c) 2025 (d) 2045

47. प्राचीन काल में भारत के दक्षिणी भाग में निम्नलिखित में से किसने अधिगम और शिक्षण केन्द्रों के रूप में अपनी सेवाएँ प्रदान की? *(6 मार्च 2023 - शिफ्ट 1)*

(A) अग्रहार (B) घटिका
(C) ब्रह्मपुरी (D) मकतबास

नीचे दिए गए विकल्पों में से सही उत्तर चुनें:

(a) (A). (B) (b) (A), (C)
(c) (A). (B), (C), (D) (d) (A),(B), (C)

48. कथन I: संसद के अधिनियम के तहत केन्द्रीय विश्वविद्यालय की स्थापना की जाती है। *(6 मार्च 2023 - शिफ्ट 1)*

कथन II: भारत के प्रधानमंत्री केन्द्रीय विश्वविद्यालय के कुलाध्यक्ष (विजिटर) के दायित्व का निर्वहन करते हैं।

(a) कथन I और कथन II दोनों सही हैं
(b) कथन I और कथन II दोनों गलत हैं
(c) कथन I सही है लेकिन कथन II गलत है
(d) कथन I गलत है लेकिन कथन II सही है

49. भारत में उच्चतर शिक्षा प्रणाली निम्नलिखित में से किन मुख्य समस्याओं का सामना करती है? *(5 मार्च 2023 - शिफ्ट 2)*

(A) प्रचुर रूप से निधिकृत सार्वजनिक विश्वविद्यालय
(B) विषयों का कठोर विभागीकरण
(C) शिक्षकों और संस्थानों की सीमित स्वायत्तता
(D) विषयों में गुणवत्तापरक शोध पर कम बल
(E) पूर्व-स्नातक कार्यक्रम के कुछ महाविद्यालयों के साथ संबद्ध विश्वविद्यालय

नीचे दिए गए विकल्पों में से सही उत्तर चुनें:

(a) (A), (B), (C) (b) (B), (C), (D)
(c) (C), (D), (E) (d) (A), (D), (E)

50. कथन I: एनपीटीईएल इंजीनियरिंग प्रमुख विज्ञानों और चुनिंदा मानविकी और प्रबंधन संबंधित विषयों के पाठ्यक्रमों का विश्व में सबसे छोटा ऑनलाइन संग्रह (निक्षेपागार) है। *(4 मार्च 2023 - शिफ्ट 2)*

कथन II: एनपीटीईएल भारत सरकार के शिक्षा मंत्रालय द्वारा वित्त पोषित होने वाला, आईआईटी और आईआईएससी का एक संयुक्त उद्यम है और इसको वर्ष 2003 में आरम्भ किया गया था।

(a) कथन I और कथन II दोनों सही हैं
(b) कथन I और कथन II दोनों गलत हैं
(c) कथन I सही है लेकिन कथन II गलत है
(d) कथन I गलत है लेकिन कथन II सही है

51. कॉलम का मिलान कीजिए: *(3 मार्च 2023 - शिफ्ट 2)*

सूची-I	सूची-II
A. HECI का पहला वर्टिकल	I. सामान्य शिक्षा परिषद (जीईसी)
B. HECI का दूसरा वर्टिकल	II. राष्ट्रीय उच्च शिक्षा नियामक परिषद (एनएचईआरसी)
C. HECI का तीसरा वर्टिकल	III. राष्ट्रीय प्रत्यायन परिषद (एनएसी)
D. HECI का चौथा वर्टिकल	IV. उच्च शिक्षा अनुदान परिषद (एचईजीसी)

नीचे दिए गए विकल्पों में से सही उत्तर चुनें:

(a) (A)-(II), (B)-(III), (C)-(IV), (D)-(I)
(b) (A)-(III), (B)-(II), (C)-(IV), (D)-(I)
(c) (A)-(II), (B)-(IV), (C)-(III), (D)-(I)
(d) (A)-(III), (B)-(IV), (C)-(II), (D)-(I)

52. कथन I: NEP-2020 के अनुसार, नेशनल रिसर्च फाउण्डेशन (NRF) व्यावसायिक शिक्षा के एकीकरण के लिए एक राष्ट्रीय समिति (NCIVE) का गठन करेगा। *(3 मार्च 2023 - शिफ्ट 1)*

कथन II: NEP-2020 के अनुसार, गुणवत्तापूर्ण शिक्षा में उच्चतम वैश्विक मानकों को प्राप्त करने के लिए आईआईटी, आईआईएम के समकक्ष समग्र और बहु-विषयक शिक्षा के लिए मॉडल सार्वजनिक विश्वविद्यालय, जिन्हें एमईआरयू (बहु-विषयक शिक्षा और अनुसंधान विश्वविद्यालय) कहा जाता है, स्थापित किए जाएंगे।

(a) कथन I और कथन II दोनों सही हैं
(b) कथन I और कथन II दोनों गलत हैं
(c) कथन I सही है लेकिन कथन II गलत है
(d) कथन I गलत है लेकिन कथन II सही है

53. तक्षशिला एक महत्वपूर्ण पुरातात्विक स्थल है और यूनेस्को ने इसे किस वर्ष में एक विश्व धरोहर स्थल घोषित किया था। *(3 मार्च 2023 - शिफ्ट 1)*

(a) 1980 (b) 1990
(c) 1992 (d) 1978

54. कथन I: प्राचीन भारत में शिक्षा निःशुल्क थी। *(1 मार्च 2023 - शिफ्ट 2)*

कथन II: प्राचीन भारत में शिक्षा केन्द्रीकृत थी।

(a) कथन I और कथन II दोनों सही हैं
(b) कथन I और कथन II दोनों गलत हैं
(c) कथन I सही है लेकिन कथन II गलत है
(d) कथन I गलत है लेकिन कथन II सही है

55. निम्नलिखित में से कौन भारत के राज्य विश्वविद्यालय हैं? *(1 मार्च 2023 - शिफ्ट 2)*

(A) सरदार पटेल विश्वविद्यालय, गुजरात
(B) नागालैण्ड विश्वविद्यालय, नागालैण्ड
(C) आचार्य नागार्जुन विश्वविद्यालय, आंध्र प्रदेश
(D) गुवाहाटी विश्वविद्यालय, असम
(E) सिक्किम विश्वविद्यालय, सिक्किम

नीचे दिए गए विकल्पों में से सही उत्तर चुनें:

(a) (B), (D), (E) (b) (A), (B), (C), (E)
(c) (A), (C), (D) (d) (C), (D), (E)

56. भारत में शिक्षा की प्राचीन प्रणाली में निम्नलिखित में से किस प्राचीन ग्रंथ की शिक्षा शामिल थी? *(1 मार्च 2023 - शिफ्ट 1)*

(A) वेद (B) ब्राह्मण
(C) उपनिषद (D) धर्म सूत्र

नीचे दिए गए विकल्पों में से सही उत्तर चुनें:

(a) (A), (C) (b) (B), (D)
(c) (A), (C), (D) (d) (A), (B), (C), (D)

57. राष्ट्रीय शिक्षा नीति (2020) के अनुसार उच्च शिक्षा नियामक परिषद निम्नलिखित में से किसको छोड़कर सभी विषयों के लिये एकल बिन्दु नियामक होगी? *(12 अक्टूबर 2022 - शिफ्ट 1)*

(a) शिक्षक शिक्षा (b) चिकित्सीय और विधिक शिक्षा
(c) कृषि विज्ञान (d) प्रबंधन

58. निम्नलिखित में से कौन आधारभूत साक्षरता तथा सांख्यक्षमता संबंधी उच्च गुणवत्ता संसाधनों का राष्ट्रीय भण्डार है? *(12 अक्टूबर 2022 - शिफ्ट 1)*

(a) डिजिटल ज्ञान साझा अवसंरचना (दीक्षा)
(b) राष्ट्रीय मुक्त विद्यालय संस्थान (एनआईओएस)
(c) राष्ट्रीय मुक्त शैक्षिक संसाधन भण्डार (एनआरओईआर)
(d) राष्ट्रीय वृत्तिक शिक्षक मानदंड (एनपीएसटी)

59. निम्नांकित में से किन प्राचीन विश्वविद्यालयों का निर्माण विहारों के संबंध में हुआ? *(11 अक्टूबर 2022 - शिफ्ट 2)*

(A) नालंदा (B) वल्लभी
(C) तक्षेशिला (D) नवदीप
(E) ओदांतपुरी

नीचे दिए गए विकल्पों में से सही उत्तर चुनें:

(a) केवल (A) और (C)
(b) केवल (A), (C) और (D)
(c) केवल (A), (B), (C) और (E)
(d) केवल (A), (B) और (C)

60. **कथन I:** कौशल आधारित शिक्षा इस विचार पर केन्द्रित है कि यदि इसका अभ्यास वास्तविक जीवन में किया जाता है, तो इसे बेहतर तरीके से सीखा जा सकता है।

कथन II: गैर-पारम्परिक उच्च शिक्षा पूरी तहत शिक्षण-अधिगम संबंधी ऐसे क्रियाकलापों पर आधारित होती है जिन्हें निर्धारित समय पर संचालित ऑन-कैम्पस कक्षाओं में प्रदान किया जाता है। *(11 अक्टूबर 2022 - शिफ्ट 2)*

(a) कथन I और कथन II दोनों सत्य हैं
(b) कथन I और कथन II दोनों असत्य हैं
(c) कथन I सत्य है लेकिन कथन II असत्य है
(d) कथन I असत्य है लेकिन कथन II सत्य है

61. कॉलम का मिलान कीजिए: *(10 अक्टूबर 2022 - शिफ्ट 2)*

सूची-I	सूची-II
A. एनआईओएस	I. शिक्षक शिक्षा
B. एनसीटीई	II. तकनीकी शिक्षा
C. एआईसीटीई	III. व्यावसायिक शिक्षा
D. एनसीवीईटी	IV. दूरस्थ शिक्षा

नीचे दिए गए विकल्पों में से सही उत्तर चुनें:

(a) (A)-(IV), (B)-(I), (C)-(II), (D)-(III)
(b) (A)-(I), (B)-(II), (C)-(III), (D)-(IV)
(c) (A)-(II), (B)-(III), (C)-(IV), (D)-(I)
(d) (A)-(III), (B)-(IV), (C)-(I), (D)-(II)

62. निम्नलिखित में से राष्ट्रीय महिला शिक्षा परिषद द्वारा 1962 में नियुक्त की गई उस समितिं का अध्यक्ष कौन था, जिसे शिक्षा के सभी चरणों में लड़कों और लड़कियों की पाठयचर्या के विभेदन की जांच करने के लिए कहा गया था? *(10 अक्टूबर 2022 - शिफ्ट 2)*

(a) भक्तवत्सलम (b) हंसा मेहता
(c) दुर्गाबाई देशमुख (d) मास्ग्रेट कजिन्स

63. निम्नांकित में से क्या गणित से संबंधित प्राचीन ग्रन्थ है? *(10 अक्टूबर 2022 - शिफ्ट 1)*

(a) न्याय सूत्र (b) सांख्य कारिका
(c) सांख्य प्रवचन सूत्र (d) सल्व सूत्र

64. 1857 में पारित समावेशन अधिनियम में किस विश्वविद्यालय के प्रतिरूप पर आधारित कलकता, बंबई और मद्रास के विश्वविद्यालयों की स्थापना का प्रावधान किया गया था? *(8 अक्टूबर 2022 - शिफ्ट 2)*

(a) कैम्ब्रिज विश्वविद्यालय (b) हार्वर्ड विश्वविद्यालय
(c) ऑक्सफोर्ड विश्वविद्यालय (d) लंदन विश्वविद्यालय

65. निम्नलिखित में से किसने पहली बार यह माना था कि सरकार द्वारा महिला शिक्षा को 'स्पष्ट एवं हार्दिक समर्थन' देना चाहिए और वह इसके विस्तार के लिए प्रभावी उपाय करें? *(8 अक्टूबर 2022 - शिफ्ट 2)*

(a) महिला भारतीय संघ
(b) अखिल भारतीय महिला सम्मेलन
(c) वुड्स डिस्पैच
(d) नेशनल काउंसिल ऑफ वोरेन

66. शिक्षा पर पिछली राष्ट्रीय शिक्षा नीति -1986 को किस वर्ष संशोधित किया गया था: *(8 अक्टूबर 2022 - शिफ्ट 2)*

(a) 1990 (b) 1992
(c) 1087 (d) 1996

67. व्यावसायिक शिक्षा के संदर्भ में एनएसक्यूएफ के अनुसार सक्षमता स्तर (काम्पीट्सी लेवल) 8 निम्नलिखित में से किसके समतुल्य है? *(30 सितम्बर 2022 - शिफ्ट 2)*

(a) डॉक्टरेट डिग्री (b) स्नातक डिग्री
(c) डिप्लोमा (d) मास्टर डिग्री

68. राष्ट्रीय संस्थानिक श्रेणीक्रम रुपरेखा (एनआईआरएफ) द्वारा अपनाएं गए व्यापक मापदंडों में सम्मिलित हैं: *(29 सितम्बर 2022 - शिफ्ट 2)*

(A) अध्यापन, अधिगम और संसाधन
(B) स्नातक स्तर के परिणाम
(C) प्रसार और समावेश
(D) समकक्षों की धारणा
(E) निम्न कार्बन पदचिन्ह

नीचे दिए गए विकल्पों में से सही उत्तर चुनें:

(a) (A), (B), (C), (D) (b) (A), (B), (D), (E)
(c) (B), (C), (D), (E) (d) (A), (C), (D), (E)

69. निम्नलिखित में से कौन-सी यूजीसी की जिम्मेदारी नहीं है? *(5 जनवरी 2022 - शिफ्ट 2)*

(a) उच्च शिक्षा की गुणवत्ता को विनियमित करना।
(b) उच्च शिक्षा संस्थानों के परिसरों में अनुशासन बनाए रखना।
(c) संकाय की अनुसंधान परियोजनाओं को निधि देना।
(d) विश्वविद्यालयों को मॉडल पाठ्यक्रम का सुझाव देना।

70. कॉलम का मिलान कीजिए: *(5 जनवरी 2022 - शिफ्ट 1)*

सूची-I	सूची-II
A. आईसीएसएसआर	I. दर्शन
B. डीएसटी	II. सामाजिक विज्ञान
C. आईसीएमआर	III. विज्ञान
D. आईसीपीआर	IV. दवा

नीचे दिए गए विकल्पों में से सही उत्तर चुनें:
(a) (A)-(IV), (B)-(II), (C)-(I), (D)-(III)
(b) (A)-(I), (B)-(IV), (C)-(III), (D)-(II)
(c) (A)-(III), (B)-(I), (C)-(II), (D)-(IV)
(d) (A)-(II), (B)-(III), (C)-(IV), (D)-(I)

71. भारतीय विश्वविद्यालयों के संघ (एआईयू) की स्थापना निम्न के उद्देश्य से की गई है: *(26 दिसम्बर 2021 - शिफ्ट 2)*
(A) विश्वविद्यालयों की गुणवत्ता और मानकों को बनाए रखना।
(B) एक अंतर-विश्वविद्यालय संगठन के रूप में सेवा करना।
(C) विश्वविद्यालयों के बीच संचार, समन्वय और पारस्परिक परामर्श को सुविधाजनक बनाना।
(D) विभिन्न पाठ्यक्रम चलाने के लिए विश्वविद्यालयों को मान्यता देना।
(E) विश्वविद्यालयों और सरकारों के बीच एक संपर्क के रूप में कार्य करना।
नीचे दिए गए विकल्पों में से सही उत्तर चुनें:
(a) केवल (A), (B) और (C)
(b) केवल (B), (C) और (E)
(c) केवल (B), (C) और (D)
(d) केवल (A), (B), (C) और (D)

72. कॉलम का मिलान कीजिए: *(26 दिसम्बर 2021 - शिफ्ट 2)*

सूची-I	सूची-II
A. सीईसी	I. स्कूल से बाहर के छात्र
B. इग्नू	II. स्नातक शिक्षण
C. एनआईओएस	III. शिक्षक प्रशिक्षण कार्यक्रम
D. एनआईटीटीआर	IV. विद्यालय शिक्षा

नीचे दिए गए विकल्पों में से सही उत्तर चुनें:
(a) (A)-(III), (B)-(II), (C)-(I), (D)-(IV)
(b) (A)-(II), (B)-(I), (C)-(IV), (D)-(III)
(c) (A)-(I), (B)-(IV), (C)-(II), (D)-(III)
(d) (A)-(IV), (B)-(III), (C)-(II), (D)-(I)

73. उच्च शिक्षा में सकल नामांकन अनुपात (जीईआर) की गणना इस प्रकार की जाती है: *(26 दिसम्बर 2021 - शिफ्ट 1)*
(a) (उच्च शिक्षा में नामांकन की संख्या/18-23 आयु वर्ग में कुल जनसंख्या) × 100
(b) (उच्च शिक्षा में नामांकन की संख्या/18-23 आयु वर्ग में कुल जनसंख्या)
(c) (18-23 आयु वर्ग में उच्च शिक्षा में नामांकन की संख्या /18-23 आयु वर्ग में कुल जनसंख्या)
(d) (18-23 आयु वर्ग में उच्च शिक्षा में नामांकन की संख्या /18-23 आयु वर्ग में कुल जनसंख्या) × 100

74. केन्द्रीय विश्वविद्यालय हैं: *(26 दिसम्बर 2021 - शिफ्ट 1)*
(A) यूजीसी द्वारा स्थापित
(B) संसद के एक अधिनियम द्वारा स्थापित
(C) शिक्षा विभाग, भारत सरकार द्वारा स्थापित
(D) केन्द्र सरकार द्वारा द्वारा वित्त पोषित
(E) 'नीति आयोग' द्वारा वित्त पोषित
नीचे दिए गए विकल्पों में से सही उत्तर चुनें:
(a) केवल (A) और (D) (b) केवल (C) और (E)
(c) केवल (B) और (D) (d) केवल (B) और (E)

75. भारत का सबसे पुराना विश्वविद्यालय था: *(26 दिसम्बर 2021 - शिफ्ट 1)*
(a) नालंदा (b) तक्षशिला
(c) विक्रमशिला (d) मिथिला

76. शब्द 'ओपन लर्निंग' उन दृष्टिकोण का प्रतिनिधित्व करता है जो निम्न पर ध्यान केन्द्रित करते हैं- *(25 दिसम्बर 2021 - शिफ्ट 2)*
(A) शिक्षा और प्रशिक्षण प्रावधान के लिए खुली पहुंच
(B) शिक्षार्थियों को समय और स्थान की बाधाओं से मुक्त करना
(C) एक निर्दिष्ट पाठ्यक्रम के बिना सीखना और मूल्यांकन
(D) व्यक्तियों और शिक्षार्थियों के समूहों को लचीले सीखने के अवसर प्रदान करना
(E) छात्रों को किसी भी शैक्षिक भार से मुक्त करना
नीचे दिए गए विकल्पों में से सही उत्तर चुनें:
(a) केवल (A), (B) और (C) (b) केवल (A), (B) और (D)
(c) केवल (A), (B) और (E) (d) केवल (B), (C) और (D)

77. बाणभट्ट के कादंबरी में, अच्छी शिक्षा को 64 कला या कलाओं का ज्ञान होने के रूप में वर्णित किया गया है। इन 64 कलाओं में निम्नलिखित में से कौन-सा विषय सम्मिलित था? *(3 दिसम्बर 2021 - शिफ्ट 2)*
(a) केवल कला जैसे गायन और चित्रकारी
(b) केवल कला और व्यावसायिक पाठ्यक्रम
(c) कला, व्यावसायिक पाठ्यक्रम और चिकित्सा
(d) कला, व्यावसायिक पाठ्यक्रम, इंजीनियरिंग, चिकित्सा, गणित विज्ञान और कई अन्य विषय।

78. भारत की नियति उसकी कक्षाओं में आकार ले रही है। यह कहा गया है *(1 दिसम्बर 2021 - शिफ्ट 2)*
(a) एनपीई 1986 (b) एनकेसी रिपोर्ट
(c) शिक्षा आयोग (d) विश्वविद्यालय शिक्षा आयोग

79. NSFQ के स्तरों की श्रृंखला के अनुसार योग्यता का आयोजन करता है *(1 दिसम्बर 2021 - शिफ्ट 2)*
(a) ज्ञान, कौशल, अनुभव (b) कौशल, अनुभव, योग्यता
(c) ज्ञान, कौशल, योग्यता (d) कौशल, उपलब्धि, योग्यता

80. NEP-2020 में उच्च शिक्षा की परिकल्पना की गई है: *(30 नवम्बर 2021 - शिफ्ट 1)*
(A) मानव के साथ-साथ सामाजिक कल्याण को बढ़ावा देने में महत्वपूर्ण भूमिका निभा रहा है।
(B) समाज या सार्वजनिक जुड़ाव में कोई आर्थिक योगदान के बिना व्यक्तिगत उपलब्धियों के लिए सक्षम प्रणाली

(C) संज्ञानात्मक कौशल के विकास और सीखने के परिणामों को प्राप्त करने पर कम जोर देने वाली प्रणाली

(D) पूर्व विद्यालय से उच्च शिक्षा तक सीखने के प्रत्येक चरण में शामिल किए जाने वाले कौशल और मूल्यों के पहचाने गए सेट के साथ एक प्रणाली

(E) एक प्रणाली जिस प्रणाली के सामने आने वाली चुनौतियों से पार पाने के लिए पूरी तरह से सुधार और सक्रिय करने की आवश्यकता है

नीचे दिए गए विकल्पों में से सही उत्तर चुनें:

(a) केवल (A), (B) और (C) (b) केवल (B), (C) और (D)
(c) केवल (C), (D) और (E) (d) केवल (A), (D) और (E)

81. एआईसीटीई निम्नलिखित में से किस क्षेत्र में मानकों के रखरखाव से संबंधित नहीं है? *(30 नवम्बर 2021 - शिफ्ट 1)*

(a) होटल प्रबंधन (b) टाउन प्लानिंग
(c) फार्मेसी (d) नर्सिंग

82. प्राचीन बौद्ध शिक्षा प्रणाली में, छात्र को मठ में भर्ती होने के बाद सभी सांसारिक और पारिवारिक संबंधों को त्यागना पड़ता था। इसे कहा गया था। *(30 नवम्बर 2021 - शिफ्ट 1)*

(a) प्रवाज्य: (b) उपसंपुदा
(c) संवर्तन (d) उपनयन

83. कॉलम का मिलान कीजिए: *(29 नवम्बर 2021 - शिफ्ट 1)*

सूची-I	सूची-II
A. सांख्य	I. गौतम
B. न्याय	II. कनाडा
C. वैशेषिक	III. कपिला
D. पूर्वमीमांसा	IV. जामनी

नीचे दिए गए विकल्पों में से सही उत्तर चुनें:

(a) (A)-(I), (B)-(III), (C)-(IV), (D)-(II)
(b) (A)-(II), (B)-(I), (C)-(IV), (D)-(III)
(c) (A)-(III), (B)-(I), (C)-(II), (D)-(IV)
(d) (A)-(IV), (B)-(III), (C)-(II), (D)-(I)

84. प्राचीन काल के वे विश्वविद्यालय जिन्हें यूनेस्को ने धरोहर स्थल घोषित किया है: *(24 नवम्बर 2021 - शिफ्ट 1)*

(A) मिथिला (B) वल्लभी
(C) पुष्पगिरि (D) तक्षशिला
(E) नालंदा

नीचे दिए गए विकल्पों में से सही उत्तर चुनें:

(a) केवल (A) और (B) (b) केवल (B) और (C)
(c) केवल (C) और (D) (d) केवल (D) और (E)

85. कॉलम का मिलान कीजिए: *(24 नवम्बर 2021 - शिफ्ट 1)*

सूची-I	सूची-II
A. कानूनी शिक्षा के मानक निर्धारित करना	I. एनसीटीई
B. तकनीकी शिक्षा की गुणवत्ता बनाए रखना	II. एआईसीटीई
C. शिक्षक शिक्षा में मानकों का रखरखाव	III. एनएमसी
D. गुणवत्तापूर्ण और किफायती चिकित्सा शिक्षा तक पहुंच	IV. बीसीआई

नीचे दिए गए विकल्पों में से सही उत्तर चुनें:

(a) (A)-(IV), (B)-(II), (C)-(I), (D)-(III)
(b) (A)-(I), (B)-(II), (C)-(IV), (D)-(III)
(c) (A)-(II), (B)-(III), (C)-(IV), (D)-(I)
(d) (A)-(III), (B)-(IV), (C)-(I), (D)-(II)

86. निम्नलिखित में से कौन यूजीसी के पहले अध्यक्ष थे? *(22 नवम्बर 2021 - शिफ्ट 1)*

(a) श्री हुमायूं कबीर (b) श्री सी.डी. देशमुख
(c) श्री एम. मूलगांवकर (d) मूलचंद शर्मा

87. निम्नांकित में से कौन सर्वोच्च सलाहकारी और गैर-सांविधिक निकाय है? *(22 नवम्बर 2021 - शिफ्ट 1)*

(a) नीति आयोग (b) एनसीटीई
(c) एआईसीटीई (d) एमसीआई

88. NEP-2020 में कौन पाठ्यक्रम ढांचा तैयार करने का प्रस्ताव है? *(22 नवम्बर 2021 - शिफ्ट 1)*

(A) स्कूली शिक्षा के लिए राष्ट्रीय पाठ्यचर्या की रूपरेखा
(B) प्रौढ़ शिक्षा के लिए राष्ट्रीय पाठ्यचर्या की रुपरेखा
(C) शिक्षक शिक्षा के लिए राष्ट्रीय पाठ्यचर्या की रूपरेखा
(D) तकनीकी शिक्षा के लिए राष्ट्रीय पाठ्यचर्या की रूपरेखा
(E) व्यावसायिक शिक्षा के लिए राष्ट्रीय पाठ्यचर्या की रूपरेखा

नीचे दिए गए विकल्पों में से सही उत्तर चुनें:

(a) केवल (A), (C) और (E) (b) केवल (B), (C) और (D)
(c) केवल (A), (B) और (C) (d) केवल (C) और (D)

89. कॉलम का मिलान कीजिए: *(22 नवम्बर 2021 - शिफ्ट 1)*

सूची-I (उच्च शिक्षा संबंधी)	सूची-II (डिजिटल पहलें प्रयोजन)
A. स्वयं	I. शैक्षिक अधिनिर्णयों, यथा-उपाधियों, अंक-पत्रों आदि की ऑनलाइन उपलब्धता और भण्डारण
B. स्वयंप्रभा	II. भौतिक अवस्थिति से असंयुक्त, वैयक्तिक ई-दस्तावेजों का भण्डारण और उपलब्धता
C. डिजिलॉकर	III. कहीं भी और किसी भी समय उच्चस्तरीय शिक्षा के लिए एमओओसी (मूक्स)
D. एनएडी	IV. उच्चस्तरीय शिक्षा के लिए नि:शुल्क डीटीएच चैनल

नीचे दिए गए विकल्पों में से सही उत्तर चुनें:
(a) (A)-(III), (B)-(IV), (C)-(II), (D)-(I)
(b) (A)-(IV), (B)-(III), (C)-(I), (D)-(II)
(c) (A)-(IV), (B)-(III), (C)-(II), (D)-(I)
(d) (A)-(II), (B)-(I), (C)-(III), (D)-(IV)

90. वैदिक काल की प्रख्यात विदुषी महिलाएं हैं-
(11 नवम्बर 2020 - शिफ्ट 1)
(A) गार्गी (B) मैत्रेयी
(C) संघमित्रा (D) विश्वंभरा
(E) अपाला
नीचे दिए गए विकल्पों में से सही उत्तर चुनें:
(a) (A), (B), (C), (D) (b) (B), (C), (D), (E)
(c) (A), (B), (D), (E) (d) (A), (C), (D), (E)

91. उच्च शिक्षा संस्थानों और विश्वविद्यालयों की अटल रैंकिंग निम्नलिखित में से किन उपलब्धियों के साथ जुड़ी है?
(4 नवम्बर 2020 - शिफ्ट 1)
(a) मौलिक विज्ञान अनुसंधान
(b) नवाचार और उद्यमिता विकास
(c) दूरस्थ शिक्षा प्रविधि
(d) पर्यावरणीय रूप से संधारणीय पद्धतियों का संवर्धन

92. भारत में "संस्कृत विद्यापीठ" जैसी उच्च शिक्षण संस्थानों के माध्यम से दी जानेवाली शिक्षा निम्नलिखित में से किसका उदाहरण है?
(17 अक्टूबर 2020 - शिफ्ट 2)
(a) गैर-पारंपरिक अधिगम कार्यक्रम
(b) मूल्य आधारित शिक्षा कार्यक्रम
(c) प्राच्य अधिगम कार्यक्रम
(d) व्यावसायिक शिक्षा कार्यक्रम

93. कथन I: मानित विश्वविद्यालय (डीम्ड टू बी यूनिवर्सिटी) असम्बद्ध विश्वविद्यालय होता है।
कथन II: किसी मानित विश्वविद्यालय में शिक्षक-विद्यार्थी अनुपात आवश्यक रूप से 1:10 से कम नहीं होना चाहिए।
(1 अक्टूबर 2020 - शिफ्ट 1)
(a) कथन I और कथन II दोनों सत्य हैं
(b) कथन I और कथन II दोनों असत्य हैं
(c) कथन I सत्य है लेकिन कथन II असत्य है
(d) कथन I असत्य है लेकिन कथन II सत्य है

94. निम्नलिखित में से किस प्राचीन विश्वविद्यालय ने अन्य विषयों के साथ-विशेष विषय 'वज्रयान बौद्धमत' के शिक्षण को भी उपलब्ध करवाया? *(30 सितम्बर 2020 - शिफ्ट 1)*
(a) मिथिला विश्वविद्यालय (b) जगदला विश्वविद्यालय
(c) नालंदा विश्वविद्यालय (d) ओदंतपुरी विश्वविद्यालय

95. शैक्षणिक सम्प्रेषण के संस्थानों का कालक्रमानुसार क्रम है:
(A) एआईआर
(B) सीईसी
(C) यूजीसी - देश भर की कक्षा
(D) ज्ञानवाणी
नीचे दिए गए विकल्पों में से सही उत्तर चुनें:
(a) (A), (C), (B), (D) (b) (A), (B), (C), (D)
(c) (B), (C), (A), (D) (d) (D), (A), (B), (C)

96. कथन I: भारत में उच्च शिक्षा संस्थानों की गुणवत्ता और समन्वय बनाए रखने का वैधानिक उत्तरदायित्व यूजीसी का है।
कथन II: एनसीटीई भारत में शिक्षक शिक्षा का एक निकाय होने के नाते यूजीसी के नियंत्रण के अंतर्गत आता है।
(29 सितम्बर 2020 - शिफ्ट 2)
(a) कथन I और कथन II दोनों सही हैं
(b) कथन I और कथन II दोनों गलत हैं
(c) कथन I सही है लेकिन कथन II गलत है
(d) कथन I गलत है लेकिन कथन II सही है

97. राष्ट्रीय उच्चतर शिक्षा अभियान (आरयूएसए), एक केन्द्र प्रायोजित योजना जिसका उद्देश्य पात्र राज्य उच्च शैक्षणिक संस्थानों को रणनीतिक वित्त पोषण प्रदान करना है, कब शुरू की गई थी?
(25 सितम्बर 2020 - शिफ्ट 1)
(a) 2010 (b) 2011
(c) 2012 (d) 2013

98. वर्ष 2003 में मानव संसाधन विकास मंत्रालय (MHRD) द्वारा राष्ट्रीय प्रौद्योगिकी संवर्धित अधिगम कार्यक्रम (NPTEL) को निम्नलिखित की गुणवत्ता में सुधार करने के लिए शुरू किया गया था:
(24 सितम्बर 2020 - शिफ्ट 2)
(a) चिकित्सा शिक्षा (b) कृषि शिक्षा
(c) इंजीनियरी शिक्षा (d) विधिक शिक्षा

99. भारत के संविधान के निम्नलिखित में से किस प्रविष्टि में उच्च शिक्षा संस्थाओं अथवा अनुसंधान संस्थाओं अथवा वैज्ञानिक और तकनीकी संस्थाओं में मानकों के समन्वय और निर्धारण का उल्लेख है?
(24 सितम्बर 2020 - शिफ्ट 1)
(a) प्रविष्टि 63 (b) प्रविष्टि 64
(c) प्रविष्टि 65 (d) प्रविष्टि 66

100. कथन I: पराविद्या का अभिप्राय वह ज्ञान है जो मनुष्य के अनुभवों से परें है।
कथन II: अपराविद्या का अभिप्राय उस ज्ञान से है जो मनुष्य के अनुभव पर आधारित है। *(24 सितम्बर 2020 - शिफ्ट 1)*
(a) कथन I और कथन II दोनों सत्य हैं
(b) कथन I और कथन II दोनों असत्य हैं
(c) कथन I सत्य है लेकिन कथन II असत्य है
(d) कथन I असत्य है लेकिन कथन II सत्य है

उत्तर

1. (b)	**2.** (a)	**3.** (d)	**4.** (d)	**5.** (d)	**6.** (d)	**7.** (c)	**8.** (b)	**9.** (c)	**10.** (d)
11. (b)	**12.** (c)	**13.** (b)	**14.** (a)	**15.** (c)	**16.** (b)	**17.** (b)	**18.** (b)	**19.** (b)	**20.** (c)
21. (b)	**22.** (b)	**23.** (c)	**24.** (d)	**25.** (b)	**26.** (c)	**27.** (d)	**28.** (d)	**29.** (d)	**30.** (b)
31. (b)	**32.** (b)	**33.** (d)	**34.** (d)	**35.** (b)	**36.** (c)	**37.** (d)	**38.** (d)	**39.** (a)	**40.** (c)
41. (d)	**42.** (c)	**43.** (a)	**44.** (b)	**45.** (a)	**46.** (a)	**47.** (d)	**48.** (c)	**49.** (b)	**50.** (d)
51. (a)	**52.** (d)	**53.** (a)	**54.** (c)	**55.** (c)	**56.** (d)	**57.** (b)	**58.** (a)	**59.** (c)	**60.** (c)
61. (a)	**62.** (b)	**63.** (d)	**64.** (d)	**65.** (c)	**66.** (b)	**67.** (d)	**68.** (a)	**69.** (b)	**70.** (d)
71. (b)	**72.** (b)	**73.** (a)	**74.** (c)	**75.** (b)	**76.** (b)	**77.** (d)	**78.** (c)	**79.** (c)	**80.** (d)
81. (d)	**82.** (a)	**83.** (c)	**84.** (d)	**85.** (a)	**86.** (b)	**87.** (a)	**88.** (c)	**89.** (a)	**90.** (c)
91. (b)	**92.** (c)	**93.** (c)	**94.** (b)	**95.** (a)	**96.** (c)	**97.** (d)	**98.** (c)	**99.** (d)	**100.** (a)

विस्तृत समाधान और संकेत

क्या आप किसी कठिन प्रश्न को हल करने में संघर्ष कर रहे हैं या संशय में हैं?

चिंता न करें! ऊपर दिए गए प्रश्नों के विस्तृत समाधान और उपयोगी संकेत प्राप्त करने के लिए इस QR कोड को स्कैन करें।

क्या आप जानते हैं? इस खंड में दिए गए प्रश्न पिछली UGC NET परीक्षाओं (2020–2025) से हैं और अक्सर परीक्षा में दोहराए जाते हैं। उन्हें समझने से आपका स्कोर काफी बढ़ सकता है। इसलिए, उत्तर कुंजी को सिर्फ सरसरी तौर पर न पढ़ें – विस्तृत व्याख्याओं को देखने और प्रत्येक प्रश्न की पूरी समझ हासिल करने के लिए इस QR कोड को स्कैन करें।

QR कोड काम नहीं कर रहा है? QR कोड के साथ दिए गए संसाधनों तक पहुँचने के लिए आंतरिक फ्रन्ट कवर पर दिए गए निर्देशों का पालन करें

क्या आप और अधिक अभ्यास करना चाहते हैं? इस इकाई से **अतिरिक्त 200+ अभ्यास प्रश्नों** तक पहुँचने के लिए इस QR कोड को स्कैन करें। McGraw Hill EDGE प्लेटफॉर्म UGC NET परीक्षा इंटरफेस की नकल करता है, जो आपको एक यथार्थवादी परीक्षा अनुभव प्रदान करता है और आपको वास्तविक परीक्षा प्रारूप से परिचित होने में मदद करता है। यह आपको समय का बेहतर प्रबंधन करने में मदद करता है और आपको परीक्षा के दबाव में MCQ को सटीक रूप से हल करने के लिए तैयार करता है।